Atlas der Polymer- und Kunststoffanalyse

Atlas of Polymer and Plastics Analysis

HUMMEL/SCHOLL

Atlas der Polymer- und Kunststoffanalyse

Atlas of Polymer and Plastics Analysis

Zweite, völlig neu bearbeitete Auflage

Second, completely revised edition

Band 1
Polymere: Struktur und Spektrum
von

Volume 1
Polymers: Structures and Spectra
by

Prof. Dr. Dieter O. Hummel, Cologne

Band 2
Kunststoffe, Fasern, Kautschuk, Harze; Ausgangs- und Hilfsstoffe, Abbauprodukte
von

Volume 2
Plastics, Fibres, Rubbers, Resins; Starting and Auxiliary Materials, Degradation Products
by

Prof. Dr. Dieter O. Hummel, Cologne

Band 3
Zusatzstoffe und Verarbeitungshilfsmittel
von

Volume 3
Additives and Processing Aids
by

Dr. Friedrich Scholl, Stuttgart

Carl Hanser Verlag
Munich · Vienna
Verlag Chemie
Weinheim · Deerfield Beach, Florida · Basel
Verlag Chemie International
Deerfield Beach, Florida · Weinheim · Basel

HUMMEL/SCHOLL

Atlas der Polymer- und Kunststoffanalyse

Atlas of Polymer and Plastics Analysis

Zweite, völlig neu bearbeitete Auflage

Second, completely revised edition

Band 2
Kunststoffe, Fasern, Kautschuk, Harze; Ausgangs- und Hilfsstoffe, Abbauprodukte

Volume 2
Plastics, Fibres, Rubbers, Resins; Starting and Auxiliary Materials, Degradation Products

Teil a/I
Einführung, Klassifikation, Spektren

Part a/I
Introduction, Classification, Spectra

von / by

Prof. Dr. Dieter O. Hummel, Cologne

Carl Hanser Verlag
Munich · Vienna
Verlag Chemie
Weinheim · Deerfield Beach, Florida · Basel
Verlag Chemie International
Deerfield Beach, Florida · Weinheim · Basel

Prof. Dr. Dieter O. Hummel
Institut für Physikalische Chemie der Universität
Luxemburger Straße 116
D-5000 Köln 41

2. Nachdruck, 1990, der 2. Auflage 1984/2nd reprint, 1990, of 2nd edition 1984

Translator: Dr. Frank Hampson, Saarbrücken
Publisher's Editor: Dr. Hans F. Ebel
Production Manager: Dipl.-Ing. (FH) Hans Jörg Maier

This book contains 2769 spectra

Deutsche Bibliothek Cataloguing-in-Publication Data

CIP-Kurztitelaufnahme der Deutschen Bibliothek

Atlas der Polymer- und Kunststoffanalyse / Hummel ; Scholl. –
Munich ; Vienna : Hanser ; Weinheim ; Deerfield Beach, Florida ; Basel : Verlag Chemie ;
Deerfield Beach, Florida ; Weinheim ; Basel : Verlag Chemie Internat.
Engl. Ausg. u.d.T.: Atlas of polymer and plastics analysis. –
Verl. Chemie teilw. mit d. Verlagsorten Weinheim, New York. –
Teilw. nur im Hanser-Verl., München, Wien u. im Verl. Chemie,
Weinheim, Deerfield Beach, Florida, Basel
1. Aufl. u.d.T.: Atlas der Kunststoff-Analyse

NE: Hummel, Dieter O. [Mitverf.]; Scholl, Friedrich [Mitverf.]

Bd. 2. Kunststoffe, Fasern, Kautschuk, Harze, Ausgangs- und Hilfsstoffe, Abbauprodukte.
Teil a. Spektren. – 2., völlig neu bearb. Aufl. – 1984.
ISBN 3-446-12563-9 (Hanser)
ISBN 3-527-25798-5 (Verl. Chemie)
ISBN 0-89573-013-8 (Verl. Chemie Internat.)

Process Engraving: Georg Gehringer GmbH, D-6750 Kaiserslautern
Typesetting, Printing and Bookbinding: Wiesbadener Graphische Betriebe GmbH, D-6200 Wiesbaden
Printed in the Federal Republic of Germany

Vorwort

Fünfeinhalb Jahre sind vergangen, seit der erste, zweieinhalb, seit der dritte Band dieses Werkes erschienen ist. In dieser Zeit hat sich etwas vollzogen, was man getrost als Revolution in der Infrarotspektrometrie bezeichnen mag: die Einführung des Computers als Hilfe bei der Steuerung der Spektrometer, bei der Normierung der Spektren, bei der Speicherung der Daten und schließlich bei der „automatischen" Spektreninterpretation. (Die Anführungszeichen stehen, weil der Computer den Spektroskopiker nicht ersetzt, sondern ihm hilft.) Knapp die Hälfte der Spektren für diesen Band war schon mit „gedächtnislosen" Geräten gemessen worden, vor allem mit dem treuen, aber hochbetagten Beckman IR 12, als computerunterstützte dispersive Geräte und Fourier-Interferometer für den IR-Bereich (FTIR-Spektrometer) auf den Markt kamen. Ein solches Gerät für die Arbeiten am Atlas zu erwerben, war unmöglich, mit den alten Geräten weiterzuarbeiten, schien unvernünftig. Durch eine Vereinbarung mit der Perkin-Elmer Corp. in Norwalk konnten wir die Messungen mit dem PE 580 B fortsetzen; die gespeicherten Daten wird PE ihrer digitalisierten Spektrenbibliothek einverleiben und mit ihrer Datenstation anbieten. Eine kleinere Zahl von Spektren wurde mit einem Nicolet-Interferometer FTIR 7199 gemessen, das zur Ausstattung im Institut des Autors gehört.

Der vorliegende Doppelband (Band 2, Teile a/I und a/II) sollte die Spektren anwendungstechnisch definierter makromolekularer Stoffe (zu denen wir hier auch die Harze zählen wollen) enthalten, dazu die Spektren von Ausgangs-, Abbau- und Hilfsstoffen. Schließlich schien es mir nützlich, auch die Spektren von Vertretern der wichtigsten organischen Verbindungsklassen und von anorganischen Stoffen zu zeigen. Bei der Auswahl der Stoffe versuchte ich, für alle in irgendeiner Hinsicht interessanten Stoffklassen einige Vertreter zu finden. Bei der Wahl der Firmen ging ich den jeweils bequemsten Weg. Zu unserem Glück zeigte es sich, daß viele Firmen bereit waren, Muster und Informationen zur Verfügung zu stellen. Andererseits gibt es „Exoten", die nur von einer Firma hergestellt werden und oft genug teuer sind. Hier scheuten wir keinen Aufwand, um in den Besitz des seltenen Stückes zu gelangen. Gelegentlich war es notwendig, Lücken mit Laborpräparaten zu schließen; dies gilt vor allem für homologe Reihen (polymere Acrylate, Methacrylate und dergleichen). Ganz sicher sind Lücken geblieben; vielleicht ist sogar die eine oder andere wichtige Stoffklasse überhaupt nicht vertreten. Hier wäre ich für Hinweise und erst recht für die Überlassung von Mustern dankbar. Schließlich muß ich gestehen, daß ich einige Produkte, die wir in unserer Sammlung hatten, in den Atlas aufnahm, obwohl ich wußte, daß sie nicht mehr hergestellt werden. Ein Werk, das einen längeren Zeitraum überdeckt, kann nicht in einem kurzatmigen Sinne aktuell sein, und was gestern interessant war, kann es morgen wieder sein.

Einige Überschneidungen gibt es mit dem dritten Band (von F. Scholl): Etliche Ausgangsstoffe, Härter und Anorganika finden sich hier wie dort. Dies ergab sich oft zufällig, meist war es gewollt: Jeder Band sollte für sich allein dem Anspruch seines Titels genügen; die Themen ließen sich aber nicht immer scharf abgrenzen. Der Vergleich zeigt übrigens, daß die Spektroskopikerinnen in Stuttgart und Köln einander ebenbürtig sind. Mein besonderes Kompliment gilt Frau Hannelore Fuchs (Robert Bosch GmbH, Stuttgart), die schon die Spektren für die Kunststoff-, Lack- und Gummi-Analyse (Carl Hanser, 1958) gemessen und auch zum Atlas Wesentliches beigetragen hat.

Foreword

Five and a half years have passed by since the first and two and a half since the third volume of this work were published. During this time what may be confidently termed a revolution has taken place in infrared spectroscopy: the introduction of computers as an aid to controlling the spectrometer, for normalizing the spectra, for storing the data and finally for "automatic" interpretation of spectra. (The quotation marks are used because the computer does not replace the spectroscopist but assists him). Almost half the spectra for this volume had been recorded on "memoryless" instruments, particularly on the old faithful, but aged Beckman IR 12, when computer-assisted dispersive instruments and Fourier interferometers for the infrared region (FTIR spectrometers) came on the market. It was impossible to acquire such an apparatus for the Atlas and it did not seem sensible to carry on with the older instruments. An agreement with the Perkin Elmer Corp. in Norwalk enabled us to carry on the data acquisition with a PE 580 B; PE will incorporate the stored data in their digitized spectrum library and make it available through their data station. A small number of spectra was recorded with a Nicolet FTIR 7199 interferometer belonging to the author's Institute.

The double volume now available (Volume 2, parts a/I and a/II) includes the spectra of technically applied macromolecular materials (to which we wish to assign the miscellaneous resins), together with the spectra of starting materials, decomposition products and additives. Finally, it seemed to be useful to include the spectra of representatives of the most important classes of organic compounds and inorganic materials. I have tried to find several representatives of each class of any interest. I have taken the easiest way out in my choice of manufacturers. Luckily many companies were ready to make samples and information available to us. On the other hand there are the "exotics" that are only manufactured by one company and are often expensive. Here we spared no expense to acquire the rare material. Occasionally it was necessary to close gaps with laboratory preparations; this was particularly the case for homologous series (polymeric acrylates, methacrylates and so on). It is absolutely certain that gaps remain; it is even possible that an important class of substances is not represented at all. In such cases I would be grateful for information and, in particular, for samples. Finally, I have to admit that I have included some products from our collection that are no longer manufactured. A work that covers a long period of time cannot be current in the short-term sense, and what was of interest yesterday may be again tomorrow.

There is some overlap with the third Volume (by F. Scholl): Several intermediates, curing agents and fillers are found both here and there. This was often accidental, but usually intentional: Each volume ought of itself to fulfil the pretensions of its title; the themes do not always allow of a sharp distinction. This fact also has its advantages: Some materials, which are only represented in the second volume by a proprietary name and a general classification are represented in Volume 3 as defined compounds and vice versa. Comparison reveals that the spectroscopists in Stuttgart and Cologne are equally good. I must particularly compliment Frau Hannelore Fuchs (Robert Bosch GmbH, Stuttgart), who had previously recorded the spectra for *Kunststoff-, Lack- und Gummi-Analyse* (Carl Hanser, 1958) and who has also made a significant contribution to the Atlas.

The spectra in Volume 1 are classified according to a decimal

Die Anordnung der Spektren in Band 1 folgte einer dort erläuterten Dezimaleinteilung. Da diese auch für große Teile von Band 2 und schließlich auch für eine digitalisierte Spektrenbibliothek verwendet werden sollte, wurde sie gründlich durchgesehen und an einigen Stellen verbessert. Bei dieser Arbeit wurden einige Fehler, vornehmlich bei Summenformeln und Dezimalziffern, in Band 1 entdeckt. Ein Faltblatt mit Korrekturen liegt dem Band 2, Teil a/I bei. Die Änderungen in der Dezimaleinteilung für definierte Polymere (Kategorien **2**...**9**) waren nicht sehr gravierend; sie sind im Band 2 durchweg berücksichtigt. Die Dezimaleinteilung für anwendungstechnisch definierte Stoffe (Kategorie 1) wurde im Band 1 nur grob skizziert und fand dort keine Verwendung. Wir haben sie jetzt im Detail ausgearbeitet, und sie liegt dem Band 2 zugrunde. Die Tenside wurden herausgenommen; sie sollen später in einem besonderen Werk behandelt werden. Die im Band 2, Teil a/I abgedruckte Dezimaleinteilung (**1**...**9**) gilt für alle Stoffe von Band 1 und Band 2 und wird auch für Suchprogramme verwendet. Die Numerierung der Spektren wurde lückenlos fortgesetzt: Band 1 endete mit dem Spektrum 1903, Band 2 beginnt mit dem Spektrum 1904. Lediglich zwischen den Nummern der Spektren in den Bänden 2 und 3 klafft eine Lücke; sie mag sich für Ergänzungsspektren als nützlich erweisen.

Der Benutzer dieses Bandes mag sich wundern, etwas mehr als 200 Ramanspektren (4465...4673) von Polymeren und niedermolekularen Stoffen zu finden. Diese Spektren wurden – für Vergleichszwecke – nach Qualität und Nützlichkeit ausgesucht; sie wurden in den spektroskopischen Laboratorien der BASF AG, der Chemischen Werke Hüls AG und unseres Instituts gemessen.

Das Werk enthält nach wie vor keine Kernresonanzspektren. Die Nützlichkeit der NMR-Spektroskopie in der Polymeranalytik ist unbestritten. Bei Vielkomponentensystemen, vor allem Lackharzen, ist das ^{13}C-NMR-Spektrum oft aussagefähiger als das IR-Spektrum; meist kann es auch quantitativ ausgewertet werden. Die „magic angle spinning"-NMR-Spektroskopie macht auch unlösliche Polymere einer NMR-Analyse zugänglich. Eine umfassende und systematische Sammlung der ^{1}H- und ^{13}C-NMR-Spektren von Polymeren zusammen mit einer gründlichen Einführung in das Gebiet wäre aber ein Werk für sich.

Das Textbuch zu den vorliegenden Spektrenbänden (Band 2, Teile a/I und a/II) wird als Band 2, Teil b der Nachzügler werden. Es war bei allem gutem Willen nicht möglich, eine neue Spektrensammlung und einen weitgehend neuen Text mit gleicher Intensität voranzutreiben. Die Verleger haben sicher gut daran getan, die Publikation des Spektrenteils deswegen nicht aufzuhalten.

Die vielen Personen, Firmen und Institutionen, die mir Muster zur Verfügung gestellt haben, kann ich hier nicht aufführen; ihnen allen gilt mein herzlichster Dank. Meinem Dienstherrn, dem Land Nordrhein-Westfalen, danke ich für die Konzession, meinem spektroskopischen Hobby zur Linken frönen zu dürfen, wenn ich meinen Lehr- und Forschungsverpflichtungen zur Rechten nachkomme. Der Fakultät danke ich, daß sie mich mit Ämtern verschont hat.

Elsbeth Zoschke und Ilse Vierling haben wiederum die Hauptarbeit beim Spektroskopieren und Ordnen geleistet; A. Baum, I. Holland-Moritz und M. Winter sind eingesprungen, wann immer es nötig war. A. und D. Bielecki haben unschätzbare Dienste beim Überarbeiten der Dezimaleinteilung, beim Ordnen und Korrigieren von Spektren und Legenden, und schließlich beim Korrekturlesen geleistet. Die Damen H. Graff, H. Zimmermann und H. Jarke haben ungezählte Briefe und Legenden geschrieben, Spektren geordnet und geklebt. Schließlich danke ich herzlich der BASF AG (H. Günzler, H. Böck) und der Chemische Werke Hüls AG (G. Peitscher, H. Hoffmann et al.) für die Überlassung von Ramanspektren, der BASF Farben + Fasern AG, Werk Münster (E. Knappe, I. Schnell) für die Herstellung zahlreicher Laborpräparate und für die Überlassung von Reinchemikalien und Spektren.

Köln, im Herbst 1983 D. O. Hummel

classification system described there. Since this was to be reused for large parts of Volume 2 and also for a digitized spectrum library, it has been thoroughly reviewed and improved in some places. During this work some errors, mainly of empirical formulae and decimal numbers, were discovered in Volume 1. Volume 2, part a/I contains a correction leaflet. The corrections to the decimal classification system for defined polymers (categories **2**...**9**) were not very serious; they are all taken into account in Volume 2. The decimal classification for materials defined by technical application (category 1) was only outlined roughly in Volume 1 and was not used there. We have now worked out the details and they form the basis of Volume 2. Surface active agents have been omitted; they are to be treated later in a separate work. The decimal classifications (**1**...**9**) apply to all the substances in Volumes 1 and 2 and are also used for search programs. The numbering of the spectra follows on from Volume 1 without a gap. Volume 1 ends with spectrum 1903 and Volume 2 begins with spectrum 1904. There is, however, a gap in the numbering between Volumes 2 and 3; this may turn out to be of use for supplementary spectra.

The users of this volume may be surprised to find more than 200 Raman spectra (4465...4673) of polymers and low molecular weight materials. These spectra have been chosen – for comparative purposes – according to quality and utility; they were recorded in the spectroscopic laboratories of BASF AG, of Chemische Werke Hüls AG and of our Institute.

As before this work does not contain any nuclear magnetic resonance spectra. The utility of NMR spectroscopy in the analysis of polymers is unquestioned. For multicomponent systems, the finish resins in particular, the ^{13}C NMR spectrum is often more informative than the IR spectrum, it can also be interpreted quantitatively in the majority of cases. Magic angle spinning NMR spectroscopy makes insoluble polymers accessible to NMR analysis. A comprehensive and systematic collection of ^{1}H and ^{13}C NMR spectra of polymers together with a thorough introduction to the topic would be a complete work in its own right.

The text covering these spectrum volume (volume 2, parts a/I and a/II) will be published later as Volume 2, part b. With the best will in the world it was not possible to work on a new collection of spectra and a largely new text with the same intensity. The publishers have, therefore, made a wise decision in not delaying the spectrum portion on this account.

The many individuals, companies and institutions who have contributed samples cannot be enumerated here; but I thank them most heartily. I thank my employers, the State of North Rhine-Westphalia, for the concession of allowing me to pander to my spectroscopical hobby with my left hand so long as I fulfilled my research and teaching obligations with my right. I thank my faculty for going light on me with other duties. Once again Elsbeth Zoschke and Ilse Vierling have done the donkey work in terms of spectrum copying and arranging; A. Baum, I. Holland-Moritz and M. Winter have leapt in whenever necessary. A. and D. Bielecki have performed invaluable work in reviewing the decimal classification and in the classification and correction of spectra and legends, and in proofreading. The ladies H. Graff, H. Zimmermann and H. Jarke have written innumerable letters and legends and classified and glued innumerable spectra. Finally my grateful thanks are due to BASF AG (H. Günzler, H. Böck) and the Chemische Werke Hüls AG (G. Peitscher, H. Hoffmann et al.) for supplying Raman spectra, to BASF Farben + Fasern AG, Werk Münster (E. Knappe, I. Schnell) for many laboratory preparations and for supplying pure chemicals and spectra.

Cologne, Autumn 1983 D. O. Hummel

Inhalt

Band 2, Teil a/I

Band 2, Teil a/II

Contents

Volume 2, Part a/I

Volume 2, Part a/II

Einführung

Präparation der Proben, Messen und Normieren der Spektren

Die meisten Stoffe zeigen hohe Absorptivitäten (Extinktionskoeffizienten) in irgendeinem Bereich der infraroten Strahlung. Um das Absorptionsspektrum im Bereich zwischen 100% und 10% Durchlässigkeit darstellen zu können, muß die Schichtdicke der Probe meist in der Größenordnung von 10 µm liegen.

Flüssigkeiten wurden als kapillare Schicht (5...10 µm) oder (mit Spacer) als Schicht mit grob definierter Dicke (meist 15 µm) gemessen. Lösliche, nicht kristallisierbare Stoffe mit niederem Erweichungspunkt (Harze) wurden als Film aus Lösung auf das Kristallmaterial gebracht oder zwischen zwei Scheiben aufgeschmolzen. Das Lösemittel wurde bei 50 °C im Ölpumpenvakuum einige Stunden lang abgezogen, meist über Nacht.

Bei Zimmertemperatur kristalline, niedermolekulare oder anorganische Stoffe wurden in KBr dispergiert und gepreßt. Das KBr stammte meist aus einkristallinen Bruchstücken. Trotz eines zwischen die Ölpumpe und das Preßwerkzeug geschalteten Wattefilters ließ sich das Eindringen von Spuren des Pumpenöls in das Präparat nicht vermeiden. Bei den mit dispersiven Geräten ohne Computer gemessenen Präparaten wurden adsorbiertes Wasser und die Spuren von Kohlenwasserstoffen spektroskopisch subtrahiert; die Vergleichssubstanz war eine „leere“ KBr-Scheibe. Später, mit computerunterstützten Geräten, wurde die Subtraktion rechnerisch mit Hilfe der gespeicherten Spektren einiger „leerer“ KBr-Scheiben mit unterschiedlichem Gehalt an H_2O und Kohlenwasserstoffen durchgeführt.

Auch bei unlöslichen Polymeren und bei Fasern wurde die KBr-Technik angewandt. Durch Zerkleinern des Materials bei der Temperatur des flüssigen Stickstoffs in der Schwingmühle ließ sich eine sehr viel feinere und gleichmäßigere Verteilung im KBr, ein geringerer Anteil an „Falschlicht“ bei der Durchstrahlung der Probe und schließlich ein besseres Spektrum erzielen.

Niedrigschmelzende Polymere (bis etwa 150 °C) wurden auf der Kofler-Heizbank zwischen KBr-Scheiben zu gleichmäßigen Filmen geschmolzen und langsam abgekühlt. Höherschmelzende Polymere wurden zwischen Al-, Ti- oder Teflon-Folien in einer Heizpresse zu Filmen gepreßt. Da eine Oxidation des jeweiligen Präparats nur mit großem experimentellem Aufwand (Pressen unter Schutzgas) vermieden werden kann, wurden lösliche Polymere als Filme aus Lösung präpariert. Als Nachteil muß hier in Kauf genommen werden, daß bestimmte Lösemittel hartnäckig im Polymeren festgehalten werden ($CHCl_3$ oder CH_2Cl_2 in polymeren Chlorkohlenwasserstoffen, Dimethylformamid in Polyacrylnitril oder Acrylnitril-Copolymeren, Dimethylsulfoxid in zahlreichen Polymeren). Lösemittelbanden haben wir (wenn wir sie entdeckten) gekennzeichnet; meist wurde dasselbe Polymere noch mit einem anderen Lösemittel präpariert. Spektroskopische oder rechnerische Subtraktion der Absorptionen des reinen Lösemittels führt häufig zu Artefakten, da die Wechselwirkungen des Polymeren mit dem molekulardispersen Lösemittel dessen Spektrum verändern.

Leicht hydrolysierbare Stoffe wurden, wenn sie kohlenwasserstofflöslich waren, mit Paraffinöl gemischt und so gemessen. Die Absorptionen des Paraffinöls lassen sich anschließend subtrahieren. Wenn das Subtraktionsverfahren vermieden werden soll, bietet sich das „spektroskopische Paar“ Paraffinöl und Perfluorkerosin an: Letzteres absorbiert nicht im CH-Bereich, ersteres nicht im Bereich der CF-Schwingungen. Diese beiden Flüssigkeiten eignen sich auch als Dispersionsmittel für feste Stoffe, wenn die KBr-Technik nicht angewandt werden kann.

Introduction

Preparation of samples, measurement and normalization of the spectra

Most substances exhibit strong absorptions (large absorptivities) somewhere in the infrared region. In order to present the absorption spectrum in the transmission range 100% to 10%, the thickness of the sample has usually to be of the order of 10 µm.

Liquids were recorded as capillary films (5...10 µm) or as films with a roughly defined thickness (spacer), usually 15 µm. Soluble noncrystallizable materials with low softening points (resins) were applied to the carrier crystal as films from solution or melted between two crystal plates. The solvent was removed at 50 °C in the oil pump vacuum for several hours, usually overnight.

Low molecular weight or inorganic substances that were crystalline at room temperature were dispersed in KBr and pressed. The KBr was mainly obtained from pieces of single crystal. In spite of a cotton wool filter between the oil pump and the pressing apparatus, it was not possible to avoid contamination with traces of pump oil. Preparations that were recorded on dispersive instruments without a computer were compensated spectroscopically for traces of water and hydrocarbons by using a KBr disc pressed without sample as the blank. Later, with computer-supported instruments, the subtraction was made by calculation using the stored absorption data for blank KBr discs containing various amounts of water and hydrocarbons.

The KBr technique was also used for insoluble polymers and fibers. Grinding of the materials in a ball mill at the temperature of liquid nitrogen allowed much finer and more homogeneous distribution of the sample in KBr, a much lower proportion of stray light on irradiating the sample and, finally, a much better spectrum.

Low melting polymers (up to about 150 °C) were melted to uniform films between KBr discs on a Kofler heating bench and then slowly cooled. Higher melting polymers were pressed to films between Al, Ti or PTFE foils using a heated press. Since the oxidation of these samples is only avoidable with a great deal of experimental effort (pressing under a mantle of protective gas), soluble polymers were prepared as films from solution. Here the disadvantage has to be accepted that certain solvents are obstinately retained by polymers ($CHCl_3$ or CH_2Cl_2 in polymeric chlorinated hydrocarbons, dimethylformamide in polyacrylonitrile or acrylontrile copolymers, dimethyl sulfoxide in numerous polymers). Solvent bands have been labelled (when we have recognized them); in most cases the same polymer has been prepared using another solvent. Spectroscopic or calculated subtraction of the spectrum of the pure solvent often leads to artifacts since interactions between the polymer and the molecularly dispersed solvent alter its spectrum.

If they were soluble in hydrocarbons, easily hydrolyzable materials were mixed with paraffin oil and then recorded; the absorptions of the paraffin oil were then subtracted. The use of the “spectroscopic pair” paraffin oil and perfluorokerosene is recommended when subtraction techniques are to be avoided. The latter does not absorb in the CH region and the former not in the region of the CF vibrations. Both these liquids are also suitable for dispersing solids when the KBr technique cannot be applied.

CsI crystals were employed as windows when instruments, particularly the Beckmann IR 12, were used that can operate down to 200 cm^{-1}. However, recordings were usually only made down to 300 cm^{-1} because the radiation energy between 300 cm^{-1} and 200 cm^{-1} is so small that the noise level is high. Apart from this H_2O bands occur in this region, which cannot be compensated for

Bei Geräten, die bis 200 cm^{-1} reichten, insbesondere beim Beckman IR 12, wurde CsI als Kristallmaterial verwendet. In der Regel wurde jedoch nur bis 300 cm^{-1} gemessen, da die Strahlungsenergie zwischen 300 cm^{-1} und 200 cm^{-1} so gering wird, daß der Störpegel hoch ist. Außerdem treten in diesem Bereich H_2O-Banden auf, die bei ungleichen Strahlengängen nicht mehr auskompensiert werden. Bei Geräten, die bis 400 cm^{-1} reichten, wurde KBr als Kristallmaterial verwendet. KBr als Dispersionsmaterial bei der Preßtechnik läßt sich auch jenseits 400 cm^{-1} verwenden, wenn im Vergleichsstrahlengang eine leere Scheibe gleicher Dicke eingesetzt wird. Thalliumbromidiodid (KRS-5) wurde bei Stoffen verwendet, die Alkalihalogenidkristalle auflösen. Zu beachten ist, daß KRS-5 giftig und in einigen organischen Flüssigkeiten löslich ist.

Die mit dem PE 580 B gemessenen Spektren wurden, wo dies möglich war, mit dem ABEX-Programm normiert: Das gesamte Spektrum wird so umgerechnet, daß die intensivste Bande die Absorbanz (Extinktion) 1.5 hat. Zugleich wird das Spektrum so gelegt, daß der Bereich höchster Durchlässigkeit im Spektrum die Linie völliger Durchlässigkeit (100% T, Absorbanz 0) tangiert. Dieses Programm läßt sich nicht anwenden, wenn die stärkste Bande in ihrem Maximum die Absorbanz 1.5 überschreitet. Hierauf wurde bei der Präparation der Proben geachtet, sofern nicht aus irgendeinem Grund (z. B. Hervorheben schwacher Absorptionsbanden) eine große Schichtdicke verwendet werden mußte. Stark wellenzahlabhängiger Absorptionsuntergrund, wie er z. B. im kurzwelligen Teil des Spektrums von KBr-Dispersionen beobachtet wird, wurde mit dem Programm FLAT angepaßt. Hoher Störpegel, z. B. bei stark gedehnten Spektren, wurde mit einem der SMOOTH-Programme geglättet, allerdings nur, wenn eine Beeinträchtigung der spektralen Information nicht zu befürchten war. Zu beachten ist, daß das PE 580 B ohnehin schon geglättete Spektren aufzeichnet.

Die Ramanspektren wurden in diesem Institut mit einem Jarrell-Ash- oder mit einem Cary-Ramanspektrometer gemessen; als anregendes Licht wurde das eines Argonionen- oder eines Helium-Neon-Lasers verwendet. Stark fluoreszierende Proben wurden, wenn dies möglich war, gereinigt (z. B. durch Umfällen). Oft ließ sich die Fluoreszenz auch „ausbrennen“ (durch chemische Veränderung löschen), indem die Probe längere Zeit der Laserstrahlung ausgesetzt wurde. Flüssigkeiten wurden im Glas- oder Quarzröhrchen gemessen, Festkörper in einer besonderen Halterung, die genaues Justieren im Laserstrahl ermöglicht.

Spektrenlegenden

Zu jedem Spektrum gehört jeweils eine Legende, die die wichtigsten Informationen über die gemessene Substanz enthält: Handelsname, Hersteller, chemische Zusammensetzung, Summenformel der chemischen Wiederholungseinheit oder der Molekel, bei niedermolekularen Stoffen die Molmasse, Aussehen, Anwendung, Präparationstechnik, Spektrometer und Meßtechnik, besondere Angaben, laufende Nummer und Dezimalzahl. Wenn bei den IR-Spektren eine besondere Angabe des Spektrometers fehlt, wurde das jeweilige Spektrum mit dem Beckman IR 12 gemessen.

Bei der Angabe der chemischen Zusammensetzung und der Anwendung habe ich mich an Firmeninformationen (z. B. Merkblätter) oder an Informationen des jeweiligen Laboratoriums gehalten. Nur wenn keine oder nur sehr allgemeine Informationen zu erhalten waren, habe ich das jeweilige Spektrum zu Rate gezogen. Bei der Wiedergabe der Anwendungsmöglichkeiten mußte ich mich auf das Wichtigste beschränken; qualifizierende Adjektive mußten wegfallen. Wenn keine spezifizierenden Angaben (mehr) zu erhalten waren, wurde wenigstens die allgemeine Kategorie angegeben (Lackharz, thermoplastischer Kunststoff, Härter für Epoxidharze usw.).

Die den einzelnen Legendenzeilen oder -abschnitten vorgesetzten Zahlen haben nicht immer dieselbe Bedeutung. Es gibt aber nur 5 Hauptgruppen (Infrarotspektren makromolekularer Natur- und

with unequal incident radiation. KBr was employed for instruments that operate down to 400 cm^{-1}. KBr can be employed as dispersing agent in the pressing technique beyond 400 cm^{-1} if a blank KBr disc of the same thickness is inserted in the compensation beam. Thallium bromide iodide (KRS-5) was used for materials which would have dissolved the alkali halides. It should be noted that KRS-5 is toxic and is soluble in some organic solvents.

The spectra that were recorded on the PE 580 B were normalized, when possible, by means of the ABEX program. The whole spectrum is so recalculated, that the most intense band had an absorbance (extinction) of 1.5. The spectrum was simultaneously laid out so that the region of highest spectral transmission is tangental to the line of complete transmission (100% T, absorbance 0). This program cannot be used if the strongest band has an absorbance of more than 1.5. This was taken into account during sample preparation, in so far as it was not necessary to use a thick film for some reason (e.g. to emphasize weak absorption bands). Strongly wavelength-dependent absorption backgrounds, such as occur at short wavelengths in the spectra of KBr dispersions, were allowed for by the FLAT program. High noise levels, in strongly expanded spectra for example, were smoothed using one of the SMOOTH programs, but only, however, if there was no danger of causing a deterioration of the spectral data. It should be noted moreover that the PE 580 B already produces smoothed spectra.

The Raman spectra were produced in this department using either a Jarrell-Ash or a Cary Raman spectrometer. Either an argon ion or a helium-neon laser was used to produce the exciting radiation. Highly fluorescent samples were purified, (e.g. by reprecipitation) when this was possible. Often the fluorescence could be "burned out" (quenched by chemical reaction), if the sample was irradiated in the laser beam for an extended period. Liquids were recorded in glass or quartz tubes, solids in a special holder, that allowed their exact adjustment in the laser beam.

Spectrum legends

Each spectrum is provided with a legend, containing the most important information concerning the sample: Trade name, manufacturer, chemical composition, empirical formula of the repeating unit or the molecule, the molar mass of low-molecular compounds, the appearance, application, method of preparation, spectrometer and recording technique, special information, running number and decimal classification. If the type of spectrometer is not indicated then the spectrum was recorded on a Beckman IR 12.

The information concerning chemical composition and application has been drawn from the manufacturer's information (e.g. brochures) or from information provided by the laboratory concerned. Only when the information was limited or entirely absent have I included information obtained by interpreting the spectrum. I have had to restrict myself to the most important information concerning application; qualifying adjectives had to be omitted. If no more specific information was available, then at least the general category (paint resin, thermoplastic resin, curing agent for epoxy resins, etc.) has been included.

The individual portions of the legends and numbered sections do not always have the same importance. There are, however, only 5 main groups (infrared spectra of macromolecular natural products and synthetics + additives, infrared spectra of low-molecular materials, infrared spectra of inorganic materials, Raman spectra of macromolecular materials, Raman spectra of low-molecular materials), which have individual legend keys. The appropriate legend key is given before each group.

Use of the decimal classification

The decimal classification (DC) already introduced in Volume 1 was esteemed by some reviewers. Otherwise stout-hearted colleagues

Werkstoffe + Hilfsstoffe, Infrarotspektren niedermolekularer Stoffe, Infrarotspektren anorganischer Stoffe, Ramanspektren makromolekularer Stoffe, Ramanspektren niedermolekularer Stoffe), zu denen jeweils ein bestimmter Legendenschlüssel gehört. Jeder dieser Hauptgruppen ist der zugehörige Schlüssel vorangestellt.

Gebrauch der Dezimaleinteilung

Die schon dem 1. Band zugrundegelegte Dezimaleinteilung (DE) fand bei einigen Rezensenten achtungsvolle Zustimmung. Ansonsten beherzte Kolleginnen und Kollegen bezeichneten sie als furchteinflößend. Es geht mir selbst mit einigen anderen Ordnungssystemen ebenso. Ich möchte versuchen, der nun vollständig ausgearbeiteten DE ihren Schrecken zu nehmen und zu zeigen, daß sie in Wirklichkeit recht einfach zu handhaben ist und, was das Wichtigste ist, ein sehr umfangreiches, chemisch höchst verschiedenartiges Material unter einen Hut bringt. Im 1. Band findet sich (S. XIII...XV) eine Erläuterung der DE für definierte Polymere. Das Wichtigste sei hier wiederholt.

Definierte Polymere können Homo- und Copolymere sein. Ihre chemische Natur wird durch die Art der Monomereinheiten in der Kette und durch die Art ihrer Verknüpfung festgelegt. Durch eine Dezimalzahl (DZ), bestehend aus einer Folge von Ziffern 1...9, wird die chemische Natur einer Monomereinheit, mindestens aber ihre Zugehörigkeit zu einer bestimmten chemischen Kategorie, festgelegt. Die DZ gibt keine Information über die Art der Verknüpfung von Monomereinheiten. Copolymere werden dadurch charakterisiert, daß die DZ der verschiedenen Monomereinheiten durch Bindestriche verknüpft werden. Redundanzen können eliminiert werden (s. u.).

Die DZ einer Monomereinheit enthält vorangesetzt (und halbfett gedruckt) ein Elementsymbol, das Zahl und Art der Elemente in der Monomereinheit festlegt. An diese Ziffernfolge schließt sich eine weitere an, die die Strukturinformation, also eine Auskunft über die Art der Verknüpfung dieser Elemente, enthält.

Die erste Ziffer der DZ von definierten Polymeren gibt die Zahl der verschiedenen Elemente in der Monomereinheit (**2**...**6**) oder die Zugehörigkeit zu besonderen Polymerklassen an (**7**...**9**). (Die Ziffer **1** bleibt reserviert für anwendungstechnisch definierte Stoffe.) Die folgenden Ziffern charakterisieren die Natur der Elemente in der Monomereinheit in alphabetischer Folge: C, H, Hal (F, Cl, Br, I), N, O, S. Hierdurch wird das Elementsymbol definiert, begrenzt und leicht lesbar:

21	CH	**31**	CHHal	**41**	CHHalX
22	CHal	**32**	CHN	**42**	CHNX
23	CN	**33**	CHO		**421** CHNO
...					**422** CHNS

Der halbfette Satz erleichtert die Lesbarkeit. Nötig ist er nicht; das ist wichtig für die Speicherung der Dezimalzahlen und für ihre Verwendung bei Suchprogrammen: Der Computer kann halbfett und mager nicht unterscheiden.

Beispiel für ein Homopolymer: Poly(cis-butenylen). Die Monomereinheit besteht aus C und H (**21**), aliphatisch ungesättigt (12), unverzweigt und enthält eine C=C-Bindung (11). Die DZ ist also **21**1211.

Polystyrol besteht aus C und H (**21**), ist aliphatisch-aromatisch mit der aromatischen Gruppierung in der Seitenkette (22), enthält nur gesättigte aliphatische Gruppen (1), eine Vinylgruppe (1) und einen unsubstituierten Phenylrest (1): **21**22111.

Ein Butadien-Styrol-Kautschuk wäre dann (wenn das Butadien nur 1,4-verknüpft wäre) **21**1211 − **21**22111. Offensichtlich ist **21**/CH redundant. Wir schreiben also: **21**(1211 − 22111). Für den Computer ist die erste Formulierung einfacher.

Fehlende Strukturinformationen haben eine Verkürzung des „Strukturanteils" der DZ zur Folge. Wenn wir sicher sind, daß ein

described it as being awe-inspiring. I have just that feeling about some other classification systems. I would like to try to draw the teeth of the DC system, which has now been worked out in its entirity, and to demonstrate that in reality it is very simple to operate and, even more important, makes it possible to bring together a very wide range of material of the most various chemical constitution into one system. The DC system for defined polymers is described in Volume 1 (pp. XIII...XV). The most important features will be repeated here.

Defined polymers may be either homo or copolymers. Their chemical nature depends on the type of the monomer unit and the manner in which the monomer units are joined together. The chemical nature of a monomer unit is described by a decimal number (DN), consisting of a series of digits 1...9, which, at the very least, places the monomer in a particular chemical category. The DN does not contain information concerning the manner in which the monomers are joined together. Copolymers are characterized by the hyphenated DNs of the individual monomers. Redundancies may be eliminated (see below). The DN of a monomer unit is prefixed by an element symbol (printed in semi-bold type), which describes the number and types of element in the monomer unit. The series of numbers is followed by another that contains the structural information, that is information concerning the manner in which the elements are joined together.

The first digit of the DN denotes the number of elements in the monomer unit (**2**...**6**) or its membership of a particular polymer class (**7**...**9**). The digit **1** is reserved for materials defined in terms of their technical application. The following digits characterize the nature of the elements in the monomer unit in alphabetical order: C, H, Hal (F, Cl, Br, I), N, O, S. The element symbol is thus defined, circumscribed and easily read:

21	CH	**31**	CHHal	**41**	CHHalX
22	CHal	**32**	CHN	**42**	CHNX
23	CN	**33**	CHO		**421** CHNO
...					**422** CHNS.

The semi-bold type facilitates readability. It is not necessary; this is important for the storage of the decimal numbers and their use in search programs. The computer cannot distinguish between semi-bold and light type.

Example for a homopolymer: Poly(cis-butenylene). The monomer unit consists of C and H (**21**), is unsaturated aliphatic (12), unbranched and contains a C=C bond (11). The DN is therefore **21**1211.

Polystyrene contains C and H (**21**), is aliphatic-aromatic with the aromatic linkage in the side chain (22), contains only saturated aliphatic groups (1), a vinyl group (1) and an unsubstituted phenyl residue (1): **21**22111.

A butadiene-styrene rubber would be (if the butadiene were only 1,4 bonded) **21**1211 − **21**22111. The **21**/CH is obviously redundant so we can write: **21**(1211 − 22111). The first formulation is simpler for the computer.

Missing pieces of structural information have the effect of shortening the DN. If it is certain that an unsaturated styrene copolymer is to be described and it has been shown to contain only CH then the DN (if it contains mainly styrene) becomes **21**(22111 − 12). This method can be applied to all the parts of the DC for defined polymers, including the attaching of "naked" element symbols.

This DC can be used to describe all representatives of category **1** which are actually macromolecular and in the limit consist of defined polymers. These are the polymeric plastics (including the structural thermoplastic resins) (**11**), the fibers (**12**) and the elastomers (**13**). In these cases the DN for the polymer, copolymer or polymer mixture is simply prefixed by the two-digit number designating the technical category. Polymer mixtures are distinguished from copolymers by the use of a plus sign instead of

ungesättigtes Styrolcopolymer vorliegt und nur CH nachgewiesen ist, lautet die DZ (bei überwiegendem Styrolanteil) **21**(22111 – 12). Diese Methode läßt sich auf alle Teile der DE für definierte Polymere anwenden, bis hin zur Verknüpfung „nackter" Elementsymbole.

Diese DE läßt sich allen Vertretern der Kategorie **1** zugrundelegen, die im eigentlichen Sinne makromolekular sind und im Grenzfalle aus definierten Polymeren bestehen. Das sind die polymeren Kunststoffe (**11**), die Fasern (**12**) und die Elastomeren (**13**). Hier wird einfach der DZ für das Polymer, Copolymer oder Polymergemisch die zweistellige Zahl vorangestellt, die die technische Kategorie bezeichnet. Bei Gemischen tritt, im Gegensatz zu den Copolymeren, das Pluszeichen an die Stelle des Bindestrichs. Ein Polymergemisch aus Polyvinylchlorid und Poly(butadien-co-styrol-co-acrylnitril), das einen schlagzähen Kunststoff repräsentiert, erhält also die DZ **11**[**3121**111 + **21**(1211 – 22111) – **322**151]. Für den Computer ist wieder die redundante Langform einfacher: **113121**111 + **13211**211 – **132**122111 – **13322**151. Da das Copolymer für sich allein ein Elastometer darstellt, muß dies in der DZ ausgedrückt werden. In der gekürzten Form kann darauf verzichtet werden, da der Stoff insgesamt zur Kategorie **11** gehört.

Die Harze (Kategorie **14**) haben nur eines gemeinsam: ihren Zustand, der irgendwo zwischen flüssig und (physisch) fest liegt. Die wichtigsten Vertreter sind die Lackharze; ihnen zugesellt wurden Harze für andere Zwecke (ausgenommen Klebstoffe), Naturharze und schließlich Dispersionen für Überzüge und Oberflächenbehandlung. Die chemische Zusammensetzung der Vertreter dieser Kategorie ist höchst unterschiedlich. Etliche sind Polymere und könnten der DE für definierte Polymere unterworfen werden; die meisten jedoch besitzen zahlreiche verschiedene Struktureinheiten und lassen sich von der chemischen Struktur her schlecht definieren. Es mußte also eine eigene Dezimaleinteilung geschaffen werden, die chemische und anwendungstechnische Gesichtspunkte vereinigt. Da nur neun „Schubladen" zur Verfügung standen, mußten manche mit verschiedenen (wenngleich in irgendeiner Weise ähnlichen) Stoffgruppen gefüllt werden, so die Kategorie **144** mit Kohlenwasserstoff- und Phenolharzen und die Kategorie **146** mit Harzen, die Ether- und/oder alkoholische Gruppen tragen.

Offensichtlich mußten hier Kompromisse geschlossen werden. Zugunsten der Vereinfachung mußte in Kauf genommen werden, daß ein und derselbe Stoff, z. B. Polyvinylacetat, an verschiedenen Stellen in der gesamten DE auftaucht: als definiertes Polymer (**33**721111), als Dispersion für die Oberflächenbehandlung (**14**791) und als Klebstoff (**1533**721111). Die Cellulose und ihre Derivate können als Kunststoffe, Lackharze und Klebstoffe Verwendung finden. Cellulosenitrat z. B. bekommt als Lackharz die DZ **14**36, als Klebstoff die DZ **15421**1613 (Klebstoff aus definiertem CHNO-Polymer: **15421**, aliphatischer Salpetersäureester mit zusätzlichen CHO-Funktionen: 1613).

Klebstoffe sind wie Lackharze anwendungstechnisch optimiert und stellen oft komplizierte Gemische dar. Sie sollten also nicht mit letzteren zusammengepackt werden, auch wenn dann Überschneidungen unvermeidlich wurden. Den Klebstoffen wurde also, zusammen mit verwandten Systemen (Haftvermittler, Kitte, Zemente usw.) eine eigene Kategorie **15** zugewiesen. Es zeigte sich, daß hier in der Mehrzahl der Fälle die DE für definierte Polymere zugrundegelegt werden konnte. Freilich muß zugegeben werden, daß die Abgrenzung zu den Harzen unscharf ist und die DZ sowohl aus **14** als auch aus **15** gewählt werden könnte.

Gänzlich eigene Ordnungssysteme verlangen die Hilfsstoffe: Härter, Initiatoren und Beschleuniger (**16**) und Öle, Wachse, Teere (**17**). Bei den Härtern etc. wurden zunächst die Systeme angegeben, die gehärtet werden sollen, und hernach die chemische Natur der Stoffe dieser Kategorie **16**. Daß die Härter sowohl im 2. als auch im 3. Band auftreten, ist keine Panne. Im dritten finden sich vor allem chemisch definierte Härter, wogegen im zweiten die wichtigsten Handelsmarken vertreten sind, die uns zugänglich waren. Außerdem finden sich in **14** und **15** zahlreiche Spektren ungehärteter und

a hyphen. A polymer mixture made of polyvinyl chloride and poly(butadiene-co-styrene-co-acrylonitrile), that constitutes an impact-resistant plastic, thus receives the DN **11**[**3121**111 + **21**(1211 – 22111) – **322**151]. Once again the redundant extended form is simpler for the computer: **113121**111 + **13211**211 – **132**122111 – **13322**151. Since the copolymer by itself constitutes an elastomer, this must be included in the DN. This may be omitted in the short form, since the mixture as a whole belongs to category **11**.

The miscellaneous resins (category **14**) – which do not include the structural thermoplastic resins which are categorized as plastics (11) – only have in common their physical state, which lies in the region between liquidity and (physical) solidity. The paint and finish resins constitute the most important group; also included are resins manufactured for other purposes (excepting adhesives and structural thermoplastic resins), natural resins and, finally, dispersions for coatings and surface treatment. The chemical composition of members of this group is highly varied. Some are polymers and can be described using the DC for defined polymers; most, however, possess many different strucural units and are very difficult to define in terms of chemical structure. It is, therefore, necessary to devise a special decimal classification for them, that combines chemical composition and technical application. Since only 9 "pigeon holes" are available, some of them must be allocated to different (but in some way similar) material groups, such as category **144** with hydrocarbon and phenol resins and category **146** with resins containing ether and/or alcohol groups.

Compromise is obviously necessary here. It has to be accepted in the interest of simplicity that one and the same substance, e.g. polyvinyl acetate, crops up in different places within the DC: as defined polymer (**33**721111), as dispersion for surface treatment (**14**791) and as adhesive (**1533**721111). Cellulose and its derivatives find application as plastics, paint and finish resins and as adhesives. Cellulose nitrate, for example, is designated **14**36 as a paint resin, **15421**1613 as an adhesive (adhesive from defined CHNO polymer: **15421**, aliphatic nitrate ester with additional CHO functions: 1613).

Adhesives, like paint and finish resins, are optimized in composition for the particular application and often constitute complex mixtures. They ought not to be included with the latter even if overlapping is inevitable. The adhesives and related materials (adhesion promotors, putties, cements, etc.) are, therefore, assigned their own category **15**. It transpires that, in most cases, the DC for defined polymers can be used. It must be admitted that the boundary with the miscellaneous resins is rather fuzzy and DN **14** could be chosen instead of **15**.

The additives require a complete classification system of their own; curing agents, initiators and accelerators (**16**) and oils, waxes, tars (**17**). For curing agents the system that is to be cured is specified first and then the chemical nature of the category **16** material itself. It is no accident that curing agents are to be found in the 2nd as well as in the 3rd Volume. Chemically defined curing agents are located in the latter while the most important commercial brands are to be found in the former. Apart from this numerous spectra of cured and uncured resins are to be found classified under **14** and **15** so that it seemed of value to illustrate the spectra of the relevant curing agents.

Before setting out the DC for low-molecular substances **18** it had to be clarified whether monomers and pyrolysates are to be placed in separate "pigeon holes", or if they are to be distributed amongst the numerous chemically defined categories of the DC. It seemed simplest to combine them in a single category and to categorize them according to the DC for defined polymers. "Monomers" include everything that can be polymerized, i.e. that is included or could be included in the DC as a polymer. After **181** had been fixed, then **182**...**189** could be so assigned that the digits after **18** once again represented elements (up to a maximum of 6 different elements). So that an analogy exists to the DC-defined polymers:

gehärteter Harze, so daß es nützlich schien, auch die Spektren der zugehörigen Härter zu zeigen.

Bei der Aufstellung der DE niedermolekularer Stoffe (**18**) mußte zunächst geklärt werden, ob Monomere und Pyrolysate eigene „Schubladen“ bekommen, oder ob sie in die zahlreichen Fächer einer nach chemischen Gesichtspunkten geschaffenen DE verteilt werden sollten. Es zeigte sich schließlich, daß es am einfachsten wäre, sie in einer gemeinsamen Kategorie zu vereinigen und die Unterteilung nach der DE definierter Polymere zu machen. „Monomer“ sollte alles sein, was sich polymerisieren läßt, also auch als Polymer in der DE vorkommt oder vorkommen könnte. Nachdem **181** vergeben war, konnte **182**...**189** so festgelegt werden, daß die Ziffern nach **18** wiederum Elementsymbole (bis zu maximal 6 verschiedenen Elementen) ergaben. Es besteht also eine Analogie zur DE definierter Polymere:

1821 niedermolekulare CH-Verbindung (Kohlenwasserstoff)
1822 niedermolekulare CHal-Verbindung
  18221 CF-Verbindung
  18222 CCl-Verbindung
....
186 Stoffe aus 6 verschiedenen Elementen

Ein wichtiger Unterschied zur DE definierter Polymere besteht darin, daß bei CHN- und CHO-Verbindungen auch Heteroelemente zugelassen werden, wenn sie die chemische Natur des jeweiligen Stoffes, die zur Einordnung in ein bestimmtes Fach geführt hat, nicht berühren. Benzidin und Diaminodiphenylether sind aromatische Amine, die sich nur durch eine aromatische Etherfunktion unterscheiden; sie gehören beide nach **1832**13. Umgekehrt wird Ethanolamin, ebenfalls eine CHNO-Verbindung, bei CHO(X) unter **1833**115 (Alkohole mit weiteren Heterofunktionen) geführt, weil das Spektrum durch die OH-Gruppe bestimmt wird. Unzweifelhaft wird hierdurch ein willkürliches Prinzip eingeführt, auch sind Mehrfachplacierungen nicht ausgeschlossen. Sollte es sich in der Praxis zeigen, daß eine eindeutige Zuordnung von Elementsymbol und Verbindung vorzuziehen ist, müßte eine Erweiterung der DE für niedermolekulare Stoffe in Kauf genommen werden.

187 und **188** wurden wiederum in Analogie zur DE definierter Polymere für deuterierte und für Verbindungen mit Heteroelementen (zusätzlich zu Hal, N, O, S) reserviert. **189** hätte für metallorganische Verbindungen verwendet werden können. Da diese aber im Zusammenhang mit dem ATLAS kaum vorkommen, fanden hier technische Lösemittel(gemische) Platz.

Bei weitem nicht alle Verbindungsklassen in **182**...**188** und erst recht nicht alle Klassen anorganischer Stoffe (**19**) sind in der Spektralsammlung vertreten. Niedermolekulare Stoffe außerhalb der Definition „Ausgangsstoffe und Abbauprodukte“ sollten nur aufgenommen werden, wenn sie zu wichtigen Verbindungsklassen zählen und die analytische Arbeit durch ihre Spektren erleichtert wird. Die DE gerade der Kategorien **18** und **19** sollte aber so allgemein sein, daß sie auch für andere Zwecke dienen kann. Kleider kauft man besser so, daß die Kinder hineinwachsen können.

Gebrauch der Register

Der Wert einer Spektrensammlung hängt nicht zum wenigsten davon ab, wie leicht und zielsicher man das Spektrum eines bestimmten Stoffes findet (oder ebenso rasch weiß, daß es nicht da ist) und ob es darüber hinaus möglich ist, auf einfache Weise Spektrum-Struktur-Korrelationen zu treffen oder zusätzliche, in der Sammlung enthaltene Informationen (Summenformeln, Molmassen usw.) zu gewinnen. Natürlich ginge das am elegantesten mit komplett, nebst allen zusätzlichen Informationen, abgespeicherten Spektren einem Computer, einem Laufwerk, einem Bildschirm und Programmen, mit denen man schnell die gewünschten Informationen auf den Bildschirm „zaubert“, seien es nun Spektren, Bandentabellen,

1821 small molecular CH compounds (hydrocarbons)
1822 small molecular CHal compounds
  18221 CF compounds
  18222 CCl compounds
....
186 substances containing 6 different elements

There is an important difference from the DC for defined polymers in that if the chemical nature of the substance, which led to allocation in a particular category, is not affected, heteroelements are also allowed in the case of CHN and CHO compounds. Benzidine and diaminophenyl ether are both aromatic amines, whose only difference is the presence of an ether linkage in the latter, they both belong to **1832**13. On the other hand, ethanolamine, which is also a CHNO compound is classified with CHO(X) under **1833**115 (alcohols with further heterofunctions) because its spectrum is determined by the OH group. It is unquestionable that an arbitrary principle has been introduced here and multiple classification is not impossible. If it should turn out in practice that an unequivocal classification of element symbol and compound is desirable, then the DC for small molecules must be enlarged.

By analogy with the DC for defined polymers **187** and **188** are reserved for deuterated compounds and for compounds of heteroelements (in addition to Hal, N, O, S). **189** could have been used for organometallic compounds. Since these scarcely appear in the ATLAS, technical solvents (mixtures) find their place here.

Far from all the compound classes in **182**...**188** and certainly not all classes of inorganic materials (**19**) are represented in the collection of spectra. Small molecular substances outside the categories of “starting materials and decomposition products” only have a place when they belong to important classes and their spectra facilitate analysis. The DC for categories **18** and **19** ought to be so general, however, that they are also applicable in other connections. It is better to buy clothes that children can grow into.

Use of the Indexes

The value of a collection of spectra is not least determined by how quickly and certainly the spectrum of a particular substance can be located (or how quickly it can be ascertained that it is not present) and if it is possible to obtain spectral structural correlations in a simple manner or get at additional informations (empirical formula or molar mass) which are contained in the collection. It would, of course, be most elegant to have all the spectral data, together with the additional informations, a computer, disc drive, video screen and programs, with whose help the required information could be called up onto the video screen at will, whether it were the spectrum, tables, structures or miscellaneous data. This would, however, cost at least a hundred times as much as the present work, so that we must exploit the bibliographic possibilities available to us.

The first possibility of finding the required spectrum and of obtaining access to a limited range of spectrum-structure correlations is to use the DC as a golden thread. The alphabetical index is necessary but of limited utility because several basic building blocks are usually required to describe a chemical substance, but only one can be looked up directly:

styrene — sulfonic acid
poly — vinyl — propionate

All styrene compounds are found together or all vinyl compounds, but not all sulfonic acids or all propionates; here the building blocks have to be commutated; but that should be left to the computer.

The index of empirical formulae has already demonstrated itself as being very useful in Volume 1 for the finding of particular polymers. Doublets (polyvinyl acetate — polymethyl methacrylate)

Strukturen oder sonstige Daten. Dergleichen würde aber mindestens hundertmal so viel kosten wie dieses Werk, und so begnügen wir uns damit, die bibliographischen Möglichkeiten auszunutzen.

Die erste Möglichkeit, die richtigen Spektren zu finden und in begrenztem Umfang Spektrum-Struktur-Korrelationen zu treffen, ist die Benutzung der DE als „Ariadnefaden". Das alphabetische Register der chemischen Bezeichnungen ist nötig, aber von bescheidenem Wert, weil zur Beschreibung einer chemischen Verbindung meist mehrere Wortstämme vonnöten sind, in der Regel aber nur einer direkt gefunden werden kann:

Styrol	Poly
sulfonsäure	vinyl
	propionat

Man findet zwar unmittelbar alle Styrolverbindungen oder alle Polyvinylverbindungen, nicht aber alle Sulfonsäuren oder alle Propionate. Hierzu müßte man die Wortstämme kommutieren; aber auch das sollte man dem Computer überlassen.

Das Register der Summenformeln hat sich schon beim 1. Band als sehr nützlich für das Aufsuchen bestimmter Polymere erwiesen. Dubletten (Polyvinylacetat – Polymethylacrylat) sind zwar lästig, kommen aber meist nur bei einfachen Polymeren vor, die auch mit dem alphabetischen Register gefunden werden können. Dieses Register wurde hier durch die Summenformeln definierter niedermolekularer Verbindungen und ihre Molmassen erweitert. Zur Unterscheidung erhalten die Summenformeln der Monomereinheiten in Polymeren ein nachgestelltes *P*. Anorganische Stoffe werden hier nicht aufgeführt.

Neu ist schließlich noch ein Register der Molmassen niedermolekularer Stoffe. Dies wird zwar kaum als Suchregister verwendet werden, ist jedoch nützlich, wenn massenspektrometrische Ergebnisse (auch mit Pyrolysaten) IR-spektrometrisch ergänzt werden sollen.

Die Zahlen in den Registern beziehen sich, anders als im 1. Band, auf die laufenden Nummern der Spektren. Ramanspektren werden durch ein *R* gekennzeichnet.

Abkürzungen, Anglizismen, Lösemittelbanden

Häufig verwendete Lösemittel wurden in den Legenden nicht mit ihrer chemischen Bezeichnung, sondern mit einem Code aus 3, selten 4, Buchstaben angegeben, der sich aus ersterer herleitet. Wenn die deutsche chemische Bezeichnung sich von der englischen unterschied, wurde die letztere zugrundegelegt.

Die Fachsprachen der Spektroskopie und der Computertechnik sind mit Anglizismen durchsetzt. Manche davon sind nützlich, viele entbehrlich. Es mag sein, daß manche, selten verwendete, Worte im obigen Text (Bildschirm, löschen, glätten ...) nicht verstanden wurden; ich habe daher die Übersetzungen unten angegeben.

Schließlich seien in einer dritten Tabelle Banden angegeben, die von hartnäckig festgehaltenen Lösemittelresten stammen können. Die stärkste Bande wurde unterstrichen.

Tabelle 1. Abkürzungen für Lösungsmittel

AAC	Essigsäure	CBZ	Chlorbenzol
ACA	Acetanhydrid	CCL	Tetrachlorkohlenstoff
ACN	Acetonitril	CHL	Cyclohexanol
ACT	Aceton	CHX	Cyclohexan
BAC	Butylacetat	CLF	Chloroform
BTL	Butanol	CS2	Schwefelkohlenstoff
BTN	Butanon (Methylethylketon)	CXN	Cyclohexanon
		DCB	Dichlorbenzol
BZN	Benzol	DCE	Dichlorethen

are annoying but they usually only occur with simple polymers, which can also be found using the alphabetic index. This index is complemented by the empirical formulae of defined small molecules. In order to distinguish them from these the empirical formulae of monomer units in polymers are prefixed with a *P*. Inorganic materials are not included here.

Finally, the index of molar masses is new. This will scarcely be of value as a search index, but is useful when mass spectroscopic results (of pyrolysates too) are to be complemented by infrared spectroscopic data.

In contrast to Volume 1 the indexes refer to the serial numbers of the spectra. Raman spectra are indicated by an *R*.

Abbreviations and solvent bands

In the legends frequently used solvents have been designated not by their chemical names but by a code consisting of 3 (occasionally 4) letters, derived from the former. If German naming practice differs from the English then the latter has been used as a basis.

A second table lists absorption bands that can originate from persistent solvent residues. The strongest of them are underlined.

Table 1. Abbreviations for solvents

AAC	acetic acid	EDGL	diethyleneglycol monoethyl ether
ACA	acetic anhydride		
ACN	acetonitrile	EGL	ethyleneglycol monoethyl ether
ACT	acetone		
BAC	butyl acetate	ETL	ethanol
BTL	butanol	FAC	formic acid
BTN	butanone (methyl ethyl ketone)	HMP	hexamethylphosphamide
		HXN	hexane
BZN	benzene	KER	kerosene
CBZ	chlorobenzene	MDGL	methyldiglycol
CCL	carbon tetrachloride	MDL	dimethylglycol
CHL	cyclohexanol	MGL	methylglycol
CHX	cyclohexane	MTC	methylene chloride
CLF	chloroform	MTL	methanol
CS2	carbon disulfide	NJL	Nujol (paraffin oil)
CXN	cyclohexanone	PAC	propyl acetate
DCB	dichlorobenzene	PFK	perfluorokerosene
DCE	dichloroethene	PPL	propanol
DCH	dichlorohydrin	PTN	pentane
DEE	diethylether	PYR	pyridin
DHN	decahydronaphthalin	TBZ	white spirit
DMAC	dimethylacetamide	THF	tetrahydrofuran
DMF	dimethylformamide	TMS	tetramethylene sulfone
DMS	dimethyl sulfoxide	TOL	toluene
DOX	dioxan	TRI	trichloroethylene
EAC	ethyl acetate	XYL	xylene
ECB	ethylenecarbonate		
EDL	ethyleneglycol diethyl ether		

Table 2. Solvent bands (cm^{-1}); the strongest band is underlined

CCL	780				DOX	1253	1120	871	612	
CLF	1213	770	667		MTC	1264	737	703		
CS2	1503				THF	1068	909			
DMA	1647	1398	1012	589	TMS	1300	1147	1109	567	440
DMF	1670	1388	1090	658						
DMS	1050									

DCH	Dichlorhydrin	HXN	Hexan
DEE	Diethylether	KER	Benzin (Kerosin)
DHN	Decahydronaphthalin	MDGL	Methyldiglycol
DMA	N,N-Dimethylacetamid	MDL	Dimethylglycol
DMF	Dimethylformamid	MGL	Methylglycol
DMS	Dimethylsulfoxid	MTC	Methylenchlorid
DOX	Dioxan	MTL	Methanol
EAC	Ethylacetat	NJL	Paraffinöl (Nujol)
ECB	Ethylencarbonat	PAC	Propylacetat
EDL	Diethylglycol (Ethylenglycoldiethylether)	PFK	Perfluorkerosin
		PPL	Propanol
		PTN	Pentan
EDGL	Ethyldiglycol-(Diethylenglycolmonoethylether)	PYR	Pyridin
		TBZ	Testbenzin
		THF	Tetrahydrofuran
EGL	Ethylglycol-(Ethylenglycolmonoethylether)	THN	Tetrahydronaphthalin
		TMS	Tetramethylensulfon
		TOL	Toluol
ETL	Ethanol	TRI	Trichlorethen
FAC	Ameisensäure	XYL	Xylol
HMP	Hexamethylphosphamid		

Tabelle 2. Anglizismen und ihre Übersetzung

display	Bildschirm
flätten	Untergrund anpassen
hardware	Instrument, das die Software herstellt (Spektrometer, Druckmaschine)
plotten	aufzeichnen, ausdrucken
quentschen	löschen (z. B. Fluoreszenz)
scännen	Spektrum aufnehmen und speichern
searchen	suchen
Searchprogramm	Suchprogramm
smoothen	glätten
software	digitalisierte oder gedruckte Informationen (z. B. dieses Buch)

Tabelle 3. Lösemittelbanden (cm^{-1}); die stärkste Bande ist unterstrichen

CCL	780				
CLF	1213	770	667		
CS2	1503				
DMA	1647	1398	1012	589	
DMF	1670	1388	1090	658	
DMS	1050				
DOX	1253	1120	871	612	
MTC	1264	737	703		
THF	1068	909			
TMS	1300	1147	1109	567	440

Die Dezimaleinteilung

1 Makromolekulare Stoffe für technische Anwendungen, niedermolekulare Ausgangs- und Hilfsstoffe*
- **1.1** Polymere Natur- und Kunststoffe**
  - **1.1.1** ein Element (Graphitwerkstoffe)
  - **1.1.2** zwei Elemente
    - **1.1.2.1** CH
    - **1.1.2.2** CHal
    - **1.1.2.3** CN

* Die ersten zwei Ziffern geben die Einteilung nach anwendungstechnischen Gesichtspunkten. Die Unterteilung geschieht nach Zahl und Art der Elemente, die den jeweiligen Stoff bilden, und nach Strukturmerkmalen (**1.1** bis **1.3**, **1.5**, **1.8**) oder nach der chemischen Zusammensetzung alleine (**1.4**, **1.6**, **1.7**, **1.9**).

** Außer den makromolekularen Werkstoffen in **1.2** bis **1.5**. Ist eine Unterteilung nach Strukturmerkmalen notwendig oder erwünscht, so geschieht sie nach **2**...**9** (definierte Polymere).

The decimal classification

1 Macromolecular materials for technical applications, low-molecular starting materials and additives*
- **1.1** Polymeric natural and synthetic materials**
  - **1.1.1** one element (graphitic material)
  - **1.1.2** two elements
    - **1.1.2.1** CH
    - **1.1.2.2** CHal
    - **1.1.2.3** CN
  - **1.1.3** three elements
    - **1.1.3.1** CHHal
      - **1.1.3.1.1** CHF
      - **1.1.3.1.2** CHCl
      - **1.1.3.1.3** CHBr
      - **1.1.3.1.4** CHI
    - **1.1.3.2** CHN
    - **1.1.3.3** CHO
    - **1.1.3.4** CHS
    - **1.1.3.5** CHalX
      - **1.1.3.5.1** CHalHal′
      - **1.1.3.5.2** CHalN
      - **1.1.3.5.3** CHalO
      - **1.1.3.5.4** CHalS
    - **1.1.3.6** CNO
    - **1.1.3.7** CNS
  - **1.1.4** four elements
    - **1.1.4.1** CHHalX
      - **1.1.4.1.1** CHHalHal′
        - **1.1.4.1.1.1** CHFCl
        - **1.1.4.1.1.2** CHFBr
        - **1.1.4.1.1.3** CHFI
        - **1.1.4.1.1.4** CHClBr
        - **1.1.4.1.1.5** CHClI
        - **1.1.4.1.1.6** CHBrI
      - **1.1.4.1.2** CHHalN
      - **1.1.4.1.3** CHHalO
        - **1.1.4.1.3.1** CHFO
        - **1.1.4.1.3.2** CHClO
      - **1.1.4.1.4** CHHalS
    - **1.1.4.2** CHNX
      - **1.1.4.2.1** CHNO
      - **1.1.4.2.2** CHNS
    - **1.1.4.3** CHOS
    - **1.1.4.4** CHalNX
      - **1.1.4.4.1** CHalNX
      - **1.1.4.4.2** CHalNS
  - **1.1.5** five elements
  - **1.1.6** six elements
  - **1.1.7** deuterated polymers
  - **1.1.8** polymers with heteroelements (in addition to Hal, N, O, S)
  - **1.1.9** polymers with covalently bound metals
- **1.2** natural and synthetic fibers (classification like **1.1**)
- **1.3** elastomers (classification like **1.1**)
- **1.4** Miscellaneous resins (natural resins, paint and finish resins, moulding compositions and printing inks, impregnation and casting resins, dispersions)

1 natural resins; natural resins with modified carboxyl groups
- 1.1 acid resins
- 1.2 ester resins

* The first two digits denote the classification according to technical application. The subclassification is made according to the number and type of the elements forming a particular material and according to structural features (**1.1** to **1.3**, **1.5**, **1.8**) or according to the chemical composition alone (**1.4**, **1.6**, **1.7**, **1.9**).

** Including the structural thermoplastic resins but excluding the macromolecular materials in **1.2** to **1.5**. If a subclassification according to structural features is needed or desired then it is made according to **2**...**9** (defined polymers).

1.1.3 drei Elemente
1.1.3.1 CHHal
1.1.3.1.1 CHF
1.1.3.1.2 CHCl
1.1.3.1.3 CHBr
1.1.3.1.4 CHI
1.1.3.2 CHN
1.1.3.3 CHO
1.1.3.4 CHS
1.1.3.5 CHalX
1.1.3.5.1 CHalHal′
1.1.3.5.2 CHalN
1.1.3.5.3 CHalO
1.1.3.5.4 CHalS
1.1.3.6 CNO
1.1.3.7 CNS
1.1.4 vier Elemente
1.1.4.1 CHHalX
1.1.4.1.1 CHHalHal′
1.1.4.1.1.1 CHFCl
1.1.4.1.1.2 CHFBr
1.1.4.1.1.3 CHFI
1.1.4.1.1.4 CHClBr
1.1.4.1.1.5 CHClI
1.1.4.1.1.6 CHBrI
1.1.4.1.2 CHHalN
1.1.4.1.3 CHHalO
1.1.4.1.3.1 CHFO
1.1.4.1.3.2 CHClO
1.1.4.1.4 CHHalS
1.1.4.2 CHNX
1.1.4.2.1 CHNO
1.1.4.2.2 CHNS
1.1.4.3 CHOS
1.1.4.4 CHalNX
1.1.4.4.1 CHalNX
1.1.4.4.2 CHalNS
1.1.5 fünf Elemente
1.1.6 sechs Elemente
1.1.7 deuterierte Polymere
1.1.8 Polymere mit Heteroelementen (zusätzlich zu Hal, N, O, S)
1.1.9 Polymere mit nicht salzartig gebundenem Metall
1.2 Natürliche und synthetische Fasern (Einteilung wie **1.1**)
1.3 Elastomere (Einteilung wie **1.1**)
1.4 Harze (Naturharze; Harze für Lacke, Formmassen und Druckfarben, Tränk- und Gießharze, Dispersionen)
1 Naturharze; an der Carboxylgruppe abgewandelte Naturharze
1.1 Säureharze
1.2 Esterharze
1.3 Naturharze mit niederem Säure- und Estergehalt (Resenharze)
1.4 fossile und halbfossile Harze (Bernstein, Kopal), sonstige Naturharze
1.5 Terpentin, Balsame
1.6 Japanlack, sonstige Naturharze
1.7 Salze von Harzsäuren
1.8 Ester von Harzsäuren (mit Phenolestern und Lactonen)
1.9 Anhydride von Harzsäuren
2 im Harzgerüst und durch Additionsreaktionen abgewandelte Naturharze; beim Aufarbeiten von Naturprodukten anfallende Harze
2.1 isomerisierte, disproportionierte oder dehydrogenierte Harze
2.2 hydrogenierte Harze und ihre Derivate
2.3 di-(poly-)merisierte Harze
2.4 oxidierte oder geschwefelte Harze

1.3 natural resins with a low acid and ester content (unsaponifiable resins)
1.4 fossil and semi-fossil resins (amber, copal)
1.5 terpentine and balsams
1.6 Japan lacquer, miscellaneous natural resins
1.7 salts of resin acids
1.8 esters of resin acids (with phenol esters and lactones)
1.9 anhydrides of resin acids
2 natural resins that have been structurally modified and altered by addition; resins produced by processing resins from natural sources
2.1 isomerized, disproportionated or dehydrogenated resins
2.2 hydrogenated resins and their derivatives
2.3 di(poly)merized resins
2.4 oxidized or sulfurized resins
2.5 fused fossil resins
2.6 adducts with maleic anhydride, maleic or fumaric acids (maleate resins) and their derivatives
2.7 adducts with other dienophilic compounds (acrylic and methacrylic esters, styrene)
2.8 resin acids modified with phenol-formaldehyde or xylenol-formaldehyde resins and their derivatives
2.9 other natural resin derivatives (tall resins, dammar derivatives)
3 celluose and cellulose derivatives, other polysaccharides; humic acids, lignins
3.1 cellulose, regenerated cellulose, wood
3.2 starch, other polysaccharides
3.3 cellulose ethers
3.3.1 aliphatic
3.3.2 aliphatic, with additional heterogroups (hydroxyalkyl celluloses, carboxymethyl cellulose)
3.3.3 aliphatic-aromatic (benzyl cellulose)
3.3.4 other cellulose ethers
3.4 other etherified polysaccharides
3.5 esters of cellulose with organic acids
3.5.1 cellulose formiate
3.5.2 cellulose acetate
3.5.3 cellulose propionate
3.5.4 cellulose butyrate
3.5.5 higher cellulose esters
3.5.6 mixed cellulose esters (cellulose acetate butyrate)
3.5.7 other cellulose esters
3.6 esters of cellulose with inorganic acids
3.7 esters of other polysaccharides
3.8 humic acids
3.9 lignins
4 hydrocarbon resins, phenolic resins
4.1 saturated aliphatic hydrocarbon resins (ethene copolymers, petroleum resins, terpene resins)
4.2 unsaturated aliphatic hydrocarbon resins (polycyclopentadiene, cyclorubbers, oligobutadienes)
4.3 aliphatic-aromatic polyhydrocarbons (polyindene resins, polystyrene resins)
4.4 simple, non self-curing phenol (cresol etc.) formaldehyde resins (novolacs)
4.4.1 phenol novolacs
4.4.2 cresol novolacs
4.4.3 xylenol novolacs, other alkyl phenol novolacs
4.4.4 novolacs of polyvalent phenols (resorcinol, bisphenol A novolacs)
4.4.5 novolac esters (novolacs esterified at the phenolic OH group)
4.4.6 epoxidized novolacs
4.4.7 moulding mixtures with novolacs, unhardened
4.4.8 mouldings with novolacs, hardened
4.5 simple, self-curing phenol (cresol etc.) formaldehyde resins (resols) and their curing products (resits)

2.5 ausgeschmolzene fossile Harze
2.6 Addukte mit Maleinsäureanhydrid, Malein- oder Fumarsäure (Maleinatharze) und deren Derivate
2.7 Addukte mit anderen dienophilen Verbindungen (Acryl- und Methacrylsäureester, Styrol)
2.8 mit Phenol-Formaldehyd- oder Xylol-Formaldehyd-Harzen modifizierte Harzsäuren und deren Derivate
2.9 andere Naturharzderivate (Tallharz-, Dammar-Derivate)

3 Cellulose und Cellulosederivate, andere Polysaccharide; Huminsäuren, Lignine
3.1 Cellulose und regenerierte Cellulose, Holz
3.2 Stärke, andere Polysaccharide
3.3 Celluloseether
3.3.1 aliphatisch
3.3.2 aliphatisch, mit weiteren Heterogruppierungen (Hydroxyalkylcellulosen, Carboxymethylcellulose)
3.3.3 aliphatisch-aromatisch (Benzylcellulose)
3.3.4 sonstige Celluloseether
3.4 andere veretherte Polysaccharide
3.5 Ester der Cellulose mit organischen Säuren
3.5.1 Celluloseformiat
3.5.2 Celluloseacetat
3.5.3 Cellulosepropionat
3.5.4 Cellulosebutyrat
3.5.5 höhere Celluloseester
3.5.6 Cellulosemischester (Celluloseacetatbutyrat)
3.5.7 sonstige Celluloseester
3.6 Ester der Cellulose mit anorganischen Säuren
3.7 Ester anderer Polysaccharide
3.8 Huminsäuren
3.9 Lignine

4 Kohlenwasserstoffharze, Phenolharze
4.1 gesättigte aliphatische Kohlenwasserstoffharze (Ethen-Copolymere, Petroleum-, Terpenharze)
4.2 ungesättigte aliphatische Kohlenwasserstoffharze (Polycyclopentadien, Cyclokautschuk, Oligobutadiene)
4.3 aliphatisch-aromatische Polykohlenwasserstoffe (Polyinden-, Polystyrolharze)
4.4 einfache, nicht selbsthärtende Phenol- (Kresol- usw.) Formaldehyd-Harze (Novolake)
4.4.1 Phenol-Novolake
4.4.2 Kresol-Novolake
4.4.3 Xylenol-Novolake, andere Alkylphenol-Novolake
4.4.4 Novolake mit mehrwertigen Phenolen (Resorcin-, Bisphenol-A-Novolake)
4.4.5 Novolak-Ester (an der phenolischen OH-Gruppe veresterte Novolake)
4.4.6 epoxidierte Novolake
4.4.7 Preßmassen auf Novolak-Basis, ungehärtet
4.4.8 Preßmassen auf Novolak-Basis, gehärtet
4.5 einfache, selbsthärtende Phenol- (Kresol- usw.) Formaldehyd-Harze (Resole) und ihre Härtungsprodukte (Resite)
4.5.1 Phenol-Resole
4.5.2 Kresol-Resole
4.5.3 Resole auf der Basis anderer Phenole (Xylenol-Resole, Bisphenol-A-Resole)
4.5.4 gehärtete Resole, ungefüllt
4.5.5 gehärtete Resole, mit Füllstoff
4.6 modifizierte, selbsthärtende Phenol- (Kresol- usw.) Formaldehyd-Harze
4.6.1 veretherte Phenol-Resole
4.6.2 veretherte Resole auf Basis Kresol oder anderer Phenole
4.6.3 fettsäure- oder ölmodifizierte Resole
4.6.4 mit Polyestern oder sonstwie modifizierte (plastifizierte) Resole
4.6.5 Resole auf Basis 4-bis(4-Hydroxyphenyl)pentansäure („Diphenolic Acid")

4.5.1 phenol resols
4.5.2 cresol resols
4.5.3 resols based on other phenols (xylenol resols, bisphenol A resols)
4.5.4 cured resols, unfilled
4.5.5 cured resols, filled
4.6 modified self-curing phenol (cresol etc.) formaldehyde resins
4.6.1 etherified phenol resols
4.6.2 etherified resols based on cresol or other phenols
4.6.3 fatty acid or oil-modified resols
4.6.4 resols modified with polyesters or other agents (plasticized)
4.6.5 resols based on 4-bis-(4-hydroxyphenyl)pentanoic acid ("diphenolic acid")
4.7 alkyl and arylphenolic resins
4.7.1 tert-butylphenolic resins
4.7.2 tert-octyl (diisobutyl) phenolic resins
4.7.3 other iso and tert-alkylphenolic resins
4.7.4 alkylphenolic resins with olefinic alkyl groups (cashew and cardanol resins)
4.7.5 other alkylphenolic resins, (bisphenol A resins, apart from resols)
4.7.6 phenylphenolic resins
4.7.7 other aryl- or aralkylphenolic resins
4.8 phenolic resins prepared using other aldehydes (furfural, acrolein) or ketones; phenolic resins prepared with other compounds (terpene-, lignin-phenolic resins)
4.8.1 furfural-phenolic resins
4.8.2 phenolic resins prepared with other aldehydes
4.8.3 phenolic resins prepared with ketones
4.8.4 lignin-phenolic resins
4.8.5 other phenol condensation resins
4.8.6 phenol adduct resins (terpene-phenolic resins)

5 halogen-containing resins (only CHHal)
5.1 polyvinyl chloride and vinyl chloride copolymers
5.2 polyvinylidene chloride and vinylidene chloride copolymers
5.3 other CHCl resins prepared by polymerization
5.4 resins prepared by chlorination of polyhydrocarbons
5.5 resins prepared by further chlorination of CHCl polymers
5.6 resins prepared by hydrochlorination of unsaturated polyhydrocarbons
5.7 chloromethylated polyhydrocarbon resins, other CHCl resins
5.8 CHF polymers
5.9 CHBr polymers

6 ether resins, polymeric alcohols and ether alcohols
6.1 polyethers with ether linkages in the main chain
6.2 polyvinyl ether
6.3 polymeric aldals and ketals
6.4 epoxy resins
6.4.1 unmodified
6.4.2 epoxy resin esters
6.4.3 miscellaneous modified epoxy resins
6.5 polymeric alcohols and ether alcohols (polymerisation and polycondensation products of furfuryl alcohol)
6.6 polymerization products and polycondensation products of aldehydes and/or ketones
6.7 polymerization products and polycondensation products of aldehydes and/or ketones with aromatic hydrocarbons
6.8 polymerization products of condensed aromatic-cycloaliphatic ethers (polyenmarone)

7 ester resins
7.1 saturated aliphatic polyesters or polyether esters (ester linkages in the main chain)
7.1.1 polyesters of the type $-O{+}CH_2{+}_nCO-$
7.1.2 polyesters of the type $-O{+}CH_2{+}_mO-CO{+}CH_2{+}_nCO-$
7.1.3 aliphatic polyesters with branched chain members

4.7 Alkyl- und Arylphenolharze
4.7.1 t-Butylphenolharze
4.7.2 t-Octyl-(Diisobutyl-) phenolharze
4.7.3 andere i- oder t-Alkylphenolharze
4.7.4 Alkylphenolharze mit olefinischer Alkylgruppe (Cashew-, Cardanol-Harze)
4.7.5 andere Alkylphenolharze (Bisphenol-A-Harze, außer Resolen)
4.7.6 Phenylphenolharze
4.7.7 andere Aryl- oder Aralkyl-Phenolharze
4.8 mit anderen Aldehyden (Furfural, Acrolein) oder Ketonen hergestellte Phenolharze; mit anderen Verbindungen hergestellte Phenolharze (Terpen-, Lignin-Phenol-Harze)
4.8.1 Furfural-Phenol-Harze
4.8.2 mit anderen Aldehyden hergestellte Phenolharze
4.8.3 mit Ketonen hergestellte Phenolharze
4.8.4 Ligninphenolharze
4.8.5 sonstige Phenol-Kondensationsharze
4.8.6 Phenoladduktharze (Terpenphenolharze)
5 halogenhaltige Harze (nur CHHal)
5.1 Polyvinylchlorid und Vinylchlorid-Copolymere
5.2 Polyvinylidenchlorid und Vinylidenchlorid-Copolymere
5.3 andere, durch Polymerisation erhaltene CHCl-Harze
5.4 durch Chlorierung von Polykohlenwasserstoffen erhaltene Harze
5.5 durch Nachchlorierung von CHCl-Polymeren erhaltene Harze
5.6 durch Hydrochlorierung von ungesättigten Polykohlenwasserstoffen erhaltene Harze
5.7 chlormethylierte Polykohlenwasserstoffe, sonstige CHCl-Harze
5.8 CHF-Polymere
5.9 CHBr-Polymere
6 etherartige Harze, polymere Alkohole und Etheralkohole
6.1 Polyether mit Ethergruppe in der Hauptkette
6.2 Polyvinylether
6.3 polymere Aldale und Ketale
6.4 Epoxidharze
6.4.1 nicht modifiziert
6.4.2 Epoxidharzester
6.4.3 sonstwie modifizierte Epoxidharze
6.5 polymere Alkohole und Etheralkohole (Polymerisations- und Polykondensationsprodukte des Furfurylalkohols)
6.6 Polymerisations- und Polykondensationsprodukte aus Aldehyden und/oder Ketonen
6.7 Polymerisations- und Polykondensationsprodukte aus Aldehyden und/oder Ketonen mit aromatischen Kohlenwasserstoffen
6.8 Polymerisationsprodukte kondensiert-aromatisch-cycloaliphatischer Ether (Polycumaron)
7 esterartige Harze
7.1 gesättigte aliphatische Polyester oder Polyetherester (Estergruppe in der Hauptkette)
7.1.1 Polyester vom Typ $-O(CH_2)_nCO-$
7.1.2 Polyester vom Typ $-O(CH_2)_mO-CO(CH_2)_nCO-$
7.1.3 aliphatische Polyester mit verzweigten Kettengliedern
7.1.4 aliphatische Polyester mit cyclischen Kettengliedern
7.1.5 aliphatische Polyester aus Etheralkoholen und Dicarbonsäuren
7.1.6 sonstige aliphatische Polyester
7.2 ungesättigte Polyester (härtbare ungesättigte Polyesterharze)
7.2.1 aliphatische Polyester mit Maleinsäure- und/oder Fumarsäureeinheiten
7.2.2 Phthalsäurecopolyester mit Maleinsäure- und/oder Fumarsäureeinheiten

7.1.4 aliphatic polyesters with cyclic chain members
7.1.5 aliphatic polyesters from ether alcohols and dibasic acids
7.1.6 miscellaneous aliphatic polyesters
7.2 unsaturated polyesters (curable unsaturated polyester resins)
7.2.1 aliphatic polyesters containing maleic and/or fumaric acid units
7.2.2 phthalic acid copolyesters with maleic and/or fumaric acid units
7.2.3 isophthalic acid copolyesters with maleic and/or fumaric acid units
7.2.4 terephthalic acid copolyesters with maleic and/or fumaric acid units
7.2.5 polyesters based on other unsaturated, halogen-free acids (itaconic acid, tetrahydrophthalic acid)
7.2.6 polyesters based on unsaturated, halogenated acids (tetrachlorophthalic acid, "HET acid")
7.2.7 polyesters with unsaturated alcohol components
7.2.8 unsaturated polyester-imides, unsaturated polyesters with heterocyclic components
7.3 unmodified aliphatic-aromatic polyesters
7.3.1 phthalic acid polyesters and copolyesters
7.3.2 isophthalic acid polyesters and copolyesters
7.3.3 terephthalic acid polyesters and copolyesters
7.3.4 other aliphatic-aromatic polyesters
7.4 polyesters modified with oils and/or fatty acids (simple alkyd resins)
7.4.1 alkyd resins based on phthalic acid
7.4.1.1 short oil
7.4.1.2 middle oil
7.4.1.3 long oil
7.4.1.4 with synthetic fatty acids
7.4.2 alkyd resins based on isophthalic acid
7.4.3 alkyd resins based on terephthalic acid
7.4.4 alkyd resins based on other aromatic, halogenfree, dibasic acids
7.4.5 alkyd resins modified with unsaturated, halogenfree, dicarboxylic acids (maleic acid, maleic anhydride adducts, itaconic acid)
7.4.6 other simple alkyd resins
7.5 alkyd resins modified with vinyl or acrylic components (styrene, vinyltoluene, acrylates, methacrylates)
7.5.1 styrenated alkyd resins
7.5.2 vinyltoluene-modified alkyd resins
7.5.3 alkyd resins modified with other unsaturated hydrocarbons
7.5.4 acrylic-modified alkyd resins
7.6 urethane alkyd resins; miscellaneous alkyd resins modified with nitrogen-containing components; thixotropic alkyd resins
7.6.1 urethane alkyd resins, alkyd resins thixotropized with polyurethanes (classification like 7.4.1)
7.6.2 polyamide alkyd resins, alkyd resins thixotropized with amides or by other means
7.6.3 urea-modified alkyd resins
7.6.4 alkyd resins manufactured using tris-(hydroxymethyl)aminomethane
7.6.5 miscellaneous alkyd resins modified with nitrogen-containing components
7.7 alkyd resins for special processes and applications
7.7.1 hydrophilized alkyd resins
7.7.2 natural resin-modified alkyd resins
7.7.3 phenolic resin-modified alkyd resins
7.7.4 epoxide alkyd resins
7.7.5 halogenated, (flame-resistant) alkyd resins
7.7.6 silicone alkyd resins

- 7.2.3 Isophthalsäurecopolyester mit Maleinsäure- und/oder Fumarsäureeinheiten
- 7.2.4 Terephthalsäurecopolyester mit Maleinsäure- und/oder Fumarsäureeinheiten
- 7.2.5 Polyester auf der Basis anderer ungesättigter, halogenfreier Säuren (Itaconsäure, Tetrahydrophthalsäure)
- 7.2.6 Polyester auf der Basis ungesättigter, halogenierter Säuren (Tetrachlorphthalsäure, „HET-Säure")
- 7.2.7 Polyester mit ungesättigten alkoholischen Komponenten
- 7.2.8 ungesättigte Polyesterimide, ungesättigte Polyester mit heterocyclischen Komponenten

7.3 nichtmodifizierte aliphatisch-aromatische Polyester
- 7.3.1 Phthalsäurepolyester und -copolyester
- 7.3.2 Isophthalsäurepolyester und -copolyester
- 7.3.3 Terephthalsäurepolyester und -copolyester
- 7.3.4 andere aliphatisch-aromatische Polyester

7.4 mit biogenen Ölen und/oder Fettsäuren modifizierte Polyester (einfache Alkydharze)
- 7.4.1 Alkydharze auf Phthalsäurebasis
  - 7.4.1.1 kurzölig
  - 7.4.1.2 mittelölig
  - 7.4.1.3 langölig
  - 7.4.1.4 mit synthetischen Fettsäuren
- 7.4.2 Alkydharze auf Isophthalsäurebasis
- 7.4.3 Alkydharze auf Terephthalsäurebasis
- 7.4.4 Alkydharze auf Basis anderer aromatischer, halogenfreier Dicarbonsäuren
- 7.4.5 mit ungesättigten, halogenfreien Dicarbonsäuren (Maleinsäure, Maleinsäureanhydridaddukte, Itaconsäure) modifizierte Alkydharze
- 7.4.6 sonstige einfache Alkydharze

7.5 mit vinyl- oder acrylartigen Komponenten (Styrol, Vinyltoluol, Acrylate, Methacrylate) modifizierte Alkydharze
- 7.5.1 styrolisierte Alkydharze
- 7.5.2 vinyltoluolmodifizierte Alkydharze
- 7.5.3 mit anderen ungesättigten Kohlenwasserstoffen modifizierte Alkydharze
- 7.5.4 acrylmodifizierte Alkydharze

7.6 Urethanalkydharze; sonstige, mit stickstoffhaltigen Komponenten modifizierte Alkydharze; thixotropierte Alkydharze
- 7.6.1 Urethanalkydharze, mit Polyurethanen thixotropierte Alkydharze (Einteilung wie 7.4.1)
- 7.6.2 Polyamidalkydharze, mit Amidharzen oder anderswie thixotropierte Alkydharze
- 7.6.3 mit Harnstoffharzen modifizierte Alkydharze
- 7.6.4 mit tris-(Hydroxymethyl)-aminomethan hergestellte Alkydharze
- 7.6.5 sonstige, mit stickstoffhaltigen Komponenten modifizierte Alkydharze

7.7 Alkydharze für spezielle Verarbeitungen oder Anwendungen
- 7.7.1 hydrophilisierte Alkydharze
- 7.7.2 naturharzmodifizierte Alkydharze
- 7.7.3 phenolharzmodifizierte Alkydharze
- 7.7.4 Epoxidalkydharze
- 7.7.5 halogenierte (flammwidrige) Alkydharze
- 7.7.6 Siliconalkydharze
- 7.7.7 metallverstärkte (z.B. mit Al-Butylat modifizierte) Alkydharze
- 7.7.8 sonstige Spezialalkydharze

7.8 polymere und copolymere Acryl- und Methacrylester
- 7.8.1 homopolymere Polyacrylate
- 7.8.2 copolymere, N-freie Acrylatharze mit überwiegendem Acrylatanteil (ohne sonstige Comonomere, „Reinacrylatharze")
- 7.8.3 copolymere, N-freie Acrylatharze mit überwiegendem Acrylatanteil und weiteren Comonomeren

- 7.7.7 metal-strengthened alkyd resins (e.g. modified with Al butylate)
- 7.7.8 other speciality alkyd resins

7.8 polymers and copolymers of acrylic and methacrylic esters
- 7.8.1 polyacrylate homopolymers
- 7.8.2 copolymeric, N-free acrylate resins containing mainly acrylate (without other comonomers, "pure acrylics")
- 7.8.3 copolymeric, N-free acrylate resins containing mainly acrylate plus other comonomers
  - 7.8.3.1 with CH comonomers
  - 7.8.3.2 with CHO comonomers
  - 7.8.3.3 with several comonomers
  - 7.8.3.4 reactive acrylate resins
- 7.8.4 methacrylate homopolymers
- 7.8.5 copolymeric, N-free methacrylate resins containing mainly methacrylate (without other comonomers, "pure acrylics")
- 7.8.6 copolymeric, N-free methacrylate resins containing mainly acrylates plus other comonomers (classification like 7.8.3)
- 7.8.7 N-containing, nonhydrophilized acrylate and methacrylate resins (with copolymerized acrylonitrile, acrylamide, dimethylaminoethyl or di-methyl-amino-methyl acrylates)
- 7.8.8 hydrophilized acrylate and methacrylate resins

7.9 polyvinyl esters, other ester resins (polymeric maleate, or fumarate esters, polyitaconate esters)
- 7.9.1 polyvinyl acetate and copolymers of vinyl acetate
- 7.9.2 polyvinyl propionate and copolymers of vinyl propionate
- 7.9.3 other polyvinyl esters
- 7.9.4 polymerized esters of unsaturated dibasic carboxylic acids
- 7.9.5 miscellaneous ester resins

8 resins with nitrogen as the characterizing element

8.1 alicyclic amine and amine-aldehyde resins

8.2 carbocyclic amine and amine-aldehyde resins (aniline resins)

8.3 heterocyclic amine and amine-aldehyde resins
- 8.3.1 unmodified melamine-formaldehyde condensation products
- 8.3.2 etherified melamine resins
- 8.3.3 acetoguanamine resins
- 8.3.4 benzoguanamine resins
- 8.3.5 other triazine resins

8.4 amide resins and amide-aldehyde resins
- 8.4.1 polyamides and copolyamides (amido group in the main chain)
- 8.4.2 polyamidoamines from dimeric fatty acids and polyamines
- 8.4.3 polyamides with the amido groups in the side chain (polyacrylamide, polymethacrylamide)
- 8.4.4 polyamides reacted with aldehydes (N-hydroxymethylated polyacrylamide or polymethacrylamide)
- 8.4.5 caseine-formaldehyde resins

8.5 urea-formaldehyde and related resins
- 8.5.1 unmodified urea-formaldehyde condensation products
- 8.5.2 etherified urea resins
- 8.5.3 (poly)ester-modified (plasticized) urea resins
- 8.5.4 guanidine-formaldehyde resins
- 8.5.5 dicyanodiamine-formaldehyde resins
- 8.5.6 ethyleneurea-formaldehyde condensation products
- 8.5.7 miscellaneous alkylene(di)urea-formaldehyde condensation products and their derivatives

8.6 polyurethanes, urethane resins
- 8.6.1 aliphatic polyurethanes
- 8.6.2 aliphatic-aromatic polyurethanes
- 8.6.3 polyether urethanes

7.8.3.1 mit CH-Comonomer
7.8.3.2 mit CHO-Comonomer
7.8.3.3 mit mehreren Comonomeren
7.8.3.4 reaktive Acrylatharze
7.8.4 homopolymere Polymethacrylate
7.8.5 copolymere, N-freie Methacrylatharze mit überwiegendem Methacrylatanteil (ohne sonstige Comonomere, „Reinacrylatharze")
7.8.6 copolymere, N-freie Methacrylatharze mit überwiegendem Methacrylatanteil und weiteren Comonomeren (Einteilung wie 7.8.3)
7.8.7 N-haltige, nicht hydrophilisierte Acrylat- und Methacrylatharze (mit einpolymerisiertem Acrylnitril, Acrylamid, Dimethylaminoethyl- oder -methylacrylat)
7.8.8 hydrophilisierte Acrylat- und Methacrylatharze
7.9 Polyvinylester, sonstige Esterharze (polymere Maleinsäure- oder Fumarsäureester, Polyitakonsäureester)
7.9.1 Polyvinylacetat und Copolymere des Vinylacetats
7.9.2 Polyvinylpropionat und Copolymere des Vinylpropionats
7.9.3 sonstige Polyvinylester
7.9.4 polymere ungesättigte Dicarbonsäureester
7.9.5 sonstige Esterharze
8 Harze mit Stickstoff als bestimmendem Element
8.1 acyclische Amin- und Amin-Aldehyd-Harze
8.2 carbocyclische Amin- und Amin-Aldehyd-Harze (Anilinharze)
8.3 heterocyclische Amin- und Amin-Aldehyd-Harze
8.3.1 nicht modifizierte Melamin-Formaldehyd-Kondensationsprodukte
8.3.2 veretherte Melaminharze
8.3.3 Acetoguanaminharze
8.3.4 Benzoguanaminharze
8.3.5 sonstige Triazinharze
8.4 Amidharze und Amid-Aldehyde-Harze
8.4.1 Polyamide und Copolyamide (Amidogruppe in der Hauptkette)
8.4.2 Polyamidoamine aus dimeren Fettsäuren und Polyaminen
8.4.3 polymere Amide mit der Amidogruppe in der Seitenkette (Polyacrylamid, Polymethacrylamid)
8.4.4 mit Aldehyden umgesetzte polymere Amide (N-methylolisiertes Polyacrylamid oder Polymethacrylamid)
8.4.5 Casein-Formaldehyd-Harze
8.5 Harnstoff-Formaldehyd- und verwandte Harze
8.5.1 nicht modifizierte Harnstoff-Formaldehyd-Kondensationsprodukte
8.5.2 veretherte Harnstoffharze
8.5.3 (poly)estermodifizierte (plastifizierte) Harnstoffharze
8.5.4 Guanidin-Formaldehyd-Harze
8.5.5 Dicyandiamid-Formaldehyd-Harze
8.5.6 Ethylenharnstoff-Formaldehyd-Kondensationsprodukte
8.5.7 sonstige Alkylen(di)harnstoff-Formaldehyd-Kondensationsprodukte und deren Derivate
8.6 Polyurethane, Urethanharze
8.6.1 aliphatische Polyurethane
8.6.2 aliphatisch-aromatische Polyurethane
8.6.3 Polyetherurethane
8.6.4 Polyesterurethane
8.6.5 isocyanatgruppenhaltige Polyurethane
8.6.6 Urethan-Formaldehyd-Harze
8.7 Polyimide
8.7.1 Polyimide auf Pyromellitsäure-Basis
8.7.2 Polyesterimide (z. B. auf Trimellitsäurebasis)
8.7.3 Polyamidimide (z. B. auf Trimellitsäurebasis)
8.7.4 Poly(bismaleinimide)

8.6.4 polyester urethanes
8.6.5 polyurethanes containing isocyanate residues
8.6.6 urethane-formaldehyde resins
8.7 polyimides
8.7.1 polyimides based on pyromellitic acid
8.7.2 polyester-imides (e.g. trimellitic acid based)
8.7.3 polyamide-imides (e.g. trimellitic acid based)
8.7.4 poly(bis-maleimide)
8.7.5 other polyimides
8.8 polyhydantoins, other polymeric N(CO) heterocycles
8.9 other CHNO resins
9 resins with other heteroelements
9.1 CH(O)S resins
9.1.1 polythioethers
9.1.2 polysulfones
9.1.3 other CH(O)S resins
9.2 CHN(O)S resins
9.2.1 polythioamides
9.2.2 polythiourea resins
9.2.3 sulfonamide resins
9.2.4 other CHN(O)S resins
9.3 resins with phosphorus as the characterizing heteroelement
9.3.1 ester derivatives of phosphoric acid
9.3.2 polyphosphazenes
9.3.3 other phosphorus-containing polymers and resins
9.4 resins with silicon as the characterizing heteroelement
9.4.1 polysiloxanes
9.4.1.1 polydimethylsiloxanes
9.4.1.2 polyphenylmethylsiloxanes
9.4.1.3 polyhydrogensiloxanes
9.4.1.4 other polysiloxanes
9.4.2 polysilazanes
9.4.3 polysilicic esters
9.4.4 other silicon-containing polymers and resins
9.5 resins with titanium as the characterizing heteroelement
9.6 resins with other metals as the characterizing heteroelement
9.7 other organic-inorganic resins

1.5 adhesives, adhesion promoters, putties, cements, dispersing, impregnating and sizing agents, protective colloids, thickeners (classification like **1.1**)

1.6 curing agents (crosslinkers), initiators, accelerators
1 for epoxy and isocyanate resins
1.1 CHN(O) compounds
1.1.1 amines and polyamines
1.1.1.1 aliphatic
1.1.1.2 aliphatic-aromatic
1.1.1.3 aromatic
1.1.1.4 heterocyclic (N in ring)
1.1.2 amines with CHO functions
1.1.3 other amines (apart from amide-amines)
1.1.4 other imines (dicyanodiamine and its derivatives)
1.1.5 imides
1.1.6 guanidine and its derivatives
1.1.7 aromatic N-heterocycles
1.1.8 other CHN(O) compounds
1.2 CHO(X) compounds
1.2.1 alcohols
1.2.2 ether alcohols
1.2.3 ester alcohols
1.2.4 phenols
1.2.5 carboxylic acids
1.2.5.1 aliphatic
1.2.5.2 aliphatic-aromatic
1.2.5.3 aromatic
1.2.6 anhydrides (classification like 1.2.5)

8.7.5 sonstige Polyimide
8.8 Polyhydantoine, sonstige polymere N(CO)-Heterocyclen
8.9 sonstige CHNO-Harze
9 Harze mit weiteren Heteroelementen
9.1 CH(O)S-Harze
9.1.1 Polythioether
9.1.2 Polysulfone
9.1.3 andere CH(O)S-Harze
9.2 CHN(O)S-Harze
9.2.1 Polythioamide
9.2.2 Thioharnstoffharze
9.2.3 Sulfonamidharze
9.2.4 andere CHN(O)S-Harze
9.3 Harze mit Phosphor als bestimmendem Heteroelement
9.3.1 esterartige Derivate der Phosphorsäure
9.3.2 Polyphosphazene
9.3.3 sonstige phosphorhaltige Polymere und Harze
9.4 Harze mit Silicium als bestimmendem Heteroelement
9.4.1 Polysiloxane
9.4.1.1 Polydimethylsiloxane
9.4.1.2 Polyphenylmethylsiloxane
9.4.1.3 Polyhydrogensiloxane
9.4.1.4 sonstige Polysiloxane
9.4.2 Polysilazane
9.4.3 Polykieselsäureester
9.4.4 sonstige siliciumhaltige Polymere und Harze
9.5 Harze mit Titan als bestimmendem Heteroelement
9.6 Harze mit sonstigen Metallen als bestimmendem Heteroelement
9.7 sonstige organisch-anorganische Harze

1.5 Klebstoffe, Haftvermittler, Kitte, Zemente, Dispergier-, Imprägnier- und Appretiermittel, Schutzkolloide, Verdickungsmittel (Einteilung wie **1.1**)

1.6 Härter (Vernetzer), Initiatoren, Beschleuniger
1 für Epoxid- und Isocyanat-Harze
1.1 CHN(O)-Verbindungen
1.1.1 Amine und Polyamine
1.1.1.1 aliphatisch
1.1.1.2 aliphatisch-aromatisch
1.1.1.3 aromatisch
1.1.1.4 heterocyclisch (N im Ring)
1.1.2 Amine mit CHO-Funktionen
1.1.3 sonstige Amine (außer Amidamine)
1.1.4 Imine (Dicandiamid und seine Derivate)
1.1.5 Imide
1.1.6 Guanidin und seine Derivate
1.1.7 aromatische N-Heterocyclen
1.1.8 sonstige CHN(O)-Verbindungen
1.2 CHO(X)-Verbindungen
1.2.1 Alkohole
1.2.2 Etheralkohole
1.2.3 Esteralkohole
1.2.4 Phenole
1.2.5 Carbonsäuren
1.2.5.1 aliphatisch
1.2.5.2 aliphatisch-aromatisch
1.2.5.3 aromatisch
1.2.6 Anhydride (Einteilung wie 1.2.5)
1.2.7 sonstige CHO-Verbindungen
1.3 CHS-Verbindungen
1.4 CHNO-Verbindungen
1.4.1 Amide und Amidamine
1.4.1.1 aliphatisch
1.4.1.2 aliphatisch-aromatisch (carbocyclisch)
1.4.1.3 aliphatisch-heterocyclisch

1.2.7 other CHO compounds
1.3 CHS compounds
1.4 CHNO compounds
1.4.1 amides and amide-amines
1.4.1.1 aliphatic
1.4.1.2 aliphatic-aromatic (carbocyclic)
1.4.1.3 aliphatic-heterocyclic
1.4.2 hydrazides
1.4.3 other amide-like compounds
1.4.4 CHNO heterocycles
1.4.5 other CHNO compounds
1.5 polymerization initiators (cationic, BF_3 derivatives)
2 for polymerizing systems (except 1.5)
2.1 hydroperoxides
2.2 peroxides
2.3 peranhydrides
2.4 azocompounds
2.5 azides, other radical-forming substances
2.6 ionic initiators
2.7 metal complex initiators
2.8 polymerization accelerators and co-initiators (photocrosslinking)
2.9 regulators, others
3 for polycondensing systems (e.g. silicones)

1.7 oils, waxes, tars, asphalts, bitumens, pitches
1 biological oils and their reaction products
1.1 vegetable and animal oils
1.1.1 highly unsaturated oils (drying oils)
1.1.2 semi-drying oils with a medium content of multiple unsaturated fatty acids
1.1.3 non drying oils with a low content of unsaturated fatty acids, glyceryl esters of saturated fatty acids
1.1.4 glyceryl esters of ketofatty acids (oiticica oil)
1.1.5 glyceryl esters of hydroxyfatty acids (castor oil)
1.1.6 train (fish) oils
1.1.7 tall oil fatty acid esters
1.1.8 other vegetable or animal oils
1.2 simply modified biological oils
1.2.1 stand oils
1.2.2 isomerized oils
1.2.3 dehydrated oils
1.2.4 oxidized oils
1.2.5 epoxidized oils
1.2.6 sulfurized oils (factice)
1.2.7 partially saponified oils (lime oils)
1.3 oils modified by the addition of large molecules
1.3.1 styrenated oils
1.3.2 oils modified with vinyltoluene
1.3.3 oils modified with other hydrocarbon monomers (cyclopentadiene oils)
1.3.4 oils modified with CHO monomers
1.3.5 nonhydrophilized fatty acids or oils condensed with maleic or fumaric acid (maleate oils)
1.3.6 hydrophilized oils
1.3.7 thixotropized oils, amidated oils
1.3.8 urethane oils
1.3.9 other modified oils
2 oils of nonbiological origin
2.1 containing 2 elements
2.1.1 CH
2.1.1.1 aliphatic
2.1.1.2 aliphatic-aromatic
2.1.2 CHal
2.2 containing 3 elements
2.2.1 CHHal
2.2.1.1 CHF

1.4.2 Hydrazide
1.4.3 sonstige amidartige Verbindungen
1.4.4 CHNO-Heterocyclen
1.4.5 sonstige CHNO-Verbindungen
1.5 Polymerisationsinitiatoren (kationisch, BF_3-Derivate)
2 für polymerisierende Systeme (außer 1.5)
2.1 Hydroperoxide
2.2 Peroxide
2.3 Peranhydride
2.4 Azoverbindungen
2.5 Azide, sonstige Radikalbildner
2.6 ionische Initiatoren
2.7 Metallkomplex-Initiatoren
2.8 Polymerisationsbeschleuniger und Co-Initiatoren (Lichtvernetzung)
2.9 Regler, sonstige
3 für polykondensierende Systeme (z. B. Silicone)

1.7 Öle, Wachse, Teere; Asphalte, Bitumina, Peche
1 Biogene Öle und ihre Umwandlungsprodukte
1.1 Pflanzliche und tierische Öle
1.1.1 hochungesättigte (trocknende) Öle
1.1.2 halbtrocknende Öle mit mittlerem Gehalt an mehrfach ungesättigten Fettsäuren
1.1.3 nichtrocknende Öle mit niederem Gehalt an ungesättigten Fettsäuren, Glycerinester gesättigter Fettsäuren
1.1.4 Ketofettsäure-Glycerinester (Oiticica-Öl)
1.1.5 Hydroxyfettsäure-Glycerinester (Ricinusöl)
1.1.6 Trane (Fischöle)
1.1.7 Tallölfettsäureester
1.1.8 sonstige pflanzliche oder tierische Öle
1.2 einfach modifizierte biogene Öle
1.2.1 Standöle
1.2.2 isomerisierte Öle
1.2.3 dehydratisierte Öle
1.2.4 oxidierte (geblasene) Öle
1.2.5 epoxidierte Öle
1.2.6 geschwefelte Öle (Faktis)
1.2.7 teilweise verseifte Öle (Kalköle)
1.3 durch Anlagerung größerer Molekeln modifizierte Öle
1.3.1 styrolisierte Öle
1.3.2 mit Vinyltoluol modifizierte Öle
1.3.3 mit anderen Kohlenwasserstoffmonomeren modifizierte Öle (Cyclopentadienöle)
1.3.4 mit CHO-Monomeren modifizierte Öle
1.3.5 mit Maleinsäureanhydrid oder Fumarsäure kondensierte, nicht hydrophilisierte Fettsäuren oder Öle (Maleinatöle).
1.3.6 hydrophilisierte Öle
1.3.7 thixotropierte Öle, amidierte Öle
1.3.8 Urethanöle
1.3.9 sonstwie modifizierte Öle
2 nichtbiogene Öle
aus 2 Elementen
2.1.1 CH
2.1.1.1 aliphatisch
2.1.1.2 aliphatisch-aromatisch
2.1.2 CHal
2.2 aus 3 Elementen
2.2.1 CHHal
2.2.1.1 CHF
2.2.1.2 CHCl
2.2.2 CHN
2.2.3 CHO
2.2.4 CHS
2.3 aus 4 Elementen
2.4 aus mehr als 4 Elementen

2.2.1.2 CHCl
2.2.2 CHN
2.2.3 CHO
2.2.4 CHS
2.3 containing 4 elements
2.4 containing more than 4 elements
2.5 with Si as a heteroelement
2.6 with other heteroelements except Hal, N, O, S, Si
3 waxes
3.1 natural waxes
3.2 paraffin waxes
3.3 alcohol waxes
3.4 ether waxes
3.5 ketone waxes
3.6 acid waxes, carboxylates (soaps)
3.7 ester waxes
3.8 amide waxes
3.9 other waxes
4 tars
4.1 coal tar
4.2 lignite tar
4.3 peat tar
4.4 ligneous tar
4.5 other tars
5 asphalts, bitumens and pitches
5.1 natural asphalt
5.2 bitumen
5.3 coal tar pitch
5.4 lignite tar pitch
5.5 peat and ligneous tar pitch
5.6 tall oil pitch
5.7 other pitches

1.8 low-molecular substances
1.8.1 monomers, pyrolysates, (classification like **1.1** or **1.4**)
1.8.2 CX
1.8.2.1 CH
1 aliphatic
1.1 saturated
1.1.1 unbranched
1.1.2 branched
1.1.3 cyclic
1.2 unsaturated
1.2.1 unbranched
1.2.2 branched
1.2.3 cyclic
2 aliphatic-aromatic
2.1 mononuclear
2.2 multinuclear (noncondensed)
2.3 condensed nuclei
3 aromatic
1.8.2.2 CHal
1.8.2.2.1 CF
1.8.2.2.2 CCl
1.8.2.3 CN
1.8.2.4 CO
1.8.2.5 CS
1.8.3 CXY
1.8.3.1 CHHal
1.8.3.1.1 CHF
1 aliphatic
2 aliphatic-aromatic
3 aromatic
1.8.3.1.2 CHCl (classification like **1.8.3.1.1**)
1.8.3.1.2 CHBr (classification like **1.8.3.1.1**)
1.8.3.1.4 CHI (classification like **1.8.3.1.1**)
1.8.3.2 CHN(X) (without **1.8.4.2**)

2.5 mit Si als Heteroelement
2.6 mit anderen Heteroelementen außer Hal, N, O, S, Si
3 Wachse
3.1 natürliche Wachse
3.2 Paraffinwachse
3.3 Alkoholwachse
3.4 Etherwachse
3.5 Ketonwachse
3.6 Säurewachse, Carboxylate (Seifen)
3.7 Esterwachse
3.8 Amidwachse
3.9 sonstige Wachse
4 Teere
4.1 Steinkohlenteer
4.2 Braunkohlenteer
4.3 Torfteer
4.4 Holzteer
4.5 sonstige Teere
5 Asphalte, Bitumina und Peche
5.1 natürliche Asphalte
5.2 Bitumen
5.3 Steinkohlenteerpech
5.4 Braunkohlenteerpech
5.5 Torfteer- und Holzteer-Pech
5.6 Tallölpech
5.7 sonstige Peche

1.8 Niedermolekulare Stoffe
1.8.1 Monomere, Pyrolysate (Einteilung wie **1.1** oder **1.4**)
1.8.2 CX
1.8.2.1 CH
1 aliphatisch
1.1 gesättigt
1.1.1 unverzweigt
1.1.2 verzweigt
1.1.3 cyclisch
1.2 ungesättigt
1.2.1 unverzweigt
1.2.2 verzweigt
1.2.3 cyclisch
2 aliphatisch-aromatisch
2.1 ein Kern
2.2 mehrere Kerne (nichtkondensiert)
2.3 kondensierte Kerne
3 aromatisch
1.8.2.2 CHal
1.8.2.2.1 CF
1.8.2.2.2 CCl
1.8.2.3 CN
1.8.2.4 CO
1.8.2.5 CS
1.8.3 CXY
1.8.3.1 CHHal
1.8.3.1.1 CHF
1 aliphatisch
2 aliphatisch-aromatisch
3 aromatisch
1.8.3.1.2 CHCl (Einteilung wie **1.8.3.1.1**)
1.8.3.1.3 CHBr (Einteilung wie **1.8.3.1.1**)
1.8.3.2 CHN(X) (ohne **1.8.4.2**)
1 Amine und deren Salze, N-Heterocyclen
1.1 aliphatisch
1.1.1 offenkettig
1.1.1.1 primär
1.1.1.2 sekundär
1.1.1.3 tertiär
1.1.1.4 mit mehreren Aminogruppen

1 amines and their salts, N-heterocycles
1.1 aliphatic
1.1.1 open chain
1.1.1.1 primary
1.1.1.2 secondary
1.1.1.3 tertiary
1.1.1.4 with several amino groups
1.1.1.5 with further hetero functions (CHNX)
1.1.2 carbocyclic (classification like **1.1.1**)
1.1.3 heterocyclic (N in ring)
1.2 aliphatic-aromatic
1.2.1 amino groups on aliphatic residues
1.2.2 amino groups on aromatic residues
1.2.3 nonaromatic heterocycles with aromatic substituents
1.2.4 with further hetero functions (CHNX)
1.3 aromatic (carbocyclic) (classification like 1.1.1)
1.4 aromatic N-heterocyclics
1.4.1 noncondensed
1.4.1.1 one N in ring
1.4.1.2 two N in ring
1.4.1.3 more than two N in ring
1.4.1.4 with further hetero functions (CHNX)
1.4.2 condensed (classification like 1.4.1)
2 salts of amines and amine-like heterocyclics (classification like 1)
3 amine-like derivatives of hydrazine
4 nitriles (classification like **1.8.3.1.1**)
5 compounds with C = N bonds
6 compounds with N = N bonds
1.8.3.3 CHO(X) (without **1.8.4.3**)
1 alcohols
1.1 aliphatic open chain
1.1.1 primary
1.1.2 secondary
1.1.3 tertiary
1.1.4 with several OH groups
1.1.5 with further hetero functions (CHOX)
1.2 cycloaliphatic (classification like 1.1)
1.3 aromatic-aliphatic
1.4 hydroperoxides
2 phenols
2.1 unsubstituted
2.2 aliphatic substituted
2.3 aromatic substituted
2.4 phenol derivatives of condensed aromatics
2.5 heterosubstituted phenols
3 ethers, acetals, ketals
3.1 acyclic ethers (O not in ring system)
3.1.1 aliphatic
3.1.2 aliphatic-aromatic
3.1.2.1 aromatic substituted aliphatic ethers
3.1.2.2 R – O – Ar
3.1.3 aromatic
3.1.4 with further hetero groups
3.2 cyclic ethers (O in ring system)
3.2.1 oxirane derivatives
3.2.1.1 aliphatic
3.2.1.2 aliphatic-aromatic
3.2.1.3 with further hetero groups
3.2.2 oxetane and derivatives
3.2.3 oxolane, dioxolane and derivatives
3.2.4 oxane, dioxane and derivatives
3.2.5 higher cyclic ethers
3.2.6 cyclic ethers with further hetero groups
3.3 acetals
3.3.1 open chain acetal structures
3.3.2 cyclic acetal structures
3.4 ketals

1.1.1.5 mit weiteren Heterofunktionen (CHNX)
1.1.2 carbocyclisch (Einteilung wie 1.1.1)
1.1.3 heterocyclisch (N im Ring, Einteilung wie 1.1.1)
1.2 aliphatisch-aromatisch
1.2.1 Aminogruppe am aliphatischen Rest
1.2.2 Aminogruppe am aromatischen Rest
1.2.3 nichtaromatische Heterocyclen mit aromatischen Substituenten
1.2.4 mit weiteren Heterofunktionen (CHNX)
1.3 aromatisch (carbocyclisch, Einteilung wie 1.1.1)
1.4 aromatische N-Heterocyclen
1.4.1 nichtkondensiert
1.4.1.1 ein N im Ring
1.4.1.2 zwei N im Ring
1.4.1.3 mehr als 2 N im Ring
1.4.1.4 mit weiteren Heterofunktionen (CHNX)
1.4.2 kondensiert (Einteilung wie 1.4.1)
2 Salze von Aminen und aminartigen Heterocyclen (Einteilung wie 1)
3 aminartige Derivate des Hydrazins
4 Nitrile (Einteilung wie **1.8.3.1.1**)
5 Stoffe mit C = N-Bindungen
6 Stoffe mit N = N-Bindungen
1.8.3.3 CHO(X) (ohne **1.8.4.3**)
1 Alkohole
1.1 aliphatisch-offenkettig
1.1.1 primär
1.1.2 sekundär
1.1.3 tertiär
1.1.4 mit mehreren OH-Gruppen
1.1.5 mit weiteren Heterofunktionen (CHOX)
1.2 cycloaliphatisch (Einteilung wie 1.1)
1.3 aromatisch-aliphatisch
1.4 Hydroperoxide
2 Phenole
2.1 unsubstituiert
2.2 aliphatisch substituiert
2.3 aromatisch substituiert
2.4 phenolische Derivate kondensierter Aromaten
2.5 heterosubstituierte Phenole
3 Ether, Acetale, Ketale
3.1 acyclische Ether (O nicht im Ringsystem)
3.1.1 aliphatisch
3.1.2 aliphatisch-aromatisch
3.1.2.1 aromatisch substituierte aliphatische Ether
3.1.2.2 R – O – Ar
3.1.3 aromatisch
3.1.4 mit weiteren Heterogruppierungen
3.2 cyclische Ether (O im Ringsystem)
3.2.1 Oxiranderivate
3.2.1.1 aliphatisch
3.2.1.2 aliphatisch-aromatisch
3.2.1.3 mit weiteren Heterogruppierungen
3.2.2 Oxetan und Derivate
3.2.3 Oxolan, Dioxolan und Derivate
3.2.4 Oxan, Dioxan und Derivate
3.2.5 höhere cyclische Ether
3.2.6 cyclische Ether mit weiteren Heterogruppierungen
3.3 Acetale
3.3.1 offene Acetalstruktur
3.3.2 cyclische Acetalstruktur
3.4 Ketale
3.5 Peroxide
3.5.1. aliphatisch
3.5.2 aliphatisch-aromatisch
3.5.3 aromatisch
4 verschiedene einfach gebundene C-Atome in der Molekel

3.5 peroxides
3.5.1 aliphatic
3.5.2 aliphatic-aromatic
3.5.3 aromatic
4 various singly bound C atoms in the molecule
4.1 ether alcohols
4.1.1 aliphatic
4.1.2 aliphatic-aromatic
4.1.2.1 aliphatic ether structures
4.1.2.2 aliphatic-aromatic ether structures
4.1.2.3 aromatic ether structures
4.2 ether phenols (classification like 4.1.2)
4.3 phenol alcohols
5 carbonyl compounds of type R – CO – R′ (R, R′ ≙ H, alkyl, aryl)
5.1 aldehydes
5.1.1 aliphatic
5.1.2 aliphatic-aromatic
5.1.2.1 CHO group on aliphatic residue
5.1.2.2 CHO group on aromatic residue
5.1.3 aromatic
5.1.4 with further hetero groups
5.2 ketones
5.2.1 aliphatic
5.2.1 aliphatic-aromatic
5.2.2.1 aliphatic ketones with aromatic substituents
5.2.2.2 R – CO – Ar
5.2.2.3 Ar – CO – Ar′ with aliphatic substituents
5.2.3 aromatic
5.2.4 with further hetero groups
5.3 quinones
6 carboxylic acids and their salts
6.1 aliphatic
6.1.1 monobasic
6.1.1.1 saturated
6.1.1.2 unsaturated
6.1.2 multibasic
6.1.2.1 saturated
6.1.2.2 unsaturated
6.2 aliphatic-aromatic
6.2.1 COOH on aliphatic residue
6.2.2 COOH on aromatic residue
6.3 aromatic
6.3.1 monobasic
6.3.2 multibasic
6.4 carboxylic acids with further hetero groups
6.5 carboxylates (salts of carboxylic acids) (classification like 6.1 to 6.4)
7 esters
7.1 aliphatic saturated
7.1.1 acyclic
7.1.2 alicyclic
7.2 olefinic
7.3 aliphatic-aromatic
7.3.1 aromatic substituted aliphatic esters
7.3.2 R – COO – Ar (phenol esters of aliphatic acids)
7.3.3 Ar – COO – R
7.3.4 Ar – COO – Ar′, aliphatic substituted
7.4 aromatic (phenol esters of aromatic acids)
7.5 esters with further hetero groups
7.6 lactones
7.7 carboxylate esters
7.8 ortho-esters
8 anhydrides
8.1 aliphatic saturated
8.1.1 open-chain anhydride groups
8.1.2 cyclic anhydride groups
8.2 olefinic (classification like 8.1)

4.1 Etheralkohole
4.1.1 aliphatisch
4.1.2 aliphatisch-aromatisch
4.1.2.1 aliphatische Etherstruktur
4.1.2.2 aliphatisch-aromatische Etherstruktur
4.1.2.3 aromatische Etherstruktur
4.2 Etherphenole (Einteilung wie 4.1.2)
4.3 Phenolalkohole
5 Carbonylverbindungen vom Typ R – CO – R′ (R, R′ ≙ H, Alkyl, Aryl)
5.1 Aldehyde
5.1.1 aliphatisch
5.1.2 aliphatisch-aromatisch
5.1.2.1 CHO-Gruppe am aliphatischen Rest
5.1.2.2 CHO-Gruppe am aromatischen Rest
5.1.3 aromatisch
5.1.4 mit weiteren Heterogruppierungen
5.2 Ketone
5.2.1 aliphatisch
5.2.2 aliphatisch-aromatisch
5.2.2.1 aliphatische Ketone mit aromatischen Substituenten
5.2.2.2 R – CO – Ar
5.2.2.3 Ar – CO – Ar′ mit aliphatischen Substituenten
5.2.3 aromatisch
5.2.4 mit weiteren Heterogruppierungen
5.3 Chinone
6 Carbonsäuren und deren Salze
6.1 aliphatisch
6.1.1 einbasig
6.1.1.1 gesättigt
6.1.1.2 ungesättigt
6.1.2 mehrbasig
6.1.2.1 gesättigt
6.1.2.2 ungesättigt
6.2 aliphatisch-aromatisch
6.2.1 COOH am aliphatischen Rest
6.2.2 COOH am aromatischen Rest
6.3 aromatisch
6.3.1 einbasig
6.3.2 mehrbasig
6.4 Carbonsäuren mit weiteren Heterogruppierungen
6.5 Carboxylate (Salze von Carbonsäuren) (Einteilung wie 6.1 bis 6.4)
7 Ester
7.1 aliphatisch-gesättigt
7.1.1 acyclisch
7.1.2 cycloaliphatisch
7.2 olefinisch
7.3 aliphatisch-aromatisch
7.3.1 aromatisch substituierte aliphatische Ester
7.3.2 R – COO – Ar (Phenolester aliphatischer Säuren)
7.3.3 Ar – COO – R
7.3.4 Ar – COO – Ar′, aliphatisch substituiert
7.4 aromatisch (Phenolester aromatischer Säuren)
7.5 Ester mit weiteren Heterogruppierungen
7.6 Lactone
7.7 Kohlensäureester
7.8 Orthoester
8 Anhydride
8.1 aliphatisch gesättigt
8.1.1 offene Anhydridgruppe
8.1.2 cyclische Anhydridgruppe
8.2 olefinisch (Einteilung wie 8.1)
8.3 aliphatisch-aromatisch (Einteilung wie 8.1)
8.4 aromatisch (Einteilung wie 8.1)
8.5 Peranhydride

8.3 aliphatic-aromatic (classification like 8.1)
8.4 aromatic (classification like 8.1)
8.5 peranhydrides
8.5.1 aliphatic
8.5.2 aliphatic-aromatic
8.5.3 aromatic

1.8.3.4 CHS

1 thiols
1.1 aliphatic
1.2 aliphatic-aromatic
1.3 aromatic
2 thioesters (classification like **1.8.3.3**.3)
3 polythioethers, $R - S_n - R'$
4 thioketones
5 thiocarboxylic acids and their salts
6 thioesters, – CS – S –
7 heterocyclic CHS compounds (classification like 1)

1.8.3.5 CHalX (X ≠ H)
1.8.3.5.1 CHalHal′
1.8.3.5.1.1 CFCl
1.8.3.5.1.2 CFBr
1.8.3.5.1.3 CFI
1.8.3.5.1.4 CClBr
1.8.3.5.1.5 CClI
1.8.3.5.1.6 CBrI
1.8.3.5.2 CHalN
1.8.3.5.2.1 CFN
1.8.3.5.2.2 CClN
1.8.3.5.2.3 CBrN
1.8.3.5.2.4 CIN
1.8.3.5.3 CHalO (classification like **1.8.3.5.2)**
1.8.3.5.4 CHals (classification like **1.8.3.5.2)**
1.8.3.6 CNO
1.8.3.7 CNS
1.8.4 CXYZ
1.8.4.1 CHHalX
1.8.4.1.1 CHHalHal′ (classification analogous to **1.8.3.5.1)**
1.8.4.1.2 CHHalN (classification analogous to **1.8.3.5.2)**
1.8.4.1.3 CHHalO
1.8.4.1.3.1 CHFO

1 alcohols
2 phenols
3 ethers, peroxides
4 various singly bound O atoms in the compound
5 aldehydes, ketones
6 carboxylic acids and their salts
7 esters
8 anhydrides
9 acid halides

1.8.4.1.3.2 CHClO (classification as **1.8.4.1.3.1)**
1.8.4.1.3.3 CHBrO (classification as **1.8.4.1.3.1)**
1.8.4.1.3.4 CHIO (classification as **1.8.4.1.3.1)**
1.8.4.1.4 CHHalS (classification analogous to **1.8.3.5.2)**
1.8.4.2 CHNX
1.8.4.2.1 CHNO

1 NO compounds (O directly on the N)

8.5.1 aliphatisch
8.5.2 aliphatisch-aromatisch
8.5.3 aromatisch

1.8.3.4 CHS

1 Thiole
1.1 aliphatisch
1.2 aliphatisch-aromatisch
1.3 aromatisch
2 Thioether (Einteilung wie **1.8.3.3.3**)
3 Polythioether, $R-S_n-R'$
4 Thioketone
5 Thiocarbonsäuren und deren Salze
6 Thioester, $-CS-S-$
7 heterocyclische CHS-Verbindungen (Einteilung wie 1)

1.8.3.5 CHalX ($X \neq H$)

1.8.3.5.1 CHalHal′
1.8.3.5.1.1 CFCl
1.8.3.5.1.2 CFBr
1.8.3.5.1.3 CFI
1.8.3.5.1.4 CClBr
1.8.3.5.1.5 CClI
1.8.3.5.1.6 CBrI

1.8.3.5.2 CHalN
1.8.3.5.2.1 CFN
1.8.3.5.2.2 CClN
1.8.3.5.2.3 CBrN
1.8.3.5.2.4 CIN

1.8.3.5.3 CHalO (Einteilung analog **1.8.3.5.2**)
1.8.3.5.4 CHalS (Einteilung analog **1.8.3.5.2**)

1.8.3.6 CNO
1.8.3.7 CNS

1.8.4 CXYZ

1.8.4.1 CHHalX

1.8.4.1.1 CHHalHal′ (Einteilung analog **1.8.3.5.1**)
1.8.4.1.2 CHHalN (Einteilung analog 1.8.3.5.2)
1.8.4.1.3 CHHalO
1.8.4.1.3.1 CHFO

1 Alkohole
2 Phenole
3 Ether, Peroxide
4 verschiedene einfache gebundene O-Atome in der Verbindung
5 Aldehyde, Ketone
6 Carbonsäuren und deren Salze
7 Ester
8 Anhydride
9 Säurehalogenide

1.8.4.1.3.2 CHClO (Einteilung wie **1.8.4.1.3.1**)
1.8.4.1.3.3 CHBrO (Einteilung wie **1.8.4.1.3.1**)
1.8.4.1.3.4 CHIO (Einteilung wie **1.8.4.1.3.1**)

1.8.4.1.4 CHHalS (Einteilung analog **1.8.3.5.2**)

1.8.4.2 CHNX

1.8.4.2.1 CHNO

1 NO-Verbindungen (O direkt am N)
1.1 Aminoxide
1.2 Hydroxamsäuren
1.3 Oxime und O-substituierte Oxime
1.4 Nitrosoverbindungen

1.1 amine oxides
1.2 hydroxamic acids
1.3 oximes and O substituted oximes
1.4 nitroso compounds
1.5 nitro compounds
1.6 nitrates
2 amides
2.1 primary ($-CONH_2$)
2.1.1 aliphatic
2.1.1.1 saturated
2.1.1.2 unsaturated
2.1.2 aliphatic-aromatic
2.1.2.1 amide groups on aliphatic residue
2.1.2.2 amide groups on aromatic residue
2.1.3 aromatic
2.2 secondary ($-CONH-$)
2.2.1 aliphatic
2.2.1.1 saturated
2.2.1.2 unsaturated
2.2.2 aliphatic-aromatic
2.2.2.1 $Ar-CONH-R$
2.2.2.2 $R-CONH-Ar$
2.2.3 aromatic
2.2.4 lactams
2.3 tertiary ($-CO-N<$)
2.3.1 aliphatic
2.3.1.1 saturated
2.3.1.2 unsaturated
2.3.2 aliphatic-aromatic
2.3.2.1 $Ar-CO-N<^{R}$
2.3.2.2 $R-CO-N<^{Ar}$
2.3.3 aromatic
2.3.4 lactams
2.4 amides with further hetero groups
2.5 hydrazides
3 urethanes
3.1 aliphatic
3.2 aliphatic-aromatic
3.3 aromatic
3.4 with further hetero groups
4 urea and its derivatives, ureides, biurets, allophanates
5 imides
6 CHNO heterocyclics (with the exception of those in categories 7 and 9)
7 isocyanates and their oligomers, cyanates and cyanurates
7.1 isocyanates (classification like 3)
7.2 dimeric isocyanates; uretdiones
7.3 trimeric isocyanates; isocyanurates
7.4 cyanates
7.5 trimeric cyanates; cyanurates
8 amino carboxylic acids and their salts
9 CHN compounds with (CHN)O functions
9.1 amines with (CHN)O functions
9.2 azo compounds with (CHN)O functions
9.3 nitriles with (CHN)O functions
9.4 CHN heterocycles with O-containing substituents

1.8.4.2.2 CHNS

1.8.4.3 CHOS

1 oxygen-free S functions, bonded to (CH)O functions
2 S and O on the same C atom
2.1 thioesters of the type $-CO-S-$
2.2 thioesters of the type $-CS-O-$
2.3 esters of thiocarbonic acid
3 sulfoxides
4 sulfones (classification like **1.8.4.2.1**.3)
5 sulfonic acids
5.1 aliphatic

1.5 Nitroverbindungen
1.6 Nitrate (Salpetersäureester)
2 Amide
2.1 primär ($-CONH_2$)
2.1.1 aliphatisch
2.1.1.1 gesättigt
2.1.1.2 ungesättigt
2.1.2 aliphatisch-aromatisch
2.1.2.1 Amidgruppe am aliphatischen Rest
2.1.2.2 Amidgruppe am aromatischen Rest
2.1.3 aromatisch
2.2 sekundär ($-CONH-$)
2.2.1 aliphatisch
2.2.1.1 gesättigt
2.2.1.2 ungesättigt
2.2.2 aliphatisch-aromatisch
2.2.2.1 $Ar-CONH-R$
2.2.2.2 $R-CONH-Ar$
2.2.3 aromatisch
2.2.4 Lactame
2.3 tertiär ($-CO-N<$)
2.3.1 aliphatisch
2.3.1.1 gesättigt
2.3.1.2 ungesättigt
2.3.2 aliphatisch-aromatisch
2.3.2.1 $Ar-CO-N<^{R}$
2.3.2.2 $R-CO-N<^{Ar}$
2.3.3 aromatisch
2.3.4 Lactome
2.4 Amide mit weiteren Heterogruppierungen
2.5 Hydrazide
3 Urethane
3.1 aliphatisch
3.2 aliphatisch-aromatisch
3.3 aromatisch
3.4 mit weiteren Heterogruppierungen
4 Harnstoff und seine Derivate, Ureide, Biurete, Allophanate
5 Imide
6 CHNO-Heterocyclen (außer denen der Kategorien 7 und 9)
7 Isocyanate und ihre Oligomeren, Cyanate und Cyanurate
7.1 Isocyanate (Einteilung wie 3)
7.2 dimere Isocyanate: Uretdione
7.3 trimere Isocyanate: Isocyanurate
7.4 Cyanate
7.5 trimere Cyanate: Cyanurate
8 Aminocarbonsäuren und ihre Salze
9 CHN-Verbindungen mit (CHN)O-Funktionen
9.1 Amine mit (CHN)O-Funktionen
9.2 Azoverbindungen mit (CHN)O-Funktionen
9.3 Nitrile mit (CHN)O-Funktionen
9.4 CHN-Heterocyclen mit O-haltigen Substituenten
1.8.4.2.2 CHNS
1.8.4.3 CHOS
1 sauerstofffreie S-Funktionen, verknüpft mit (CH)O-Funktionen
2 S und O am selben C-Atom
2.1 Thioester vom Typ $-CO-S-$
2.2 Thioester vom Typ $-CS-O-$
2.3 Thiokohlensäureester
3 Sulfoxide
4 Sulfone (Einteilung wie **1.8.4.2.1**.3)
5 Sulfonsäuren
5.1 aliphatisch
5.2 aliphatisch-aromatisch
5.2.1 SO_3H am aliphatischen Rest
5.2.2 SO_3H am aromatischen Rest
5.3 aromatisch
6 Salze von Sulfonsäuren (Einteilung analog 5)

5.2 aliphatic-aromatic
5.2.1 SO_3H on aliphatic residue
5.2.2 SO_3H on aromatic residue
5.3 aromatic
6 salts of sulfonic acids (classification analogous to 5)
7 esters of sulfonic acids (classification analogous to 5)
1.8.4.4 CHalNX
1.8.4.4.1 CHalNO
(classification analogous to **1.8.3.5.2)**
1.8.4.4.2 CHalNS
(classification analogous to **1.8.3.5.2)**
1.8.5 materials containing 5 different elements
1.8.5.1 CHHalXY
1.8.5.1.1 CHHalHal′O
1.8.5.1.2 CHHalNO
1.8.5.1.3 CHHalOS
1.8.5.2 CHNOS
1.8.6 materials containing 6 different elements
1.8.7 deuterated compounds
1.8.7.1 proton-free
(only Hal, N, O, S as heteroelements)
1.8.7.2 proton-containing
(only Hal, N, O, S as heteroelements)
1.8.7.3 with further heteroelements
(with or without Hal, N, O, S)
1.8.8 compounds with heteroelements
(in addition to Hal, N, O, S)
1.8.8.1 organoboron compounds
1.8.8.2 organosilicon compounds
1.8.8.3 organogermanium compounds
1.8.8.4 organophosphorus compounds
1.8.8.5 organometallic compounds
1.8.9 technical solvents
1.8.9.1 CX compounds
1.8.9.1.1 CH compounds
1. aliphatic
2. aliphatic-aromatic
3. aromatic
1.8.9.1.2 CHal compounds
1.8.9.1.3 others
1.8.9.2 CHHal compounds
1 CHF
2 CHCl
1.8.9.3 CHN compounds
(classification like **1.8.3.2)**
1.8.9.4 CHO compounds
(classification like **1.8.3.3)**
1.8.9.5 CHOS compounds
(classification like **1.8.3.3)**
1.8.9.6 CHNO compounds
(classification like **1.8.4.2.1**)
1.8.9.7 other compounds
1.8.9.8 inorganic solvents

1.9 inorganic materials
1 materials with molecular anions
1.1 rod-shaped and bent anions
1.1.1 cyanides, cyanocomplexes
1.1.2 cyanates
1.1.3 isocyanates
1.1.4 nitrites
1.1.5 others
1.2 star-shaped anions
1.2.1 (ortho)borates
1.2.2 carbonates
1.2.3 nitrates
1.2.4 chlorates

7 Sulfonsäureester (Einteilung analog 5)
1.8.4.4 CHalNX
1.8.4.4.1 CHalNO
(Einteilung analog **1.8.3.5.2**)
1.8.4.4.2 CHalNS
(Einteilung analog **1.8.3.5.2**)
1.8.5 Stoffe aus 5 verschiedenen Elementen
1.8.5.1 CHHalXY
1.8.5.1.1 CHHalHal'O
1.8.5.1.2 CHHalNO
1.8.5.1.3 CHHalOS
1.8.5.2 CHNOS
1.8.6 Stoffe aus 6 verschiedenen Elementen
1.8.7 deuterierte Verbindungen
1.8.7.1 protonenfrei (nur Hal, N, O, S als Heteroelemente)
1.8.7.2 protonenhaltig (nur Hal, N, O, S als Heteroelemente)
1.8.7.3 mit weiteren Heteroelementen (mit oder ohne Hal, N, O, S)
1.8.8 Verbindungen mit Heteroelementen (zusätzlich zu Hal, N, O, S)
1.8.8.1 bororganische Verbindungen
1.8.8.2 siliciumorganische Verbindungen
1.8.8.3 germaniumorganische Verbindungen
1.8.8.4 phosphororganische Verbindungen
1.8.8.5 metallorganische Verbindungen
1.8.9 technische Lösemittel
1.8.9.1 CX-Verbindungen
1.8.9.1.1 CH-Verbindungen
1 aliphatisch
2 aliphatisch-aromatisch
3 aromatisch
1.8.9.1.2 CHal-Verbindungen
1.8.9.1.3 Sonstige
1.8.9.2 CHHal-Verbindungen
1 CHF
2 CHCl
1.8.9.3 CHN-Verbindungen
(Einteilung wie **1.8.3.2**)
1.8.9.4 CHO-Verbindungen
(Einteilung wie **1.8.3.3**)
1.8.9.5 CHOS-Verbindungen
(Einteilung wie **1.8.4.3**)
1.8.9.6 CHNO-Verbindungen
(Einteilung wie **1.8.4.2.1**)
1.8.9.7 andere Verbindungen
1.8.9.8 anorganische Lösemittel

1.9 anorganische Stoffe
1 Stoffe mit Molekel-Anionen
1.1 stabförmige und geknickte Anionen
1.1.1 Cyanide, Cyanokomplexe
1.1.2 Cyanate
1.1.3 Isocyanate
1.1.4 Nitrite
1.1.5 sonstige
1.2 sternförmige Anionen
1.2.1 (Ortho-)Borate
1.2.2 Carbonate
1.2.3 Nitrate
1.2.4 Chlorate
1.2.5 sonstige
1.3 pyramidale Anionen
1.4 tetraedrische Anionen
1.4.1 Borfluorate
1.4.2 Perchlorate

1.2.5 others
1.3 pyramidal anions
1.4 tetrahedral anions
1.4.1 fluoroborates
1.4.2 perchlorates
1.4.3 phosphates
1.4.4 sulfates
1.4.5 chromates
1.4.6 orthosilicates
1.4.7 others
1.5 octahedral anions (SiF_6^{2-}, GeF_6^{2-}, $PtCl_6^{2-}$)
1.6 anions of lower symmetry
1.6.1 diphosphates
1.6.2 dichromates
1.6.3 triphosphates
1.6.4 others
1.7 polymeric anions
1.7.1 polyborates (metaborates)
1.7.2 polysilicates
1.7.3 polyphosphates
2 materials with molecular cations
2.1 rod-shaped cations
2.2 star-shaped cations
2.3 tetrahedral cations
2.3.1 ammonium salts
2.3.2 phosphonium salts
3 uncharged, inorganic molecules, oxides of carbon
3.1 simple hydrogen compounds
3.2 nitrogen compounds
3.3 oxygen and sulfur compounds
3.4 halogen compounds
3.5 compounds of metalloids
3.5.1 silicon, germanium
3.5.2 phosphorus
3.5.3 selenium
3.6 oxides of carbon
4 materials without defined molecules
4.1 oxides and hydroxides
4.1.1 Cu, Ag, Au
4.1.2 alkaline earth metals, 2nd sub-group (Zn, Cd, Hg)
4.1.3 3rd main and sub-groups
4.1.4 4th main and sub-groups
4.1.5 5th main and sub-groups
4.1.6 6th main and sub-groups
4.1.7 7th sub-group
4.1.8 8th sub-group
4.2 sulfides (classification like 4.1)
4.3 carbides
4.4 nitrides
4.5 others

2...**9** Definierte Polymere

2 Polymere aus 2 Elementen*

2.1 CH

1 aliphatisch
- 1.1 gesättigt
  - 1.1.1 unverzweigt (Polymethylen)
  - 1.1.2 verzweigt (acyclisch)
    - 1.1.2.1 Poly(alkylethylen)e mit linearer Seitenkette
      - 1.1.2.1.1 Poly(1-methylethylen), Polypropylene
      - 1.1.2.1.2 Poly(1-ethylethylen), Poly(1-buten)
      - 1.1.2.1.3 Poly(1-propylethylen), Poly(1-penten)
      - 1.1.2.1.4 höhere Poly(*n*-alkylethylen)e
    - 1.1.2.1 Poly(alkylethylene)e mit verzweigter Seitenkette
    - 1.1.2.3 höhere Poly[1-alkyl(polymethylen)]e
    - 1.1.2.4 gesättigte aliphatische Polykohlenwasserstoffe mit quartären C-Atomen in der Hauptkette (Poly-i-butylen, Poly-1,1-dimethylen)
    - 1.1.2.5 sonstige definiert-verzweigte gesättigte aliphatische Poly-KW
    - 1.1.2.6 gesättigte aliphatische Poly-KW mit undefinierter Lang- und Kurzkettenverzweigung (Hochdruckpolyethylen)
  - 1.1.3 cyclisch
    - 1.1.3.1 Ringe in der Hauptkette
    - 1.1.3.2 Ringe in der Seitenkette
- 1.2 ungesättigt
  - 1.2.1 unverzweigt
    - 1.2.1.1 eine C=C-Bindung je Monomereinheit
    - 1.2.1.2 eine C≡C-Bindung je Monomereinheit
    - 1.2.1.3 mehrere Mehrfachbindungen je Monomereinheit
  - 1.2.2 verzweigt (Einteilung wie 1.2.1)
  - 1.2.3 cyclisch (Einteilung wie 1.2.1)

2 aliphatisch-aromatisch
- 2.1 aromatische Gruppierung in der Hauptkette
  - 2.1.1 gesättigte aliphatische Gruppen
    - 2.1.1.1 Poly(phenylen-polymethylene)e vom Typ $-\Phi \left(CH_2 \right)_n$
    - 2.1.1.2 kernsubstituierte Poly(phenylen-polymethylen)e
    - 2.1.1.3 verzweigte Alkylbrücke
    - 2.1.1.4 cycloparaffinische Brücke
    - 2.1.1.5 kondensiertes cycloaliphatisch-aromatisches System
  - 2.1.2 ungesättigte aliphatische Gruppen
- 2.2 aromatische Gruppierung in der Seitenkette
  - 2.2.1 gesättigte aliphatische Gruppen
    - 2.2.1.1 Polymere einfach vinylsubstituierter Aromaten
      - 2.2.1.1.1 unsubstituierter Phenylrest (Polystyrol)
      - 2.2.1.1.2 alkylsubstituierter Phenylrest
      - 2.2.1.1.3 arylsubstituierter Phenylrest
      - 2.2.1.1.4 Polymere einfach vinylsubstituierter kondensierter Aromaten
    - 2.2.1.2 Polymere mehrfach vinylsubstituierter Aromaten
    - 2.2.1.3 Polymere vinylidensubstituierter Aromaten (Einteilung analog 2.2.1.1)
    - 2.2.1.4 Polymere mehrfach vinylidensubstituierter Aromaten

* In den Hauptgruppen **2**...**6** charakterisieren halbfett gesetzte Zahlen die Elementzusammensetzung, magere Zahlen die chemische Struktur. Anwendungstechnisch definierte Polymere finden sich unter **1.1** bis **1.3** und **1.5**.

2...**9** Defined polymers

2 polymers of two elements*

2.1 CH

1 aliphatic
- 1.1 saturated
  - 1.1.1 unbranched (polymethylene)
  - 1.1.2 branched (acrylic)
    - 1.1.2.1 polyalkylethylenes with linear side chains
      - 1.1.2.1.1 poly(1-methylethylene), polypropylenes
      - 1.1.2.1.2 poly(1-ethylethylene), poly(1-butene)
      - 1.1.2.1.3 poly(1-propylethylene), poly(1-pentene)
      - 1.1.2.1.4 higher poly(n-alkylethylene)s
    - 1.1.2.2 polyalkylethylenes with branched side chains
    - 1.1.2.3 higher poly[1-alkyl(polymethylene)]s
    - 1.1.2.4 saturated, aliphatic polyhydrocarbons with quaternary C atoms in the main chain (poly-i-butylene, poly-1,1-dimethylethylene)
    - 1.1.2.5 other defined, branched, saturated, aliphatic polyhydrocarbons
    - 1.1.2.6 saturated aliphatic polyhydrocarbons with undefined major and minor chain branching (high pressure polyethylene)
  - 1.1.3 cyclic
    - 1.1.3.1 rings in the main chain
    - 1.1.3.2 rings in the side chain
- 1.2 unsaturated
  - 1.2.1 unbranched
    - 1.2.1.1 one C=C bond to each monomer unit
    - 1.2.1.2 one C≡C bond to each monomer unit
    - 1.2.1.3 several multiple bonds to each monomer unit
  - 1.2.2 branched (classification like 1.2.1)
  - 1.2.3 cyclic (classification like 1.2.1)

2 aliphatic-aromatic
- 2.1 aromatic groups in the main chain
  - 2.1.1 saturated aliphatic groups
    - 2.1.1.1 poly(phenylene polymethylene)s of type $-\Phi \left(CH_2 \right)_n$
    - 2.1.1.2 nucleus-substituted poly(phenylene polymethylene)s
    - 2.1.1.3 branched alkyl bridges
    - 2.1.1.4 alicyclic bridges
    - 2.1.1.5 condensed cycloaliphatic-aromatic systems
  - 2.1.2 unsaturated aliphatic groups
- 2.2 aromatic groups in the side chain
  - 2.2.1 unsaturated aliphatic groups
    - 2.2.1.1 polymers of simple vinyl-substituted aromatics
      - 2.2.1.1.1 unsubstituted phenyl residue (polystyrene)
      - 2.2.1.1.2 alkyl-substituted phenyl residue
      - 2.2.1.1.3 aryl-substituted phenyl residue
      - 2.2.1.1.4 polymers of simple vinyl-substituted condensed aromatics
    - 2.2.1.2 polymers of multiple vinyl-substituted aromatics
    - 2.2.1.3 polymers of vinylidene-substituted aromatics (classification analogous to 2.2.1.1)
    - 2.2.1.4 polymers of multiple vinylidene-substituted aromatics
    - 2.2.1.5 polymers with other aryl and alkyl-substituted chains

* In the main groups **2**...**9** the numbers in semi-bold type signify the elemental composition, in light face type the chemical structure. Industrially employed defined polymers are to be found under **1.1** to **1.3** and **1.5**.

2.2.1.5 Polymere mit anderen, aryl- und alkylsubstituierten Ketten
2.2.1.6 Polymere von cycloolefinisch substituierten oder anellierten Aromaten
2.2.2 ungesättigte aliphatische Gruppen
2.2.2.1 Mehrfachbindungen in der Hauptkette
2.2.2.2 Mehrfachbindungen in der Seitenkette
2.3 polymere kondensierte Aromaten (Polyanthracen, Polyphenanthren)
3 aromatisch (Polyphenylene)
3.1 unsubstituiert
3.2 (aryl-)substituiert

2.2 CHal
2.2.1 CF
1 aliphatisch
1.1 gesättigt
1.1.1 unverzweigt (Polytetrafluorethylen)
1.1.2 verzweigt
1.2 ungesättigt
1.2.1 unverzweigt
1.2.2 verzweigt
2 aliphatisch-aromatisch
2.1 aromatische Gruppe in der Hauptkette
2.2 aromatische Gruppe in der Seitenkette
3 aromatisch (perfluorierte Polyphenylene)
2.2.2 CCl
2.2.3 CBr
2.2.4 CI

2.3 CN

3 Polymere aus 3 Elementen

3.1 CHHal
3.1.1 CHF
1 aliphatisch
1.1 gesättigt
1.1.1 unverzweigt
1.1.1.1 ein Hal je Monomereinheit
1.1.1.2 mehrere Hal je Monomereinheit
1.1.1.3 Halogenierungsprodukte mit undefinierter Anzahl von Hal je Monomereinheit
1.1.2 verzweigt
1.1.2.1 ein Hal je Monomereinheit
1.1.2.2 mehrere Hal je Monomereinheit
1.1.2.3 Halogenierungsprodukte mit undefinierter Anzahl von Hal je Monomereinheit
1.1.3 cyclisch
1.1.3.1 ein Hal je Monomereinheit
1.1.3.2 mehrere Hal je Monomereinheit
1.1.3.3 Halogenierungsprodukte mit undefinierter Anzahl von Hal je Monomereinheit
1.2 ungesättigt (Einteilung wie 1.1)
2 aliphatisch-aromatisch
2.1 aromatische Gruppe in der Hauptkette
2.1.1 Hal an aliphatischer Gruppe
2.1.1.1 ein Hal an aliphatischer Gruppe
2.1.1.2 mehrere Hal an aliphatischer Gruppe
2.1.1.3 Halogenierungsprodukte mit undefinierter Anzahl von Hal je Monomereinheit
2.1.2 Hal am aromatischen System
2.1.2.1 ein Hal am aromatischen System
2.1.2.2 mehrere Hal am aromatischen System
2.1.2.3 Halogenierungsprodukte mit undefinierter Anzahl von Hal je Monomereinheit

2.2.1.6 polymers of cycloolefinic substituted or annelated aromatics
2.2.2 unsaturated aliphatic groups
2.2.2.1 multiple bonds in the main chain
2.2.2.2 multiple bonds in the side chain
2.3 polymeric condensed aromatics (polyanthracene, polyphenanthrene)
3 aromatic (polyphenylene)
3.1 unsubstituted
3.2 aryl-substituted

2.2 CHal
2.2.1 CF
1 aliphatic
1.1 saturated
1.1.1 unbranched (polytetrafluoroethylene)
1.1.2 branched
1.2 unsaturated
1.2.1 unbranched
1.2.2 branched
2 aliphatic-aromatic
2.1 aromatic groups in the main chain
2.2 aromatic groups in the side chain
3 aromatic (perfluorinated polyphenylene)
2.2.2 CCl
2.2.3 CBr
2.2.4 Cl

2.3 CN

3 polymers containing 3 elements

3.1 CHHal
3.1.1 CHF
1 aliphatic
1.1 saturated
1.1.1 unbranched
1.1.1.1 one Hal per monomer unit
1.1.1.2 several Hals per monomer unit
1.1.1.3 halogenation product with undefined number of Hals per monomer unit
1.1.2 branched
1.1.2.1 one Hal per monomer unit
1.1.2.2 several Hals per monomer unit
1.1.2.3 halogenation product with undefined number of Hals per monomer unit
1.1.3 cyclic
1.1.3.1 one Hal per monomer unit
1.1.3.2 several Hals per monomer unit
1.1.3.3 halogenation product with undefined number of Hals per monomer unit
1.2 unsaturated (classification like 1.1)
2 aliphatic-aromatic
2.1. aromatic group in the main chain
2.1.1 Hal on the aliphatic group
2.1.1.1 one Hal on the aliphatic group
2.1.1.2 several Hals on the aliphatic group
2.1.1.3 halogenation product with undefined number of Hals per monomer unit
2.1.2 Hals attached to the aromatic system
2.1.2.1 one Hal on the aromatic system
2.1.2.2 several Hals on the aromatic system
2.1.2.3 halogenation product with undefined number of Hals per monomer unit
2.1.3 Hal on the aliphatic group and on the aromatic system
2.2 aromatic group in the side chain

2.1.3 Hal an aliphatischer Gruppe und am aromatischen System
2.2 aromatische Gruppe in der Seitenkette
2.2.1 Hal an aliphatischer Gruppe
2.2.1.1 ein Hal an aliphatischer Gruppe
2.2.1.2 mehrere Hal an aliphatischer Gruppe
2.2.1.3 Halogenierungsprodukte mit undefinierter Anzahl von Hal je Monomereinheit
2.2.2 Hal am aromatischen System
2.2.2.1 ein Hal am aromatischen System
2.2.2.2 mehrere Hal am aromatischen System
2.2.2.3 Halogenierungsprodukte mit undefinierter Anzahl von Hal je Monomereinheit
2.2.3 Hal an aliphatischer Gruppe und am aromatischen System
2.3 aromatische Gruppe in Haupt- und Seitenkette
3 aromatisch
3.1 ein Hal am aromatischen System
3.2 mehrere Hal am aromatischen System
3.1.2 CHCl (Einteilung wie **3.1.1**)
3.1.3 CHBr (Einteilung wie **3.1.1**)
3.1.4 CHI (Einteilung wie **3.1.1**)

3.2 CHN
1 N in der Hauptkette (ohne Heterocyclen)
1.1 aliphatisch
1.1.1 acyclisch
1.1.1.1 Polyalkylenimine
1.1.1.2 Derivate des Hydrazins
1.1.1.3 polymere Schiffsche Basen vom Typ −N=C− (C mit |)
1.1.1.4 polymere Azoverbindungen
1.1.2 carbocyclisch
1.2 aliphatisch-aromatisch
1.2.1 Polyimine vom Typ −NH−R−Ar−, −NR−Ar− oder −NAr−R−
1.2.2 Derivate des Hydrazins
1.2.3 aromatisch substituierte Schiffsche Basen
1.2.4 polymere Azoverbindungen
1.3 aromatisch
1.3.1 Polyimine vom Typ −NH−Ar− oder −N(Ar)−
1.3.2 Derivate des Hydrazins
1.3.3 Schiffsche Basen vom Typ −N=C(Ar)−Ar−
1.3.4 polymere Azoverbindungen
2 N in der Seitenkette (ohne Heterocyclen)
2.1 aliphatisch
2.1.1 Amine
2.1.1.1 acyclisch (Polyvinyl-, Polyallylamin)
2.1.1.2 carbocyclisch (Derivate des Cyclohexylamins)
2.1.2 Derivate des Hydrazins
2.1.3 Schiffsche Basen
2.1.4 polymere Azoverbindungen
2.1.5 Nitrile
Vinyltyp (Polyacrylnitril)
2.1.5.2 Vinylidentyp
2.1.5.3 mehrere Nitrilgruppen je Monomereinheit
2.2 aliphatisch-aromatisch
2.2.1 Amine
2.2.1.1 Aminogruppe am aliphatischen Rest
2.2.1.2 Aminogruppe am aromatischen Rest
2.2.2 Derivate des Hydrazins
2.2.3 Schiffsche Basen
2.2.4 polymere Azoverbindungen
2.2.5 Nitrile
2.2.5.1 Nitrilgruppe am aliphatischen Rest

2.2.1 Hal on the aliphatic group
2.2.1.1 one Hal on the aliphatic group
2.2.1.2 several Hals on the aliphatic group
2.2.1.3 halogenation product with undefined number of Hals per monomer unit
2.2.2 Hal on the aromatic system
2.2.2.1 one Hal on the aromatic system
2.2.2.2 several Hals on the aromatic system
2.2.2.3 halogenation product with undefined number of Hals per monomer unit
2.2.3 Hal on the aliphatic group and on the aromatic system
2.3 aromatic group in main and side chain
3 aromatic
3.1 one Hal on the aromatic system
3.2 several Hals on the aromatic system
3.1.2 CHCl (classification like **3.1.1**)
3.1.3 CHBr (classification like **3.1.1**)
3.1.4 CHI (classification like **3.1.1**)

3.2 CHN
1 N in the main chain (without heterocyclics)
1.1 aliphatic
1.1.1 acyclic
1.1.1.1 polyalkyleneimines
1.1.1.2 hydrazine derivatives
1.1.1.3 polymeric Schiff bases of type −N=C− (C mit |)
1.1.1.4 polymeric azo compounds
1.1.2 carbocyclic
1.2 aliphatic-aromatic
1.2.1 polyimine of type −NH−R−Ar−, −NR−Ar− or −NAr−R−
1.2.2 hydrazine derivatives
1.2.3 aromatic substituted Schiff bases
1.2.4 polymeric azo compounds
1.3 aromatic
1.3.1 polyimine of type −NH−Ar− or −N(Ar)−
1.3.2 hydrazine derivatives
1.3.3 Schiff bases of the −N=C(Ar)−Ar−
1.3.4 polymeric azo compounds
2 N in the side chain (no heterocyclics)
2.1 aliphatic
2.1.1 amines
2.1.1.1 acyclic (polyvinylamine, polyallylamine)
2.1.1.2 carbocyclic (derivatives of cyclohexylamine)
2.1.2 hydrazine derivatives
2.1.3 Schiff bases
2.1.4 polymeric azo compounds
2.1.5 nitriles
2.1.5.1 vinyl type (polyacrylonitrile)
2.1.5.2 vinylidene type
2.1.5.3 several nitrile groups per monomeric unit
2.2 aliphatic-aromatic
2.2.1 amines
2.2.1.1 amino group on the aliphatic residue
2.2.1.2 amino group on the aromatic residue
2.2.2 hydrazine derivatives
2.2.3 Schiff bases
2.2.4 polymeric azo compounds
2.2.5 nitriles
2.2.5.1 nitrile group on the aliphatic residue
2.2.5.2 nitrile group on the aromatic residue
2.2.5.3 nitrile groups on the aliphatic and aromatic residues
2.3 aromatic (N-substituted polyphenylenes)
2.3.1 amines

2.2.5.2 Nitrilgruppe am aromatischen Rest
2.2.5.3 Nitrilgruppen am aliphatischen und aromatischen Rest
2.3 aromatisch (N-substituierte Polyphenylene)
2.3.1 Amine
2.3.2 Derivate des Hydrazins
2.3.3 Schiffsche Basen
2.3.4 polymere Azoverbindungen
2.3.5 Nitrile
3 N im nichtkondensierten Heterocyclus
3.1 Heterocyclus in der Hauptkette (mit oder ohne Beteiligung des N)
3.1.1 N im Ring
3.1.1.1 weniger als 5 Ringglieder
3.1.1.2 5 Ringglieder (Derivate des Pyrrols und seiner Hydrierungsprodukte)
3.1.1.3 6 Ringglieder (Derivate des Pyridins und seiner Hydrierungsprodukte)
3.1.1.4 höhere nichtkondensierte Ringe mit 1 N
3.1.2 2 N im Ring
3.1.2.1 5 Ringglieder (Derivate des Imidazols und seiner Hydrierungsprodukte)
3.1.2.2 6 Ringglieder (Derivate des Pyrazins, seiner Isomeren und der Hydrierungsprodukte)
3.1.2.3 höhere nichtkondensierte Ringe mit 2 N
3.1.3 3 N im Ring
3.1.3.1 5 Ringglieder (Derivate des Triazols)
3.1.3.2 6 Ringglieder (Derivate der Triazine)
3.1.4 mehr als 3 N im Ring
3.2 Heterocyclus in der Seitenkette (Typ N) (Einteilung wie 3.1)
4 N in kondensiertem Heterocyclus
4.1 Heterocyclus in der Hauptkette
4.1.1 Zweiringsysteme
4.1.1.1 1 N im Ringsystem
4.1.1.1.1 5,6-Ringsystem (Derivate des Indols)
4.1.1.1.2 6,6-Ringsystem (Derivate des Chinolins)
4.1.1.1.3 3 andere kondensierte Zweiringsysteme mit 1 N
4.1.1.2 2 N im Ringsystem
4.1.1.2.1 5,6-Ringsystem (Derivate des Indazols und seiner Isomeren)
4.1.1.2.2 6,6-Ringsystem (Derivate des Chinoxalins und seiner Isomeren, Derivate des Naphthyridins)
4.1.1.2.3 andere kondensierte Zweiringsysteme mit 2 N
4.1.1.3 3 N im Ringsystem
4.1.2 Dreiringsysteme
4.1.2.1 1 N im Ringsystem
4.1.2.1.1 6,5,6-Ringsystem
4.1.2.1.2 6,6,6-Ringsystem
4.1.2.1.3 andere kondensierte Dreiringsysteme mit 1 N
4.1.2.2 2 N im Ringsystem
4.1.2.2.1 6,5,6-Ringsystem
4.1.2.2.2 6,6,6-Ringsystem
4.1.2.2.3 andere kondensierte Dreiringsysteme mit 2 N
4.1.2.3 3 N im Ringsystem
4.1.2.4 mehr als 3 N im Ringsystem
4.1.3 Systeme mit mehr als 3 Ringen
4.2 Heterocyclus in der Seitenkette (Einteilung wie 4.1)
5 Leiterpolymere mit kondensierten heterocyclischen Ringen
5.1 polycyclische Schiffsche Basen
5.1.1 aliphatisch

2.3.2 hydrazine derivative
2.3.3 Schiff bases
2.3.4 polymeric azo compounds
2.3.5 nitriles
3 N in noncondensed heterocyclics
3.1 heterocyclics in the main chain (with or without inclusion of N)
3.1.1 1 N in the ring
3.1.1.1 less than 5 ring members
3.1.1.2 5 ring members (derivatives of pyrrole and its hydrogenation products)
3.1.1.3 6 ring members (derivatives of pyridine and its hydrogenation products)
3.1.1.4 higher noncondensed rings with 1 N
3.1.2 2 N in the ring
3.1.2.1 5 ring members (derivatives of imidazole and its hydrogenation products)
3.1.2.2 6 ring members (derivatives of pyrazine, its isomers and its hydrogenation products)
3.1.2.3 higher noncondensed rings with 2 N
3.1.3 3 N in the ring
3.1.3.1 5 ring members (derivatives of triazole)
3.1.3.2 6 ring members (derivatives of triazine)
3.1.4 more than 3 N in the ring
3.2 heterocyclics in the side chain (type N) (classification like 3.1)
4 N in condensed heterocyclics
4.1 heterocyclics in the main chain
4.1.1 two-ring system
4.1.1.1 1 N in the ring system
4.1.1.1.1 5,6 ring system (indole derivatives)
4.1.1.1.2 6,6 ring system (quinoline derivatives)
4.1.1.1.3 other condensed two-ring systems with 1 N
4.1.1.2 2 N in the ring system
4.1.1.2.1 5,6 ring system (derivatives of indazole and its isomers)
4.1.1.2.2 6,6 ring system (derivatives of quinoxaline and its isomers, derivatives of naphthyridine)
4.1.1.2.3 other condensed two-ring systems with 2 N
4.1.1.3 3 N in the ring system
4.1.2 three-ring systems
4.1.2.1 1 N in the ring system
4.1.2.1.1 6,5,6 ring system
4.1.2.1.2 6,6,6 ring system
4.1.2.1.3 other condensed three-ring systems with 1 N
4.1.2.2 2 N in the ring system
4.1.2.2.1 6,5,6 ring system
4.1.2.2.2 6,6,6 ring system
4.1.2.2.3 other condensed thre-ring systems with 2 N
4.1.2.3 3 N in the ring system
4.1.2.4 more than 3 N in the ring system
4.1.3 systems with more than 3 rings
4.2 heterocyclics in the side chain (classification like 4.1)
5 ladder polymers with condensed, heterocyclic rings
5.1 polycyclic Schiff bases
5.1.1 aliphatic
5.1.1.1 polymeric HCN
5.1.1.2 products obtained by cyclizing polymeric, aliphatic nitriles (polyacrylonitrile, polymethacrylonitrile)
5.1.1.3 products obtained by cyclopolymerization of aliphatic dinitriles

5.1.1.1 polymeres HCN
5.1.1.2 durch Cyclisierung polymerer aliphatischer Nitrile (Polyacrylnitril, Polymethacrylnitril) erhaltene Produkte
5.1.1.3 durch Cyclopolymerisation aliphatischer Dinitrile erhaltene Produkte
5.1.2 aliphatisch-aromatisch
5.1.2.1 durch Cyclisierung polymerer aliphatisch-aromatischer Nitrile erhaltene Produkte
5.1.2.2 durch Cyclopolymerisation aliphatisch-aromatischer Dinitrile erhaltene Produkte
5.1.3 aromatisch
5.2 sonstige CHN-Leiterpolymere

3.3 CHO
1 Alkohole
1.1 aliphatisch
1.1.1 Vinylkette
1.1.1.1 OH direkt an der Kette (Polyvinylalkohol)
1.1.1.2 OH an Seitenkette
1.1.1.2.1 primäre Alkohole
1.1.1.2.2 sekundäre Alkohole
1.1.1.2.3 tertiäre Alkohole
1.1.2 Vinylidenkette
1.1.2.1 OH direkt an der Kette
1.1.2.2 OH an Seitenkette (Einteilung wie 1.1.1.2)
1.1.3 sonstige Kette
1.2 aliphatisch-aromatisch
1.2.1 aromatisches System in der Hauptkette
1.2.2 aromatisches System in der Seitenkette
1.2.2.1 Vinylkette
1.2.2.1.1 OH an der Hauptkette
1.2.2.1.2 OH in der Seitengruppe
1.2.2.2 Vinylidenkette
1.2.2.2.1 OH an der Hauptkette
1.2.2.2.2 OH in einer Seitengruppe
1.3 Hydroperoxide
2 Phenole
2.1 aromatisches System in der Hauptkette
2.1.1 aliphatisch-aromatisch
2.1.1.1 aliphatische Brücken
2.1.1.2 aliphatische Substituenten
2.1.2 aromatisch
2.2 aromatisches System in der Seitenkette
2.2.1 Vinylkette
2.2.2 Vinylidenkette
2.2.3 sonstige Ketten
3 Ether
3.1 aliphatisch
3.1.1 $-O-$ in der Hauptkette
3.1.1.1 unverzweigte Kette
3.1.1.1.1 Polyoxymethylen, Polyacetale vom Typ $\{CH_2O\}_m\{(CH_2)_xO\}_n$
3.1.1.1.2 Polyether vom Typ $\{CH_2\}_nO-$, $n \neq 1$
3.1.1.2 verzweigte Kette
3.1.1.2.1 verzweigte Polyether ohne Acetalgruppen
3.1.1.2.2 verzweigte Polyether mit Acetalgruppen
3.1.1.3 Kette mit cyclischen Gliedern
3.1.1.3.1 carbocyclische Kettenglieder
3.1.1.3.2 cyclische Ether als Kettenglieder
3.1.1.3.3 cyclische Acetale als Kettenglieder
3.1.2 $-O-$ in der Seitenkette

5.1.2 aliphatic-aromatic
5.1.2.1 products obtained by cyclizing polymeric, aliphatic-aromatic nitriles
5.1.2.2 products obtained by cyclopolymerization of aliphatic-aromatic dinitriles
5.1.3 aromatic
5.2 other CHN ladder polymers

3.3 CHO
1 alcohols
1.1 aliphatic
1.1.1 vinyl chain
1.1.1.1 OH direct on the chain (polyvinyl alcohol)
1.1.1.2 OH on side chain
1.1.1.2.1 primary alcohols
1.1.1.2.2 secondary alcohols
1.1.1.2.3 tertiary alcohols
1.1.2 vinylidene chain
1.1.2.1 OH directly on the chain
1.1.2.2 OH on side chain (classification like 1.1.1.2)
1.1.3 other chains
1.2 aliphatic-aromatic
1.2.1 aromatic system in the main chain
1.2.2 aromatic system in the side chain
1.2.2.1 vinyl chain
1.2.2.1.1 OH on the chain
1.2.2.1.2 OH in the side chain
1.2.2.2 vinylidene chain
1.2.2.2.1 OH on the chain
1.2.2.2.2 OH in the side chain
1.2 hydroperoxides
2 phenols
2.1 aromatic system in the main chain
2.1.1 aliphatic-aromatic
2.1.1.1 aliphatic bridges
2.1.1.2 aliphatic substituents
2.1.2 aromatic
2.2 aromatic system in the side chain
2.2.1 vinyl chain
2.2.2 vinylidene chain
2.2.3 other chains
3 ethers
3.1 aliphatic
3.1.1 $-O-$ in the main chain
3.1.1.1 unbranched chain
3.1.1.1.1 polyoxymethylene, polyacetals of type $\{CH_2O\}_m$ $[(CH_2)_xO]_n$
3.1.1.1.2 polyethers of type $\{CH_2\}_nO-$, $n \neq 1$
3.1.1.2 branched chain
3.1.1.2.1 branched polyethers without acetal groups
3.1.1.2.2 branched polyethers with acetal groups
3.1.1.3 chain with cyclic members
3.1.1.3.1 carbocyclic chain members
3.1.1.3.2 cyclic ethers as chain members
3.1.1.3.3 cyclic acetals as chain members
3.1.2 $-O-$ in the side chain
3.1.2.1 vinyl chain
3.1.2.1.1 acyclic side groups
3.1.2.1.2 carbocyclic side groups
3.1.2.1.3 cyclic ethers as side groups
3.1.2.1.4 cyclic acetals as side groups
3.1.2.2 vinylidene chain (classification like 3.1.2.1)
3.1.2.3 other chains (classification like 3.1.2.1)

3.1.2.1 Vinylkette
3.1.2.1.1 acyclische Seitengruppen
3.1.2.1.2 carbocyclische Seitengruppen
3.1.2.1.3 cyclische Ether als Seitengruppen
3.1.2.1.4 cyclische Acetale als Seitengruppen
3.1.2.2 Vinylidenkette (Einteilung wie 3.1.2.1)
3.1.2.3 sonstige Ketten (Einteilung wie 3.1.2.1)
3.1.3 −O− in Haupt- und Seitenkette
3.2 aliphatisch-aromatisch
3.2.1 −O− in der Hauptkette
3.2.1.1 aliphatische Ethergruppierung (−R−O−R−)
3.2.1.2 aliphatisch-aromatische Ethergruppierung (−R−O−Ar−)
3.2.1.3 aromatische Ethergruppierung (−Ar−O−Ar−)
3.2.2 −O− in der Seitenkette
3.2.2.1 Vinylkette
3.2.2.1.1 −R−O−R−
3.2.2.1.2 −R−O−Ar−
3.2.2.1.3 −Ar−O−Ar−
3.2.2.2 Vinylidenkette (Einteilung wie 3.2.2.1)
3.2.2.3 sonstige Kette (Einteilung wie 3.2.2.1)
3.2.3 −O− in Haupt- und Seitenkette
3.2.3.1 aliphatisch
3.2.3.2 aliphatisch-aromatisch
3.2.3.2.1 nur −R−O−R−
3.2.3.2.2 −R−O−R− + −R−O−Ar−
3.2.3.2.3 −R−O−R− + −Ar−O−Ar−
3.2.3.2.4 nur −R−O−Ar−
3.2.3.2.5 −R−O−Ar− + −Ar−O−Ar−
3.2.3.2.6 nur −Ar−O−Ar−
3.3 aromatisch
3.3.1 unsubstituiert (Polyoxyphenylene)
3.3.2 substituiert
3.4 Peroxide
4 Verschiedene einfach gebundene O-Atome in der Struktureinheit*
4.1 Etheralkohole
4.1.1 aliphatisch-aromatisch
4.1.2.1 −R−O−R−
4.1.2.2 −R−O−Ar−
4.1.2.3 −Ar−O−Ar−
4.2 Etherphenole
4.2.1 −R−O−R−
4.2.2 −R−O−Ar−
4.2.3 −Ar−O−Ar−
4.3 Phenolalkohole
4.4 Etherester (mit überwiegendem Etheranteil, Einteilung wie 7.4)
5 $-R-\underset{\underset{O}{\|}}{C}-R'-$ in der Struktureinheit (R, R′ ≙ H, Alkyl, Aryl)
5.1 Aldehyde
5.1.1 aliphatisch
5.1.2 aliphatisch-aromatisch
5.1.2.1 −CHO am aliphatischen Rest
5.1.2.2 −CHO am aromatischen Rest
5.2 Ketone
5.2.1 Carbonylgruppe in der Hauptkette
5.2.1.1 aliphatisch
5.2.1.2 aliphatisch-aromatisch
5.2.1.3 aromatisch (−Ar−CO−Ar−)
5.2.2 Carbonylgruppe in der Seitenkette
5.2.2.1 aliphatisch
5.2.2.2 aliphatisch-aromatisch

* einfach gebundene O-Atome neben Carbonylfunktionen: siehe bei letzteren

3.1.3 −O− in the main and side chains
3.2 aliphatic-aromatic
3.2.1 −O− in the main chain
3.2.1.1 aliphatic ether groups (−R−O−R−)
3.2.1.2 aliphatic-aromatic ether groups (−R−O−Ar−)
3.2.1.3 aromatic ether groups (−Ar−O−Ar−)
3.2.2 −O− in the side chain
3.2.2.1 vinyl chain
3.2.2.1.1 −R−O−R−
3.2.2.1.2 −R−O−Ar−
3.2.2.1.3 −Ar−O−Ar−
3.2.2.2 vinylidene chain (classification like 3.2.2.1)
3.2.2.3 other chains (classification like 3.2.2.1)
3.2.3 −O− in the main and side chain
3.2.3.1 aliphatic
3.2.3.2 aliphatic-aromatic
3.2.3.2.1 only −R−O−R−
3.2.3.2.2 −R−O−R− + −R−O−Ar−
3.2.3.2.3 −R−O−R− + −Ar−O−Ar−
3.2.3.2.4 only −R−O−Ar−
3.2.3.2.5 −R−O−Ar− + −Ar−O−Ar−
3.2.3.2.6 only −Ar−O−Ar−
3.3 aromatic
3.3.1 unsubstituted (polyoxyphenylenes)
3.3.2 substituted
3.4 peroxides
4 various singly bound O atoms in the structure unit*
4.1 ether alcohols
4.1.1 aliphatic
4.1.2 aliphatic-aromatic
4.1.2.1 −R−O−R−
4.1.2.2 −R−O−Ar−
4.1.2.3 −Ar−O−Ar−
4.2 ether phenols
4.2.1 −R−O−R−
4.2.2 −R−O−Ar−
4.2.3 −Ar−O−Ar−
4.3 phenol alcohols
4.4 ether esters (with ether as major constituent, classification like 7.4)
5 $-R-\underset{\underset{O}{\|}}{C}-R'-$ in the structure unit (R,R′ ≙ H, alkyl, aryl)
5.1 aldehyde
5.1.1 aliphatic
5.1.2 aliphatic-aromatic
5.1.2.1 −CHO on the aliphatic residue
5.1.2.2 −CHO on the aromatic residue
5.2 ketones
5.2.1 carbonyl group in the main chain
5.2.1.1 aliphatic
5.2.1.2 aliphatic-aromatic
5.2.1.3 aromatic (−Ar−CO−Ar−)
5.2.2 carbonyl group in the side chain
5.2.2.1 aliphatic
5.2.2.2 aliphatic-aromatic
5.3 apart from −R−CO−R′− other O functions in the structure unit
5.3.1 ketone and aldehyde groups
5.3.2 HO and aldehyde groups
5.3.3 HO and ketone groups
5.3.4 ether and aldehyde groups
5.3.5 ether and ketone groups
5.3.6 other O functions and aldehyde groups
5.3.7 other O functions and ketone groups

* Singly bound O atoms next to carbonyl functions; see the latter.

5.3 außer $-R-CO-R'-$ noch andere O-Funktionen in der Struktureinheit
  5.3.1 Keton- neben Aldehydgruppen
  5.3.2 HO- neben Aldehydgruppen
  5.3.3 HO- neben Ketongruppen
  5.3.4 Ether- neben Aldehydgruppen
  5.3.5 Ether- neben Ketongruppen
  5.3.6 sonstige O-Funktionen neben Aldehydgruppen
  5.3.7 sonstige O-Funktionen neben Ketongruppen
5.4 polymere Chinone
  5.4.1 nicht kondensiert
  5.4.2 kondensiert

6 Carbonsäuren und Salze von Carbonsäuren
6.1 Carbonsäuren
  6.1.1 aliphatische Säuren
    6.1.1.1 Vinylkette
    6.1.1.2 Vinylidenkette
    6.1.1.3 sonstige Ketten, ungesättigte Säuren
  6.1.2 aromatisch-aliphatische Säuren
    6.1.2.1 COOH am aliphatischen Rest
    6.1.2.2 COOH am aromatischen Rest
  6.1.3 außer COOH noch andere O-Funktionen in der Struktureinheit
6.2 Salze von Carbonsäuren (Einteilung analog 6.1)

7 Ester
7.1 $-COO-$ in der Hauptkette (Polyester, PEST)
  7.1.1 aliphatisch
    7.1.1.1 PEST vom Typ $\left(R-COO\right)_n$
      7.1.1.1.1 Alkylkette unverzweigt (PEST-x, x=2,3...C-Atome)
      7.1.1.1.2 Alkylkette verzweigt
      7.1.1.1.3 cycloaliphatische Brücken
      7.1.1.1.4 ungesättigte Ketten
    7.1.1.2 PEST vom Typ $\left(O-R-O-CO-R'-CO\right)_n$ (PEST-x,y)
      7.1.1.2.1 Alkylketten unverzweigt
        7.1.1.2.1.1 PEST-2x, 2y (x=1,2,3..., y=1,2,3...)
        7.1.1.2.1.2 PEST-2x,y (x=1,2,3..., y=3,5,7...)
        7.1.1.2.1.3 PEST-x, 2y (x=3,5,7..., y=1,2,3...)
        7.1.1.2.1.4 PEST-x,y (x und y ungerade)
      7.1.1.2.2 verzweigte Alkylkette(n) in der Struktureinheit
      7.1.1.2.3 cycloaliphatische Brücke(n) in der Struktureinheit
      7.1.1.2.4 ungesättigte Gruppe(n) in der Struktureinheit
    7.1.1.3 Aliphatische PEST der Kohlensäure
      7.1.1.3.1 aus linearen Diolen
      7.1.1.3.2 aus verzweigten Diolen
      7.1.1.3.3 aus cycloaliphatischen Diolen
  7.1.2 aliphatisch-aromatisch
    7.1.2.1 PEST vom Typ $\left(Z-COO\right)_n$ Z≙liphatisch-aromatischer Rest
      7.1.2.1.1 Z≙ $-R-Ar-R-$ (aliphatisch gebundene Estergruppe)
      7.1.2.1.2 Z≙Alkylkette mit seitenständigem Arylrest
      7.1.2.1.3 alkylsubstituierter Arylrest (aromatisch gebundene Estergruppe)
    7.1.2.2 PEST vom Typ $\left(O-Y-O-CO-Z-CO\right)_n$
      7.1.2.2.1 Y≙R, Z≙Ar

5.4 polymeric quinones
  5.4.1 noncondensed
  5.4.2 condensed

6 carboxylic acids and salts of carboxylic acids
6.1 carboxylic acids
  6.1.1 aliphatic acids
    6.1.1.1 vinyl chain
    6.1.1.2 vinylidene chain
    6.1.1.3 other chains, unsaturated acids
  6.1.2 aromatic-aliphatic acids
    6.1.2.1 COOH on the aliphatic residue
    6.1.2.2 COOH on the aromatic residue
  6.1.3 other O functions alongside COOH in the structure unit
6.2 salts of carboxylic acids (classification analogous 6.1)

7 esters
7.1 $-COO-$ in the main chain (polyesters, PEST)
  7.1.1 aliphatic
    7.1.1.1 PEST of type $\left(R-COO\right)_n$
      7.1.1.1.1 alkyl chain unbranched PEST-x, x=2,3...C atoms)
      7.1.1.1.2 alkyl chain branched
      7.1.1.1.3 alicyclic bridges
      7.1.1.1.4 unsaturated chains
    7.1.1.2 PEST of type $\left(O-R-O-CO-R'-CO\right)_n$ (PEST-x,y)
      7.1.1.2.1 alkyl chains unbranched
        7.1.1.2.1.1 PEST-2x, 2y (x=1,2,2...; y=1,2,3...)
        7.1.1.2.1.2 PEST-2x,y (x=1,2,3...; y=3,5,7...)
        7.1.1.2.1.3 PEST-x, 2y (x=3,5,7...; y=1,2,3...)
        7.1.1.2.1.4 PEST-x,y (x and y uneven)
      7.1.1.2.2 branched alkyl chain(s) in the structure unit
      7.1.1.2.3 alicyclic bridge(s) in the structure unit
      7.1.1.2.4 unsaturated group(s) in the structure unit
    7.1.1.3 aliphatic PEST in carboxylic acid
      7.1.1.3.1 from linear diols
      7.1.1.3.2 from branched diols
      7.1.1.3.3 from alicyclic diols
  7.1.2 aliphatic-aromatic
    7.1.2.1 PEST of type $\left(Z-COO\right)_n$, Z≙aliphatic-aromatic residue
      7.1.2.1.1 Z≙ $-R-Ar-R-$ (aliphatic bound ester group)
      7.1.2.1.2 Z≙alkyl chain with attached aryl residues
      7.1.2.1.3 alkyl substituted aryl residues (aromatic bound ester group)
    7.1.2.2 PEST of the type $\left(O-Y-O-CO-Z-CO\right)_n$
      7.1.2.2.1 Y≙R, Z≙Ar
      7.1.2.2.2 Y≙Ar, Z≙R
      7.1.2.2.3 aliphatic PEST with aromatic substituents
      7.1.2.2.4 aromatic PEST with aliphatic substituents
    7.1.2.3 aliphatic-aromatic polycarbonate
  7.1.3 aromatic
    7.1.3.1 PEST of the type $\left(Ar-COO\right)_n$ (PEST of carboxyphenols)

7.1.2.2.2 Y ≙ Ar, Z ≙ R
7.1.2.2.3 aliphatische PEST mit aromatischen Substituenten
7.1.2.2.4 aromatische PEST mit aliphatischen Substituenten
7.1.2.3 aliphatisch-aromatische Polycarbonate
7.1.3 aromatisch
7.1.3.1 PEST vom Typ $\leftarrow Ar-COO \rightarrow_n$, (PEST von Carboxyphenolen)
7.1.3.2 PEST vom Typ $\leftarrow O-Ar-O-CO-Ar'-CO \rightarrow_n$
7.1.3.3 aromatische Polycarbonate (mit unsubstituierten Phenolen)
7.2 –COO– in der Seitenkette
7.2.1 Ester polymerer Alkohole und Phenole
7.2.1.1 Ester aliphatischer Polyalkohole
7.2.1.1.1 eine –OCO–-Gruppe je Struktureinheit
7.2.1.1.1.1 Ester aliphatischer Säuren
7.2.1.1.1.2 Ester aromatisch-aliphatischer Säuren
7.2.1.1.1.3 Ester aromatischer Säuren
7.2.1.1.2 mehrere –OCO–-Gruppen je Struktureinheit
7.2.1.1.2.1 Ester aliphatischer Säuren
7.2.1.1.2.2 Ester aromatisch-aliphatischer Säuren
7.2.1.1.2.3 Ester aromatischer Säuren
7.2.1.2 Ester aromatisch substituierter Polyalkohole
7.2.1.2.1 Ester aliphatischer Säuren
7.2.1.2.2 Ester aromatisch-aliphatischer Säuren
7.2.1.2.3 Ester aromatischer Säuren
7.2.1.3 Ester polymerer Phenole
7.2.1.3.1 Ester aliphatischer Säuren
7.2.1.3.2 Ester aromatisch-aliphatischer Säuren
7.2.1.3.3 Ester aromatischer Säuren
7.2.2 Ester polymerer Säuren
7.2.2.1 Ester polymerer aliphatischer Säuren
7.2.2.1.1 eine –COO–-Gruppe je Struktureinheit
7.2.2.1.1.1 Vinylkette
7.2.2.1.1.1.1 Ester aliphatischer Alkohole
7.2.2.1.1.1.2 Ester aromatisch-aliphatischer Alkohole
7.2.2.1.1.1.3 Phenolester
7.2.2.1.1.2 Vinylidenkette (Einteilung wie 7.2.2.1.1.1)
7.2.2.1.1.3 sonstige Ketten (Einteilung wie 7.2.2.1.1.1)
7.2.2.1.2 mehrere –COO–-Gruppen je Struktureinheit (Einteilung wie 7.2.2.1.1.1)
7.2.2.1.3 Ester sonstiger polmerer aliphatischer Säuren
7.2.2.2 Ester polymerer, aromatisch substituierter aliphatischer Säuren
7.2.2.2.1 eine –COO–-Gruppe je Struktureinheit
7.2.2.2.2 mehrere –COO–-Gruppe je Struktureinheit
7.2.2.3 Ester polymerer aromatischer Säuren (COOH am aromatischen Ringsystem)

7.1.3.2 PEST of the type $\leftarrow O-Ar-O-CO-Ar'-CO \rightarrow_n$
7.1.3.3 aromatic polycarbonates (with unsubstituted phenols)
7.2 –COO– in the side chain
7.2.1 esters of polymeric alcohols and phenols
7.2.1.1 esters of aliphatic polyalcohols
7.2.1.1.1 one –OCO– group per structure unit
7.2.1.1.1.1 esters of aliphatic acids
7.2.1.1.1.2 esters of aromatic-aliphatic acids
7.2.1.1.1.3 esters of aromatic acids
7.2.1.1.2 several –OCO– groups per structure unit
7.2.1.1.2.1 esters of aliphatic acids
7.2.1.1.2.2 esters of aromatic-aliphatic acids
7.2.1.1.2.3 esters of aromatic acids
7.2.1.2 esters of aromatic substituted polyalcohols
7.2.1.2.1 esters of aliphatic acids
7.2.1.2.2 esters of aromatic-aliphatic acids
7.2.1.2.3 esters of aromatic acids
7.2.1.3 esters of polymeric phenols
7.2.1.3.1 esters of aliphatic acids
7.2.1.3.2 esters of aromatic-aliphatic acids
7.2.1.3.3 esters of aromatic acids
7.2.2 esters of polymeric acids
7.2.2.1 esters of polymeric aliphatic acids
7.2.2.1.1 one –COO– group per structure unit
7.2.2.1.1.1 vinyl chains
7.2.2.1.1.1.1 esters of aliphatic alcohols
7.2.2.1.1.1.2 esters of aliphatic-aromatic alcohols
7.2.2.1.1.1.3 esters of phenols
7.2.2.1.1.2 vinylidene chains (classification like 7.2.2.1.1.1)
7.2.2.1.1.3 other chains (classification like 7.2.2.1.1.1)
7.2.2.1.2 several –COO– groups per structure unit (classification like 7.2.2.1.1)
7.2.2.1.3 esters of other polymers of aliphatic acids
7.2.2.2 esters of polymeric aromatic substituted aliphatic acids
7.2.2.2.1 one –COO– group per structure unit
7.2.2.2.2 several –COO– groups per structure unit
7.2.2.3 esters of polymeric aromatic acids (COOH on aromatic ring system)
7.2.2.3.1 one –COO– group per monomer unit
7.2.2.3.2 several –COO– groups per monomer unit
7.3 OH group next to ester groups
7.3.1 –COO– in the main chain
7.3.1.1 aliphatic
7.3.1.2 aliphatic-aromatic
7.3.2 –COO– in the side chain
7.3.2.1 aliphatic
7.3.2.2 aliphatic-aromatic

7.2.2.3.1 eine –COO–-Gruppe je Monomereinheit
7.2.2.3.2 mehrere –COO–-Gruppen je Monomereinheit
7.3 HO- neben Estergruppen
7.3.1 –COO– in der Hauptkette
7.3.1.1 aliphatisch
7.3.1.2 aliphatisch-aromatisch
7.3.2 –COO– in der Seitenkette
7.3.2.1 aliphatisch
7.3.2.2 aliphatisch-aromatisch
7.4 Ether- neben Estergruppen
7.4.1 –COO– in der Hauptkette
7.4.1.1 aliphatisch
7.4.1.1.1 –O– in der Hauptkette
7.4.1.1.2 –O– in der Seitenkette
7.4.1.1.3 –O– in Haupt- und Seitenkette
7.4.1.2 aliphatisch-aromatisch
7.4.1.2.1 –O– in der Hauptkette
7.4.1.2.1.1 aliphatische Ethergruppierung
7.4.1.2.1.2 aliphatisch-aromatische Ethergruppierung
7.4.1.2.1.3 aromatische Ethergruppierung
7.4.1.2.2 –O– in der Seitenkette (Einteilung wie 7.4.1.2.1)
7.4.1.2.3 –O– in Haupt- und Seitenkette
7.4.1.3 aromatisch
7.4.1.3.1 –O– in der Hauptkette
7.4.1.3.2 –O– in der Seitenkette
7.4.1.3.3 –O– in Haupt- und Seitenkette
7.4.2 –COO– in der Seitenkette
7.4.2.1 aliphatisch (Einteilung wie 7.4.1.1)
7.4.2.2 aliphatisch-aromatisch (Einteilung wie 7.4.1.2)
7.4.2.3 aromatisch (Einteilung wie 7.4.1.3)
7.5 Keton- neben Estergruppen
7.5.1 –COO– in der Hauptkette
7.5.1.1 aliphatisch
7.5.1.1.1 Ketoncarbonyl in der Hauptkette
7.5.1.1.2 Ketoncarbonyl in der Seitenkette
7.5.1.1.3 Ketoncarbonyl in Haupt- und Seitenkette
7.5.1.2 aliphatisch-aromatisch (Einteilung wie 7.5.1.1)
7.5.2 –COO– in der Seitenkette (Einteilung wie 7.5.1)
7.6 Andere Sauerstoffunktionen neben der Estergruppe
7.6.1 einwertige Funktionen
7.6.1.1 –CHO
7.6.1.2 –COOH
7.6.2 mehrwertige Funktionen
7.6.2.1 –CO–O–CO–
7.7 Lactone
7.7.1 aliphatisch
7.7.1.1 Lactongruppe in der Hauptkette
7.7.1.2 Lactongruppe in der Seitenkette
7.7.2 aliphatisch-aromatisch
7.7.2.1 –R–COO–
7.7.2.2 –Ar–COO–
7.7.3 andere O-Funktionen neben der Lactongruppe
8 Anhydride
8.1 –CO–O–CO– in der Hauptkette
8.1.1 aliphatisch
8.1.2 aliphatisch-aromatisch
8.1.2.1 –R–CO–O–CO–R–
8.1.2.2 –R–CO–O–CO–Ar
8.1.2.3 –Ar–CO–O–CO–Ar′–
8.1.3 aromatisch

7.4 ether next to ester groups
7.4.1 –COO– in the main chain
7.4.1.1 aliphatic
7.4.1.1.1 –O– in the main chain
7.4.1.1.2 –O– in the side chain
7.4.1.1.3 –O– in the main and side chains
7.4.1.2 aliphatic-aromatic
7.4.1.2.1 –O– in the main chain
7.4.1.2.1.1 aliphatic ether groups
7.4.1.2.1.2 aliphatic-aromatic ether groups
7.4.1.2.1.3 aromatic ether groups
7.4.1.2.2 –O– in the side chain (classification like 7.4.1.2.1)
7.4.1.2.3 –O– in the main and side chains
7.4.1.3 aromatic
7.4.1.3.1 –O– in the main chain
7.4.1.3.2 –O– in the side chain
7.4.1.3.3 –O– in the side and main chains
7.4.2 –COO– in the side chain
7.4.2.1 aliphatic (classification like 7.4.1.1)
7.4.2.2 aliphatic-aromatic (classification like 7.4.1.2)
7.4.2.3 aromatic (classification like 7.4.1.3)
7.5 ketones next to ester groups
7.5.1 –COO– in the main chain
7.5.1.1 aliphatic
7.5.1.1.1 ketonic carbonyl in the main chain
7.5.1.1.2 ketonic carbonyl in the side chain
7.5.1.1.3 ketonic carbonyls in the side and main chains
7.5.1.2 aliphatic-aromatic (classification like 7.5.1.1)
7.5.2 –COO– in the side chain (classification like 7.5.1)
7.6 other oxygen functions next to the ester group
7.6.1 monofunctional groups
7.6.1.1 –CHO
7.6.1.2 –COOH
7.6.2 multifunctional groups
7.6.2.1 –CO–O–CO–
7.7 lactones
7.7.1 aliphatic
7.7.1.1 lactone in the main chain
7.7.1.2 lactone in the side chain
7.7.2 aliphatic-aromatic
7.7.2.1 –R–COO–
7.7.2.2 –Ar–COO–
7.7.3 other O functions next to the lactone group
8 anhydrides
8.1 –CO–O–CO– in the main chain
8.1.1 aliphatic
8.1.2 aliphatic-aromatic
8.1.2.1 –R–CO–O–CO–R–
8.1.2.2 –R–CO–O–CO–Ar–
8.1.2.3 –Ar–CO–O–CO–Ar–
8.1.3 aromatic
8.2 –CO–O–CO– in the side chain
8.2.1 aliphatic
8.2.2 aliphatic-aromatic
8.3 cyclic anhydrides
8.3.1 aliphatic
8.3.2 aliphatic-aromatic
8.3.3 aromatic
9 undefined CHO polymers (coals)

3.4 CHS
1 thiols
1.1 aliphatic
1.1.1 vinyl chain

8.2 $-CO-O-CO-$ in der Seitenkette
8.2.1 aliphatisch
8.2.2 aliphatisch-aromatisch
8.3 cyclische Anhydride
8.3.1 aliphatisch
8.3.2 aliphatisch-aromatisch
8.3.3 aromatisch
9 undefinierte CHO-Polymere (Kohlen)

3.4 CHS
1 Thiole
1.1 aliphatisch
1.1.1 Vinylkette
1.1.2 Vinylidenkette, sonstige C–C-Ketten
1.2 aliphatisch-aromatisch
1.2.1 SH-Gruppe am aliphatischen Rest
1.2.2 SH-Gruppe am aromatischen Rest
1.3 aromatisch
2 Thioether
aliphatisch
2.1.1 –S– in der Hauptkette (außer S-Heterocyclen)
2.1.1.1 unverzweigt
2.1.1.2 verzweigt
2.1.1.3 cyclisch
2.1.2 –S– in der Seitenkette
2.1.2.1 Vinylkette
2.1.2.2 Vinylidenketten
2.1.2.3 sonstige C–C-Ketten
2.1.3 –S– in Haupt- und Seitenkette
2.2 aliphatisch-aromatisch
2.2.1 –S– in der Hauptkette
2.2.1.1 aliphatische Thioethergruppierung (–R–S–R–)
2.2.1.2 aliphatisch-aromatische Thioethergruppierung (–R–S–Ar–)
2.2.1.3 aromatische Thioethergruppierung (–Ar–S–Ar–)
2.2.2 –S– in der Seitenkette
2.2.2.1 Vinylkette
2.2.2.2 Vinylidenkette
2.2.2.3 sonstige Ketten
2.2.3 –S– in Haupt- und Seitenkette
2.3 aromatisch
3 Thioether mit weiteren S-Funktionen
3.1 –S– und –SH
3.1.1 aliphatisch
3.1.2 aliphatisch-aromatisch
3.1.3 aromatisch
3.2 –S– und >C=S (außer Thioester) (Einteilung wie 3.1)
4 Polythioether, $-S_n-$ $(n>1)$ (Einteilung wie 2)
5 Thioketone (Einteilung wie 3.1)
6 Thiocarbonsäuren und deren Salze (Einteilung wie 1; an die Stelle von –SH tritt –CSSH oder $-CS_2^{\ominus}$)
7 Thioester, $-\overset{\overset{S}{\|}}{C}-S-$ (Einteilung wie 3.1)
8 S in nichtkondensiertem Heterocyclus
8.1 Heterocyclus in der Hauptkette
8.1.1 1 S im Ring
8.1.1.1 3- oder 4-Ring
8.1.1.2 5-Ring
8.1.1.3 6-Ring
8.1.1.4 höhere Ringe
8.1.2 2 S im Ring
8.1.2.1 5-Ring
8.1.2.2 6-Ring
8.1.2.3 höhere Ringe

1.1.2 vinylidene chain, other C–C chains
1.2 aliphatic-aromatic
1.2.1 SH group on the aliphatic residue
1.2.2 SH group on the aromatic residue
1.3 aromatic
2 thioethers
2.1 aliphatic
2.1.1 –S– in the main chain
2.1.1.1 unbranched
2.1.1.2 branched
2.1.1.3 cyclic
2.1.2 –S– in the side chain (except S heterocycles)
2.1.2.1 vinyl chain
2.1.2.2 vinylidene chain
2.1.2.3 other C–C chains
2.1.3 –S– in the main and side chains
2.2 aliphatic-aromatic
2.2.1 –S– in the main chain
2.2.1.1 aliphatic thioether group (–R–S–R–)
2.2.1.2 aliphatic-aromatic thioether group (–R–S–Ar–)
2.2.1.3 aromatic thioether group (–Ar–S–Ar–)
2.2.2 –S– in the side chain
2.2.2.1 vinyl chain
2.2.2.2 vinylidene chain
2.2.2.3 other chains
2.2.3 –S– in the main and side chains
2.3 aromatic
3 thioesters with further S functions
3.1 –S– and –SH–
3.1.1 aliphatic
3.1.2 aliphatic-aromatic
3.1.3 aromatic
3.2 –S– and >C=S (except thioesters) (classification like 3.1)
4 polythioesters, $-S_n-$ $(n>1)$ (classification like 2)
5 thioketones (classification like 3.1)
6 thiocarboxylic acids and their salts (classification like 1: –CSSH or $-CS_2^{\ominus}$ takes the place of –SH)
7 thioester $-\overset{\overset{S}{\|}}{C}-S-$ (classification like 3.1)
8 S in noncondensed heterocyclics
8.1 heterocyclics in the main chain
8.1.1 1 S in the ring
8.1.1.1 3- or 4-membered ring
8.1.1.2 5-membered ring
8.1.1.3 6-membered ring
8.1.1.4 larger rings
8.1.2 2 S in the ring
8.1.2.1 3- or 4-membered ring
8.1.2.2 5-membered ring
8.1.2.3 6-membered ring
8.1.2.4 larger rings
8.1.3 3 and more S in the ring
8.2 Heterocyclics in the side chain (classification like 7.1)
9 S in condensed heterocyclics
9.1 1 S in condensed heterocyclics
9.1.1 two-ring system
9.1.2 three-ring system
9.1.3 larger ring system
9.2 2 S in condensed heterocyclics
9.2.1 2-ring system
9.2.1.1 1 S in each ring
9.2.1.2 2 S in each ring
9.2.2 3-ring system
9.2.3 larger ring system

8.1.3 3 und mehr S im Ring
8.2 Heterocyclus in der Seitenkette (Einteilung wie 7.1)
9 S in kondensiertem Heterocyclus
9.1 1 S im kondensierten Heterocyclus
9.1.1 Zweiringsystem
9.1.2 Dreiringsystem
9.1.3 höhere Ringsysteme
9.2 2 S im kondensierten Heterocyclus
9.2.1 Zweiringsystem
9.2.1.1 in jedem Ring 1 S
9.2.1.2 in jedem Ring 2 S
9.2.2 Dreiringsystem
9.2.3 höhere Ringsysteme

3.5 CHalX (X≠H)
3.5.1 CHalHal′
3.5.1.1 CFCl
1 aliphatisch
2 aliphatisch-aromatisch
3 aromatisch
(weitere Unterteilung, wenn notwendig, wie **2.1**; Hal wird wie H behandelt)
3.5.1.2 CFBr
3.5.1.3 CFI
3.5.1.4 CClBr
3.5.1.5 CClI
3.5.1.6 CBrI
} Einteilung wie **3.5.1.1**
3.5.2 CHalN
3.5.2.1 CFN
3.5.2.2 CClN
3.5.2.3 CBrN
3.5.2.4 CIN
} weitere Unterteilung, wenn nötig, wie **3.2**; Hal wird wie H behandelt
3.5.3 CHalO (Einteilung analog 3.5.2; weitere Unterteilung, wenn nötig, wie **3.3**; Hal wird wie H behandelt)
3.5.4 CHalS (Einteilung analog 3.5.2; weitere Unterteilung, wenn nötig, wie **3.4**; Hal wird wie H behandelt)

3.6 CNO

3.7 CNS
1 linear
2 heterocyclisch
2.1 nur S im Heterocyclus
2.2 S und N im Heterocyclus
2.2.1 1 S, 1 N
2.2.1 1 S, 2 N

4 Polymere aus 4 Elementen

4.1 CHHalX
4.1.1 CHHalHal′
4.1.1.1 CHFCl
1 aliphatisch
2 aliphatisch-aromatisch
3 aromatisch
4.1.1.2 CHFBr
4.1.1.3 CHFI
4.1.1.4 CHClBr
4.1.1.5 CHClI
4.1.1.6 CHBrI
} Einteilung wie 4.1.1.1
4.1.2 CHHalN
4.1.2.1 CHFN
1 aliphatisch
2 aliphatisch-aromatisch
3 aliphatisch-heterocyclisch
4 aromatisch

3.5 CHalX (X≠H)
3.5.1 CHalHal′
3.5.1.1 CFCl
1 aliphatic
2 aliphatic-aromatic
3 aromatic (further classification, if necessary, like **2.1**; Hal is treated like H)
3.5.1.2 CFBr
3.5.1.3 CFI
3.5.1.4 CClBr
3.5.1.5 CClI
3.5.1.6 CBrI
} classification like **3.5.1.1**
3.5.2 CHalN
3.5.2.1 CFN
3.5.2.2 CClN
3.5.2.3 CBrN
3.5.2.4 CIN
} further classification, if necessary, like **3.2**; Hal is treated like H
3.5.3 CHalO (classification analogous to 3.5.2; further classification, if necessary, like **3.3**; Hal is treated like H)
3.5.4 CHalS (classification analogous to 3.5.2; further classification, if necessary, like **3.4**; Hal is treated like H)

3.6 CNO

3.7 CNS
1 linear
2 heterocyclic
2.1 only S in the heterocyclics
2.2 S and N in the heterocyclics
2.2.1 1 S, 1 N
2.2.2 1 S, 2 N

4 polymers from 4 elements

4.1 CHHalX
4.1.1 CHalHal′
4.1.1.1 CHFCl
1 aliphatic
2 aliphatic-aromatic
3 aromatic
4.1.1.2 CHFBr
4.1.1.3 CHFI
4.1.1.4 CHClBr
4.1.1.5 CHClI
4.1.1.6 CHBrI
} classification like **4.1.1.1**
4.1.2 CHHalN
4.1.2.1 CHFN
1 aliphatic
2 aliphatic-aromatic
3 aliphatic-heterocyclic
4 aromatic
5 aromatic-heterocyclic
4.1.2.2 CHClN
4.1.2.3 CHBrN
4.1.2.4 CHIN
} classification like **4.1.2.1**
4.1.3 CHHalO
4.1.3.1 CHFO
1 alcohols
2 phenols
3 ethers, peroxides
4 various, singly bound O atom in the structure unit
5 aldehydes, ketones
6 carboxylic acids and their salts
7 esters
8 anhydrides
9 acid halides, other CHFO polymers (further classification according to the respective divisions in **3.3**, CHO, F is treated like H)

5 aromatisch-heterocyclisch

4.1.2.2 CHClN, **4.1.2.3** CHBrN, **4.1.2.4** CHIN — Einteilung wie **4.1.2.1**

4.1.3 CHHalO

4.1.3.1 CHFO

1 Alkohole
2 Phenole
3 Ether, Peroxide
4 Verschiedene einfach gebundene O-Atome in der Struktureinheit
5 Aldehyde, Ketone
6 Carbonsäuren und deren Salze
7 Ester
8 Anhydride
9 Säurehalogenide, sonstige CHFO-Polymere (weitere Einteilung nach dem jeweiligen Abschnitt in **3.3**, CHO; F wird als H betrachtet)

4.1.3.2 CHClO (Einteilung nach **4.1.3.1**, weitere Unterteilung nach **3.3**)

4.1.3.3 CHBrO (Einteilung nach **4.1.3.1**, weitere Unterteilung nach **3.3**)

4.1.3.4 CHIO

1 iodierte CHO-Polymere
2 Polyester der Iodsauerstoffsäuren

4.1.4 CHHalS

4.1.4.1 CHFS
4.1.4.2 CHClS
4.1.4.3 CHBrS
4.1.4.4 CHIS

4.2 CHNX

4.2.1 CHNO

1 polymere NO-Verbindungen (O direkt am N)
 1.1 Aminoxide
  1.1.1 aliphatisch
  1.1.2 aliphatisch-aromatisch
  1.1.3 alicyclisch-aromatisch
  1.1.4 heterocyclisch
 1.2 Hydroxamsäuren
  1.2.1 Typ $-X-CO-N(OH)-$ (Einteilung wie 1.1)
  1.2.2 Typ $-N(OH)-X-N(OH)-CO-X'-CO-$ (Einteilung wie 1.1)
 1.3 Oxime und O-substituierte Oxime (Einteilung wie 1.1)
 1.4 Nitrosoverbindungen
  1.4.1 C-Nitrosoverbindungen
   1.4.1.1 $-NO$ an aliphatischem Rest
   1.4.1.2 $-NO$ an aromatischem Rest
  1.4.2 N-Nitrosoverbindungen (Nitrosamine)
 1.5 Nitroverbindungen
  1.5.1 $-NO_2$ an aliphatischem Rest
   1.5.1.1 keine weiteren Heterofunktionen
   1.5.1.2 mit CHN-Funktion(en)
   1.5.1.3 mit CHO-Funktion(en)
   1.5.1.4 mit CHNO-Funktion(en)
   1.5.1.5 mit verschiedenen zusätzlichen Heterofunktionen
  1.5.2 $-NO_2$ an aromatischem Rest (Einteilung wie 1.5.1)
 1.6 Nitrate (Salpetersäureester)
  1.6.1 $-ONO_2$ an aliphatischem Rest (Einteilung wie 1.5.1)
  1.6.2 $-ONO_2$ an aromatischem Rest (Einteilung wie 1.5.1)
2 Polyamide $-R-C(=O)-N<$), Polymeres mit amidähnlichen Gruppierungen

4.1.3.2 CHClO (classification like **4.1.3.1**, further classification like **3.3**)

4.1.3.3 CHBrO (classification like **4.1.3.1**, further classification like **3.3**)

4.1.3.4 CHIO

1 iodinated CHO polymers
2 polyesters of the oxy acids of iodine

4.1.4 CHHalS

4.1.4.1 CHFS
4.1.4.2 CHClS
4.1.4.3 CHBrS
4.1.4.4 CHIS

4.2 CHNX

4.2.1 CHNO

1 polymeric NO compounds (O directly on N)
 1.1 amine oxides
  1.1.1 aliphatic
  1.1.2 aliphatic-aromatic
  1.1.3 alicyclic-aromatic
  1.1.4 heterocyclic
 1.2 hydroxamic acids
  1.2.1 type $-X-CO-N(OH)-$ (classification like 1.1)
  1.2.2 type $-N(OH)-X-N(OH)-CO-X'-CO-$ (classification like 1.1)
 1.3 oximes and O substituted oximes (classification like 1.1)
 1.4 nitroso compounds
  1.4.1 C-nitroso compounds
   1.4.1.1 $-NO$ on aliphatic residue
   1.4.1.2 $-NO$ on aromatic residue
  1.4.2 N-nitroso compounds (nitrosamines)
 1.5 nitro compounds
  1.5.1 $-NO_2$ on aliphatic residue
   1.5.1.1 no further hetero functions
   1.5.1.2 with CHN functions(s)
   1.5.1.3 with CHO function(s)
   1.5.1.4 with CHNO function(s)
   1.5.1.5 with various additional hetero functions
  1.5.2 $-NO_2$ on aromatic residue (classification like 1.5.1)
 1.6 nitrates
  1.6.1 $-ONO_2$ on aliphatic residue (classification like 1.5.1)
  1.6.2 $-ONO_2$ on aromatic residue (classification like 1.5.1)
2 polyamides ($-R-C(=O)-N<$), polymers with amide-like groups
 2.1 amide group in the main chain
  2.1.1 polyamides of amincarboxylic acids (formal)
   2.1.1.1 aliphatic saturated
    2.1.1.1.1 unbranched C chain
    2.1.1.1.2 branched chain
    2.1.1.1.3 carbocyclic C chain, spiropolyamides
    2.1.1.1.4 tertiary (N substituted) amides
   2.1.1.2 olefinic
    2.1.1.2.1 secondary amides
    2.1.1.2.2 tertiary amides
   2.1.1.3 aliphatic-aromatic
    2.1.1.3.1 aromatic system not directly on the amide group
    2.1.1.3.2 $-Ar-CONH-R-$ or $-R-CPNH-Ar-$
    2.1.1.3.3 $-Ar-CONH-Ar-$ with aliphatic substituents

2.1 Amidgruppe in der Hauptkette
2.1.1 Polyamide aus Aminocarbonsäuren (formal)
2.1.1.1 aliphatisch-gesättigt
2.1.1.1.1 unverzweigte C-Kette
2.1.1.1.2 verzweigte C-Kette
2.1.1.1.3 carbocyclische C-Kette, Spiropolyamide
2.1.1.1.4 tertiäre (N-substituierte) Amide
2.1.1.2 olefinisch
2.1.1.2.1 sekundäre Amide
2.1.1.2.2 tertiäre Amide
2.1.1.3 aliphatisch-aromatisch
2.1.1.3.1 aromatisches System nicht direkt an der Amidogruppe
2.1.1.3.2 –Ar–CONH–R– oder –R–CONG–Ar–
2.1.1.3.3 –Ar–CONH–Ar– mit aliphatischen Substituenten
2.1.1.3.4 tertiäre Amide
2.1.1.4 aromatisch
2.1.1.4.1 nicht kondensiert
2.1.1.4.2 kondensiert
2.1.1.5 Polyamide des Typs 2.1.1 mit weiteren Heterofunktionen
2.1.1.5.1 aliphatisch
2.1.1.5.1.1 mit CHNO-Funktion(en)
2.1.1.5.1.2 mit CHO-Funktion(en)
2.1.1.5.1.2.1 Amidoalkohole (-phenol)
2.1.1.5.1.2.2 Amidoether
2.1.1.5.1.2.3 Amid+Keton
2.1.1.5.1.2.4 Amid+COOH
2.1.1.5.1.2.5 Amid+Ester
2.1.1.5.1.3 mit CHNO-Funktion(en)
2.1.1.5.1.4 mit Heterocyclen
2.1.1.5.1.5 mit anderen Funktionen
2.1.1.5.2 aliphatisch-aromatisch (Einteilung wie 2.1.1.5.1)
2.1.1.5.3 aromatisch, nicht kondensiert (Einteilung wie 2.1.1.5.1)
2.1.1.5.4 aromatisch-kondensiert (Einteilung wie 2.1.1.5.1)
2.1.2 Polyamide aus Diaminen und Dicarbonsäuren
2.1.2.1 aliphatisch-gesättigt
2.1.2.1.1 unverzweigt
2.1.2.1.1.1 PA-2x, 2y (x,y=1,2,3...)
2.1.2.1.1.2 PA-2x,y (x=1,2,3...; y=3,5,7...)
2.1.2.1.1.3 PA-x, 2y (x=3,5,7...; y=1,2,3...)
2.1.2.1.1.4 PA-x,y (x,y=3,5,7...)
2.1.2.1.2 verzweigt
2.1.2.1.3 carbocyclisch, Spiropolyamide
2.1.2.1.4 tertiäre Amide
2.1.2.2 olefinisch
2.1.2.2.1 sekundäre Amide
2.1.2.2.2 tertiäre Amide
2.1.2.3 aliphatisch-aromatisch
2.1.2.3.1 aromatisches System nicht direkt an der Amidogruppe
2.1.2.3.2 aromatisches Diamin
2.1.2.3.3 aromatische Dicarbonsäure
2.1.2.3.4 beide Komponenten aromatisch; mit aliphatischer Substitution oder Brücke

2.1.1.3.4 tertiary amides
2.1.1.4 aromatic
2.1.1.4.1 noncondensed
2.1.1.4.2 condensed
2.1.1.5 polyamides of type 2.1.1 with further hetero functions
2.1.1.5.1 aliphatic
2.1.1.5.1.1 with CHN function(s)
2.1.1.5.1.2 with CHO function(s)
2.1.1.5.1.2.1 amido alcohols (phenols)
2.1.1.5.1.2.2 amido ethers
2.1.1.5.1.2.3 amide+ketone
2.1.1.5.1.2.4 amide+COOH
2.1.1.5.1.2.5 amide+ester
2.1.1.5.1.3 with CHNO functions
2.1.1.5.1.4 with heterocyclics
2.1.1.5.1.5 with other functions
2.1.1.5.2 aliphatic-aromatic (classification like 2.1.1.5.1)
2.1.1.5.3 aromatic noncondensed (classification like 2.1.1.5.1)
2.1.1.5.4 aromatic condensed (classification like 2.1.1.5.1)
2.1.2 polyamides from diamines and dicarboxylic acid
2.1.2.1 aliphatic saturated
2.1.2.1.1 unbranched
2.1.2.1.1.1 PA 2x,2y (x,y=1,2,3...)
2.1.2.1.1.2 PA 2x,y (x=1,2,3...; y=3,5,7...)
2.1.2.1.1.3 PA x, 2y (x=3,5,7...; y=1,2,3...)
2.1.2.1.1.4 PA x,y (x,y=3,5,7...)
2.1.2.1.2 branched
2.1.2.1.3 carbocyclic, spiropolyamides
2.1.2.1.4 tertiary amides
2.1.2.2 olefinic
2.1.2.2.1 secondary amides
2.1.2.2.2 tertiary amides
2.1.2.3 aliphatic-aromatic
2.1.2.3.1 aromatic system not directly on the amide group
2.1.2.3.2 aromatic diamines
2.1.2.3.3 aromatic dicarboxylic acids
2.1.2.3.4 both components aromatic; with aliphatic substitution or linkage
2.1.2.4 aromatic
2.1.2.4.1 noncondensed
2.1.2.4.2 condensed
2.1.2.5 polyamides of the type 2.1.2 with further hetero functions (classification like 2.1.1.5)
2.1.3 polyamides with cyclic imino groups
2.1.3.1 from carboxyimines
2.1.3.2 from diimines and aliphatic saturated dicarboxylic acids
2.1.3.3 from diimines and unsaturated dicarboxylic acids
2.1.3.4 from diimines and aliphatic-aromatic or aromatic dicarboxylic acids
2.1.3.5 polyamides of the type 2.1.3 with further hetero functions (classification like 2.1.1.5)
2.1.4 polyamides of squaric acids

2.1.2.4 aromatisch
2.1.2.4.1 nicht kondensiert
2.1.2.4.2 kondensiert
2.1.2.5 Polyamide des Typs 2.1.2 mit weiteren Heterofunktionen (Einteilung wie 2.1.1.5)
2.1.3 Polyamide mit cyclischen Iminogruppen
2.1.3.1 aus Carboxyiminen
2.1.3.2 aus Diiminen und aliphatisch-gesättigten Dicarbonsäuren
2.1.3.3 aus Diiminen und ungesättigten Dicarbonsäuren
2.1.3.4 aus Diiminen und aliphatisch-aromatischen oder aromatischen Dicarbonsäuren
2.1.3.5 Polyamide des Typs 2.1.3 mit weiteren Heterofunktionen (Gliederung wie 2.1.1.5)
2.1.4 Polyamide der Quadratsäuren
2.1.4.1 Polyamide der 1,2-Quadratsäure
2.1.4.2 Polyamide der 1,3-Quadratsäure
2.1.5 Amide des Hydrazins und seiner Derivate, Semicarbazide
2.2 Amidgruppe in der Seitenkette
2.2.1 Amide polymerer Säuren mit NH_3 (primäre Amide)
2.2.1.1 aliphatisch
2.2.1.1.1 Vinylkette
2.2.1.1.2 Vinylidenkette
2.2.1.1.3 sonstige Ketten
2.2.1.2 aliphatisch-aromatisch
2.2.1.2.1 aliphatische Kette
2.2.1.2.1.1 $CONH_2$ an aliphatischem Rest
2.2.1.2.1.2 $CONH_2$ an aromatischem System
2.2.1.2.2 aliphatisch-aromatische Kette (aromatisches System Bestandteil der Kette) (Gliederung wie 2.2.1.2.1)
2.2.2 Amide polymerer Säuren mit primären Aminen (sekundäre Amide)
2.2.2.1 aliphatisch
2.2.2.1.1 Vinylkette
2.2.2.1.2 Vinylidenkette
2.2.2.1.3 sonstige Ketten
2.2.2.2 aliphatisch-aromatisch (Gliederung analog 2.2.1.2)
2.2.3 Amide polymerer Säuren mit sekundären Aminen (tertiäre Amide)
2.2.3.1 aliphatisch
2.2.3.2 aliphatisch-aromatisch
2.2.4 Amide polymerer Säuren mit sekundären cyclischen Iminen
2.3 Amide des Hydrazins und seiner Derivate (Einteilung wie 2.1.2)
2.4 Amide polymerer Amine
2.5 polymere N-Vinyllactame
2.6 Polymere mit amidähnlichen Gruppierungen
3 Polyurethane ($>N-\overset{\overset{O}{\|}}{C}-O-R-$), andere Carbaminsäurederivate
3.1 Urethangruppe in der Hauptkette
3.1.1 ohne weitere Heterofunktion
3.1.1.1 aliphatisch
3.1.1.2 aliphatisch-aromatisch
3.1.1.3 aromatisch ($Ar-NX-COO-Ar$)
3.1.2 mit zusätzlicher CHO-Funktion
3.1.2.1 Urethan + Ether (Einteilung wie 3.1.1)

2.1.4.1 polyamides of the 1,2-squaric acids
2.1.4.2 polyamides of the 1,3-squaric acids
2.2 amide group in the side chain
2.2.1 amides of polymeric acids with NH_3 (primary amides)
2.2.1.1 aliphatic
2.2.1.1.1 vinyl chain
2.2.1.1.2 vinylidene chain
2.2.1.1.3 other chains
2.2.1.2 aliphatic-aromatic
2.2.1.2.1 aliphatic chain
2.2.1.2.1.1 $CONH_2$ on aliphatic residue
2.2.1.2.1.2 $CONH_2$ on aromatic system
2.2.1.2.2 aliphatic-aromatic chain (aromatic system component of the chain) (classification like 2.2.1.2.1)
2.2.2 amides of polymeric acids with primary amines (secondary amides)
2.2.2.1 aliphatic
2.2.2.1.1 vinyl chain
2.2.2.1.2 vinylidene chain
2.2.2.1.3 other chains
2.2.3 amides of polymeric acids with secondary amines (tertiary amides)
2.2.3.1 aliphatic
2.2.3.2 aliphatic-aromatic
2.2.4 amides of polymeric acids with secondary cyclic imines
2.3 amides of hydrazine and its derivatives, semicarbazides (classification like 2.1.2)
2.4 amides of polymeric amines
2.5 polymeric N-vinyllactams
2.6 polymers with amide-like groups
3 polyurethanes ($>N-\overset{\overset{O}{\|}}{C}-O-R-$), other carbamic acid derivatives
3.1 urethane group in the main chain
3.1.1 without further hetero functions
3.1.1.1 aliphatic
3.1.1.2 aliphatic-aromatic
3.1.1.3 aromatic ($Ar-NX-COO-Ar$)
3.1.2 with additional CHO function
3.1.2.1 urethane + ether (classification like 3.1.1)
3.1.2.2 urethane + ketone (classification like 3.1.1)
3.1.2.3 urethane + ester (classification like 3.1.1)
3.1.3 with additional CHN function (classification like 3.1.1)
3.1.4 with additional CHNO function
3.1.4.1 urethane + amide (classification like 3.1.1)
3.1.4.2 urethane + urea (classification like 3.1.1)
3.1.4.3 urethane + imide (classification like 3.1.1)
3.1.4.4 urethane + semicarbazide (classification like 3.1.1)
3.1.5 with two additional hetero functions
3.1.5.1 urethane + 2 CHO functions (classification like 3.1.1)
3.1.5.2 urethane + CHO + CHNO functions (classification like 3.1.1)
3.1.5.3 urethane + 2 CHNO functions (classification like 3.1.1)
3.1.5.4 urethane + CHO + 2 CHNO functions (classification like 3.1.1)
3.1.6 other carbamic acid derivatives with the hetero group in the main chain
3.2 urethane group in the side chain (classification like 3.1)
4 polyureas ($>N-\overset{\overset{O}{\|}}{C}-N<$),

3.1.2.2 Urethan + Keton (Einteilung wie 3.1.1)
3.1.2.3 Urethan + Ether (Einteilung wie 3.1.1)
3.1.3 mit zusätzlicher CHN-Funktion (Einteilung wie 3.1.1)
3.1.4 mit zusätzlicher CHNO-Funktion
3.1.4.1 Urethan + Amid (Einteilung wie 3.1.1)
3.1.4.2 Urethan + Harnstoff (Einteilung wie 3.1.1)
3.1.4.3 Urethan + Imid (Einteilung wie 3.1.1)
3.1.4.4 Urethan + Semicarbazid (Einteilung wie 3.1.1)
3.1.5 mit zwei zusätzlichen Heterofunktionen
3.1.5.1 Urethan + 2 CHO-Funktionen (Einteilung wie 3.1.1)
3.1.5.2 Urethan + CHO- + CHNO-Funktion (Einteilung wie 3.1.1)
3.1.5.3 Urethan + 2 CHNO-Funktionen (Einteilung wie 3.1.1)
3.1.5.4 Urethan + CHO + 2 CHNO-Funktionen (Einteilung wie 3.1.1)
3.1.6 andere Carbaminsäurederivate mit der Heterogruppe in der Hauptkette
3.2 Urethangruppe in der Seitenkette (Einteilung wie 3.1)

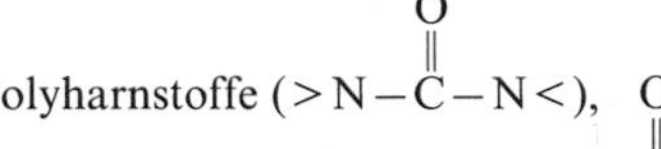

4 Polyharnstoffe ($>N-\overset{O}{\overset{\|}{C}}-N<$), polymere Semicarbazide ($>N-N-\overset{O}{\overset{\|}{C}}-N<$)
4.1 aliphatisch-gesättigt
4.1.1 unverzweigt
4.1.2 verzweigt
4.1.3 cyclisch
4.2 olefinisch
4.3 aliphatisch-aromatisch
4.4 aromatisch
4.5 Polyharnstoffe mit weiteren Heterofunktionen
4.5.1 mit CHN-Funktionen
4.5.2 mit CHO-Funktionen
4.5.3 mit CHNO-Funktionen

5 Polyimide ($-\overset{O}{\overset{\|}{C}}-NX-\overset{O}{\overset{\|}{C}}-$)
5.1 Polyimide mit C-Brücken in der Hauptkette; Polymere mit C-Kette und seitenständiger Imidgruppe
5.1.1 aliphatischer Imidring
5.1.1.1 Imidring in der Hauptkette, N Bestandteil der Kette
5.1.1.2 Imidring in der C-Hauptkette, N nicht Bestandteil der Kette, N unsubstituiert
5.1.1.3 Imidring in der C-Hauptkette; N nicht Bestandteil der Kette, einwertiger Substituent am N
5.1.1.4 Imidring in der C-Hauptkette, Ringe durch Brücken zwischen Imid-Stickstoff verknüpft (polymere Bismaleinimide)
5.1.1.5 Imidring in der Seitenkette, N unsubstituiert
5.1.1.6 Imidring in der Seitenkette, N substituiert
5.1.2 aromatisch kondensierter Imidring
5.1.2.1 Imidring in der Hauptkette, N Bestandteil der Kette
5.1.2.2 Imidring in der Hauptkette, N nicht Bestandteil der Kette
5.1.2.3 Imidring in der Seitenkette
5.1.3 acyclische polymere Imide des Typs 5.1
5.2 Polyimide mit CHN-Brücken in der Hauptkette
5.2.1 aliphatischer Imidring
5.2.1.1 Aminbrücke
5.2.1.1.1 aliphatisch
5.2.1.1.2 $-R-NX-Ar-$
5.2.1.1.3 $Ar-NX-Ar-$
5.2.1.2 sonstige acyclische CHN-Brücken
5.2.1.3 N-heterocyclische Brücke

polymeric semicarbazides ($>N-N-\overset{O}{\overset{\|}{C}}-N<$)
4.1 saturated aliphatic
4.1.1 unbranched
4.1.2 branched
4.1.3 cyclic
4.2 olefinic
4.3 aliphatic-aromatic
4.4 aromatic
4.5 polyureas with other hetero functions
4.5.1 with CHN functions
4.5.2 with CHO functions
4.5.3 with CHNO functions

5 polyimides ($-\overset{O}{\overset{\|}{C}}-NX-\overset{O}{\overset{\|}{C}}-$)
5.1 polyimides with C linkages in the main chain; polymers with C chains and side chain imide groups
5.1.1 aliphatic imide ring
5.1.1.1 imide ring in the main chain, N part of the chain
5.1.1.2 imide ring in the main chain, N not part of the chain, N unsubstituted
5.1.1.3 imide ring in the main chain, N not part of the chain, N monovalent substituent at N
5.1.1.4 imide ring in the main chain, rings joined by bonds between the imide nitrogens (polymeric bis-maleimides)
5.1.1.5 imide ring in the side chain, N unsubstituted
5.1.1.6 imide ring in the side chain, N substituted
5.1.2 aromatic condensed imide ring
5.1.2.1 imide ring in the main chain, N part of the chain
5.1.2.2 imide ring in the main chain, N not part of the chain
5.1.2.3 imide ring in the side chain
5.1.3 acyclic polymeric amide of type 5.1
5.2 polyimides with CHN linkages in the main chain
5.2.1 aliphatic imide rings
5.2.1.1 amine linkages
5.2.1.1.1 aliphatic
5.2.1.1.2 $-R-NX-Ar-$
5.2.1.1.3 $-Ar-NX-Ar-$
5.2.1.2 other acyclic amine linkages
5.2.1.3 N-heterocyclic linkages
5.2.1.3.1 N in noncondensed heterocyclics (classification like **3.2**.3.1)
5.2.1.3.2 N in condensed heterocyclics (classification like **3.2**.4.1)
5.2.2 condensed aromatic imide rings (classification like 5.2.1)
5.2.3 acyclic polymeric imides of type 5.2
5.2 polyimides with CHO linkages in the main chain
5.3.1 aliphatic imide rings
5.3.1.1 ether linkages
5.3.1.2 keto linkages
5.3.1.3 ester linkages
5.3.1.4 other CHO linkages
5.4 polyimides with CHNO linkages in the main chain
5.4.1 aliphatic imide rings
5.4.1.1 amide linkages
5.4.1.2 urethane linkages
5.4.1.3 urea linkages
5.4.1.4 imide linkages
5.4.1.5 heterocyclic CHNO linkages (classification like **4.2.1**.6)
5.4.2 aromatic condensed imide rings (classification like 5.4.1)
5.4.3 acyclic polymeric imides of type 5.4

5.2.1.3.1 N im nichtkondensierten Heterocyclus (Einteilung wie **3.2**.3.1)
5.2.1.3.2 N im kondensierten Heterocyclus (Einteilung wie **3.2**.4.1)
5.2.2 aromatisch kondensierter Imidring (Einteilung wie 5.2.1)
5.2.3 acyclische polymere Imide des Typs 5.2
5.3 Polyimide mit CHO-Brücken in der Hauptkette
5.3.1 aliphatischer Imidring
5.3.1.1 Etherbrücke
5.3.1.2 Ketobrücke
5.3.1.3 Esterbrücke
5.3.1.4 sonstige CHO-Verknüpfungen
5.3.2 aromatisch kondensierter Imidring (Einteilung wie 5.3.1)
5.3.3 acyclische polymere Imide des Typs 5.3
5.4 Polyimide mit CHNO-Brücken in der Hauptkette
5.4.1 aliphatischer Imidring
5.4.1.1 Amidbrücke
5.4.1.2 Urethanbrücke
5.4.1.3 Harnstoffbrücke
5.4.1.4 Imidbrücke
5.4.1.5 heterocyclische CHNO-Brücke (Einteilung nach **4.2.1**.6)
5.4.2 aromatisch kondensierter Imidring (Einteilung wie 5.4.1)
5.4.3 acyclische polymere Imide des Typs 5.4
5.5 Polyimide mit 2 verschiedenen Heterobrücken
5.5.1 aliphatischer Imidring
5.5.2 aromatisch kondensierter Imidring
5.6 Polyimide mit sonstigen Heterobrücken
5.7 heterocyclisch kondensierte Polyimide, sonstige imidähnliche Verbindungen mit der Struktur $-X-CO-NH-CO-X'-$
6 heterocyclische CHNO-Polymere
6.1 Nur N in nichtkondensiertem Heterocyclus
6.1.1 Heterocyclus in der Hauptkette
6.1.1.1 1 N im Ring
6.1.1.1.1 OH als Substituent (KW-Brücke)
6.1.1.1.2 Etherbrücke oder -substituent
6.1.1.1.3 Ketobrücke
6.1.1.1.4 Esterbrücke oder -substituent
6.1.1.1.5 Amidbrücke oder -substituent
6.1.1.1.6 CHN+CHO als Brücken oder Substituenten
6.1.1.1.7 CHN+CHNO als Brücken oder Substituenten
6.1.1.1.8 CHO+CHNO als Brücken oder Substituenten
6.1.1.1.9 sonstige binäre oder polynäre Kombinationen
6.1.1.2 2 N im Ring (Einteilung wie 6.1.1.1)
6.1.1.3 3 N im Ring (Einteilung wie 6.1.1.1)
6.1.1.4 mehr als 3 N im Ring (Einteilung wie 6.1.1.1)
6.1.2 Heterocyclus in der Seitenkette (Einteilung wie 6.1.1)
6.2 nur N in kondensiertem Heterocyclus
6.2.1 Heterocyclus in der Hauptkette
6.2.1.1 1 N im Ringsystem
6.2.1.1.1 Carbonylfunktion(en) im ankondensierten Ringsystem
6.2.1.1.1.1 Derivate cyclischer Ketone
6.2.1.1.1.2 Chinonderivate
6.2.1.1.1.3 amidartiges-biheterocyclisches System
6.2.1.1.2 benzoaromatisch-heterocyclisches System (Einteilung wie 6.1.1.1)
6.2.1.1.3 chinoid-heterocyclisches System

5.5 polyimides with two different types of hetero linkages
5.5.1 aliphatic imide rings
5.5.2 aromatic condensed imide rings
5.6 polyimides with other hetero linkages
5.7 heterocyclic condensed polyamides, other imide-like compounds having $-X-CO-NH-CO-X'-$ structures
6 heterocyclic CHNO polymers
6.1 N only in noncondensed heterocyclics
6.1.1 heterocyclics in the main chain
6.1.1.1 1 N in ring
6.1.1.1.1 OH as substituent (hydrocarbon linkage)
6.1.1.1.2 ether linkage or substituent
6.1.1.1.3 keto linkage
6.1.1.1.4 ester linkage or substituent
6.1.1.1.5 amide linkage or substituent
6.1.1.1.6 CHN+CHO as linkage or substituent
6.1.1.1.7 CHN+CHNO as linkage or substituent
6.1.1.1.8 CHO+CHO as linkage or substituent
6.1.1.1.9 other binary or multiple combinations
6.1.1.2 2 N in ring (classification like 6.1.1.1)
6.1.1.3 3 N in ring (classification like 6.1.1.1)
6.1.1.4 more than 3 N in ring (classification like 6.1.1.1)
6.1.2 heterocyclics in the side chain (classification like 6.1.1)
6.2 N only in condensed heterocyclics
6.2.1 heterocyclics in the main chain
6.2.1.1 1 N in the ring system
6.2.1.1.1 carbonyl function(s) in the condensed ring system
6.2.1.1.1.1 cyclic ketone derivatives
6.2.1.1.1.2 quinone derivatives
6.2.1.1.1.3 amide-like biheterocyclic systems
6.2.1.1.2 benzoaromatic heterocyclic systems (classification like 6.1.1.1)
6.2.1.1.3 quinoid heterocyclic systems (quinone as link between the condensed heterocyclic systems)
6.2.1.2 2 N in the ring system (classification like 6.2.1.1)
6.2.1.3 3 N in the ring system (classification like 6.2.1.1)
6.2.1.4 more than 3 N in the ring system (classification like 6.2.1.1)
6.2.2 heterocyclics in the side chain (classification like 6.2.1)
6.3 N and O in noncondensed heterocyclics
6.3.1 heterocyclics in the main chain
6.3.1.1 1 N+1 O
6.3.1.1.1 HC linkages
6.3.1.1.2 amine and imine linkages
6.3.1.1.3 ether linkages
6.3.1.1.4 ester linkages
6.3.1.1.5 amide linkages
6.3.1.1.6 CHN+CHO as linkages
6.3.1.1.7 CHN+CHNO as linkages
6.3.1.1.8 CHO+CHNO as linkages
6.3.1.1.9 other linkages
6.3.1.2 2 N+1 O (classification like 6.3.1.1)
6.3.1.3 other combinations of N and O in noncondensed heterocyclics (classification like 6.3.1.1)
6.3.2 heterocyclics in the side chain (classification analogous to 6.3.1)
6.4 N and O in condensed heterocyclics
6.4.1 heterocyclics in the main chain
6.4.1.1 1 N+1 O (classification like 6.3.1.1)
6.4.1.2 2 N+1 O (classification like 6.3.1.1)

(Chinon als Brücke zwischen den kondensierten Heterocyclen)
6.2.1.2 2 N im Ringsystem (Einteilung wie 6.2.1.1)
6.2.1.3 3 N im Ringsystem (Einteilung wie 6.2.1.1)
6.2.1.4 mehr als 3 N im Ringsystem (Einteilung wie 6.2.1.1)
6.2.2 Heterocyclus in der Seitenkette (Einteilung wie 6.2.1)
6.3 N und O in nichtkondensiertem Heterocyclus
6.3.1 Heterocyclus in der Hauptkette
6.3.1.1 1 N+1 O
6.3.1.1.1 KW-Brücken
6.3.1.1.2 Amin- und Iminbrücken
6.3.1.1.3 Etherbrücken
6.3.1.1.4 Esterbrücken
6.3.1.1.5 Amidbrücken
6.3.1.1.6 CHN+CHO als Brücken
6.3.1.1.7 CHN+CHNO als Brücken
6.3.1.1.8 CHO+CHNO als Brücken
6.3.1.1.9 sonstige Brücken
6.3.1.2 2 N+1 O (Einteilung wie 6.3.1.1)
6.3.1.3 andere Kombinationen von N und O im nichtkondensierten Heterocyclus (Einteilung 6.3.1.1)
6.3.2 Heterocyclus in der Seitenkette (Einteilung analog 6.3.1)
6.4 N und O in kondensiertem Heterocyclus
6.4.1 Heterocyclus in der Hauptkette
6.4.1.1 1 N+1 O (Einteilung wie 6.3.1.1)
6.4.1.2 2 N+1 O (Einteilung wie 6.3.1.1)
6.4.1.3 andere Kombinationen von N und O im kondensierten Heterocyclus (Einteilung wie 6.3.1.1)
6.4.2 Heterocyclus in der Seitenkette (Einteilung wie 6.4.1)
6.5 N und Carbonyl im Heterocyclus (ausgenommen cyclische Polyimide, s. 5.2)
6.5.1 Heterocyclus in der Hauptkette
6.5.1.1 1 N+1 CO (Einteilung wie 6.3.1.1)
6.5.1.2 2 N+1 CO (Einteilung wie 6.3.1.1)
6.5.1.3 2 N+2 CO (Einteilung wie 6.3.1.1)
6.5.1.4 3 N+1 CO (Einteilung wie 6.3.1.1)
6.5.1.5 andere Kombinationen von N und CO im Heterocyclus (Polyisocyanurate)
6.5.2 Heterocyclus in der Seitenkette (Einteilung wie 6.5.1)
6.6 N, −CO− und −O− im Heterocyclus
6.6.1 Heterocyclus in der Hauptkette
6.6.1.1 N und −COO− (Einteilung wie 6.3.1.1)
6.6.1.2 N, −COO− und −CO− (Einteilung wie 6.3.1.1)
6.6.2 Heterocyclus in der Seitenkette (Einteilung wie 6.6.1)
6.7 andere heterocyclische CHNO-Polymere
6.8 Semileiter- und Leiterpolymere
6.8.1 Semileiterpolymere mit kondensierten Ringsystemen aus mehr als 3 Ringen (Einteilung wie 6.3.1.1)
6.8.2 Leiterpolymere
6.8.2.1 nicht durchgehend konjugiertes System
6.8.2.2 durchgehend konjugiertes System
7 polymere Amine (und deren Salze) mit O-Funktionen
7.1 Aminoalkohole
7.2 Aminoether
7.3 Aminoaldehyde
7.4 Aminoketone
7.5 Aminoester
7.6 Aminosäuren
7.7 Betaine
8 Polymere mit doppelt gebundenem N und O-Funktionen
8.1 polymere Schiffsche Basen mit O-Funktionen
8.1.1 aliphatisch
8.1.1.1 O-Funktion in der Hauptkette

6.4.1.3 other combinations of N and O in condensed heterocyclics (classification like 6.3.1.1)
6.4.2 heterocyclics in the side chain (classification like 6.4.1)
6.5 N and carbonyl in the heterocyclics (excluding cyclic polyimides) cf. 5.2)
6.5.1 heterocyclics in the main chain
6.5.1.1 1 N+1 CO (classification like 6.3.1.1)
6.5.1.2 2 N+1 CO (classification like 6.3.1.1)
6.5.1.3 2 N+2 CO (classification like 6.3.1.1)
6.5.1.4 3 N+2 CO (classification like 6.3.1.1)
6.5.1.5 other combinations of N and CO in the heterocyclics (polyisocyanurates)
6.5.2 heterocyclics in the side chain (classification like 6.5.1)
6.6 N, −CO− and −O− in heterocyclics
6.6.1 heterocyclics in the main chain
6.6.1.1 N and −COO− (classification like 6.3.1.1)
6.6.1.2 N, −COO− and −CO− (classification like 6.3.1.1)
6.6.2 heterocyclics in the side chain (classification like 6.3.1)
6.7 other heterocyclic CHNO polymers
6.8 semi-ladder and ladder polymers
6.8.1 semi-ladder polymers with condensed ring systems from more than three rings (classification like 6.3.1.1)
6.8.2 ladder polymers
6.8.2.1 incompletely conjugated systems
6.8.2.2 completely conjugated systems
7 polymeric amines (and their salts) containing O functions
7.1 amino alcohols
7.2 amino ethers
7.3 amino aldehydes
7.4 amino ketones
7.5 amino esters
7.6 amino acids
7.7 betaines
8 polymers with doubly-bound N as well as O functions
8.1 polymeric Schiff bases with O functions
8.1.1 aliphatic
8.1.1.1 O function in the main chain
8.1.1.2 O function in the side chain
8.1.2 aliphatic-aromatic (classification like 8.1.1)
8.1.3 aromatic (classification like 8.1.1)
8.2 polymeric azo compounds containing O functions (classification like 8.1)
9 polymeric nitriles containing O functions
9.1 aliphatic
9.1.1 O function in the main chain
9.1.1.1 polyether nitriles
9.1.1.2 polyketo nitriles
9.1.1.3 polyester nitriles
9.1.1.4 polyamido nitriles
9.1.2 O function in the side chain
9.1.2.1 OH+CN
9.1.2.2 −O−+CN
9.1.2.3 −CO−+CN
9.1.2.4 −COO−+CN
9.1.2.5 −CONH−+CN
9.1.2.6 two CHO functions+CN
9.1.2.7 two CHNO functions+CN
9.1.2.8 CHO+CHNO+CN
9.2 aliphatic-aromatic (classification like 9.1)
9.3 aromatic

4.2.2 CHNS*

1 monovalent S functions: thiols, thiocarboxylic acids and their salts

* When S and N are not part of the same function the decimal numbers describing the bonding form of the sulfur come after the CHN decimal number (without the **3.2** prefix).

8.1.1.2 O-Funktion in der Seitenkette
8.1.2 aliphatisch-aromatisch (Einteilung wie 8.1.1)
8.1.3 aromatisch (Einteilung wie 8.1.1)
8.2 polymere Azoverbindungen mit O-Funktionen (Einteilung wie 8.1)
9 polymere Nitrile mit O-Funktionen
9.1 aliphatisch
9.1.1 O-Funktion in der Hauptkette
9.1.1.1 Polyethernitrile
9.1.1.2 Ketonitrile
9.1.1.3 Polyesternitrile
9.1.1.4 Polyamidnitrile
9.1.2 O-Funktion in der Seitenkette
9.1.2.1 OH+CN
9.1.2.2 −O− +CN
9.1.2.3 −CO− +CN
9.1.2.4 −COO− +CN
9.1.2.5 −CONH− +CN
9.1.2.6 zwei CHO-Funktionen+CN
9.1.2.7 zwei CHNO-Funktionen+CN
9.1.2.8 CHO+CHNO+CN
9.2 aliphatisch-aromatisch (Einteilung wie 9.1)
9.3 aromatisch

4.2.2 CHNS*

1 einwertige S-Funktionen: Thiole, Thiocarbonsäuren und deren Salze
1.1 Thiole
1.1.1 −SH an aliphatischer Gruppe
1.1.2 −SH an carbocyclisch-aromatischem System
1.1.3 −SH an heterocyclischem System
1.2 Thiocarbonsäure
1.2.1 −CSSH an aliphatischer Gruppe
1.2.2 −CSSH an carbocyclisch-aromatischem System
1.2.3 −CSSH an C-Atom eines heterocyclischen Systems
1.2.4 −CSSH an aminartigem N
1.2.5 −CSSH an heterocyclischem N
1.3 Salze von Thiocarbonsäuren (Einteilung wie 1.2)
2 Thioether und Polythioether
2.1 aliphatisch, $-R-S_n-R-$
2.2 aliphatisch-aromatisch, $-R-S_n-Ar-$
2.3 aromatisch, $-Ar-S_n-Ar-$
2.4 Thioether mit anderen S-Funktionen
2.4.1 $-S_n-$ und −SH
2.4.2 $-S_n-$ und >C=S (außer Thioester)
3 Thioketone
3.1 aliphatisch
3.2 aliphatisch-aromatisch
3.3 aromatisch
4 Thioester (Einteilung wie 3)
5 nur S in nichtkondensiertem Heterocyclus
5.1 1 S im Ring
5.1.1 3- oder 4-Ring
5.1.2 5-Ring
5.1.3 6-Ring
5.1.4 höhere Ringe
5.2 2 S im Ring
5.2.1 5-Ring
5.2.2 6-Ring
5.2.3 höhere Ringe
5.3 3 und mehr S im Ring
6 nur S in kondensiertem Heterocyclus
6.1 1 S im kondensierten Heterocyclus
6.1.1 Zweiringsystem

* Der Dezimalziffer, die die Bindungsart des Schwefels angibt, wird die CHN-Dezimalziffer (ohne die Vorziffer **3.2**) für den Rest der Struktureinheit angehängt, sofern S und N nicht gemeinsame Bestandteile einer Gruppierung (−CS−NH−, Heterocyclus und dergleichen) sind.

1.1 thiols
1.1.1 −SH on an aliphatic group
1.1.2 −SH on a carbocyclic-aromatic system
1.1.3 −SH on a heterocyclic system
1.2 thiocarboxyclic acids
1.2.1 −CSSH on an aliphatic group
1.2.2 −CSSH on a carbocyclic aromatic system
1.2.3 −CSSH on a heterocyclic system
1.2.4 −CSSH on an amine N
1.2.5 −CSSH on a heterocyclic N
1.3 salts of thiocarboxylic acids (classification like 1.2)
2 thioethers and polythioethers
2.1 aliphatic $-R-S_n-R-$
2.2 aliphatic-aromatic $-R-S_n-Ar-$
2.3 aromatic $-Ar-S_n-Ar-$
2.4 thioether with other S functions
2.4.1 $-S_n-$ and SH
2.4.2 $-S_n-$ and >C=S (excluding thioesters)
3 thioketones
3.1 aliphatic
3.2 aliphatic-aromatic
3.3 aromatic
4 thioesters (classification like 3)
5 S only in noncondensed heterocyclics
5.1 1 S in ring
5.1.1 3 or 4-membered ring
5.1.2 5-membered ring
5.1.3 6-membered ring
5.1.4 larger ring
5.2 2 S in ring
5.2.1 3 or 4-membered ring
5.2.2 5-membered ring
5.2.3 6-membered ring
5.2.4 larger ring
5.3 3 or more S in ring
6 S only in condensed heterocyclics
6.1 S in condensed heterocyclics
6.1.1 two-ring system
6.1.2 three-ring system
6.1.3 larger ring system
6.2 2 S in condensed heterocyclics
6.2.1 two-ring system
6.2.2 three-ring system
6.2.3 larger ring system
6.3 3 or more S in ring
7 S and N in noncondensed heterocyclics
7.1 1 S and 1 N in noncondensed heterocyclics
7.1.1 5-membered ring
7.1.1.1 directly bound ring
7.1.1.2 aliphatic linkage
7.1.1.3 aliphatic-aromatic linkage
7.1.1.4 noncondensed aromatic linkage
7.1.1.5 condensed aromatic linkage
7.1.1.6 heterocyclic linkage
7.1.2 6-membered ring (classification like 7.1.1)
7.1.3 larger ring (classification like 7.1.1)
7.2 1 S and 2 N in noncondensed heterocyclics
7.2.1 5-membered ring (classification like 7.1.1)
7.2.2 6-membered ring (classification like 7.1.1)
7.2.3 larger ring (classification like 7.1.1)
7.3 other representatives of type 7
8 S and N in condensed heterocyclics
8.1 1 S and 1 N in condensed heterocyclics
8.1.1 two-ring system
8.1.2 three-ring system
8.1.3 larger ring system

6.1.2 Dreiringsystem
6.1.3 höhere Ringsysteme
6.2 2 S im kondensierten Heterocyclus
6.2.1 Zweiringsystem
6.2.2 Dreiringsystem
6.2.3 höhere Ringsysteme
6.3 3 und mehr S im Ringsystem
7 S und N in nichtkondensiertem Heterocyclus
7.1 1 S und 1 N im nichtkondensierten Heterocyclus
7.1.1 5-Ring
7.1.1.1 direkt gebundene Ringe
7.1.1.2 aliphatische Brücke
7.1.1.3 aliphatisch-aromatische Brücke
7.1.1.4 nichtkondensiert-aromatische Brücke
7.1.1.5 kondensiert-aromatische Brücke
7.1.1.6 heterocyclische Brücke
7.1.2 6-Ring (Einteilung wie 7.1.1)
7.1.3 höhere Ringe (Einteilung wie 7.1.1)
7.2 1 S und 2 N im nichtkondensierten Heterocyclus
7.2.1 5-Ring (Einteilung wie 7.1.1)
7.2.2 6-Ring (Einteilung wie 7.1.1)
7.2.3 höhere Ringe (Einteilung wie 7.1.1)
7.3 andere Vertreter des Typs 7
8 S und N in kondensiertem Heterocyclus
8.1 1 S und 1 N im kondensierten Heterocyclus
8.1.1 Zweiringsystem
8.1.2 Dreiringsystem
8.1.3 höhere Ringsysteme
8.2 mehr als 2 (S + N) im kondensierten Heterocyclus (Einteilung wie 8.1)
9 S und N in anderen gemeinsamen Gruppierungen
9.1 Thioamide, $-CS-NX-$ (X = H, R, Ar usw.)
9.1.1 aliphatisch
9.1.2 aliphatisch-aromatisch
9.1.3 aromatisch
9.2 Thiourethane, $>N-CS-S-$ (Einteilung wie 9.1)
9.3 Thioharnstoffe (Einteilung wie 9.1)

4.3 CHOS*

1 sauerstofffreie S-Funktionen, verknüpft mit (CH)O-Funktionen. Die Dezimalzahl für Polymere dieser Art kommt durch Verknüpfung von jeweils 3 Ziffern der Sequenz für die CHS-Funktion (**3.4**) und der Sequenz für die CHO-Funktion (**3.3**) zustande. Der CHS-Sequenz wird statt **3.4** die Folge **4.3**.1 vorgesetzt. Die Sequenz für die CHO-Funktion wird angehängt, jedoch ohne die Vorziffern **3.3**.
2 S und O am selben C-Atom
2.1 Thioester vom Typ $-\overset{\overset{\displaystyle O}{\|}}{C}-S-$
2.1.1 aliphatisch
2.1.1.1 unverzweigt
2.1.1.2 verzweigt
2.1.1.3 cyclisch
2.1.1.3.1 carbocyclisch
2.1.1.3.2 Thioestergruppe im Ring (Thiolactone)
2.1.2 aliphatisch-aromatisch
2.1.3 aromatisch
2.2 Thioester vom Typ $-\overset{\overset{\displaystyle O}{\|}}{C}-O-$ (Einteilung wie 2.1)
2.3 Thiokohlensäureester

* Diese Elementkombination kann entweder durch die Verknüpfung von O-freien S-Funktionen mit O-Funktionen oder durch die Verknüpfung von SO(C)-Funktionen mit CH-Funktionen entstehen. Endlich können Polymere mit SO(C)-Funktionen weitere (CH)O-Funktionen enthalten. Das Vorhandensein weiterer (CH)O-Funktionen wird durch Verwendung der Dezimalzahl für CHO ausgedrückt.

8.2 more than 2 (S + N) in condensed heterocyclics (classification like 8.1)
9 S and N in other common functions
9.1 thioamides, $-CS-NX-$ (X = H, R, Ar etc.)
9.1.1 aliphatic
9.1.2 aliphatic-aromatic
9.1.3 aromatic
9.2 thiourethanes $N-CS-S-$ (classification like 9.1)
9.3 thioureas (classification like 9.1)

4.3 CHOS*

1 Oxygen-free S function combined with (CH)O functions. The decimal number for polymers of this type is arrived at by combining the sequence (3 ciphers) for the CHS function (**3.4**) with that (3 ciphers) for the CHO function (**3.3**). The CHS sequence is given the number **4.3**.1 instead of **3.4**. The sequence for the CHO function is appended to it but without being preceded by **3.3**
2 S and O at the same atom
2.1 thioesters of type $-\overset{\overset{\displaystyle O}{\|}}{C}-S-$
2.1.1 aliphatic
2.1.1.1 unbranched
2.1.1.2 branched
2.1.1.3 cyclic
2.1.1.3.1 carbocyclic
2.1.1.3.2 thioester group in ring (thiolactones)
2.1.2 aliphatic-aromatic
2.1.3 aromatic
2.2 thioesters of type $-\overset{\overset{\displaystyle S}{\|}}{C}-O-$ (classification like 2.1)
2.3 thiocarbonic acid esters
3 sulfoxides
3.1 aliphatic
3.1.1 $-\overset{\overset{\displaystyle O}{\|}}{S}-$ in the main chain
3.1.2 $-\overset{\overset{\displaystyle O}{\|}}{S}-$ in the side chain
3.2 aliphatic-aromatic
3.3 aromatic
4 sulfones**
4.1 aliphatic
4.1.1 unbranched
4.1.2 branched
4.1.2.1 $-SO_2-$ in the main chain
4.1.2.2 $-SO_2-$ in the side chain
4.1.2.3 $-SO_2-$ in the main and side chains
4.1.3 cyclic
4.1.3.1 carbocyclic
4.1.3.2 $-SO_2-$ in the ring
4.2 aliphatic-aromatic
4.2.1 $-SO_2-$ in the main chain
4.2.1.1 $R-SO_2-R$
4.2.1.2 $R-SO_2-Ar$
4.2.1.3 $Ar-SO_2-Ar$
4.2.2 $-SO_2-$ (classification like 4.2.1)
4.2.3 $-SO_2-$ in the main and side chains
4.3 aromatic
5 sulfonic acids**
5.1 aliphatic

* This combination of elements is possible either by bonding O-free S functions to O functions or by joining SO(C) functions to CH functions. Finally, polymers containing SO(C) functions can also contain (CH)O functions. The presence of further (CH)O functions is indicated by the use of the decimal number for CHO.

** Polysulfones (polysulfonic acids, their salts and esters) with other O functions are classified under **4.3**.4 (5, 6, 7) followed by the number that characterizes the additional CHO function according to **3.3** (without the inclusion of this prefixing number, cf. **4.3**.1).

3 Sulfoxide
- 3.1 aliphatisch
  - 3.1.1 $-\overset{O}{\overset{\|}{S}}-$ in der Hauptkette
  - 3.1.2 $-\overset{O}{\overset{\|}{S}}-$ in der Seitenkette
- 3.2 aliphatisch-aromatisch
- 3.3 aromatisch

4 Sulfone*
- 4.1 aliphatisch
  - 4.1.1 unverzweigt
  - 4.1.2 verzweigt
    - 4.1.2.1 $-SO_2-$ in der Hauptkette
    - 4.1.2.2 $-SO_2-$ in der Seitenkette
    - 4.1.2.3 $-SO_2-$ in Haupt- und Seitenkette
  - 4.1.3 cyclisch
    - 4.1.3.1 carbocyclisch
    - 4.1.3.2 $-SO_2-$ im Ring
- 4.2 aliphatisch-aromatisch
  - 4.2.1 $-SO_2-$ in der Hauptkette
    - 4.2.1.1 $R-SO_2-R$
    - 4.2.1.2 $R-SO_2-Ar$
    - 4.2.1.3 $Ar-SO_2-Ar$
  - 4.2.2 $-SO_2-$ in der Seitenkette (Einteilung wie 4.2.1)
  - 4.2.3 $-SO_2-$ in Haupt- und Seitenkette
- 4.3 aromatisch

5 Sulfonsäuren*
- 5.1 aliphatisch
  - 5.1.1 Vinylkette
  - 5.1.2 Vinylidenkette
  - 5.1.3 sonstige Ketten
- 5.2 aliphatisch-aromatisch
  - 5.2.1 $R-SO_2OH$
  - 5.2.2 $Ar-SO_2OH$
- 5.3 aromatisch

6 Salze von Sulfonsäuren* (Einteilung wie 5; $-SO_3^{\ominus}$ tritt an die Stelle von $-SO_2OH$)

7 Sulfonsäureester*
- 7.1 $-SO_2-O-$ in der Hauptkette
  - 7.1.1 aliphatisch
    - 7.1.1.1 Sulfonsäureester vom Typ $\lbrack R-SO_2-O\rbrack_n$
    - 7.1.1.2 Sulfonsäurester vom Typ $\lbrack O-R-O-SO_2-R'-SO_2\rbrack_n$
  - 7.1.2 aliphatisch-aromatisch
    - 7.1.2.1 Sulfonsäureester vom Typ $\lbrack Z-SO_2-O\rbrack_n$, Z = aliphatisch-aromatischer Rest
      - 7.1.2.1.1 $-SO_2-O-$ aliphatisch gebunden
      - 7.1.2.1.2 $-SO_2-O-$ aromatisch gebunden
    - 7.1.2.2 Sulfonsäureester vom Typ $\lbrack O-Y-O-SO_2-Z-SO_2-O\rbrack_n$
      - 7.1.2.2.1 Y ≙ aliphatische Gruppierung, Z ≙ aromatische Gruppierung
      - 7.1.2.2.2 Y ≙ aromatische Gruppierung, Z ≙ aliphatische Gruppierung
      - 7.1.2.2.3 aliphatische Sulfonsäureester mit aromatischen Substituenten oder Brücken
      - 7.1.2.2.4 aromatische Sulfonsäureester mit aliphatischen Substituenten oder Brücken

* Polysulfone (Polysulfonsäuren, deren Salze und Ester) mit weiteren O-Funktionen werden zunächst nach **4.3.4** (5, 6, 7) klassifiziert. Hernach wird die Zahlenfolge, welche die zusätzliche CHO-Funktion charakterisiert, nach **3.3** (ohne diese Vorziffern, vgl. **4.3.1**) angehängt.

- 5.1.1 vinyl chain
- 5.1.2 vinylidene chain
- 5.1.3 other chains
- 5.2 aliphatic-aromatic
  - 5.2.1 $R-SO_2OH$
  - 5.2.2 $Ar-SO_2OH$
- 5.3 aromatic

6 salts of sulfonic acids* (classification like 5: $-SO_3^{\ominus}$ occurs in place of $-SO_2OH$)

7 sulfonic acid esters*
- 7.1 $-SO_2-O-$ in the main chain
  - 7.1.1 aliphatic
    - 7.1.1.1 sulfonic ester of type $\lbrack R-SO_2-O\rbrack$
    - 7.1.1.2 sulfonic ester of type $\lbrack O-R-O-SO_2-R'-SO_2\rbrack$
  - 7.1.2 aliphatic-aromatic
    - 7.1.2.1 sulfonic esters of type $\lbrack Z-SO_2-O\rbrack_n$ Z ≙ aliphatic-aromatic residue
      - 7.1.2.1.1 $-SO_2-O-$ aliphatically bonded
      - 7.1.2.1.2 $-SO_2-O-$ aromatically bonded
    - 7.1.2.2 sulfonate esters of type $\lbrack O-Y-O-SO_2-Z-SO_2\rbrack_n$
      - 7.1.2.2.1 Y ≙ aliphatic group Z ≙ aromatic group
      - 7.1.2.2.2 Y ≙ aromatic group Z ≙ aliphatic group
      - 7.1.2.2.3 aliphatic sulfonic esters with aromatic substituents or linkages
      - 7.1.2.2.4 aromatic sulfonic esters with aliphatic substituents or linkages
  - 7.1.3 aromatic
    - 7.1.3.1 sulfonic esters of type $\lbrack Ar-SO_2-O\rbrack_n$
    - 7.1.3.2 sulfonic esters of type $\lbrack O-Ar-O-SO_2-Ar'-SO_2\rbrack$
- 7.2 $-SO_2-O-$ in the side chain
  - 7.2.1 sulfonic esters of polyalcohols
    - 7.2.1.1 esters of aliphatic sulfonic acids
    - 7.2.1.2 esters of aliphatic-aromatic sulfonic acids
    - 7.2.1.3 esters of aromatic sulfonic acids
  - 7.2.2 sulfonic esters of polymeric phenols
  - 7.2.3 esters of polymeric sulfonic acids
    - 7.2.3.1 esters of polymeric aliphatic sulfonic acids
    - 7.2.3.2 esters of polymeric, aromatically substituted, aliphatic sulfonic acids
    - 7.2.3.3 esters of polymeric aromatic sulfonic acids
- 7.3 $-SO_2-O-$ in main and side chains
- 7.4 cyclic sulfonate esters (polymeric sultones)

8 esters of sulfuric acid

9 salts of sulfuric acid esters

4.4 CHalNX
- **4.4.1** CHalNO
  - **4.4.1.1** CFNO
  - **4.4.1.2** CClNO
  - **4.4.1.3** CBrNO
  - **4.4.1.4** CINO
- **4.4.2** CHalNS (classification analogous to 4.4.1)

5 Polymers containing 5 elements

5.1 CHHalXY
- **5.1.1** CHHalHal'O

* Polysulfones (polysulfonic acids, their salts and esters) with other O functions are classified under **4.3**.4 (5, 6, 7) followed by the number that characterizes the additional CHO function according to **3.3** (without the inclusion of this prefixing number, cf. **4.3**.1).

7.1.3 aromatisch
7.1.3.1 Sulfonsäureester vom Typ
$\{Ar-SO_2-O\}_n$
7.1.3.2 Sulfonsäureester vom Typ
$\{O-Ar-O-SO_2-Ar'-SO_2\}$
7.2 $-SO_2-O-$ in der Seitenkette
7.2.1 Sulfonsäureester polymerer Alkohole
7.2.1.1 Ester aliphatischer Sulfonsäuren
7.2.1.2 Ester aliphatisch-aromatischer Sulfonsäuren
7.2.1.3 Ester aromatischer Sulfonsäuren
7.2.2 Sulfonsäureester polymerer Phenole
7.2.3 Ester polymerer Sulfonsäuren
7.2.3.1 Ester polymerer aliphatischer Sulfonsäuren
7.2.3.2 Ester polymerer, aromatisch substituierter, aliphatischer Sulfonsäuren
7.2.3.3 Ester polymerer aromatischer Sulfonsäuren
7.3 $-SO_2-O-$ in Haupt- und Seitenkette
7.4 cyclische Sulfonsäureester (polymere Sultone)
8 Schwefelsäureester
9 Salze von Schwefelsäureestern

4.4 CHalNX
4.4.1 CHalNO
4.4.1.1 CFNO
4.4.1.2 CClNO
4.4.1.3 CBrNO
4.4.1.4 CINO
4.4.2 CHalNS (Einteilung analog **4.4.1**)

5 Polymere aus 5 Elementen

5.1 CHHalXY
5.1.1 CHHalHal′O
5.1.2 CHHalNO
Wenn eine Einteilung notwendig ist, geht man folgendermaßen vor: Zunächst wird der C(H)Hal-Teil der Struktur nach **3.1.X** festgelegt (unabhängig davon, ob dieser Strukturteil H enthält oder nicht), anschließend der CHNO-Teil nach **4.2.1**. (Bei der Festlegung der CHNO-Ziffernfolge kann Hal als H aufgefaßt werden.) Die DZ der Gesamtstruktur ergibt sich dann durch Anhängung von jeweils 3 Stellen aus der CHHal- und der CHNO-Klassifizierung (unter Weglassung der Vorziffern **3.1.X** und **4.2.1**) an die CHHalNO-Kennziffer. Ist eine Spezifizierung auf drei Stellen nicht erwünscht oder nicht möglich, wird für jede fehlende Stelle eine 0 eingesetzt.
5.1.2.1 CHFNO
5.1.2.2 CHClNO
5.1.2.3 CHBrNO
5.1.2.4 CHINO
5.1.3 CHHalOS
(Einteilung analog **5.1.2.**) Eine weitere Unterteilung geschieht, falls notwendig, nach folgendem Schema: Bindungszustand des Hal nach **3.1**, des O nach **3.3**, des S nach **3.4**, jeweils 3 Stellen in dieser Reihenfolge unter Weglassung der Vorziffern für das jeweilige Elementsymbol. Ist eine Spezifizierung auf 3 Stellen nicht erwünscht oder nicht möglich, wird für jede fehlende Stelle eine 0 eingesetzt. Enthält die Struktur SO-Funktionen, so signalisiert die Sequenz 000 nach der Hal-Triade die Auslassung der CHO- und CHS-Triaden. Es folgt dann nur noch die CHOS-Triade nach **4.3.1**. Zusätzliche CHO-Funktionen können dann nicht angegeben werden. Sitzt endlich Hal direkt am S (Sulfonylhalogenide usw.), signalisiert die Sequenz 000 nach der

5.1.2 CHHalNO
If further classification is necessary proceed as follows: Firstly, specify the C(H)Hal part of the structure according to **3.1.X** (regardless of whether this contains structural portion H or not), then the CHNO part according to **4.2.1** (Hal can be treated as H in the determination of the CHNO symbol order). The DN of the total structure is then formed by attaching three digits from both the CHHal and the CHNO classification (leaving out the prefix codes **3.1.X** and **4.2.1**). If a three digit specification is not wanted or not possible 0 is inserted for each digit that is missing.
5.1.2.1 CHFNO
5.1.2.2 CHClNO
5.1.2.3 CHBrNO
5.1.2.4 CHINO
5.1.3 CHHalOS
(classification analogous to **5.1.2**). Further classification is performed, if necessary, according to the following scheme: Bonding condition of the Hal according to **3.1**, of the O according to **3.3** and of the S according to **3.4**, three digits each in this order, omitting the prefix of the elements concerned. If a three-digit specification is not required or is not possible then 0 is inserted for each digit that is missing. If the structure contains SO functions then the sequence 000 after the halogen triad signals the absence of the CHO and CHS triads, which is then only followed by the CHOS triads according to **4.3.1**. Additional CHO functions cannot then be included. If Hal is directly attached to S (sulfonyl halides etc.) then the sequence 000 after the element symbols (e.g. **5.1.3.2** for CHClOS) indicates the presence of such a group. Then the CHO triad alone can be specified, if necessary.

5.2 CHNOS
1 sulfinamides $-SO-N<$
(Classification like amides; SO is regarded as CO. The DN is composed of the sequence for sulfinamide **5.2**.1 and the numerical sequence according to **4.2.1**.2 that specifies the rest of the structure. If the structure contains further hetero groups, then these are characterized according to their own DN. In this connection the $-SO-N<$ function is regarded as being nonexistent. In order to distinguish copolymers the DNs of the structural components of one and the same repetitive unit are joined by a plus sign. The same applies to the element symbols.)
2 sulfonamides $-SO_2-N<$
(Classification as amides; SO_2 is regarded as CO. The DN is built up as described under 1)
3 sulfamides $>N-SO_2-N<$
Classification like ureas; SO_2 is regarded as CO. The DN is built up as described under 1.
4 structures joined to simple S(O) functions
4.1 CHN−SO*
4.1.1 CHN sulfoxides
4.1.2 CHN sulfones
4.1.3 CHN sulfonic acids
4.1.4 CHN sulfonic acid salts, sulfobetaines
4.1.5 CHN sulfonic acid esters
4.1.6 CHN sulfuric acid esters
4.2 CHNO−S**
4.2.1 CHNO thioethers
4.2.2 CHNO dithioethers and polythioethers

* The digits that characterize the CHN structure, are placed after the CHNOS identifier but without the prefix **3.2**.
** The digits characterizing the CHN structure follow the CHNOS digits but without the **3.2** prefix.

Zahlenfolge für das Elementsymbol (z. B. **5.1.3.2** für CHClOS) das Vorhandensein einer derartigen Gruppierung. Es wird dann, wenn erforderlich, nur noch die CHO-Triade angegeben.

5.2 CHNOS

1 Sulfinamide, $-SO-N<$
(Einteilung wie Amide, SO wird als CO angesehen. Die DZ setzt sich aus der Sequenz für Sulfinamide, **5.2.**1, und der nach **4.2.1.**2 folgenden Zahlenreihe, welche den Rest der Struktur charakterisiert, zusammen. Enthält die Struktureinheit weitere Heterogruppierungen, so werden diese durch eine eigene DZ charakterisiert. Die $-SO-N<$-Funktion wird hierzu als nicht existent angesehen. Zur Unterscheidung von Copolymeren werden die DZ von Strukturkomponenten ein- und derselben repetitiven Einheit mit dem Additionszeichen verknüpft. Dasselbe gilt für die Elementsymbole.)
2 Sulfonamide, $-SO_2-N<$
(Einteilung wie Amide, SO_2 wird als CO angesehen. Für die DZ gilt analog das unter 1. Gesagte.)
3 Sulfamide, $>N-SO_2-N<$
(Einteilung wie Harnstoffe, SO_2 wird als CO angesehen. Für die DZ gilt analog das unter 1. Gesagte.)
4 mit einfachen S(O)-Funktionen verknüpfte Strukturen
- 4.1 CHN–SO*
  - 4.1.1 CHN-Sulfoxid
  - 4.1.2 CHN-Sulfon
  - 4.1.3 CHN-Sulfonsäuren
  - 4.1.4 CHN-Sulfonsaure Salze, Sulfobetaine
  - 4.1.5 CHN-Sulfonsäureester
  - 4.1.6 CHN-Schwefelsäureester
- 4.2 CHNO–S**
  - 4.2.1 CHNO-Thioether
  - 4.2.2 CHNO-Dithioether und -Polythioether
- 4.3 CHNO–SO**
  - 4.3.1 CHNO-Sulfoxid
  - 4.3.2 CHNO-Sulfon
  - 4.3.3 CHNO-Sulfonsäureester
  - 4.3.4 CHNO-Schwefelsäureester

5 mit einfachen CS(O)-Funktionen verknüpfte Strukturen
- 5.1 CHN–CSO*
  - 5.1.1 CHN-Thioester vom Typ $-\overset{\overset{\displaystyle O}{\|}}{C}-S-$
  - 5.1.2 CHN-Thioester vom Typ $-\underset{\underset{\displaystyle O}{\|}}{C}-O-$
- 5.2 CHNO–CS**
  - 5.2.1 CHNO-Thioketon
  - 5.2.2 CHNO-Thioester vom Typ $-\overset{\overset{\displaystyle S}{\|}}{C}-S-$
- 5.3 CHNO–CSO** (Einteilung wie 5.1)

6 CHS, verknüpft mit anderen Strukturen
- 6.1 CHS–CNO
- 6.2 CHS–CHNO
- 6.3 CHS–CHO–CHN
- 6.4 andere CHS-Kombinationen
(Die DZ setzt sich aus der Vorziffer, z. B. **5.2.**6.1, und den angehängten Sequenzen für die jeweiligen Strukturen – ohne Vorziffern – zusammen.)

7 CNS, verknüpft mit anderen Strukturen
- 7.1 CNS–CHO
- 7.2 CNS–CHNO
- 7.3 CNS–CHN–CHO

* Die Zahlenfolge, welche die CHN-Struktur charakterisiert, wird der CHNOS-Kennziffer angehängt, jedoch ohne die Vorziffer **3.2.**
** Die Zahlenfolge, welche die CHNO-Struktur charakterisiert, wird der CHNOS-Kennziffer angehängt, jedoch ohne die Vorziffer **4.2.1.**

- 4.3 CHNO–SO**
  - 4.3.1 CHNO sulfoxides
  - 4.3.2 CHNO sulfones
  - 4.3.3 CHNO sulfonic acid esters
  - 4.3.4 CHNO sulfuric acid esters

5 structures bound to simple CS(O) functions
- 5.1 CHN–CSO*
  - 5.1.1 CHN thioester of type $-\overset{\overset{\displaystyle O}{\|}}{C}-S-$
  - 5.1.2 CHN thioester of type $-\overset{\overset{\displaystyle O}{\|}}{C}-O-$
- 5.2 CHNO–CS*
  - 5.2.1 CHNO thioketones
  - 5.2.2 CHNO thioesters of type $-\overset{\overset{\displaystyle S}{\|}}{C}-S-$
- 5.3 CHNO+CSO** (classification like 5.1)

6 CHS joined to other structures
- 6.1 CHS–CNO
- 6.2 CHS–CHNO
- 6.3 CHS–CHO–CHN
- 6.4 other CHS combinations (the DN consists of the prefix, e.g. **5.2.**6.1 followed by the sequences for the particular structure – without prefixes)

7 CNS combined with other structures
- 7.1 CNS–CHO
- 7.2 CNS–CHNO
- 7.3 CNS–CHN–CHO
- 7.4 other CNS combinations (the DN has an analogous form to 6)

8 CHNS combined with other structures
- 8.1 CHNS–CHO
- 8.2 CHNS–CNO
- 8.3 CHNS–CHNO
- 8.4 other CHNS combinations (the DN has an analogous form to 6)

9 CHOS combined with other structures
- 9.1 CHOS–CHN
- 9.2 CHOS–CNO
- 9.3 CHOS–CHNO
- 9.4 other CHOS combinations (the DN has analogous form to 6)

6 polymers containing 6 elements

6.1 CHHalHal′NO
- **6.1.1** Hal≙F, Hal′≙Cl
- **6.1.2** Hal≙F, Hal′≙Br
- **6.1.3** Hal≙F, Hal′≙I
- **6.1.4** Hal≙Cl, Hal′≙Br
- **6.1.5** Hal≙Cl, Hal′≙I
- **6.1.6** Hal≙Br, Hal′≙I

6.2 CHHalHal′NS (classification like **6.1**)

6.3 CHHalNOS
- **6.3.1** Hal≙F
- **6.3.2** Hal≙Cl
- **6.3.3** Hal≙Br
- **6.3.4** Hal≙I

7 deuterated polymers

7.1 proton-free deuterated polymers (no heteroelements except Hal, N, O, S)

* The digits characterizing the CHN structure follow the CHNOS digits but without the **3.2** prefix.
** The digits characterizing the CHNO structure follow the CHNOS digits but without the **4.2.1** prefix.

7.4 andere CNS-Kombinationen (Zusammensetzung der DZ analog 6)

8 CHNS, verknüpft mit anderen Strukturen
8.1 CHNS−CHO
8.2 CHNS−CNO
8.3 CHNS−CHNO
8.4 andere CHNS-Kombinationen (Zusammensetzung der DZ analog 6)

9 CHOS, verknüpft mit anderen Strukturen
9.1 CHOS−CHN
9.2 CHOS−CNO
9.3 CHOS−CHNO
9.4 andere CHOS-Kombinationen (Zusammensetzung der DZ analog 6)

6 Polymere aus 6 Elementen

6.1 CHHalHal′NO
6.1.1 Hal≙F, Hal′≙Cl
6.1.2 Hal≙F, Hal′≙Br
6.1.3 Hal≙F, Hal′≙I
6.1.4 Hal≙Cl, Hal′≙Br
6.1.5 Hal≙Cl, Hal′≙I
6.1.6 Hal≙Br, Hal′≙I

6.2 CHHalHal′NS (Einteilung wie **6.1**)

6.3 CHHalNOS
6.3.1 Hal≙F
6.3.2 Hal≙Cl
6.3.3 Hal≙Br
6.3.4 Hal≙I

7 Deuterierte Polymere

7.1 protonenfreie deuterierte Polymere (ohne Heteroelemente außer Hal, N, O, S)
7.1.1 D−C (Einteilung wie **2.1**)
7.1.2 D−CX
7.1.2.1 D−CHal (Einteilung wie **3.1**)
7.1.2.2 D−CN (Einteilung wie **3.2**)
7.1.2.3 D−CO (Einteilung wie **3.3**)
7.1.2.4 D−CS (Einteilung wie **3.4**)
7.1.3 D−CXY
7.1.3.1 D−CHalX
7.1.3.1.1 D−CHalHal′ (Einteilung wie **4.1.1**)
7.1.3.1.2 D−CHalN (Einteilung wie **4.1.2**)
7.1.3.1.3 D−CHalO (Einteilung wie **4.1.3**)
7.1.3.1.4 D−CHalS (Einteilung wie **4.1.4**)
7.1.3.2 D−CNX
7.1.3.2.1 D−CNO
7.1.3.2.2 D−CNS
7.1.3.3 D−COS
7.1.4 D−CXYZ
7.1.4.1 D−CHalXY
7.1.4.1.1 D−CHalHal′X
7.1.4.1.1.1 D−CHalHal′N
7.1.4.1.1.2 D−HalHal′O
7.1.4.1.1.3 D−HalHal′S
7.1.4.1.2 D−CHalNO
7.1.4.1.3 D−CHalNS
7.1.4.1.4 D−CHalOS
7.1.4.2 D−CNOS
7.1.5 D−CXYZ...

7.1.1 D−C (classification like **2.1**)
7.1.2 D−CX
7.1.2.1 D−CHal (classification like **3.1**)
7.1.2.2 D−CN (classification like **3.2**)
7.1.2.3 D−CO (classification like **3.3**)
7.1.2.4 D−CS (classification like **3.4**)
7.1.3 D−CXY
7.1.3.1 D−CHalX
7.1.3.1.1 D−CHalHal′ (classification like **4.1.1**)
7.1.3.1.2 D−CHalN (classification like **4.1.2**)
7.1.3.1.3 D−CHalO (classification like **4.1.3**)
7.1.3.1.4 D−CHalS (classification like **4.1.4**)
7.1.3.2 D−CNX
7.1.3.2.1 D−CNO
7.1.3.2.2 D−CNS
7.1.3.3 D−COS
7.1.4 D−CXYZ
7.1.4.1 D−CHalXY
7.1.4.1.1 D−CHalHal′X
7.1.4.1.1.1 D−CHalHal′N
7.1.4.1.1.2 D−CHalHal′O
7.1.4.1.1.3 D−CHalHal′S
7.1.4.1.2 D−CHalNO
7.1.4.1.3 D−CHalNS
7.1.4.1.4 D−CHalOS
7.1.4.2 D−CNOS
7.1.5 D−CXYZ...

7.2 Proton-containing deuterated polymers (no heteroelements except Hal, N, O, S)
7.2.1 D−CH (classification like **2.1**, D is regarded as H)
7.2.2 D−CHHal
7.2.2.1 D−CHF (classification like **3.1.1**)
7.2.2.2 D−CHCl (classification like **3.1.1**)
7.2.2.3 D−CHBr (classification like **3.1.1**)
7.2.2.4 D−CHI (classification like **3.1.1**)
7.2.3 D−CHN (classification like **3.2**)
7.2.4 D−CHO (classification like **3.3**)
7.2.5 D−CHS (classification like **3.4**)
7.2.6 D−CHHalX
7.2.6.1 D−CHHalHal′ (classification like **4.1.1**)
7.2.6.2 D−CHHalN (classification like **4.1.2**)
7.2.6.3 D−CHHalO (classification like **4.1.3**)
7.2.6.4 D−CHHalS (classification like **4.1.4**)
7.2.7 D−CHNX
7.2.7.1 D−CHNO (classification like **4.2.1**)
7.2.7.2 D−CHNS (classification like **4.2.2**)
7.2.8 D−CHOS (classification like **4.3**)
7.2.9 D−CHXYZ (classification like **5**)

7.3 deuterated polymers with further nonmetals or semimetals (with or without Hal, N, O, S)
7.3.1 proton-free deuterated polymers
7.3.1.1 D−CB (X, Y, Z ...)
7.3.1.2 D−CSi (X, Y, Z ...)
7.3.1.3 D−CGel (X, Y, Z ...)
7.3.1.4 D−CP (X, Y, Z ...)
7.3.2 proton-containing deuterated polymers
7.3.2.1 D−CHB
7.3.2.2 D−CHSi
7.3.2.3 D−CHGe
7.3.2.4 D−CHP

8 Polymers containing heteroelements (nonmetals and semi-metals other than Hal, N, O, S)

7.2 protonenhaltige, deuterierte Polymere (ohne Heteroelemente außer Hal, N, O, S)
- **7.2.1** D–CH (Einteilung wie **2.1**, D wird als H betrachtet)
- **7.2.2** D–CHHal
  - **7.2.2.1** D–CHF (Einteilung wie **3.1.1**)
  - **7.2.2.2** D–CHCl (Einteilung wie **3.1.1**)
  - **7.2.2.3** D–CHBr (Einteilung wie **3.1.1**)
  - **7.2.2.4** D–CHI (Einteilung wie **3.1.1**)
- **7.2.3** D–CHN (Einteilung wie **3.2**)
- **7.2.4** D–CHO (Einteilung wie **3.3**)
- **7.2.5** D–CHS (Einteilung wie **3.4**)
- **7.2.6** D–CHHalX
  - **7.2.6.1** D–CHHalHal′ (Einteilung wie **4.1.1**)
  - **7.2.6.2** D–CHHalN (Einteilung wie **4.1.2**)
  - **7.2.6.3** D–CHHalO (Einteilung wie **4.1.3**)
  - **7.2.6.4** D–CHHalS (Einteilung wie **4.1.4**)
- **7.2.7** D–CHNX
  - **7.2.7.1** D–CHNO (Einteilung wie **4.2.1**)
  - **7.2.7.2** D–CHNS (Einteilung wie **4.2.2**)
- **7.2.8** D–CHOS (Einteilung wie **4.3**)
- **7.2.9** D–CHXYZ (Einteilung analog **5**)

7.3 Deuterierte Polymere mit weiteren Nichtmetallen oder Halbmetallen (mit oder ohne Hal, N, O, S)
- **7.3.1** protonenfreie deuterierte Polymere
  - **7.3.1.1** D–CB(X,Y,Z...)
  - **7.3.1.2** D–CSi(X,Y,Z...)
  - **7.3.1.3** D–CGe(X,Y,Z...)
  - **7.3.1.4** D–CP(X,Y,Z...)
- **7.3.2** protonenhaltige deuterierte Polymere
  - **7.3.2.1** D–CHB
  - **7.3.2.2** D–CHSi
  - **7.3.2.3** D–CHGe
  - **7.3.2.4** D–CHP

8 Polymere mit Heteroelementen (Nichtmetalle und Halbmetalle zusätzlich zu Hal, N, O, S)

8.1 Borverbindungen*
- 1 Derivate der Borsäure und Metaborsäure
  - 1.1 –B(OX)–O– in der Hauptkette (Metaborsäurederivate)
  - 1.2 BO-Funktion in der Seitenkette
- 2 sonstige Polymere mit BO-Gruppierungen
- 3 Polymere mit B–C-Bindungen
  - 3.1 Polycarborane (Derivate des Decaborans)
    - 3.1.1 o-Carborane
    - 3.1.2 m-Carborane
    - 3.1.3 p-Carborane
  - 3.2 Polyborane vom Typ –B(R)–
    - 3.2.1 aliphatisch
    - 3.2.2 aromatisch
- 4 sonstige polymere Borverbindungen

* Wenn sich eine weitere Unterteilung als nötig erweist, wird der Vorziffer, die die Bindung des Bors charakterisiert, die Zahlenfolge angehängt, die den Rest der repetitiven Einheit kennzeichnet. Beispiel: Borsäureester eines Novolaks. Elementsymbol: BO_3–CHO. DZ: **8.1**.1.2.**3.3**.2.1.1.1. Wenn das borhaltige Polymer als Copolymer aufgefaßt werden kann, insbesondere, wenn mehrere weitere Strukturkomponenten gekennzeichnet werden müssen, wird die Klassifizierung von Copolymeren angewandt.

8.1 boron compounds*
- 1 boric acid and metaboric acid derivatives
  - 1.1 –B(OX)–O– in the main chain (metaboric acid derivatives)
  - 1.2 BO functions in the side chain
- 2 other polymers containing BO groups
- 3 polymers with B–C bonds
  - 3.1 polycarboranes (derivatives of decaborane)
    - 3.1.1 o-carboranes
    - 3.1.2 m-carboranes
    - 3.1.3 p-carboranes
  - 3.2 polyboranes of type –B(R)–
    - 3.2.1 aliphatic
    - 3.2.2 aromatic
- 4 other polymeric boron compounds

8.2 silicon compounds*
- **8.2.1** Si only bound to C (SIC_4)
  - **8.2.1.1** only aliphatic substituents at SI; SiR_4
  - **8.2.1.2** 3 aliphatic and 1 aromatic substituents at Si; R_3SiAr
  - **8.2.1.3** R_2SiAr_2
  - **8.2.1.4** $RSiAr_3$
  - **8.2.1.5** $SiAr_4$
- **8.2.2** only bound to O (SiO_4)
- **8.2.3** Si only bound to one other heteroelement (SiX_4, $X \neq C$, O)
- **8.2.4** 2 different elements on Si (SiX_mY_n, $m+n=4$)
  - **8.2.4.1** CSiX
    - **8.2.4.1.1** X≙H
    - **8.2.4.1.2** X≙Hal
    - **8.2.4.1.3** X≙N
    - **8.2.4.1.4** X≙O
    - **8.2.4.1.5** X≙S
  - **8.2.4.2** HSiX ($X \neq C$)
  - **8.2.4.3** NSiX ($X \neq C$, H)
  - **8.2.4.4** OSiS
- **8.2.5** different elements on Si ($SiX_mY_nZ_o$, $m+n+o=4$)
  - **8.2.5.1** HSiXY
    - **8.2.5.1.1** X≙C
      - **8.2.5.1.1.1** Y≙N
      - **8.2.5.1.1.2** Y≙O
      - **8.2.5.1.1.3** Y≙S
    - **8.2.5.1.2** X≙N (≠C), Y≙O, S
    - **8.2.5.1.3** X≙O, Y≙S
  - **8.2.5.2** CSiXY (X, Y≠H)
    - **8.2.5.2.1** X≙N, Y≙O
    - **8.2.5.2.2** X≙N, Y≙S
    - **8.2.5.2.3** X≙O, Y≙S
  - **8.2.5.3** NSiOS
- **8.2.6** 4 different elements on Si (SiXYZU)
- **8.2.7** coordinately bound Si (polymeric Si complexes)

8.3 germanium compound (classification like **8.2**)

* If further subclassification is required, then the prefix, which designates the compound as containing boron, is appended to the string of digits that describes the remainder of the repeating unit. Example: borate ester of a novolac; element symbol BO_3–CHO, DN **8.1**.1.2.**3.3**.2.1.1.1. If the boron-containing polymer can be described as a copolymer and, particularly, if several other structural components must be described then the description is made in terms of a copolymer.

8.2 Siliciumverbindungen*
- **8.2.1** Si nur an C gebunden (SiC_4)
  - **8.2.1.1** nur aliphatische Substituenten am Si; SiR_4
  - **8.2.1.2** 3 aliphatische und 1 aromatischer Substituent am Si; R_3SiAr
  - **8.2.1.3** R_2SiAr_2
  - **8.2.1.4** $RSiAr_3$
  - **8.2.1.5** $SiAr_4$
- **8.2.2** Si nur an O gebunden (SiO_4)
- **8.2.3** Si nur an ein anderes Heteroelement gebunden (SiX_4, $X \neq C$, O)
- **8.2.4** 2 verschiedene Elemente am Si (SiX_mY_n, $m+n=4$)
  - **8.2.4.1** CSiX
    - **8.2.4.1.1** $X \triangleq H$
    - **8.2.4.1.2** $X \triangleq Hal$
    - **8.2.4.1.3** $X \triangleq N$
    - **8.2.4.1.4** $X \triangleq O$
    - **8.2.4.1.5** $X \triangleq S$
  - **8.2.4.2** HSiX ($X \neq C$)
  - **8.2.4.3** NSiX ($X \neq C$, H)
  - **8.2.4.4** OSiS
- **8.2.5** 3 verschiedene Elemente am Si ($SiX_mY_nZ_o$, $m+n+o=4$)
  - **8.2.5.1** HSiXY
    - **8.2.5.1.1** $X \triangleq C$
      - **8.2.5.1.1.1** $Y \triangleq N$
      - **8.2.5.1.1.2** $Y \triangleq O$
      - **8.2.5.1.1.3** $Y \triangleq S$
    - **8.2.5.1.2** $X \triangleq N$ ($\neq C$), $Y \triangleq O$, S
    - **8.2.5.1.3** $X \triangleq O$, $Y \triangleq S$
  - **8.2.5.2** CSiXY (X, $Y \neq H$)
    - **8.2.5.2.1** $X \triangleq N$, $Y \triangleq O$
    - **8.2.5.2.2** $X \triangleq N$, $Y \triangleq S$
    - **8.2.5.2.3** $X \triangleq O$, $Y \triangleq S$
  - **8.2.5.3** NSiOS
- **8.2.6** 4 verschiedene Elemente am Si (SiXYZU)
- **8.2.7** koordinativ gebundenes Si (polymere Si-Komplexe)

8.3 Germaniumverbindungen (Einteilung wie **8.2**)

8.4 Phosphorverbindungen**
- **8.4.1** gleiche Elemente am P
  - **8.4.1.1** 4 gleiche Elemente am P
    - **8.4.1.1.1** PN_4
      - **8.4.1.1.1.1** P in der Hauptkette
      - **8.4.1.1.1.2** P in der Seitenkette
      - **8.4.1.1.1.3** P im Ring
    - **8.4.1.1.2** PO_4***
  - **8.4.1.2** 3 gleiche Elemente am P
    - **8.4.1.2.1** PC_3
    - **8.4.1.2.2** PN_3
    - **8.4.1.2.3** PO_3

* Wenn sich eine weitere Unterteilung als nötig erweist, wird der Vorziffer, die die Bindung des Siliciums charakterisiert, die Zahlenfolge angehängt, welche den Rest der repetitiven Einheit kennzeichnet. Dabei wird so vorgegangen: Zunächst wird Si als C betrachtet und dann die Hauptgruppe ermittelt, wonach sich die gesamte Struktureinheit charakterisieren läßt. Die jeweilige Vorziffer wird der Si-Kennziffer, dieser wiederum die restliche Zahlensequenz angehängt. Ergibt sich auf diese Weise die Notwendigkeit, die Struktureinheit als Copolymer aufzufassen, wird die gesamte Zahlenfolge des zweiten Strukturbausteins wie bei den Copolymeren angehängt.

** Für eine weitere Unterteilung gilt analog das in der Fußnote zu **8.1** Gesagte. Atome oder Gruppierungen, die die P-Funktion mit dem Rest der repetitiven Einheit verknüpfen, werden sowohl bei der Charakterisierung der Bindung des P als auch bei der Charakterisierung des Restes der repetitiven Einheit berücksichtigt. Wird die Hauptkette ausschließlich aus P-Funktionen gebildet (wie z. B. bei Polyphosphaten oder Polyphosphazenen), wird der die P-Funktion charakterisierenden Zahlenfolge das Elementsymbol der Seitengruppen angehängt; die schon in der Zahlenfolge für die P-Funktion berücksichtigten Elemente bleiben bei der Charakterisierung der Seitenketten außer acht. Beispiel: Polyphosphazene mit Alkoxyseitengruppen, **842521**. Soll auch die Struktur der Seitenketten angegeben werden, wird die jeweilige Zahlenfolge angehängt. Chemisch verschiedene Seitengruppen werden formal zusammengefaßt; ein Alkoxy-phenoxy-phosphazen hat dann aliphatisch-aromatische Seitengruppen, **8425212**.

*** Einteilung wie **8.4.1.1.1**; s. Fußnote zu **8.4**

8.4 phosphorus compounds*
- **8.4.1** identical elements at P
  - **8.4.1.1** identical elements at P
    - **8.4.1.1.1** PN_4
      - **8.4.1.1.1.1** P in the main chain
      - **8.4.1.1.1.2** P in the side chain
      - **8.4.1.1.1.3** P in ring
    - **8.4.1.1.2** PO_4**
  - **8.4.1.2** 3 similar elements on P
    - **8.4.1.2.1** PC_3
    - **8.4.1.2.2** PN_3
    - **8.4.1.2.3** PO_3
- **8.4.2** 2 different elements on P
  - **8.4.2.1** C+X
    - **8.4.2.1.1** C+N
      - **8.4.2.1.1.1** PC_3N ***
      - **8.4.2.1.1.2** PC_2N_2 ***
      - **8.4.2.1.1.3** PCN_3 ***
    - **8.4.2.1.2** C+O
      - **8.4.2.1.2.1** PC_3O ***
      - **8.4.2.1.2.2** PC_3O_2 ***
      - **8.4.2.1.2.3** PCO_3 ***
  - **8.4.2.2** H+N ***
  - **8.4.2.3** H+O ***
  - **8.4.2.4** Hal+x
    - **8.4.2.4.1** F+N ***
    - **8.4.2.4.2** Cl+N ***
  - **8.4.2.5** N+O ***
- **8.4.3** 3 different elements on P
  - **8.4.3.1** C+N+O ***
  - **8.4.3.2** Hal+n+O
    - **8.4.3.2.1** F+N+O ***
    - **8.4.3.2.2** Cl+N+O ***

8.5 polymers with 2 different hetero-elements from category 8*
- **8.5.1** B+X
  - **8.5.1.1** B+Si
  - **8.5.1.2** B+Ge
  - **8.5.1.3** B+P
- **8.5.2** Si+X
  - **8.5.2.1** Si+Ge
  - **8.5.2.2** Si+P
- **8.5.3** Ge+P

8.6 polymers with heteroelement and metal †
- **8.6.1** B+Mt
- **8.6.2** Si+Mt
- **8.6.3** Ge+Mt
- **8.6.4** P+Mt

9 polymers containing metals which are not bound in the form of salts (coordinates or covalent bonds) ††

* Further subclassification occurs as described in the footnote to **8.1**. Atoms or groups, which join the P function to the rest of the repeating unit, are taken into account both in the characterization of the P bonding and of the rest of the repeating unit. If the main chain is composed exclusively of P functions (e.g. as with polyphosphates or with polyphosphazenes) then the digit characterizing the P function is simply appended to the element symbols for the side groups; the elements already accounted for in the digits describing the P function are ignored in characterizing the side chain. Example: Polyphosphazenes with alkoxy side chains, **842521**. If the structure of the side chain is also to be defined, then the appropriate digit group is added. Chemically different side chains are formally combined; an alkoxyphenoxyphosphazene then has aliphatic-aromatic side chains, **8425212**.

** The organic portion of the polymer is only characterized according to elemental composition. Example: SiP−CHO-polymer, **8.5.2.2.3.3**.

*** Classification like **8.4.1.1.1**; see footnote to **8.4**.

† In order to characterize the heavy metal the digit after **9** (omitting the **9**) is placed after the sequence **8.6.X**. The organic portion of the polymer is only characterized according to elemental composition. Example: P−Sn−CHO polymers **8.6.4.4.1.3.3**.

†† For practical reasons heavy elements, which are not true metals (As, Sb, Bi, Sc, Te) of the Vth and VIth main groups, are also included here. The organic portion of the polymer is only characterized according to elemental composition. Example: Sn polyester, Sn−CHO, **9.4.1.3.3**.

8.4.2 2 verschiedene Elemente am P
- **8.4.2.1** C+X
  - **8.4.2.1.1** C+N
    - **8.4.2.1.1.1** PC_3N**
    - **8.4.2.1.1.2** PC_2N_2**
    - **8.4.2.1.1.3** PCN_3**
  - **8.4.2.1.2** C+O
    - **8.4.2.1.2.1** PC_3O**
    - **8.4.2.1.2.2** PC_2O_2**
    - **8.4.2.1.2.3** PCO_3**
- **8.4.2.2** H+N**
- **8.4.2.3** H+O**
- **8.4.2.4** Hal+X
  - **8.4.2.4.1** F+N**
  - **8.4.2.4.2** Cl+N**
- **8.4.2.5** N+O**

8.4.3 3 verschiedene Elemente am P
- **8.4.3.1** C+N+O**
- **8.4.3.2** Hal+N+O
  - **8.4.3.2.1** F+N+O**
  - **8.4.3.2.2** Cl+N+O**

8.5 Polymere mit 2 verschiedenen Heteroelementen der Kategorie 8*
- **8.5.1** B+X
  - **8.5.1.1** B+Si
  - **8.5.1.2** B+Ge
  - **8.5.1.3** B+P
- **8.5.2** Si+X
  - **8.5.2.1** Si+Ge
  - **8.5.2.2** Si+P
- **8.5.3** Ge+P

8.6 Polymere mit Heteroelement und Metall †
- **8.6.1** B+Mt
- **8.6.2** Si+Mt
- **8.6.3** Ge+Mt
- **8.6.4** P+Mt

9 Polymere mit nicht salzartig gebundenem Metall (koordinative oder Hauptvalenzbindung) ***

9.1 I. Gruppe des PS
- **9.1.1** I. Hauptgruppe: Alkalimetalle
- **9.1.2** I. Nebengruppe ††: Cu, Ag, Au

9.2 II. Gruppe des PS
- **9.2.1** II. Hauptgruppe: Erdalkalimetalle
- **9.2.2** II. Nebengruppe ††: Zn, Cd, Hg

9.3 III. Gruppe des PS
- **9.3.1** III. Hauptgruppe: Erdmetalle, Lanthaniden, Actiniden (Al, Sc, Y; La, Ac)
- **9.3.2** III. Nebengruppe ††: Ga, In, Tl

* Der organische Anteil des Polymeren wird nur nach der Elementzusammensetzung charakterisiert. Beispiel: SiP – CHO-Polymeres, **8.5.2.2.3.3**.

** Einteilung wie **8.4.1.1.1**; s. Fußnote zu **8.4**.

*** Aus praktischen Gründen sind hier auch schwerere Elemente der V. und VI. Hauptgruppe eingefügt, die nicht im eigentlichen Sinne Metalle sind (As, Sb, Bi; Se, Te). Der organische Anteil des Polymeren wird nur nach der Elementzusammensetzung charakterisiert. Beispiel: Sn-Polyester, Sn-CHO, **9.4.1.3.3**.

† Zur Charakterisierung des Schwermetalls wird der Zahlenfolge **8.6.X** die Zahlenfolge nach **9** (unter Weglassung der **9**) angehängt. Der organische Anteil des Polymeren wird nur nach der Elementzusammensetzung charakterisiert. Beispiel: P – Sn – CHO-Polymeres, **8.6.4.4.1.3.3**.

†† Übergangselemente.

9.1 group I of the periodic table
- **9.1.1** main group: alkali metals
- **9.1.2** subgroup*: Cu, Ag, Au

9.2 group II of the periodic table
- **9.2.1** main group: alkaline earth metals
- **9.2.2** subgroup*: Zn, Cd, Hg

9.3 group III of the periodic table
- **9.3.1** main group: earth metals, lanthanides, actinides (Al, Sc, Y, La, Ac)
- **9.3.2** subgroup*: Ga, In, Tl

9.4 group IV of the periodic table
- **9.4.1** main group: Sn, Pb
- **9.4.2** subgroup*: Ti, Zr, Hf

9.5 group V of the periodic table
- **9.5.1** main group: As, Sb, Bi
- **9.5.2** subgroup*: V, Nb, Ta

9.6 group VI of the periodic table
- **9.6.1** main group: Se, Te, Po
- **9.6.2** subgroup*: Cr, Mo, W

9.7 subgroup VII*: Mn, Re

9.8 subgroup VIII:
- **9.8.1** ferrous metals: Fe, Co, Ni
- **9.8.2** light platinum metals: Ru, Rh, Pd
- **9.8.3** heavy platinum metals: Os, Ir, Pt

9.2 various metals in polymer

* Transition elements

9.4 IV. Gruppe des PS
- **9.4.1** IV. Hauptgruppe: Sn, Pb
- **9.4.2** IV. Nebengruppe*: Ti, Zr, Hf

9.5 V. Gruppe des PS
- **9.5.1** V. Hauptgruppe: As, Sb, Bi
- **9.5.2** V. Nebengruppe*: V, Nb, Ta

9.6 VI. Gruppe des PS
- **9.6.1** VI. Hauptgruppe: Se, Te, Po
- **9.6.2** VI. Nebengruppe*: Cr, Mo, W

9.7 VII. Nebengruppe*: Mn, Re

9.8 VIII. Nebengruppe*
- **9.8.1** Eisenmetalle: Fe, Co, Ni
- **9.8.2** leichte Platinmetalle: Ru, Rh, Pd
- **9.8.3** schwere Platinmetalle: Os, Ir, Pt

9.9 verschiedene Metalle im Polymeren

---

* Übergangselemente

1 Makromolekulare Natur-, Werk- und Hilfsstoffe

1.1 Makromolekulare Natur- und Kunststoffe

1 Macromolecular Natural and Synthetic Materials, Auxiliary Products

1.1 Natural and Synthetic Macromolecular Materials

1121111 $C_2H_4-C_3H_6$ *P* 1904

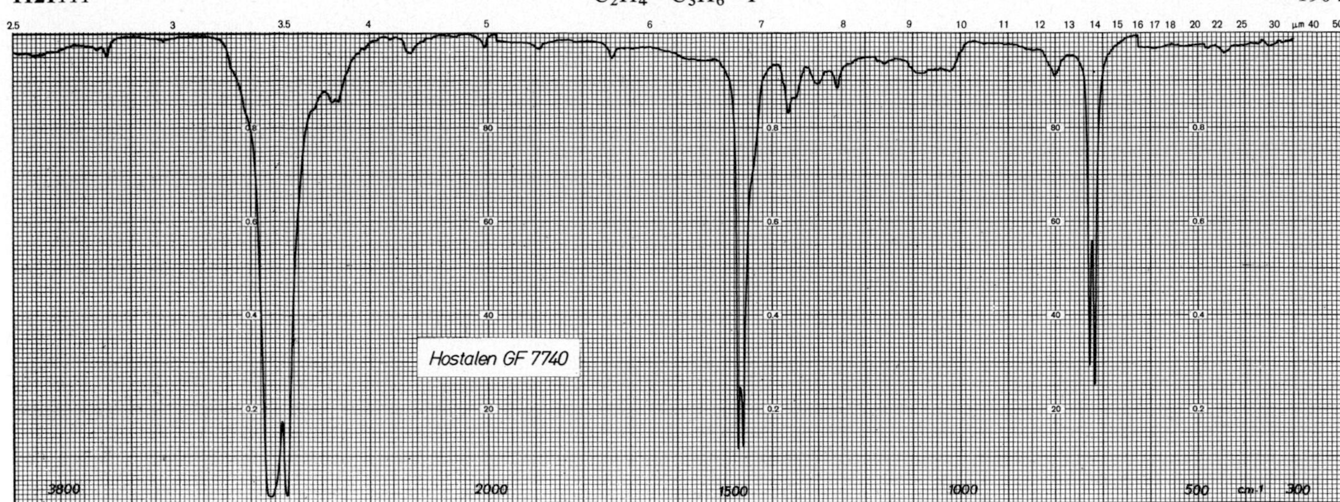

(1) **Hostalen GF 7740**
(3) lineares Polyethylen
(4) weißlich-trübes Granulat
(5) thermoplastischer Kunststoff
(6) Schmelzfilm (25 µm)
(7) PE 580 B

(2) Hoechst AG, Frankfurt/M.-Höchst
(3) linear polyethylene
(4) whitish, cloudy granules
(5) thermoplastic resin
(6) film from the melt (25 µm)
(7) PE 580 B

1121111 C_2H_4 *P* 1905

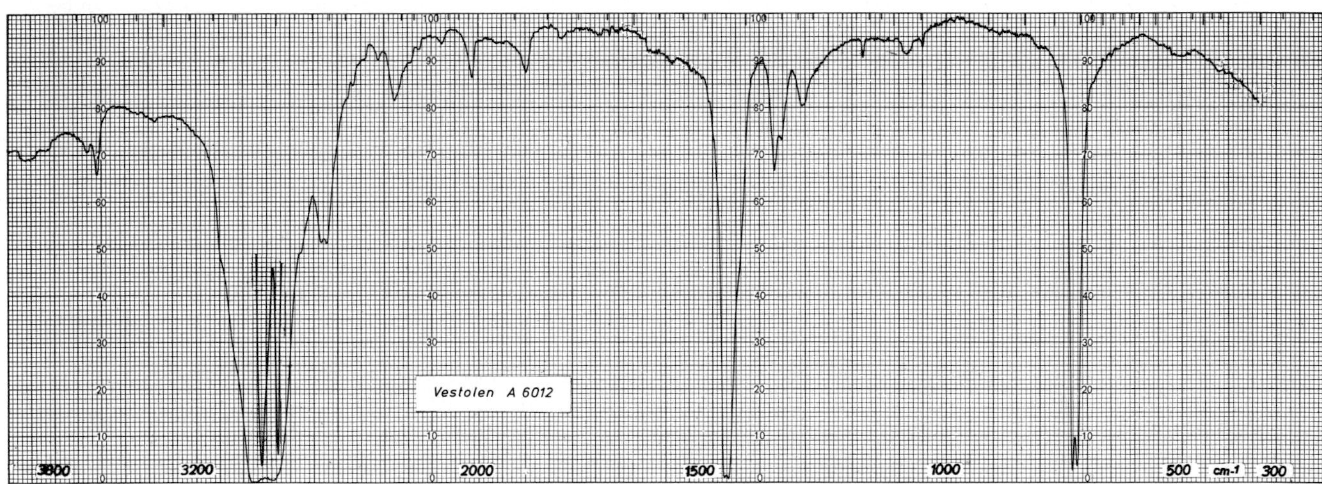

(1) **Vestolen A 6012**
(3) lineares Polyethylen hoher Dichte, hoher Molmasse und schmaler Molmassenverteilung
(4) glasig-weißes Granulat
(5) vielseitig verwendbarer thermoplastischer Kunststoff
(6) rekristallisierter Schmelzfilm (100 µm), 15 h bei 100° C getempert; sehr dünner, ausgezogener Film (Bereich 2900 cm^{-1})

(2) Chemische Werke Hüls AG, Marl
(3) linear polyethylene, high density, high molar mass, narrow mass distribution
(4) glassy, white granules
(5) multipurpose, thermoplastic resin
(6) film recrystallized from the melt (100 µm), tempered for 15 h at 100 °C; very thin, stretched film (2900 cm^{-1} region)

1121111 C_2H_4 *P* 1906

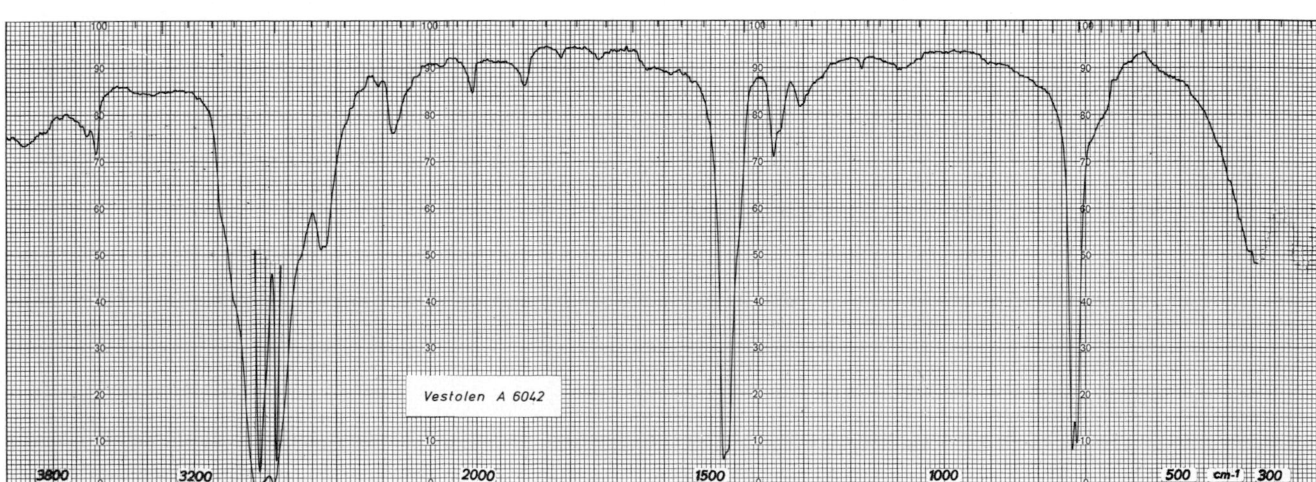

(1) **Vestolen A 6042**
(3) lineares Polyethylen von hoher Dichte (Kristallinität), hoher Molmasse und breiter Molmassenverteilung
(4) glasig-trübes Granulat
(5) thermoplastischer Kunststoff
(6) rekristallisierter Schmelzfilm zwischen CsI (etwa 100 µm), dünner Film (einige µm)

(2) Chemische Werke Hüls AG, Marl
(3) linear polyethylene, high density (crystallinity), high molar mass, broad mass distribution
(4) cloudy, glassy granules
(5) thermoplastic resin
(6) film recrystallized from the melt between CsI (ca. 100 µm), thin film (few µm)

1121112 C_2H_4 *P* 1907

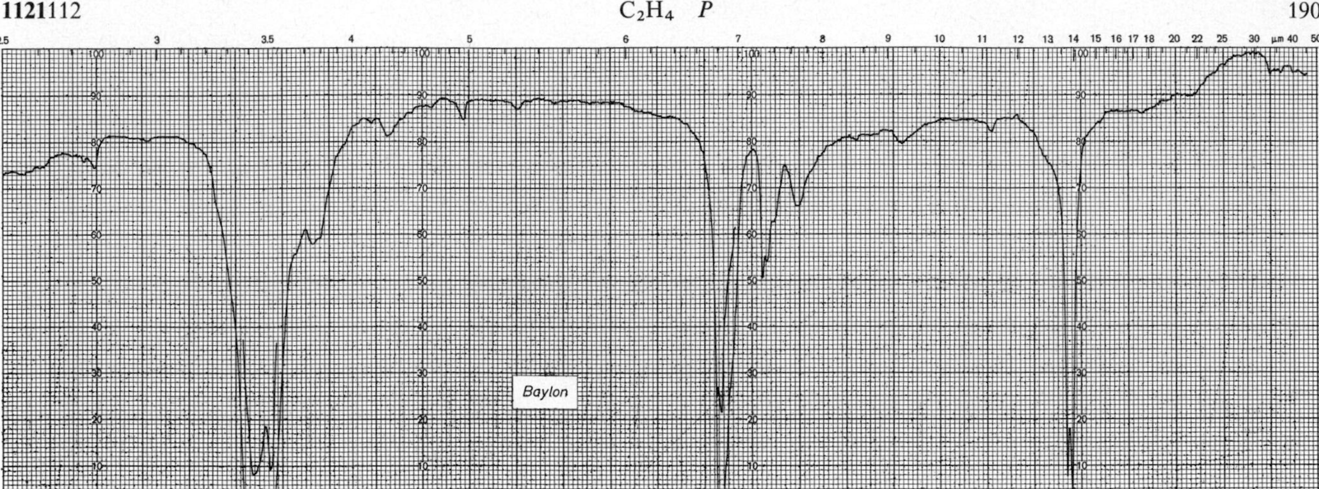

(1) **Baylon**
(3) verzweigtes Polyethylen
(4) farbloses, wachsartiges Material
(5) thermoplastischer Kunststoff
(6) rekristallisierter Schmelzfilm zwischen CsI

(2) Bayer AG, Leverkusen
(3) branched polyethylene
(4) colorless, waxy material
(5) thermoplastic resin
(6) film recrystallized from the melt between CsI

1121112 C_2H_4 *P* 1908

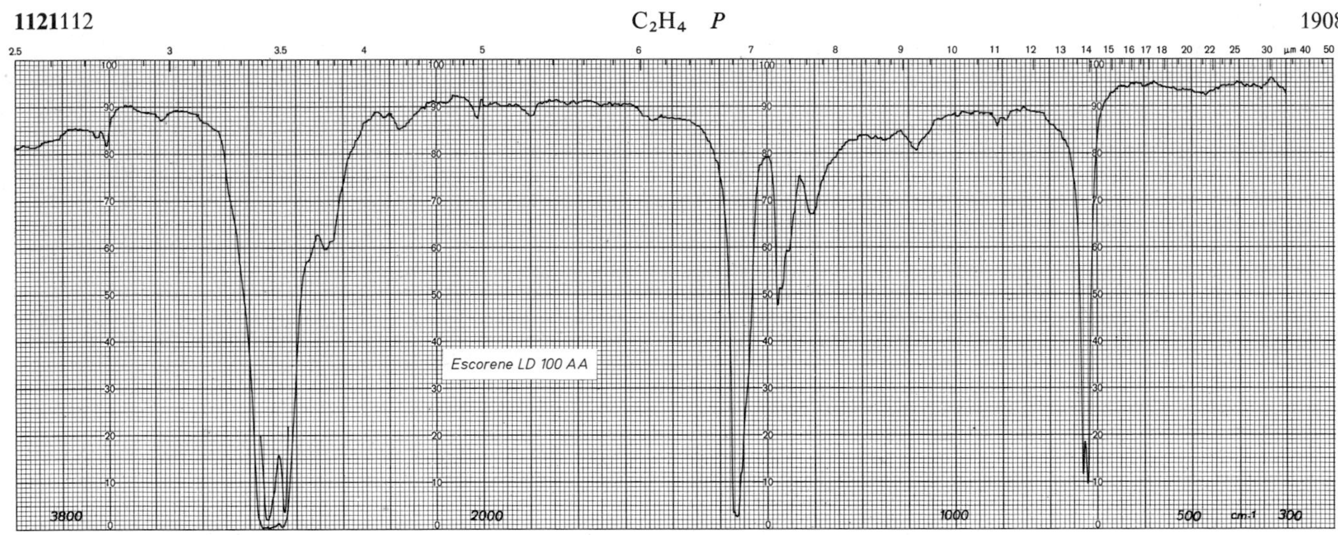

(1) **Escorene LD 100 AA**
(3) Polyethylen niederer Dichte (0.922 kg dm^{-3})
(4) farbloses, leicht milchiges Granulat
(5) für Extrusionsfolien
(6) rekristallisierter Schmelzfilm

(2) Essochem Plastics N.V., Antwerpen
(3) polyethylene, low density (0.922 kg dm^{-3})
(4) colorless, slightly milky granules
(5) for extruded films
(6) film recrystallized from the melt

1121112 C_2H_4 *P* 1909

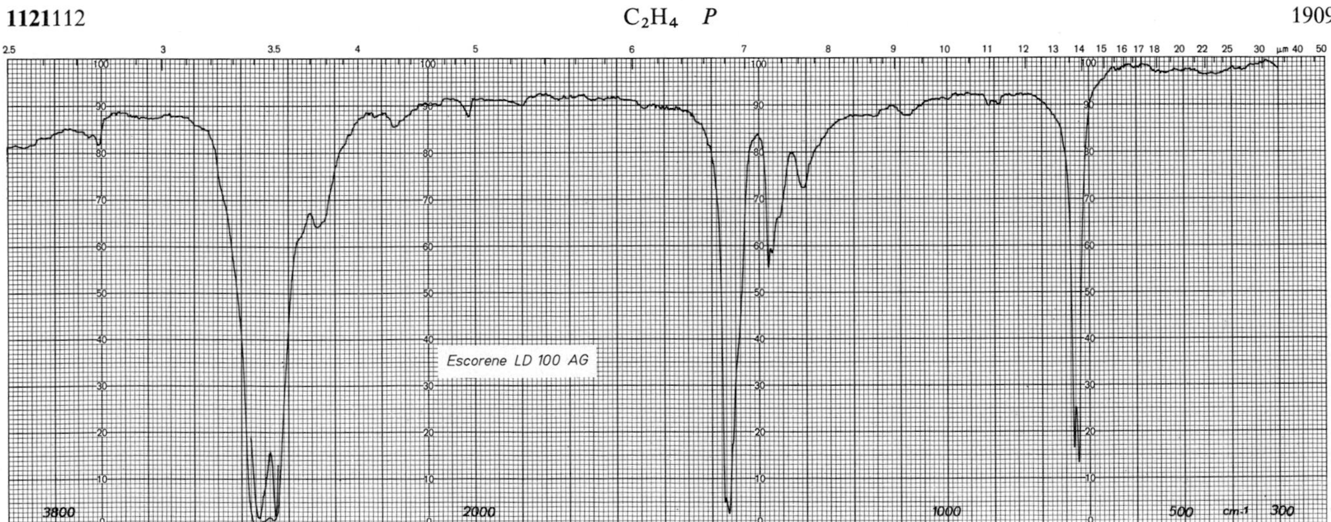

(1) **Escorene LD 100 AG**
(3) Polyethylen niederer Dichte (0.922 kg dm^{-3})
(4) farbloses, leicht milchiges Granulat
(5) für extrudierte Folien
(6) rekristallisierter Schmelzfilm

(2) Essochem Plastics N.V., Antwerpen
(3) polyethylene, low density (0.922 kg dm^{-3})
(4) colorless, slightly milky granules
(5) for extruded films
(6) film recrystallized from the melt

1121112 C_2H_4 *P* 1910

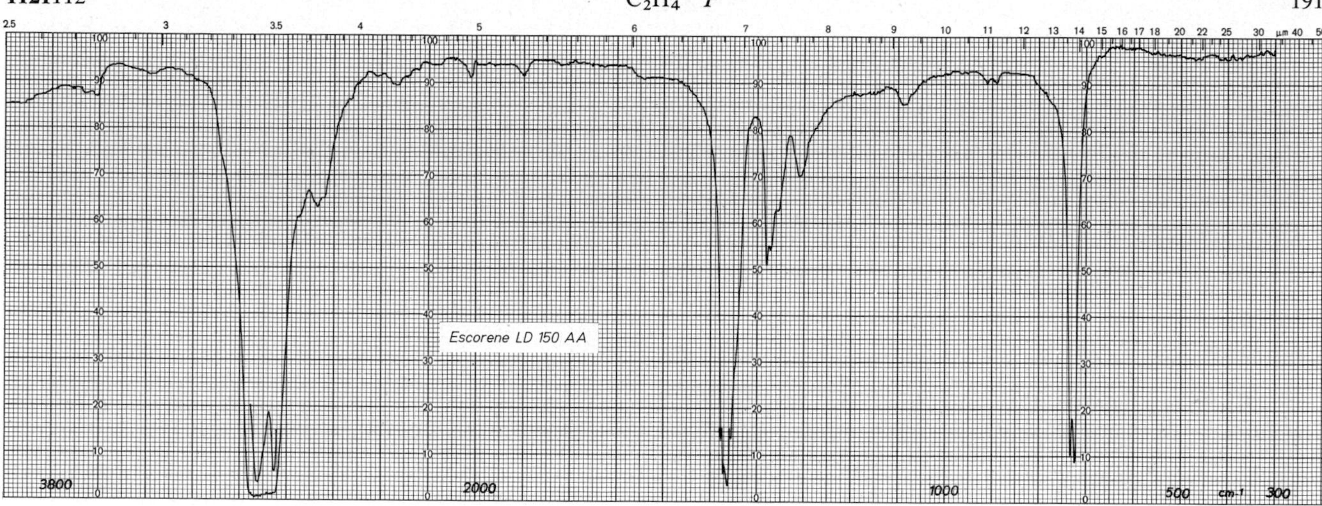

(1) **Escorene LD 150 AA**
(3) Polyethylen niederer Dichte (0.922 kg dm^{-3})
(4) farbloses, leicht milchiges Granulat
(5) für Filme mit guter Transparenz und mechanischer Widerstandsfähigkeit
(6) rekristallisierter Schmelzfilm

(2) Essochem Plastics N.V., Antwerpen
(3) polyethylene, low density (0.922 kg dm^{-3})
(4) corlorless, slightly milky granules
(5) for films with good transparency and mechanical resistance
(6) film recrystallized from the melt

1121112 C_2H_4 *P* 1911

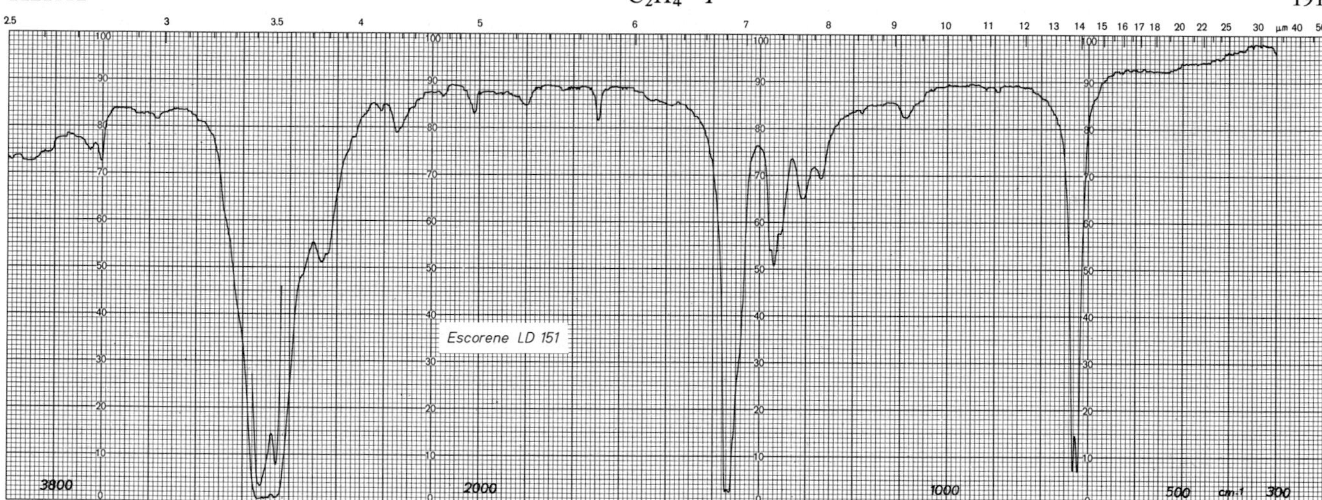

(1) **Escorene LD 151**
(3) Polyethylen niederer Dichte (0.934 kg dm^{-3})
(4) farbloses, leicht milchiges Granulat
(5) für Filme mit guten mechanischen und optischen Eigenschaften
(6) rekristallisierter Schmelzfilm

(2) Essochem Plastics N.V., Antwerpen
(3) polyethylene, low density (0.934 kg dm^{-3})
(4) colorless, slightly milky granules
(5) for films with good mechanical and optical properties
(6) film recrystallized from the melt

1121112 C_2H_4 *P* 1912

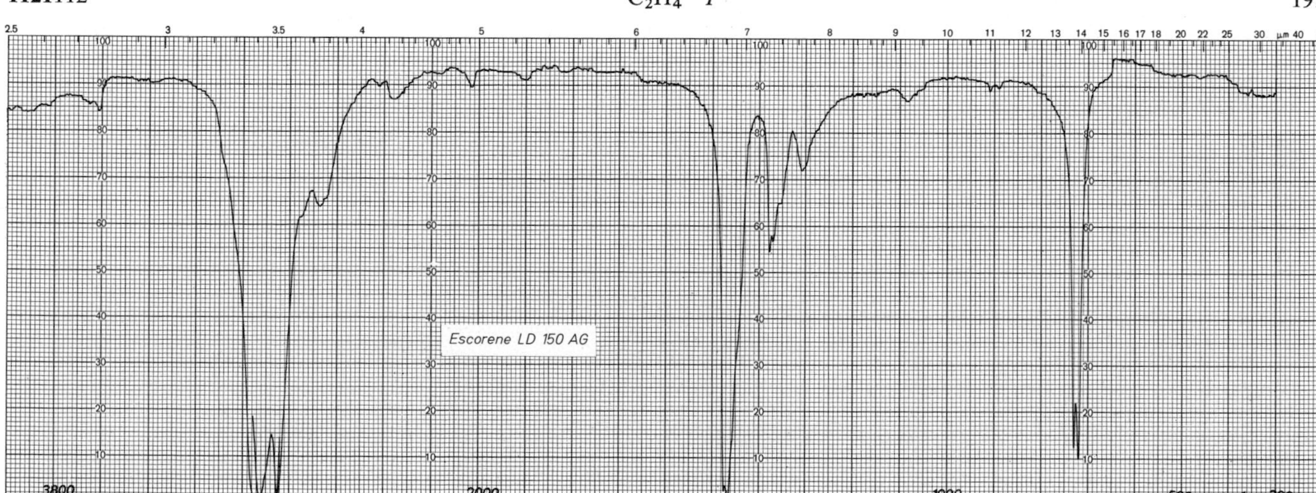

(1) **Escorene LD 150 AG**
(3) Polyethylen niederer Dichte (0.922 kg dm^{-3})
(4) farbloses, leicht milchiges Granulat
(5) für Filme mit guter Transparenz und mechanischer Widerstandsfähigkeit
(6) rekristallisierter Schmelzfilm

(2) Essochem Plastics N.V., Antwerpen
(3) polyethylene,low density (0.922 kg dm^{-3})
(4) colorless, slightly milky granules
(5) for films with good transparency and mechanical resistance
(6) film recrystallized from the melt

1121112 C_2H_4 *P* 1913

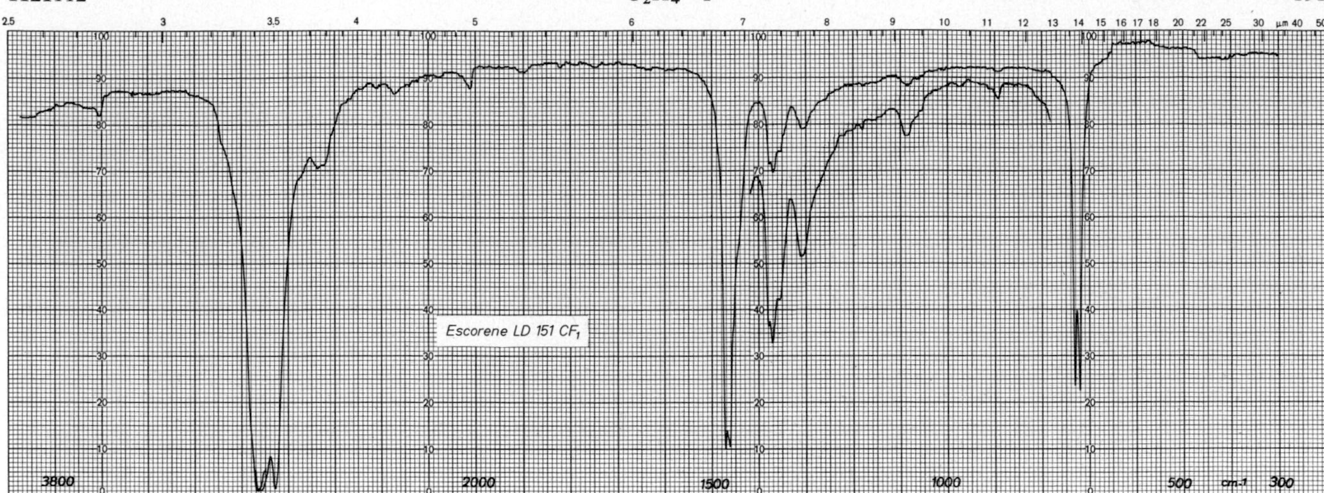

(1) **Escorene LD 151 CF_1**
(3) Polyethylen niederer Dichte (0.934 kg dm^{-3})
(4) farbloses, leicht milchiges Granulat
(5) für Filme mit guten mechanischen und optischen Eigenschaften
(6) rekristallisierter Schmelzfilm

(2) Essochem Plastics N.V., Antwerpen
(3) polyethylene, low density (0.934 kg dm^{-3})
(4) colorless, slightly milky granules
(5) for films with good mechanical and optical properties
(6) film recrystallized from the melt

1121112 C_2H_4 *P* 1914

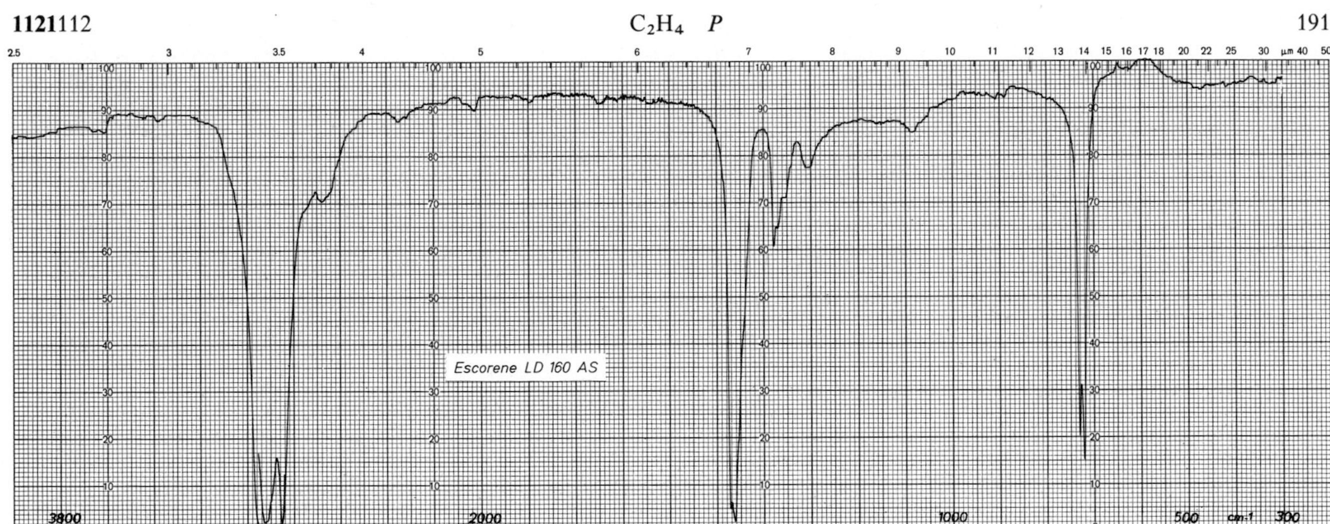

(1) **Escorene LD 160 AG**
(3) Polyethylen niederer Dichte (0.918 kg dm^{-3})
(4) farbloses, leicht milchiges Graulat
(5) für Verpackungsfolien
(6) rekristallisierter Schmelzfilm

(2) Essochem Plastics N.V., Antwerpen
(3) polyethylene, low density (0.918 kg dm^{-3})
(4) colorless, slightly milky granules
(5) for packaging films
(6) film recrystallized from the melt

1121112 C_2H_4 *P* 1915

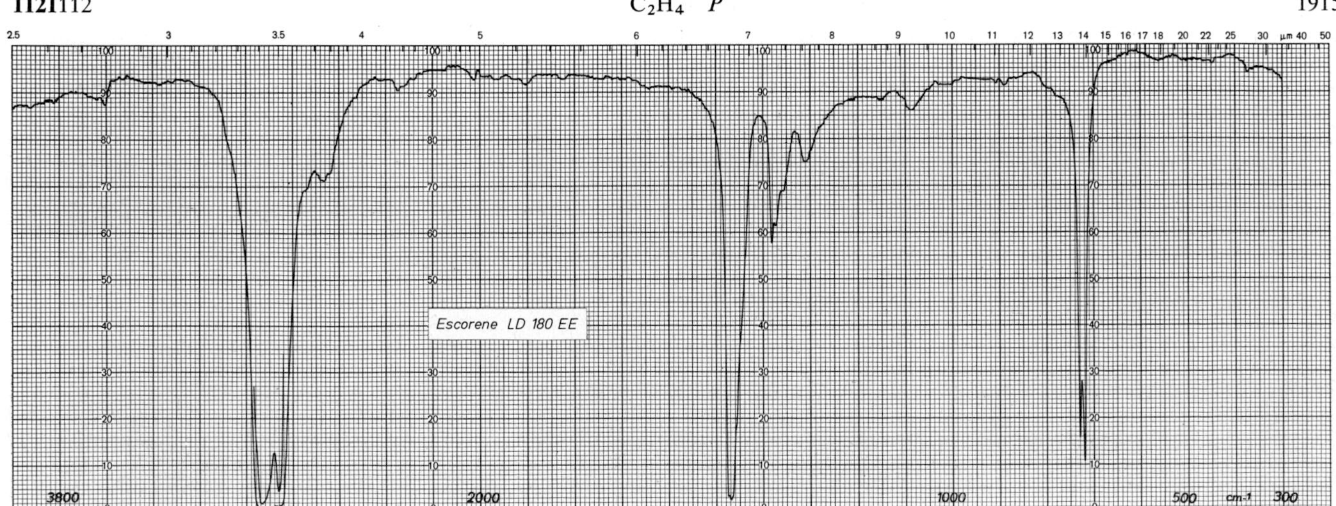

(1) **Escorene LD 180 EE**
(3) Polyethylen niederer Dichte (0.918 kg dm^{-3})
(4) farbloses, leicht milchiges Granulat
(5) für Extrusionsfolien (Säcke) mit guter Stoßresistenz
(6) rekristallisierter Schmelzfilm

(2) Essochem Plastics N.V., Antwerpen
(3) polyethylene, low density (0.918 kg dm^{-3})
(4) colorless, slightly milky granules
(5) for extrusion films (sacks) with good impact resistance
(6) film recrystallized from the melt

1121112 C_2H_4 *P* 1916

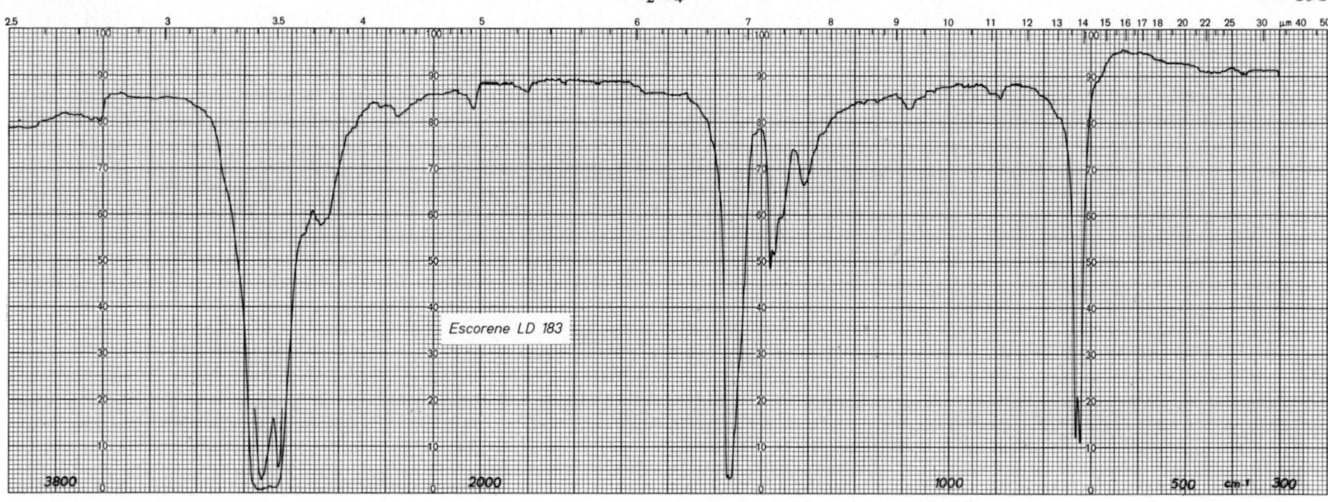

(1) **Escorene LD 183**
(3) Polyethylen niederer Dichte (0.918 kg dm^{-3})
(4) farbloses, leicht milchiges Granulat
(5) für Verpackungsfolien, für die Landwirtschaft
(6) rekristallisierter Schmelzfilm

(2) Essochem Plastics N.V., Antwerpen
(3) polyethylene, low density (0.918 kg dm^{-3})
(4) colorless, slightly milky granules
(5) for agricultural purposes, packaging film
(6) film recrystallized from the melt

 **1121**112  C_2H_4 *P* 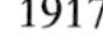 1917

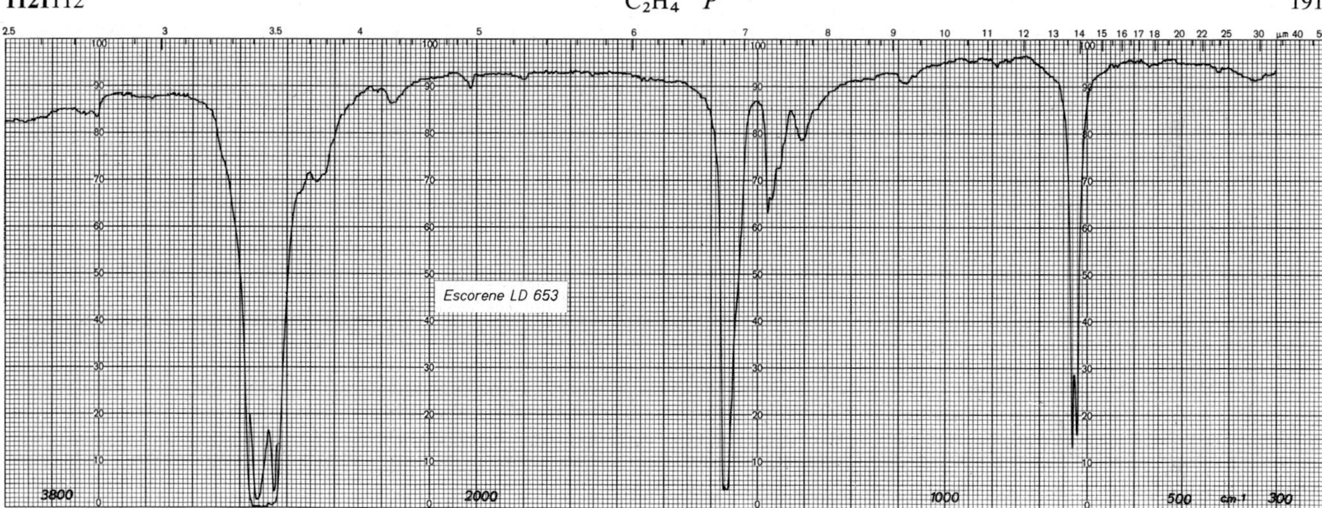

(1) **Escorene LD 653**
(3) Polyethylen niederer Dichte (0.924 kg dm^{-3})
(4) farbloses, leicht milchiges Granulat
(5) für starre Spritzgußartikel
(6) rekristallisierter Schmelzfilm

(2) Essochem Plastics N.V., Antwerpen
(3) polyethylene, low density (0.924 kg dm^{-3})
(4) colorless, slightly milky granules
(5) for rigid injection mouldings
(6) film recrystallized from the melt

1121112 C_2H_4 *P* 1918

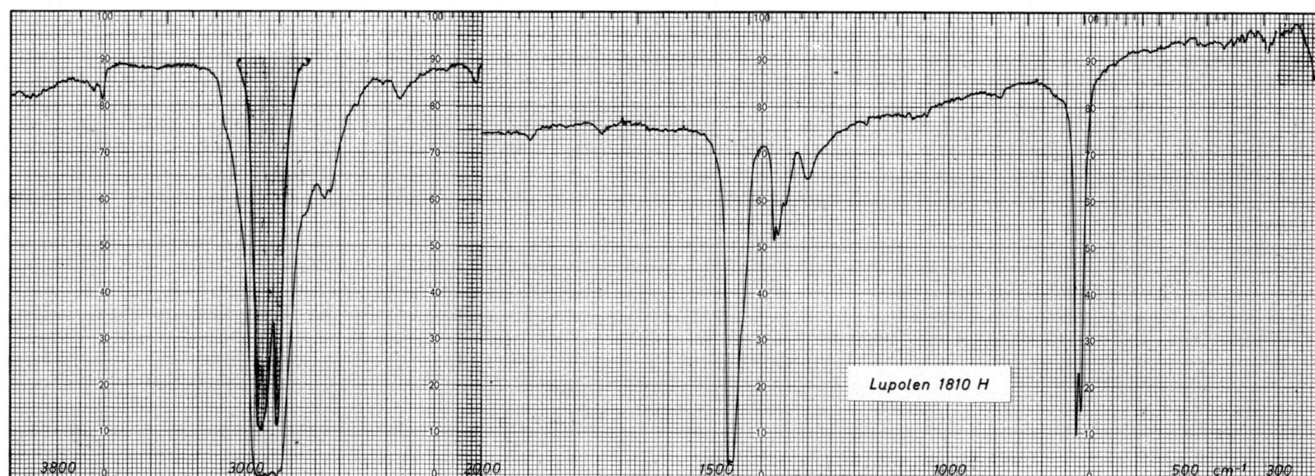

(1) **Lupolen 1810 H**
(3) verzweigtes (Hochdruck-)Polyethylen
(4) farblos-weißes Granulat
(5) thermoplastischer Kunststoff für vielseitige Anwendungen
(6) freitragender, heiß gepreßter Film (70 µm), dünner, durch Recken gewonnener Film

(2) BASF AG, Ludwigshafen
(3) branched, high pressure polyethylene
(4) colorless, white granules
(5) multipurpose, thermoplastic resin
(6) self-supporting, hot-pressed film (70 µm), thin film produced by stretching

1121112 C_2H_4 *P* 1919

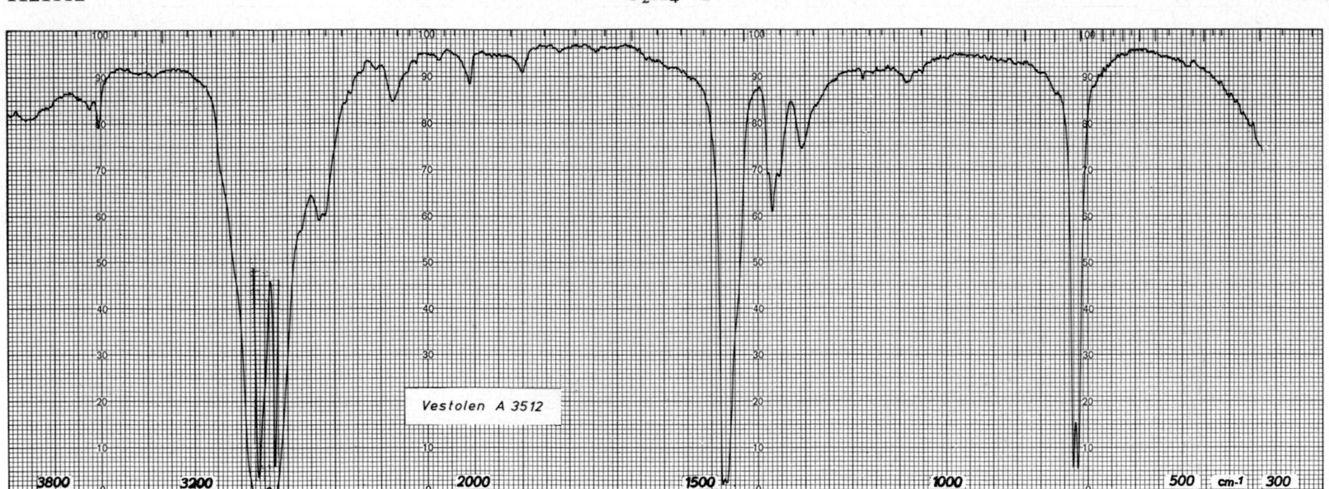

(1) **Vestolen A 3512**
(3) mäßig verzweigtes Polyethylen niederer Dichte, hoher Molmasse und kleiner Molmassenverteilung
(4) glasig-weißes Granulat
(5) vielseitig verwendbarer thermoplastischer Kunststoff
(6) rekristallisierter Schmelzfilm (100 µm), 15 h bei 100 °C getempert; sehr dünner, ausgezogener Film (Bereich 2900 cm^{-1})

(2) Chemische Werke Hüls AG, Marl
(3) moderately branched polyethylene, low density, high molar mass, narrow mass distribution
(4) glassy, white granules
(5) multipurpose thermoplastic resin
(6) film recrystallized from the melt (100 µm), tempered 15 h at 100 °C; very thin, stretched film (range 2900 cm^{-1})

112111(1 – 2) $C_2H_4-C_4H_8$ *P* 1920

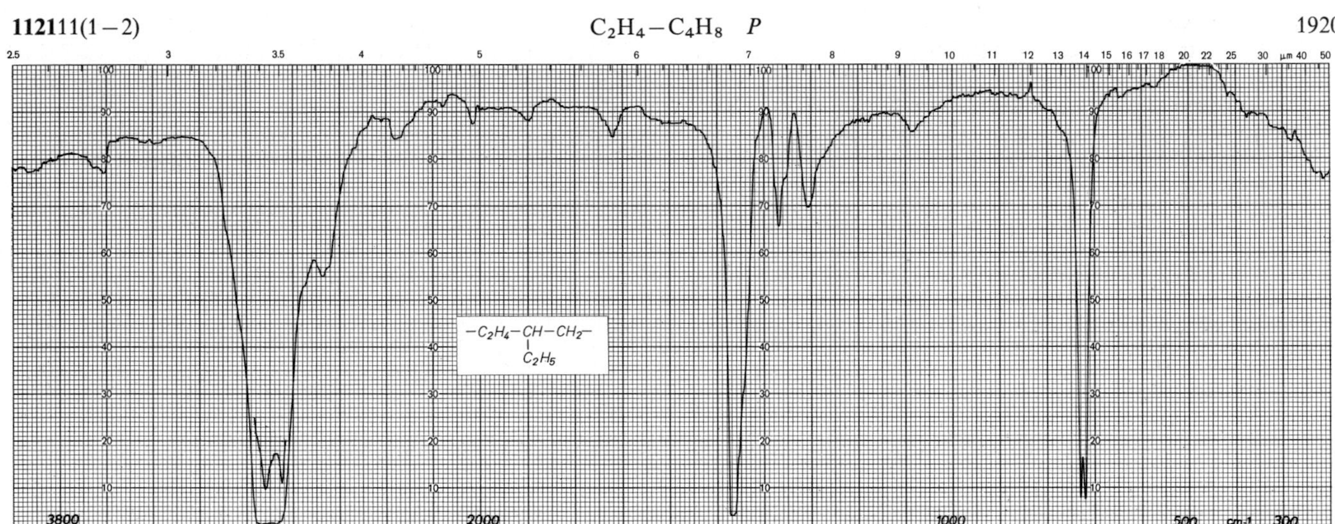

(1) **Poly(ethylen-co-1-ethylethylen)**
(2) Ruhrchemie, Oberhausen (Versuchsprodukt)
(4) weißes, leichtes Pulver
(5) thermoplastischer Kunststoff
(6) rekristallisierter Schmelzfilm zwischen CsI
(7) Spektrum zwischen 2500 cm^{-1} und 300 cm^{-1} gedehnt; niederer Gehalt an C_4H_8-Einheiten

(1) **poly(ethylene-co-1-ethylethylene)**
(2) Ruhrchemie, Oberhausen (research product)
(4) soft, white powder
(5) thermoplastic resin
(6) film recrystallized from the melt between CsI
(7) spectrum expanded between 2500 cm^{-1} and 300 cm^{-1}; low C_4H_8 content

112111(1 – 2) $C_2H_4-C_4H_8$ *P* 1921

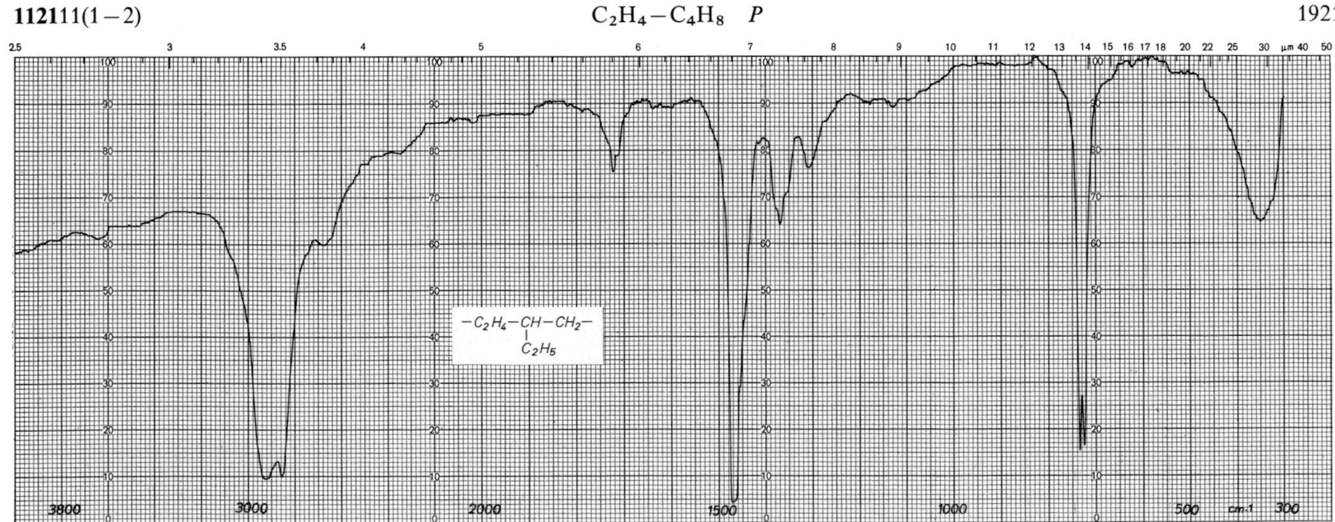

(1) **Poly(ethylen-co-1-ethylethylen)**
(2) Ruhrchemie, Oberhausen (Versuchsprodukt)
(4) weißes, leichtes Pulver
(5) rekristallisierter Schmelzfilm zwischen KBr
(7) Spektrum zwischen 2500 cm^{-1} und 300 cm^{-1} gedehnt; Bande bei 350 cm^{-1}: KBr; 1710 cm^{-1}: ν (C=O)

(1) **poly(ethylene-co-1-ethylethylene)**
(2) Ruhrchemie, Oberhausen (research product)
(4) soft, white powder
(5) thermoplastic resin
(6) film recrystallized from melt between KBr
(7) spectrum expanded between 2500 cm^{-1} and 300 cm^{-1}; band at 350 cm^{-1}; KBr; 1710 cm^{-1}: ν (C=O)

112111(1–2) 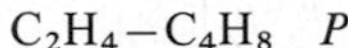 $C_2H_4-C_4H_8$ *P* 1922

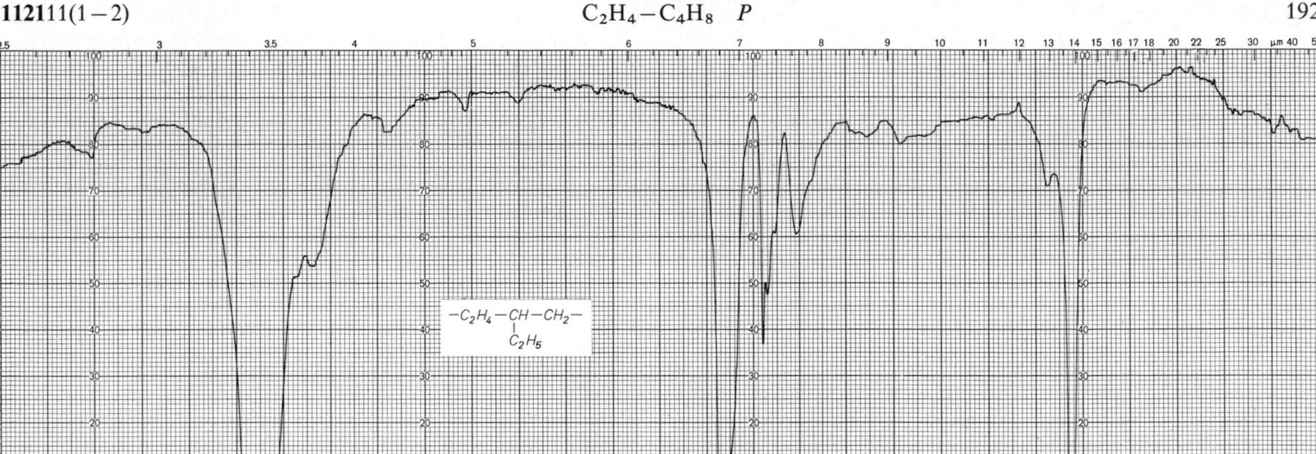

(1) **Poly(ethylen-co-1-ethylethylen)**
(2) Ruhrchemie, Oberhausen (Versuchsprodukt)
(4) weiße, blasige Stücke
(5) thermoplastischer Kunststoff
(6) rekristallisierter Schmelzfilm zwischen CsI
(7) höherer Gehalt an C_4H_8-Einheiten

(1) **poly(ethylene-co-1-ethylethylene)**
(2) Ruhrchemie, Oberhausen (research product)
(4) white, blistered pieces
(5) thermoplastic resin
(6) film recrystallized from the melt between CsI
(7) high content of C_4H_8 units

112111(1–2) $C_2H_4-C_6H_{12}$ *P* 1923

(1) **Poly(ethylen-co-1-butylethylen)**
(2) Ruhrchemie, Oberhausen (Versuchsprodukt)
(4) leichtes, weißes Pulver
(5) thermoplastischer Kunststoff
(6) rekristallisierter Schmelzfilm zwischen CsI
(7) niederer Gehalt an C_6H_{12}-Einheiten

(1) **poly(ethylene-co-1-butylethylene)**
(2) Ruhrchemie, Oberhausen (research product)
(4) soft, white powder
(5) thermoplastic resin
(6) film recrystallized from the melt between CsI
(7) lower content of C_6H_{12} units

112111(1–2) $C_2H_4-C_6H_{12}$ *P* 1924

(1) **Poly(ethylen-co-1-butylethylen)**
(2) Ruhrchemie, Oberhausen (Versuchsprodukt)
(4) leichtes, weißes Pulver
(5) thermoplastischer Kunststoff
(6) rekristallisierter Schmelzfilm zwischen CsI
(7) höherer Gehalt an C_6H_{12}-Einheiten

(1) **poly(ethylene-co-1-butylethylene)**
(2) Ruhrchemie, Oberhausen (research product)
(4) soft, white powder
(5) thermoplastic resin
(6) film recrystallized from the melt between CsI
(7) higher content of C_6H_{12} units

11(21111–221111) $C_2H_4-C_2F_4$ *P* 1925

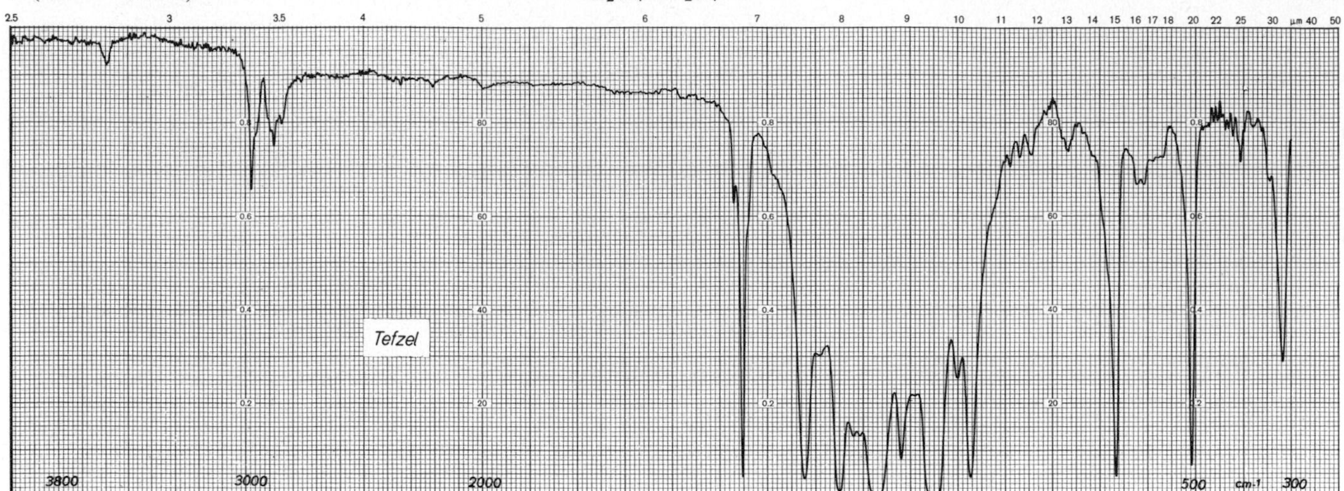

(1) **Tefzel**
(2) Du Pont, Wilmington, Dela.; durch Pampus AG, Willich
(3) Poly(ethylen-alt-tetrafluorethylen)
(4) transparente, farblose Folie
(5) wärme- und chemikalienbeständiges Material
(6) Folie mit Paraffinöl bestrichen und zwischen CsI gemessen
(7) PE 580 B, Paraffinöl subtrahiert

(2) Du Pont, Wilmington, Dela.; from Pampus AG, Willich
(3) poly(ethylene-alt-tetrafluoroethylene)
(4) colorless, transparent film
(5) heat and chemical resistant material
(6) film coated with paraffin oil and measured between CsI
(7) PE 580 B, paraffin oil subtracted

11(21111–331111–3372111) $C_2H_4-C_2H_4O-C_4H_6O_2$ *P* 1926

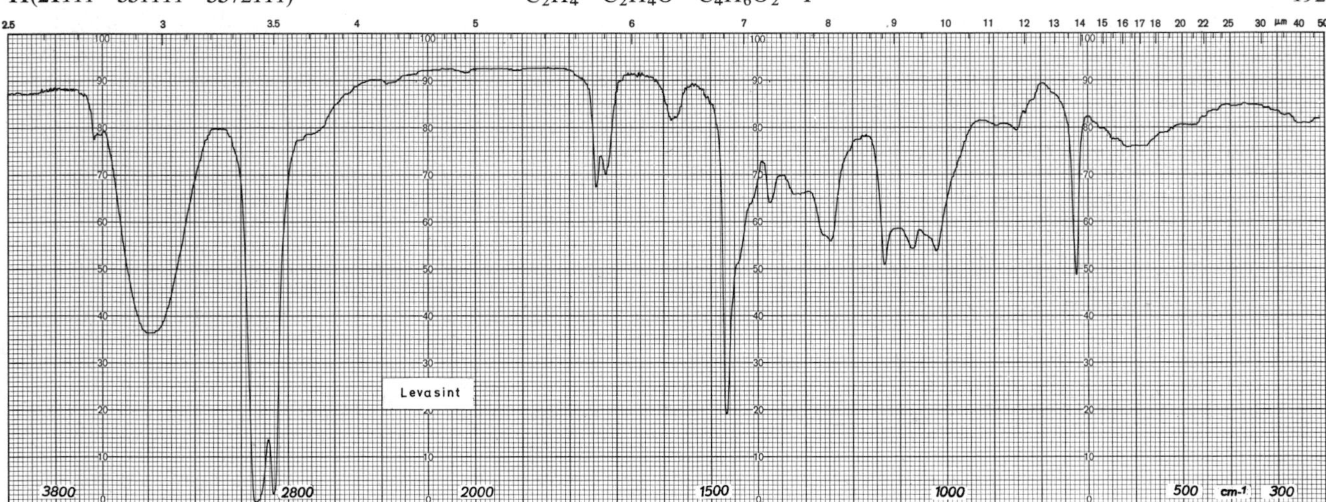

(1) **Levasint**
(3) Poly(ethylen-co-vinylalkohol-co-vinylacetat)
(4) weißes Pulver
(5) Wirbelsinterpulver für Oberflächenbeschichtungen
(6) erstarrter Schmelzfilm auf CsI (bei etwa 140 °C aufgeschmolzen)
(7) möglicherweise geringfügig gespalten (Bande bei 1721 cm^{-1})

(2) Bayer AG, Leverkusen
(3) poly(ethylene-co-vinyl alcohol-co-vinyl acetate)
(4) white powder
(5) fluidized bed, sintering powder for surface coatings
(6) film solidified from the melt on CsI (melted at ca. 140 °C)
(7) possibly slightly degraded (band at 1721 cm^{-1})

11(21111–336111–336211) *P* 1927

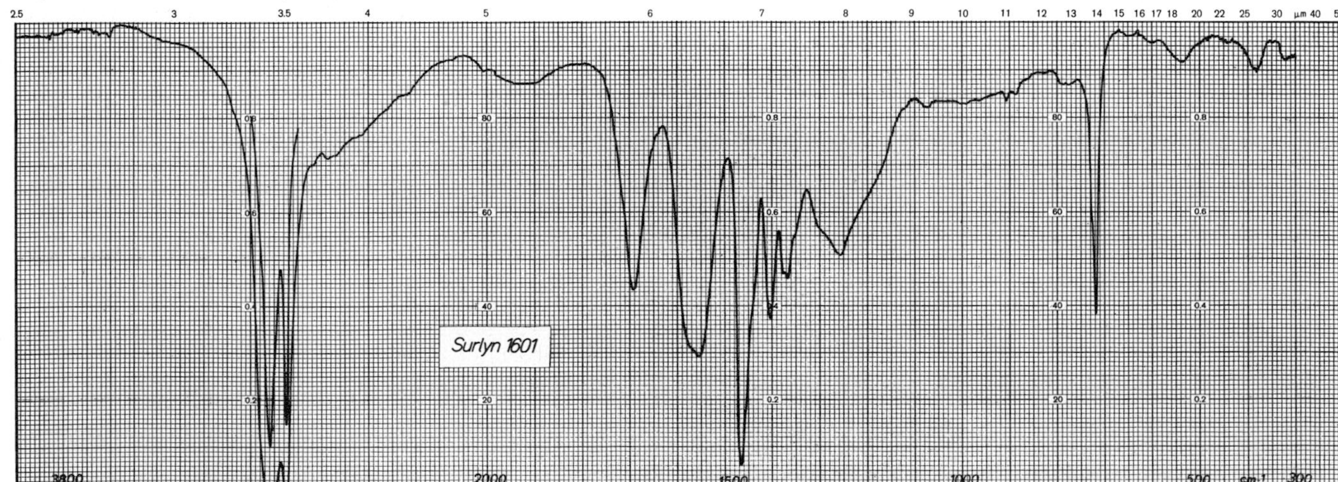

(1) **Surlyn 1601**
(3) Poly(ethylen-co-acrylsäure-co-mt-acrylat)
(4) farblose, transparente Folie
(5) thermoplastisches, glasklares Material
(6) freitragender Film (100 µm), Schmelzfilm (30 µm)
(7) PE 580 B

(2) Du Pont de Nemours (Deutschland) GmbH, Düsseldorf
(3) poly(ethylene-co-acrylic acid-co metal-acrylate)
(4) colorless, transparent film
(5) glass clear, thermoplastic material
(6) self-supporting film (100 µm), film from the melt (30 µm)
(7) PE 580 B

11(**21**111 – **33**6111 – **33**6211) $C_2H_4 - C_3H_4O_2$ *P* 1928

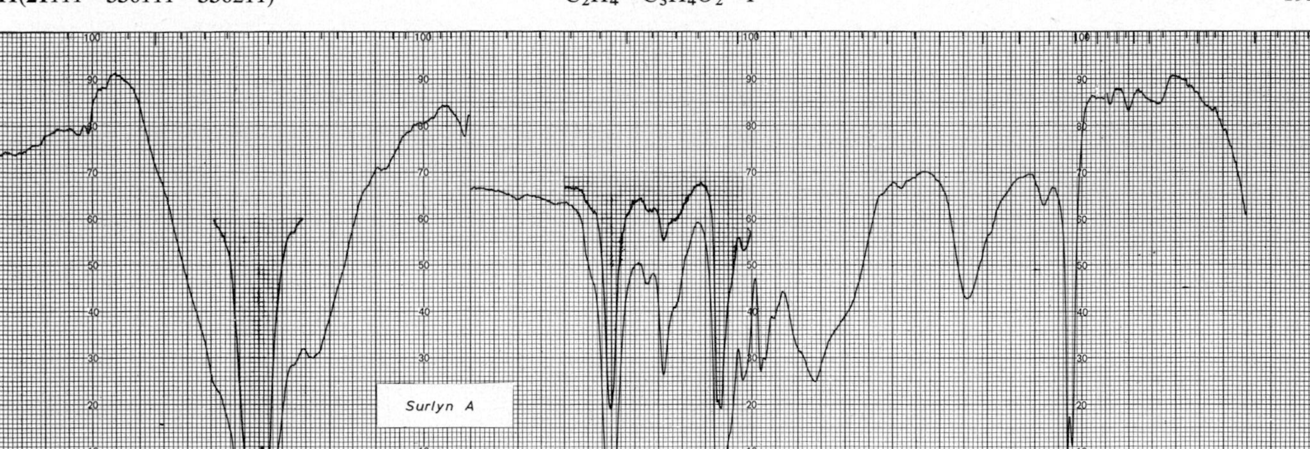

(1) **Surlyn A**
(3) Poly(ethylen-co-acrylsäure), teilweise in Salzform übergeführt
(4) klarer, farbloser Film
(5) thermoplastischer Kunststoff von großer Festigkeit, Schlagzähigkeit und Transparenz; Beschichtungsmaterial mit sehr gutem Haftvermögen
(6) heißgepreßter Film zwischen KBr

(2) Du Pont, Wilmington, Dela.
(3) poly(ethylene-co-acrylic acid), partially converted to the salt form
(4) clear, colorless film
(5) thermoplastic resin of great rigidity, impact resistance and transparency; coating material with very good adhesion properties
(6) hot-pressed film between KBr

11(**21**112 – **33**6111 – **33**6211) $C_2H_4 - C_3H_4O_2$ *P* 1929

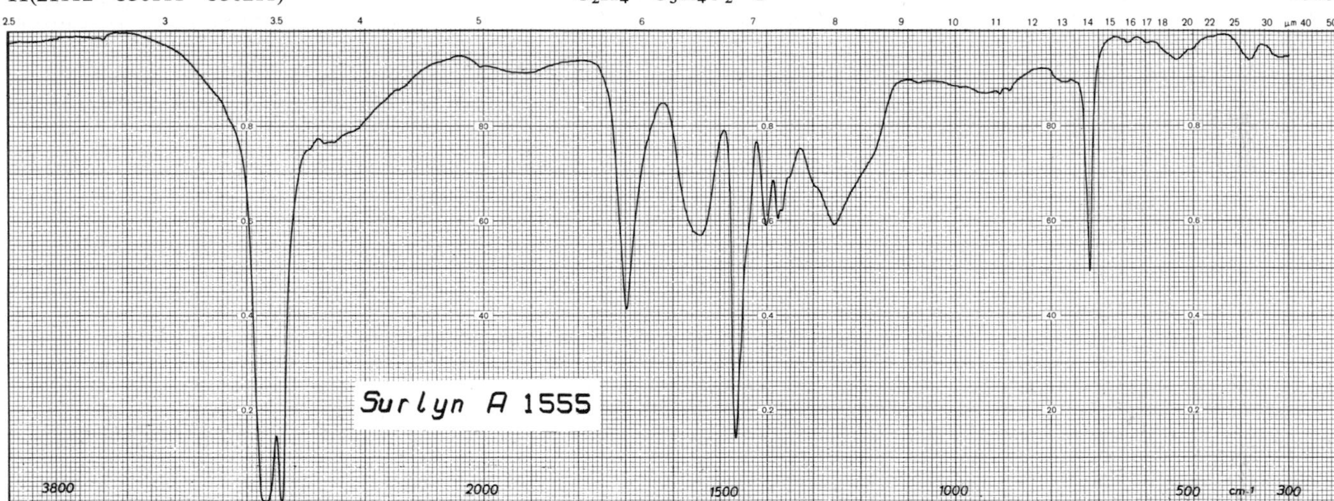

(1) **Surlyn A 1555**
(3) Poly(ethylen-co-acrylsäure), teilweise in die Salzform übergeführt
(4) transparentes, farbloses Granulat
(5) thermoplastischer Kunststoff
(6) Schmelzfilm (20 µm)
(7) PE 580 P

(2) Du Pont, Wilmington, Dela.
(3) poly(ethylene-co-acrylic acid), partially converted to the salt form
(4) colorless, transparent granules
(5) thermoplastic resin
(6) film from the melt (20 µm)
(7) PE 580 B

11(**21**111 – **33**721111) $C_2H_4 - C_4H_6O_2$ *P* 1930

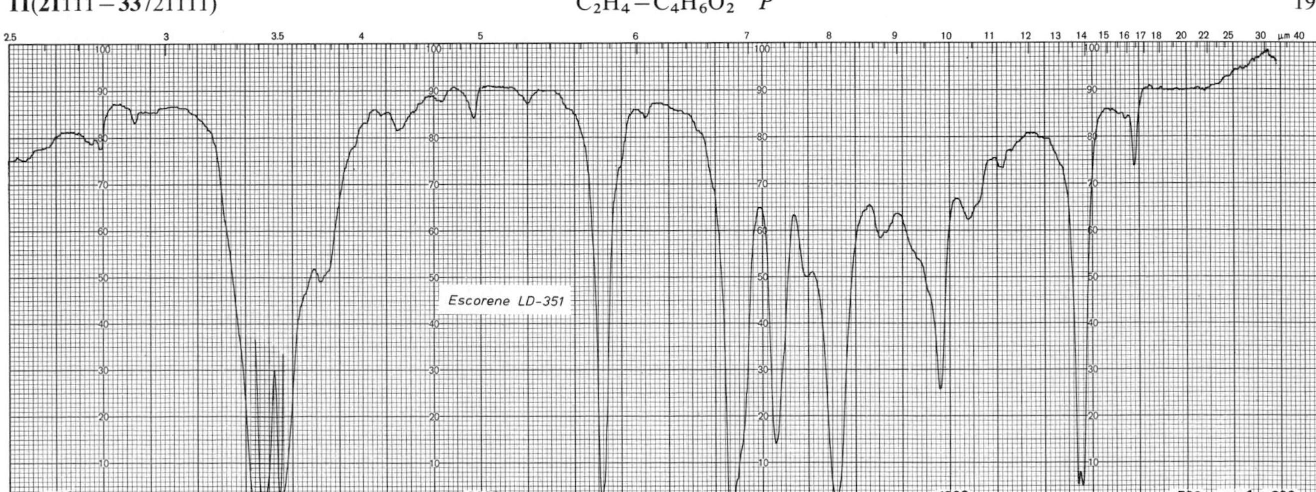

(1) **Escoreme LD-351**
(3) Poly(ethylen-co-vinylacetat), 4% VAc-Einheiten
(4) farbloses, leicht milchiges Granulat
(5) für Verpackungsfolien
(6) erstarrter Schmelzfilm

(2) Essochem Plastics N.V., Antwerpen
(3) poly(ethylene-co-vinyl acetate), 4% VAc units
(4) colorless, slightly milky granules
(5) for packaging film
(6) solidified film from the melt

11(21111 − 33721111) $C_2H_4-C_4H_6O_2$ *P* 1931

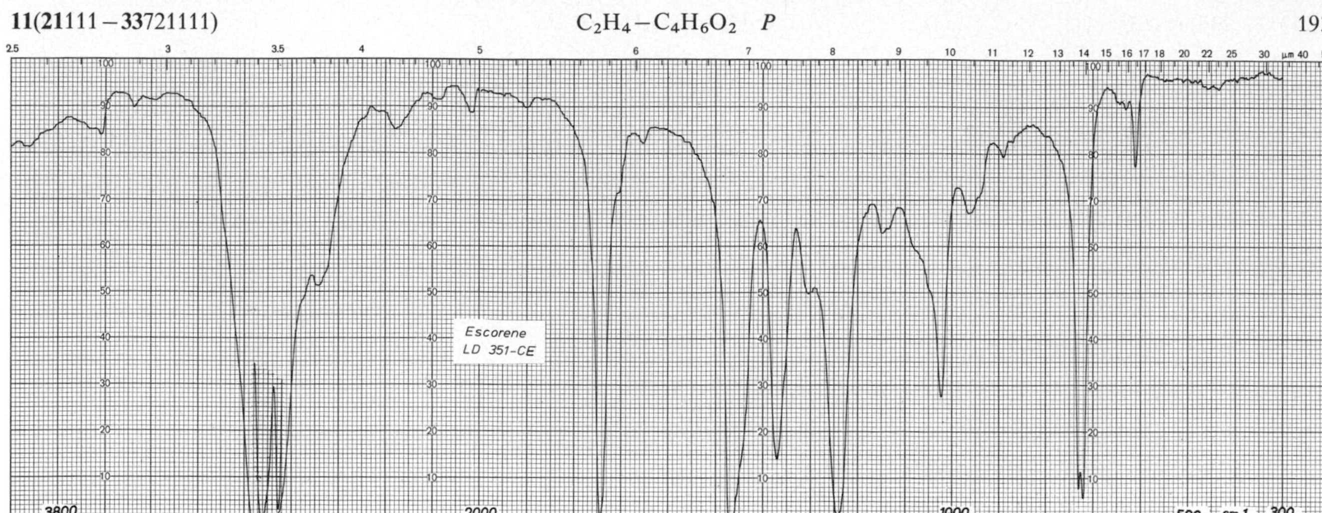

(1) **Escorene LD 351-CE**
(3) Poly(ethylen-co-vinylacetat), 4% VAc-Einheiten
(4) farbloses, leicht milchiges Granulat
(5) für Verpackungsfolien
(6) erstarrter Schmelzfilm

(2) Essochem Plastics N.V., Antwerpen
(3) poly(ethylene-co-vinyl acetate), 4% VAc units
(4) colorless, slightly milky granules
(5) for packaging film
(6) solidified film from the melt

11(21111 + 337221111) $C_2H_4+C_7H_{12}O_2$ *P* 1932

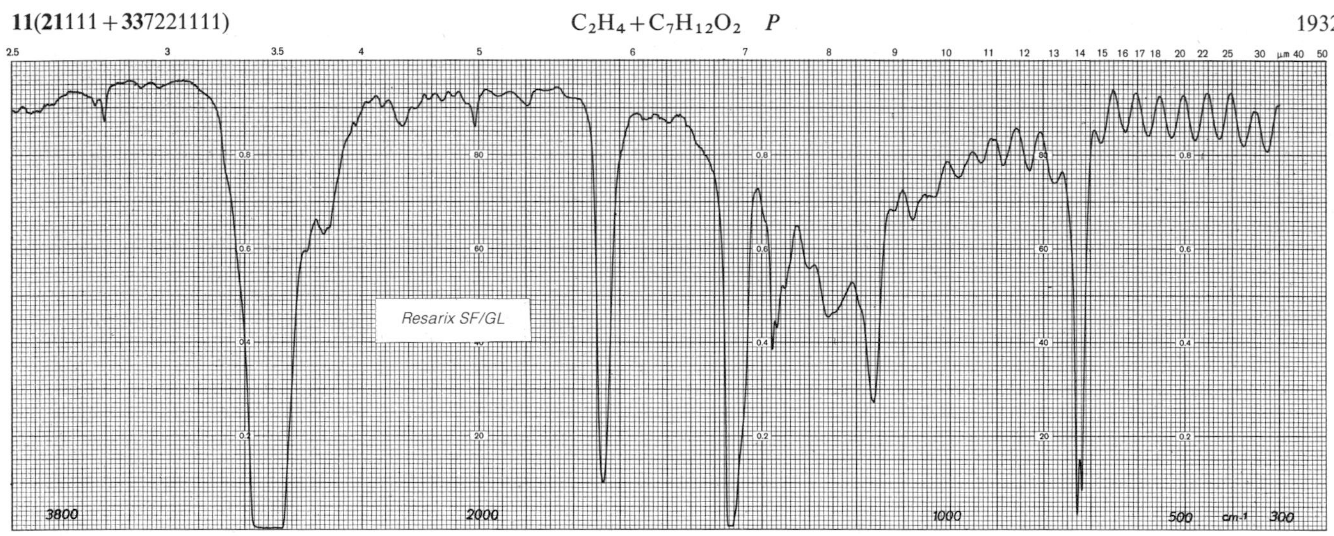

(1) **Resarix Hartlack SF/GL**
(3) Poly(butylacrylat) auf Polyethylen
(4) etwa 60 µm dicker, glasklarer, farbloser Film
(5) für kratzfeste Beschichtungen
(6) freitragender Film
(7) PE 580 B; 700 . . . 300 cm^{-1}: Interferenzen
(8) der Film wurde 2 h mit EAC extrahiert; das PBA ließ sich nicht ablösen

(2) Resart-IHM, Mainz
(3) poly(butyl acrylate) on polyethylene
(4) glass clear, colorless film, ca. 60 µm thick
(5) scratch-resistant coatings
(6) self-supporting film
(7) PE 580 B; 700 . . . 300 cm^{-1}: interference
(8) the film was extracted for 2 h with EAC; the PBA could not be dissolved

11(21111 − 337221111) $C_2H_4-C_5H_8O_2$ *P* 1933

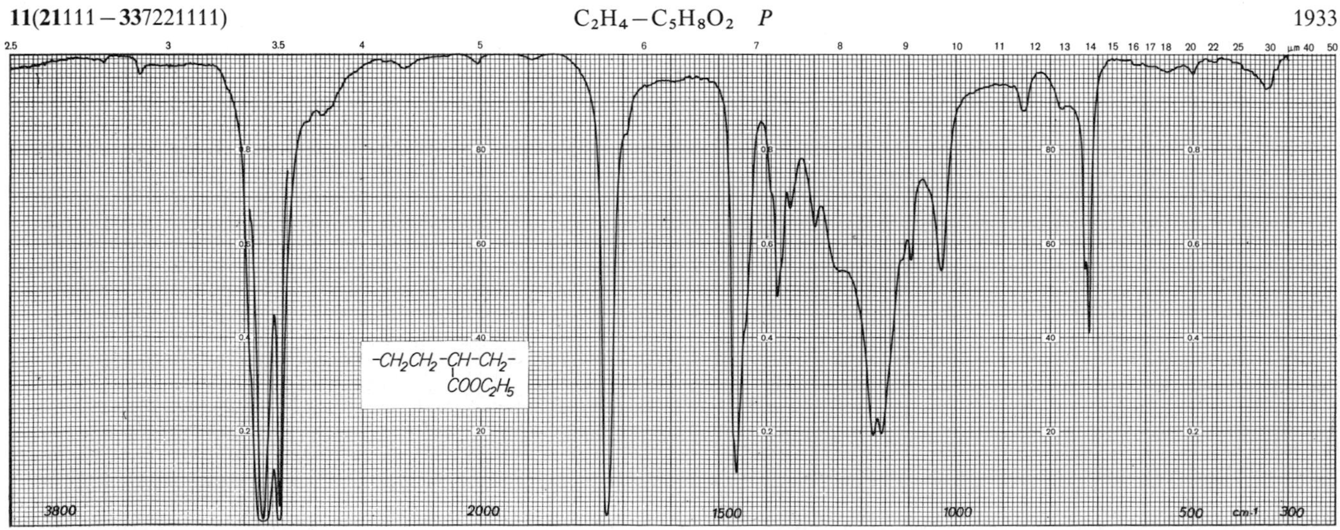

(1) **Poly(ethylen-co-ethylacrylat) mit 18% Ethylacrylat-Einheiten**
(2) Union Carbide Corp., New York, N.Y. (Laborpräparat)
(4) farbloses, klares Granulat
(5) thermoplastischer Kunststoff
(6) Schmelzfilm (etwa 11 µm)
(7) PE 580 B, FLAT, ABEX 1,08

(1) **poly(ethylene-co-ethyl acrylate) with 18% ethyl acrylate units**
(2) Union Carbide Corp., New York, N.Y. (laboratory preparation)
(4) clear, colorless granules
(5) thermoplastic resin
(6) film from the melt (ca. 11 µm)
(7) PE 580 B, FLAT, ABEX 1.08

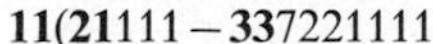
11(**21**111 – **33**7221111)

$C_2H_4 - C_5H_8O_2$ *P*

1934

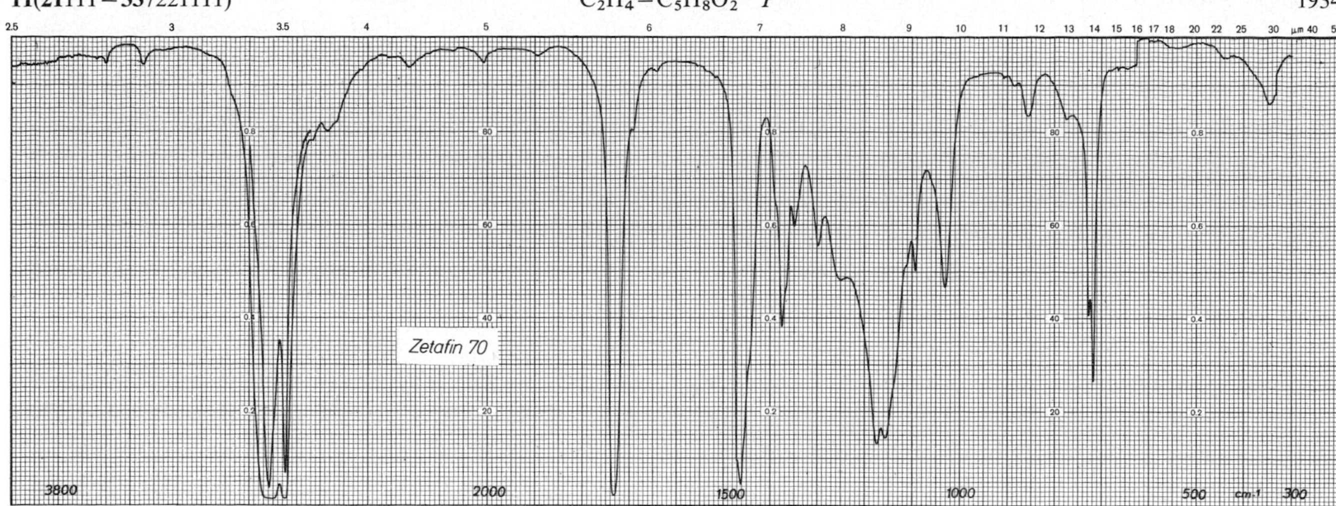

(1) **Zetafin 70**
(3) Poly(ethylen-co-ethylacrylat)
(4) farbloses Granulat
(5) thermoplastischer Kunststoff
(6) Schmelzfilm
(7) PE 580 B

(2) Dow Corning Corp., Midland, Mich.
(3) poly(ethylene-co-ethyl acrylate)
(4) colorless granules
(5) thermoplastic resin
(6) film from the melt
(7) PE 580 B

11211211 C_3H_6 *P* 1935

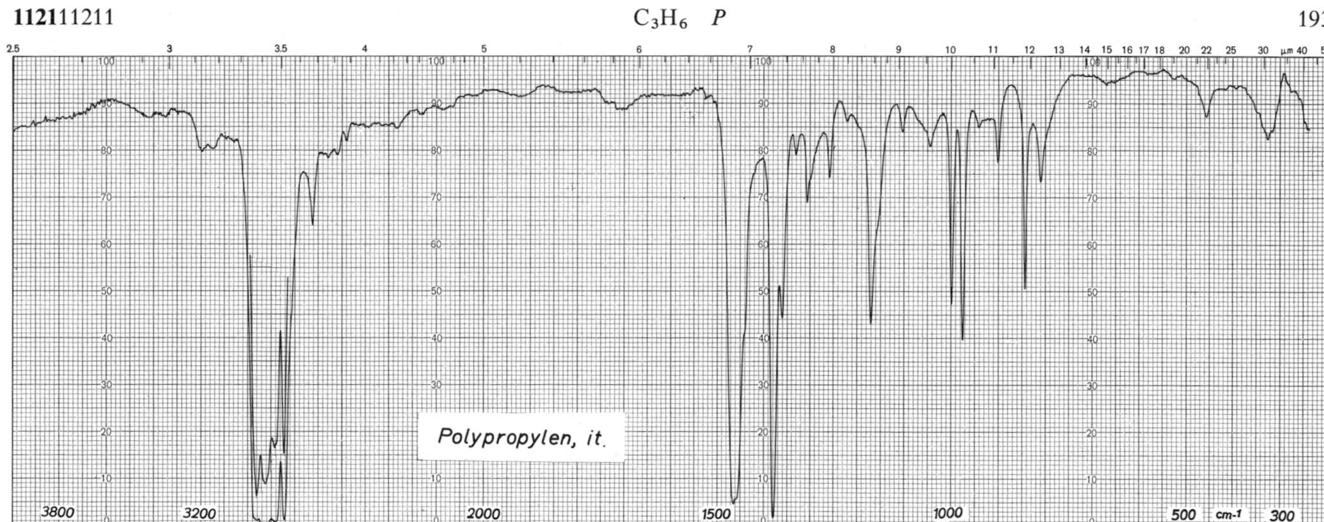

(1) **Polypropylen-Folie**
(3) Polypropylen, it.
(4) klare Folie
(6) freitragender Film (20 µm), Schmelzfilm zwischen CsI

(2) Hoechst AG, Werk Kalle, Wiesbaden-Biebrich
(3) polypropylene, it.
(4) clear film
(6) self-supporting film (20 µm), film from the melt between CsI

11211211 C_3H_6 *P* 1936

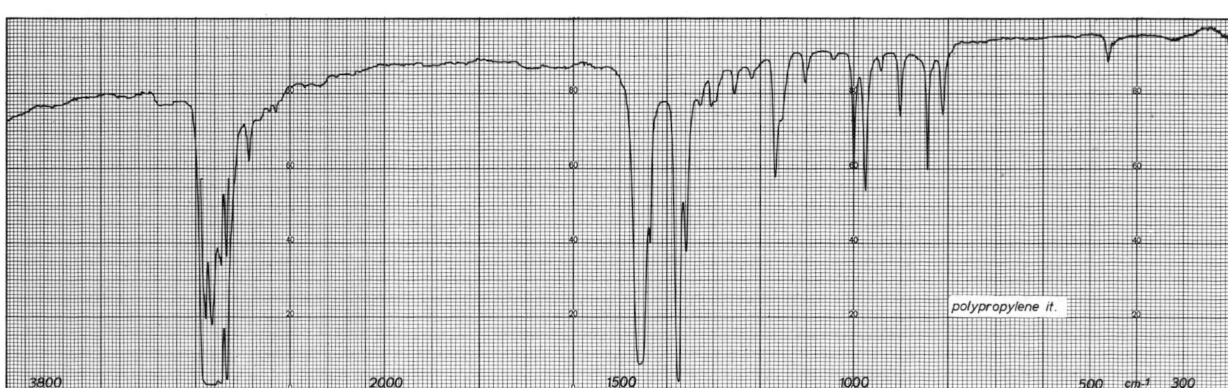

(1) **Hostalen PP**
(3) Polypropylen, it.
(4) farbloses, milchig-trübes Granulat
(5) thermoplastischer Kunststoff
(6) Film aus TOL

(2) Hoechst AG, Frankfurt/M.-Höchst
(3) polypropylene, it.
(4) cloudy, colorless granules
(5) thermoplastic resin
(6) film from TOL

11211211 C_3H_6 *P* 1937

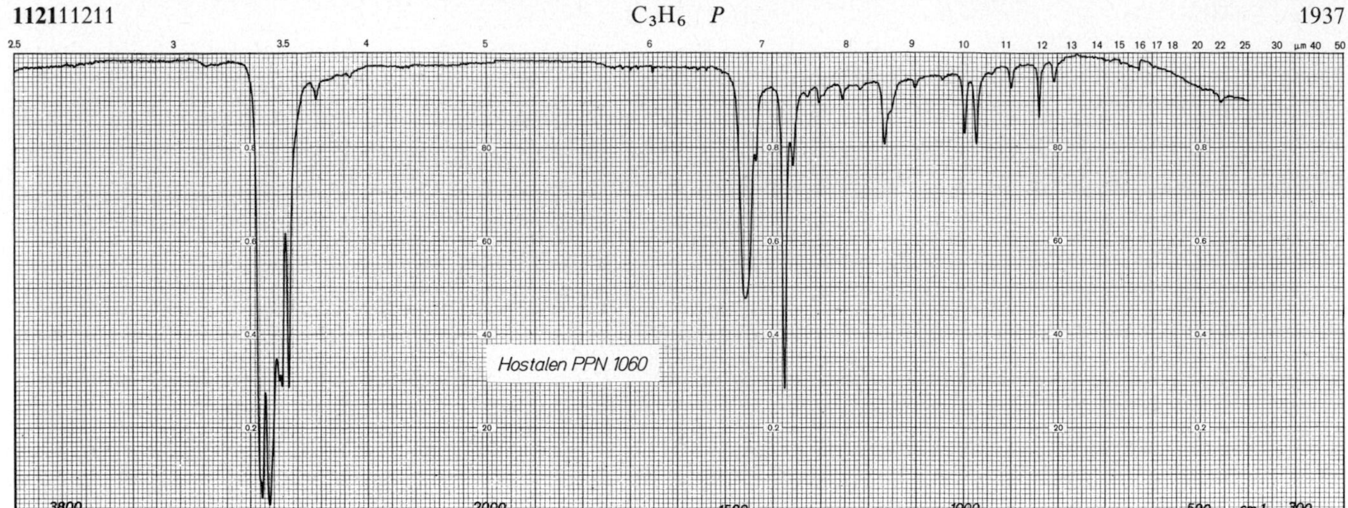

(1) **Hostalen PPN 1060**
(3) Polypropylen, it.
(4) farbloses, trübes Granulat
(5) thermoplastischer Kunststoff
(6) Schmelzfilm (etwa 5 µm)
(7) PE 580 B, FLAT, ABEX 1.39

(2) Hoechst AG, Frankfurt/M.-Höchst
(3) polypropylene, it.
(4) cloudy, colorless granules
(5) thermoplastic resin
(6) film from the melt (ca. 5 µm)
(7) PE 580 B, FLAT, ABEX 1.39

11211211 C_3H_6 *P* 1938

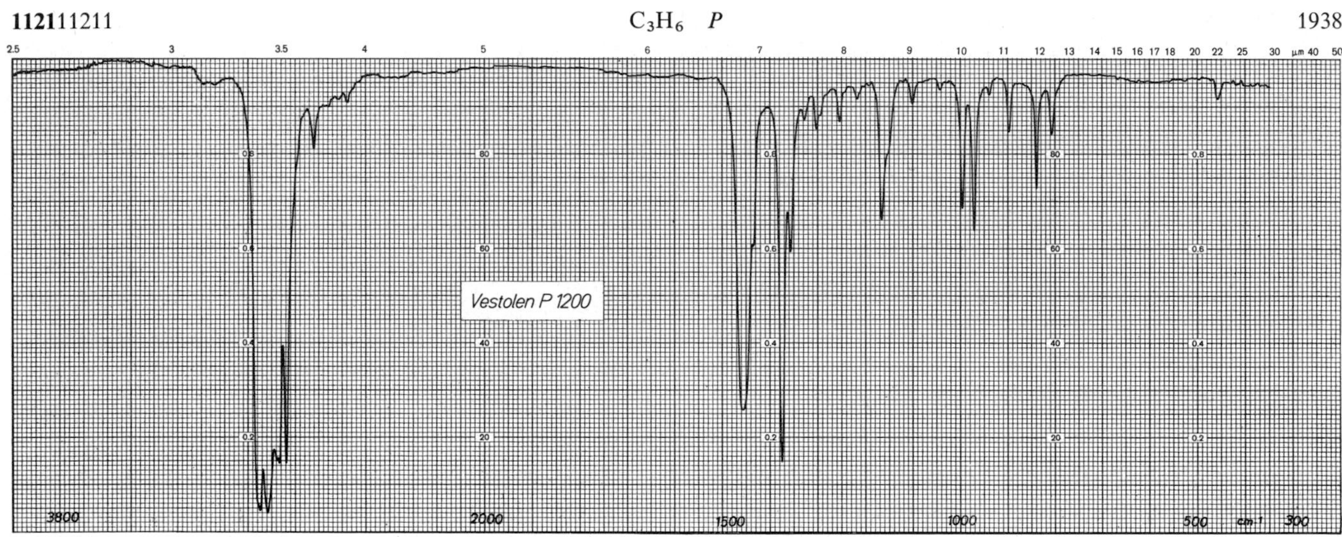

(1) **Vestolen P 1200**
(3) Polypropylen, M = 200 kg mol^{-1}
(4) farbloses, transparentes Granulat
(5) für Endlos- und Stapelfasern
(6) Schmelzfilm (10 µm)
(7) PE 580 B

(2) Chemische Werke Hüls AG, Marl
(3) polypropylene, M = 200 kg mol^{-1}
(4) transparent, colorless granules
(5) for continuous and staple fibers
(6) film from the melt (10 µm)
(7) PE 580 B

11211211 C_3H_6 *P* 1939

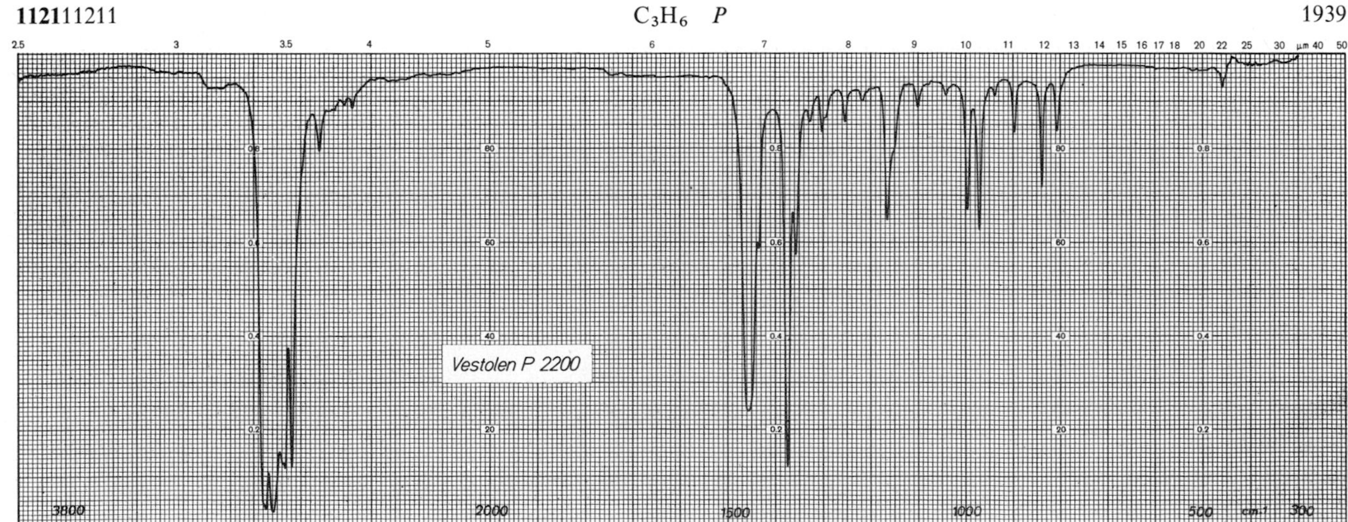

(1) **Vestolen P 2200**
(3) Polypropylen, M = 220 kg mol^{-1}
(4) farbloses, transparentes Granulat
(5) für dünnwandige Spritzgießteile von hoher Kristallinität
(6) Schmelzfilm (30 µm)
(7) PE 580 B, SMOOTH 2

(2) Chemische Werke Hüls AG, Marl
(3) polypropylene, M = 220 kg mol^{-1}
(4) transparent, colorless granules
(5) for highly crystalline, thin walled, injection-moulded parts
(6) film from the melt (30 µm)
(7) PE 580 B, SMOOTH 2

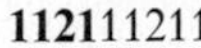
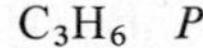

112111211 C_3H_6 *P* 1940

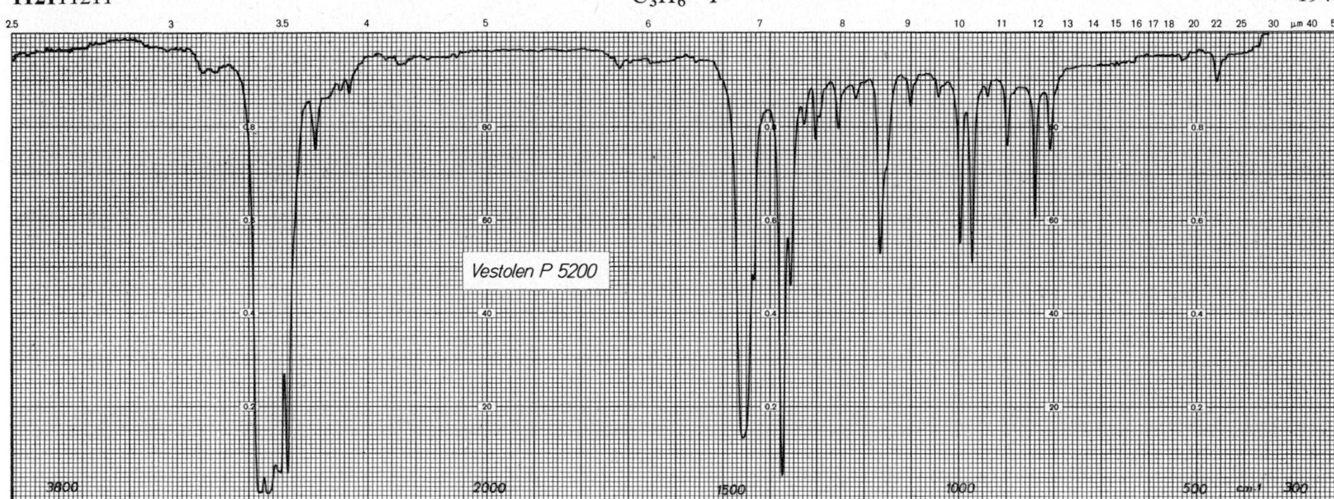

(1) **Vestolen P 5200**
(3) Polypropylen, kristallin, M = 380 kg mol^{-1}
(4) farbloses, leicht trübes Granulat
(5) für technische Spritzgießteile und Haushaltsartikel
(6) Schmelzfilm (40 µm)
(7) PE 580 B

(2) Chemische Werke Hüls AG, Marl
(3) polypropylene, crystalline, M = 380 kg mol^{-1}
(4) slightly cloudy, colorless granules
(5) for technical injection-mouldings and household goods
(6) film from the melt (40 µm)
(7) PE 580 B

112111211 + **19**172 C_3H_6 *P* 1941

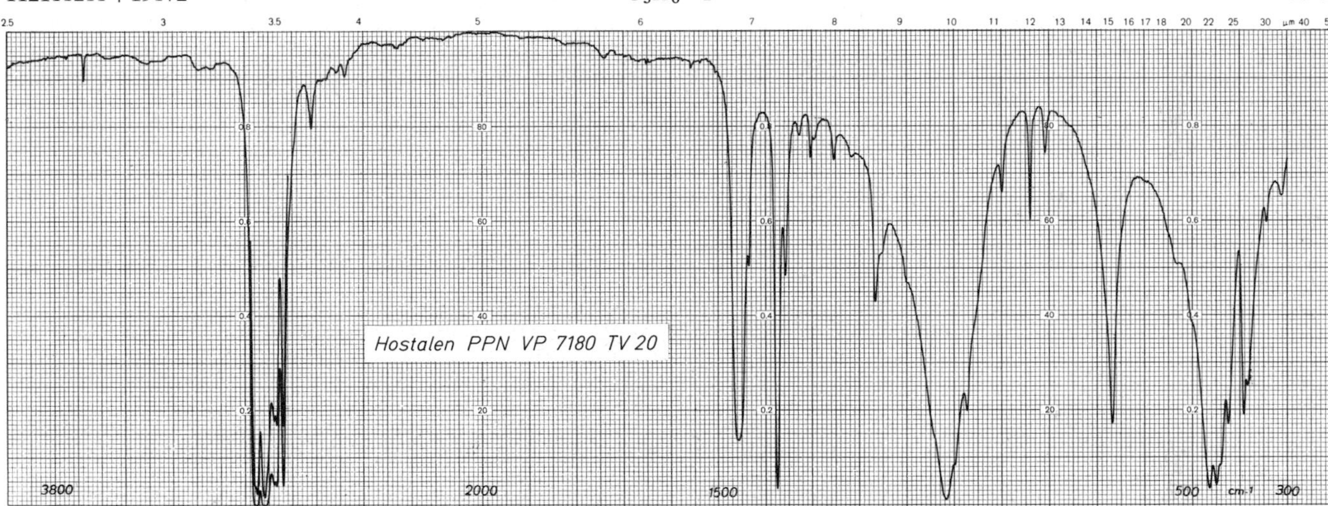

(1) **Hostalen PPN VP 7180 TV 20**
(3) mit 20% Talkum verstärktes Polypropylen
(4) weißgraues Granulat
(5) thermoplastischer Kunststoff für formtreue Artikel; hohe Steifheit und Formbeständigkeit
(6) rekristallisierter Schmelzfilm (40 µm; sehr dünne Folie

(2) Hoechst AG, Frankfurt/M.-Höchst
(3) polypropylene reinforced with 20% talcum
(4) whitish-grey granules
(5) thermoplastic resin for precision articles; high rigidity and deformation resistance
(6) film recrystallized from the melt (40 µm; very thin film)

112111211 + **19**172 C_3H_6 *P* 1942

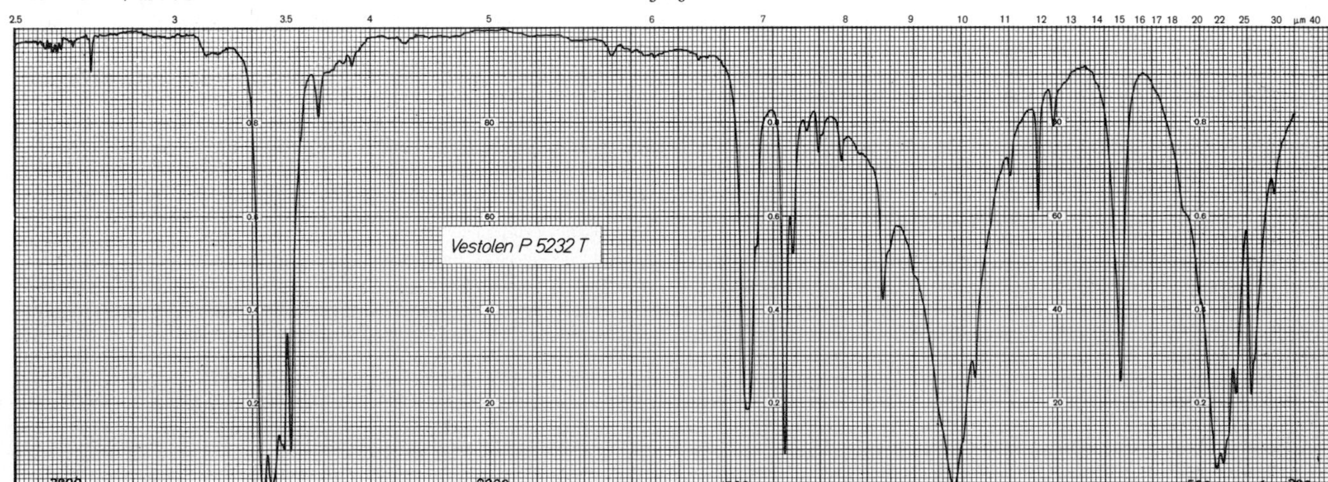

(1) **Vestolen P 5232 T**
(3) Polypropylen (Vestolen P 5200) mit 20% Talkum verstärkt
(4) weißliches Granulat
(5) für steife, wärmeformbeständige, dimensionsstabile Spritzgießformteile; Elektro- und Automobilindustrie
(6) Schmelzfilm (35 µm)
(7) PE 580 B, SMOOTH 2

(2) Chemische Werke Hüls AG, Marl
(3) polypropylene (Vestolan P 5200) reinforced with 20% talcum
(4) whitish granules
(5) for rigid, resistant to thermal deformation, dimensionally stable, injection mouldings for the electrical and automobile industries
(6) film from the melt (35 µm)
(7) PE 580 B, SMOOTH 2

11211211 C_3H_6 *P* 1943

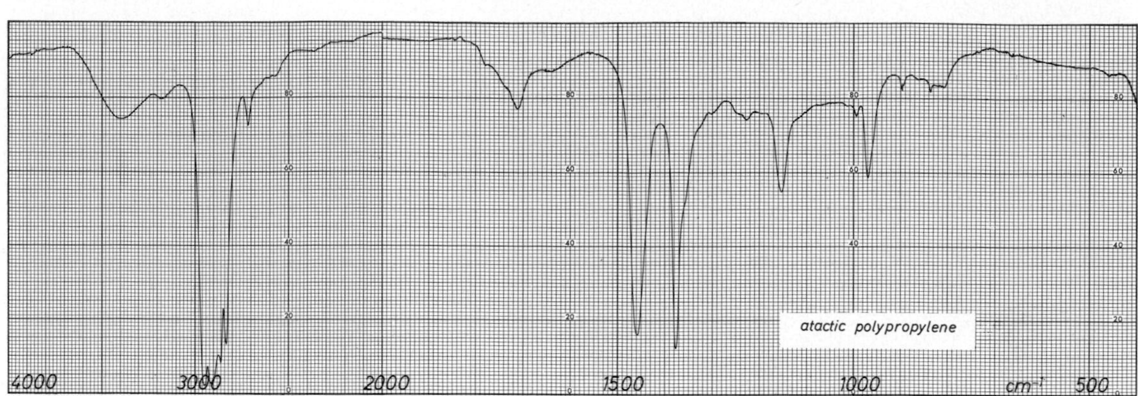

(1) **Polypropylen, ataktisch**
(2) Chemische Werke Hüls AG, Marl (Laborpräparat W. Ring)
(3) unter Verwendung eines stereo-unspezifischen Katalysators hergestelltes Kopf-Schwanz-Polypropylen
(4) farbloses, weiches Polymer
(6) Schmelzfilm zwischen KBr
(7) PE 125

(1) **head-to-tail polypropylene**
(2) Chemische Werke Hüls AG, Marl (laboratory preparation W. Ring)
(3) prepared using a nonstereospecific catalyst
(4) soft, colorless polymer
(6) film from the melt between KBr
(7) PE 125

11211(211+1−211) $C_3H_6+C_2H_4-C_3H_6$ *P* 1944

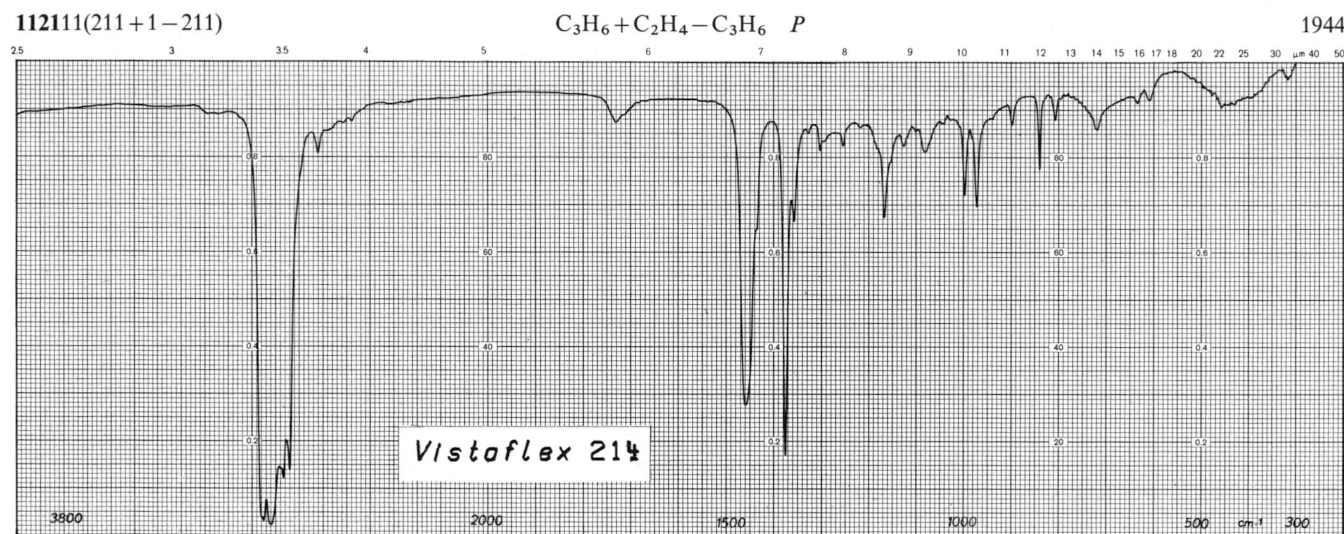

(1) **Vistaflex 214**
(3) Polymergemisch aus Polypropylen und Poly(ethylen-co-propylen-co-dien); 69% PP, 26% EPDM
(4) weiße Platte
(5) schlagzäher, thermoplastischer Kunststoff
(6) freitragender Schmelzfilm (15 µm)
(7) PE 580 B, ABEX 1.0

(2) Esso Chemie, Köln
(3) polymer mixture from polypropylene and poly(ethylene-co-propylene-co-diene); 69% PP, 26% EPDM
(4) white plates
(5) impact-resistant, thermoplastic resin
(6) self-supporting film from the melt (15 µm)
(7) PE 580 B, ABEX 1.0

11211(211+1−211) $C_3H_6+C_2H_4-C_3H_6$ *P* 1945

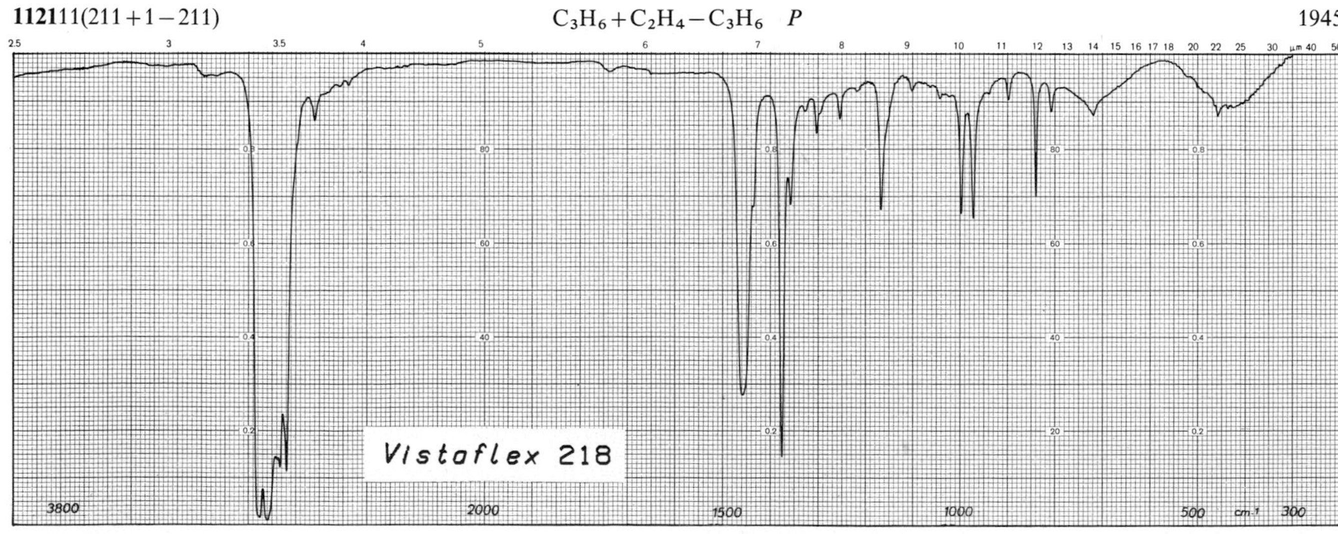

(1) **Vistaflex 218**
(3) Polymergemisch aus Polypropylen und Poly(ethylen-co-propylen-co-dien); 81% PP, 13% EPDM
(4) elfenbeinfarbene Platte
(5) schlagzäher, thermoplastischer Kunststoff
(6) freitragender Schmelzfilm (15 µm)
(7) PE 580 B, ABEX 1.0

(2) Esso Chemie, Köln
(3) polymer mixture from polypropylene and poly(ethylene-co-propylene-co-diene); 81% PP, 13% EPDM
(4) ivory-colored plates
(5) impact-resistant, thermoplastic resin
(6) self-supporting film from the melt (15 µm)
(7) PE 580 B, ABEX 1.0

112111(211+1+1−211) $C_3H_6+C_2H_4+C_2H_4-C_3H_6$ *P* 1946

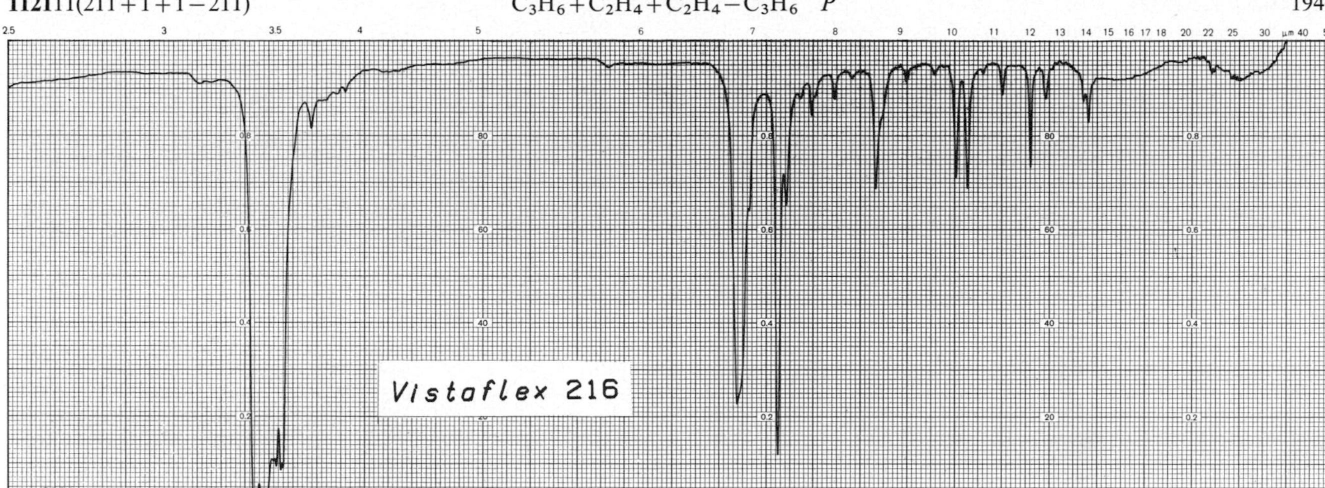

(1) **Vistaflex 216**
(3) Polymergemisch aus Polypropylen, Polyethylen und Poly(ethylen-co-propylen-co-dien); 78% PP, 7% PE, 14% EPDM
(4) elfenbeinfarbene Platte
(5) thermoplastischer, schlagzäher Kunststoff
(6) freitragender Schmelzfilm (15 µm)
(7) PE 580 B, ABEX 1.0

(2) Esso Chemie, Köln
(3) polymer mixture from polypropylene, polyethylene and poly(ethylene-co-polypropylene-co-diene); 78% PP, 7% PE, 14% EPDM
(4) ivory-colored plates
(5) thermoplastic, impact-resistant resin
(6) self-supporting film from the melt (15 µm)
(7) PE 580 B, ABEX 1.0

112111(211+1−211) $C_3H_6+C_2H_4-C_3H_6$ *P* 1947

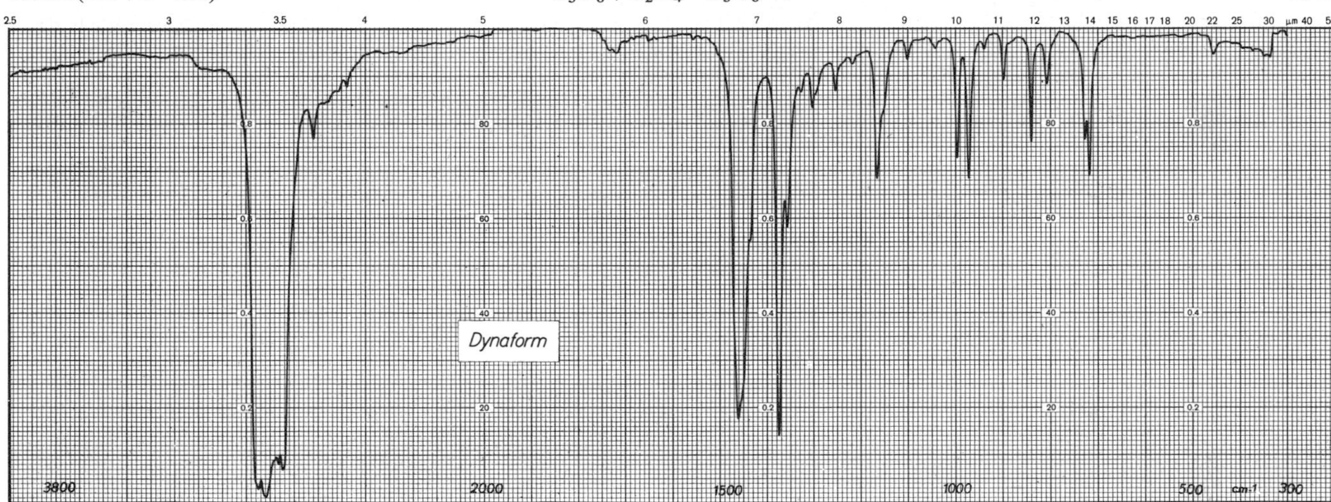

(1) **Dynaform EPDM-TP**
(3) Polymergemisch aus Polypropylen und Poly(ethylen-co-propylen-co-dien)
(4) schwarzes Granulat
(5) schlagzähe Spritzgieß- und Extrusionsmasse
(6) Schmelzfilm (40 µm)
(7) PE 580 B

(2) Dynamit Nobel AG, Troisdorf
(3) polymer mixture from polypropylene and poly(ethylene-co-polypropylene-co-diene)
(4) black granules
(5) impact-resistant, injection-moulding and extrusion material
(6) film from the melt (40 µm)
(7) PE 580 B

112111(211+1−211) $C_3H_6+C_2H_4-C_3H_6$ *P* 1948

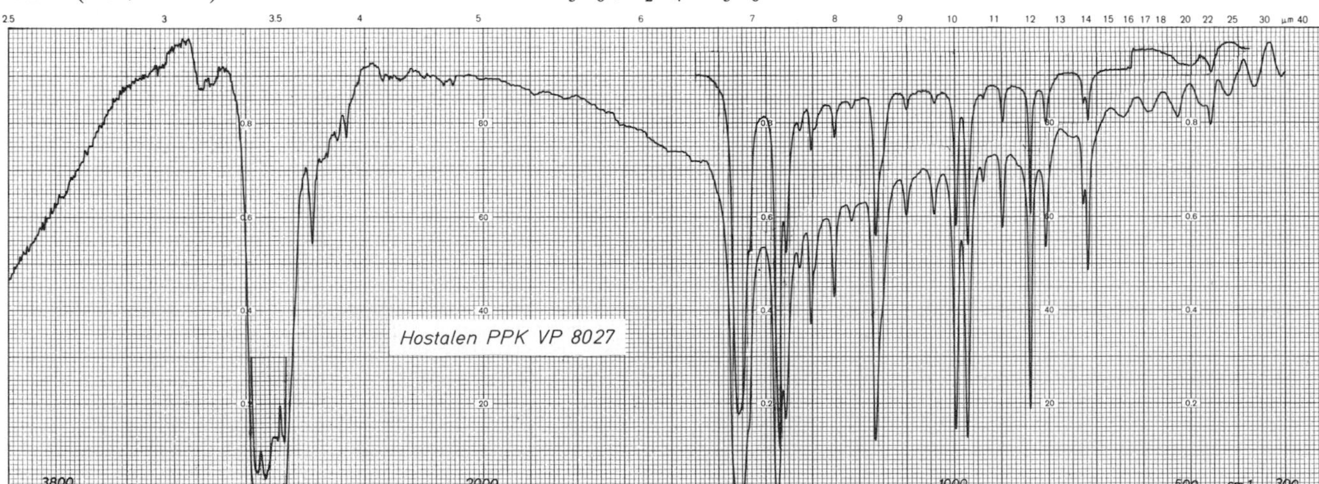

(1) **Hostalen PPK VP 8027**
(3) Polymergemisch aus Polypropylen und Poly(ethylen-co-propylen)
(4) schwarzes Granulat
(5) schlagzäher Kunststoff, besonders für PKW-Stoßstangenabdeckungen
(6) rekristallisierter Schmelzfilm (60 µm, 20 µm)
(7) PE 580 B, FLAT, SMOOTH 2

(2) Hoechst AG, Frankfurt/M.-Höchst
(3) polymer mixture from polypropylene and poly(ethylene-co-propylene)
(4) black granules
(5) impact-resistant plastic, especially for automobile fender coatings
(6) film recrystallized from the melt (60 µm, 20 µm)
(7) PE 580 B, FLAT, SMOOTH 2

112111(211+1−211) $C_3H_6+C_2H_4-C_3H_6$ *P* 1949

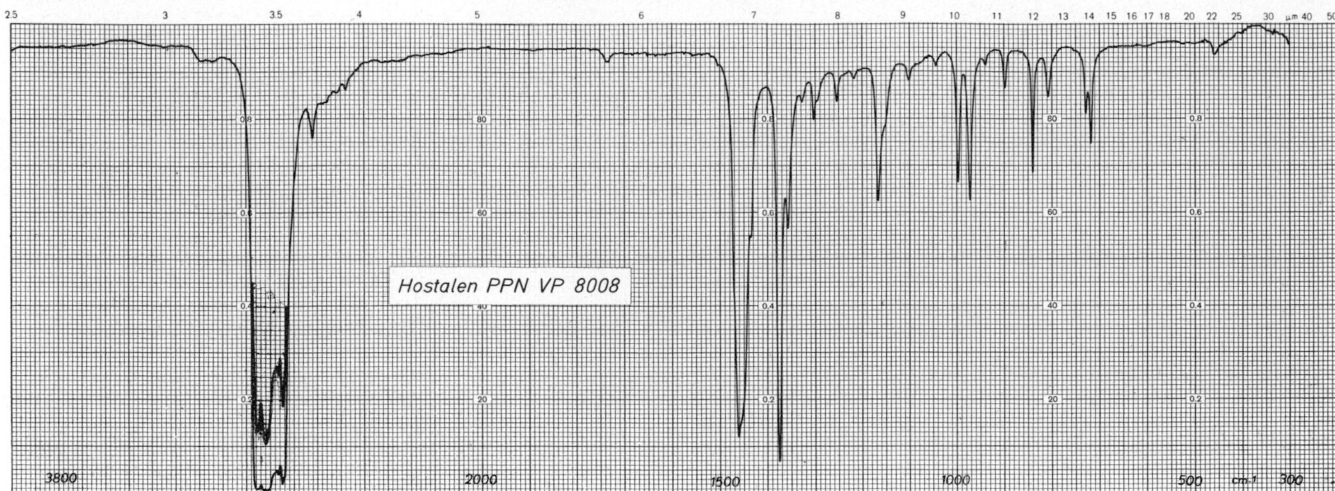

(1) **Hostalen PPN VP 8008**
(3) Polymergemisch aus Polypropylen und Poly(ethylen-co-propylen)
(4) graues Granulat
(5) schlagzäher Kunststoff, besonders für PKW-Stoßstangenabdeckungen
(6) rekristallisierter Schmelzfilm (22 µm; sehr dünne, gereckte Folie)

(2) Hoechst AG, Frankfurt/M.-Höchst
(3) polymer mixture from polypropylene and poly(ethylene-co-propylene)
(4) grey granules
(5) impact-resistant plastic, especially for automobile fender coatings
(6) film recrystallized from the melt (22 µm; very thin, stretched film)

112111(211+1−211) $C_3H_6+C_2H_4-C_3H_6$ *P* 1950

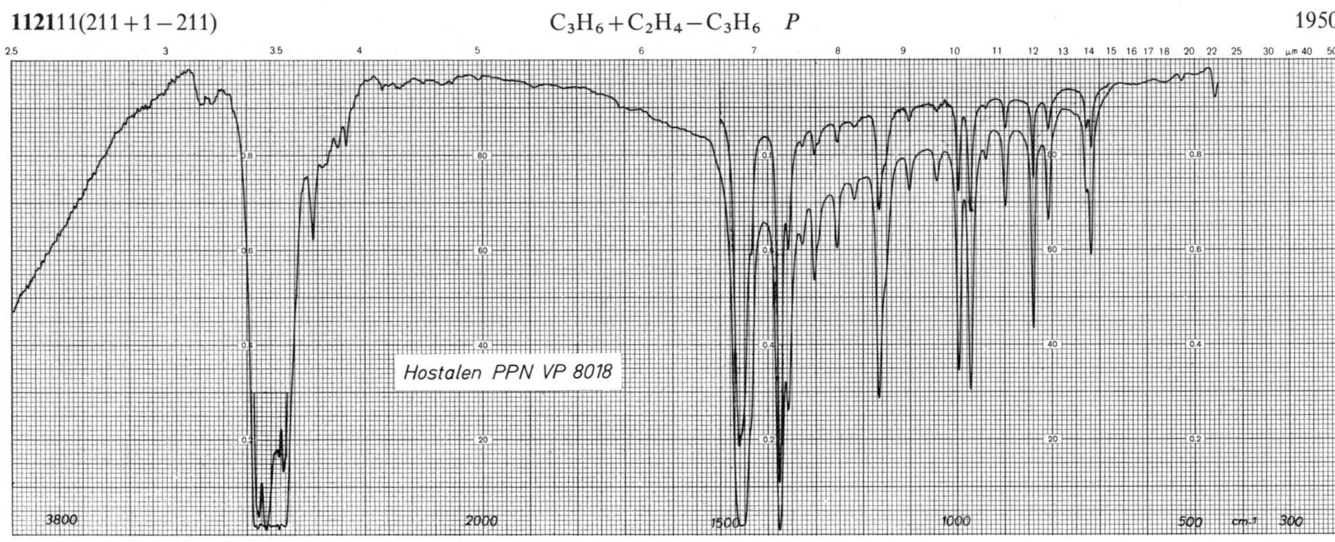

(1) **Hostalen PPN VP 8018**
(3) Polymergemisch aus Polypropylen und Poly(ethylen-co-propylen)
(4) schwarzes Granulat
(5) schlagzäher Kunststoff, besonders für PKW-Stoßstangenabdeckungen
(6) rekristallisierter Schmelzfilm
(7) PE 580 B, FLAT, SMOOTH 3

(2) Hoechst AG, Frankfurt/M.-Höchst
(3) polymer mixture from polypropylene and poly(ethylene-co-propylene)
(4) black granules
(5) impact-resistant plastic, especially for automobile fender coatings
(6) film recrystallized from the melt
(7) PE 580 B, FLAT, SMOOTH 3

112111(211+1−211) $C_3H_6+C_2H_4-C_3H_6$ *P* 1951

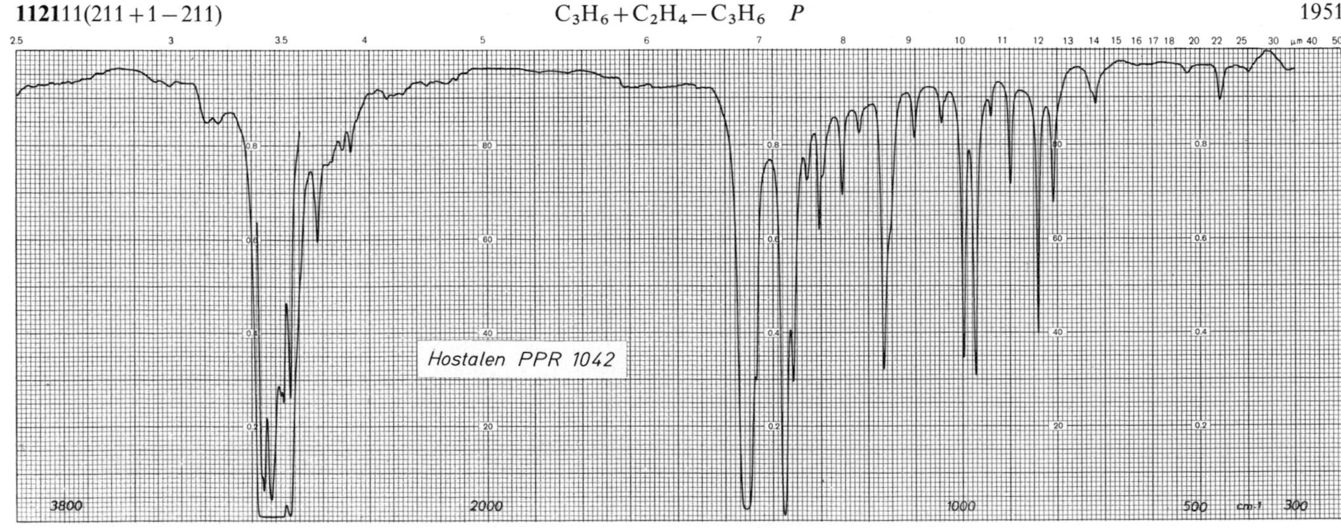

(1) **Hostalen PPR 1042**
(3) Polymergemisch aus Polypropylen und Poly(ethylen-co-propylen)
(4) weißliches Granulat
(5) schlagzäher Kunststoff, besonders für PKW-Stoßstangenabdeckungen
(6) rekristallisierter Schmelzfilm (45 µm); sehr dünne, gereckte Folie
(7) PE 580 B, FLAT, SMOOTH 3

(2) Hoechst AG, Frankfurt/M.-Höchst
(3) polymer mixture from polypropylene and poly(ethylene-co-propylene)
(4) whitish granules
(5) impact-resistant plastic, especially for automobile fender coatings
(6) film recrystallized from the melt (45 µm); very thin, stretched film
(7) PE 580 B, FLAT, SMOOTH 3

11211(211 + 1 + 1 − 211) 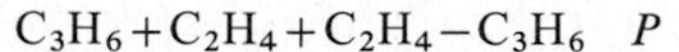 $C_3H_6 + C_2H_4 + C_2H_4 - C_3H_6$ *P* 1952

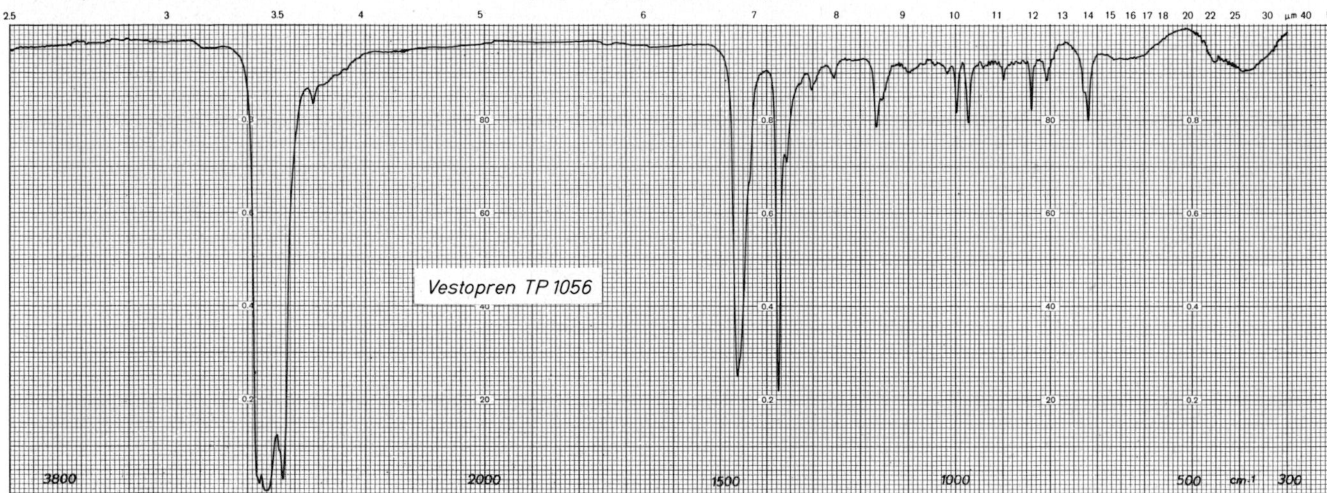

(1) **Vestopren TP 1056**
(3) Polymergemisch aus Polypropylen, Polyethylen und Poly(ethylen-co-propylen-co-dien) (PP/PE/EPDM)
(4) farbloses, undurchsichtiges Granulat
(5) elastifizierter, schlagzäher Kunststoff für den Automobilbau (Stoßfänger, Innenteile), Kabelisolierungen, Sportartikel
(6) durch Lösen in TOL und Fällen mit MTL homogenisiert; freitragender, rekristallisierter Schmelzfilm (630 cm^{-1}, 390 cm^{-1}: Interferenzen)

(2) Chemische Werke Hüls AG, Marl
(3) polymer mixture from polypropylene, polyethylene and poly(ethylene-co-propylene-co-diene) (PP/PE/EPDM)
(4) opaque, colorless granules
(5) elastified, impact-resistant plastic for automobile manufacture (fenders, internal components), cable insulation, sports goods
(6) homogenized by dissolution in TOL and precipitation with MTL; self-supporting film recrystallized from the melt (630 cm^{-1}, 390 cm^{-1}: interferences)

11211(211 + 1 + 1 − 211) $C_3H_6 + C_2H_4 + C_2H_4 - C_3H_6$ *P* 1953

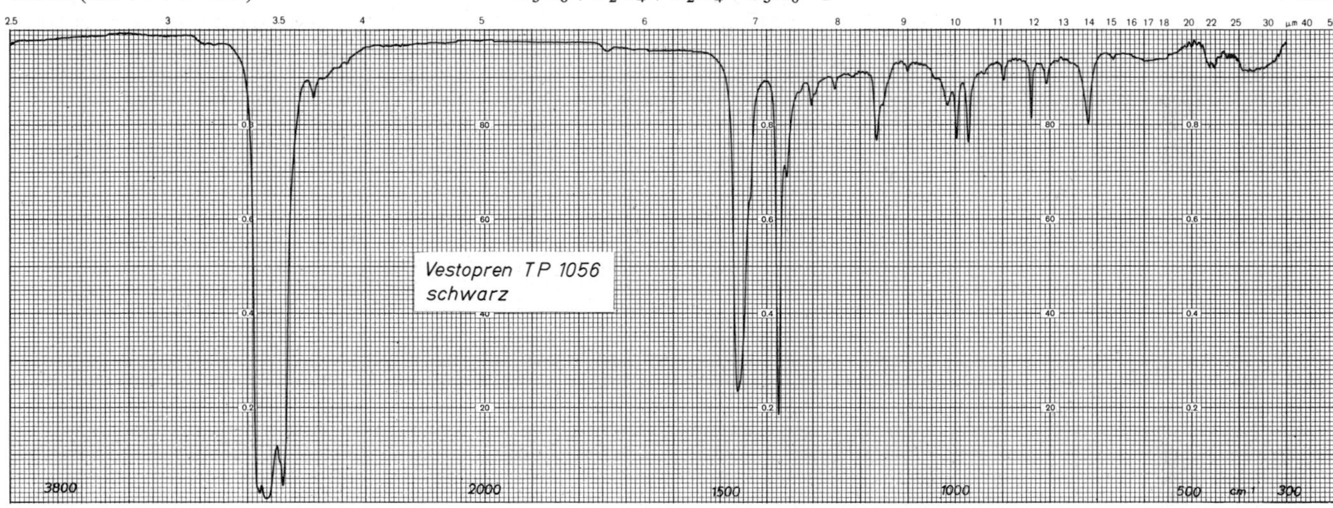

(1) **Vestopren TP 1056**
(3) Polymergemisch aus Polypropylen, Polyethylen und Poly(ethylen-co-propylen-co-dien) (PP/PE/EPDM)
(4) schwarzes Granulat
(5) vielseitig anwendbarer, schlagzäher, elastifizierter Kunststoff
(6) rekristallisierter, freitragender Schmelzfilm

(2) Chemische Werke Hüls AG, Marl
(3) polymer mixture from polypropylene, polyethylene and poly(ethylene-co-propylene-co-diene) (PP/PE/EPDM)
(4) black granules
(5) multipurpose, impact-resistant, elastified plastic
(6) self-supporting film, recrystallized from the melt

11211(211 + 1 + 1 − 211) $C_3H_6 + C_2H_4 + C_2H_4 - C_3H_6$ *P* 1954

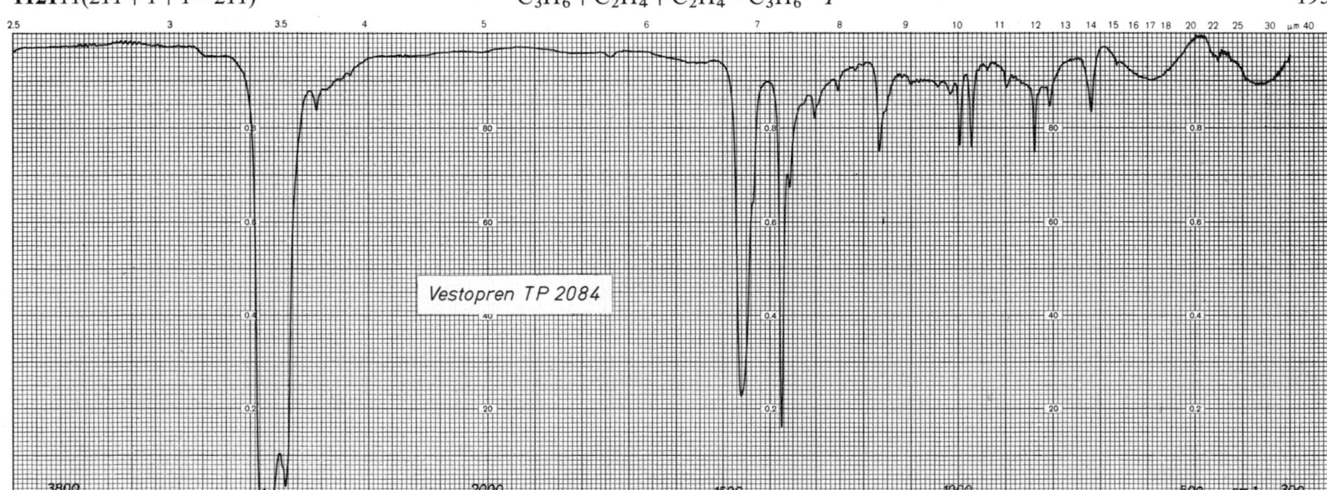

(1) **Vestopren TP 2084**
(3) Polymergemisch aus Polypropylen, Polyethylen und Poly(ethylen-co-propylen-co-dien) (PP/PE/EPDM)
(4) weißes Granulat
(5) vielseitig anwendbarer, schlagzäher, elastifizierter Kunststoff
(6) rekristallisierter, freitragender Schmelzfilm (830, 590, 360 cm^{-1}: Interferenzen)

(2) Chemische Werke Hüls AG, Marl
(3) polymer mixture from polypropylene, polyethylene and poly(ethylene-co-propylene-co-diene) (PP/PE/EPDM)
(4) white granules
(5) multipurpose, impact-resistant, elastified plastic
(6) self-supporting film recrystallized from the melt (830, 590, 360 cm^{-1}: interferences)

112111(211 + 1 + 1 − 211) $C_3H_6 + C_2H_4 + C_2H_4 - C_3H_6$ *P* 1955

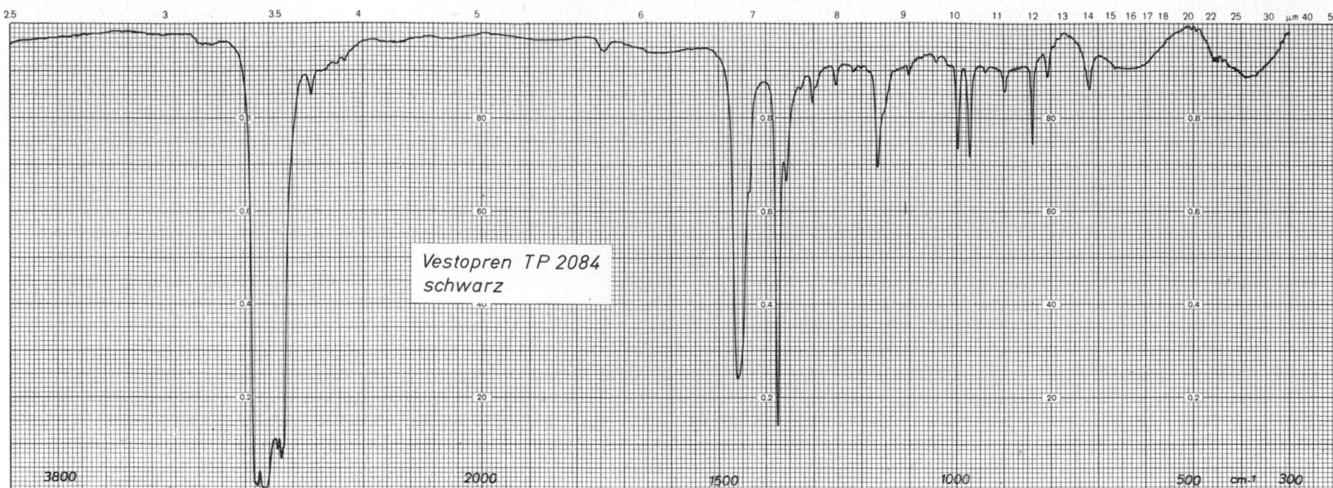

(1) **Vestopren ZP 2084**
(3) Polymergemisch aus Polypropylen, Polyethylen und Poly(ethylen-co-propylen-co-dien) (PP/PE/EPDM)
(4) schwarzes Granulat
(5) vielseitig anwendbarer, schlagzäher, elastifizierter Kunststoff
(6) rekristallisierter, freitragender Schmelzfilm (630 cm^{-1}, 380 cm^{-1}: Interferenzen)

(2) Chemische Werke Hüls AG, Marl
(3) polymer mixture from polypropylene, polyethylene and poly(ethylene-co-polypropylene-co-diene) (PP/PE/EPDM)
(4) black granules
(5) multipurpose, impact-resistant, elastified plastic
(6) self-supporting film recrystallized from the melt (630 cm^{-1}, 380 cm^{-1}: interferences)

112111(211 − 1) $C_3H_6 - C_2H_4$ *P* 1956

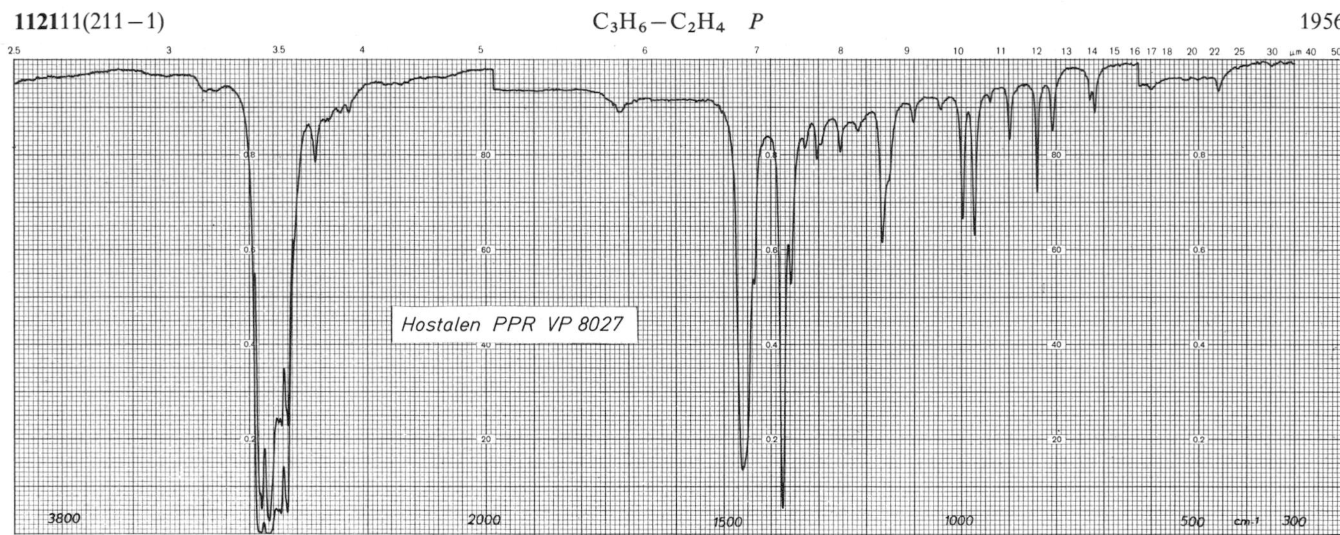

(1) **Hostalen PPR VP 8027**
(3) Stereoreguliertes Poly(propylen-co-ethylen), mit schwarzem Füllstoff
(4) schwarzes Granulat
(5) thermoplastischer, schlagzäher Kunststoff
(6) rekristallisierter Schmelzfilm (35 µm, sehr dünne Folie)
(7) PE 580 B, FLAT

(2) Hoechst AG, Frankfurt/M.-Höchst
(3) stereoregular poly(propylene-co-ethylene)
(4) black granules
(5) thermoplastic, impact-resistant resin
(6) film recrystallized from the melt (35 µm, very thin film)
(7) PE 580 B, FLAT

112111(211 − 1) $C_3H_6 - C_2H_4$ *P* 1957

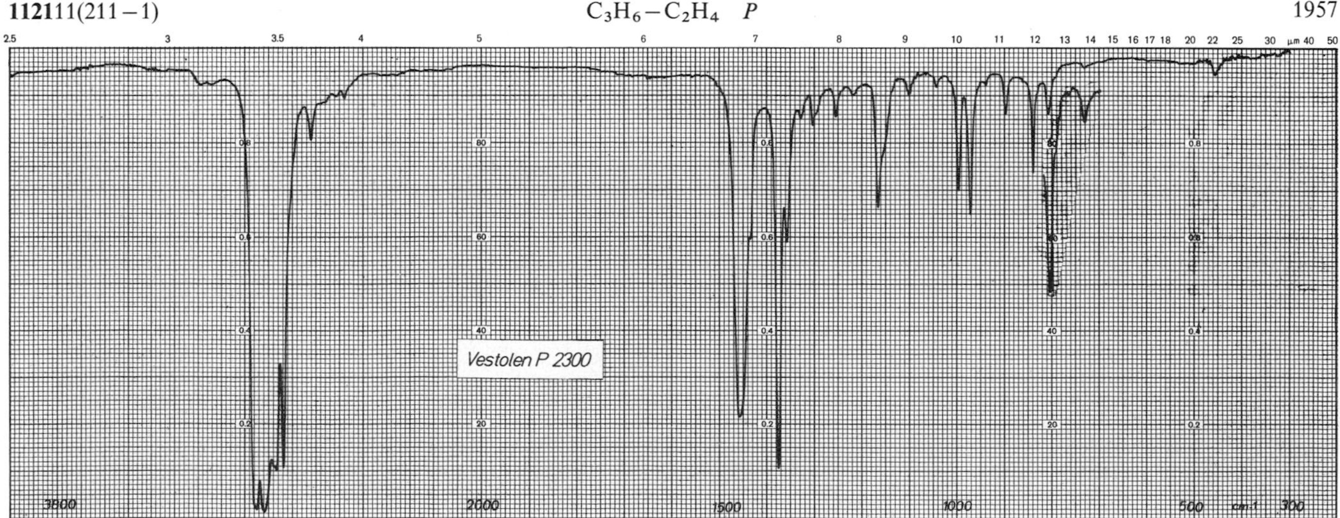

(1) **Vestolen P 2300**
(3) Poly(propylen-co-ethylen), niederer Gehalt an Ethylensequenzen, M = 240 kg mol^{-1}
(4) farbloses, transparentes Granulat
(5) zum Spritzgießen von dünnwandigen Teilen
(6) Schmelzfilm (30 µm)
(7) PE 580 B

(2) Chemische Werke Hüls AG, Marl
(3) poly(propylene-co-ethylene), low content of ethylene sequences, M = 240 kg mol^{-1}
(4) colorless, transparent granules
(5) for injection moulding thin-walled components
(6) film from the melt (30 µm)
(7) PE 580 B

112111(211 – 1) $C_3H_6-C_2H_4$ *P* 1958

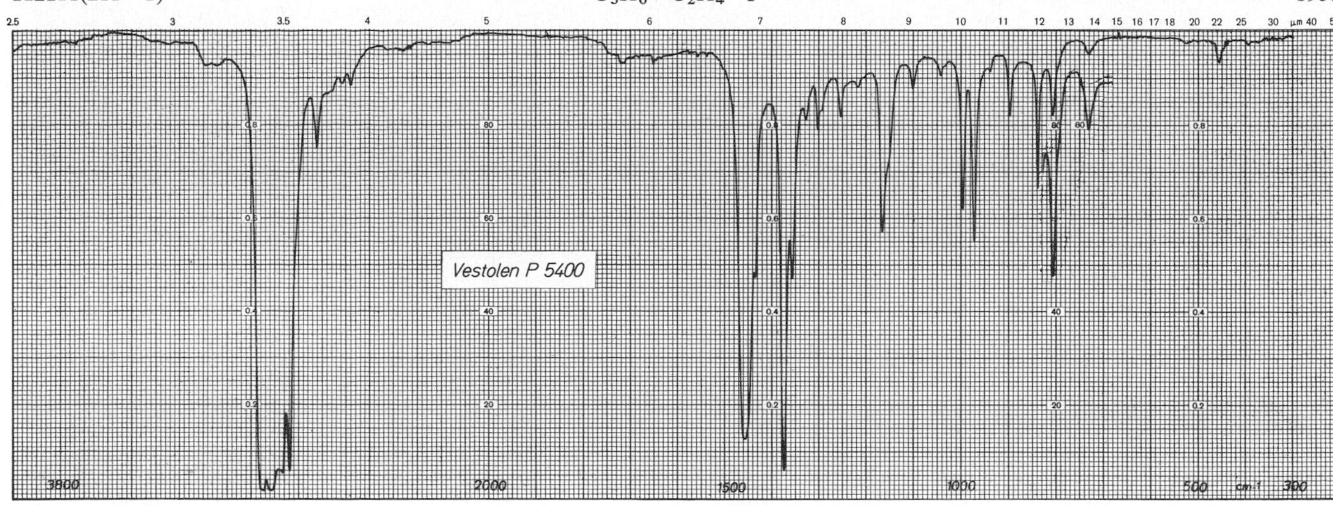

(1) **Vestolen P 5400**
(3) Poly(propylen-co-ethylen), M = 440 kg mol[-1]
(4) farbloses, transparentes Granulat
(5) für Hohlkörper im Extrusionsblasverfahren, besonders Flaschen
(6) Schmelzfilm (45 µm)
(7) PE 580 B

(2) Chemische Werke Hüls AG, Marl
(3) poly(propylene-co-ethylene), M = 440 kg mol[-1]
(4) colorless, transparent granules
(5) for blow-moulding hollowware, particularly bottles
(6) film from the melt (45 µm)
(7) PE 580 B

1121(1 + 2) 1959

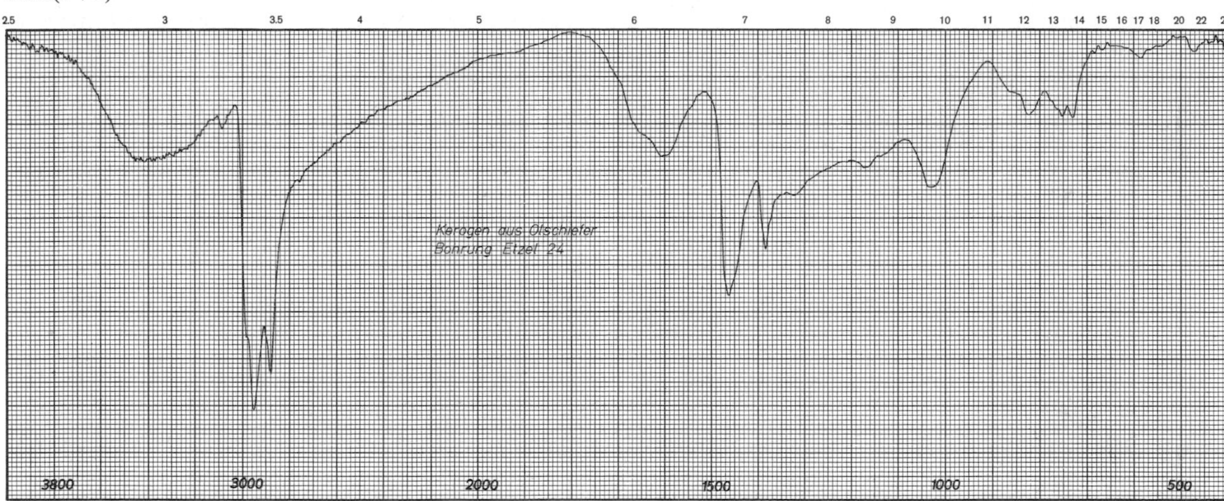

(1) **Kerogen aus Ölschiefer**
(2) Bohrung Etzel 24 (durch H. H. Schmitz, Institut für Geowissenschaften und Rohstoffe, Hannover)
(3) unlösliches Gemisch aus überwiegend aliphatischen Kohlenwasserstoffen mit geringem Sauerstoffanteil
(4) bräunliches Pulver
(6) KBr (4/350)
(7) Nicolet 7199

(1) **kerogen from oil shale**
(2) Bohrung Etzel 24 (from H. H. Schmitz, Institut für Geowissenschaften und Rohstoffe, Hannover)
(3) insoluble mixture of mainly aliphatic hydrocarbons with a low oxygen content
(4) brownish powder
(6) KBr (4/350)
(7) Nicolet 7199

11212111 C_8H_8 *P* 1960

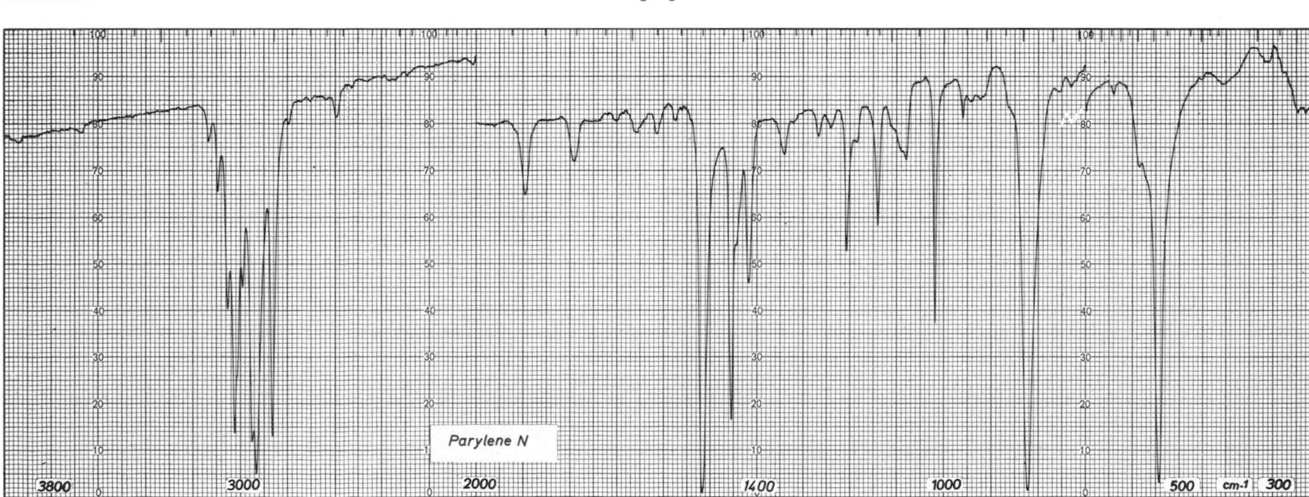

(1) **Parylene N**
(2) Union Carbide Corp., Boundbrook, N.J. (durch B. L. Joesten)
(3) $\left[CH_2-C_6H_4-\right]_2$, Poly-p-xylylen, Poly(ethylen-1,4-phenylen)
(4) farbloser Film
(5) für Isoliermaterialien
(6) freitragender Film (28 µm), zuvor matt geschabt

(2) Union Carbide Corp., Boundbrook, N.J. (durch B. L. Joesten)
(3) $\left[CH_2-C_6H_4-\right]_2$, poly-p-xylylene, poly(ethylene-1,4-phenylene)
(4) colorless film
(5) for insulation material
(6) self-supporting film (28 µm), scraped matt

11222111 C_8H_8 *P* 1961

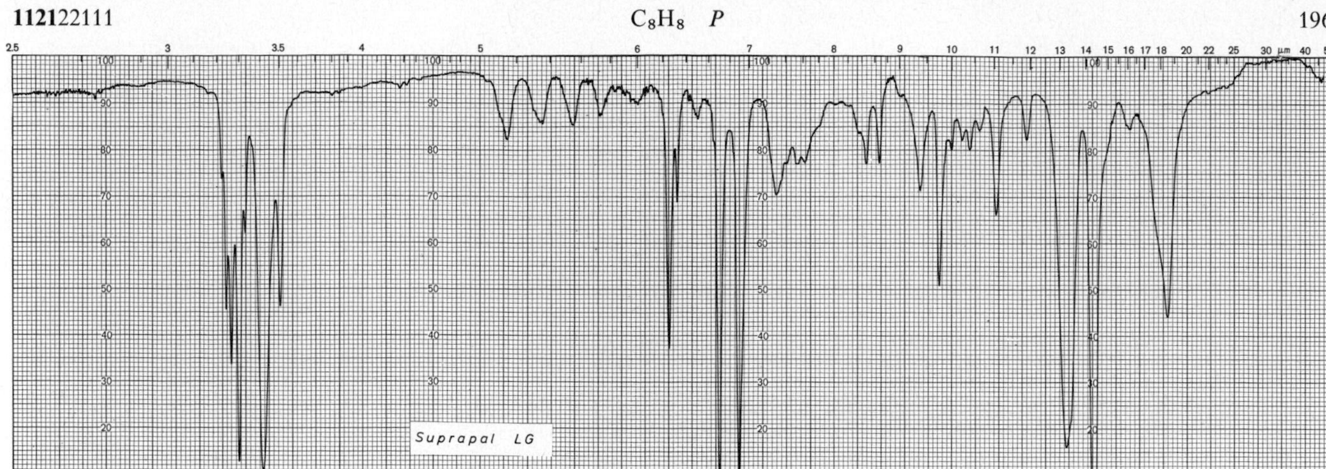

(1) **Suprapal LG**
(3) Polystyrol
(4) farbloses, transparentes Granulat
(5) thermoplastischer Kunststoff
(6) Schicht aus CLF auf CsI

(2) BASF AG, Ludwigshafen
(3) polystyrene
(4) colorless, transparent granules
(5) thermoplastic resin
(6) film from CLF on CsI

1121(22111 + 111 − 11211) $C_8H_8 + C_2H_4 - C_3H_4$ *P* 1962

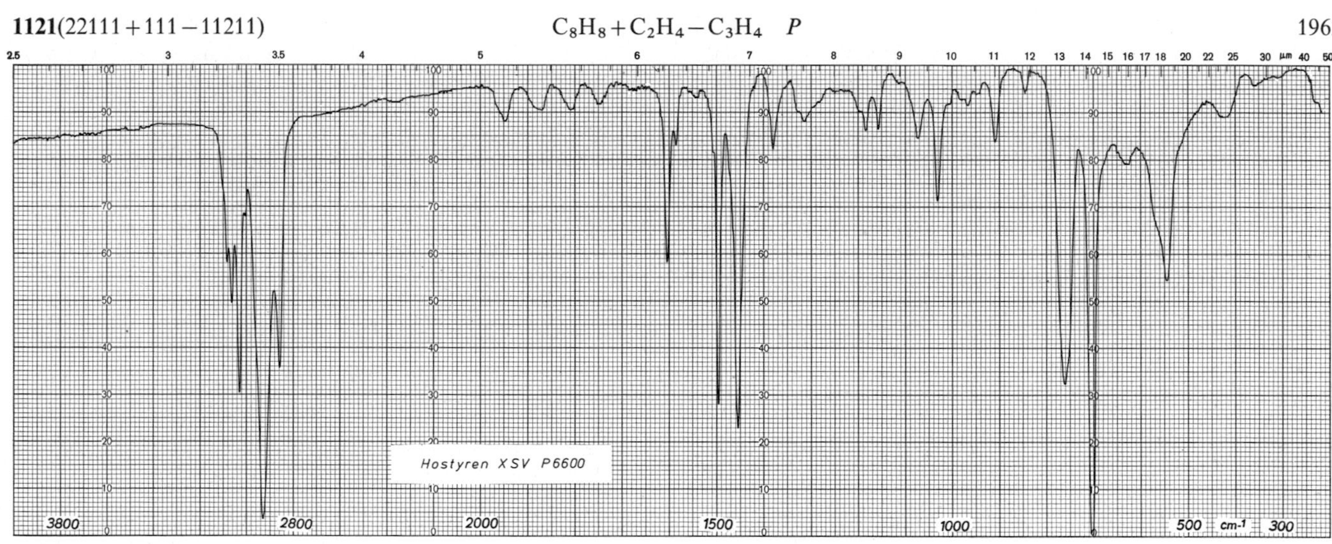

(1) **Hostyren XSV P 6600**
(3) Polymergemisch und Pfropfcopolymer auf Basis Polystyrol und Ethylen-Propylen-Kautschuk
(4) weißes Granulat
(5) schlagzäher, thermoplastischer Kunststoff
(6) Schicht aus CLF auf CsI

(2) Hoechst AG, Frankfurt/M.-Höchst
(3) polymer mixture and graft copolymer based on polystyrene and ethylene-propylene rubber
(4) white granules
(5) impact-resistant, thermoplastic resin
(6) film from CLF on CsI

1121(22111 − 121) $C_8H_8 - C_4H_6$ *P* 1963

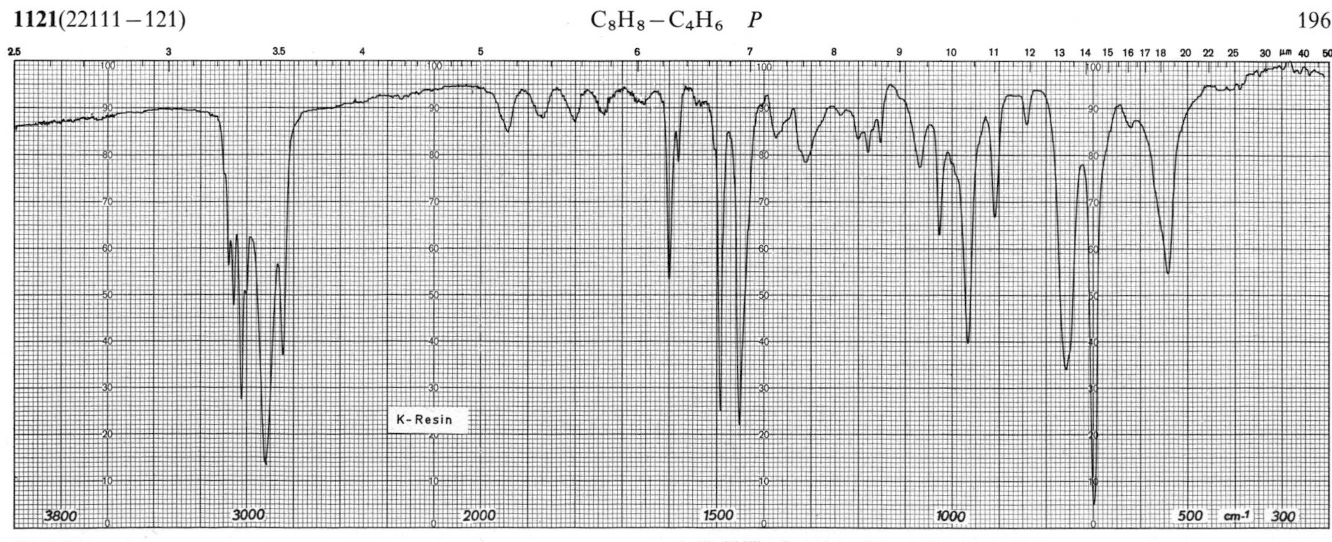

(1) **K-Resin**
(3) sternförmiges Styrol-Butadien-Blockcopolymer, Poly(styrol-b-butadien)
(4) farbloses Granulat
(5) transparenter, schlagzäher, thermoplastischer Kunststoff
(6) Schicht aus CLF auf CsI

(2) Phillips Petroleum Comp., New York, N.Y.
(3) star-form styrene-butadiene block copolymer, poly(styrene-b-butadiene)
(4) colorless granules
(5) transparent, impact-resistant, thermoplastic resin
(6) film from CLF on CsI

1121(22111 − 121 + 121 − 2211)  $C_8H_8-C_4H_6$ *P* 1964

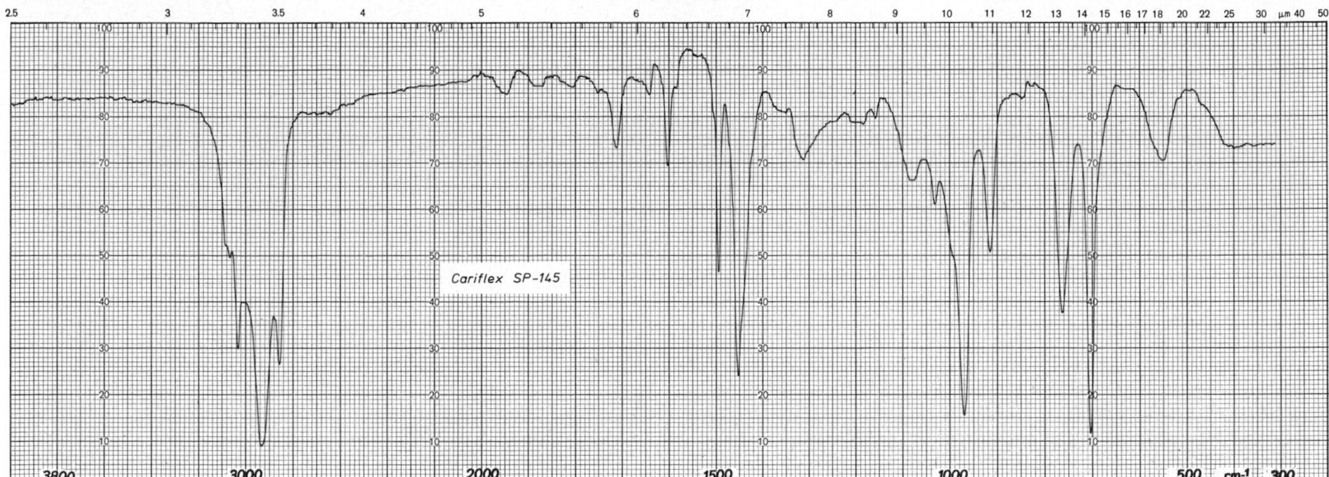

(1) **Cariflex SP-145**
(3) Zweiphasen-Kunststoff aus Cariflex SPR Resin [Poly(styrol-co-butadien) mit 85% Styroleinheiten] und einem Butadien-Styrol-Kautschuk (S-1509), Mischungsverhältnis 1 : 1
(4) elfenbeinfarbenes, hartes Elastomer
(5) schlagzäher Kunststoff
(6) Schicht aus m-DCB auf CsI

(2) Shell Niederlande Chemie B.V., Rotterdam
(3) polymer mixture from Cariflex SPR resin [poly(styrene-co-butadiene) with 85% styrene units] and a butadiene-styrene rubber (S-1509), 1 : 1 mixture
(4) ivory-colored, hard elastomer
(5) impact-resistant plastic
(6) film from m-DCB on CsI

1121(22111 − 121) $C_8H_8-C_4H_6$ *P* 1965

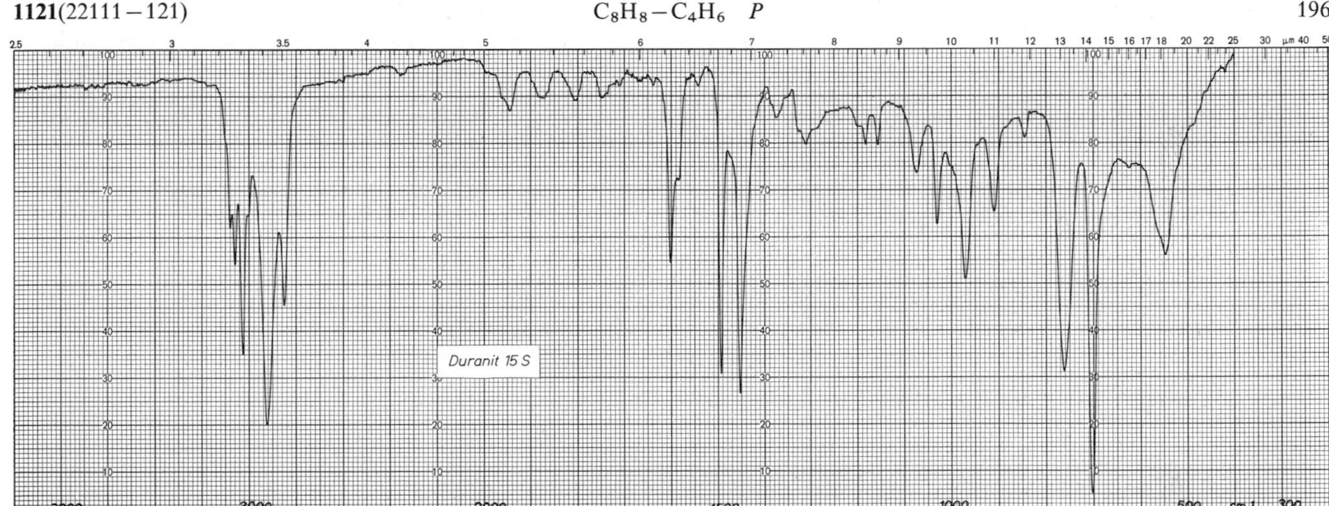

(1) **Duranit 15 S**
(3) durch Emulsionspolymerisation hergestelltes Poly(styrol-co-butadien) mit 85% Styroleinheiten
(4) weißes Pulver
(5) Hilfsmittel zur Verarbeitung von Natur- und Synthesekautschuk (Ausnahme: Butylkautschuk)
(6) Schicht aus m-DCB

(2) Chemische Werke Hüls AG, Marl
(3) poly(styrene-co-butadiene) with 85% styrene units manufactured by emulsion polymerization
(4) white powder
(5) additive for the processing of natural and synthetic rubbers (not for butyl rubbers)
(6) film from m-DCB

1121(22111 − 121) $C_8H_8-C_4H_6$ *P* 1966

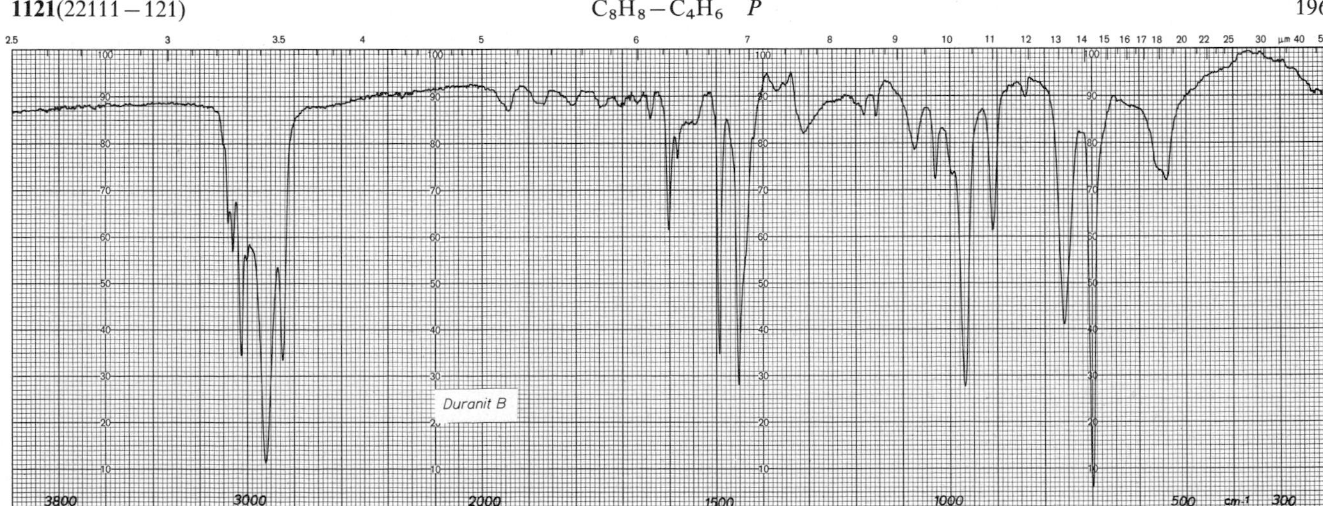

(1) **Duranit B**
(3) durch Emulionspolymerisation hergestellte Poly(styrol-co-butadien) mit 60% Styroleinheiten
(4) fast farblose, opake, linsenförmige Stücke
(5) Hilfsmittel zur Verarbeitung von Natur- und Synthesekautschuk (Ausnahme: Butylkautschuk)
(6) Schicht aus CLF auf CsI

(2) Chemische Werke Hüls AG, Marl
(3) poly(styrene-co-butadiene) with 60% styrene units manufactured by emulsion polymerization
(4) almost colorless, opaque, lense-shaped pieces
(5) additive for the processing of natural and synthetic rubbers (not for butyl rubbers)
(6) film from CLF on CsI

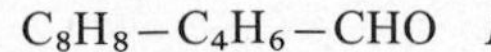

1121(22111 – 121) – **11336** $C_8H_8-C_4H_6-CHO$ *P* 1967

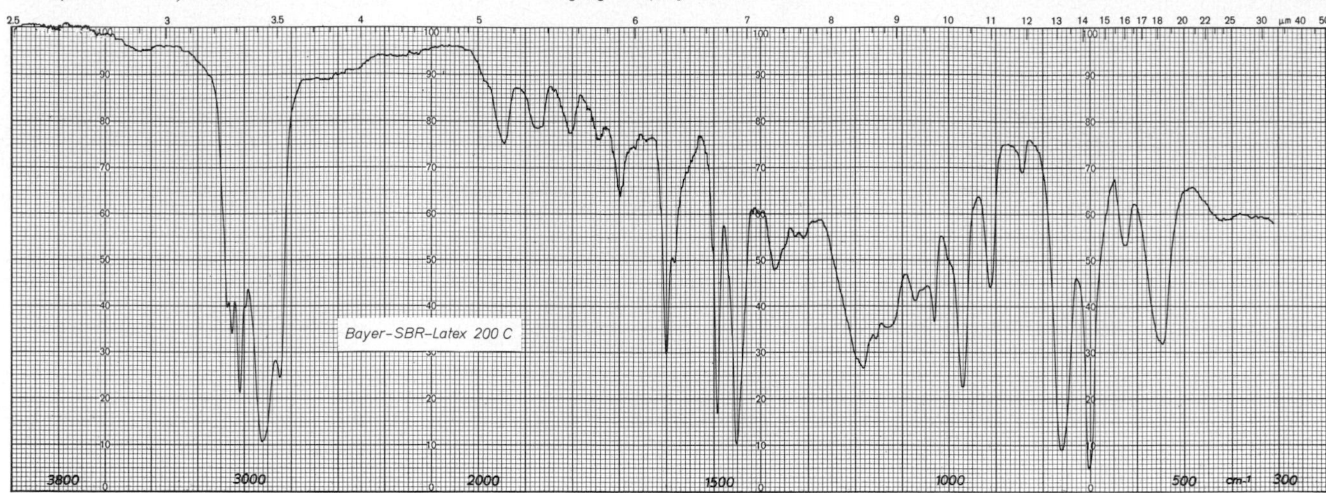

(1) **Bayer-SBR-Latex 200 C**
(3) carboxylgruppenhaltiges Poly(styrol-co-butadien) mit etwa 80% Styroleinheiten
(4) milchige, wäßrige Dispersion (50%)
(5) für die Herstellung von steifen Schuhkappen, für die Imprägnierung von Pappen und Papier (harter Binder)
(6) Schicht auf KRS-5

(2) Bayer AG, Leverkusen
(3) poly(styrene-co-butadiene) containing carboxyl groups with about 80% styrene units
(4) milky, aqueous dispersion (50%)
(5) for the manufacture of rigid shoe toe-caps for the impregnation of card and paper (rigid binder)
(6) film on KRS-5

1121(22111 – 121) – **11336** $C_8H_8-C_4H_6-CHO$ *P* 1968

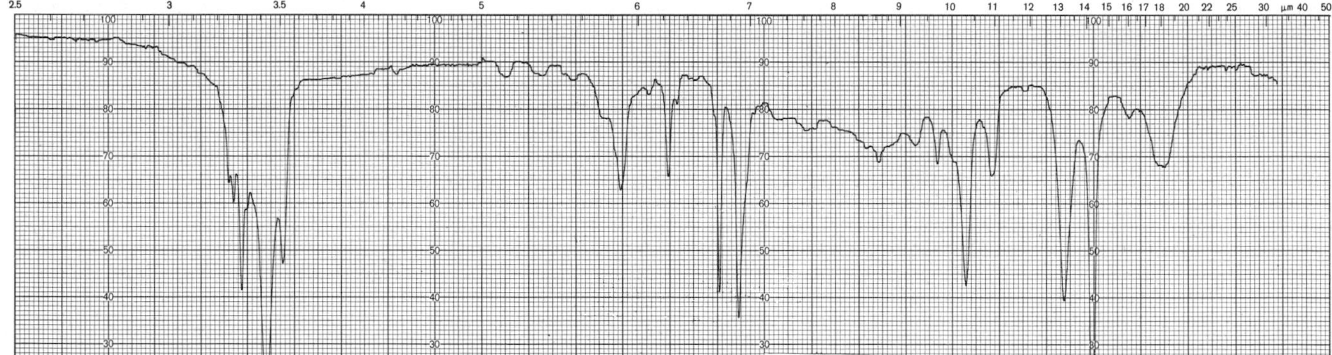

(1) **Bayer-SBR-Latex 310 C**
(3) carboxyliertes Poly(styrol-co-butadien) mit etwa 65% Styroleinheiten
(4) milchige, wäßrige Dispersion
(5) für die Papier- und Nadelfilzverfestigung (harter Binder)
(6) Schicht auf KRS-5

(2) Bayer AG, Leverkusen
(3) carboxylated poly(styrene-co-butadiene) with about 65% styrene units
(4) milky, aqueous dispersion
(5) for hardening paper and needle felt (rigid binder)
(6) film on KRS-5

1121(22111 – 121) – **11336** $C_8H_8-C_4H_6-CHO$ *P* 1969

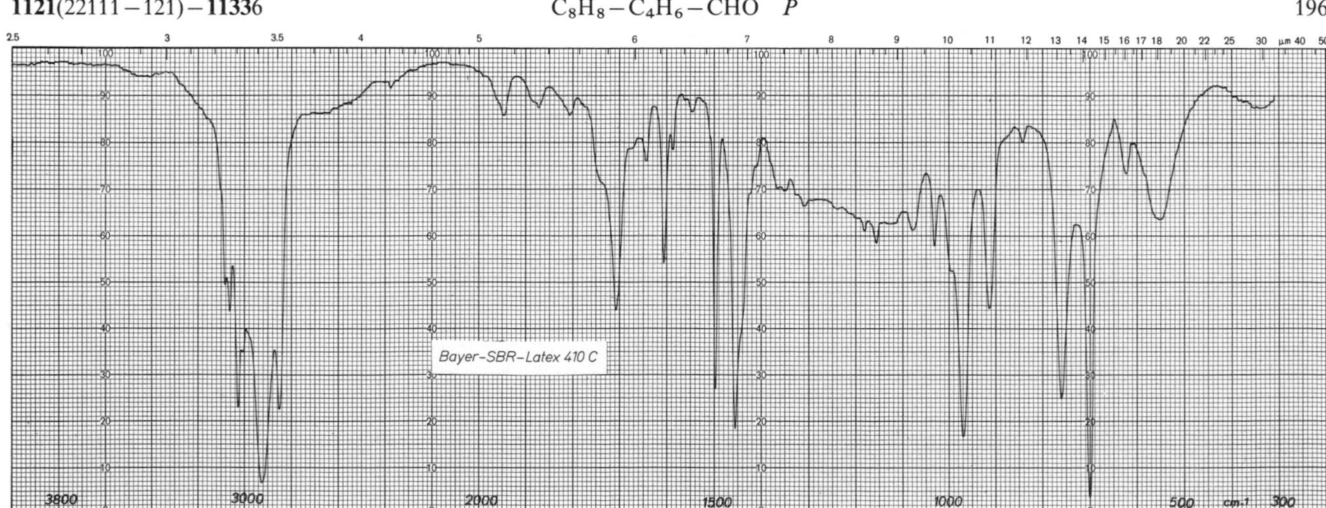

(1) **Bayer-SBR-Latex 410 C**
(3) carboxyliertes Poly(styrol-co-butadien)
(4) milchige, wäßrige Dispersion (50%)
(5) für die Nadelfilzverfestigung und für hochfüllbare Teppichrückenbeschichtungen (weicher Binder)
(6) Schicht auf KRS-5

(2) Bayer AG, Leverkusen
(3) carboxylated poly(styrene-co-butadiene)
(4) milky, aqueous dispersion (50%)
(5) for hardening needle felt and for high filler-content, carpet backing coatings (soft binder)
(6) film on KRS-5

1121(22111 + 121 − 22) C_8H_8 *P* 1970

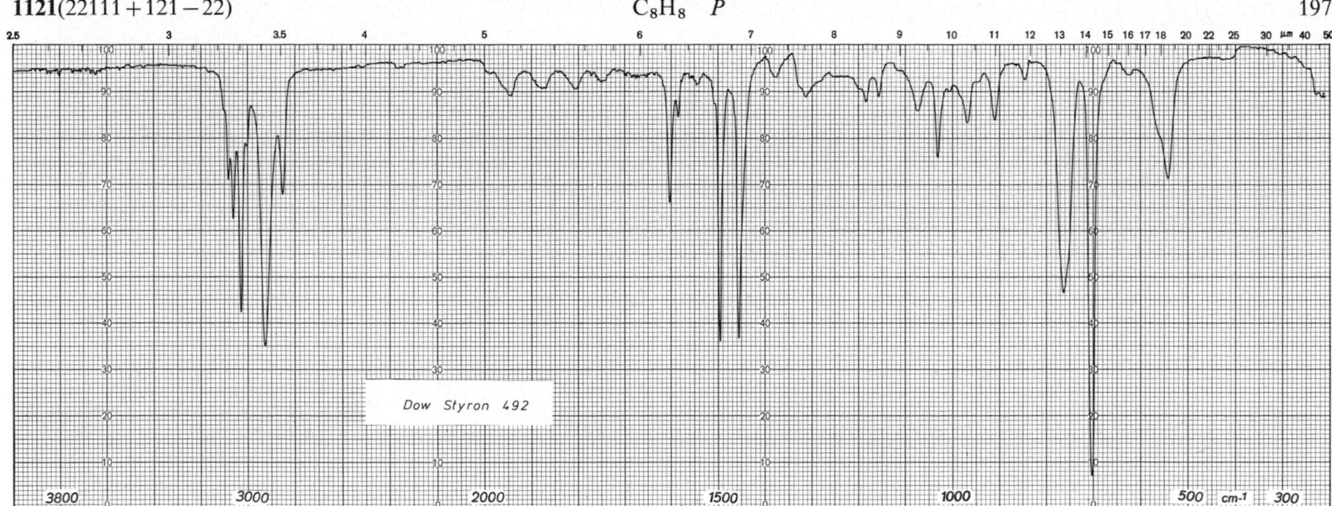

(1) **Dow Styron 492**
(3) Mischung aus Polystyrol und Kautschukkomponente
(4) farbloses, trübes Granulat
(5) schlagzäher, thermoplastischer Kunststoff
(6) Schicht aus CLF auf CsI

(2) Dow Chem. Co., Midland, Mich.
(3) polymer mixture of polystyrene and rubber components
(4) colorless, cloudy granules
(5) impact-resistant, thermoplastic resin
(6) film from CLF on CsI

11(**21**22111 − **21**121 − **32**2151) $C_8H_8-C_4H_6-C_3H_3N$ *P* 1971

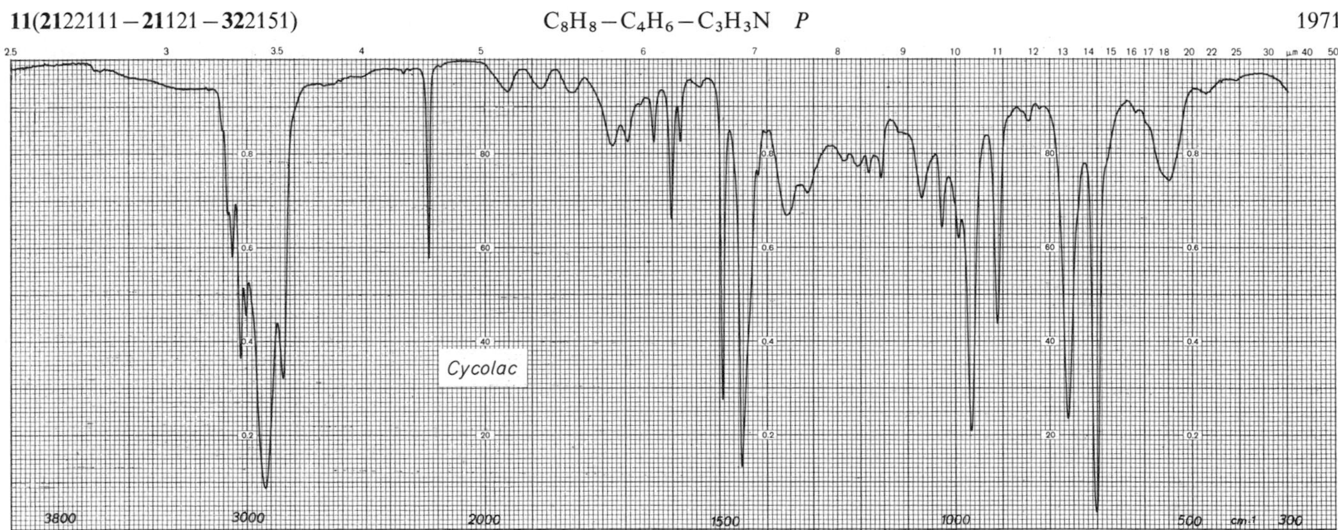

(1) **Cycolac** (Muster von 1966)
(3) Poly(styrol-co-butadien-co-acrylnitril)
(4) gelbes Granulat
(5) schlagzäher, thermoplastischer Kunststoff
(6) Schicht aus MTC auf CsI
(7) PE 580 B, ABEX 1.11

(2) Marbon Chem. Comp., Washington, W. Va.
(3) poly(styrene-co-butadiene-co-acrylonitrile)
(4) yellow granules
(5) impact-resistant, thermoplastic resin
(6) film from MTC on CsI

1121(22111 − 12) 1972

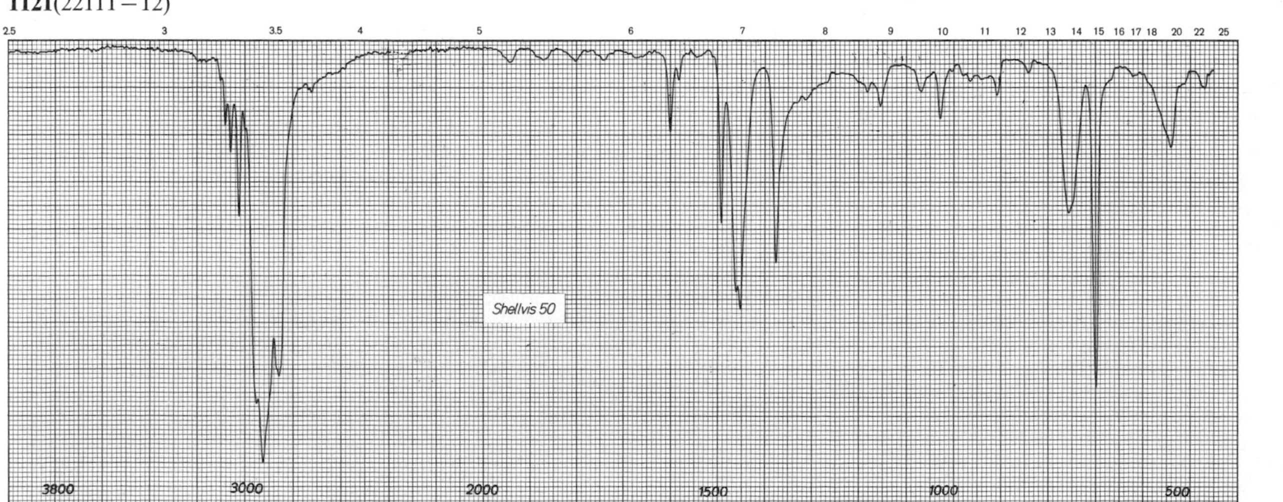

(1) **Shellvis 50**
(3) styrolisiertes Dien-Copolymer
(4) weißes Pulver
(5) für die Formulierung von weitgespannten Mehrbereichsmotorölen und Mehrbereichsölen für Dieselmotoren
(6) Schicht aus MTC auf CsI
(7) Nicolet FTIR 7199

(2) Deutsche Shell Chemie, Frankfurt/M.
(3) styrenated diene copolymer
(4) white powder
(5) for the formulation of wide-range, multigrade motor oils and multigrade diesel oils
(6) film from MTC on CsI
(7) Nicolet FTIR 7199

1121221(11 – 31) $C_8H_8-C_9H_{10}$ *P* 1973

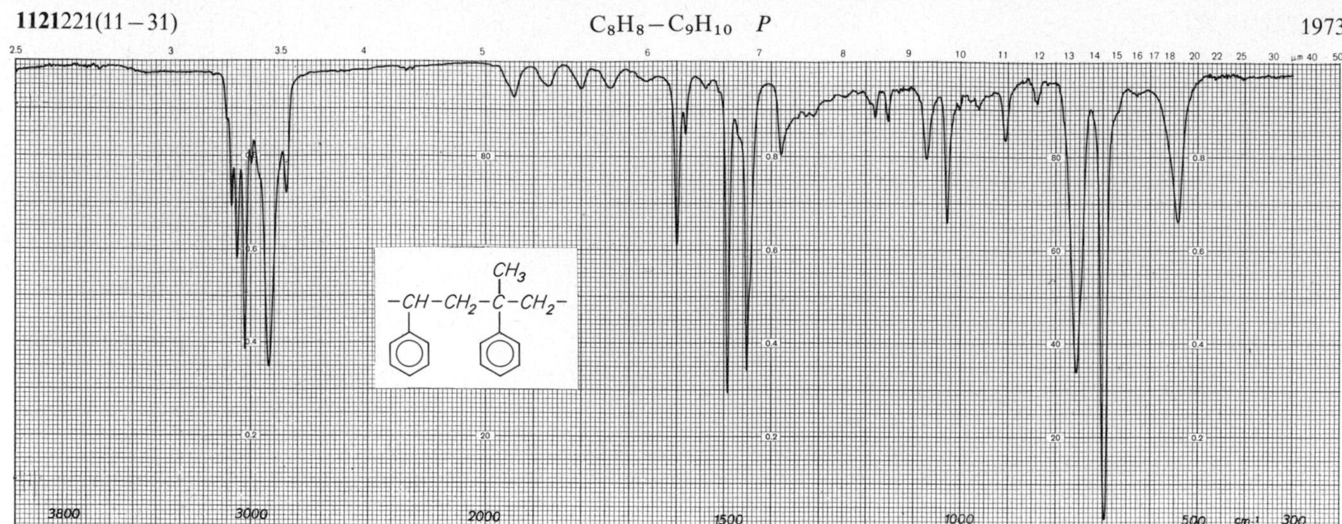

(1) **Styron 700** (Probe von 1955)
(3) Poly(styrol-co-α-methylstyrol)
(4) glasklarer Kunststoff
(5) thermoplastischer Kunststoff
(6) Schicht aus MTC auf CsI
(7) PE 580 B, ABEX 1.0

(2) Dow Chemical Corp., Midland, Mich.
(3) poly(styrene-co-α-methylstyrene)
(4) crystal clear plastic
(5) thermoplastic resin
(6) film from MTC on CsI
(7) PE 580 B, ABEX 1.0

1121(22111 – 22131 – 1211) $C_8H_8-C_9H_{10}-C_4H_6$ *P* 1974

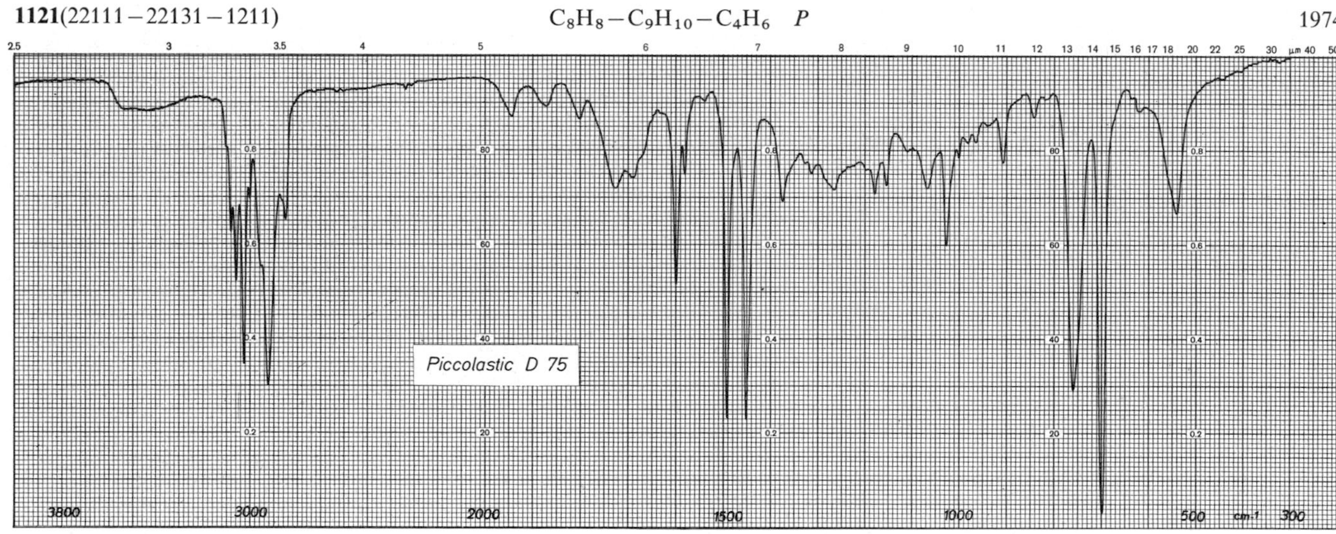

(1) **Piccolastic D 75**
(3) Poly(styrol-co-α-methylstyrol-co-butadien)
(4) hellbraune, Stückchen (gealtert)
(5) schlagzäher, thermoplastischer Kunststoff
(6) Schicht aus MTC auf CsI
(7) PE 580 B, ABEX 1.39

(2) Pennsylvania Ind. Chem. Corp., Clairton, Penn.
(3) poly(styrene-co-α-methylstyrene-co-butadiene)
(4) light brown pieces (aged)
(5) impact-resistant, thermoplastic resin
(6) film from MTC on CsI
(7) PE 580 B, ABEX 1.39

11(**21**22111 – **21**22131 – **32**2151 – **21**121) $C_8H_8-C_9H_{10}-C_3H_3N-C_4H_6$ *P* 1975

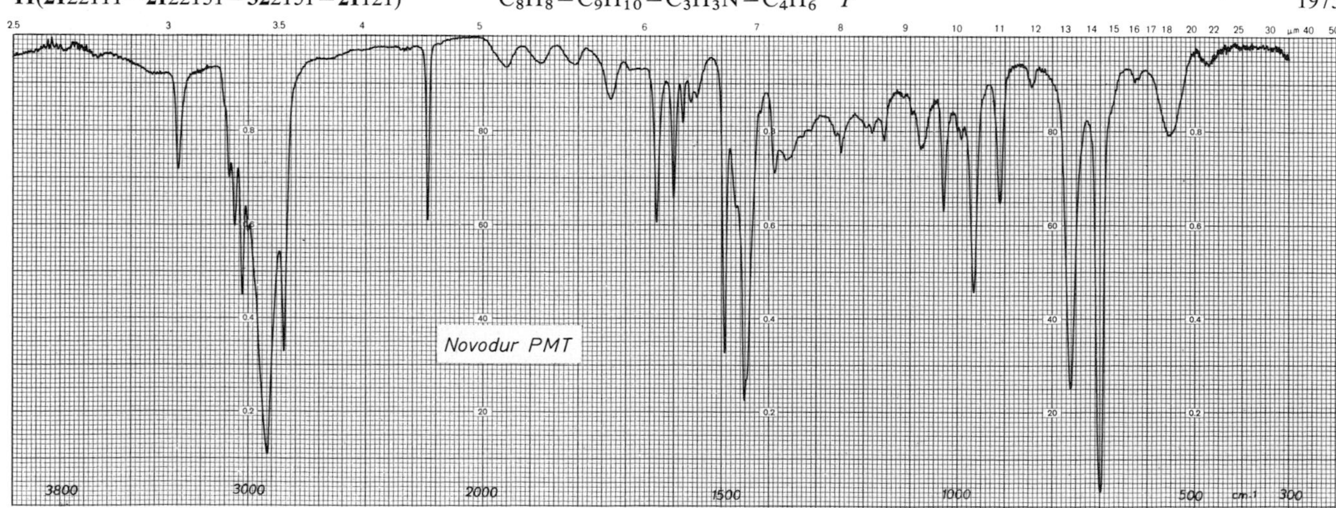

(1) **Novodur PMT**
(3) Polymergemisch/Pfropfcopolymer aus Poly(styrol-co-α-methylstyrol-co-acrylnitril-co-butadien), 32 : 27 : 25 : 16
(4) naturfarbenes, undurchsichtiges Granulat
(5) thermoplastischer, hochschlagzäher Kunststoff
(6) Schicht aus MTC auf CsI
(7) PE 580 B, ABEX 1,48

(2) Bayer AG, Leverkusen
(3) polymer mixture/graft copolymer from poly(styrene-co-α-methylstyrene-co-acrylonitrile-co-butadiene), 32 : 27 : 25 : 16
(4) neutral-colored, opaque granules
(5) highly impact-resistant, thermoplastic resin
(6) film from MTC on CsI
(7) PE 580 B, ABEX 1.48

11(2122111 – 322151) $C_8H_8-C_3H_3N$ *P* 1976

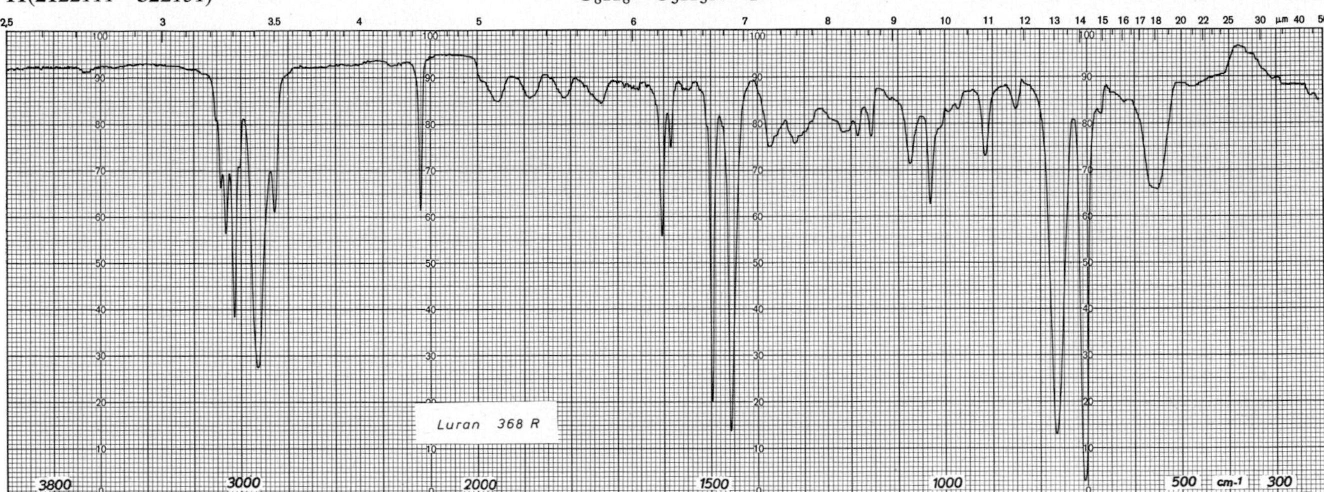

(1) **Luran 368 R**
(3) Poly(styrol-co-acrylnitril)
(4) farbloses Granulat
(5) schlagzäher, thermoplastischer Kunststoff
(6) Schicht aus CLF auf CsI

(2) BASF AG, Ludwigshafen
(3) poly(styrene-co-acrylonitrile)
(4) colorless granules
(5) impact-resistant, thermoplastic resin
(6) film from CLF on CsI

11(2122111 – 322151) $C_8H_8-C_3H_3N$ *P* 1977

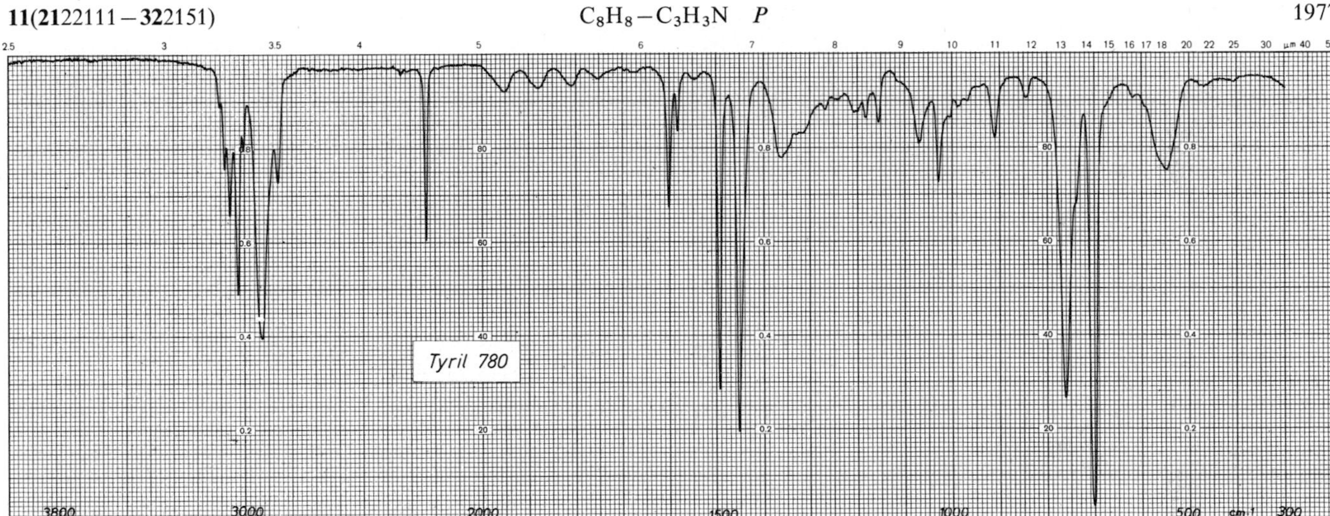

(1) **Tyril 780**
(2) Dow Chem. Corp. (durch Otto Krahn, Hamburg)
(3) Poly(styrol-co-acrylnitril)
(4) farbloses Granulat
(5) thermoplastischer, schlagzäher Kunststoff
(6) Schicht aus MTC auf CsI
(7) PE 580 B, ABEX 1.33

(2) Dow Chem. Corp. (from Otto Krahn, Hamburg)
(3) poly(styrene-co-acrylonitrile)
(4) colorless granules
(5) impact-resistant, thermoplastic resin
(6) film from MTC on CsI
(7) PE 580 B, ABEX 1.33

11(2122111 – 322151 – 21121) $C_8H_8-C_3H_3N-C_4H_6$ *P* 1978

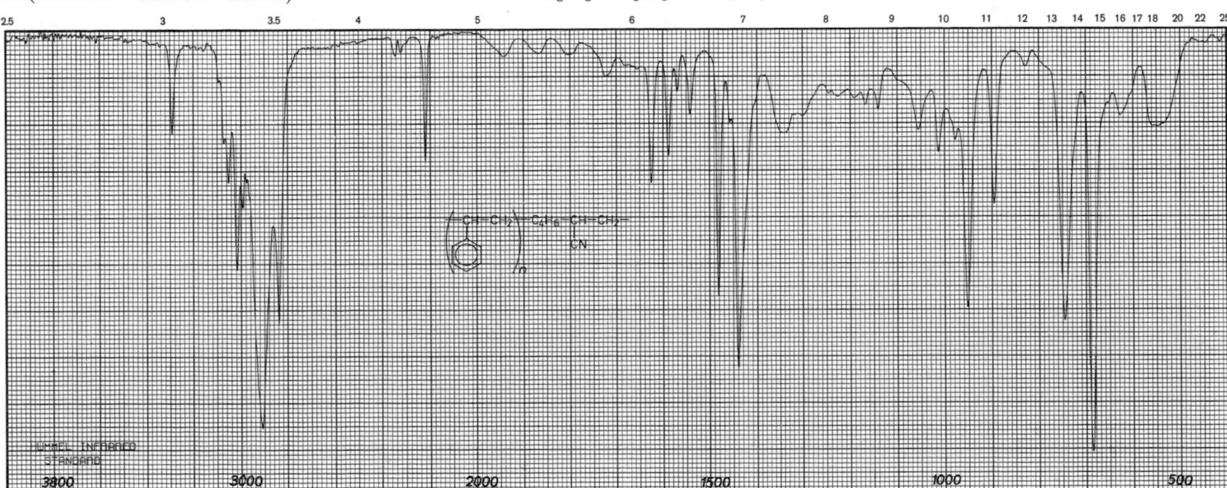

(1) **Novodur PK/6053**
(3) Poly(butadien-co-acrylnitril-g-styrol)
(4) dunkelgraues, undurchsichtiges Granulat
(5) zäher und formstabiler, schlag- und kerbschlagzäher, thermoplastischer Kunststoff, kältefest
(6) Schmelzfilm
(7) Nicolet 20 SX

(2) Bayer AG, Leverkusen
(3) poly(butadiene-co-acrylonitrile-g-styrene)
(4) dark grey, opaque granules
(5) tough, dimensionally stable, impact and notch impact-resistant, cold-proof, thermoplastic resin
(6) heat-pressed film
(7) Nicolet 20 SX

11(**21**22111 – **32**2151 – **21**121) $C_8H_8-C_3H_3N-C_4H_6$ *P* 1979

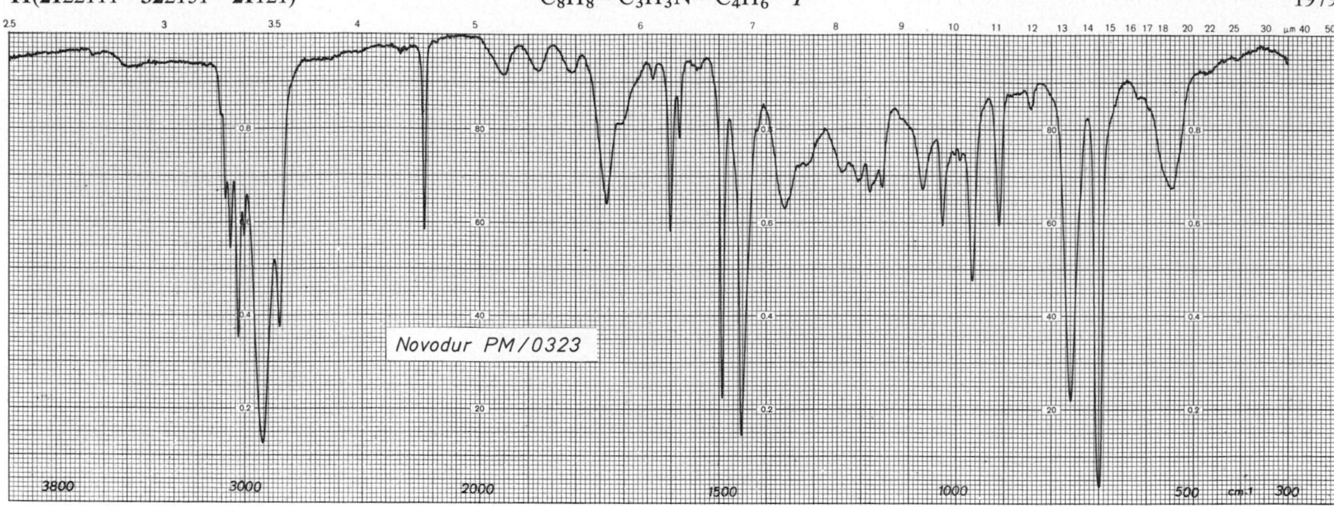

(1) **Novodur PM/0323**
(3) Poly(styrol-co-acrylnitril-co-butadien)
(4) weißgraues, opakes Granulat
(5) zäher und formstabiler, schlag- und kerbschlagzäher, thermoplastischer Kunststoff
(6) Schmelzfilm
(7) Nicolet 20 SX

(2) Bayer AG, Leverkusen
(3) poly(styrene-co-acrylonitrile-co-butadiene)
(4) greyish-white, opaque granules
(5) tough, dimensionally stable, impact and notch impact-resistant, thermoplastic resin
(6) heat-pressed film
(7) Nicolet 20 SX

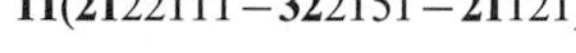

11(**21**22111 – **32**2151 – **21**121) $C_8H_8-C_3H_3N-C_4H_6$ *P* 1980

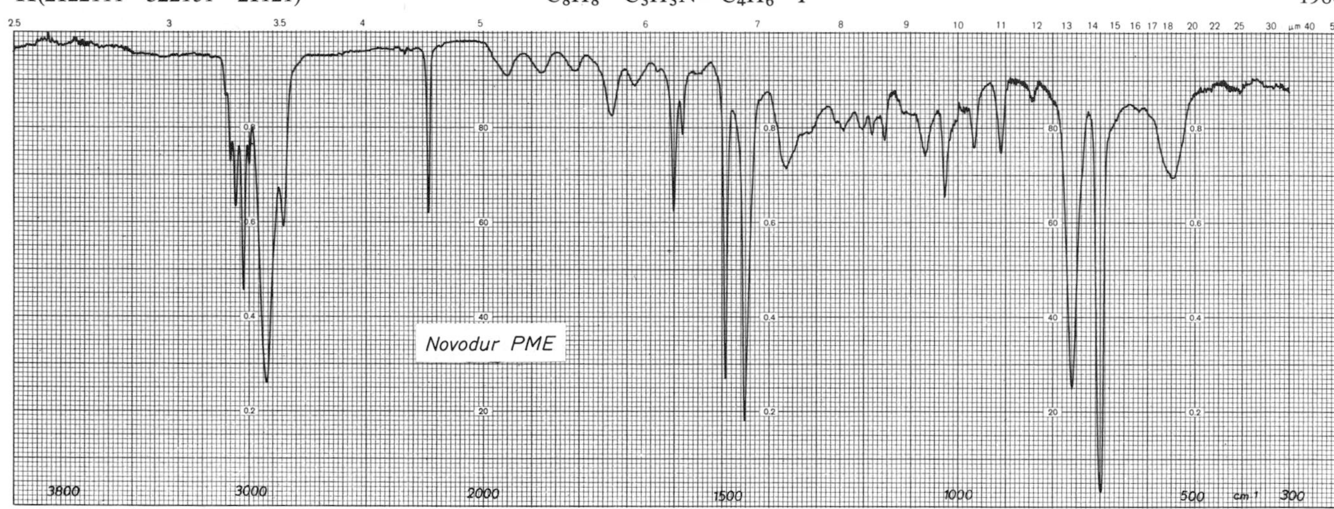

(1) **Novodur PME**
(3) Poly(styrol-co-acrylnitril-co-butadien), 60 : 30 : 10; pigmentiert
(4) graues Granulat
(5) thermoplastischer Kunststoff für schlagzähe Artikel
(6) in MTC gelöst, zentrifugiert; Schicht auf CsI
(7) PE 580 B, ABEX 1,58

(2) Bayer AG, Leverkusen
(3) poly(styrene-co-acrylonitrile-co-butadiene), 60 : 30 : 10; pigmented
(4) grey granules
(5) thermoplastic resin for impact-resistant articles
(6) dissolved in MTC, centrifuged; film on CsI
(7) PE 580 B, ABEX 1.58

11(**21**22111 – **32**2151 – **21**121) $C_8H_8-C_3H_3N-C_4H_6$ *P* 1981

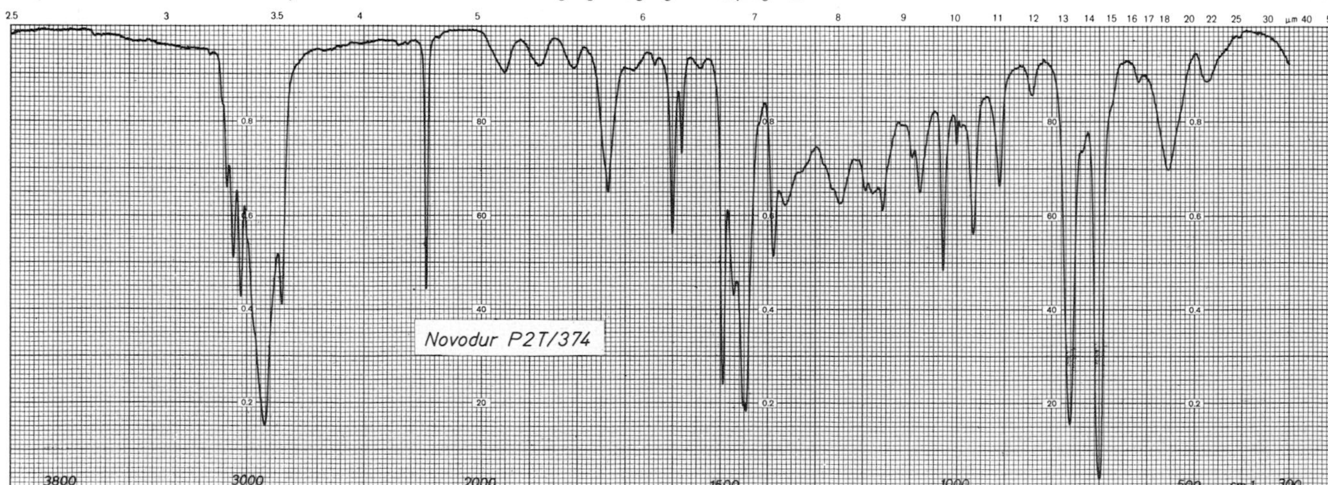

(1) **Novodur P2T/374**
(3) schwarz-pigmentiertes Copolymerisat auf Basis Poly(styrol-co-acrylnitril-co-butadien)
(4) schwarzes Granulat
(5) zäher, formstabiler, schlag- und kerbschlagzäher thermoplastischer Kunststoff von hoher Wärmeformbeständigkeit
(6) in MTC gelöst, zentrifugiert, Schicht auf CsI
(7) PE 580 B, ABEX 1.36

(2) Bayer AG, Leverkusen
(3) black pigmented copolymer based on poly(styrene-co-acrylonitrile-co-butadiene)
(4) black granules
(5) tough, dimensionally stable, impact and notch impact-resistant, thermoplastic resin, with good, hot dimensional stability
(6) dissolved in MTC, centrifuged, film on CsI
(7) PE 580 B, ABEX 1.36

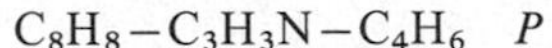
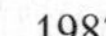

11(2122111 – 322151 – 21121) $C_8H_8-C_3H_3N-C_4H_6$ *P* 1982

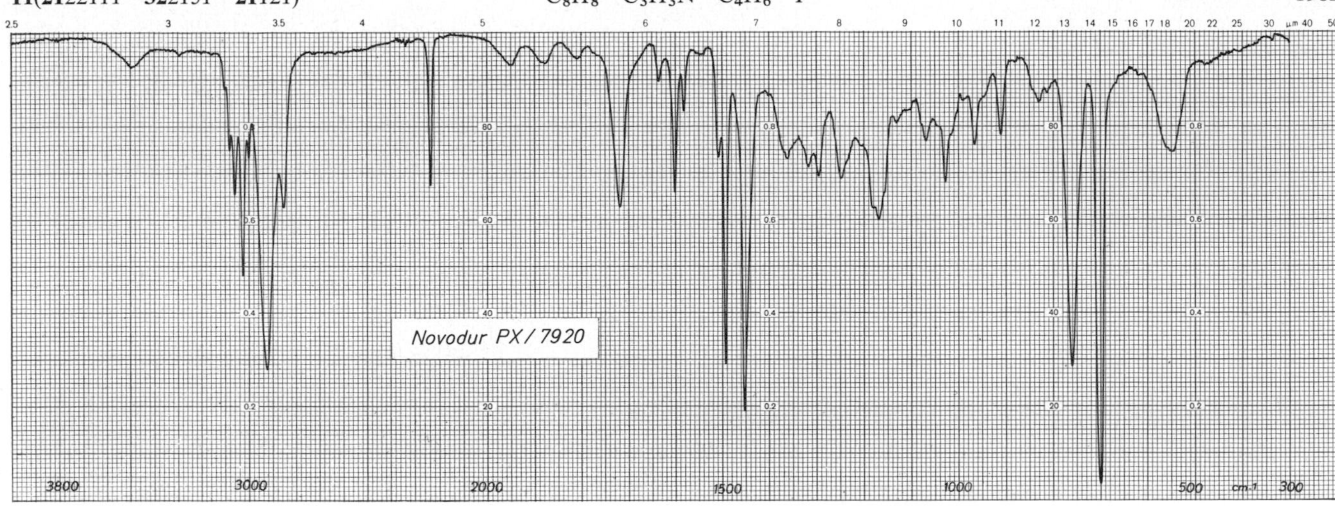

(1) **Novodur PX/7920**
(3) Poly(styrol-co-acrylnitril-co-butadien) schwarz pigmentiert
(4) schwarzes Granulat
(5) zäher und formstabiler, schlag- und kerbschlagzäher, thermoplastischer Kunststoff; Standardtyp, sehr harte Einstellung
(6) in MTC gelöst, zentrifugiert, Schicht auf CsI
(7) PE 580 B, ABEX 2.16

(2) Bayer AG, Leverkusen
(3) poly(styrene-co-acrylonitrile-co-butadiene), black pigmented
(4) black granules
(5) tough, dimensionally stable, impact and notch impact-resistant, thermoplastic resin; standard grade, very hard
(6) dissolved in MTC, centrifuged, film on CsI
(7) PE 580 B, ABEX 2.16

11(2122111 – 322151 – 337221111) $C_8H_8-C_3H_3N-C_7H_{12}O_2$ *P* 1983

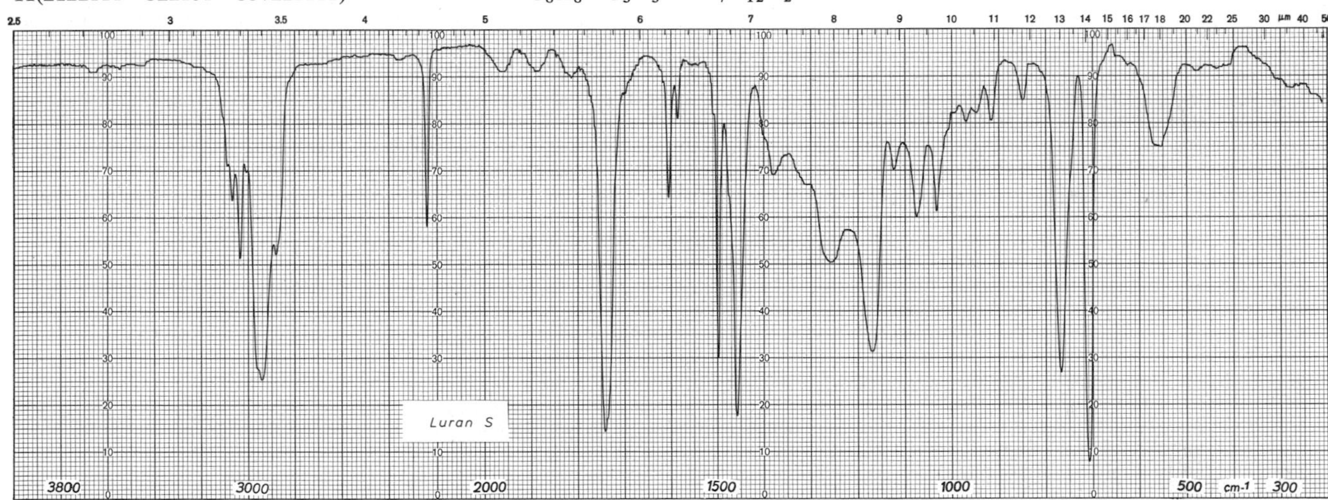

(1) **Luran S**
(3) Poly(styrol-co-acrylnitril), aufgepfropft auf Polybutylacrylat
(4) elfenbeinfarbenes, undurchsichtiges Granulat
(5) hochschlagzäher, thermoplastischer Kunststoff
(6) Schicht aus CLF auf CsI

(2) BASF AG, Ludwigshafen
(3) poly(styrene-co-acrylonitrile), grafted onto polybutyl acrylate
(4) ivory-colored, opaque granules
(5) highly impact-resistant, thermoplastic resin
(6) film from CLF on CsI

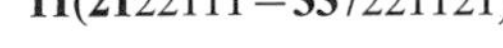

11(2122111 – 337221121) $C_8H_8-C_5H_8O_2$ *P* 1984

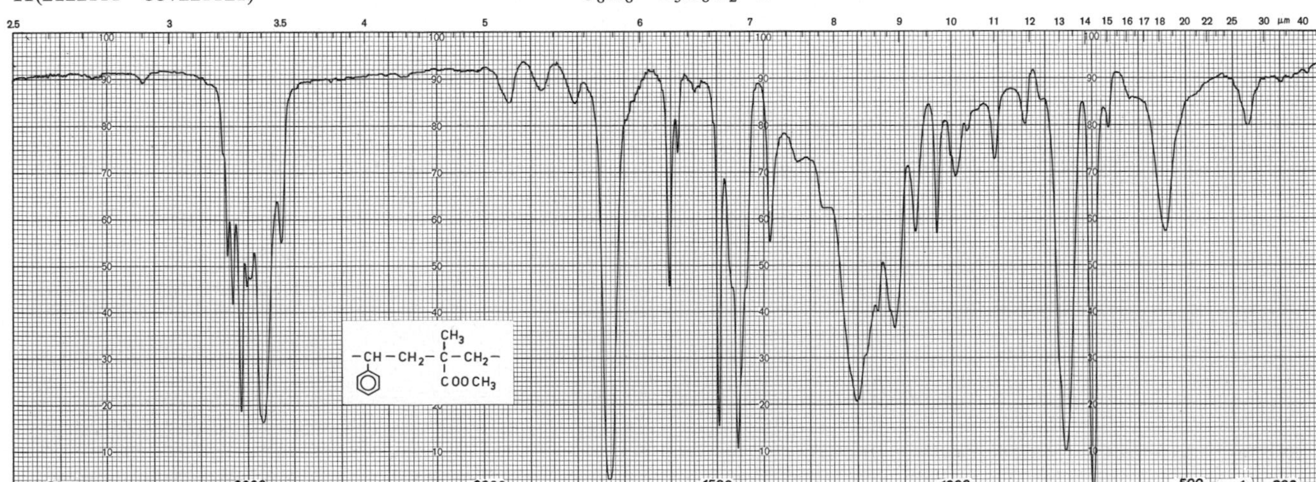

(1) **Versuchsprodukt KL-1-1149**
(2) Bayer AG, Leverkusen (Laborpräparat F. Wingler)
(3) Poly(styrol-co-methylmethacrylat)
(4) farbloses Granulat
(6) Schicht aus CLF auf CsI

(1) Research product KL-1-1149
(2) Bayer AG, Leverkusen (laboratory preparation F. Wingler)
(3) poly(styrene-co-methyl methacrylate)
(4) colorless granules
(6) film from CLF on CsI

11(2122111 – **33**7221121) $C_8H_8-C_5H_8O_2$ *P* 1985

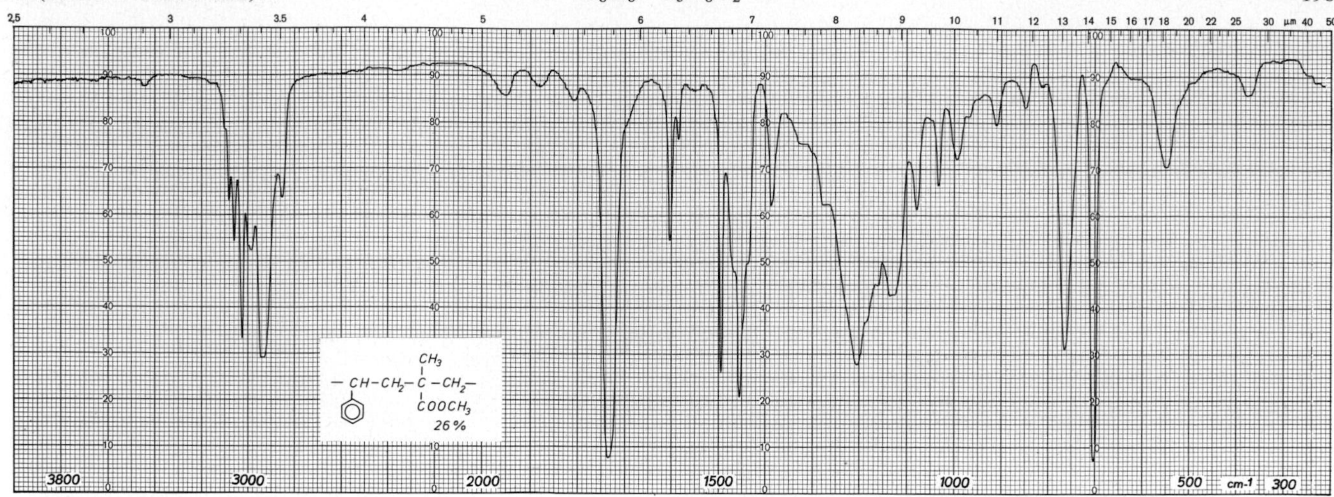

(1) **Poly(styrol-co-methylmethacrylat), 26% MMA-Einheiten**
(2) Richardson, USA
(4) glasklares Granulat
(5) thermoplastischer Kunststoff für Anwendungen, die optische Klarheit verlangen
(6) Schicht aus EAC auf CsI

(1) **poly(styrene-co-methyl methacrylate), 26% MMA units**
(4) clear, colorless granules
(5) thermoplastic resin for applications requiring optical clearness
(6) film from EAC on CsI

11(2122111 – **33**831) $C_8H_8-C_4H_2O_3$ *P* 1986

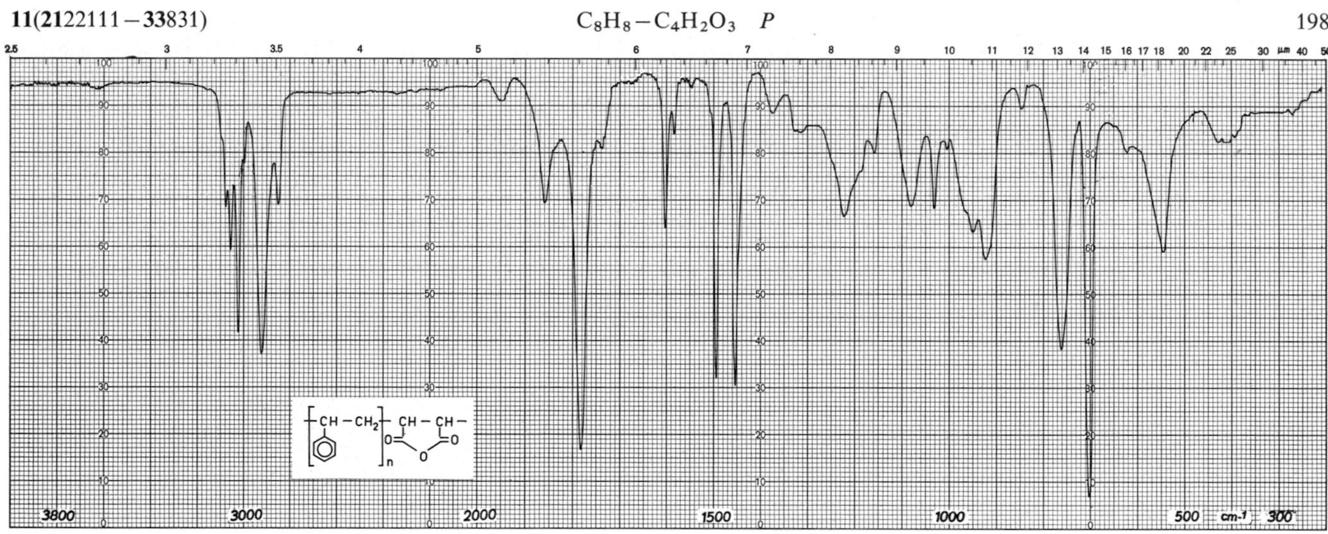

(1) **Poly(styrol-co-maleinsäureanhydrid)**
(2) Bayer AG, Leverkusen (Laborpräparat F. Wingler)
(4) farbloses Granulat
(5) wärmeformbeständiger, thermoplastischer Kunststoff
(6) Schicht aus CLF auf CsI

(1) **poly(styrene-co-maleic anhydride)**
(2) Bayer AG, Leverkusen (laboratory preparation F. Wingler)
(4) colorless granules
(5) thermoplastic resin, dimensionally stable when hot
(6) film from CLF on CsI

11(2122111 – **33**831) $C_8H_8-C_4H_2O_3$ *P* 1987

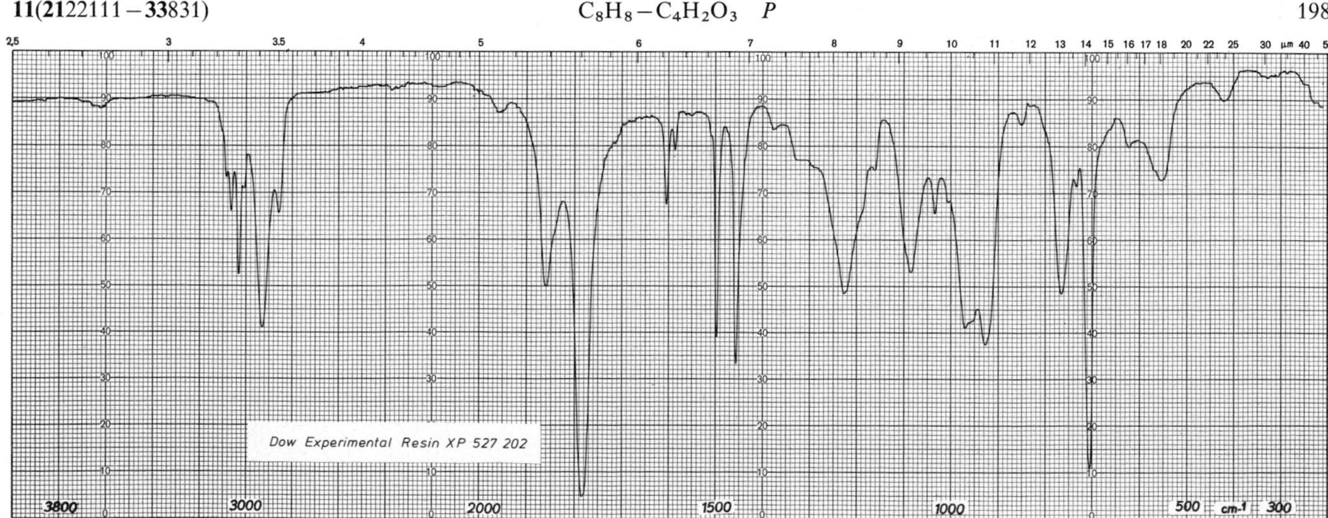

(1) **Dow Experimental Resin XP 527 202**
(3) Poly(styrol-co-maleinsäureanhydrid) mit eingearbeiteter Kautschukkomponente
(4) farbloses, trübes Granulat
(5) thermoplastischer, schlagzäher Kunststoff
(6) Schicht aus CLF auf CsI

(2) Dow Chem. Co., Midland, Mich.
(3) poly(styrene-co-maleic anhydride) with rubber components
(4) cloudy, colorless granules
(5) thermoplastic, impact-resistant resin
(6) film from CLF on CsI

112122112 C_9H_{10} *P* 1988

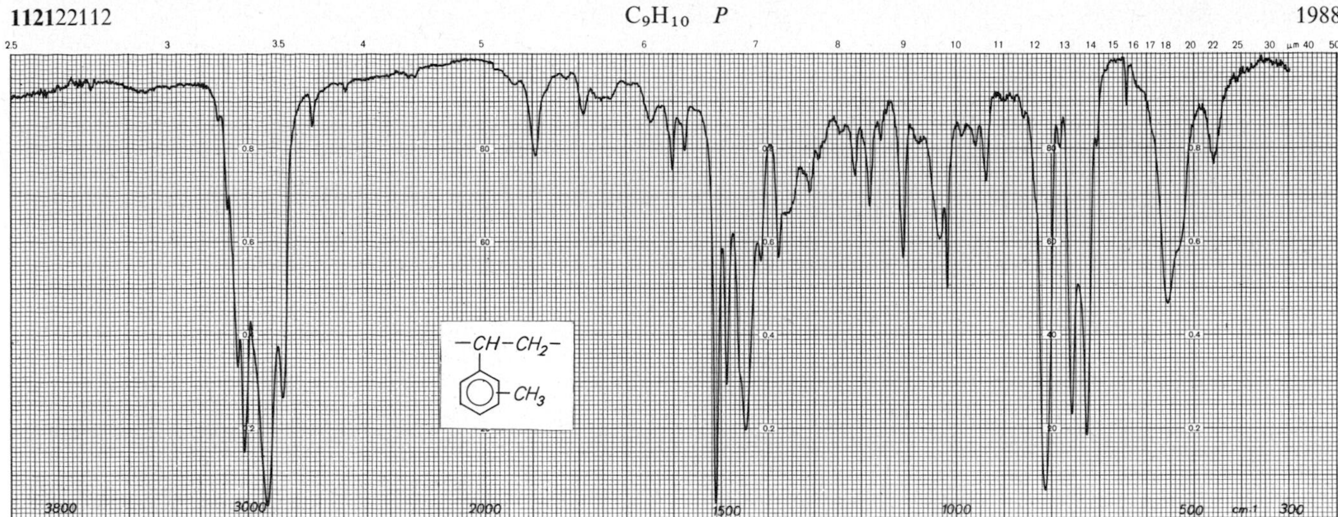

(1) **PDL 2-400 Polymethylstyrol, Poly(vinyltoluol)** (Probe von 1955)
(2) American Cyanamid, Bound Brook, N.J.
(3) 33% o-, 2% m-, 65% p-Isomere
(4) glasklarer Kunststoff
(6) Schicht aus MTC auf CsI
(7) PE 580 B, ABEX 2.02

(1) **PDL 2-400, polymethylstyrene, polyvinyltoluene** (sample from 1955)
(3) 33% o-, 2% m- and 65% p-isomers
(4) crystal clear resin
(6) film from MTC on CsI
(7) PE 580 B, ABEX 2.02

11(**2**122112 − **3**22151) $C_9H_{10}-C_3H_3N$ *P* 1989

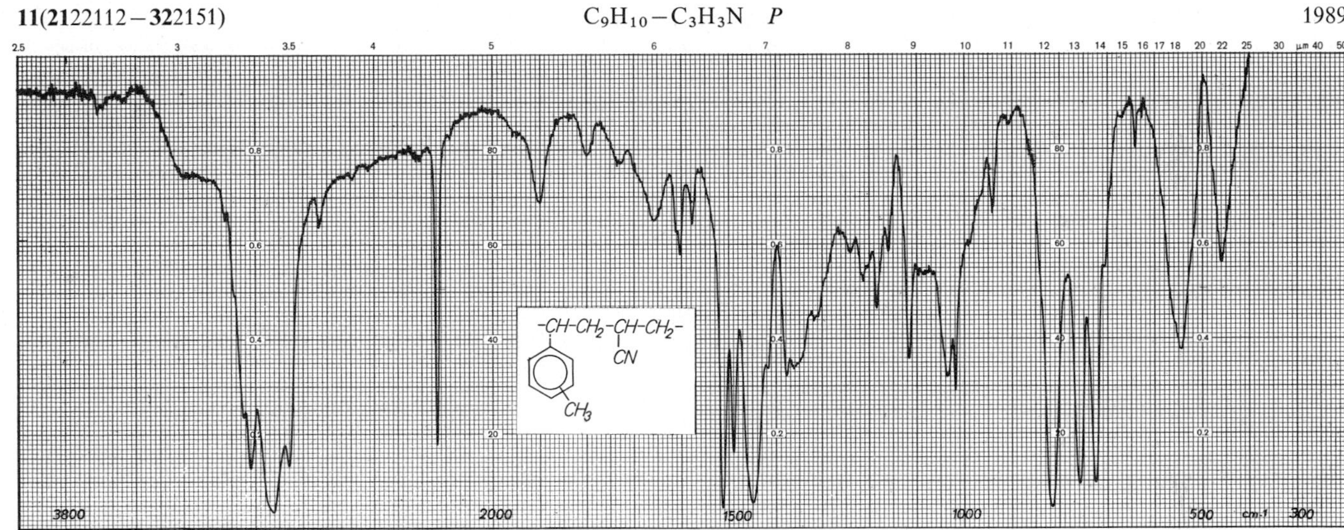

(1) **Cymac 201** (Probe von 1955)
(3) Poly(vinyltoluol-co-acrylnitril)
(4) glasklarer Kunststoff
(6) KBr (2.5/400), H_2O subtrahiert
(7) PE 580 B, SMOOTH 2, ABEX 2,03

(2) American Cyanamid, Bound Brook, N.J.
(3) poly(vinyltoluene-co-acrylonitrile)
(4) crystal clear resin
(6) KBr (2.5/400), H_2O subtracted
(7) PE 580 B, SMOOTH 2, ABEX 2.03

112122131 C_9H_{10} *P* 1990

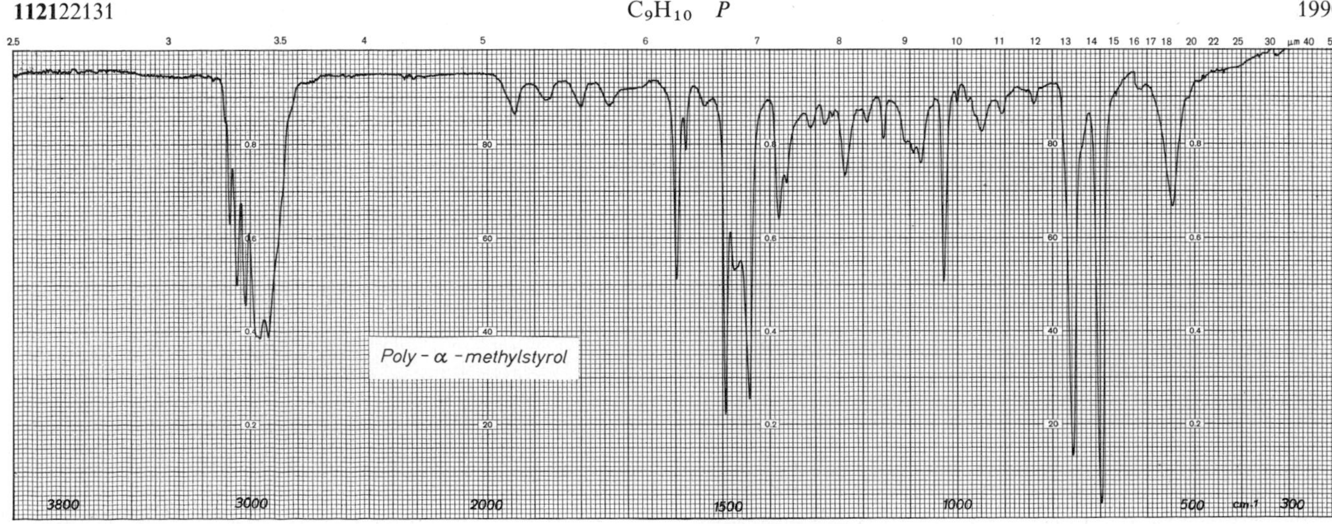

(1) **Poly(α-methylstyrol)**
(2) Amoco Chem. Corp., New York, N.Y.
(4) farblose Perlen
(5) thermoplastischer Kunststoff
(6) Schicht aus MTC auf CsI
(7) PE 580 B, ABEX 1.55

(1) **poly(α-methylstyrene)**
(4) colorless pearls
(5) thermoplastic resin
(6) film from MTC on CsI
(7) PE 580 B, ABEX 1.55

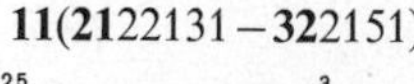
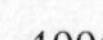

11(**2**122131 – **32**2151) $C_9H_{10}-C_8H_8-C_3H_3N$ *P* 1991

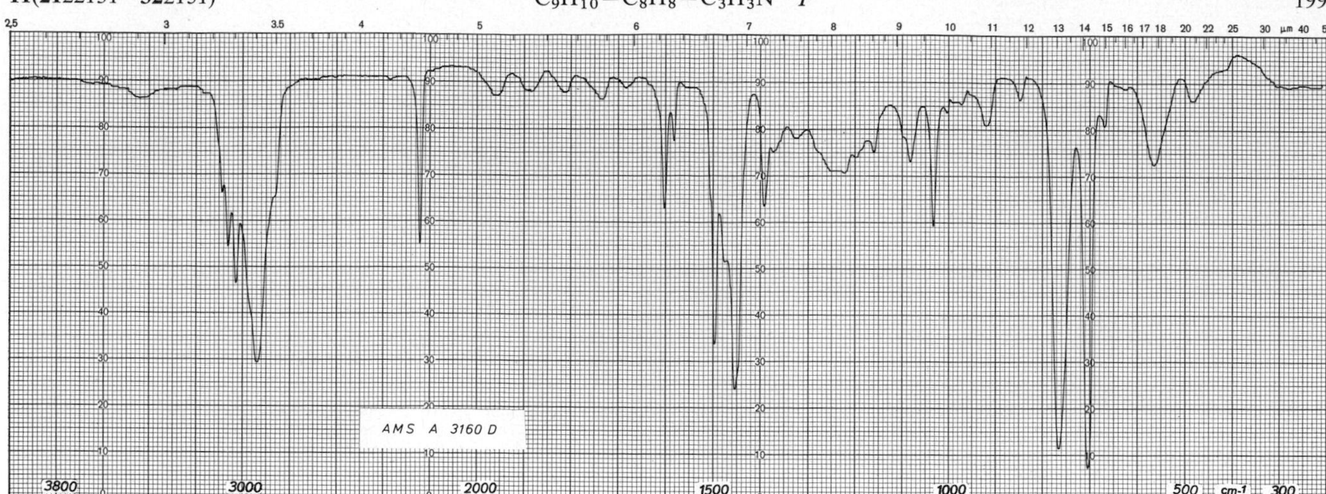

(1) **Versuchsprodukt AMS A 3160 D**
(3) Poly(α-methylstyrol-co-styrol-co-acrylnitril)
(2) Bayer AG, Leverkusen
(4) weißes Pulver
(5) thermoplastischer, wärmeformbeständiger Kunststoff
(6) Schicht aus CLF auf CsI

(1) Research product AMS A 3160 D
(3) poly(α-methylstyrene-co-styrene-co-acrylonitrile)
(4) white powder
(5) thermoplastic resin, dimensionally stable when hot
(6) film from CLF on CsI

11221111 C_2F_4 *P* 1992

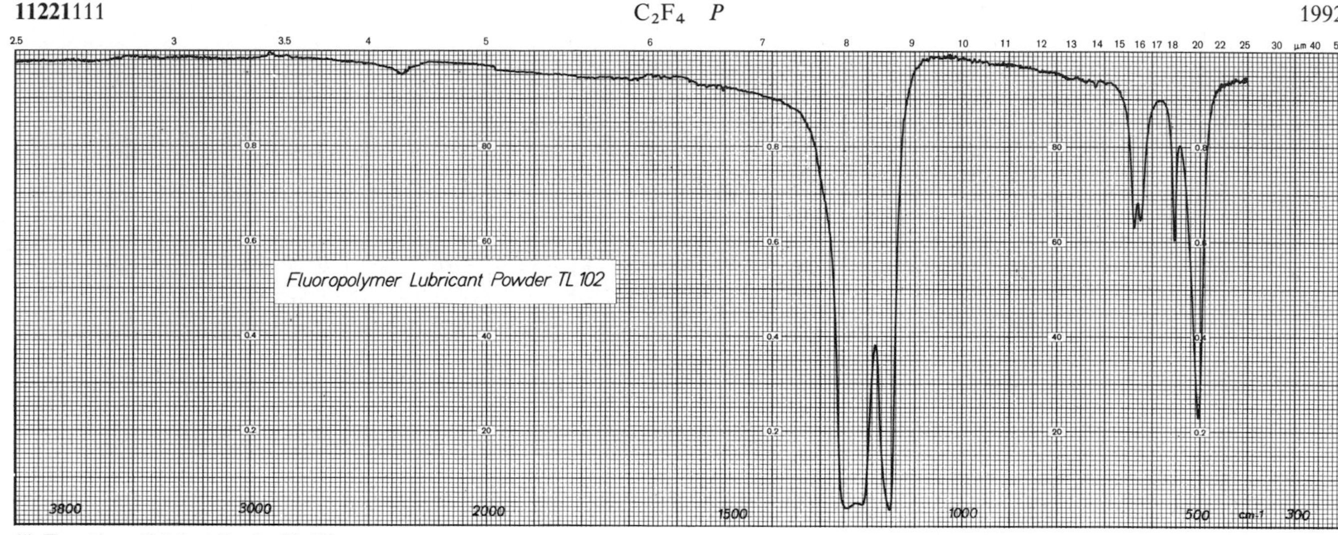

(1) **Fluorpolymer Lubricant Powder TL 102**
(3) Oligo(tetrafluorethylen)
(4) feines, weißes Pulver
(5) dispergierbares Schmiermittel
(6) KBr (0.8/300)
(7) PE 580 B, FLAT, ABEX 1.11; Absorptionen des H_2O abgezogen

(2) LNP Plastics, NL-Raamsdonksveer
(3) oligotetrafluoroethylene
(4) fine, white powder
(5) dispersible lubricant
(6) KBr (0.8/300)
(7) PE 580 B, FLAT, ABEX 1.11; H_2O absorptions subtracted

11221111 C_2F_4 *P* 1993

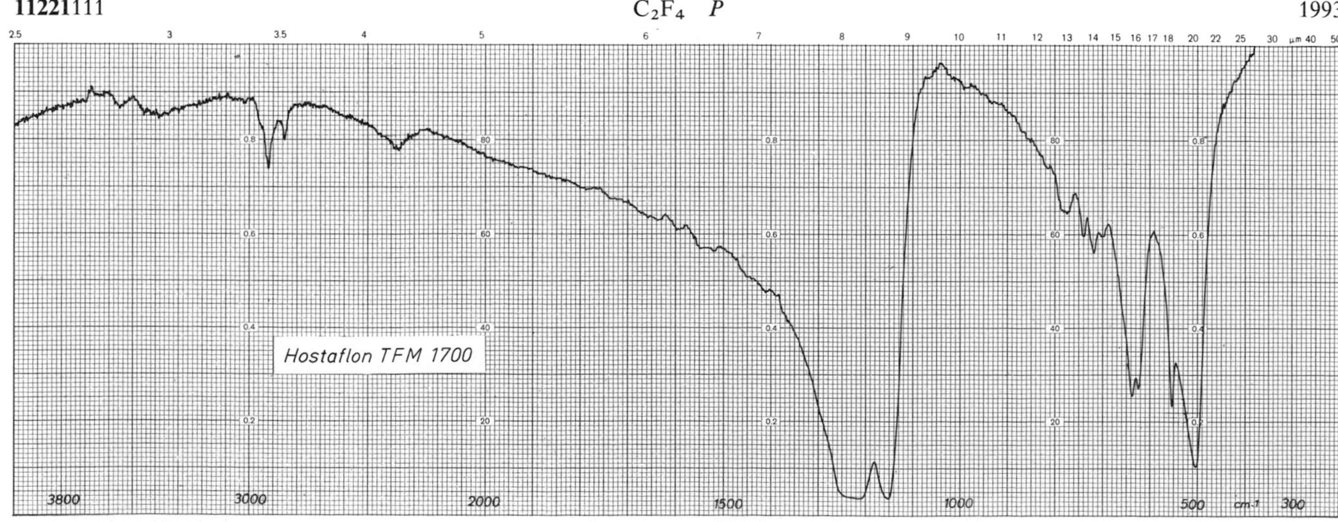

(1) **Hostaflon TFM 1700**
(3) poly(tetrafluorethylen)
(4) milchige Folie
(5) thermostabiles und chemisch resistentes Material
(6) KBr (2/350), Schwingmühle bei 80 K
(7) PE 580 B, FLAT, ABEX 2.0, SMOOTH 1; adsorbiertes H_2H subtrahiert

(2) Hoechst AG, Frankfurt/M.-Höchst
(3) polytetrafluoroethylene
(4) milky film
(5) thermally stable and chemically resistant material
(6) KBr (2/350), ball mill at 80 K
(7) PE 580 B, FLAT, ABEX 2.0, SMOOTH 1; adsorbed H_2O subtracted

11221111 C_2F_4 *P* 1994

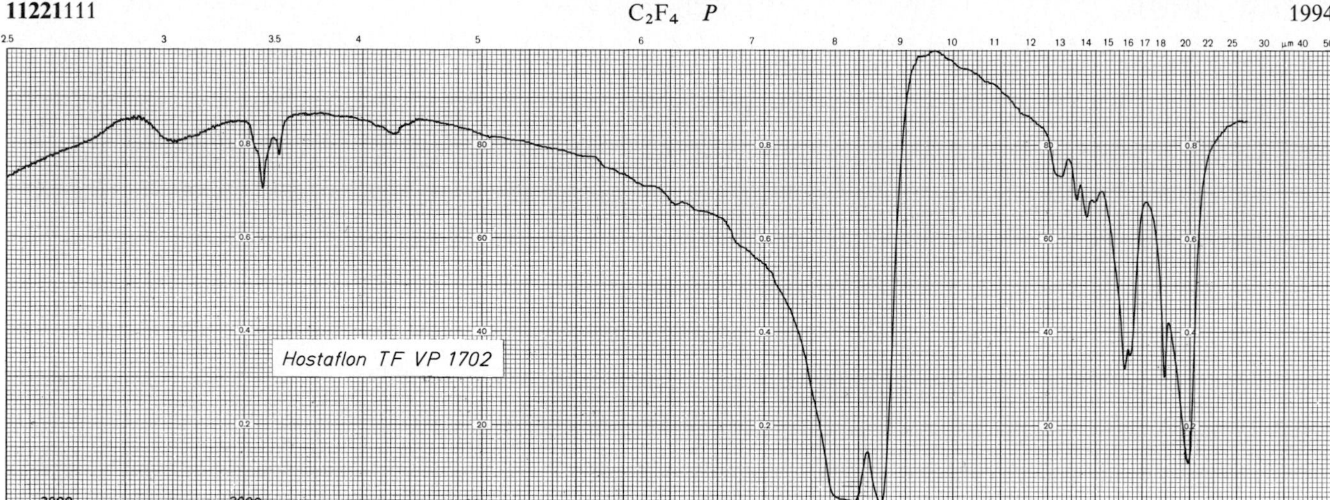

(1) **Hostaflon TF VP 1702**
(3) Poly(tetrafluorethylen)
(4) milchige Folie
(5) thermostabiles und chemisch resistentes Material
(6) KBr (2,5/350), Schwingmühle bei 80 K
(7) PE 580 B, FLAT, ABEX 1,19, SMOOTH 1; adsorbiertes H_2O subtrahiert

(2) Hoechst AG, Frankfurt/M.-Höchst
(3) polytetrafluoroethylene
(4) milky film
(5) thermally stable and chemically resistant material
(6) KBr (2.5/350), ball mill at 80 K
(7) PE 580 B, FLAT, ABEX 1.19, SMOOTH 1; adsorbed H_2O subtracted

11221(111 – 112) $C_2F_4-C_3F_6$ *P* 1995

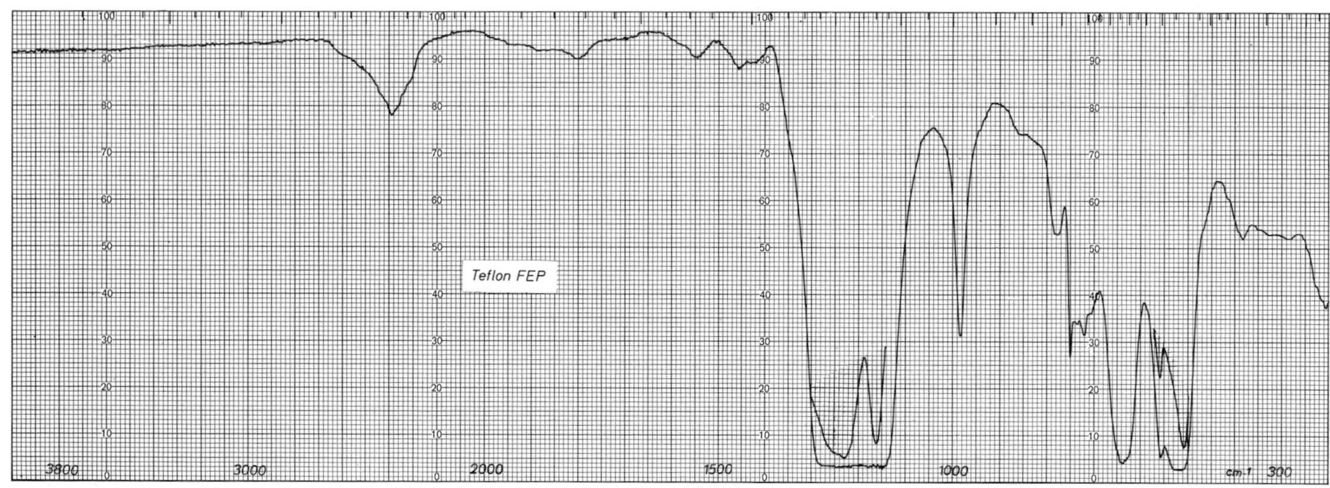

(1) **Teflon FEP**
(3) Poly(tetrafluorethylen-co-hexafluorpropylen) (kleiner Anteil an HFP-Einheiten)
(4) farbloses, milchig getrübtes Granulat
(5) chemisch und thermisch resistentes Material
(6) Schmelzfilm (70 µm), KBr (1300...1150 cm^{-1})

(2) DuPont, Wilmington, Dela.
(3) poly(tetrafluoroethylene-co-hexafluoropropylene (low proportion of HFP units)
(4) colorless, milky granules
(5) chemically and thermally resistant material
(6) film from the melt (70 µm), KBr (1300...1150 cm^{-1})

11(**221**111 – **21**111) $C_2F_4-C_2H_4$ *P* 1996

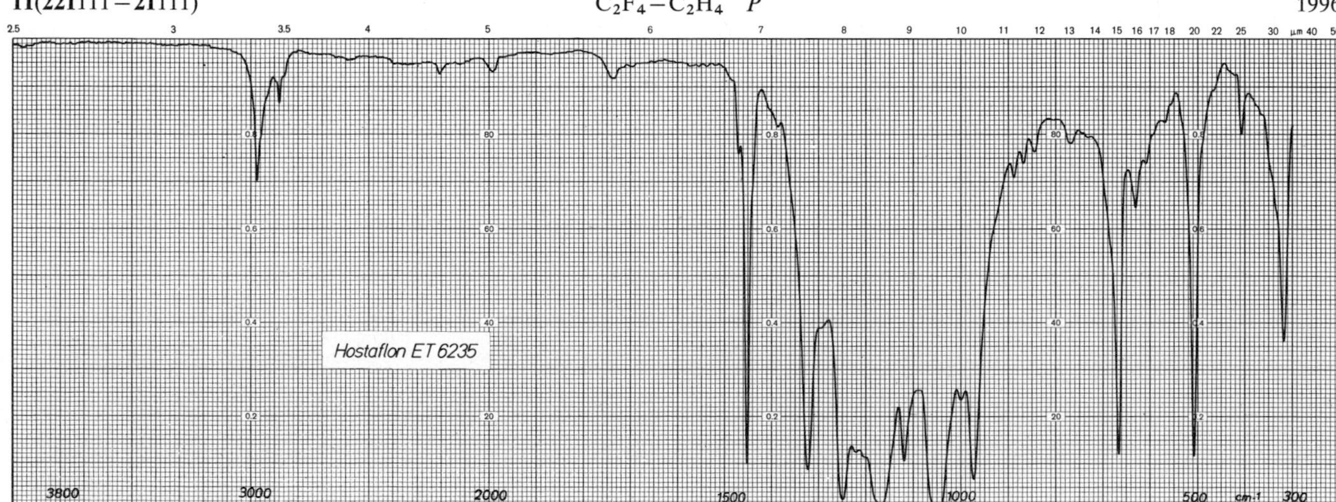

(1) **Hostaflon ET 6235**
(3) Poly(tetrafluorethylen-alt-ethylen)
(4) farbloses, trübes Granulat
(5) thermoplastischer Kunststoff für Kabelisolationen und Folien
(6) Schmelzfilm (20 µm)
(7) PE 580 B, SMOOTH 2

(2) Hoechst AG, Werk Gendorf, Obb.
(3) poly(tetrafluoroethylene-alt-ethylene)
(4) colorless, cloudy granules
(5) thermoplastic resin for cable insulation and foils
(6) film from the melt (20 µm)
(7) PE 580 B, SMOOTH 2

11(221111 − **21**11211) $C_2F_4-C_3H_6$ *P* 1997

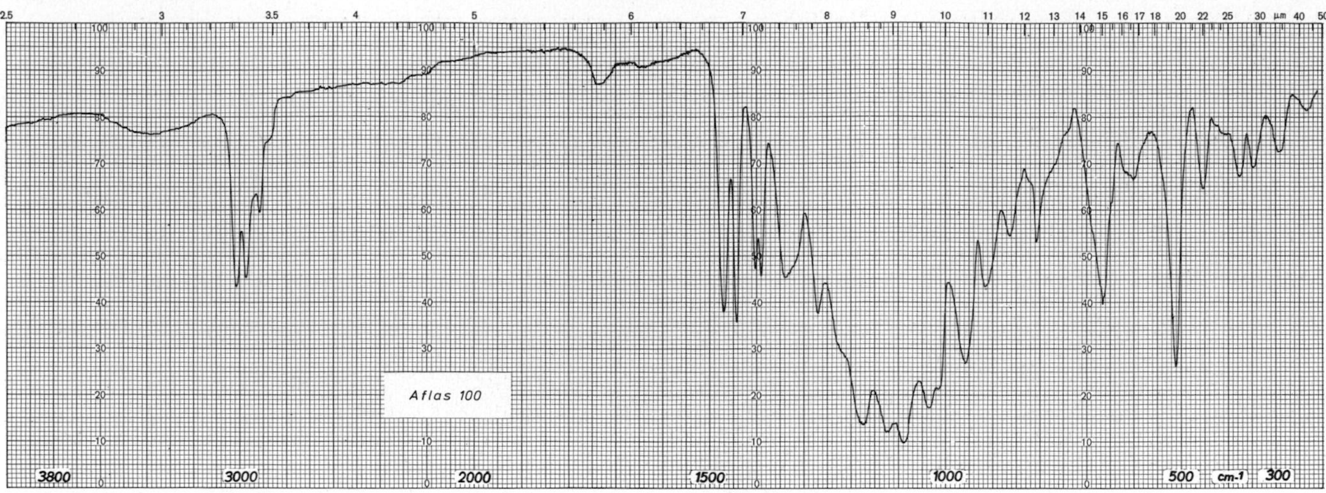

(1) **Aflas 100**
(3) Poly(tetrafluorethylen-alt-propylen)
(4) weißes, schaumiges Elastomer
(6) Schicht aus THF auf CsI
(7) etwa 55 mol% TFE, M ≈ 180 kg mol^{-1}

(2) Asahi Glass Inc., Tokyo (by K. Ishigure, Dept. of Nuclear Engineering, Univ. of Tokyo)
(3) poly(tetrafluoroethylene-alt-propylene)
(4) white, foamy elastomer
(6) film from THF on CsI
(7) approx. 55 mol% TFE, M ≈ 180 kg mol^{-1}

112211(1 − 2) − **353**131211 $C_2F_4-C_4F_6O-C_3F_6$ *P*  1998

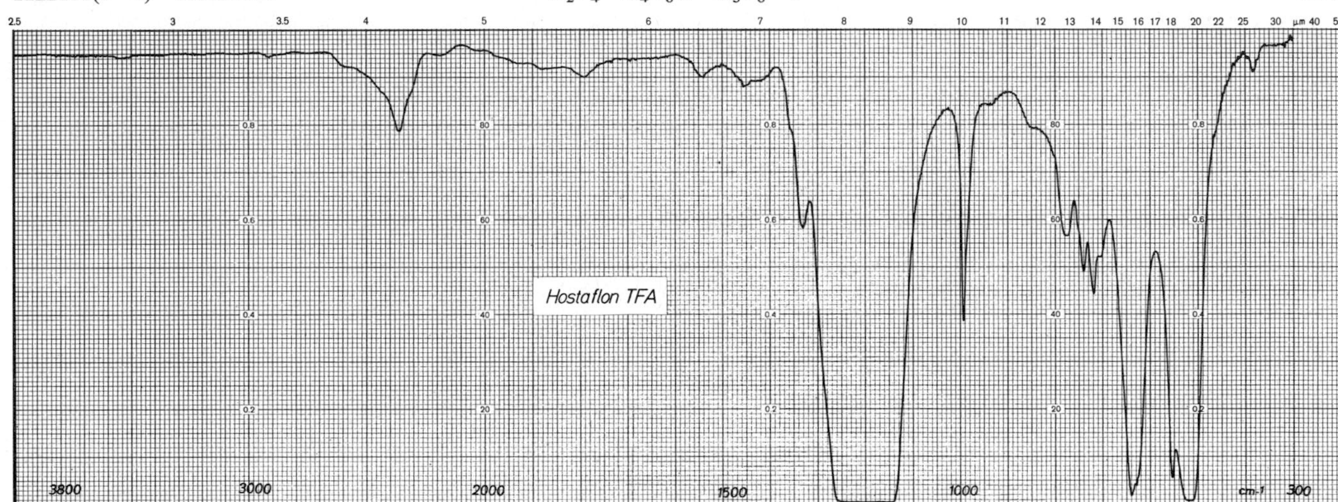

(1) **Hostaflon TFA**
(3) Poly(tetrafluorethylen-co-perfluorpropylen-co-perfluorvinylether), 95 : 2 : 3 Gew.%
(4) transparenter, farbloser Film
(5) chemisch und thermisch beständiges Material
(6) freitragender Film (20 µm)
(7) PE 580 B, FLAT

(2) Hoechst AG, Frankfurt/M.-Höchst
(3) poly(tetrafluoroethylene-co-perfluoropropylene-co-perfluorovinyl ether), 92 : 2 : 3% by wt.
(4) transparent, colorless film
(5) chemically and thermally stable material
(6) freestanding film (20 µm)
(7) PE 580 B, FLAT

11221111 − **115131** $C_2F_4-C_7HF_{13}O_5S$ *P* 1999

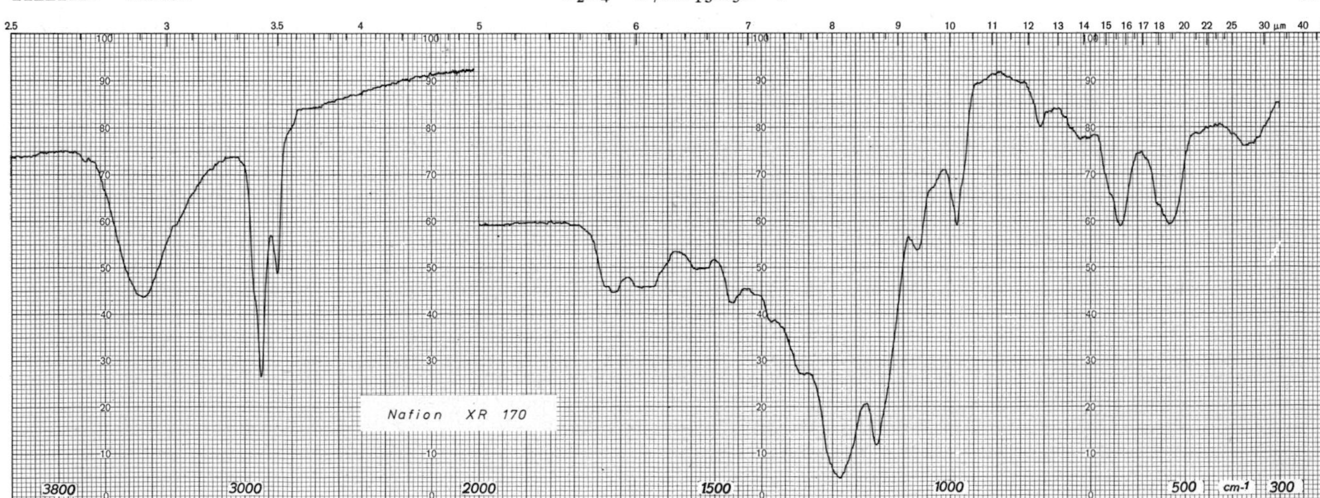

(1) **Nafion XR 170**
(3) $-(C_2F_4)_m-(CF-CF_2)_n-$ with $O-CF_2-CF(CF_3)-OC_2F_4-SO_3H$ side chain — Poly(tetrafluorethylen-co-perfluorsulfonsäure)
(4) leicht bräunlicher, opaker Film
(5) Ionenaustauschermembran und Separator für elektrochemische Prozesse
(6) feingeschabter Film mit KBr in flüssigem N_2 gemahlen und gepreßt

(2) Du Pont, Wilmington, Dela.
(3) $-(C_2F_4)_m-(CF-CF_2)_n-$ with $O-CF_2-CF(CF_3)-OC_2F_4-SO_3H$ side chain — poly(tetrafluoroethylene-co-perfluorosulfonic acid)
(4) light brownish, opaque film
(5) ion-exchange membrane and separator for electrochemical processes
(6) finely shaved film milled in liquid N_2 with KBr, then pressed

113111111 C_2H_3F *P* 2000

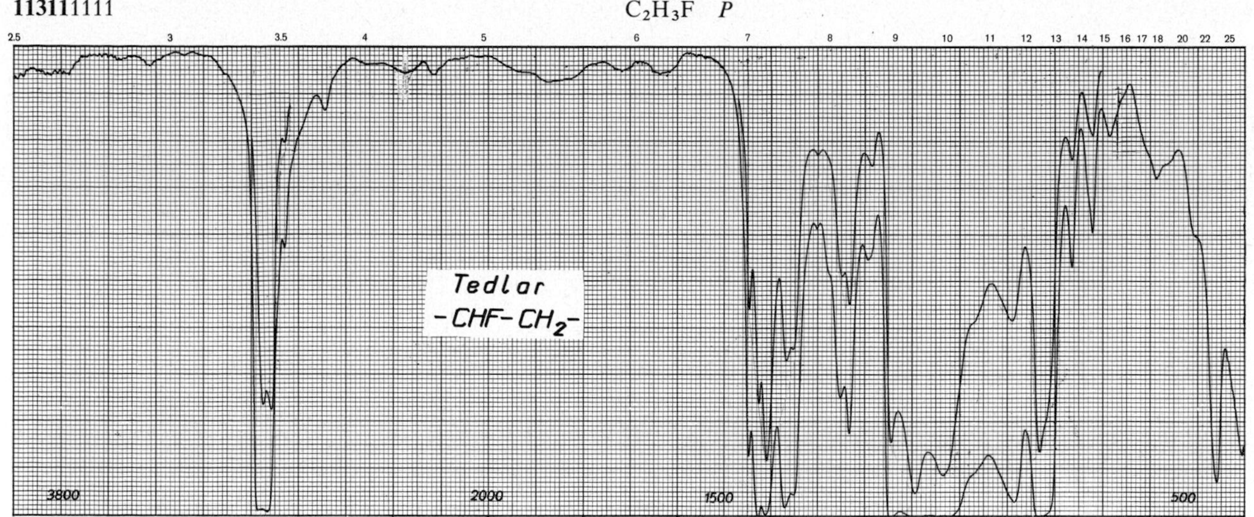

(1) **Tedlar**
(3) Poly(vinylfluorid), Poly(1-fluorethylen)
(4) farblose Folie
(5) thermoplastisches, wärme- und chemikalienbeständiges Material
(6) freitragende Folie, dünner Film
(7) Nicolet MX 1

(2) Du Pont, Wilmington, Dela.
(3) poly(vinyl fluoride), poly-1-fluoroethylene
(4) colorless film
(5) thermoplastic, heat and chemical-resistant material
(6) freestanding film, thin film
(7) Nicolet MX 1

113111111 C_2H_3F *P* 2001

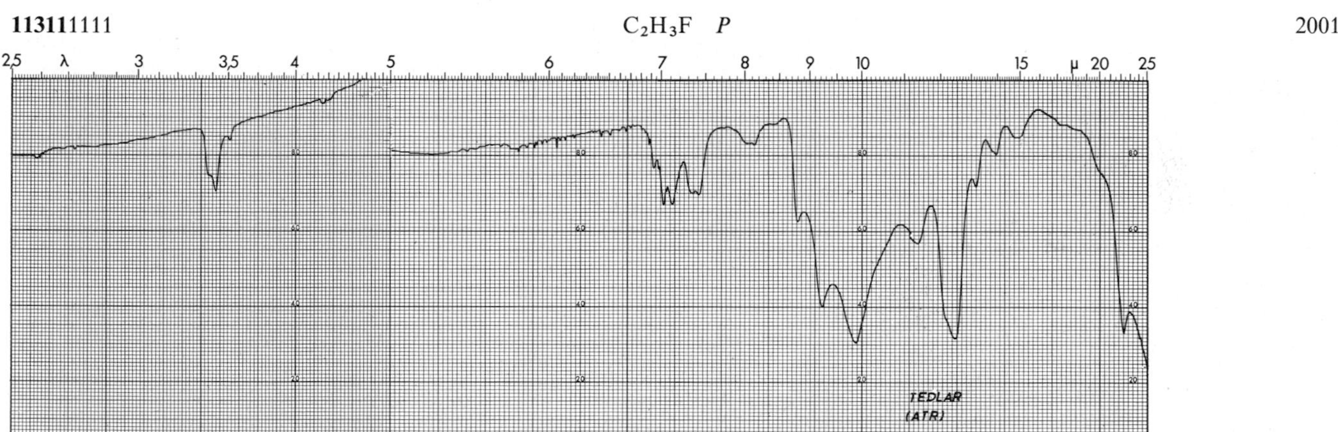

(1) **Tedlar**
(3) Poly(vinylfluorid)
(4) farblose, glasklare Folie
(5) chemisch resistente Folie
(6) ATR (KRS-5)
(7) PE 125, relative Intensitäten und Bandenlagen gegenüber dem Transmissionsspektrum verschoben

(2) Pennwalt Co., Fluorochemicals Div., Philadelphia, Pa.
(3) poly(vinyl fluoride)
(4) colorless, crystal clear film
(5) chemically resistant film
(6) ATR (KRS-5)
(7) PE 125, relative intensities and band positions displaced relative to the transmission spectrum

113111112 $C_2H_2F_2$ *P* 2002

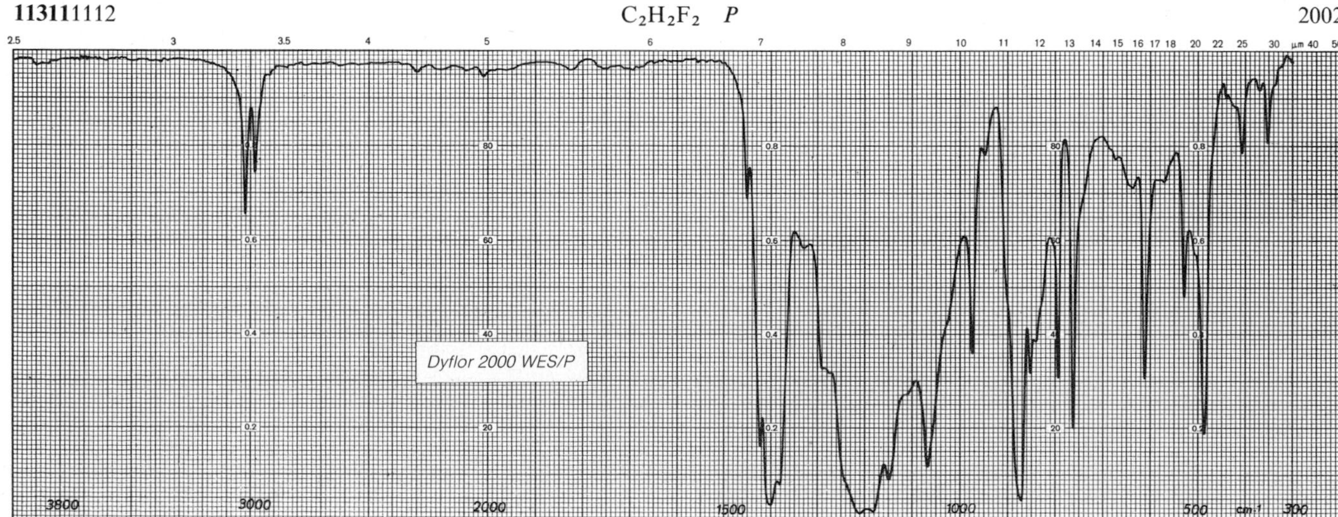

(1) **Dyflor 2000 WES/P**
(3) Poly(vinylidenfluorid)
(4) hellgrünes, feines Pulver
(5) für chemikalienbeständige Pulverbeschichtungen (Chemieanlagen- und -apparatebau)
(6) Schmelzfilm (etwa 22 µm)
(7) PE 580 B, FLAT, SMOOTH 2

(2) Dynamit Nobel AG, Troisdorf
(3) poly(vinylidene fluoride)
(4) fine, pale green powder
(5) for chemically resistant powder coatings (chemical plant and apparatus)
(6) film from the melt (ca. 22 µm)
(7) PE 580 B, FLAT, SMOOTH 2

113111112 $C_2H_2F_2$ *P* 2003

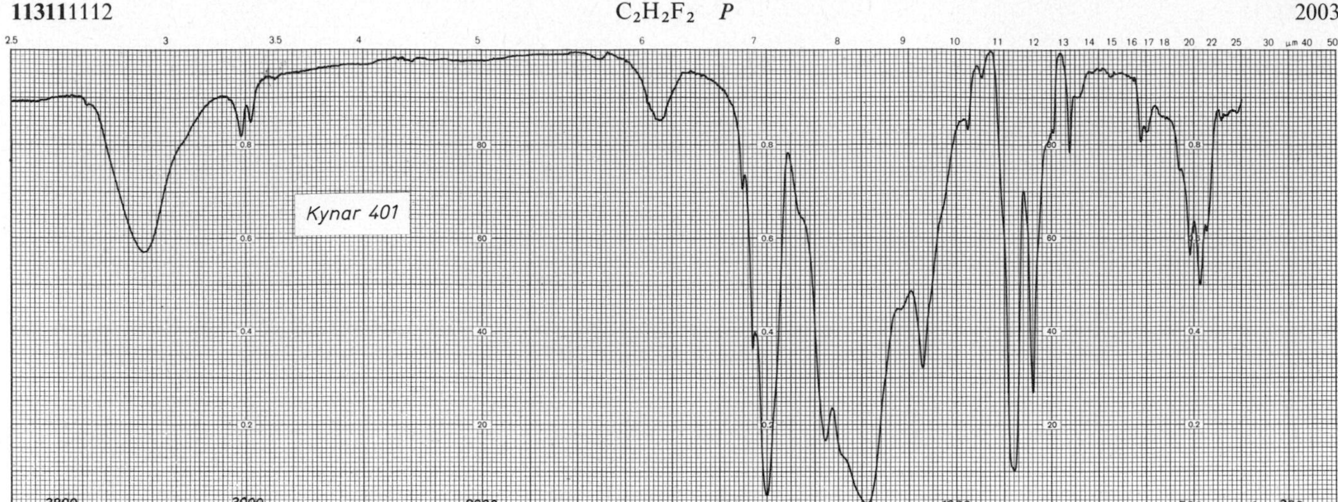

(1) **Kynar 401** (Produkt von 1966)
(3) Poly(vinylidenfluorid)
(4) weißes Pulver
(5) zur Herstellung von chemisch beständigen Folien
(6) KBr (1.3/350)
(7) PE 580 B, ABEX 1.41

(2) Pennsalt Chem. Corp., Philadelphia, Pa.
(3) poly(vinylidene fluoride)
(4) white powder
(5) for the manufacture of chemically resistant films
(69 KBr (1.3/350)
(7) PE 580 B, ABEX 1.41

113111112 $C_2H_2F_2$ *P* 2004

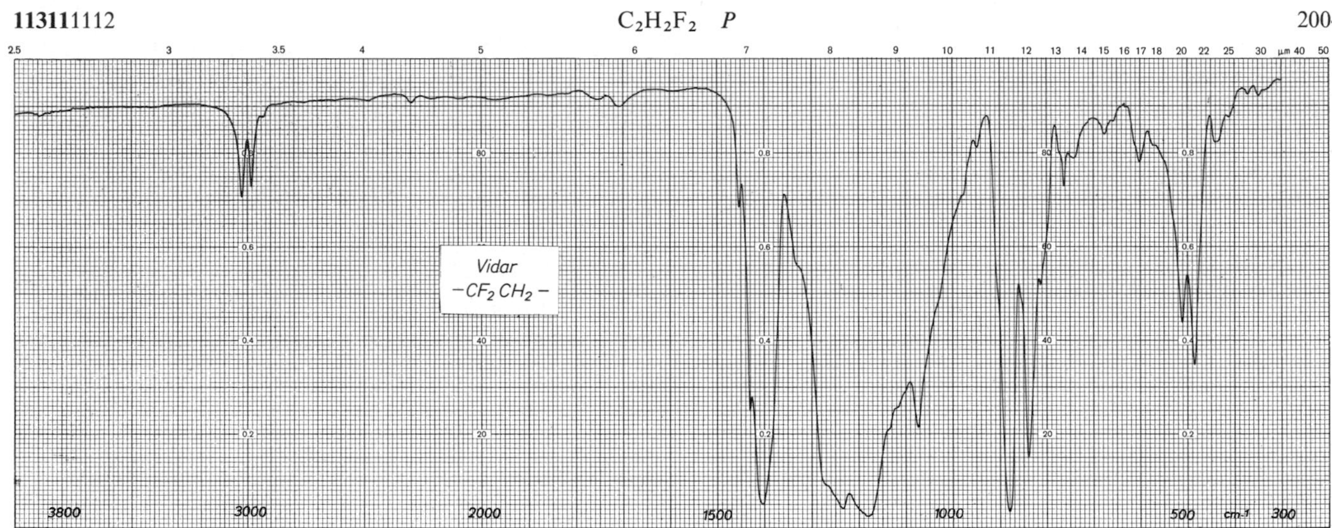

(1) **Vidar**
(3) Poly(vinylidenfluorid), Poly(1,1-difluorethylen)
(4) leichtes, weißes Pulver
(5) thermoplastischer, chemisch und thermisch beständiger Kunststoff
(6) Schicht aus BTN auf CsI, i.V. getrocknet
(7) PE 580 B

(2) Süddeutsche Kalkstickstoff-Werke, Trostberg
(3) poly(vinylidene fluoride), poly(1,1-difluoroethylene)
(4) light, white powder
(5) chemically and thermally resistant, thermoplastic resin
(6) film from BTN on CsI, dried in vacuo
(7) PE 580 B

113111112 $C_2H_2F_2-C_2HF_3$ *P* 2005

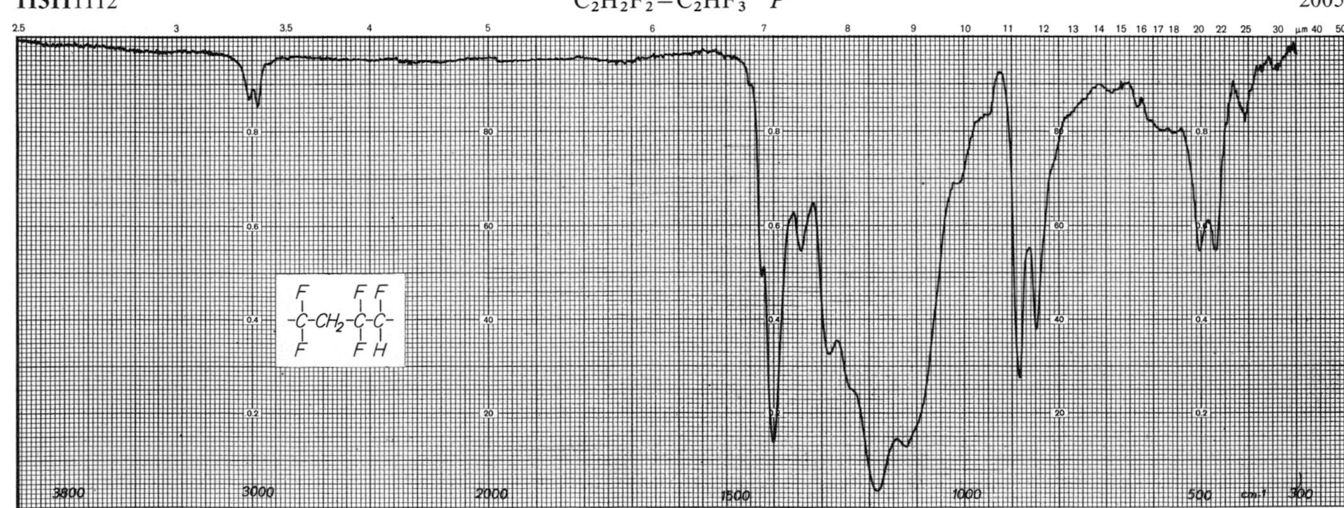

(1) **Poly(vinylidenfluorid-co-trifluorethylen), 52.8 mol% VDF**
(2) Daikin Kogyo Co., Osaka
(4) farbloser, glasklarer Film
(5) chemisch und thermisch beständiges, thermoplastisches Material
(6) Schmelzfilm (ca. 15 μm)
(7) PE 580 B, ABEX 1.38

(1) **poly(vinylidene fluoride-co-trifluoroethylene), 52.8 mol% VDF**
(4) colorless, crystal clear film
(5) chemically and thermally resistant, thermoplastic material
(6) film from the melt (ca. 15 μm)
(7) PE 580 B, ABEX 1.38

113121111 C_2H_3Cl *P* 2006

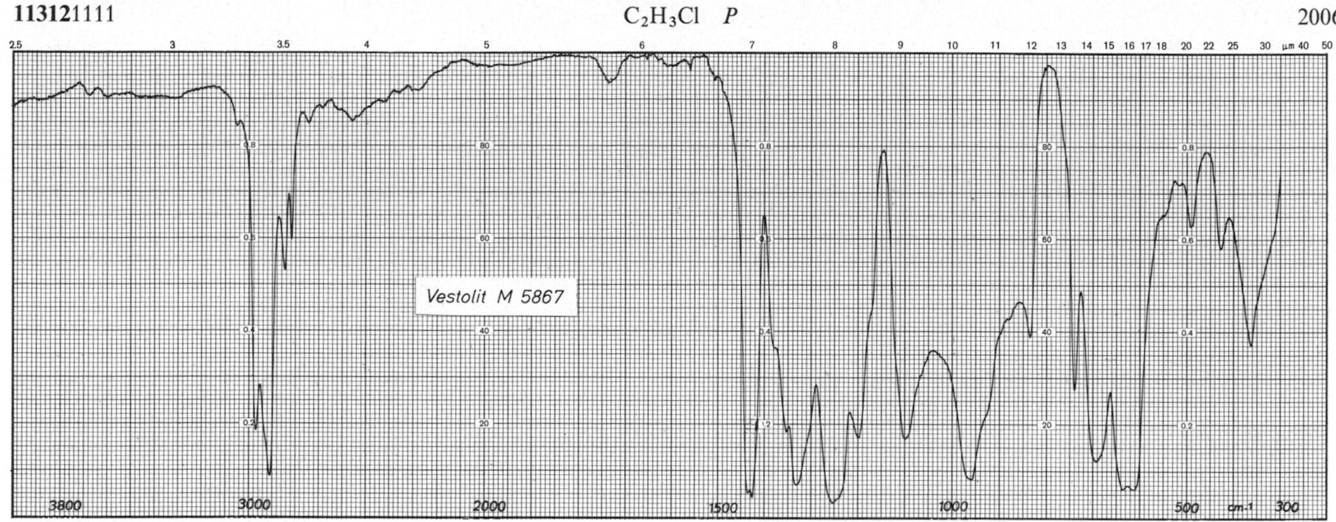

(1) **Vestolit M 5867**
(3) Polyvinylchlorid, in Masse polymerisiert
(4) weißes Pulver
(5) zur Hartverarbeitung, insbesondere für brillante, hochtransparente Hartfolien
(6) trübe Schicht aus MTC (Gel) auf CsI
(7) PE 580 B, ABEX; 740 cm^{-1}: CH_2Cl_2

(2) Chemische Werke Hüls, Marl
(3) polyvinyl chloride, bulk polymerized
(4) white powder
(5) for rigid products, particularly for brilliant, highly transparent, rigid films
(6) cloudy film from MTC (gel) on CsI
(7) PE 580 B, ABEX; 740 cm^{-1}: CH_2Cl_2

113121111 C_2H_3Cl *P* 2007

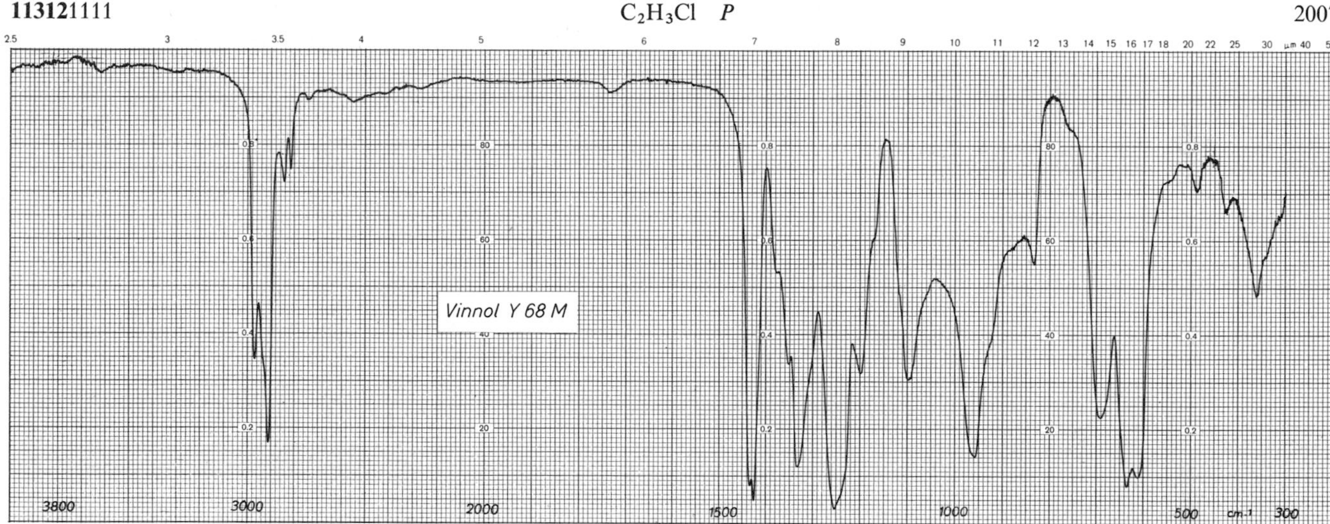

(1) **Vinnol Y 68 M**
(3) Polyvinylchlorid, in Masse polymerisiert
(4) weißes Pulver
(5) thermoplastischer Kunststoff für Folien und Spritzgußmassen
(6) getrocknete Schicht aus THF auf CsI (3 Wochen bei 80 °C i.V. getrocknet)
(7) PE 580 B, ABEX 1.61

(2) Wacker Chemie GmbH, München
(3) polyvinyl chloride, bulk polymerized
(4) white powder
(5) thermoplastic resin for films and injection mouldings
(6) dried film from THF on CsI (dried at 80 °C in vacuo for 3 weeks)
(7) PE 580 B, ABEX 1.61

113121111 C_2H_3Cl *P* 2008

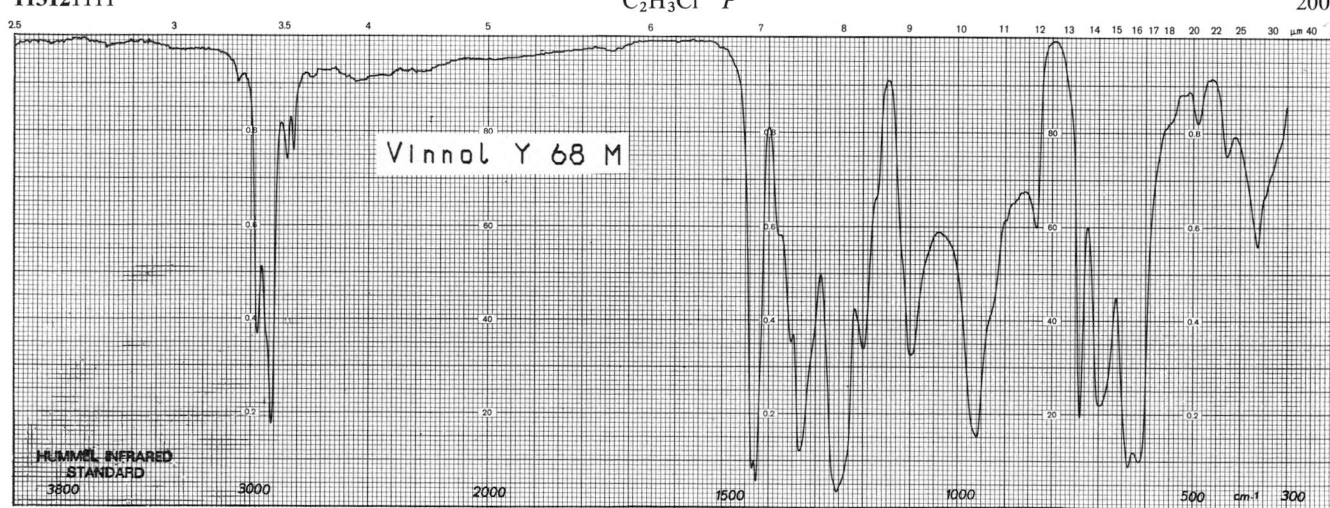

(1) **Vinnol Y 68 M**
(3) Polyvinylchlorid, in Masse polymerisiert
(4) weißes Pulver
(5) Massepolymerisat für glasklare Fertigartikel, zum Kalandrieren und Extrudieren von Hartfolien, zum Extrusionsblasen von Hohlkörpern (Lebensmittelverpackung)
(6) Schicht aus MTC auf CsI
(7) PE 580 B, ABEX 1.90
(8) Bande bei 739 cm^{-1}: MTC

(2) Dynamit Nobel AG, Troisdorf/Wacker Chemie, München
(3) thermoplastic resin based on polyvinyl chloride
(4) white powder
(5) bulk polymer for crystal clear products, for calendering extrusion of rigid films, blow moulding of hollowware (for food packaging)
(6) film from MTC on CsI
(7) PE 580 B, ABEX 1.90
(8) band at 739 cm^{-1}: MTC

113121111 C_2H_3Cl *P* 2009

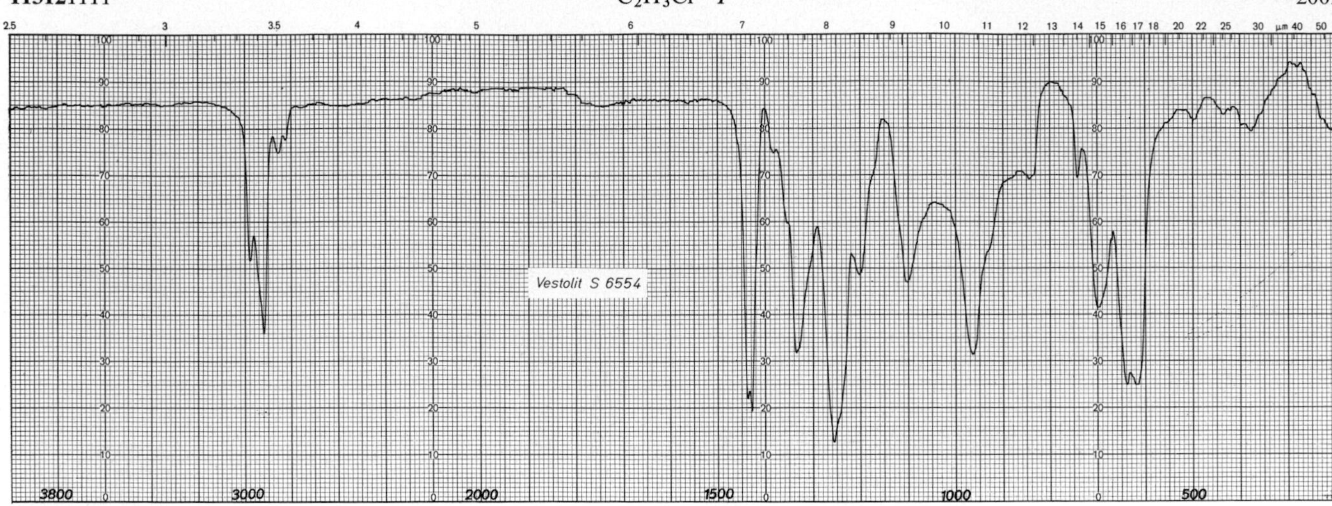

(1) **Vestolit S 6554**	(2) Chemische Werke Hüls, Marl
(3) Polyvinylchlorid, Suspensionspolymerisat	(3) polyvinyl chloride, suspension polymer
(4) weißes Pulver	(4) white powder
(5) für glasklare Formteile	(5) for crystal clear, moulded components
(6) trübe Schicht aus MTC (Gel) auf CsI	(6) cloudy film from MTC (gel) on CsI
(7) 741 cm^{-1}: CH_2Cl_2	(7) 741 cm^{-1}: CH_2Cl_2

113121111 C_2H_3Cl *P* 2010

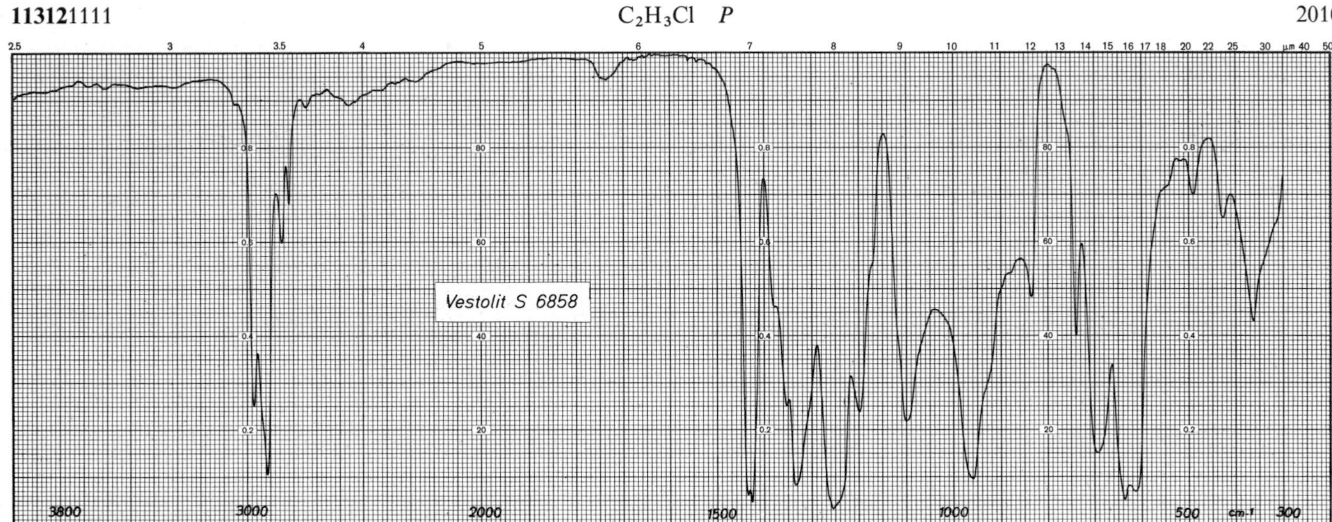

(1) **Vestolit S 6858**	(2) Chemische Werke Hüls, Marl
(3) Polyvinylchlorid, Suspensionspolymerisat	(3) polyvinyl chloride, suspension polymer
(4) weißes Pulver	(4) white powder
(5) für glasklare Formteile	(5) for crystal clear, moulded components
(6) trübe Schicht aus MTC (Gel) auf CsI	(6) cloudy film from MTC (gel) on CsI
(7) PE 580 B, ABEX; 740 cm^{-1}: CH_2Cl_2	(7) PE 580 B, ABEX; 740 cm^{-1}: CH_2Cl_2

113121111 C_2H_3Cl *P* 2011

(1) **Vestolit S 7041**	(2) Chemische Werke Hüls, Marl
(3) Polyvinylchlorid, Suspensionspolymerisat	(3) polyvinyl chloride, suspension polymer
(4) weißes Pulver	(4) white powder
(5) thermoplastischer Kunststoff	(5) thermoplastic resin
(6) mit KBr und MTC verrieben, i.V. bei 90 °C getrocknet (2 d) und gepreßt	(6) triturated with KBr and MTC, dried in vacuo at 90 °C (2 d) and pressed
(7) PE 580 B, ABEX 1.5	(7) PE 580 B, ABEX 1.5

113121111 C_2H_3Cl *P* 2012

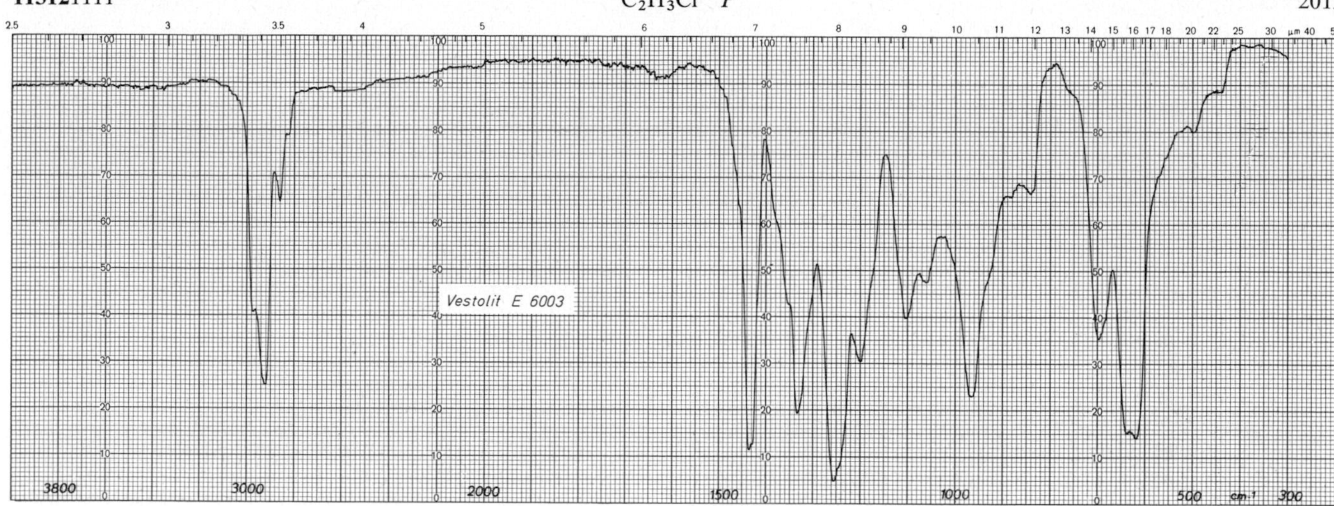

(1) **Vestolit E 6003**
(3) Polyvinylchlorid, Emulsionspolymerisat
(4) weißes, leichtes Pulver
(5) für die Hartverarbeitung zur Herstellung opaker und pigmentierter Folien
(6) Schicht aus MTC auf CsI

(2) Chemische Werke Hüls AG, Marl
(3) polyvinyl chloride, emulsion polymer
(4) light, white powder
(5) for the manufacture of opaque and pigmented, rigid films
(6) film from MTC on CsI

113121111 C_2H_3Cl *P* 2013

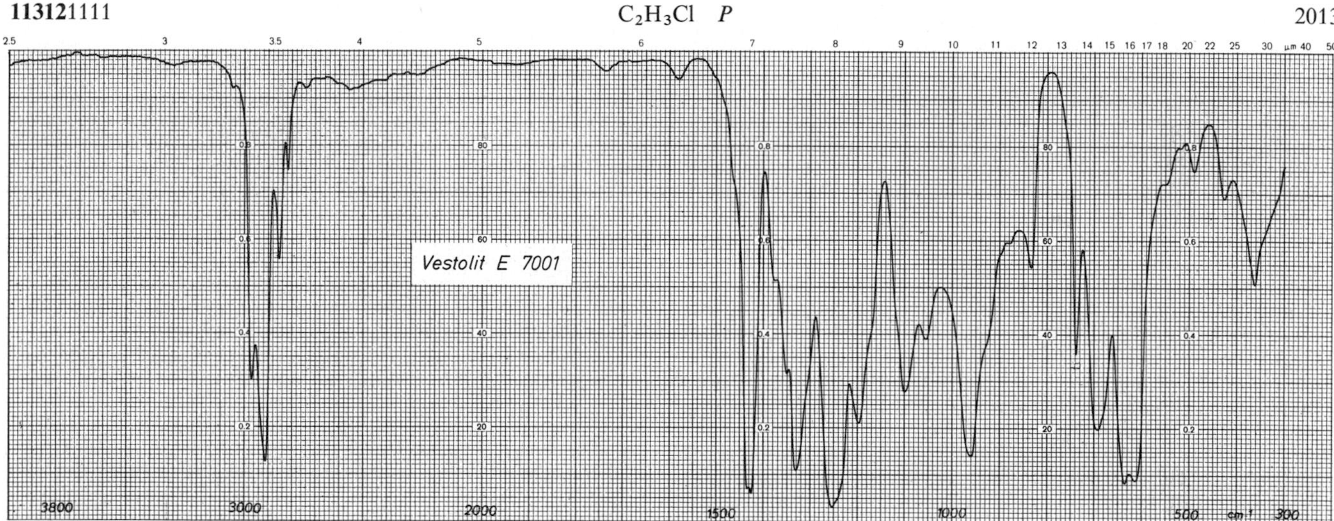

(1) **Vestolit E 7001**
(3) Polyvinylchlorid, Emulsionspolymerisat
(4) weißes Pulver
(5) thermoplastischer Kunststoff
(6) in MTC gequollen, Schicht auf CsI; * (739 cm^{-1}): CH_2Cl_2
(7) PE 580 B, ABEX 1.72

(2) Chemische Werke Hüls AG, Marl
(3) polyvinyl chloride, emulsion polymer
(4) white powder
(5) thermoplastic resin
(6) swollen in MTC, film on CsI; * (739 cm^{-1}): CH_2Cl_2
(7) PE 580 B, ABEX 1.72

113121111 C_2H_3Cl *P* 2014

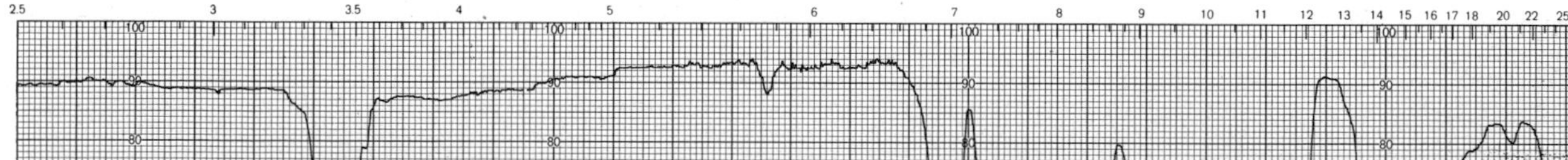
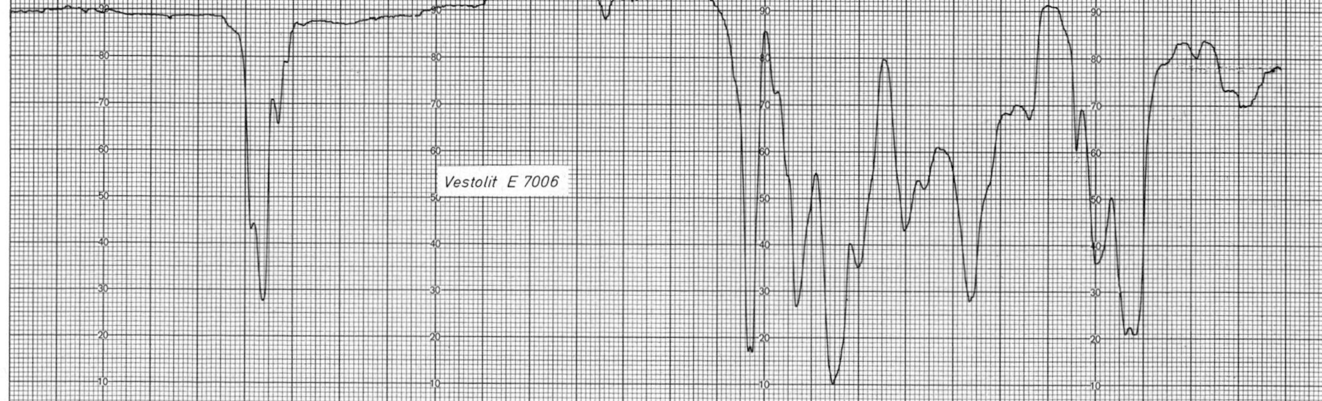

(1) **Vestolit E 7006**
(3) Polyvinylchlorid, Emulsionspolymerisat
(4) weißes, leichtes Pulver
(5) für die Weichverarbeitung, Spezialprodukt für die Herstellung von Akku-Separatoren nach dem Sinter-Verfahren
(6) Schicht aus MTC auf CsI; * (740 cm^{-1}): CH_2Cl_2

(2) Chemische Werke Hüls AG, Marl
(3) polyvinyl chloride, emulsion polymer
(4) light, white powder
(5) for soft processing, special product for manufacturing sintered accumulator separators
(6) film from MTC on CsI, * (740 cm^{-1}): CH_2Cl_2

113121111 C_2H_3Cl *P* 2015

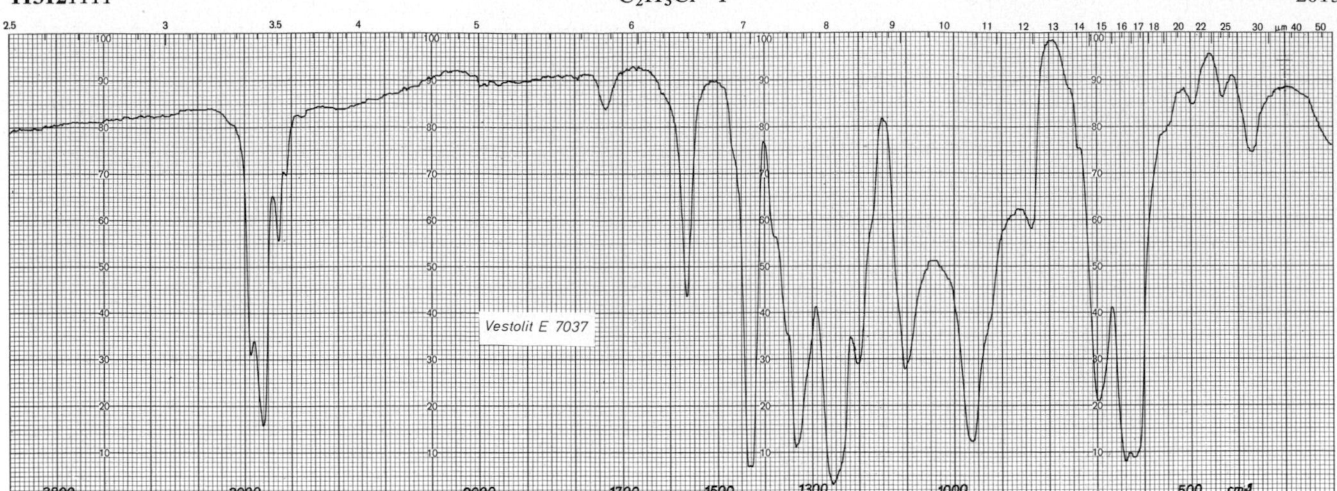

(1) **Vestolit E 7037**
(3) Polyvinylchlorid, Emulsionspolymerisat
(4) weißes Pulver
(5) emulgatorarmer Typ mit geringer Feuchtigkeitsaufnahme, für verarbeitungsfertige Pulvermischungen
(6) Film aus MTC (Gel) auf CsI

(2) Chemische Werke Hüls AG, Marl
(3) polyvinyl chloride, emulsion polymer
(4) white powder
(5) low emulsifier-type with low water uptake, for the production of ready-to-process powder mixtures
(6) film from MTC (gel) on CsI

113121111 C_2H_3Cl *P* 2016

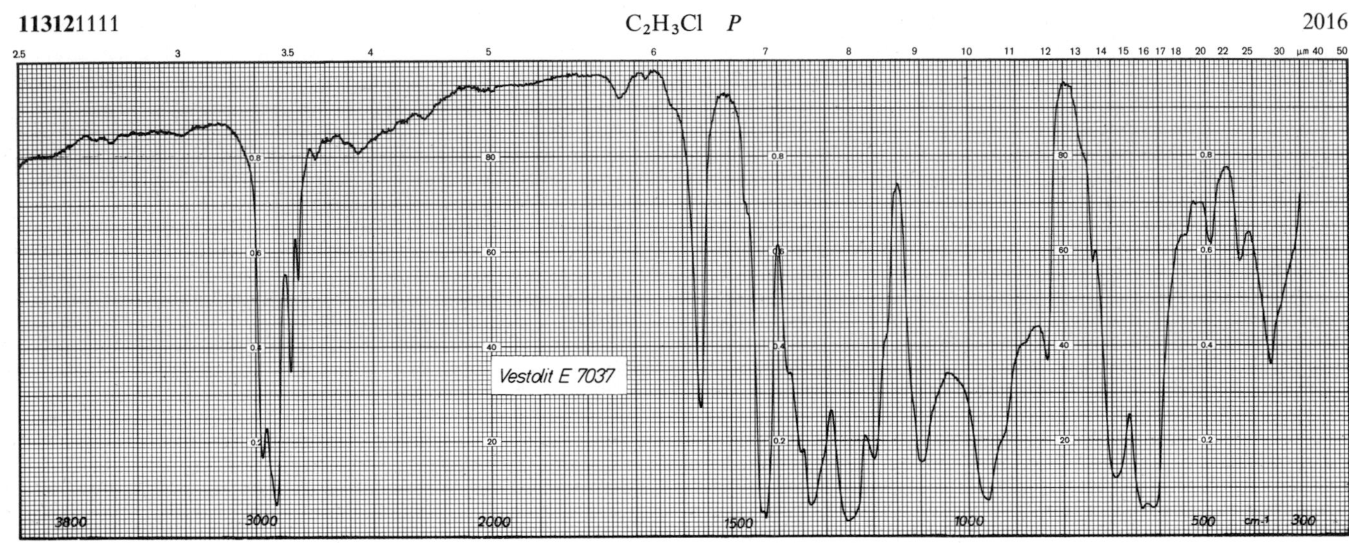

(1) **Vestolit E 7037**
(3) Polyvinylchlorid, Emulsionspolymerisat
(4) weißes Pulver
(5) gut rieselfähiger PVC-Typ für verarbeitungsfertige Pulvermischungen; emulgatorarm, geringe Feuchtigkeitsaufnahme
(6) Schicht aus MTC auf CsI
(7) PE 580 B, ABEX

(2) Chemische Werke Hüls AG, Marl
(3) polyvinyl chloride, emulsion polymer
(4) white powder
(5) free flowing PVC-type for ready-to-process powder mixtures; low in emulsifier, low moisture uptake
(6) film from MTC on CsI
(7) PE 580 B, ABEX

113121111 C_2H_3Cl *P* 2017

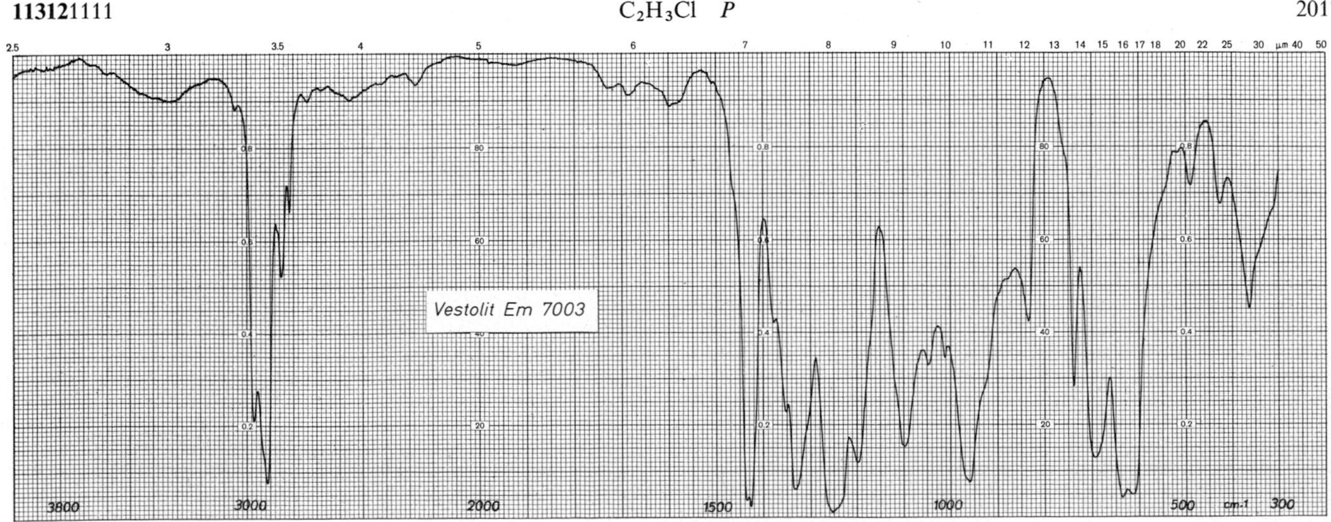

(1) **Vestolit Em 7003**
(3) Polyvinylchlorid, Emulsionspolymerisat; enthält geringe Menge Soda
(4) weißes Pulver
(5) zur Herstellung transparenter Folien
(6) Film aus MTC auf CsI
(7) PE 580 B, ABEX; 739 cm^{-1}: CH_2Cl_2

(2) Chemische Werke Hüls AG, Marl
(3) polyvinyl chloride, emulsion polymer; contains a small amount of sodium carbonate
(4) white power
(5) for the manufacture of transparent film
(6) film from MTC on CsI
(7) PE 580 B, ABEX; 739 cm^{-1}; CH_2Cl_2

1131211111 + **1833**733 2018

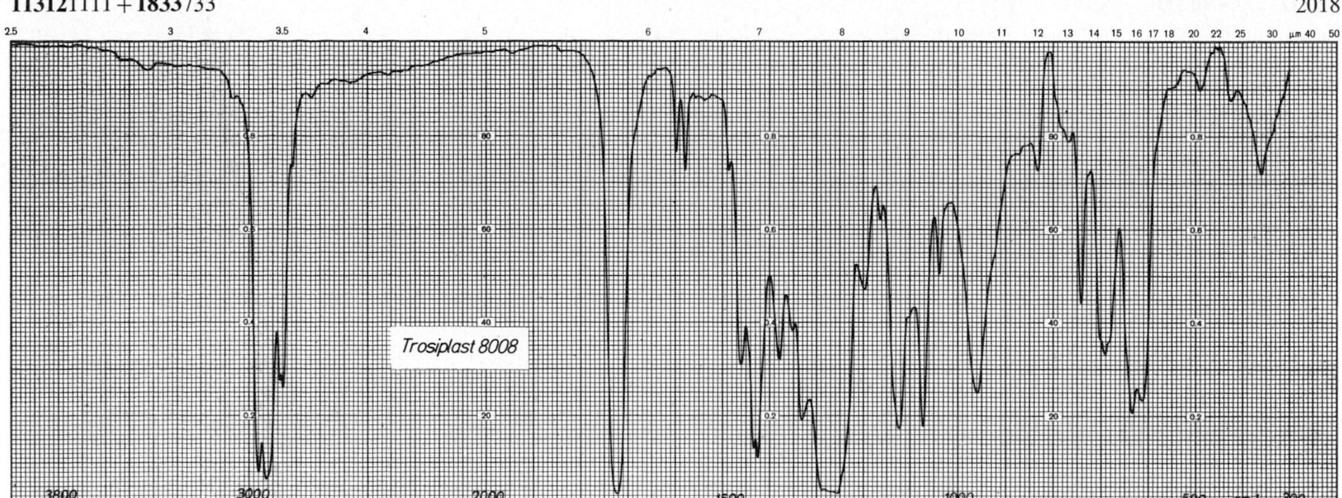

(1) **Trosiplast 8008**
(3) mit Phthalsäureester weichgemachtes Polyvinylchlorid
(4) schwarzes Granulat
(5) Weich-PVC-Spritzgußmasse für die Automobil- und Spielzeugindustrie
(6) Schmelzfilm (55 µm)
(7) PE 508 B, FLAT, SMOOTH 2, ABEX 1.07

(2) Dynamit Nobel AG, Troisdorf
(3) polyvinyl chloride, plasticized with phthalate ester
(4) black granules
(5) soft PVC for injection moulding in the automobile and toy industries
(6) film from the melt (55 µm)
(7) PE 580 B, FLAT, SMOOTH 2, ABEX 1.07

1131211111 + **1833**733 2019

Trosiplast 8517

(1) **Trosiplast 8517**
(3) mit Phthalsäureester weichgemachtes Polyvinylchlorid
(4) hellblaues, klares Granulat
(5) Weich-PVC-Spritzgußmasse für die Automobil- und Spielzeugindustrie
(6) Schmelzfilm (40 µm)
(7)PE 580 B, FLAT, SMOOTH 2, ABEX 1.44

(2) Dynamit Nobel AG, Troisdorf
(3) polyvinyl chloride, plasticized with phthalate ester
(4) clear, pale blue granules
(5) soft PVC for injection moulding in the automobile and toy industries
(6) film from the melt (40 µm)
(7) PE 580 B, FLAT, SMOOTH 2, ABEX 1.44

1131211111 + **1833**7 2020

Trosiplast 2040

(1) **Trosiplast 2040**
(3) Polyvinylchlorid mit esterartigem Weichmacher
(4) hellblaues, klares Granulat
(5) Hart-PVC-Blasmasse, mittel-schlagzäh, physiologisch unbedenklich
(6) Schmelzfilm (60 µm)
(7) PE 580 B, FLAT, SMOOTH 2, ABEX 1.41

(2) Dynamit Nobel AG, Troisdorf
(3) polyvinyl chloride with ester-type plasticizer
(4) clear, pale blue granules
(5) rigid PVC blowing material, medium impact resistance, physiologically harmless
(6) film from the melt (60 µm)
(7) PE 580 B, FLAT, SMOOTH 2, ABEX 1.41

1131211111 + **1833**733 + **19**122 2021

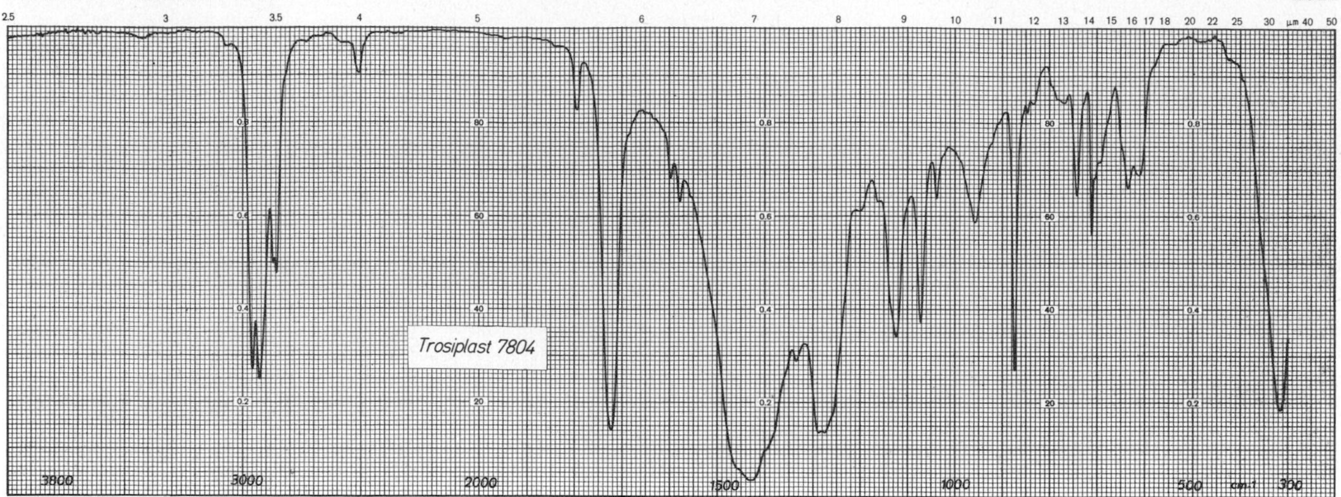

(1) **Trosiplast 7804**
(3) mit Phthalsäurester weichgemachtes und mit Calciumcarbonat gefülltes Polyvinylchlorid
(4) dunkelbraunes Granulat
(5) Weich-PVC-Blasmasse
(6) Schmelzfilm (15 µm)
(7) PE 580 B, FLAT, SMOOTH 2, ABEX 1.32

(2) Dynamit Nobel AG, Troisdorf
(3) polyvinyl chloride plasticized with phthalate ester and filled with sodium carbonate
(4) dark brown granules
(5) soft PVC blowing material
(6) film from the melt (15 µm)
(7) PE 580 B, FLAT, SMOOTH 2, ABEX 1.32

1131211111 + **13**(**21**121 − **322**151) $C_2H_3Cl + C_4H_6 - C_3H_3N$ *P* 2022

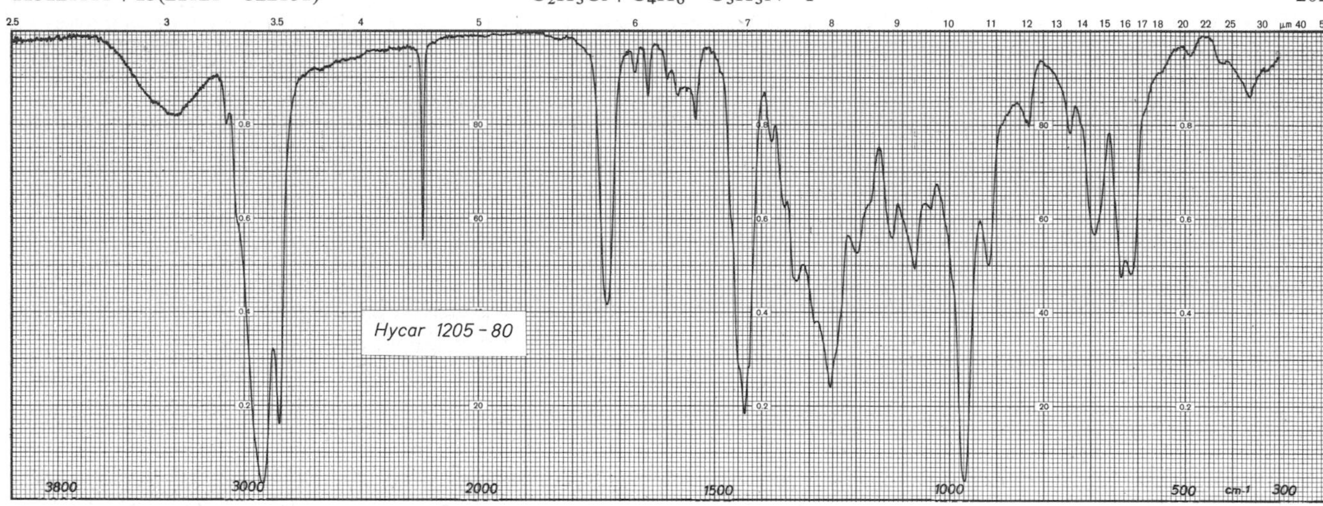

(1) **Hycar 1205-80**
(3) Polymergemisch (1 : 1) aus PVC und Poly(butadien-co-acrylnitril), vorgeliert
(4) hellbraune Würfel
(5) für schlagzähe Kunststoffteile
(6) Schicht aus MTC auf CsI
(7) PE 580 B, ABEX 2.21

(2) B. F. Goodrich Comp., Akron, Ohio
(3) polymer mixture (1 : 1) from PVC and poly(butadiene-co-acrylonitrile), pregelled
(4) light brown cubes
(5) for impact-resistant, plastic parts
(6) film from MTC on CsI
(7) PE 580 B, ABEX 2.21

1131211111 + **13**(**21**121 + **337**) 2023

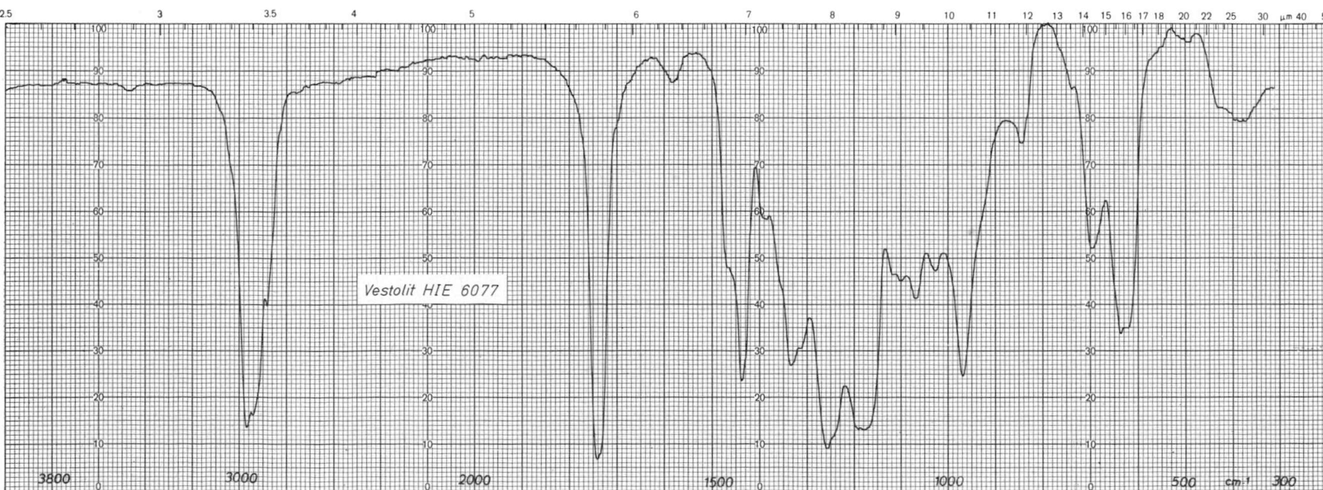

(1) **Vestolit HIE 6077**
(3) Polymergemisch aus PVC und 20% eines Elastomeren (Copolymer aus Butadien und einem esterartigen Monomeren)
(4) weißes, leichtes Pulver
(5) schlagzäher Kunststoff für Folien, Platten und Profile im Außeneinsatz
(6) Schicht aus MTC auf CsI

(2) Chemische Werke Hüls AG, Marl
(3) polymer mixture from PVC and 20% of an elastomer (copolymer of butadiene and an ester-type monomer)
(4) light white powder
(5) impact-resistant plastic for films, sheets and sections for external use
(6) film from MTC on CsI

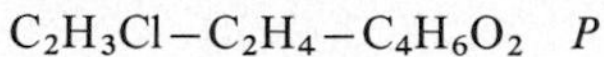

11(3121111 – 21111 – 33721111) $C_2H_3Cl-C_2H_4-C_4H_6O_2$ *P* 2024

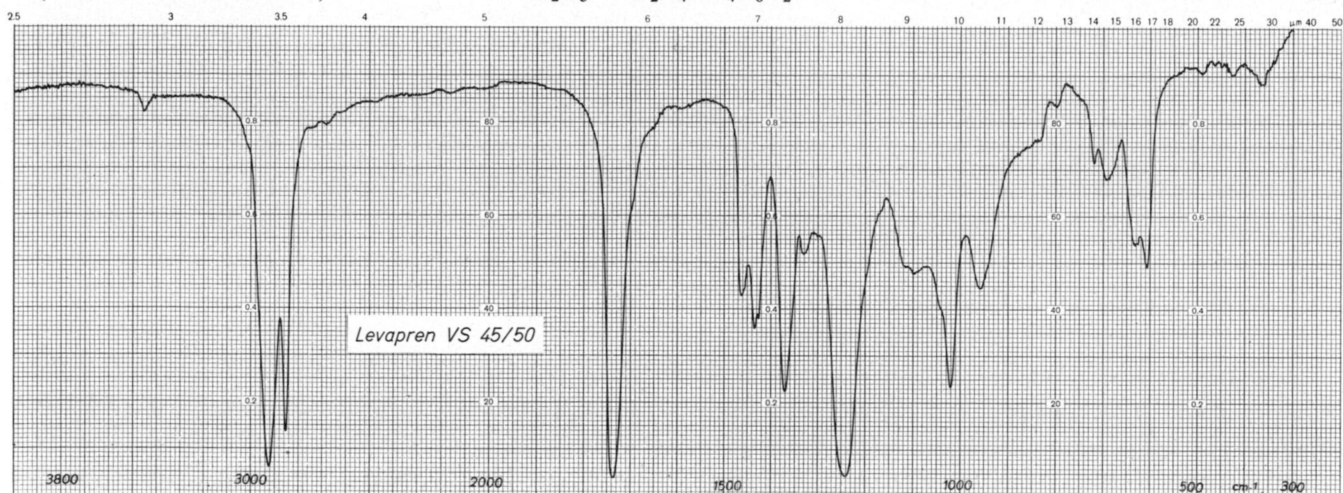

(1) **Levapren VC 45/50** (im Spektrum lies: VC)
(3) Polyvinylchlorid, aufgepfropft auf Levapren 450 (53% PVC, 47% Levapren); Levapren 450: Poly(ethylen-co-vinylacetat) mit 45% VAc-Einheiten
(4) schwachrosa, feinkörniges Granulat
(5) zur Schlagfestmodifizierung von PVC
(6) Gel aus CLF auf CsI
(7) PE 580 B, FLAT, ABEX 1.99

(2) Bayer AG, Leverkusen
(3) polyvinyl chloride, grafted onto Levapren 450 (53% PVC, 47% Levapren); Levapren 450: poly(ethylene-co-vinyl acetate) with 45% VAc units
(4) pale pink, fine granules
(5) for modifying PVC to improve impact resistance
(6) gel from CLF on CsI
(7) PE 580 B, FLAT, ABEX 1.99

11(3121111 – 21111 – 33721111) $C_2H_3Cl-C_2H_4-C_4H_6O_2$ *P* 2025

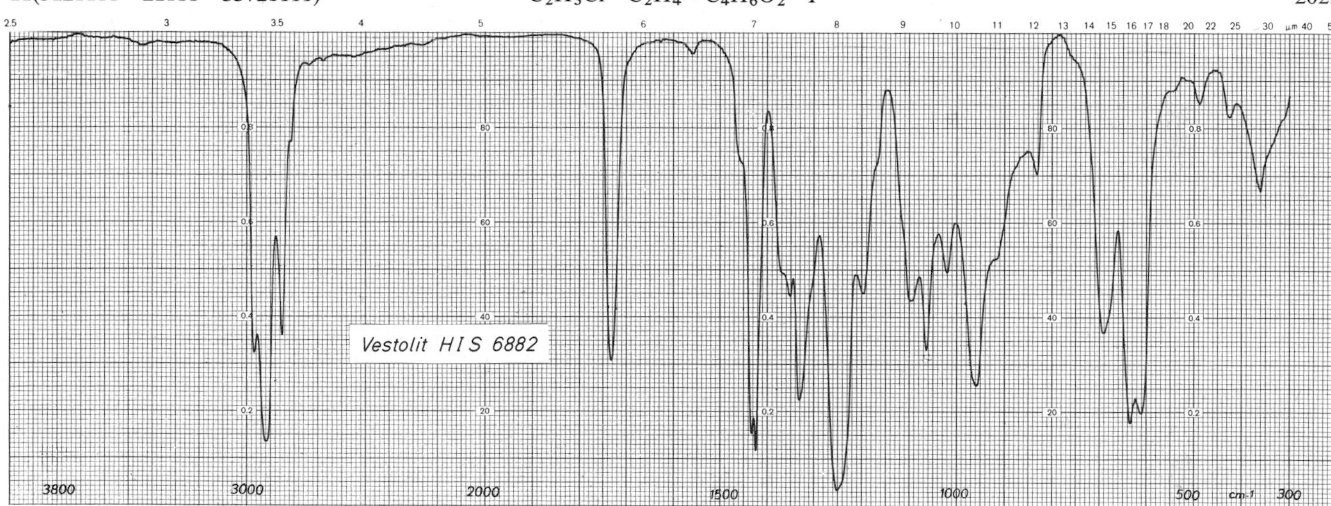

(1) **Vestolit HI S**
(3) Pfropfcopolymer auf Basis PVC (Suspensionspolymerisat) und Poly(ethylen-co-vinylacetat) („Levapren"); 6% Levapren
(4) weißes Pulver
(5) für hochschlagzähe Kunststoffteile; für Folien, Platten und Profile im Außeneinsatz
(6) klarer Film aus THF auf CsI
(7) PE 580 B, ABEX 1.14; 1064 cm^{-1}: THF

(2) Chemische Werke Hüls AG, Marl
(3) graft copolymer based on PVC (suspension polymer) and poly(ethylene-co-vinyl acetate) ("Levapren"); 6% Levapren
(4) white powder
(5) for highly impact-resistant, plastic components; for films, sheets and sections for external use
(6) clear film from THF on CsI
(7) PE 580 B, ABEX 1.13; 1064 cm^{-1}: THF

11(3121111 – 21111 – 33721111) $C_2H_3Cl-C_2H_4-C_4H_6O_2$ *P* 2026

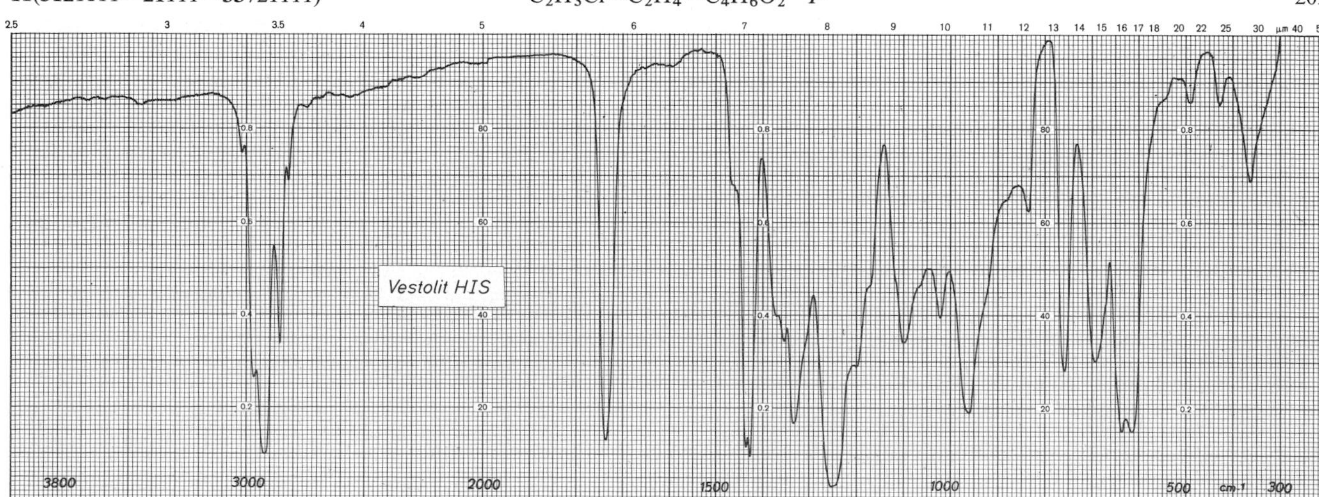

(1) **Vestolit HI S**
(3) Pfropfcopolymer auf Basis PVC (Suspensionspolymerisat) und Poly(ethylen-co-vinylacetat) („Levapren"); 6% Levapren
(4) weißes Pulver
(5) für hochschlagzähe Kunststoffteile; für Folien, Platten und Profile im Außeneinsatz
(6) trübe Schicht aus MTC auf CsI
(7) PE 580 B, ABEX; 759 cm^{-1}: teilweise von CH_2Cl_2

(2) Chemische Werke Hüls AG, Marl
(3) graft copolymer based on PVC (suspension polymer) and poly(ethylene-co-vinyl acetate) ("Levapren"); 6% Levapren
(4) white powder
(5) for highly impact-resistant, plastic components, for films, sheets and sections for external use
(6) cloudy film from MTC on CsI
(7) PE 580 B, ABEX; 759 cm^{-1}; partially from CH_2Cl_2

11(3121111 – **21**22111) $C_2H_3Cl - C_8H_8$ *P* 2027

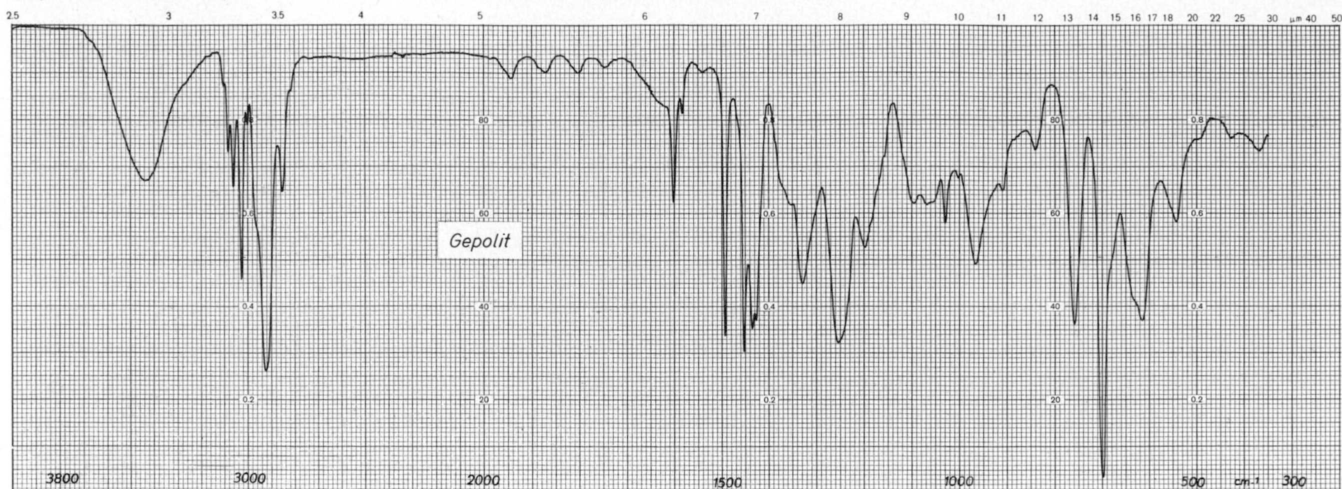

(1) **Gepolit** (Muster von 1966)
(3) Poly(vinylchlorid-co-styrol)
(4) farbloses Material
(5) thermoplastischer, schlagzäher Kunststoff
(6) Film aus MTC auf CsI
(7) PE 580 B, ABEX 1.4

(2) Chemische Werke Hüls AG, Marl
(3) poly(vinyl chloride-co-styrene)
(4) colorless material
(5) thermoplastic, impact-resistant resin
(6) film from MTC on CsI
(7) PE 580 B, ABEX 1.4

11(3121111 – **21**22111 – **33**7) $C_2H_3Cl - C_8H_8$ *P* 2028

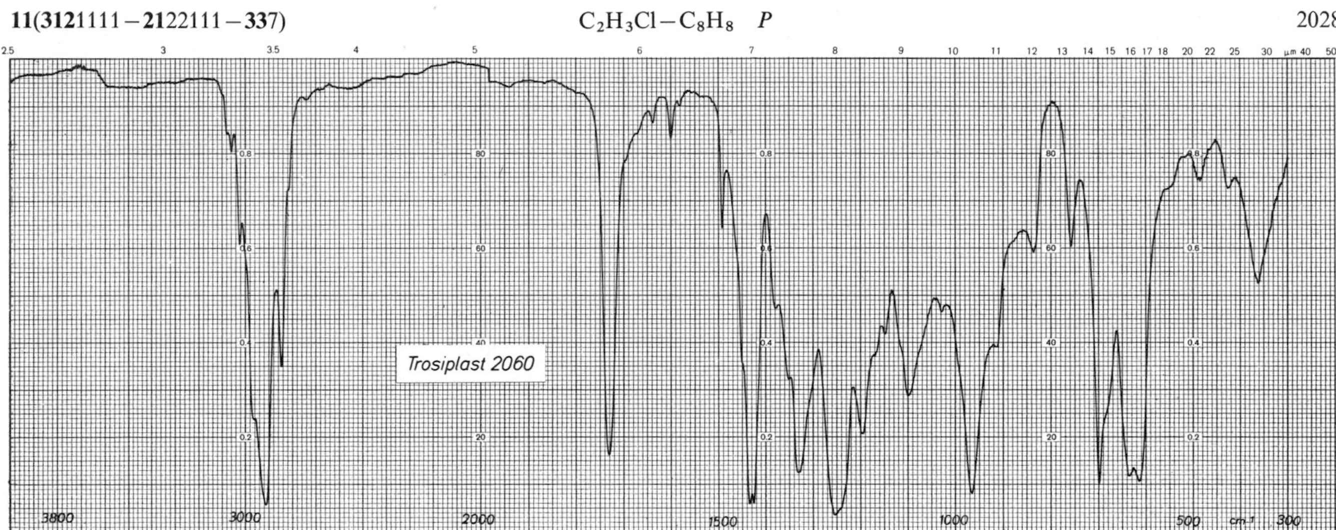

(1) **Trosiplast 2060**
(3) polymeres Mehrkomponentensystem auf Basis PVC mit Styrol und einer esterartigen Komponente
(4) farbloses, transparentes Granulat
(5) hochschlagzäher, thermoplastischer Kunststoff
(6) Schmelzfilm (40 µm)
(7) PE 580 B, ABEX 1.09

(2) Dynamit Nobel AG, Troisdorf
(3) multicomponent polymer mixture based on PVC with styrene and an ester-type component
(4) transparent, colorless granules
(5) highly impact-resistant, thermoplastic resin
(6) film from the melt (40 µm)
(7) PE 580 B, ABEX 1.09

11(3121111 – **33**721111) $C_2H_3Cl - C_4H_6O_2$ *P* 2029

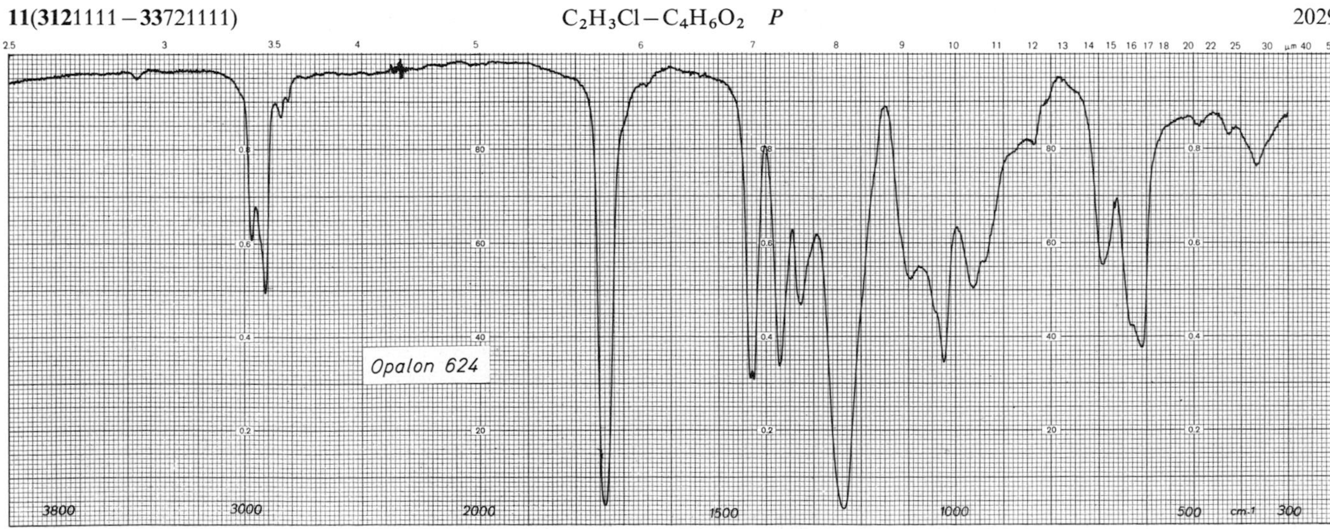

(1) **Opalon 624** (Muster von 1966)
(3) Poly(vinylchlorid-co-vinylacetat)
(4) weißes Pulver
(5) thermoplastischer Kunststoff
(6) Schicht aus EAC auf CsI, 10 d i.V. bei 80 °C getrocknet
(7) PE 580 B, ABEX 2.17

(2) Monsanto Chem. Comp., St. Louis, Mo.
(3) poly(vinyl chloride-co-vinyl acetate)
(4) white powder
(5) thermoplastic resin
(6) film from EAC on CsI, dried 10 d at 80 °C in vacuo
(7) PE 580 B, ABEX 2.17

11(**3121**111 − **337**) C_2H_3Cl *P* 2030

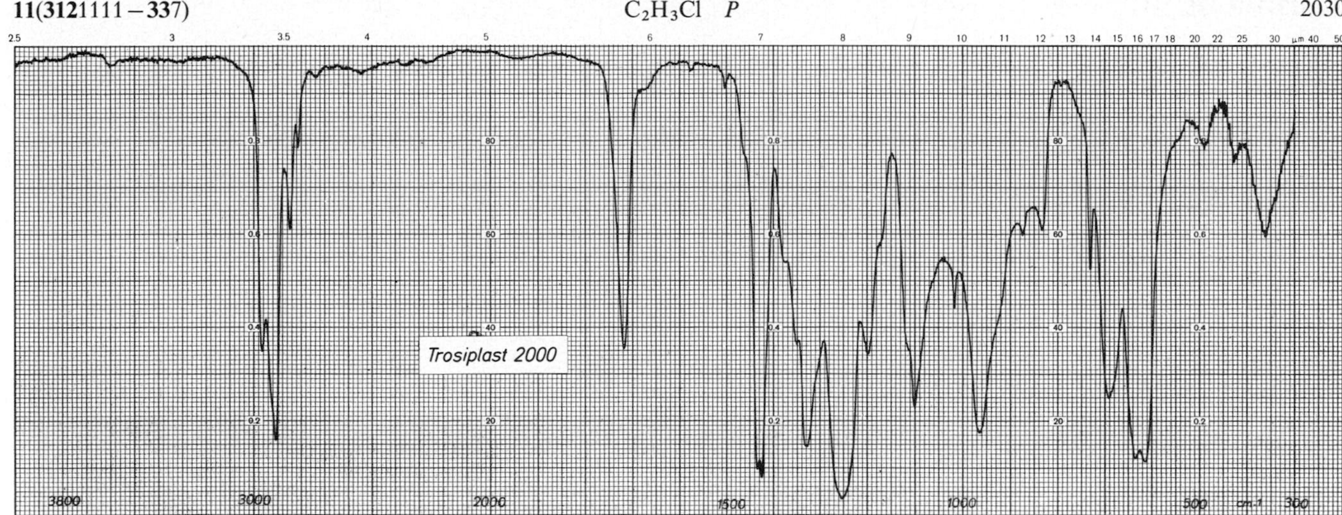

(1) **Trosiplast 2000**
(3) intern weichgemachtes Polyvinylchlorid
(4) glasklares, farbloses Granulat
(5) Hart-PVC-Blasmasse, Standardtyp
(6) Schmelzfilm (40 μm)
(7) PE 580 B, ABEX 1.44

(2) Dynamit Nobel AG, Troisdorf
(3) internally plasticized polyvinyl chloride
(4) crystal clear, colorless granules
(5) standard grade, rigid PVC
(6) film from the melt (40 μm)
(7) PE 580 B, ABEX 1.44

113121113 + **19**172 2031

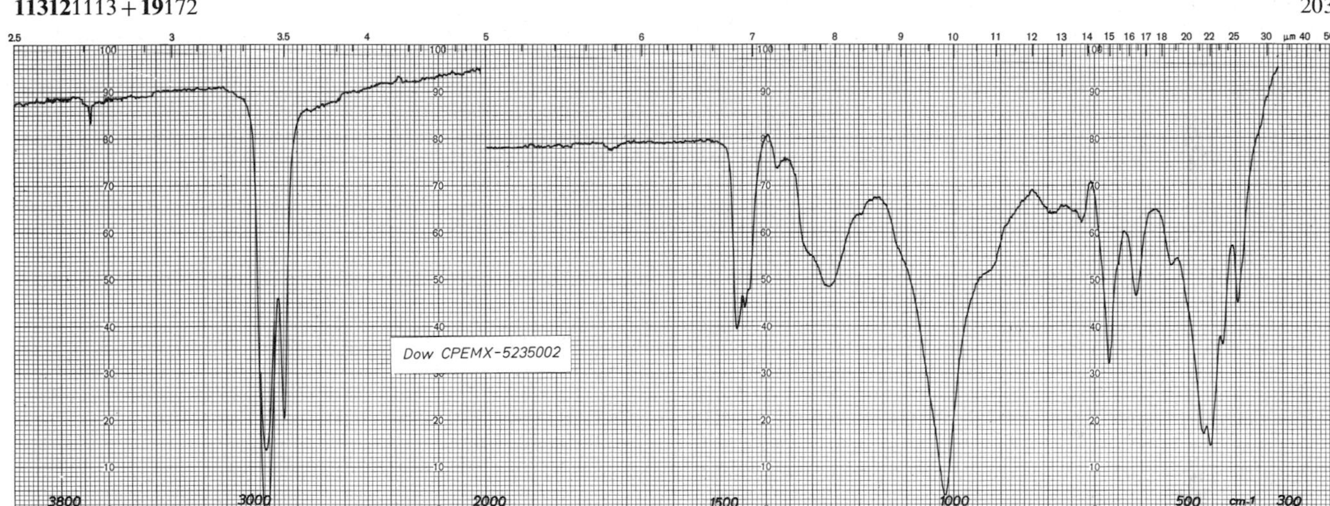

(1) **DOW CPEMX-5235002**
(3) chloriertes Polyethylen
(4) weißes, feinkörniges Granulat
(5) als flammhemmender Zusatzstoff
(6) Schicht aus m-DCB auf CsI (getrübt)
(7) mit Mg-Silikat gefüllt (vgl. Spektrum 2339, Atlas I Bd. 2, 1971)

(2) Dow Chemical Comp., Midland, Mich.
(3) chlorinated polyethylene
(4) fine, white granules
(5) flame-resistant additive
(6) film from m-DCB on CsI (cloudy)
(7) filled with Mg silicate (cf. spectrum 2339, Atlas I vol. 2, 1971)

113121113 2032

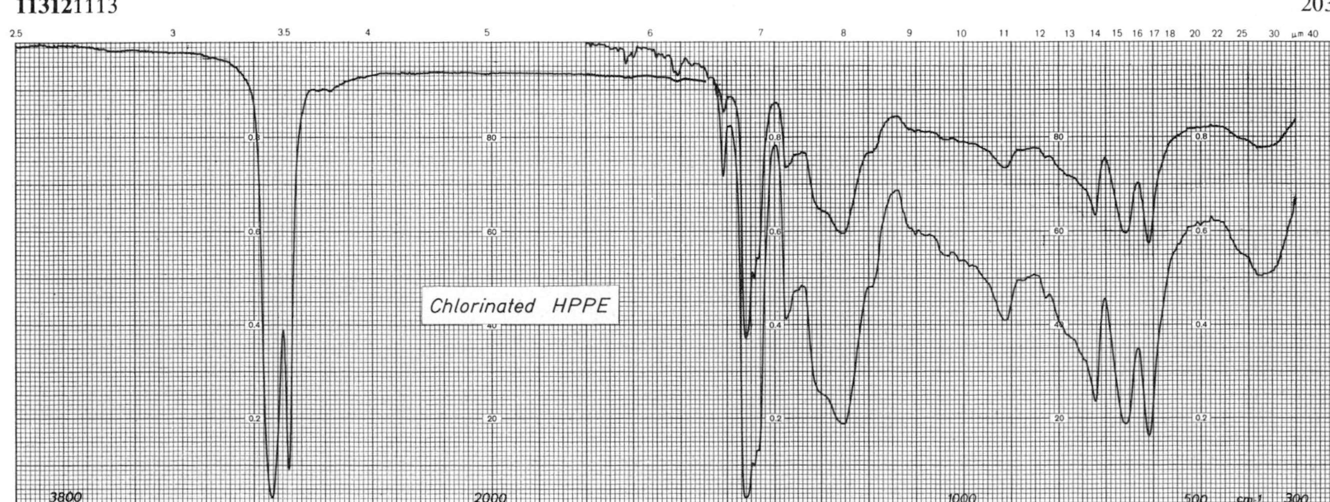

(1) **chloriertes Hochdruckpolyethylen** (Probe von 1966)
(2) Du Pont, Wilmington, Dela.
(3) schwach bräunliches Elastomer
(4) für flammfeste Überzüge
(6) Schicht aus MTC auf CsI
(7) PE 580 B; 4000 ... 1800 cm^{-1}; ABEX 1.17, 1800 ... 1300 cm^{-1}, 4.00; SMOOTH 2

(1) **chlorinated, high pressure polyethylene** (sample from 1966)
(3) slightly brownish elastomer
(4) for flame-resistant coatings
(6) film from MTC on CsI
(7) PE 580 B; 4000 ... 1800 cm^{-1}; ABEX 1.17, 1800 ... 1300 cm^{-1}, 4.00; SMOOTH 2

11(**3121**112 – **32**2151) $C_2H_2Cl_2-C_3H_3N$ *P* 2033

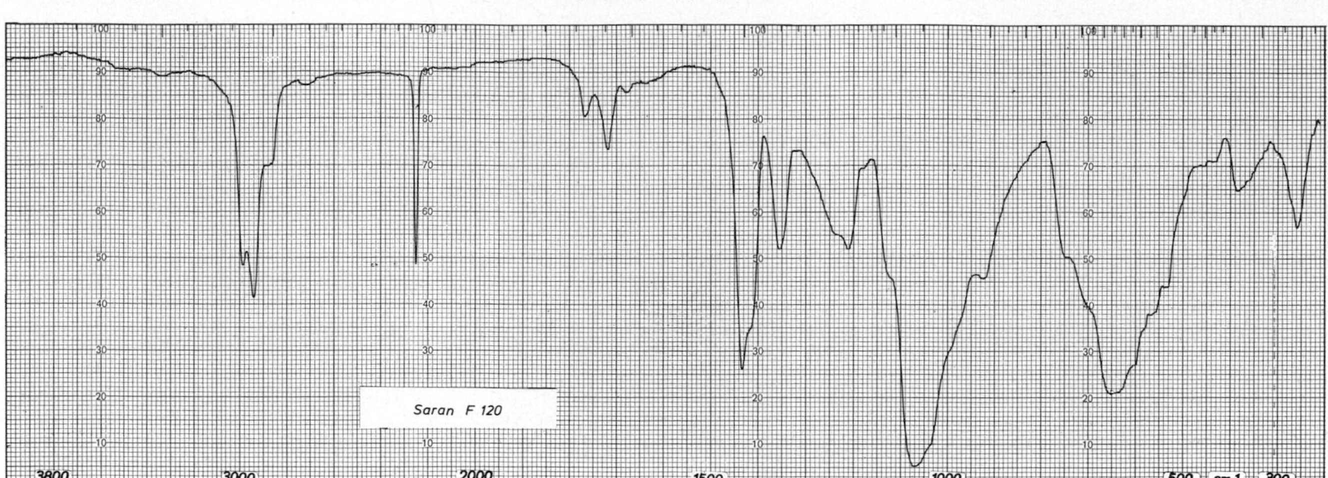

(1) **Saran F 120**
(3) Poly(vinylidenchlorid-co-acrylnitril)
(4) weißes Pulver
(5) thermoplastischer Kunststoff für Formpreßmassen, Filme und Fasern
(6) Schicht aus THF auf CsI

(2) Dow Chemical Corp., Midland, Mich.
(3) poly(vinylidene chloride-co-acrylonitrile)
(4) white powder
(5) thermoplastic resin for compression mouldings, films and fibers
(6) film from THF on CsI

113122121 C_8H_7Cl *P* 2034

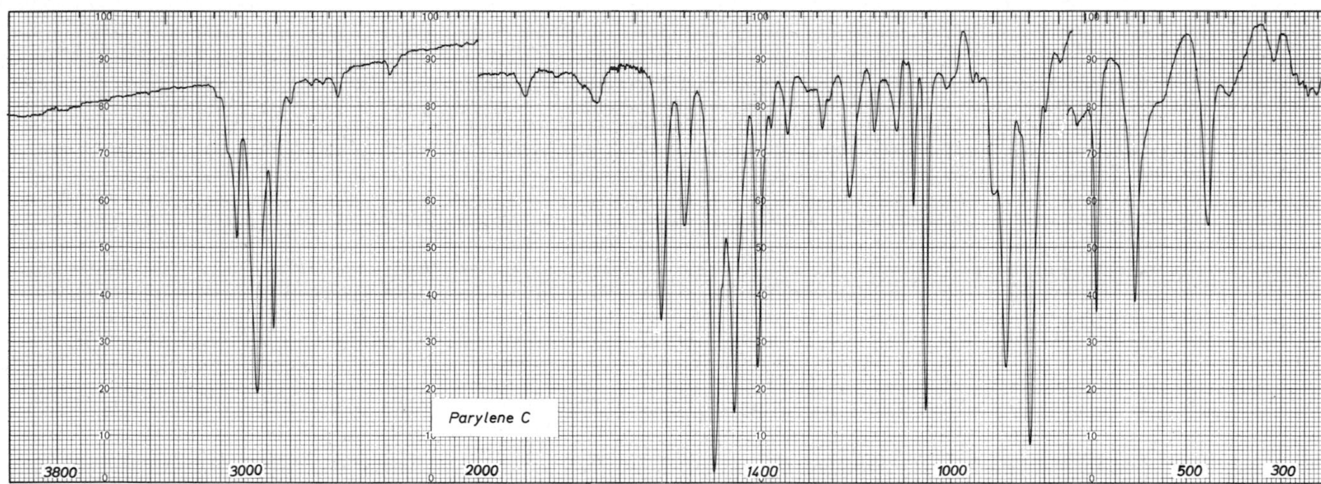

(1) **Parylene C**
(3) $\left(CH_2-C_6H_3Cl-\right)_2$ Poly(p-xylylen), chloriert
(4) farbloser Film
(5) flammwidrige Filme, auch als Schutzanstrich auf Metall
(6) freitragender Film (28 μm), zuvor matt geschabt

(2) Union Carbide Corp., Bound Brook, N.J. (durch B. L. Joesten)
(3) $\left(CH_2-C_6H_3Cl-\right)_2$ poly-p-xylylene, chlorinated
(4) colorless film
(5) flame-resistant film, also as protective coating for metals
(6) freestanding film (28 μm), scraped matt

113122122 $C_8H_6Cl_2$ *P* 2035

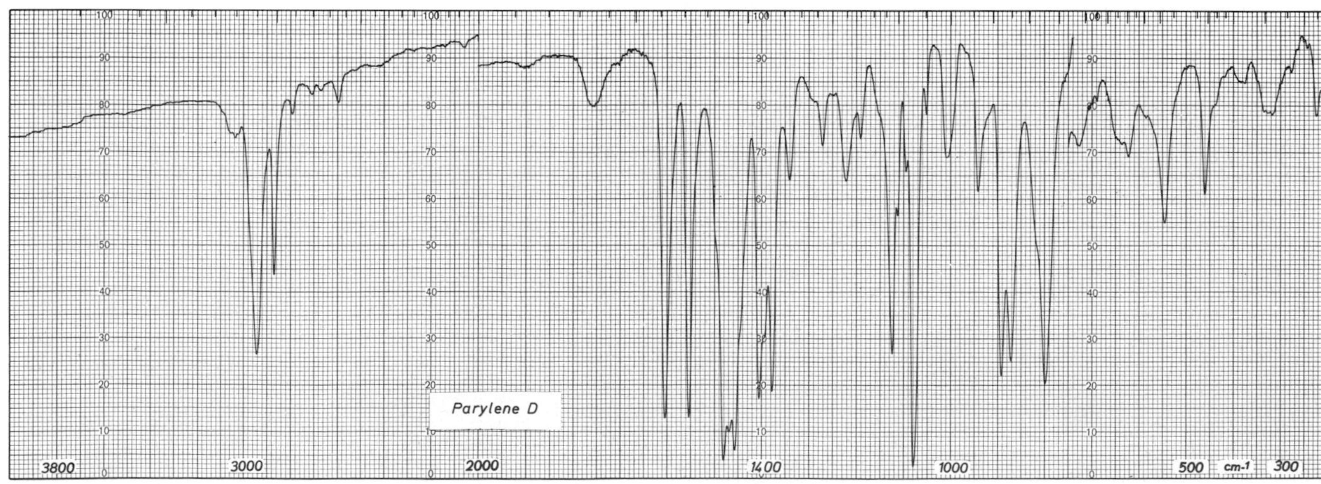

(1) **Parylene D**
(3) $\left(C_6H_2Cl_2-CH_2\right)_2$ Poly(dichlor-p-xylylen)
(4) farbloser Film
(6) freitragender Film (38 μm)
(7) B. L. Joesten, Polym. Prepr. **13/2** (1972) 1048

(2) Union Carbide Corp., Bound Brook, N.J. (durch B. L. Joesten)
(3) $\left(C_6H_2Cl_2-CH_2\right)_2$ poly-(p-xylylene), dichlorinated
(4) colorless film
(6) freestanding film (38 μm)
(7) B. L. Joesten, Polym. Prepr. **13/2** (1972) 1048

11322151 C_3H_3N *P* 2036

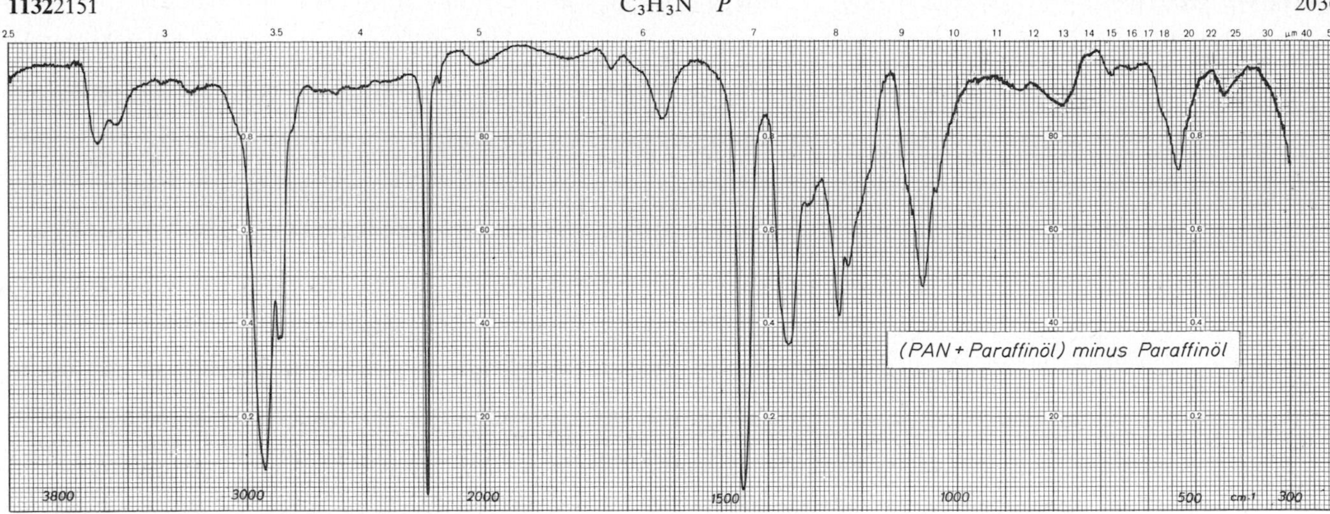

(1) **Polyacrylnitril**
(2) Mobil Chemical Co., Pittsburgh, Pa.
(4) klarer, farbloser Film
(6) mit Paraffinöl bestrichen zwischen CsI-Scheiben gepreßt, Absorptionen des Öls subtrahiert
(7) PE 580 B, ABEX 2.14; Differenzfaktor 1.0

(1) **polyacrylonitrile**
(4) clear, colorless film
(6) coated with paraffin oil, pressed between CsI plates, absorption of the oil subtracted
(7) PE 580 B, ABEX 2.14; difference factor 1.0

11322151 C_3H_3N *P* 2037

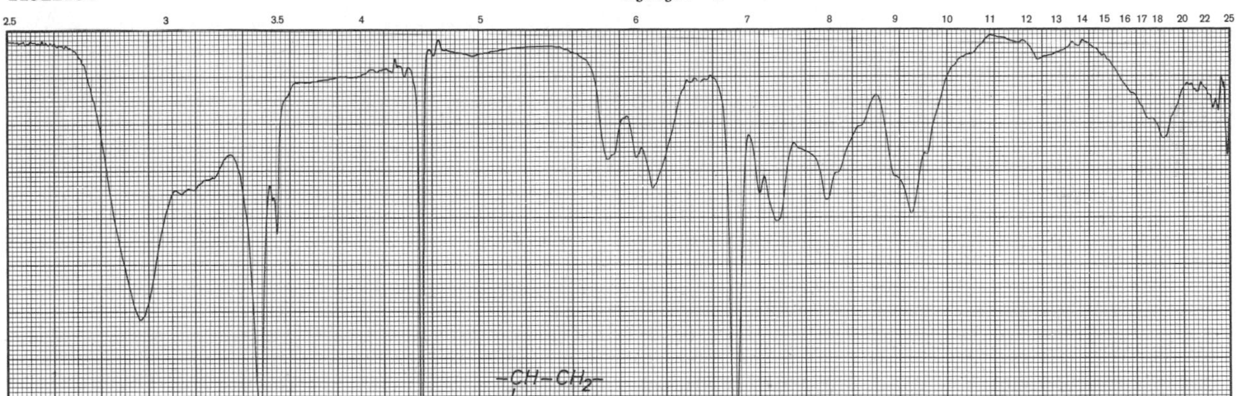

(1) **Polyacrylnitril, Poly(1-cyanoethylen), in Masse polymerisiert**
(2) Christel Schneider, Institut für Physikalische Chemie, Universität Köln
(4) weißes Pulver
(6) KBr (1/350)
(7) Ordinate gedehnt; 3440 cm^{-1} und 1630 cm^{-1}: H_2O

(1) **bulk polymerized polyacrylonitrile, poly-1-cyanoethylene**
(4) white powder
(6) KBr (1/360)
(7) ordinate expanded; 3440 cm^{-1} and 1630 cm^{-1}: H_2O

 **11(322**151 – **337**221111 – **21**12111) 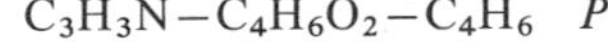 $C_3H_3N-C_4H_6O_2-C_4H_6$ *P*  2038

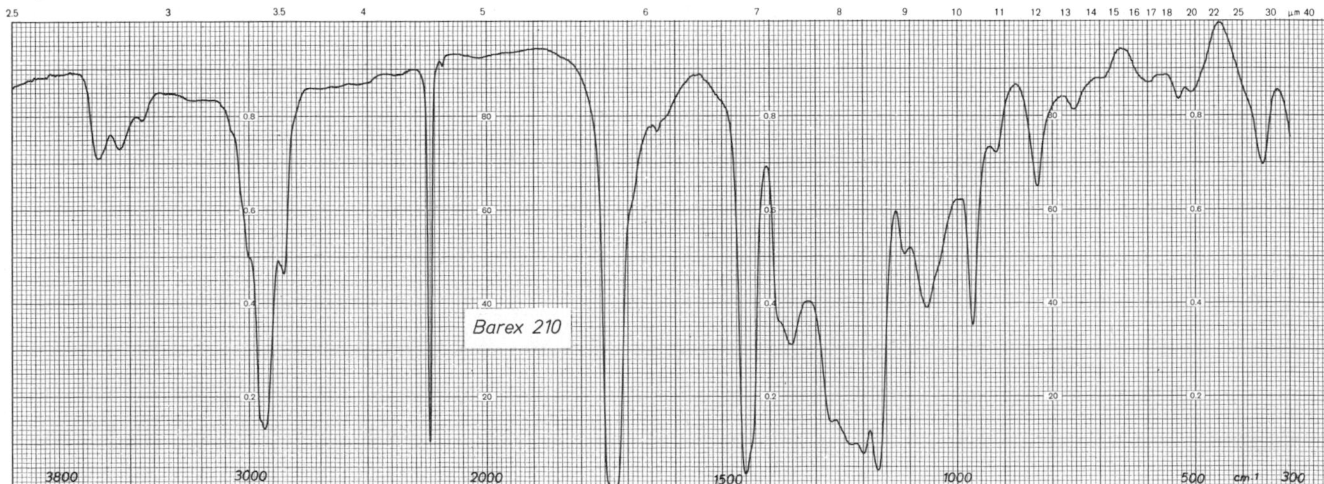

(1) **Barex 210**
(3) Poly(acrylnitril-co-methylacrylat-co-butadien)
(4) farbloses, blaustichiges, transparentes Granulat
(5) thermoplastisch verarbeitbarer, chemisch inerter Kunststoff von hoher Gasdichtigkeit für Verpackungen (Hohlkörper, Folien)
(6) freitragender, durch Heißpressen gewonnener Film

(2) Lonza AG, Basel
(3) poly(acrylonitrile-co-methyl acrylate-co-butadiene)
(4) slightly blueish, transparent granules
(5) thermoplastic, processible, chemically inert resin with high gas impermeability for packaging (hollowware, films)
(6) freestanding film made by hot pressing

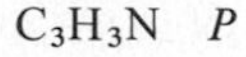

11(**32**2151 − **33**7221121)  $C_3H_3N - C_5H_8O_2$ *P* 2039

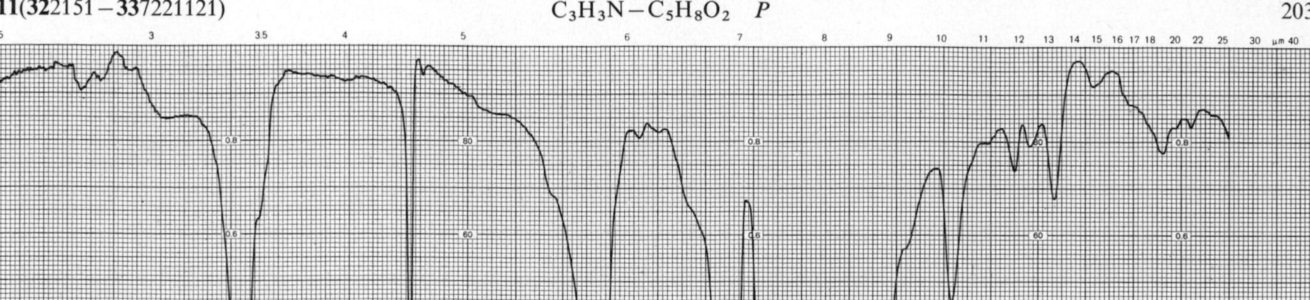

(1) **Plexidur 907**
(3) Poly(acrylnitril-co-methylmethacrylat)
(4) farbloses, glasklares Material
(5) thermoplastischer, schlagzäher, splittersicherer und lösemittelbeständiger Kunststoff für hochbeanspruchte technische Teile
(6) abgefeiltes Material mit KBr zweimal verrieben und gepreßt
(7) PE 580 B, ABEX 1.62; adsorbiertes H_2O subtrahiert

(2) Röhm GmbH, Darmstadt
(3) poly(acrylonitrile-co-methyl methacrylate
(4) colorless, crystal clear material
(5) thermoplastic, impact-resistant, splinterproof and solvent-resistant resin for high duty, technical components
(6) filings triturated twice with KBr and pressed
(7) PE 580 B, ABEX 1.62; adsorbed H_2O subtracted

11(**32**2151 − **33**7221121) $C_3H_3N - C_5H_8O_2$ *P* 2040 

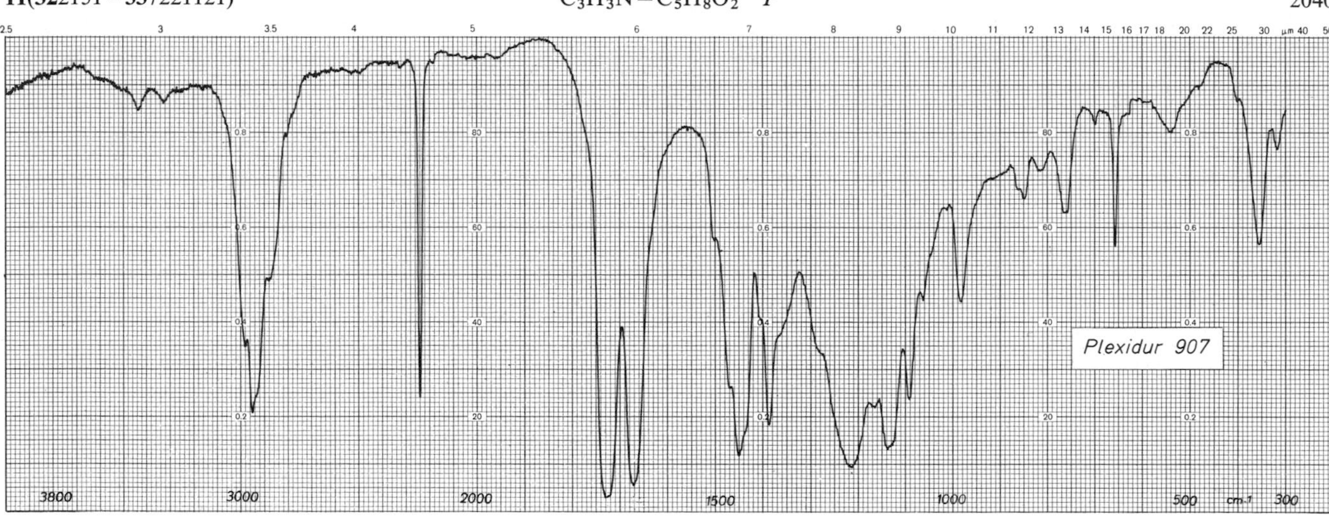

(1) **Plexidur 907**
(3) Poly(acrylnitril-co-methylmethacrylat)
(4) farbloses, glasklares Material
(5) thermoplastischer, schlagzäher, splittersicherer und lösemittelbeständiger Kunststoff für hochbeanspruchte technische Teile
(6) Feilspäne in HCOOH gequollen und auf KRS-5 aufgetragen, i.V. getrocknet
(7) PE 580 B, ABEX 1; 1670 cm^{-1}: restliches HCOOH

(2) Röhm GmbH, Darmstadt
(3) poly(acrylonitrile-co-methyl methacrylate)
(4) colorless, crystal clear material
(5) thermoplastic, impact-resistant, splinterproof and solvent-resistant resin for high duty, technical components
(6) filings were swollen in HCOOH and coated onto KRS-5, dried in vacuo
(7) PE 580 B, ABEX 1; 1670 cm^{-1}: residual HCOOH

11322152 $C_4H_2N_2$ *P* 2041

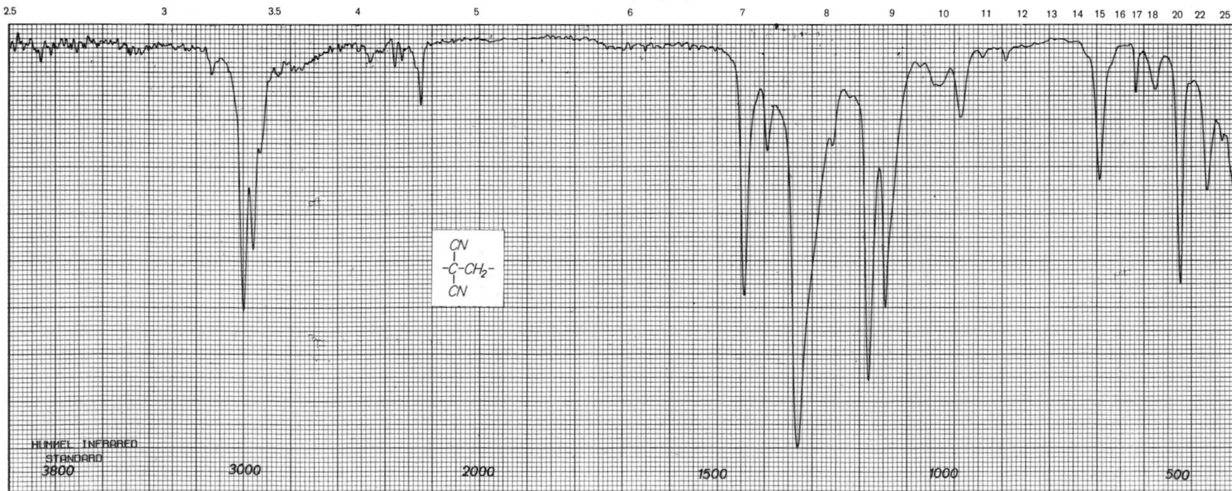

(1) **Poly(1-dicyanoethylen), Poly(vinylidencyanid)**
(2) Henkel, Düsseldorf (Laborpräparat)
(4) farbloses, glasklares Polymer
(6) Schicht zwischen KBr, 3 h ausgehärtet
(7) Nicolet 20 SX

(1) **poly-1-dicyanoethylene, poly(vinylidene cyanide)**
(4) colorless, crystal clear polymer
(6) film between KBr, hardened for 3 h
(7) Nicolet 20 SX

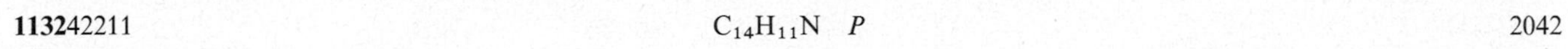

11324**2**211 $C_{14}H_{11}N$ *P* 2042

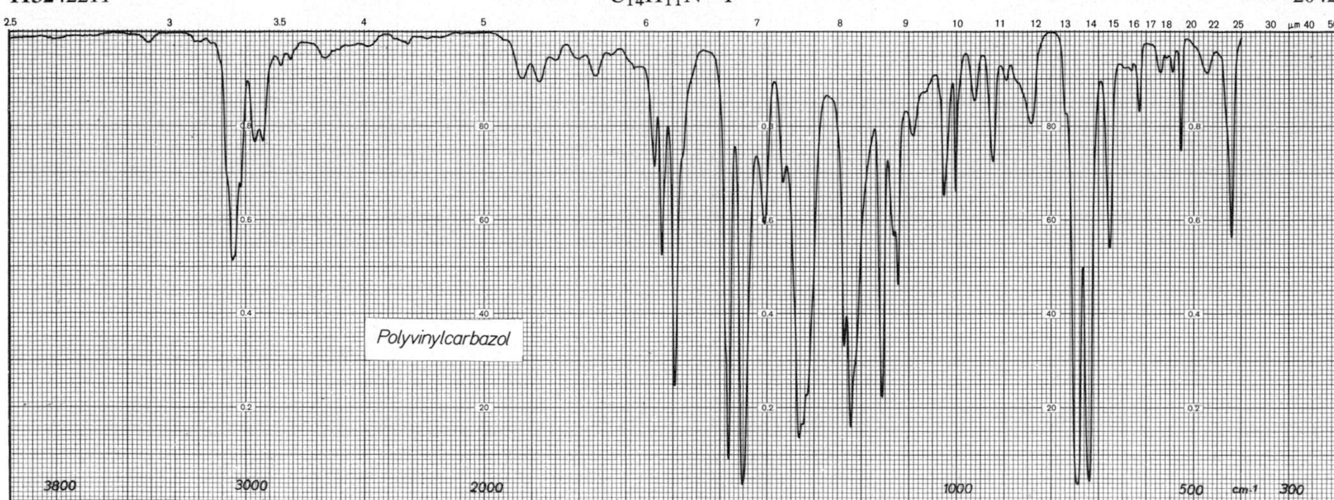

(1) **Luvican M 170**
(3) Poly(vinylcarbazol)
(4) leicht gelbliches, klares Granulat
(5) thermoplastischer Kunststoff für wärmeformbeständige Spritzguß- oder Preßmassen
(6) Schicht aus BZN auf CsI
(7) PE 580 B, FLAT, ABEX 1.06

(2) BASF AG, Ludwigshafen
(3) polyvinylcarbazole
(4) pale yellow, clear granules
(5) thermoplastic resin for injection mouldings and pressing that are dimensionally stable at high temperature
(6) film from BZN on CsI
(7) PE 580 B, FLAT, ABEX, F = 1.06

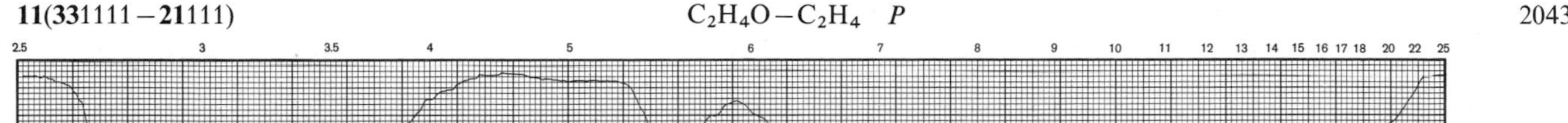

11(**33**1111 − **21**111) $C_2H_4O-C_2H_4$ *P* 2043

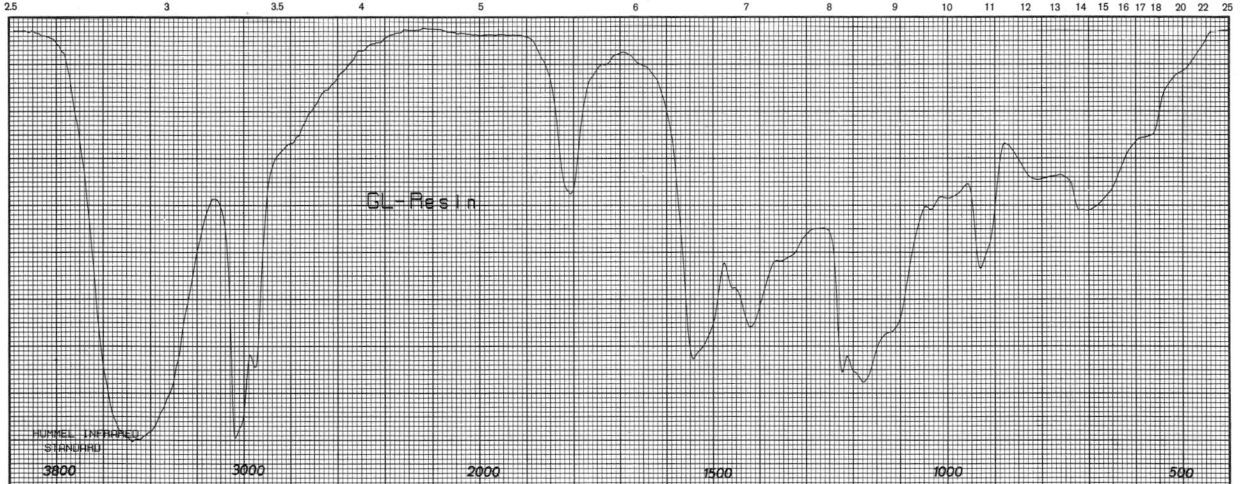

(1) **GL-Resin** (im Spektrum lies „GL" statt „GLD")
(3) verseiftes Poly(vinylacetat-co-ethylen) mit Restgehalt an Vinylacetatgruppen, Poly(vinylalkohol-co-ethylen)
(4) farbloser Film
(6) Schicht aus $(CH_3)_2SO$ auf KRS-5
(7) Näherungsformel: $-(CH_2)_3-CHOH-$

(2) Nippon Gohsei, Japan
(3) saponified poly(vinyl acetate-co-ethylene) with residual vinyl acetate groups, poly(vinyl alcohol-co-ethylene)
(4) colorless film
(6) film from $(CH_3)_2SO$ on KRS-5
(7) approximate formula: $-(CH_2)_3-CHOH-$

11(**33**1111 − **21**111) $C_2H_4O-C_2H_4$ *P* 2044

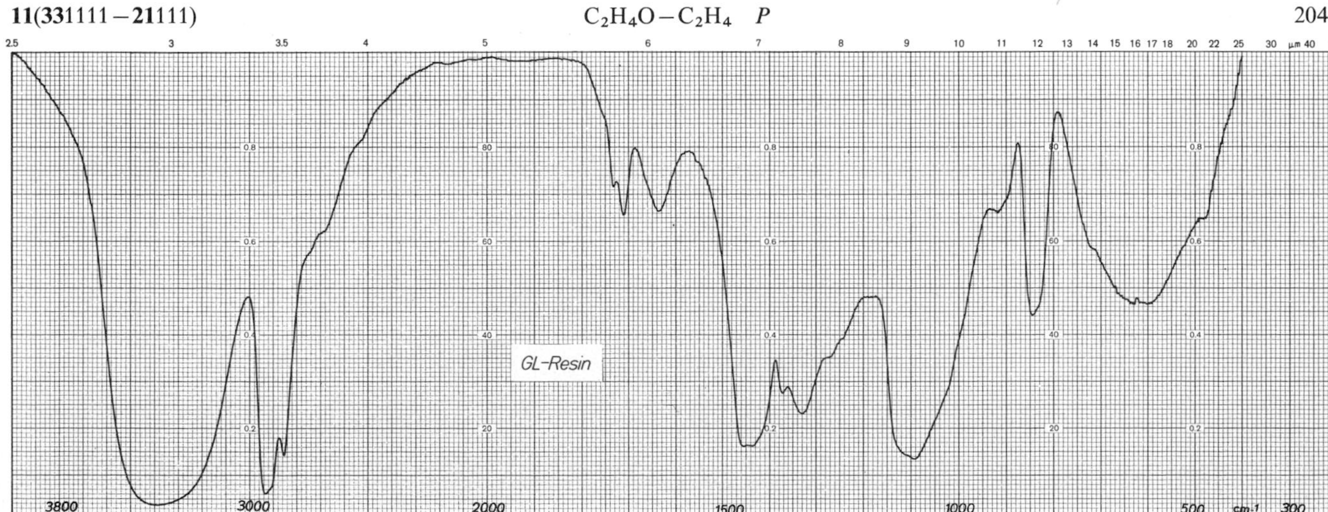

(1) **GL-Resin**
(3) verseiftes Poly(vinylacetat-co-ethylen)
(4) farbloser Film
(6) KBr (2.73/300)
(7) PE 580 B, FLAT, ABEX 1.43

(2) Nippon Gohsei, Japan
(3) saponified poly(vinyl acetate-co-ethylene)
(4) colorless film
(6) KBr (2.73/300)
(7) PE 580 B, FLAT, ABEX 1.43

113331111 CH_2O *P* 2045

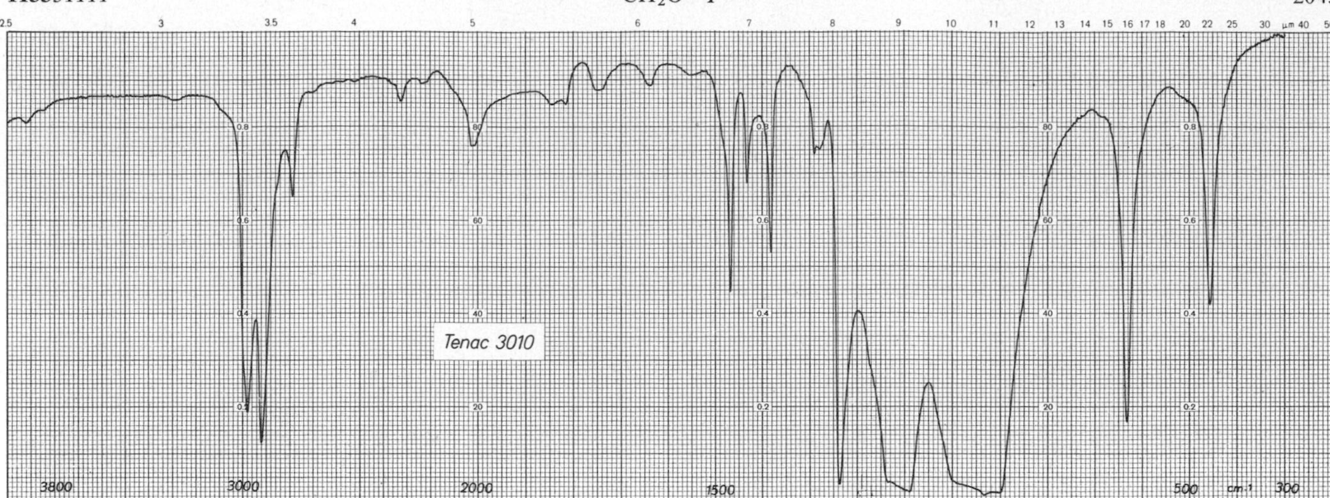

(1) **Tenac 3010**
(3) Polyacetal auf Basis Poly(oxymethylen)
(4) weißes, undurchsichtiges Granulat
(5) thermoplastischer Kunststoff für maßhaltige und schlagzähe Artikel
(6) rekristallisierter Schmelzfilm auf CsI
(7) PE 580 B

(2) Asahi Chem. Industries, Okayama, Japan
(3) polyoxymethylene-based polyacetal
(4) white, opaque granules
(5) thermoplastic resin for dimensionally stable, impact-resistant articles
(6) recrystallized film from the melt on CsI
(7) PE 580 B

113331111 CH_2O *P* 2046

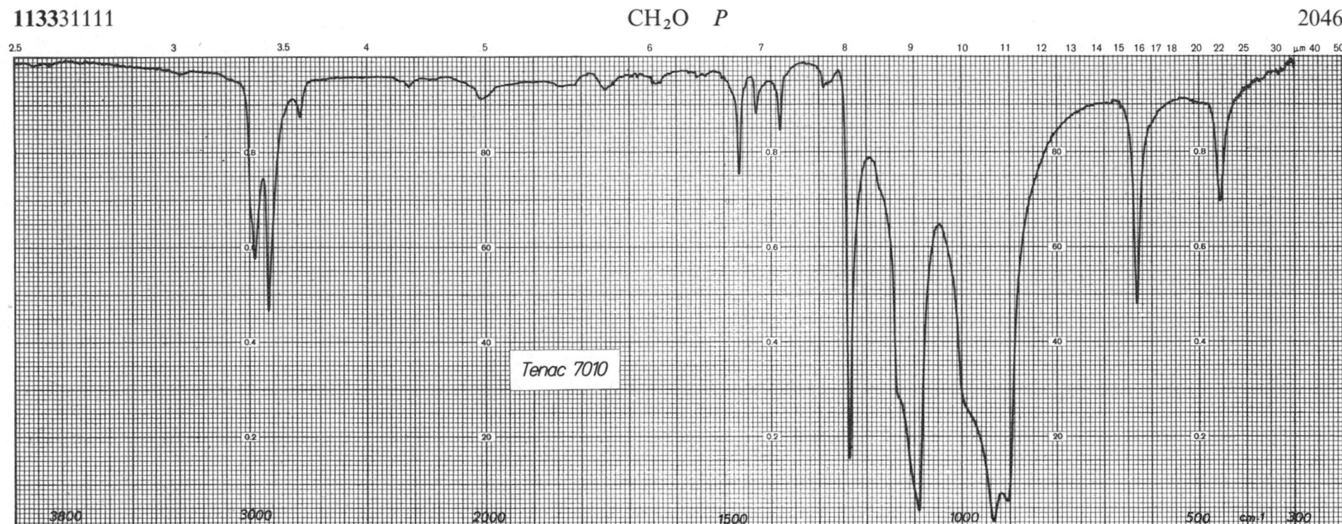

(1) **Tenac 7010**
(3) Polyoxymethylen
(4) weißes Granulat
(5) Polyacetal (Homopolymer) niederer Viskosität für den Spritzguß
(6) Schmelzfilm (10 µm)
(7) PE 580 B, FLAT

(2) Asahi Chemical Industry, Tokyo
(3) polyoxymethylene
(4) white granules
(5) low viscosity polyacetal (homopolymer) for injection moulding
(6) film from the melt (10 µm)
(7) PE 580 B, FLAT

113331111 – **17**25 $CH_2O + SiC_2H_6O$ *P* 2047

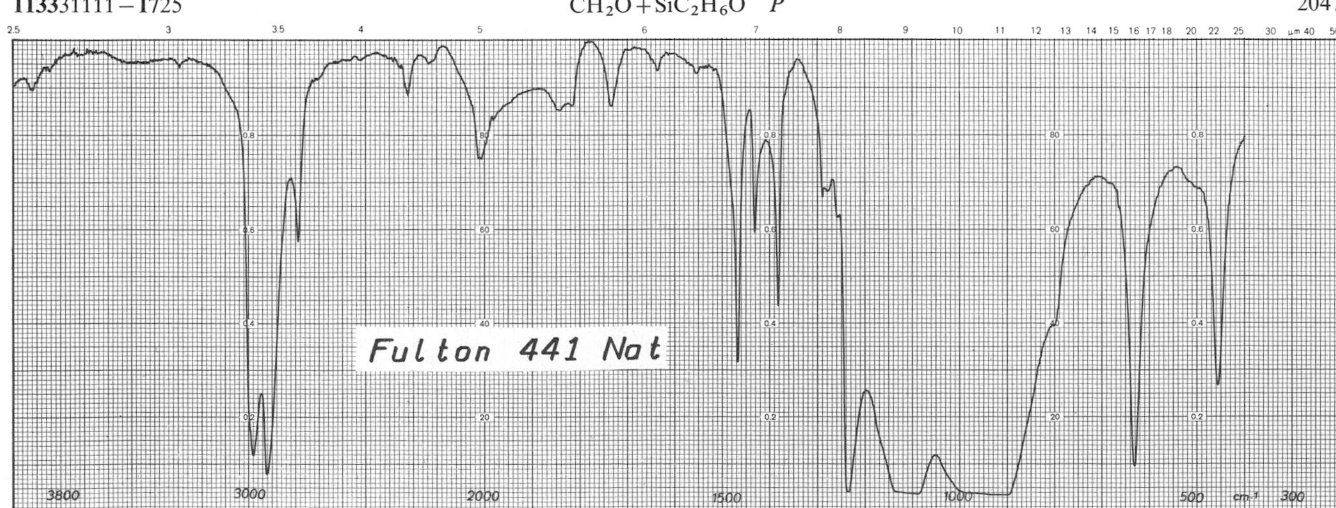

(1) **Fulton 441 Nat**
(3) silikongeschmiertes Polyacetal (Polyoxymethylen)
(4) weißes, undurchsichtiges Granulat
(5) thermoplastischer Kunststoff für mittlere Beanspruchung, z.B. für schnell laufende Zahnräder mit niederer Belastung
(6) Schmelzfilm (25 µm)
(7) PE 580 B, FLAT, ABEX 1.78

(2) LNP Plastics, Raamsdonksveer
(3) silicone-coated polyacetal (polyoxymethylene)
(4) white, opaque granules
(5) thermoplastic resin for medium stress e.g. for fast running, lightly loaded gear wheels
(6) film from the melt (25 µm)
(7) PE 580 B, FLAT, ABEX 1.78

113331111 + 1725 $CH_2O + SiC_2H_6O$ *P* 2048

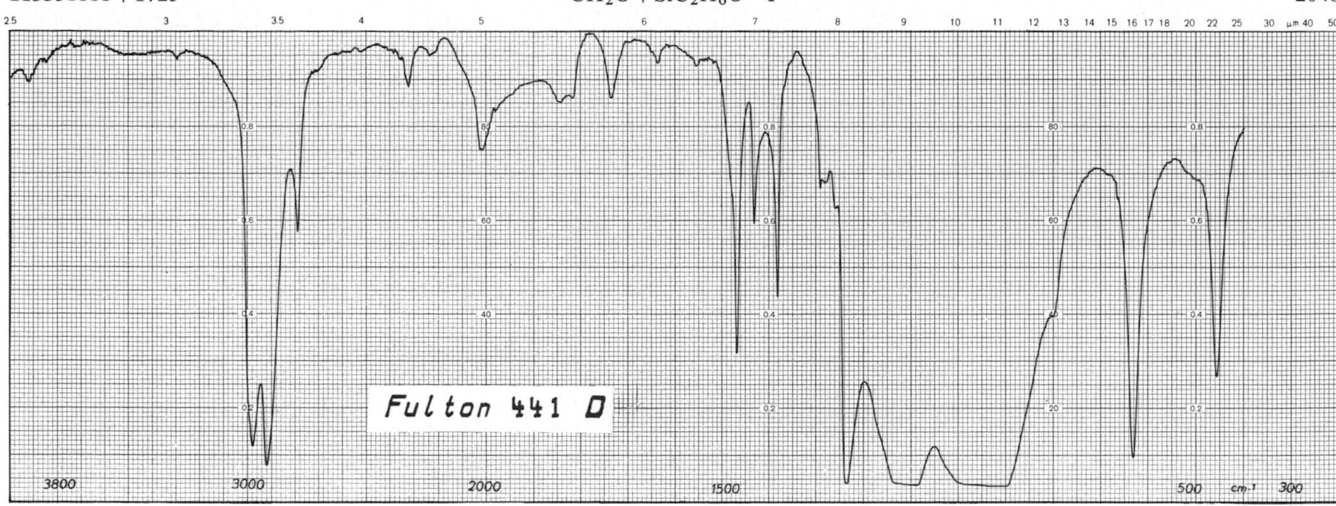

(1) **Fulton 441 D**
(3) silikongeschmiertes Polyacetal (Polyoxymethylen)
(4) schwarzes Granulat
(5) thermoplastischer Kunststoff für mittlere Beanspruchung, z.B. für schnell laufende Zahnräder mit niederer Belastung
(6) Schmelzfilm (35 µm)
(7) PE 580 B, FLAT, ABEX 1

(2) LNP Plastics, Raamsdonksveer
(3) silicone-lubricated polyacetal (polyoxymethylene)
(4) black granules
(5) thermoplastic resin for medium stress, e.g., for fast running, lightly loaded gear wheels
(6) film from the melt (35 µm)
(7) PE 580 B, FLAT, ABEX 1

113331111 CH_2O *P* 2049

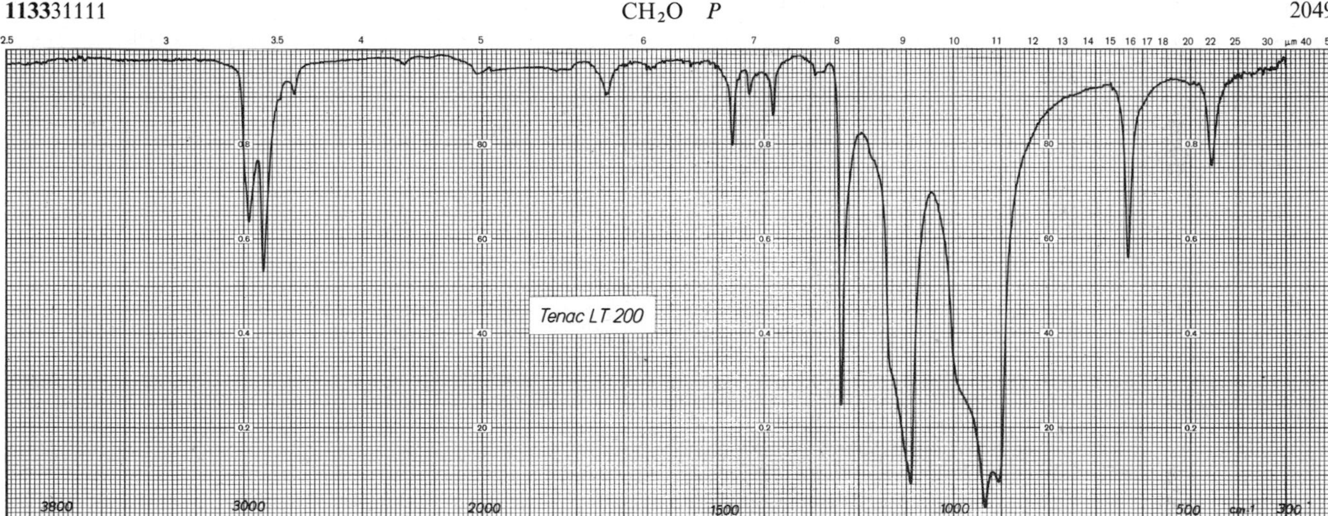

(1) **Tenac LT 200**
(3) Polyoxymethylen, geschmiert mit einem Spezialöl
(4) schwarzes Granulat
(5) für spritzgegossene, abriebfeste, mechanische Teile
(6) Schmelzfilm (10 µm)
(7) PE 580 B, FLAT

(2) Asahi Chemical Industry, Tokyo
(3) polyoxymethylene, lubricated with a special-purpose oil
(4) black granules
(5) for injection moulded, abrasion-resistant, mechanical components
(6) film from the melt (10 µm)
(7) PE 580 B, FLAT

113331111 CH_2O *P* 2050

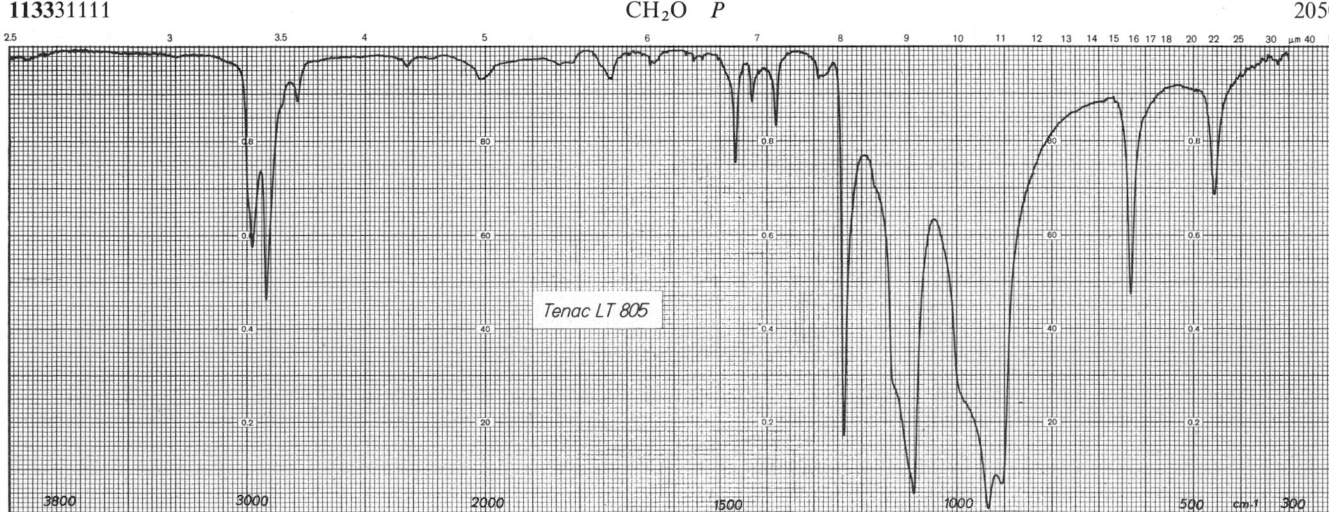

(1) **Tenac LT 805**
(3) Polyoxymethylen mit speziellem Schmiermittel
(4) weißes Granulat
(5) abriebfester, thermoplastischer Kunststoff für mechanische Teile
(6) Schmelzfilm (ca. 10 µm)
(7) PE 580 B, FLAT

(2) Asahi Chemical Industry, Tokyo
(3) specially lubricated polyoxymethylene
(4) white granules
(5) abrasion-resistant, thermoplastic resin for mechanical components
(6) film from the melt (ca. 10 µm)
(7) PE 580 B, FLAT

11(**33**31111 + **221**111) $CH_2O + C_2F_4$ *P* 2051

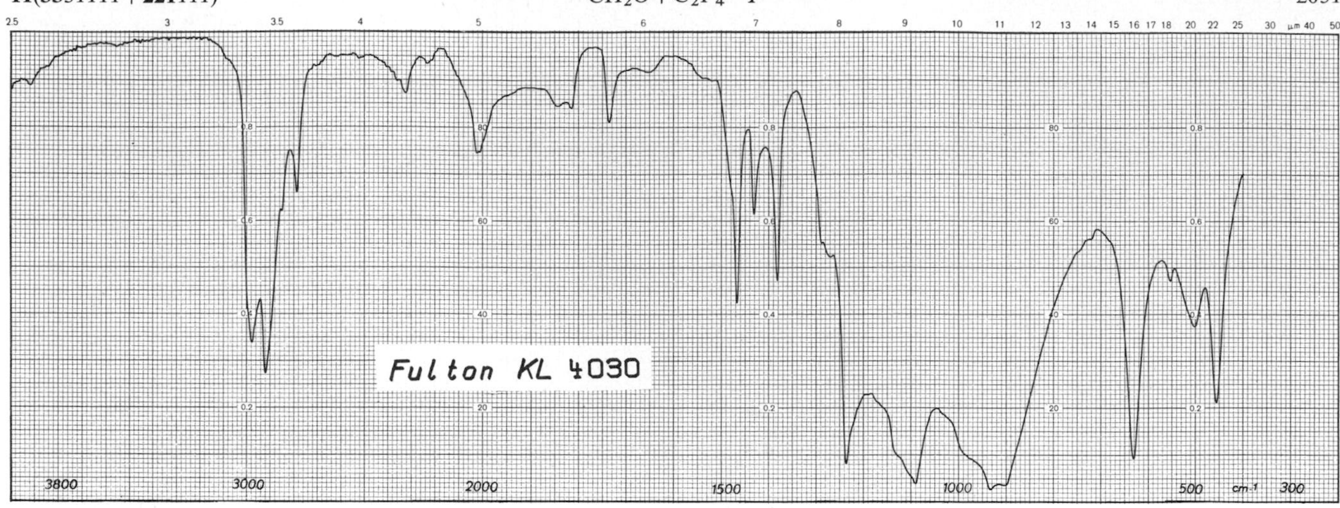

(1) **Fulton KL 4030**
(3) Polymergemisch aus Polyoxymethylen und 15 Gew.% Polytetrafluorethylen
(4) schwarzes Granulat
(5) selbstschmierender, thermoplastischer Kunststoff
(6) rekristallisierter Schmelzfilm (50 μm)
(7) PE 580 B, FLAT, ABEX 1

(2) LNP Plastics, Raamsdonksveer
(3) polymer mixture from polyoxymethylene and 15 wt.% polytetrafluoroethylene
(4) black granules
(5) self-lubricating, thermoplastic resin
(6) recrystallized film from the melt (50 μm)
(7) PE 580 B, FLAT, ABEX 1

11(**33**31111 + **221**111) $CH_2O + C_2F_4$ *P* 2052

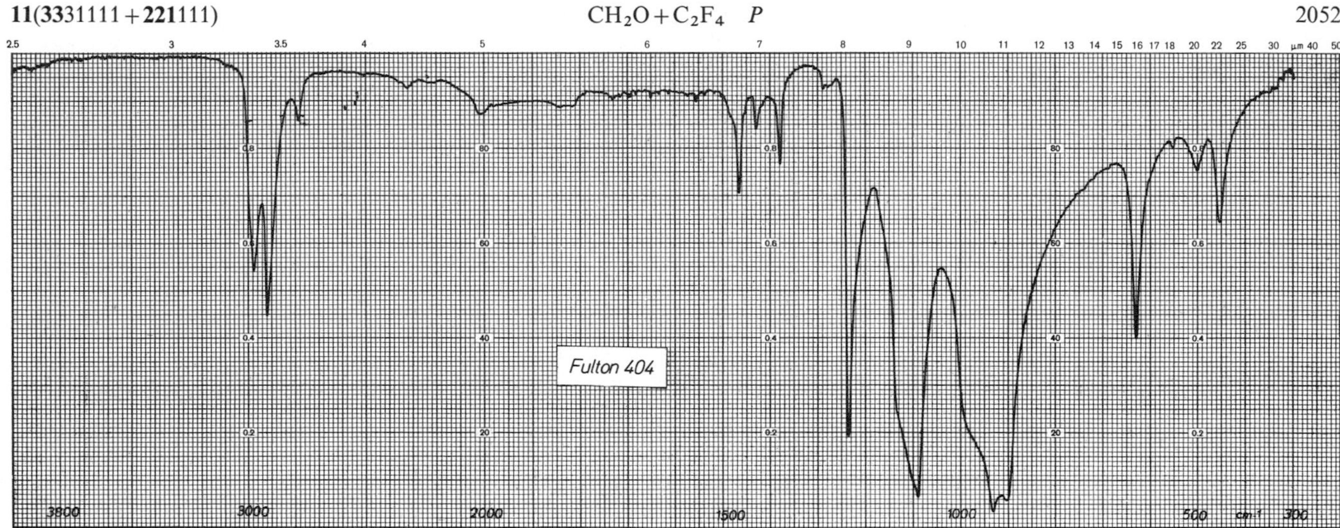

(1) **Fulton 404**
(3) Polymergemisch aus Poly(oxymethylen) und Poly(tetrafluorethylen), 4:1
(4) weißes Granulat
(5) geschmierter, thermoplastischer Kunststoff für bewegte Teile, mit guten Friktions- und Abriebeigenschaften
(6) Schmelzfilm (ca. 15 μm)
(7) PE 580 B, FLAT, ABEX 1

(2) LNP Plastics Nederland, Raamsdonksveer
(3) polymer mixture from polyoxymethylene and polytetrafluoroethylene, 4:1
(4) white granules
(5) lubricated, thermoplastic resin for moving parts, with good frictional properties and abrasion resistance
(6) film from the melt (ca. 15 μm)
(7) PE 580 B, FLAT, ABEX 1

11(**33**31111 + **221**111) + **17**25 $CH_2O + C_2F_4 + SiC_2H_6O$ *P* 2053

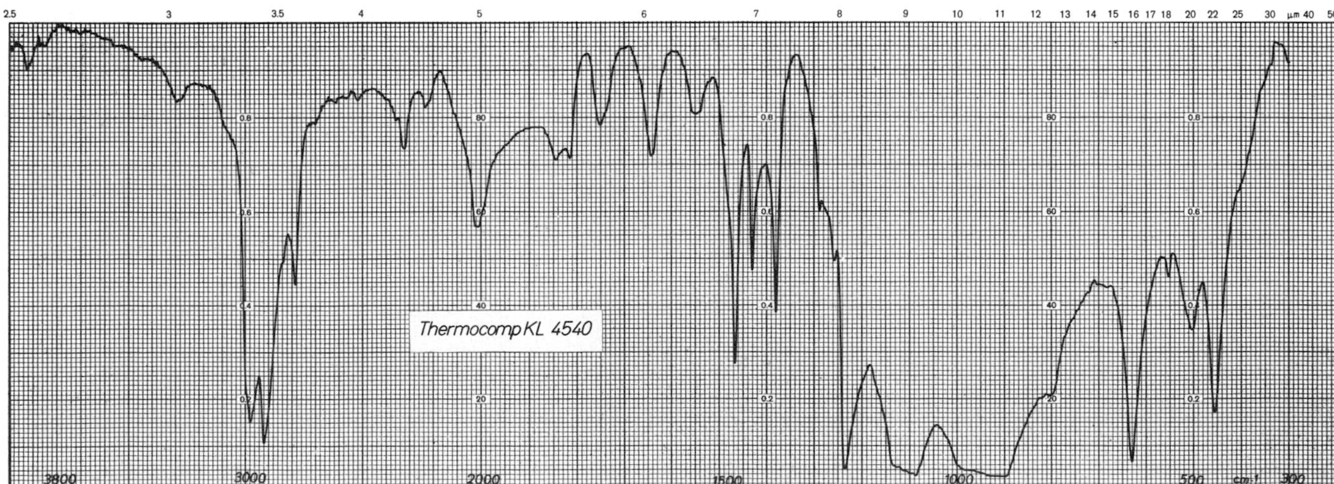

(1) **Thermocomp KL-4540**
(3) Polymergemisch aus Poly(oxymethylen) und Poly(tetrafluorethylen), 4:1, mit Siliconzusatz
(4) hellgraues Granulat, mit Füllstoff
(5) geschmierter, thermoplastischer Kunststoff für bewegte Teile, mit guten Friktions- und Abriebeigenschaften
(6) Schmelzfilm (ca. 30 μm)
(7) PE 580 B, SMOOTH 2, FLAT, ABEX 1.37

(2) LNP Plastics Nederland, Raamsdonksveer
(3) polymer mixture from polyoxymethylene and polytetrafluoroethylene 4:1, with added silicone
(4) light grey granules with filler
(5) lubricated, thermoplastic resin for moving parts, with good frictional properties and abrasion resistance
(6) film from the melt (ca. 30 μm)
(7) PE 580 B, SMOOTH 2, FLAT, ABEX 1.37

11333111(1−2) $CH_2O-C_2H_4O$ *P* 2054

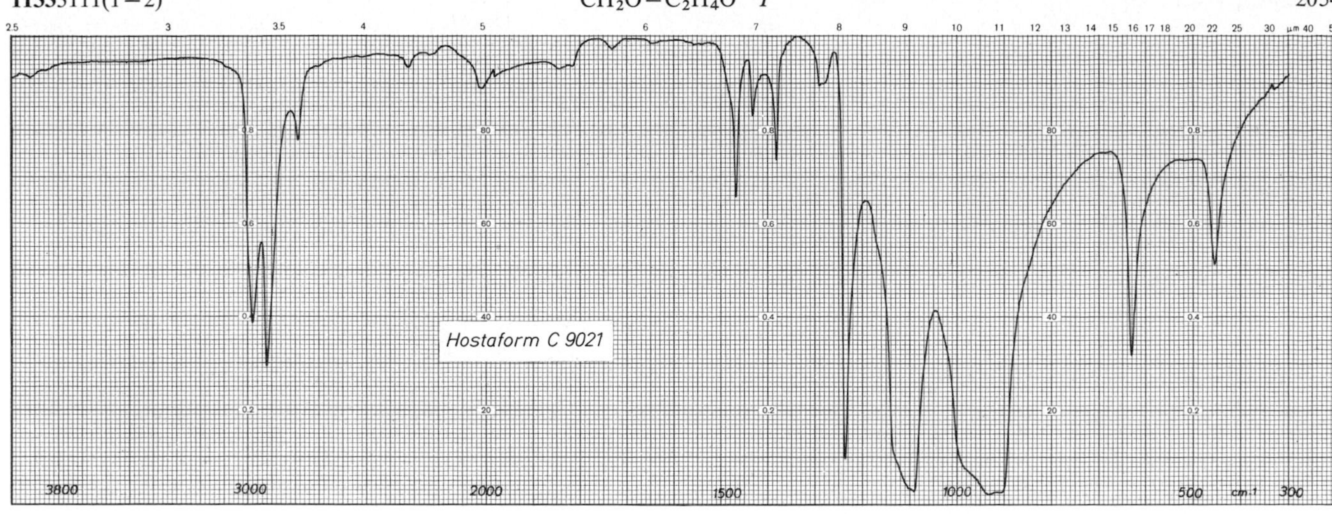

(1) **Hostaform C 9021**
(3) poly(oxymethylen-co-oxyethylen)
(4) weiße Kügelchen
(5) thermoplastischer Kunststoff für Spritzgußteile
(6) heißgepreßter Film (40 µm)

(2) Hoechst AG, Frankfurt/M.-Höchst
(3) poly(oxymethylene-co-oxyethylene)
(4) white pellets
(5) thermoplastic resin for injection-moulded components
(6) hot pressed film (40 µm)

11333111(1−2) $CH_2O-C_2H_4O$ *P* 2055

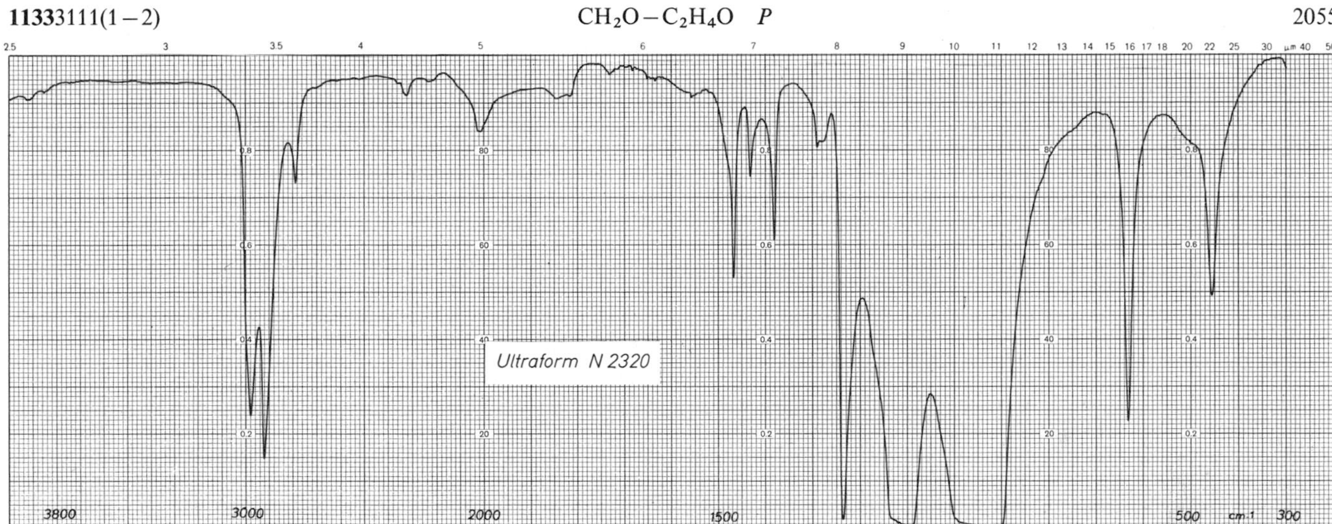

(1) **Ultraform N 2320**
(3) Poly(oxymethylen-co-oxyethylen)
(4) weiß-opakes Granulat
(5) thermoplastischer Kunststoff für den Spritzguß (Zahnräder, Rollen, Lager usw.)
(6) rekristallisierter Schmelzfilm (10 µm)

(2) BASF AG, Ludwigshafen
(3) poly(oxymethylene-co-oxyethylene)
(4) opaque, white granules
(5) thermoplastic resin for injection mouldings (gear wheels, rollers, bearings etc.)
(6) recrystallized film from the melt (10 µm)

113331111 + **19**172 CH_2O *P* 2056

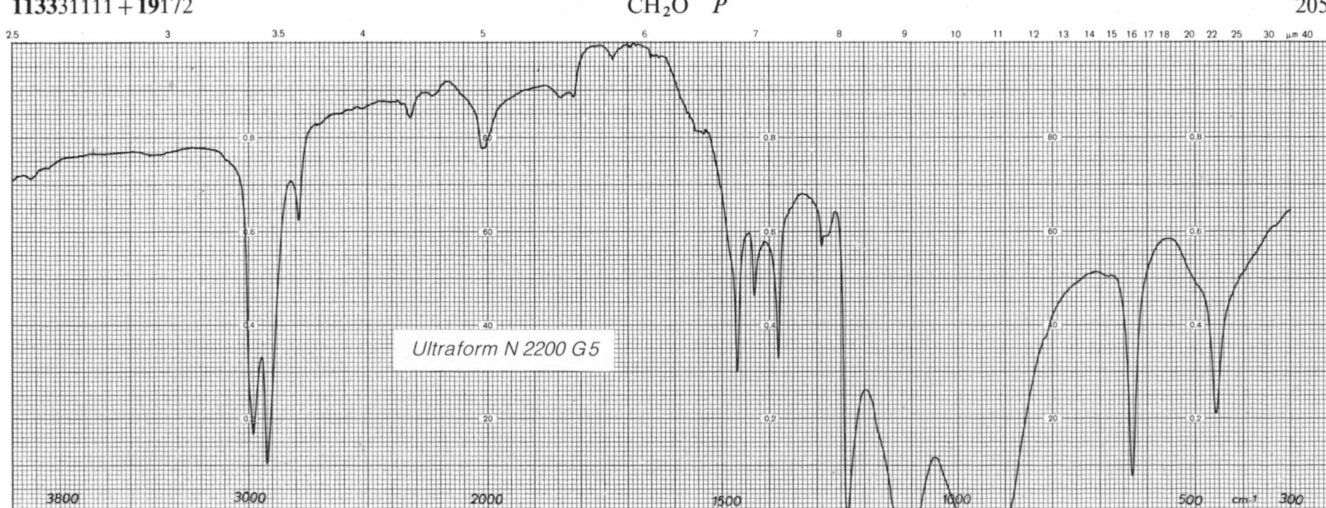

(1) **Ultraform N 2200 G 5**
(3) Acetalcopolymerisat (im wesentlichen Polyoxymethylen) mit 25% Glasfasern
(4) weißgraues Granulat
(5) für Spritzgußformteile von hoher Festigkeit und Steifigkeit
(6) rekristallisierter Schmelzfilm

(2) BASF AG, Ludwigshafen
(3) acetal copolymer [mainly poly(oxymethylene)] with 25% glass fiber
(4) whitish-grey granules
(5) for tough, highly rigid, injection-moulded components
(6) film recrystallized from the melt

113331112 C_2H_4O *P* 2057

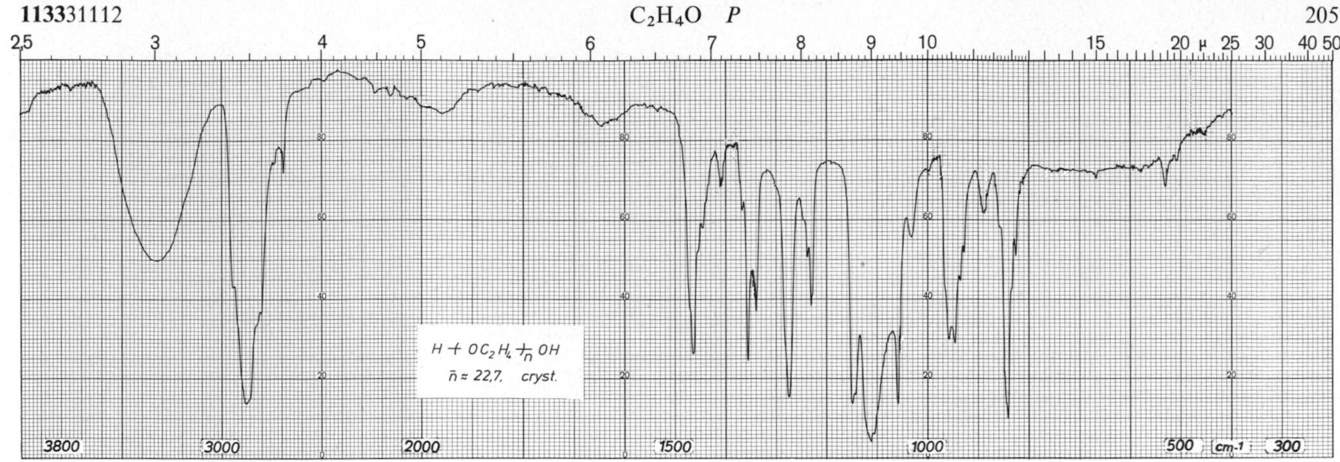

(1) **Polyethylenglykol 1000**
(3) Hydrogen-poly(oxyethylen)hydroxid, M = 1 kg mol^{-1}
(4) weiße, paraffinähnliche Stückchen
(5) Antistatikum, Rohstoff für Synthesen
(6) rekristallisierte Schicht zwischen KBr, Meßtemperatur 153 K

(2) Hoechst AG, Werk Gendorf
(3) hydrogen poly(oxyethylene) hydroxide, M = 1 kg mol^{-1}
(4) white, paraffin-like pieces
(5) antistatic, synthetic intermediate
(6) recrystallized film between KBr, recorded at 153 K

113331112 C_4H_8O *P* 2058

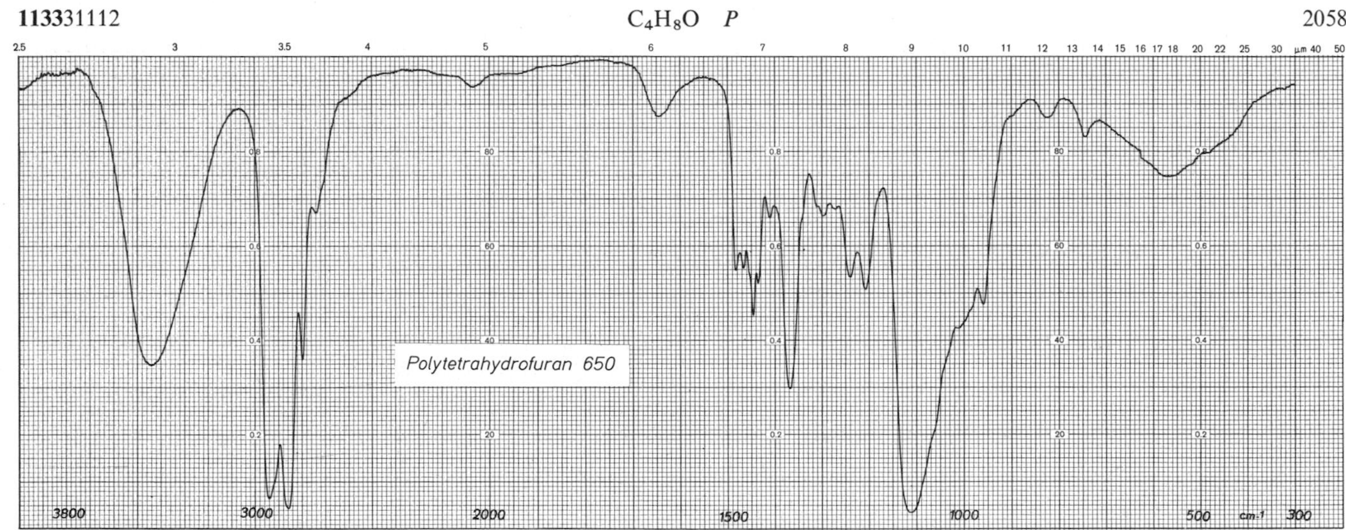

(1) **Polytetrahydrofuran 650**
(3) Hydrogen-poly(oxytetramethylen)hydroxid, M = 0.65 kg mol^{-1}
(4) farbloser, schmieriger Brei
(5) zur Herstellung von Polyadditionsprodukten, Polyesterharzen, Polyurethanen
(6) Schicht zwischen CsI
(7) PE 580 B, ABEX 1.35

(2) BASF AG, Ludwigshafen
(3) hydrogen poly(oxytetramethylene) hydroxide, M = 0.65 kg mol^{-1}
(4) colorless, sticky paste
(5) for the manufacture of polyaddition products, polyester resins, polyurethanes
(6) film between CsI
(7) PE 580 B, ABEX 1.35

113331112 C_4H_8O *P* 2059

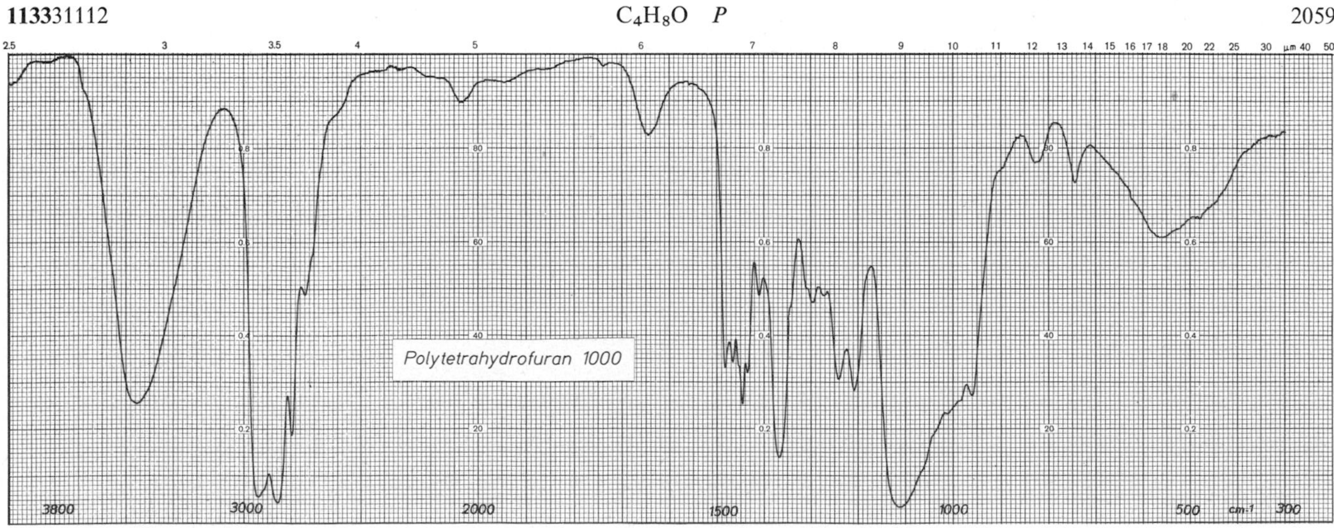

(1) **Polytetrahydrofuran 1000**
(3) Hydrogen-poly(oxytetramethylen)hydroxid, M = 1 kg mol^{-1}
(4) wachsähnliche, krümelige, farblose Substanz
(5) zur Herstellung von Polyadditionsprodukten, Polyesterharzen, Polyurethanen
(6) Schmelzfilm zwischen CsI
(7) PE 580 B, ABEX 1.11

(2) BASF AG, Ludwigshafen
(3) hydrogen poly(oxytetramethylene) hydroxide, M = 1 kg mol^{-1}
(4) waxlike, friable, colorless substance
(5) for the manufacture of polyaddition products, polyester resins, polyurethanes
(6) film from the melt between CsI
(7) PE 580 B, ABEX 1.11

113331112 C_4H_8O *P* 2060

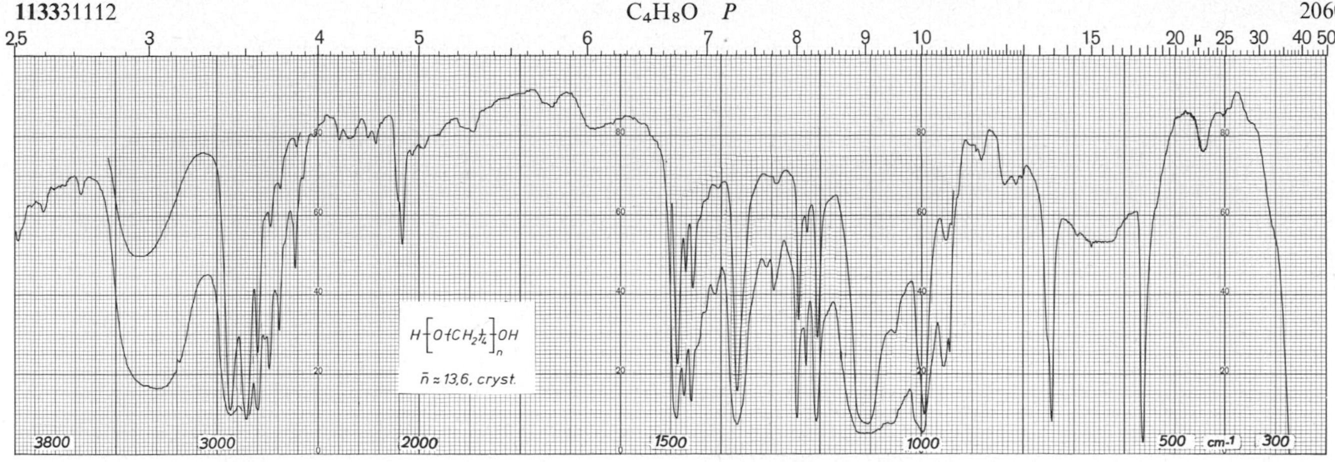

(1) **Polytetramethylenglykol 1000**
(3) Hydrogen-poly(oxytetramethylen)hydroxid, M = 1 kg mol^{-1}
(4) farblose, viskose Flüssigkeit
(5) Präpolymer, z.B. für die Herstellung von Polyetherurethanen
(6) Schicht zwischen KBr (25 µm), Meßtemperatur 153 K
(7) PE 325

(2) Hoechst AG, Werk Gendorf
(3) hydrogen poly(oxytetramethylene) hydroxide, M = 1 kg mol^{-1}
(4) colorless, viscous liquid
(5) prepolymer for the manufacture of polyetherurethanes etc.
(6) film between KBr (25 µm), recorded at 153 K
(7) PE 325

113331112 C_4H_8O *P* 2061

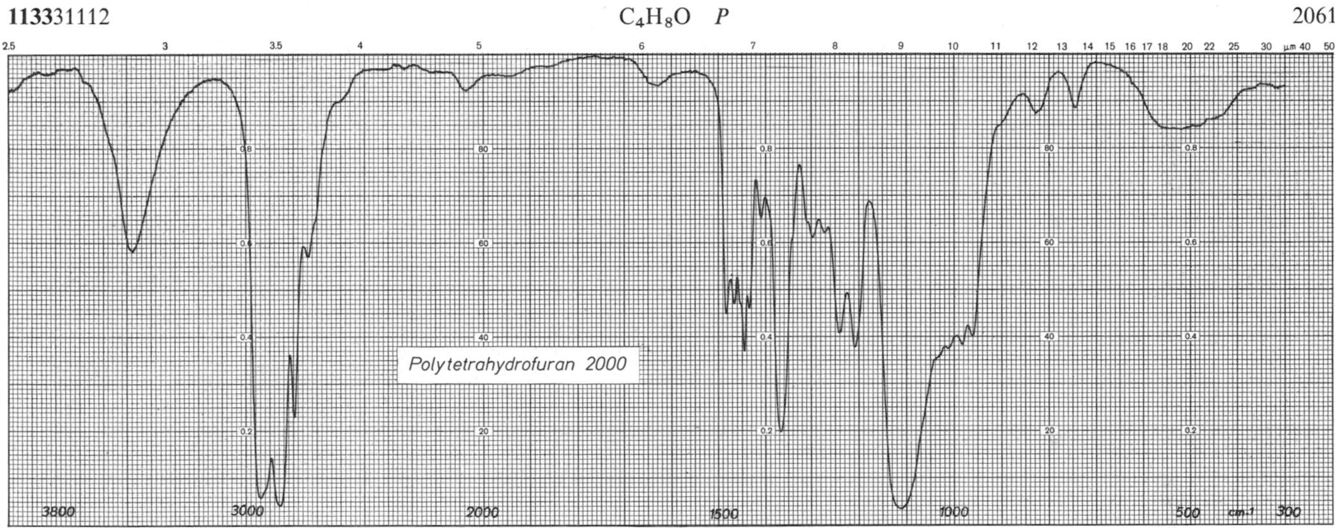

(1) **Polytetrahydrofuran 2000**
(3) Hydrogen-poly(oxytetramethylen)hydroxid, M = 2 kg mol^{-1}
(4) farblose, hartwachsähnliche Substanz
(5) zur Herstellung von Polyadditionsprodukten, Polyesterharzen, Polyurethanen
(6) Schmelzfilm zwischen CsI
(7) PE 580 B, ABEX 1.29

(2) BASF AG, Ludwigshafen
(3) hydrogen poly(oxytetramethylene) hydroxide, M = 2 kg mol^{-1}
(4) hard wax-like, colorless substance
(5) for the manufacture of polyaddition products, polyesters, polyurethanes
(6) film from the melt between CsI
(7) PE 580 B, ABEX 1.29

1133(31112 – 71221) 2062

(1) **Poly[poly(oxybutylen)terephthalat-b-poly(butylenterephthalat)], P 40 H**
(2) M. Matsuo, Dept. of Clothing Science Faculty of Home Economics, Nara Women's University, Japan
(4) weißes Granulat
(5) Rohstoff für Polyetherester-Fasern
(6) Schmelzfilm (ca. 10 µm)

(1) **poly(polyoxybutylene terephthalate-b-polybutylene terephthalate), P 40 H**
(4) white granules
(5) raw material for polyether-ester fibers
(6) film from the melt (ca. 10 µm)
(7) PE 580 B, FLAT, ABEX 1.22
(8) M. Matsuo, K. Geshi, A. Moriyama, C. Swatari, Macromolecules **15** (1982) 193 ... 202

1133(31112 – 7122) 2063

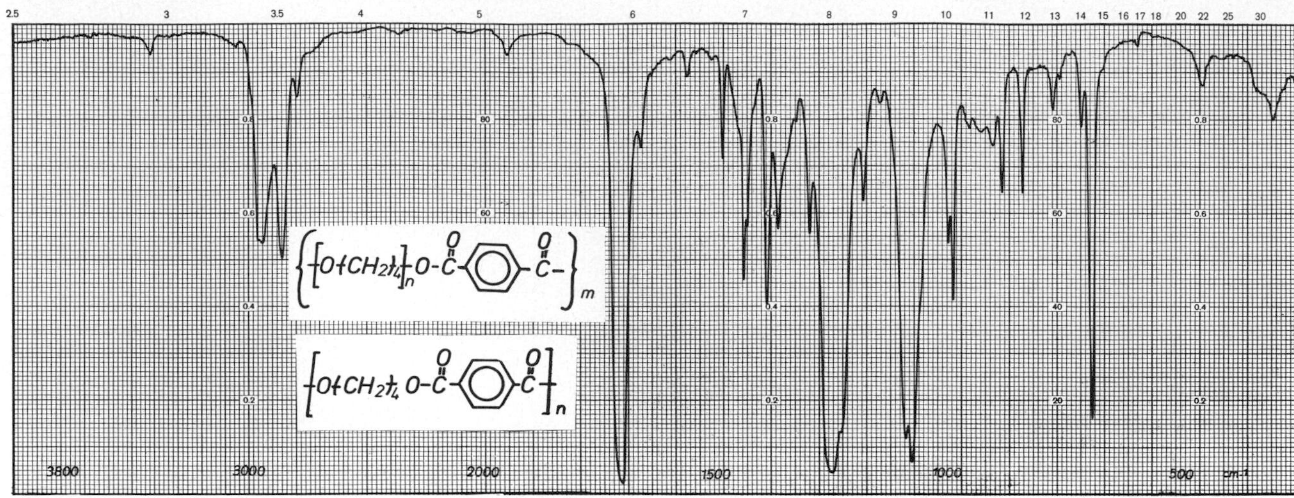

(1) **Poly[poly(oxybutylen)terephthalat-b-poly(butylenterephthalat)], PI 50 B**
(2) M. Matsuo, Dept. of Clothing Science, Faculty of Home Economics, Nara Women's University, Japan
(4) weißes Granulat
(5) Rohstoff für Polyetherester-Fasern
(6) Schmelzfilm (ca. 10 µm)

(1) **poly(polyoxybutylene terephthalate-b-polybutylene terephthalate, PI 50 B**
(4) white granules
(5) raw material for polyether-ester fibers
(6) film from the melt (ca. 10 µm)
(7) PE 580 B, FLAT, ABEX 1.22
(8) M. Matsuo, K. Geshi, A. Moriyama, C. Swatari, Macromolecules **15** (1982) 193 ... 202

1133(31112 – 71221) 2064

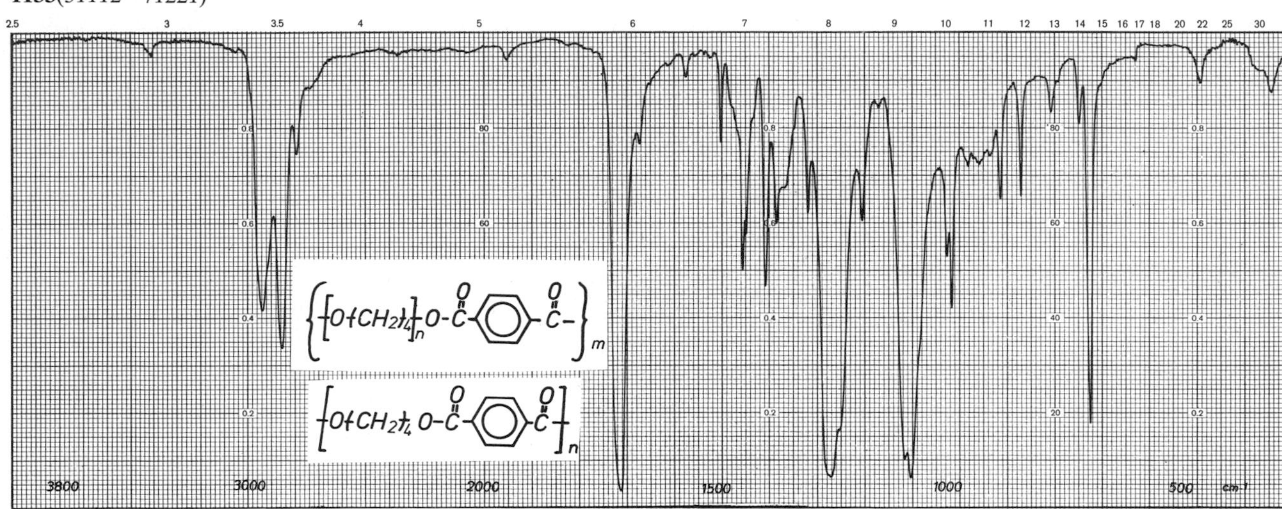

(1) **Poly[poly(oxybutylen)terephthalat-b-poly(butyleneterephthalat)], P 70 B**
(2) M. Matsuo, Dept. of Clothing Science, Faculty of Home Economics, Nara Women's University, Japan
(4) weißes Granulat
(5) Rohstoff für Polyetherester-Fasern
(6) Schmelzfilm (ca. 10 µm)

(1) **poly(polyoxybutylene terephthalate-b-polybutylene terephthalate), P 70 B**
(4) white granules
(5) raw material for polyether-ester fibers
(6) film from the melt (ca. 10 µm)
(7) PE 580 B, FLAT, ABEX 1.22
(8) M. Matsuo, K. Geshi, A. Moriyama, C. Swatari, Macromolecules **15** (1982) 193 ... 202

113331121 C_3H_6O *P* 2065

(1) **Polypropylenglykol 1020**
(3) Hydrogen-poly(oxypropylen)hydroxid, M = 1.02 kg mol^{-1}
(4) farblose, viskose Flüssigkeit
(5) Präpolymer, z.B. für die Synthese von Polyetherurethanen
(6) Schicht zwischen CsI (50 µm, kapillar)

(2) Hoechst AG, Werk Gendorf
(3) hydrogen poly(oxypropylene) hydroxide, M = 1.02 kg mol^{-1}
(4) colorless, viscous liquid
(5) prepolymer for the synthesis of polyetherurethanes etc.
(6) film between CsI (50 µm, capillary)

113331211 $C_6H_{12}O$ *P* 2066

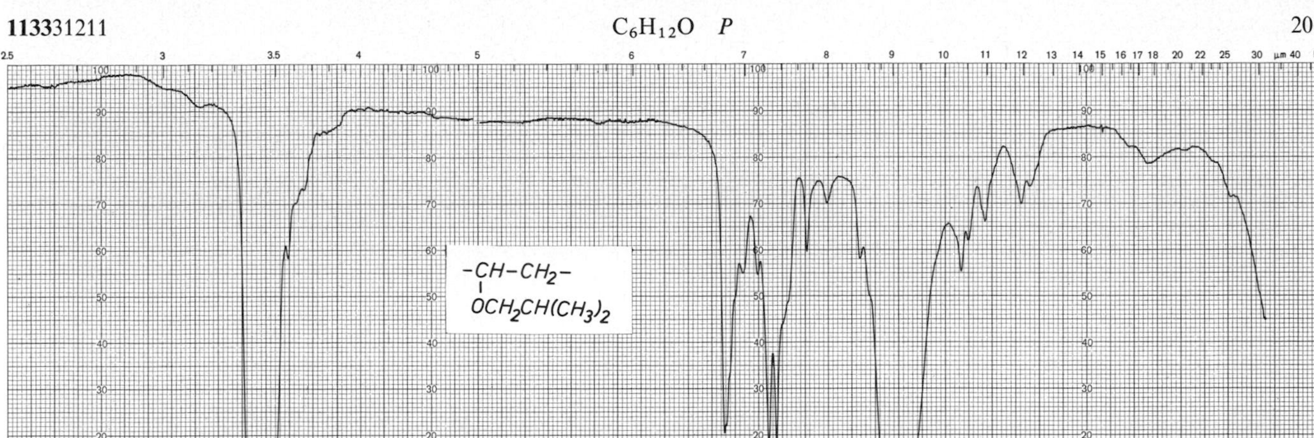

(1) **Poly(vinylisobutylether), teilweise isotaktisch**
(2) C. E. Schildknecht, Gettysburg College, Pa.
(4) farbloses Material
(6) Film auf KBr

(1) **poly(vinyl isobutyl ether), partially isotactic**
(4) colorless material
(6) film on KBr

11333213 C_8H_8O *P* 2067

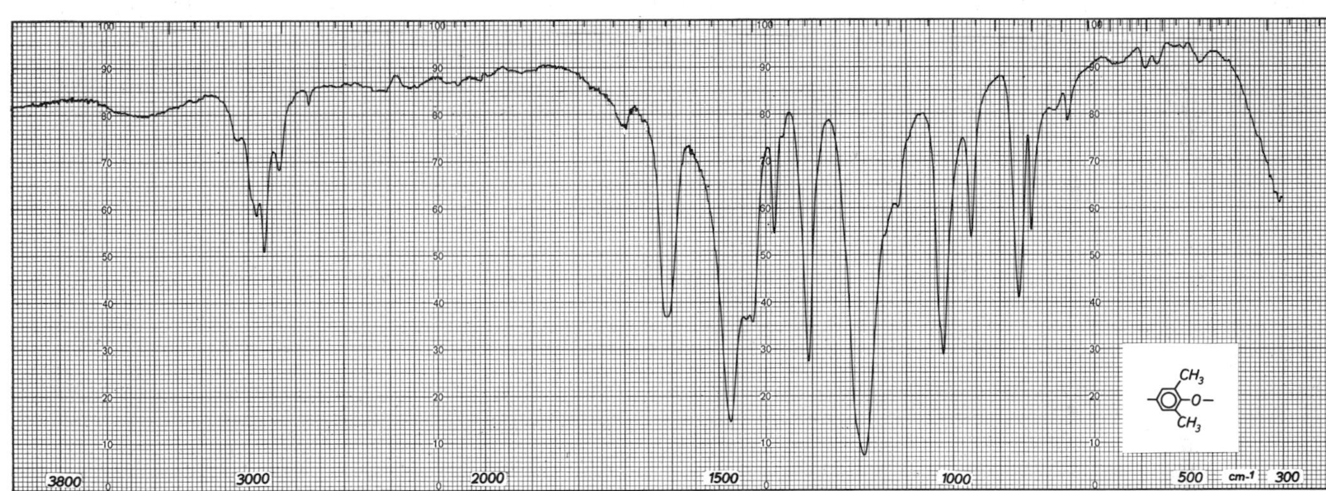

(1) **PPO**
(3) Poly(oxy-2,6-dimethyl-1,4-phenylen)
(4) farbloser, klarer Film
(5) thermostabiles Material
(6) KBr (1.2/300)

(2) Akzo Chemie, Nederland nv, Arnhem
(3) poly(oxy-2,6-dimethyl-1,4-phenylene)
(4) clear, colorless film
(5) thermally stable material
(6) KBr (1.2/300)

11(**333**213 – **21**22111) $C_8H_8O + C_8H_8$ *P* 2068

Noryl 731

(1) **Noryl 731**
(3) Mischung aus Poly(2,6-dimethyl-1,4-oxyphenylen) („PPO") und Polystyrol
(4) gelbliches Granulat
(5) wärmeformbeständiger (bis 150 °C), dimensionsstabiler thermoplastischer Kunststoff für vielseitige Anwendungen
(6) Schicht aus MTC auf CsI
(7) PE 580 B, FLAT, ABEX 1.35

(2) General Electric Plastics, Rüsselsheim
(3) polymer mixture of poly(2,6-dimethyl-1,4-oxyphenylene) ("PPO") and polystyrene
(4) yellowish granules
(5) thermally resistant (to 150 °C), dimensionally stable, thermoplastic resin for a multiplicity of applications
(6) film from MTC on CsI
(7) PE 580 B, FLAT, ABEX 1.35

1133411/**14**31 $C_{12}H_{20}O_{10}$ *P* 2069

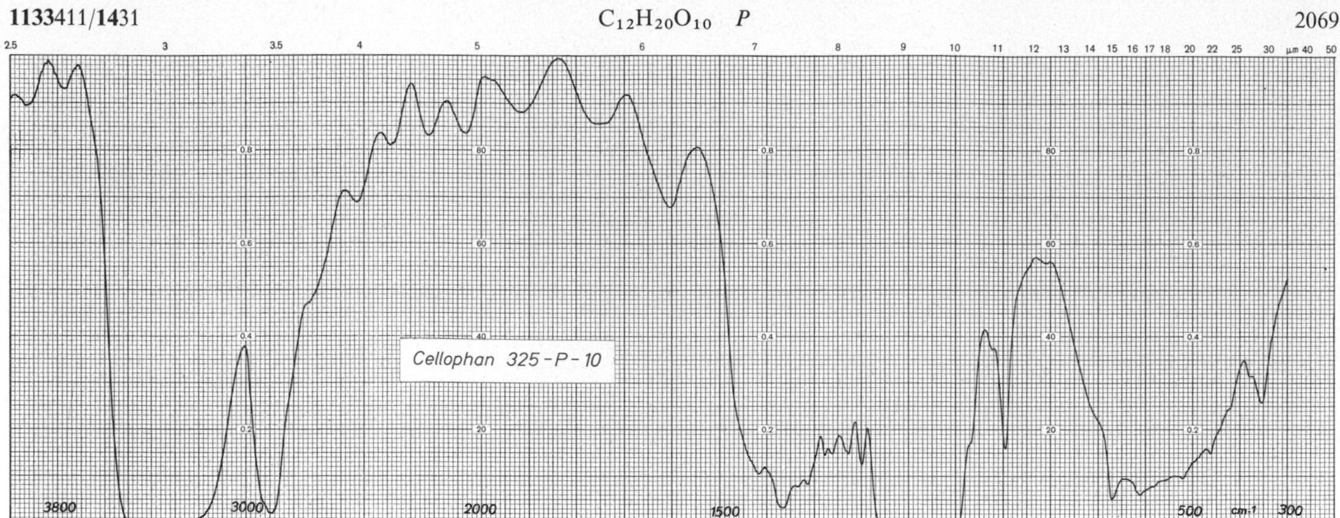

(1) **Cellophan 325-P 10**
(3) regenerierte Cellulose
(4) farbloser, transparenter Film (23 µm)
(5) Verpackungsfolie
(6) freitragender Film
(7) PE 580 B

(2) Hoechst AG, Werk Kalle, Wiesbaden
(3) regenerated cellulose
(4) colorless, transparent film (23 µm)
(5) packaging film
(6) freestanding film
(7) PE 580 B

1133411/**14**31 $C_{12}H_{20}O_{10}$ *P* 2070

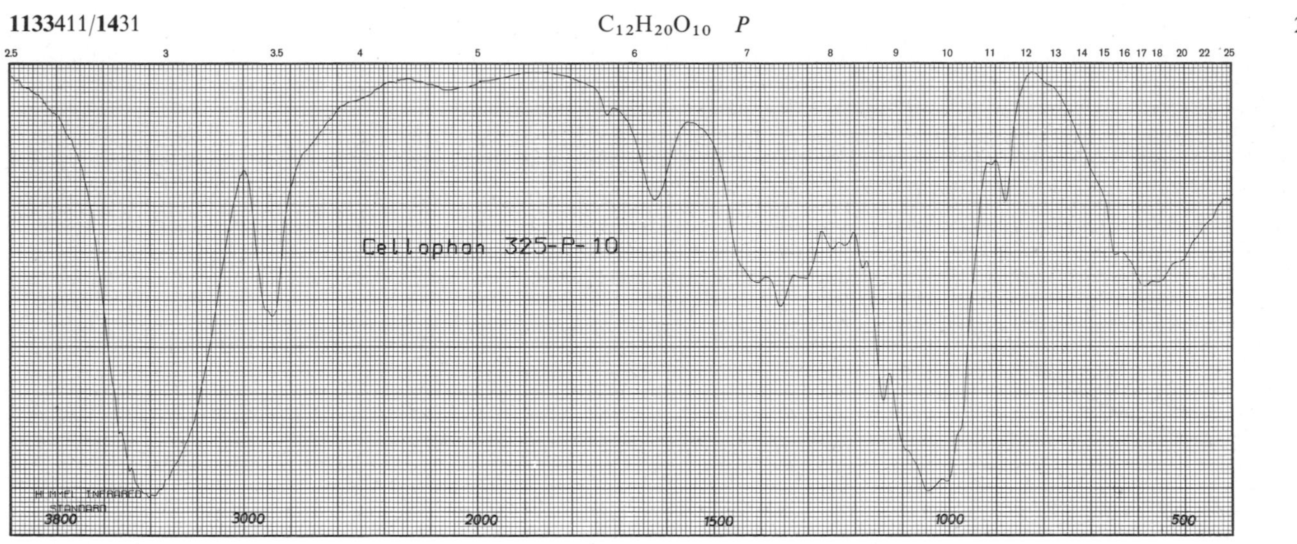

(1) **Cellophan 325-P-10**
(3) regenerierte Cellulose
(4) farbloser, transparenter Film (23 µm)
(6) mit Rasiermesser geschabt, bei 80 K gemahlen, KBr (1.5/400)
(7) Nicolet SX 20

(2) Hoechst AG, Werk Kalle, Wiesbaden
(3) regenerated cellulose
(4) colorless, transparent film (23 µm)
(6) razor blade shavings, ground at 80 K, KBr (1.5/400)
(7) Nicolet SX 20

1133411/**14**31 $C_{12}H_{20}O_{10}$ *P* 2071

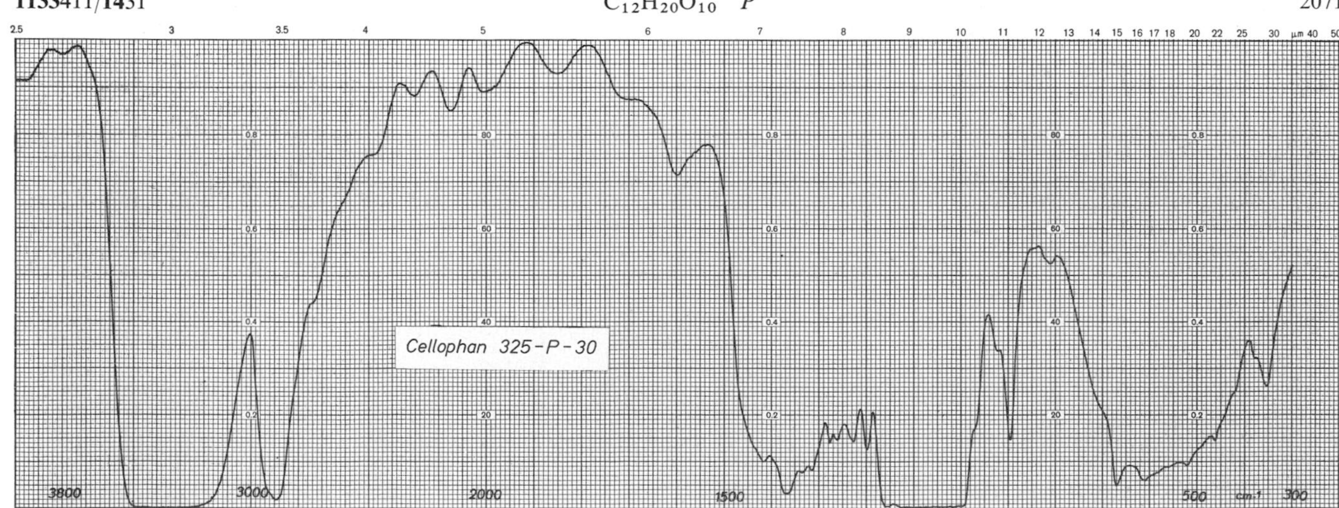

(1) **Cellophan 325-P-30**
(3) regenerierte Cellulose
(4) transparenter, farbloser Film (22 µm)
(5) Verpackungsfolie
(6) freitragender Film
(7) PE 580 B

(2) Hoechst AG, Werk Kalle, Wiesbaden
(3) regenerated cellulose
(4) transparent, colorless film (22 µm)
(5) packaging film
(6) freestanding film
(7) PE 580 B

1133411/**14**31

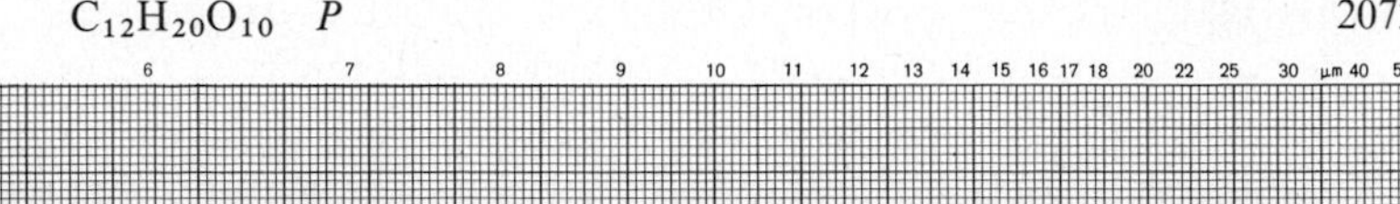
$C_{12}H_{20}O_{10}$ *P* 2072

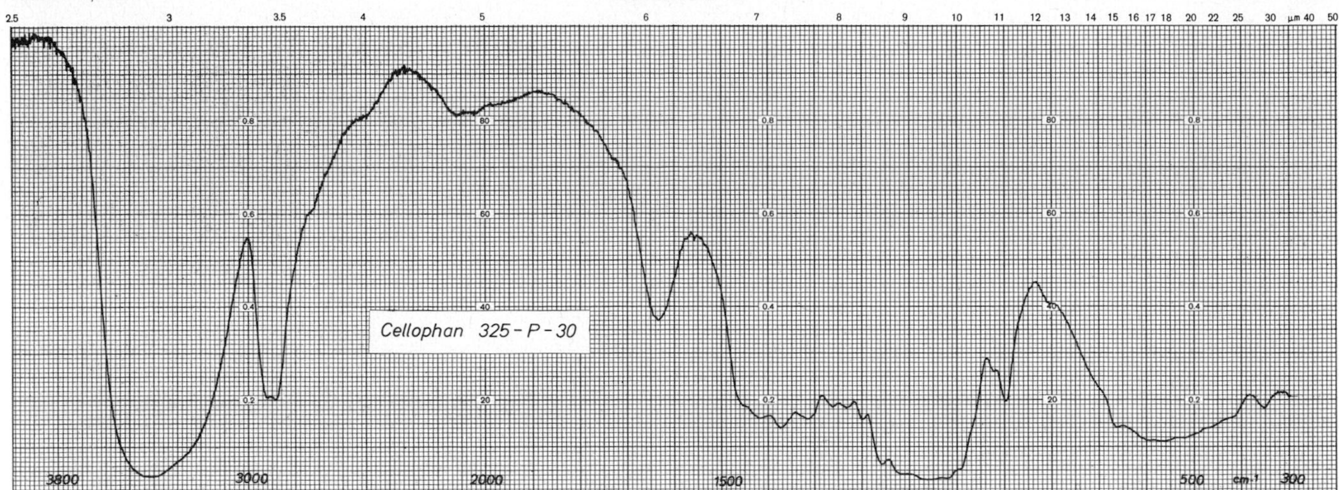

(1) **Cellophan 325-P-30**
(3) regenerierte Cellulose
(4) transparenter, farbloser Film (22 μm)
(5) mit Rasiermesser geschabt, mit KBr verrieben und gepreßt
(7) PE 580 B, ABEX 2.94

(2) Hoechst AG, Werk Kalle, Wiesbaden
(3) regenerated cellulose
(4) transparent, colorless film (22 μm)
(6) razor blade shavings, ground with KBr and pressed
(7) PE 580 B, ABEX 2.94

1133411/**14**31 $C_{12}H_{20}O_{10}$ *P* 2073

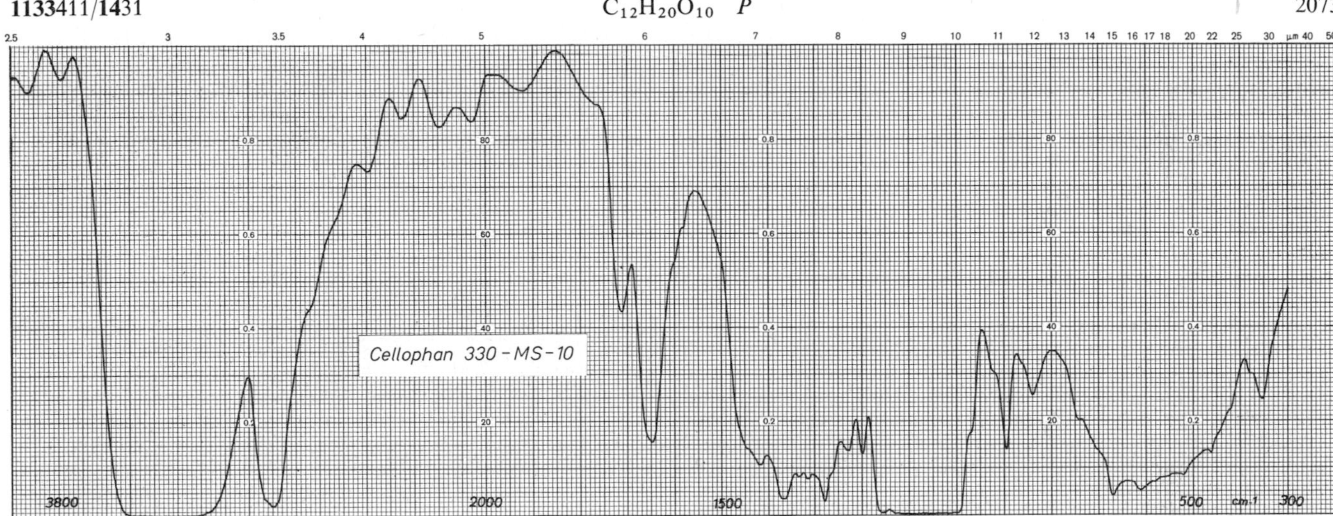

(1) **Cellophan 330-MS-10**
(3) regenerierte Cellulose
(4) transparenter, farbloser Film (23 μm)
(5) Verpackungsfolie
(6) freitragender Film
(7) PE 580 B

(2) Hoechst AG, Werk Kalle, Wiesbaden
(3) regenerated cellulose
(4) transparent, colorless film (23 μm)
(5) packaging film
(6) freestanding film
(7) PE 580 B

1133411/**14**31 $C_{12}H_{20}O_{10}$ *P* 2074

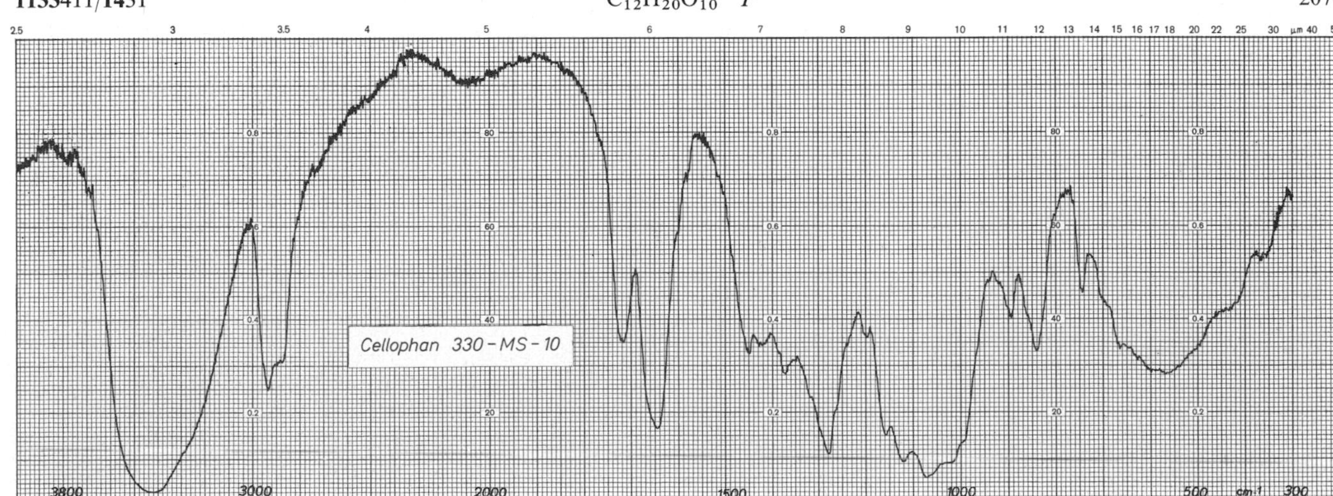

(1) **Cellophan 330-MS-10**
(3) regenerierte Cellulose
(4) transparenter, farbloser Film (23 μm)
(6) mit Rasiermesser geschabt, mit KBr verrieben und gepreßt
(7) PE 580 B, ABEX 5.81

(2) Hoechst AG, Werk Kalle, Wiesbaden
(3) regenerated cellulose
(4) transparent, colorless film (23 μm)
(6) razor blade shavings, ground with KBr and pressed
(7) PE 580 B, ABEX 5.81

1133411/**14**31

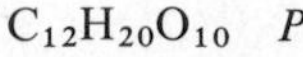
$C_{12}H_{20}O_{10}$ *P*

2075

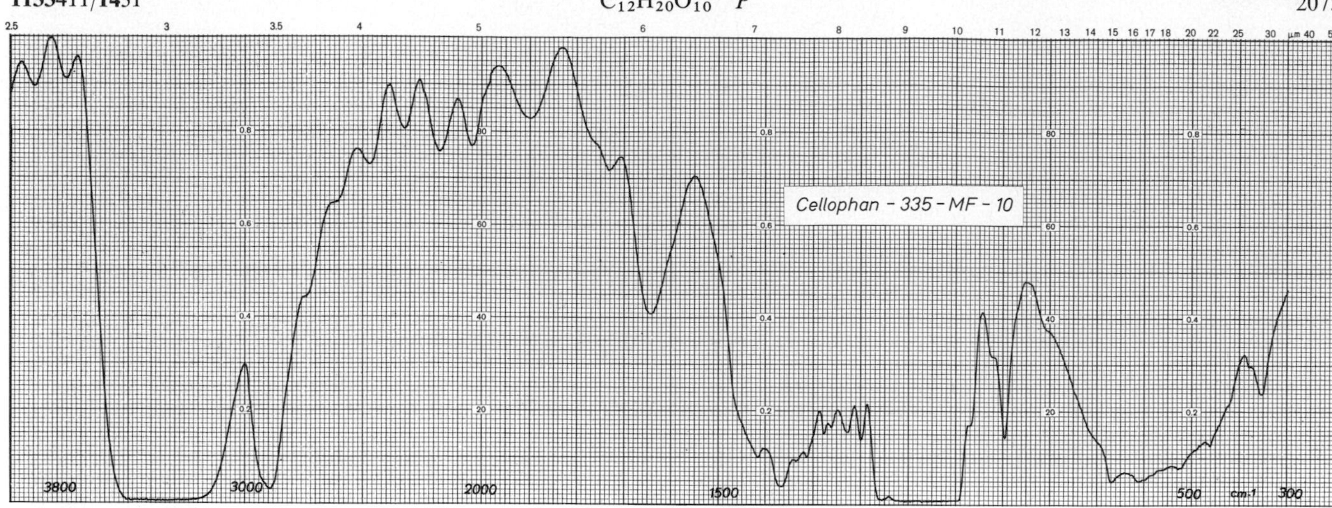

(1) **Cellophan 335-MF-10**	(2) Hoechst AG, Werk Kalle, Wiesbaden
(3) regenerierte Cellulose	(3) regenerated cellulose
(4) transparenter, farbloser Film (23 µm)	(4) transparent, colorless film (23 µm)
(5) Verpackungsfolie	(5) packaging film
(6) freitragender Film	(6) freestanding film
(7) PE 580 B	(7) PE 580 B

1133411/**14**31

$C_{12}H_{20}O_{10}$ *P*

2076

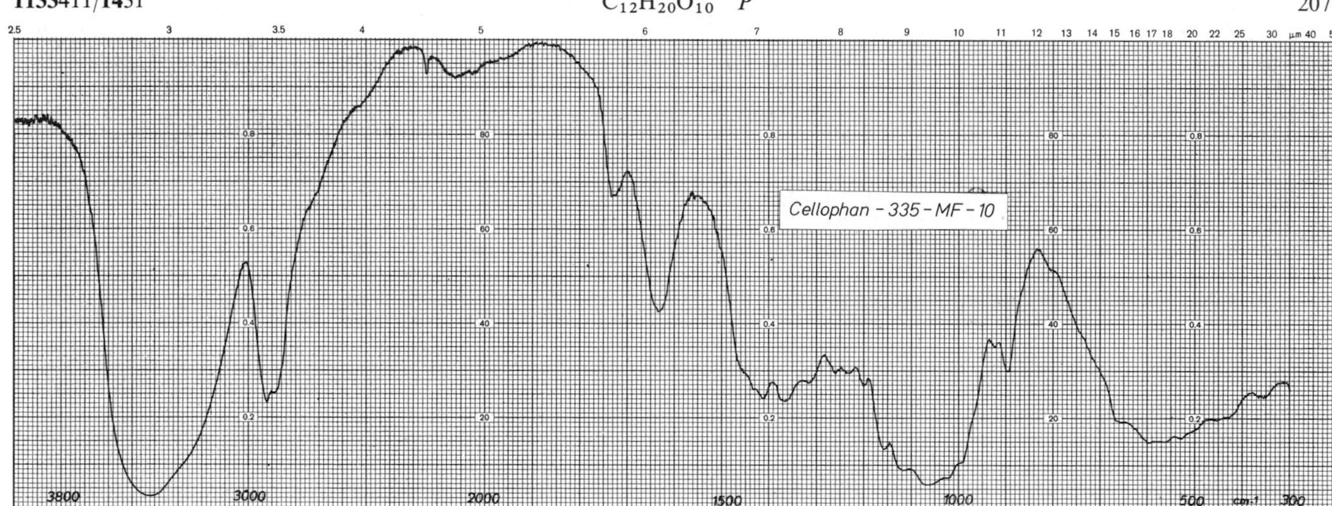

(1) **Cellophan 335-MF-10**	(2) Hoechst AG, Werk Kalle, Wiesbaden
(3) regenerierte Cellulose	(3) regenerated cellulose
(4) transparenter, farbloser Film (23 µm)	(4) transparent, colorless film (23 µm)
(6) mit Rasiermesser geschabt, mit KBr verrieben und gepreßt	(6) razor blade shavings, ground with KBr and pressed
(7) PE 580 B, ABEX 2.97	(7) PE 580 B, ABEX 2.97

11336111 $C_3H_4O_2$ *P* 2077

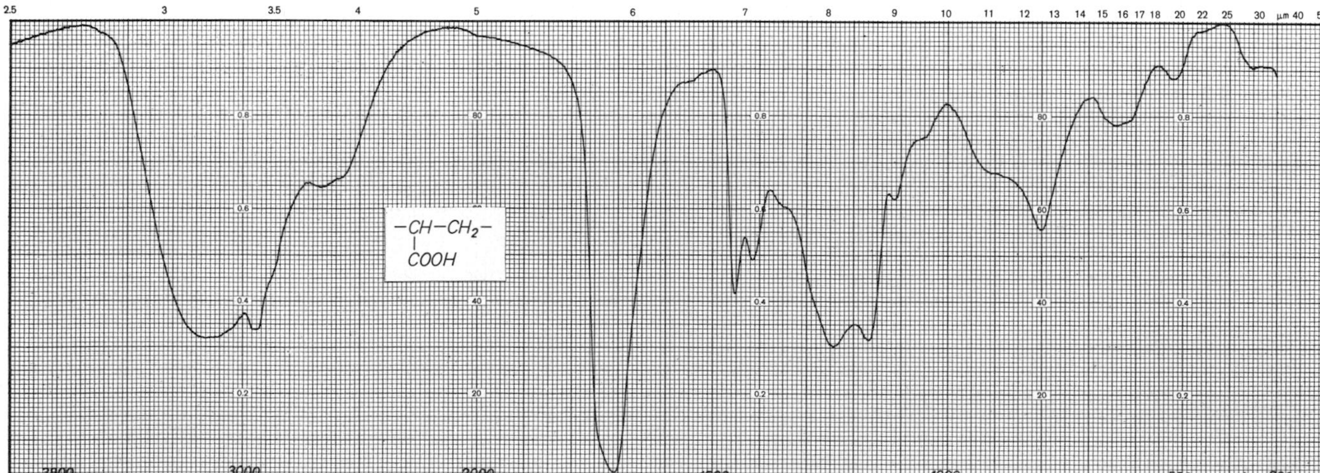

(1) **Polyacrylsäure**	(1) **polyacrylic acid**
(2) Bayer AG, Leverkusen (durch A. Csányi)	(2) Bayer AG, Leverkusen (from A. Csányi)
(4) hellbernsteinfarbene, durchsichtige, feste Substanz	(4) pale amber-colored, transparent, solid
(6) Schicht aus H_2O auf KRS-5	(6) film from H_2O on KRS-5
(7) PE 580 B, FLAT, ABEX	(7) PE 580 B, FLAT, ABEX

11336211 $C_3H_3O_2Na$ *P* 2078

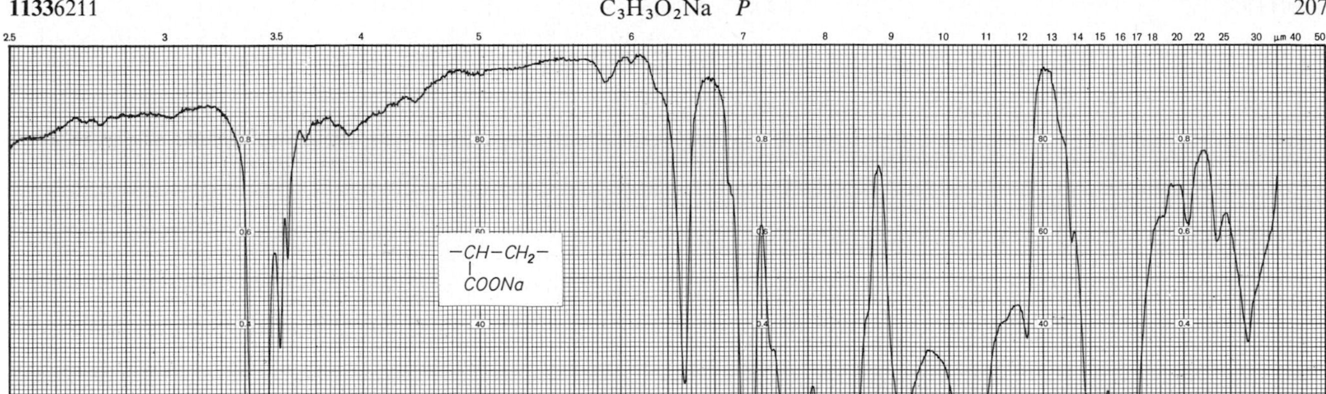

(1) **Poly(natriumacrylat); Polyacrylsäure, Na-Salz**
(2) Bayer AG, Leverkusen (durch A. Csányi)
(4) eierschalenfarbenes Pulver
(6) Schicht aus H_2O auf KRS-5
(7) PE 580 B, ABEX

(1) **sodium polyacrylate; polyacrylic acid, Na salt**
(2) Bayer AG, Leverkusen (from A. Csányi)
(4) eggshell-colored powder
(6) film from H_2O on KRS-5
(7) PE 580 B, ABEX

113371111 $C_6H_{10}O_2$ *P* 2079

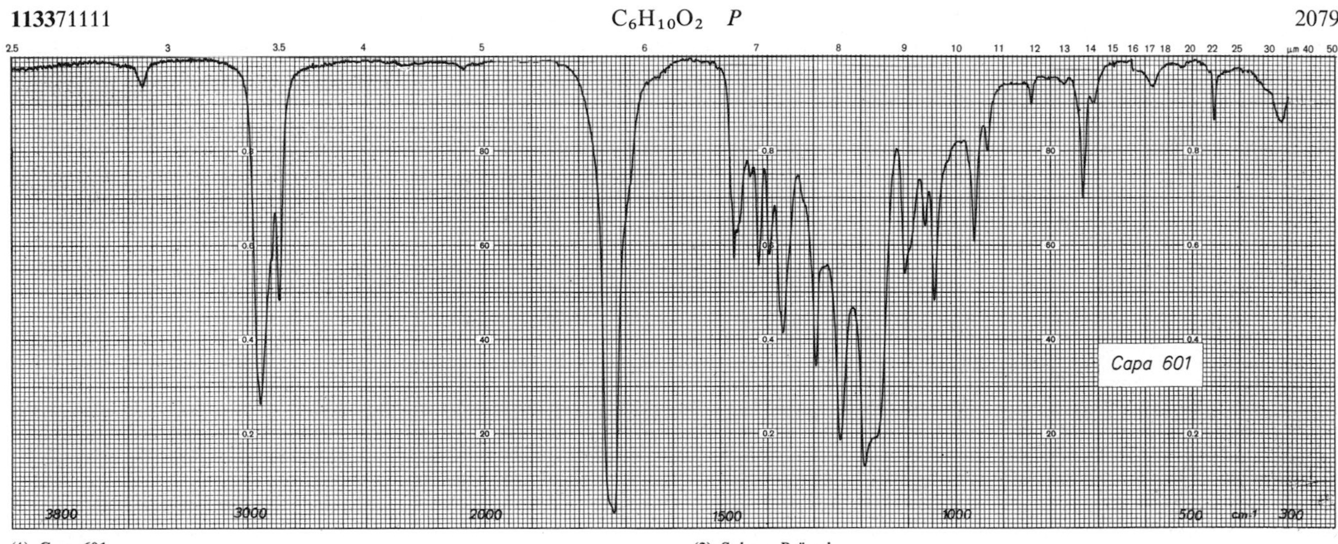

(1) **Capa 601**
(3) Polyester-6, Poly(oxycarbonyl-pentamethylen), Polycaprolacton; $M = 40$ kg mol^{-1}
(4) farblose, opake Stückchen
(5) zur Herstellung von Polyurethanen, für Beschichtungen und als Kunstharzzwischenprodukt
(6) Schicht aus MTC auf CsI
(7) PE 580 B, ABEX 1.70

(2) Solvay, Brüssel
(3) polyester-6, polyoxycarbonylpentamethylene; $M = 40$ kg mol^{-1}
(4) colorless, opaque pieces
(5) for the manufacture of polyurethanes, for coatings and as an artificial resin intermediate
(6) film from MTC on CsI
(7) PE 580 B, ABEX 1.70

113371112 $C_3H_4O_2$ *P* 2080

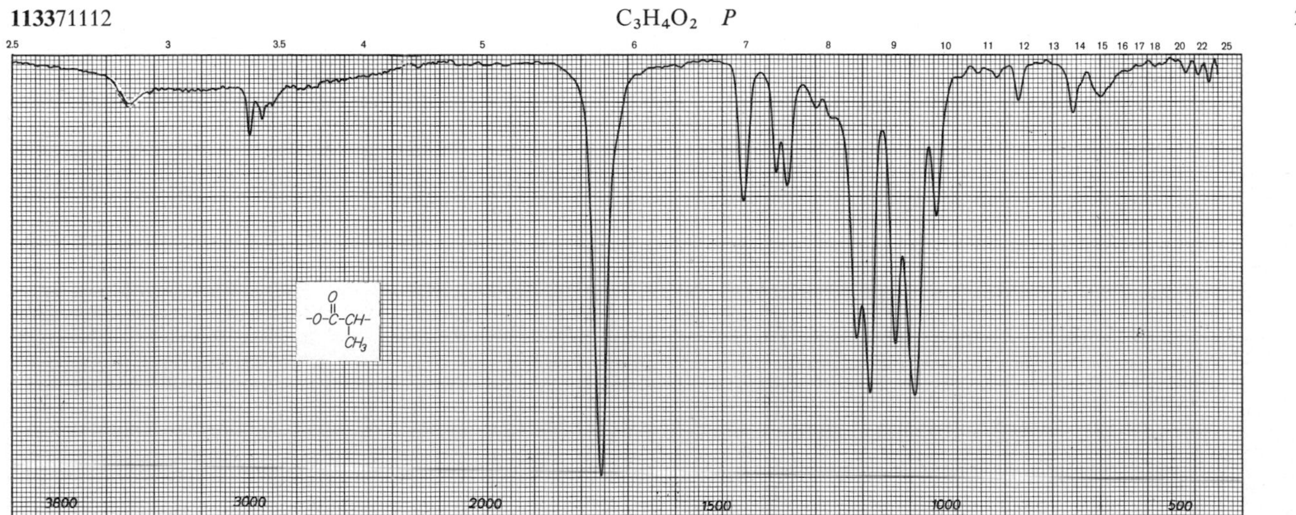

(1) **Polylactid, Poly(oxycarbonylethyliden)**
(2) Organisch-Chemisches Institut, Universität Mainz, Laborpräparat R. C. Schulz
(4) weißes, feines Pulver
(6) Schicht aus MTC auf CsI
(7) Nicolet FTIR 7199

(1) **polylactide, poly(oxycarbonyl ethylidene)**
(2) Organisch-Chemisches Institut, Universität Mainz, laboratory preparation, R. C. Schulz
(4) fine, white powder
(6) film from MTC on CsI
(7) Nicolet FTIR 7199

1133711211

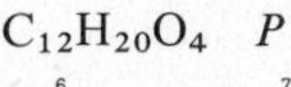

$C_{12}H_{20}O_4$ *P* 2081

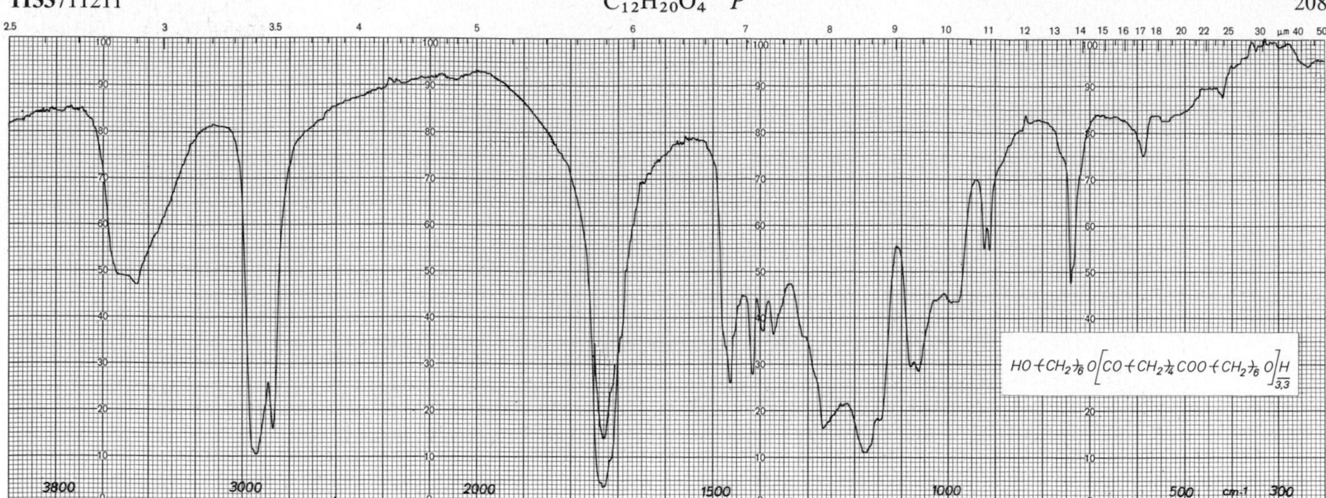

(1) **Polyester aus Hexandiol-1,6 und Adipinsäure (oligomer), Polyester-6,6,** $M = 860\ g\,mol^{-1}$
(2) Bayer AG, Leverkusen (durch E. Müller)
(4) schmutzig-weiße, hartwachsähnliche Substanz
(6) Schmelzfilm zwischen CsI

(1) **polyester from hexane-1,6-diol and adipic acid (oligomer), polyester-6,6,** $M = 860\ g\,mol^{-1}$
(2) Bayer AG, Leverkusen (from E. Müller)
(4) dirty white, hard wax-like substance
(6) film from the melt between CsI

113371122 2082

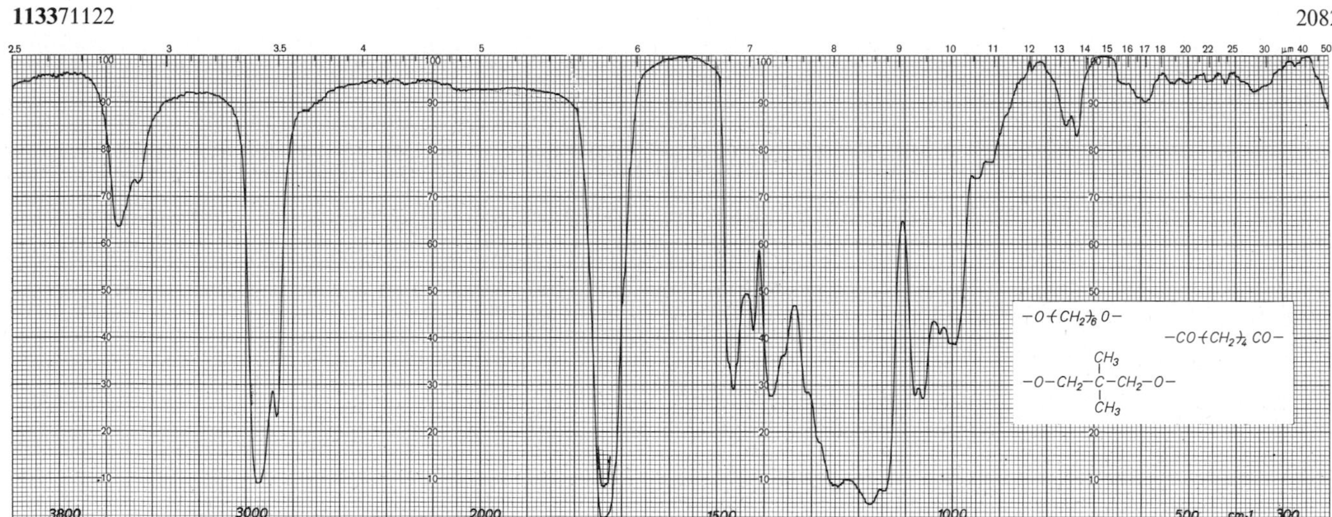

(1) **Polyester aus Hexandiol-1,6 Neopentylglycol und Adipinsäure,** $M = 2\ kg\ mol^{-1}$
(2) Bayer AG, Leverkusen (durch E. Müller)
(4) weiße, streichfähige (fettähnliche) Substanz
(6) Schicht auf CsI

(1) **polyester from hexane-1,6-diol, neopentyl glycol, and adipic acid,** $M = 2\ kg\ mol^{-1}$
(2) Bayer AG, Leverkusen (from E. Müller)
(4) white, spreadable (fat-like) substance
(6) film on CsI

11337113 $C_7H_{12}O_3$ *P* 2083

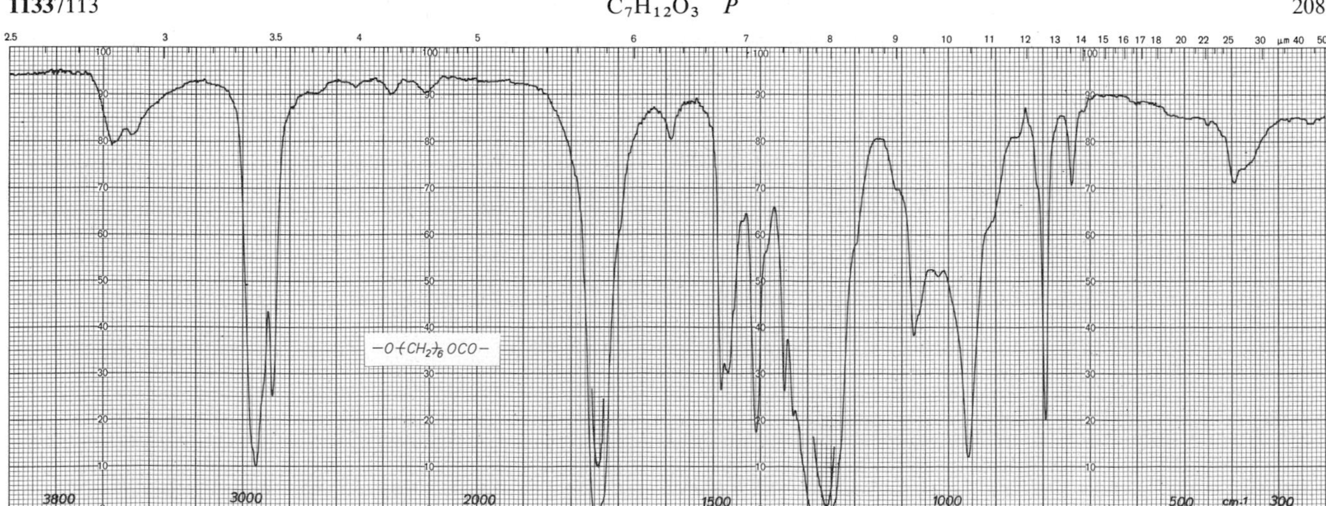

(1) **Hexandiol-1,6-polycarbonat, Poly(oxyhexylenoxycarbonyl),** $M = 2\ kg\ mol^{-1}$
(2) Bayer AG, Leverkusen (durch E. Müller)
(4) elfenbeinfarbene, hartwachsähnliche Substanz
(6) Schmelzfilm auf CsI

(1) **hexane-1,6-diol polycarbonate, poly(oxyhexyleneoxycarbonyl),** $M = 2\ kg\ mol^{-1}$
(2) Bayer AG, Leverkusen (from E. Müller)
(4) ivory-colored, hard wax-like substance
(6) film from the melt on CsI

113371221 $C_{10}H_8O_4$ *P* 2084

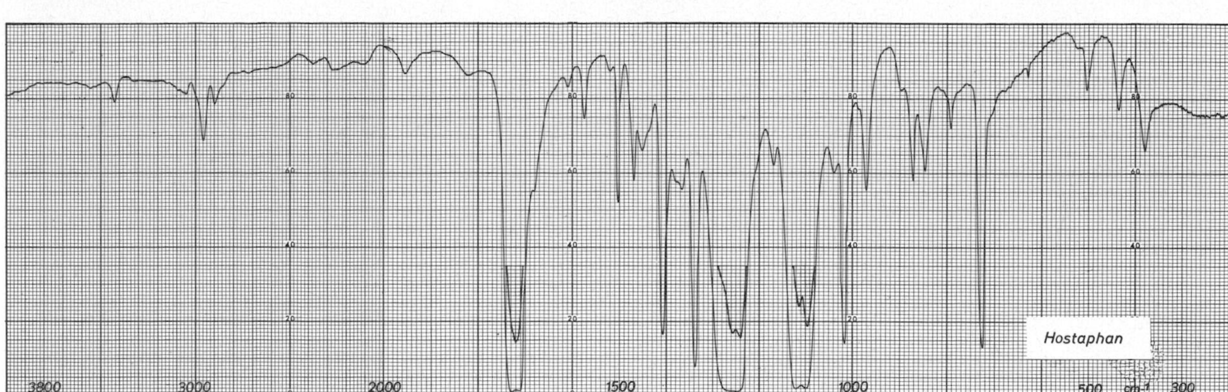

(1) **Hostaphan**
(3) Poly(oxyethylenoxyterephthaloyl), Poly(ethylenterephthalat)
(4) farbloser Film
(5) vielseitig verwendbare, glasklare, reiß- und stoßfeste, aroma- und gasdichte, kochfeste Folie
(6) freitragender Film (matt geschabt), KBr

(2) Hoechst AG, Frankfurt/M.-Höchst
(3) poly(oxyethyleneoxyterephthaloyl), Poly(ethylene terephthalate)
(4) colorless film
(5) multipurpose, crystal clear, tear and puncture-resistant, gas and aroma-impermeable, ovenproof film
(6) freestanding film (scraped matt), KBr

113371221 $C_{10}H_8O_4$ *P* 2085

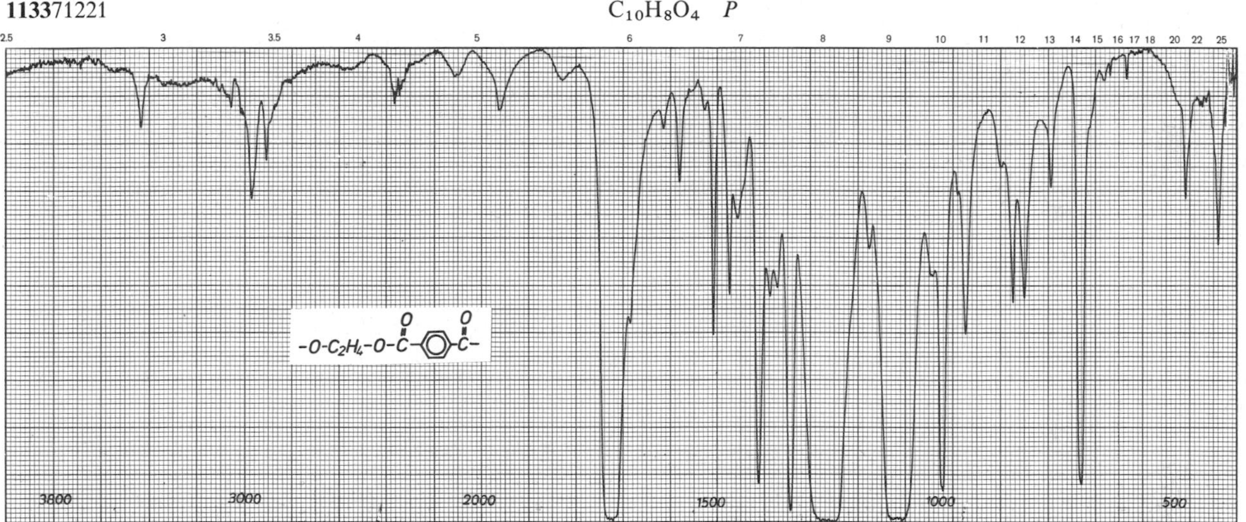

(1) **Melinex-Film**
(3) Poly(oxyethylenoxyterephthaloyl), Poly(ethylenterephthalat)
(4) farblose Folie
(6) geschabte Folie (18 µm)

(2) ICI, Welwyn Garden City, Herts.
(3) poly(oxyethyleneoxyterephthaloyl), poly(ethylene terephthalate)
(4) colorless film
(6) scraped film (18 µm)

113371221 2086

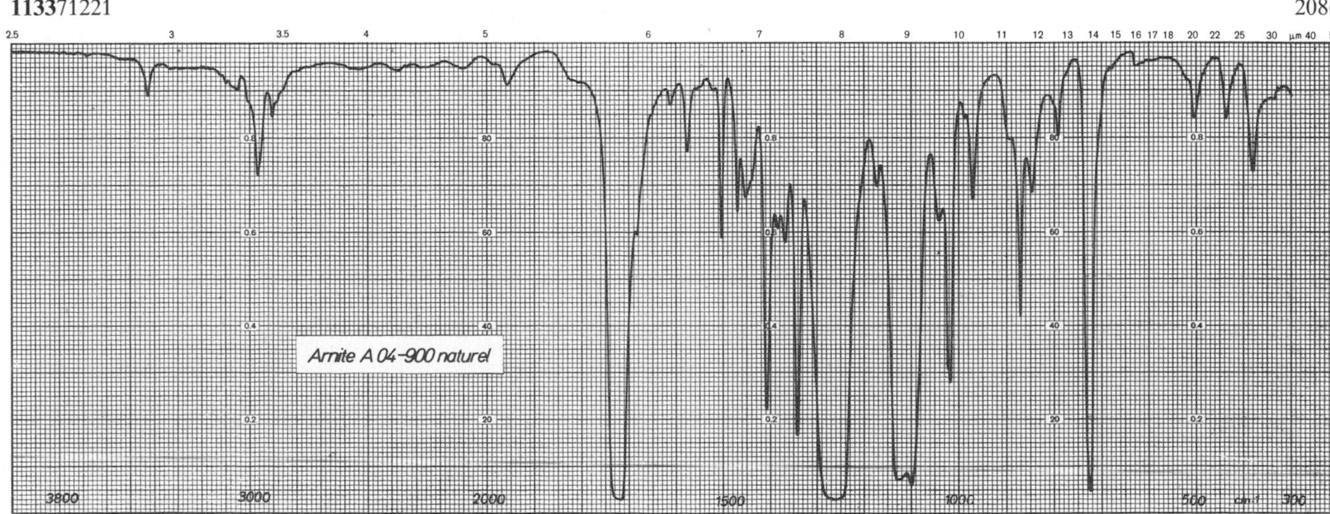

(1) **Arnite A 04-900 naturel**
(3) thermoplastischer Polyester auf Basis Poly(ethylenterephthalat)
(4) leicht gelbliches, opakes Granulat
(5) Typ für kristalline Teile, Formtemperatur 130...140 °C; für Lagerfriktionsscheiben und Präzisionszahnräder
(6) Schmelzfilm (16 µm)
(7) PE 580 B, FLAT

(2) Akzo Plastics, Arnhem
(3) thermoplastic polyester based on poly(ethylene terephthalate)
(4) slightly yellowish, opaque granules
(5) grade for crystalline components, moulding temperature 130...140 °C; for bearing friction plates and precision gear wheels
(6) film from the melt (16 µm)
(7) PE 580 B, FLAT

113371221 2087

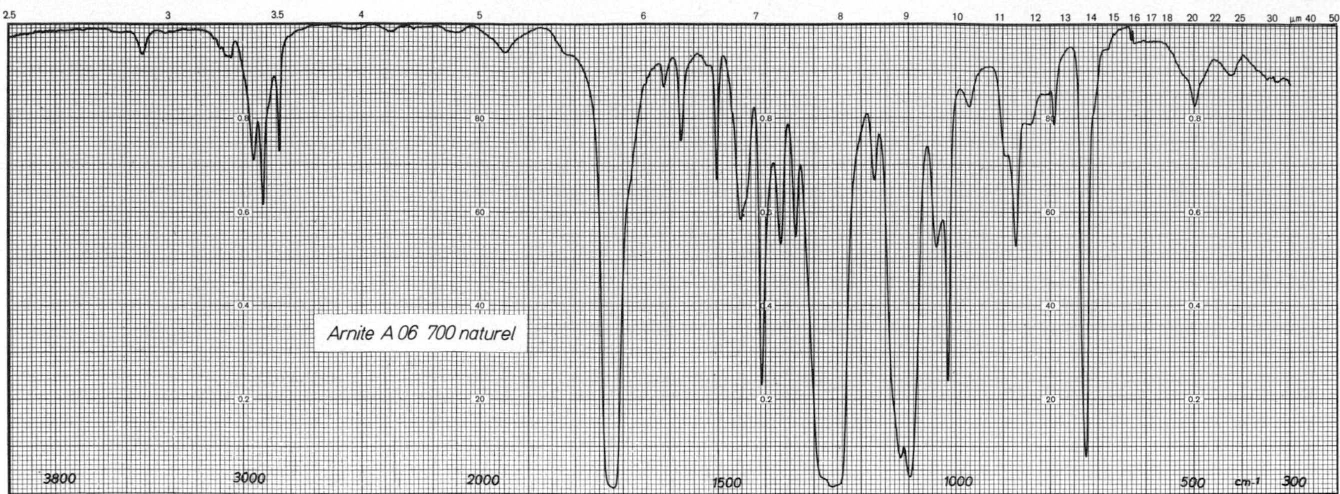

(1) **Arnite A 06-700 naturel**
(3) thermoplastischer Polyester auf Basis Poly(ethylenterephthalat)
(4) gräulich-weißes Granulat
(5) thermoplastischer Kunststoff von hoher Viskosität und Thermostabilität für Blas-Flachfolien, Fäden, Rohre und Profile
(6) Schmelzfilm (12 µm)
(7) PE 580 B, FLAT

(2) Akzo Plastics, Arnhem
(3) thermoplastic polyester based on poly(ethylene terephthalate)
(4) greyish-white granules
(5) thermoplastic resin with high viscosity and thermal stability for blown films, threads, tubes and sections
(6) film from the melt (12 µm)
(7) PE 580 B, FLAT

113371221 + **19**172 2088

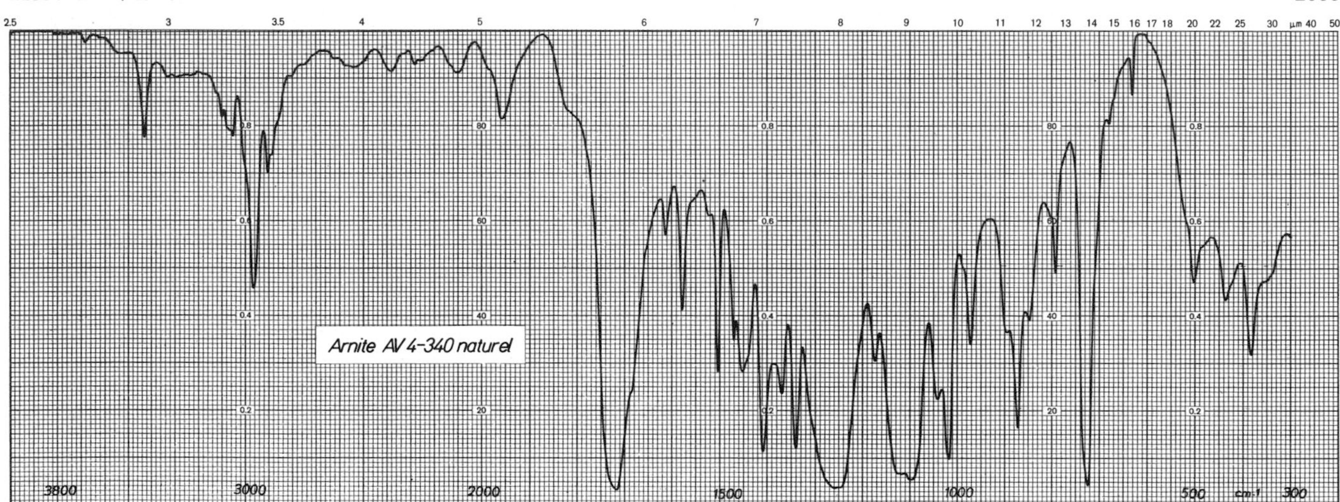

(1) **Arnite AV 4-340 naturel**
(3) thermoplastischer Polyester auf Basis Poly(ethylenterephthalat) mit 20% Glasfaser
(4) beigefarbenes Granulat
(5) für den Spritzguß von dimensionsstabilen technischen Artikeln
(6) Schmelzfilm (38 µm)
(7) PE 580 B, FLAT, SMOOTH 2

(2) Akzo Plastics, Arnhem
(3) thermoplastic polyester based on poly(ethylene terephthalate) with 20% glass fiber
(4) beige-colored granules
(5) for dimensionally stable, injection-moulded, technical articles
(6) film from the melt (38 µm)
(7) PE 580 B, FLAT, SMOOTH 2

113371221 + **19**172 $C_{10}H_8O_4$ *P* 2089

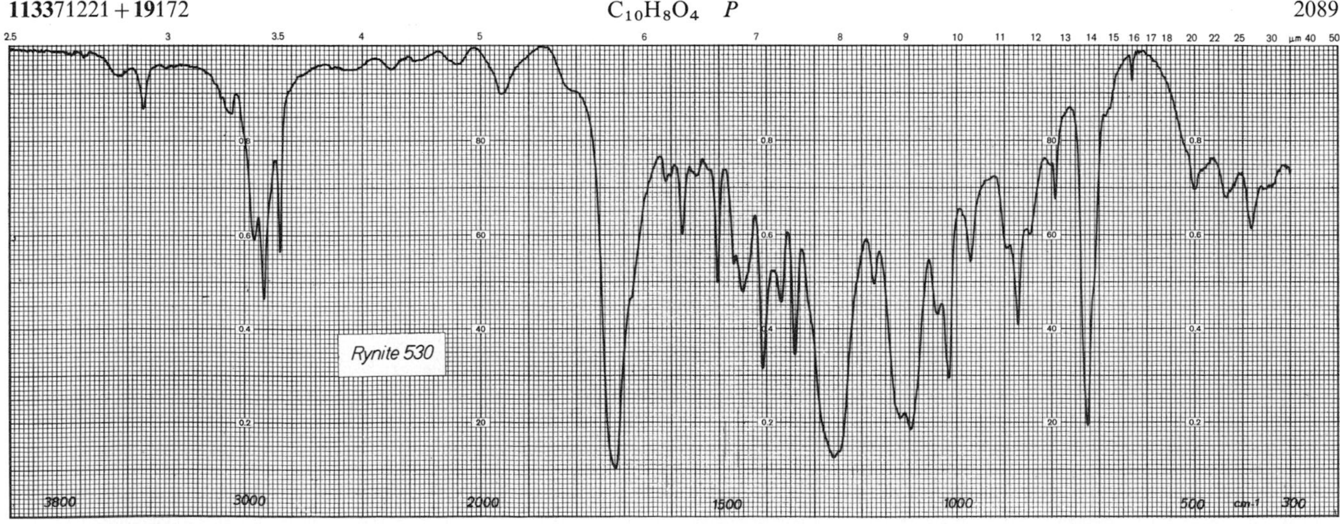

(1) **Rynite 530 BK 530**
(3) Poly(ethylenterephthalat), mit 30 Gew.% Glasfasern verstärkt
(4) schwarzes Granulat
(5) thermoplastischer Kunststoff mit hoher Steifigkeit und Dimensionsstabilität
(6) Schmelzfilm (ca. 40 µm)
(7) PE 580 B, FLAT

(2) Du Pont de Nemours (Deutschland) GmbH, Düsseldorf
(3) poly(ethylene terephthalate), reinforced with 30 wt.% glass fibers
(4) black granules
(5) thermoplastic resin with great rigidity and dimensional stability
(6) film from the melt (ca. 40 µm)
(7) PE 580 B, FLAT

113371221 + **19**172 $C_{10}H_8O_4$ *P* 2090

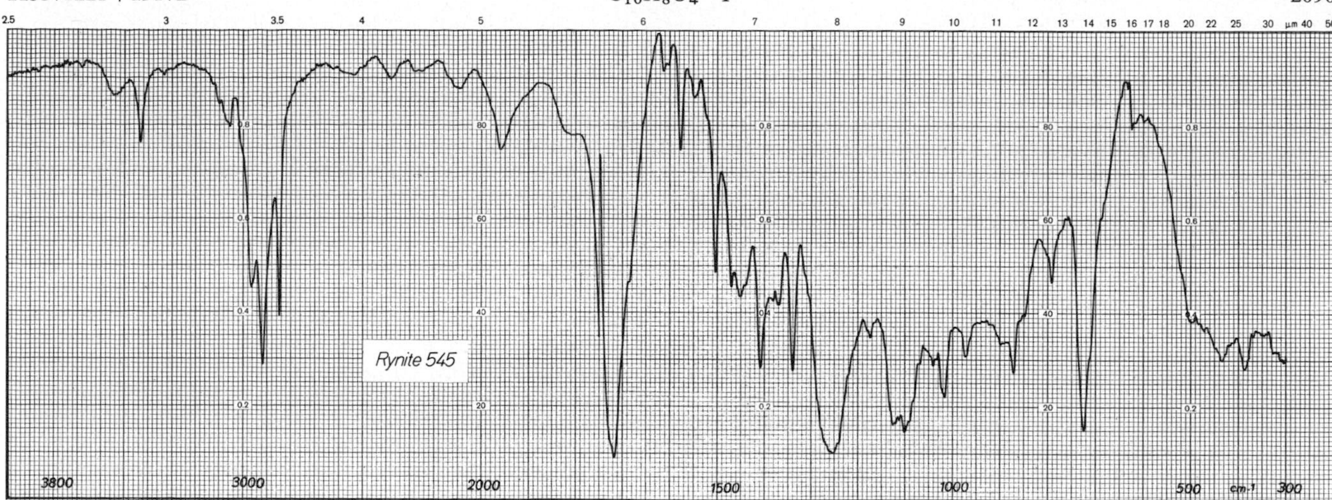

(1) **Rynite 545**
(3) Poly(ethylenterephthalat), mit 45 Gew.% Glasfasern verstärkt
(4) schwarzes Granulat
(5) thermoplastischer Kunststoff mit hoher Steifigkeit und Dimensionsstabilität
(6) Schmelzfilm (ca. 40 µm)
(7) PE 580 B, SMOOTH 2

(2) Du Pont de Nemours (Deutschland) GmbH, Düsseldorf
(3) poly(ethylene terephthalate), reinforced with 45 wt.% glass fibers
(4) black granules
(5) thermoplastic resin with great rigidity and dimensional stability
(6) film from the melt (ca. 40 µm)
(7) PE 580 B, SMOOTH 2

11(**33**71221 − **842**) 2091

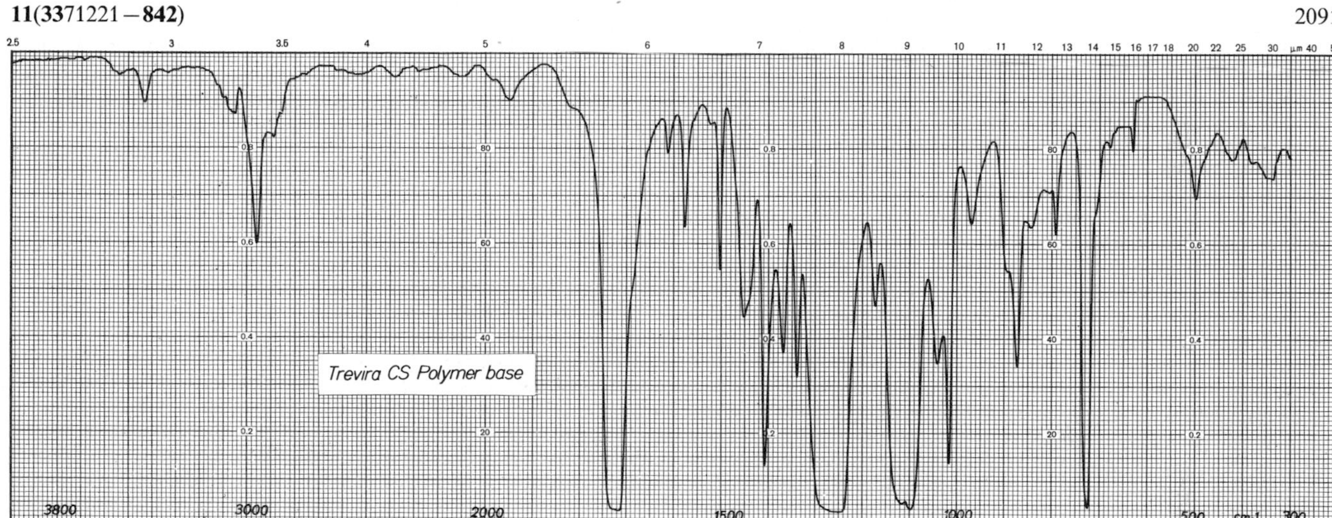

(1) **Trevira CS, Polymerrohstoff**
(3) mit 2-Methyl-2,5-dioxo-1,2-oxaphospholan modifiziertes Poly(ethylenterephthalat)
(4) schwach graues Granulat
(5) Rohstoff für die Herstellung von flamm-hemmenden Polyesterfasern
(6) Schmelzfilm (20 µm)
(7) PE 580 B, SMOOTH 2
(8) V. Freudenberger, F. Jakob, Angew. Makromol. Chem. **105** (1982) 203 ... 15

(2) Hoechst AG, Frankfurt/M.-Höchst
(3) poly(ethylene terephthalate) modified with 2-methyl-2,5-dioxo-1,2-oxaphospholane
(4) pale grey granules
(5) raw material for the manufacture of flame-retarding, polyester fibers
(6) film from the melt (20 µm)
(7) PE 580 B, SMOOTH 2
(8) V. Freudenberger, F. Jakob, Angew. Makromol. Chem. **105** (1982) 203 ... 15

113371221 $C_{12}H_{12}O_4$ *P* 2092

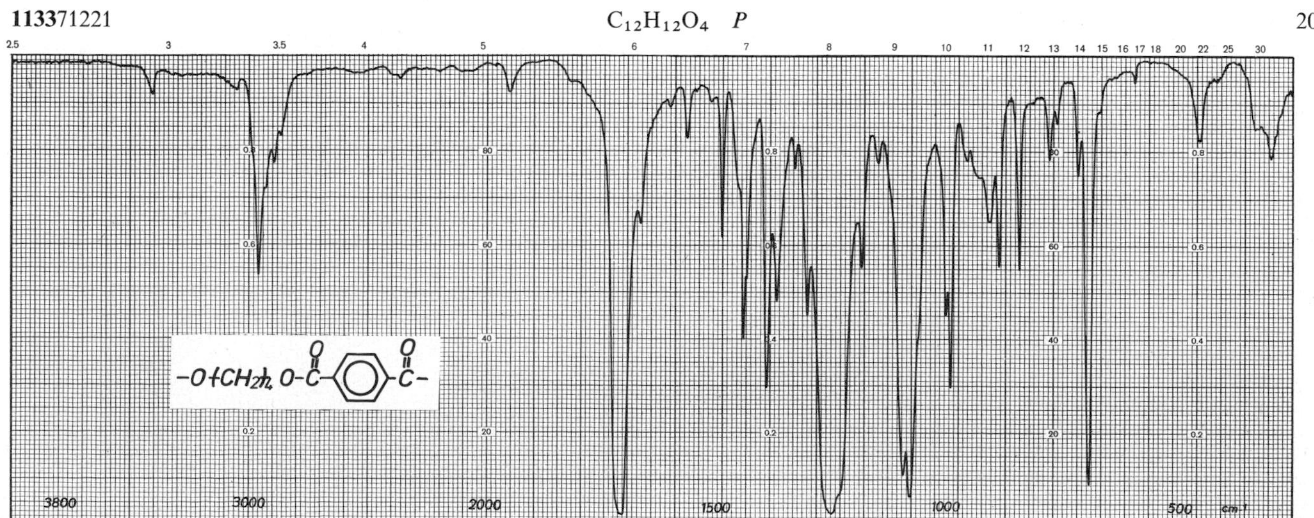

(1) **Poly(butylenterephthalat), Poly(oxytetramethylenoxyterephthaloyl)**
(2) M. Matsuo, Dept. of Clothing Science, Faculty of Home Economics, Nara Women's University, Japan
(4) weißes Granulat
(5) thermoplastisches Material für Kunststoffe und Fasern
(6) Schmelzfilm (ca. 15 µm)
(7) PE 580 B, FLAT

(1) **poly(butylene terephthalate), poly(oxytetramethyleneoxyterephthaloyl)**
(4) white granules
(5) thermoplastic material for plastics and fibers
(6) film from the melt (ca. 15 µm)
(7) PE 580 B, FLAT

113371221 $C_{12}H_{12}O_4$ *P* 2093

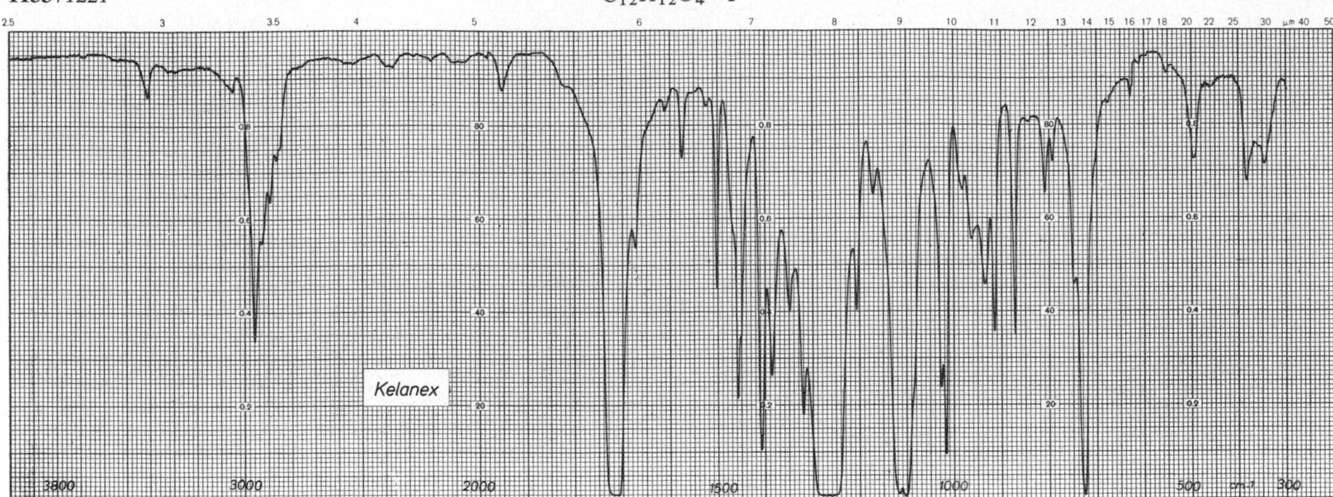

(1) **Kelanex**
(3) Poly(butylenterephthalat), Poly(oxytetramethylenoxyterephthaloyl)
(4) weißes, glänzendes Granulat
(5) vielseitig anwendbarer thermoplastischer Kunststoff: Automobil-, Elektro- und Fernmeldeindustrie, Gerätebau
(6) trüber Schmelzfilm (20 µm)
(7) PE 580 B, FLAT

(2) Amcel, Watford, Herts./W. Biesterfeld, Hamburg
(3) poly(butylene terephthalate), poly(oxytetramethyleneoxyterephthaloyl)
(4) glistening, white granules
(5) multipurpose, thermoplastic resin: automobile, electrical and communications industries, instrument making
(6) cloudy film from the melt (20 µm)
(7) PE 580 B, FLAT

113371221 2094

(1) **Arnite TO 6-200 naturel**
(3) thermoplastischer Polymester auf Basis Poly(butylenterephthalat)
(4) weißes Granulat
(5) Typ für kristalline Teile, Formtemperatur 30...90 °C; für Präzisionszahnräder, Lager, Gleitteile, Gehäuse, Fernseherteile, Spulenkörper
(6) Schmelzfilm (16 µm)
(7) PE 580 B, FLAT, SMOOTH 2

(2) Akzo Plastics, Arnhem
(3) thermoplastic polyester based on poly(butylene terephthalate)
(4) white granules
(5) grade for crystalline components, moulding temperature 30...90 °C, for precision gear wheels, bearings, sliding parts, housings, television components, coil bodies
(6) film from the melt (16 µm)
(7) PE 580 B, FLAT, SMOOTH 2

113371221 + **19172** $C_{12}H_{12}O_4$ *P* 2095

(1) **Arnite TV 4-260 S naturel**
(3) semikristalliner Polyester auf Basis Poly(butylenterephthalat) mit 30% Glasfasern
(4) naturweißes Granulat
(5) flammhemmender, thermoplastischer Kunststoff für sehr schnelle Spritzgußverarbeitung, vor allem für elektrische Anwendungen
(6) Schmelzfilm (40 µm)
(7) PE 580 B, FLAT, SMOOTH 2

(2) Akzo Plastics, Arnhem
(3) semicrystalline polyester, based on poly(butylene terephthalate) with 30% glass fibers
(4) neutral white granules
(5) flame-retarding, thermoplastic resin for very fast injection moulding particularly for electrical applications
(6) film from the melt (40 µm)
(7) PE 580 B, FLAT, SMOOTH 2

113371221 + **19**172 $C_{12}H_{12}O_4$ *P* 2096

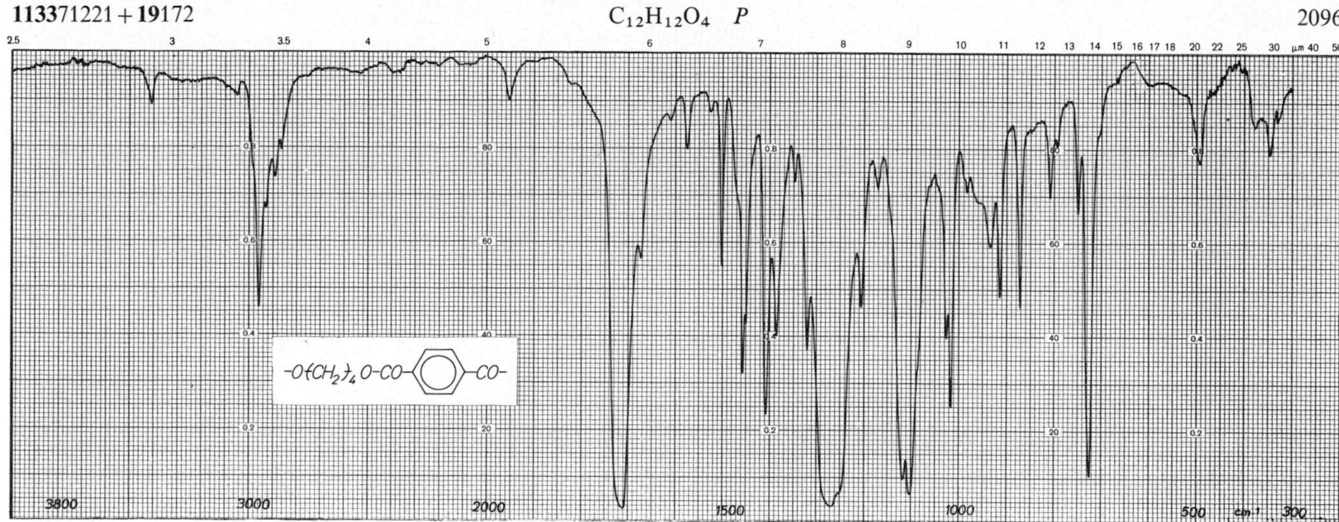

(1) **Dynalit G 30**
(3) Poly(butylenterephthalat), Poly(oxytetramethylenoxyterephthaloyl), mit 30% Glasfaser verstärkt
(4) weiß-opakes, teilkristallines Granulat
(5) thermoplastischer Kunststoff zur Herstellung von Präzisionsformteilen
(6) Schmelzfilm auf CsI
(7) PE 580 B, ABEX 1.75

(2) Dynamit Nobel AG, Troisdorf
(3) poly(butylene terephthalate), poly(oxytetramethyleneoxyterephthaloyl, reinforced with 30% glass fiber
(4) opaque, white, partially crystalline granules
(5) thermoplastic resin for the manufacture of precision-moulded components
(6) film from the melt on CsI
(7) PE 580 B, ABEX 1.75

113371221 + **19**172 $C_{12}H_{12}O_4$ *P* 2097

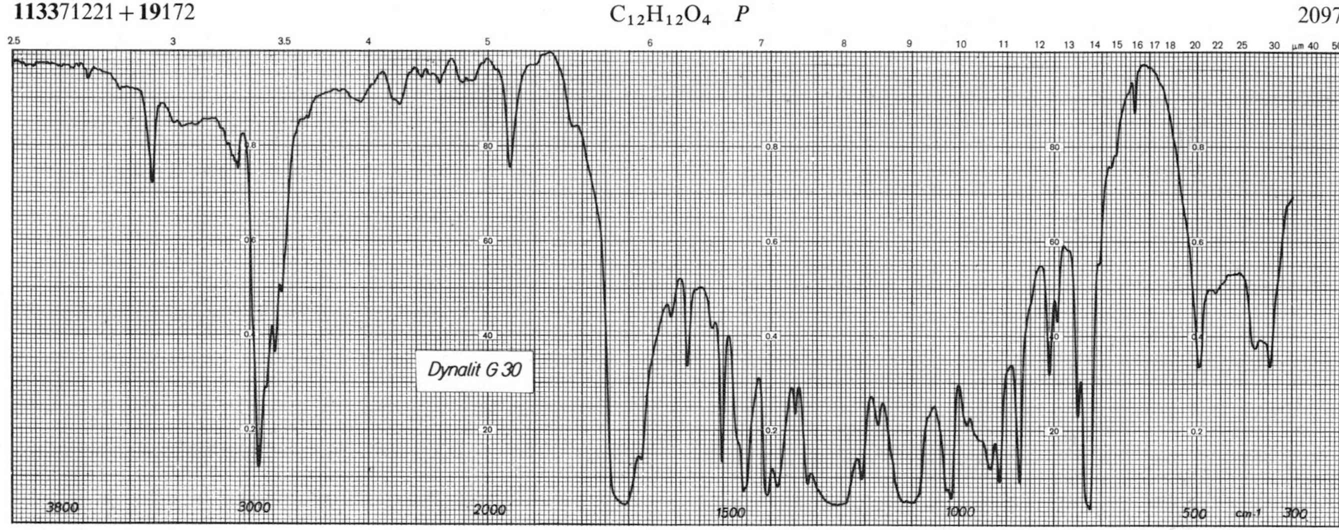

(1) **Dynalit G 30**
(3) glasfaserverstärktes Poly(butylenterephthalat)
(4) weißes Granulat
(5) Spritzgießmasse für Präzisionsformteile
(6) Schmelzfilm (etwa 50 µm)
(7) PE 580 B, FLAT, SMOOTH 2

(2) Dynamit Nobel AG, Troisdorf
(3) glass fiber-reinforced poly(butylene terephthalate)
(4) white granules
(5) for precision injection mouldings
(6) film from the melt (ca. 50 µm)
(7) PE 580 B, FLAT, SMOOTH 2

113371221 $C_{16}H_{12}O_4$ *P* 2098

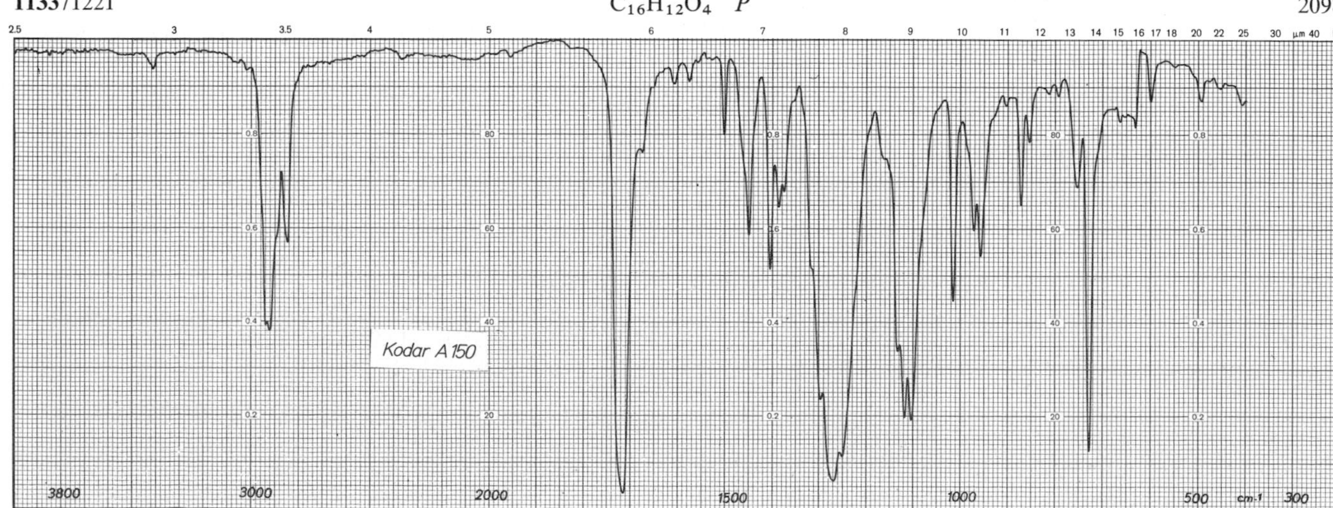

(1) **Kodar A 150**
(3) Poly(1,4-cyclohexylendimethylen-terephthalat-co-isophthalat)
(4) farbloses, klares Granulat
(5) hitzebeständiger, thermoplastischer Kunststoff für Filme und Platten
(6) Film aus MTC (etwa 9 µm)
(7) PE 580 B, FLAT, ABEX 2,09

(2) Eastman Chem. Prod., Kingsport, Tenn. (durch Krahn Chemie GmbH, Hamburg)
(3) poly(1,4-cyclohexylenedimethylene terephthalate-co-isophthalate)
(4) clear, colorless granules
(5) heat-resistant, thermoplastic resin for films and sheets
(6) film from MTC (ca. 9 µm)
(7) PE 580 B, FLAT, ABEX 2.09

113371221 2099

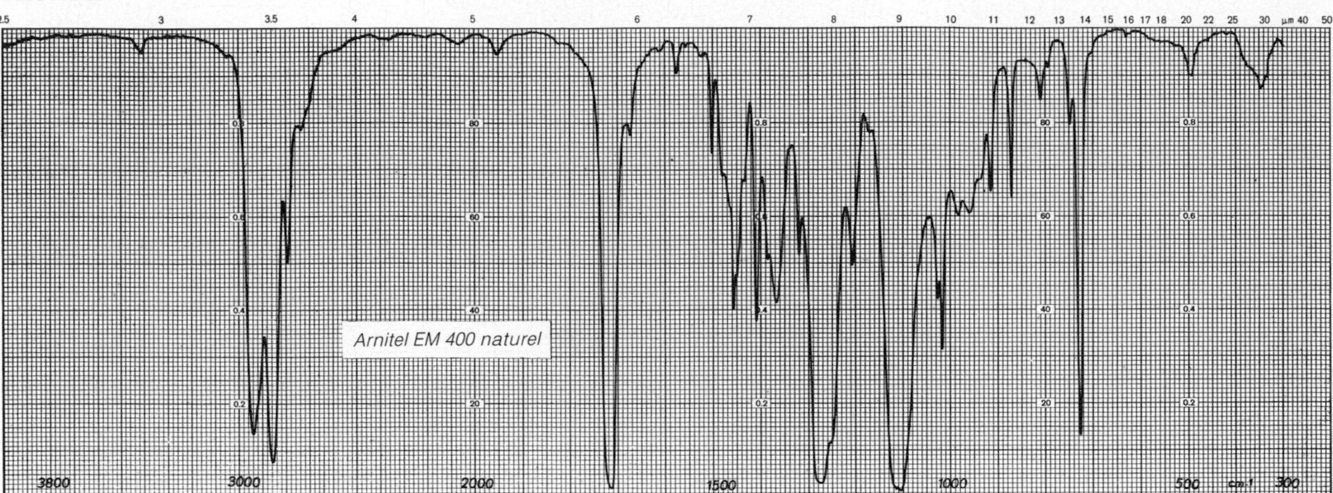

(1) **Arnitel EM 400 naturel**
(3) Polymergemisch auf Basis Terephthalsäurepolyester und Acetatpolymer
(4) schwach gelbliches, opakes Granulat
(5) thermoplastischer, elastomerer Polyester für Spritz- und Rotationsguß und für die Extrusion
(6) Schmelzfilm (11 μm)
(7) PE 580 B, FLAT

(2) Akzo Plastics, Arnhem
(3) polymer mixture based on terephthalate polyester and acetate polymer
(4) slightly yellowish, opaque granules
(5) thermoplastic, elastomeric polyester for injection mouldings, centrifugal casting and extrusion
(6) film from the melt (11 μm)
(7) PE 580 B, FLAT

113371221 – **14**733 $C_{10}H_8O_4$ *P* 2100

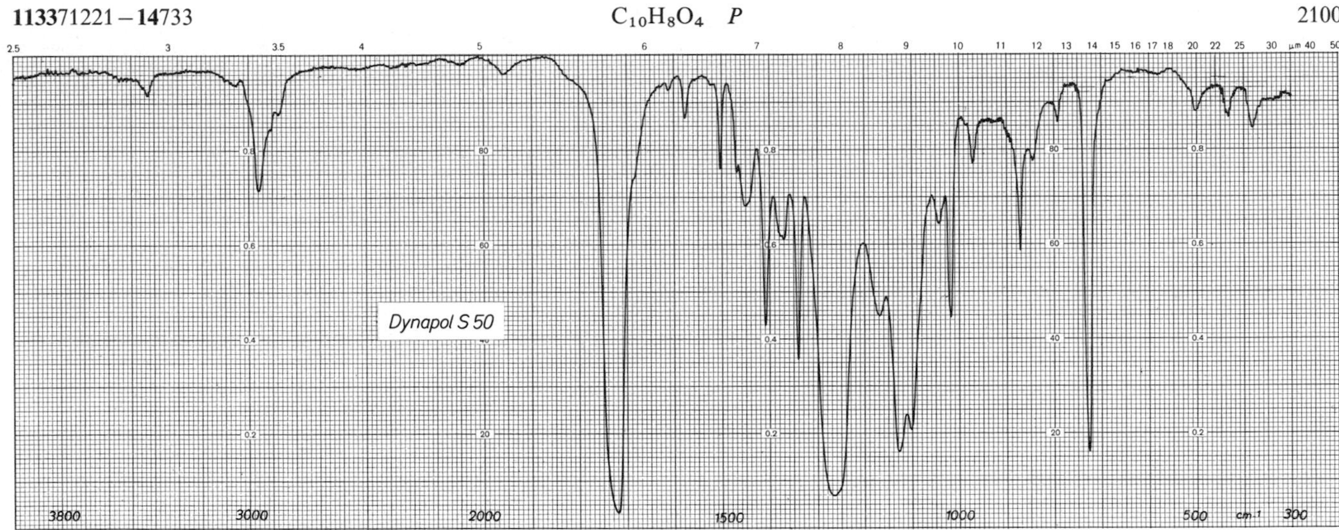

(1) **Dynapol S 50**
(3) pigmentierter Copolyester auf Terephthalsäurebasis
(4) weißgraues, undurchsichtiges Granulat
(5) thermoplastischer Kunststoff
(6) Schicht aus MTC auf CsI
(7) PE 580 B, ABEX 2.02

(2) Dynamit Nobel AG, Troisdorf
(3) pigmented polyester, based on terephthalic acid
(4) whitish grey, opaque granules
(5) thermoplastic resin
(6) film from MTC on CsI
(7) PE 580 B, ABEX 2.02

113371221/**14**73(3 – 2) $C_{10}H_8O_4$ *P* 2101

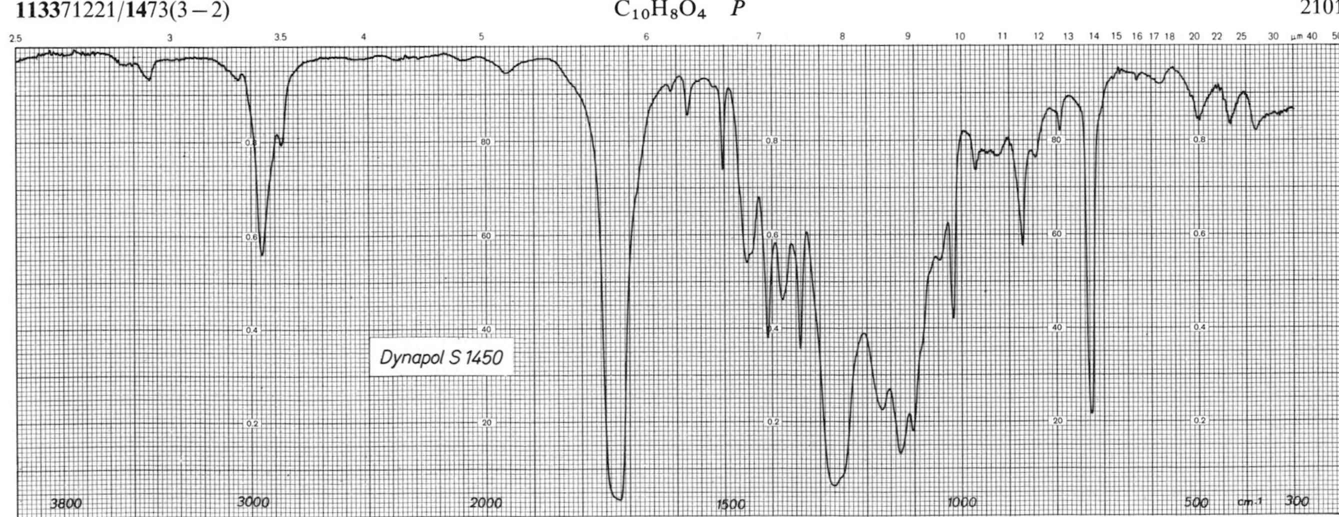

(1) **Dynapol S 1450**
(3) Copolyester auf Basis Tere- und Isophthalsäure
(4) hellgraues, undurchsichtiges Granulat
(5) thermoplastischer Kunststoff
(6) Schicht aus MTC auf CsI
(7) PE 580 B, ABEX 1.53

(2) Dynamit Nobel AG, Troisdorf
(3) copolyester, based on terephthalic and isophthalic acids
(4) light grey, opaque granules
(5) thermoplastic resin
(6) film from MTC on CsI
(7) PE 580 B, ABEX 1.53

113371221 $C_{10}H_8O_4$ *P* 2102

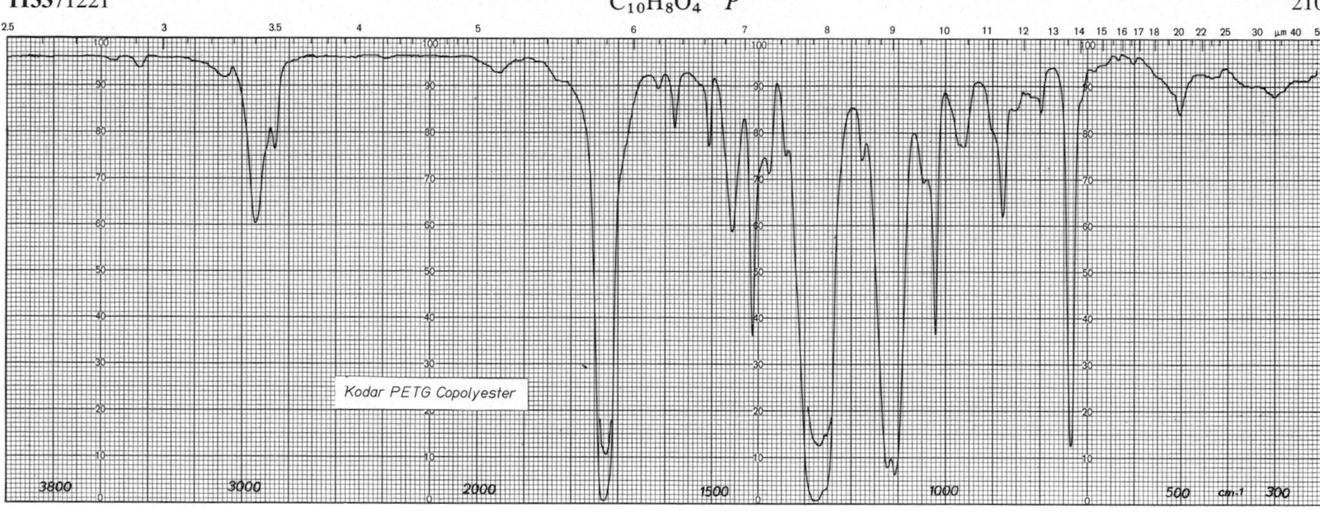

(1) **Kodar PETG Copolyester**
(3) Terephthalsäure-Copolyester
(4) farbloses Granulat
(5) thermoplastischer Kunststoff
(6) Schicht aus CLF auf CsI

(2) Eastman Chem. Prod., Kingsport, Tenn.
(3) copolyester based on terephthalic acid
(4) colorless granules
(5) thermoplastic resin
(6) film from CLF on CsI

1133712 + **19**122

2103

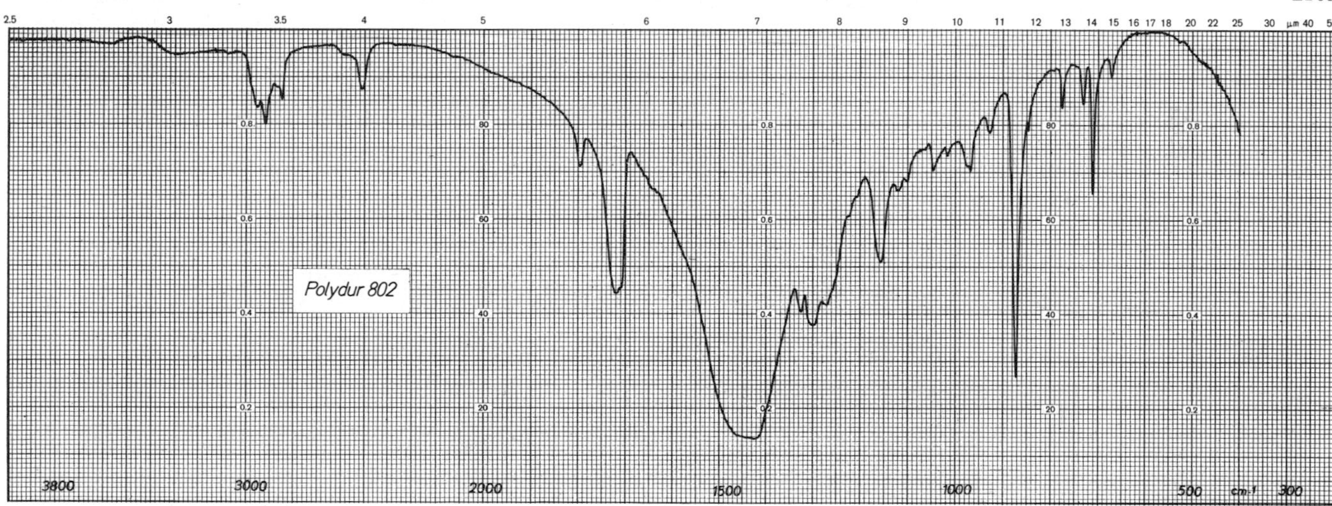

(1) **Polydur 802**
(3) Polyester mit ungesättigten Strukturen und Füllstoff (Calciumcarbonat)
(4) graues Granulat
(5) härtbare Polyesterharz-Formmasse für kriechstromfeste und elektrisch hochwertige Formteile für die Elektroindustrie
(6) KBr (1/400)
(7) PE 580 B, FLAT, Absorptionen des H_2O abgezogen

(2) Dynamit Nobel AG, Troisdorf
(3) polyester, containing unsaturated structures and filler (calcium carbonate)
(4) grey granules
(5) curable, polyester, moulding material for tracking-resistant and high electrical quality mouldings for the electrical industry
(6) KBr (1/400)
(7) PE 580 B, FLAT, H_2O absorption subtracted

1133712/**14**724 2104

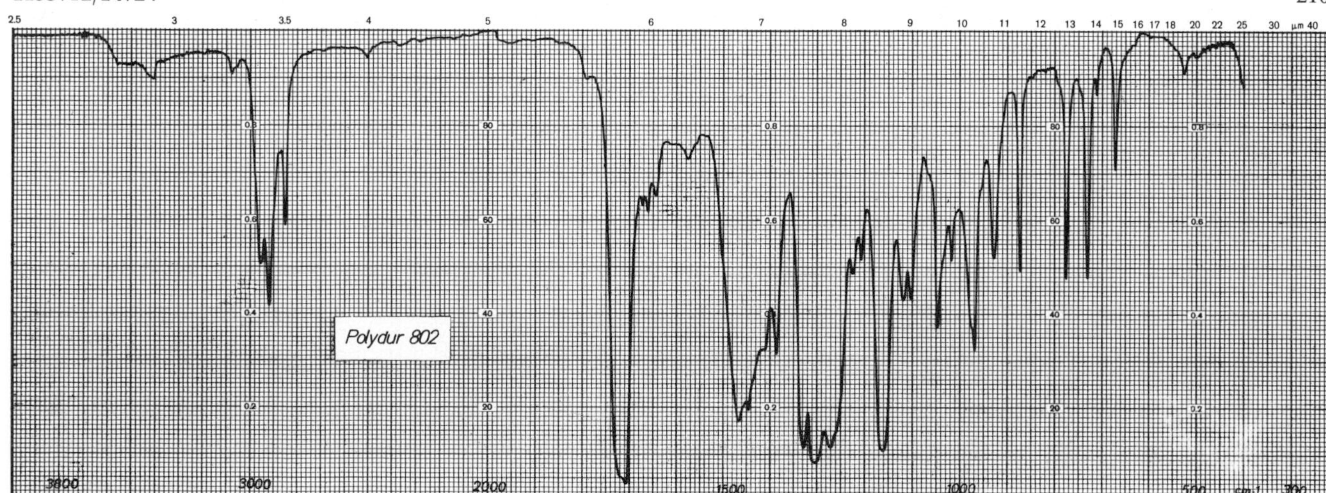

(1) **Polydur 802**
(3) Polyester mit ungesättigten Strukturen und Füllstoff, MTC-Extrakt
(4) graues Granulat
(5) härtbare Polyesterharz-Formmasse für kriechstromfeste und elektrisch hochwertige Formteile für die Elektroindustrie
(6) MTC-Extrakt, getrocknet auf KBr
(7) PE 580 B, FLAT, ABEX 1.17

(2) Dynamit Nobel AG, Troisdorf
(3) polyester containing unsaturated structures and filler, MTC extract
(4) grey granules
(5) curable, polyester, moulding material for tracking-resistant and high electrical quality mouldings for the electrical industry
(6) MTC extract, dried on KBr
(7) PE 580 B, FLAT, ABEX 1.17

11332123 $C_{16}H_{14}O_3$ *P* 2105

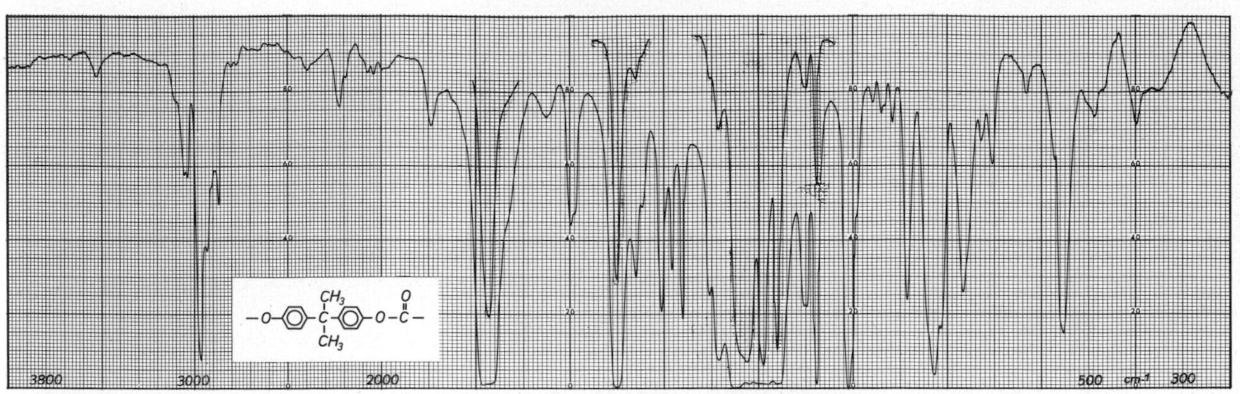

(1) **Makrofol**
(3) Bisphenol-A-Polycarbonat
(4) farbloser, glasklarer Film
(6) freitragende Filme (20 µm, 10 µm)
(7) PE 325

(2) Bayer AG, Leverkusen
(3) bisphenol A polycarbonate
(4) colorless, crystal clear film
(6) freestanding films (20 µm, 10 µm)
(7) PE 325

11337123 $C_{16}H_{14}O_3$ *P* 2106

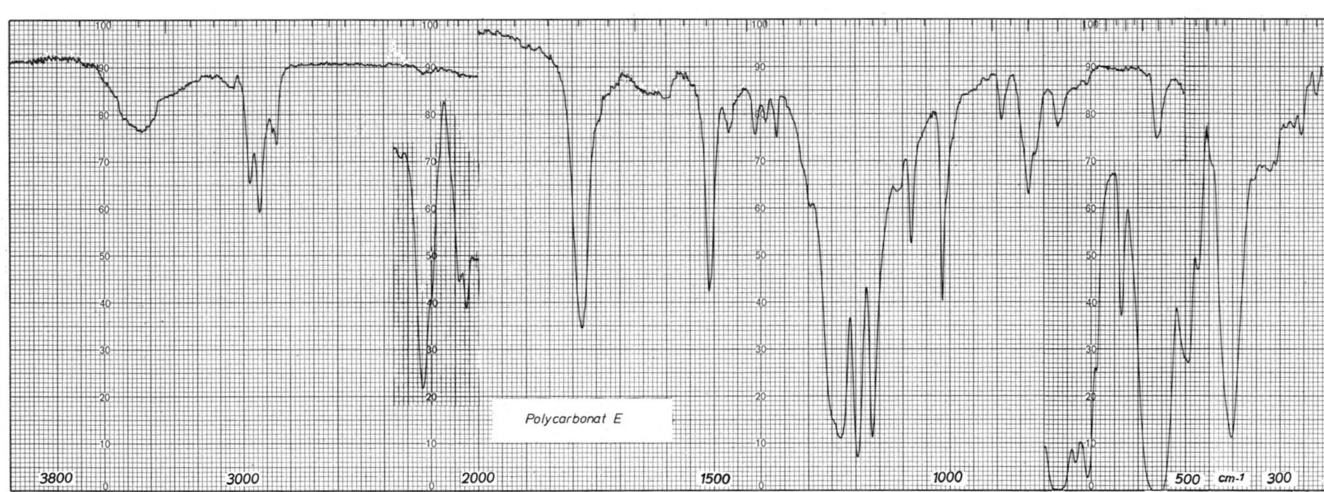

(1) **Polycarbonat E**
(2) Bayer AG, Krefeld-Uerdingen (durch H. Krimm)
(3) Bisphenol-A-Polycarbonat (nach dem Emulsionsverfahren)
(4) farbloser, glasklarer Film
(6) freitragender Film (220 µm: 2300...2000 cm^{-1}, 800...200 cm^{-1}); KBr (Ordinate gedehnt)

(2) Bayer AG, Krefeld-Uerdingen (from H. Krimm)
(3) bisphenol A polycarbonate (by the emulsion process)
(4) colorless, crystal clear film
(6) freestanding film (220 µm: 2300...2000 cm^{-1}, 800...200 cm^{-1}; KBr (ordinate expanded)

11337123 $C_{16}H_{14}O_3$ *P* 2107

(1) **Makrolon E**
(3) Bisphenol-A-Polycarbonat
(4) leicht gelbliches, klares Granulat
(5) thermoplastischer, schlagzäher Kunststoff
(6) Schicht aus MTC auf CsI
(7) PE 580 B, ABEX 1.70

(2) Bayer AG, Werk Uerdingen
(3) bisphenol A polycarbonate
(4) slightly yellowish, clear granules
(5) impact-resistant, thermoplastic resin
(6) film from MTC on CsI
(7) PE 580 B, ABEX 1.70

11337123 $C_{16}H_{14}O_3$ *P* 2108

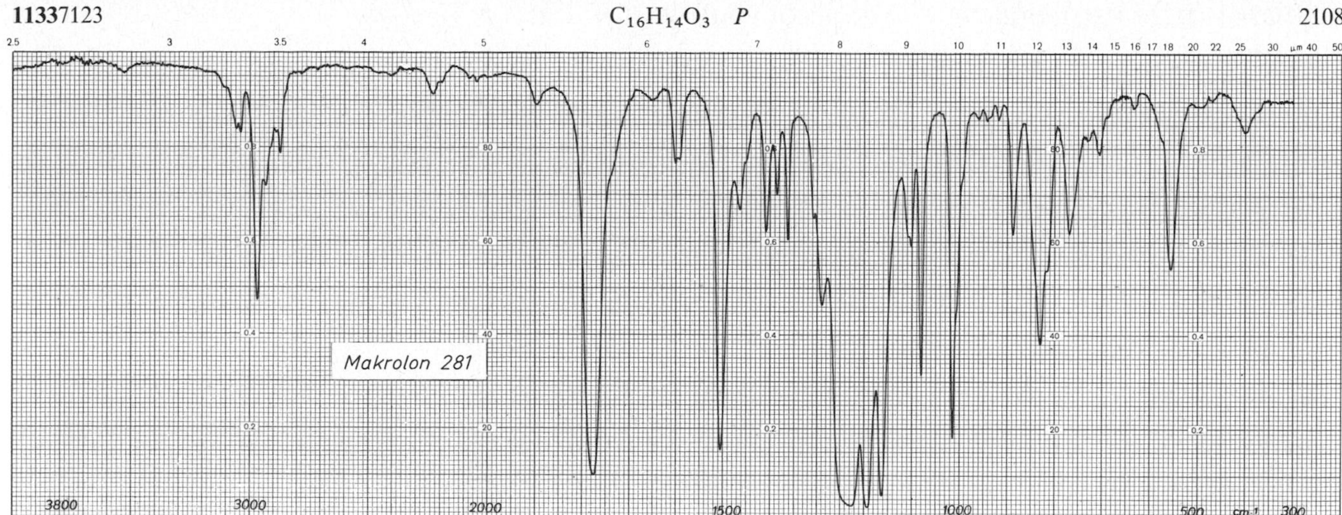

(1) **Makrolon 281**
(2) Bayer AG, Leverkusen; verarbeitet durch Röhm GmbH, Darmstadt
(3) Bisphenol-A-Polycarbonat
(4) farblose, glasklare Platte
(5) UV-absorbierendes Material
(6) Schicht aus MTC auf CsI
(7) PE 580 B, ABEX 1.94

(2) Bayer AG, Leverkusen (processed by Röhm GmbH, Darmstadt)
(3) bisphenol A polycarbonate
(4) colorless, crystal clear sheet
(5) UV-absorbing material
(6) film from MTC on CsI
(7) PE 580 B, ABEX 1.94

11337123 $C_{16}H_{14}O_3$ *P* 2109

Makrolon SDP 16

(1) **Makrolon SDP 16**
(2) Bayer AG, Leverkusen; verarbeitet durch Röhm GmbH, Darmstadt
(3) Bisphenol-A-Polycarbonat
(4) farblose, glasklare Platte
(5) für Verglasungen und Rohre
(6) Schicht aus MTC auf CsI
(7) PE 580 B, ABEX 1.18

(2) Bayer AG, Leverkusen (processed by Röhm GmbH, Darmstadt)
(3) bisphenol A polycarbonate
(4) colorless, crystal clear sheet
(5) for glazing and pipes
(6) film from MTC on CsI
(7) PE 580 B, ABEX 1.18

11337123 $C_{16}H_{14}O_3$ *P* 2110

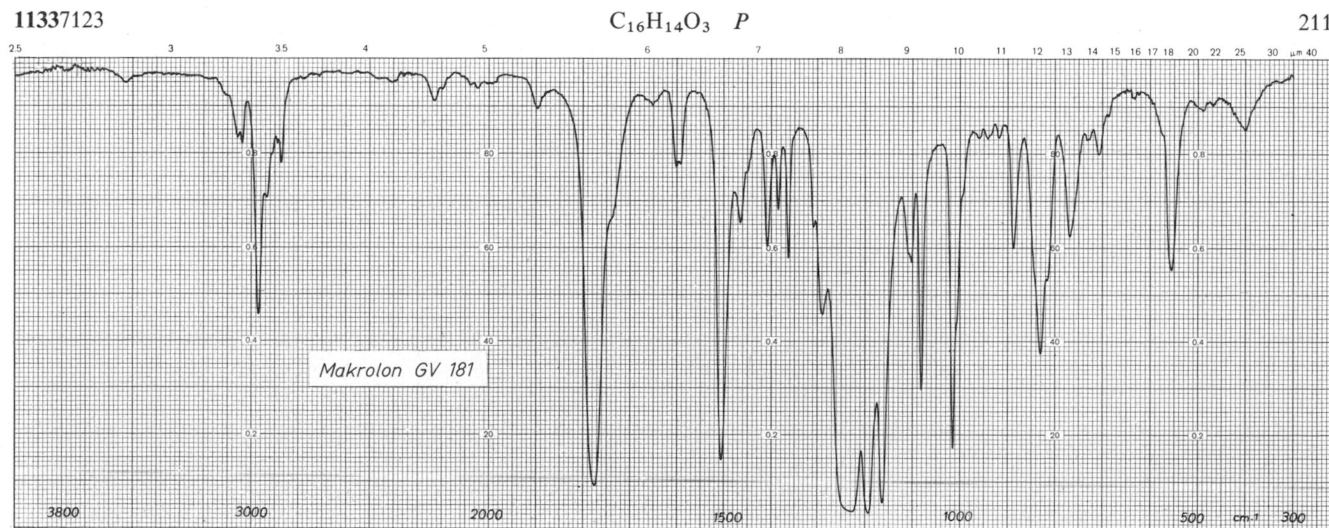

(1) **Makrolon GV 181**
(2) Bayer AG, Leverkusen; verarbeitet durch Röhm GmbH, Darmstadt
(3) glasfaserverstärktes Bisphenol-A-Polycarbonat
(4) farblose, durchsichtige Platte
(5) steifer, schlagzäher Kunststoff
(6) Schicht aus MTC auf CsI
(7) PE 580 B, ABEX 1.55

(2) Bayer AG, Leverkusen (processed by Röhm GmbH, Darmstadt)
(3) glass fiber-reinforced bisphenol A polycarbonate
(4) colorless, transparent sheet
(5) rigid, impact-resistant plastic
(6) film from MTC on CsI
(7) PE 580 B, ABEX 1.55

11337123 + 11(**21**22 − **32**215 − **21**121) $C_{16}H_{14}O_3 + C_8H_8 - C_3H_3N - C_4H_6$ *P* 2111

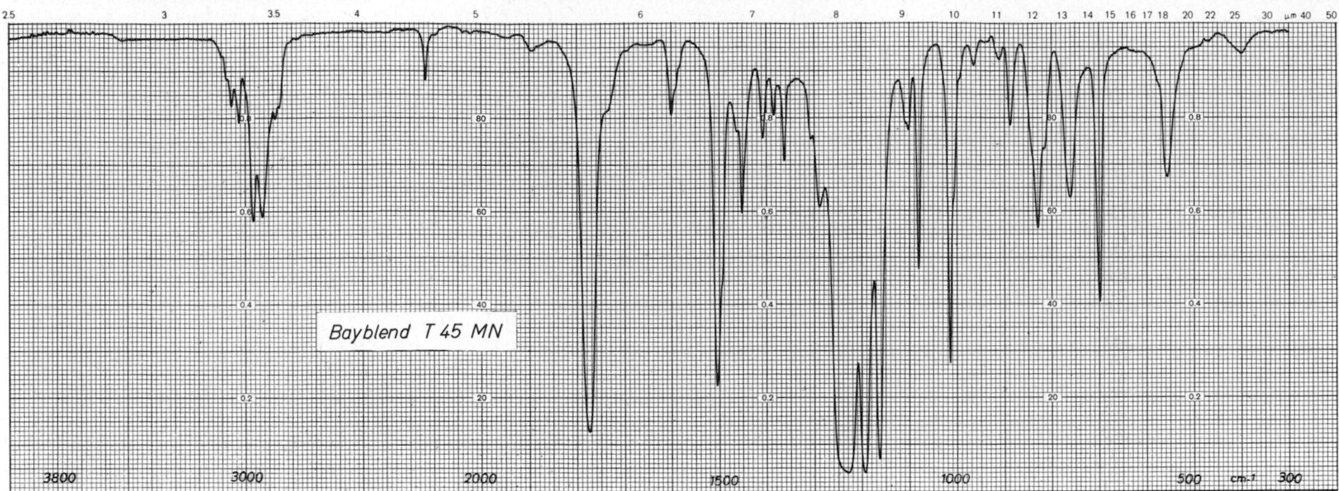

(1) **Bayblend T 45 MN**
(3) Polymergemisch aus Makrolon (Polycarbonat) und Novodur (Copolymer auf Basis Styrol, Acrylnitril und Butadien)
(4) graues, undurchsichtiges Granulat
(5) maßgenauer, schlagzäher und wärmeformbeständiger, thermoplastischer Kunststoff
(6) in MTC gelöst, zentrifugiert, Schicht auf CsI
(7) PE 580 B, ABEX 1.18

(2) Bayer AG, Leverkusen
(3) polymer mixture; Makrolon (polycarbonate) and Novodur [poly(styrene-co-acrylonitrile-co-butadiene)]
(4) grey, opaque granules
(5) dimensionally accurate, impact-resistant, thermoplastic resin that is dimensionally stable at high temperatures
(6) dissolved in MTC, centrifuged, film on CsI
(7) PE 580 B, ABEX 1.18

11337123 $C_{18}H_{18}O_3$ *P* 2112

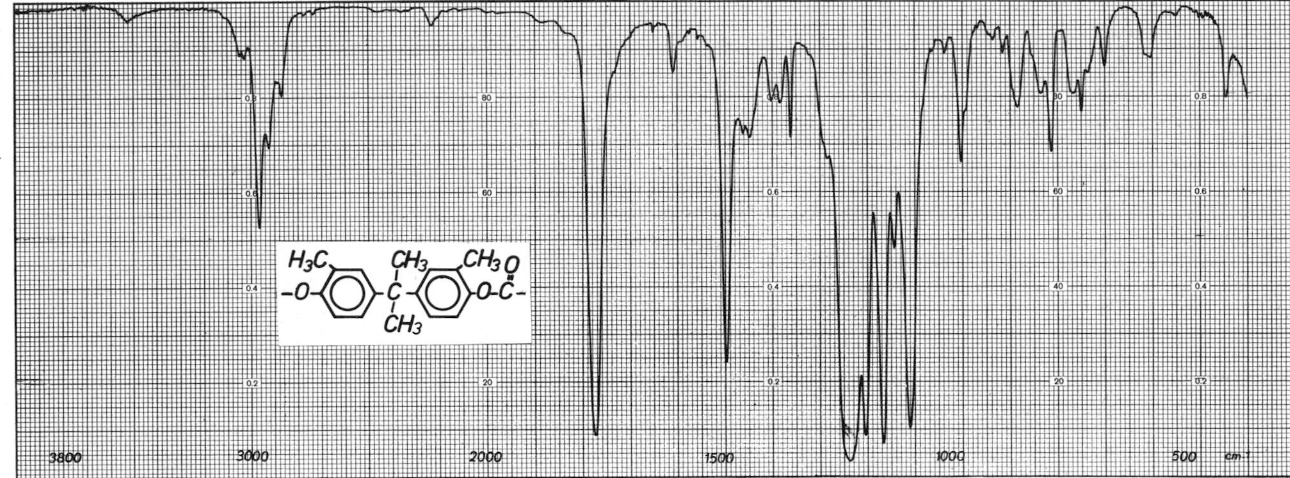

(1) **3,3′-Dimethylbisphenol-A-Polycarbonat**
(2) Bayer AG, Werk Uerdingen (Laborpräparat, L. Bottenbruch)
(4) farblose, harte Stücke
(5) thermoplastischer Kunststoff
(6) Schicht aus MTC auf KBr
(7) PE 580 B, FLAT, ABEX 1.28
(8) A. Horbach, H. Müller, L. Bottenbruch, Makromol. Chem. **182** (1981) 2873...2879

(1) **3,3′-dimethylbisphenol A polycarbonate**
(2) Bayer AG, Werk Uerdingen (laboratory preparation, L. Bottenbruch)
(4) hard, colorless pieces
(5) thermoplastic resin
(6) film from MTC on KBr
(7) PE 580 B, FLAT, ABEX 1.28
(8) A. Horbach, H. Müller, L. Bottenbruch, Makromol. Chem. **182** (1981) 2873...2879

11337123 2113

Makrolon Versuchsprodukt Kl 1 - 1140

(1) **Makrolon Versuchsprodukt KL 1-1140**
(3) Polycarbonat
(4) hellbraunes, transparentes Granulat
(5) thermoplastischer Kunststoff mit sehr hoher Wärmeformbeständigkeit, Kriechstromfestigkeit und Hydrolysefestigkeit, für Geschirr- und Speisebehälter, Reflektoren, Lampenhalterungen
(6) Schicht aus MTC auf CsI
(7) PE 580 B

(2) Bayer AG, Leverkusen
(3) polycarbonate
(4) light brown, transparent granules
(5) thermoplastic resin with good high-temperature dimensional stability, resistance to tracking currents and hydrolysis resistance, for crockery and food containers, reflectors and lampholders
(6) film from MTC on CsI
(7) PE 580 B

11337123 2114

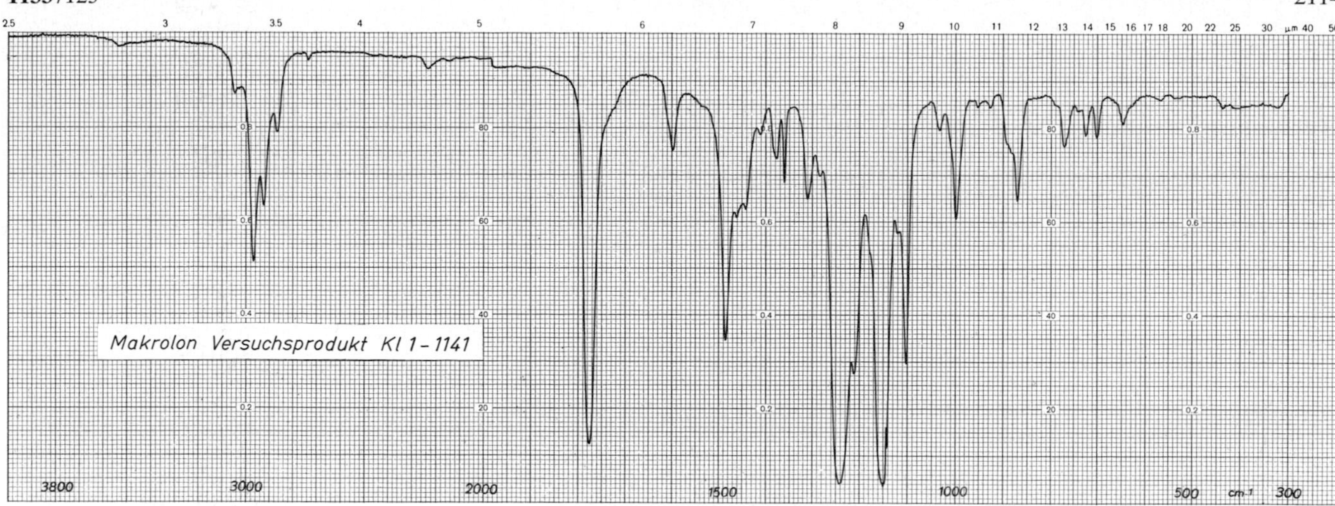

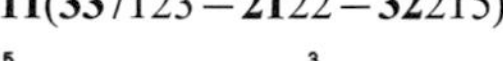
(1) **Makrolon Versuchsprodukt KL 1-1141**
(3) Polycarbonat
(4) hellbraunes, transparentes Granulat
(5) thermoplastischer Kunststoff mit sehr hoher Wärmeformbeständigkeit, Kriechstromfestigkeit und Hydrolysefestigkeit, für Geschirr- und Speisebehälter, Reflektoren, Lampenhalterungen
(6) Schicht aus MTC auf CsI
(7) PE 580 B

(2) Bayer AG, Leverkusen
(3) polycarbonate
(4) light brown, transparent granules
(5) thermoplastic resin with good high-temperature dimensional stability, resistance to tracking currents and hydrolysis resistance, for crockery and food containers, reflectors and lampholders
(69 film from MTC on CsI
(7) PE 580 B

11(337123 – 2122 – 32215) $C_{16}H_{14}O_3 - C_8H_8 - C_3H_3N$ *P* 2115

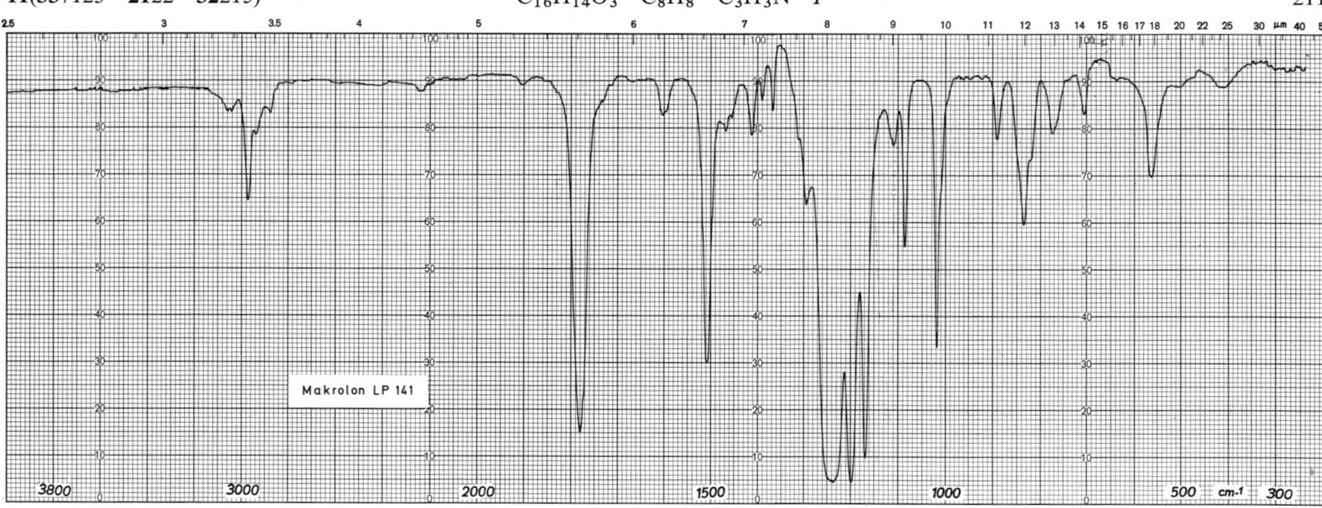

(1) **Makrolon LP 141**
(3) auf Poly(styrol-co-acrylnitril) aufgepfropftes Polycarbonat
(4) farbloses Granulat
(5) thermoplastischer, schlagzäher Kunststoff
(6) Schicht aus CLF auf CsI

(2) Bayer AG, Leverkusen
(3) polycarbonate grafted on poly(styrene-co-acrylonitrile)
(4) colorless granules
(5) thermoplastic, impact-resistant resin
(6) film from CLF on CsI

11337131 $C_7H_4O_2$ *P* 2116

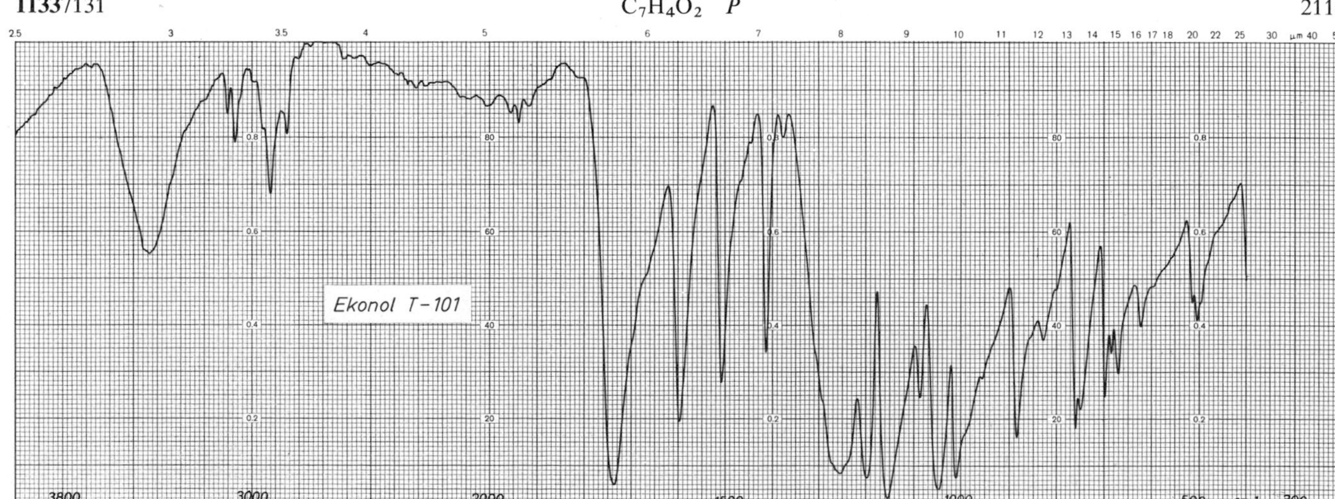

(1) **Ekonol T 101**
(3) Poly(oxy-p-benzoyl), Poly-p-hydroxybenzoat
(4) beigefarbenes Pulver
(5) hochtemperaturbeständiger Werkstoff
(6) KBr (2/350), 2× mit MTC verrieben
(7) PE 580 B, ABEX 2.20

(2) Ekonol Resins, Carborundum Co., Niagara Falls, N.Y.
(3) poly(oxy-p-benzoyl), poly-p-hydroxybenzoate
(4) beige-colored powder
(5) high-temperature resistant material
(6) KBr (2/350), ground twice with MTC
(7) PE 580 B, ABEX 2.20

11(**33**72111 – **21**111) $C_4H_6O_2$ *P* 2117

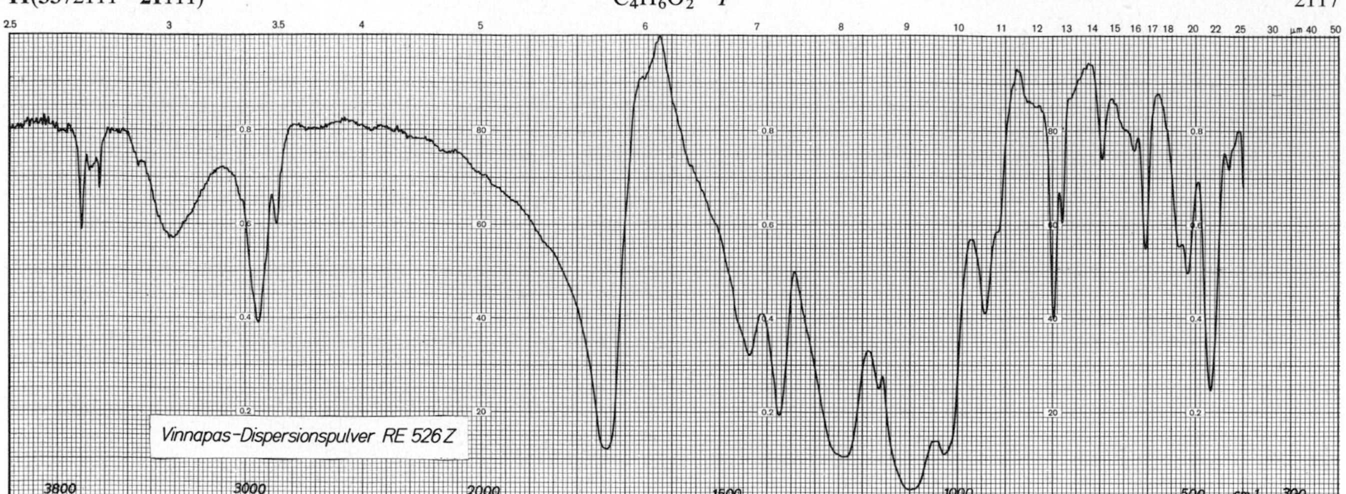

(1) **Vinnapas-Dispersionspulver RE 526 Z**
(3) Poly(vinylacetat-co-ethylen)
(4) weißes Pulver
(5) für Abmischungen mit anorganischen Bindemitteln wie Zement, Gips oder Kalkhydrat; auch als Alleinbindemittel
(6) KBr (2/400)
(7) PE 580 B, SMOOTH 2, ABEX 1.8; H_2O subtrahiert

(2) Wacker GmbH, München
(3) poly(vinyl acetate-co-ethylene)
(4) white powder
(5) for admixture with inorganic binders such as cement, gypsum or hydrate of lime, also used alone
(6) KBr (2/400)
(7) PE 580 B, SMOOTH 2, ABEX 1.8; H_2O subtracted

11337221111 $C_5H_8O_2$ *P* 2118

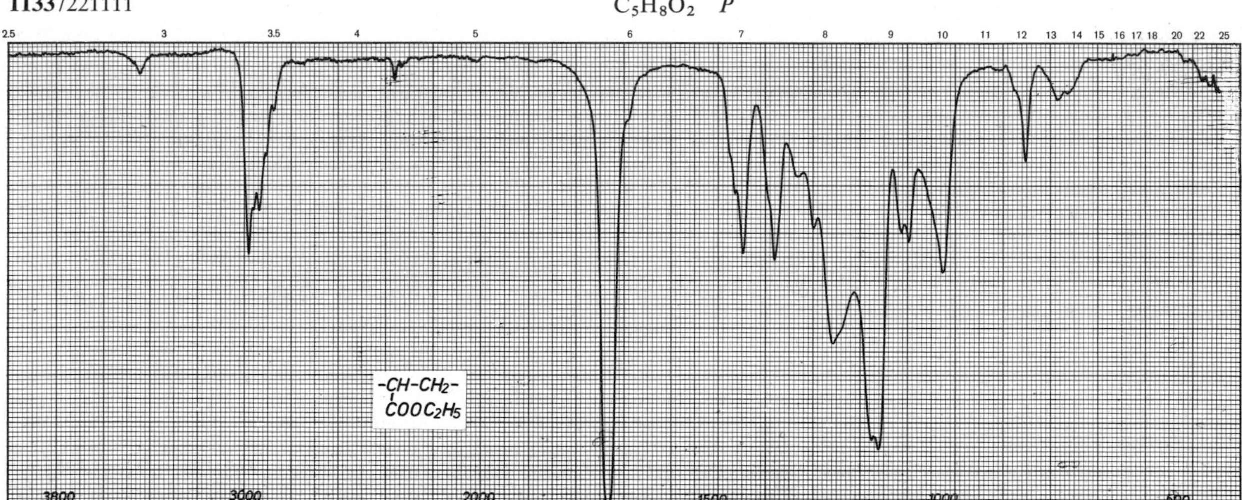

(1) **Poly(ethylacrylat)**
(2) BASF AG, Ludwigshafen
(4) farbloses Material
(5) glasklarer, thermoplastischer Kunststoff
(6) Schicht aus BAC auf CsI
(7) Nicolet FTIR 7199

(1) **poly(ethyl acrylate)**
(4) colorless material
(5) crystal clear, thermoplastic resin
(6) film from BAC on CsI
(7) Nicolet FTIR 7199

11337221111 $C_7H_{12}O_2$ *P* 2119

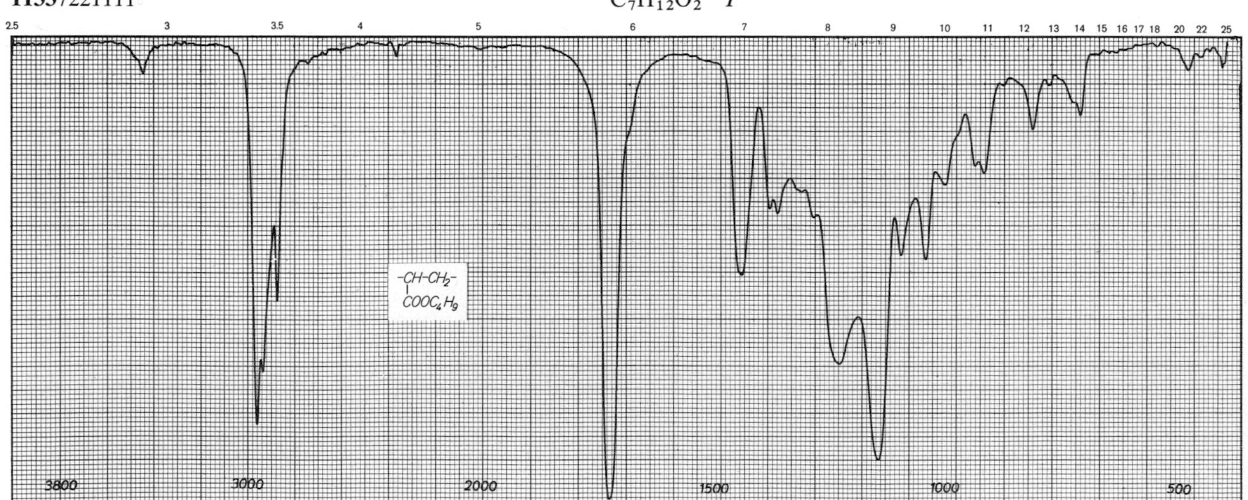

(1) **Acronal 4 L**
(3) Poly(butylacrylat)
(4) farblose, klare, viskose Flüssigkeit (Lösung)
(5) Weichharz für Lacke auf der Basis von Cellulosenitrat oder chlorhaltigen Bindemitteln
(6) Film auf CsI, i.V. getrocknet
(7) Nicolet FTIR 7199

(2) BASF AG, Ludwigshafen
(3) poly(butyl acrylate)
(4) colorless, clear, viscous liquid (solution)
(5) soft resin for lacquers based on cellulose nitrate or chlorinated binders
(6) film on CsI, dried in vacuo
(7) Nicolet FTIR 7199

11337221111 $C_7H_{12}O_2$ *P* 2120

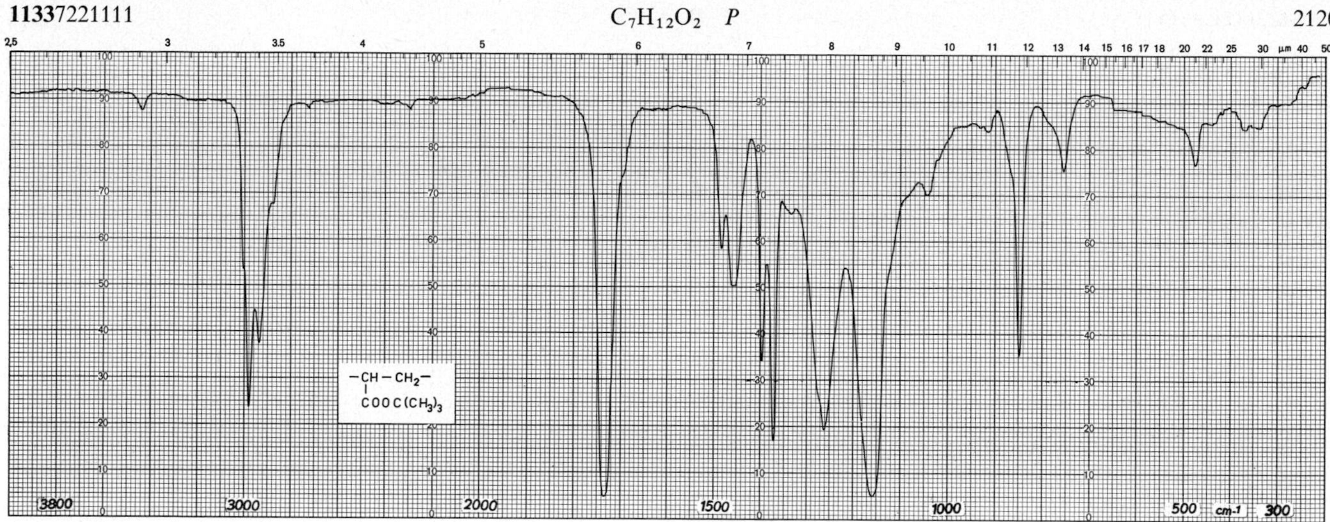

(1) **Poly(t-butylacrylat)**
(2) Bayer AG, Leverkusen (Laborpräparat, F. Wingler)
(4) farbloses, geschäumtes, leichtes Material
(5) thermoplastischer Kunststoff
(6) Schicht aus CLF auf CsI

(1) **poly(t-butyl acrylate)**
(2) Bayer AG, Leverkusen (laboratory preparation, F. Wingler)
(4) light, foamy, colorless material
(5) thermoplastic resin
(6) film from CLF on CsI

11337221121 $C_5H_8O_2$ *P* 2121

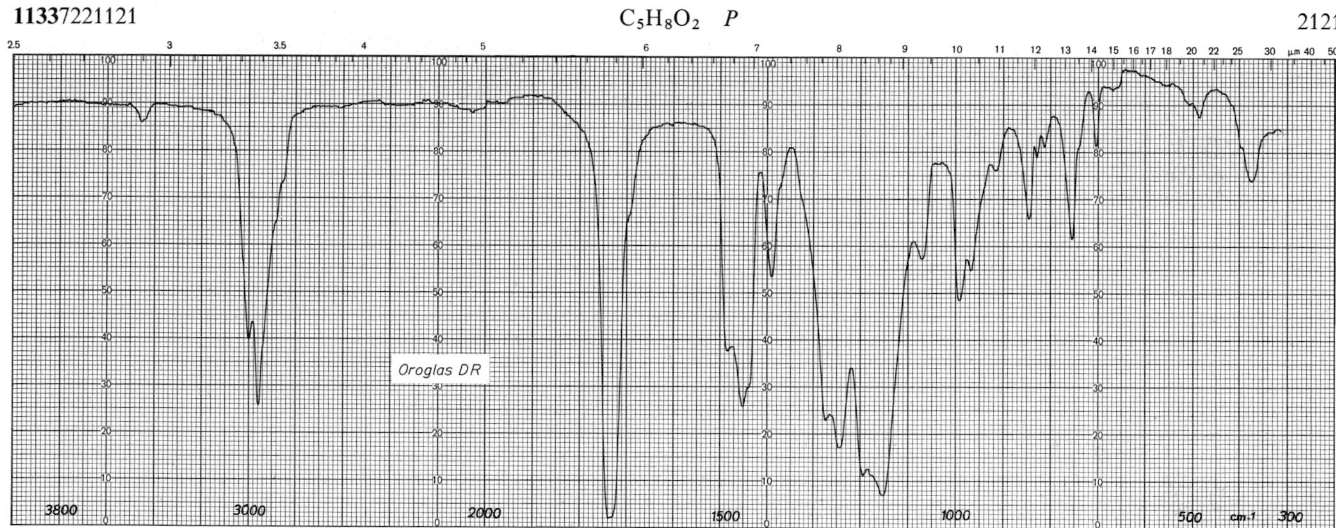

(1) **Oroglas DR**
(3) Polymethylmetharcrylat
(4) schwach hellblaues, klares Granulat
(5) für Spritzguß und Extrusion, hohe Festigkeit und Transparenz, witterungsbeständig („Acrylglass")
(6) Schicht aus MTC auf CsI

(2) Rohm & Haas Comp., Philadelphia, Pa.
(3) poly(methyl methacrylate)
(4) slightly pale blue granules
(5) for injection moulding and extrusion, high rigidity and transparency, weather-resistant ("acrylic glass")
(6) film from MTC on CsI

11337221121 $C_5H_8O_2$ *P* 2122

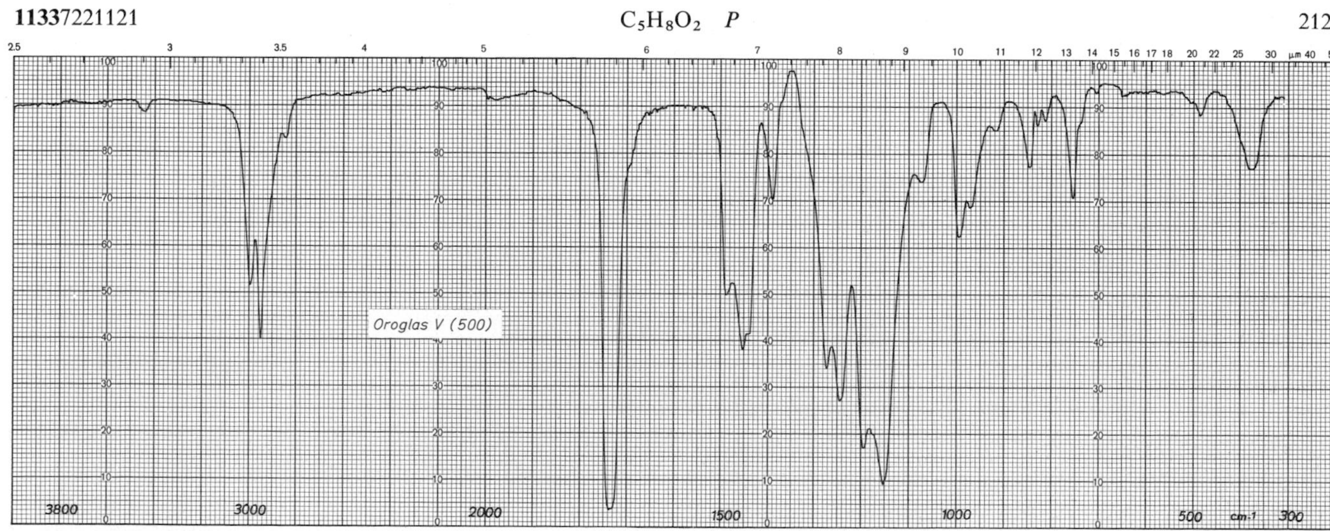

(1) **Oroglas V 500**
(3) Polymethylmethacrylat
(4) farbloses, klares Granulat
(5) selbstmattierendes „Acrylglas", nur für die Extrusion
(6) Schicht aus MTC auf CsI

(2) Rohm & Haas Comp., Philadelphia, Pa.
(3) poly(methyl methacrylate)
(4) clear, colorless granules
(5) self-matting "acrylic glass", only for extrusion
(6) film from MTC on CsI

11337221121 $C_5H_8O_2$ *P* 2123

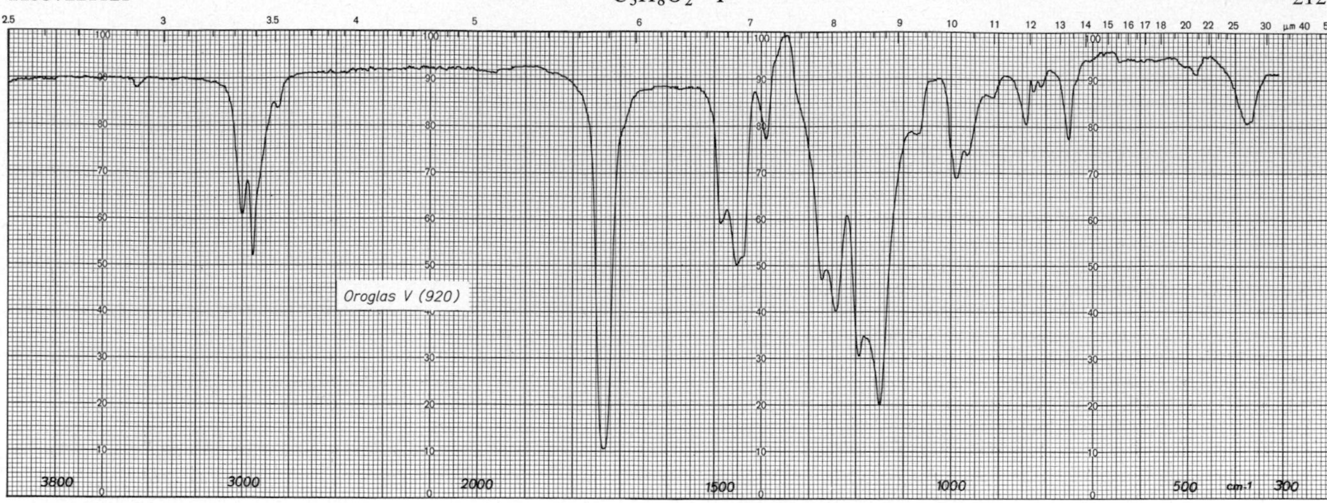

(1) **Oroglas V 920**
(3) Polymethylmethacrylat
(4) farbloses, klares Granulat
(5) Spritzgußtyp von mittlerer Molmasse („Acrylglas")
(6) Schicht aus MTC auf CsI

(2) Rohm & Haas Comp., Philadelphia, Pa.
(3) poly(methyl methacrylate)
(4) clear, colorless granules
(5) injection-moulding grade, medium molar mass ("acrylic glass")
(6) film from MTC on CsI

11337221121 $C_5H_8O_2$ *P* 2124

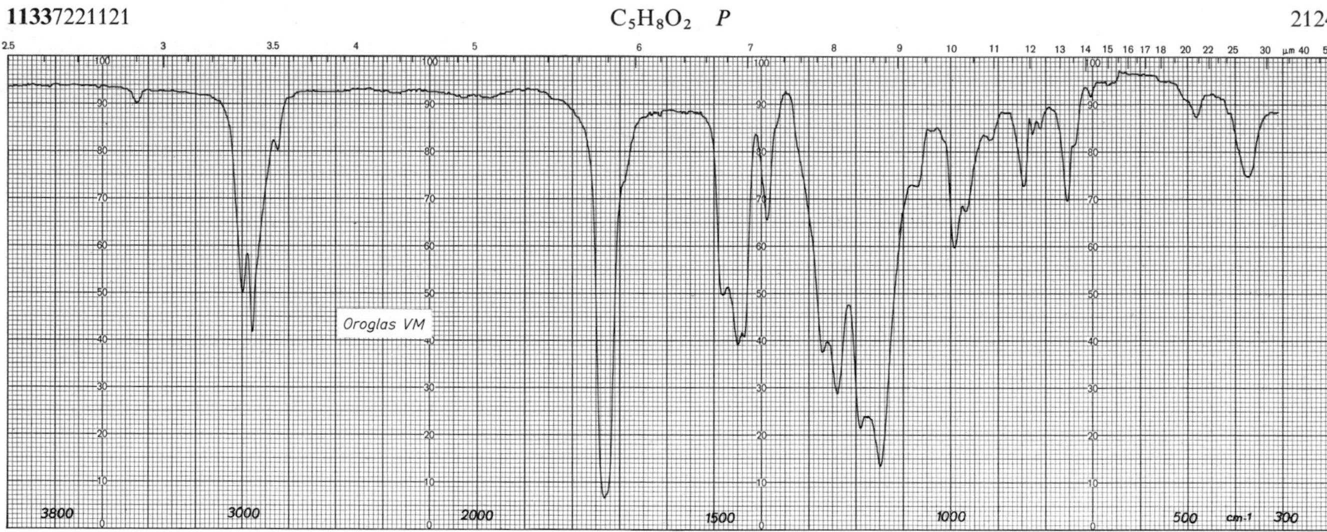

(1) **Oroglas VM**
(3) Polymethylmethacrylat
(4) farbloses, glasklares Granulat
(5) thermoplastisches Material mittlerer Molmasse für den Spritzguß („Acrylglas")
(6) Schicht aus MTC auf CsI

(2) Rohm & Haas Comp., Philadelphia, Pa.
(3) poly(methyl methacrylate)
(4) colorless, crystal clear granules
(5) medium molar mass, thermoplastic material for injection moulding ("acrylic glass")
(6) film from MTC on CsI

11337221121 $C_5H_8O_2$ *P* 2125

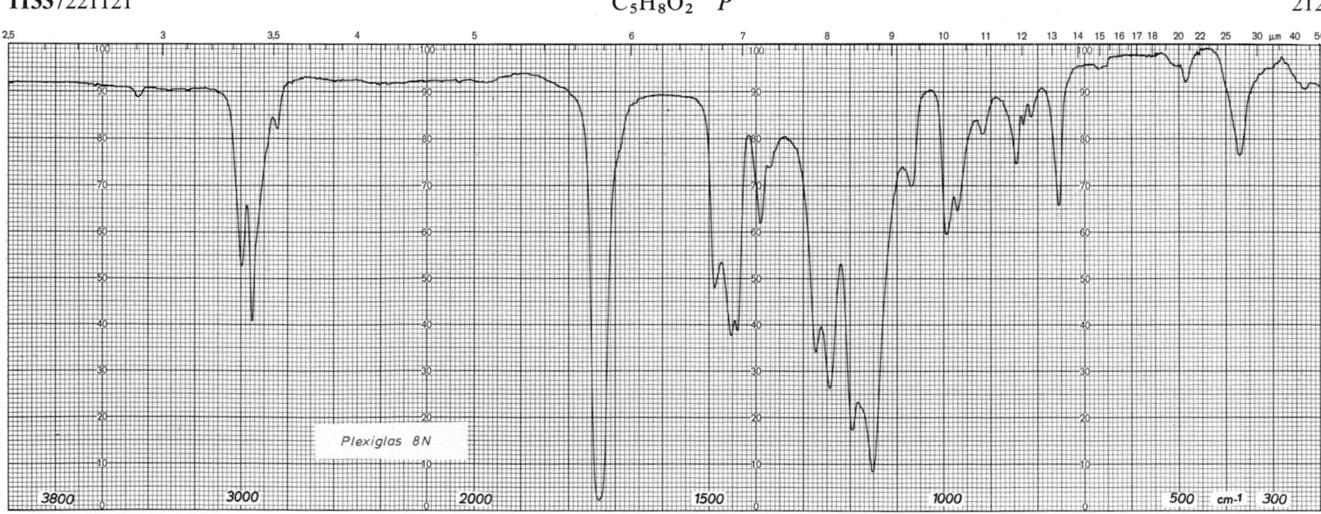

(1) **Plexiglas 8N**
(3) Polymethylmethacrylat
(4) farbloses, glasklares Granulat
(5) thermoplastischer Kunststoff mit ausgezeichneten optischen Eigenschaften
(6) Film aus CLF auf CsI

(2) Röhm GmbH, Darmstadt
(3) poly(methyl methacrylate)
(4) colorless, crystal clear granules
(5) thermoplastic resin with excellent, optical properties
(6) film from CLF on CsI

11337221121 $C_5H_8O_2$ *P* 2126

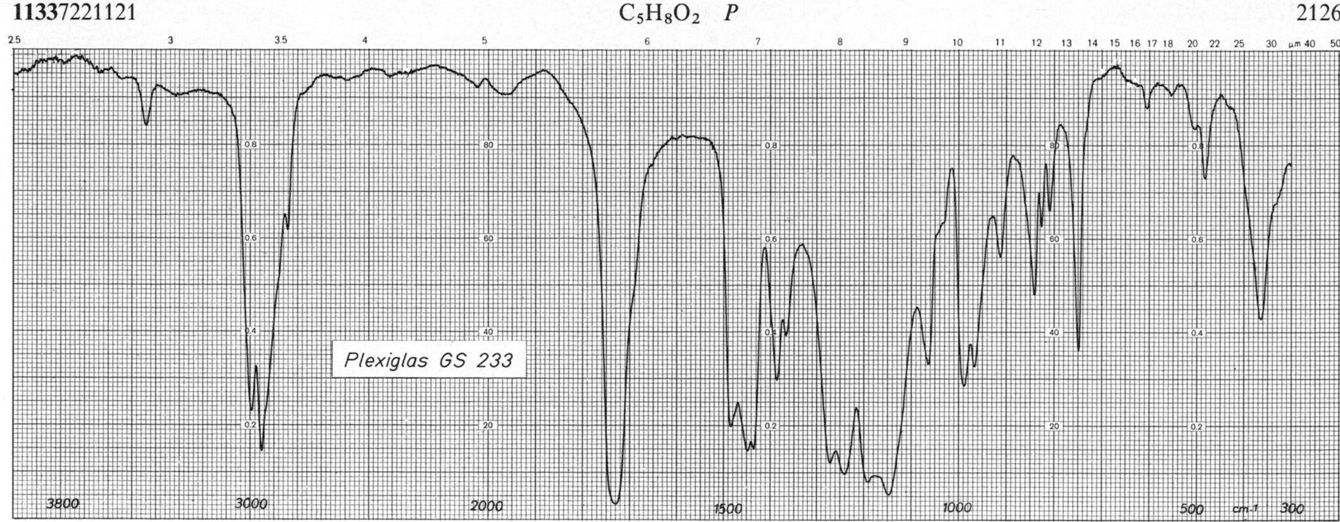

(1) **Plexiglas GS 233**
(3) Poly(methylmethacrylat)
(4) farblose, glasklare Platte
(5) Standardsorte für Tafeln
(6) Schicht aus BAC auf CsI
(7) PE 580 B, ABEX 1.97

(2) Röhm GmbH, Darmstadt
(3) poly(methyl methacrylate)
(4) colorless, crystal clear sheet
(5) standard grade for glazing
(6) film from BAC on CsI
(7) PE 580 B, ABEX 1.97

11337221121 $C_5H_8O_2$ *P* 2127

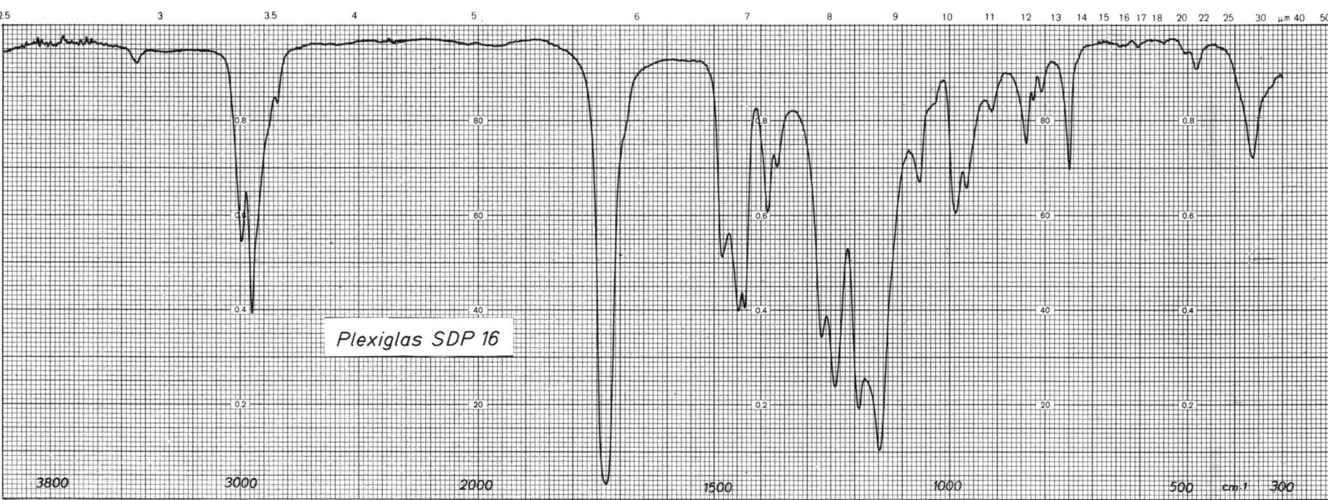

(1) **Plexiglas SDP 16**
(3) Poly(methylmethacrylat)
(4) farblose, glasklare Platte
(5) Stegprofilplatten
(6) Film aus BAC auf CsI
(7) PE 580 B, ABEX 1.28

(2) Röhm GmbH, Darmstadt
(3) poly(methyl methacrylate)
(4) colorless, crystal clear sheet
(5) ribbed sheet
(6) film from BAC on CsI
(7) PE 580 B, ABEX 1.28

11337221121 $C_5H_8O_2$ *P* 2128

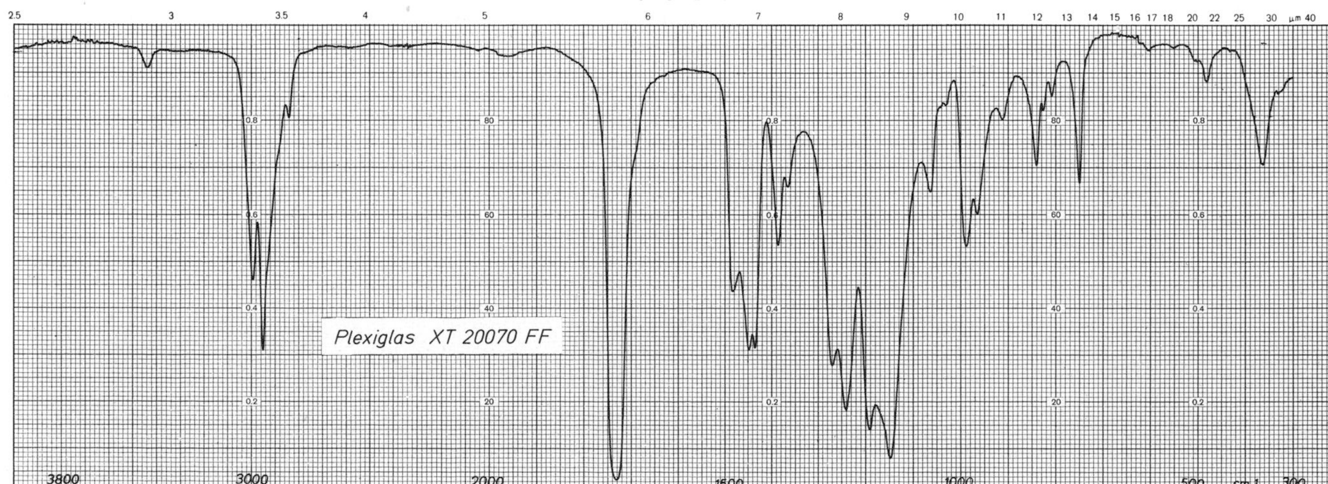

(1) **Plexiglas XT 20070 FF**
(3) Poly(methylmethacrylat)
(4) farblose, glasklare Platte
(5) UV-absorbierendes Plattenmaterial
(6) Schicht aus BAC auf CsI
(7) PE 580 B, ABEX 1.20

(2) Röhm GmbH, Darmstadt
(3) poly(methyl methacrylate)
(4) colorless, crystal clear material
(5) UV-absorbing, glazing material
(6) film from BAC on CsI
(7) PE 580 B, ABEX 1.20

11(337221121 – **2**122111) $C_5H_8O_2 - C_8H_8$ *P* 2129

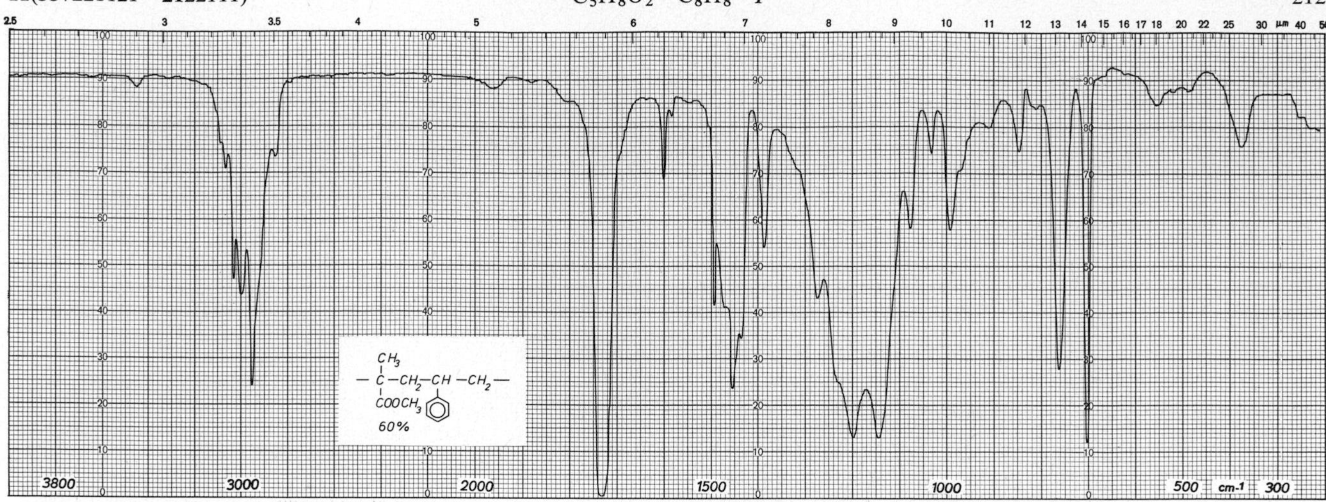

(1) **Poly(methylmethacrylat-co-styrol), 60% MMA-Einheiten**
(2) Richardson, USA
(4) farbloses, klares Granulat
(5) thermoplastischer Kunststoff für optische Anwendungen
(6) Schicht aus CLF auf CsI, 5 d i.V. bei 40 °C getrocknet

(1) **poly(methyl methacrylate-co-styrene), 60% MMA units**
(4) colorless, clear granules
(5) thermoplastic resin for optical applications
(6) film from CLF on CsI, dried for 5 d in vacuo at 40 °C

11(337221121 – **3**22151) $C_5H_8O_2 - C_3H_3N$ *P* 2130

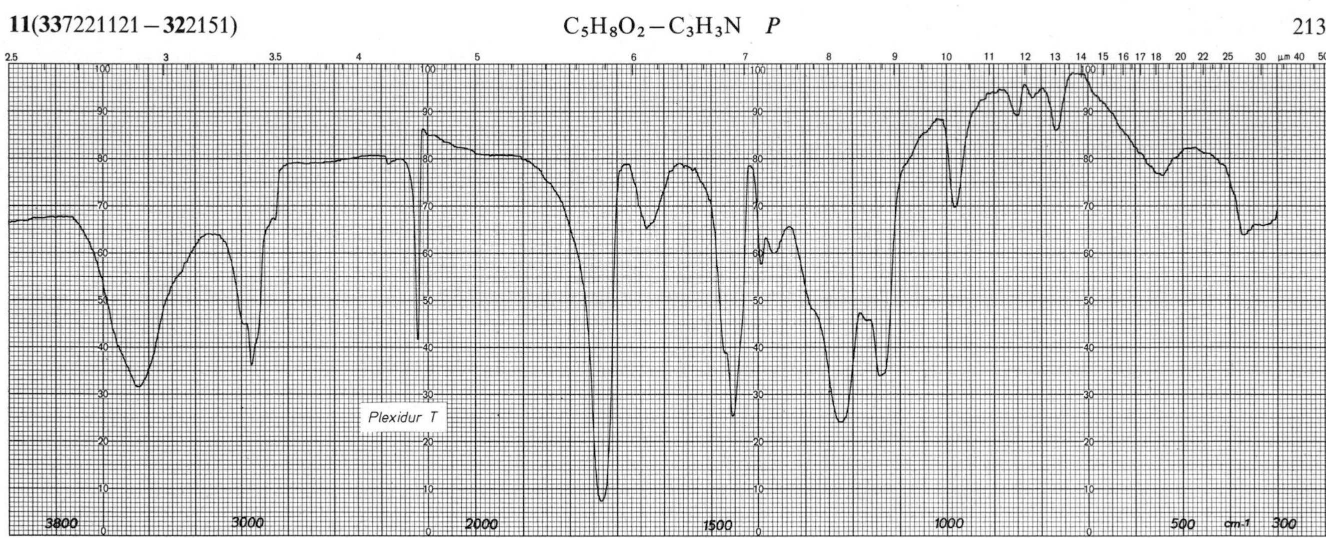

(1) **Plexidur T**
(3) Poly(methylmethacrylat-co-acrylnitril)
(4) farbloses, transparentes Material
(5) schlagfester, thermoplastischer Kunststoff
(6) KBr (3/350)
(7) 3440 cm^{-1} und 1635 cm^{-1}: H_2O

(2) Röhm GmbH, Darmstadt
(3) poly(methyl methacrylate-co-acrylonitrile)
(4) colorless, transparent material
(5) impact-resistant, thermoplastic resin
(6) KBr (3/350)
(7) 3440 cm^{-1} and 1635 cm^{-1}: H_2O

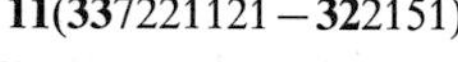

11(337221121 – **3**22151) $C_5H_8O_2 - C_3H_3N$ *P* 2131

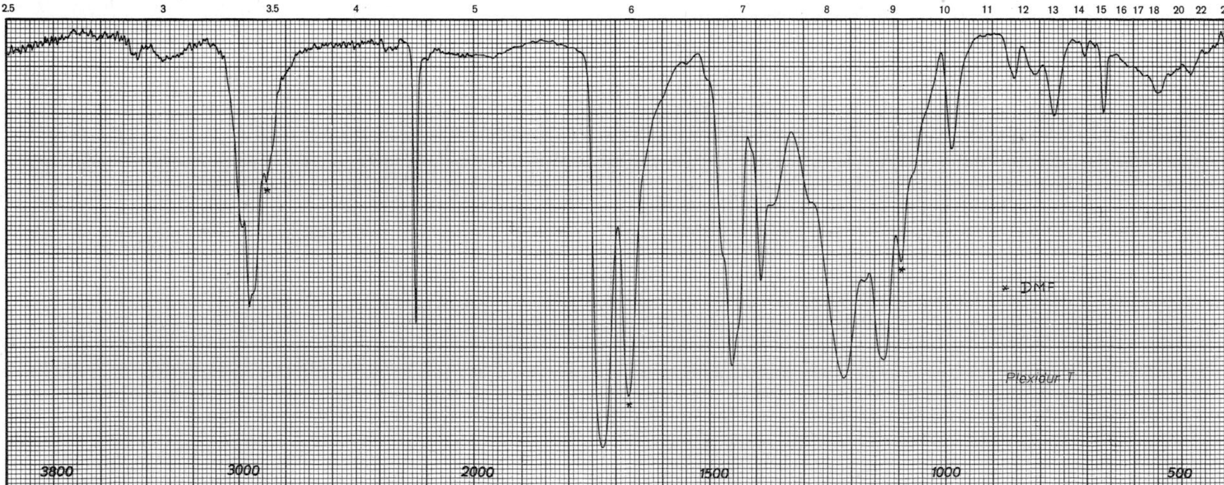

(1) **Plexidur T**
(3) Poly(methylmethacrylat-co-acrylnitril)
(4) farbloses, transparentes Material
(5) schlagfester, thermoplastischer Kunststoff
(6) Schicht aus DMF auf KRS-5, die mit * gekennzeichneten Banden stammen vom DMF
(7) Nicolet FTIR 7199

(2) Röhm GmbH, Darmstadt
(3) poly(methyl methacrylate-co-acrylonitrile)
(49 colorless, transparent material
(59 impact-resistant, thermoplastic resin
(69 film from DMF on KRS-5, the bands marked * are from DMF
(7) Nicolet FTIR 7199

11337221121 $C_6H_{10}O_2$ *P* 2132

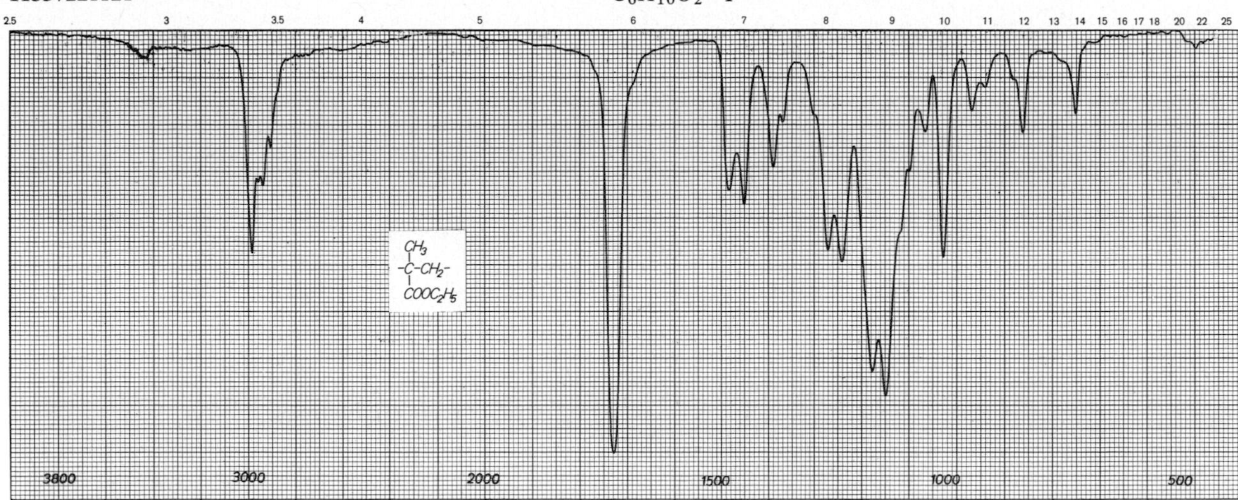

(1) **Poly(ethylmethacrylat)**
(2) Institut für Physikalische Chemie, Universität Köln (Laborpräparat, G. Ley)
(4) feines, weißes Pulver
(6) Schicht aus MTC auf CsI
(7) Nicolet FTIR 7199

(1) **poly(ethyl methacrylate)**
(2) Institut für Physikalische Chemie, Universität Köln (laboratory preparation, G. Ley)
(4) fine, white powder
(6) film from MTC on CsI
(7) Nicolet FTIR 7199

11337221121 $C_8H_{14}O_2$ *P* 2133

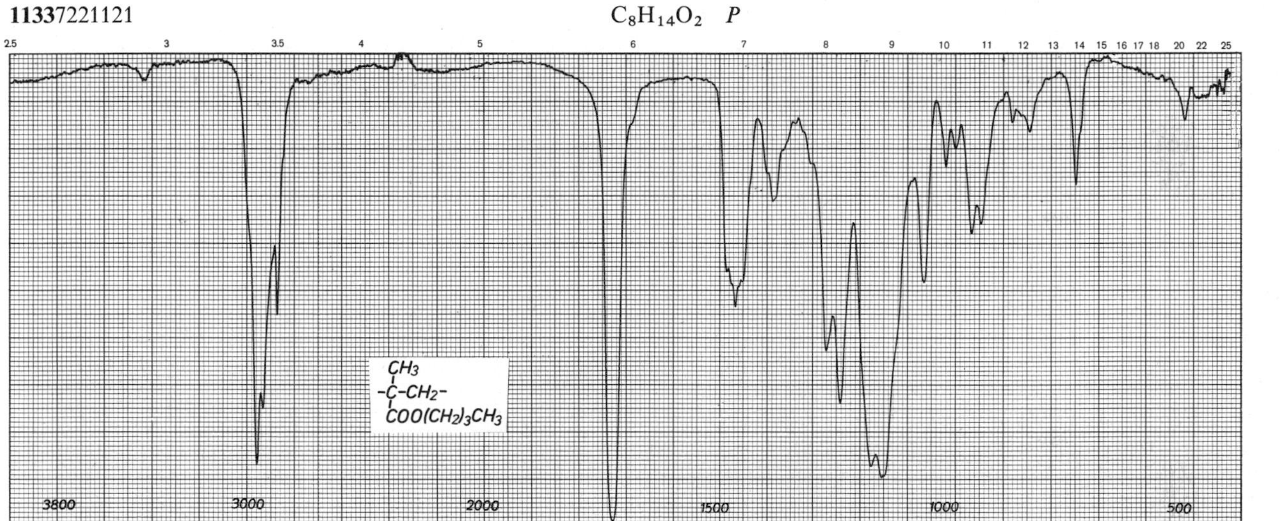

(1) **Poly(butylmethacrylat)**
(2) Röhm GmbH, Darmstadt (Laborpräparat, W. Wunderlich)
(4) farbloses, festes Material
(5) thermoplastischer, glasklarer Kunststoff
(6) Schicht aus BAC auf CsI
(7) Nicolet FTIR 7199

(1) **poly(butyl methacrylate)**
(2) Röhm GmbH, Darmstadt (laboratory preparation, W. Wunderlich)
(4) colorless, solid material
(5) thermoplastic, crystal clear resin
(6) film from BAC on CsI
(7) Nicolet FTIR 7199

11337221121 $C_8H_{14}O_2$ *P* 2134

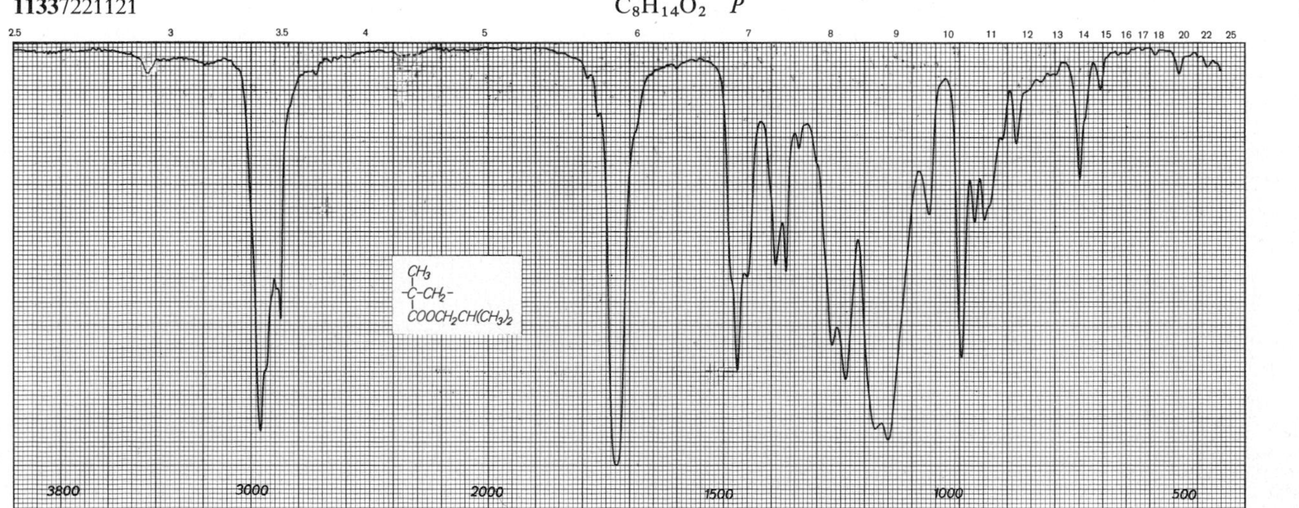

(1) **Lucite 2045**
(3) Poly(i-butylmethacrylat)
(4) weißes, grobkörniges Material
(5) thermoplastischer Kunststoff
(6) Schicht aus MTC auf CsI
(7) Nicolet FTIR 7199

(2) Du Pont, Wilmington, Dela.
(3) poly(i-butyl methacrylate)
(4) coarse, white particles
(5) thermoplastic resin
(6) film from MTC on CsI
(7) Nicolet FTIR 7199

11337221121  $C_{16}H_{30}O_2$ *P* 2135

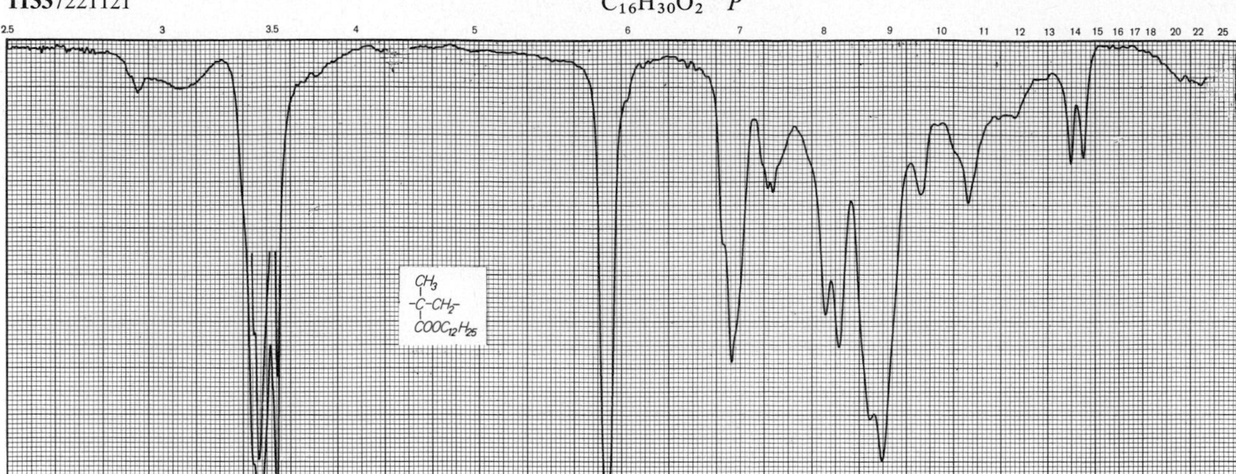

(1) **Poly(dodecylmethacrylat)**
(2) Röhm GmbH, Darmstadt
(4) farbloses, klares, viskoses Harz
(5) Zusatz zu Schmierölen (Viskositätsstabilisator)
(6) Schicht aus MTC auf CsI
(7) Nicolet FTIR 7199

(1) **poly(dodecyl methacrylate)**
(4) colorless, clear, viscous resin
(5) lubricating oil additive (viscosity stabilizer)
(6) film from MTC on CsI
(7) Nicolet FTIR 7199

11(**33**722121 − **21**1124) $C_8H_{12}O_4 - C_4H_8$ *P*  2136

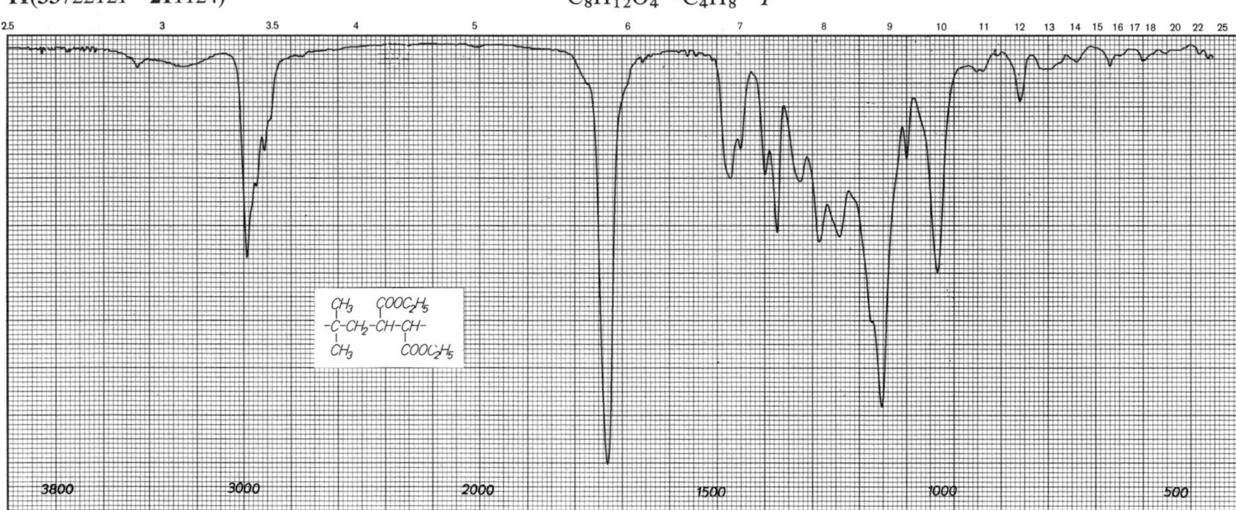

(1) **Poly(diethylfumarat-co-isobutylen), 1:1**
(2) Chemisches Institut, RTH Zürich (Laborpräparat, H. Hopff)
(4) weißes, feines Pulver
(6) Schmelzfilm
(7) Nicolet FTIR 7199

(1) **poly(diethyl fumarate-co-isobutylene), 1:1**
(2) Chemisches Institut, RTH Zürich (laboratory preparation, H. Hopff)
(4) fine, white powder
(6) film from the melt
(7) Nicolet FTIR 7199

11337(321 − 22112) $C_6H_{10}O_3 - C_{10}H_{14}O_4$ *P* 2137

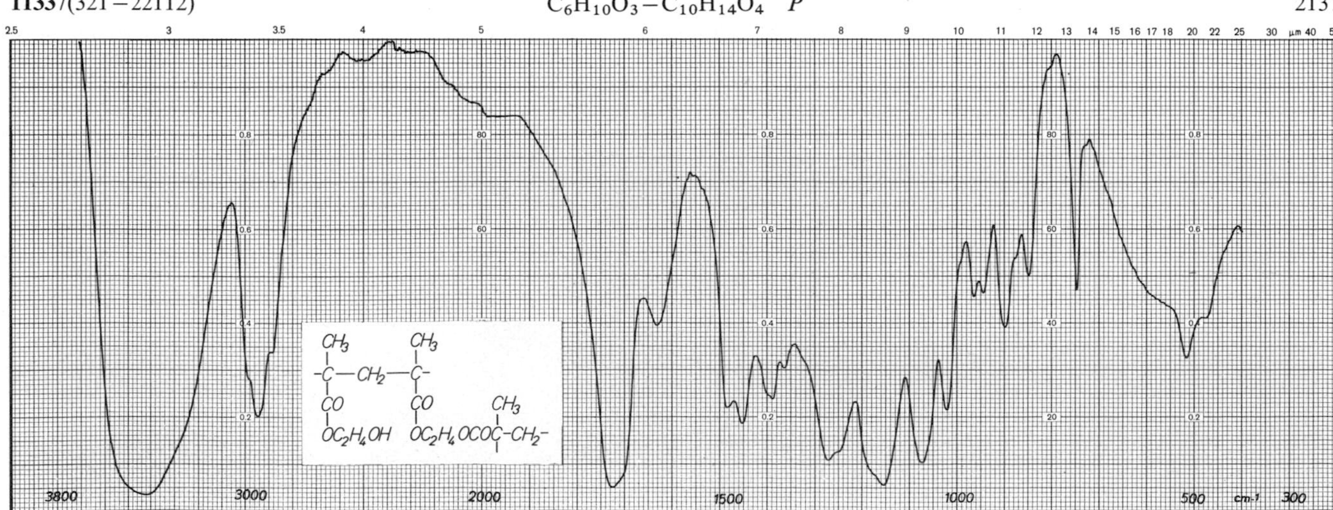

(1) **Poly(hydroxyethylmethacrylat-co-ethylenglycoldimethacrylat)**
(2) O. Wichterle, Institut für Makromolekulare Chemie, Prag (Laborpräparat)
(3) vernetztes, hydrophiles Copolymer
(4) glasklares Material
(5) für hydrophile Augenlinsen
(6) KBr
(7) PE 580 B, FLAT, ABEX 2.69

(1) **poly(hydroxyethyl methacrylate-co-ethylene glycol dimethacrylate)**
(2) O. Wichterle, Institute for Macromolecular Chemistry, Prague (laboratory preparation)
(3) hydrophilic, crosslinked copolymer
(4) crystal clear material
(5) for hydrophilic contact lenses
(6) KBr
(7) PE 580 B, FLAT, ABEX 2.69

11337(321 − 22112)  $C_6H_{10}O_3-C_{10}H_{14}O_4$ *P* 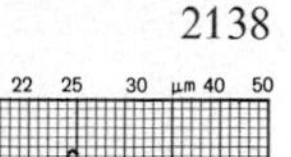 2138

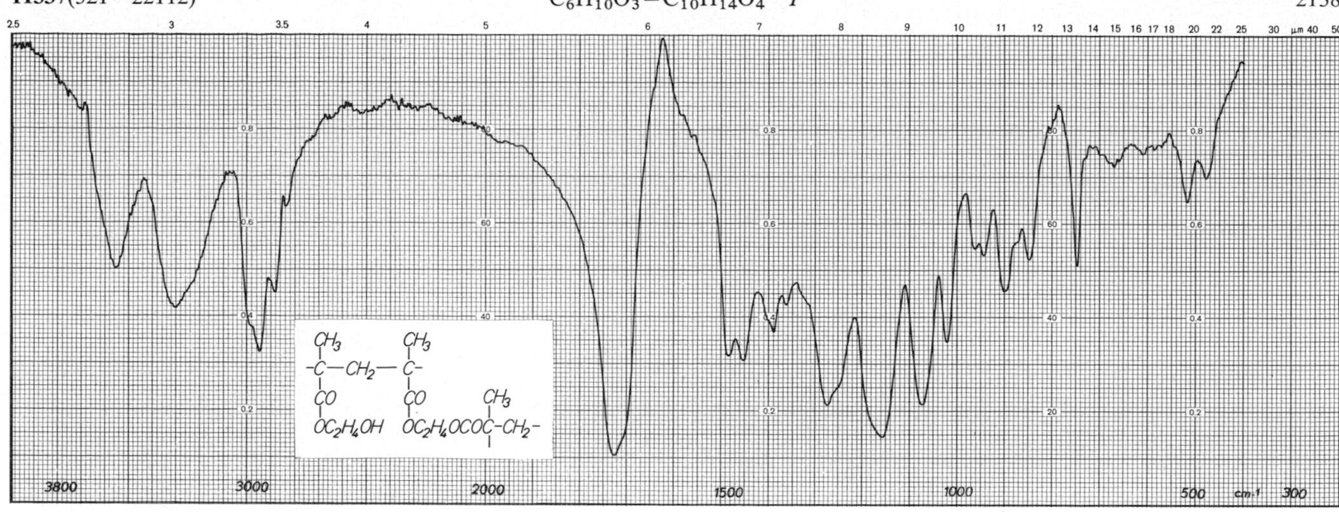

(1) **Poly(hydroxyethylmethacrylat-co-ethylenglycoldimethacrylat)**
(2) O. Wichterle, Institut für Makromolekulare Chemie, Prag (Laborpräparat)
(3) vernetztes, hydrophiles Copolymer
(4) glasklares Material
(5) für hydrophile Augenlinsen
(6) KBr, H_2O subtrahiert
(7) PE 580 B

(1) **poly(hydroxyethyl methacrylate-co-ethylene glycol dimethacrylate)**
(2) O. Wichterle, Institute for Macromolecular Chemistry, Prague (laboratory preparation)
(3) hydrophilic, crosslinked polymer
(4) crystal clear material
(5) for hydrophilic contact lenses
(6) KBr, H_2O subtracted
(7) PE 580 B

11337321 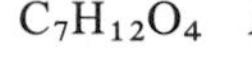 $C_7H_{12}O_4$ *P* 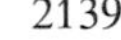 2139

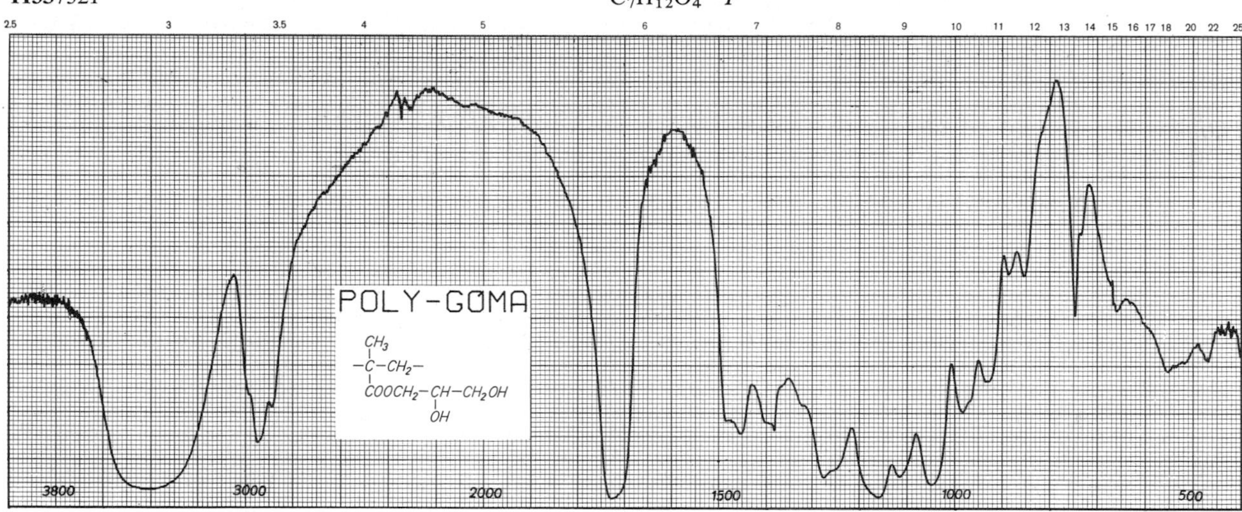

(1) **Poly(methacrylsäureglycerinester)**
(2) B. Jansen, Institut für Physikalische Chemie, Universität Köln
(4) farblose Substanz
(5) aus Poly(glycidylmethacrylat) durch Hydrolyse
(6) Dissertation B. Jansen, Köln 1980
(7) KBr, Nicolet 7199

(1) **poly(methacrylic acid glycerol ester)**
(4) colorless substance
(5) from poly(glycidyl methacrylate) by hydrolysis
(6) Dissertation B. Jansen, Köln 1980
(7) KBr, Nicolet 7199

11337322 + **19**414  2140

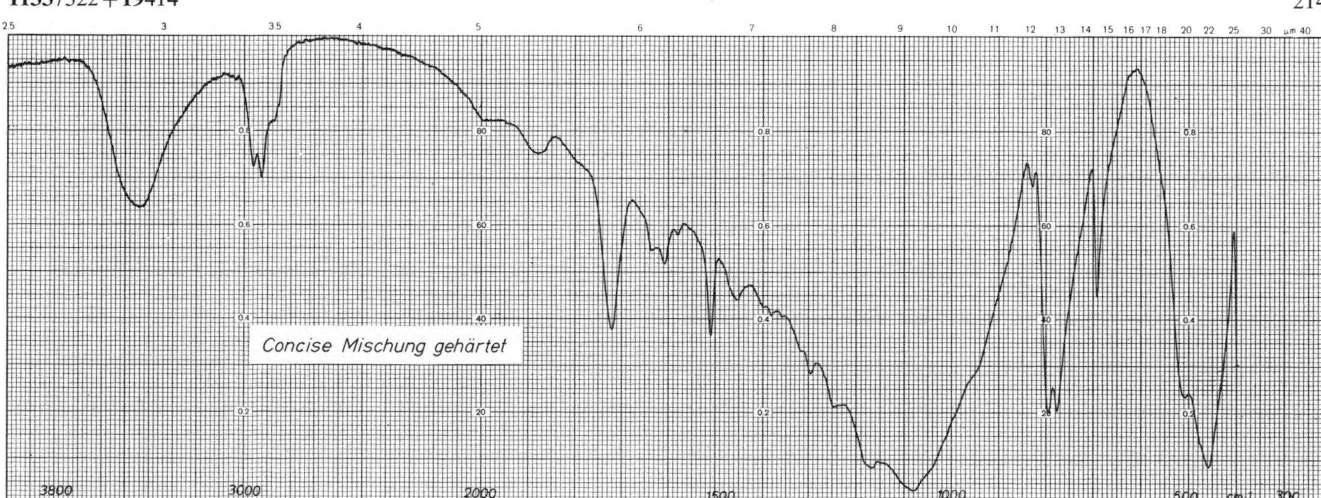

(1) **Concise Mischung, gehärtet**
(2) 3M Company, Minnesota, USA
(3) Mischung aus polymeren Methacrylaten und Quarzpulver
(4) hellgelbes, hartes Material
(5) Zahnzement
(6) KBr (1,2/350)
(7) PE 580 B, FLAT, ABEX 1.87

(1) **Concise mixture, cured**
(3) mixture of polymeric methacrylates and quartz powder
(4) pale yellow, hard material
(5) dental cement
(6) KBr (1.2/350)
(7) PE 580 B, FLAT, ABEX 1.87

11337322 + **19414** 2141

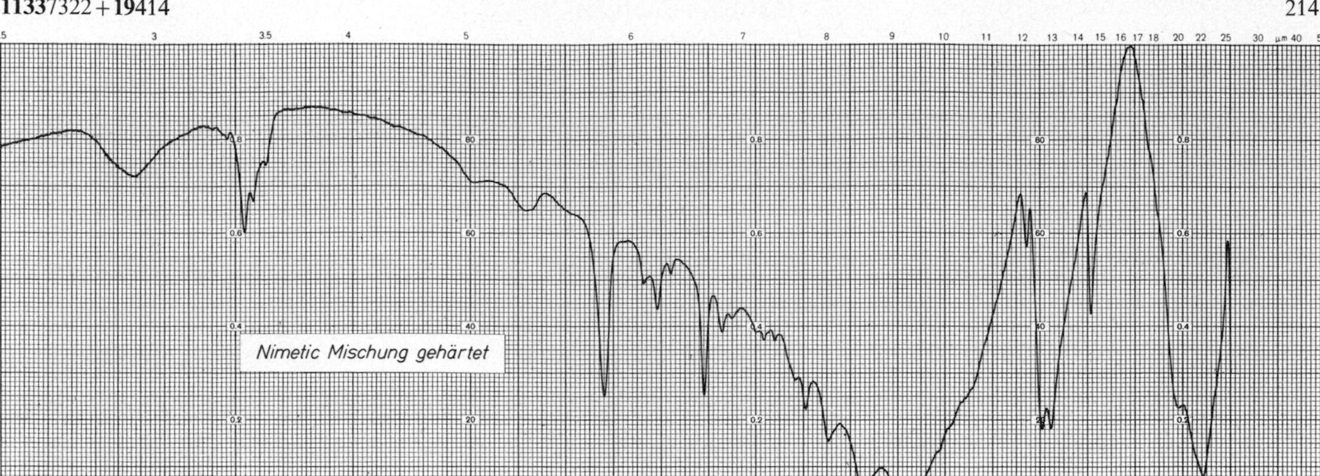

(1) **Nimetic Mischung, gehärtet**
(2) Espe, Seefeld, Obb.
(3) Mischung aus polymeren Methacrylaten und Quarzpulver
(4) hellgelbes, hartes Material
(5) Zahnzement
(6) KBr (1.8/350)
(7) PE 580 B, FLAT, ABEX 1.47

(1) **Nimetic mixture, cured**
(3) mixture of polymeric methacrylates and quartz powder
(4) pale yellow, hard material
(5) dental cement
(6) KBr (1.8/350)
(7) PE 580 B, FLAT, ABEX 1.47

113374211 2142

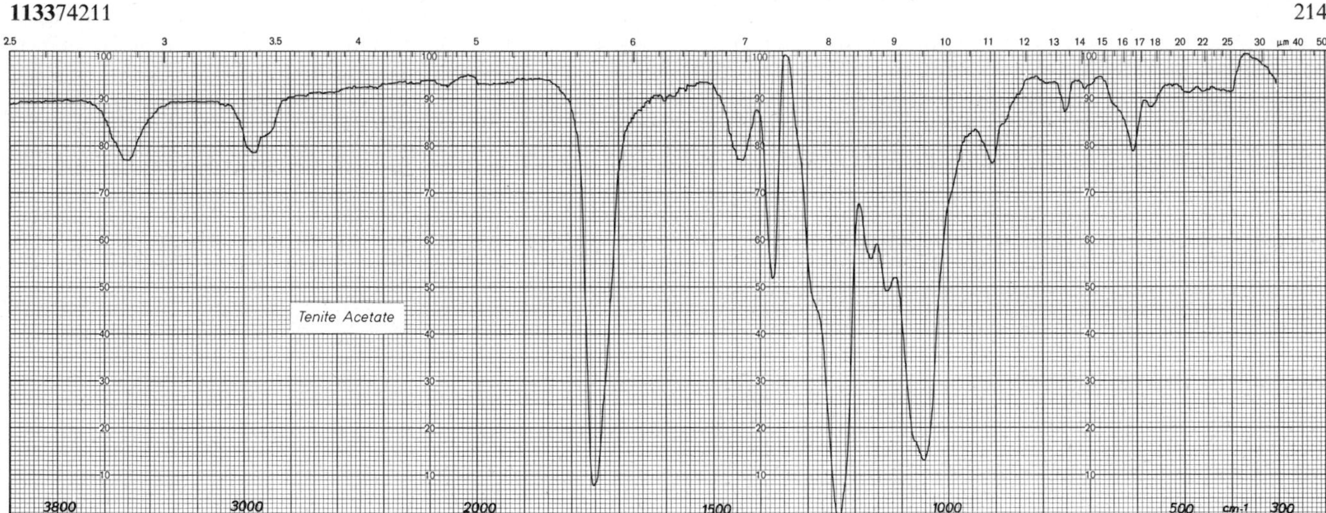

(1) **Tenite Acetate**
(3) Celluloseacetat
(4) farbloses, klares Granulat
(5) thermoplastischer Kunststoff für Folien und Fasern
(6) Schicht aus MTC auf CsI

(2) Eastman Chem. Prod., Kingsport, Tennessee
(3) cellulose acetate
(4) colorless, clear granules
(5) thermoplastic resin for films and fibers
(6) film from MTC on CsI

113374211 2143

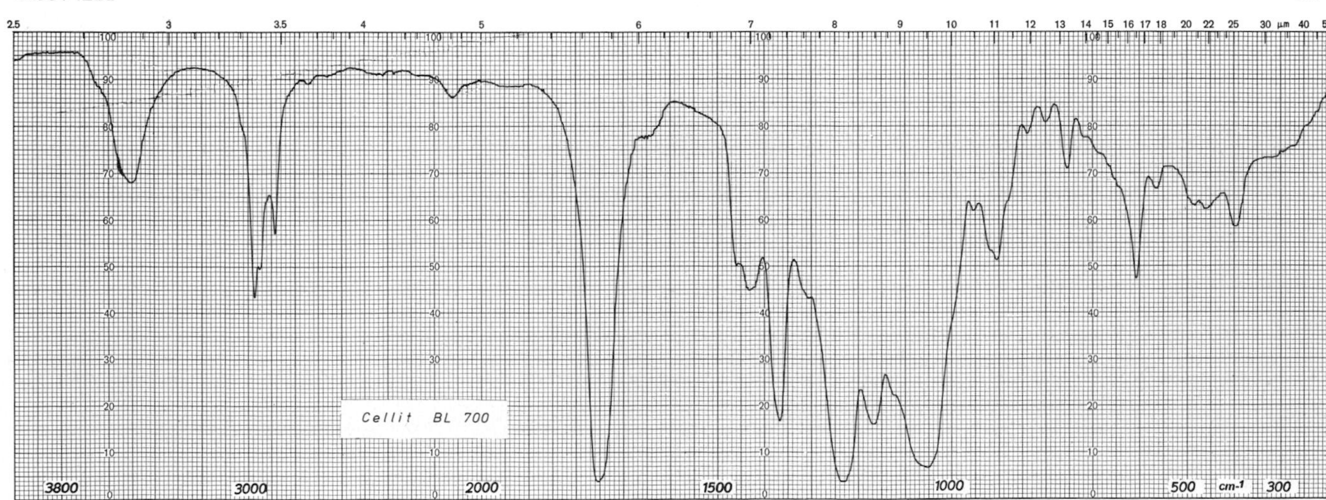

(1) **Cellit BL 700**
(3) Celluloseacetatbutyrat (etwa 41% CH_3COOH und 17.5% C_3H_7COOH)
(4) weißes, flockiges Material
(5) für nichtgilbende Holz-, Papier- und Überzugslacke
(6) Film aus CLF auf CsI

(2) Bayer AG, Leverkusen
(3) cellulose acetate butyrate (ca. 41% CH_3OOH and 17.5% C_3H_7COOH)
(4) white, flocculent material
(5) for non-yellowing wood, paper and coating lacquers
(6) film from CLF on CsI

113374211

2144

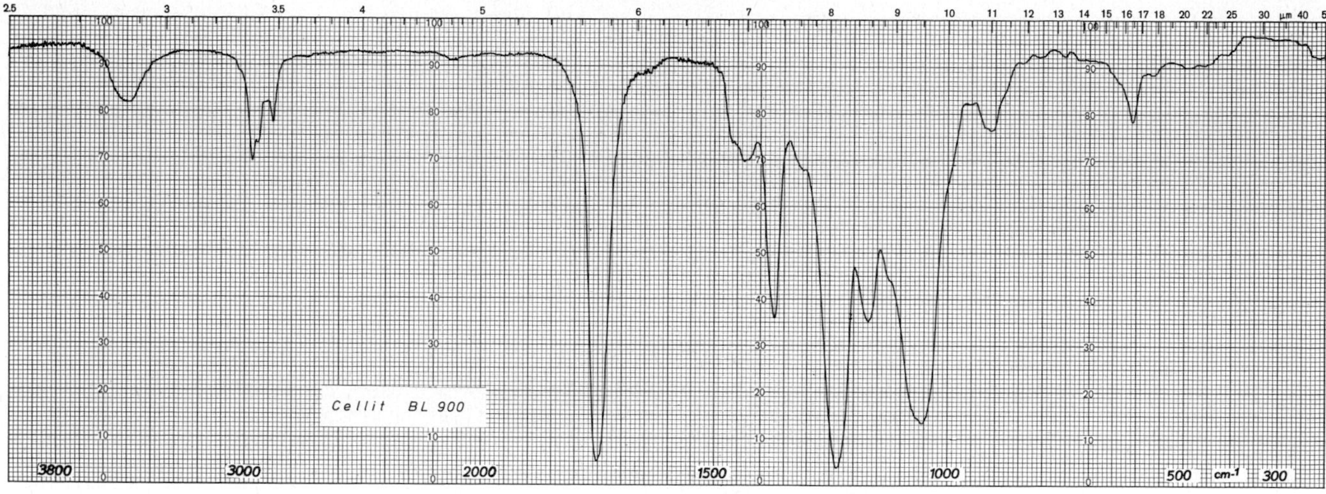

(1) **Cellit BL 900**
(3) Celluloseacetatbutyrat
(4) weißes, flockiges Material
(5) für nichtgilbende Holz-, Papier- und Überzugslacke
(6) Schicht aus CLF auf CsI

(2) Bayer AG, Leverkusen
(3) cellulose acetate butyrate
(4) white, flocculent material
(5) for non-yellowing wood, paper and coating lacquers
(6) film from CLF on CsI

113374211

2145

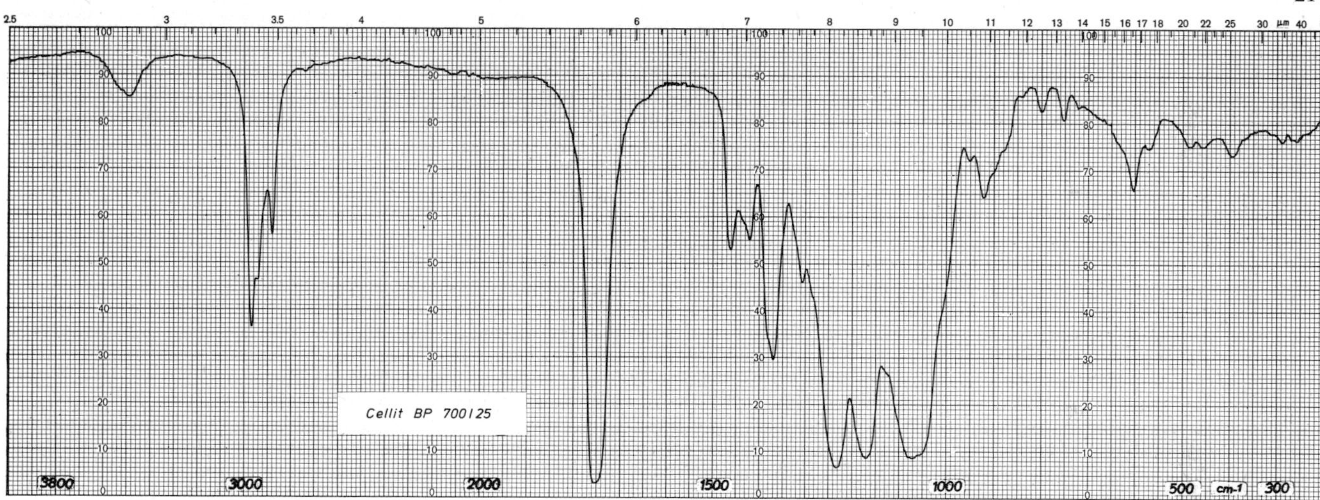

(1) **Cellit BP 700/25**
(3) Celluloseacetatbutyrat mit niederem Gehalt an OH-Gruppen
(4) farbloses (weißes), feinkörnig-flockiges Pulver
(5) thermoplastischer Kunststoff (für Spritzguß), für Lacke und Überzüge
(6) klarer Film aus CLF auf CsI

(2) Bayer AG, Leverkusen
(3) cellulose acetate butyrate with a small number of OH groups
(4) colorless (white), fine, flocculent powder
(5) thermoplastic resin for injection moulding), for lacquers and coatings
(6) clear film from CLF on CsI

113374211

2146

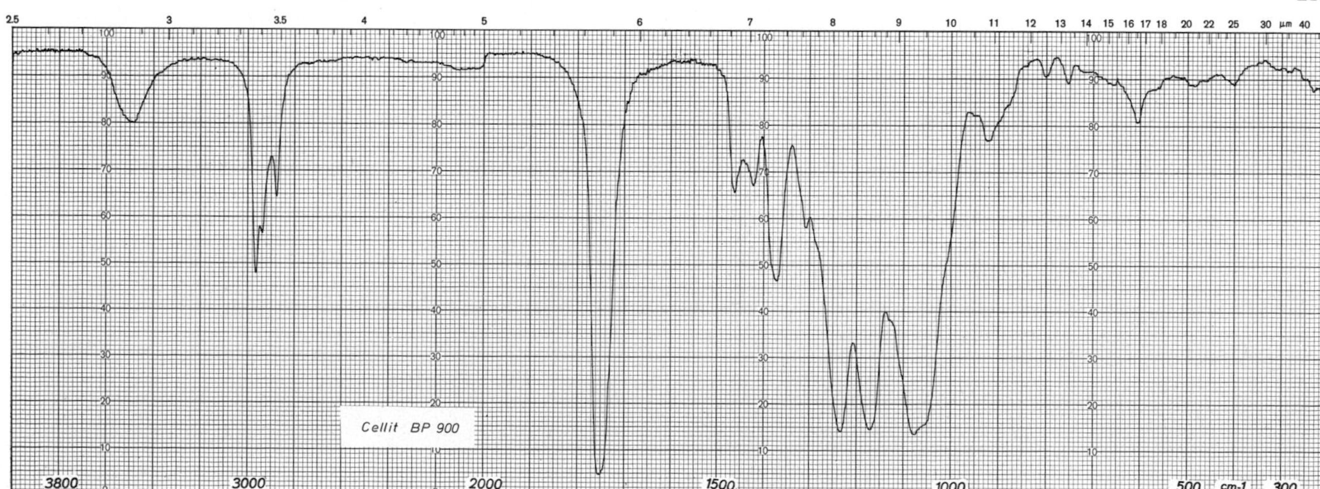

(1) **Cellit BP 900**
(3) Celluloseacetatbutyrat
(4) weißes Pulver
(5) thermoplastischer Kunststoff
(6) Schicht aus CLF auf CsI

(2) Bayer AG, Leverkusen
(3) cellulose acetate butyrate
(4) white powder
(5) thermoplastic resin
(6) film from CLF on CsI

113374211 2147

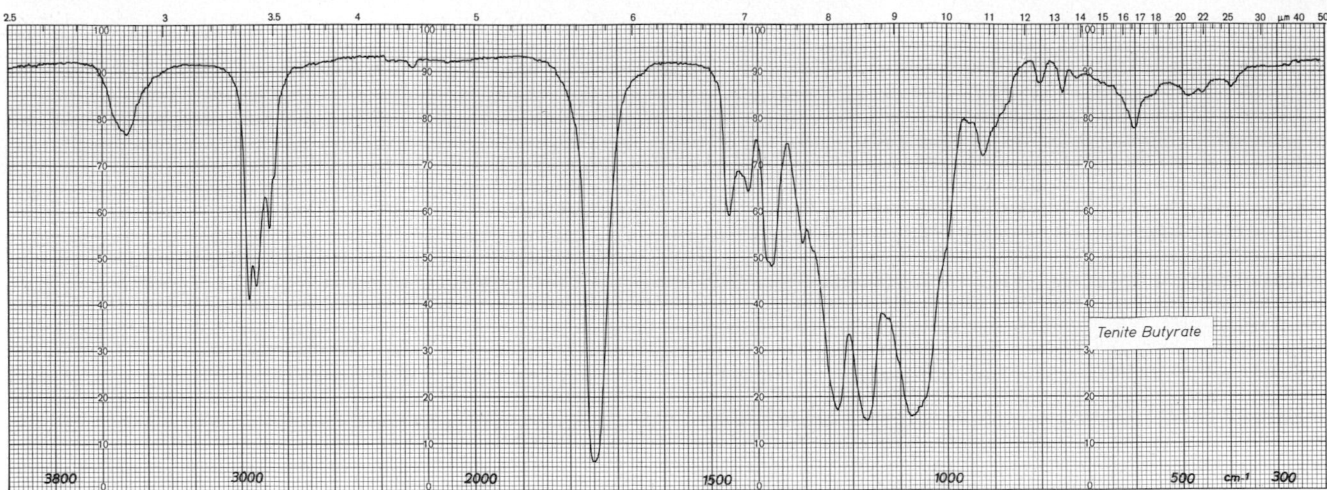

(1) **Tenite Butyrate**
(3) Celluloseacetatbutyrat
(4) farbloses, klares Granulat
(5) thermoplastischer Kunststoff, für Isolierlacke und Verpackungsfolien
(6) Schicht aus MTC auf CsI

(2) Eastman Chem. Prod., Kingsport, Tennessee
(3) cellulose acetate butyrate
(4) clear, colorless granulate
(5) thermoplastic resin for insulating varnish and packaging films
(6) film from MTC on CsI

113374211 + **13**(**33**721111 − **21**111) 2148

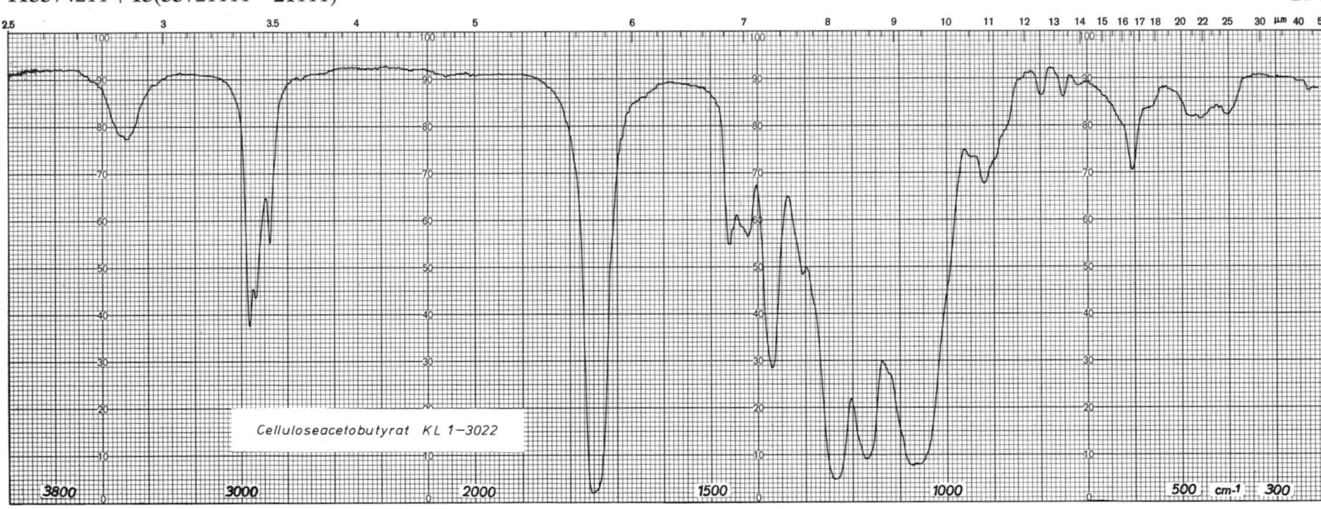

(1) **Celluloseacetatbutyrat KL-1-3022**
(2) Bayer AG, Leverkusen (Versuchsprodukt, F. Wingler)
(3) Polymermischung aus Celluloseacetatbutyrat und 7.5% Levapren 700 (VAc-E-CP mit 70% VAc-Einheiten)
(4) farbloses, klares Granulat
(5) thermoplastischer, schlagzäher Kunststoff
(6) Schicht aus CLF auf CsI

(2) Bayer AG, Leverkusen (research product, F. Wingler)
(3) polymer mixture of cellulose acetate butyrate and 7.5% Levapren 700 (VAc-E-CP with 70% VAc units)
(4) clear, colorless granules
(5) thermoplastic, impact-resistant resin
(6) film from CLF on CsI

113374211 + **13**(**33**721111 − **21**111) 2149

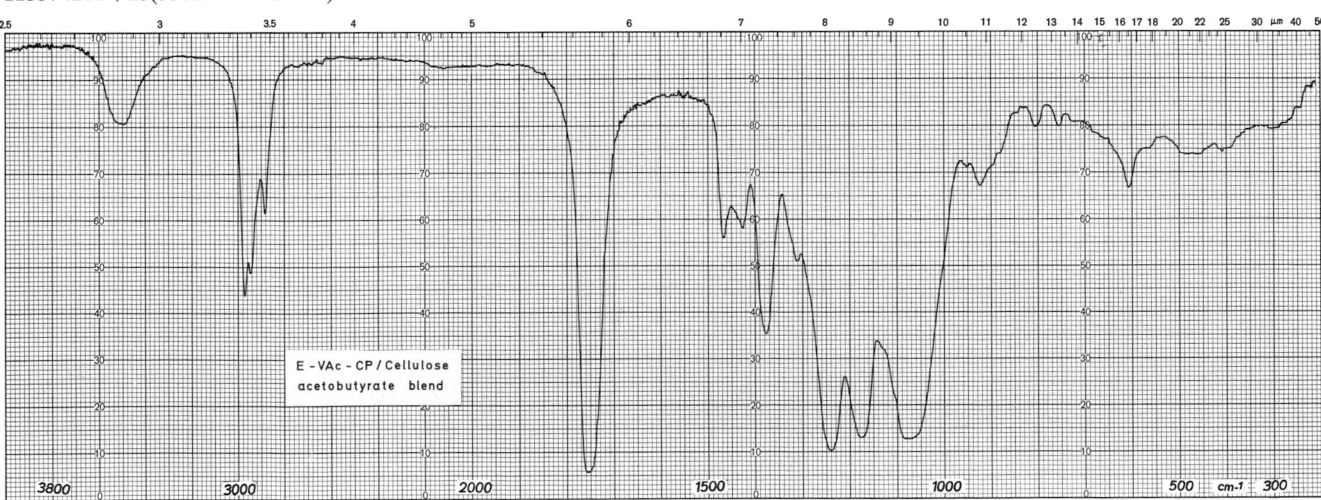

(1) **Celluloseacetatbutyrat KL-1-3040**
(2) Bayer AG, Leverkusen (Versuchsprodukt, F. Wingler)
(3) Polymermischung aus Celluloseacetatbutyrat und 7.5% anhydrolysiertem Levapren 700 (VAc-E-CP mit 70% VAc-Einheiten)
(4) farbloses, klares Granulat
(5) thermoplastischer, schlagzäher Kunststoff
(6) Schicht aus CLF auf CsI

(2) Bayer AG, Leverkusen (research product, F. Wingler)
(3) polymer mixture of cellulose acetate butyrate and 7.5% hydrolysed Levapren 700 (VAc-E-CP with 70% VAc units)
(4) clear, colorless granules
(5) thermoplastic, impact-resistant resin
(6) film from CLF on CsI

113374211 2150

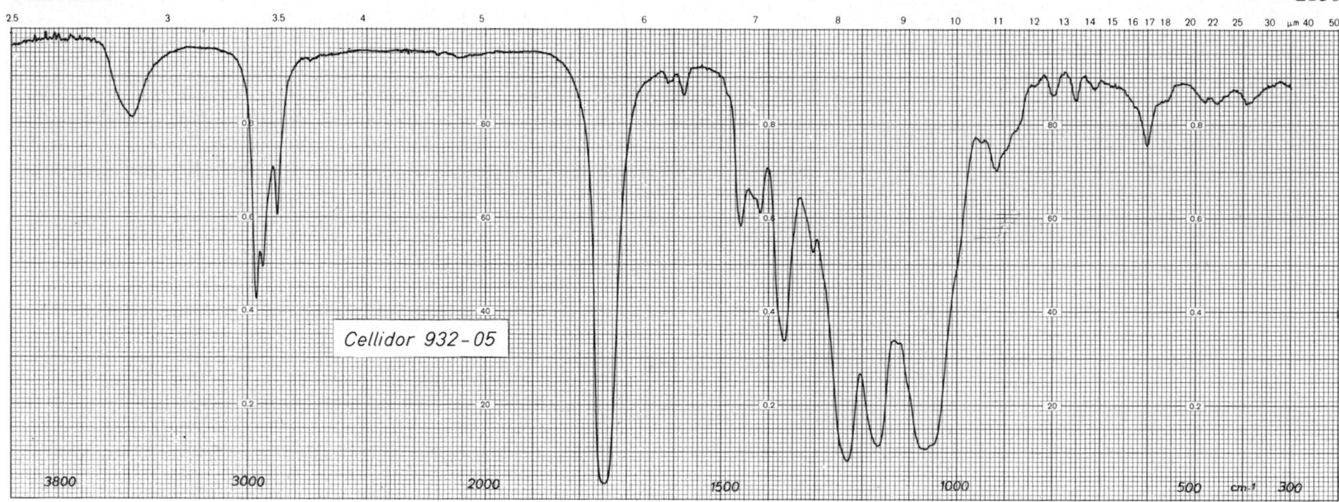

(1) **Cellidor B 932-05** (früher Cellidor VP KL 13030)
(3) Celluloseacetatbutyrat mit Polymerweichmacher
(4) schwachlila, transparentes Granulat
(5) schlagzäher, thermoplastischer Kunststoff für Zierleisten (Extrusion)
(6) Schicht aus EAC auf CsI
(7) PE 580 B, ABEX 1,72

(2) Bayer AG, Leverkusen
(3) cellulose acetate butyrate with polymer plasticizer
(4) pale mauve, transparent granules
(5) impact-resistant, thermoplastic resin for ornamental mouldings (extruded)
(6) film from EAC on CsI
(7) PE 580 B, ABEX 1.72

113374211 2151

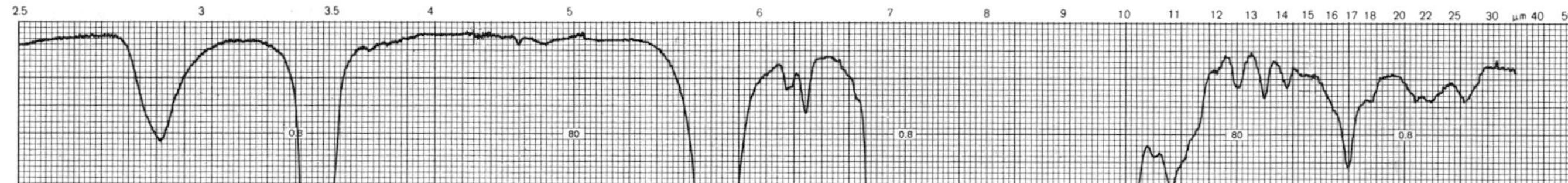

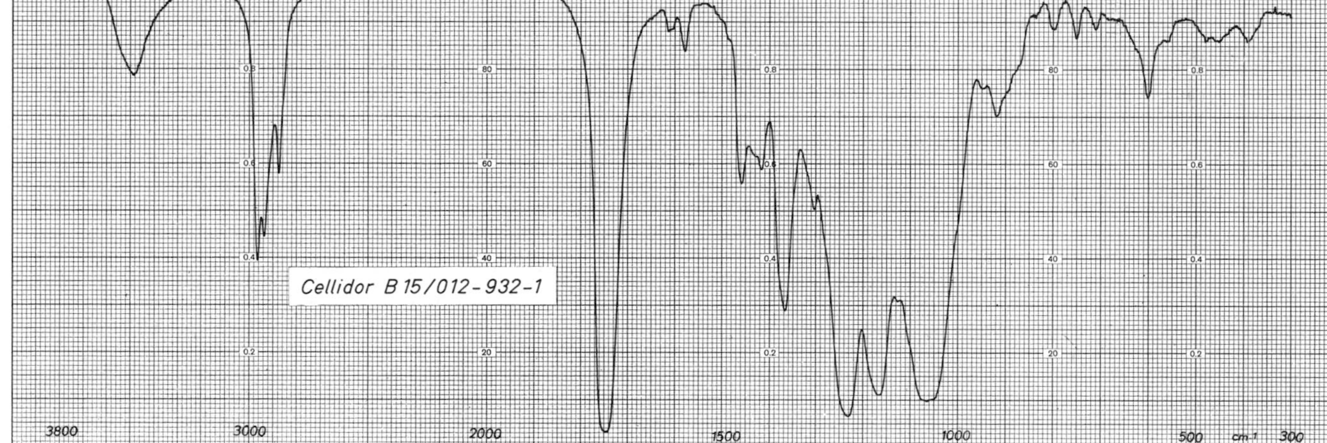

(1) **Cellidor B15**/012-932-1
(3) Celluloseacetatbutyrat mit Polymerweichmacher
(4) klares Granulat, schwachlila
(5) thermoplastischer Kunststoff für Zierleisten
(6) Schicht aus EAC auf CsI
(7) PE 580 B, ABEX 1.83

(2) Bayer AG, Leverkusen
(3) cellulose acetate butyrate with polymer plasticizer
(4) clear, pale mauve granules
(5) thermoplastic resin for ornamental mouldings
(6) film from EAC on CsI
(7) PE 580 B, ABEX 1.83

113374211 2152

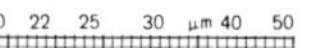

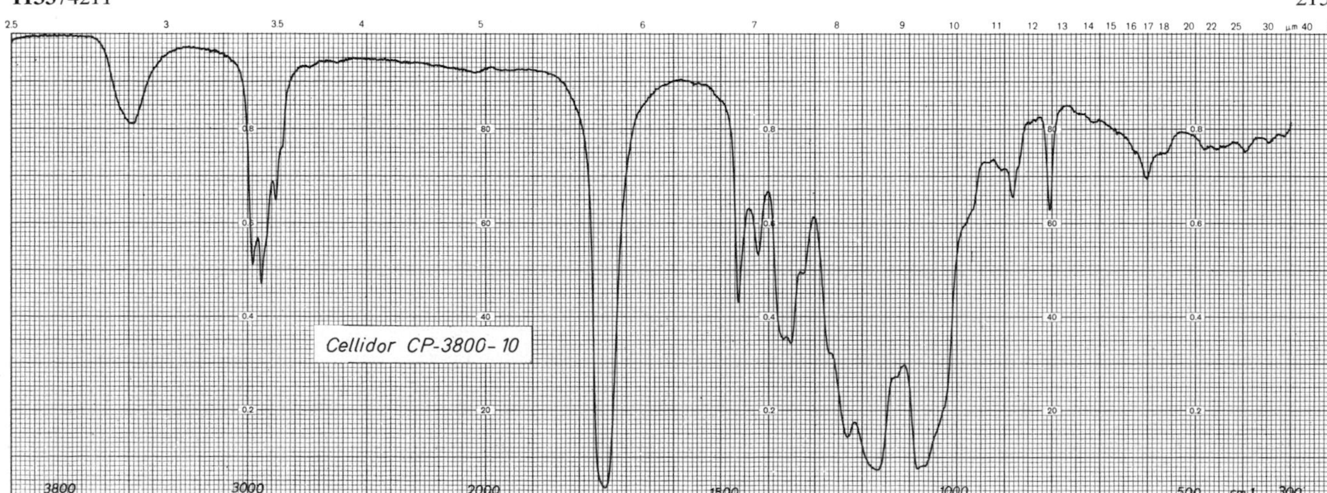

(1) **Cellidor CP 3800-10**
(3) Cellulosepropionat
(4) hellila, durchsichtiges Granulat
(5) thermoplastischer Kunststoff für Spritzguß und Extrusion (Brillengestelle und Brillen)
(6) Schicht aus EAC auf CsI
(7) PE 580 B, ABEX 1.25

(2) Bayer AG, Leverkusen
(3) cellulose propionate
(4) pale mauve, transparent granules
(5) thermoplastic resin for injection moulding and extrusion (spectacles and spectacle frames)
(6) film from EAC on CsI
(7) PE 580 B, ABEX 1.25

113374211 2153

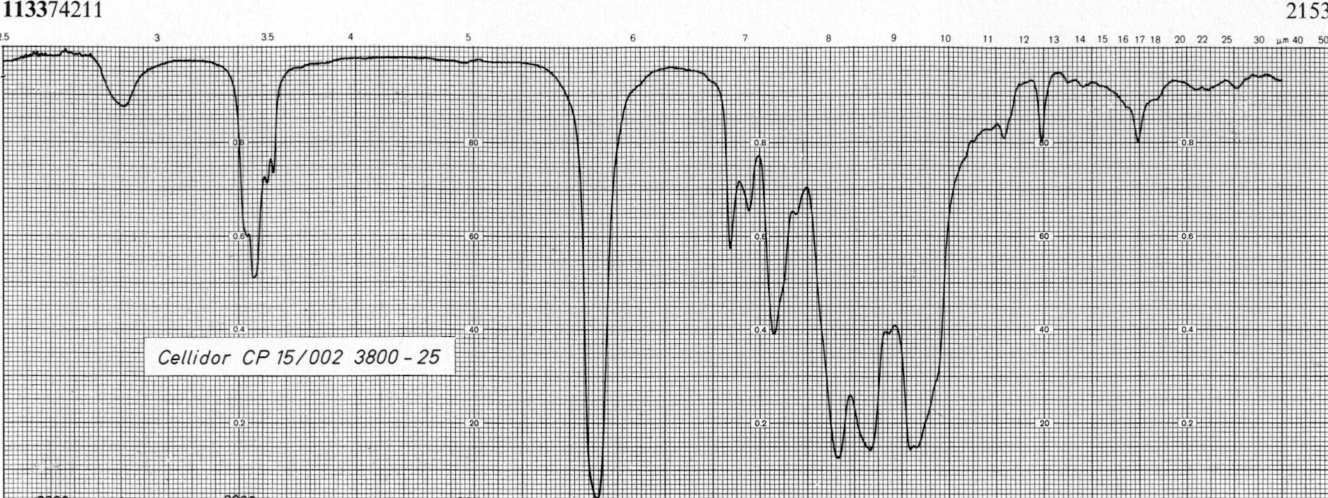

(1) **Cellidor CP 15/002** 3800-25
(3) Cellulosepropionat
(4) klares Granulat, schwachlila
(5) thermoplastischer Kunststoff für Brillengestelle, Arbeitsschutz- und Sportbrillen, Visiere
(6) Schicht aus EAC auf CsI
(7) PE 580 B, ABEX 1.33

(2) Bayer AG, Leverkusen
(3) cellulose propionate
(4) pale mauve, clear granules
(5) thermoplastic resin for spectacle frames, safety goggles for work and sport, visors
(6) film from EAC on CsI
(7) PE 580 B, ABEX 1.33

113374211 2154

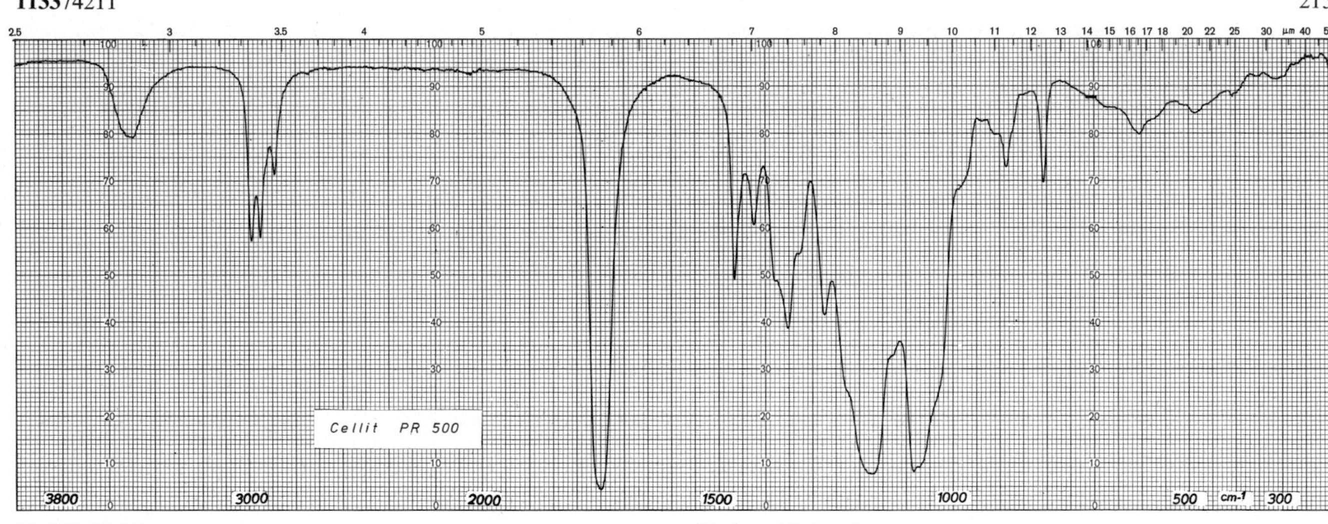

(1) **Cellit PR 500**
(3) Cellulosepropionat
(4) weißes Pulver
(5) für nichtgilbende Holz- und Papierlacke, für Überzugslacke
(6) Schicht aus CLF auf CsI

(2) Bayer AG, Leverkusen
(3) cellulose propionate
(4) white powder
(5) for non-yellowing wood and paper lacquers and finishing varnishes
(6) film from MTC on CsI

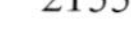

113374211 2155

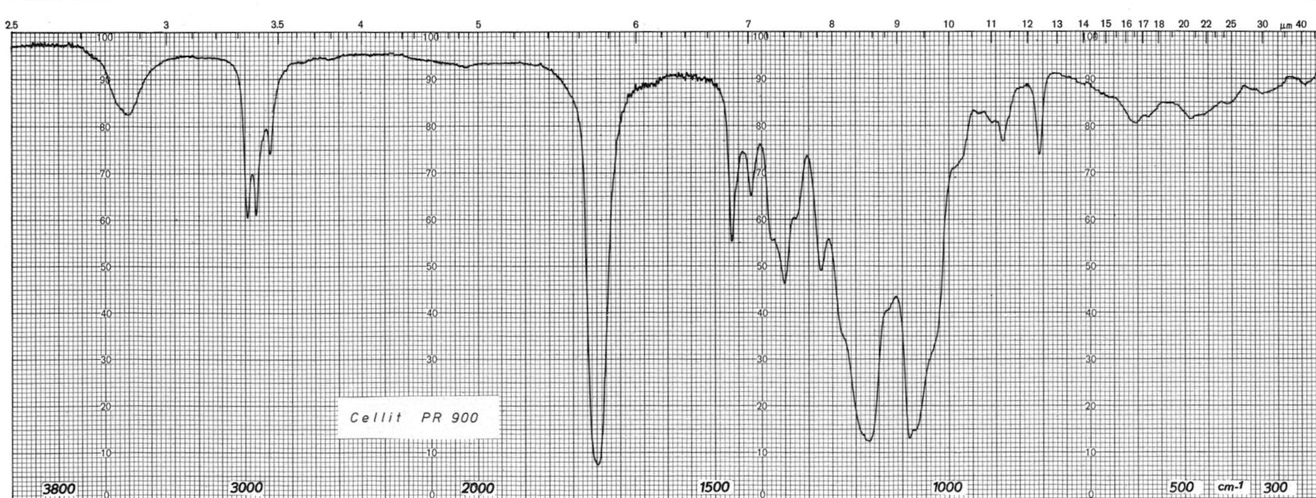

(1) **Cellit PR 900**
(3) Cellulosepropionat
(4) weißes, feinkörniges Pulver
(5) für nichtgilbende Holz-, Papier- und Überzugslacke
(6) Schicht aus CLF auf CsI

(2) Bayer AG, Leverkusen
(3) cellulose propionate
(4) fine, white powder
(5) for non-yellowing wood and paper lacquers and finishing varnishes
(6) film from MTC on CsI

1133**7**4211 2156

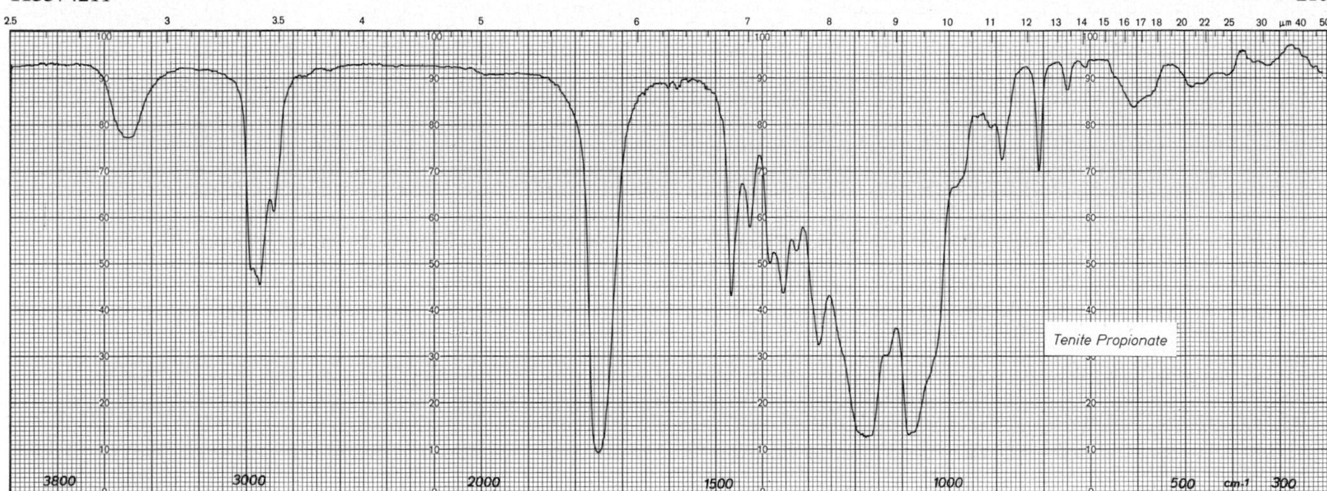

(1) **Tenite Propionate**
(3) Cellulosepropionat
(4) farbloses, klares Granulat
(5) thermoplastischer Kunststoff für Spritzgußmassen
(6) Schicht aus MTC auf CsI

(2) Eastman Chem. Prod., Kingsport, Tenn.
(3) cellulose propionate
(4) clear, colorless granules
(5) thermoplastic resin for injection mouldings
(6) film from MTC on CsI

11339 + **19**172 Kohlen 2157

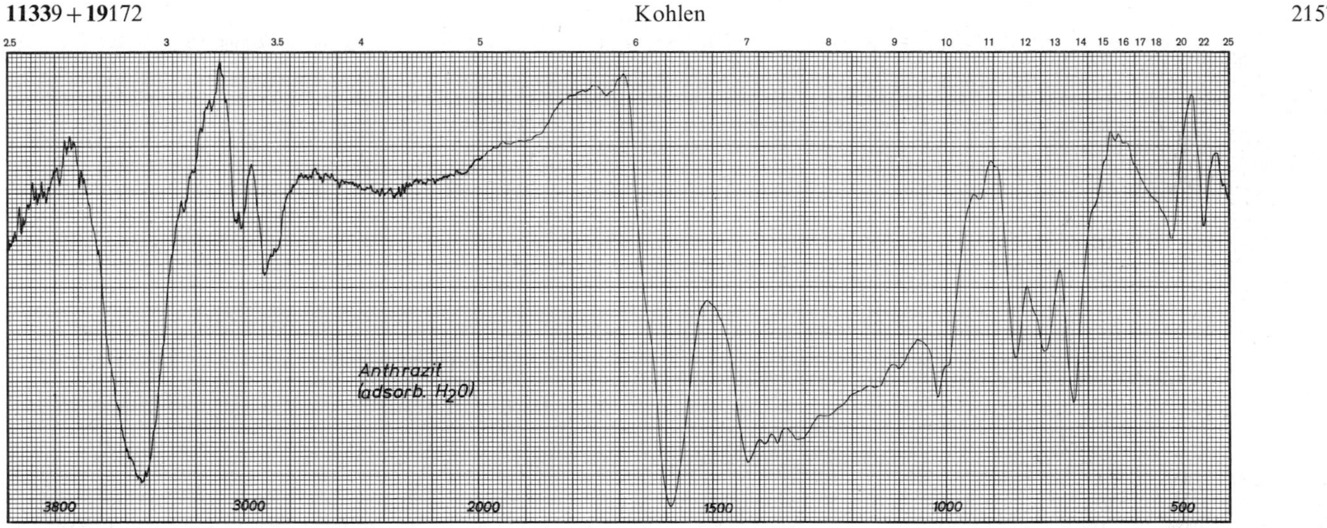

(1) **Anthrazit**
(3) Gemisch aus organischem Material und Gesteinsmehl
(4) schwarze Stücke
(6) KBr
(7) Nicolet FTIR 7199; untergrundkorrigiert, adsorbiertes H_2O subtrahiert

(1) **anthracite**
(3) mixture of organic material and rock dust
(4) black lumps
(6) KBr
(7) Nicolet FTIR 7199; background corrected, adsorbed H_2O subtracted

11339 + **19**172 Steinkohle 2158

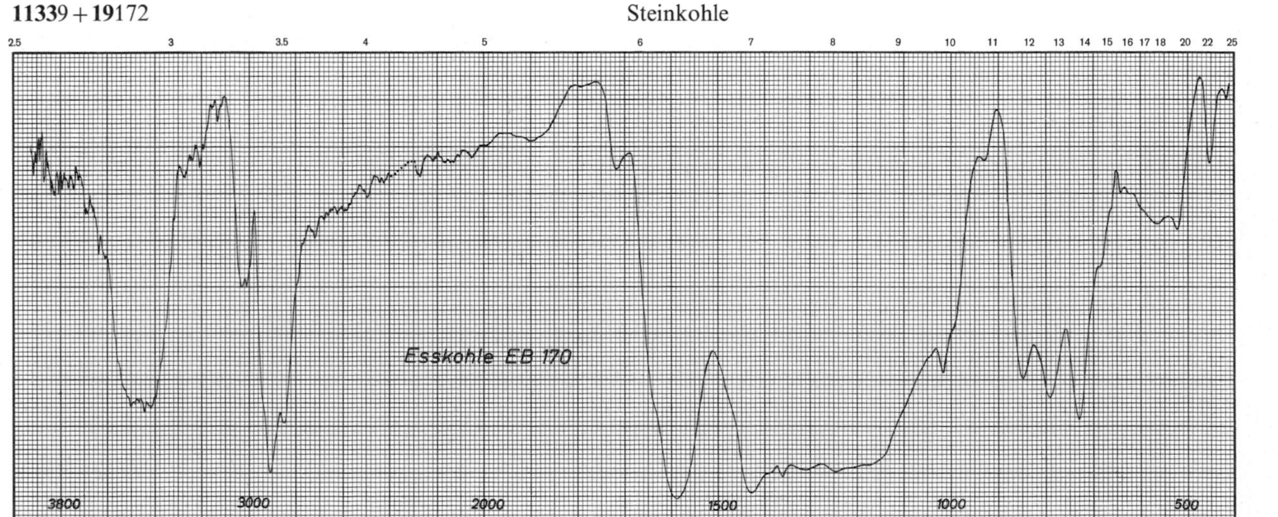

(1) **Eßkohle EB 170**
(2) Friedrich Heinrich N4
(3) Gemisch aus organischer Substanz und Gesteinsmehl
(4) schwarze Stücke
(6) KBr (3/350)
(7) Nicolet FTIR 7199; untergrundkorrigiert, Ordinate gedehnt, adsorbiertes H_2O subtrahiert

(1) **steam coal EB 170**
(3) mixture of organic substance and rock dust
(4) black lumps
(6) KBr (3/350)
(7) Nicolet FTIR 7199; background corrected, ordinate expanded, adsorbed H_2O subtracted

11339 + **19**172 Steinkohle 2159

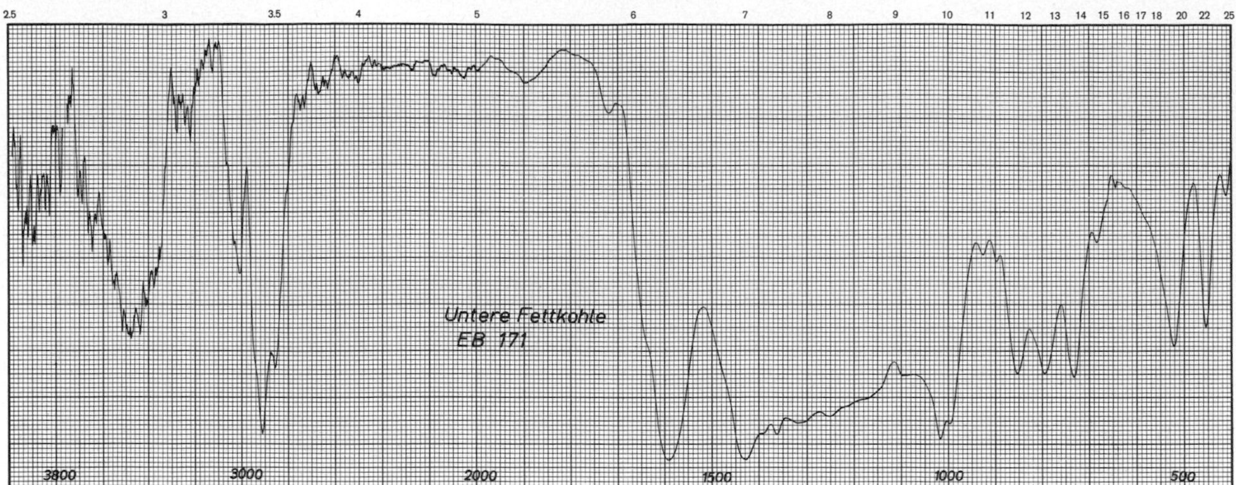

(1) **untere Fettkohle** EB 171
(2) Zollverein N4
(3) Gemisch aus organischem Material und Gesteinsmehl
(4) schwarze Stücke
(6) KBr (3.5/350)
(7) Nicolet FTIR 7199; untergrundkorrigiert

(1) **sub-bituminous coal EB 171**
(3) mixture of organic material and rock dust
(4) black lumps
(6) KBr (3.5/350)
(7) Nicolet FTIR 7199; background corrected

11339 + **19**172 Steinkohle 2160

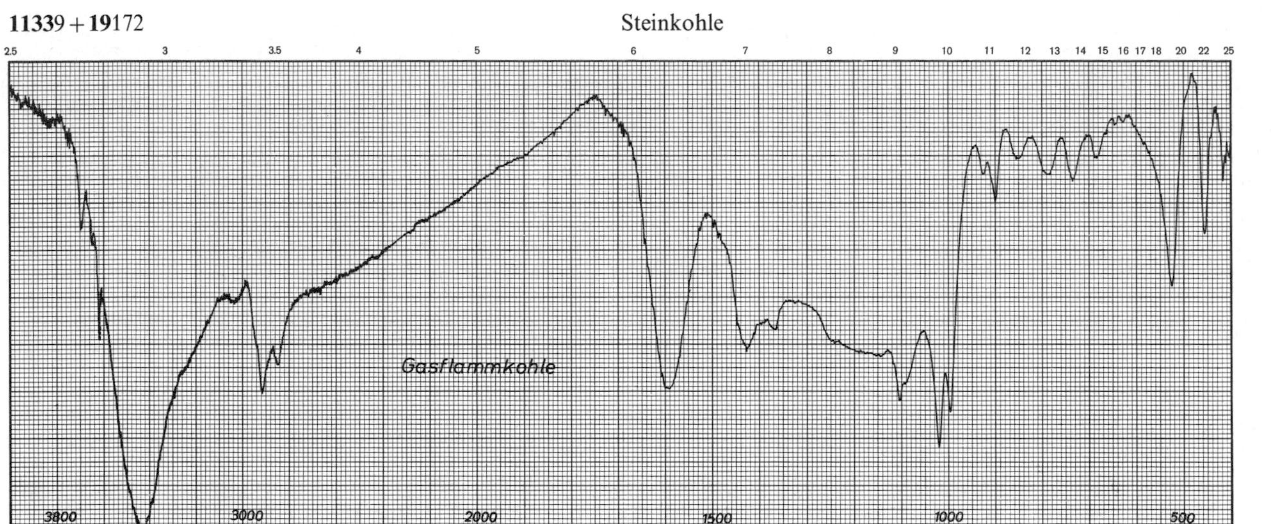

(1) **Gasflammkohle**
(2) Fürst Leopold
(3) Gemisch aus organischer Substanz und Gesteinsmehl
(4) schwarze Stücke
(6) KBr (1.3/350)
(7) Nicolet FTIR 7199; untergrundkorrigiert, Ordinate gedehnt

(1) **sub-bituminous coal**
(3) mixture of organic material and rock dust
(4) black lumps
(6) KBr (1.3/350)
(7) Nicolet FTIR 7199; background corrected, ordinate expanded

11339 + **19**172 Steinkohle 2161

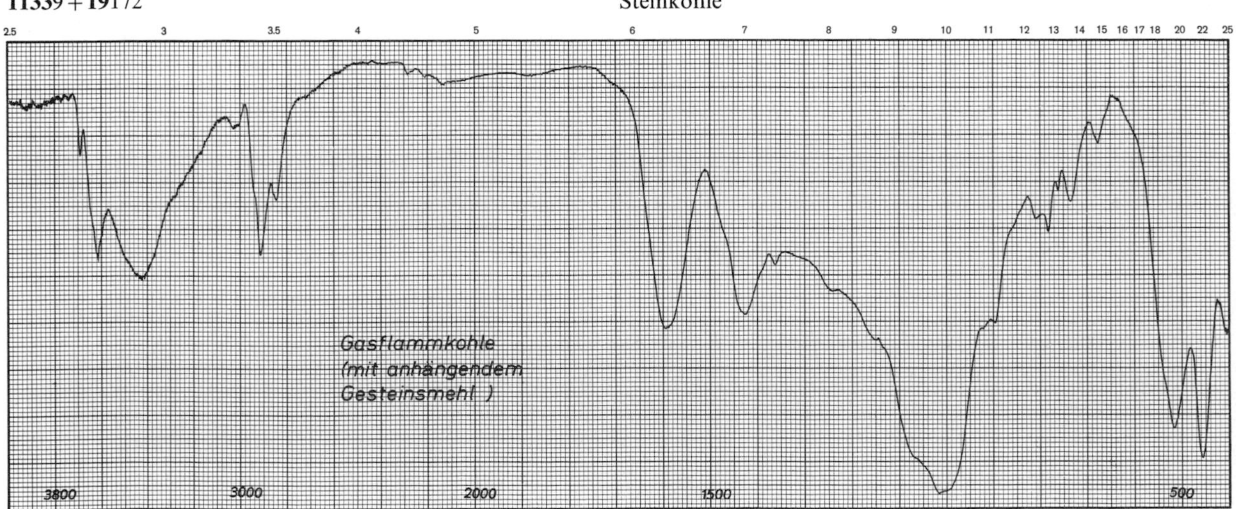

(1) **Gasflammkohle**
(2) Fürst Leopold N4
(3) Gemisch aus organischer Substanz und Gesteinsmehl
(4) schwarze Stücke
(6) KBr (3/350)
(7) Nicolet FTIR 7199; untergrundkorrigiert, Ordinate gedehnt

(1) **sub-bituminous coal**
(3) mixture of organic material and rock dust
(4) black lumps
(6) KBr (3/350)
(7) Nicolet FTIR 7199; background corrected, ordinate expanded

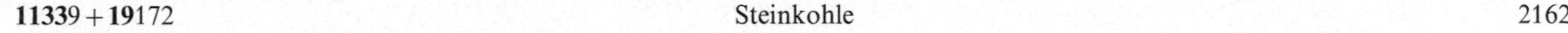

11339 + **19**172 Steinkohle 2162

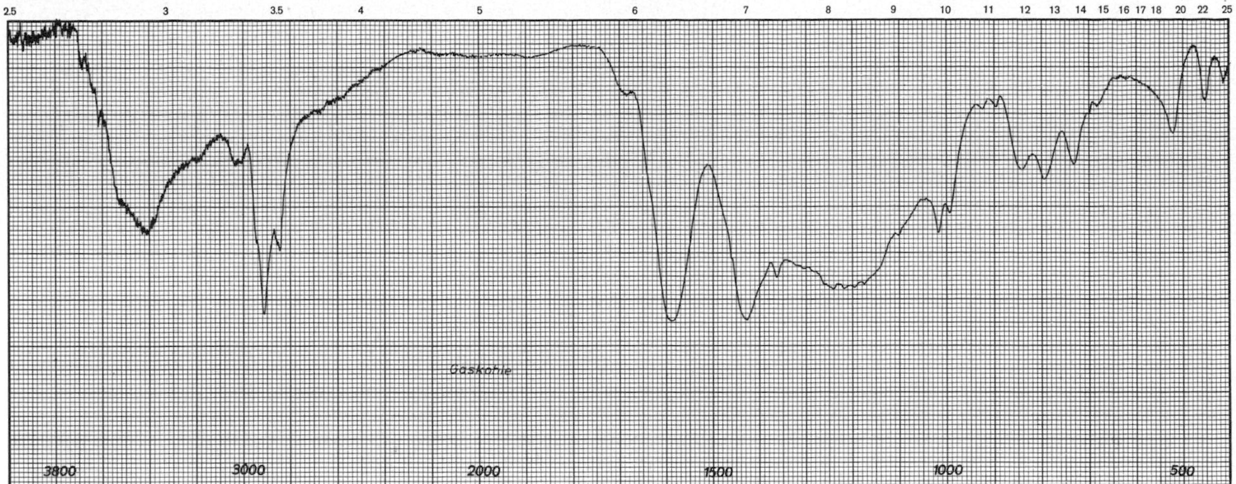

(1) **Gaskohle**
(2) Minister Stein N4
(3) Gemisch aus organischem Material und Gesteinsmehl
(4) schwarze Stücke
(6) KBr (3/350)
(7) Nicolet FTIR 7199; untergrundkorrigiert

(1) **gas coal**
(3) mixture of organic substance and rock dust
(4) black lumps
(6) KBr (3/350)
(7) Nicolet FTIR 7199; background corrected

11339 + **19**172 Steinkohle 2163

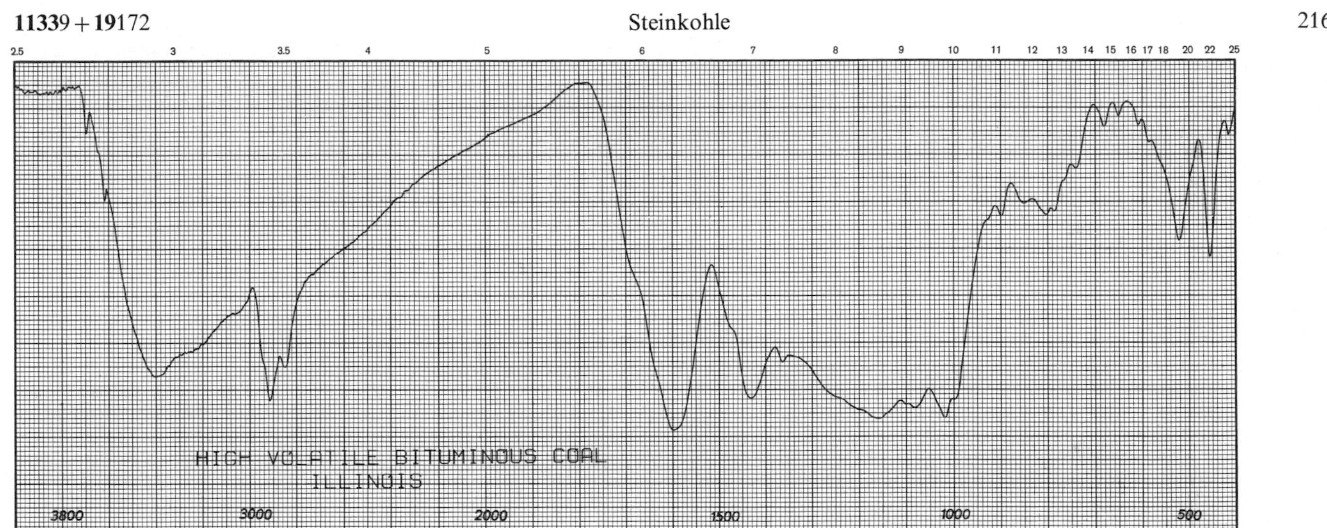

(1) **bituminöse Kohle**
(2) Belle Valley Mine, Illinois
(3) Gemisch aus organischem Material und Gesteinsmehl
(4) schwarze Stücke
(6) KBr (3/350)
(7) Nicolet FTIR 7199; untergrundkorrigiert

(1) **high volatile bituminous coal**
(3) mixture of organic material and rock dust
(4) black lumps
(6) KBr (3/350)
(7) Nicolet FTIR 7199; background corrected

11(**35**11 − **31**11112) $C_2F_3Cl-C_2H_2F_2$ *P* 2164

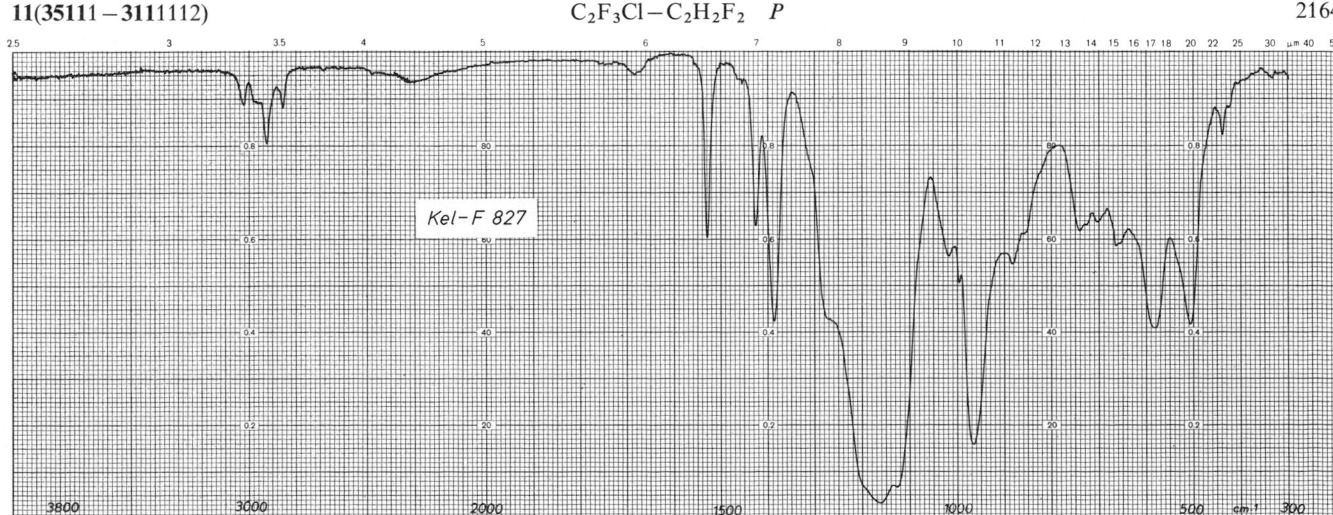

(1) **Kel-F 827** (Muster von 1966)
(3) Poly(trifluorchlorethylen-co-vinylidenfluorid)
(4) weißes, flockiges Material
(5) temperaturbeständiger, chemikalienfester Kunststoff
(6) Schicht aus Hexafluorbenzol auf CsI
(7) PE 580 B, ABEX 2.07

(2) MMM-Comp., Düsseldorf
(3) poly(trifluorochloroethylene-co-vinylidene fluoride)
(4) white, flocculent material
(5) temperature-resistant, chemical-proof plastic
(6) film from hexafluorobenzene on CsI
(7) PE 580 B, ABEX 2.07

1141323 $C_5H_8Cl_2O$ *P* 2165

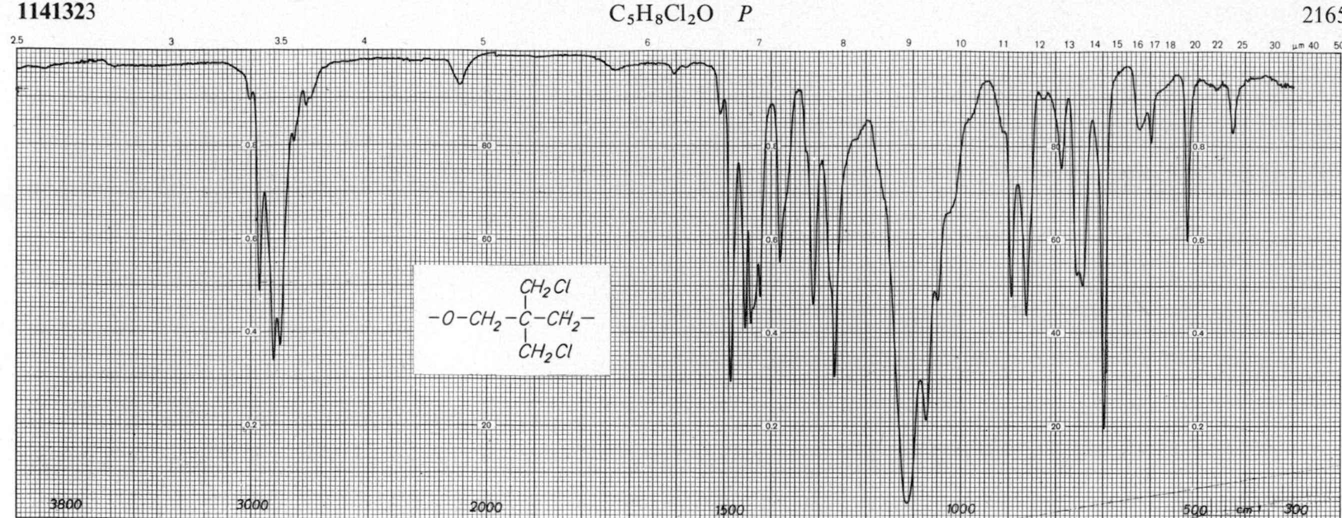

(1) **Penton** (Probe von 1955)
(3) Poly[bis(2-chlormethyl)oxytrimethylen], Poly[bis(2-chlormethyl)oxetan]
(4) gelbbrauner, milchiggetrübter Kunststoff
(5) thermoplastischer, flammfester Kunststoff
(6) Schmelzfilm (12 μm)
(7) PE 580 B, ABEX 1.16

(2) Hercules, Wilmington, Dela.
(3) poly[bis(2-chloromethyl)oxytrimethylene], poly[bis(2-chloromethyl)oxetane]
(4) yellow-brown, milky plastic
(5) thermoplastic, flameproof resin
(6) film from the melt (12 μm)
(7) PE 580 B, ABEX 1.16

1141323 $C_5H_8Cl_2O$ *P* 2166

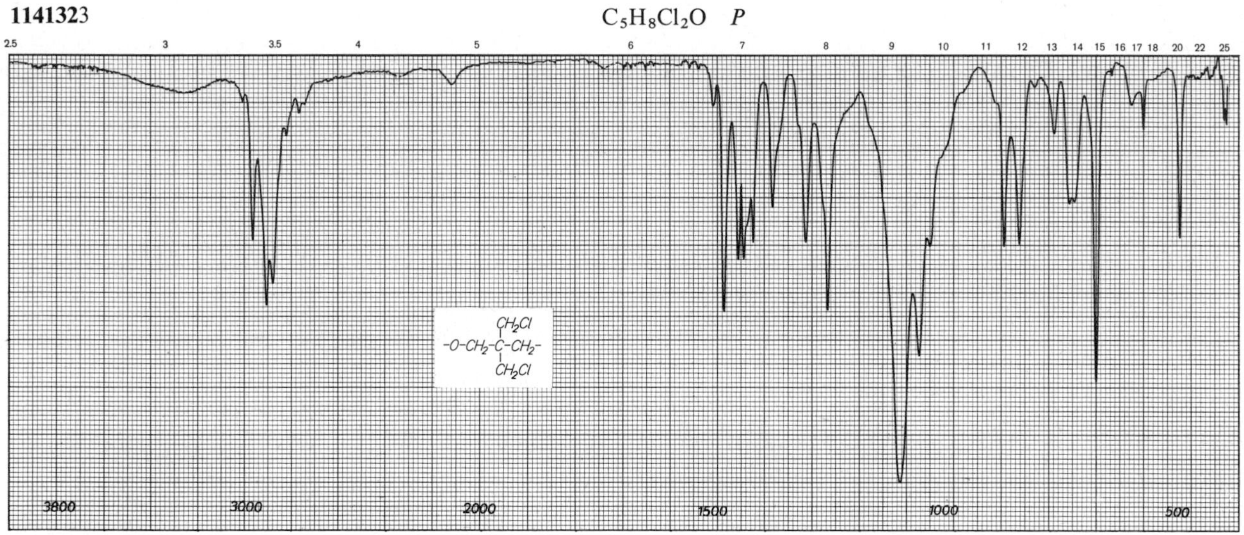

(1) **Penton 9215 E**
(3) Poly[bis(2-chlormethyl)oxytrimethylen], Poly[bis(2-chlormethyl)oxetan]; überwiegend *β*-Form
(4) milchig getrübtes Granulat
(5) thermoplastischer Kunststoff für Metallüberzüge und Synthesefasern
(6) Schmelzfilm
(7) Nicolet FTIR 7199

(2) Hercules, Wilmington, Dela.
(3) poly[bis(2-chlormethyl)oxytrimethylene], poly[bis(2-chloromethyl)oxetane]
(4) milky granules
(5) thermoplastic resin for metal coatings and synthetic fibers
(6) film from the melt
(7) Nicolet FTIR 7199

1141327 $C_4H_5ClO_2$ *P* 2167

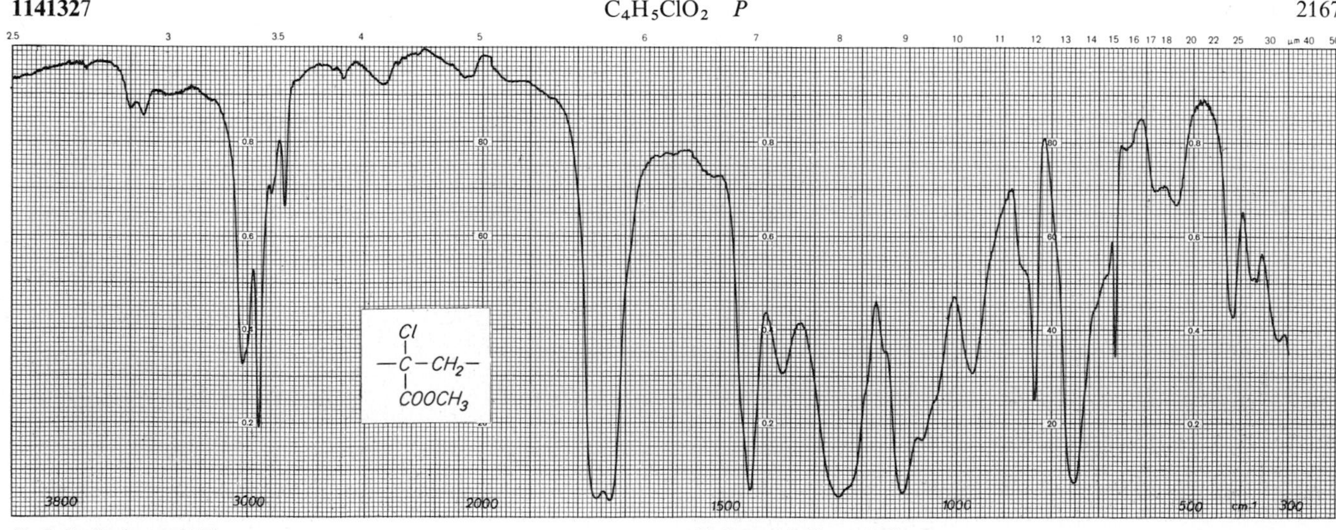

(1) **Gafite** (Probe von 1955)
(3) Poly(methyl-α-chloracrylat)
(4) farbloser, transparenter Kunststoff
(5) für flammfeste Formkörper
(6) Schicht aus CLF auf CsI
(7) PE 580 B, ABEX 1.29

(2) General Aniline and Film Corp.
(3) poly(methyl-α-chloroacrylate)
(4) colorless, transparent plastic
(5) for flameproof mouldings
(6) film from CLF on CsI
(7) PE 580 B, ABEX 1.29

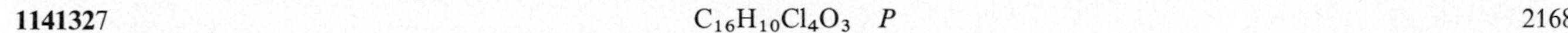

1141327 $C_{16}H_{10}Cl_4O_3$ *P* 2168

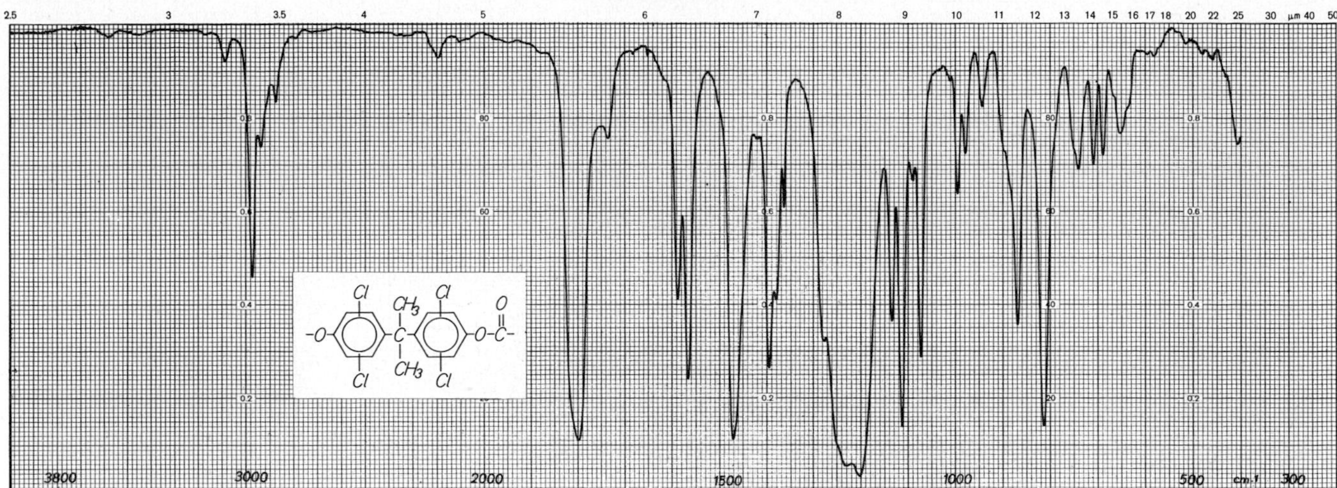

(1) **Tetrachlorbisphenol-A-Polycarbonat**
(2) Bayer AG, Werk Uerdingen (Laborpräparat, L. Bottenbruch)
(4) farbloser Film
(6) Schicht aus MTC auf KBr
(7) PE 580 B
(8) A. Horbach, H. Müller, L. Bottenbruch, Makromol. Chem. **182** (1981) 1873...9

(1) **tetrachlorobisphenol A polycarbonate**
(2) Bayer AG, Werk Uerdingen (laboratory preparation, L. Bottenbruch)
(4) colorless film
(6) film from MTC on KBr
(7) PE 580 B
(8) A. Horbach, H. Müller, L. Bottenbruch, Makromol. Chem. **182** (1981) 1873...9

114221111 C_4H_7NO *P* 2169

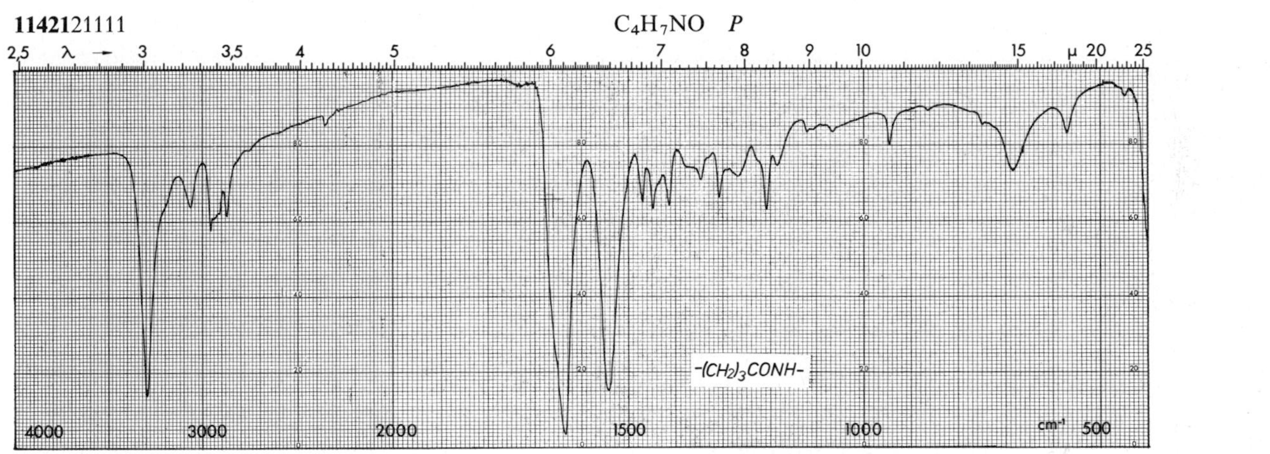

(1) **Polyamid-4, Poly(pyrrolidon)**
(2) Laborpräparat R. Schürmann, IPC Köln 1965
(4) farbloses Material
(5) thermoplastischer Kunststoff
(6) Film aus HCOOH, i.V. getrocknet (5 µm)
(7) PE 125

(1) **polyamide-4, polypyrrolidone**
(2) laboratory preparation R. Schürmann, IPC Köln 1965
(4) colorless material
(5) thermoplastic resin
(6) film from HCOOH, dried in vacuo (5 µm)
(7) PE 580 B

114221111 $C_6H_{11}NO$ *P* 2170

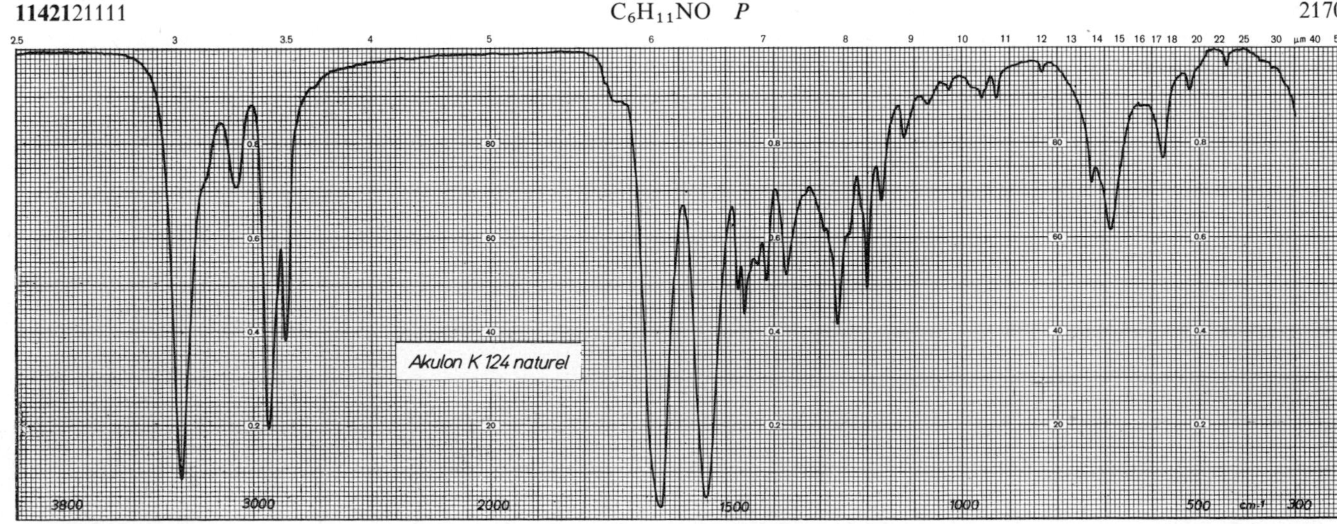

(1) **Akulon K 124 naturel**
(3) Polyamid-6
(4) farbloses Granulat
(5) thermoplastischer Kunststoff für Fäden
(6) Schmelzfilm (15 µm)
(7) PE 580 B, FLAT

(2) Akzo Plastics, Arnhem
(3) polyamide-6
(4) colorless granules
(5) thermoplastic resin for fibers
(6) film from the melt (15 µm)
(7) PE 580 B, FLAT

114221111 $C_6H_{11}NO$ *P* 2171

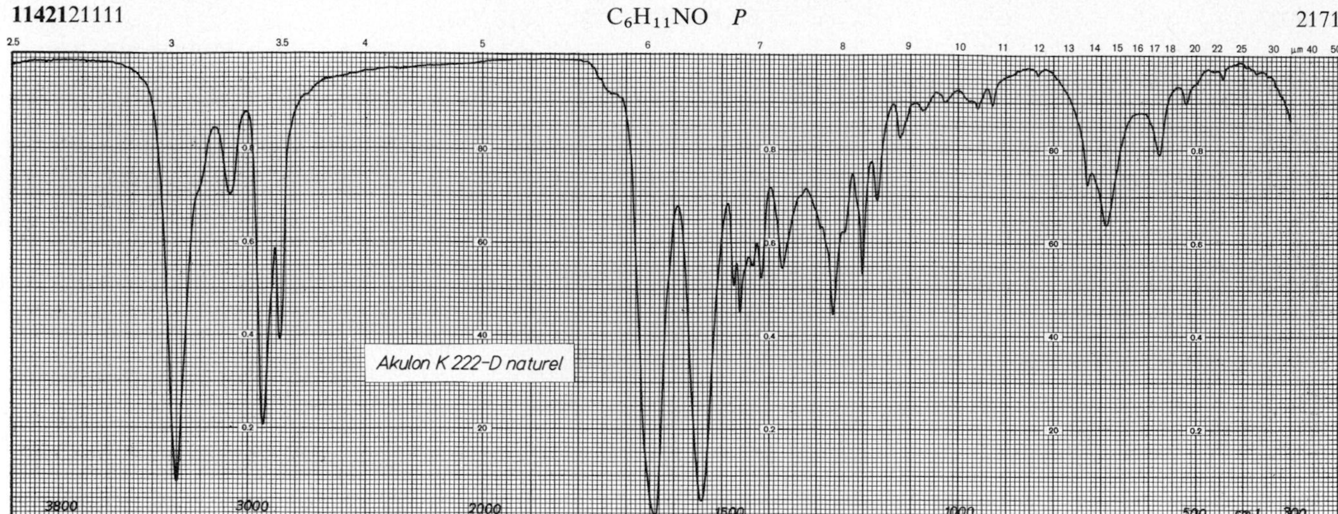

(1) **Akulon K 222-D naturel**
(3) Polyamid-6 von niederer Viskosität
(4) milchig-weißes Granulat
(5) sehr schnell verarbeitbarer Spritzguß-Kunststoff für dünnwandige Artikel
(6) Schmelzfilm (11 μm)
(7) PE 580 B, FLAT

(2) Akzo Plastics, Arnhem
(3) low viscosity polyamide-6
(4) milky white granules
(5) for thin wall injection mouldings, very short moulding time
(6) film from the melt (11 μm)
(7) PE 580 B, FLAT

114221111 $C_6H_{11}NO$ *P* 2172

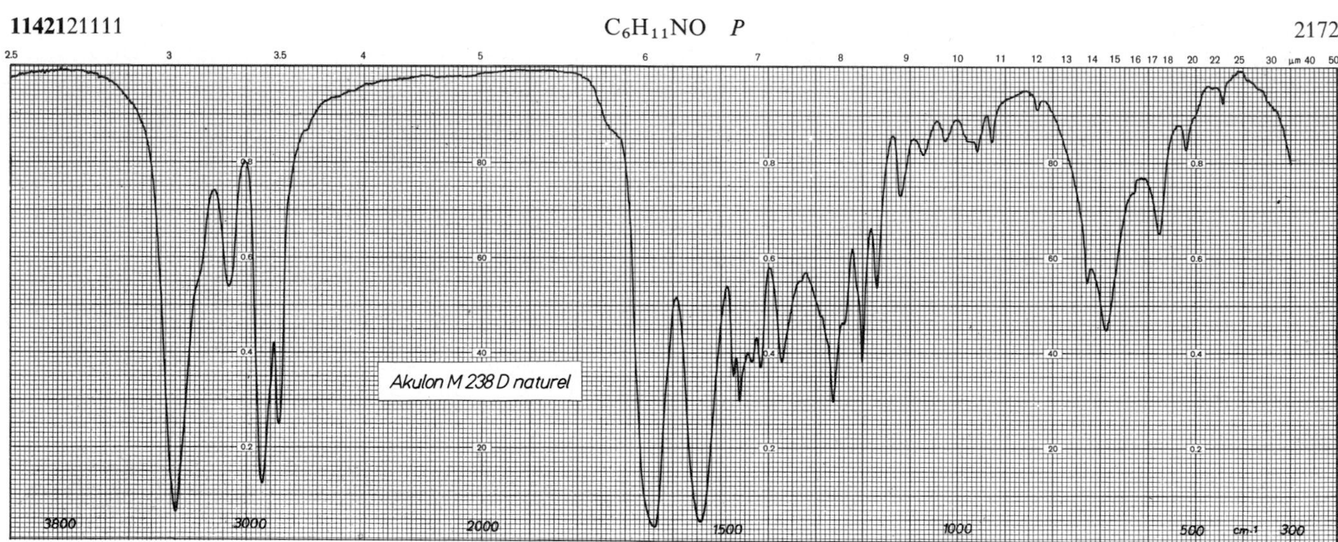

(1) **Akulon M 238 D naturel**
(3) Polyamid-6 von hoher Viskosität
(4) milchig-weißes Granulat
(5) schlagzäher, thermoplastischer Kunststoff für sehr stark beanspruchte mechanische Teile
(6) Schmelzfilm (16 μm)
(7) PE 580 B, FLAT, ABEX 1.07

(2) Akzo Plastics, Arnhem
(3) high viscosity polyamide-6
(4) milky white granules
(5) impact-resistant, thermoplastic resin for very highly stressed, mechanical components
(6) film from the melt (16 μm)
(7) PE 580 B, FLAT, ABEX 1.07

114221111 $C_6H_{11}NO$ *P* 2173

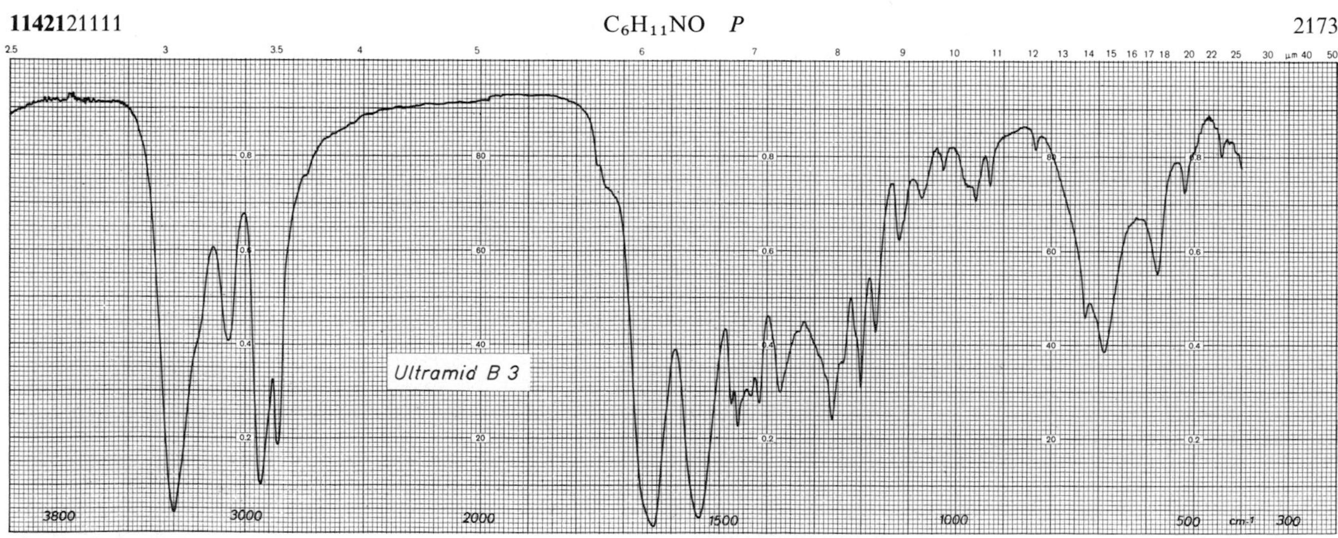

(1) **Ultramid B3**
(3) Polyamid-6, Polycaprolactam
(4) farbloses, trübes Granulat
(5) thermoplastischer Kunststoff
(6) rekristallisierter Schmelzfilm zwischen KBr

(2) BASF AG, Ludwigshafen
(3) polyamide-6
(4) colorless, cloudy granules
(5) thermoplastic resin
(6) film recrystallized from the melt, between KBr

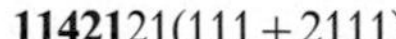
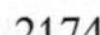

1142121(111 + 2111) $C_6H_{11}NO + C_{12}H_{22}N_2O_2$ *P* 2174

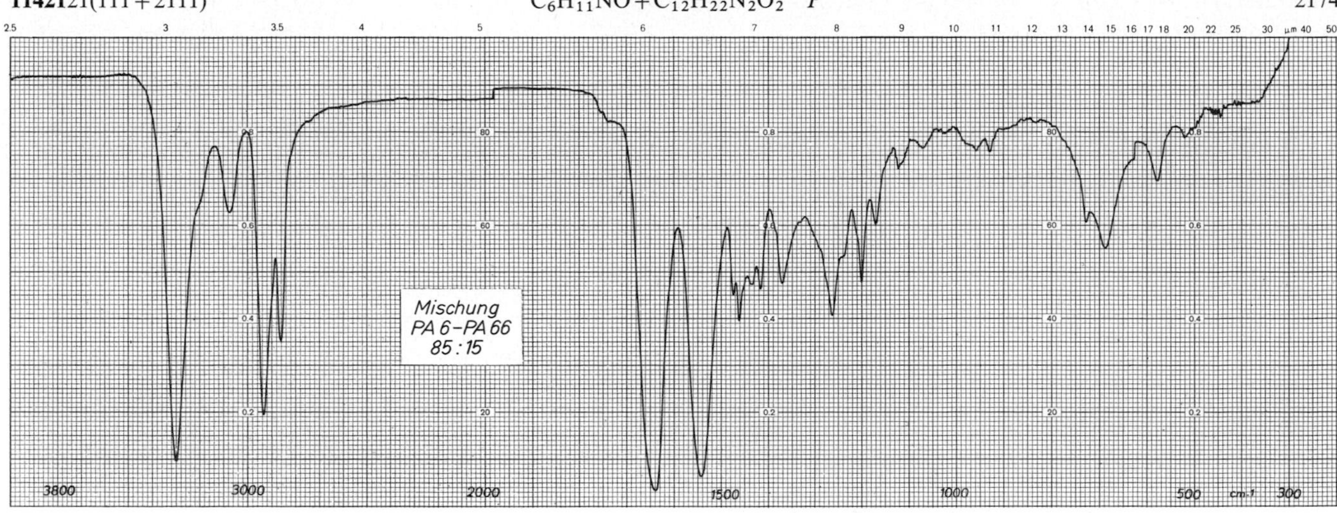

(1) **Polymergemisch Polyamid-6 + Polyamid-6,6, 85:15**
(2) BASF AG, Ludwigshafen (Laborpräparat)
(3) auf dem Walzwerk hergestellte Mischung
(4) farbloses, trübes Granulat
(5) Standardmischung für die Differenzspektrometrie
(6) rekristallisierter Schmelzfilm (etwa 10 µm)
(7) PE 580 B, ABEX 1.03

(1) **polymer mixture of polyamide-6 and polyamide-6,6, 85:15**
(2) BASF AG, Ludwigshafen (laboratory preparation)
(3) mixture manufactured in a rolling mill
(4) colorless, cloudy granules
(5) standard mixture for difference spectrometry
(6) recrystallized film from the melt (ca. 10 µm)
(7) PE 580 B, ABEX 1.03

1142121(111 + 2111) $C_6H_{11}NO + C_{12}H_{22}N_2O_2$ *P* 2175

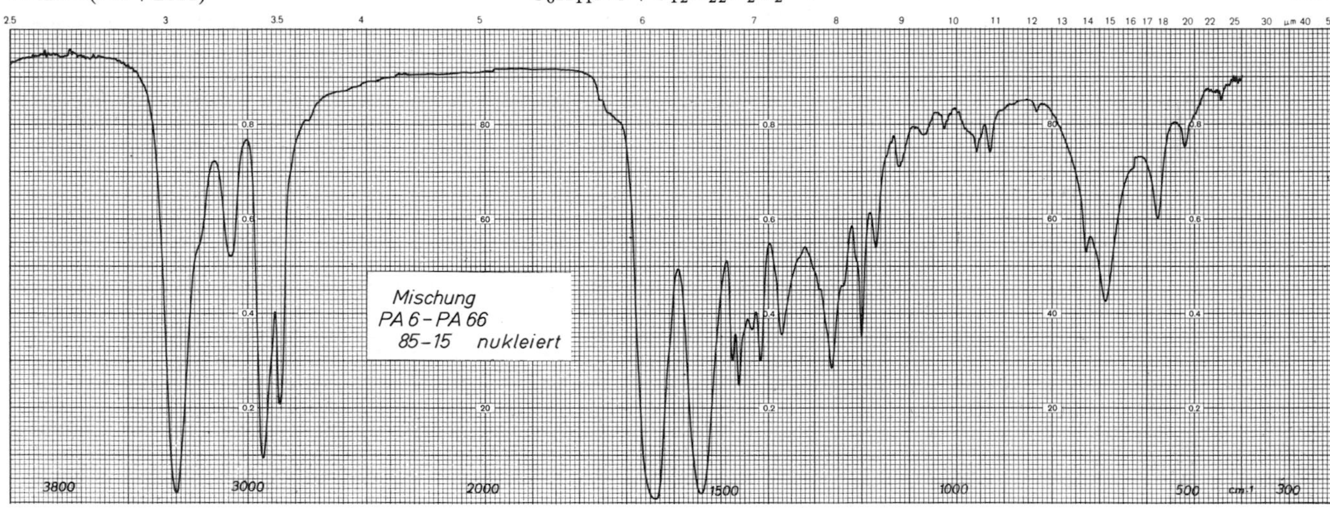

(1) **Polymergemisch Polyamid-6 + Polyamid-6,6; 85:15**
(2) BASF AG, Ludwigshafen (Laborpräparat)
(3) auf dem Walzwerk hergestellte Mischung, nukleiert
(4) weißes Granulat
(5) Standardmischung für die Differenzspektrometrie
(6) rekristallisierter Schmelzfilm (etwa 20 µm)

(1) **polymer mixture of polyamide-6 and polyamide-6,6; 85:15**
(2) BASF AG, Ludwigshafen (laboratory preparation)
(3) mixture manufactured in a rolling mill, nucleated
(4) white granules
(5) standard mixture for difference spectrometry
(6) recrystallized film from the melt (ca. 20 µm)

1142121(111 − 2111) $C_6H_{11}NO - C_{12}H_{22}N_2O_2$ *P* 2176

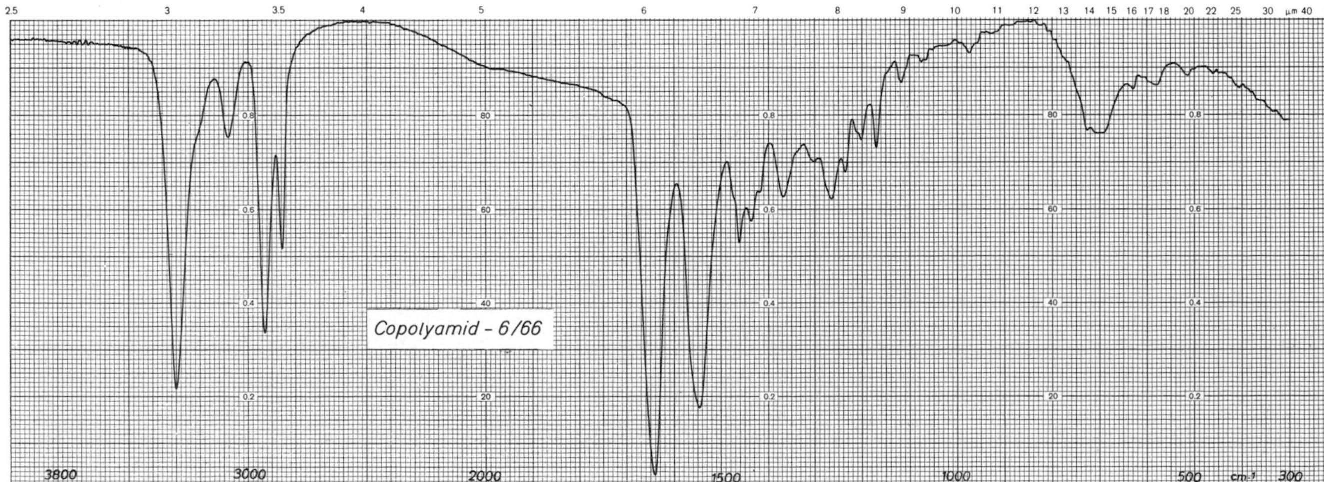

(1) **Copolyamid-6/6,6; 85:15**
(2) BASF AG, Ludwigshafen
(4) farbloses Granulat
(5) Standard für die Differenzspektrometrie
(6) Schicht aus HCOOH auf KRS-5
(7) PE 580 B, ABEX 1.66

(1) **polyamide-6/6,6; 85:15**
(4) colorless granules
(5) standard for difference spectrometry
(6) film from HCOOH on KRS-5
(7) PE 580 B, ABEX 1.66

1142121(111 – 2111 – 213) $C_6H_{11}NO - C_{12}H_{22}N_2O_2 - C_{12}H_{20}N_2O_2$ *P* 2177

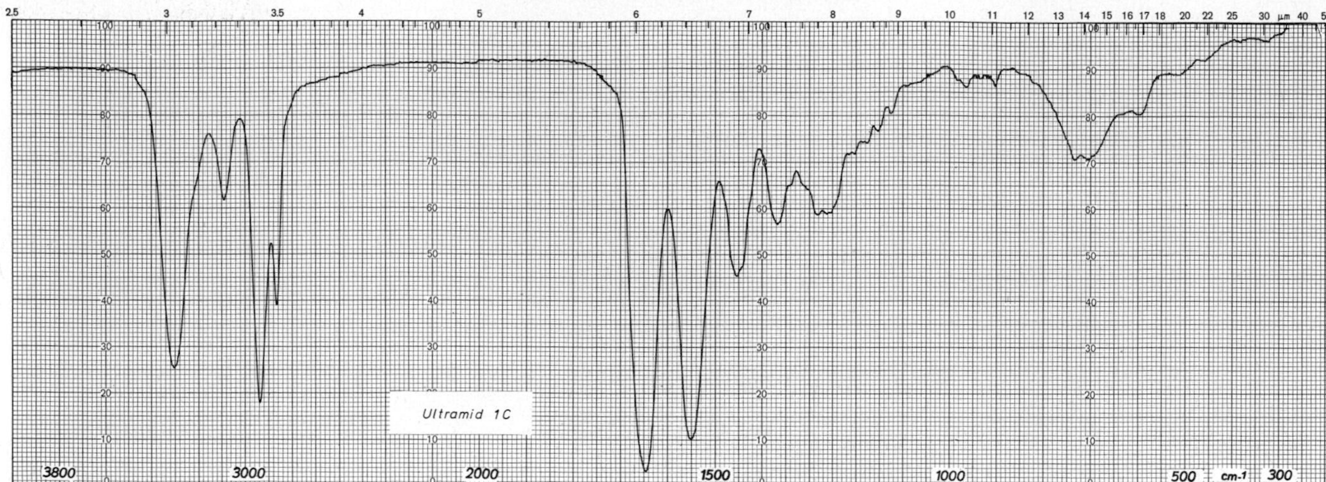

(1) **Ultramid 1 C**
(3) Terpolyamid aus gleichen Teilen Polyamid-6, -6,6 und Polyamid aus p,p′-Diaminodicyclohexylmethan
(4) farblose, transparente Stücke
(5) für Beschichtungen und Überzüge
(6) klarer Film aus MTL auf KRS-5

(2) BASF AG, Ludwigshafen
(3) terpolyamide from equal parts of polyamides 6 and 6,6 and a polyamide from diaminodicyclohexylmethane
(4) colorless, transparent lumps
(5) for coatings and finishes
(6) clear film from MTL on KRS-5

1142121111 $C_6H_{11}NO$ *P* 2178

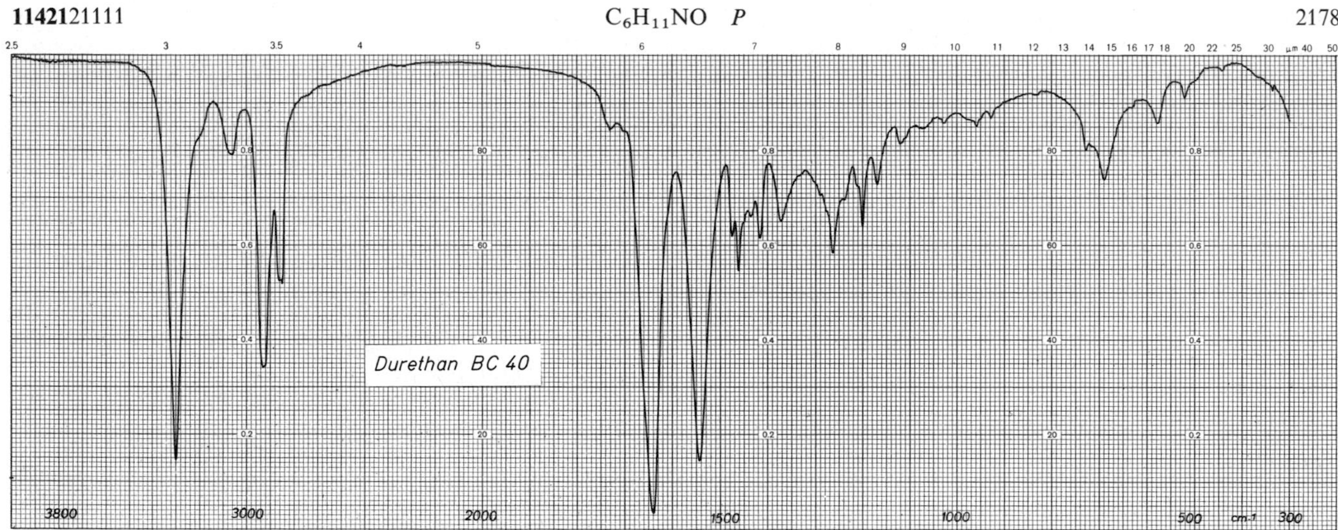

(1) **Durethan BC 40**
(3) polymermodifiziertes Polyamid-6
(4) weißes, opakes Granulat
(5) thermoplastischer Kunststoff von hoher Kerbschlagfestigkeit für Möbelkeile, Stecker, Gleitlager, Lüfterräder, Transportkästen
(6) Schicht aus HCOOH (trübe Lösung) auf KRS-5
(7) PE 580 B, ABEX 1.08

(2) Bayer AG, Leverkusen
(3) polymer-modified polyamide-6
(4) white, opaque granules
(5) highly notch impact-resistant thermoplastic resin for furniture wedges, plugs, sliding bearings, fans, transport boxes
(6) film from HCOOH (turbid solution) on KRS-5
(7) PE 580 B, ABEX 1.08

1142121111 $C_7H_{13}NO$ *P* 2179

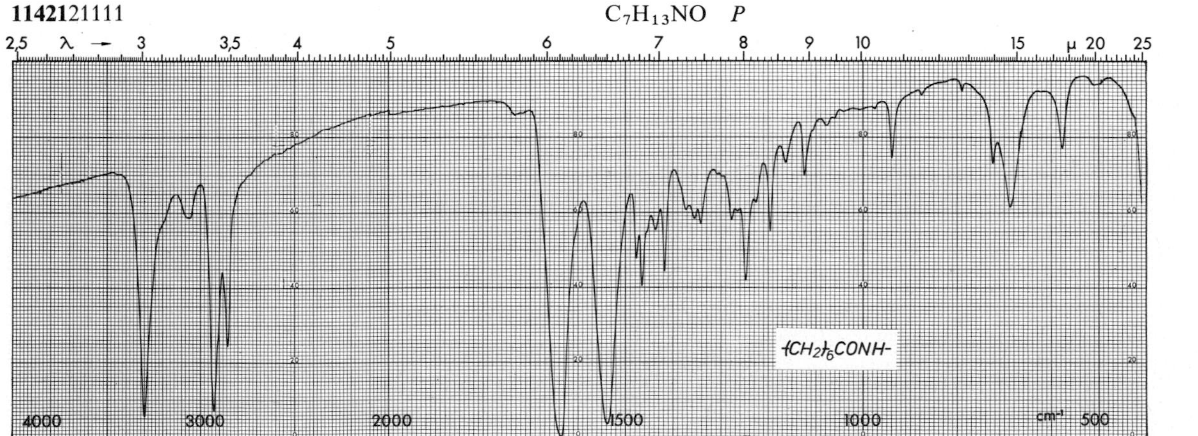

(1) **Polyamid-7,** α-Form
(2) Laborpräparat R. Schürmann, IPC Köln 1965
(4) farbloses Material
(5) thermoplastischer Kunststoff
(6) Film aus HCOOH, 9 Tage mit 3%iger, wäßriger Phenollösung behandelt
(7) PE 125

(1) **polyamide-7, α-form**
(2) laboratory preparation R. Schürmann, IPC Köln 1965
(4) colorless material
(5) thermoplastic resin
(6) film from HCOOH, treated 9 days with 3% aqueous phenol solution
(7) PE 125

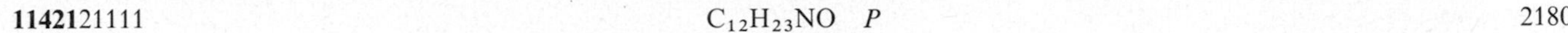

114221111 $C_{12}H_{23}NO$ *P* 2180

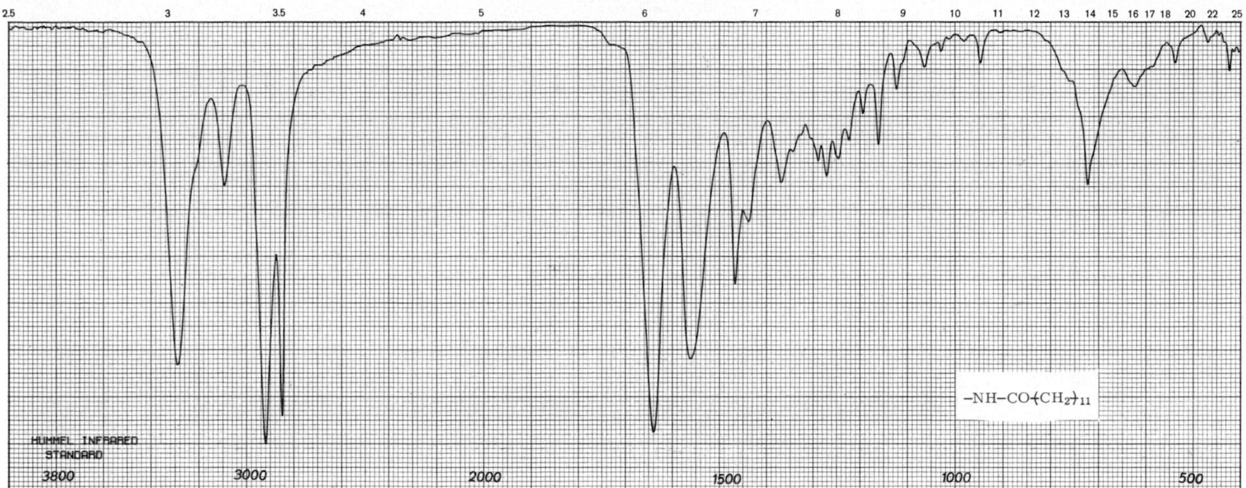

(1) **Vestamid L**
(3) Polyamid-12, Poly(iminocarbonylundecamethylen)
(4) milchig weißes Granulat
(5) thermoplastischer Kunststoff
(6) Film aus HCOOH
(7) Nicolet 20 SX, normiert ($A_{max}=1$)

(2) Chemische Werke Hüls, Marl
(3) polyamide 12, poly(iminocarbonylundecamethylene)
(4) milky-white granules
(5) thermoplastic resin
(6) film from HCOOH
(7) Nicolet 20 SX, normalized ($A_{max}=1$)

114221111 $C_{11}H_{21}NO$ *P* 2181

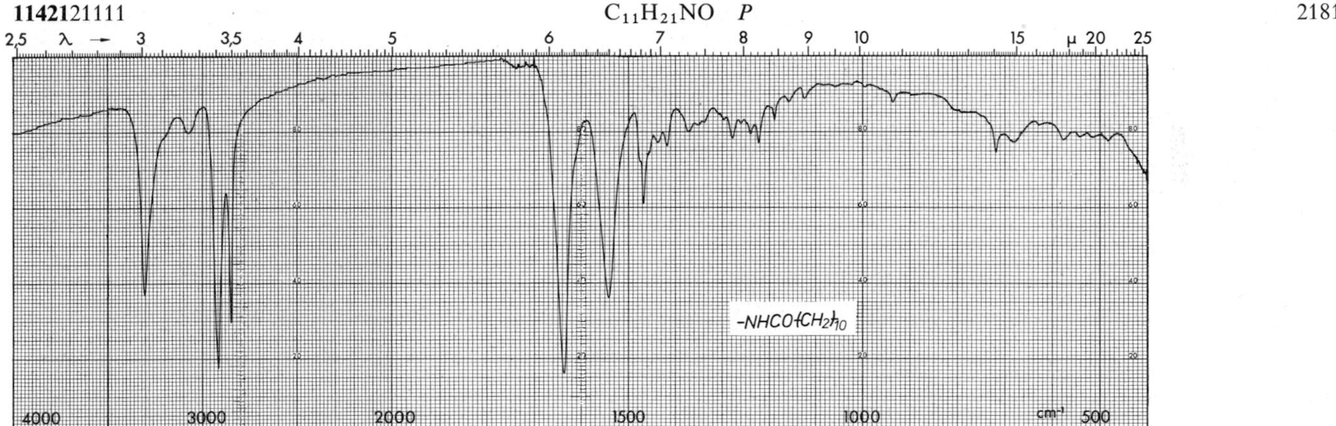

(1) **Rilsan**
(3) Polyamid-11, α-Form
(4) weißliches Granulat
(5) thermoplastischer Kunststoff für vielseitige Anwendungen
(6) Film aus Dichloressigsäure, 10 Tage lang mit 3%iger, wäßriger Phenollösung behandelt
(7) PE 125

(2) Organico S.A., Paris
(3) polyamide-11, α-form
(4) whitish granules
(5) multipurpose, thermoplastic resin
(6) film from dichloroacetic acid, treated for 10 days with 3% aqueous phenol solution
(7) PE 125

114221112 2182

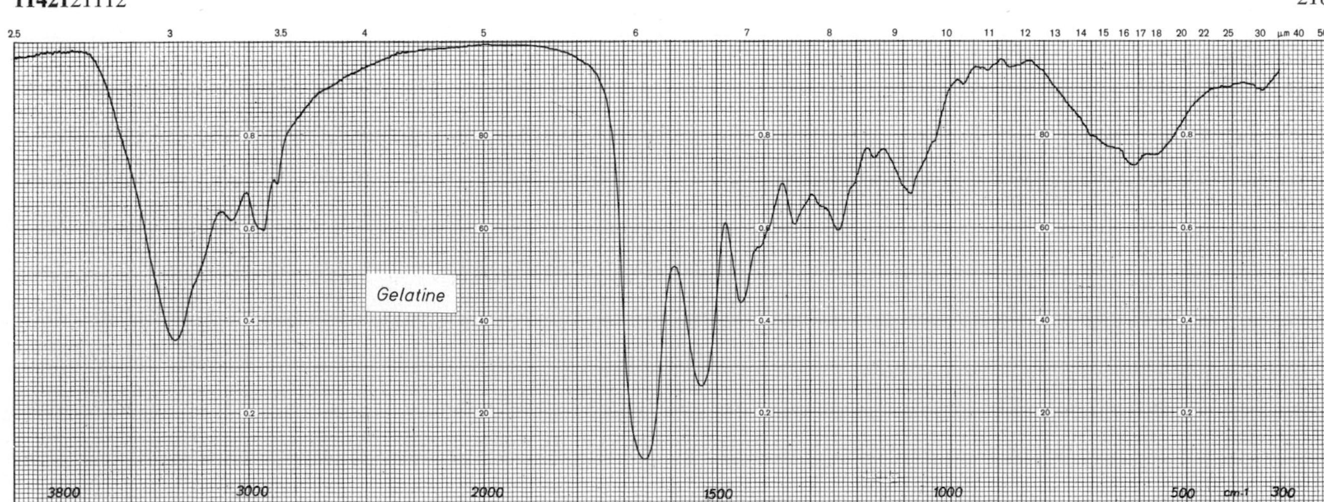

(1) **Gelatine**
(2) Deutsche Gelatine-Fabrik, Stoess & Co. GmbH, Eberbach
(3) Protein mit 25% Glycocoll und 14% Hydroxyprolin
(4) farblose, glasklare Blätter
(5) Speisegelatine
(6) Film aus H_2O auf KRS-5
(7) PE 580 B

(1) **gelatine**
(3) protein containing 25% glycine and 15% hydroxyproline
(4) colorless, crystal clear leaves
(5) edible gelatine
(6) film from H_2O on KRS-5
(7) PE 580 B

1142121141 C_7H_5NO *P* 2183

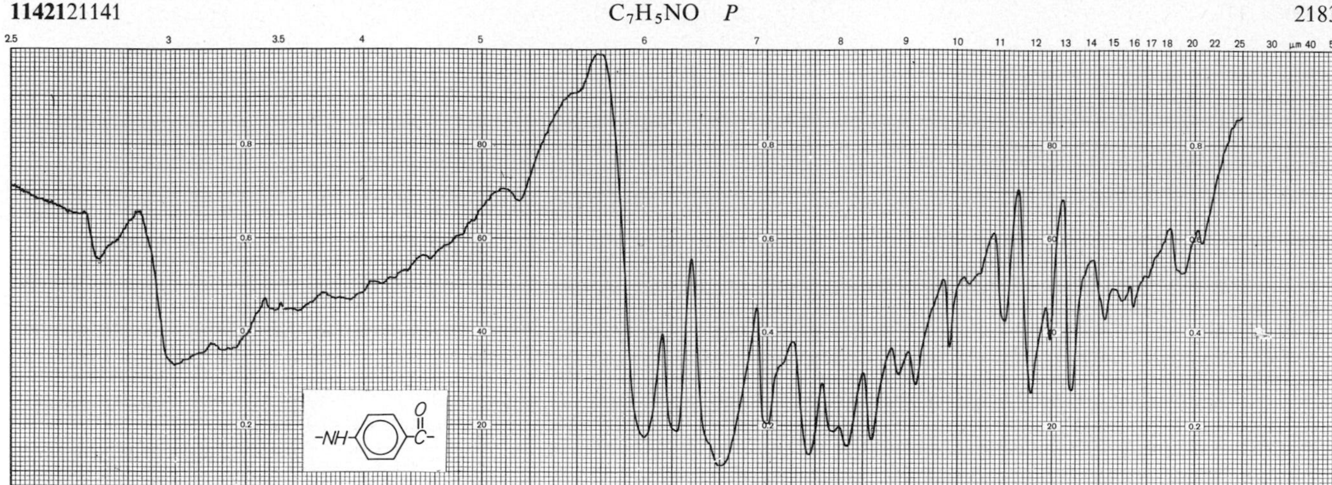

(1) **Poly(p-benzamid), Poly(4-iminobenzoyl)**
(2) Monsanto Textile Comp., Pensacola, Fla. (Laborpräparat J. Preston)
(4) beigefarbenes, leichtes Pulver
(6) KBr (3/400)
(7) PE 580 B, FLAT, SMOOTH; H_2O subtrahiert
(8) Polykondensation von p-Aminobenzosäure in Pyridin und Triphenylphosphit (nach Yamazaki)

(1) **poly(p-benzamide), poly(4-iminobenzoyl)**
(2) Monsanto Textile Comp., Pensacola, Fla. (laboratory preparation J. Preston)
(4) beige-colored, light powder
(6) KBr (3/400)
(7) PE 580 B, FLAT, SMOOTH; H_2O subtracted
(8) polycondensation of p-aminobenzoic acid in pyridine and triphenyl phosphite (according to Yamazaki)

11421212111 $C_{12}H_{22}N_2O_2$ *P* 2184

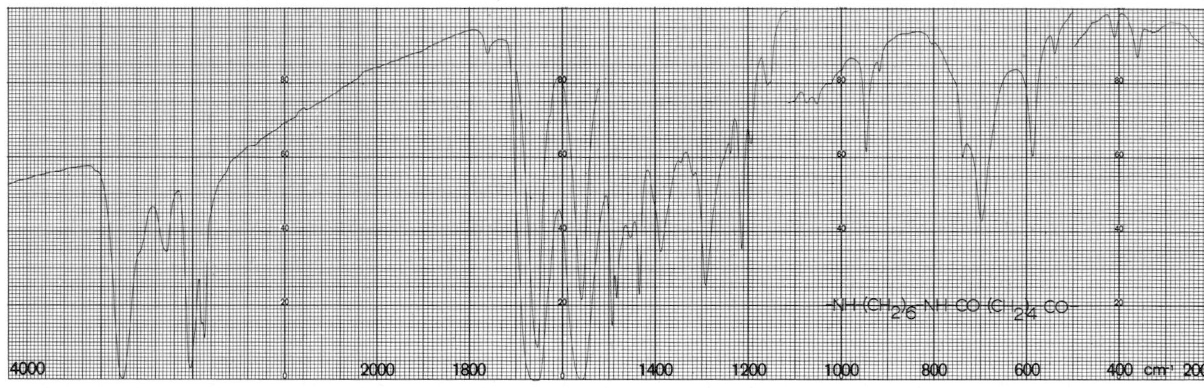

(1) **Ultramid A**
(3) Poly(iminohexamethylenimino-adipoyl), Polyamid-6,6
(4) klares, leicht gelbliches Granulat
(5) thermoplastischer Kunststoff
(6) Film aus Ameisensäure
(7) α-Form

(2) BASF AG, Ludwigshafen
(3) polyamide-6,6
(4) clear, slightly yellowish granules
(5) thermoplastic resin
(6) film from formic acid
(7) α-form

11421212111 $C_{12}H_{22}N_2O_2$ *P* 2185

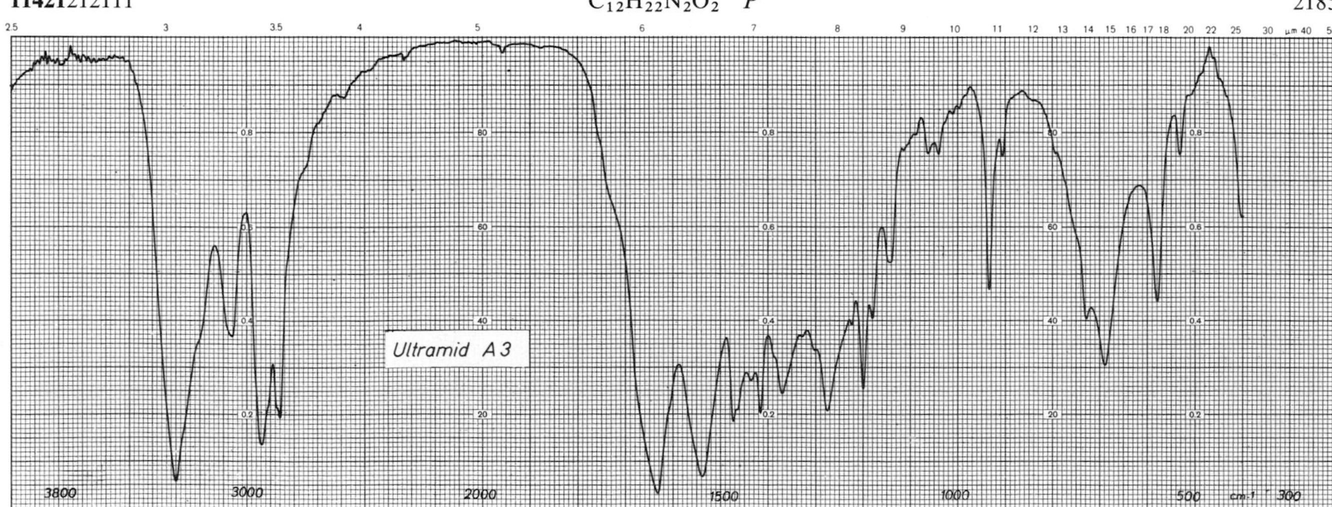

(1) **Ultramid A3**
(3) Polyamid-6,6; Poly(hexamethylenadipamid)
(4) farbloses, trübes Granulat
(5) thermoplastischer Kunststoff
(6) rekristallisiert Schmelzfilm zwischen KBr
(7) PE 580 B, FLAT, SMOOTH 3, ABEX 2.3

(2) BASF AG, Ludwigshafen
(3) polyamide-6,6
(4) colorless, cloudy granules
(5) thermoplastic resin
(6) film recrystallized from the melt between KBr
(7) PE 580 B, FLAT, SMOOTH 3, ABEX 2.3

11421212111 $C_{12}H_{22}N_2O_2$ *P* 2186

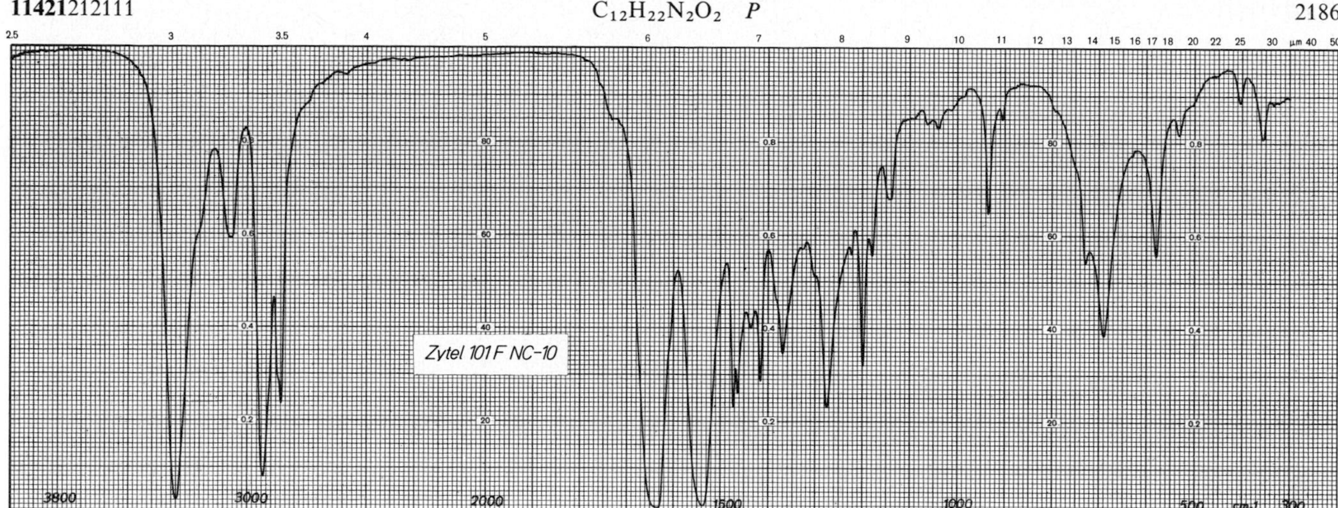

(1) **Zytel 101 F NC-10**
(3) Polyamid-6,6 mit internem Schmiermittel
(4) weiße, biegsame Platte
(5) Allzweck-Polyamid für die Spritzgießverarbeitung; für Kabelbänder, Stecker, Befestigungsklipse, Zahnräder, Lager
(6) Schmelzfilm (20 µm)
(7) PE 580 B

(2) Du Pont de Nemours (Deutschland) GmbH, Düsseldorf
(3) internally lubricated polyamide-6,6
(4) white, flexible plates
(5) multipurpose polyamide for the production of injection mouldings, cable clips, plugs, fastening clips, gear wheels, bearings
(6) film from the melt (20 µm)
(7) PE 580 B

1142121(2111 + 111) $C_{12}H_{22}N_2O_2 + C_6H_{11}NO$ *P* 2187

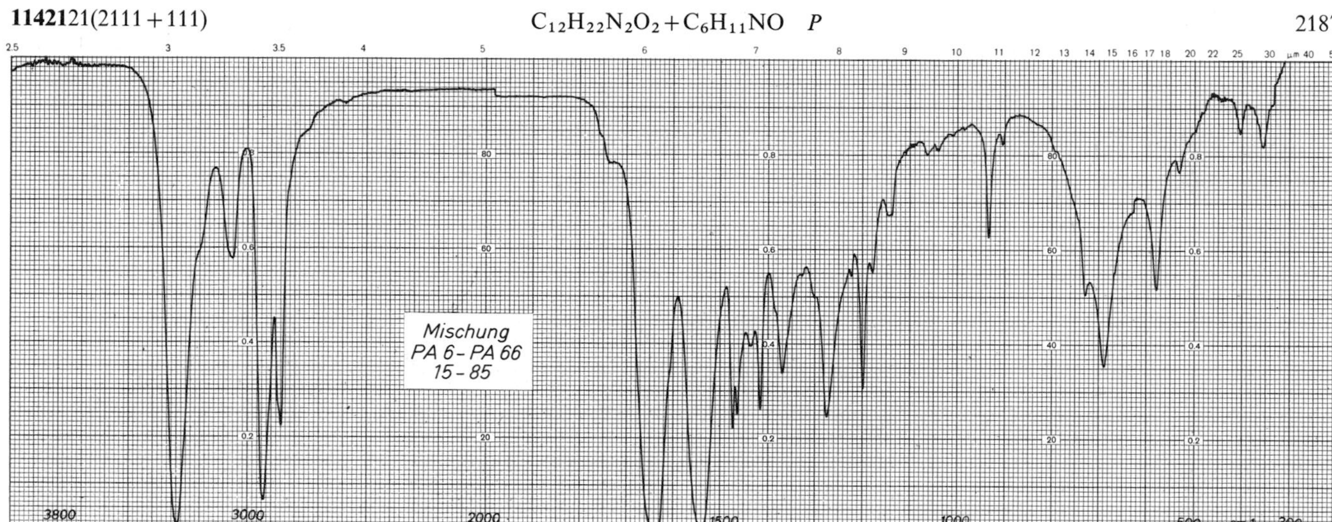

(1) **Polymergemisch Polyamid-6,6 + Polyamid-6, 85:15**
(2) BASF AG, Ludwigshafen; Laborpräparat
(3) auf dem Walzwerk hergestellte Mischung
(4) farbloses, trübes Granulat
(5) Standardmischung für die Differenzspektrometrie
(6) rekristallisierter Schmelzfilm (etwa 10 µm)

(1) **polymer mixture of polyamide-6,6 and polyamide-6, 85:15**
(2) BASF AG, Ludwigshafen; laboratory preparation
(3) mixture manufactured in a rolling mill
(4) colorless, cloudy granules
(5) standard mixture for difference spectrometry
(6) recrystallized film from the melt (ca. 10 µm)

1142121(2111 + 111) $C_{12}H_{22}N_2O_2 - C_6H_{11}NO$ *P* 2188

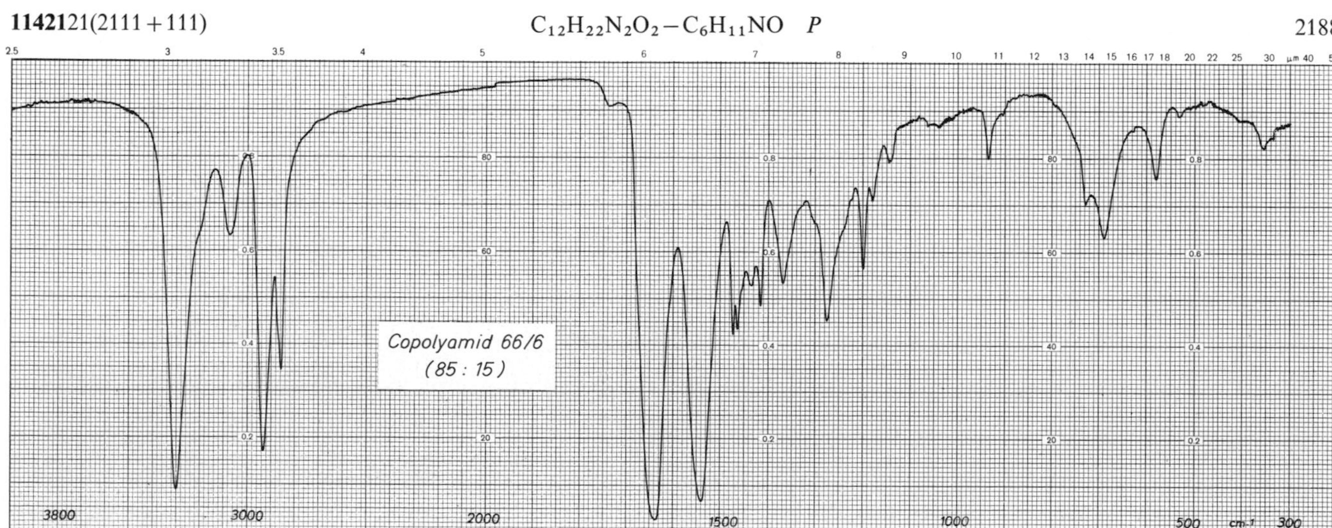

(1) **Copolyamid-6,6/6, 85:15**
(2) BASF AG, Ludwigshafen, Laborpräparat
(4) farbloses, trübes Granulat
(5) Standard für die Differenzspektrometrie
(6) Film aus HCOOH (etwa 15 µm)
(7) PE 580 B, FLAT

(1) **poly(amide-6,6-co-amide-6), 85:15**
(2) BASF AG, Ludwigshafen, laboratory preparation
(4) colorless, cloudy granules
(5) standard for difference spectrometry
(6) film from HCOOH (ca. 15 µm)
(7) PE 580 B, FLAT

11421212111 2189

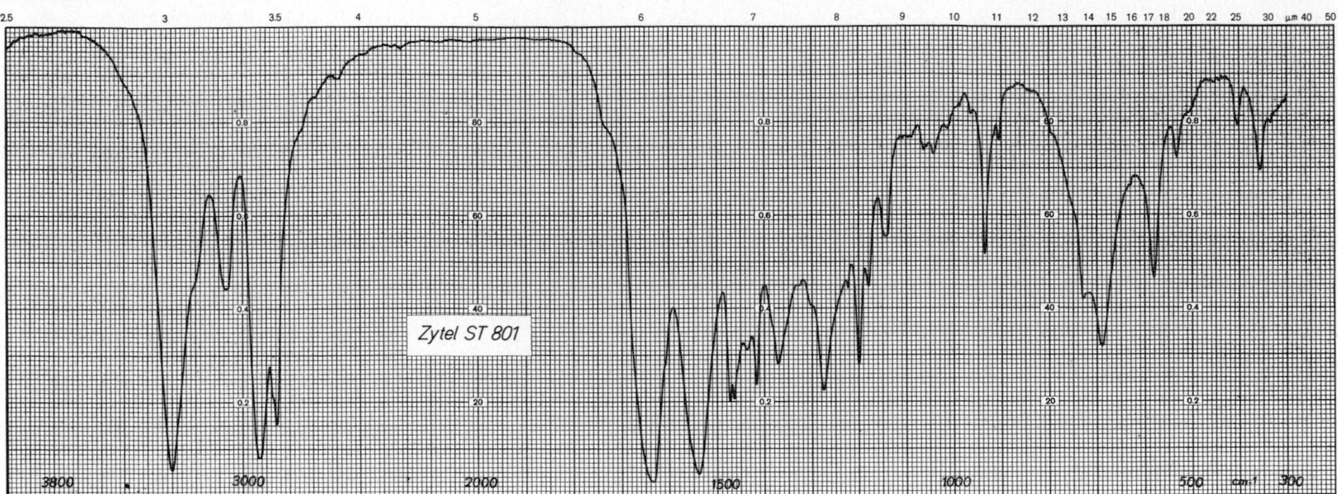

(1) **Zytel ST 801**
(3) modifiziertes Polyamid-6,6
(4) elfenbeinfarbene Platte
(5) hochschlagfestes Polyamid für die Spritzgießverarbeitung; für Dichtungen, Manschetten, Kupplungen, Kabelummantelungen, Vulkanisierdorne, Stollensohlen
(6) Schmelzfilm (20 µm)
(7) PE 580 B

(2) Du Pont de Nemours (Deutschland) GmbH, Düsseldorf
(3) modified polyamide-6,6
(4) ivory-colored plates
(5) highly impact-resistant polyamide for injection moulding; seals, collars, couplers, cable covering, vulcanizing plugs, support bases
(6) film from the melt (20 µm)
(7) PE 580 B

11421212111 $C_{16}H_{30}N_2O_2$ *P* 2190

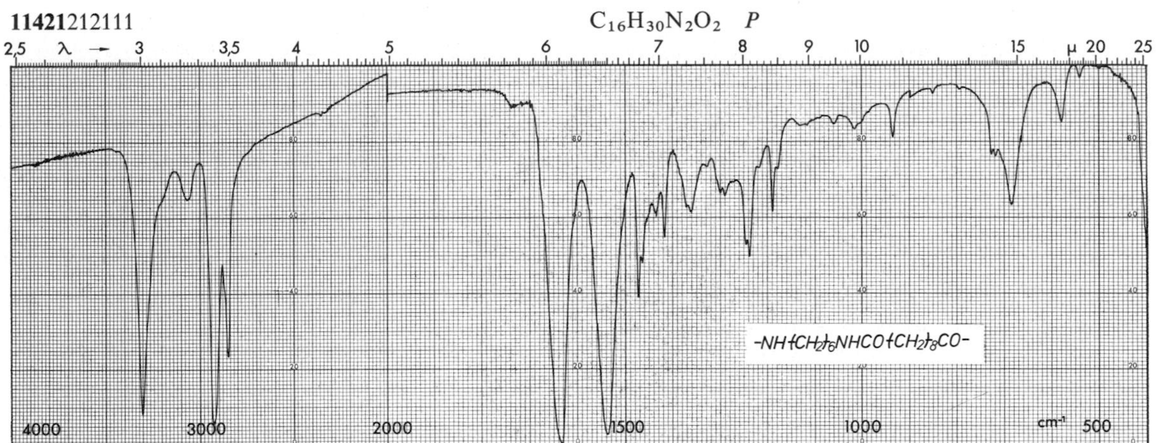

(1) **Ultramid S**
(3) Polyamid-6,10, α-Form
(4) weißlich getrübtes Granulat
(5) thermoplastischer Kunststoff
(6) dünner Film aus phenolischer Lösung
(7) PE 125

(2) BASF AG, Ludwigshafen
(3) polyamide-6,10, α-form
(4) whitish, cloudy granules
(5) thermoplastic resin
(6) thin film from phenol solution
(7) PE 125

1142121233 $C_{14}H_{18}N_2O_2$ *P* 2191

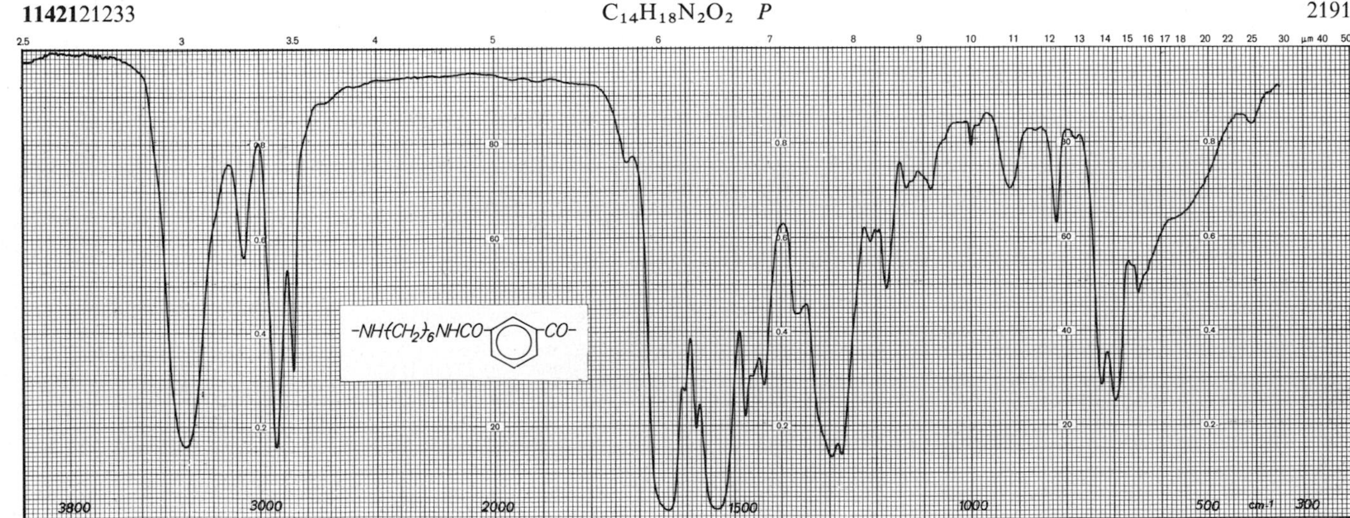

(1) **Polyamid-6, I**
(2) Dynamit Nobel AG, Troisdorf; Laborpräparat W. Wolfes
(3) Poly(hexamethylen-isophthalamid), Poly(iminohexamethyleniminoisophthaloyl)
(4) weißes Pulver
(6) Schmelzfilm (etwa 20 µm)
(7) PE 580 B

(1) **polyamide-6, I**
(2) Dynamit Nobel AG, Troisdorf; laboratory preparation, W. Wolfes
(3) poly(hexamethylene isophthalamide), poly(iminohexamethyleneimino isophthaloyl)
(4) white powder
(6) film from the melt (ca. 20 µm)
(7) PE 580 B

114221233 $C_{14}H_{18}N_2O_2$ *P* 2192

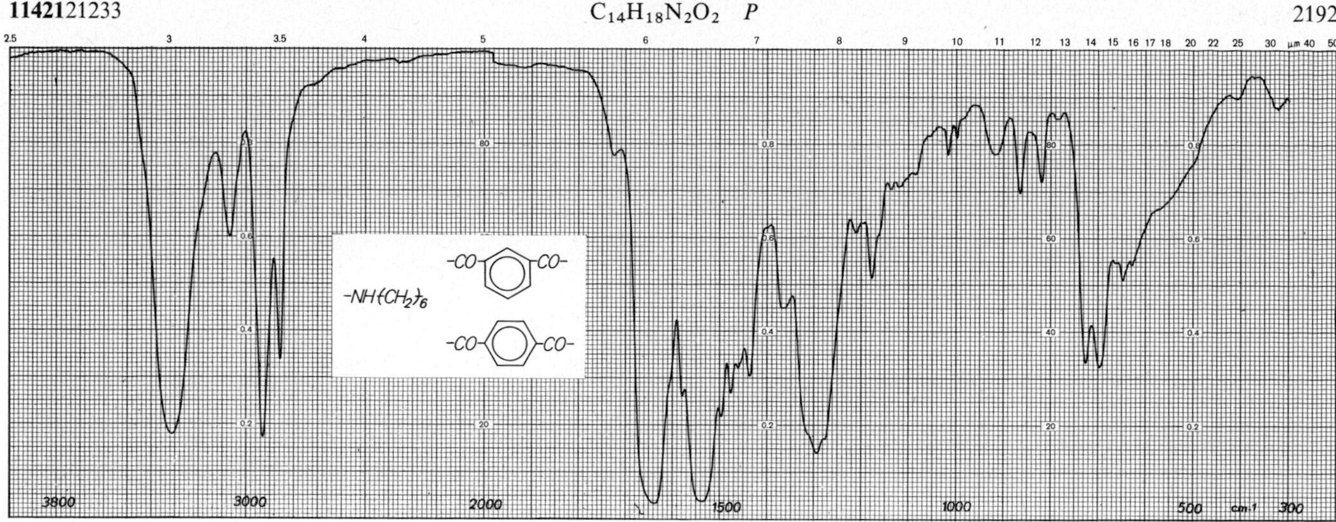

(1) **Polyamid-6, IT**
(2) Dynamit Nobel AG, Troisdorf; Laborpräparat W. Wolfes
(3) Copolyamid auf Basis Hexamethylendiamin, Iso- und Terephthalsäure (letztere im Molverhältnis 7:3)
(4) weißes Pulver
(6) Schmelzfilm (etwa 20 µm)
(7) PE 580 B, ABEX 1.34

(1) **polyamide-6, IT**
(2) Dynamit Nobel AG, Troisdorf; laboratory preparation, W. Wolfes
(3) copolyamide based on hexamethylene diamine and isophthalic and terephthalic acids (the acids in molar proportion 7:3)
(4) white powder
(6) film from the melt (ca. 20 µm)
(7) PE 580 B, ABEX 1.34

114221233 $C_{14}H_{18}N_2O_2$ *P* 2193

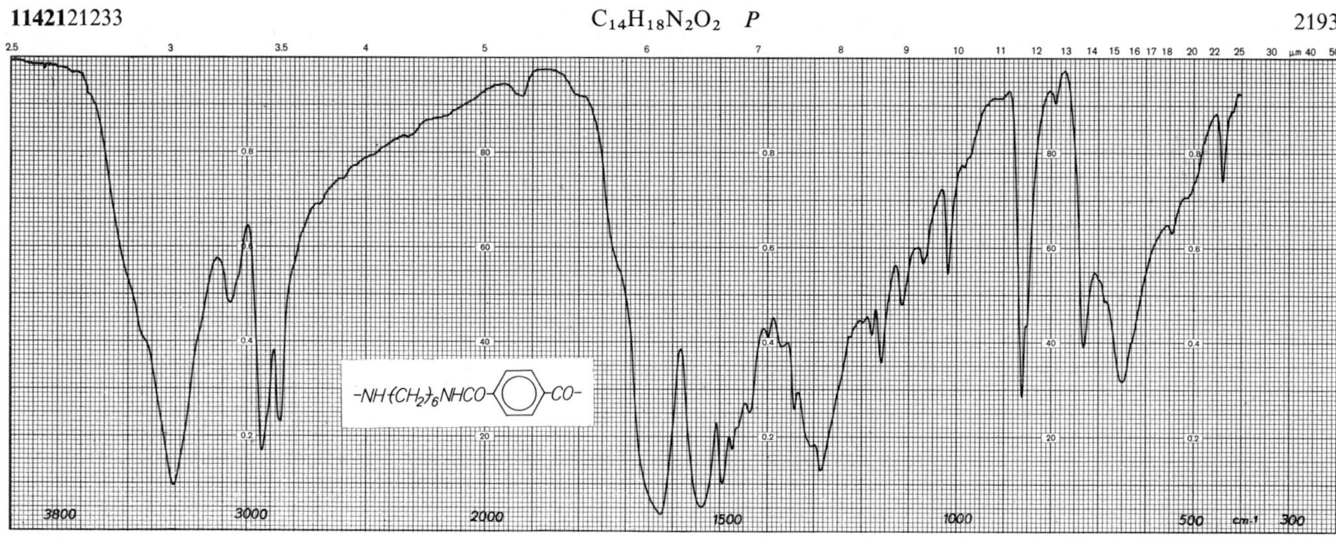

(1) **Polyamid-6, T**
(2) Dynamit Nobel AG, Troisdorf; Laborpräparat W. Wolfes
(3) Poly(hexamethylenterephthalamid), Poly(iminohexamethyleniminoterephthaloyl)
(4) grauweißes Pulver
(6) KBr (1.7/300)
(7) PE 580 B, FLAT, ABEX 1.49

(1) **polyamid-6, T**
(2) Dynamit Nobel AG, Troisdorf; laboratory preparation, W. Wolfes
(3) poly(hexamethylene terephthalamide), poly(iminohexamethyleneimino terephthaloyl)
(4) greyish-white powder
(6) KBr (1.7/300)
(7) PE 580 B, FLAT, ABEX 1.49

114221233 $C_{17}H_{24}N_2O_2$ *P* 2194

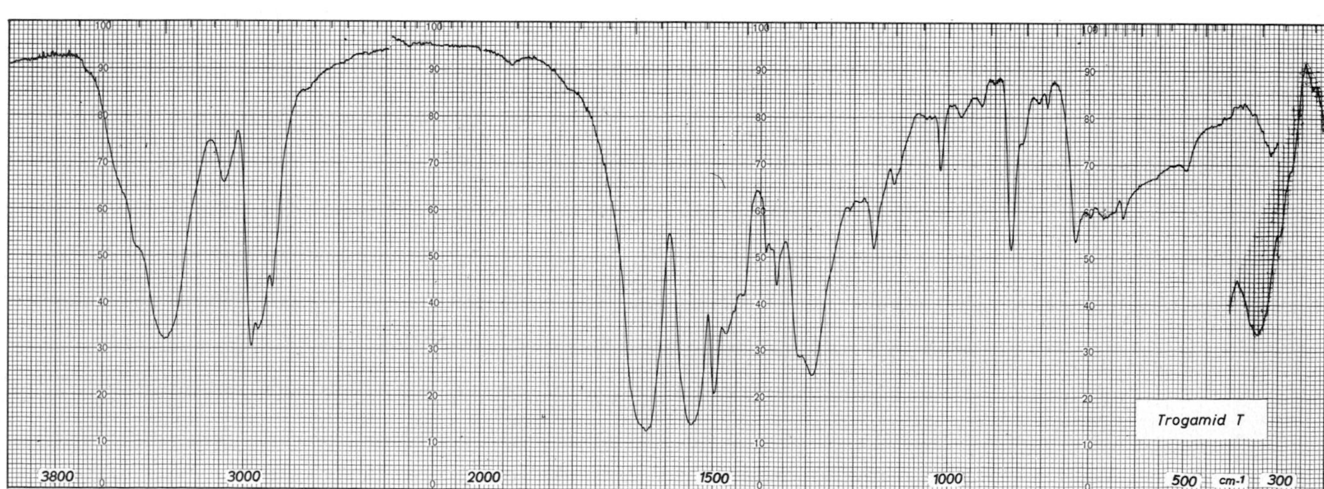

(1) **Trogamid T**
(3) Polyamid aus einem Gemisch von 2,2,4- und 2,4,4-Trimethylhexamethylen-1,6-diamin und Terephthalsäure
(4) farbloser, klarer Film
(5) für Folien, Spritzgußmasse für Wäscheknöpfe, Zahnradkupplungen, Lager, Morsewalzen
(6) KBr (2/350), freitragender Film (200 µm, 400...200 cm^{-1})

(2) Dynamit-Nobel AG, Troisdorf
(3) copolyamide from a mixture of 2,2,4- and 2,4,4-trimethylhexamethylene-1,6-diamines and terephthalic acid
(4) clear, colorless film
(5) for films and for the injection moulding of buttons, gear wheel axles, bearings, rollers
(6) KBr (2/350), freestanding film (200 µm, 400...200 cm^{-1})

1142122111 C_3H_5NO *P* 2195

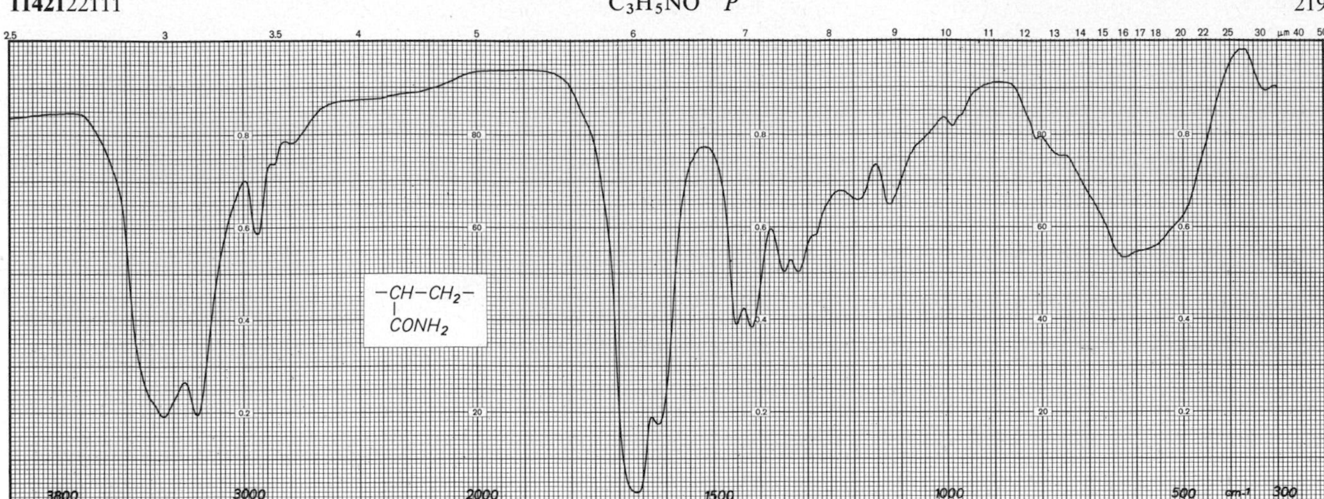

(1) **Polyacrylamid**
(2) Bayer AG, Leverkusen (durch Csányi)
(4) weißes Pulver
(6) Schicht aus H_2O auf KRS-5
(7) PE 580 B, ABEX

(1) **polyacrylamide**
(2) Bayer AG, Leverkusen (from A. Csányi)
(4) white powder
(6) film from H_2O on KRS-5
(7) PE 580 B, ABEX

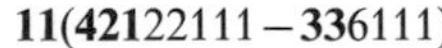
11(**42**122111 − **336**111) $C_3H_5NO - C_3H_4O_2$ *P* 2196

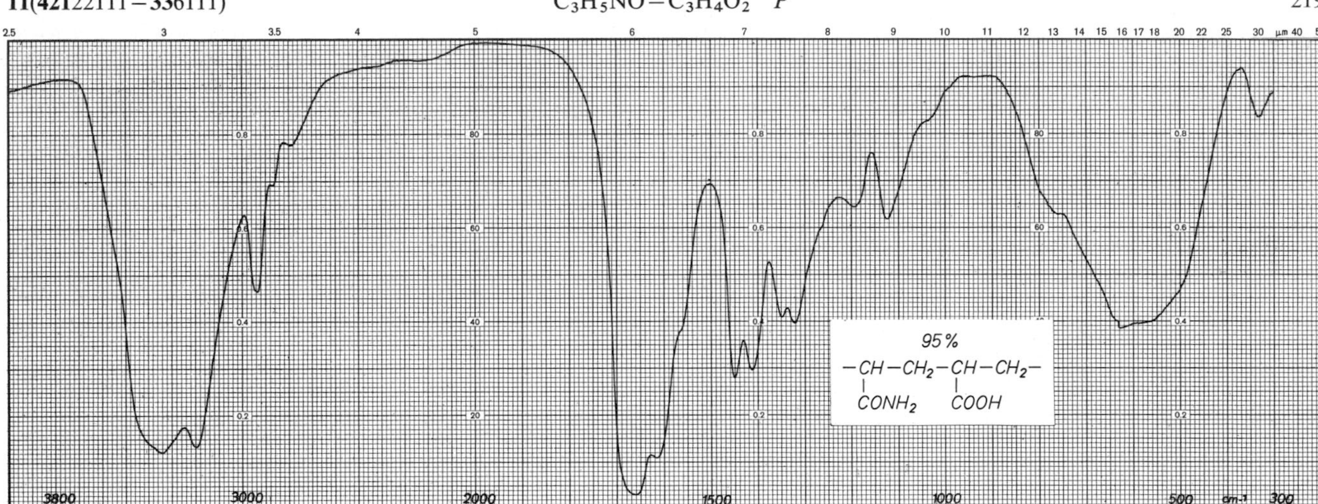

(1) **Poly(acrylamid-co-acrylsäure), 95% Acrylamid-Einheiten**
(2) Bayer AG, Leverkusen (durch A. Csányi)
(4) farbloses Material
(6) Schicht aus H_2O auf KRS-5
(7) PE 580 B, ABEX

(1) **poly(acrylamide-co-acrylic acid), 95% acrylamide units**
(2) Bayer AG, Leverkusen (from A. Csányi)
(4) colorless material
(6) film from H_2O on KRS-5
(7) PE 580 B, ABEX

11(**42**122111 − **336**111) $C_3H_5NO - C_3H_4O_2$ *P* 2197

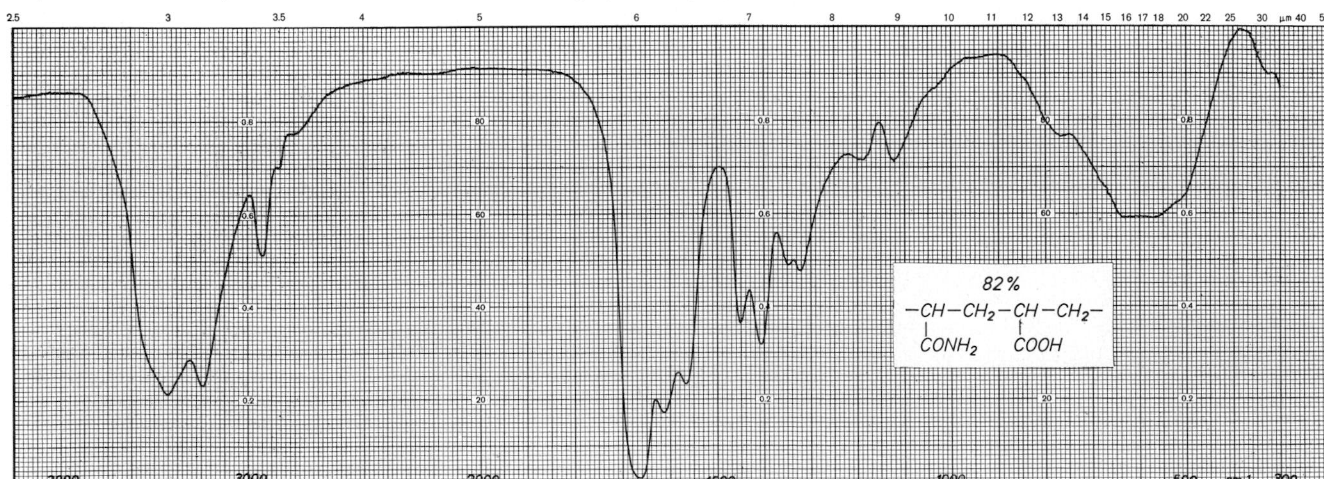

(1) **Poly(acrylamid-co-acrylsäure), 82% Acrylamid-Einheiten**
(2) Bayer AG, Leverkusen (durch A. Csányi)
(4) farbloses Material
(6) Schicht aus H_2O auf KRS-5
(7) PE 580 B, ABEX

(1) **poly(acrylamide-co-acrylic acid), 82% acrylamide units**
(2) Bayer AG, Leverkusen (from A. Csányi)
(4) colorless material
(6) film from H_2O on KRS-5
(7) PE 580 B, ABEX

11(**42**12211 1 − **33**6111) $C_3H_5NO-C_3H_4O_2$ *P* 2198

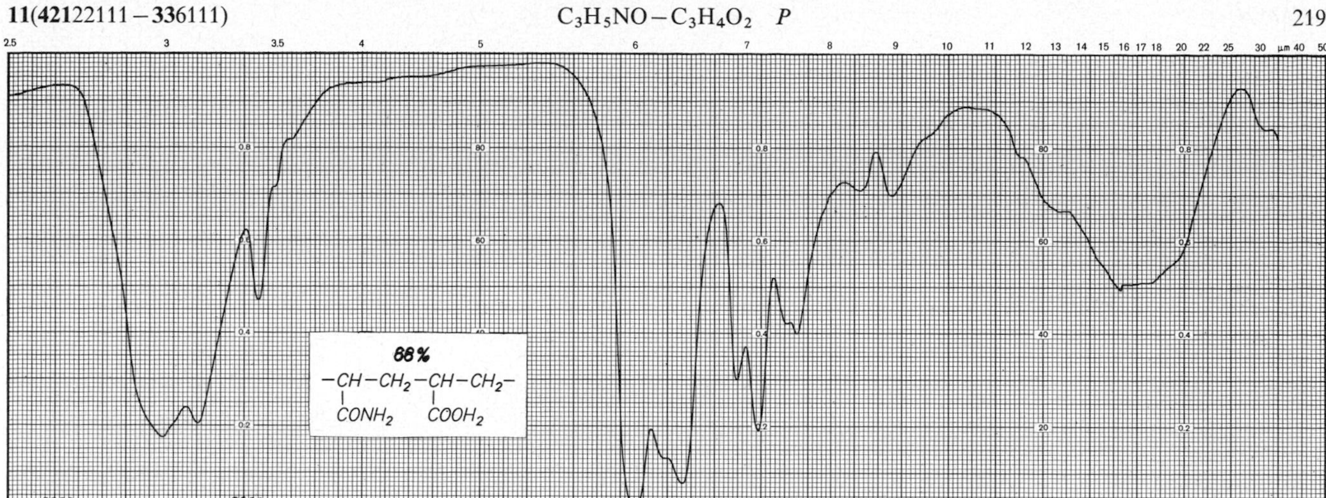

(1) **Poly(acrylamid-co-acrylsäure), 68% Acrylamid-Einheiten**
(2) Bayer AG, Leverkusen (durch A. Csányi)
(4) farbloses Material
(6) Schicht aus H_2O auf KRS-5
(7) PE 580 B, ABEX

(1) **poly(acrylamide-co-acrylic acid), 68% acrylamide units**
(2) Bayer AG, Leverkusen (from A. Csányi)
(4) colorless material
(6) film from H_2O on KRS-5
(7) PE 580 B, ABEX

11421224 C_6H_9NO *P* 2199

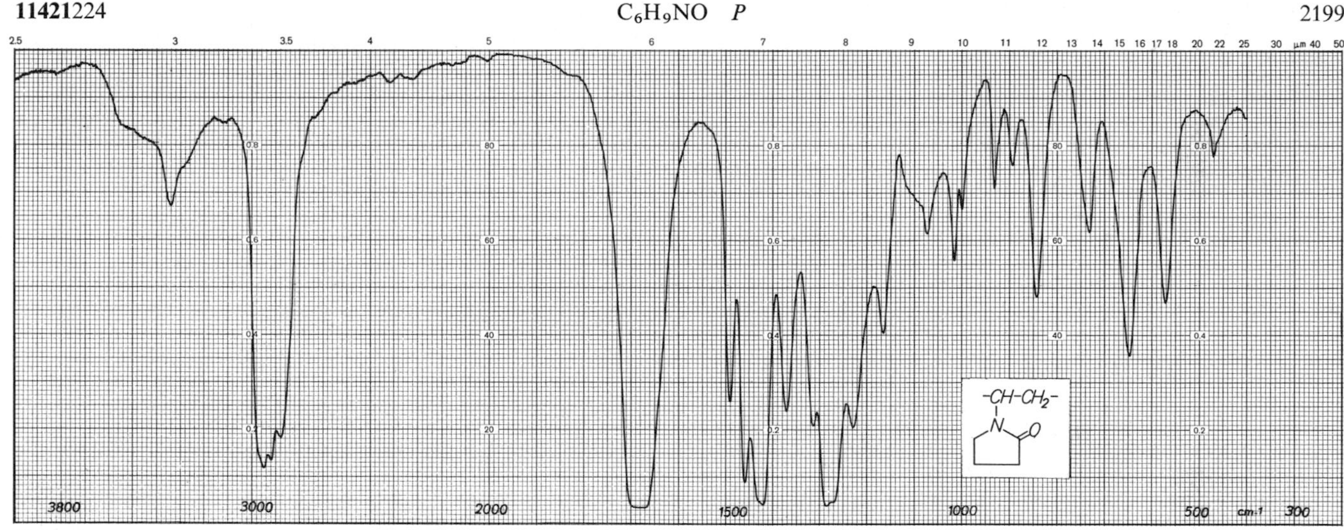

(1) **Plasdone**
(3) Poly(vinylpyrrolidon)
(4) weißes Pulver
(5) Blutplasma-Ersatz
(6) Schicht aus H_2O auf KRS-5
(7) PE 580 B, ABEX 1.67

(2) General Aniline and Film Corp., New York, N.Y.
(3) poly(vinylpyrrolidone)
(4) white powder
(5) blood plasma substitute
(6) film from H_2O on KRS-5
(7) PE 580 B, ABEX 1.67

114213121 2200

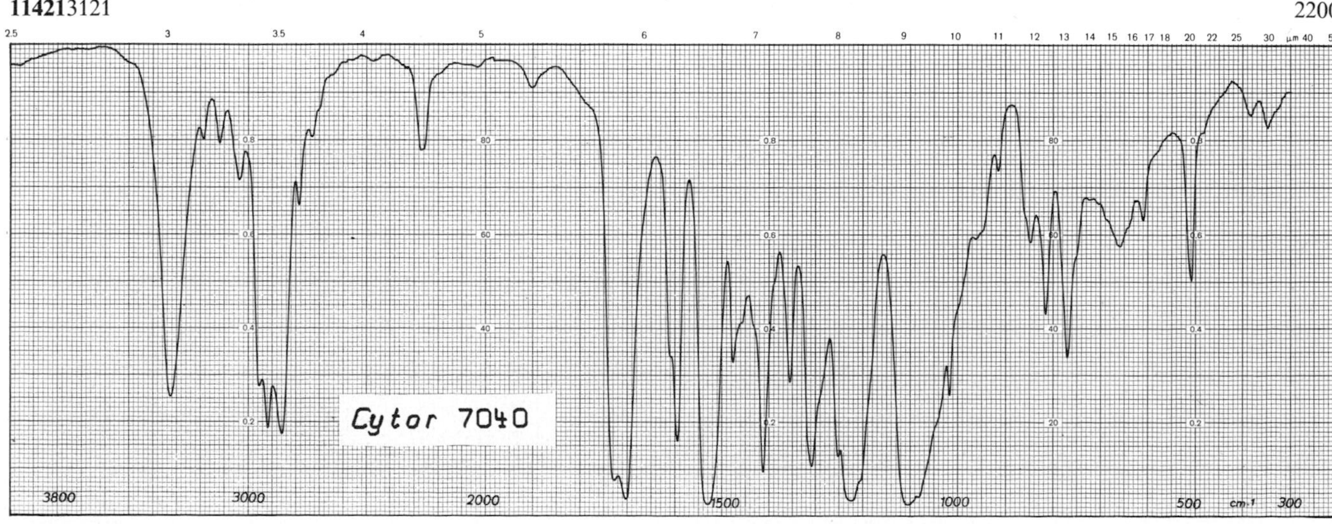

(1) **Cytor 7040**
(3) Poly(etherurethan) auf Basis 4,4′-Diisocyanatodiphenylmethan mit freien NCO-Gruppen
(4) gelbliches, durchsichtiges Granulat
(5) thermoplastisches Elastomer
(6) Schmelzfilm (200 °C)
(7) PE 580 B, ABEX 1

(2) Cyanamid GmbH, Wolfratshausen
(3) poly(ether urethane) based on 4,4′-diisocyanato diphenylmethane with free NCO groups
(4) yellowish, transparent granules
(5) thermoplastic elastomer
(6) film from the melt (200 °C)
(7) PE 580 B, ABEX 1

114213121 2201

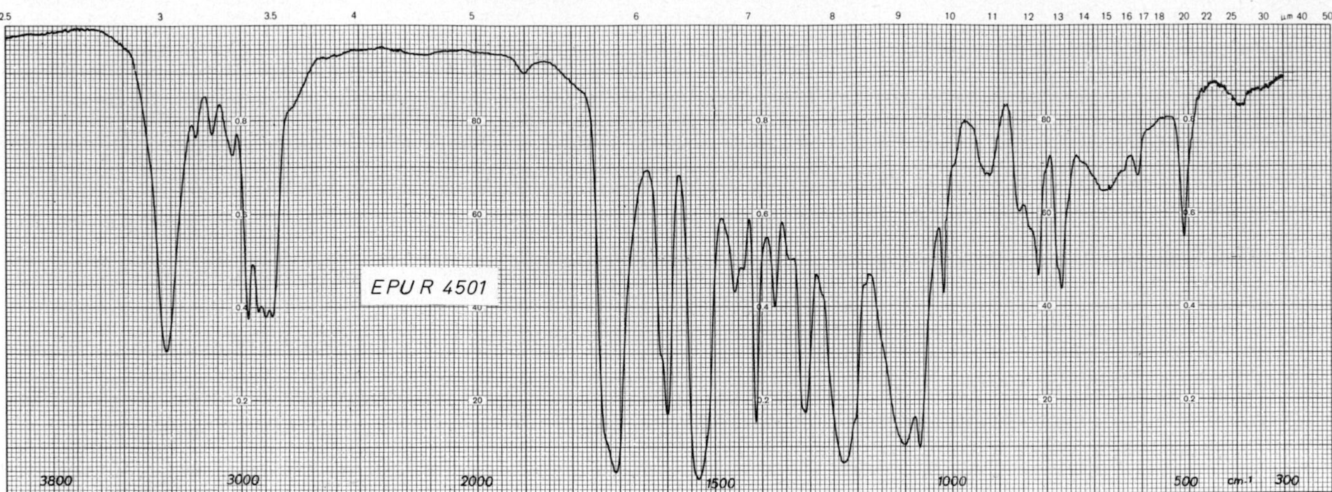

(1) **EPU System R 4501**
(3) Polyetherurethan auf Basis 4,4′-Diisocyanatodiphenylmethan und Polyoxypropylen
(4) anthrazitfarbenes Hartelastomer
(5) thermoplastisches Polyurethan
(6) Schicht aus DMA auf KRS-5, i.V. getrocknet
(7) PE 580 B, ABEX 1.02

(2) Elastogran Polyurethangruppe der BASF, Lemfoerde
(3) poly(ether urethane) based on 4,4′-diisocyanato diphenylmethane and polyoxypropylene
(4) anthracite-colored, hard elastomer
(5) thermoplastic polyurethane
(6) film from DMA on KRS-5, dried in vacuo
(7) PE 580 B, ABEX 1.02

114213121 2202

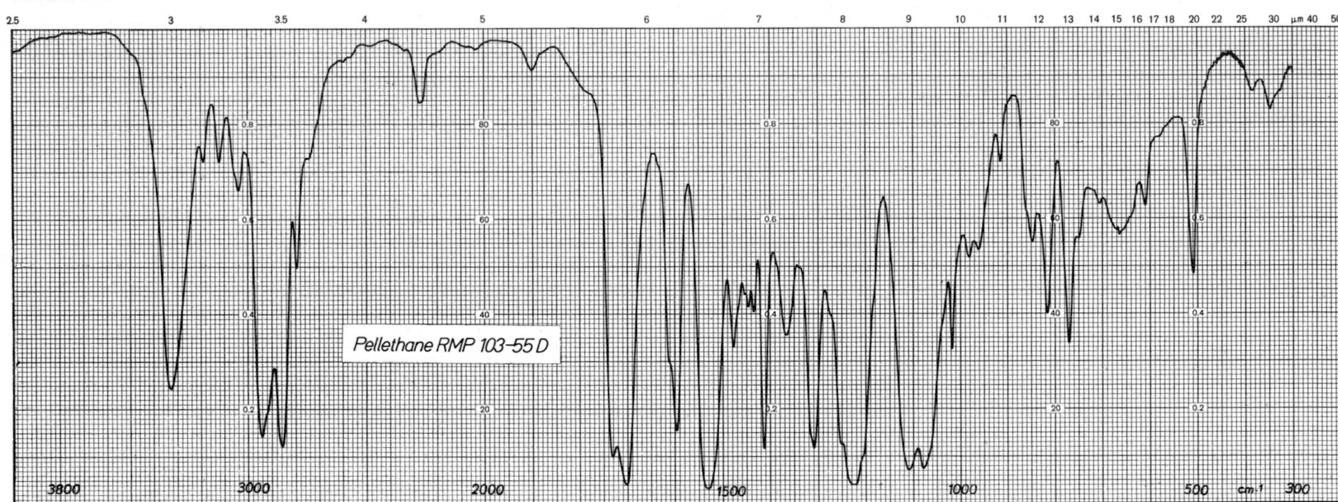

(1) **Pellethane RMP 103-55 D**
(3) Polyetherurethan auf Basis 4,4′-Diisocyanatodiphenylmethan und Poly(oxytetramethylen)
(4) farbloses, transparentes Granulat
(5) thermoplastisches, elastisches Material für Spritzguß
(6) Schmelzfilm (etwa 25 µm)
(7) PE 580 B, ABEX 1.11

(2) Upjohn Polymer (Europa) AG, St. Gallen
(3) poly(ether urethane) based on 4,4′-diisocyanato diphenylmethane and polyoxytetramethylene
(4) colorless, transparent granules
(5) thermoplastic, elastic material for injection moulding
(6) film from the melt (ca. 25 µm)
(7) PE 580 B, ABEX 1.11

114213121 2203

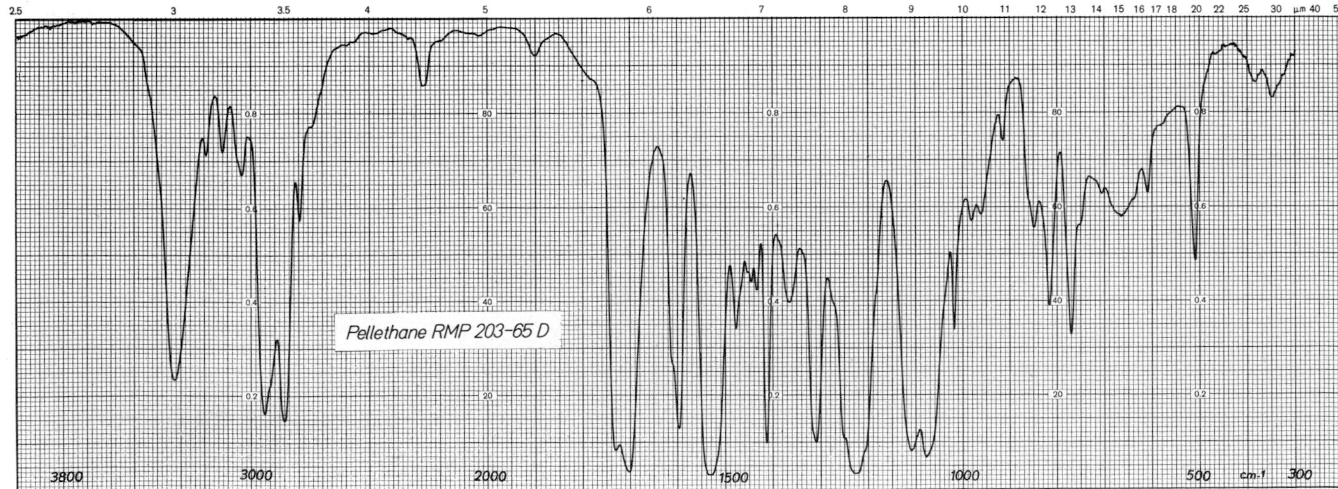

(1) **Pellethane RMP 203-65 D**
(3) Polyetherurethan auf Basis 4,4′-Diisocyanatodiphenylmethan und Poly(oxytetramethylen)
(4) farbloses, transparentes Granulat
(5) thermoplastisches, elastisches Material für Spritzguß
(6) Schmelzfilm
(7) PE 580 B

(2) Upjohn Polymer (Europa) AG, St. Gallen
(3) poly(ether urethane) based on 4,4′-diisocyanato diphenylmethane and polyoxytetramethylene
(4) colorless, transparent granules
(5) thermoplastic, elastic material for injection moulding
(6) film from the melt
(7) PE 580 B

1142133123 2204

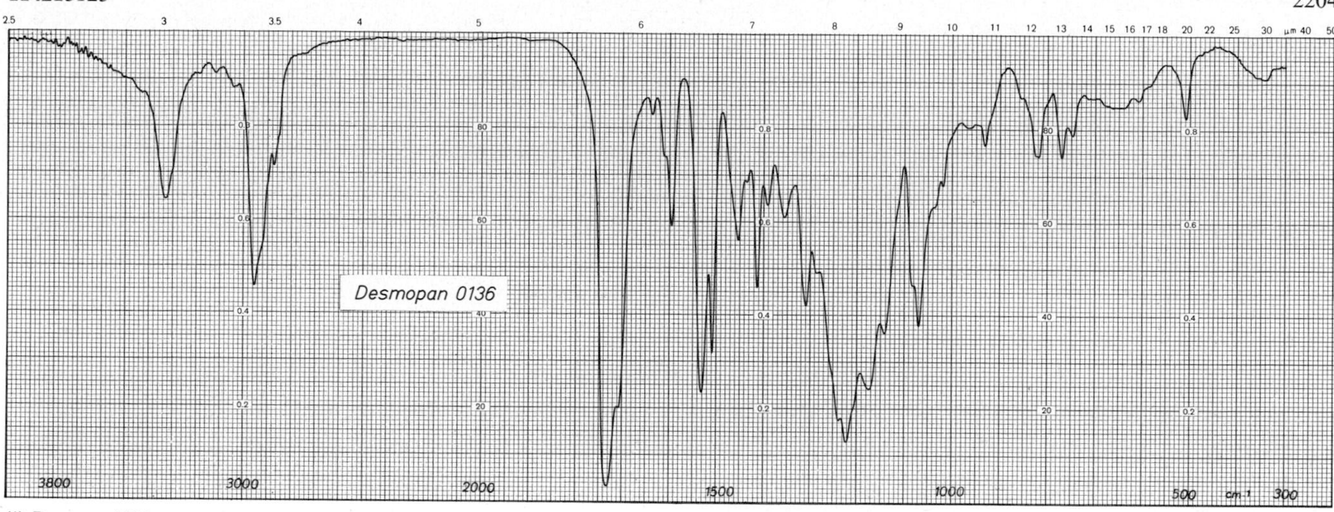

(1) **Desmopan 0136**
(3) Polyesterurethan auf Basis 4,4′-Diisocyanatodiphenylmethan
(4) gelblich-weißes, undurchsichtiges Elastomer
(5) für schlagzähe, elastische Artikel
(6) Schicht aus DMA auf KRS-5, 60 h i.V. bei 50 °C getrocknet
(7) PE 580 B, FLAT, ABEX 1.66

(2) Bayer AG, Leverkusen
(3) poly(ester urethane) based on 4,4′-diisocyanato diphenylmethane
(4) yellowish-white, opaque elastomer
(5) for impact-resistant, elastic articles
(6) film from DMA on KRS-5, dried at 50 °C in vacuo for 60 h
(7) PE 580 B, FLAT, ABEX 1.66

1142133123 2205

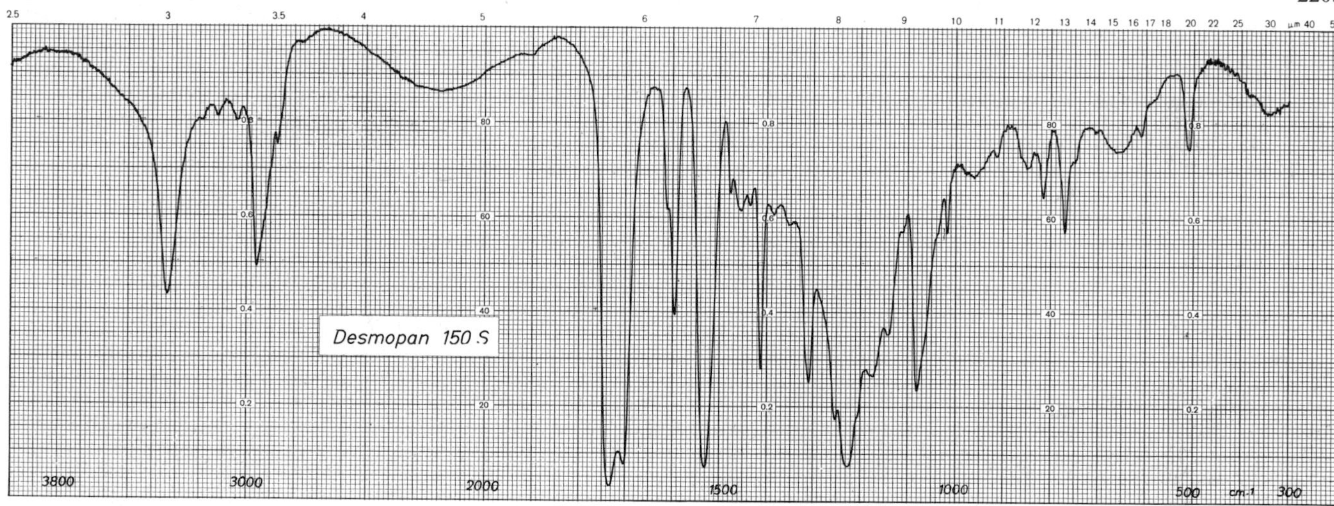

(1) **Desmopan 150 S**
(3) Polyesterurethan auf Basis 4,4′-Diisocyanatodiphenylmethan
(4) klares, fast farbloses, elastisches Material
(5) thermoplastisches Polyurethan
(6) Schicht aus DMA auf KRS-5, 4 h i.V. bei 50 °C getrocknet
(7) PE 580 B, FLAT, ABEX 1.57

(2) Bayer AG, Leverkusen
(3) poly(ester urethane) based on 4,4′-diisocyanato diphenylmethane
(4) clear, almost colorless, elastic material
(5) thermoplastic polyurethane
(6) film from DMA on KRS-5, dried in vacuo at 50 °C for 4 h
(7) PE 580 B, FLAT, ABEX 1.57

1142133123 2206

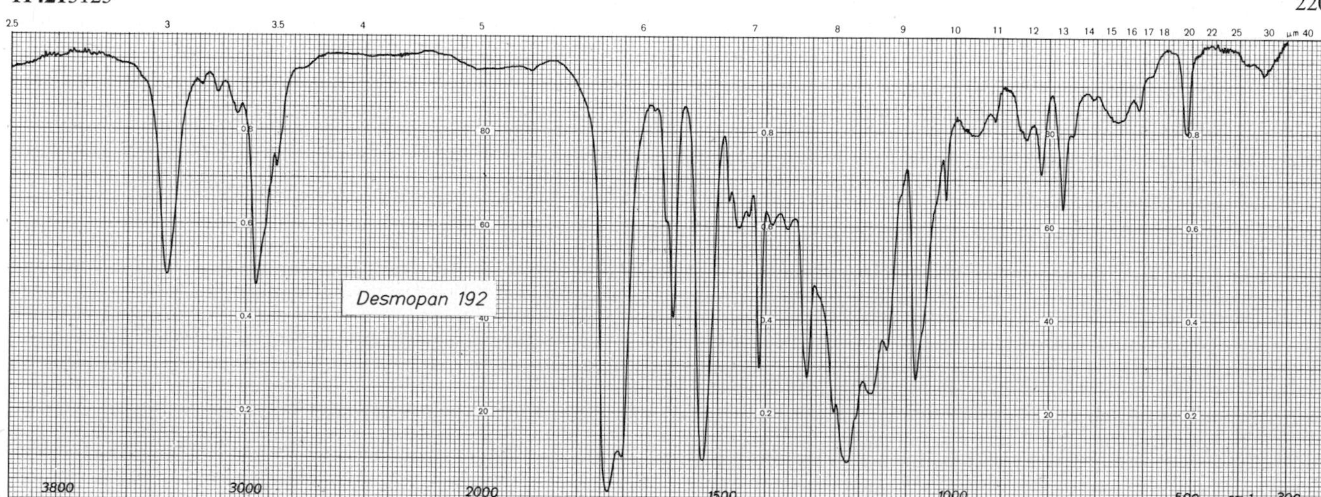

(1) **Desmopan 192**
(3) Polyesterurethan auf Basis 4,4′-Diisocyanatodiphenylmethan
(4) klares, fast farbloses Elastomer
(5) thermoplastischer Polyurethan
(6) Schicht aus DMA auf KRS-5, 4 h i.V. getrocknet
(7) PE 580 B, ABEX 1.06

(2) Bayer AG, Leverkusen
(3) poly(ester urethane) based on 4,4′-diisocyanato diphenylmethane
(4) clear, almost colorless elastomer
(5) thermoplastic polyurethane
(6) film from DNA on KRS-5, dried in vacuo for 4 h
(7) PE 580 B, ABEX 1.06

114213123 2207

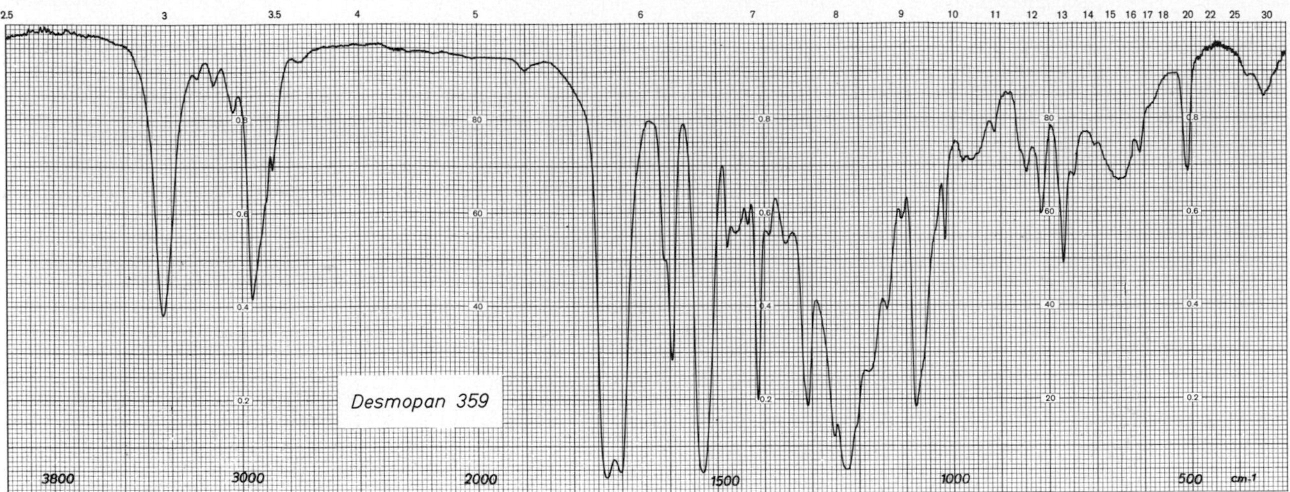

(1) **Desmopan 359**
(3) Polyesterurethan auf Basis 4,4′-Diisocyanatodiphenylmethan
(4) klares, fast farbloses Elastomer
(5) thermoplastischer Polyurethan
(6) Schicht aus DMA auf KRS-5, 4 h i.V. bei 50 °C getrocknet
(7) PE 580 B, ABEX 1.27

(2) Bayer AG, Leverkusen
(3) poly(ester urethane) based on 4,4′-diisocyanato diphenylmethane
(4) clear, almost colorless elastomer
(5) thermoplastic polyurethane
(6) film from DMA on KRS-5, dried in vacuo for 4 h at 50 °C
(7) PE 580 B, ABEX 1.27

114213123 2208

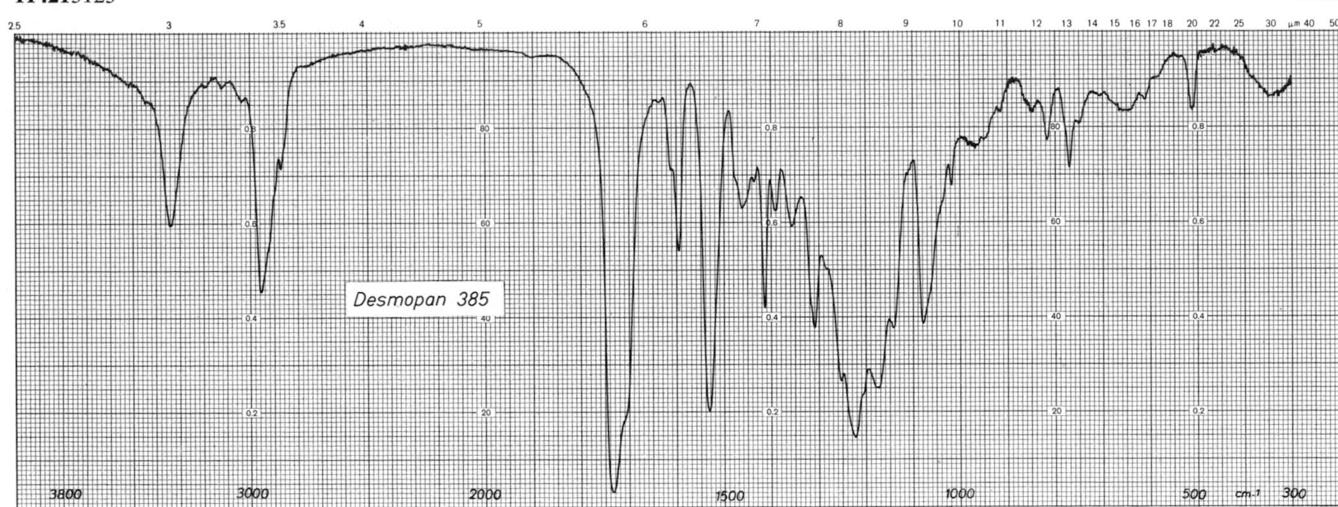

(1) **Desmopan 385**
(3) Polyesterurethan auf Basis 4,4′-Diisocyanatodiphenylmethan
(4) klares, fast farbloses Elastomer
(5) thermoplastisches Polyurethan
(6) Schicht aus DMA auf KRS-5, 60 h i.V. bei 50 °C getrocknet
(7) PE 580 B, FLAT, ABEX 1.60

(2) Bayer AG, Leverkusen
(3) poly(ester urethane) based on 4,4′-diisocyanato diphenylmethane
(4) clear, almost colorless elastomer
(5) thermoplastic polyurethane
(6) film from DMA on KRS-5, dried at 50 °C in vacuo for 60 h
(7) PE 580 B, FLAT, ABEX 1.60

114213123 2209

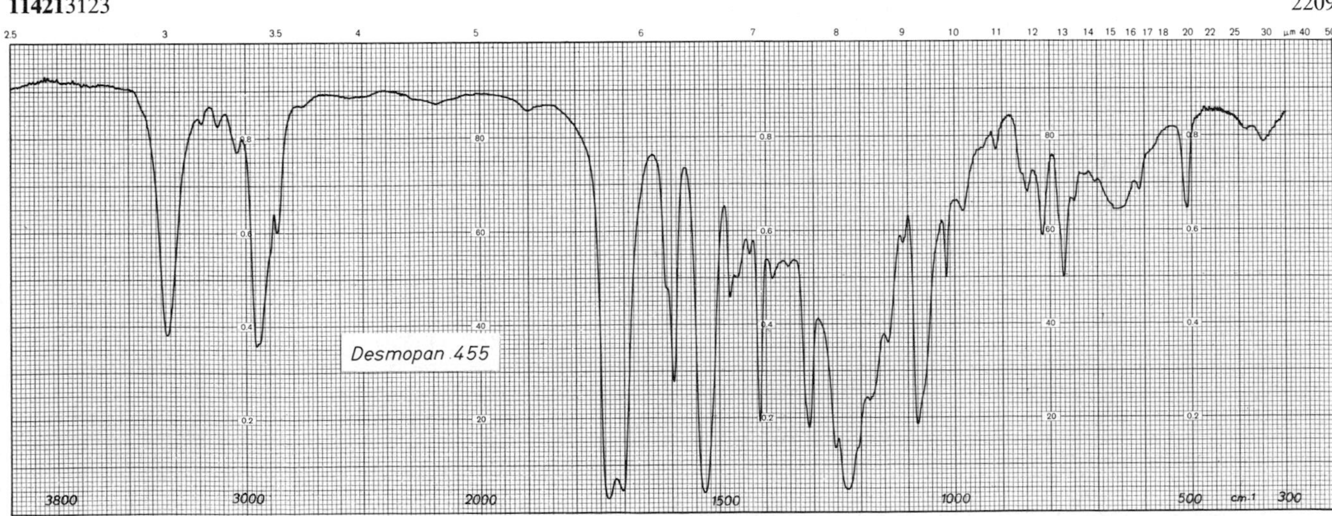

(1) **Desmopan 455**
(3) Polyesterurethan auf Basis 4,4′-Diisocyanatodiphenylmethan
(4) weißes, undurchsichtiges, elastisches Material
(5) thermoplastisches Polurethan
(6) Schicht aus DMA auf KRS-5, 4 h i.V. bei 50 °C getrocknet

(2) Bayer AG, Leverkusen
(3) poly(ester urethane) based on 4,4′-diisocyanato diphenylmethane
(4) white, opaque, elastic material
(5) thermoplastic polyurethane
(6) film from DMA on KRS-5, dried at 50 °C in vacuo for 4 h

114213123 2210

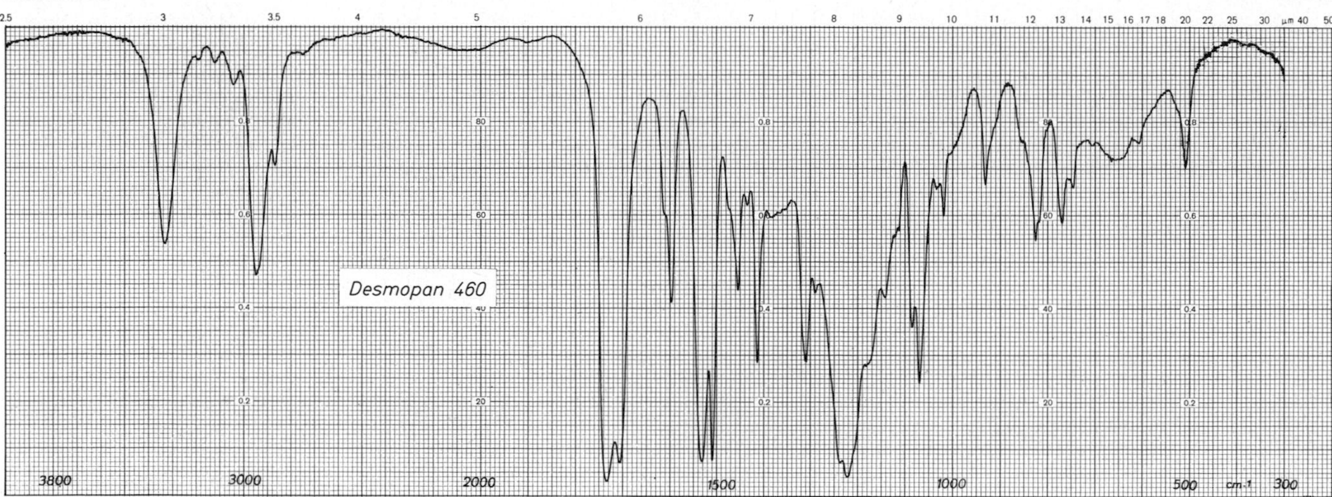

(1) **Desmopan 460**
(3) Polyesterurethan auf Basis 4,4′-Diisocyanatodiphenylmethan
(4) elfenbeinfarbenes, undurchsichtiges, elastisches Material
(5) thermoplastisches Polyurethan
(6) Schicht aus DMA auf KRS-5, 4 h i.V. bei 50 °C getrocknet
(7) PE 580 B, ABEX 1.31

(2) Bayer AG, Leverkusen
(3) poly(ester urethane) based on 4,4′-diisocyanato diphenylmethane
(4) ivory-colored, opaque, elastic material
(5) thermoplastic polyurethane
(6) film from DMA on KRS-5, dried in vacuo at 50 °C for 4 h
(7) PE 580 B, ABEX 1.31

114213123 2211

Desmopan 790

(1) **Desmopan 790**
(3) Polyesterurethan auf Basis 4,4′-Diisocyanatodiphenylmethan
(4) weißes, undurchsichtiges, elastisches Material
(5) thermoplastisches Polyurethan
(6) Schicht aus DMA auf KRS-5, 14 h i.V. getrocknet
(7) PE 580 B, FLAT, ABEX 1.61

(2) Bayer AG, Leverkusen
(3) poly(ester urethane) based on 4,4′-diisocyanato diphenylmethane
(4) white, opaque, elastic material
(5) thermoplastic polyurethane
(6) film from DMA on KRS-5, dried in vacuo for 14 h
(7) PE 580 B, FLAT, ABEX 1.61

114213123 2212

Pellethane 102-80 D

(1) **Pellethane 102-80 D**
(3) Poly(esterurethan) auf Basis 4,4′-Diisocyanatodiphenylmethan
(4) farbloses, transparentes Granulat
(5) thermoplastisches Urethanelastomer, etwas weicher eingestellt, z. B. für Lagerbuchsen, Getriebe, Belastungsplatten
(6) Schmelzfilm (etwa 5 µm)
(7) PE 580 B, ABEX 1.18

(2) Upjohn Polymer (Europa) AG, St. Gallen
(3) poly(ester urethane) based on 4,4′-diisocyanato diphenylmethane
(4) colorless, transparent granules
(5) thermoplastic urethane elastomer, somewhat softened for bearing housings, drives, load-bearing plates
(6) film from the melt (ca. 5 µm)
(7) PE 580 B, ABEX 1.18

1142133123 2213

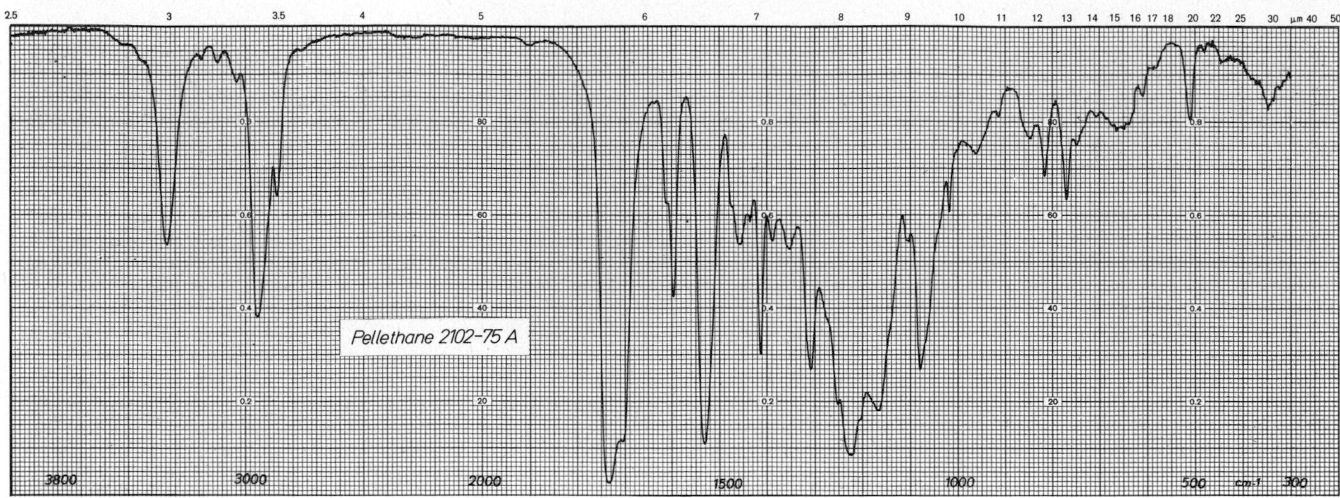

(1) **Pellethane 2102-75 A**
(3) Poly(esterurethan) auf Basis 4,4′-Diisocyanatodiphenylmethan
(4) farbloses, transparentes Granulat
(5) thermoplastisches Urethanelastomer für den Spritzguß
(6) Schmelzfilm (10 µm)
(7) PE 580 B

(2) Upjohn Polymer (Europa) AG, St. Gallen
(3) poly(ester urethane) based on 4,4′-diisocyanato diphenylmethane
(4) colorless, transparent granules
(5) thermoplastic urethane elastomer for injection moulding
(6) film from the melt (10 µm)
(7) PE 580 B

1142133123 2214

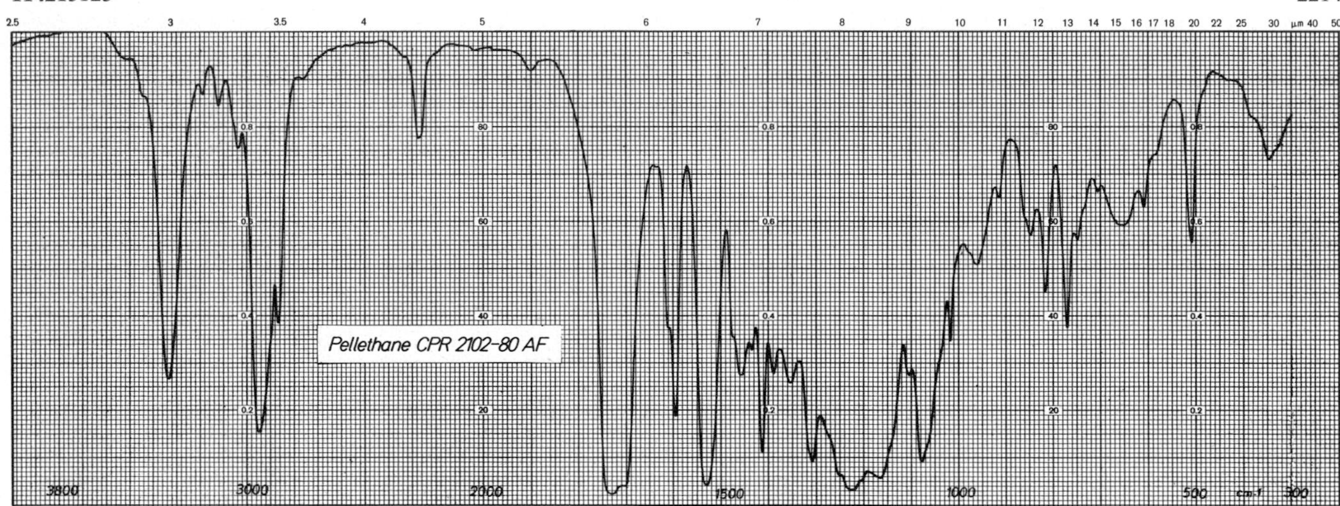

(1) **Pellethane CPR 2102-80 AF**
(3) Poly(esterurethan) auf Basis 4,4′-Diisocyanatodiphenylmethan
(4) farbloses, transparentes Granulat
(5) thermoplastisches Urethanelastomer für die Extrusion; zäh, abriebbeständig, dämpfungsfähig
(6) Schmelzfilm
(7) PE 580 B

(2) Upjohn Polymer (Europa) AG, St. Gallen
(3) poly(ester urethane) based on 4,4′-diisocyanato diphenylmethane
(4) colorless, transparent granules
(5) thermoplastic urethane elastomer for extrusion; tough, abrasion-resistant, with damping properties
(6) film from the melt
(7) PE 580 B

1142133123 2215

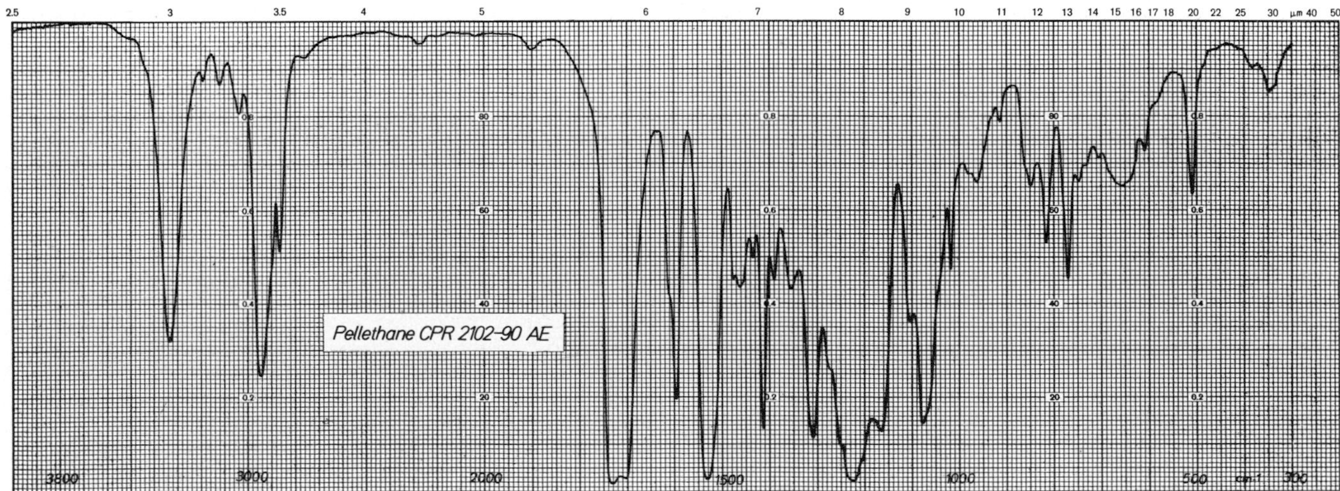

(1) **Pellethane CPR 2102-90 AE**
(3) Poly(esterurethan) auf Basis 4,4′-Diisocyanatodiphenylmethan
(4) farbloses, transparentes Granulat
(5) thermoplastisches Urethanelastomer, zäh, abriebbeständig, dämpfungsfähig
(6) Schmelzfilm (20 µm)
(7) PE 580 B

(2) Upjohn Polymer (Europa) AG, St. Gallen
(3) poly(ester urethane) based on 4,4′-diisocyanato diphenylmethane
(4) colorless, transparent granules
(5) thermoplastic urethane elastomer; tough, abrasion-resistant, with damping properties
(6) film from the melt (20 µm)
(7) PE 580 B

114213123 2216

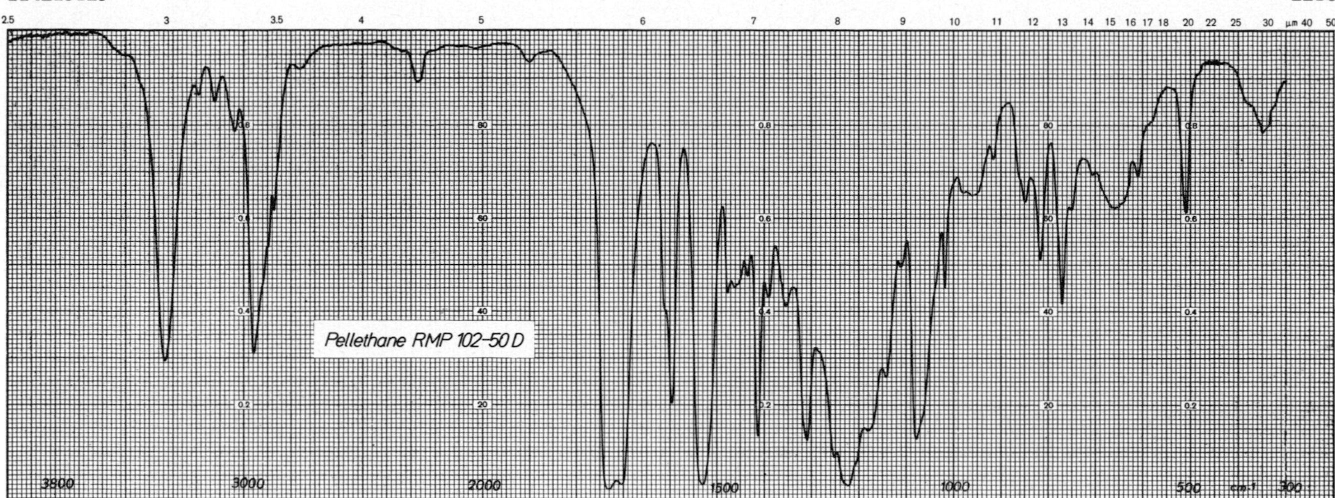

(1) **Pellethane RMP 102-50 D**
(3) Poly(esterurethan) auf Basis 4,4′-Diisocyanatodiphenylmethan
(4) farbloses, transparentes Granulat
(5) thermoplastisches Urethanelastomer für Räder, Lager, Schuhsohlen und Skistiefel
(6) Schmelzfilm (35 μm)
(7) PE 580 B

(2) Upjohn Polymer (Europa) AG, St. Gallen
(3) poly(ester urethane) based on 4,4′-diisocyanato diphenylmethane
(4) colorless, transparent granules
(5) thermoplastic urethane elastomer for wheels, bearings, shoe soles and ski boots
(6) film from the melt (35 μm)
(7) PE 580 B

114213123 2217

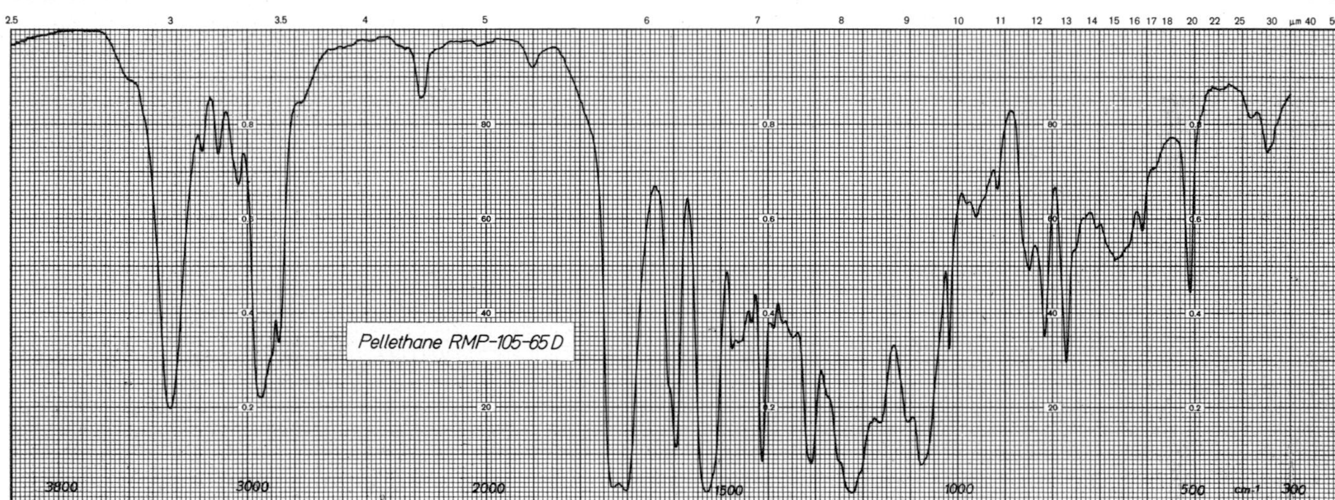

(1) **Pellethane RMP-105-65 D**
(3) Poly(esterurethan) auf Basis 4,4′-Diisocyanatodiphenylmethan
(4) farbloses, transparentes Granulat
(5) thermoplastisches Urethanelastomer für den Spritzguß
(6) Schmelzfilm (20 μm)
(7) PE 580 B

(2) Upjohn Polymer (Europa) AG, St. Gallen
(3) poly(ester urethane) based on 4,4′-diisocyanato diphenylmethane
(4) colorless, transparent granules
(5) thermoplastic urethane elastomer for injection moulding
(6) film from the melt (20 μm)
(7) PE 580 B

114213151 2218

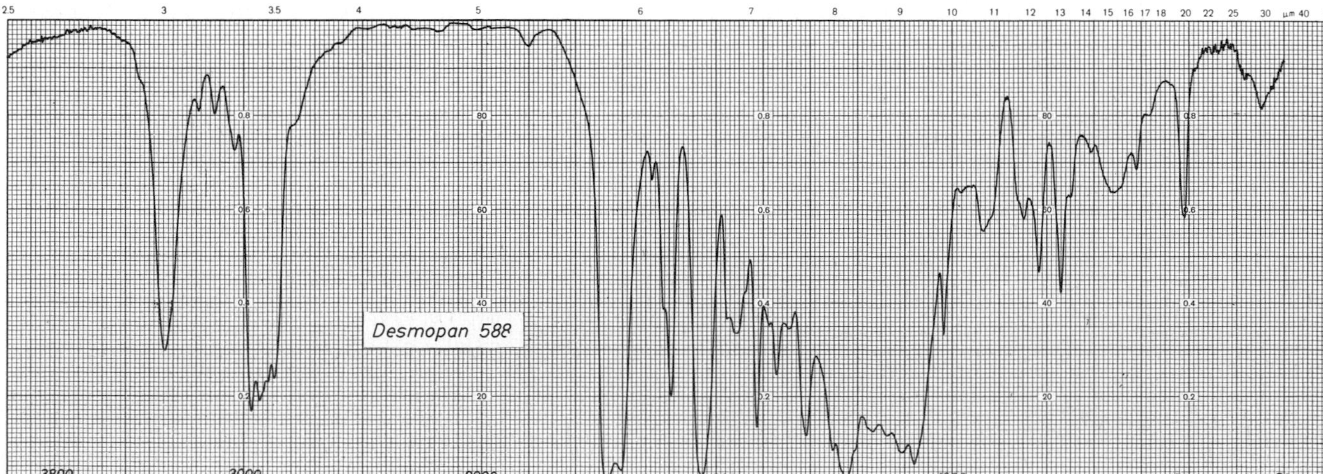

(1) **Desmopan 588**
(3) Poly(etheresterurethan) auf Basis 4,4′-Diisocyanatodiphenylmethan
(4) klares, fast farbloses, elastisches Material
(5) thermoplastisches Polyurethan
(6) Schicht aus DMA auf KRS-5, 4 h i.V. bei 50 °C getrocknet

(2) Bayer AG, Leverkusen
(3) poly(ether-ester urethane) based on 4,4′-diisocyanato diphenylmethane
(4) clear, almost colorless, elastic material
(5) thermoplastic polyurethane
(6) film from DMA on KRS-5, dried at 50 °C in vacuo for 4 h

114213151 2219

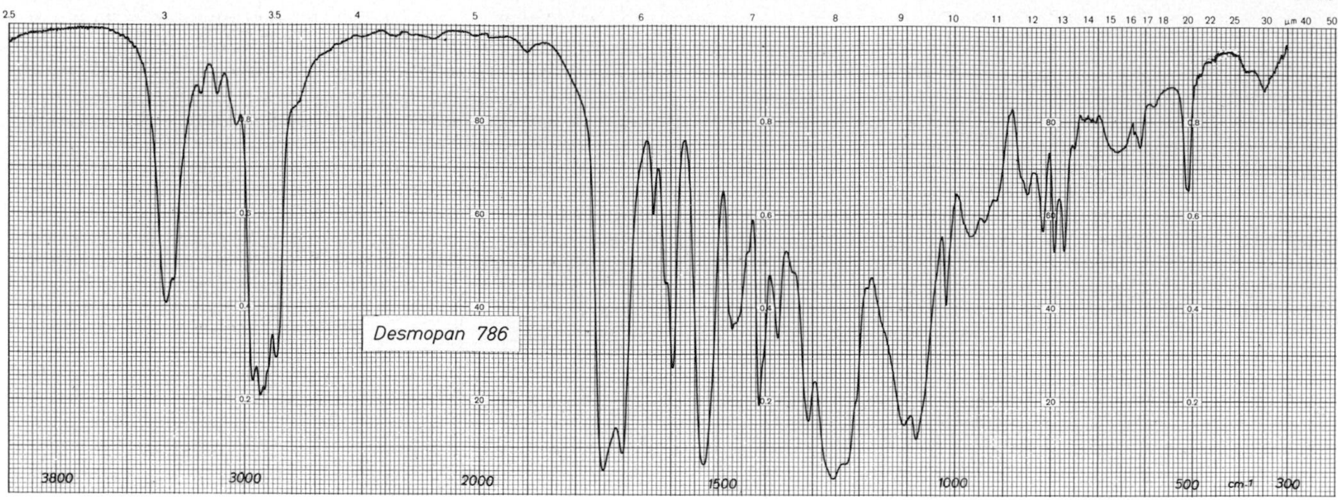

(1) **Desmopan 786**
(3) Poly(etheresterurethan) auf Basis 4,4′-Diisocyanatodiphenylmethan
(4) klares, fast farbloses Elastomer
(5) thermoplastisches Polyurethan für hochelastische Artikel
(6) Schicht aus DMA auf KRS-5, 60 h i.V. bei 50 °C getrocknet
(7) PE 580 B, ABEX 1.19

(2) Bayer AG, Leverkusen
(3) poly(ether-ester urethane) based on 4,4′-diisocyanato diphenylmethane
(4) clear, almost colorless elastomer
(5) thermoplastic polyurethane for highly elastic products
(6) film from DMA on KRS-5, dried at 50 °C in vacuo for 60 h
(7) PE 580 B, ABEX 1.19

114213151 2220

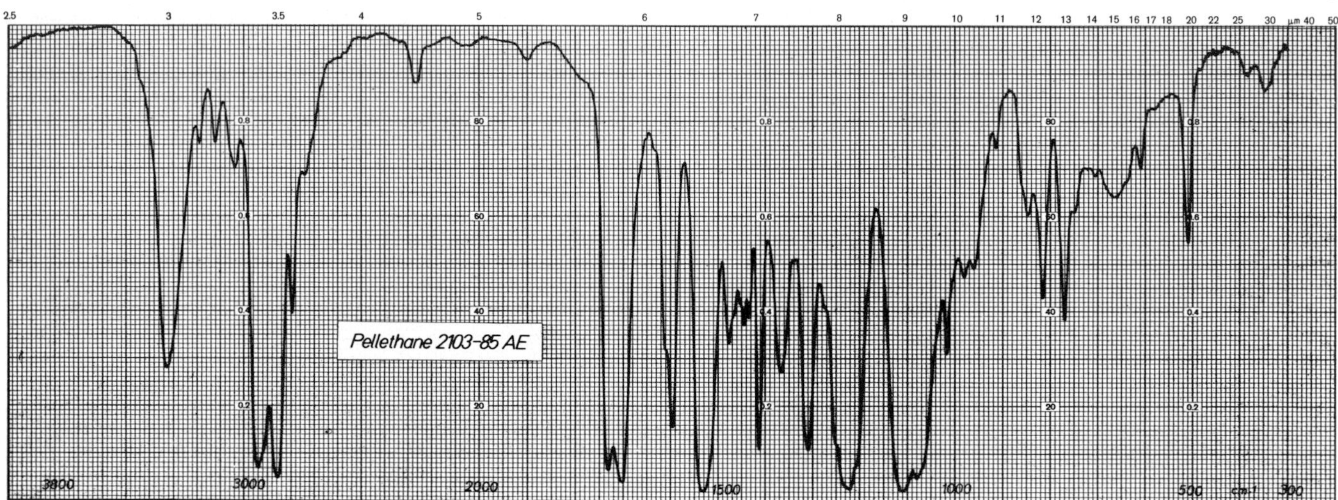

(1) **Pellethane 2103-85 AE**
(3) Poly(etheresterurethan) auf Basis 4,4′-Diisocyanatodiphenylmethan, Polyester und Polyoxytetramethylen
(4) farbloses, transparentes Granulat
(5) thermoplastisch-elastischer Kunststoff für die Extrusion, für Draht- und Kabelüberzüge, Röhren und Feuerschläuche
(6) Schmelzfilm (30 μm)
(7) PE 580 B, FLAT

(2) Upjohn Polymer (Europa) AG, St. Gallen
(3) poly(ether-ester urethane) based on 4,4′-diisocyanato diphenylmethane, polyester and polyoxytetramethylene
(4) colorless, transparent granules
(5) thermoplastic, elastic resin for extrusion of wire and cable coverings, tubing and fire hoses
(6) film from the melt (30 μm)
(7) PE 580 B, FLAT

114213151 2221

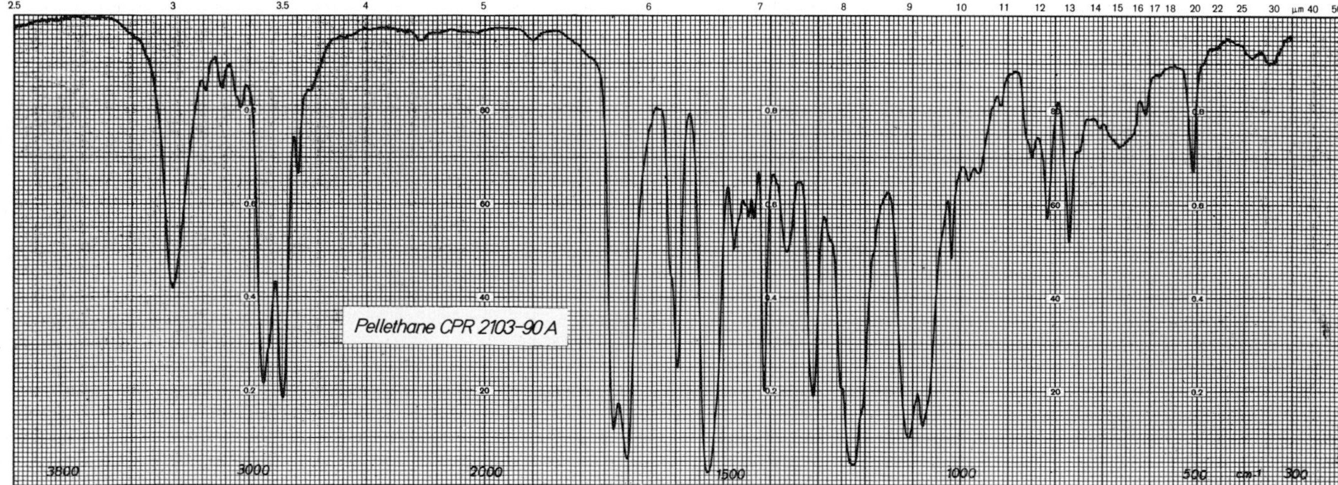

(1) **Pellethane CPR 2103-90 A**
(3) Poly(esteretherurethan) auf Basis 4,4′-Diisocyanatodiphenylmethan
(4) gelbe, transparente, biegsame Platte
(5) thermoplastisches Urethanelastomer für Spritzguß- und Extrusion, speziell für Draht- und Kabelisolierungen und andere elektrische Anwendungen
(6) Schmelzfilm (20 μm)
(7) PE 580 B

(2) Upjohn Polymer (Europa) AG, St. Gallen
(3) poly(ester-ether urethane) based on 4,4′-diisocyanato diphenylmethane
(4) yellow, transparent, flexible plates
(5) thermoplastic urethane elastomer for injection moulding and extrusion, particularly for cable and wire insulation and other electrical applications
(6) film from the melt (20 μm)
(7) PE 580 B

114213151 2222

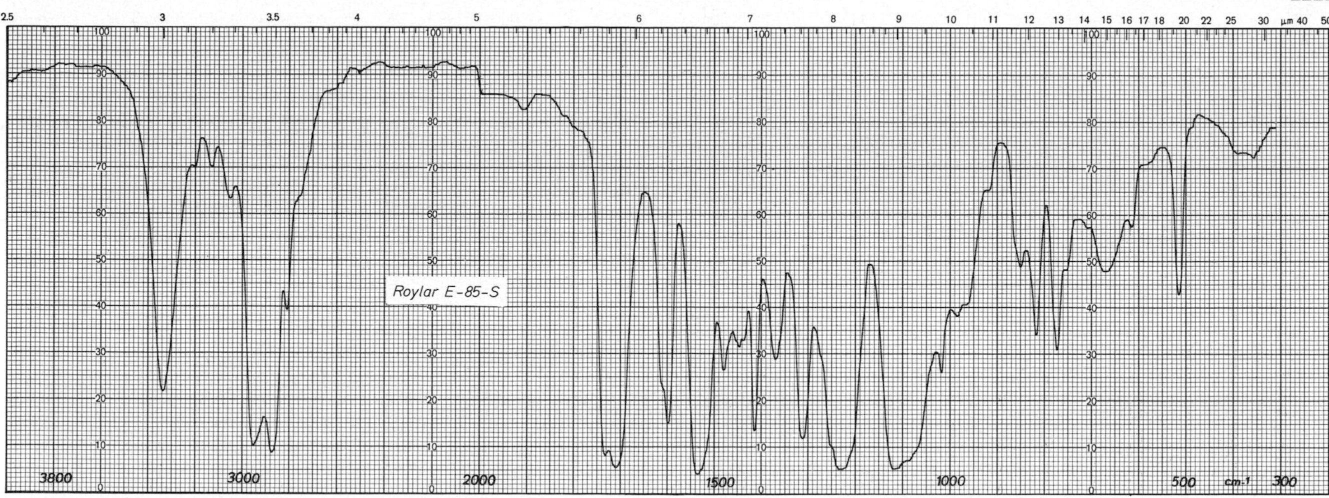

(1) **Roylar E-85-S**
(3) Poly(etheresterurethan) auf Basis 4,4'-Diisocyanatodiphenylmethan, Poly(oxytetramethylen) und einem aliphatischen Ester
(4) fast farbloses Granulat
(5) thermoplastisches Elastomer für Kabelisolierungen, Schläuche, Röhren, Reifen (Spielzeug), Folien
(6) Schmelzfilm zwischen CsI

(2) Uniroyal Chem., Naugatuck, Conn.
(3) poly(ether-ester urethane) based on 4,4'-diisocyanato diphenylmethane
(4) almost colorless granules
(5) thermoplastic elastomer for cable insulation, tubes, pipes, tyres (toy), films
(6) film from the melt between CsI

114213151 2223

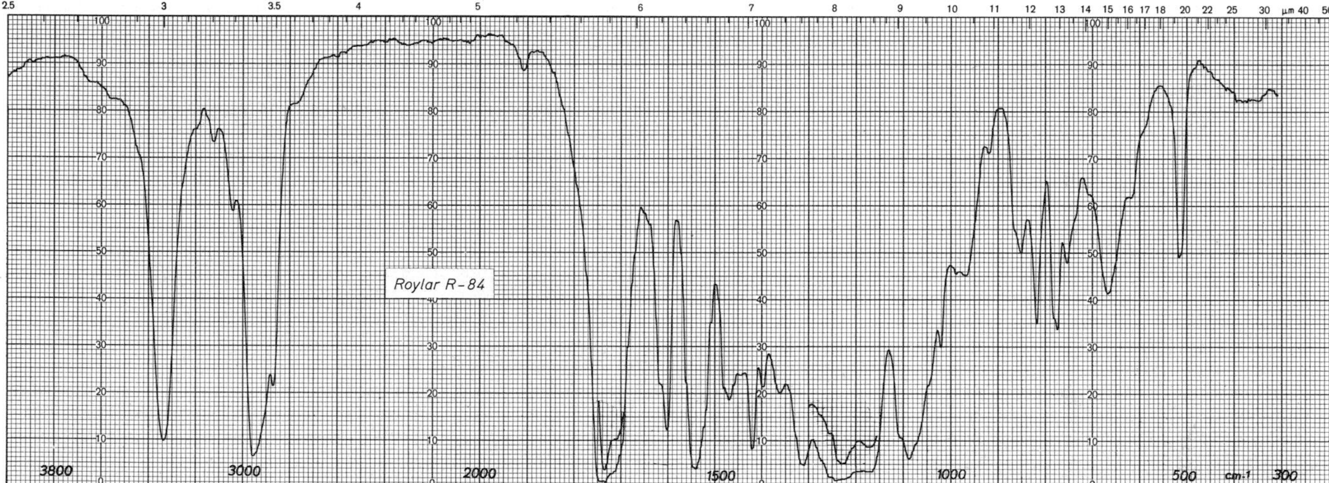

(1) **Roylar R-84**
(3) Poly(esteretherurethan) auf Basis 4,4'-Diisocyanatodiphenylmethan
(4) gelbes Granulat
(5) thermoplastisches Elastomer für Röhren, Schläuche, Kabelisolationen, Wickelcord, Diaphragmen
(6) Schmelzfilm auf CsI

(2) Uniroyal Chem., Naugatuck, Conn.
(3) poly(ester-ether urethane) based on 4,4'-diisocyanato diphenylmethane
(4) yellow granules
(5) thermoplastic elastomer for pipes, tubes, cable insulation, wrapping cord and diaphragms
(6) film on CsI

114213152 2224

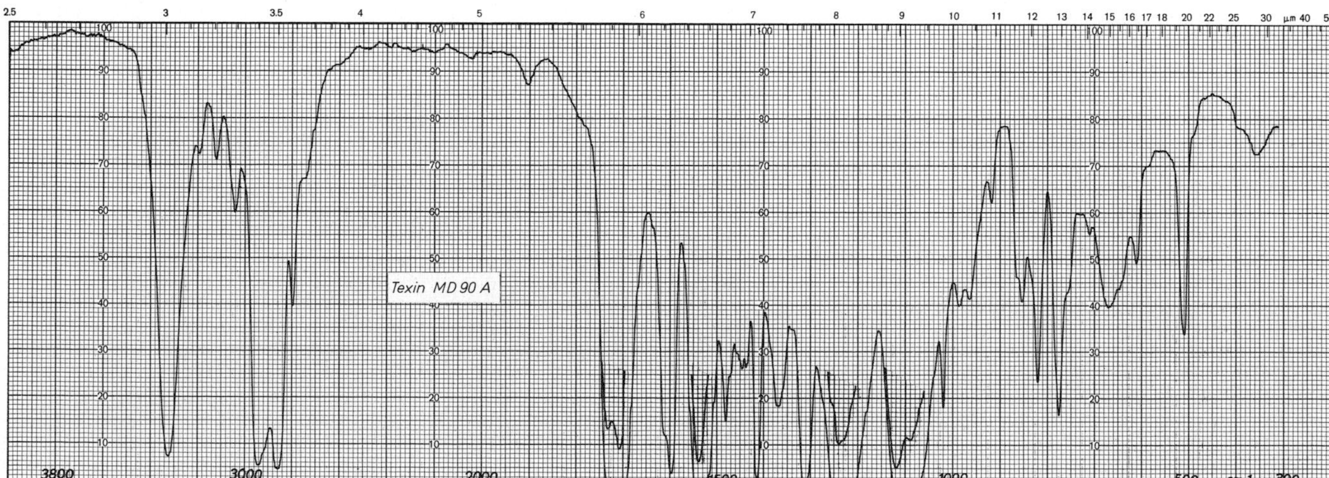

(1) **Texin MD 90 A**
(3) Poly(etherurethanharnstoff) auf Basis Poly(oxytetramethylen), Diphenylmethandiisocyanat und einem Diamin
(4) hellgelbe Pellets
(5) thermoplastisches Elastomer
(6) Schicht aus HCOOH; KBr

(2) Mobay Chemical Corp., Pittsburgh, Pa.
(3) poly(ether urethane urea) based on polyoxytetramethylene, 4,4'-diisocyanato diphenylmethane and a diamine
(4) pale yellow pellets
(5) thermoplastic elastomer
(6) film from HCOOH, KBr

114215321 $C_{22}H_{10}N_2O_5$ *P* 2225

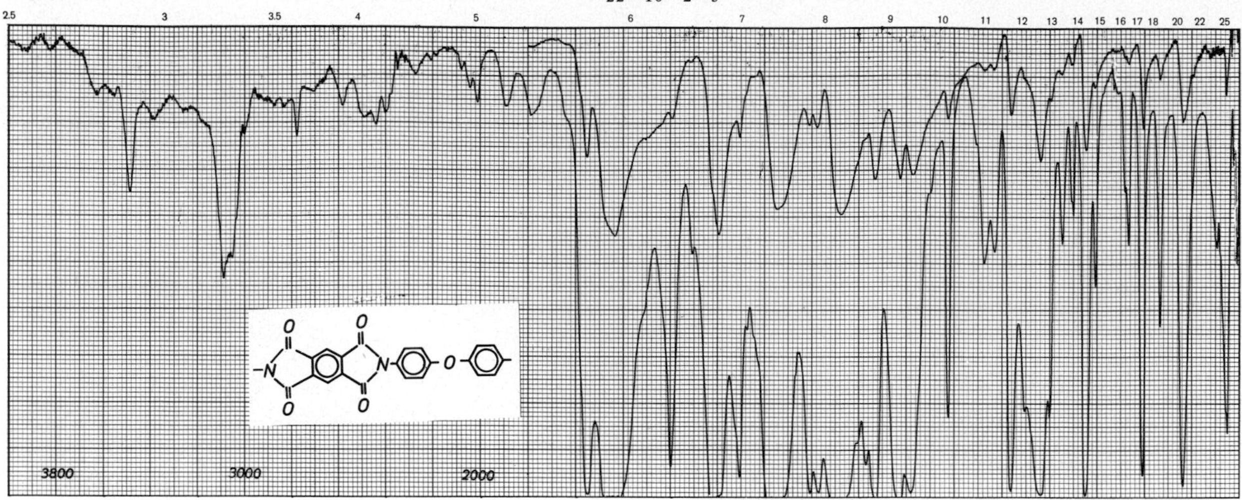

(1) **Kapton-Film**
(3) Polyimid auf Basis Pyromellitsäuredianhydrid und 4,4′-Diaminodiphenylether
(4) goldgelbe Folie
(5) vielseitig anwendbare Folie mit sehr hoher Wärmestandfestigkeit
(6) freitragende, geschabte Folie (24 µm), KBr (0.5/350)
(7) Nicolet FTIR 7199

(2) Du Pont, Wilmington, Dela.
(3) polyimide based on pyromellitic acid dianhydride and 4,4′-diaminodiphenyl ether
(4) golden yellow film
(5) multipurpose film with very high thermal stability
(6) freestanding, scraped film (24 µm), KBr (0.5/350)
(7) Nicolet FTIR 7199

114215421 2226

(1) **Torlon 4301**
(3) Poly(trimellitamidimid)
(4) anthrazitfarbenes Granulat
(5) thermoplastisch verarbeitbarer, hochtemperaturbeständiger (bis 260 °C) Kunststoff für Präzisionswerkstücke mit PTFE oder Graphit für geschmierte oder schmierungsfreie Lager
(6) gefeiltes Pulver in KBr gepreßt
(7) PE 580 B, SMOOTH 5, FLAT, ABEX 3.38

(2) Amoco Chem. Corp. Chicago, Ill.
(3) poly(trimellitamide imide)
(4) anthracite-colored granules
(5) thermoplastically processable, high temperature-resistant (up to 260 °C) resin, for precision work pieces with PTFE or graphite for lubricated or nonlubricated bearings
(6) filings pressed in KBr
(7) PE 580 B, SMOOTH 5, FLAT, ABEX 3.38

114215421 2227

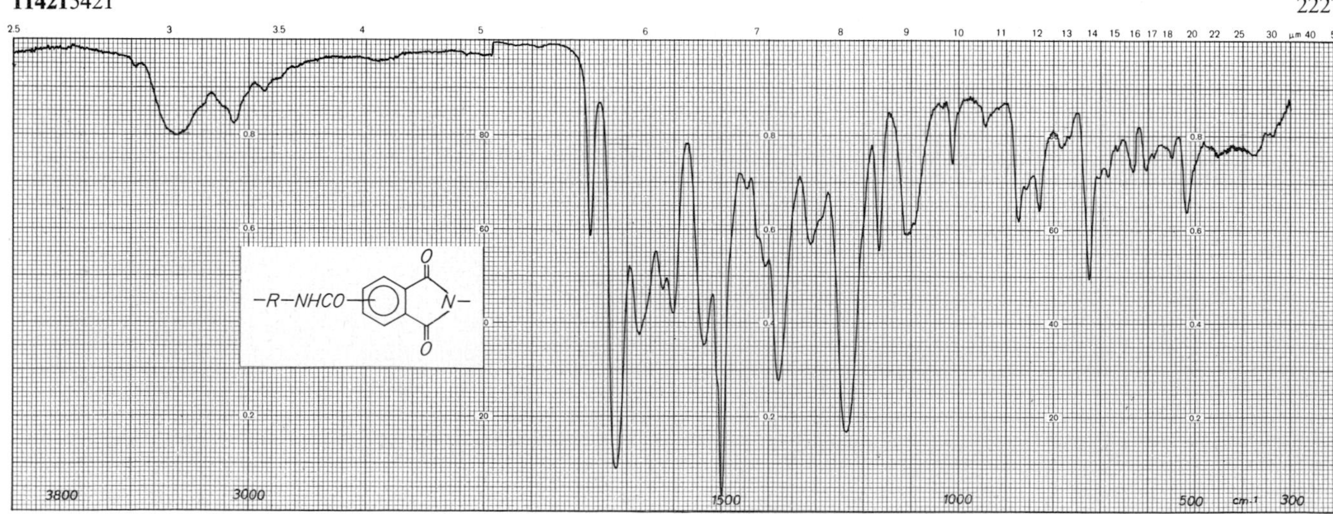

(1) **Torlon 4301**
(3) Poly(trimellitamidimid)
(4) anthrazitfarbenes Granulat
(5) thermoplastisch verarbeitbarer, hochtemperaturbeständiger (bis 260 °C) Kunststoff für Präzisionswerkstücke mit PTFE oder Graphit für geschmierte oder schmierungsfreie Lager
(6) trübe Schicht aus DMA auf CsI, i.V. getrocknet
(7) PE 580 B, ABEX 1.05

(2) Amoco Chem. Corp., Chicago, Ill.
(3) poly(trimellitamide imide)
(4) anthracite-colored granules
(5) thermoplastically processable, high temperature-resistant (up to 260 °C) resin for precision work pieces with PTFE or graphite for lubricated or nonlubricated bearings
(6) cloudy film from DMA on CsI, dried in vacuo
(7) PE 580 B, ABEX 1.05

11421552 $C_{21}H_{12}N_2O_4$ *P* 2228

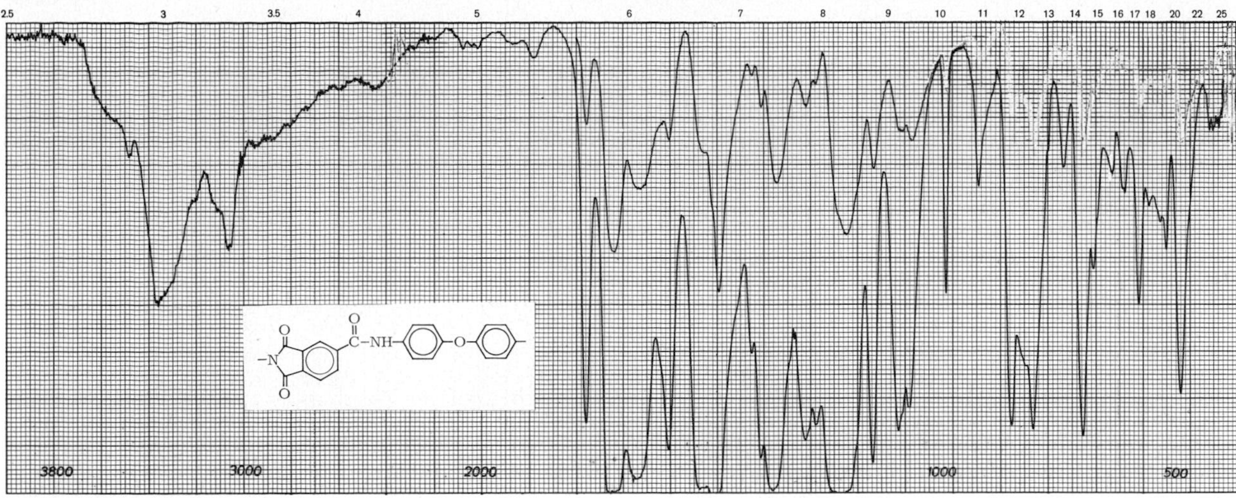

(1) **Film 700**
(3) Polyamidimid auf Basis Trimellitsäure und 4,4′-Diaminodiphenylether
(4) goldgelbe Folie
(5) hochwarmfeste Folie
(6) dünngeschabte, freitragende Folie (16 µm), KBr
(7) Nicolet FTIR 7199

(2) Rhône Poulenc
(3) polyamide imide based on trimellitic acid and 4,4′-diaminodiphenyl ether
(4) golden yellow film
(5) high thermal stability film
(6) thin scraped, freestanding film (16 µm), KBr
(7) Nicolet FTIR 7199

1142157 2229

Isolierfolie GV 229

(1) **Isolierfolie GV 229**
(3) heterocyclisches Derivat der Trimellitsäure
(4) gelbliche Folie
(5) hochwarmfeste Elektroisolierfolie
(6) dünngeschabte Folie, freitragend

(2) BASF AG, Werk Hamburg (Beck)
(3) heterocyclic, trimellitic acid derivative
(4) yellowish film
(5) high thermal stability, electrical insulation film
(6) thin scraped film, freestanding

114216312 $C_{14}H_8N_2O$ *P* 2230

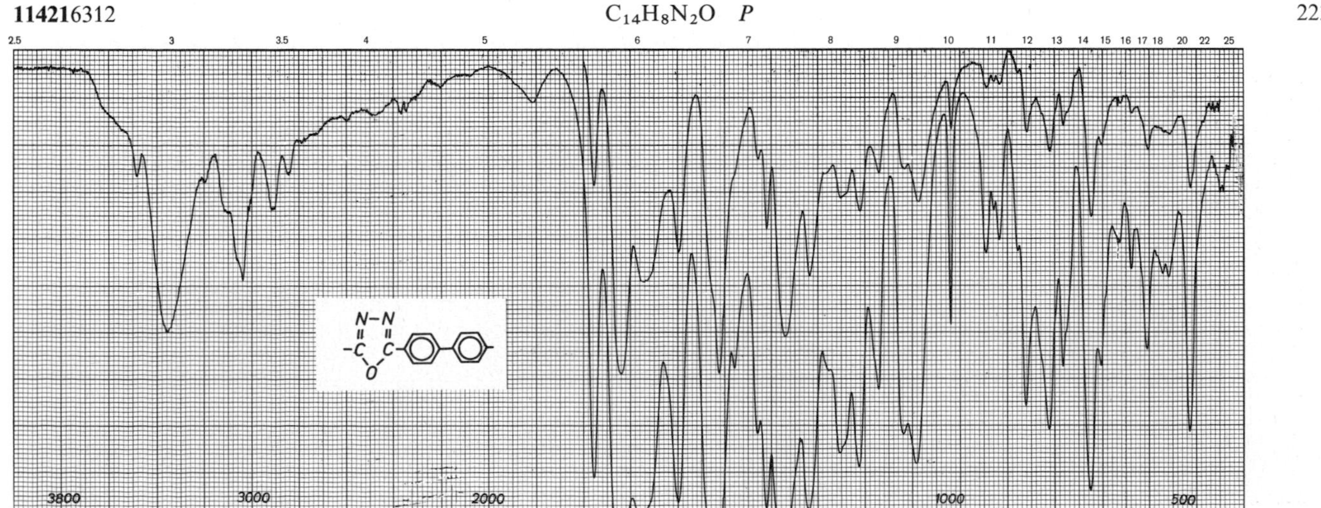

(1) **POD-Folie**
(3) Poly(2,5-diphenyldiyl-1,3,4-oxadiazol-2,5-diyl)
(4) goldgelbe Folie
(5) hochwarmfeste Elektroisolierfolie
(6) geschabte, freitragende Folie (17 µm), KBr
(7) Nicolet FTIR 7199

(2) Furukawa Denko
(3) poly(2,5-diphenyldiyl-1,3,4-oxadiazole-2,5-diyl)
(4) golden yellow film
(5) high thermal stability, electrical insulation film
(6) scraped, freestanding film (17 µm), KBr
(7) Nicolet FTIR 7199

114216513 $C_{17}H_{14}N_2O_3$ *P* 2231

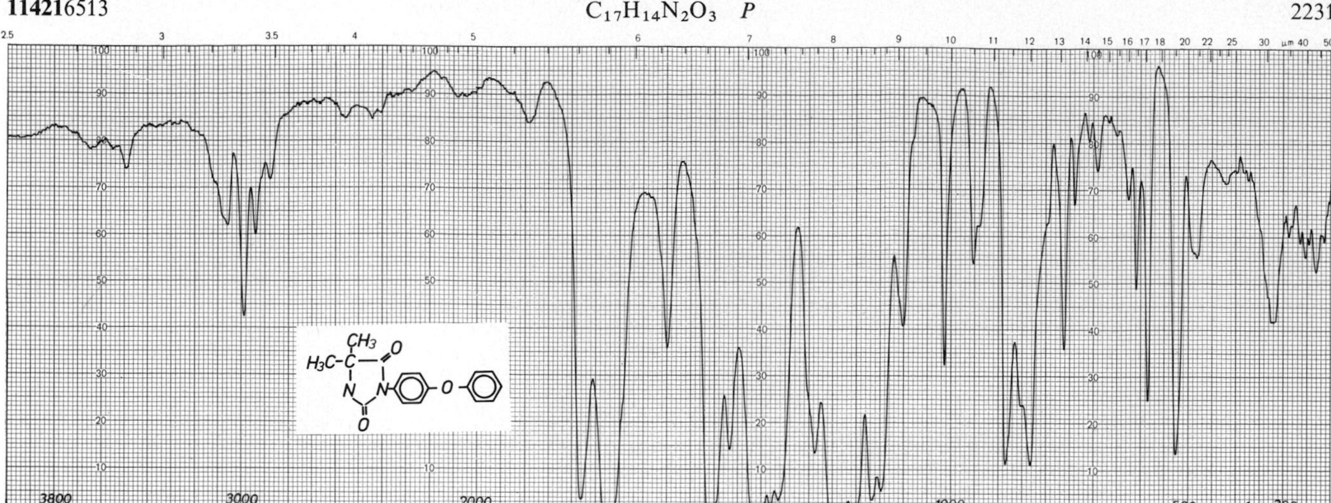

(1) **Resistofol N**
(3) Polyhydantoin
(4) farblose, matte Folie
(5) hochwarmfeste Elektroisolierfolie
(6) freitragende Folie

(2) Bayer AG, Werk Dormagen
(3) polyhydantoin
(4) colorless, matt film
(5) high termal stability, electrical insulation film
(6) freestanding film

114216515 2232

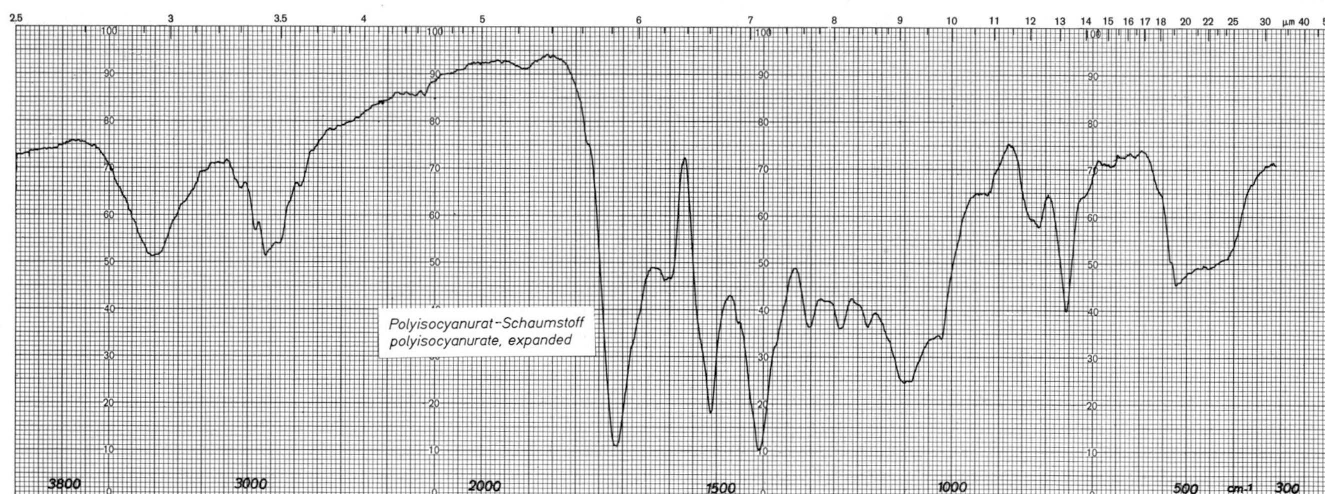

(1) **Polyisocyanurat**
(2) durch H. F. Mark, Polytechnic Institute of New York
(4) gelber, harter Schaumstoff
(6) KBr (2/950)

(1) **polyisocyanurate**
(2) from H. F. Mark, Polytechnic Institute of New York
(4) yellow, rigid foam
(6) KBr (2/950)

114343 $C_{12}H_8O_3S$ *P* 2233

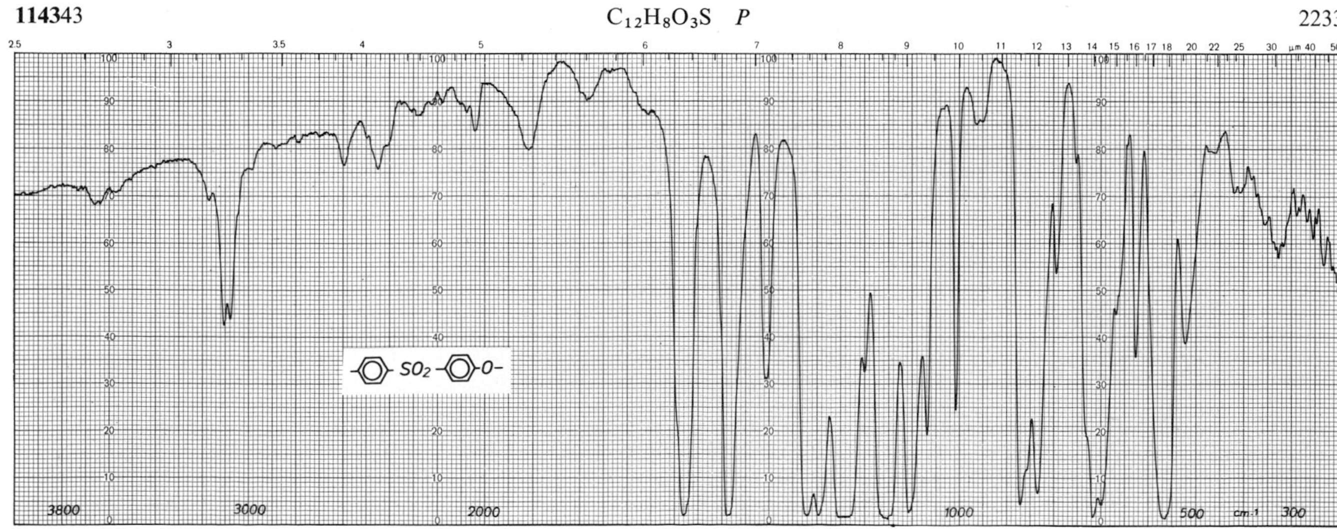

(1) **Folacron-PES**
(3) Polyethersulfon
(4) farbloser Film
(5) hochwarmfestes Material

(2) Celfa AG
(3) poly(ether sulfone)
(4) colorless film
(5) high termal stability film

114343 $C_{12}H_8O_2S-C_{12}H_8O_3S$ *P* 2234

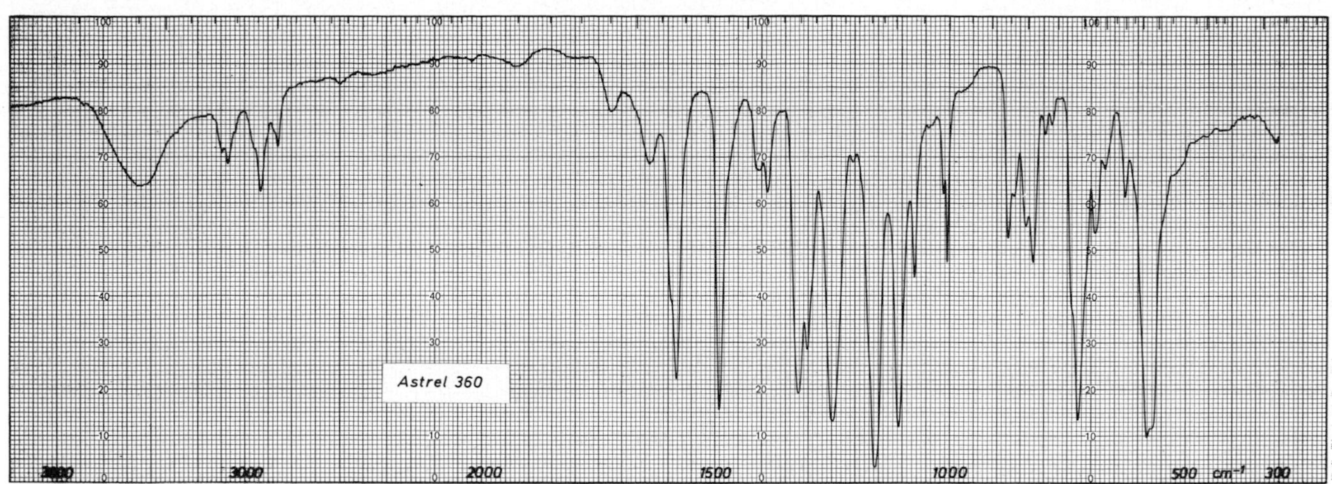

(1) **Astrel 360**
(2) Chemical Division, 3M Comp., St. Paul, Minn. (durch R. P. Bringer)
(3) aromatischer Polysulfonether: $-SO_2-C_6H_4-O-C_6H_4-<-SO_2-C_6H_4-C_6H_4-$
(4) farbloses (weißes) Pulver
(5) thermoplastischer Kunststoff für weiten Temperaturbereich
(6) mit KBr (1/300) und Dimethylacetamid verrieben, getrocknet und gepreßt
(7) R. P. Bringer, G. A. Morneau, Appl. Polym. Symp. **11** (1969) 189...208: R. K. Walton, private communication

(2) Chemical Division, 3M Comp., St. Paul, Minn. (from R. P. Bringer)
(3) aromatic polysulfone ether $-SO_2-C_6H_4-O-C_6H_4-<-SO_2-C_6H_4-C_6H_4-$
(4) colorless (white) powder
(5) thermoplastic resin for a wide temperature range
(6) triturated with KBr (1/300) and dimethylacetamide, dried and pressed
(7) R. P. Bringer, G. A. Morneau, Appl. Polym. Symp. **11** (1969) 189...208: R. K. Walton, private communication

114343 $C_{27}H_{22}O_4S$ *P* 2235

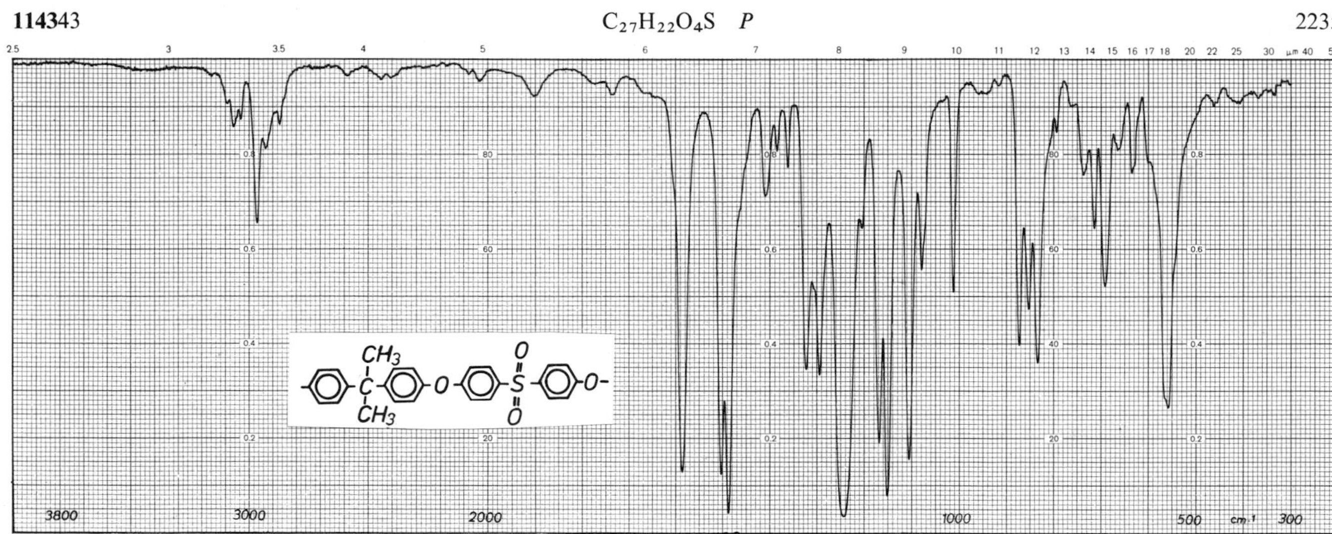

(1) **Udel Polysulfon**
(3) aromatischer Polysulfonether
(4) farbloses Granulat
(5) hochwärmebeständiger, transparenter, thermoplastischer Kunststoff für universelle Anwendung
(6) klarer Film aus MTC auf CsI
(7) PE 580 B, ABEX 2.22

(2) Union Carbide Corp., New York, USA
(3) aromatic polysulfone ether
(4) colorless granules
(5) high thermal stability, transparent, thermoplastic resin of universal application
(6) clear film from MTC on CsI
(7) PE 580 B, ABEX 2.22

11(4343 + 33713) $C_{27}H_{22}O_4S+C_{16}H_{14}O_3$ *P* 2236

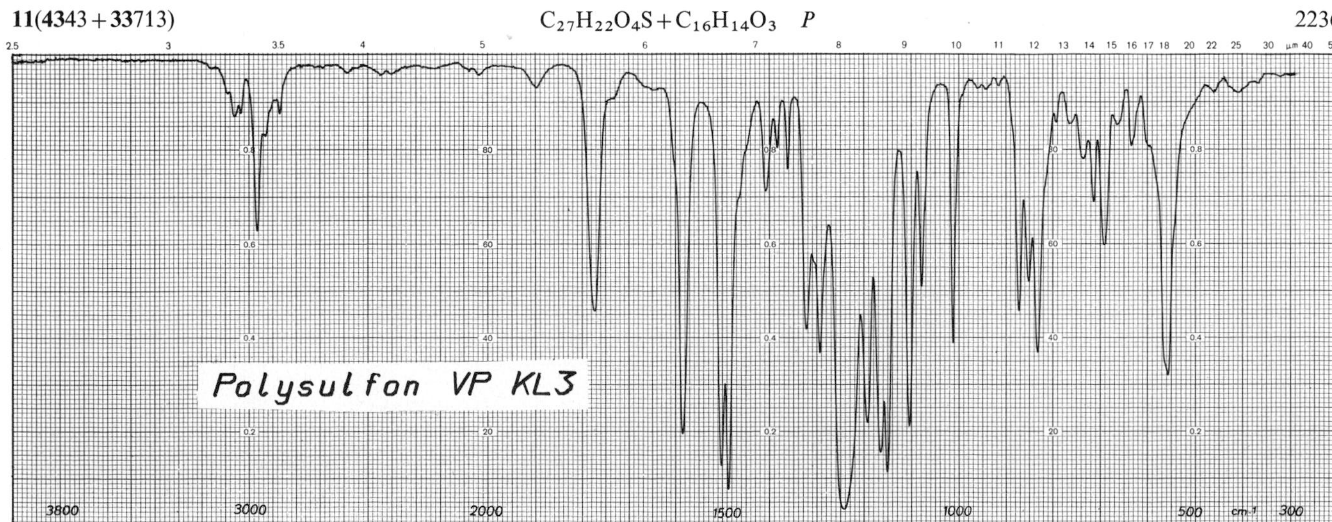

(1) **Polysulfon VP KL 3-1007**
(3) Polymergemisch aus 7 Teilen Udel Polysulfon und 3 Teilen Makrolon Polycarbonat
(4) trübe, farblose Folie
(5) warmfeste Elektroisolierfolie (Kondensatordielektrikum)
(6) Film aus MTC auf CsI
(7) PE 580 B, ABEX 1.70

(2) Bayer AG, Werk Dormagen
(3) polymer mixture of 7 parts Udel polysulfone and 3 parts Makrolon polycarbonate
(4) cloudy, colorless film
(5) thermally stable, electrical insulation film (condenser dielectric)
(6) film from MTC on CsI
(7) PE 580 B, ABEX 1.70

1154 2237

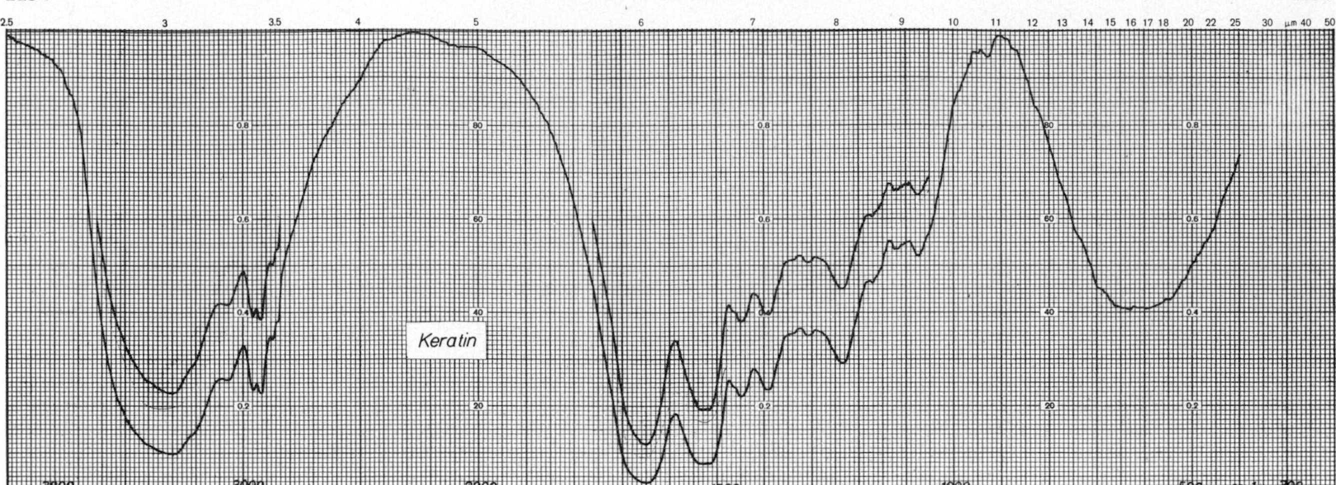

(1) **Keratin vom Fingernagel**
(2) A. Baum, Institut für Physikalische Chemie, Universität Köln
(3) Gerüsteiweiß aus 18 verschiedenen Aminosäuren; Hauptbestandteil: Cystin
(4) naturweißes Pulver
(5) technisches Keratin: Rohstoff zur Herstellung von Tensiden, pharmazeutischen Kapseln, Leim
(6) gereinigter Nagel gefeilt, KBr (2.5/300)
(7) PE 580 B, SMOOTH, FLAT, ABEX

(1) **keratin from finger nails**
(3) structural protein containing 18 different amino acids; major component: cystine
(4) neutral-colored powder
(5) technical keratin, raw material for the manufacture of detergents, pharmaceutical capsules and glue
(6) cleansed nail filed, KBr (2.5/300)
(7) PE 580 B, SMOOTH, FLAT, ABEX

11841 2238

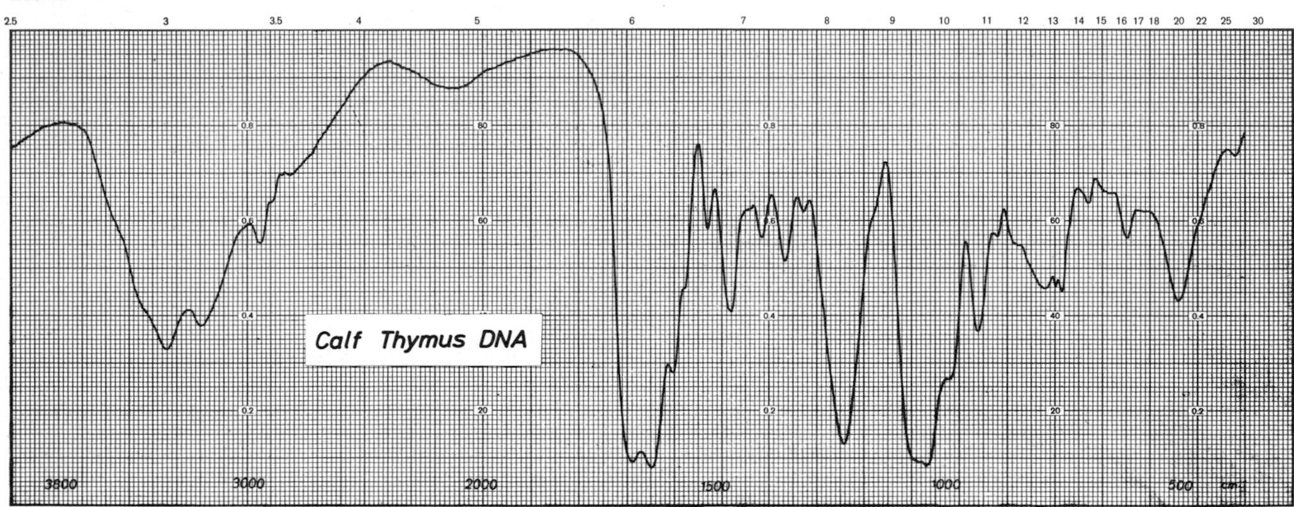

(1) **Desoxyribonucleinsäure, DNA**
(2) aus der Kalbsthymusdrüse (durch W. Schnabel, Hahn-Meitner-Institut für Kernforschung, Berlin)
(3) Desoxyribosepolyphosphat mit Basenbrücken
(4) weiße, faserige Substanz
(6) klare Schicht aus H_2O auf KRS-5
(7) PE 580 B

(1) **deoxyribonucleic acid, DNA**
(2) calf thymus gland (from W. Schnabel, Hahn-Meitner-Institut für Kernforschung, Berlin)
(3) desoxyribose polyphosphate with base bridges
(4) white, fibrous substance
(6) clear film from H_2O on KRS-5
(7) PE 580 B

118425 $PC_4H_4F_6NO_2$ 2239

(1) **Polyphosphazen-Schaum**
(2) durch H. F. Mark, Polytechnic Institute of New York
(3) s. Spektrum, neben anderen Gruppen (partiell hydrolysiert)
(4) beigefarbener Schaumstoff
(5) hitze- und feuerbeständiges Konstruktionsmaterial
(6) in fl.N_2 gekühlt und mit KBr gemahlen und gepreßt (2/350); von 300...1780 cm^{-1} Ordinatendehnung

(1) **polyphosphazene foam**
(2) from H. F. Mark, Polytechnic Institute of New York
(3) see spectrum, other groups also present (partial hydrolyis)
(4) beige-colored foam
(5) temperature and fire-resistant, constructional material
(6) cooled in liquid N_2, ground with KBr and pressed (2/350); ordinate expansion from 300...1780 cm^{-1}

1.2 Natürliche und synthetische Fasern

1.2 Natural and Synthetic Fibers

121 2240

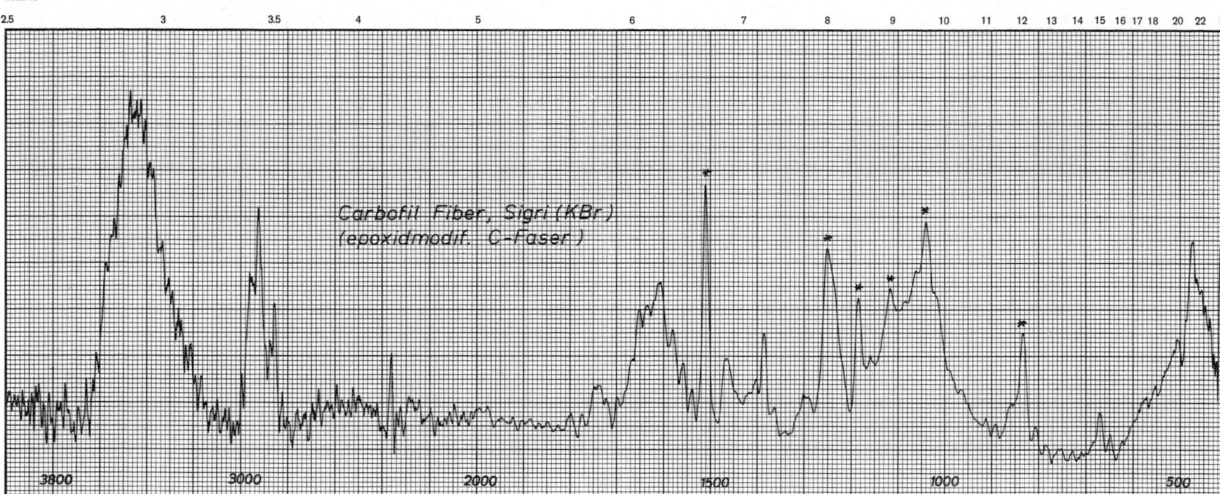

(1) **Carbofil-Faser**
(3) Graphitfaser, mit Epoxidharz oberflächenmodifiziert
(4) schwarze Faser
(5) für C-faserverstärkte Kunststoffe
(6) KBr; basislinienkorrigiert, Ordinate: Extinktion (×40)
(7) PE 580 B; *: Epoxidharz
(8) O. Vohler, P.-L. Reiser, R. Martina, D. Overhoff, Angew. Chem. **82** (1970) 401...12

(2) Sigri-Graphit, Augsburg
(3) graphite fiber, surface modified with epoxide resin
(4) black fibers
(5) for carbon fiber-reinforced plastic
(6) KBr, base line corrected, ordinate: extinction (×40)
(7) PE 580 B; *: epoxide resin
(8) O. Vohler, P.-L. Reiser, R. Martina, D. Overhoff, Angew. Chem. **82** (1970) 401...12

121 2241

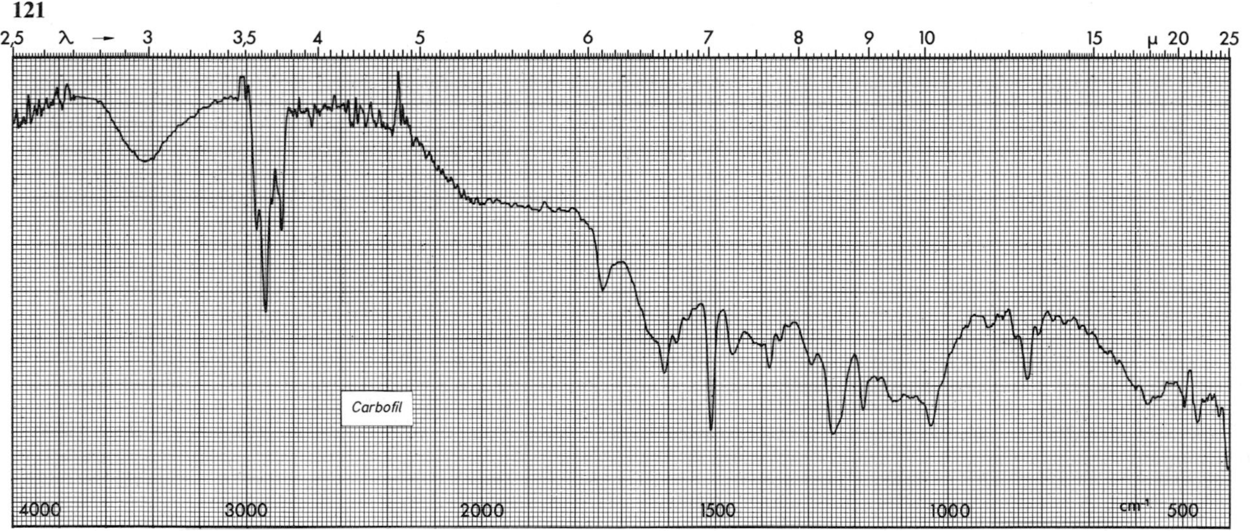

(1) **Carbofil-Faser**
(3) mit Epoxidharz oberflächenmodifizierte Graphitfaser
(4) schwarze Faser
(5) Verstärkungsmaterial für hochtemperaturbeständige Verbundwerkstoffe
(6) KBr; untergrundkorrigiert, gedehnt, H_2O-Absorptionen reduziert
(7) Nicolet FTIR 7199
(8) O. Vohler, P.-L. Reiser, R. Martina, D. Overhoff, Angew. Chem. **82** (1970) 401...12

(2) Sigri-Graphit, Augsburg
(3) graphite fiber, surface modified with epoxide resin
(4) black fibers
(5) reinforcement material for high temperature composites
(6) KBr; background corrected, expanded, H_2O absorptions reduced
(7) Nicolet FTIR 7199
(8) O. Vohler, P.-L. Reiser, R. Martina, D. Overhoff, Angew. Chem. **82** (1970) 401...12

121 2242

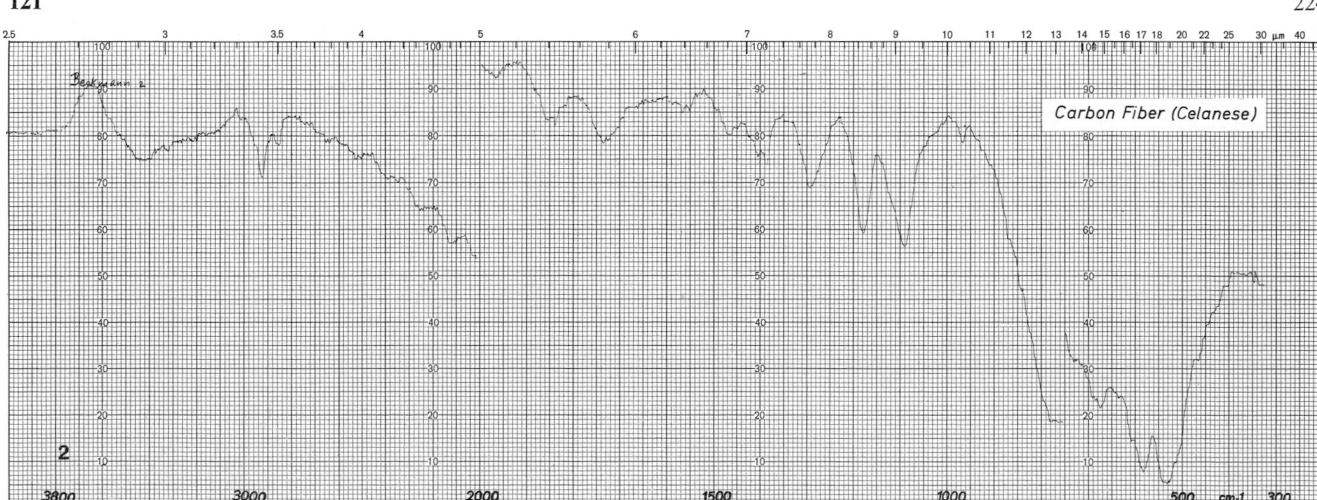

(1) **Carbon fiber, imprägniert**
(3) Graphitfaser
(4) schwarze Faser
(5) für hochtemperaturbeständiges Gewebe als Verstärkung in Verbundwerkstoffen
(6) KBr; Ordinatendehnung 320...750 cm^{-1} 2fach, 750...4000 cm^{-1} 5fach

(2) Celanese Chemical Comp., New York
(3) graphite fiber
(4) black fibers
(5) for high temperature-resistant fabrics and as reinforcement for composites
(6) KBr ordinate expansion 320...750 cm^{-1} 2-fold, 750....4000 cm^{-1} 5-fold

121 2243

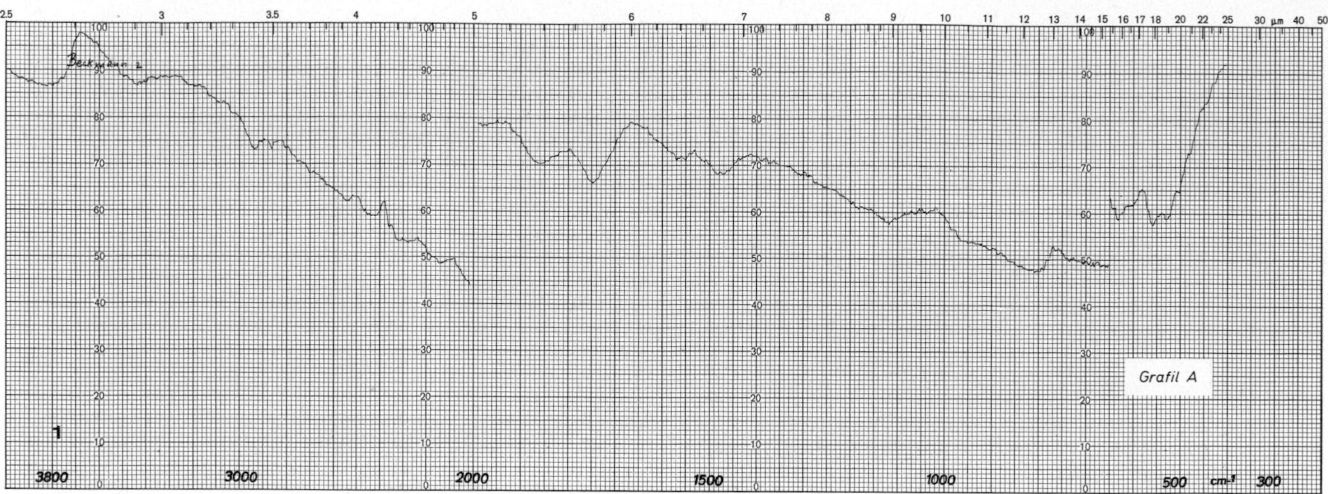

(1) **Grafil A**
(3) Graphitfaser, hergestellt bei 1700 °C
(4) anthrazitfarbene Faser
(5) für hochtemperaturbeständige Gewebe und als Verstärkung in Verbundwerkstoffen
(6) KBr (5/1000), Ordinate 5fach gedehnt

(2) Courtaulds Ltd., London
(3) graphite fiber manufactured at 1700 °C
(4) anthracite-colored fibers
(5) for high temperature-resistant fabrics and as reinforcement for composites
(6) KBr (5/1000), ordinate 5-fold expanded

121 2244

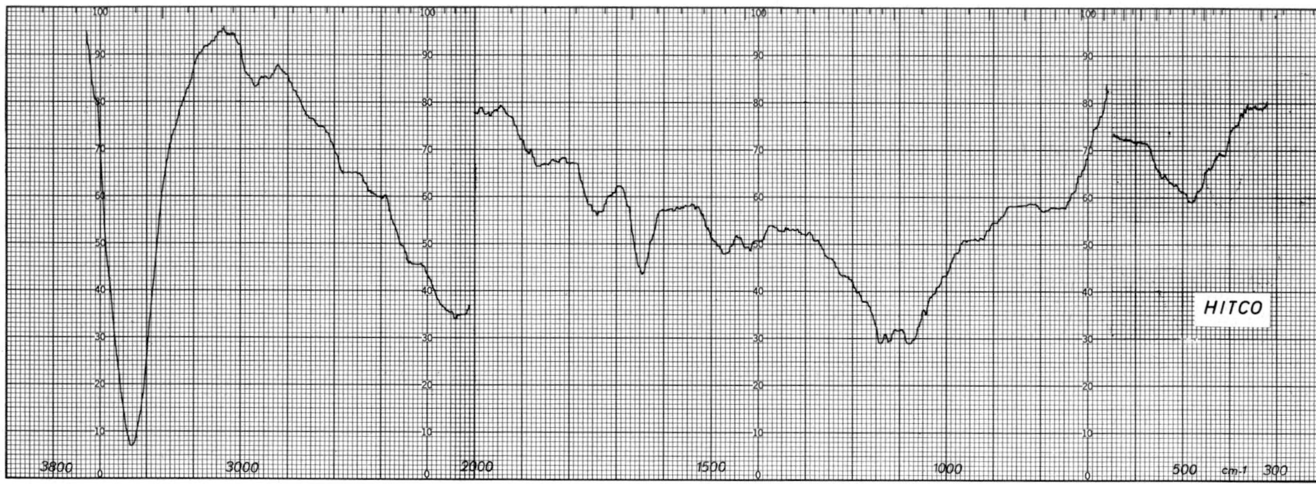

(1) **Hitco carbon fabric**
(3) Graphitfaser
(4) schwarzes, glänzendes Gewebe
(5) hochthermostabiles, zugfestes Material für Verbundwerkstoffe
(6) KBr (6/1000), Ordinate 5fach gedehnt
(7) wahrscheinlich oberflächenbehandelt; 3460 cm^{-1} und 1640 cm^{-1}: H_2O

(2) Hitco, Gardena, Calif.
(3) graphite fiber
(4) black, glistening fabric
(5) high thermal stability, high tensile strength material for composites
(6) KBr (6/1000), ordinate 5-fold expanded
(7) probably surface treated; 3460 cm^{-1} and 1640 cm^{-1}: H_2O

121 2245

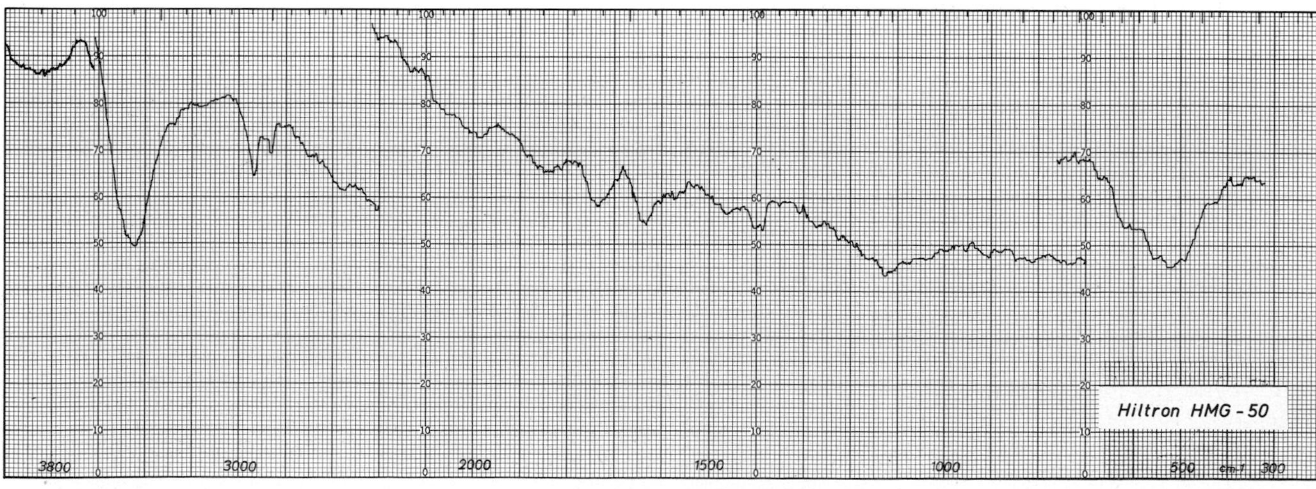

(1) **Hitron HMG-50**
(3) Graphitfaser
(4) schwarze Fasern
(5) hochthermostabiles, zugfestes Material für Verbundwerkstoffe
(6) KBr (4/1000), Ordinate 5fach gedehnt
(7) im Spektrum lies „Hitron“

(2) Hitco, Gardena, Calif.
(3) graphite fiber
(4) black fiber
(5) high thermal stability, high tensile strength material for composites
(6) KBr (4/1000), ordinate 5-fold expanded
(7) in spectrum read „Hitron“

12211211 C_3H_6 *P* 2246

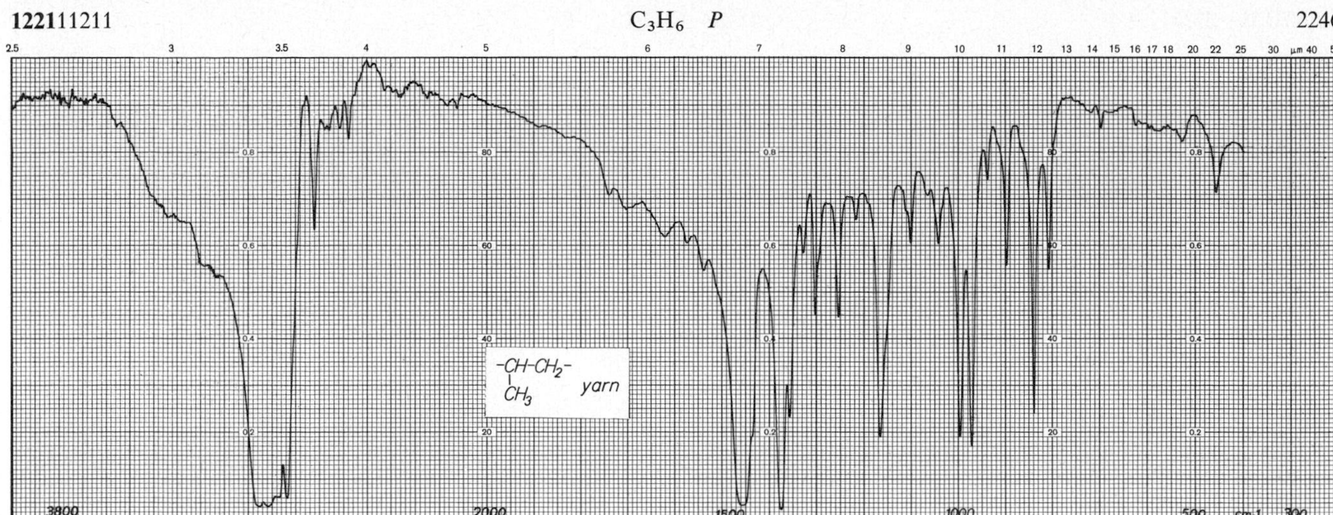

(1) **Moplen-Garn**
(3) Polypropylen, isotaktisch
(4) feine, weiße, glänzende Faser
(5) Textilfaser
(6) KBr (4/350)
(7) PE 580 B, FLAT, ABEX 2.32

(2) Montedison, Milano
(3) polypropylene, isotactic
(4) fine, white, glistening fiber
(5) textile fiber
(6) KBr (4/350)
(7) PE 580 B, FLAT, ABEX 2.32

12221111 C_2F_4 *P* 2247

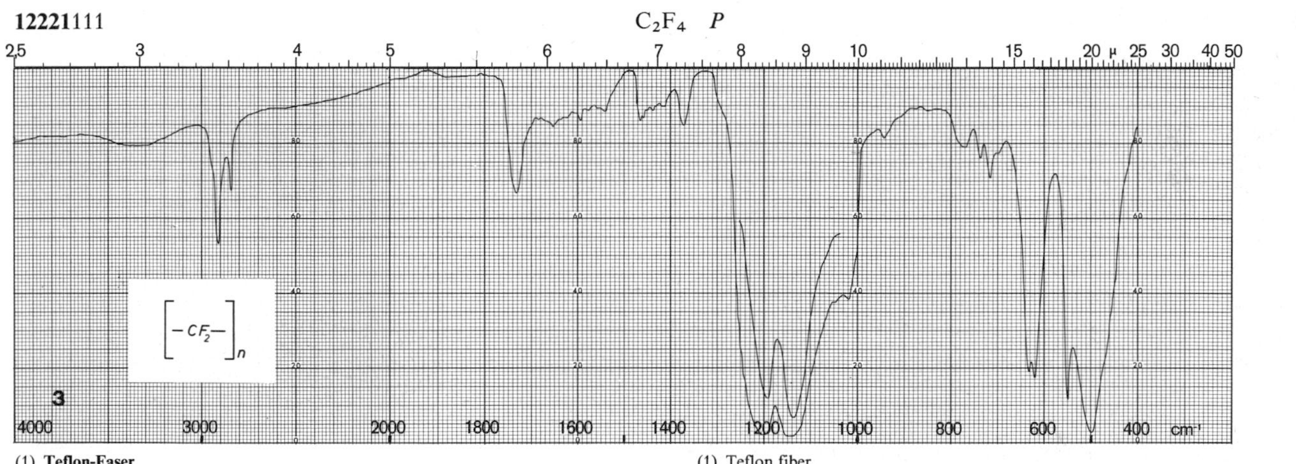

(1) **Teflon-Faser**
(3) Poly(tetrafluorethylen)
(4) farblose, opake Faser
(5) für chemisch und thermisch beständige Gewebe
(6) ATR

(1) Teflon fiber
(2) Du Pont, Wilmington, Dela.
(3) polytetrafluoroethylene
(4) colorless, opaque fiber
(5) for chemically and thermally resistant fabrics
(6) ATR

12[**3121**111 – **33**(31214 – 71111)] $C_2H_3Cl-C_2H_4O$ *P* 2248

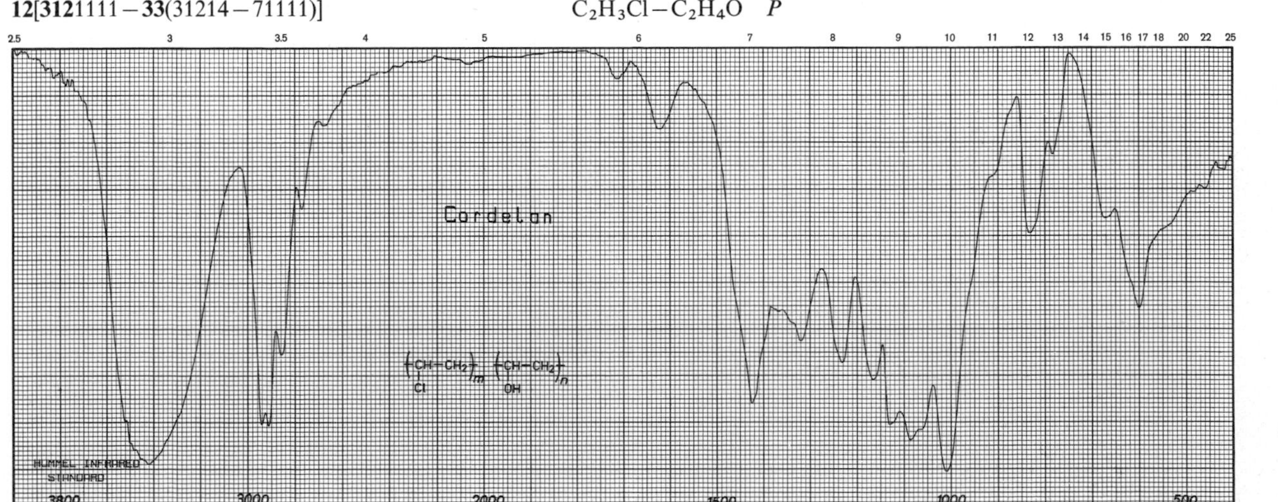

(1) **Cordelan**
(3) Poly(vinylchlorid-g-vinylalkohol) 1:1, acetalisiert
(4) weiße, weiche Faser
(5) Textilfaser
(6) KBr (2.5/400), in der Schwingmühle bei 80 K gemahlen, H_2O subtrahiert
(7) Nicolet 20 SX

(2) Kohjin Co. Ltd., Tokyo
(3) poly(vinyl chloride-g-vinyl alcohol), 1:1 acetalized
(4) soft, white fiber
(5) textile fiber
(6) KBr (2.5/400), ground at 80 K in the ball mill, H_2O subtracted
(7) Nicolet 20 SX

12(322151 − 3121112) $C_3H_3N-C_2H_2Cl_2$ *P* 2249

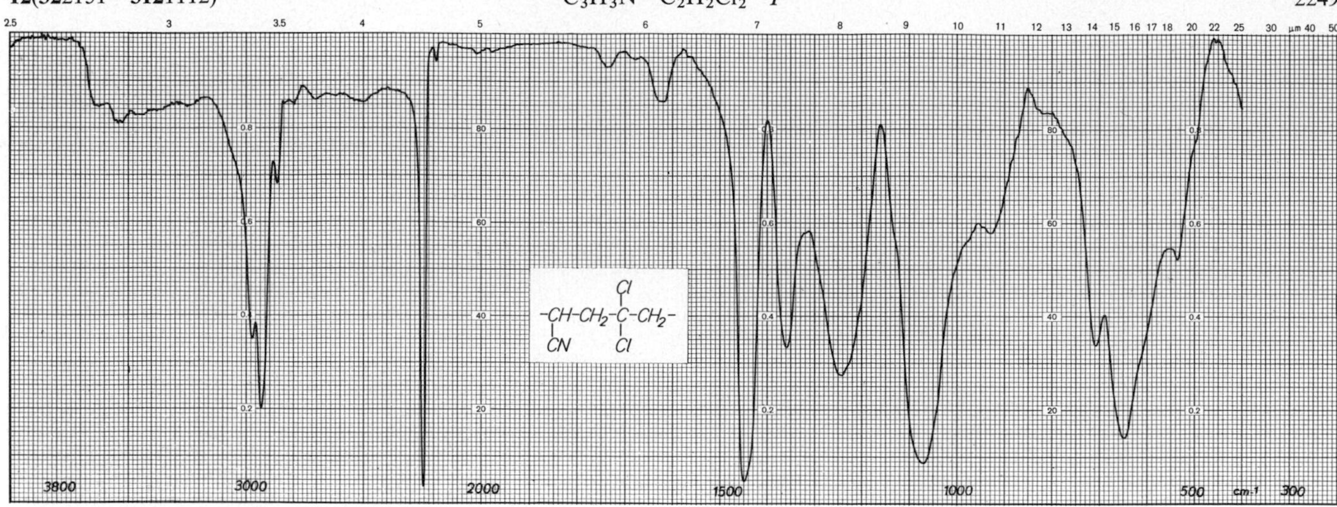

(1) **Poly(acrylnitril-co-vinylidenchlorid)**
(2) Bayer AG, Leverkusen (durch J. König)
(3) Molverhältnis AN:VDC = 3:1
(4) weißes, sehr feines Pulver
(5) Rohstoff für die Herstellung von schwerentflammbaren Acrylfasern („Modacryle")
(6) PE 580 B, FLAT, SMOOTH, ABEX 2.12
(7) J. König, D. Wendisch, Angew. Makromol. Chem. **98** (1981) 255...63

(1) **poly(acrylonitrile-co-vinylidene chloride**
(2) Bayer AG, Leverkusen (from J. König)
(3) mole ratio AN:VDC = 3:1
(4) very fine, white powder
(5) raw material for the production of difficultly flammable acrylic fibers ("Modacryls")
(6) PE 580 B, FLAT, SMOOTH, ABEX 2.12
(7) J. König, D. Wendisch, Angew. Makromol. Chem. **98** (1981) 255...63

12(322151 − 337221111) $C_3H_3N-C_5H_8O_2$ *P* 2250

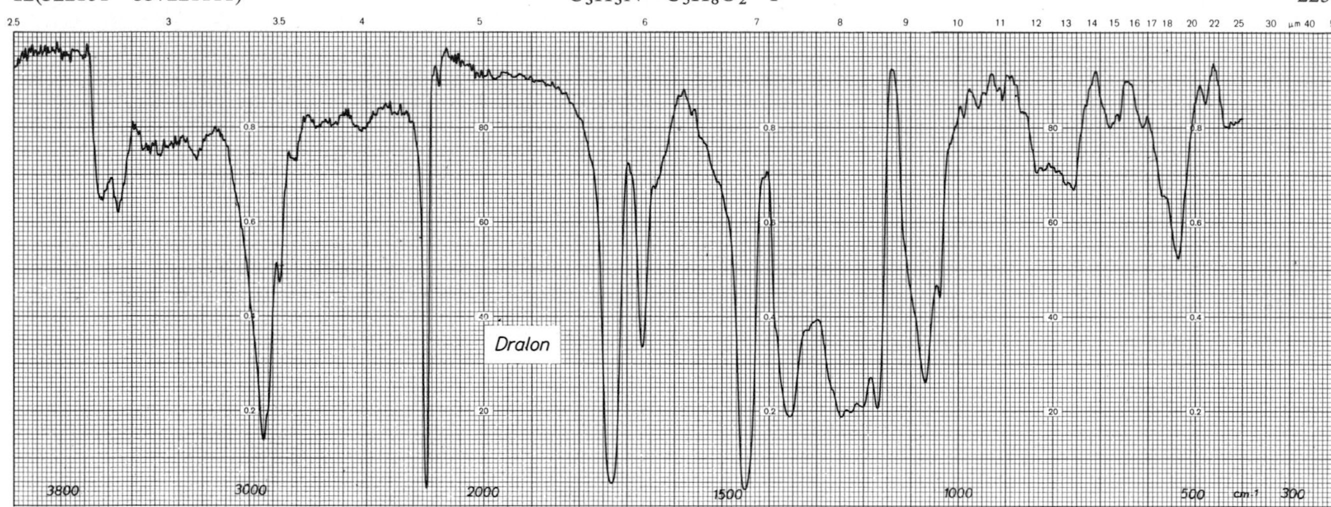

(1) **Dralon**
(3) Poly(acrylnitril-co-ethylacrylat) mit weiteren Komponenten und restlichem DMF (1670 cm^{-1})
(4) weiße Faser
(5) Spinnfaser
(6) KBr (2.5/400), adsorbiertes H_2O subtrahiert
(7) PE 580 B, SMOOTH 3, ABEX 4.05

(2) Bayer AG, Werk Dormagen
(3) poly(acrylonitrile-co-ethyl acrylate) with other components and residual DMF (1670 cm^{-1})
(4) white fiber
(5) spinning yarn
(6) KBr (2.5/400), adsorbed H_2O subtracted
(7) PE 580 B, SMOOTH 3, ABEX 4.05

12(322151 − 42122112) $C_3H_3N-C_4H_7NO$ *P* 2251

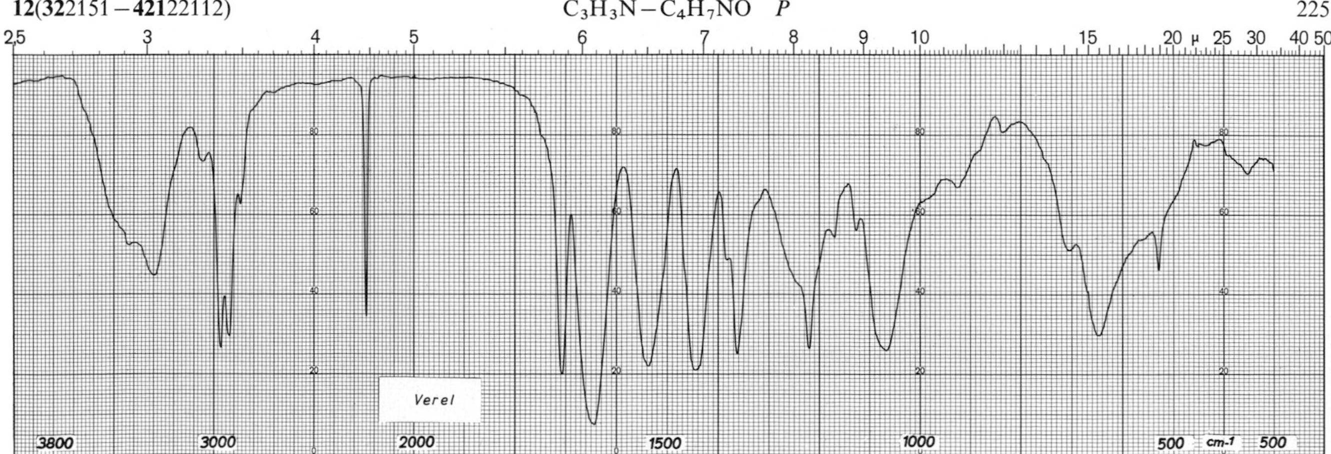

(1) **Verel**
(3) Poly(acrylnitril-co-methacrylamid)
(4) weiße, glänzende Faser
(5) Textilfaser
(6) KBr (4/300), Ordinate 1,5fach gedehnt
(7) enthält wahrscheinlich weitere Comonomere

(2) Eastman Chem. Prod., Kingsport, Tenn.
(3) poly(acrylonitrile-co-methacrylamide)
(4) white, glistening fiber
(5) textile fiber
(69 KBr (4/300), ordinate expanded 1.5-fold
(7) probably contains further comonomers

123241121 $C_{20}H_{12}N_4$ *P* 2252

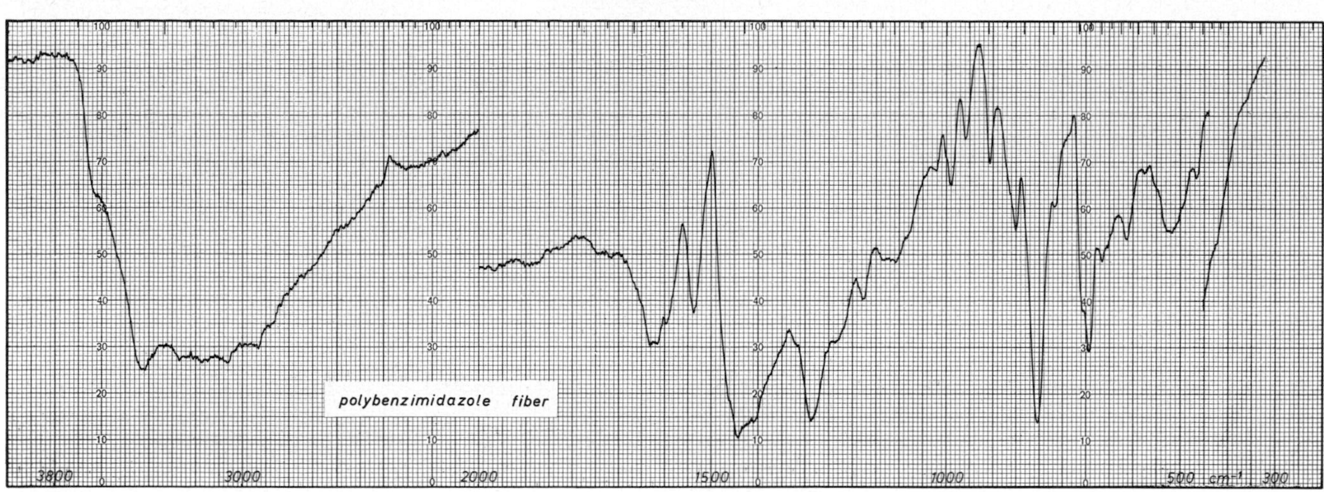

(1) **Polybenzimidazol-Faser**
(3) vermutlich

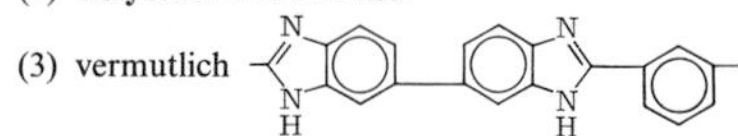

(4) hellbraune Faser
(5) für thermostabile Gewebe (Bremsfallschirme)
(6) KBr (5/350)

(1) **polybenzimidazole fiber**
(2) Celanese Corp., New York, N.Y.
(4) light brown fiber
(5) thermally stable fabric (braking parachutes)
(6) KBr (5/350)

123241121 $C_{20}H_{12}N_4$ *P* 2253

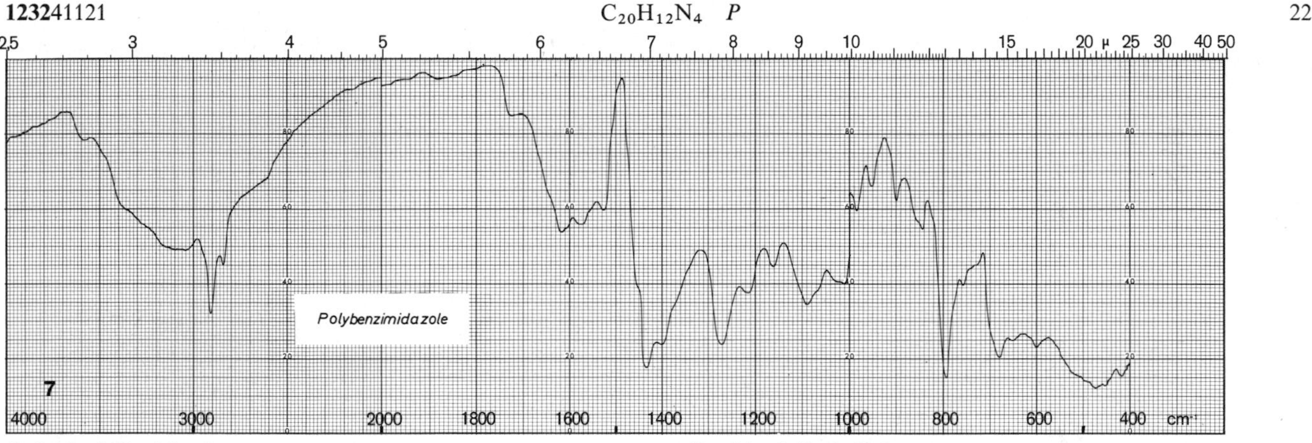

(1) **Polybenzimidazol-Gewebe**
(3) Poly(m-phenylen-dibenzimidazoldiyl)
(4) leicht gelbliches Gewebe
(5) thermostabiles Fallschirmtuch
(6) ATR/FMIR

(1) **polybenzimidazole fabric**
(2) Celanese Corp., New York
(3) poly(m-phenylenedibenzimidazoldiyl)
(4) pale yellowish fabric
(5) thermally stable parachute cloth
(6) ATR/FMIR

12337111(1 – 2) $C_2H_2O_2 - C_3H_4O_2$ 2254

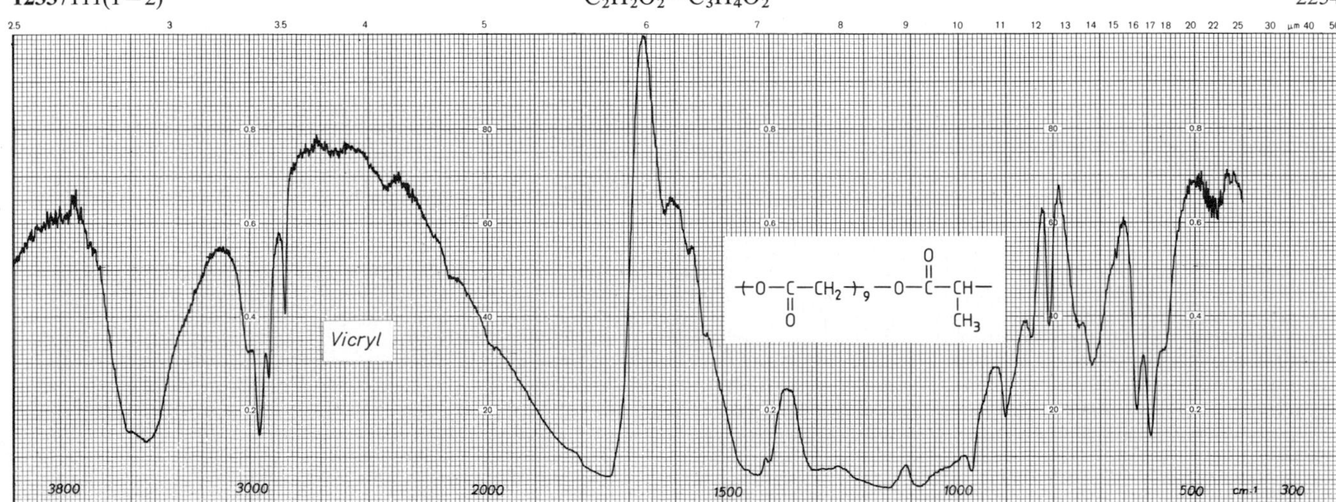

(1) **Vicryl**
(3) „Polyglactin 910": Poly(glycolid-co-lactid) 9:1
(4) weißer Faden
(5) resorbierbarer medizinischer Nähfaden
(6) feingeschnittener Faden in KBr dispergiert und gepreßt
(7) PE 580 B, FLAT, ABEX 6.12
(8) Substanz wurde ursprünglich als Poly(etherester) eingestuft, DZ **1233** (11 – 721). Korrekter Platz wäre jetzt nach Spektrum 2260.

(2) Ethicon
(3) "Polyglactin 910": poly(glycolide-co-lactide) 9:1
(4) white thread
(5) resorbable, surgical ligature
(6) finely chopped thread, dispersed in KBr and pressed
(7) PE 580 B, FLAT, ABEX 6.12
(8) The material was originally considered a poly(etherester), **1233** (11 – 721). The correct place would now be after spectrum 2260.

12337111(1 – 2) $C_2H_2O_2-C_3H_4O_2$ 2255

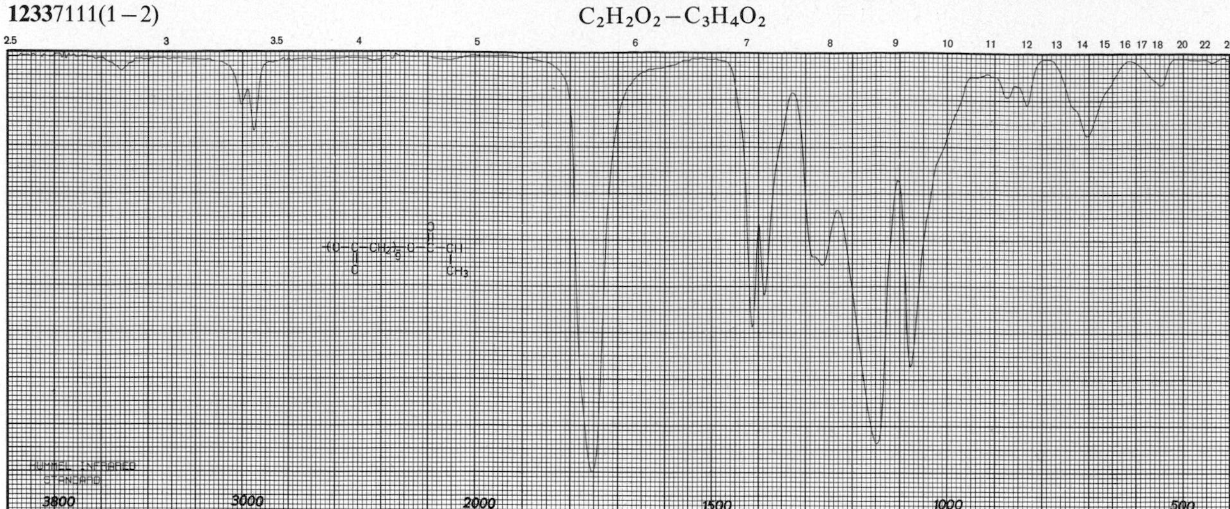

(1) **Vicryl**
(3) „Polyglactin 910": Poly(glycolid-co-lactid) 9:1
(4) violetter Zwirnsfaden
(5) resorbierbarer medizinischer Nähfaden
(6) rekristallisierter Film (zwischen Teflon aufgeschmolzen)
(7) Nicolet FTIR 20 SX
(8) Substanz wurde ursprünglich als Poly(etherester) eingestuft, DZ **1233** (11 – 721). Korrekter Platz wäre jetzt nach Spektrum 2260.

(2) Ethicon
(3) "Polyglactin 910": poly(glycolide-co-lactide) 9:1
(4) violet thread
(5) resorbable medical sewing thread
(6) recrystallized film (molten between Teflon)
(7) Nicolet FTIR 20 SX
(8) The material was originally considered a poly(etherester), **1233** (11 – 721). The correct place would now be after spectrum 2260.

12332111 2256

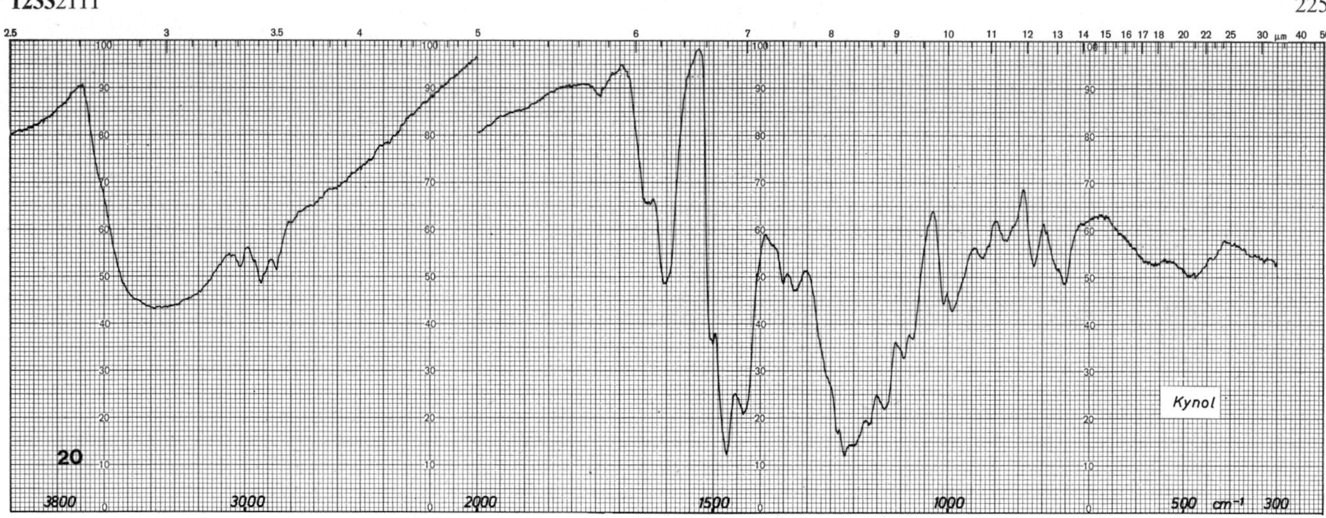

(1) **Kynol**
(3) in Gegenwart eines aliphatischen Amins hergestelltes Phenol-Formaldehyd-Kondensationsprodukt
(4) rotbraune Faser
(5) thermostabile, nichtentflammbare Faser
(6) KBr (2/350)

(2) American Kynol, Inc./Carborundum AG
(3) phenol-formaldehyde condensation product manufactured in the presence of an aliphatic amine
(4) reddish-brown fiber
(5) thermostable, nonflammable fibers
(6) KBr (2/350)

1233332 $C_{18}H_{12}O$ *P* 2257

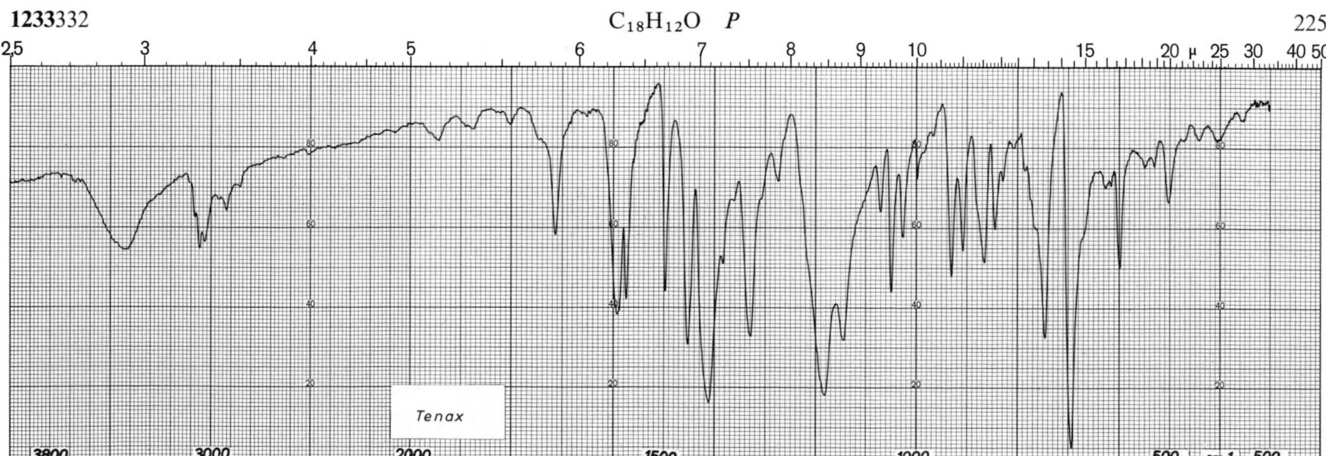

(1) **Tenax**
(3) Poly(oxy-2,6-diphenyl-1,4-phenylen), „P_3O"
(4) hellgelbe Faser
(5) für thermostabile Gewebe
(6) KBr (1/300), Ordinate 1.75fach gedehnt

(2) Allgemene Kunstzijde Unie NV, Arnhem
(3) poly(oxy-2,6-diphenyl-1,4-phenylene), "P_3O"
(4) pale yellow fiber
(5) for thermally stable fabrics
(6) KBr (1/300), ordinate expanded 1.75-fold

1233411 $C_{12}H_{20}O_{10}$ *P* 2258

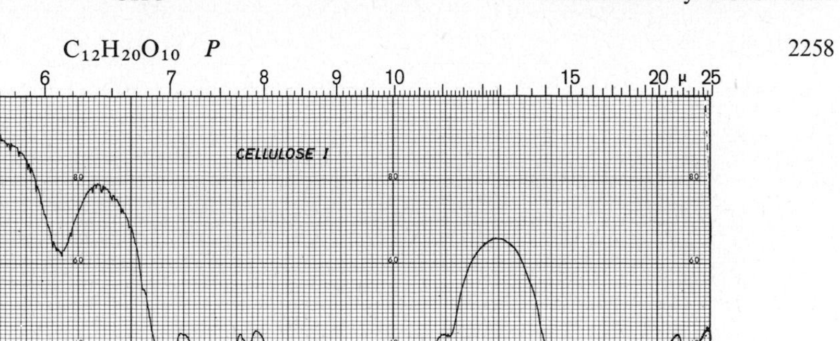

(1) **Baumwolle (Watte)**
(3) Cellulose I
(4) weiße Faser
(6) fein zerschnitten, KBr (10/1000)

(1) **cotton**
(2) Gossypium
(3) cellulose I
(4) white fiber
(6) finely chopped, KBr (10/1000)

1233411 $C_{12}H_{20}O_{10}$ *P* 2259

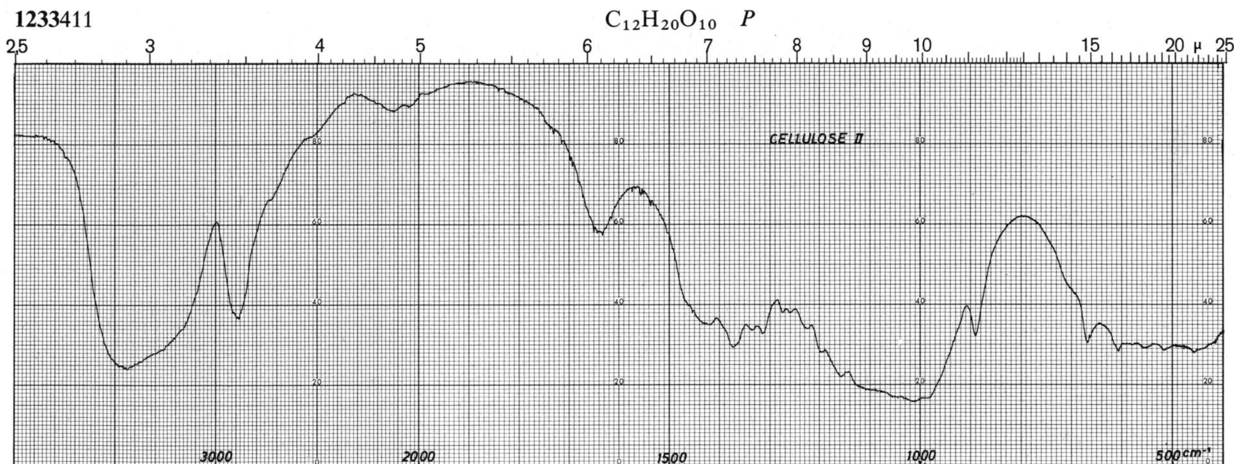

(1) **Baumwolle, mercerisiert**
(2) Laborpräparat
(3) Cellulose II
(4) weiße, glänzende Faser
(6) fein zerschnitten, KBr (10/1000)

(1) **cotton, mercerized**
(2) laboratory preparation
(3) cellulose II
(4) white, glistening fiber
(6) finely chopped, KBr (10/1000)

1233411 $C_{12}H_{20}O_{10}$ *P* 2260

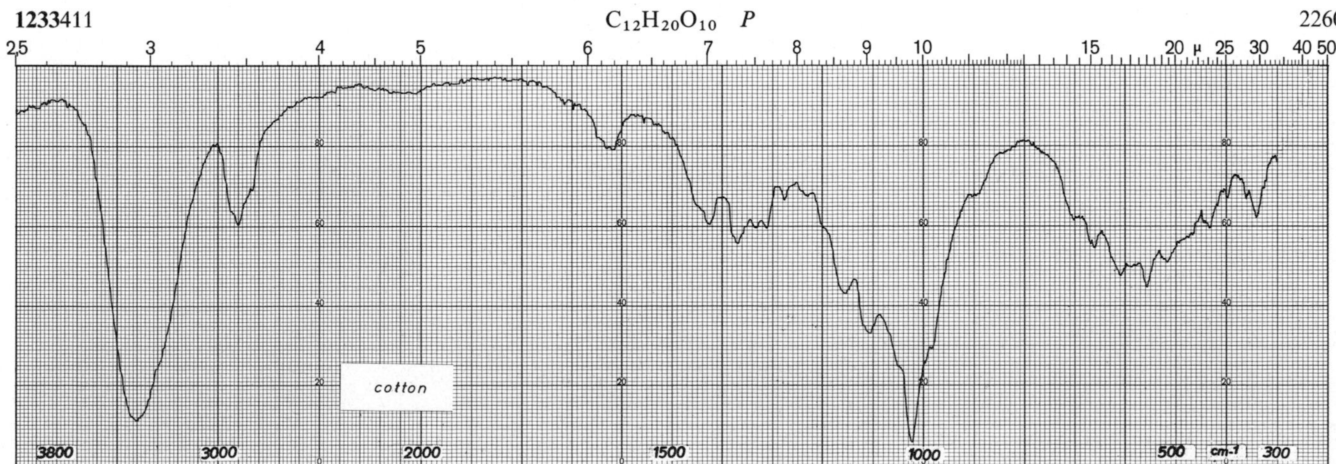

(1) **Baumwolle**
(3) 95% Cellulose I
(4) feine, weiße Faser
(5) Textilfaser
(6) KBr (1/350), Ordinate 2,6fach gedehnt

(1) **cotton**
(2) Gossypium
(3) 95% cellulose I
(4) fine, white fiber
(5) textile fiber
(6) KBr (1/350), ordinate expanded 2.6-fold

123371221 $C_{10}H_8O_4$ *P* 2261

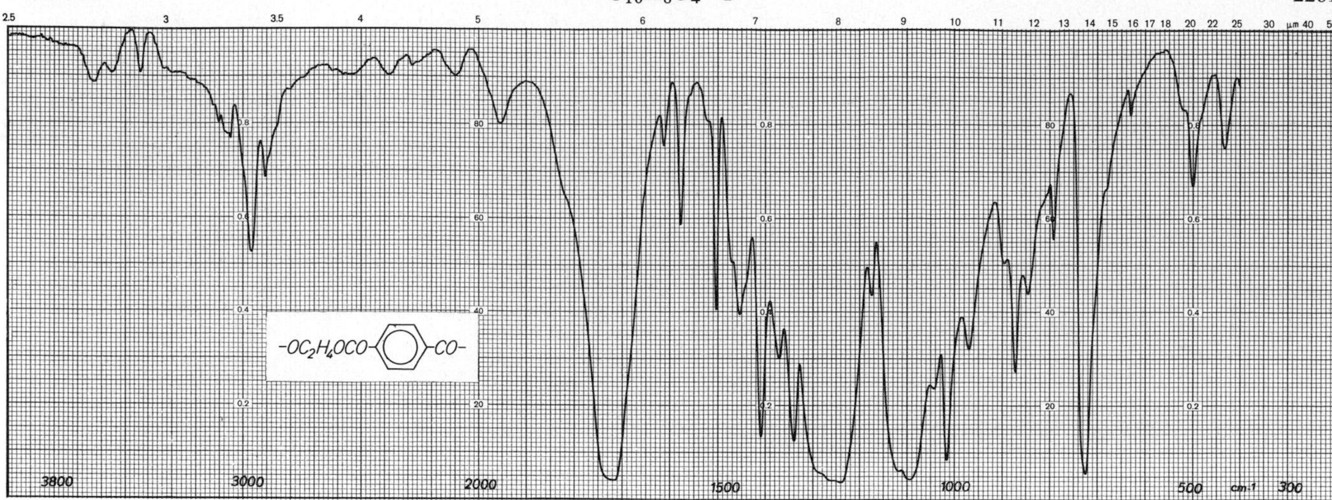

(1) **Dacron**
(3) Poly(ethylenterephthalat), Poly(oxyethylenoxyterephthaloyl)
(4) weißes, seidiges Gewebe
(6) KBr (2.28/300)
(7) PE 580 B, FLAT, ABEX 1.59; H_2O subtrahiert

(2) Du Pont, Wilmington, Dela.
(3) poly(ethylene terephthalate), poly(oxyethyleneoxyterephthaloyl)
(4) white, silky fabric
(6) KBr (2.28/300)
(7) PE 580 B, FLAT, ABEX 1.59; H_2O subtracted

1233(71221+4)  2262

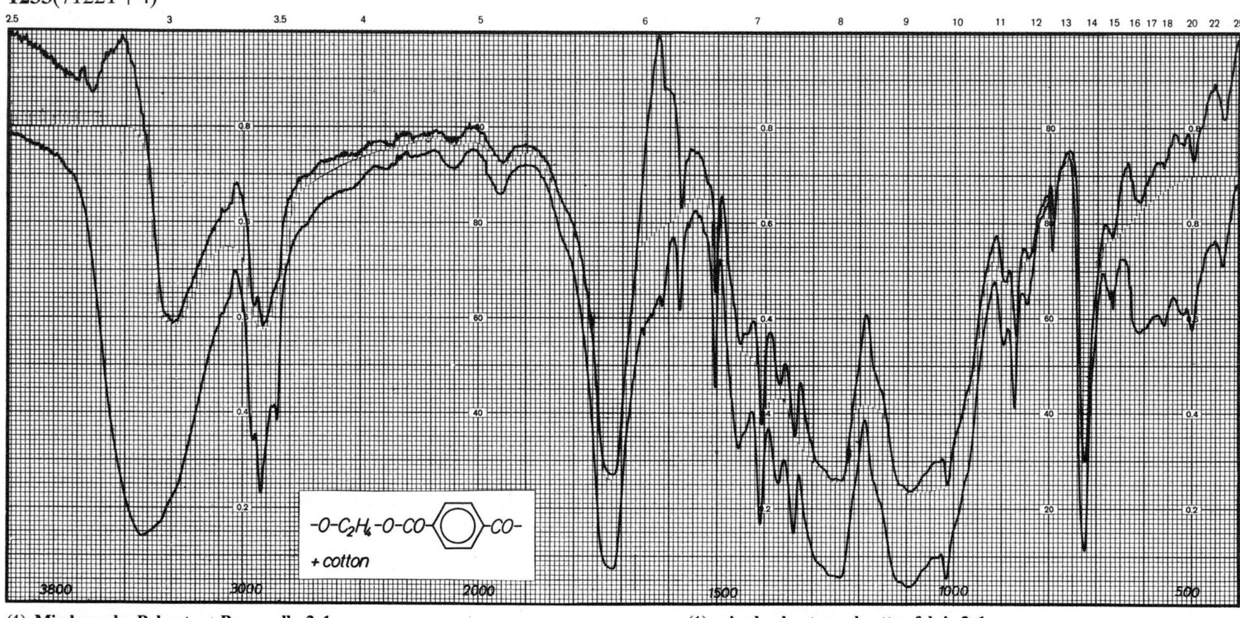

(1) **Mischgewebe Polyester + Baumwolle 2:1**
(2) Textilforschungszentrum, Krefeld
(4) blau eingefärbtes Gewebe
(6) KBr (2.09/300; 1.32/300)
(7) PE 580 B, FLAT, ABEX 1.31 und 5.07 (bei letzterem H_2O subtrahiert)

(1) **mixed polyester and cotton fabric 2:1**
(4) blue, self-colored fabric
(6) KBr (2.09/300:1.32/300)
(7) PE 580 B, FLAT, ABEX 1.31 and 5.07 (H_2O subtracted from the latter)

12(**33**71221 − **842**) 2263

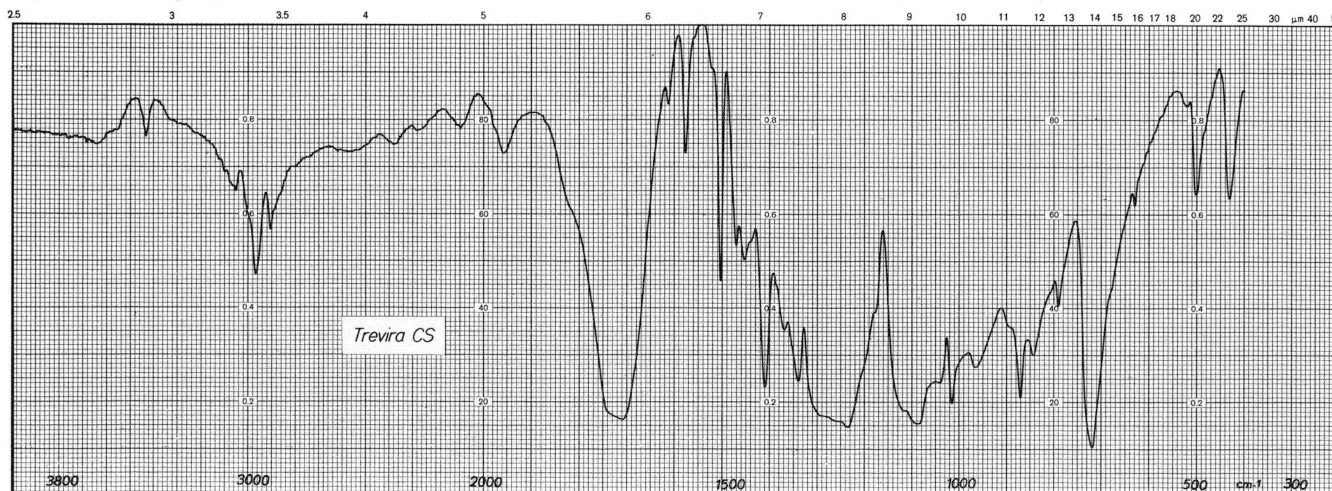

(1) **Trevira CS**
(3) mit 2-Methyl-2,5-dioxo-1,2-oxaphospholan modifiziertes Poly(ethylenterephthalat)
(4) weiße Fasern
(5) flammhemmende Polyesterfasern
(6) KBr (2/400)
(7) PE 580 B, FLAT, SMOOTH 2, H_2O-Absorptionen abgezogen
(8) V. Freudenberger, F. Jakob, Angew. Makromol. Chem. **105** (1982) 203...15

(2) Hoechst AG, Frankfurt/M.-Höchst
(3) poly(ethylene terephthalate) modified with 2-methyl-2,5-dioxo-1,2-oxaphospholane
(4) white fiber
(5) flame-retarding, polyester fiber
(6) KBr (2/400)
(7) PE 580 B, FLAT, SMOOTH 2, H_2O absorptions subtracted
(8) V. Freudenberger, F. Jakob, Angew. Makromol. Chem. **105** (1982) 203..15

123371221 $C_{12}H_{12}O_4$ *P* 2264

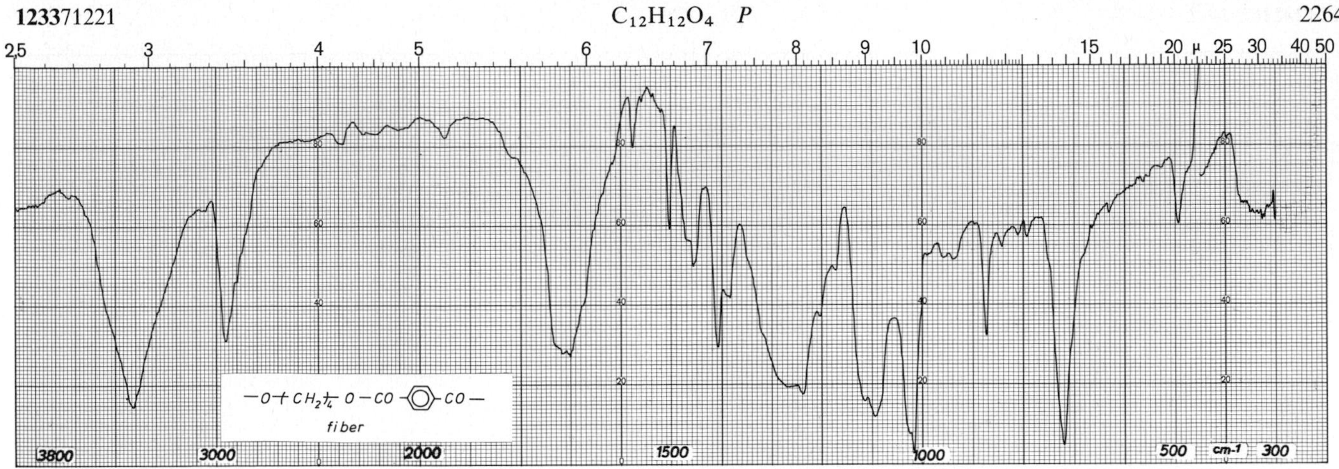

(1) **PES-fiber**
(3) Poly(butylenterephthalat), Poly(oxytetramethylenoxyterephthaloyl)
(4) farblose Faser
(5) Textilfaser
(6) KBr (1/350), Ordinate 2,8fach gedehnt

(2) Eastman Kodak Co., Kingsport, Tenn.
(3) poly(butylene terephthalate), poly(oxytetramethyleneoxyterephthaloyl)
(4) colorless fiber
(5) textile fiber
(6) KBr (1/350), ordinate 2.8-fold expanded

123371221 $C_{16}H_{18}O_4$ *P* 2265

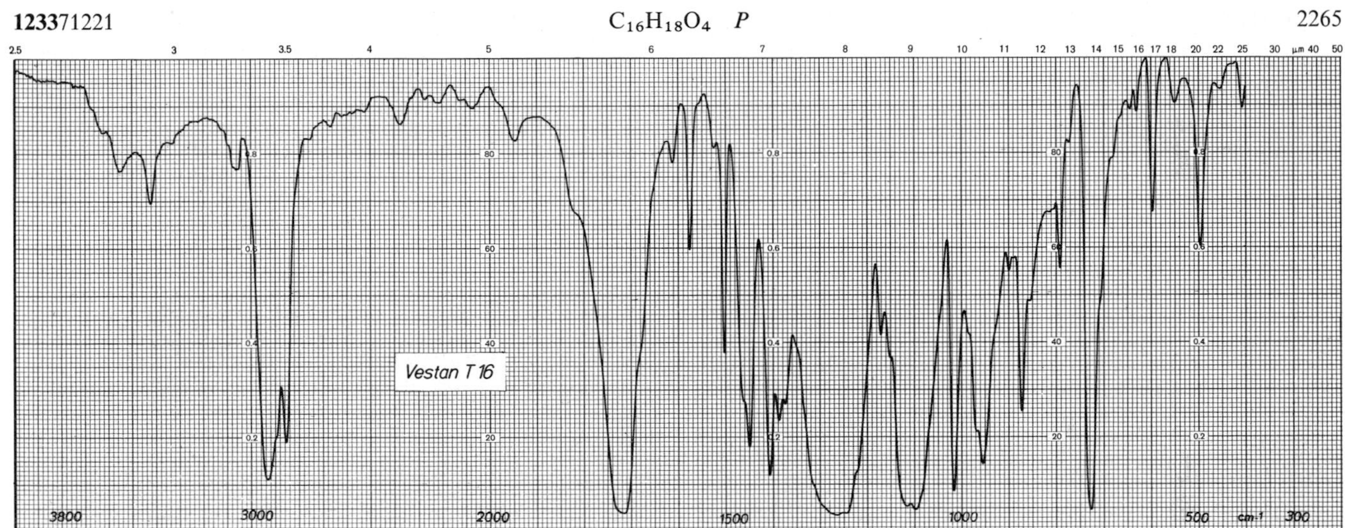

(1) **Vestan T 16**
(3) Poly(oxymethylen-1,4-cyclohexylenmethylenoxyterephthaloyl), Poly(1,4-cyclohexylendimethylenterephthalat)
(4) feine, weiße Faser
(5) Textilfaser
(6) KBr (2.2/350)
(7) PE 580 B, FLAT, ABEX 2.28

(2) Bayer AG, Dormagen/Chemische Werke Hüls, Marl
(3) poly(oxymethylene-1,4-cyclohexylenemethyleneoxyterephthaloyl), poly(1,4-dimethylenecyclohexylene terephthalate)
(4) fine, white fiber
(5) textile fiber
(6) KBr (2.2/350)
(7) PE 580 B, FLAT, ABEX 2.28

123371221 $C_{16}H_{18}O_2$ *P* 2266

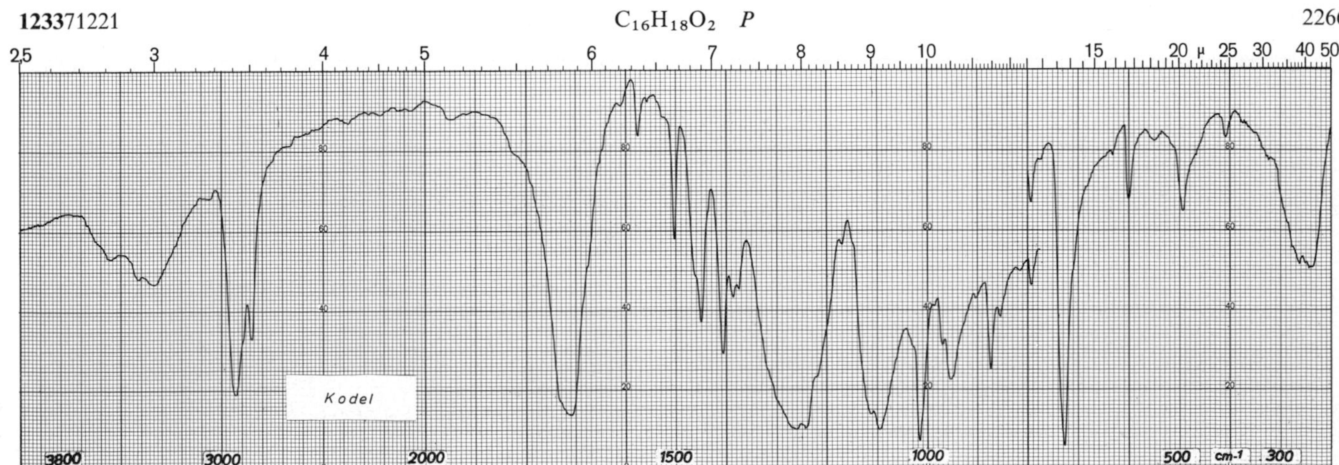

(1) **Kodel**
(3) Poly(1,4-cyclohexylendimethylenterephthalat), überwiegend trans-Konfiguration
(4) farblose Faser
(5) Textilfaser
(6) KBr /1.5/350), Ordinate 1,85fach gedehnt)

(2) Eastman Kodak Co., Kingsport, Tenn.
(3) poly(1,4-dimethylenecyclohexylene terephthalate), mainly trans-configuration
(4) colorless fiber
(5) textile fiber
(6) KBr (1.5/350), ordinate 1.85-fold expanded)

123374211 2267

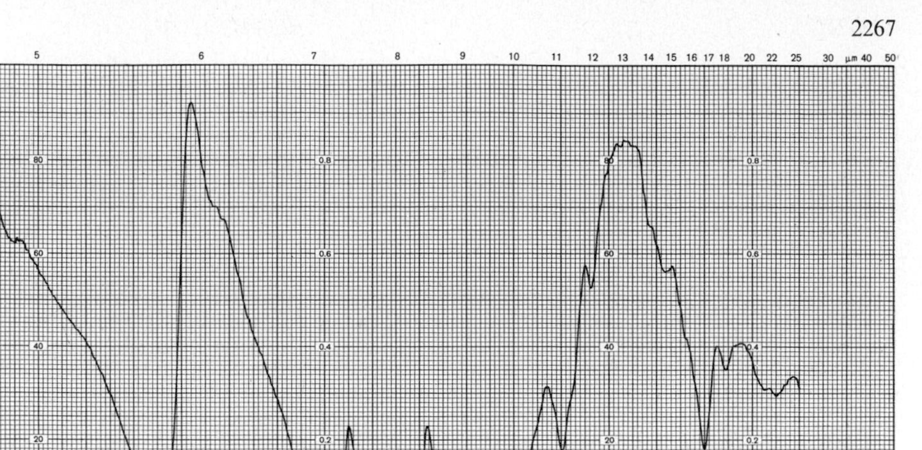

(1) **Acetat-Garn**
(2) USA (durch Deutsches Textilforschungszentrum, Krefeld)
(3) Celluloseacetat mit freien OH-Gruppen
(4) feine, weiße, seidigglänzende Faser
(5) Textilfaser
(6) KBr (1/350), H_2O subtrahiert (F = 1)
(7) PE 580 B, FLAT, ABEX 3.79

(1) **acetate yarn**
(2) USA (from Deutsches Textilforschungszentrum, Krefeld)
(3) cellulose acetate with free OH groups
(4) fine, white fiber with a silky sheen
(5) textile fiber
(6) KBr (1/350), H_2O subtracted (F = 1)
(7) PE 580 B, FLAT, ABEX 3.79

124221111 $C_{11}H_{21}NO$ *P* 2268

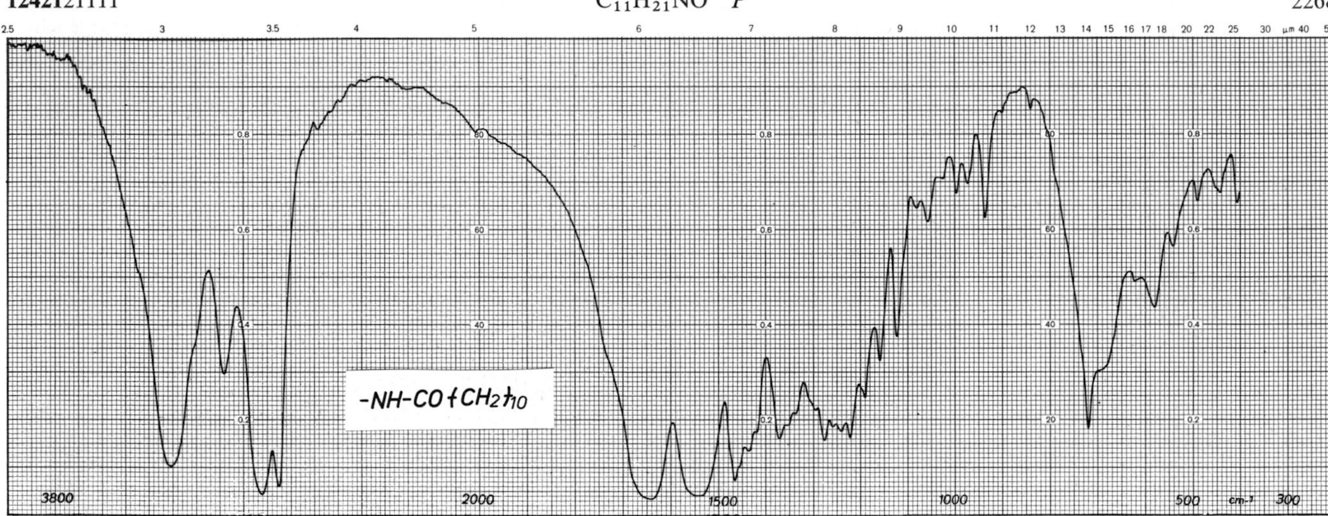

(1) **Rilsan-Faser Td 29**
(3) Polyamid-11
(4) weiße Faser
(5) Textilfaser
(6) KBr (4/350)
(7) PE 580 B, FLAT, ABEX 1.85

(2) ATO-Chimie Deutschland GmbH, Düsseldorf
(3) polyamide-11
(4) white fiber
(5) textile fiber
(6) KBr (4/350)
(7) PE 580 B, FLAT, ABEX 1.85

124221112 C_3H_5NO *P* 2269

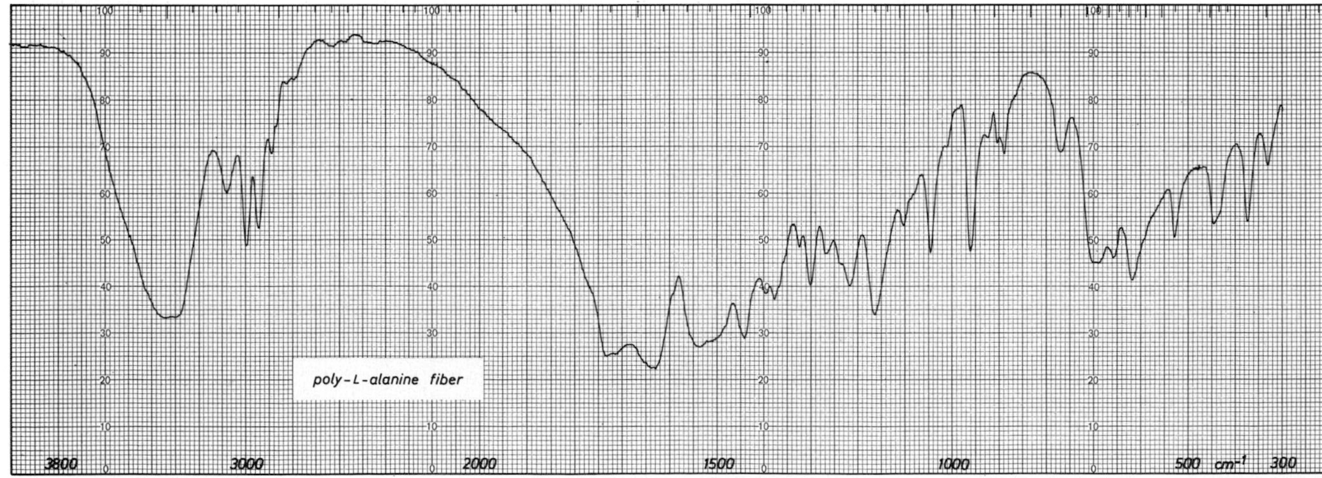

(1) **Poly(L-alanin)-Faser**
(2) J. Noguchi, Hokkaido University, Sapporo
(3) –NHCO–CH(CH₃)–
(4) weiße, glänzende Faser
(5) Textilfaser
(6) mit DMA und KBr (2/300) verrieben, getrocknet und gepreßt
(7) J. Noguchi, Angew. Makromol. Chem. **22** (1972) 107...31

(1) **poly(L-alanine) fiber**
(3) –NHCO–CH(CH₃)–
(4) white, glistening fiber
(5) textile fiber
(6) ground with DMA and KBr (2/300), dried and pressed
(7) J. Noguchi, Angew. Makromol. Chem. **22** (1972) 107...31

124221112 C_3H_5NO *P* 2270

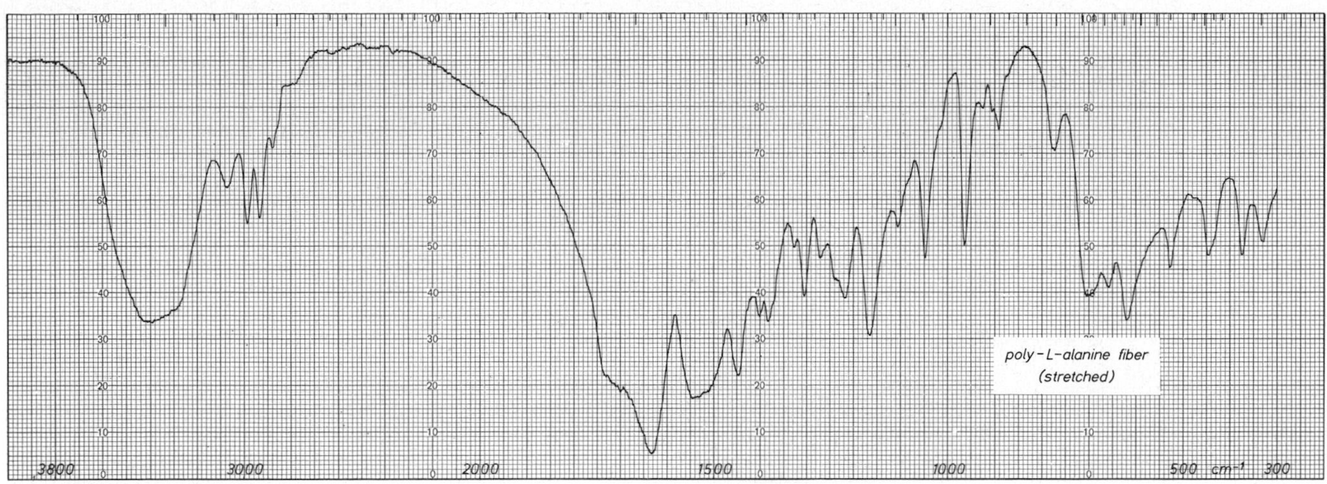

(1) **Poly(L-alanin)-Faser, gereckt**
(2) J. Noguchi, Hokkaido University, Sapporo
(3) $-NHCO-CH(CH_3)-$
(4) weiße, glänzende Faser
(5) Textilfaser
(6) mit DMA und KBr (2/350) verrieben, getrocknet und gepreßt
(7) J. Noguchi, Angew. Makromol. Chem. **22** (1972) 107...31

(1) **poly(L-alanine) fiber, stretched**
(3) $-NHCO-CH(CH_3)-$
(4) white, glistening fiber
(5) textile fiber
(6) ground with DMA and KBr (2/350), dried and pressed
(7) J. Noguchi, Angew. Makromol. Chem. **22** (1972) 107...31

124221112 C_3H_5NO *P* 2271

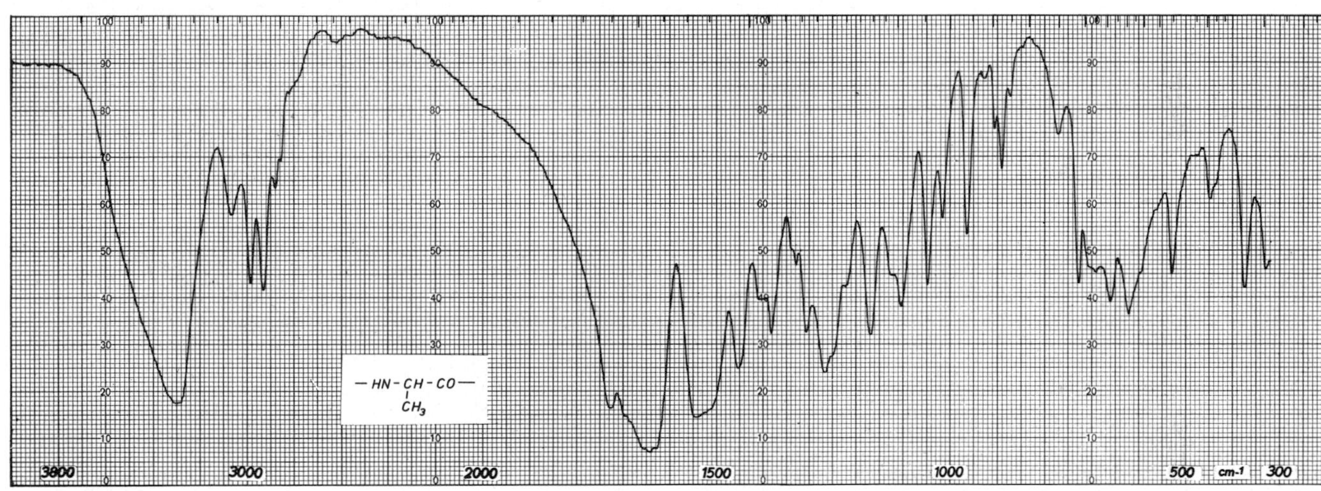

(1) **Poly(L-alanin)-Faser, gereckt**
(2) G. Ebert, Institut für Polymere, Universität Marburg
(4) weiße, seidige Faser
(5) Textilfaser
(6) mit DMA und KBr (2.5/350) verrieben, getrocknet und gepreßt
(7) G. Ebert, Tagung der GDCh-Fachgruppe „Kunststoffe und Kautschuk", Bad Nauheim 1974

(1) **poly(L-alanine) fiber, stretched**
(4) white, silky fiber
(5) textile fiber
(6) ground with DMA and KBr (2.5/350), dried and pressed
(7) G. Ebert, Tagung der GDCh-Fachgruppe „Kunststoffe und Kautschuk", Bad Nauheim 1974

124221112 $C_6H_{11}NO$ *P* 2272

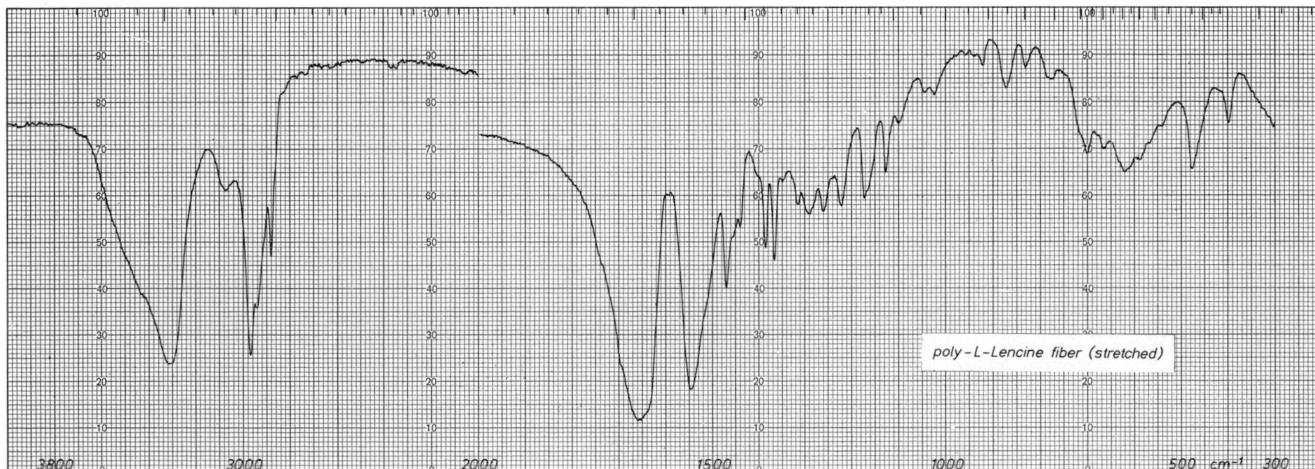

(1) **Poly(L-leucin)-Faser, gereckt (im Spektrum lies: Leucine)**
(2) J. Noguchi, Hokkaido University, Sapporo
(3) $-NH-CO-CH-CH_2CH(CH_3)_2$
(4) weiße, glänzende Fasern
(5) Textilfaser
(6) mit DMA und KBr (1.5/300) verrieben, getrocknet und gepreßt
(7) J. Noguchi, Angew. Makromol. Chem. **22** (1972) 107...31

(1) **poly(L-leucine) fiber, stretched (in spectrum read leucine)**
(4) white, glistening fibers
(5) textile fiber
(6) ground with DMA and KBr (1.5/300), dried and pressed
(7) J. Noguchi, Angew. Makromol. Chem. **22** (1972) 107...31

124221112 2273

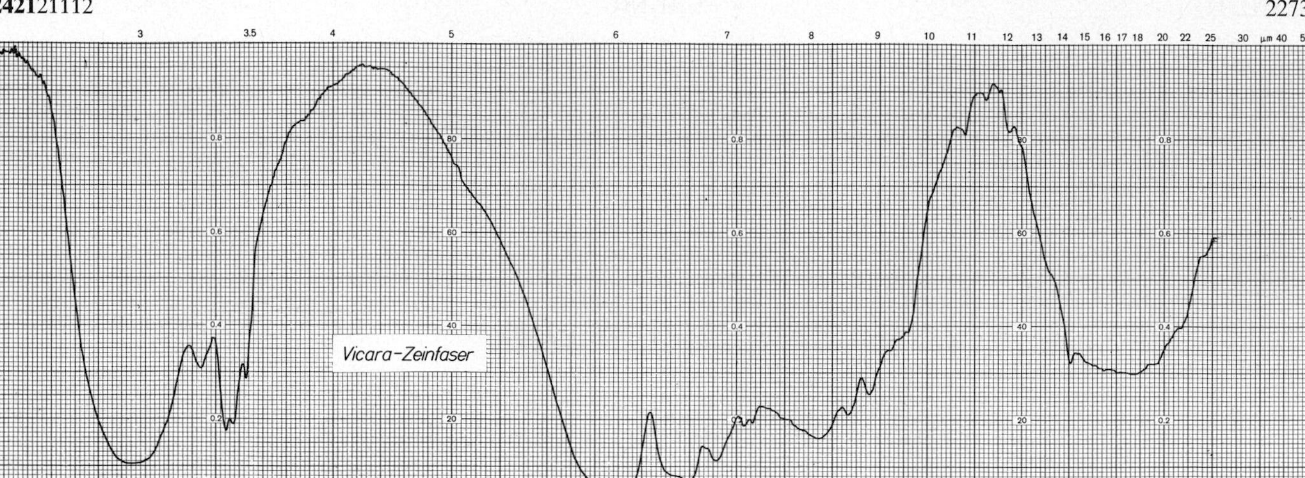

(1) **Vicara-Zeinfaser**
(2) durch Textilforschungszentrum, Krefeld
(3) modifiziertes Zein
(4) feine, weiße, wollähnliche Faser
(5) Textilfaser
(6) KBr (2/350)
(7) PE 580 B, ABEX 2.22

(1) **Vicara zein fiber**
(2) from Textilforschungszentrum, Krefeld
(3) modified zein
(4) fine, white, wool-like fiber
(5) textile fiber
(6) KBr (2/350)
(7) PE 580 B, ABEX 2.22

124221131 $C_6H_9NO_3$ *P* 2274

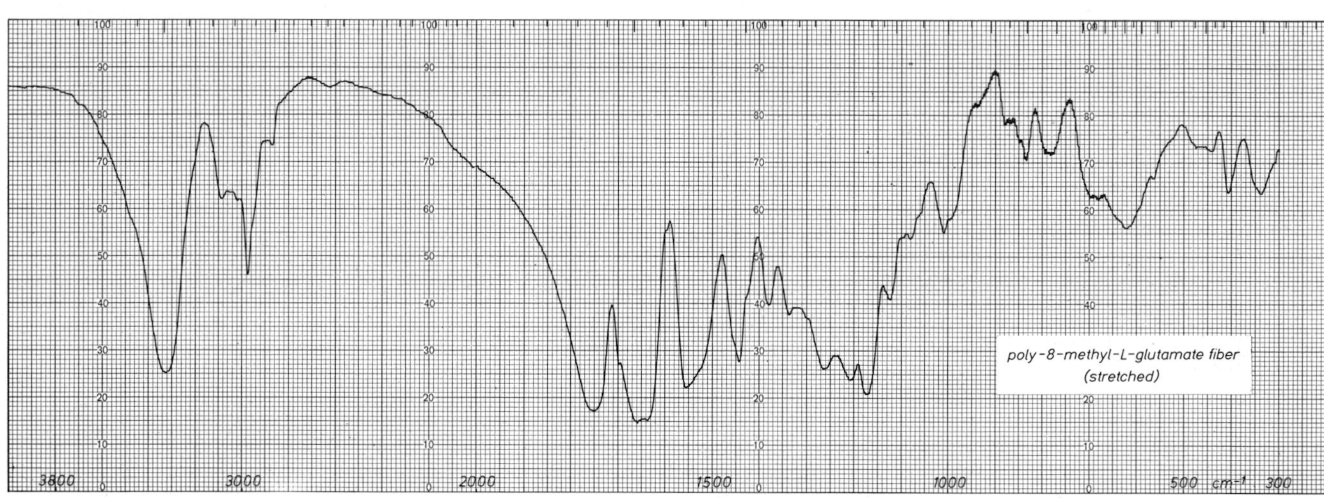

(1) **Poly(γ-methyl-L-glutamat), gereckt** (im Spektrum lies „γ" statt „8")
(2) J. Noguchi, Hokkaido University, Sapporo
(3) $-NH-CO-CH-(CH_2)_2-COOCH_3$
(4) weiße Faser
(5) Textilfaser
(6) mit DMA und KBr (1.5/300) verrieben, getrocknet und gepreßt
(7) J. Noguchi, Angew. Makromol. Chem. **22** (1972) 107…31

(1) **poly(γ-methyl-L-glutamate), stretched** (in spectrum read "γ" instead of "8")
(4) white fiber
(5) textile fiber
(6) ground with DMA and KBr (1.5/300), dried and pressed
(7) J. Noguchi, Angew. Makromol. Chem. **22** (1972) 107…31

124221112 2275

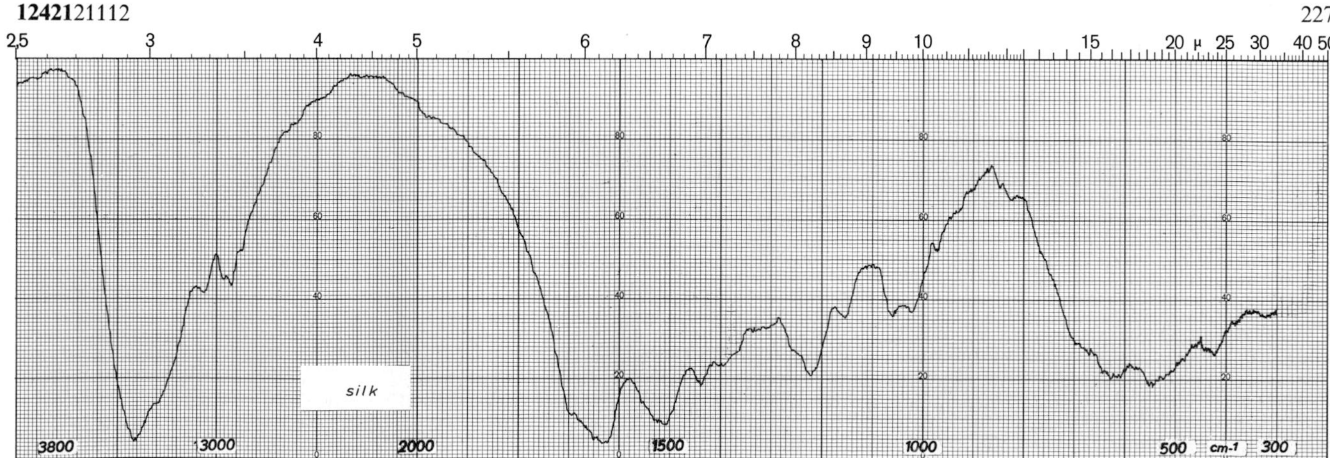

(1) **Seide**
(2) Bombyx mori
(3) Seidenfibroin (43% Glycin, 34% Alanin, 16% Serin, 11% Tyrosin u.a.) und Sericin
(4) eierschalenfarbene, glänzende Faser
(5) Textilfaser
(6) KBr (1/350), Ordinate 2,35fach gedehnt
(7) PE 325

(1) **silk**
(3) silk fibroin (43% glycine, 34% alanine, 16% serine, 11% tyrosine etc.) plus sericin
(4) eggshell-colored, glistening fiber
(5) textile fiber
(6) KBr (1/350), ordinate expanded 2.35-fold
(7) PE 325

1242121112/**1252**62 2276

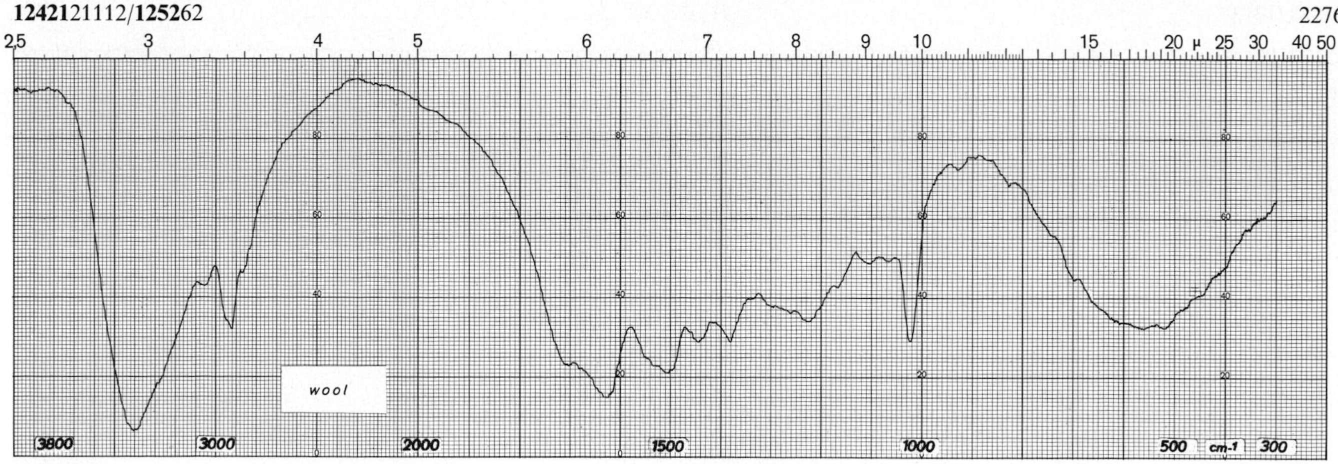

(1) **Wolle**
(2) Ovis-Arten
(3) Wollkeratin
(4) eierschalenfarbene Faser
(5) Textilfaser
(6) KBr (1/350), Ordinate 2fach gedehnt

(1) **wool**
(2) ovis species
(3) wool keratin
(4) eggshell-colored fiber
(5) textile fiber
(6) KBr (1/350), ordinate expanded 2-fold

12(**42**121112 – **21**11211) 2277

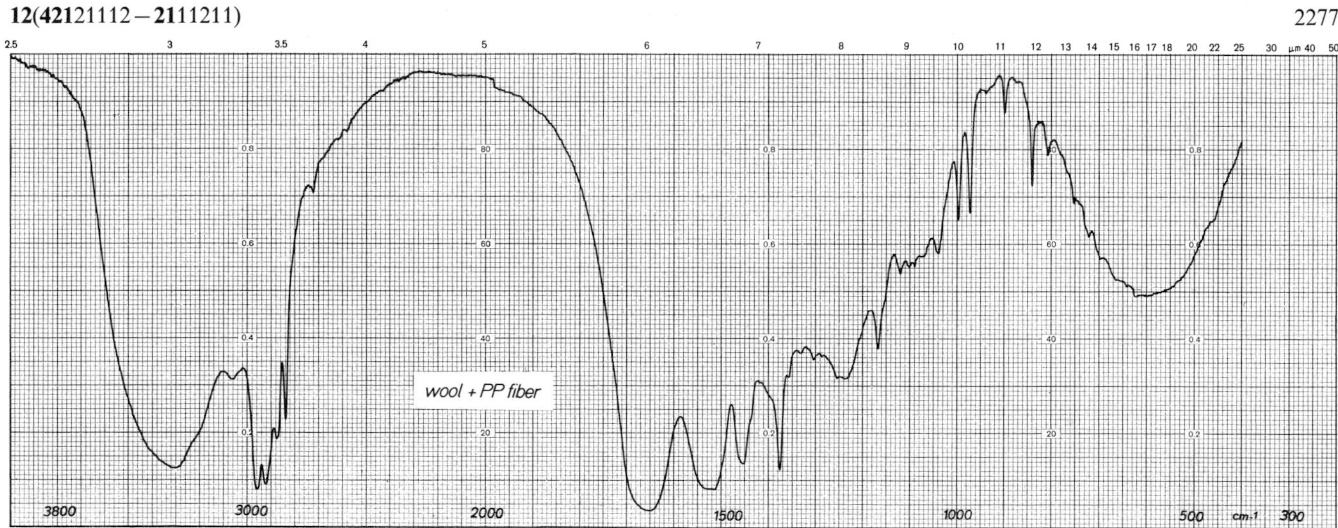

(1) **Mischgewebe Wolle + Polypropylen 3:2**
(2) Textilforschungszentrum, Krefeld
(4) blau eingefärbtes Gewebe
(6) KBr (2.38/300)
(7) PE 580 B, FLAT, ABEX 1.42

(1) **fabric from wool + polypropylene 3:2**
(4) blue, self-colored fabric
(6) KBr (2.38/300)
(7) PE 580 B, FLAT, ABEX 1.42

1242121112 2278

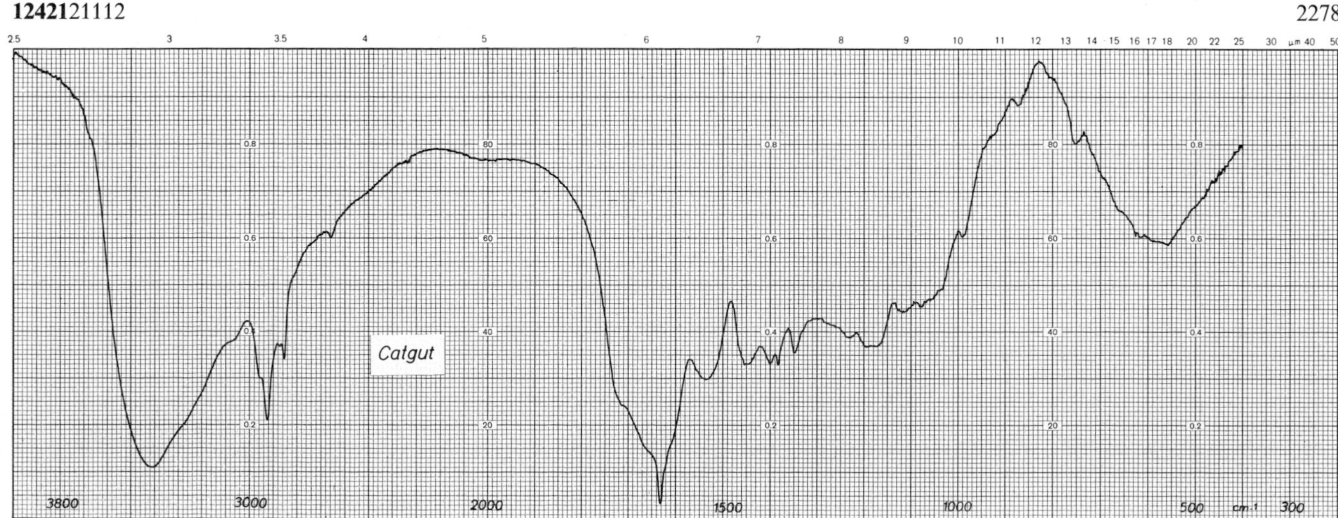

(1) **Sutupak Catgut**
(3) natürliches Polypeptid (Katzendarm)
(4) gelber Faden
(5) resorbierbarer, medizinischer Nähfaden
(6) feingeschnittener Faden mit HCOOH und KBr verrieben, 6 d i.V. getrocknet und gepreßt
(7) PE 580 B, FLAT, ABEX 2.08

(2) Ethicon
(3) natural polypeptide (catgut)
(4) yellow thread
(5) resorbable, surgical ligature
(6) finely chopped thread, ground with HCOOH and KBr, dried in vacuo for 6 d and pressed
(7) PE 580 B, FLAT, ABEX 2.08

124221213 $C_{25}H_{44}N_2O_2$ *P* 2279

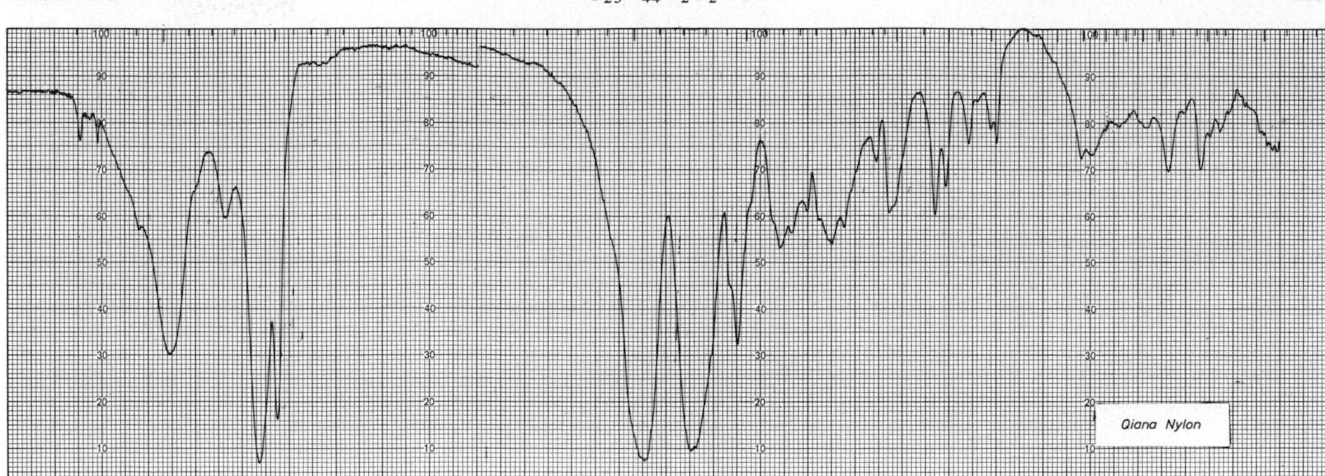

(1) **Qiana Nylon**
(3) –NH–⟨H⟩–CH₂–⟨H⟩–NHCO–$(CH_2)_{10}$–CO–
(4) seidiges, farbloses Gewebe
(5) Textilfaser
(6) KBr (1/350), Ordinate gedehnt

(2) Du Pont, Wilmington, Dela.
(3) –NH–⟨H⟩–CH₂–⟨H⟩–NHCO–$(CH_2)_{10}$–CO–
(4) silky, colorless fabric
(5) textile fiber
(6) KBr (1/350), ordinate expanded

124221233 $C_{16}H_{20}N_2O_2$ *P* 2280

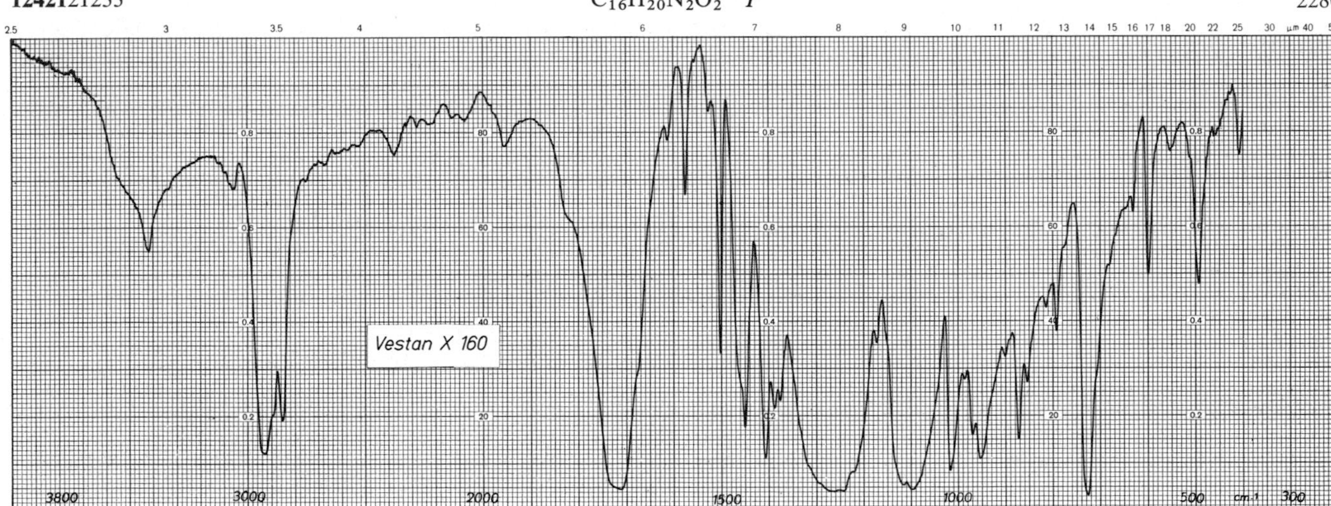

(1) **Vestan X 160; 2.2/40 HW matt**
(3) Poly(iminomethylen-1,4-cyclohexylenmethylenimino-terephthaloyl), überwiegend trans-Form
(4) weiße Faser
(5) Textilfaser
(6) feingeschnitten in KBr
(7) PE 580 B, FLAT, ABEX 1.41

(2) Bayer AG, Werk Dormagen
(3) poly(iminomethylene-1,4-cyclohexylenemethyleneimino terephthaloyl), mainly trans-form
(4) white fiber
(5) textile fiber
(6) finely chopped in KBr
(7) PE 580 B, FLAT, ABEX 1.41

124221233 $C_{16}H_{20}N_2O_2$ *P* 2281

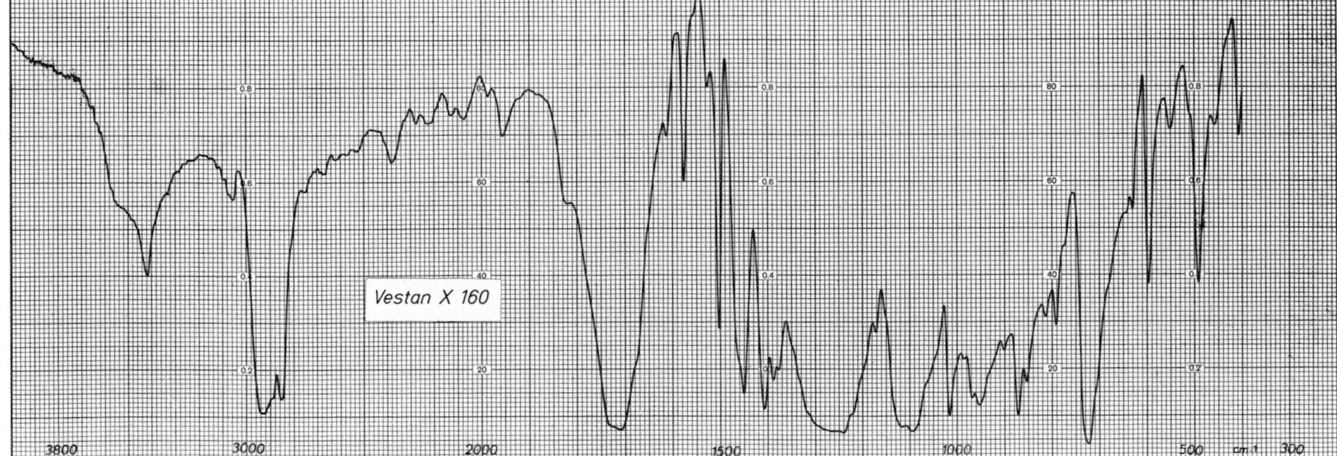

(1) **Vestan X 160; 6.7/150, glänzend**
(2) Bayer AG, Werk Dormagen
(3) Poly(iminomethylen-1,4-cyclohexylenmethylenimino-terephthaloyl), überwiegend trans-Form
(4) weiße, glänzende Faser
(5) Textilfaser
(6) feingeschnittene Faser in KBr
(7) PE 580 B, FLAT, ABEX 2.41

(1) **Vestan X 160; 6.7/150, glistening**
(3) poly(iminomethylene-1,4-cyclohexylenemethyleneimino terephthaloyl)
(4) white, glistening fiber
(5) textile fiber
(6) finely chopped fiber in KBr
(7) PE 580 B, FLAT, ABEX 2.41

124221241 $C_{14}H_{10}N_2O_2$ *P* 2282

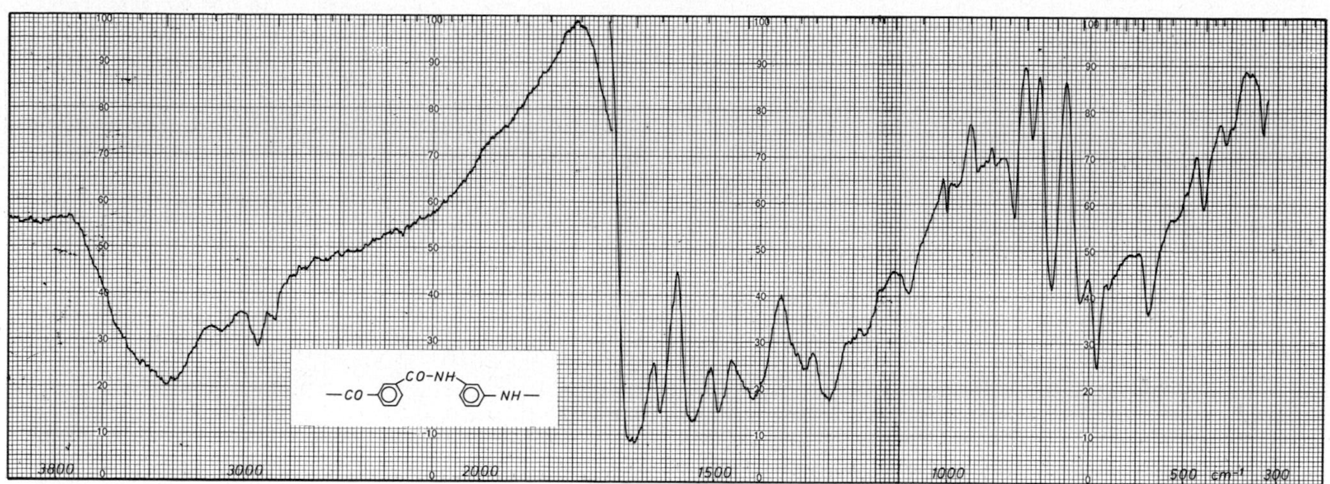

(1) **Nomex**
(3) Poly(m-phenylenisophthalamid), Poly(imino-1,3-phenylenimino-isophthaloyl)
(4) nahezu farblose (weiße) Faser
(5) thermostabiles Material
(6) 3 mg feinstgeschnittene Faser mit DMA und 400 mg KBr verrieben, getrocknet und gepreßt

(2) Du Pont, Wilmington, Dela.
(3) poly(m-phenylene isophthalamide, poly(imino-1,3-phenyleneimino isophthaloyl)
(4) almost colorless (white) fiber
(5) thermally stable material
(6) 3 mg finely chopped fiber, ground with DMA and 400 mg KBr, dried and pressed

124221241 $C_{14}H_{10}N_2O_2$ *P* 2283

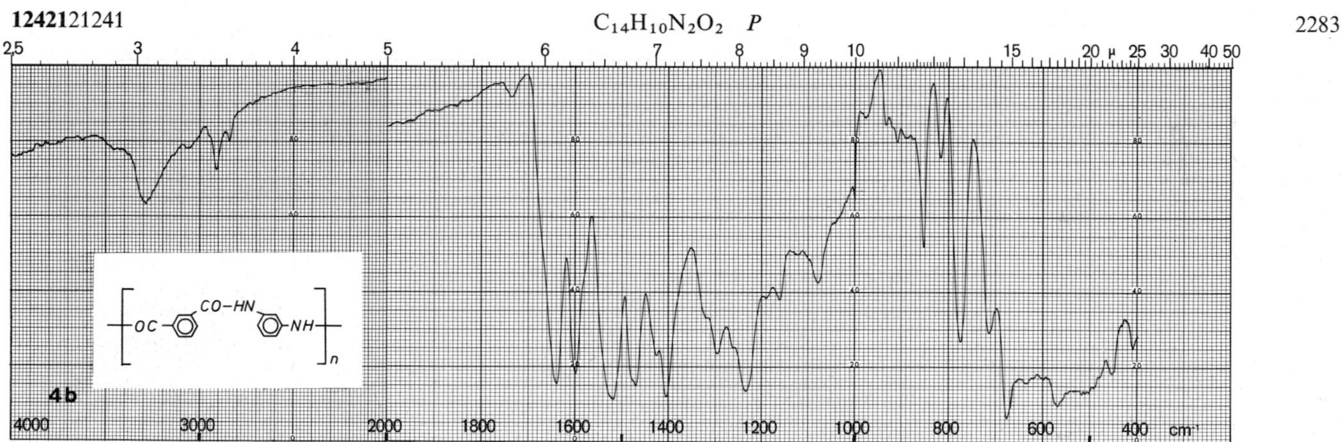

(1) **Nomex**
(3) Poly(m-phenylenisophthalamid), Poly(imino-1,3-phenylenimino-isophthaloyl)
(4) weiße Faser
(5) thermostabiles Material
(6) ATR

(2) Du Pont, Wilmington, Dela.
(3) poly(m-phenylene isophthalamide), poly(imino-1,3-phenyleneimino isophthaloyl)
(4) white fiber
(5) thermally stable material
(6) ATR

124221241 $C_{14}H_{10}N_2O_2$ *P* 2284

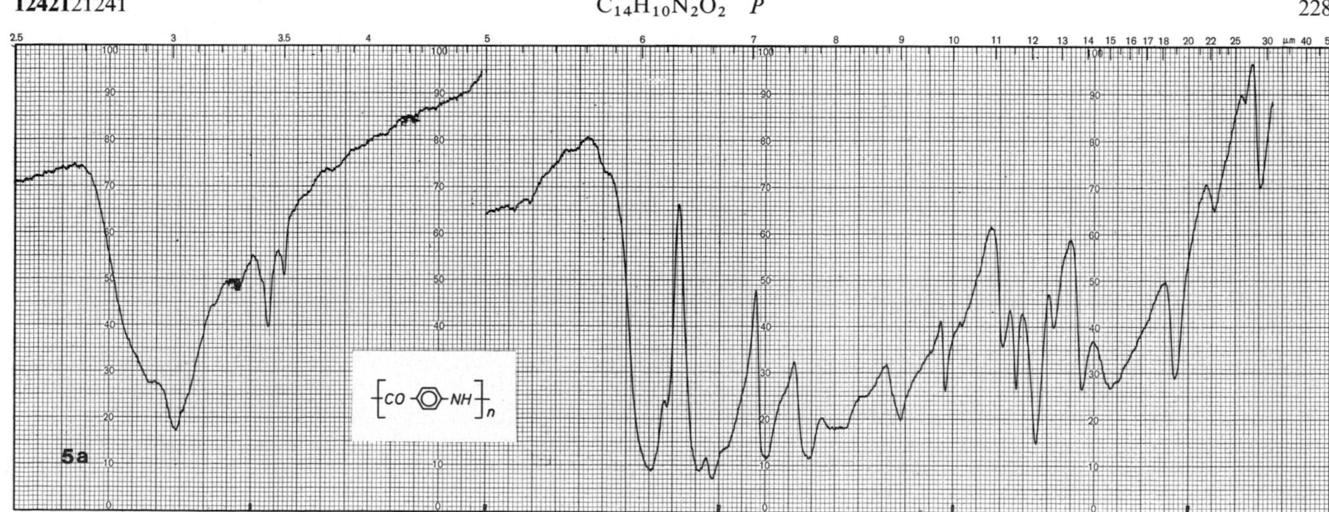

(1) **Kevlar**
(3) Poly(p-phenylenterephthalamid), Poly(imino-1,4-phenyleniminoterephthaloyl)
(4) hellgelbe Faser
(5) thermostabile Synthesefaser
(6) KBr (3/350)
(7) Formel im Spektrum muß lauten: –NH–⟨⟩–NH–CO–⟨⟩–CO–

(2) Du Pont, Wilmington, Dela.
(3) poly(p-phenylene terephthalamide), poly(imino-1,4-phenyleneimino terephthaloyl)
(4) pale yellow fiber
(5) thermally stable, synthetic fiber
(6) KBr (3/350)

1242121241 $C_{14}H_{10}N_2O_2$ *P* 2285

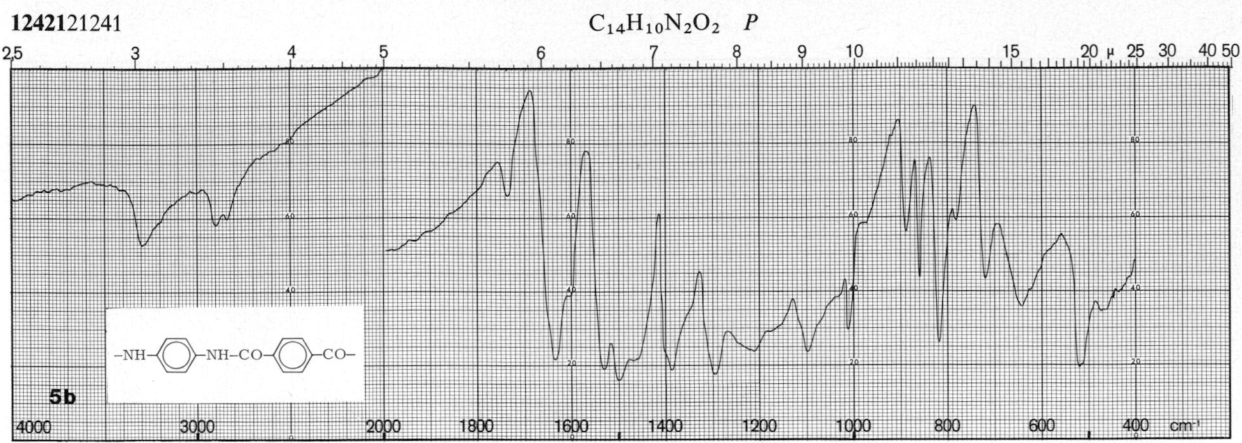

(1) **Kevlar**
(3) Poly(p-phenylenterephthalamid), Poly(imino-1,4-phenyleniminoterephthaloyl)
(4) hellgelbe Faser
(5) thermostabiles Material
(6) ATR

(2) Du Pont, Wilmington, Dela.
(3) poly(p-phenylene terephthalamide), poly(imino-1,4-phenyleneimino terephthaloyl)
(4) pale yellow fiber
(5) thermally stable material
(6) ATR

12421212534 $C_{40}H_{27}N_5O_4$ *P* 2286

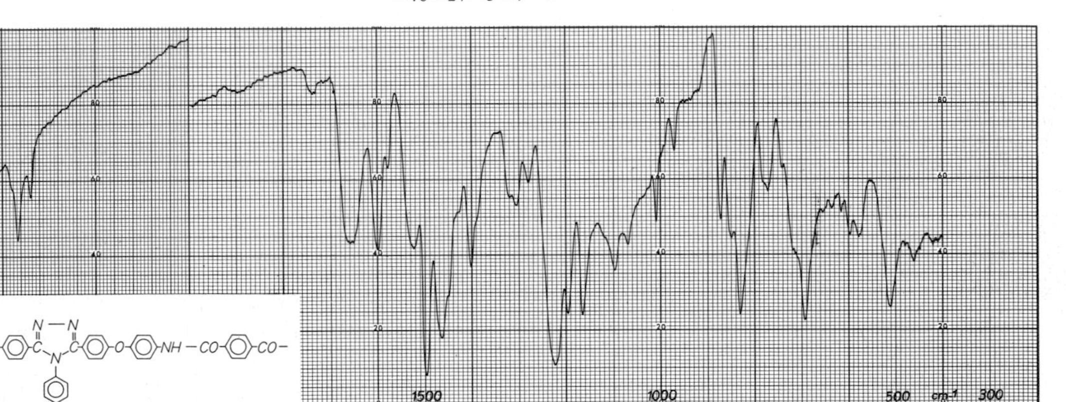

(1) **Poly(1,2,4-triazol) mit Phenylenether- und Terephthalamidbrücken**
(2) Bayer AG, Werk Dormagen (Laborpräparat H.-E. Künzel)
(4) schwach gelbliche Faser
(5) für Fäden und Fasern mit guten thermischen und mechanischen Eigenschaften
(6) ATR mit KRS-5 („Faservorhang"), Ordinate 1,25fach
(7) H.-E. Künzel, G. D. Wolf, F. Bentz, G. Blankenstein, G. E. Nischk, Makromol. Chem. **130** (1969) 103...44; zur Präparationstechnik: H. Siesler, D. O. Hummel, Melliand Textilber. **54** (1973) 1093...7

(1) **poly(1,2,4-triazole) with phenylene ether and terephthalamide linkages**
(2) Bayer AG, Werk Dormagen (laboratory preparation, H.-E. Künzel)
(4) slightly yellowish fiber
(5) for threads and fibers with good, thermal properties
(6) ATR with KRS-5 ("fiber curtain"), ordinate expanded 1.25-fold
(7) H.-E. Künzel, G. D. Wolf, F. Bentz, G. Blankenstein, G. E. Nischk, Makromol. Chem. **130** (1969) 103...44; for preparation technique see H. Siesler, D. O. Hummel, Melliand Textilber. **54** (1973) 1093...7

12421212534 $C_{34}H_{23}N_5O_3$ *P* 2287

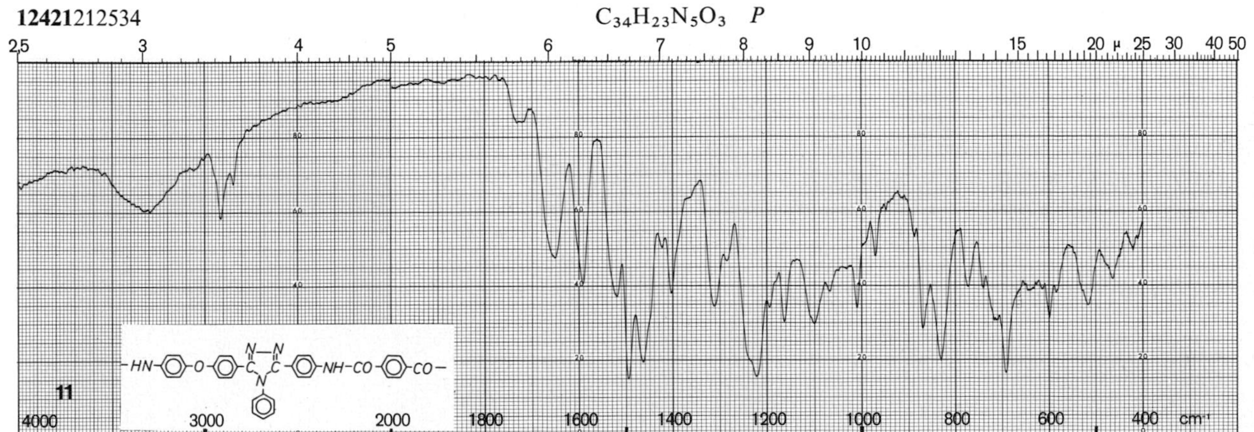

(1) **Poly(1,2,4-triazol) mit Terephthalamid- und Phenylenetherbrücken**
(2) Bayer AG, Werk Dormagen (Laborpräparat H.-E. Künzel)
(4) farblose Faser
(6) ATR/FMIR

(1) **poly(1,2,4-triazole) with phenylene ether and terephthalamide linkages**
(2) Bayer AG, Werk Dormagen (laboratory preparation, H.-E. Künzel)
(4) colorless fiber
(6) ATR/FMIR

12421212534 $C_{40}H_{27}N_5O_4$ *P* 2288

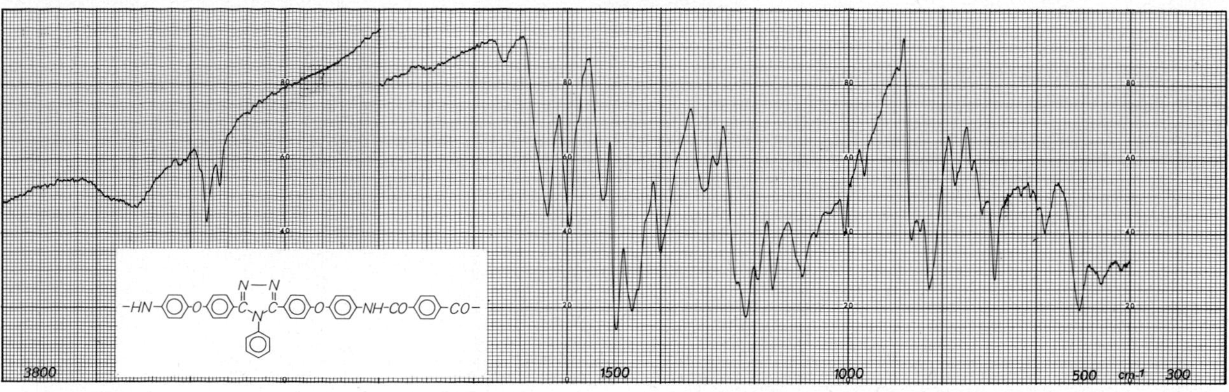

(1) **Poly(1,2,4-triazol) mit Phenylenether- und Terephthalamid-Brücken**
(2) Bayer AG, Werk Dormagen (Laborpräparat H.-K. Künzel)
(4) schwach gelbliche Faser
(5) für Fäden und Fasern mit guten thermischen und mechanischen Eigenschaften
(6) ATR mit KRS-5 („Faservorhang"), Ordinate 1,25fach
(7) H.-E. Künzel, G. D. Wolf, F. Bentz, G. Blankenstein, G. E. Nischk, Makromol. Chem. **130** (1969) 103...44; zur Präparationstechnik: H. Siesler, D. O. Hummel, Melliand Textilber. **54** (1973) 1093...7

(1) **poly(1,2,4-triazole) with phenylene ether and terephthalamide linkages**
(2) Bayer AG, Werk Dormagen (laboratory preparation, H.-E. Künzel)
(4) slightly yellowish fiber
(5) for threads and fibers with good, thermal properties
(6) ATR with KRS-5 ("fiber curtain"), ordinate expanded 1.25-fold
(7) H.-E. Künzel, G. D. Wolf, F. Bentz, G. Blankenstein, G. E. Nischk, Makromol. Chem. **130** (1969) 103...44; for preparation technique see H. Siesler, D. O. Hummel, Melliand Textilber. **54** (1973) 1093...7

12421212534 $C_{28}H_{19}N_5O_3$ *P* 2289

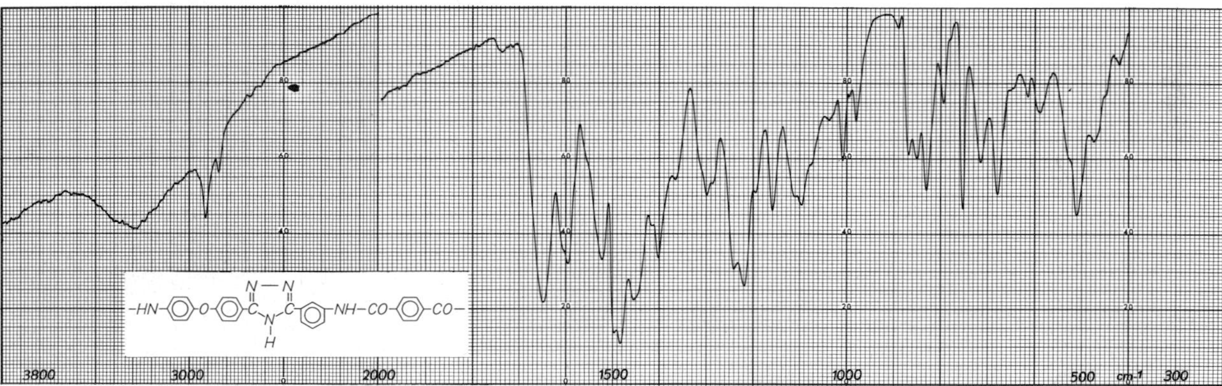

(1) **Poly(1,2,4-triazol) mit Phenylenether- und Terephthalamid-Brücken**
(2) Bayer AG, Werk Dormagen (Laborpräparat H.-E. Künzel)
(4) schwach gelbliche Faser
(5) für Fäden und Fasern mit guten thermischen und mechanischen Eigenschaften
(6) ATR mit KRS-5 („Faservorhang"), Ordinate 1,60fach
(7) H.-E. Künzel, G. D. Wolf, F. Bentz, G. Blankenstein, G. E. Nischk, Makromol. Chem. **130** (1969) 103...44; zur Präparationstechnik: H. Siesler, D. O. Hummel, Melliand Textilber. **54** (1973) 1093...7

(1) **poly(1,2,4-triazole) with phenylene ether and terephthalamide linkages**
(2) Bayer AG, Werk Dormagen (laboratory preparation, H.-E. Künzel)
(4) slightly yellowish fiber
(5) for threads and fibers with good, thermal properties
(6) ATR with KRS-5 ("fiber curtain"), ordinate expanded 1.60-fold
(7) H.-E. Künzel, G. D. Wolf, F. Bentz, G. Blankenstein, G. E. Nischk, Makromol. Chem. **130** (1969) 103...44; for preparation technique see H. Siesler, D. O. Hummel, Melliand Textilber. **54** (1973) 1093...7

12421212534 $C_{34}H_{22}N_4O_5$ *P* 2290

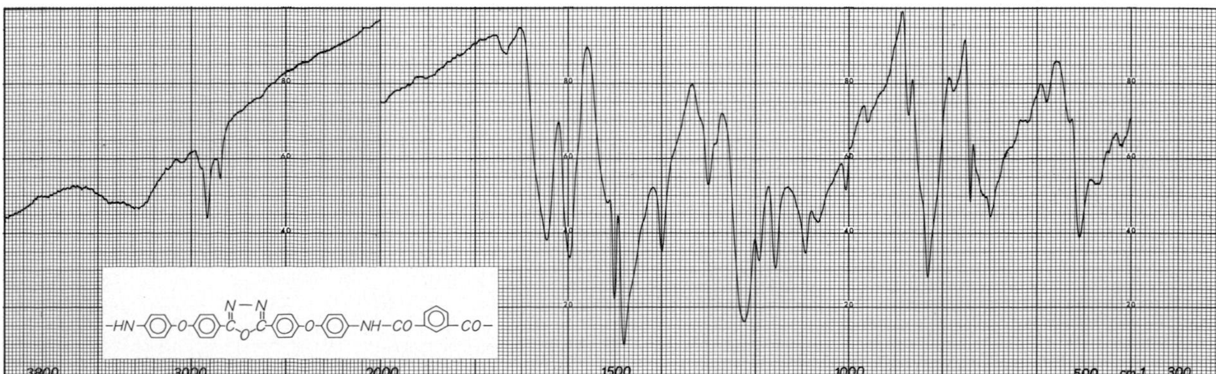

(1) **Poly(oxadiazol) mit Phenylenether- und Isophthalamid-Brücken**
(2) Bayer AG, Werk Dormagen (Laborpräparat H.-E. Künzel)
(4) schwach gelbliche Faser
(5) für Fäden und Fasern mit guten thermischen und mechanischen Eigenschaften
(6) ATR mit KRS-5 („Faservorhang"), Ordinate 1,30fach
(7) H.-E. Künzel, G. D. Wolf, F. Bentz, G. Blankenstein, G. E. Nischk, Makromol. Chem. **130** (1969) 103...44; zur Präparationstechnik: H. Siesler, D. O. Hummel, Melliand Textilber. **54** (1973) 1093...7

(1) **poly(oxadiazole) with phenylene ether and isophthalamide linkages**
(2) Bayer AG, Werk Dormagen (laboratory preparation, H.-E. Künzel)
(4) slightly yellowish fiber
(5) for threads and fibers with good, thermal properties
(6) ATR with KRS-5 ("fiber curtain"), ordinate expanded 1.30-fold
(7) H.-E. Künzel, G. D. Wolf, F. Bentz, G. Blankenstein, G. E. Nischk, Makromol. Chem. **130** (1969) 103...44; for preparation technique see H. Siesler, D. O. Hummel, Melliand Textilber. **54** (1973) 1093...7

12421212534 $C_{34}H_{22}N_4O_5$ *P* 2291

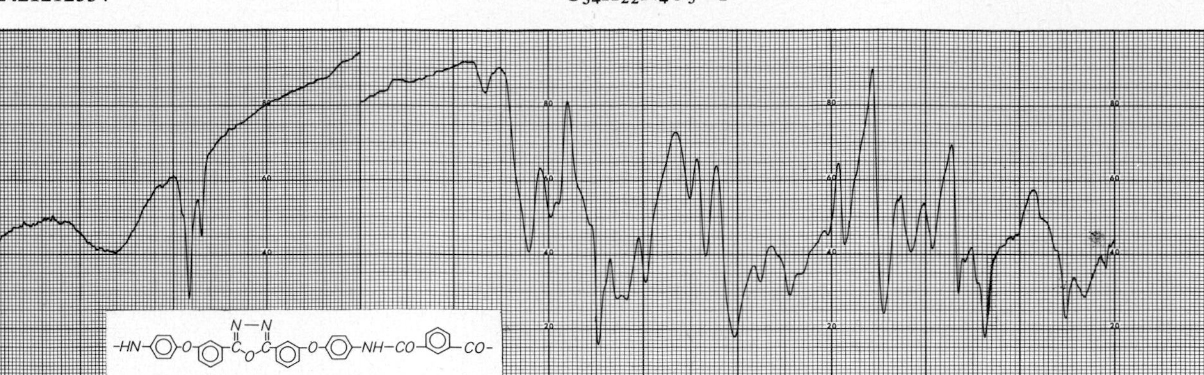

(1) **Poly(oxadiazol) mit Phenylenether- und Isophthalamid-Brücken**
(2) Bayer AG, Werk Dormagen (Laborpräparat H.-E. Künzel)
(4) schwach gelbliche Faser
(5) für Fäden und Fasern mit guten thermischen und mechanischen Eigenschaften
(6) ATR mit KRS-5 („Faservorhang"), Ordinate 1,75fach
(7) H.-E. Künzel, G. D. Wolf, F. Bentz, G. Blankenstein, G. E. Nischk, Makromol. Chem. **130** (1969) 103...44; zur Präparationstechnik: H. Siesler, D. O. Hummel, Melliand Textilber. **54** (1973) 1093...7

(1) poly(oxadiazole) with phenylene ether and isophthalamide linkages
(2) Bayer AG, Werk Dormagen (laboratory preparation, H.-E. Künzel)
(4) slightly yellowish fiber
(5) for threads and fibers with good, thermal properties
(6) ATR with KRS-5 ("fiber curtain"), ordinate expanded 1.75-fold
(7) H.-E. Künzel, G. D. Wolf, F. Bentz, G. Blankenstein, G. E. Nischk, Makromol. Chem. **130** (1969) 103...44; for preparation technique see H. Siesler, D. O. Hummel, Melliand Textilber. **54** (1973) 1093...7

12421212534 $C_{28}H_{18}N_4O_4$ *P* 2292

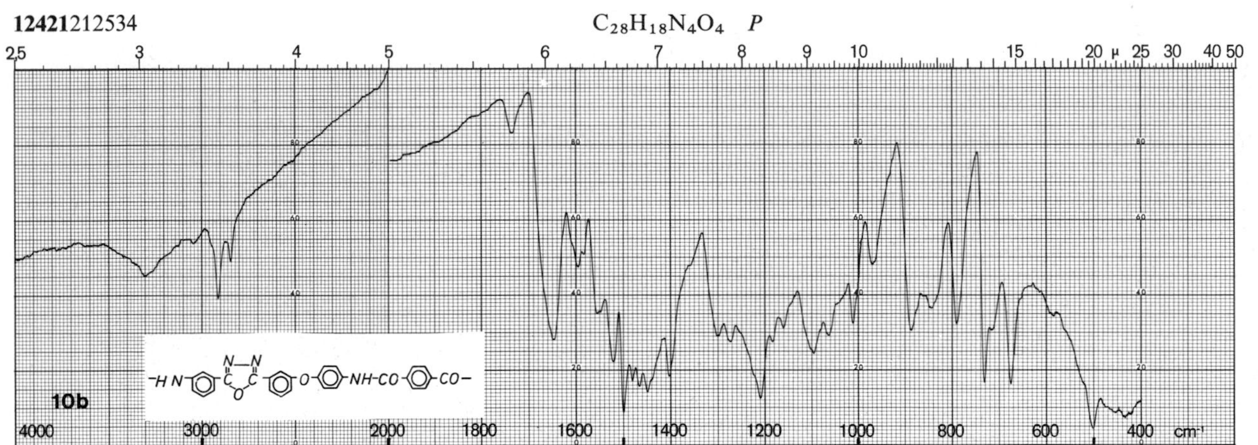

(1) **Poly(oxadiazol) mit Terephthalamid- und Phenylenether-Brücken**
(2) Bayer AG, Werk Dormagen (Laborpräparat H.-E. Künzel)
(4) farblose Faser
(6) ATR/FMIR

(1) **poly(oxadiazole) with phenylene ether and terephthalamide linkages**
(2) Bayer AG, Werk Dormagen (laboratory preparation, H.-E. Künzel)
(4) colorless fiber
(6) ATR/FMIR

12(**421**212534 – **52**72) $C_{34}H_{22}N_4O_5 - C_{34}H_{22}N_4O_4S$ *P* 2293

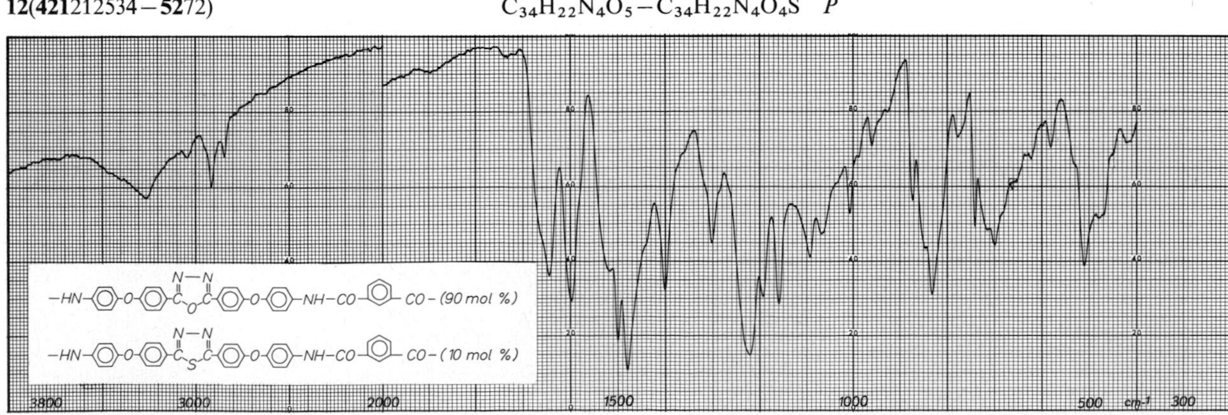

(1) **Poly(oxadiazol-co-thiadiazol) mit Phenylenether- und Isophthalamid-Brücken**
(2) Bayer AG, Werk Dormagen (Laborpräparat H.-E. Künzel)
(4) schwach gelbliche Faser
(5) für Fäden und Fasern mit guten thermischen und mechanischen Eigenschaften
(6) ATR mit KRS-5 („Faservorhang"), Ordinate 1,15fach
(7) H.-E. Künzel, G. D. Wolf, F. Bentz, G. Blankenstein, G. E. Nischk, Makromol. Chem. **130** (1969) 103...44; zur Präparationstechnik: H. Siesler, D. O. Hummel, Melliand Textilber. **54** (1973) 1093...7

(1) **poly(oxadiazole-co-thiadiazole) with phenylene ether and isophthalamide linkages**
(2) Bayer AG, Werk Dormagen (laboratory preparation, H.-E. Künzel)
(4) slightly yellowish fiber
(5) for threads and fibers with good, thermal properties
(6) ATR with KRS-5 ("fiber curtain"), ordinate expanded 1.15-fold
(7) H.-E. Künzel, G. D. Wolf, F. Bentz, G. Blankenstein, G. E. Nischk, Makromol. Chem. **130** (1969) 103...44; for preparation technique see H. Siesler, D. O. Hummel, Melliand Textilber. **54** (1973) 1093...7

124212125322 $C_{46}H_{32}N_4O_7$ *P* 2294

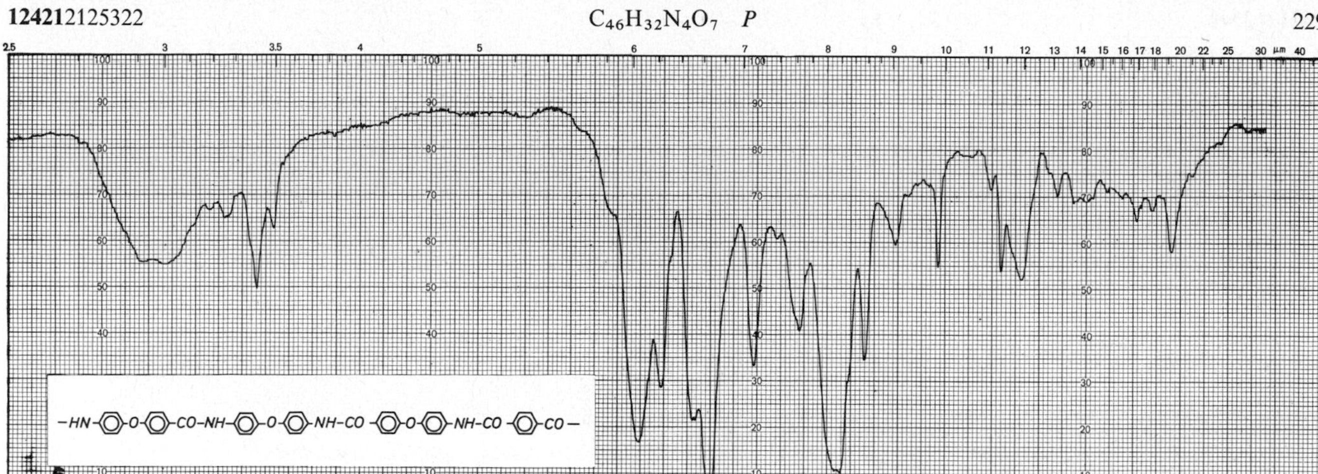

(1) **Blockcopolyamidoether, aromatisch**
(2) Bayer AG, Werk Dormagen (Laborpräparat G. Lorenz)
(4) starke, weiße Fäden
(6) mit KBr (1.3/350) und DMA verrieben, getrocknet und gepreßt
(7) an den Markierungen am unteren Band des Spektrums soll stehen: 3000, 2000, 1500, 1000, 500 cm^{-1}

(1) **block copoly(amido ether), aromatic**
(2) Bayer AG, Werk Dormagen (laboratory preparation, G. Lorenz)
(4) strong, white fiber
(6) ground with KBr (1.3/350) and DMA, dried and pressed
(7) the bottom axis of the spectrum should be indexed 3000, 2000, 1500, 1000, 500 cm^{-1}

12(**421**212534-**52**72) $C_{34}H_{22}N_4O_5 - C_{34}H_{22}N_4O_4S$ *P* 2295

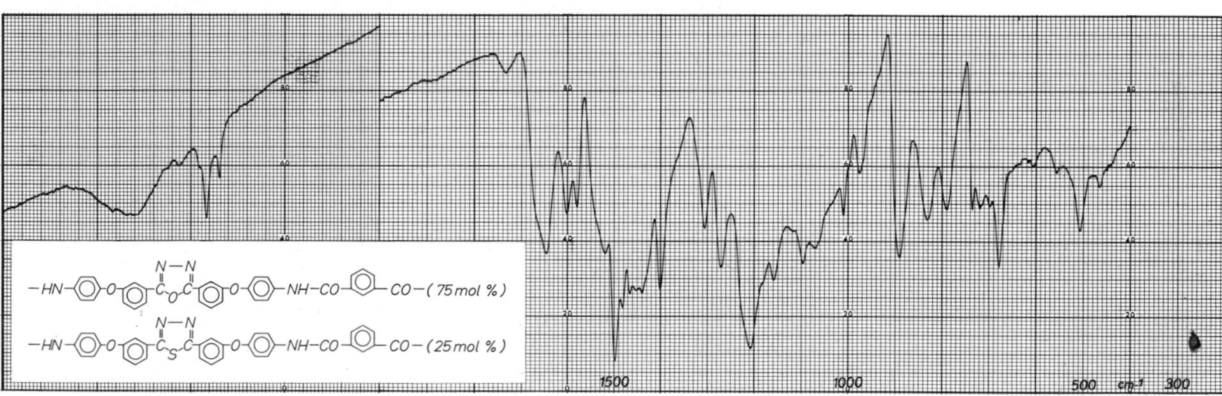

(1) **Poly(oxadiazol-co-thiadiazol) mit Phenylenether- und Isophthalamid-Brücken**
(2) Bayer AG, Werk Dormagen (Laborpräparat H.-E. Künzel)
(4) schwach gelbliche Faser
(5) für Fäden und Fasern mit guten thermischen und mechanischen Eigenschaften
(6) ATR mit KRS-5 („Faservorhang"), Ordinate 1.17fach
(7) H.-E. Künzel, G. D. Wolf, F. Bentz, G. Blankenstein, G. E. Nischk, Makromol. Chem. **130** (1969) 103...44; zur Präparationstechnik: H. Siesler, D. O. Hummel, Melliand Textilber. **54** (1973) 1093...7

(1) **poly(oxadiazole-co-thiazole) with phenylene ether and terephthalamide linkages**
(2) Bayer AG, Dormagen (laboratory preparation, H.-E. Künzel)
(4) slightly, yellowish fiber
(5) for threads and fibers with good, thermal properties
(6) ATR with KRS-5 ("fiber curtain"), ordinate expanded 1.17-fold
(7) H.-E. Künzel, G. D. Wolf, F. Bentz, G. Blankenstein, G. E. Nischk, Makromol. Chem. **130** (1969) 103...44; for preparation techniques see H. Siesler, D. O. Hummel, Melliand Textilber. **54** (1973) 1093...7

12421212544 $C_{28}H_{17}N_3O_6$ *P* 2296

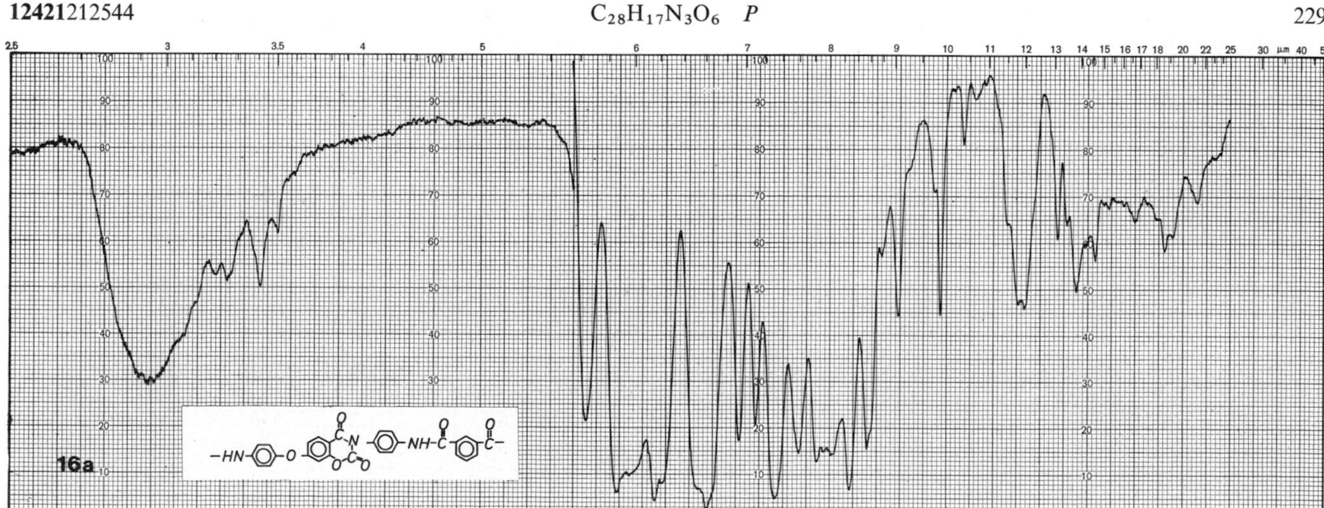

(1) **Poly(benzoxazindion) mit Isophthalamid- und Phenylenether-Brücken**
(2) Bayer AG, Dormagen (Laborpräparat H.-E. Künzel)
(4) gelbe Faser
(6) mit KBr (2/400) und DMA verrieben, getrocknet und gepreßt
(7) an den Markierungen am unteren Rand des Spektrums soll stehen: 3000, 2000, 1500, 1000, 500 cm^{-1}

(1) **poly(benzoxazinedione) with phenylene ether and isophthalamide linkages**
(2) Bayer AG, Dormagen (laboratory preparation, H.-E. Künzel)
(4) yellow fiber
(6) ground with KBr (2/400) and DMA, dried and pressed
(7) the bottom axis of the spectrum should be indexed 3000, 2000, 1500, 1000, 500 cm^{-1}

12421212544 $C_{22}H_{14}N_4O_4$ *P* 2297

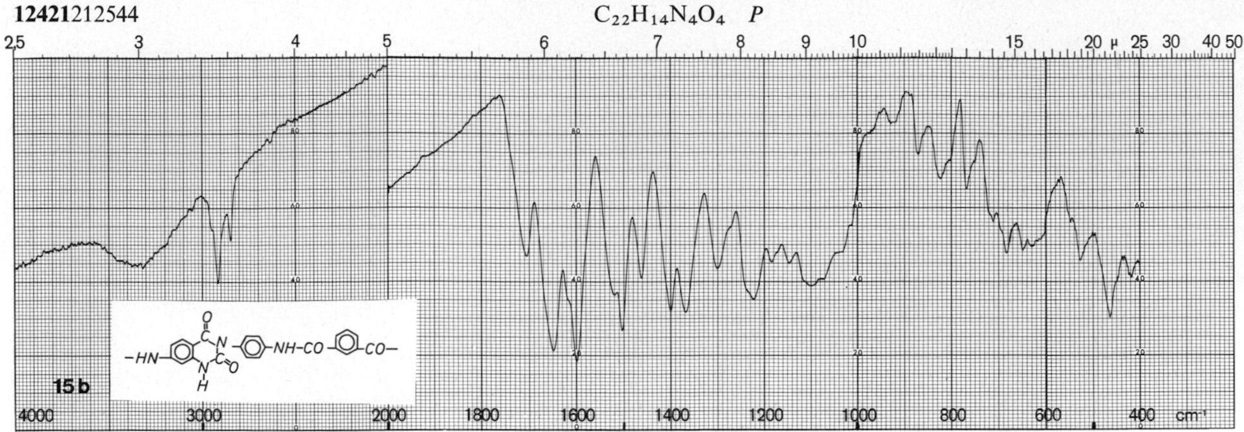

(1) **Poly(chinazolindion-p-phenylenisophthalamid)**
(2) Bayer AG, Dormagen (Laborpräparat H.-E. Künzel)
(4) farblose Faser
(6) ATR

(1) **poly(quinazolinedione-p-phenylene isophthalamide)**
(2) Bayer AG, Dormagen (laboratory preparation, H.-E. Künzel)
(4) colorless fiber
(6) ATR

12421212544 $C_{22}H_{14}N_4O_4$ *P* 2298

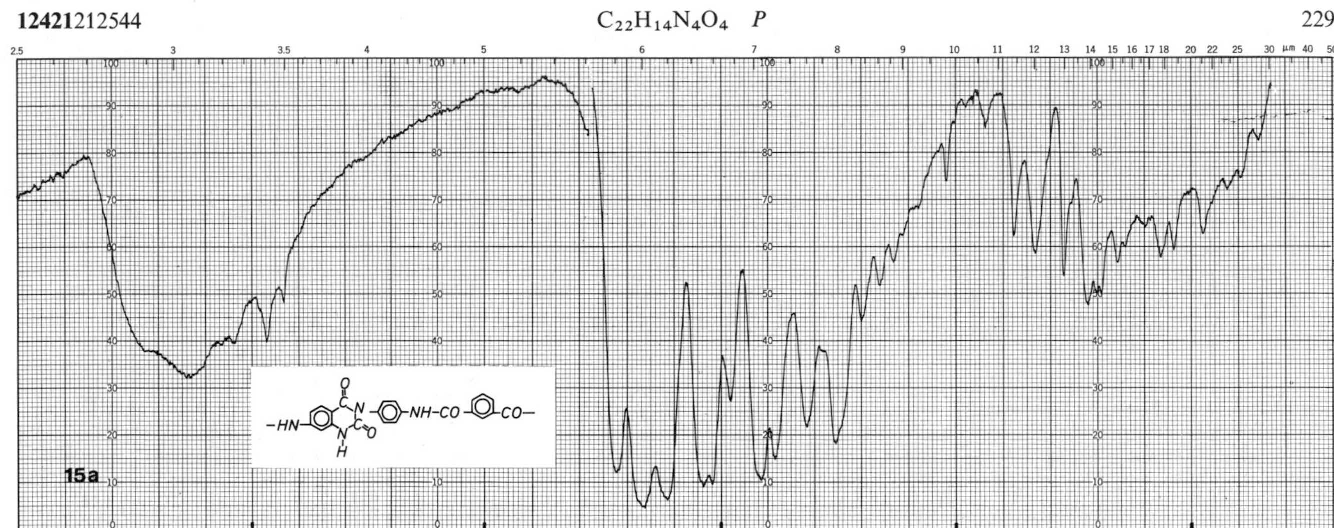

(1) **Poly(chinazolindion) mit Isophthalamid-Brücken**
(2) Bayer AG, Dormagen (Laborpräparat H.-E. Künzel)
(4) beige-orange Faser
(6) mit KBr (2/350) und DMA verrieben, getrocknet und gepreßt

(1) **poly(quinazolinedione) with isophthalamide linkages**
(2) Bayer AG, Dormagen (laboratory preparation, H.-E. Künzel)
(4) beige-orange fiber
(6) ground with KBr (2/350) and DMA, dried and pressed

12421212544 $C_{29}H_{20}N_4O_4$ 2299

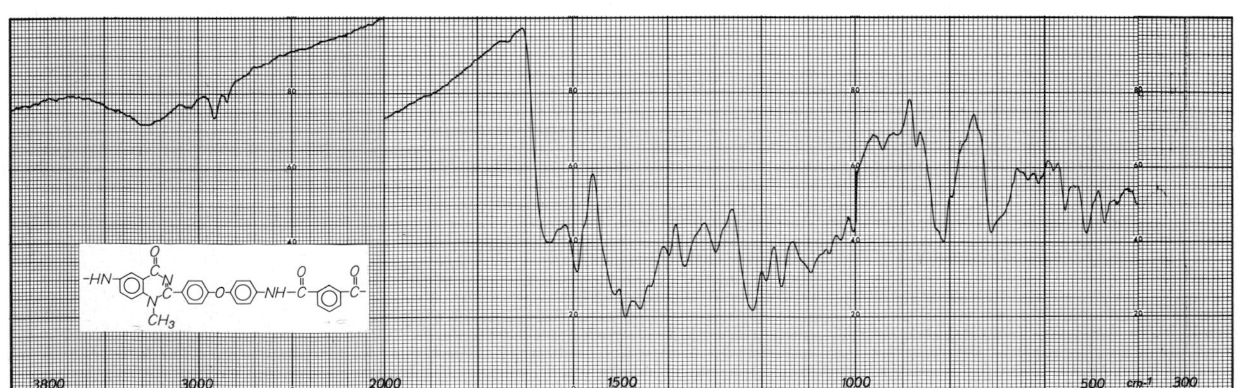

(1) **Polychinazolon mit Phenylenether- und Isophthalamid-Brücken**
(2) Bayer AG, Werk Dormagen (Laborpräparat H.-E. Künzel)
(4) schwach gelbliche Faser
(5) für Fäden und Fasern mit guten thermischen und mechanischen Eigenschaften
(6) ATR mit KRS-5 („Faservorhang")
(7) H.-E. Künzel, G. D. Wolf, F. Bentz, G. Blankenstein, G. E. Nischk, Makromol. Chem. **130** (1969) 103...44; zur Präparationstechnik: H. Siesler, D. O. Hummel, Melliand Textilber. **54** (1973) 1093...7

(1) **polyquinazolone with phenylene ether and isophthalamide linkages**
(2) Bayer AG, Dormagen (laboratory preparation, H.-E. Künzel)
(4) slightly yellowish fiber
(5) for threads and fibers with good, thermal properties
(6) ATR with KRS-5 ("fiber curtain")
(7) H.-E. Künzel, G. D. Wolf, F. Bentz, G. Blankenstein, G. E. Nischk, Makromol. Chem. **130** (1969) 103...44; for preparation technique see H. Siesler, D. O. Hummel, Melliand Textilber. **54** (1973) 1093...7

12421212544 $C_{29}H_{20}N_4O_4$ *P* 2300

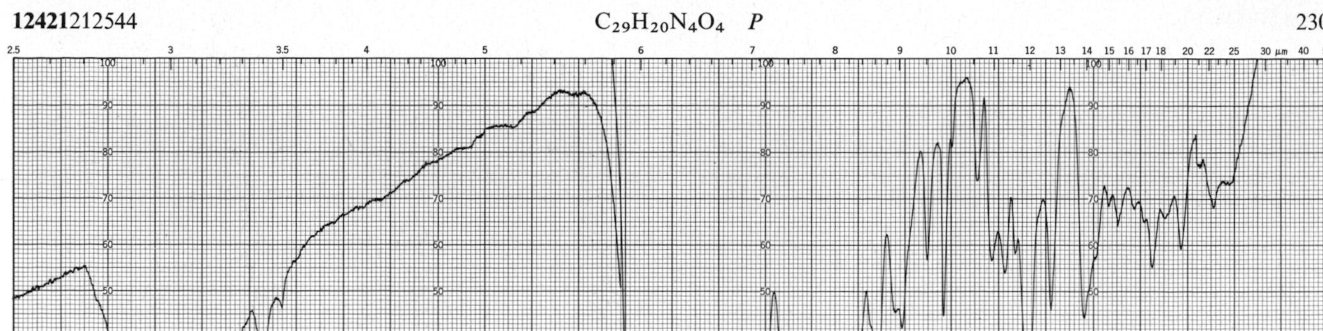

(1) **Polychinazolon mit Terephthalamid- und Phenylenether-Brücken**
(2) Bayer AG, Dormagen (Laborpräparat H.-E. Künzel)
(4) gelbliche, feine Faser
(6) mit KBr (3.5/399) und DMA verrieben, getrocknet und gepreßt

(1) **polyquinazolone with phenylene ether and terephthalamide linkages**
(2) Bayer AG, Dormagen (laboratory preparation, H.-E. Künzel)
(4) fine, yellowish fiber
(6) ground with KBr (3.5/300) and DMA, dried and pressed

12421212544 $C_{28}H_{17}N_3O_6$ *P* 2301

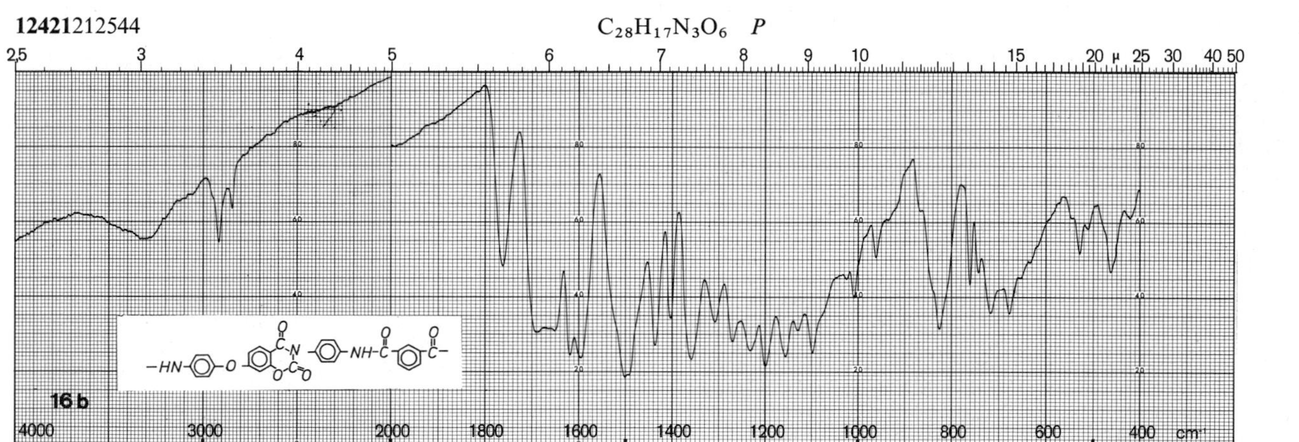

(1) **Poly(oxybenzoxazindiondiyl-p-phenylen-isophthalamido-p-phenylen)**
(2) Bayer AG, Dormagen (Laborpräparat H.-E. Künzel)
(4) schwachgelbliche Faser
(6) ATR/FMIR

(1) **poly(oxybenzoxazinedionediyl-p-phenylene isophthalamido-p-phenylene)**
(2) Bayer AG, Dormagen (laboratory preparation, H.-E. Künzel)
(4) slightly yellowish fiber
(5) for threads and fibers with good, thermal properties
(6) ATR/FMIR

12421212544 $C_{30}H_{22}N_4O_4$ *P* 2302

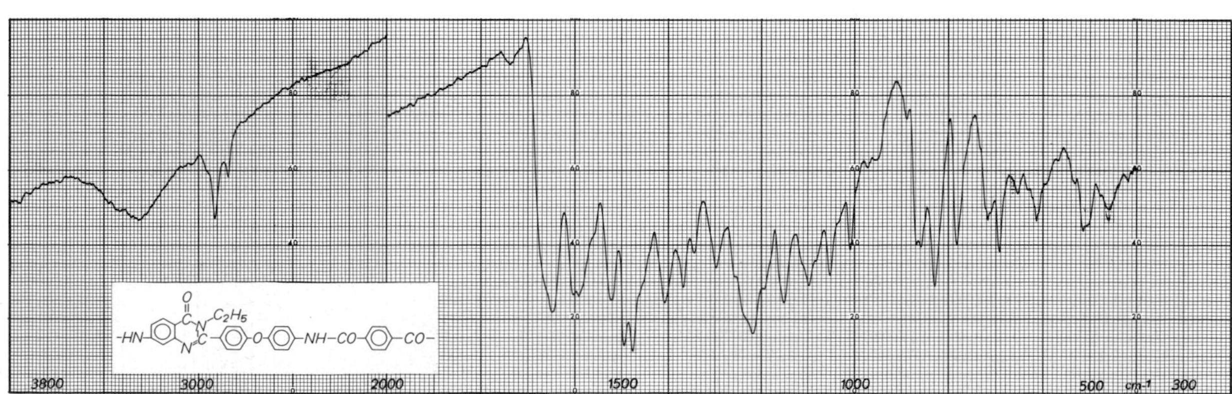

(1) **Polychinazolon mit Phenylenether- und Terephthalamid-Brücken**
(2) Bayer AG, Werk Dormagen (Laborpräparat H.-E. Künzel)
(4) schwach gelbliche Faser
(5) für Fäden und Fasern mit guten thermischen und mechanischen Eigenschaften
(6) ATR mit KRS-5 („Fasorvorhang"), Ordinate 1.20fach
(7) H.-E. Künzel, G. D. Wolf, F. Bentz, G. Blankenstein, G. E. Nischk, Makromol. Chem. **130** (1969) 103...44; zur Präparationstechnik: H. Siesler, D. O. Hummel, Melliand Textilber. **54** (1973) 1093...7

(1) **polyquinazolone with phenylene ether and terephthalamide linkages**
(2) Bayer AG, Werk Dormagen (laboratory preparation, H.-E. Künzel)
(4) slightly yellowish fiber
(5) for threads and fibers with good, thermal properties
(6) ATR with KRS-5 ("fiber curtain"), ordinate expanded 1.20-fold
(7) H.-E. Künzel, G. D. Wolf, F. Bentz, G. Blankenstein, G. E. Nischk, Makromol. Chem. **130** (1969) 103...44; for preparation technique see H. Siesler, D. O. Hummel, Melliand Textilber. **54** (1973) 1093...7

12421212544 $C_{29}H_{20}N_4O_4$ *P* 2303

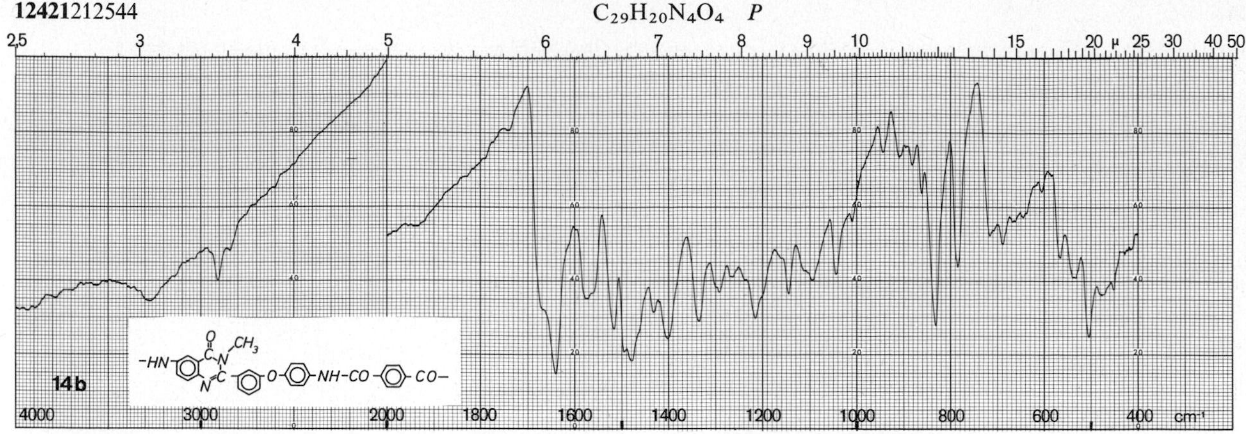

(1) **Polychinazolon mit Terephthalamid- und Phenylenether-Brücken**
(2) Bayer AG, Dormagen (Laborpräparat H.-E. Künzel)
(4) leicht gelbliche Faser
(6) ATR/FMIR

(1) **polyquinazolone with phenylene ether and terephthalamide linkages**
(2) Bayer AG, Dormagen (laboratory preparation, H.-E. Künzel)
(4) slightly yellowish fiber
(6) ATR/FMIR

12421212544 $C_{30}H_{22}N_4O_4$ *P* 2304

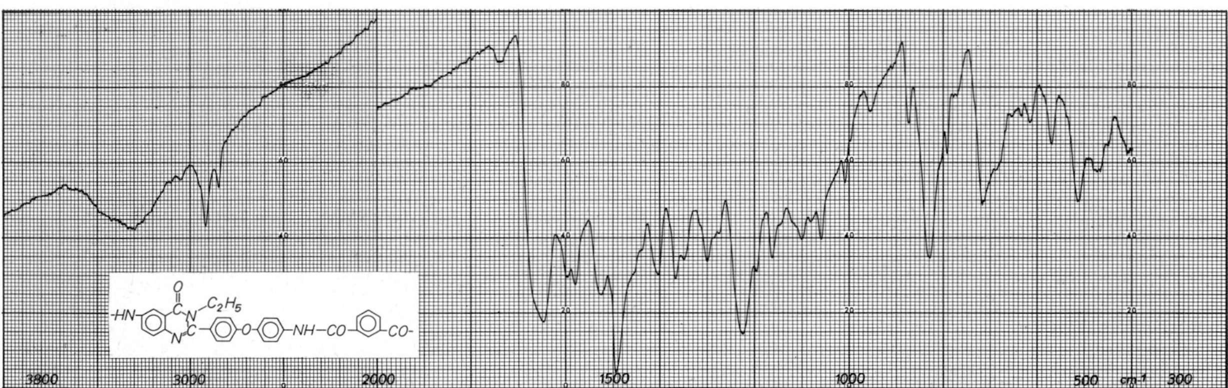

(1) **Polychinazolon mit Phenylenether- und Isophthalamid-Brücken**
(2) Bayer AG, Werk Dormagen (Laborpräparat H.-K. Künzel)
(4) schwach gelbliche Faser
(5) für Fäden und Fasern mit guten thermischen und mechanischen Eigenschaften
(6) ATR mit KRS-5 („Faservorhang"), Ordinate 1.20fach
(7) H.-E. Künzel, G. D. Wolf, F. Bentz, G. Blankenstein, G. E. Nischk, Makromol. Chem. **130** (1969) 103...44; zur Präparationstechnik: H. Siesler, D. O. Hummel, Melliand Textilber. **54** (1973) 1093...7

(1) **polyquinazolone with phenylene ether and isophthalamide linkages**
(2) Bayer AG, Werk Dormagen (laboratory preparation, H.-E. Künzel)
(4) slightly yellowish fiber
(5) for threads and fibers with good thermal and mechanical properties
(6) ATR with KRS-5 ("fiber curtain"), ordinate expanded 1.20-fold
(7) H.-E. Künzel, G. D. Wolf, F. Bentz, G. Blankenstein, G. E. Nischk, Makromol. Chem. **130** (1969) 103...44; for preparation technique see H. Siesler, D. O. Hummel, Melliand Textilber. **54** (1973) 1093...7

12421212544 $C_{29}H_{20}N_4O_4$ *P* 2305

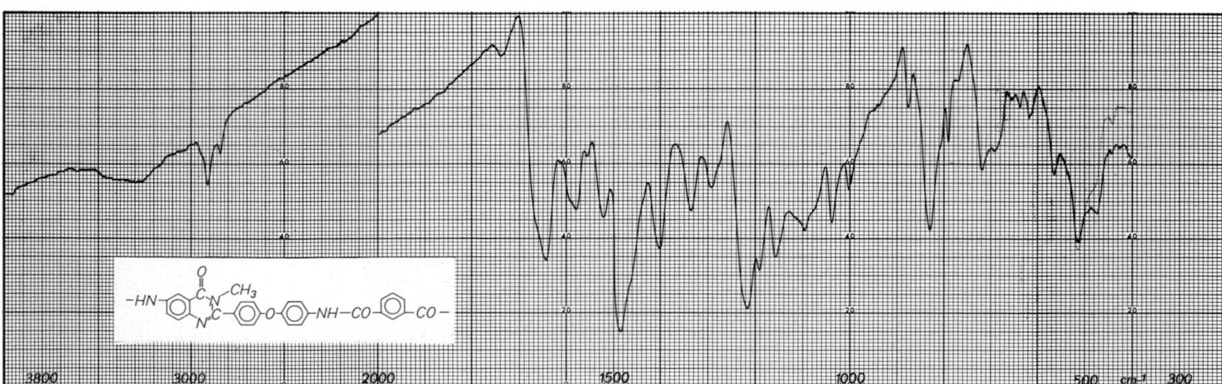

(1) **Polychinazolon mit Phenylenether- und Isophthalamid-Brücken**
(2) Bayer AG, Werk Dormagen (Laborpräparat H.-K. Künzel)
(4) schwach gelbliche Faser
(5) für Fäden und Fasern mit guten thermischen und mechanischen Eigenschaften
(6) ATR mit KRS-5 („Faservorhang"), Ordinate 1.20fach
(7) H.-E. Künzel, G. D. Wolf, F. Bentz, G. Blankenstein, G. E. Nischk, Makromol. Chem. **130** (1969) 103...44; zur Präparationstechnik: H. Siesler, D. O. Hummel, Melliand Textilber. **54** (1973) 1093...7

(1) **polyquinazolone with phenylene ether and isophthalamide linkages**
(2) Bayer AG, Werk Dormagen (laboratory preparation, H.-E. Künzel)
(4) slightly yellowish fiber
(5) for threads and fibers with good thermal and mechanical properties
(6) ATR with KRS-5 ("fiber curtain"), ordinate expanded 1.20-fold
(7) H.-E. Künzel, G. D. Wolf, F. Bentz, G. Blankenstein, G. E. Nischk, Makromol. Chem. **130** (1969) 103...44; for preparation technique see H. Siesler, D. O. Hummel, Melliand Textilber. **54** (1973) 1093...7

12421212544 $C_{30}H_{22}N_4O_4$ *P* 2306

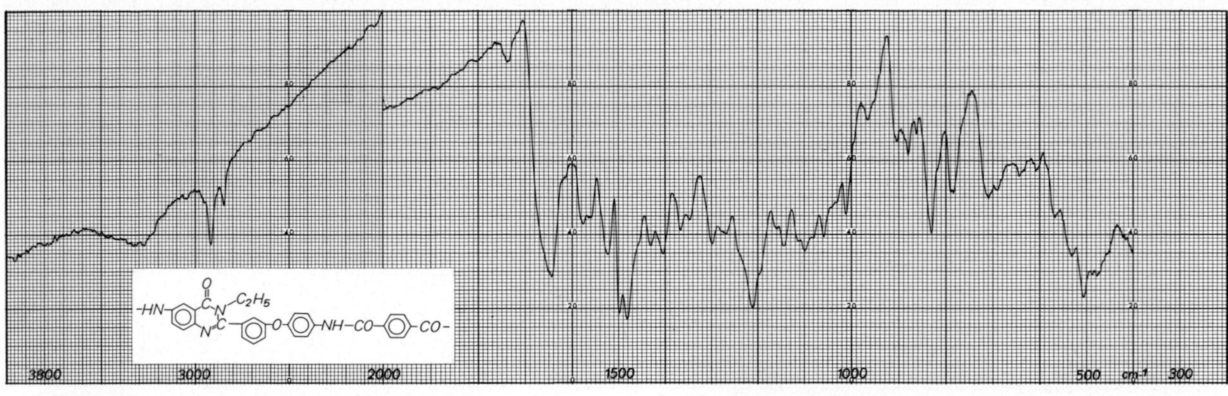

(1) **Polychinazolon mit Phenylenether- und Terephthalamid-Brücken**
(2) Bayer AG, Werk Dormagen (Laborpräparat H.-K. Künzel)
(4) schwach gelbliche Faser
(5) für Fäden und Fasern mit guten thermischen und mechanischen Eigenschaften
(6) ATR mit KRS-5 („Faservorhang"), Ordinate 1.50fach
(7) H.-E. Künzel, G. D. Wolf, F. Bentz, G. Blankenstein, G. E. Nischk, Makromol. Chem. **130** (1969) 103...44; zur Präparationstechnik: H. Siesler, D. O. Hummel, Melliand Textilber. **54** (1973) 1093...7

(1) **polyquinazolone with phenylene ether and terephthalamide linkages**
(2) Bayer AG, Werk Dormagen (laboratory preparation, H.-E. Künzel)
(4) slightly yellowish fiber
(5) for threads and fibers with good thermal and mechanical properties
(6) ATR with KRS-5 ("fiber curtain"), ordinate expanded 1.50-fold
(7) H.-E. Künzel, G. D. Wolf, F. Bentz, G. Blankenstein, G. E. Nischk, Makromol. Chem. **130** (1969) 103...44; for preparation technique see H. Siesler, D. O. Hummel, Melliand Textilber. **54** (1973) 1093...7

12421212544 $C_{34}H_{22}N_4O_4$ *P* 2307

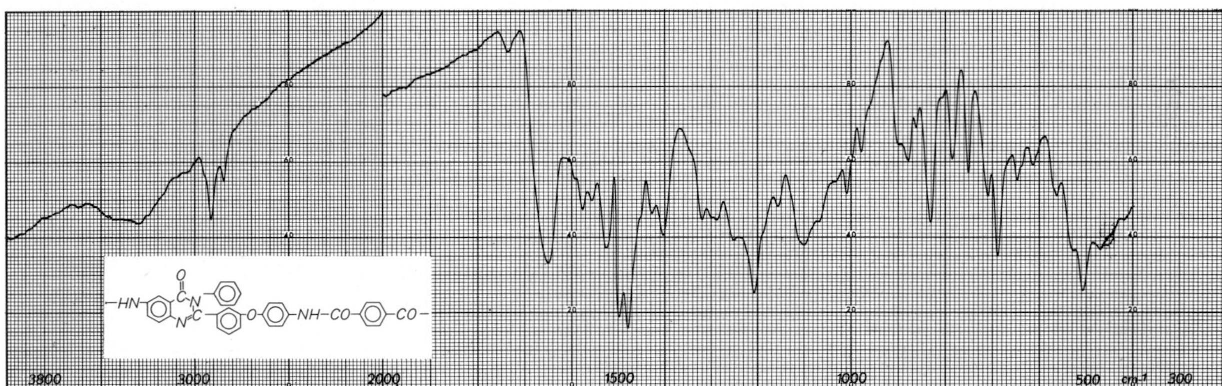

(1) **Polychinazolon mit Phenylenether- und Terephthalamid-Brücken**
(2) Bayer AG, Werk Dormagen (Laborpräparat H.-K. Künzel)
(4) schwach gelbliche Faser
(5) für Fäden und Fasern mit guten thermischen und mechanischen Eigenschaften
(6) ATR mit KRS-5 („Faservorhang"), Ordinate 1.35-fach
(7) H.-E. Künzel, G. D. Wolf, F. Bentz, G. Blankenstein, G. E. Nischk, Makromol. Chem. **130** (1969) 103...44; zur Präparationstechnik: H. Siesler, D. O. Hummel, Melliand Textilber. **54** (1973) 1093...7

(1) **polyquinazolone with phenylene ether and terephthalamide linkages**
(2) Bayer AG, Werk Dormagen (laboratory preparation, H.-E. Künzel)
(4) slightly yellowish fiber
(5) for threads and fibers with good thermal and mechanical properties
(6) ATR with KRS-5 ("fiber curtain"), ordinate expanded 1.35-fold
(7) H.-E. Künzel, G. D. Wolf, F. Bentz, G. Blankenstein, G. E. Nischk, Makromol. Chem. **130** (1969) 103...44; for preparation technique see H. Siesler, D. O. Hummel, Melliand Textilber. **54** (1973) 1093...7

124215421 $C_{22}H_{14}N_2O_3$ *P* 2308

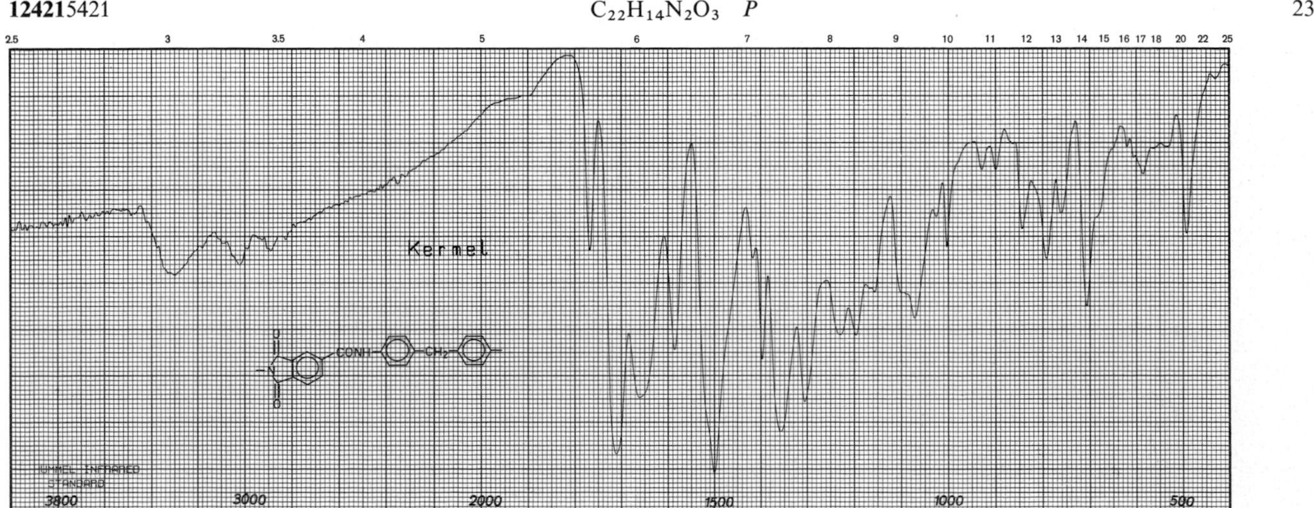

(1) **Kermel**
(3) Poly(amidimid) aus Trimellitsäureanhydrid und 4,4'-Diisocyanatodiphenylmethan
(4) grünes Gewebe
(5) thermostabile Textilfaser
(6) KBr (1/400), in der Schwingmühle bei 80 K gemahlen, H_2O subtrahiert
(7) Nicolet 20 SX

(2) Rhône-Poulenc
(3) polyamide imide from trimellitic anhydride and 4-4'-diisocyanato diphenylmethane
(4) green fabric
(5) thermally stable, textile fiber
(6) KBr (1/400), ground at 80 K in a ball mill
(7) Nicolet 20 SX, H_2O subtracted

124263121 $C_{16}H_8N_4O_2$ *P* 2309

(1) **Polyoxadiazol mit m- und p-Phenylenbrücken**
(2) Du Pont, Wilmington, Dela. (durch A. H. Frazer)
(3) Poly(p-phenylen-oxadiazoldiyl-m-phenylenoxadiazoldiyl)
(4) schwachgelbliche Faser
(6) ATR

(1) **polyoxadiazole with m and p-phenylene linkages**
(2) Du Pont, Wilmington, Dela. (from A. H. Frazer)
(3) poly(p-phenyleneoxadiazoldiyl-m-phenyleneoxadiazoldiyl)
(4) pale yellow fiber
(6) ATR

12(**421**63121 − **422**72) $C_{16}H_8N_4O_2-C_8H_4N_2S$ *P* 2310

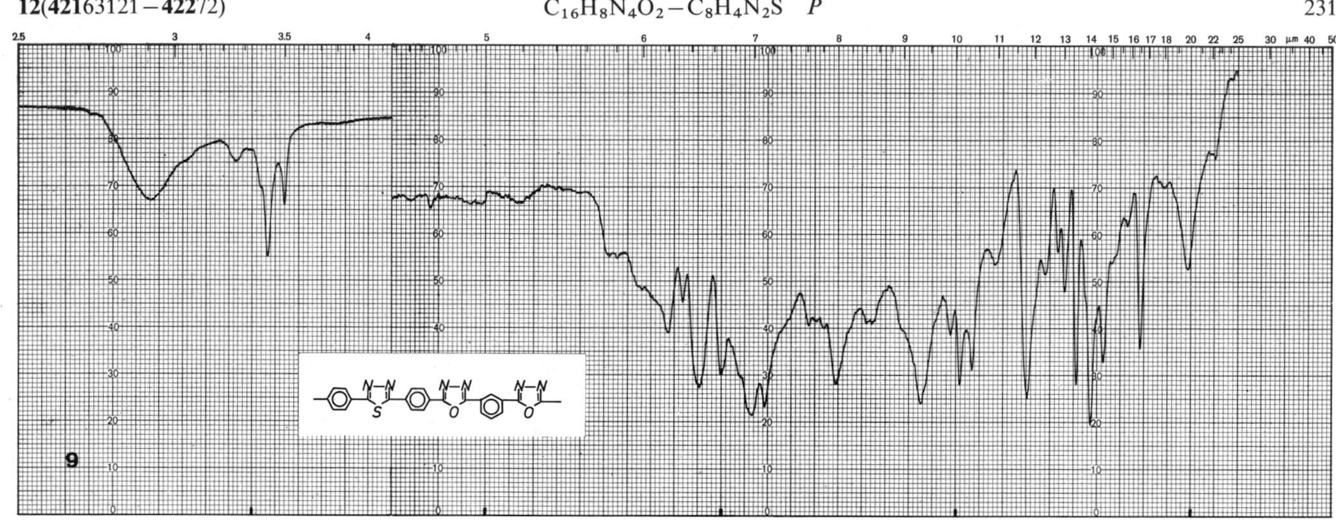

(1) **Poly(oxadiazol-co-thiadiazol)**
(2) Du Pont, Wilmington, Dela. (durch A. H. Frazer)
(3) Copolymer aus 1,3,4-Oxadiazol- und 1,3,4-Thiadiazol-Einheiten
(4) hellbraune, sehr feine Faser
(6) KBr

(1) **poly(oxadiazole-co-thiadiazole)**
(2) Du Pont, Wilmington, Dela. (from A. H. Frazer)
(3) copolymer of 1,3,4-oxadiazole and 1,3,4-thiadiazole units
(4) very fine, light brown fiber
(6) KBr

125122 $C_{28}H_{16}ClN_3O_6$ *P* 2311

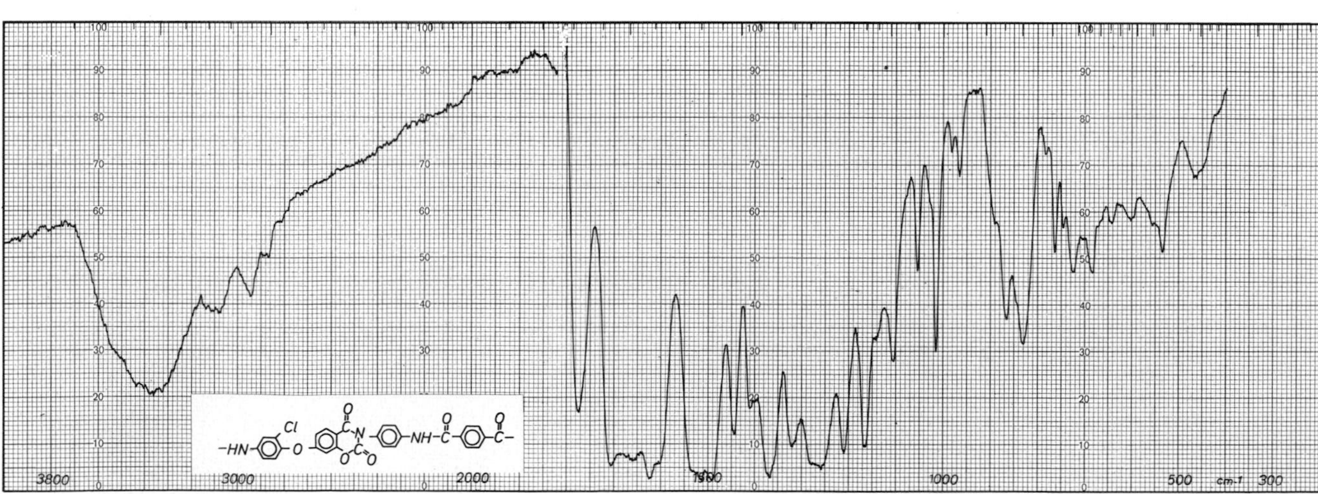

(1) **Poly(benzoxazindion) mit aromatischen Amid- und Etherbrücken**
(2) Bayer AG, Werk Dormagen (Laborpräparat H.-K. Künzel)
(4) beigefarbene Faser
(5) thermostabile Synthesefaser
(6) mit KBr (2/400) und DMA verrieben, getrocknet und gepreßt
(7) H.-E. Künzel, F. Bentz, G. D. Wolf, G. Blankenstein, G. E. Nischk, Makromol. Chem. **138** (1970) 223...50

(1) **poly(benzoxazinedione) with aromatic amide and ether linkages**
(2) Bayer AG, Werk Dormagen (laboratory preparation, H.-E. Künzel)
(4) beige-colored fiber
(5) thermally stable, synthetic fiber
(6) ground with KBr (2/400) and DMA, dried and pressed
(7) H.-E. Künzel, F. Bentz, G. D. Wolf, G. Blankenstein, G. E. Nischk, Makromol. Chem. **138** (1970) 223...50

125122 $C_{28}H_{16}ClN_3O_6$ *P* 2312

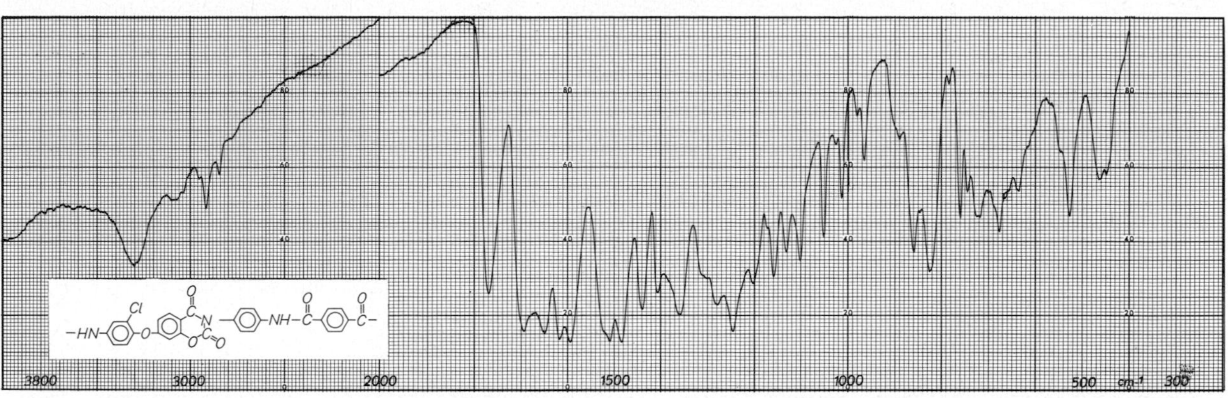

(1) **Poly(benzoxazindion) mit aromatischen Ether- und Amid-Brücken**
(2) Bayer AG, Werk Dormagen (Laborpräparat H.-K. Künzel)
(4) schwach gelbliche Faser
(5) für Fäden und Fasern mit guten thermischen und mechanischen Eigenschaften
(6) ATR mit KRS-5 („Faservorhang"), Ordinate 1.10fach
(7) H.-E. Künzel, G. D. Wolf, F. Bentz, G. Blankenstein, G. E. Nischk, Makromol. Chem. **130** (1969) 103...44; zur Präparationstechnik: H. Siesler, D. O. Hummel, Melliand Textilber. **54** (1973) 1093...7

(1) **poly(benzoxazinedione) with aromatic ether and amide linkages**
(2) Bayer AG, Werk Dormagen (laboratory preparation, H.-E. Künzel)
(4) slightly yellowish fiber
(5) for threads and fibers with good thermal and mechanical properties
(6) ATR with KRS-5 ("fiber curtain"), ordinate expanded 1.10-fold
(7) H.-E. Künzel, G. D. Wolf, F. Bentz, G. Blankenstein, G. E. Nischk, Makromol. Chem. **130** (1969) 103...44; for preparation technique see H. Siesler, D. O. Hummel, Melliand Textilber. **54** (1973) 1093...7

1252421 C_5H_9NOS *P* 2313

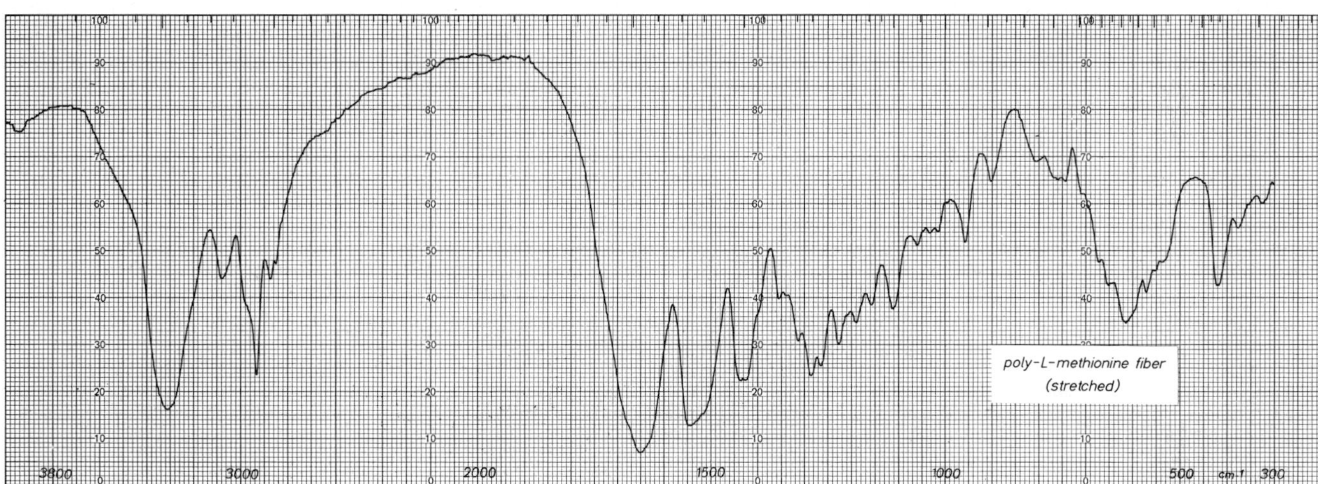

(1) **Poly(L-methionin), gereckt**
(2) J. Noguchi, Hokkaido University, Sapporo
(3) $-NH-CO-CH(CH_2)_2S-CH_3$
(4) weiße Fasern
(5) Textilfaser
(6) mit DMA und KBr (1.5/300) verrieben, getrocknet und gepreßt
(7) J. Noguchi, Angew. Makromol. Chem. **22** (1972) 107...31

(1) **poly(L-methionine), stretched**
(4) white fibers
(5) textile fiber
(6) ground with DMA and KBr (1.5/300), dried and pressed
(7) J. Noguchi, Angew. Makromol. Chem. **22** (1972) 107...31

125283 $C_{29}H_{19}N_3O_3S$ *P* 2314

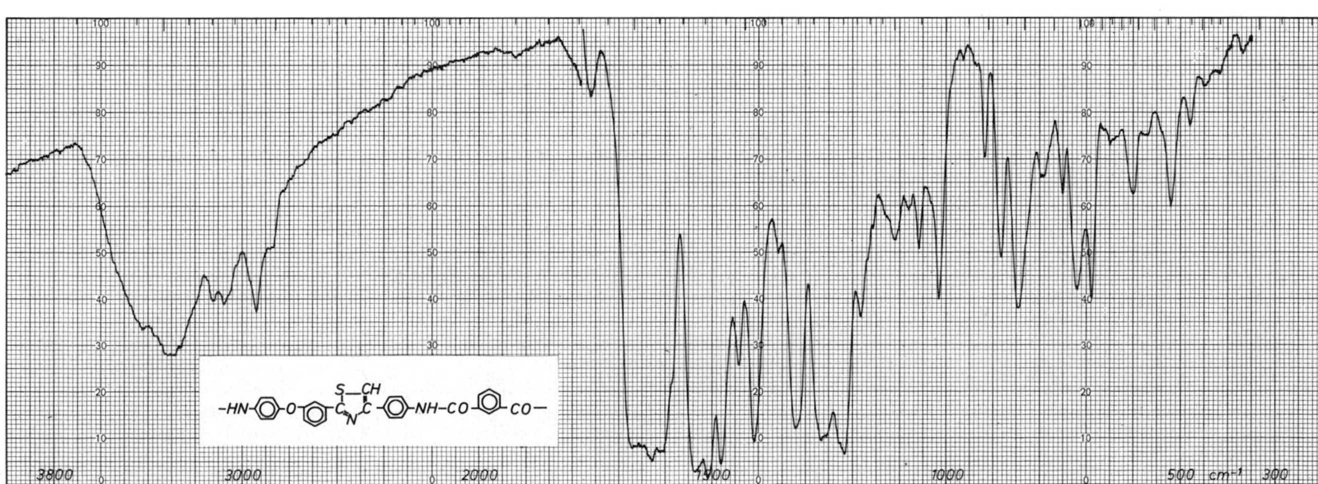

(1) **Polythiazol mit aromatischen Amid- und Etherbrücken**
(2) Bayer AG, Werk Dormagen (Laborpräparat H.-K. Künzel)
(4) zartgelbe Faser
(5) thermostabile Synthesefaser
(6) mit KBr (2/350) und DMA verrieben, getrocknet und gepreßt
(7) H.-E. Künzel, F. Bentz, G. D. Wolf, G. Blankenstein, G. E. Nischk, Makromol. Chem. **138** (1970) 223...50

(1) **polythiazole with aromatic amide and ether linkages**
(2) Bayer AG, Werk Dormagen (laboratory preparation, H.-E. Künzel)
(4) pale yellow fiber
(5) thermally stable, synthetic fiber
(6) ground with KBr (2/350) and DMA, dried and pressed
(7) H.-E. Künzel, F. Bentz, G. D. Wolf, G. Blankenstein, G. E. Nischk, Makromol. Chem. **138** (1970) 223...50

125283 $C_{29}H_{19}N_3O_3S$ *P* 2315

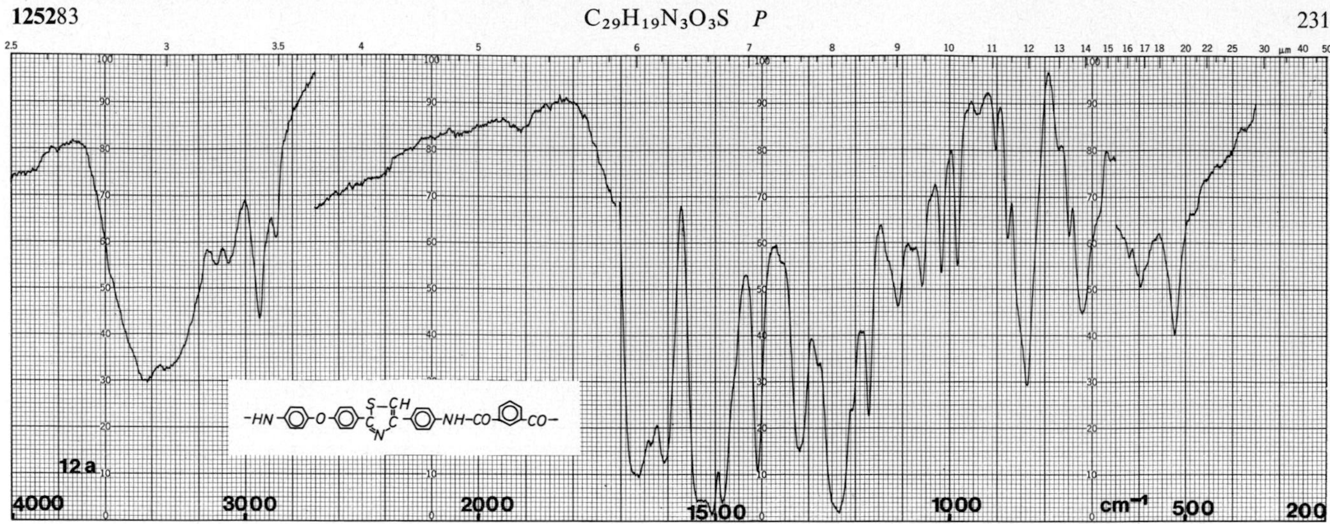

(1) **Polythiazol mit Isophthalamid- und Phenylenether-Brücken**
(2) Bayer AG, Werk Dormagen (Laborpräparat H.-K. Künzel)
(4) beige-orange Faser
(6) mit KBr (2/350) und DMA verrieben, getrocknet und gepreßt

(1) **polythiazole with isophthalamide and phenylene ether linkages**
(2) Bayer AG, Werk Dormagen (laboratory preparation, H.-E. Künzel)
(4) beige-orange fiber
(6) ground with KBr (2/350) and DMA, dried and pressed

125283 $C_{29}H_{19}N_3O_3S$ *P* 2316

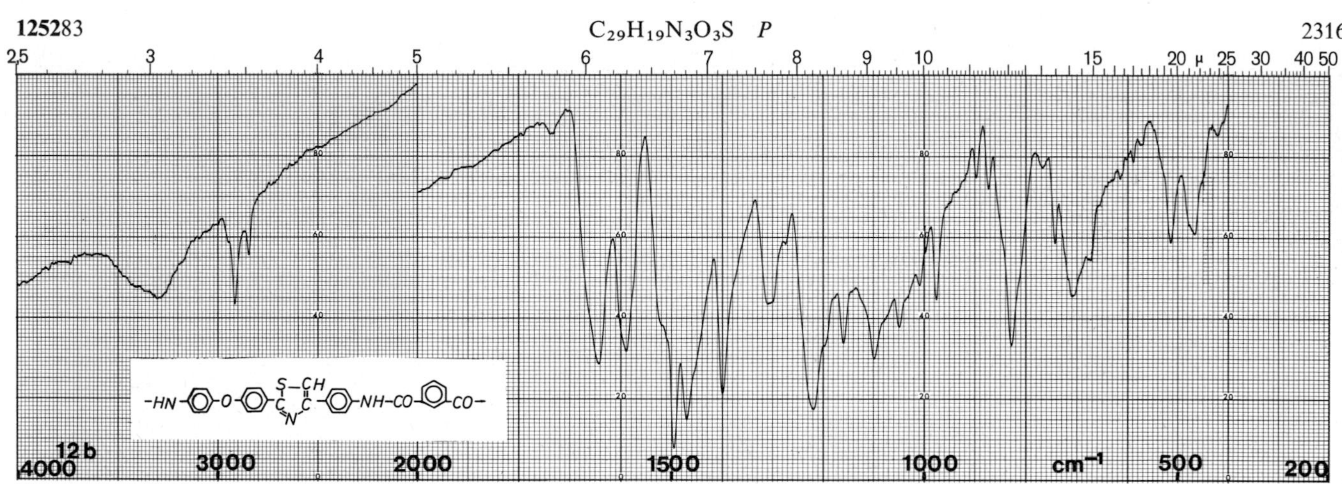

(1) **Polythiazol mit Isophthalamid- und Phenylenether-Brücken**
(2) Bayer AG, Werk Dormagen (Laborpräparat H.-K. Künzel)
(4) beige-orange Faser
(6) ATR/FMIR

(1) **polythiazole with isophthalamide and phenylene ether linkages**
(2) Bayer AG, Werk Dormagen (laboratory preparation, H.-E. Künzel)
(4) beige-orange fiber
(6) ATR/FMIR

125283 $C_{29}H_{19}N_3O_3S$ *P* 2317

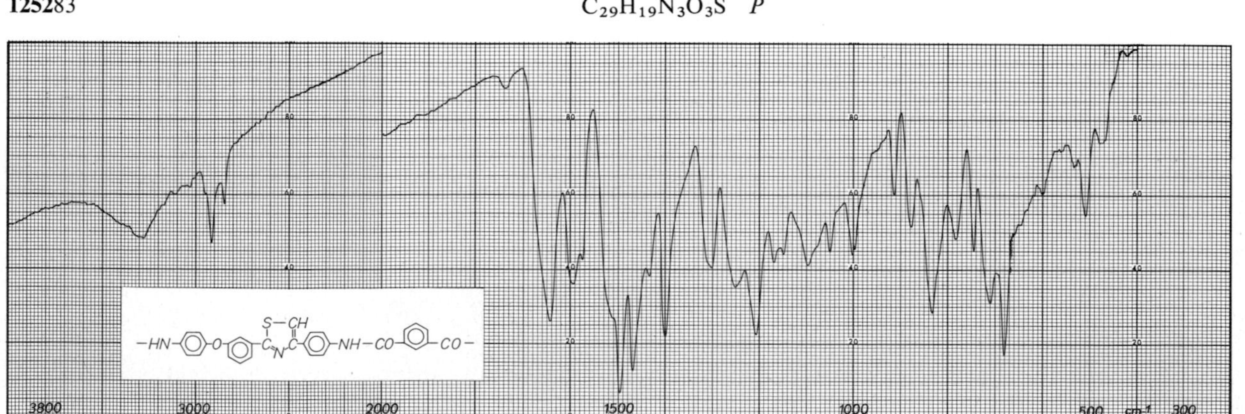

(1) **Polythiazol mit Phenylenether- und Isophthalamid-Brücken**
(2) Bayer AG, Werk Dormagen (Laborpräparat H.-K. Künzel)
(4) schwach gelbliche Faser
(5) für Fäden und Fasern mit guten thermischen und mechanischen Eigenschaften
(6) ATR mit KRS-5 („Faservorhang"), Ordinate 1.35fach
(7) H.-E. Künzel, G. D. Wolf, F. Bentz, G. Blankenstein, G. E. Nischk, Makromol. Chem. **130** (1969) 103…44; zur Präparationstechnik: H. Siesler, D. O. Hummel, Melliand Textilber. **54** (1973) 1093…7

(1) **polythiazole with phenylene ether and isophthalamide linkages**
(2) Bayer AG, Werk Dormagen (laboratory preparation, H.-E. Künzel)
(4) slightly yellowish fiber
(5) for threads and fibers with good thermal and mechanical properties
(6) ATR with KRS-5 ("fiber curtain"), ordinate expanded 1.35-fold
(7) H.-E. Künzel, G. D. Wolf, F. Bentz, G. Blankenstein, G. E. Nischk, Makromol. Chem. **130** (1969) 103…44; for preparation technique see H. Siesler, D. O. Hummel, Melliand Textilber. **54** (1973) 1093…7

125283 $C_{29}H_{27}N_3O_3S$ *P* 2318

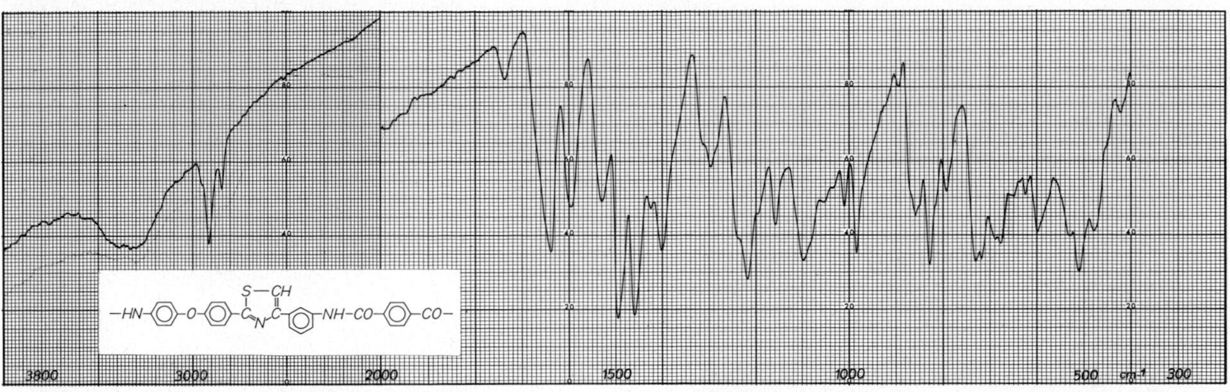

(1) **Polythiazol mit Phenylenether- und Terephthalamid-Brücken**
(2) Bayer AG, Werk Dormagen (Laborpräparat H.-K. Künzel)
(4) schwach gelbliche Faser
(5) für Fäden und Fasern mit guten thermischen und mechanischen Eigenschaften
(6) ATR mit KRS-5 („Faservorhang"), Ordinate 2.40fach
(7) H.-E. Künzel, G. D. Wolf, F. Bentz, G. Blankenstein, G. E. Nischk, Makromol. Chem. **130** (1969) 103...44; zur Präparationstechnik: H. Siesler, D. O. Hummel, Melliand Textilber. **54** (1973) 1093...7

(1) **polythiazole with phenylene ether and terephthalamide linkages**
(2) Bayer AG, Werk Dormagen (laboratory preparation, H.-E. Künzel)
(4) slightly yellowish fiber
(5) for threads and fibers with good thermal and mechanical properties
(6) ATR with KRS-5 ("fiber curtain"), ordinate expanded 2.40-fold
(7) H.-E. Künzel, G. D. Wolf, F. Bentz, G. Blankenstein, G. E. Nischk, Makromol. Chem. **130** (1969) 103...44; for preparation technique see H. Siesler, D. O. Hummel, Melliand Textilber. **54** (1973) 1093...7

125293 $C_{46}H_{30}N_4O_7S$ *P* 2319

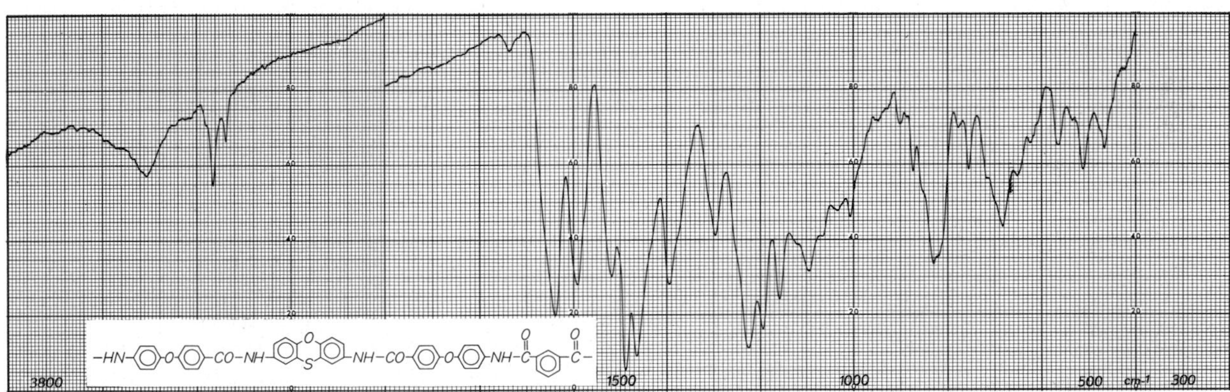

(1) **Polyphenoxthin mit Phenylenether- und aromatischen Amid-Brücken**
(2) Bayer AG, Werk Dormagen (Laborpräparat H.-K. Künzel)
(4) schwach gelbliche Faser
(5) für Fäden und Fasern mit guten thermischen und mechanischen Eigenschaften
(6) ATR mit KRS-5 („Faservorhang"), 1.45fach
(7) H.-E. Künzel, G. D. Wolf, F. Bentz, G. Blankenstein, G. E. Nischk, Makromol. Chem. **130** (1969) 103...44; zur Präparationstechnik: H. Siesler, D. O. Hummel, Melliand Textilber. **54** (1973) 1093...7

(1) **polyphenoxathiin with phenylene ether and aromatic amide linkages**
(2) Bayer AG, Werk Dormagen (laboratory preparation, H.-E. Künzel)
(4) slightly yellowish fiber
(5) for threads and fibers with good thermal and mechanical properties
(6) ATR with KRS-5 ("fiber curtain"), ordinate expanded 1.45-fold
(7) H.-E. Künzel, G. D. Wolf, F. Bentz, G. Blankenstein, G. E. Nischk, Makromol. Chem. **130** (1969) 103...44; for preparation technique see H. Siesler, D. O. Hummel, Melliand Textilber. **54** (1973) 1093...7

125293 $C_{46}H_{30}N_4O_7S$ *P* 2320

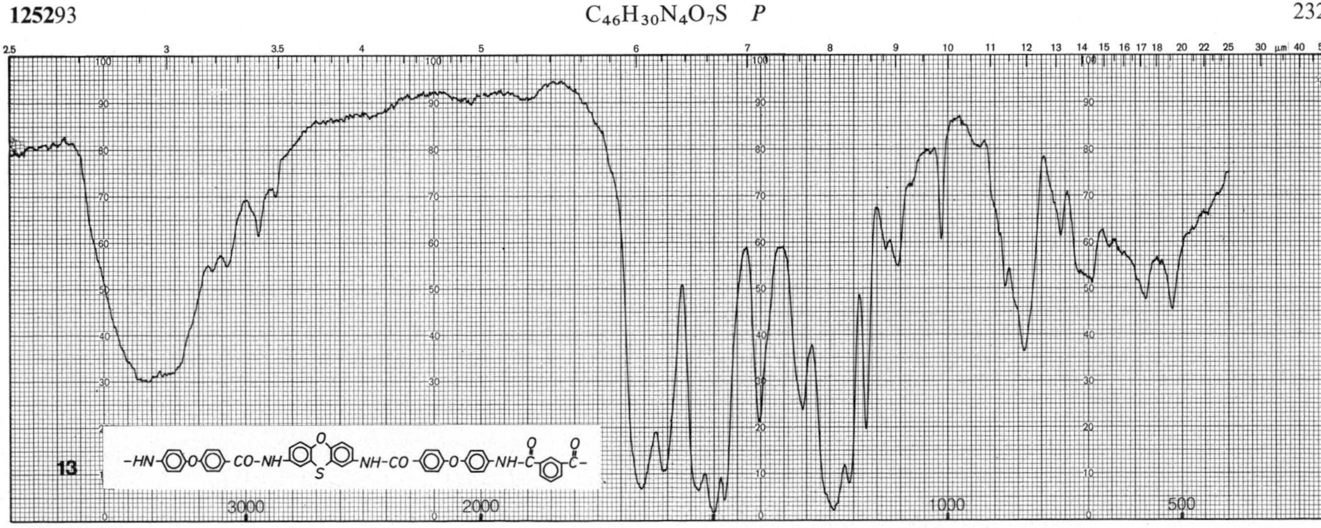

(1) **Polyamid HT**
(2) Bayer AG, Dormagen (durch H. E. Künzel)
(3) Polyphenoxthin mit Isophthalamid- und Phenylenether-Brücken
(6) mit KBr (1/400) und DMA verrieben, getrocknet und gepreßt

(2) Bayer AG, Werk Dormagen (from H.-E. Künzel)
(3) polyphenoxathiin with isophthalamide and phenylene ether linkages
(6) ground with KBr (1/400) and DMA, dried and pressed

1285/1943 BN 2321

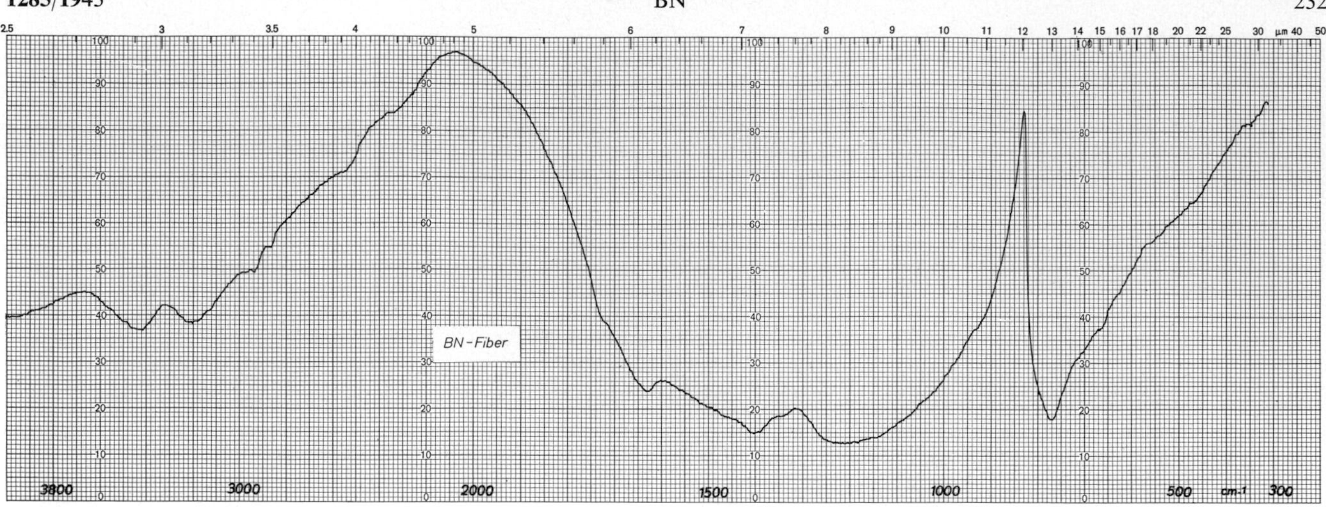

(1) **BN-Fiber**
(3) Bornitrid
(4) weiße, sehr feine, watteähnliche Faser
(5) feuerbeständiges Material
(6) KBr
(7) R. Y. Lin, J. Economy, H. H. Murty, R. Ohnsorg: Appl. Polym. Symp. **29** (1976) 175...88

(2) Du Pont, Wilmington, Dela.
(3) boron nitride
(4) very fine, cotton-like, white fiber
(5) fire-resistant material
(6) KBr
(7) R. Y. Lin, J. Economy, H. H. Murty, R. Ohnsorg: Appl. Polym. Symp. **29** (1976) 175...88

12921421 2322

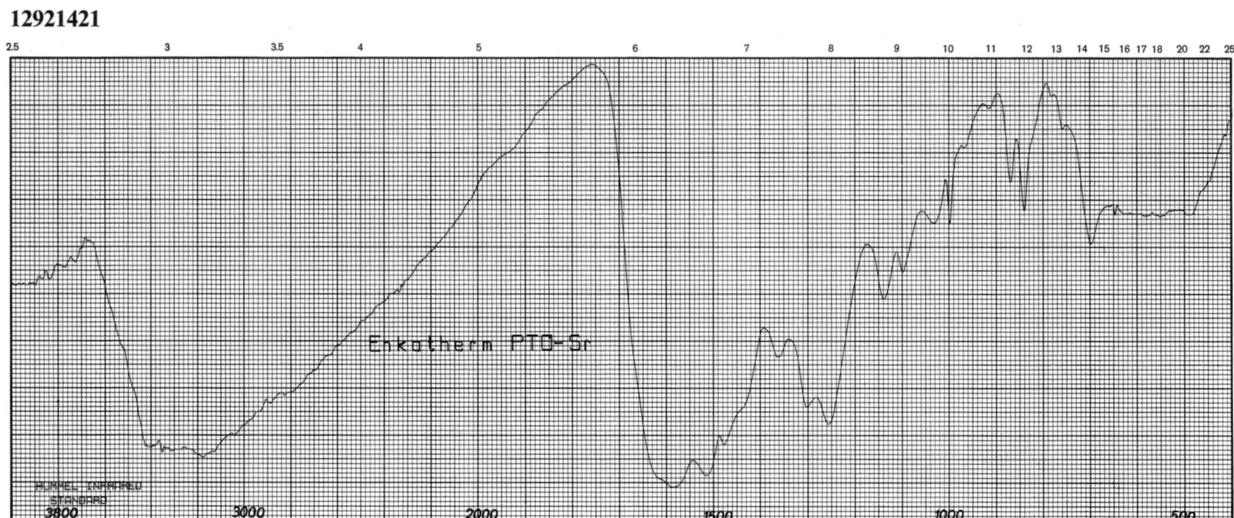

(1) **Enkatherm PTO-Sr**
(3) Poly(terephthaloyloxamidrazon), mit Sr chelatisiert (enthält $SrCO_3$)
(4) rostbraune Faser
(5) thermostabile Textilfaser
(6) KBr (1/400), in der Schwingmühle bei 80 K gemahlen, H_2O subtrahiert
(7) Nicolet 20 SX

(2) Enka Glanzstoff/Akzo
(3) poly(terephthaloyloxamidrazone), chelated with Sr (contains $SrCO_3$)
(4) rusty-brown fiber
(5) thermally stable, textile fiber
(6) KBr (1/400), ground at 80 K in the ball mill, H_2O subtracted
(7) Nicolet 20 SX

12921421 $Sr-C_{10}H_{10}N_6O_2$ *P* 2323

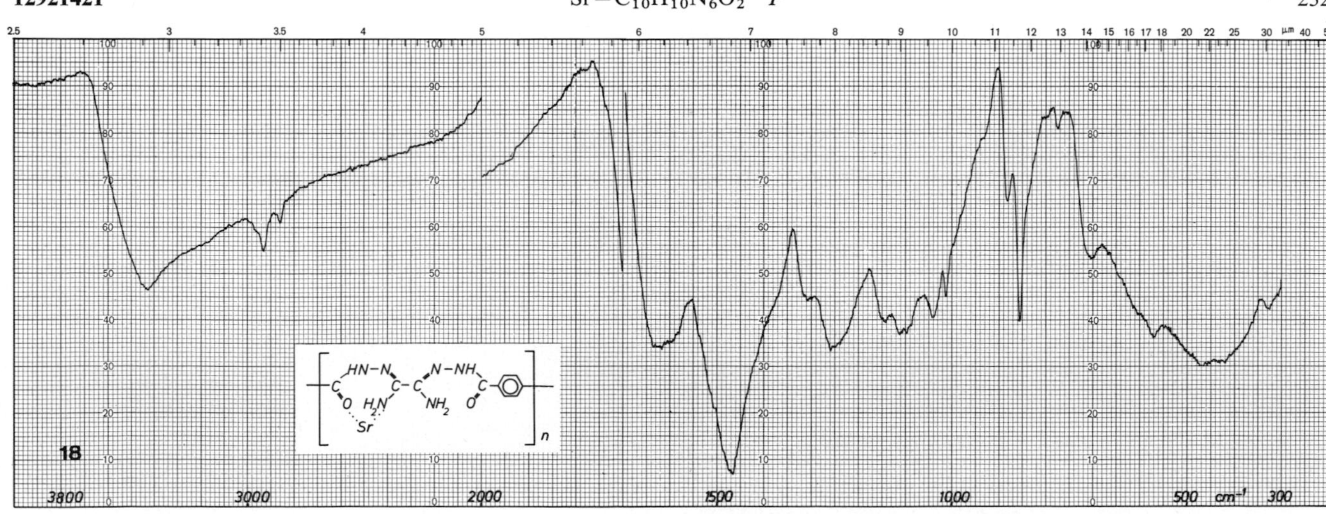

(1) **PTO-Gewirke-Sr** (11.3% Sr)
(2) Glanzstoff AG/Akzo, Obernburg (durch D. W. van Krevelen)
(3) mit einem Strontiumsalz chelatisiertes Polyterephthaloyloxamidrazon; enthält $SrCO_3$
(4) Gewebe aus rotbraunen Fasern
(6) KBr (2/350); 300...1800 cm^{-1}; Ordinate gedehnt

(2) Glanzstoff AG/Akzo, Obernburg (from D. W. van Krevelen)
(3) poly(terephthaloyloxamidrazone), chelated with a strontium salt; contains $SrCO_3$
(4) fabric from red-brown fibers
(6) KBr (2/350); 300...1800 cm^{-1}; ordinate expanded

129222421 $Zn-C_{10}H_{10}N_6O_2$ *P* 2324

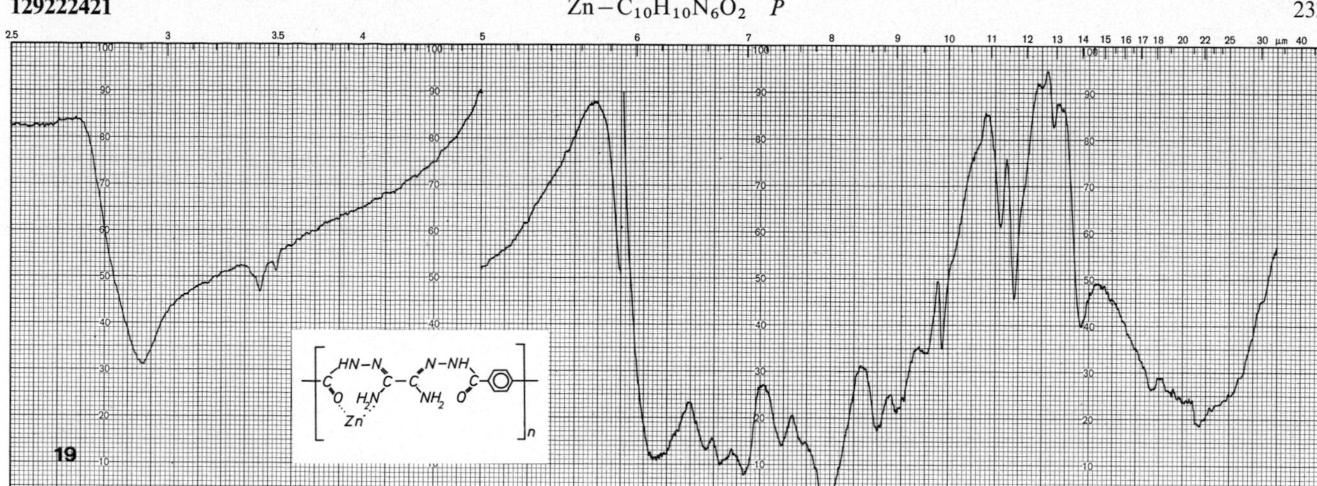

(1) **PTO-Faser-Zn** (21.3% Zn)
(2) Glanzstoff AG/Akzo, Obernburg (durch D. W. van Krevelen)
(3) mit Zinksalz chelatisiertes Polyterephthaloyloxamidrazon
(4) rostbraune Faser
(6) KBr (2/300); 300...1700 cm^{-1}; Ordinate gedehnt
(7) enthält ZnO und $ZnCO_3$

(2) Glanzstoff AG/Akzo, Obernburg (from D. W. van Krevelen)
(3) polyterephthaloyloxamidrazone chelated with a zinc salt
(4) rusty brown fiber
(6) KBr (2/300), 300...1700 cm^{-1}: ordinate expanded
(7) contains ZnO and $ZnCO_3$

1.3 Elastomere

1.3 Elastomers

132111(1 – 211) $C_2H_4-C_3H_6$ *P* 2325

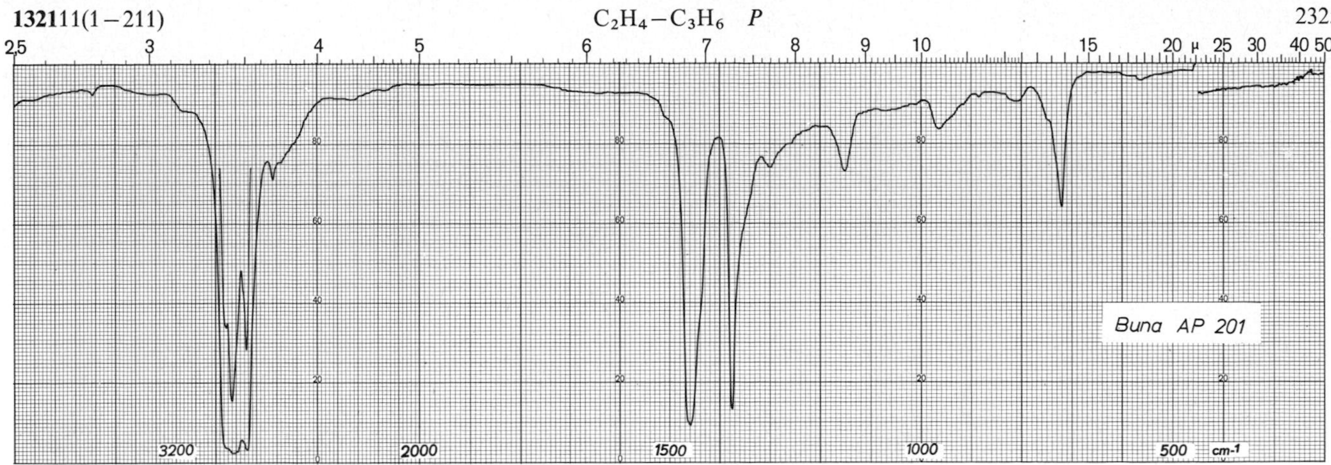

(1) **Buna AP 201**
(3) Poly(ethylen-co-propylen)
(4) farbloses Elastomer (bei Alterung grünlich)
(5) zur Thermoplast-Modifizierung, für Mittel- und Hochspannungsisolationen
(6) Schicht aus BZN auf CsI
(7) Vernetzungsmittel: Peroxid

(2) Chemische Werke Hüls/Bunawerke Hüls, Marl
(3) poly(ethylene-co-propylene)
(4) colorless elastomer (becomes greenish on ageing)
(5) for modification of thermoplastics, for medium and high tension insulation
(6) film from BZN on CsI
(7) crosslinking agent: peroxide

132111(1 – 211) $C_2H_4-C_3H_6$ *P* 2326

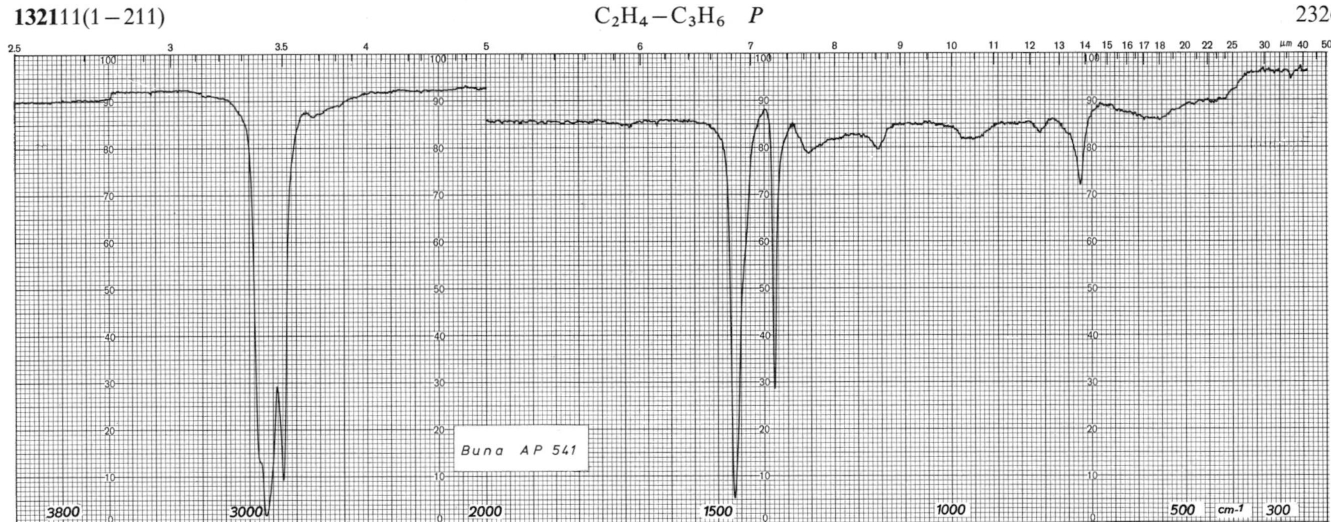

(1) **Buna AP 541**
(3) Poly(ethylen-co-propylen)
(4) farblos-blasiges Elastomer
(5) für chemisch widerstandsfähige Vulkanisate (weiter Temperaturbereich) für Automobil-, Bau- und Kabelindustrie
(6) Schicht aus m-DCB auf CsI; Ordinatendehnung 240...2000 cm^{-1}

(2) Bunawerke Hüls, Marl
(3) poly(ethylene-co-propylene)
(4) colorless, blistered elastomer
(5) for chemically resistant, wide temperature range vulcanizates, for the automobile, building and cable industries
(6) film from m-DCB on CsI; ordinate expanded 240...2000 cm^{-1}

132111(1 – 211) $C_2H_4-C_3H_6$ *P* 2327

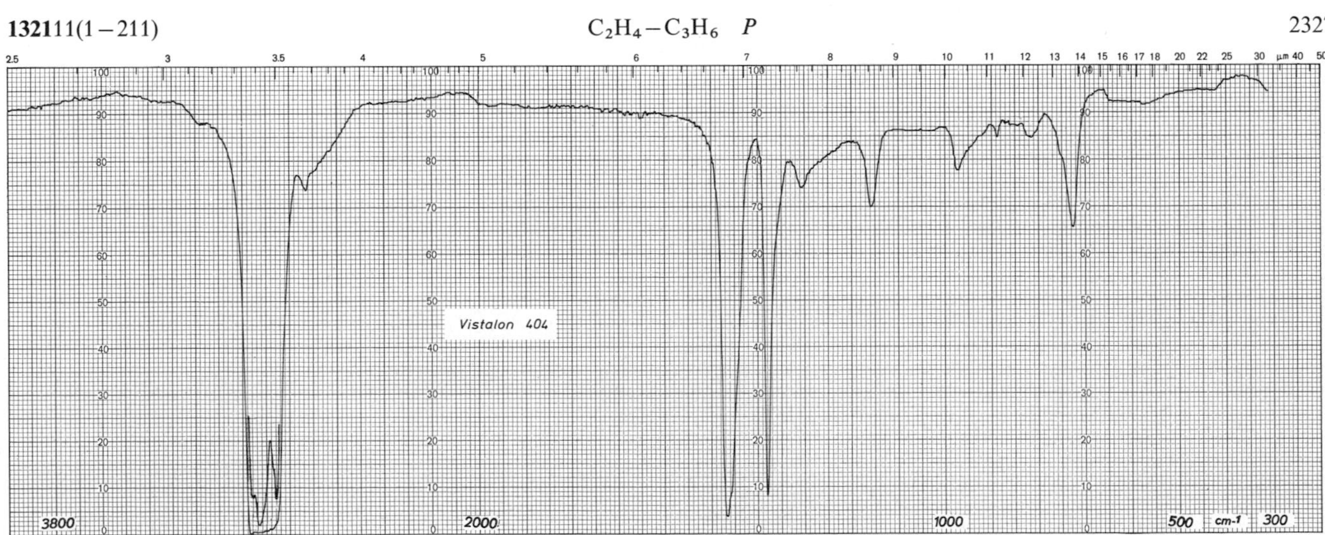

(1) **Vistalon 404**
(3) Poly(ethylen-co-propylen), 40 Gew.-% E, Rest P (keine olefinischen Strukturen)
(4) graugelbes, blasiges Elastomer
(5) alterungs- und chemikalienbeständige Vulkanisate (nur Peroxid), sehr gute elektrische Isolationseigenschaften
(6) Schicht aus m-DCB auf CsI

(2) Esso Chemie, Köln
(3) poly(ethylene-co-propylene), 40 wt.% E, remainder P (no olefinic structures)
(4) greyish-yellow, blistered elastomer
(5) ageing and chemically resistant vulcanizates (only peroxides), very good electrical insulating properties
(69 film from m-DCB on CsI

13211(11 − 1211 − 23) 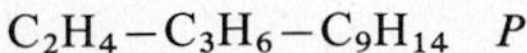 $C_2H_4-C_3H_6-C_9H_{14}$ *P* 2328

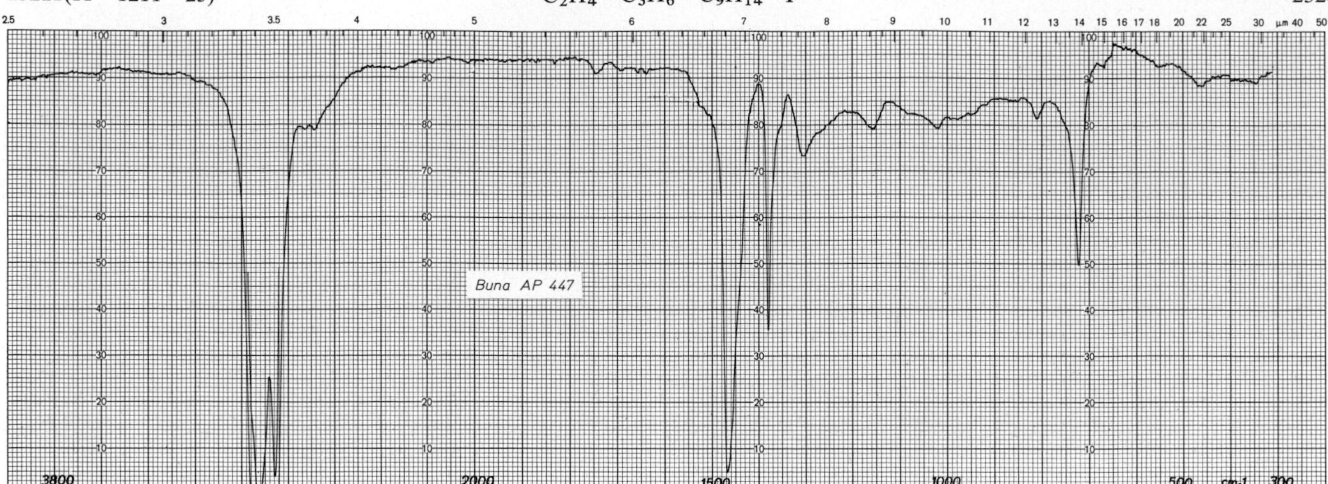

(1) **Buna AP 447**
(3) Poly(ethylen-co-propylen-co-ethylidennorbornen)
(4) weißes, schaumiges Elastomer
(5) Verschnittkomponente für Extrusion- und Spritzguß
(6) Schicht aus m-DCB auf CsI

(2) Chemische Werke Hüls AG, Marl
(3) poly(ethylene-co-propylene-co-ethylidenenorbornene)
(4) white, foamy elastomer
(5) blending component for extrusion and injection moulding
(6) film from m-DCB on CsI

13211(11 − 1211 − 2) $C_2H_4-C_3H_6$ *P* 2329

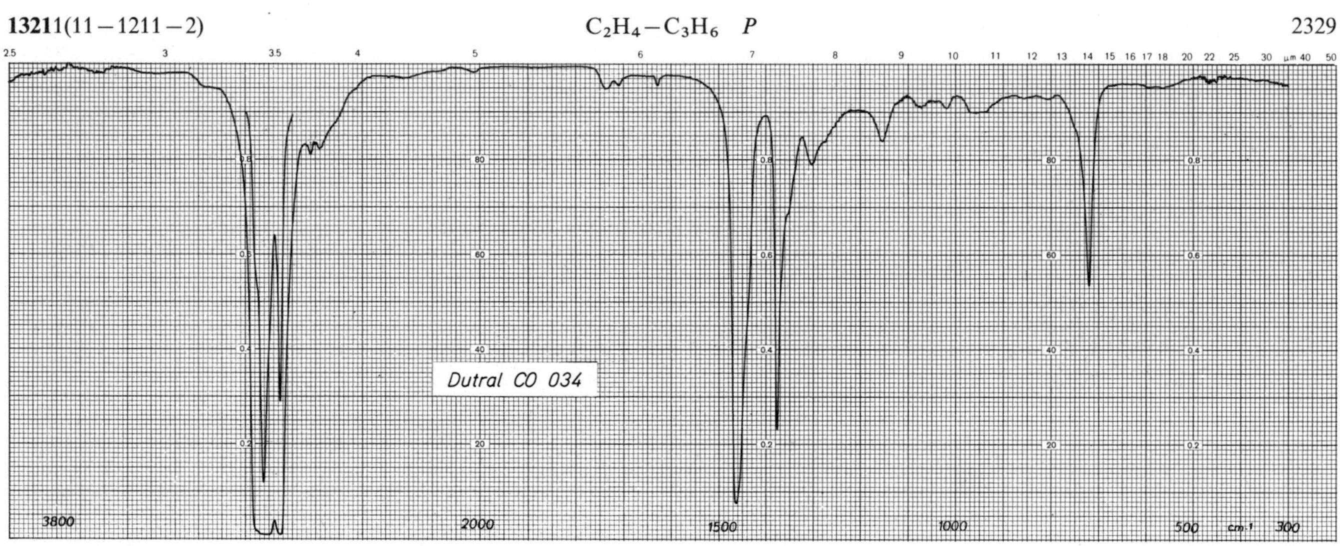

(1) **Dutral CO 034**
(3) Poly(ethylen-co-propylen-co-dien)
(4) grünstichiges, blasiges Elastomer
(5) für Salzbad-Vulkanisate: Spritzartikel, Kühlwasser- und Luftschläuche, Formartikel, Isolationen, Förderbänder
(6) Schicht aus m-DCB auf CsI (mit dünner Schicht überregistriert)

(2) Montedison, Milano
(3) poly(ethylene-co-propylene-co-diene)
(4) green-flecked, blistered elastomer
(5) for salt bath vulcanizates; injection-moulded components, cooling water and air pipes, moulded goods, insulation, conveyor belts
(6) film from m-DCB on CsI (rerecorded with a thinner film)

13211(11 − 1211 − 2) $C_2H_4-C_3H_6$ *P* 2330

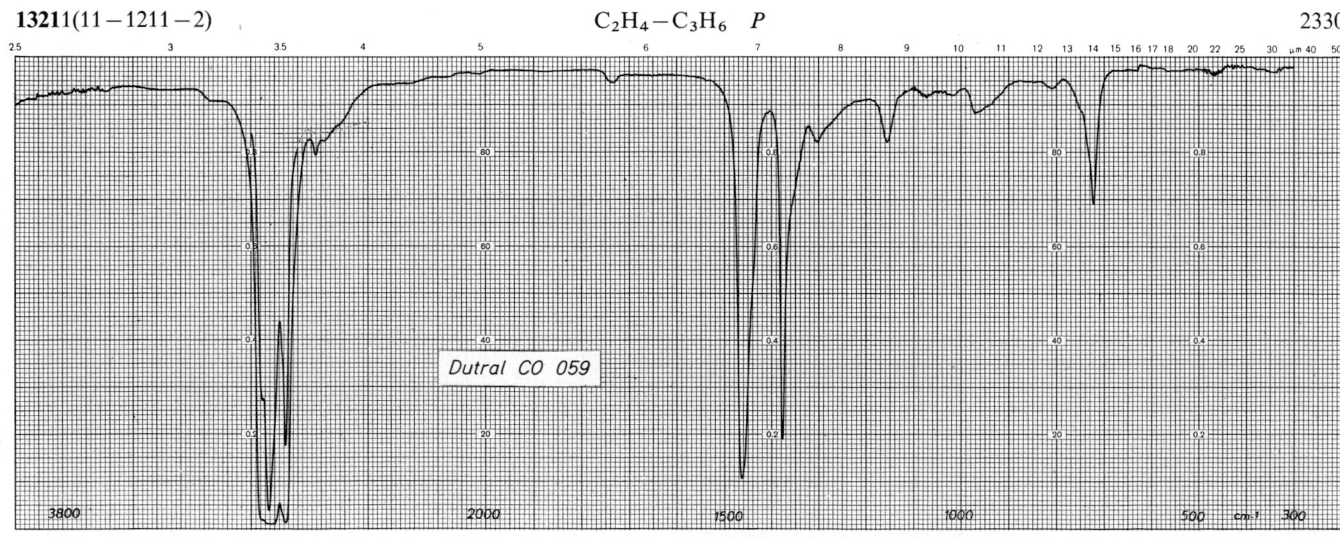

(1) **Dutral CO 059**
(3) Poly(ethylen-co-propylen-co-dien)
(4) schwach gelblichgrünes, blasiges Elastomer
(5) für Salzbad-Vulkanisate: Spritzartikel, Kühlwasser- und Luftschläuche; Formartikel, Isolationen, Förderbänder
(6) Schicht aus m-DCB auf CsI (mit dünner Schicht überregistriert)

(2) Montedison, Milano
(3) poly(ethylene-co-propylene-co-diene)
(4) pale greenish-yellow, blistered elastomer
(5) for salt bath vulcanizates; injection-moulded components, cooling water and air pipes; moulded components, insulation, conveyor belts
(6) film from m-DCB on CsI (rerecorded with a thinner film)

13211(11 – 1211 – 23) $C_2H_4-C_3H_6-C_9H_{14}$ *P* 2331

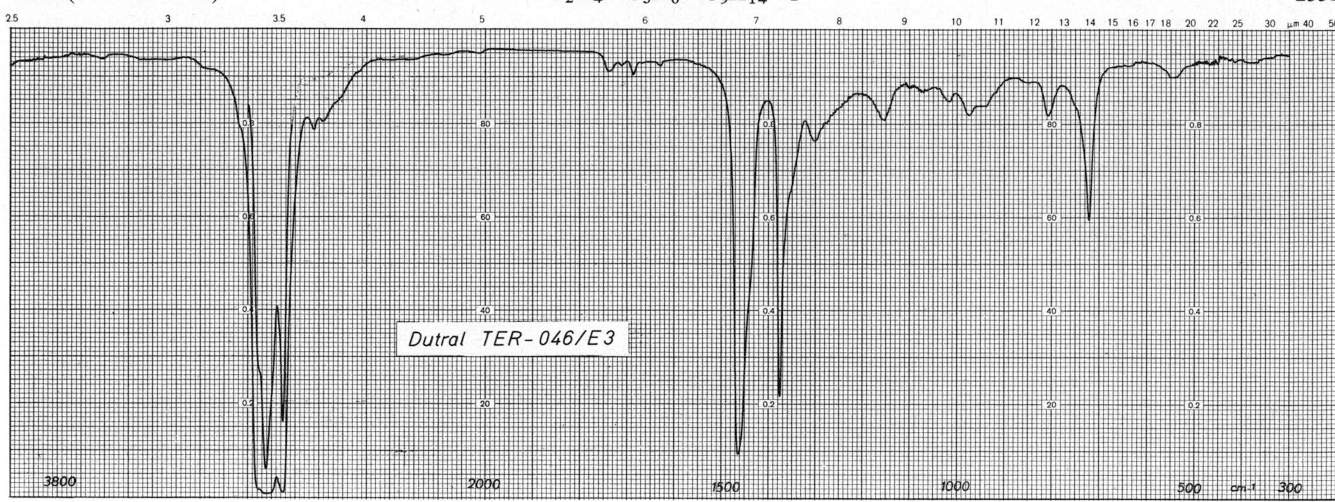

(1) **Dutral TER 046/E3**
(3) Poly(ethylen-co-propylen-co-ethylidennorbornen)
(4) grünstichiges, blasiges Elastomer
(5) für chemisch beständige Vulkanisate mit breitem Anwendungsbereich
(6) Schicht aus m-DCB auf CsI (mit dünner Schicht überregistriert)

(2) Montedison, Milano
(3) poly(ethylene-co-propylene-co-ethylidenenorbornene)
(4) green-flecked, blistered elastomer
(5) for chemically resistant, multipurpose vulcanizates
(6) film from m-DCB on CsI (rerecorded with a thinner film)

13211(11 – 1211 – 23) $C_2H_4-C_3H_6-C_9H_{14}$ *P* 2332

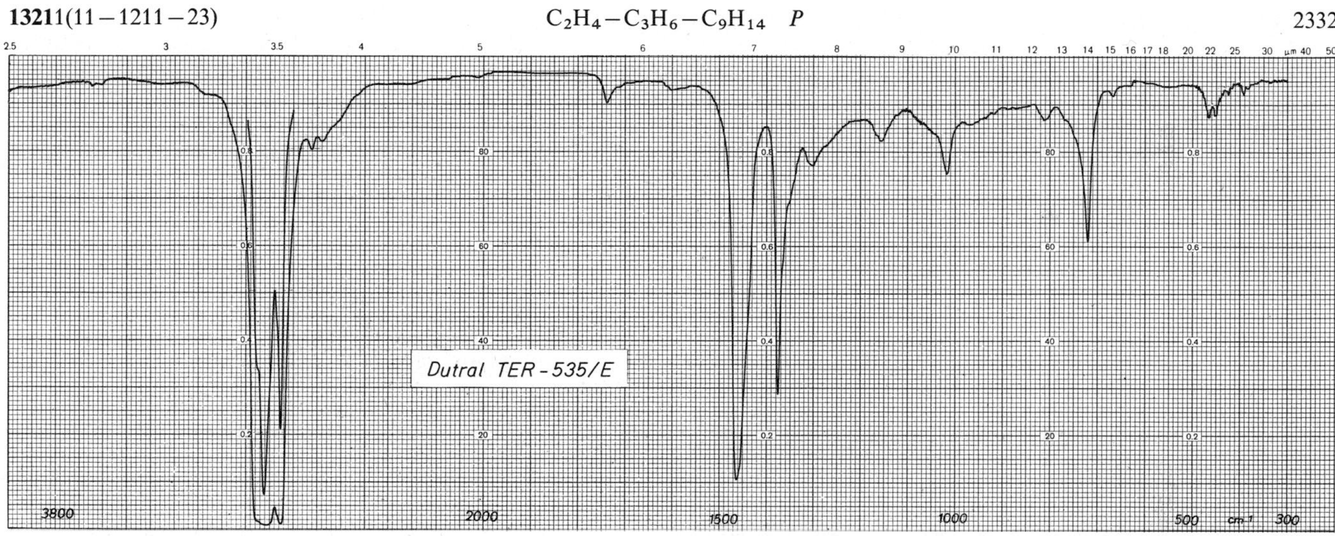

(1) **Dutral TER-535/E**
(3) Poly(ethylen-co-propylen-co-norbornen), EPDM-Kautschuk
(4) gelbliches, blasiges Elastomer
(5) Verschnittkautschuk für die Herstellung technischer Spritz- und Formartikel
(6) Schicht aus m-DCB auf CsI (mit sehr dünner Schicht überregistriert)

(2) Montedison, Milano
(3) poly(ethylene-co-propylene-co-ethylidenenorbornene), EDPM rubber
(4) yellowish, blistered elastomer
(5) blending rubber for the manufacture of technical, injection mouldings and castings
(6) film from m-DCB on CsI (rerecorded with a very thin film)

13211(11 – 1211 – 23) $C_2H_4-C_3H_6-C_9H_{14}$ *P* 2333

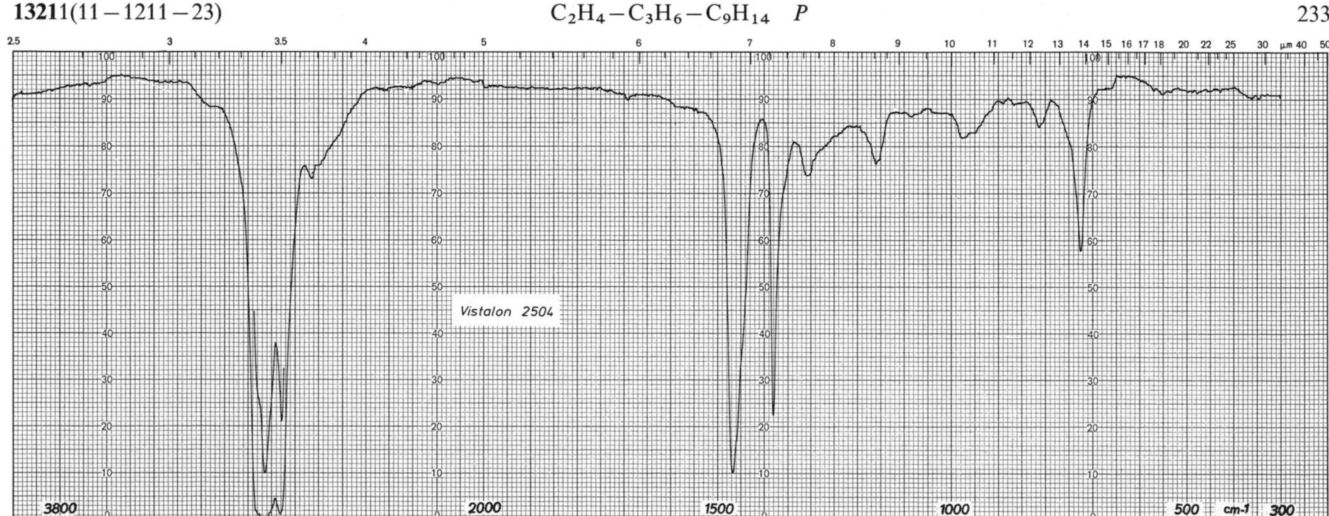

(1) **Vistalon 2504 (Normaltype)**
(3) Poly(ethylen-co-propylen-co-ethylidennorbornen); 52 Gew.-% E, 4.6 Gew.-% ENB, Rest P
(4) hellgelb-graues, blasiges Elastomer
(5) für Vulkanisate mit guter mechanischer Festigkeit, insbesondere bei tiefen Temperaturen (Kälteflexibilität); beständig gegen UV, Ozon, Hitze, Öle und Fette; gute Isolatoreigenschaften
(6) Schicht aus m-DCB auf CsI

(2) Esso Chemie, Köln
(3) poly(ethylene-co-propylene-co-ethylidenenorbornene); 52 wt.% E, 4.6 wt.% ENB, remainder P
(4) pale yellow-grey, blistered elastomer
(5) for elastomers with good mechanical stability, particularly at low temperatures (cold flexibility), resistant to UV, ozone, heat, oil and grease; good insulating properties
(6) film from m-DCB on CsI

13211(11 – 1211 – 23) $C_2H_4-C_3H_6-C_9H_{14}$ *P* 2334

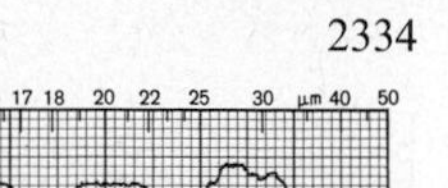

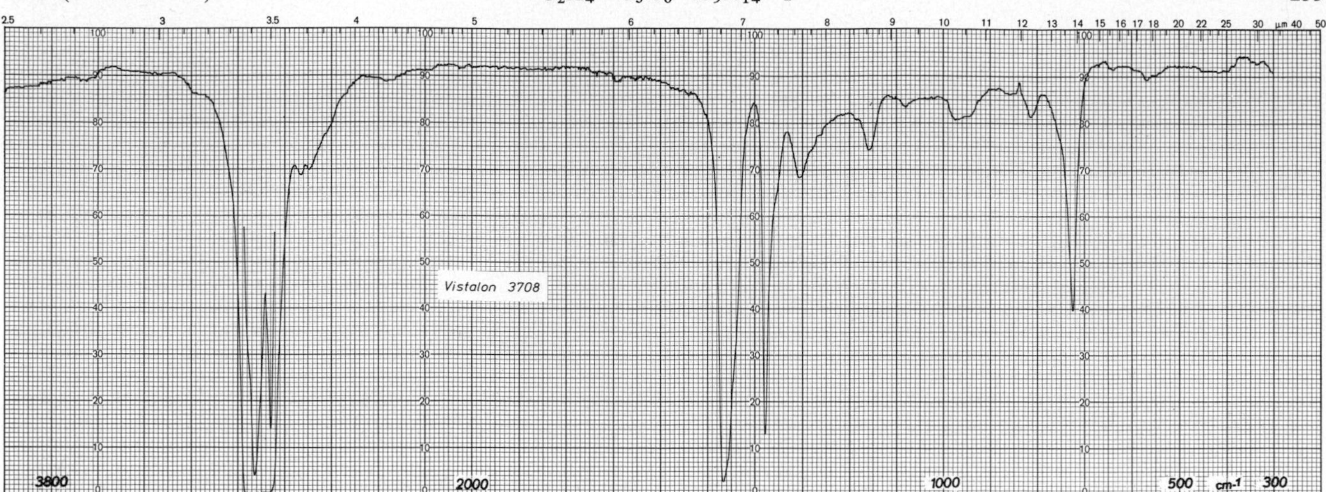

(1) **Vistalon 3708 (Normaltype)**
(3) Poly(ethylen-co-propylen-co-ethylidennorbornen); 64 Gew.-% E, 2.7 Gew.-% ENB, Rest P
(4) hellgraues, blasiges Elastomer
(5) für Vulkanisate mit guter mechanischer Festigkeit, insbesondere bei tiefen Temperaturen (Kälteflexibilität); beständig gegen UV, Ozon, Hitze, Öle und Fette; gute Isolatoreigenschaften
(6) Schicht aus m-DCB auf CsI

(2) Esso Chemie, Köln
(3) poly(ethylene-co-propylene-co-ethylidenenorbornene); 64 wt.% E, 2.7 wt.% ENB, remainder P
(4) light grey, blistered elastomer
(5) for elastomers with good mechanical stability, particularly at low temperatures (cold flexibility), resistant to UV, ozone, heat, oil and grease; good insulating properties
(6) film from m-DCB on CsI

13211(11 – 1211 – 23) $C_2H_4-C_3H_6-C_9H_{14}$ *P* 2335

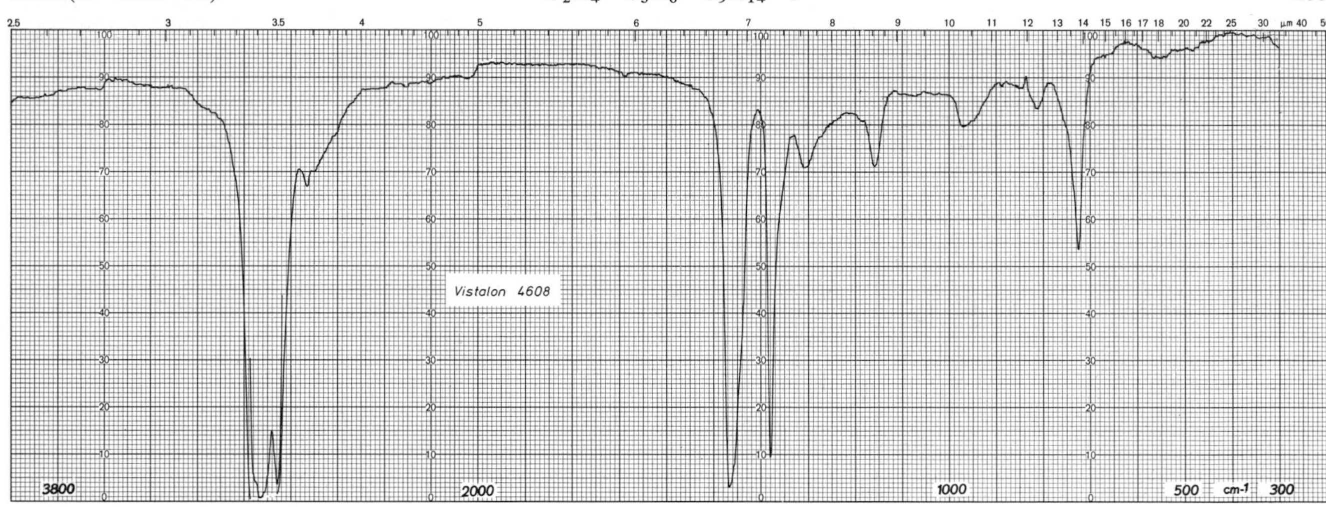

(1) **Vistalon 4608 (Normaltype)**
(3) Poly(ethylen-co-propylen-co-ethylidennorbornen); 49 Gew.-% E, 3.3 Gew.-% ENB, Rest P
(4) gelbliches, blasiges Elastomer
(5) für Vulkanisate mit guter mechanischer Festigkeit, insbesondere bei tiefen Temperaturen (Kälteflexibilität); beständig gegen UV, Ozon, Hitze, Öle und Fette; gute Isolatoreigenschaften
(6) Schicht aus m-DCB auf CsI

(2) Esso Chemie, Köln
(3) poly(ethylene-co-propylene-co-ethylidenenorbornene); 49 wt.% E, 3.3 wt.% ENB, remainder P
(4) yellowish, blistered elastomer
(5) for elastomers with good mechanical stability, particularly at low temperatures (cold flexibility), resistant to UV, ozone, heat, oil and grease; good insulating properties
(6) film from m-DCB on CsI

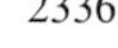

13211(11 – 1211 – 23) $C_2H_4-C_3H_6-C_9H_{14}$ *P* 2336

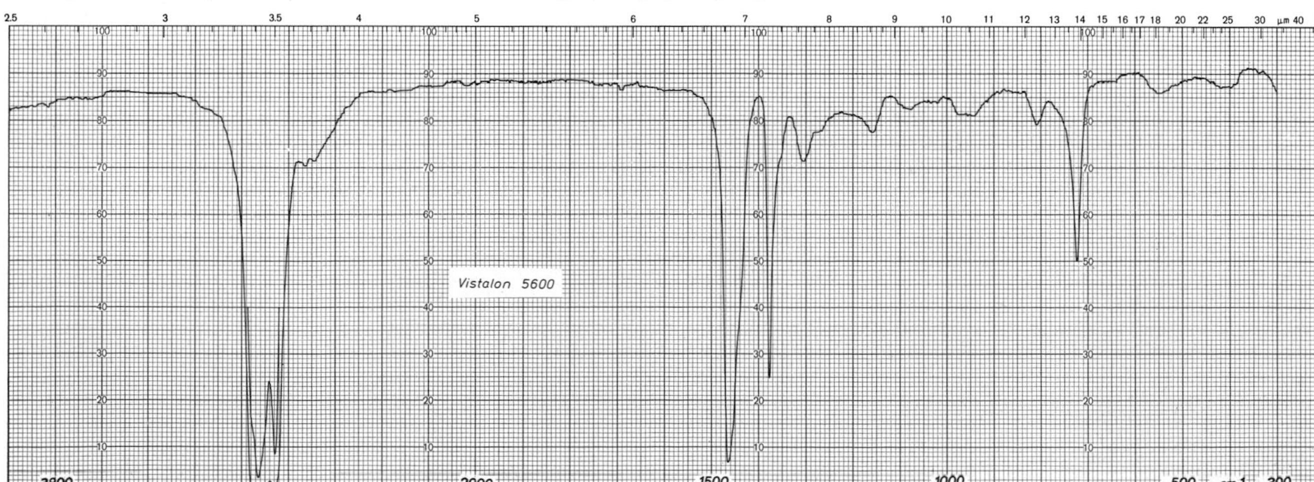

(1) **Vistalon 5600 (Normaltype)**
(3) Poly(ethylen-co-propylen-co-ethylidennorbornen); 60 Gew.-% E, 5 Gew.-% ENB, Rest P
(4) hellgraues, blasiges Elastomer
(5) für Vulkanisate mit guter mechanischer Festigkeit, insbesondere bei tiefen Temperaturen (Kälteflexibilität); beständig gegen UV, Ozon, Hitze, Öle und Fette; gute Isolatoreigenschaften
(6) Schicht aus m-DCB auf CsI

(2) Esso Chemie, Köln
(3) poly(ethylene-co-propylene-co-ethylidenenorbornene); 60 wt.% E, 5 wt.% ENB, remainder P
(4) light grey, blistered elastomer
(5) for elastomers with good mechanical stability, particularly at low temperatures (cold flexibility), resistant to UV, ozone, heat, oil and grease; good insulating properties
(6) film from m-DCB on CsI

13211(11 – 1211 – 23) $C_2H_4-C_3H_6-C_9H_{14}$ *P*  2337

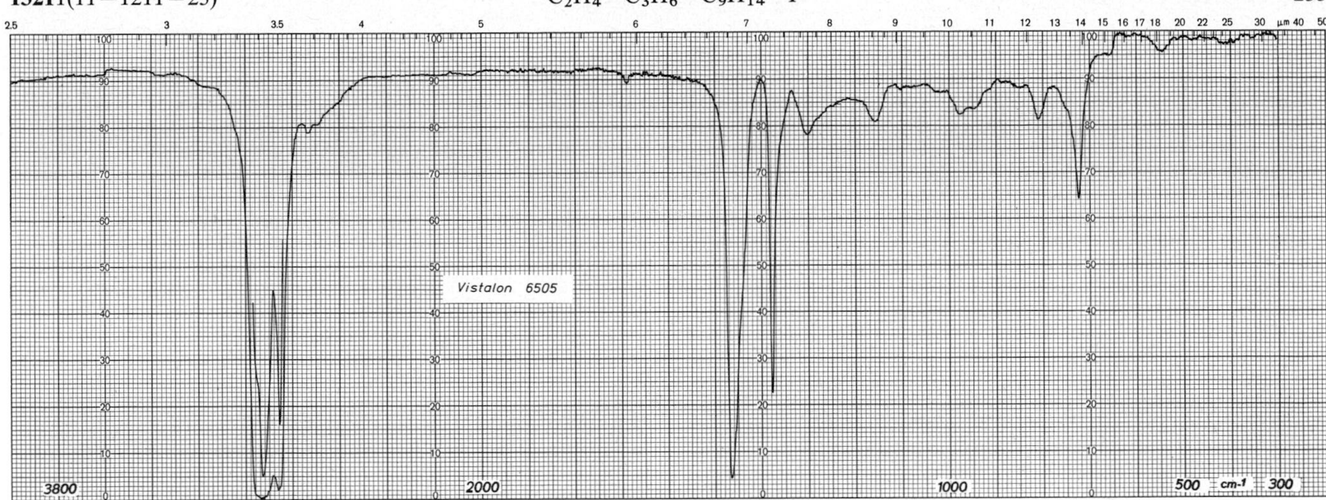

(1) **Vistalon 6505 (Normaltype)**
(3) Poly(ethylen-co-propylen-co-ethylidennorbornen); 50 Gew.-% E, 9 Gew.-% ENB, Rest P
(4) hellgrau-gelbliches, blasiges Elastomer
(5) für Vulkanisate mit guter mechanischer Festigkeit, insbesondere bei tiefen Temperaturen (Kälteflexibilität); beständig gegen UV, Ozon, Hitze, Öle und Fette; gute Isolatoreigenschaften
(6) Schicht aus m-DCB auf CsI

(2) Esso Chemie, Köln
(3) poly(ethylene-co-propylene-co-ethylidenenorbornene); 50 wt.% E, 9 wt.% ENB, remainder P
(4) pale yellowish-grey, blistered elastomer
(5) for elastomers with good mechanical stability, particularly at low temperatures (cold flexibility), resistant to UV, ozone, heat, oil and grease; good insulating properties
(6) film from m-DCB on CsI

13211(11 – 1211 – 23) $C_2H_4-C_3H_6-C_9H_{14}$ *P*  2338

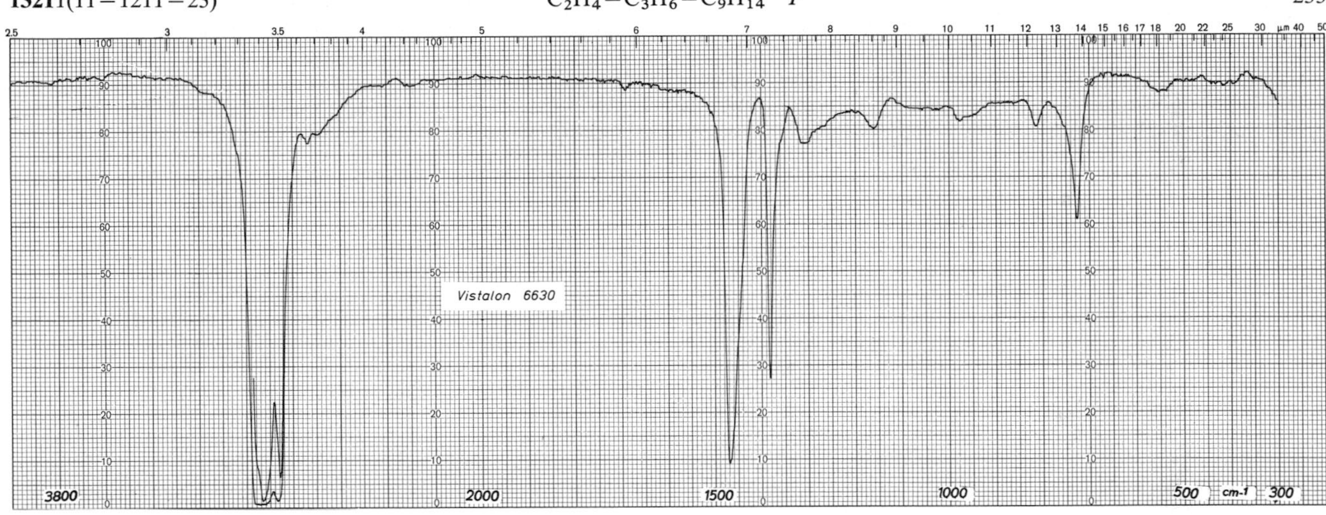

(1) **Vistalon 6630**
(3) Poly(ethylen-co-propylen-co-ethylidennorbornen); 58 Gew.-% E, 9 Gew.-% ENB, Rest P; ölverstreckte Type (30% Öl auf 100 Teile Kautschuk)
(4) bernsteinfarbenes, blasiges Elastomer
(5) für Vulkanisate mit guter mechanischer Festigkeit, insbesondere bei tiefen Temperaturen (Kälteflexibilität); beständig gegen UV, Ozon, Hitze, Öle und Fette; gute Isolatoreigenschaften
(6) Schicht aus m-DCB auf CsI

(2) Esso Chemie, Köln
(3) poly(ethylene-co-propylene-co-ethylidenenorbornene); 58 wt.% E, 9 wt.% ENB, remainder P; oil-blended grade (30 parts oil in 100 parts rubber)
(5) for elastomers with good mechanical stability, particularly at low temperatures (cold flexibility), resistant to UV, ozone, heat, oil and grease; good insulating properties
(6) film from m-DCB on CsI

13211(11 – 1211 – 23) + **172**111 $C_2H_4-C_3H_6-C_9H_{14}$ *P*  2339

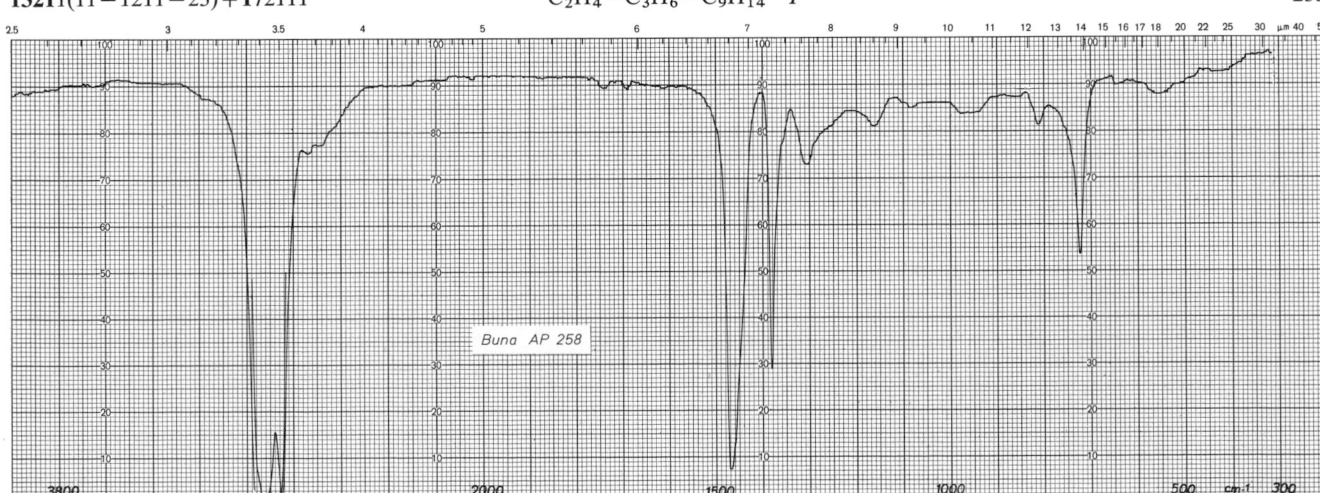

(1) **Buna AP 258**
(3) Poly(ethylen-co-propylen-co-ethylidennorbornen) mit 30 Gew.-Tln. Mineralöl (vorwiegend naphthenisch) auf 100 Tle. Kautschuk
(4) graugelbes Elastomer
(5) extrem schnell vulkanisierend (UHF- und LCM-Vulkanisation), für Dichtungsprofile für Autos
(6) Schicht aus m-DCB auf CsI

(2) Chemische Werke Hüls AG, Marl
(3) poly(ethylene-co-propylene-co-ethylidenenorbornene); with 30 parts mineral oil (mainly naphthenic) in 100 parts rubber
(4) yellow grey, blistered elastomer
(5) very quick vulcanizing (UHF and LCM vulcanization) for sealing sections for automobiles
(6) film from m-DCB on CsI

13[211(11 – 1211 – 23) – 337] $C_2H_4-C_3H_6-C_9H_{14}$ *P* 2340

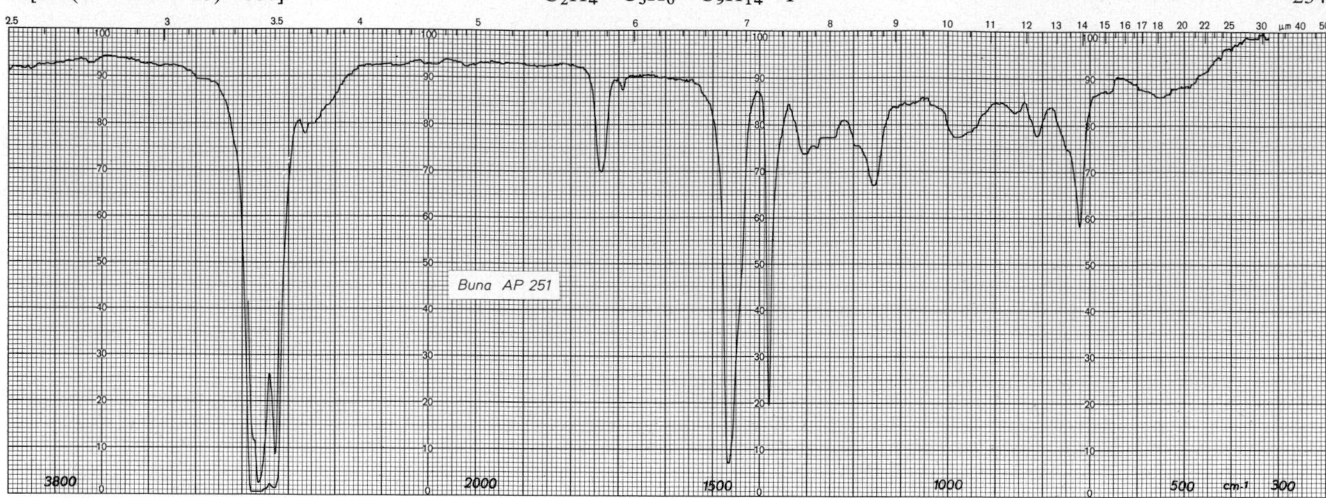

(1) **Buna AP 251**
(3) Poly(ethylen-co-propylen-co-ethylidennorbornen), wahrscheinlich mit etwas einpolymerisiertem Vinylacetat
(4) graugelbes, blasiges Elastomer
(5) extrem schnell vulkanisierender Spezialtyp, z. B. für Profilverschweißung
(6) Schicht aus m-DCB auf CsI

(2) Chemische Werke Hüls AG, Marl
(3) poly(ethylene-co-propylene-co-ethylidenenorbornene); probably contains some copolymerized vinyl acetate
(4) yellow grey, blistered elastomer
(5) extremely quick vulcanizing, special grade, e.g. for welding on sections
(6) film from m-DCB on CsI

13(21111 – 33721111) $C_2H_4-C_4H_6O_2$ *P* 2341

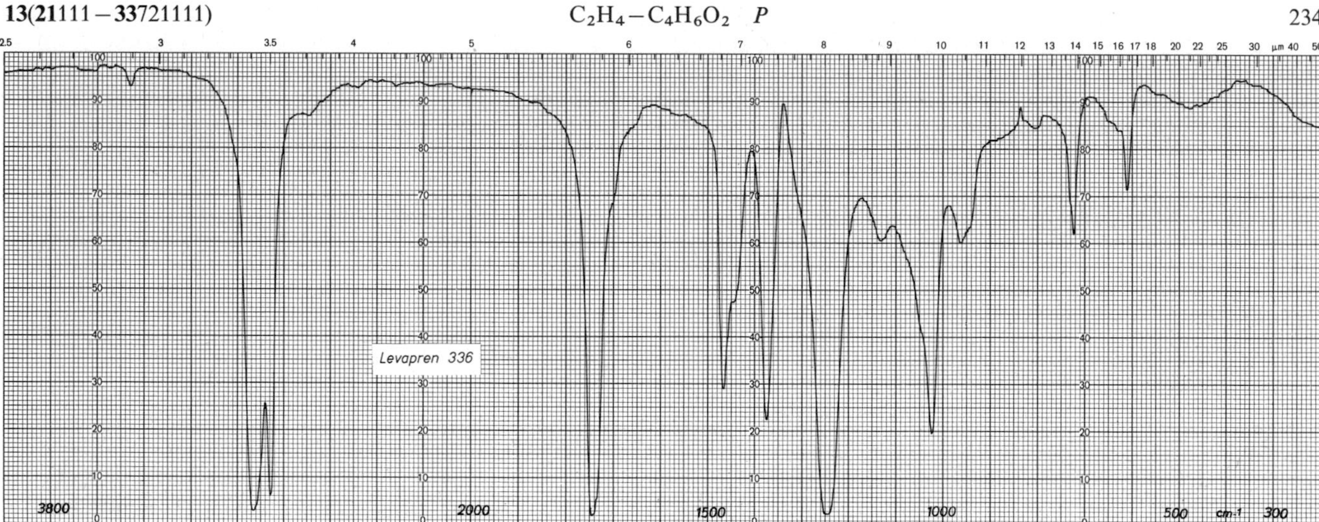

(1) **Levapren 336**
(3) Poly(ethylen-co-vinylacetat) mit 33% VAc-Einheiten
(4) farbloses, transparentes Elastomer (Granulat)
(5) im Verschnitt mit anderen Elastomeren (NK, BS-Kautschuk) für technische Form- und Spritzartikel, für Klebstoffe
(6) klarer Film aus MTC auf CsI

(2) Bayer AG, Leverkusen
(3) poly(ethylene-co-vinyl acetate) with 33% VAc units
(4) colorless, transparent elastomer (granules)
(5) for blending with other elastomers (natural rubber, BS rubbers) for technical mouldings and injection mouldings, for adhesives
(6) clear film from MTC on CsI

13(21111 – 33721111) $C_2H_4-C_4H_6O_2$ *P* 2342

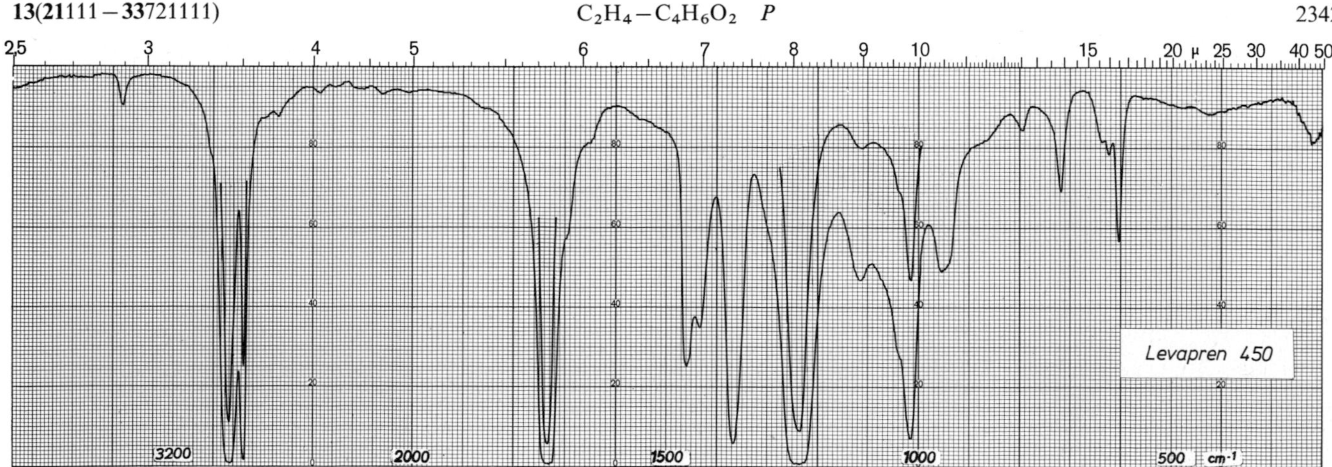

(1) **Levapren 450**
(3) Poly(ethylen-co-vinylacetat) mit 45% VAc-Einheiten
(4) klares, farbloses Elastomer
(5) Synthesekautschuk, Klebstoffrohstoff, Modifizierungsmittel für Thermoplaste, speziell PVC; Standardtyp
(6) Schicht aus BZN auf CsI

(2) Bayer AG, Leverkusen
(3) poly(ethylene-co-vinyl acetate) with 45% VAc units
(4) clear, colorless elastomer
(5) synthetic rubber, adhesive raw material, modifier for thermoplastics, especially PVC; standard grade
(6) film from BZN on CsI

13(21111 – 33721111) $C_2H_4-C_4H_6O_2$ *P* 2343 

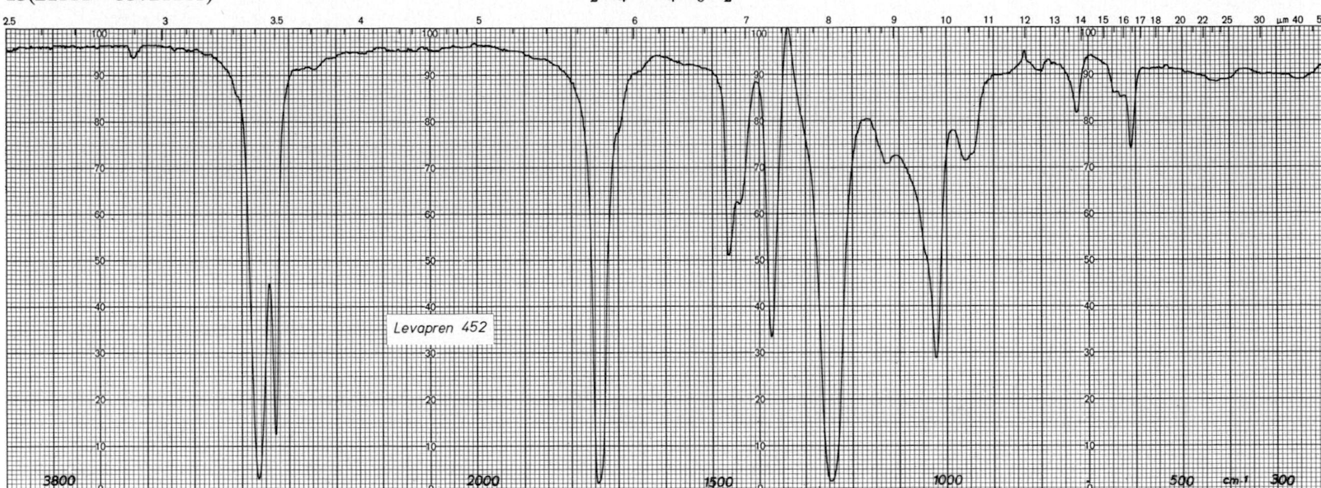

(1) **Levapren 452**
(3) Poly(ethylen-co-vinylacetat) mit 45% VAc-Einheiten
(4) farbloses, transparentes Elastomer (Granulat)
(5) im Verschnitt mit anderen Elastomeren (NK, BS-Kautschuk) für technische Form- und Spritzartikel, für Klebstoffe
(6) klarer Film aus MTC auf CsI

(2) Bayer AG, Leverkusen
(3) poly(ethylene-co-vinyl acetate) with 45% VAc units
(4) colorless, transparent elastomer (granules)
(5) for blending with other elastomers (natural rubber, BS rubber) for technical mouldings and injection mouldings, for adhesives
(6) clear film from MTC on CsI

13(21111 – 33721111) 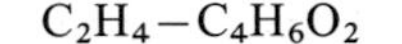 $C_2H_4-C_4H_6O_2$ *P* 2344 

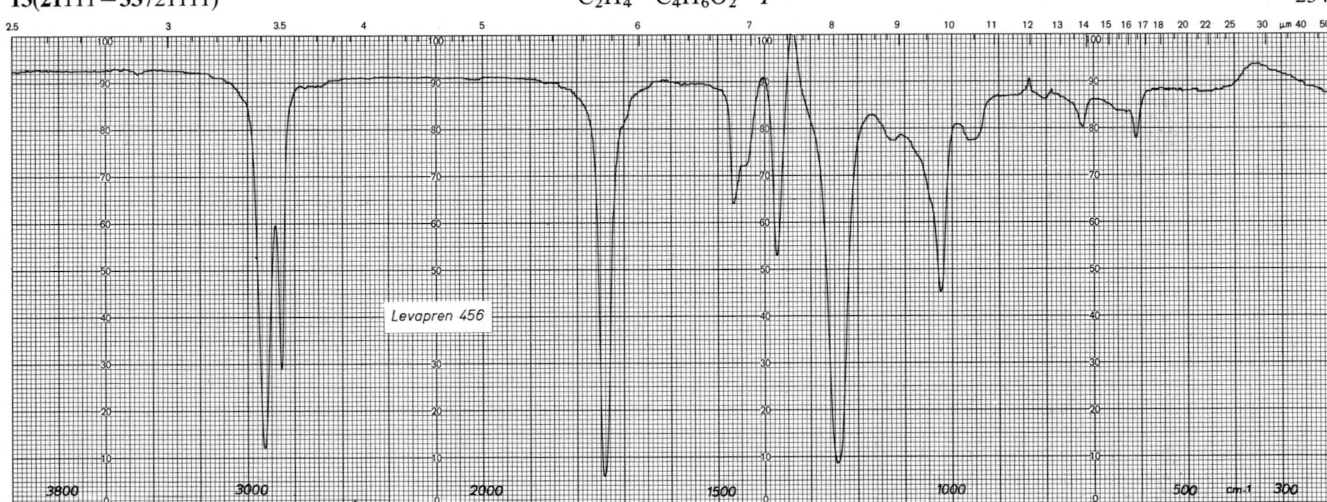

(1) **Levapren 456**
(3) Poly(ethylen-co-vinylacetat) mit 45% VAc-Einheiten
(4) farbloses, transparentes Elastomer (Granulat)
(5) im Verschnitt mit anderen Elastomeren (NK, BS-Kautschuk) für technische Form- und Spritzartikel, für Klebstoffe
(6) klarer Film aus MTC auf CsI

(2) Bayer AG, Leverkusen
(3) poly(ethylene-co-vinyl acetate) with 45% VAc units
(4) colorless, transparent elastomer (granules)
(5) for blending with other elastomers (natural rubber, BS rubber) for technical mouldings and injection mouldings, for adhesives
(6) clear film from MTC on CsI

13(21111 – 337221111) $C_2H_4-C_4H_6O_2$ *P* 2345 

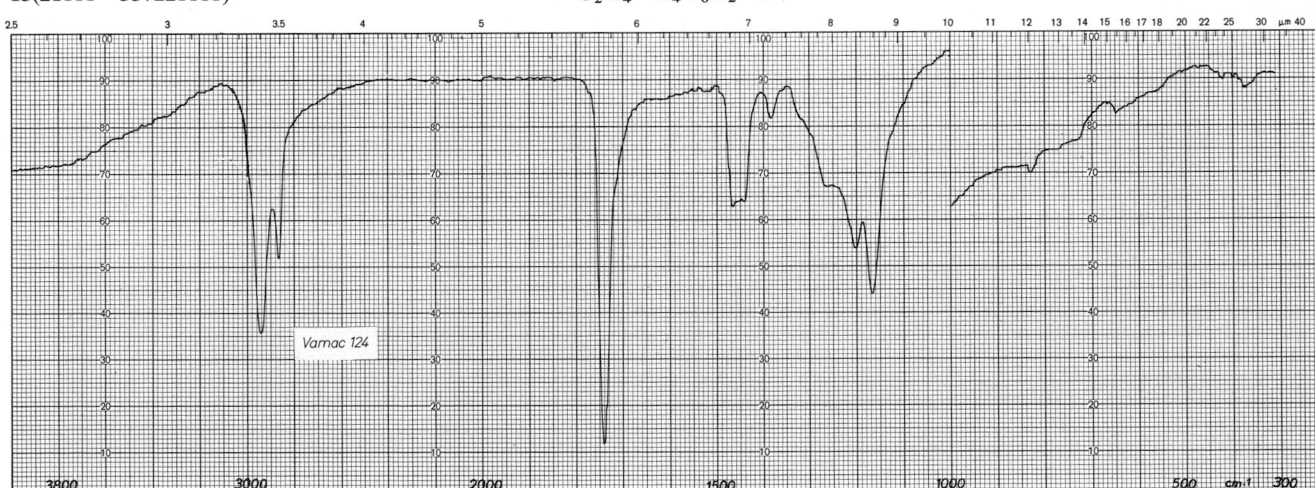

(1) **Vamac 124**
(3) Poly(ethylen-co-methylacrylat), mit einpolymerisierter Carbonsäure
(4) schwarzes Elastomer (mit Ruß gefüllt, nicht vulkanisiert)
(5) für witterungs- und mineralölbeständige, thermisch hoch belastbare Dichtungen und Formteile
(6) Schicht aus CLF auf CsI (schwarz)

(2) Du Pont, Wilmington, Dela.
(3) poly(ethylene-co-methyl acrylate), with copolymerized carboxylic acid
(4) black elastomer (carbon black-filled, nonvulcanized)
(5) for weather and mineral oil-resistant, highly thermally stressed seals and mouldings
(6) film from CLF on CsI (black)

13211211 C_3H_6 *P* 2346

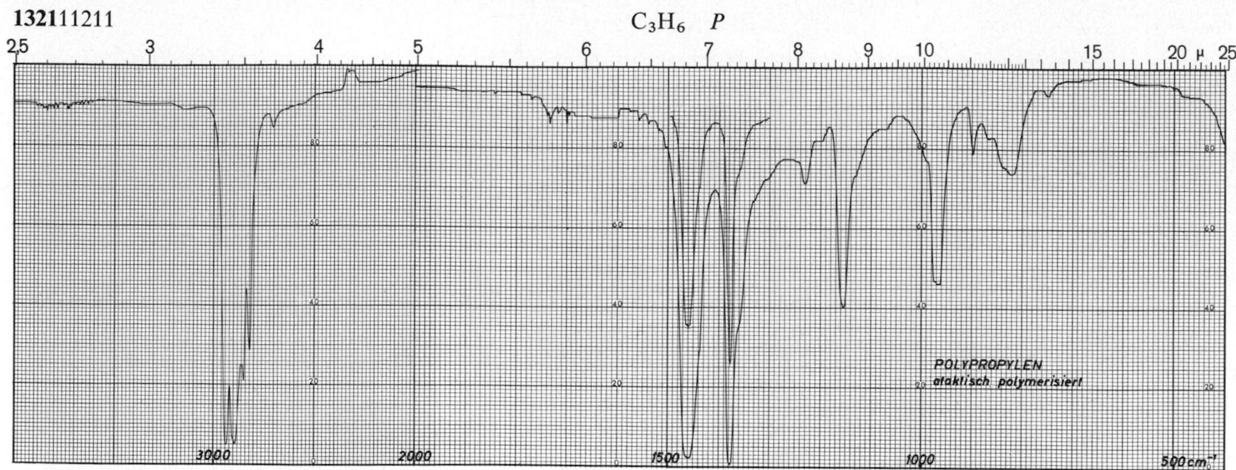

(1) **amorphes, ataktisch polymerisiertes Polypropylen**
(2) Chemische Werke Hüls, Marl; Laborpräparat
(4) farbloses Elastomer
(6) Schicht aus Heptan auf KBr
(7) PE 125

(1) **amorphous, atactically polymerized polypropylene**
(2) Chemische Werke Hüls, Marl (laboratory preparation)
(4) colorless elastomer
(6) film from heptane on KBr
(7) PE 125

13211212 C_4H_8 *P* 2347

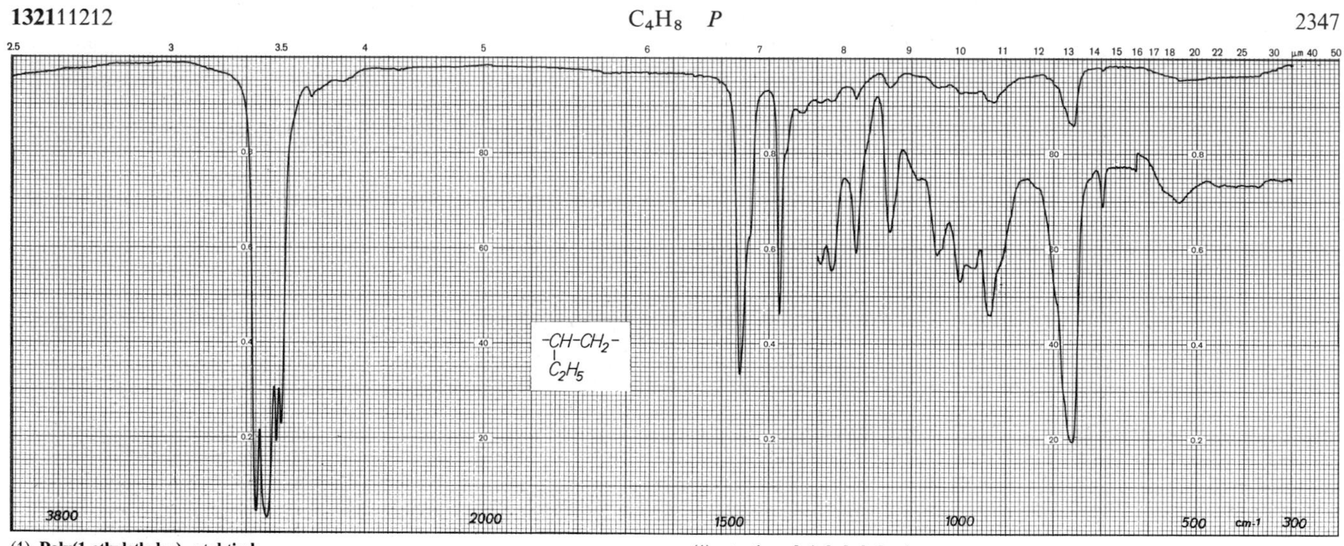

(1) **Poly(1-ethylethylen), ataktisch**
(2) Chemische Werke Hüls, Marl; Laborpräparat
(3) nichtkristallines KS-Poly(1-ethylethylen)
(4) farbloses, fast klares Elastomer
(6) 4000...1300 cm^{-1}: Schicht aus TBZ auf CsI, ABEX 1.09; 1300...300 cm^{-1}: Schmelzfilm auf CsI
(7) PE 580 B

(1) **atactic poly(ethylethylene)**
(2) Chemische Werke Hüls, Marl (laboratory preparation)
(3) noncrystalline poly(1-ethylethylene) resin
(4) colorless, almost clear elastomer
(6) 4000...1300 cm^{-1}: film from TBZ on CsI, ABEX 1.09, 1300...300 cm^{-1}: film from the melt on CsI
(7) PE 580 B

13211124 C_4H_8 *P* 2348

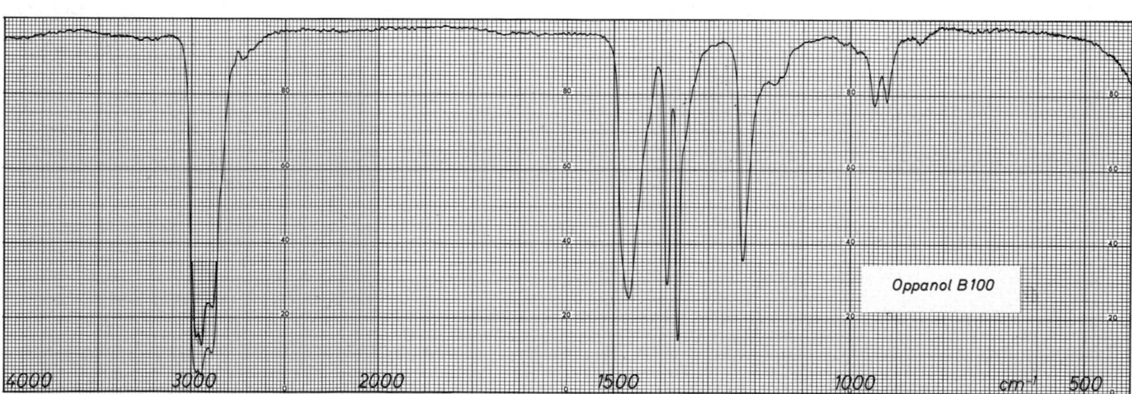

(1) **Oppanol B 100**
(3) Poly(i-butylen)
(4) farbloses, klares Elastomer
(5) vielseitiges, oxidations- und chemikalienbeständiges Material für Überzüge und Imprägnierungen
(6) Schicht aus CS_2 auf KBr
(7) PE 325

(2) BASF AG, Ludwigshafen
(3) poly(isobutylene)
(4) clear, colorless elastomer
(5) multipurpose, oxidation and chemical-resistant material for coatings and for impregnation
(6) film from CS_2 on KBr
(7) PE 325

13211124

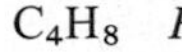
C_4H_8 *P*

2349

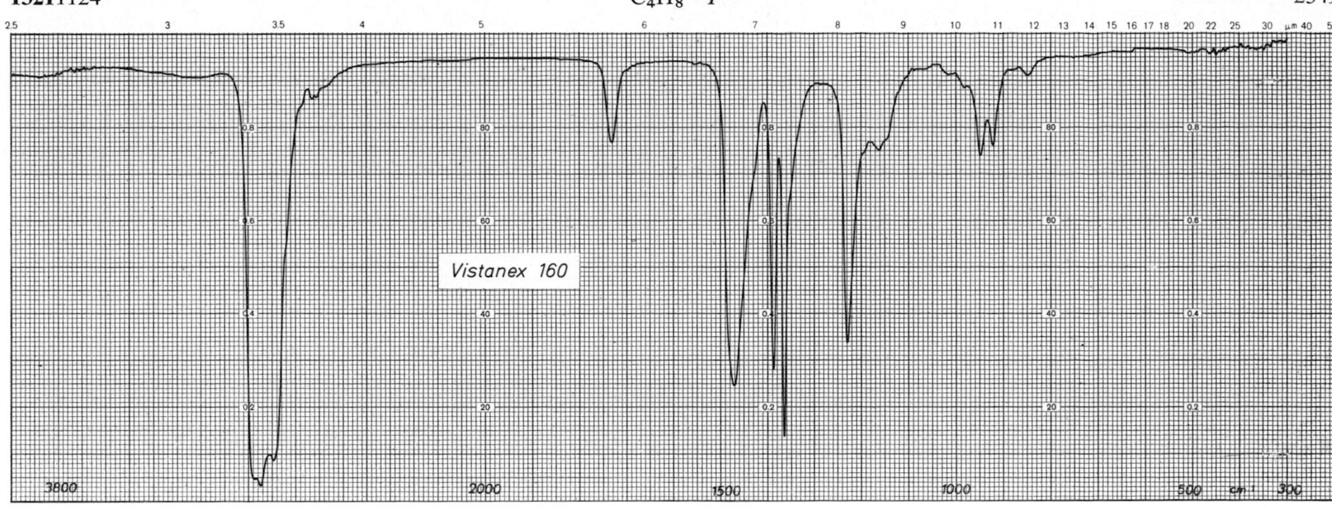

(1) **Vistanex 160**
(3) Poly(i-butylen)
(4) klares, nahezu farbloses, blasiges Elastomer
(5) für Dichtungsmassen und dergleichen
(6) Schicht aus m-DCB auf CsI; 731 cm^{-1}: Carbonyl (Oxidation)
(7) PE 580 B, ABEX 1.28

(2) Esso Chemie, Köln
(3) poly(isobutylene)
(4) clear, almost colorless, blistered elastomer
(5) for sealing compounds and similar applications
(6) film from m-DCB on CsI; 731 cm^{-1}: carbonyl (oxidation)
(7) PE 580 B, ABEX 1.28

13211124 C_4H_8 *P*

2350

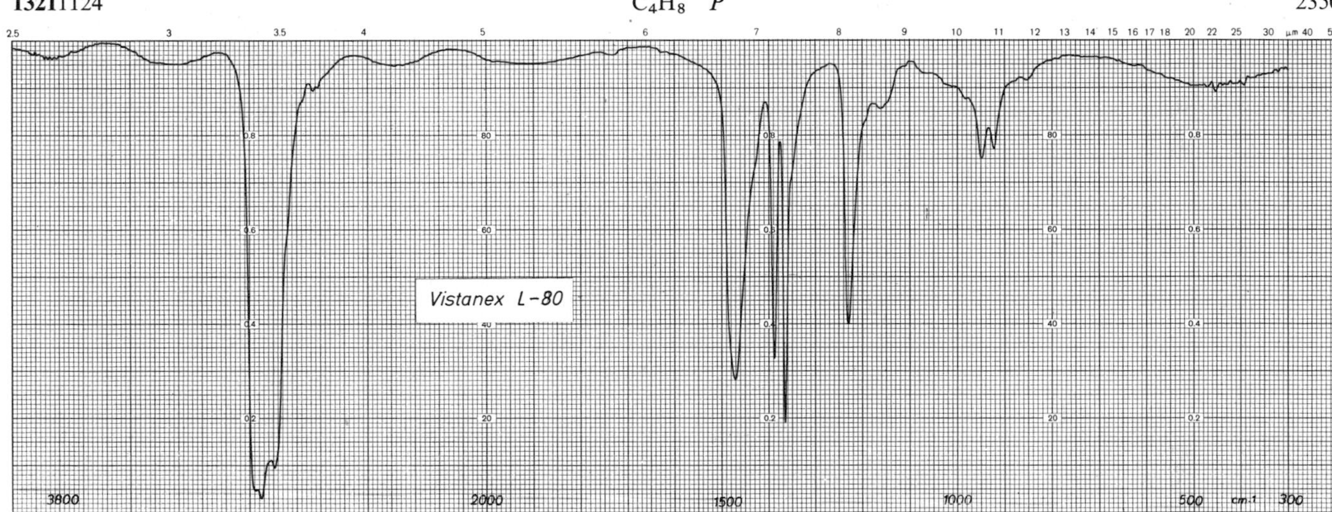

(1) **Vistanex L-80**
(3) Poly(i-butylen)
(4) farbloses, blasiges Elastomer
(5) für Kaugummi, Wundpflaster, Klebe-, Dichtungs- und Isolierbänder, Dichtungsmassen, zum Verschnitt von Wachs und Paraffin
(6) Schicht aus m-DCB auf CsI
(7) PE 580 B, ABEX 1.40

(2) Essochem Europe Inc., Diegem
(3) poly(isobutylene)
(4) colorless, blistered elastomer
(5) for chewing gum, sticking plaster, for adhesive, sealing and insulating tapes and sealing compounds, for blending with wax and paraffin
(6) film from m-DCB on CsI
(7) PE 580 B, ABEX 1.40

13211124 C_4H_8 *P* 2351

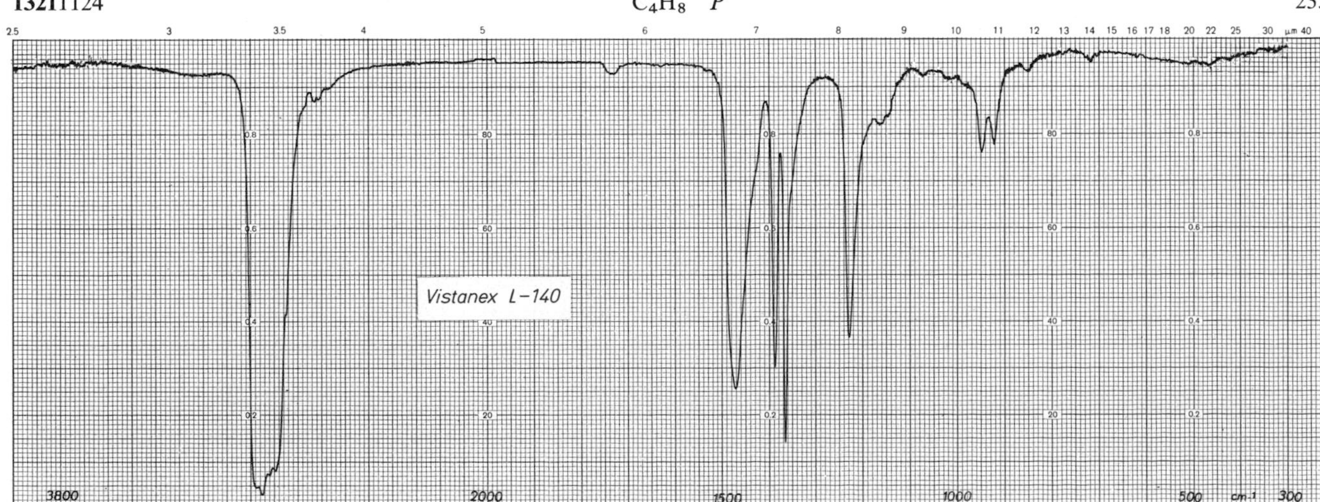

(1) **Vistanex L-140**
(3) Poly(i-butylen)
(4) farbloses, durchsichtiges Elastomer
(5) für Kaugummi, Wundpflaster, Klebe-, Dichtungs- und Isolierbänder, Dichtungsmassen, zum Verschnitt von Wachs und Paraffin
(6) Schicht aus m-DCB auf CsI
(7) PE 580 B, ABEX 1.50

(2) Essochem Europe Inc., Diegem
(3) poly(isobutylene)
(4) colorless, blistered elastomer
(5) for chewing gum, sticking plaster, for adhesive, sealing and insulating tapes and sealing compounds, for blending with wax and paraffin
(6) film from m-DCB on CsI
(7) PE 580 B, ABEX 1.50

13211(124–221) $C_4H_8-C_5H_8$ *P* 2352

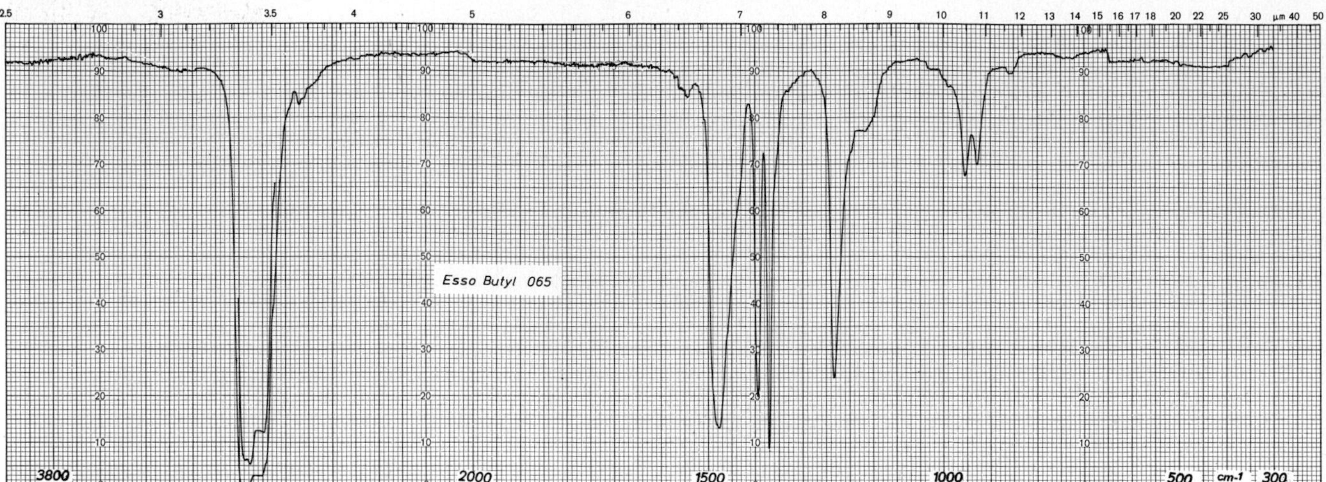

(1) **Esso Butyl 065**
(3) Poly(i-butylen-co-isopren) (niederer Isoprengehalt)
(4) hellbernsteinfarbenes, blasiges Elastomer
(5) zur Herstellung von Hoch-, Mittel- und Niederspannungskabelisolierungen, für Schläuche, Transportbänder, Dichtungen, gummierte Gewebe, Heißschmelzmassen
(6) Schicht aus m-DCB auf CsI

(2) Esso Chemie, Köln
(3) poly(isobutylene-co-isoprene) (low isoprene content)
(4) pale amber-colored, blistered elastomer
(5) for the manufacture of high, medium and low tension cable insulation, for tubing, conveyor belts, seals, rubberized cloth, hot melting compounds
(6) film from m-DCB on CsI

13211(124–221) $C_4H_8-C_5H_8$ *P* 2353

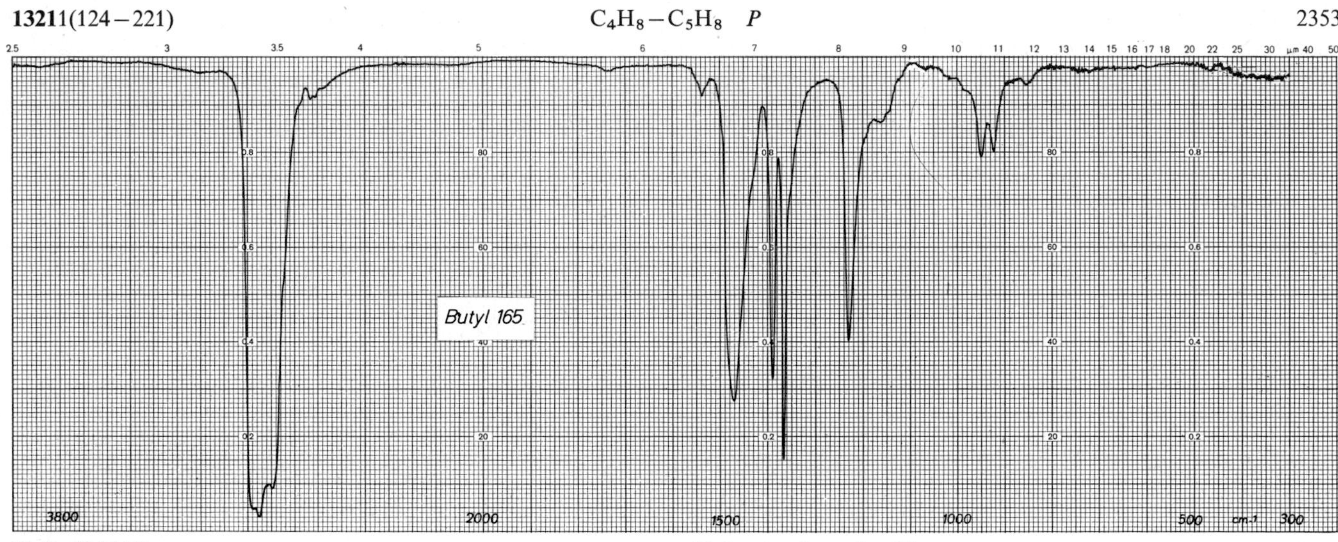

(1) **Esso Butyl 165**
(3) Poly(i-butylen-co-isopren), niedriger Isoprengehalt
(4) farbloses, blasiges Elastomer
(5) Kabelisolierungen, Schläuche für Kraftfahrzeug- und Fahrradreifen, Transportbänder, Dichtungen aller Art
(6) Schicht aus m-DCB auf CsI
(7) PE 580 B, ABEX 1.09

(2) Essochem Europe Inc., Diegem
(3) poly(isobutyl-co-isoprene) (low isoprene content)
(4) colorless, blistered elastomer
(5) cable insulation, inner tubes for motor vehicles and bicycles, conveyor belts, all types of seals and washers
(6) film from m-DCB on CsI
(7) PE 580 B, ABEX 1.09

13211(124–221) $C_4H_8-C_5H_8$ *P* 2354

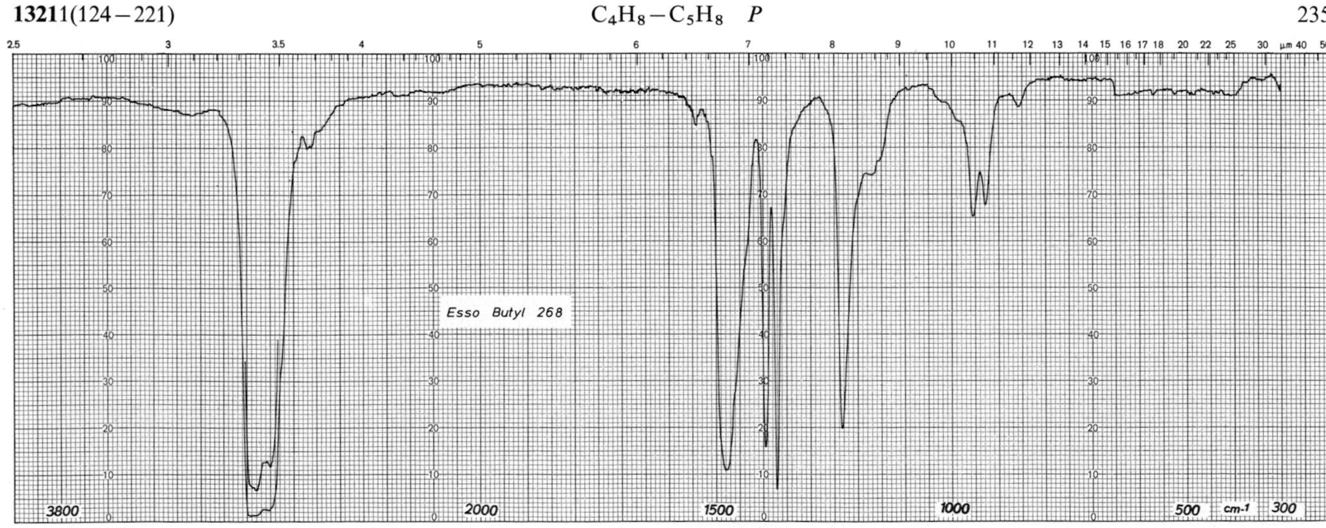

(1) **Esso Butyl 268**
(3) Poly(i-butylen-co-isopren), mittlerer Isoprengehalt (Normaltype)
(4) nahezu farbloses, blasiges Elastomer
(5) zur Herstellung von Hoch-, Mittel- und Niederspannungskabelisolierungen, für Schläuche, Transportbänder, Dichtungen gummierte Gewebe, Heißschmelzmassen
(6) Schicht aus m-DCB auf CsI

(2) Esso Chemie, Köln
(3) poly(isobutylene-co-isoprene), medium isoprene content (standard grade)
(4) almost colorless, blistered elastomer
(5) for the manufacture of high, medium and low tension cable insulation, for tubes, conveyor belts, seals, rubberized cloth, hot melting compounds
(6) film from m-DCB on CsI

13211(124 − 221) $C_4H_8-C_5H_8$ *P* 2355

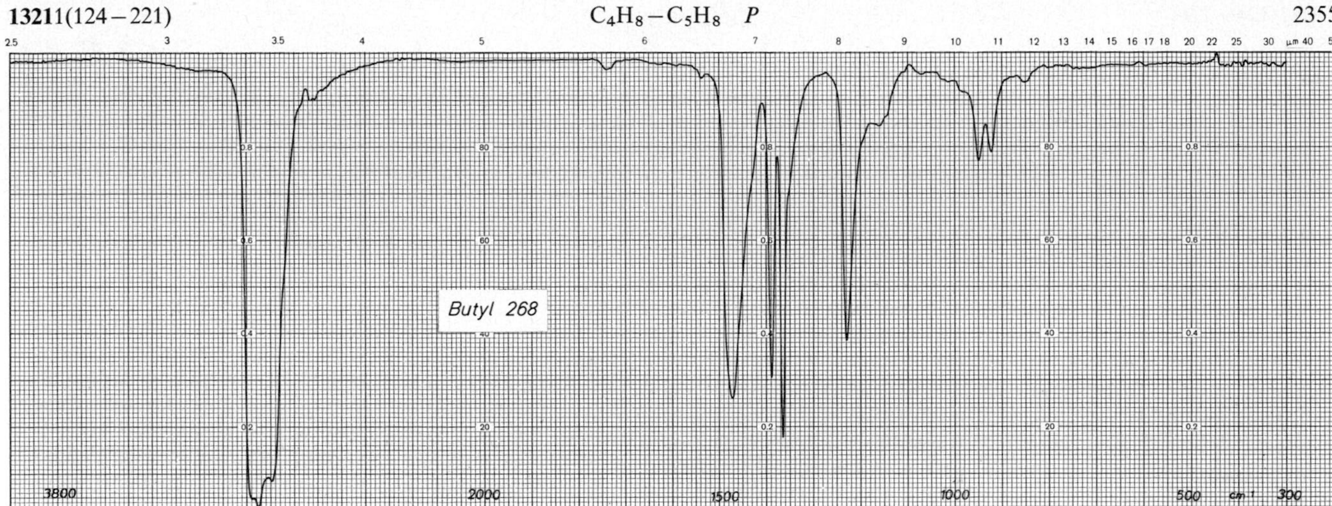

(1) **Esso Butyl 268**
(3) Poly(i-butylen-co-isopren), mittlerer Isoprengehalt (Normaltype)
(4) farbloses, blasiges Elastomer
(5) Kabelisolierungen, Schläuche für Kraftfahrzeug- und Fahrradreifen, Transportbänder, Dichtungen aller Art
(6) Schicht aus m-DCB auf CsI
(7) PE 580 B, ABEX 1.59

(2) Essochem Europe Inc., Diegem
(3) poly(isobutylene-co-isoprene), medium isoprene content (standard grade)
(4) colorless, blistered elastomer
(5) cable insulation, inner tubes for motor vehicles and bicycles, conveyor belts, all types of seals and washers
(6) film from m-DCB on CsI
(7) PE 580 B, ABEX 1.59

13211(124 − 221) $C_4H_8-C_5H_8$ *P* 2356

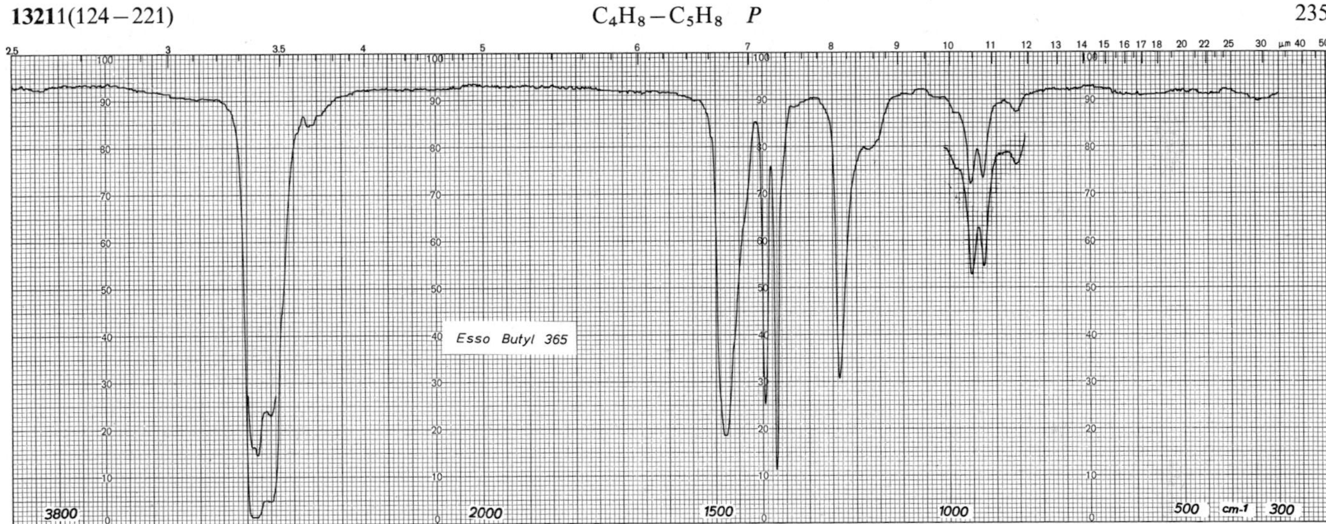

(1) **Esso Butyl 365**
(3) Poly(i-butylen-co-isopren), hoher Isoprengehalt
(4) nahezu farbloses, blasiges Elastomer
(5) zur Herstellung von Hoch-, Mittel- und Niederspannungskabelisolierungen, für Schläuche, Transportbänder, Dichtungen, gummierte Gewebe, Heißschmelzmassen
(6) Schicht aus m-DCB auf CsI

(2) Esso Chemie, Köln
(3) poly(isobutylene-co-isoprene), high isoprene content
(4) almost colorless, blistered elastomer
(5) for the manufacture of high, medium and low tension cable insulation, for tubing, conveyor belts, seals, rubberized cloth, hot melting compounds
(6) film from m-DCB on CsI

13211(124 − 221) $C_4H_8-C_5H_8$ *P* 2357

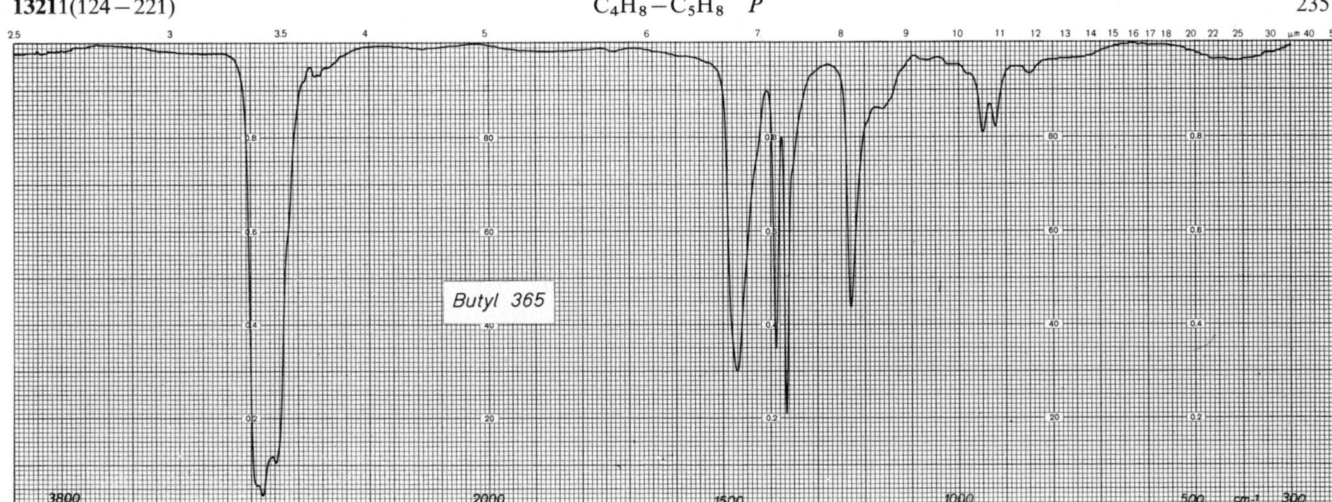

(1) **Esso Butyl 365**
(3) Poly(i-butylen-co-isopren), hoher Isoprengehalt
(4) farbloses, blasiges Elastomer
(5) Kabelisolierungen, Schläuche für Kraftfahrzeug- und Fahrradreifen, Transportbänder, Dichtungen aller Art
(6) Schicht aus m-DCB auf CsI
(7) PE 580 B, ABEX 1.16

(2) Essochem Europe Inc., Diegem
(3) poly(isobutylene-co-isoprene), high isoprene content
(4) colorless, blistered elastomer
(5) cable insulation, inner tubes for motor vehicles and bicycles, all types of seals and washers
(6) film from m-DCB on CsI
(7) PE 580 B, ABEX 1.16

13211(124 – 221) $C_4H_8 - C_5H_8$ *P* 2358

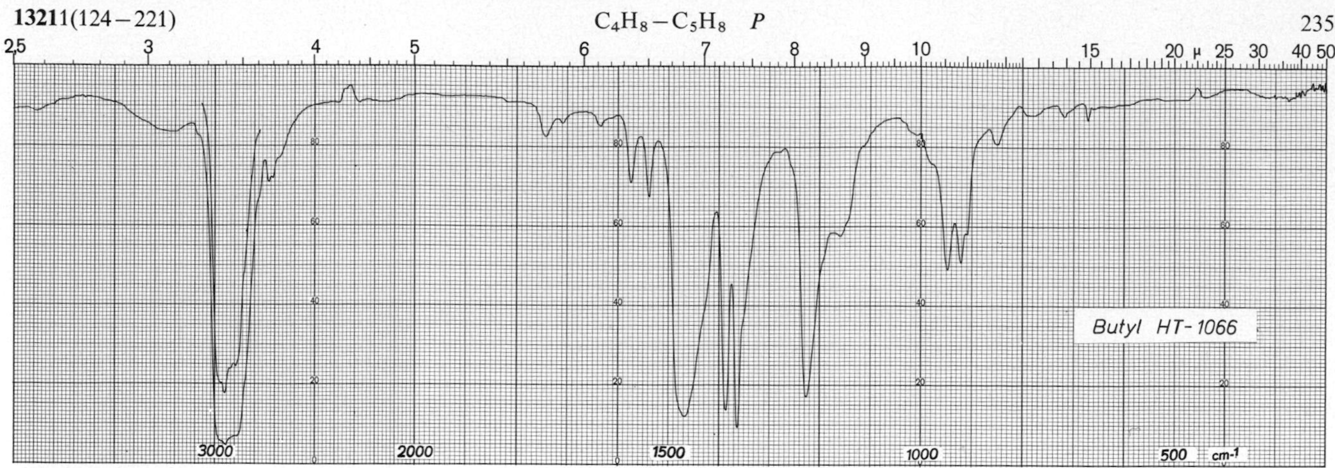

(1) **Butyl HT-1066**
(3) Poly(i-butylen-co-isopren)
(4) nahezu farbloses Elastomer
(5) für Heizschläuche
(6) Film aus BZN auf CsI
(7) PE 325

(2) Esso Research Co., Linden, N.J.
(3) poly(isobutylene-co-isoprene)
(4) almost colorless elastomer
(5) for heating pipes
(6) film from BZN on CsI
(7) PE 325

13211(124 – 221) $C_4H_8 - C_5H_8$ *P* 2359

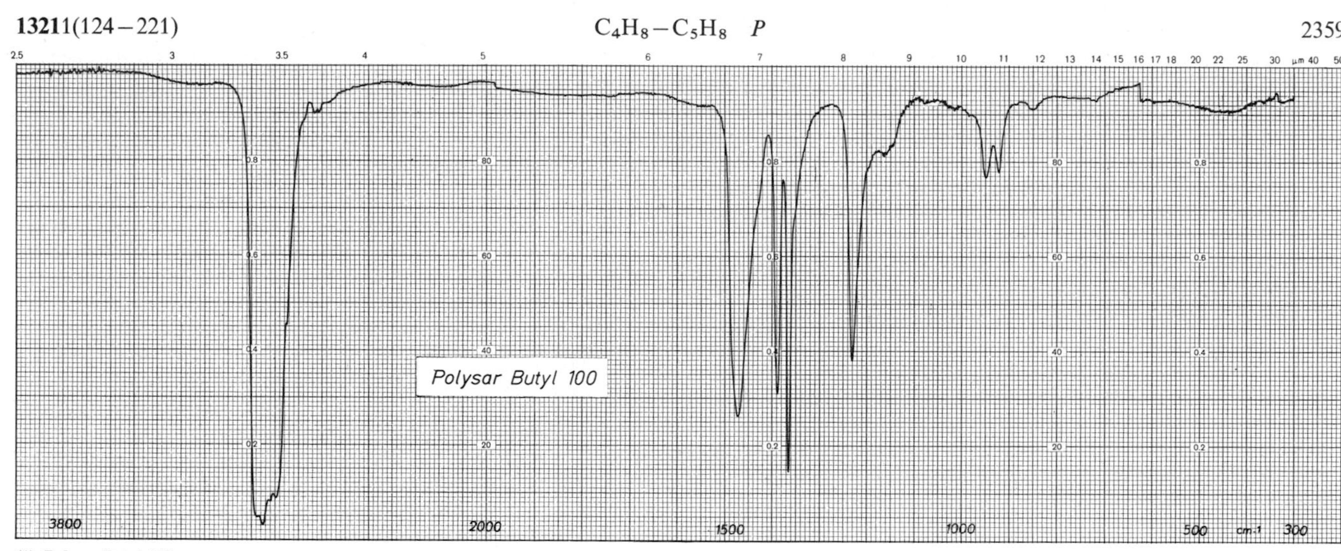

(1) **Polysar Butyl 100**
(3) Poly(i-butylen-co-isopren), kaltpolymerisiert
(4) farbloses, blasiges Elastomer
(5) für Hochspannungsisolierungen, Dachabdeckungen und Dichtungsmassen
(6) Schicht aus m-DCB auf CsI
(7) PE 580 B, ABEX 1.34

(2) Polysar (Deutschland) GmbH, Frankfurt
(3) poly(isobutylene-co-isoprene), cold polymerized
(4) colorless, blistered elastomer
(5) for high tension insulation, roof coverings and sealing compounds
(6) film from m-DCB on CsI
(7) PE 580 B, ABEX 1.34

13211(124 – 221) $C_4H_8 - C_5H_8$ *P* 2360

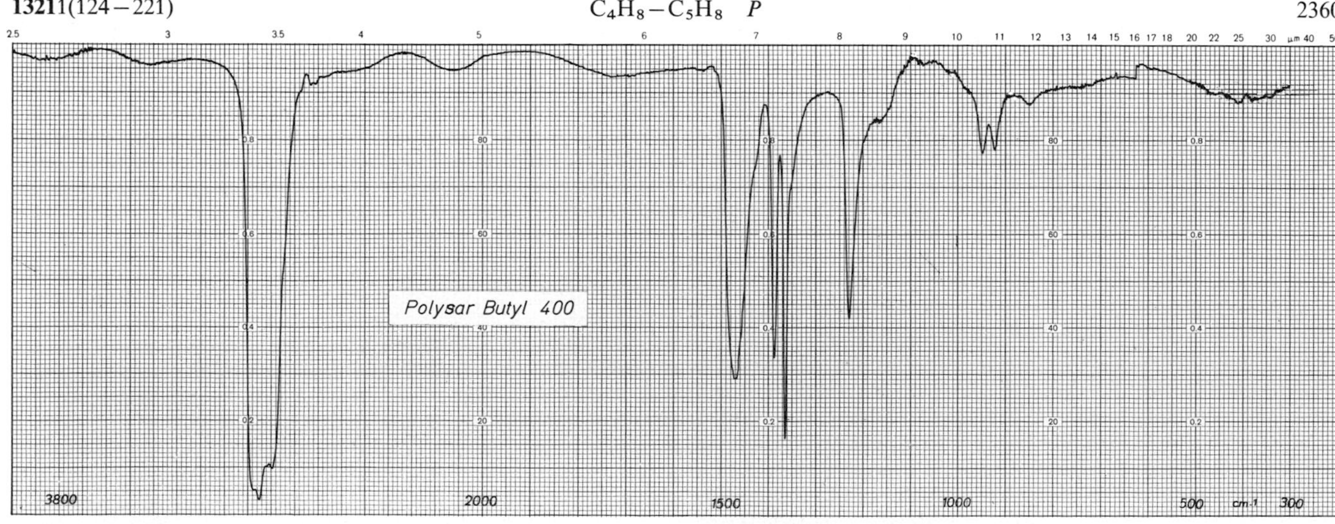

(1) **Polysar Butyl 400**
(3) Poly(i-butylen-co-isopren)
(4) farbloses, blasiges Elastomer
(5) Butylkautschuk für allgemeine Anwendungen
(6) Schicht aus m-DCB auf CsI
(7) PE 580 B, ABEX 1.36

(2) Polysar (Deutschland) GmbH, Frankfurt
(3) poly(isobutylene-co-isoprene)
(4) colorless, blistered elastomer
(5) general purpose, butyl rubber
(6) film from m-DCB on CsI
(7) PE 580 B, ABEX 1.36

13(211124−3121)

2361

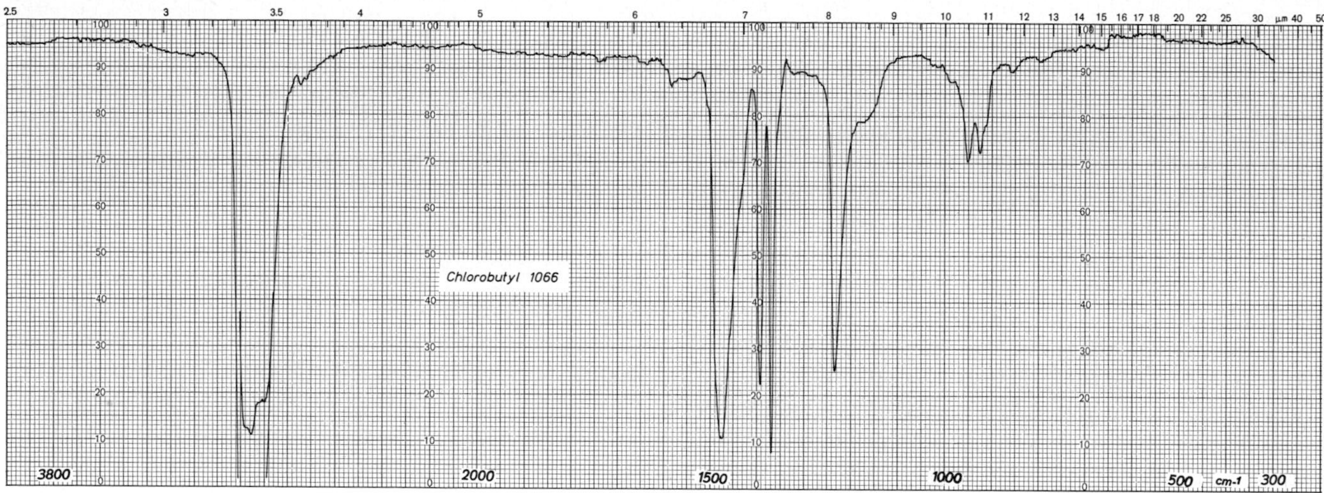

(1) **Chlorobutyl 1066**
(3) chloriertes Poly(i-butylen) mit 1.1...1.3 Gew.-% Cl
(4) schwach bernsteinfarbenes, blasiges Elastomer
(5) gegenüber Esso Butyl verbesserte Hitzebeständigkeit, höhere Vulkanisationsgeschwindigkeit; für Innenseelen schlauchloser Reifen, Reifenseitenwände, Schläuche, Transportbänder, physiologisch unbedenkliche Verschlußstoffe, Klebstoffe und Dichtungsmassen
(6) Schicht aus m-DCB auf CsI (7) Ordinate etwas gedehnt

(2) Esso Chemie, Köln
(3) chlorinated poly(isobutylene) with 1.1...1.3 wt.% Cl
(4) pale amber-colored, blistered elastomer
(5) more thermally resistant and faster vulcanizing than Esso butyl; for inner sides of tubeless tires, tire side walls, tubes, conveyor belts, physiologically harmless stoppers, adhesives and sealing compounds
(6) film from m-DCB on CsI
(7) ordinate somewhat expanded

13(211124−3121)

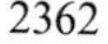
2362

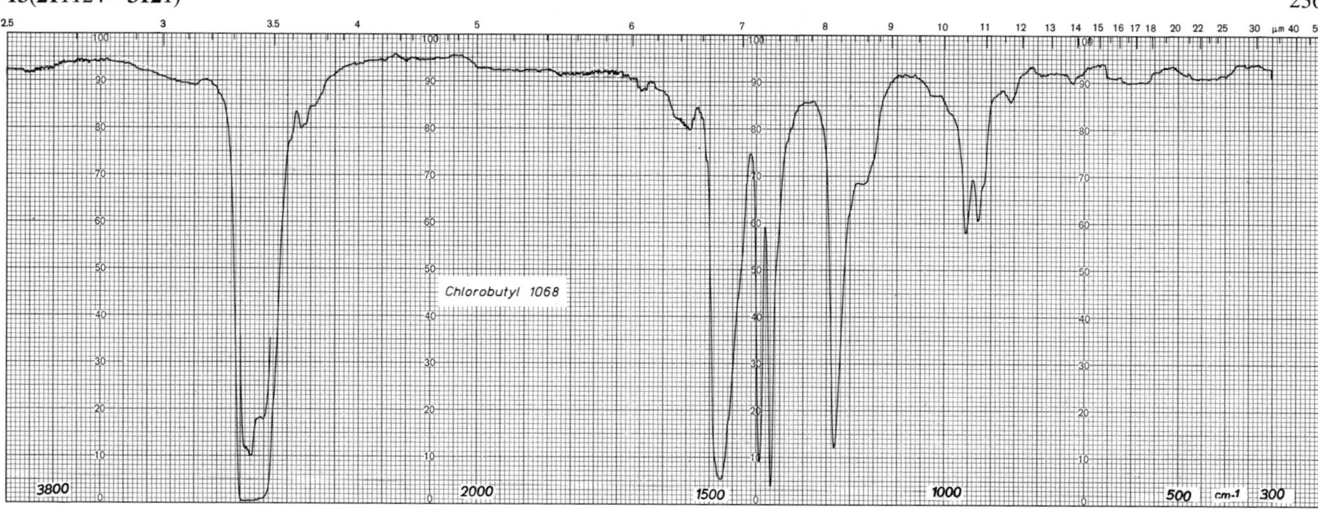

(1) **Chlorobutyl 1068**
(3) chloriertes Poly(i-butylen) mit 1.1...1.3 Gew.% Cl
(4) fast farbloses, blasiges Elastomer
(5) gegenüber Esso Butyl verbesserte Hitzebeständigkeit, höhere Vulkanisationsgeschwindigkeit; für Innenseelen schlauchloser Reifen, Reifenseitenwände, Schläuche, Transportbänder, physiologisch unbedenkliche Verschlußstoffe, Klebstoffe und Dichtungsmassen
(6) Schicht aus m-DCB auf CsI

(2) Esso Chemie, Köln
(3) chlorinated poly(isobutylene) with 1.1...1.3 wt.% Cl
(4) almost colorless, blistered elastomer
(5) more thermally resistant and faster vulcanizing than Esso butyl; for inner sides of tubeless tires, tire side walls, tubes, conveyor belts, physiologically harmless stoppers, adhesives and sealing compounds
(6) film from m-DCB on CsI

13(211124−3121)

2363

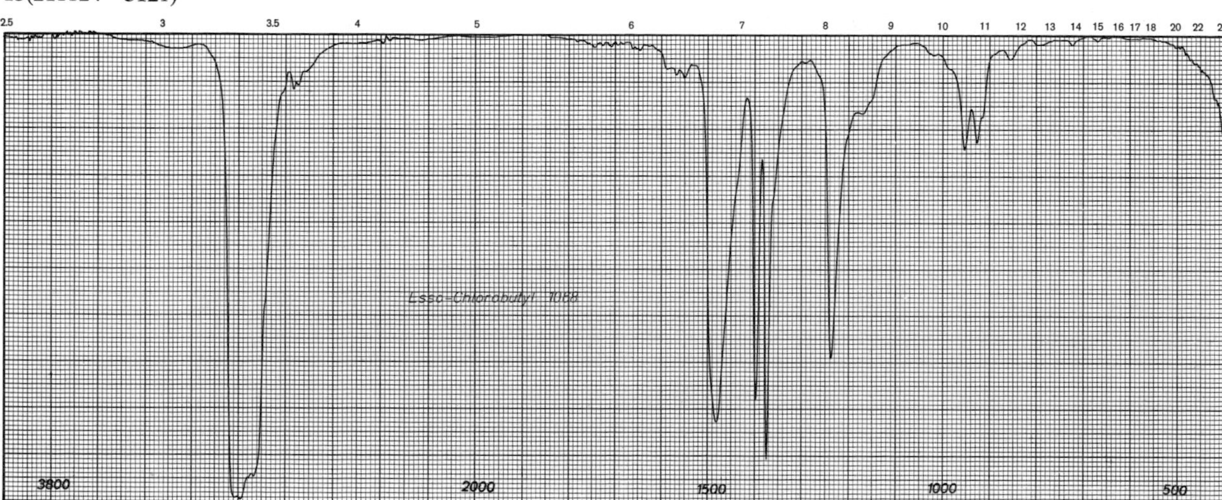

(1) **Esso Chlorobutyl 1068**
(3) chloriertes Polyisobutylen
(4) fast farbloses Elastomer
(5) für chemisch beständige Vulkanisate
(6) Film aus m-DCB
(7) Nicolet 7199

(2) Essochem Europe, Brüssel
(3) chlorinated polyisobutylene
(4) almost colorless elastomer
(5) for chemically resistant vulcanizates
(6) film from m-DCB
(7) Nicolet 7199

13(211124–3131) 2364

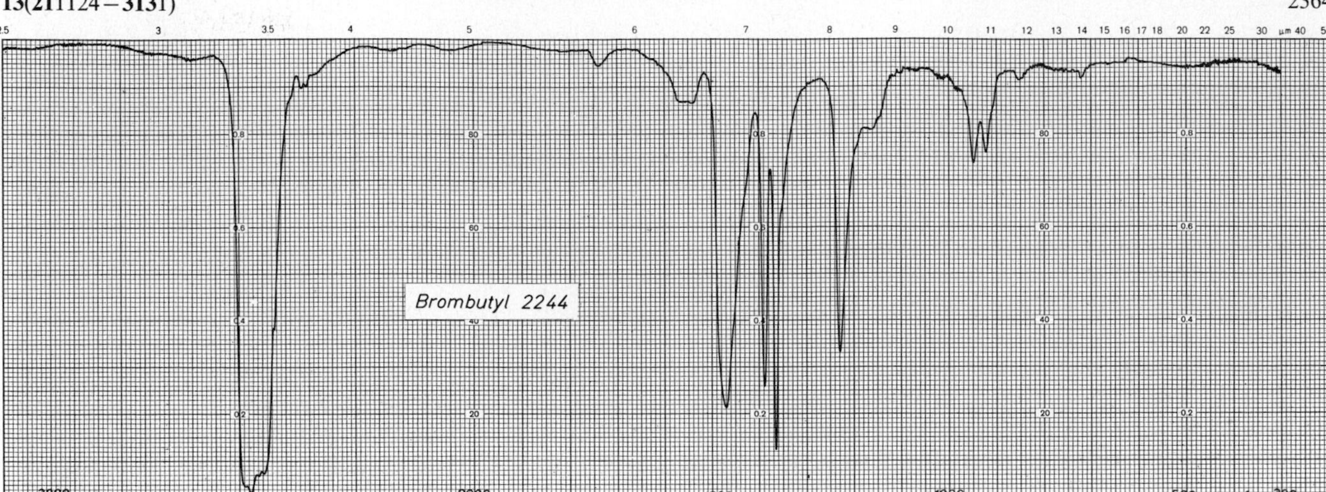

(1) **Brombutyl 2244**
(3) bromiertes Poly(i-butylen) mit etwa 2-Gew.% Br
(4) nahezu farbloses, undurchsichtiges, blasiges Elastomer
(5) für chemisch beständige Vulkanisate (Heizschläuche, pharmazeutische Produkte)
(6) Schicht aus m-DCB auf CsI
(7) PE 580 B, ABEX 1.21

(2) Esso Chem. Europe, Machelen
(3) brominated poly(isobutylene) with about 2 wt.% Br
(4) almost colorless, opaque, blistered elastomer
(5) for chemical-resistant vulcanizates (heating pipes, pharmaceutical products)
(6) film from m-DCB on CsI
(7) PE 580 B, ABEX 1.21

13(211124–3131) 2365

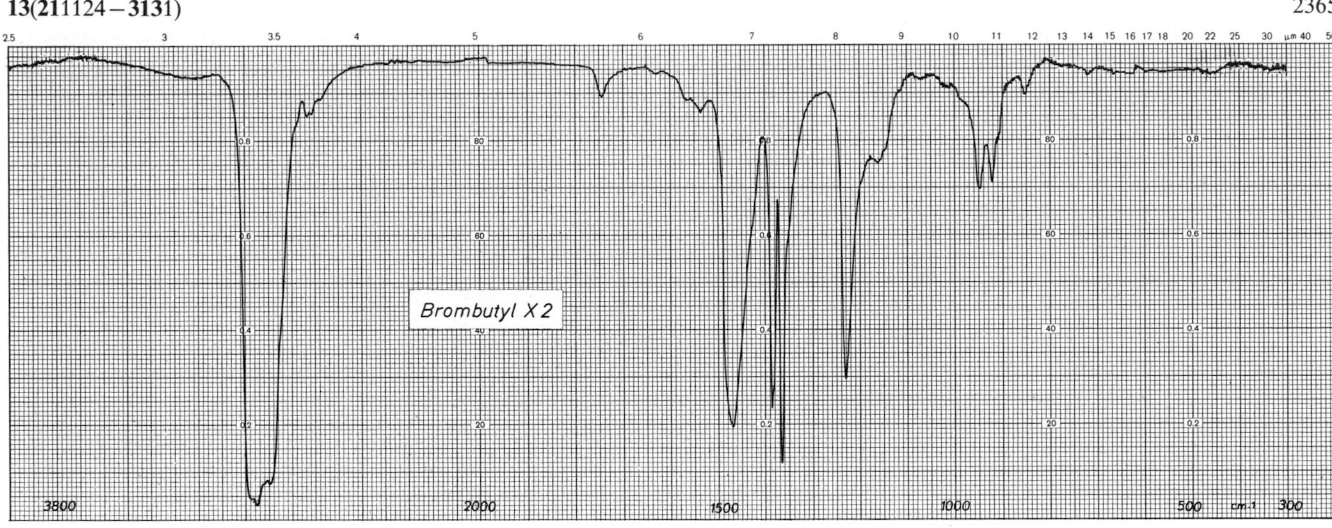

(1) **Brombutyl X 2**
(3) bromiertes Poly(i-butylen) mit etwa 2% Br
(4) fast farbloses, undurchsichtiges Elastomer
(5) für Reifen-Innenliner, Seitenwände, Schläuche, pharmazeutische Anwendungen, technische Artikel
(6) Schicht aus m-DCB auf CsI
(7) PE 580 B, ABEX 1.33

(2) Polysar (Deutschland) GmbH, Frankfurt
(3) brominated poly(isobutylene) with about 2% Br
(4) almost colorless, opaque elastomer
(5) for tire inner liners, side walls, tubes, pharmaceutical applications, technical products
(6) film from m-DCB on CsI
(7) PE 580 B, ABEX 1.33

13(211124–3131) C_4H_8 *P* 2366

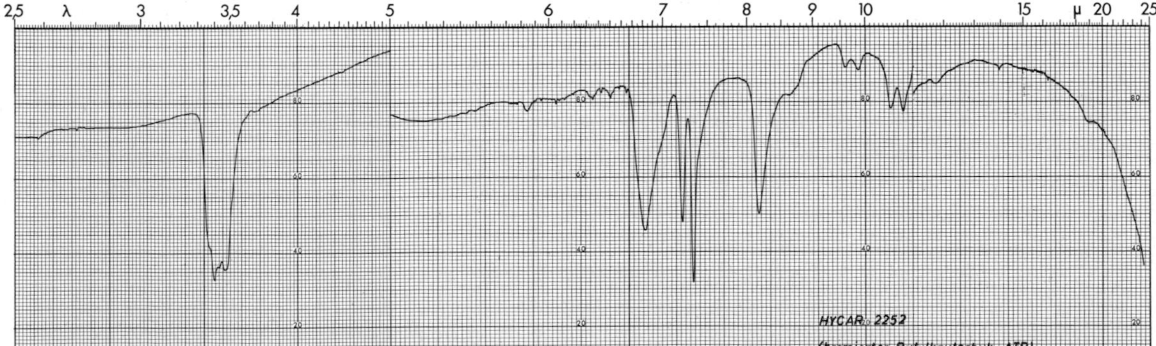

(1) **Hycar 2252**
(3) bromierter Butylkautschuk
(4) farbloses Elastomer
(5) Rohstoff für chemisch resistente Gummiartikel
(6) ATR (KRS-5)
(7) PE 125, relative Intensitäten und Bandenlagen gegenüber dem Transmissionsspektrum verschoben

(2) B. F. Goodrich, Cleveland, O.
(3) brominated butyl rubber
(4) colorless elastomer
(5) raw material for chemically resistant, rubber goods
(6) ATR (KRS-5)
(7) PE 125, relative intensities and band positions displaced with respect to the transmission spectrum

13211211 C_4H_6 *P* 2367

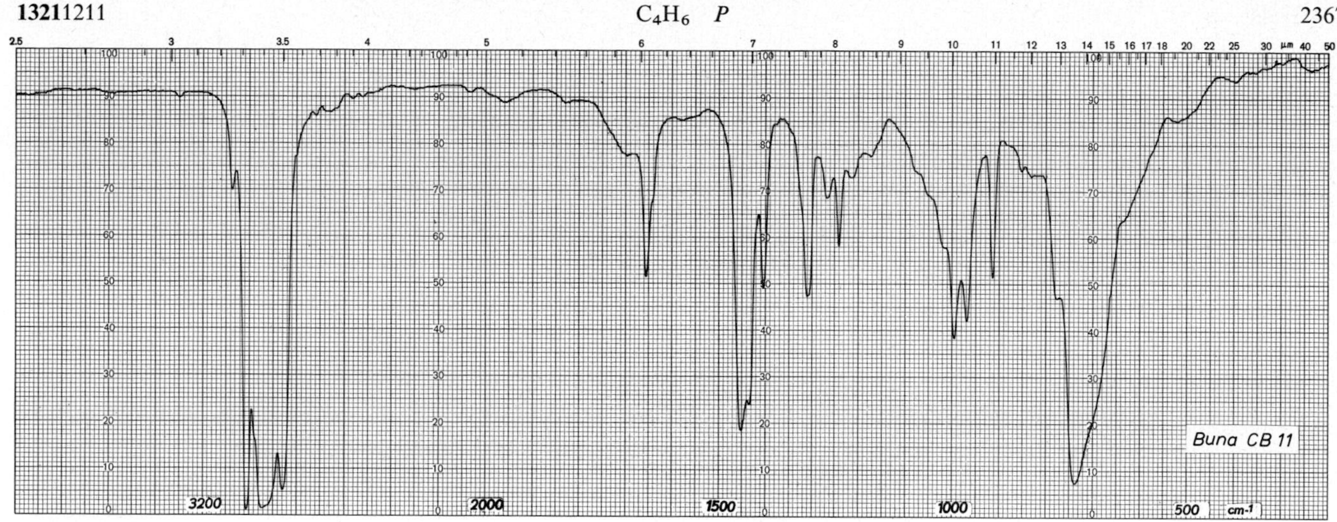

(1) **Buna CB 11**
(3) Poly(cis-butenylen)
(4) gelbliches Elastomer
(5) Gummirohstoff
(6) Schicht aus o-DCB auf CsI

(2) Bunawerke Hüls, Marl
(3) poly(cis-butenylene)
(4) yellowish elastomer
(5) rubber raw material
(6) film from o-DCB on CsI

13211211 C_4H_6 *P* 2368

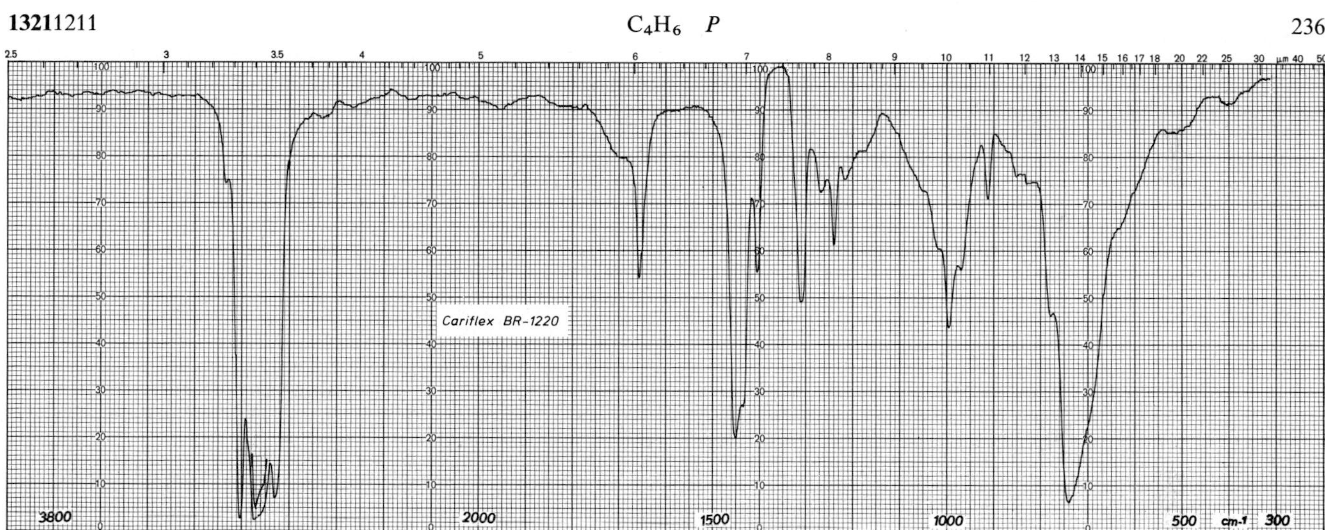

(1) **Cariflex BR 1220**
(3) Poly(cis-butenylen) mit 96.5% cis-Einheiten
(4) farbloses, blasiges Elastomer
(5) alle typischen Anwendungen von Polybutadien-Kautschuk
(6) Schicht aus MTC auf CsI

(2) Shell Niederlande Chemie B.V., Rotterdam
(3) poly(cis-butenylen) with 96.5% cis units
(4) colorless, blistered elastomer
(5) all the typical applications of polybutadiene rubbers
(6) film from MTC on CsI

132112(11 – 21) C_4H_6 *P* 2369

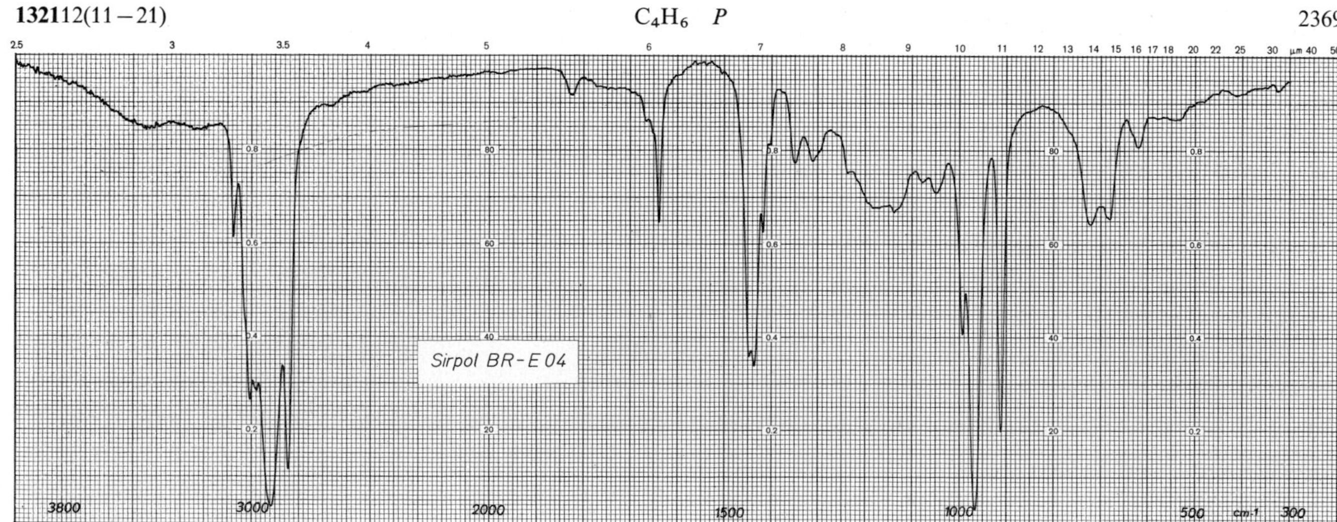

(1) **Sirpol BR-E 04**
(3) Polybutadien mit 1,4-cis-, 1,2- und wenig 1,4-trans-Strukturen
(4) weißer Latex mit 43% Feststoffen
(5) für Imprägnierungen und Überzüge
(6) Schicht auf KRS-5
(7) PE 580 B, ABEX 1.94, FLAT, SMOOTH 2

(2) Società Italiana Resine, Milano
(3) polybutadiene with 1,4-cis, 1,2- and a few 1,4-trans structures
(4) white latex with 43% solids
(5) for impregnation and for coatings
(6) film on KRS-5
(7) PE 580 B, ABEX 1.94, FLAT, SMOOTH 2

132112(11 − 21) + **172111** C_4H_6 *P* 2370

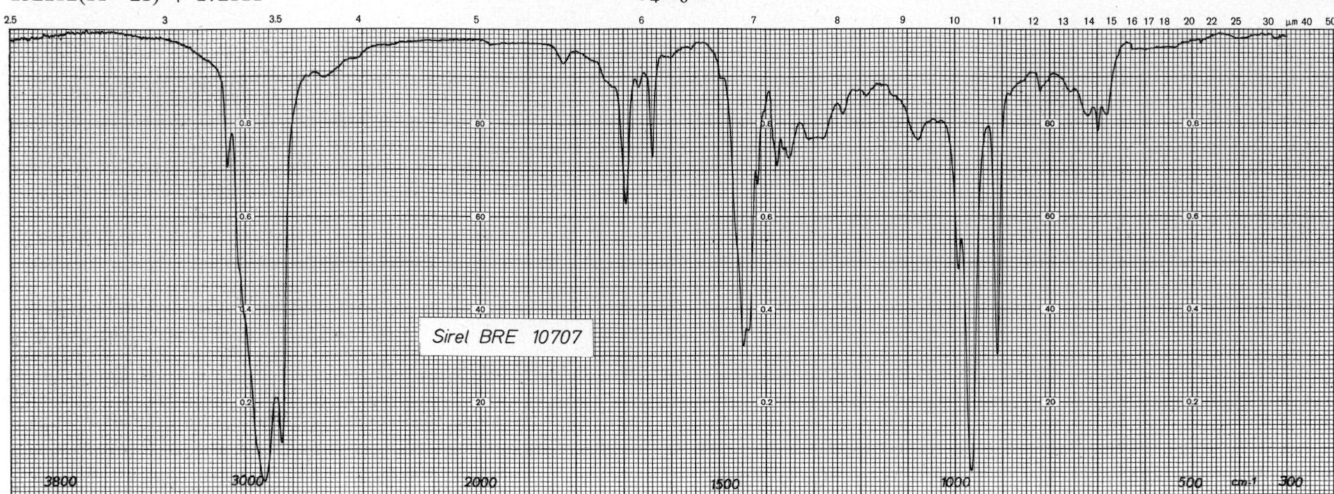

(1) **Sirel BRE 10707**
(3) Polybutadien (kalt polymerisiert) mit 37.5 Tln. naphthenischem Öl auf 100 Tle. Polymer
(4) bernsteinfarbenes Elastomer
(5) für die Herstellung von Reifen und hellen Gummiartikeln
(6) Schicht aus MTC auf CsI
(7) PE 580 B, ABEX 1.55

(2) Società Italiana Resine, Milano
(3) polybutadiene (cold polymerized) with 37.5 parts naphthenic oil per 100 parts polymer
(4) amber-colored elastomer
(5) for the manufacture of tires and light, rubber products
(6) film from MTC on CsI
(7) PE 580 B, ABEX 1.55

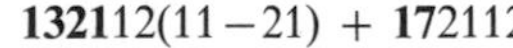

132112(11 − 21) + **172112** C_4H_6 *P* 2371

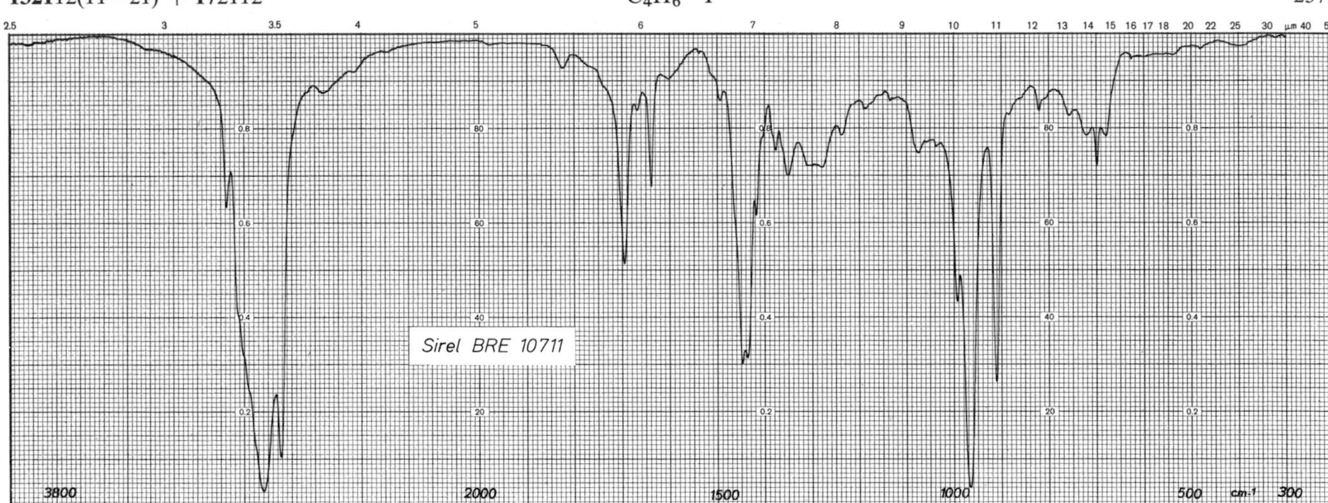

(1) **Sirel BRE 10711**
(3) Polybutadien (kalt polymerisiert) mit 37.5 Tln. hocharomatischem Öl auf 100 Tle. Polymer
(4) schwarzes Elastomer
(5) für Reifen und andere Dunkelgummiartikel
(6) Schicht aus MTC auf CsI
(7) PE 580 B, ABEX 1.29

(2) Società Italiana Resine, Milano
(3) polybutadiene (cold polymerized) with 37.5 parts high aromatic oil per 100 parts polymer
(4) black elastomer
(5) for tires and other dark, rubber goods
(6) film from MTC on CsI
(7) PE 580 B, ABEX 1.29

132112(11 − 21)/**133131** C_4H_6 *P* 2372

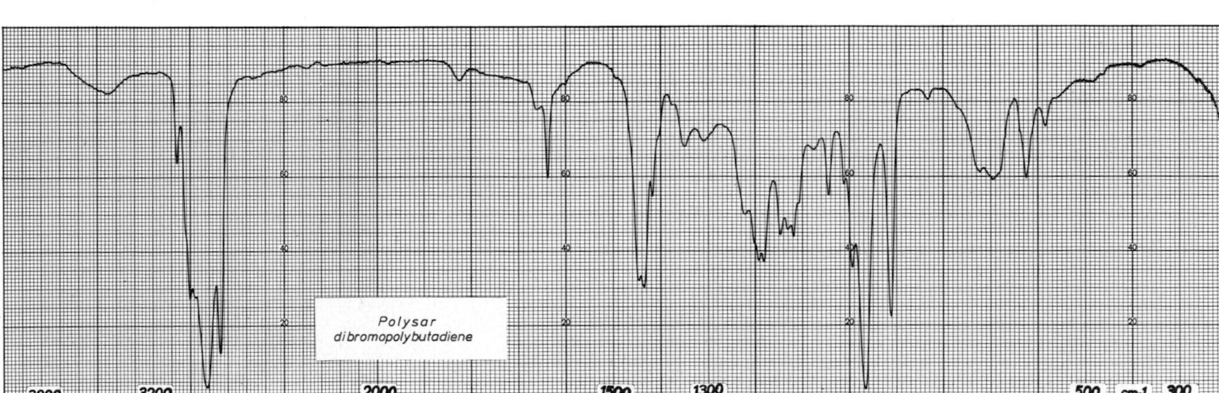

(1) **Polysar Dibromopolybutadiene**
(3) oligomeres Butadien mit bromierten Endgruppen
(4) farblose, viskose Flüssigkeit
(5) Synthesekautschuk
(6) Schicht zwischen CsI (12.5 µm)

(2) Polysar, Croydon, Surrey
(3) oligo(butadiene) with brominated end groups
(4) colorless, viscous liquid
(5) "liquid rubber"
(6) film between CsI (12.5 µm)

132112(11 – 21) C_4H_6 *P* 2373

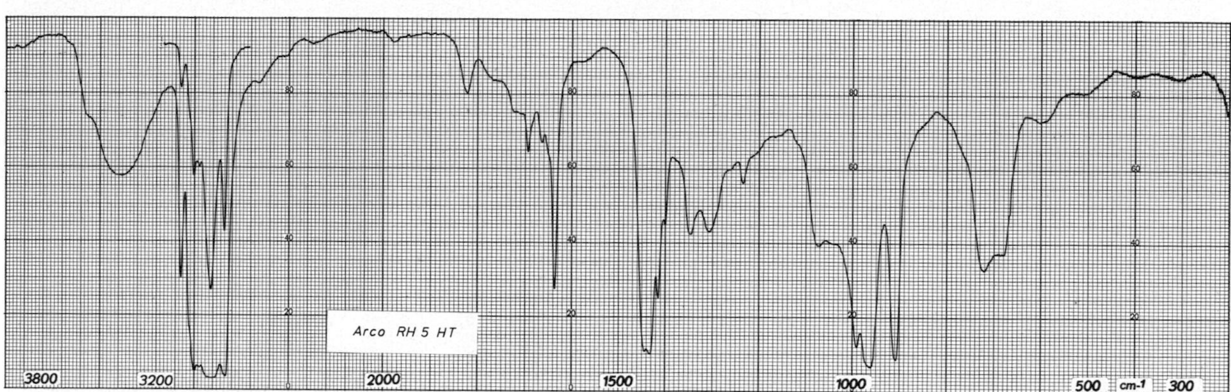

(1) **Arco RH 5 HT**
(3) oligomeres Butadien mit OH-Endgruppen; 60% trans, 20% cis, 20% 1,2
(4) viskose Flüssigkeit
(5) vulkanisierbarer „flüssiger Kautschuk" für Kautschukmischungen, Imprägnierungen, Dichtungsmassen und Kleber
(6) Schicht zwischen CsI (12.5 µm und kapillar)

(2) Atlantic-Richardson Co.
(3) oligo(butadiene) with OH end groups; 60% trans, 20% cis, 20% 1,2
(4) viscous liquid
(5) vulcanizable "liquid rubber" for rubber mixtures, impregnation, sealing compounds and adhesives
(6) film between CsI (12.5 µm and capillary)

132112(11 – 21) C_4H_6 *P* 2374

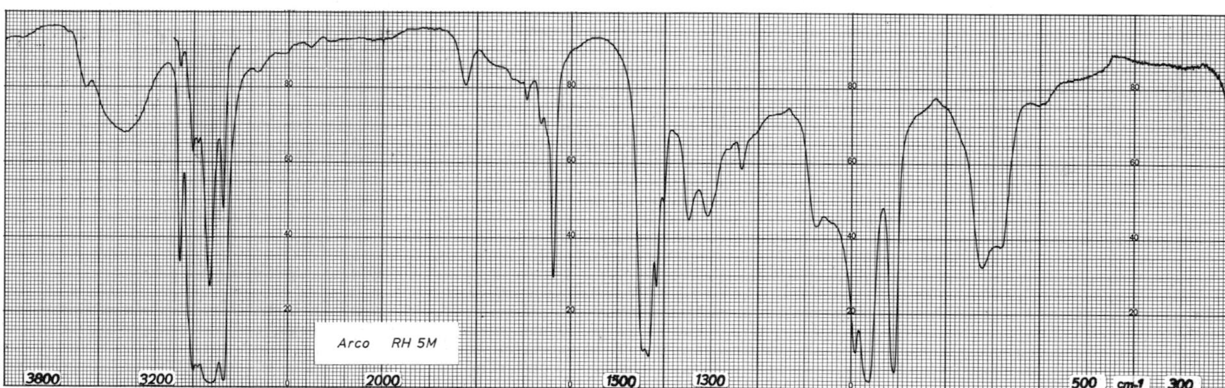

(1) **Arco RH 5 M**
(3) oligomeres Butadien mit OH-Endgruppen; 60% trans, 20% cis, 20% 1,2
(4) viskose Flüssigkeit
(5) vulkanisierbarer „flüssiger Kautschuk" für Kautschukmischungen, Imprägniermittel, für Dichtungsmassen und Kleber
(6) Schicht zwischen CsI (12.5 µm und kapillar)

(2) Atlantic-Richardson Co.
(3) oligo(butadiene) with OH end groups; 60% trans, 20% cis, 20% 1,2
(4) viscous liquid
(5) vulcanizable "liquid rubber" for rubber mixtures, impregnation, sealing compounds and adhesives
(6) film between CsI (12.5 µm and capillary)

132112(11 – 21) C_4H_6 *P* 2375

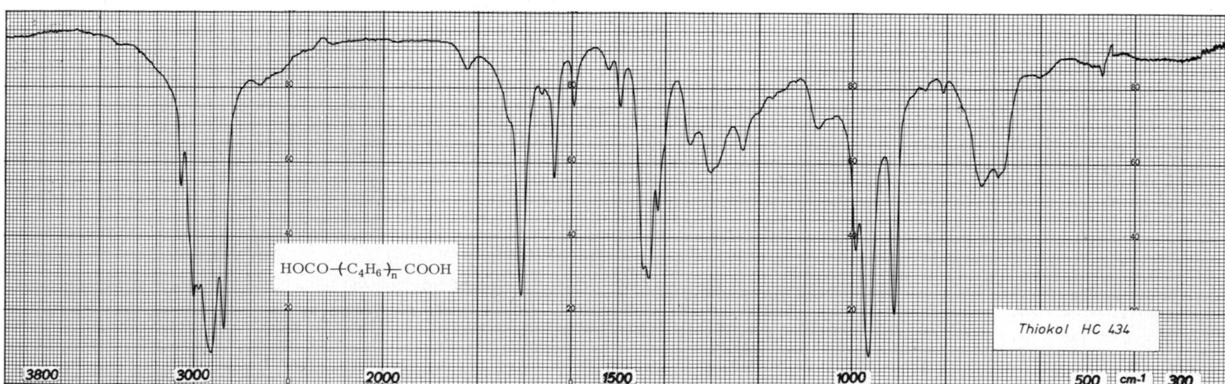

(1) **HC Polymer 434**
(3) oligomeres Butadien mit Carboxyl-Endgruppen; überwiegend 1,4-trans und 1,2
(4) viskose Flüssigkeit
(5) vulkanisierbarer „flüssiger Kautschuk" für Kautschukmischungen, Imprägnierungen; Dichtungsmassen und Kleber
(6) kapillare Schicht zwischen KBr

(2) Thiokol Chem. Corp.
(3) oligo(butadiene) with carboxyl end groups; mainly 1,4-trans and 1,2
(4) viscous liquid
(5) vulcanizable "liquid rubber" for rubber mixtures, impregnation, sealing compounds and adhesives
(6) capillary film between KBr

132112(11 – 21) C_4H_6 *P* 2376

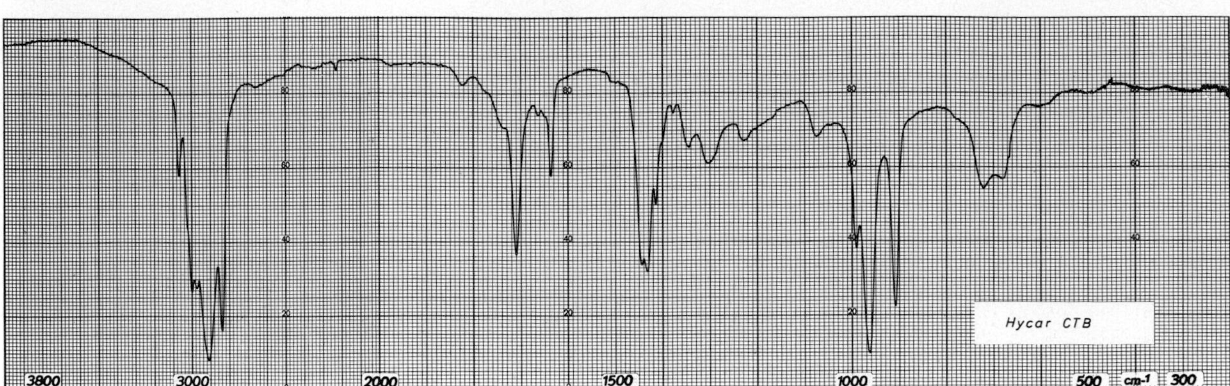

(1) **Hycar CTB**
(3) oligomeres Butadien mit Carboxyl-Endgruppen
(4) viskose Flüssigkeit
(5) Bindemittel für Raketentreibstoffe; für elektrische Teile (Umhüllungen und „potting compounds") und Formpreßmassen
(6) kapillare Schicht zwischen CsI
(7) enthält vermutlich eine kleine Menge einpolymerisiertes Acrylnitril (Bande bei 2230 cm^{-1})

(2) B. F. Goodrich, Cleveland, O.
(3) oligo(butadiene) with carboxyl end groups
(4) viscous liquid
(5) "liquid rubber" for rocket propellant, for electrical components (potting compounds) and press-moulding materials
(6) capillary film between CsI
(7) probably contains a small quantity of copolymerized acrylonitrile (band at 2230 cm^{-1})

132112(21 – 11) C_4H_6 *P* 2377

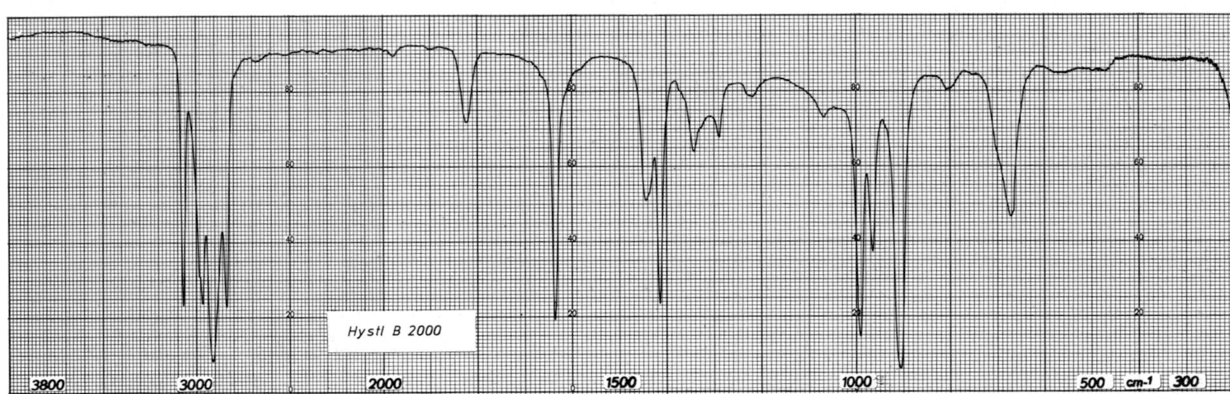

(1) **Hystl B 2000**
(3) oligomeres Butadien („polybutadiene resin"), 91% Vinylgruppen, Rest 1,4-cis- and 1,4-trans-Einheiten
(4) viskose Flüssigkeit
(5) vulkanisierbarer „flüssiger Kautschuk" für Gummiartikel aller Art
(6) Schicht zwischen CsI (12.5 µm)

(2) Hystl Development Comp., New York
(3) oligo(butadiene) ("polybutadiene resin", 91% vinyl groups, remainder 1,4-cis and 1,4-trans structures
(4) viscous liquid
(5) vulcanizable "liquid rubber" for all types of rubber products
(6) film between CsI (12.5 µm)

132112(21 – 11) C_4H_6 *P* 2378

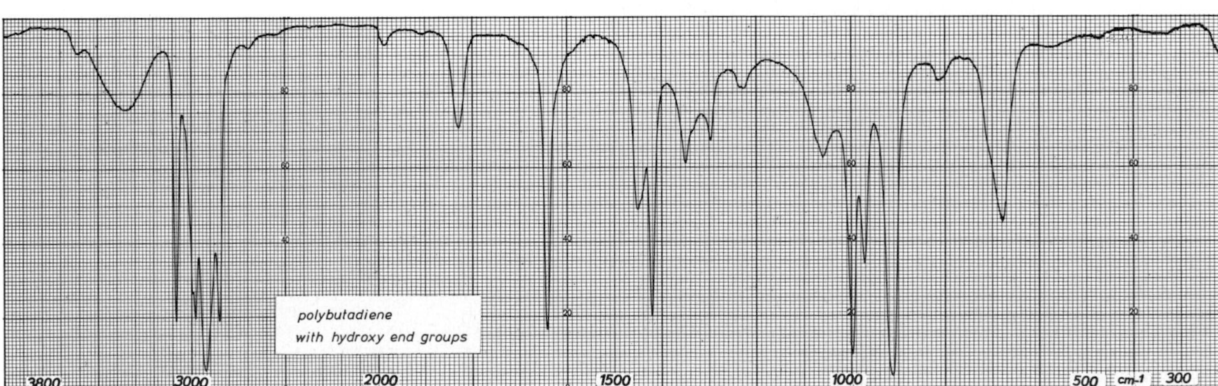

(1) **Hystl G 2000 A 2**
(3) oligomeres Butadien mit 92% Vinylgruppen, Rest 1,4-cis- und 1,4-trans-Einheiten; OH-Endgruppen
(4) viskose Flüssigkeit
(5) vulkanisierbarer „flüssiger Kautschuk"
(6) Schicht zwischen KBr (25 µm)

(2) Hystl Development Comp., New York
(3) oligo(butadiene) with 92% vinyl groups, remainder 1,4-cis and 1,4-trans structures; OH end groups
(4) viscous liquid
(5) vulcanizable "liquid rubber"
(6) film between KBr (25 µm)

132112(21 – 11) C_4H_6 *P* 2379

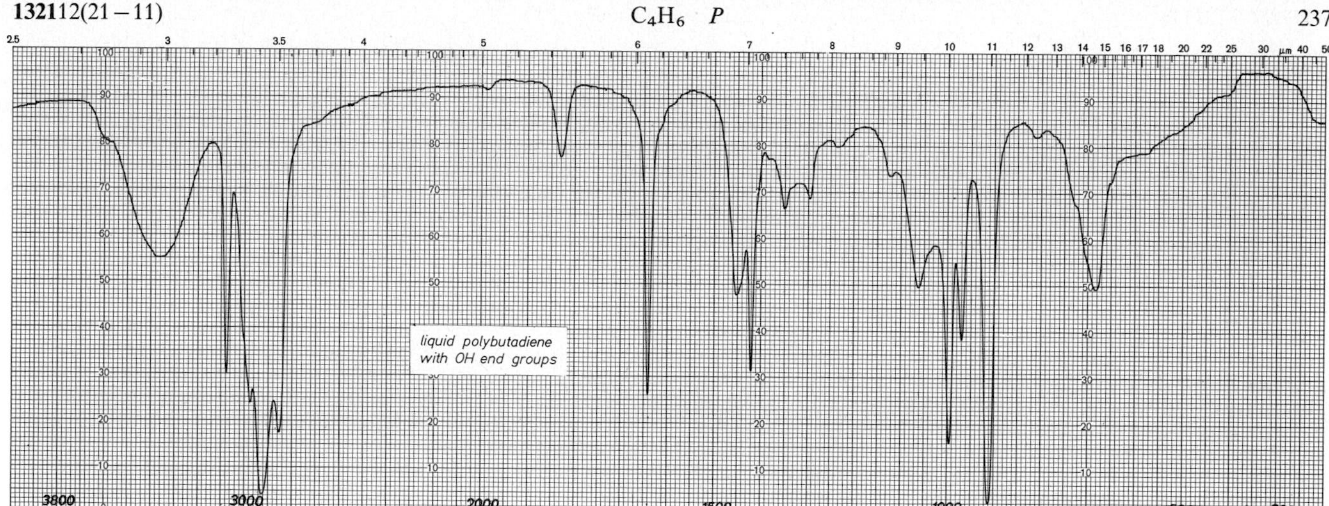

(1) **Liquid Polybutadiene D 1414**
(2) Dunlop Rubber Co., Birmingham (durch H. Schnecko)
(3) oligomeres Butadien mit OH-Endgruppen
(4) wasserklare, viskose Flüssigkeit
(5) Gummirohstoff
(6) Schicht zwischen CsI (15 µm)

(2) Dunlop Rubber Co., Birmingham (from H. Schnecko)
(3) oligo(butadiene) with OH end groups
(4) crystal clear, viscous liquid
(5) "liquid rubber"
(6) film between CsI (15 µm)

132112(21 – 11) C_4H_6 *P* 2380

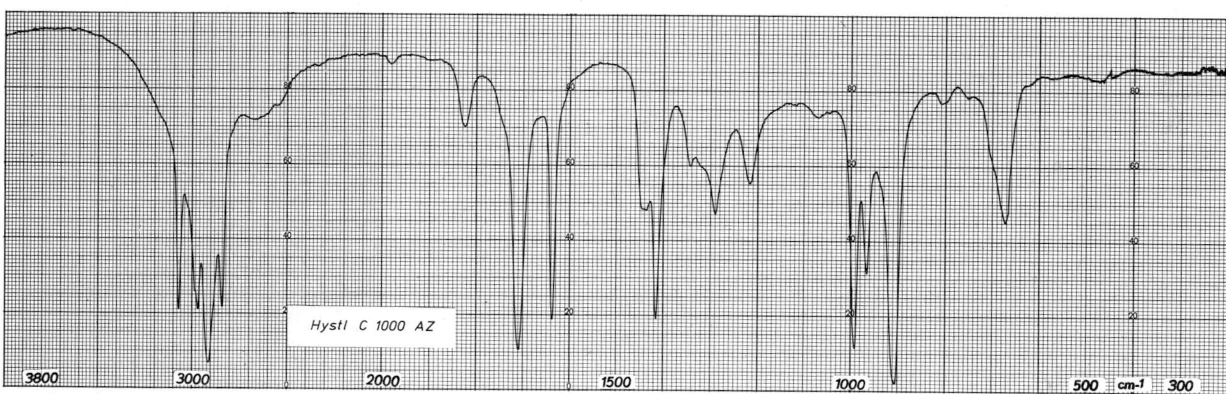

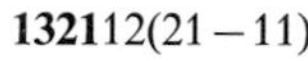

(1) **Hystl C 1000 AZ**
(3) oligomeres Butadien mit Carboxyl-Endgruppen; 90% Vinylgruppen, Rest 1,4-cis- und 1,4-trans-Einheiten
(4) viskose Flüssigkeit
(5) vulkanisierbarer flüssiger Kautschuk
(6) Schicht zwischen CsI

(2) Hystl Development Comp., New York
(3) oligo(butadiene) with carboxyl end groups 90% vinyl groups, remainder 1,4-cis and 1,4-trans units
(4) viscous liquid
(5) vulcanizable, liquid rubber
(6) film between CsI

1321(121 – 22111) $C_4H_6-C_8H_8$ *P* 2381

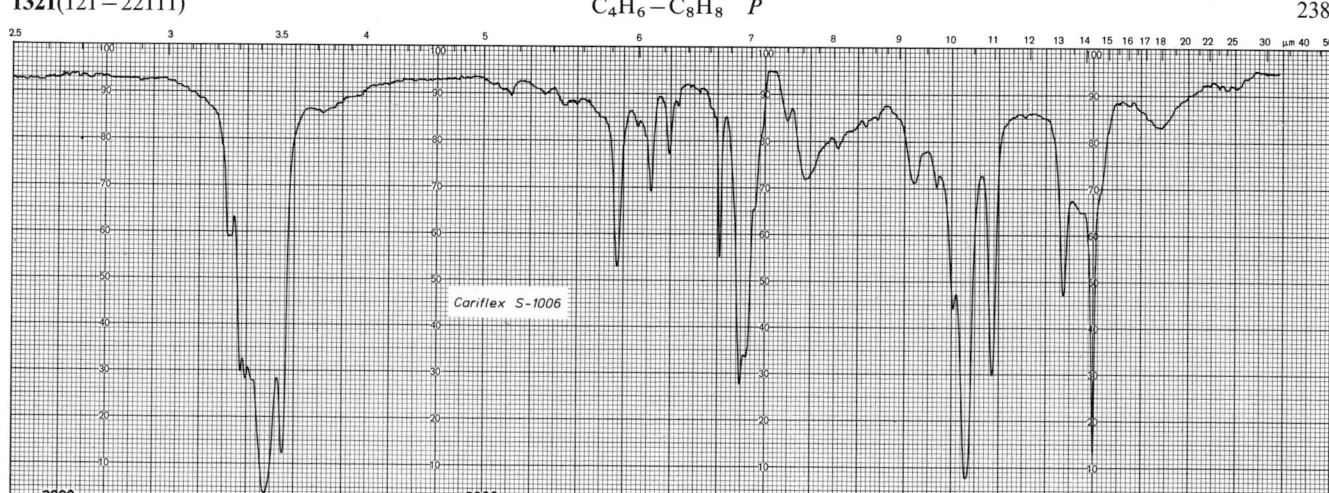

(1) **Cariflex S 1006**
(3) Poly(butadien-co-styrol) mit 22.5…24.5 Gew.-% Styroleinheiten (Hot Rubber, klar)
(4) schwach ockerfarbenes, blasiges Elastomer
(5) alle typischen Anwendungen von Hot Rubber
(6) Schicht aus MTC auf CsI

(2) Shell Niederlande Chemie B.V., Rotterdam
(3) poly(butadiene-co-styrene) with 22.5…24.5 wt.% styrene units (hot rubber, clear)
(4) pale ochre-colored, blistered elastomer
(5) for all the typical applications of hot rubber
(6) film from MTC on CsI

1321(121 – 22111) $C_4H_6 - C_8H_8$ *P* 2382

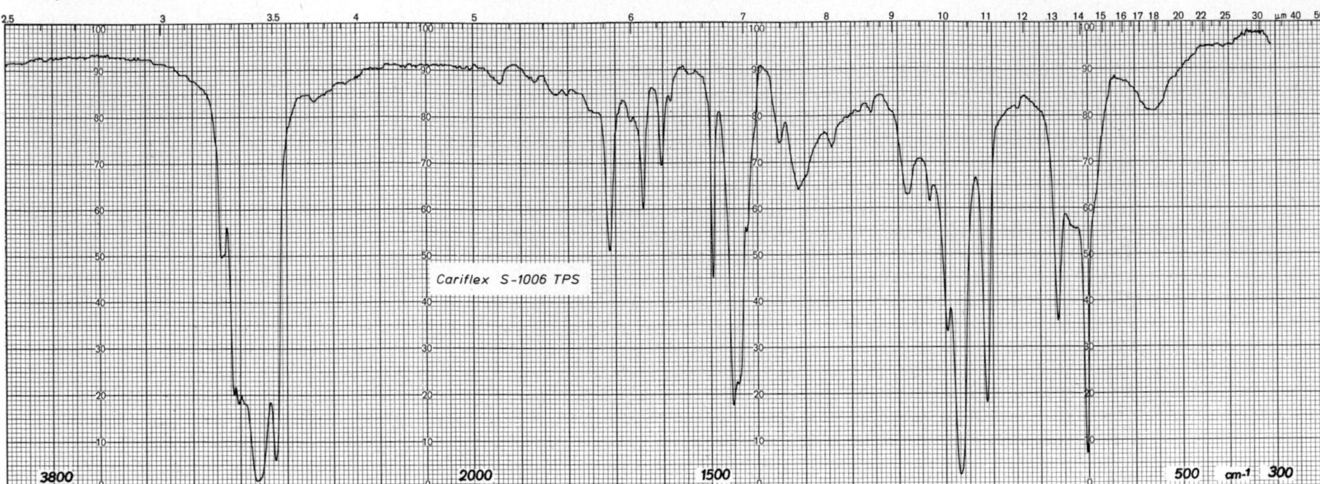

(1) **Cariflex S-1006 TPS**
(3) Poly(butadien-co-styrol) mit 22.5...24.5 Gew.-% Styroleinheiten (Hot Rubber, klar), 3.75...6 Gew.-% organische Säure
(4) leicht gelbliches, blasiges Elastomer
(5) alle typischen Anwendungen für SPR Hot Rubber
(6) Schicht aus MTC auf CsI
(7) wie Cariflex S-1006, jedoch mit niederem Gelgehalt

(2) Shell Niederlande Chemie B.V., Rotterdam
(3) poly(butadiene-co-styrene) with 22.5...24.5 wt.% styrene units (hot rubber, clear), 3.75...6 wt.% organic acid
(4) slightly yellowish, blistered elastomer
(5) all the typical applications of SBR hot rubber
(6) film from MTC on CsI
(7) as Cariflex S-1006, but with a lower gel content

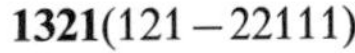
1321(121 – 22111)

$C_4H_6 - C_8H_8$ *P* 2383

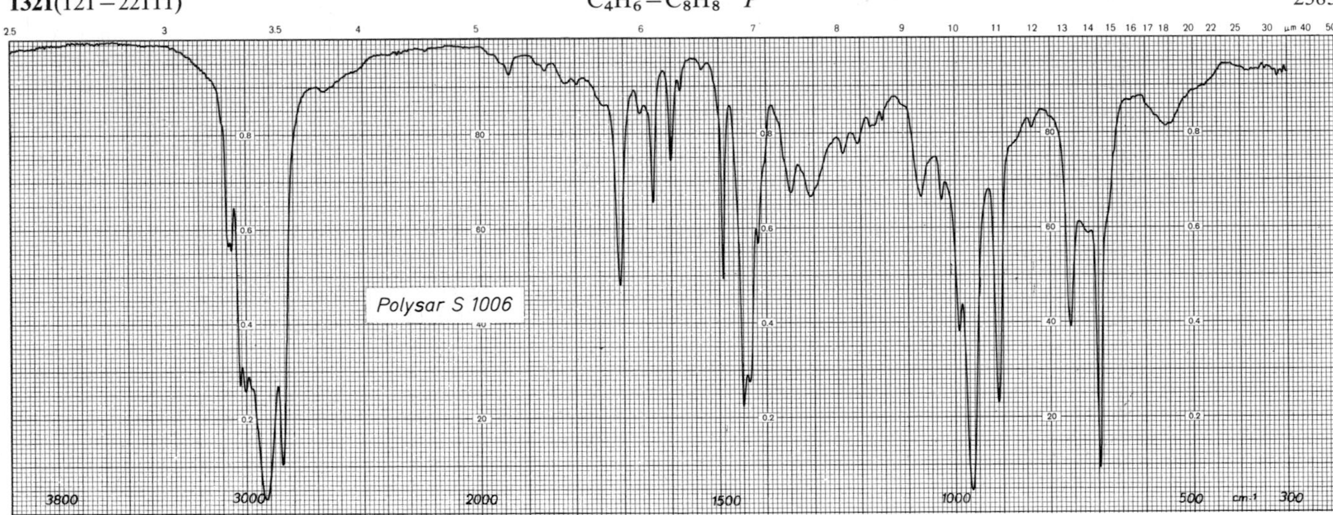

(1) **Polysar S 1006**
(3) Poly(butadien-co-styrol), Warmpolymerisat 23.5% Styrol
(4) farbloses, blasiges Elastomer
(5) für helle Gummiartikel
(6) Schicht aus MTC auf CsI
(7) PE 580 B, ABEX 1.79

(2) Polysar (Deutschland) GmbH, Frankfurt
(3) poly(butadiene-co-styrene) (hot rubber), 23.5% styrene
(4) colorless, blistered elastomer
(5) for light, rubber products
(6) film from MTC on CsI
(7) PE 580 B, ABEX 1.79

1321(121 – 22111) $C_4H_6 - C_8H_8$ *P* 2384

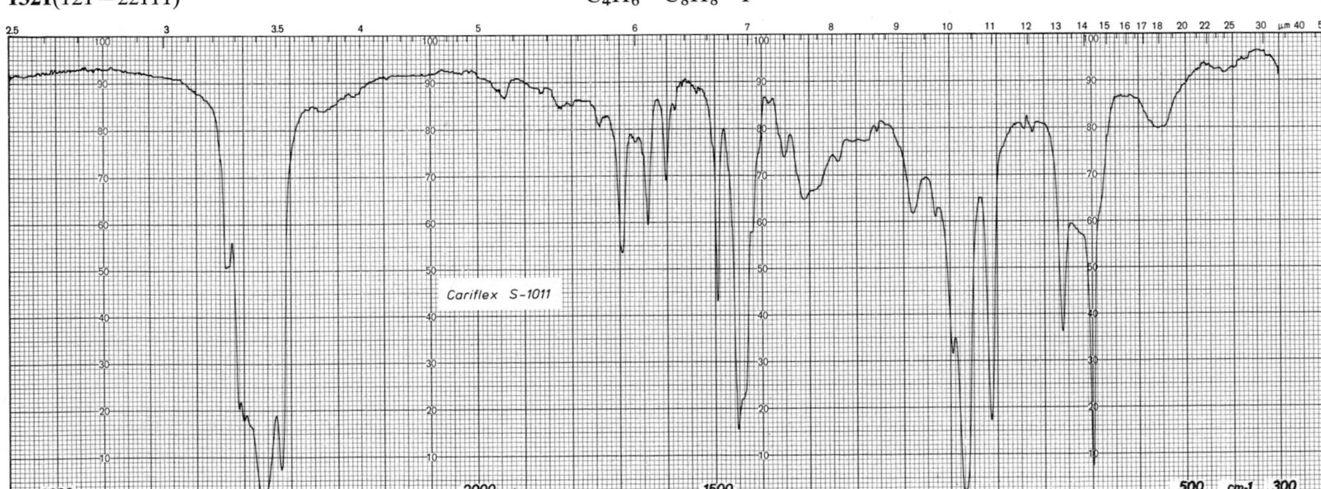

(1) **Cariflex S 1011**
(3) Poly(butadien-co-styrol) mit 42...44 Gew.-% Styroleinheiten und 4...6 Gew.-% einer organischen Säure (Hot Rubber)
(4) gelbstichiges, blasiges Elastomer
(5) für Gummiüberzüge aus Lösung
(6) Schicht aus m-DCB auf CsI

(2) Shell Niederlande Chemie B.V., Rotterdam
(3) poly(butadiene-co-styrene) with 42...44 wt. % styrene units and 4...6% of an organic acid (hot rubber)
(4) yellow-flecked, blistered elastomer
(5) for rubber coatings from solution
(6) film from m-DCB on CsI

1321(121 – 22111) $C_4H_6 - C_8H_8$ *P* 2385

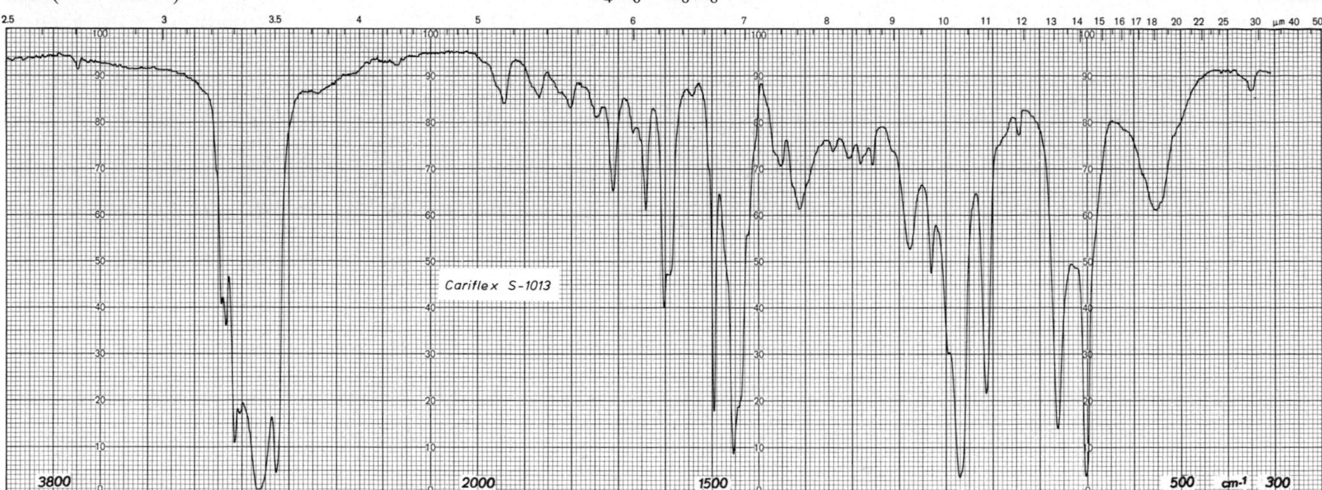

(1) **Cariflex S1013**
(3) Poly(butadien-co-styrol) mit 42...44 Gew.-% Styroleinheiten und 4...6 Gew.-% einer organischen Säure (Hot Rubber, klar)
(4) wollweißes, blasiges Elastomer
(5) für Gummiüberzüge aus Lösung
(6) Schicht aus m-DCB auf CsI

(2) Shell Niederlande Chemie B.V., Rotterdam
(3) poly(butadiene-co-styrene) with 42...44 wt.% styrene units and 4...6 wt.% of an organic acid (hot rubber, clear)
(4) off-white, blistered elastomer
(5) for rubber coatings from solution
(6) film from m-DCB on CsI

1321(121 – 22111) $C_4H_6 - C_8H_8$ *P* 2386

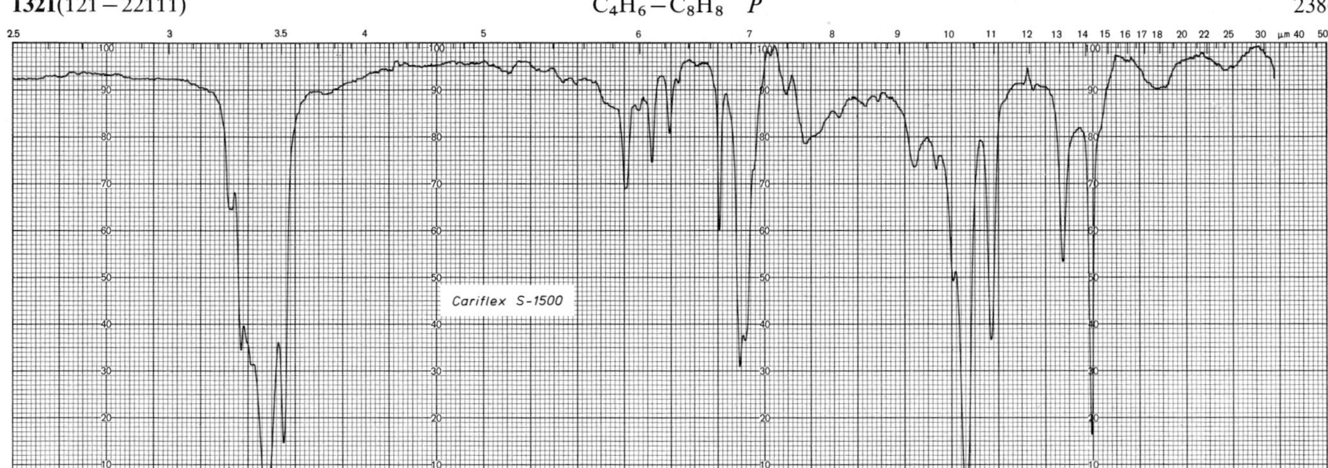

(1) **Cariflex S-1500**
(3) Poly(butadien-co-styrol) mit 22.5...24.5 Gew.-% Styroleinheiten (Cold Rubber, klar), 5...7.25 Gew.-% organische Säure
(4) ockerfarbenes, blasiges Elastomer
(5) alle typischen Anwendungen für SPR Cold Rubber
(6) Schicht aus MTC auf CsI

(2) Shell Niederlande Chemie B.V., Rotterdam
(3) poly(butadiene-co-styrene) with 22.5...24.5 wt.% styrene units (cold rubber, clear), 5...7.25 wt.% organic acid
(4) ochre-colored, blistered elastomer
(5) all the typical applications of SBR cold rubber
(6) film from MTC on CsI

1321(121 – 22111) $C_4H_6 - C_8H_8$ *P* 2387

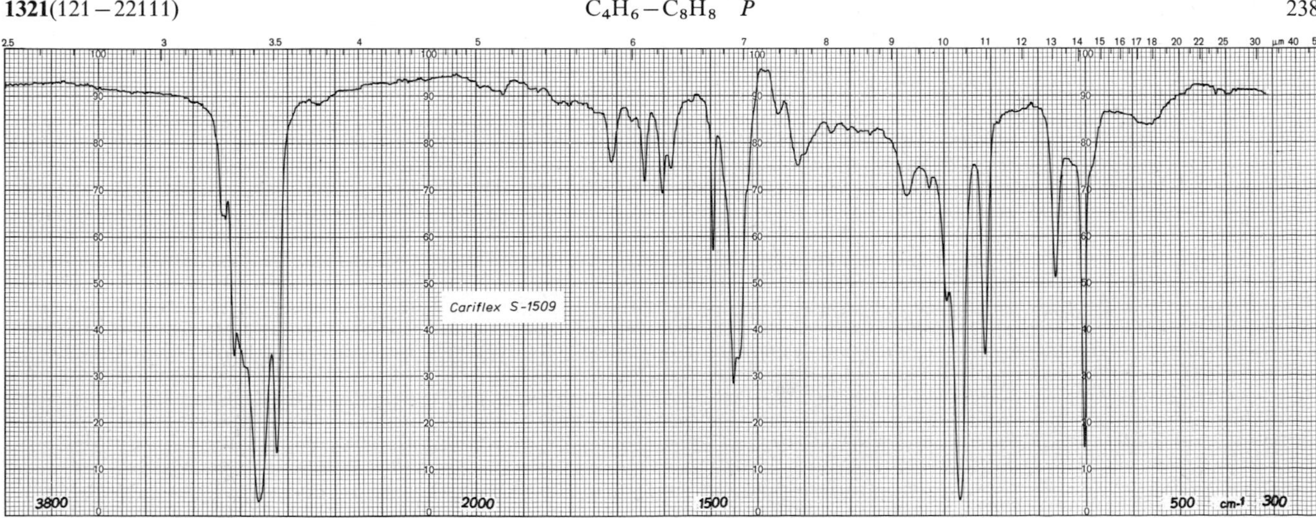

(1) **Cariflex S-1509**
(3) Poly(butadien-co-styrol) mit 22.5...24.5 Gew.-% Styroleinheiten (Cold Rubber, klar), 3.75...7 Gew.-% organische Säure
(4) schwachgelbes, blasiges Elastomer
(5) SBR-Kautschuk niederer Viskosität für alle typischen Anwendungen von Cold Rubber
(6) Schicht aus MTC auf CsI

(2) Shell Niederlande Chemie B.V., Rotterdam
(3) poly(butadiene-co-styrene) with 22.5...24.5 wt.% styrene units (cold rubber, clear), 3.75...7 wt.% organic acid
(4) pale yellow, blistered elastomer
(5) SBR rubber of low viscosity for all the typical applications of cold rubber
(6) film from MTC on CsI

1321(121 – 22111) $C_4H_6-C_8H_8$ *P* 2388

Cariflex S-5700

(1) **Cariflex S-5700**
(3) Poly(butadien-co-styrol) mit 22.5...24.5 Gew.-% Styroleinheiten (Cold Rubber), 3.75...7 Gew.-% organische Säure
(4) mittelbraunes, blasiges Elastomer
(5) alle typischen Anwendungen für SBR Cold Rubber
(6) Schicht aus MTC auf CsI

(2) Shell Niederlande Chemie B.V., Rotterdam
(3) poly(butadiene-co-styrene) with 22.5...24.5 wt.% styrene units (cold rubber), 3.75...7 wt.% organic acid
(4) mid-brown, blistered elastomer
(5) all the typical applications of SBR cold rubber
(6) film from MTC on CsI

1321(121 – 22111) $C_4H_6-C_8H_8$ *P* 2389

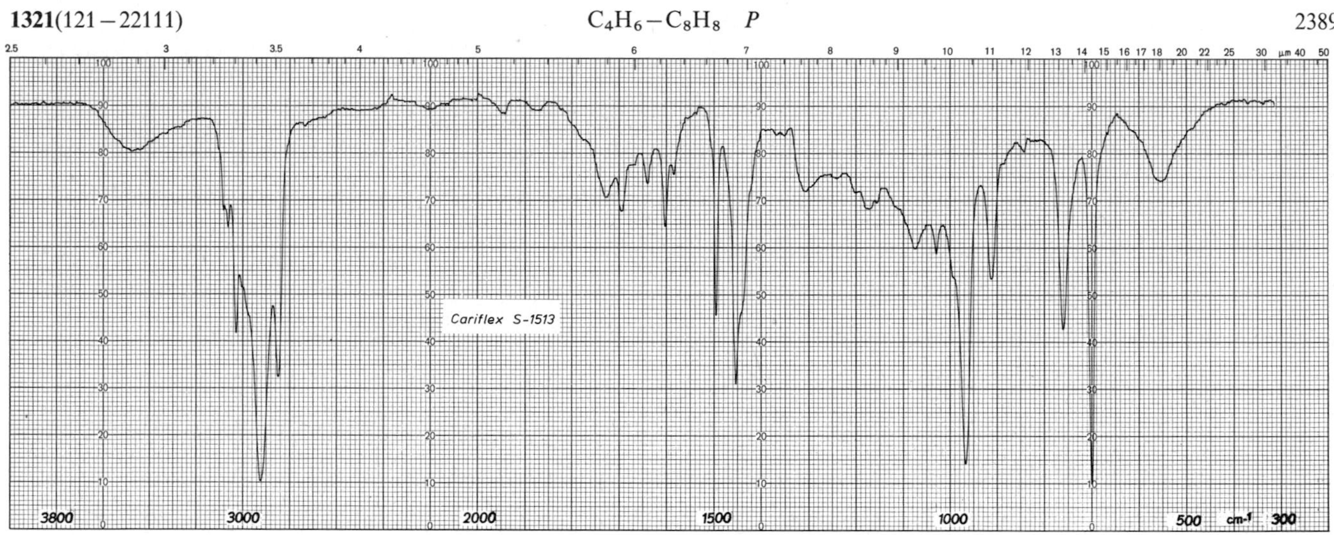

(1) **Cariflex S-1513**
(3) Poly(butadien-co-styrol) mit 41...43 Gew.-% Styroleinheiten und 3.75...7 Gew.-% einer organischen Säure (Cold Rubber, klar)
(4) wollweißes, blasiges Elastomer
(5) alle typischen Anwendungen für SPR-Kautschuk
(6) Schicht aus m-DCB auf CsI

(2) Shell Niederlande Chemie B.V., Rotterdam
(3) poly(butadiene-co-styrene) with 41...43 wt.% styrene units and 3.75...7 wt.% of an organic acid (cold rubber, clear)
(4) off-white, blistered elastomer
(5) for all the typical applications of SBR rubber
(6) film from m-DCB on CsI

1321(121 – 22111) $C_4H_6-C_8H_8$ *P* 2390

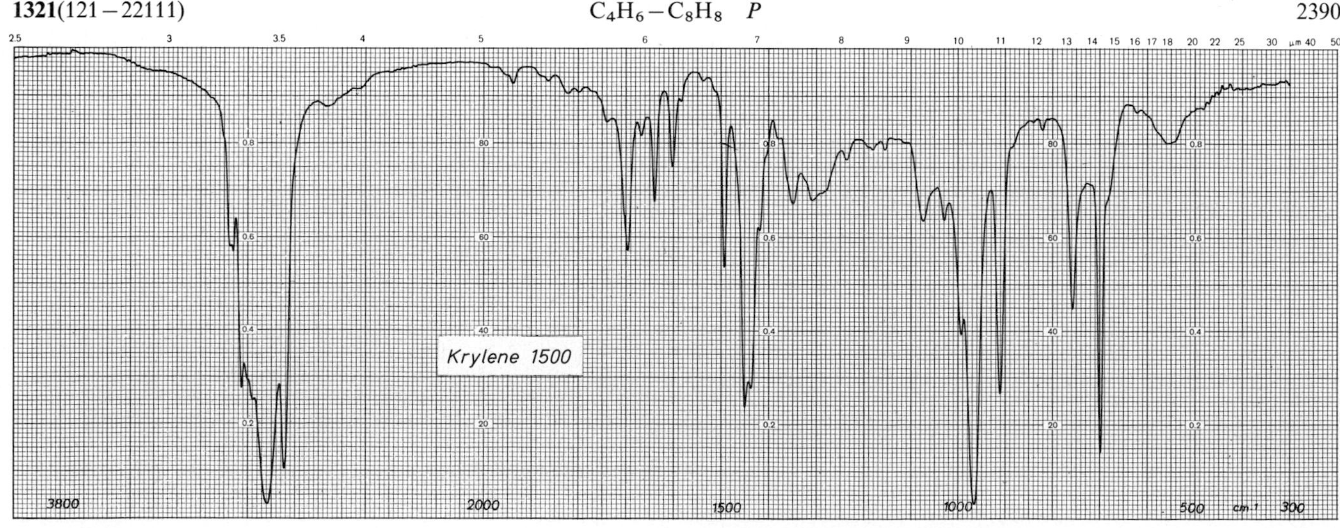

(1) **Krylene 1500**
(3) Poly(butadien-co-styrol), Kaltpolymerisat
(4) schwarzes, blasiges Elastomer
(5) für Reifenlaufflächen und Banddecken
(6) Schicht aus MTC auf CsI
(7) PE 580 B, ABEX 1.71

(2) Polysar (Deutschland) GmbH, Frankfurt
(3) poly(butadiene-co-styrene) (cold rubber)
(4) black, blistered elastomer
(5) for tire trends and conveyor surfaces
(6) film from MTC on CsI
(7) PE 580 B, ABEX 1.71

1321(121 – 22111) $C_4H_6-C_8H_8$ *P* 2391

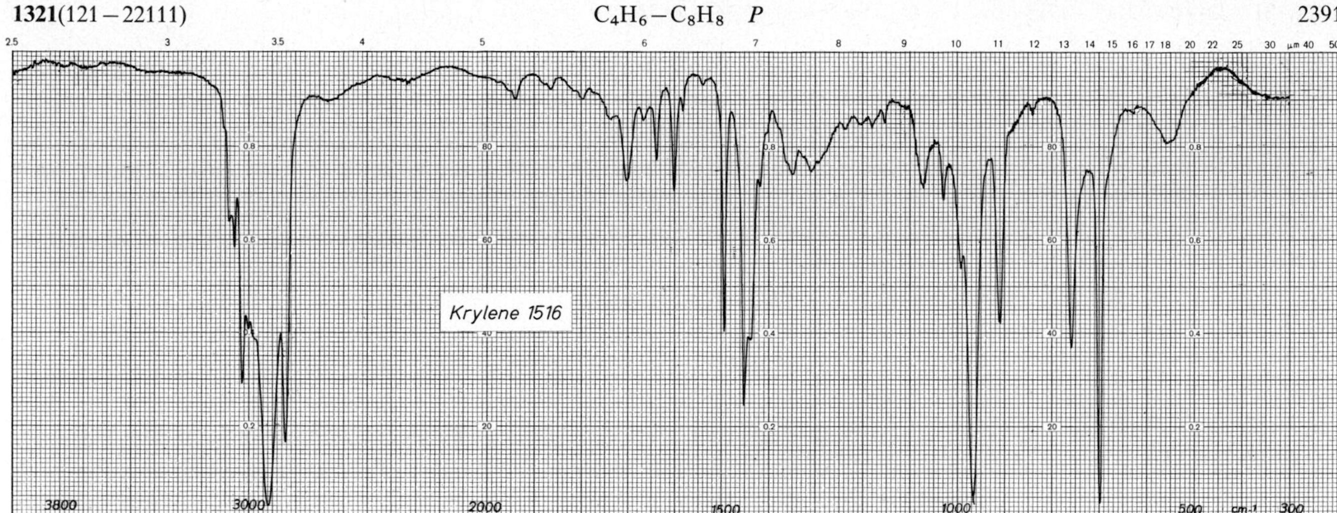

(1) **Krylene 1516**
(3) Poly(butadien-co-styrol), Kaltpolymerisat
(4) fast farbloses, undurchsichtiges Elastomer
(5) für Schuhsohlen und zellige Produkte
(6) Schicht aus m-DCB auf CsI
(7) PE 580 B, ABEX 1.56

(2) Polysar (Deutschland) GmbH, Frankfurt
(3) poly(butadiene-co-styrene) (cold rubber)
(4) almost colorless, opaque elastomer
(5) for shoe soles and cellular products
(6) film from m-DCB on CsI
(7) PE 580 B, ABEX 1.56

1321(121 – 22111) $C_4H_6-C_8H_8$ *P* 2392

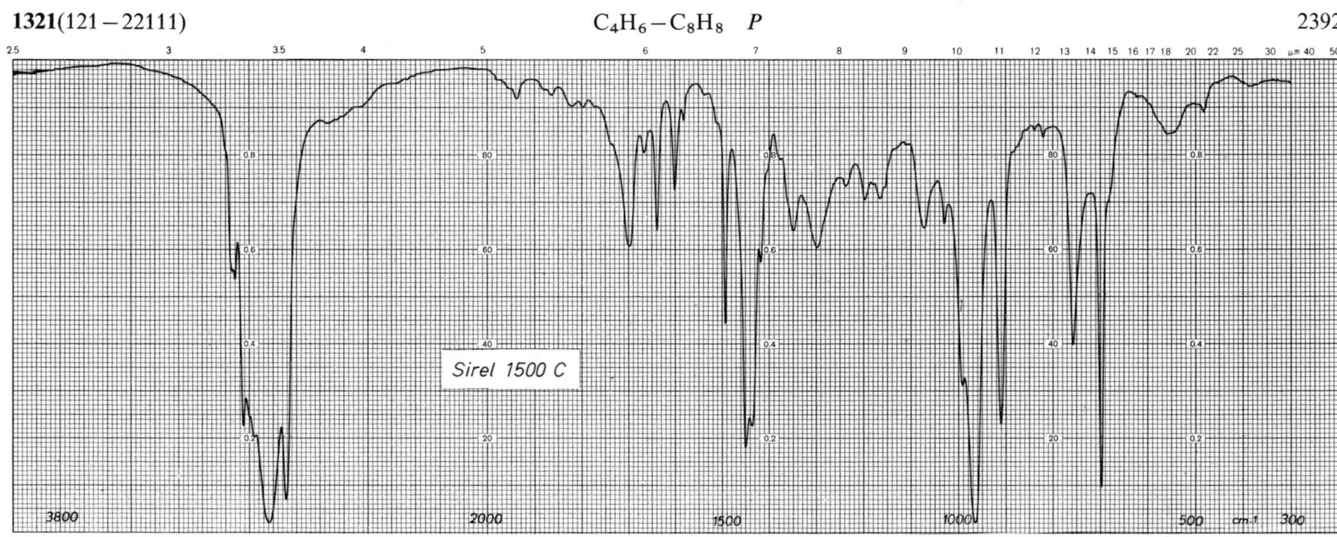

(1) **Sirel 1500 C**
(3) Poly(butadien-co-styrol) mit Antiozon-Stabilisator
(4) schwarzes, blasiges Elastomer
(5) Allzweckkautschuk für Reifen, Transportbänder, Schuhsohlen, Fußböden
(6) Schicht aus MTC auf CsI

(2) S.I.R. Deutschland GmbH, Frankfurt
(3) poly(butadiene-co-styrene) with anti-ozonant
(4) black, blistered elastomer
(5) all-purpose rubber for tires, conveyor belts, shoe soles, flooring
(6) film from MTC on CsI

1321(121 – 22111) $C_4H_6-C_8H_8$ *P* 2393

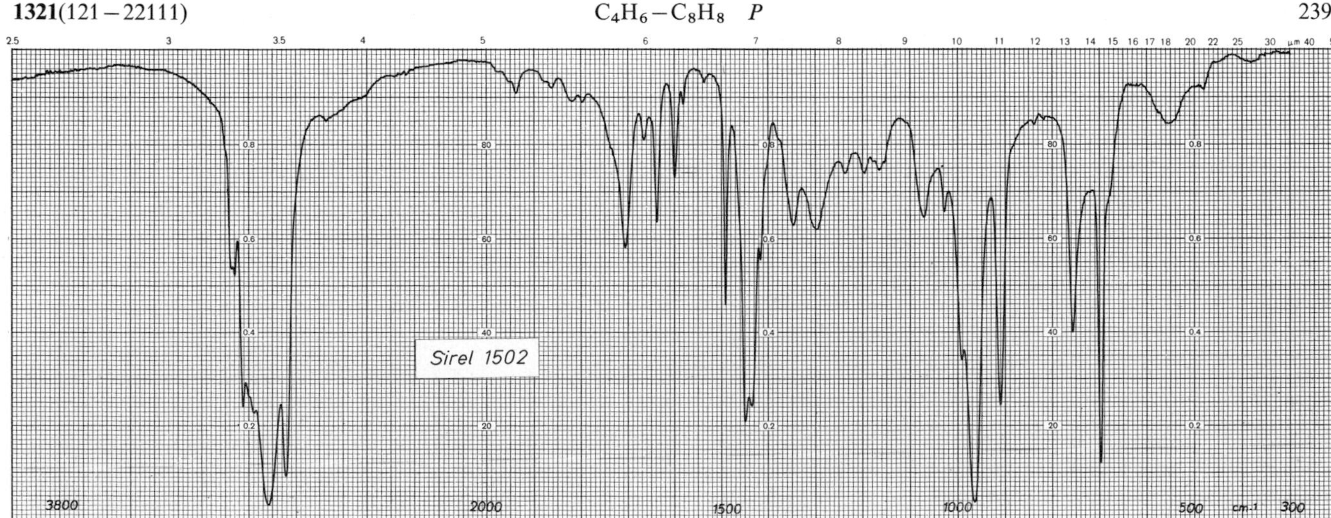

(1) **Sirel 1502**
(3) Poly(butadien-co-styrol)
(4) hellbraunes, blasiges Elastomer
(5) Allzweckkautschuk für Reifen, Transportbänder, Schuhsohlen, Fußböden
(6) Schicht aus MTC auf CsI
(7) PE 580 B, ABEX 1.72

(2) S.I.R. Deutschland GmbH, Frankfurt
(3) poly(butadiene-co-styrene)
(4) light brown, blistered elastomer
(5) all-purpose rubber for tires, conveyor belts, shoe soles, flooring
(6) film from MTC on CsI
(7) PE 580 B, ABEX 1.72

1321(121 − 22111 + 22111 − 121) $C_4H_6-C_8H_8$ *P* 2394

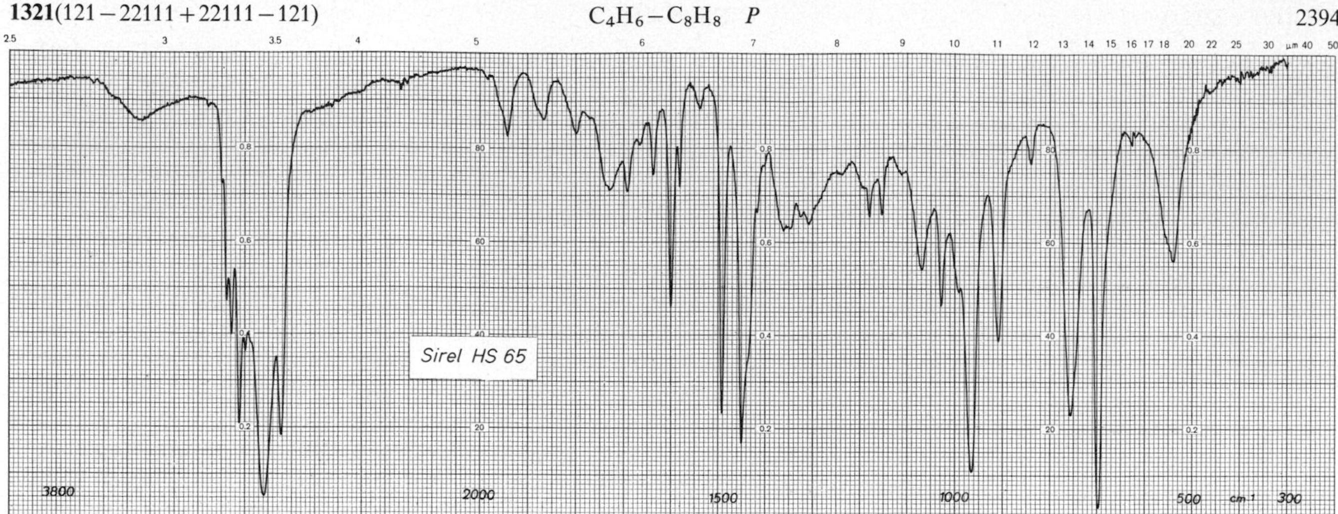

(1) **Sirel HS65**
(3) hochstyrolhaltiger Emulsions-SBR-Kautschuk; wahrscheinlich Mischung aus Poly(-butadien-co-styrol) und Poly(styrol-co-butadien)
(4) leicht gefärbtes, undurchsichtiges Granulat
(5) für Schuhsohlen, Platten, Böden, Sportartikel
(6) Schicht aus m-DCB auf CsI
(7) PE 580 B, ABEX 2.07

(2) S.I.R. Deutschland GmbH, Frankfurt
(3) high styrene-content, emulsion SB rubber, probably a mixture of poly(butadiene-co-styrene) and poly(styrene-co-butadiene)
(4) light colored, opaque granules
(5) for shoe soles, sheets, flooring, sports goods
(6) film from m-DCB on CsI
(7) PE 580 B, ABEX 2.07

1321(121 − 22111) + **172**111 $C_4H_6-C_8H_8$ *P* 2395

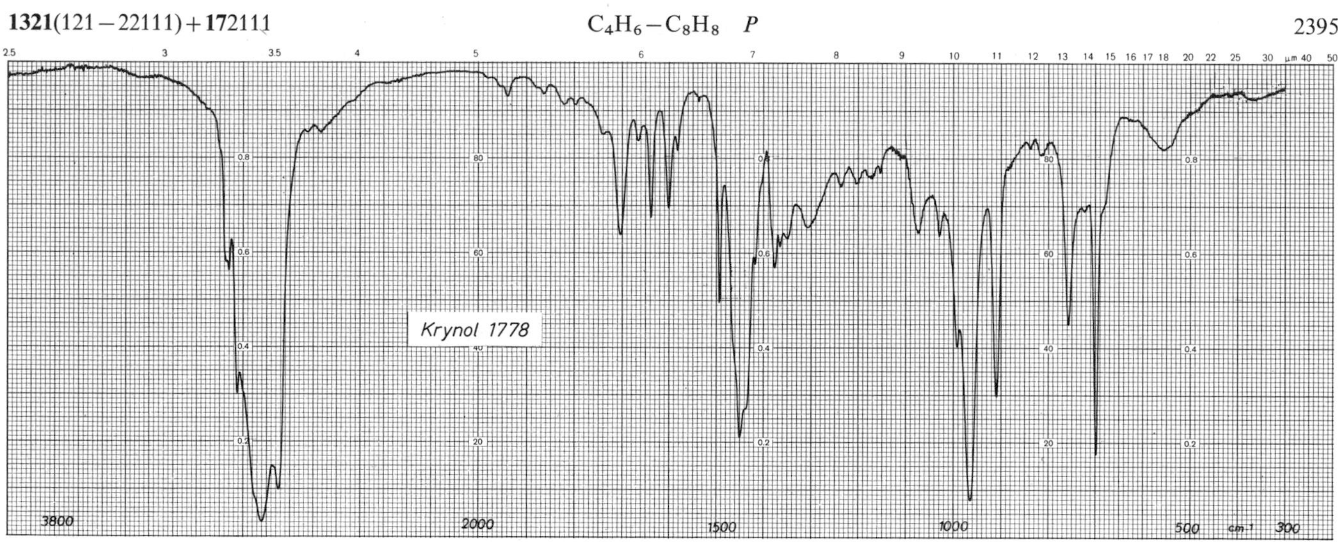

(1) **Krynol 1778**
(3) Poly(butadien-co-styrol), mit naphthenischem Mineralöl gestreckt (37.5/100)
(4) hellbraunes, blasiges Elastomer
(5) für helle Vulkanisate
(6) Schicht aus MTC auf CsI
(7) PE 580 B, ABEX 1.45

(2) Polysar (Deutschland) GmbH, Frankfurt
(3) poly(butadiene-co-styrene) with naphthenic oil (37.5/100)
(4) light brown, blistered elastomer
(5) for light vulcanizates
(6) film from MTC on CsI
(7) PE 580 B, ABEX 1.45

1321(121 − 22111) + **172**111 $C_4H_6-C_8H_8$ *P* 2396

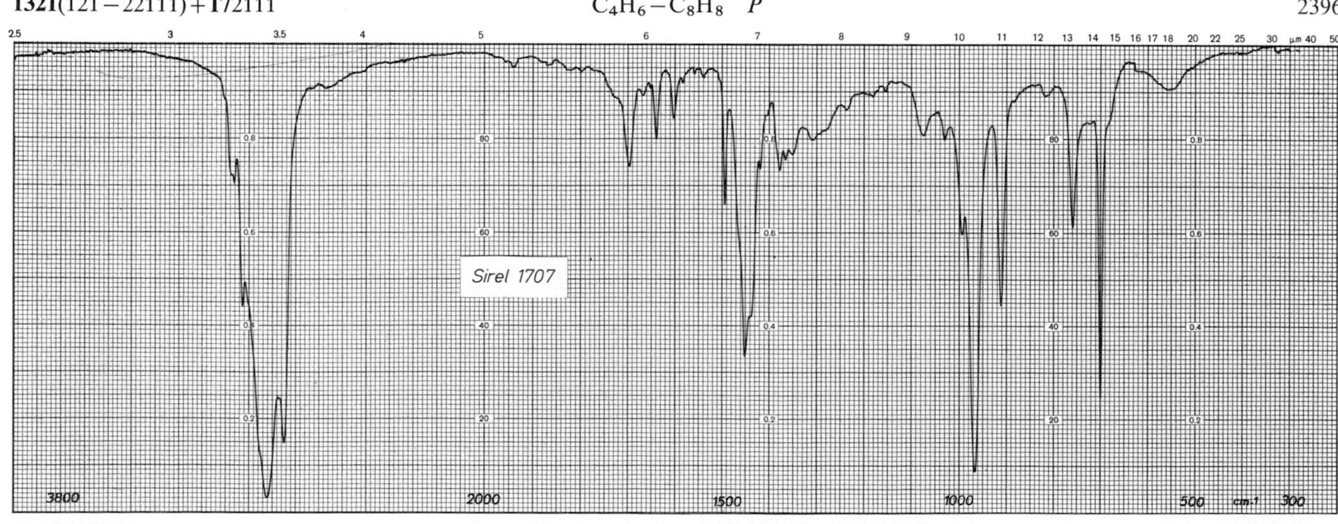

(1) **Sirel 1707**
(3) Poly(butadien-co-styrol), in Emulsion kalt polymerisiert, mit etwa 23.5% Styroleinheiten und 37% Tln. naphthenischem Mineralöl auf 100 Tle. Polymer
(4) braunes Elastomer
(5) zur Herstellung von Reifen, Schuhen, Bodenbelägen, transparenten Artikeln
(6) Schicht aus MTC auf CsI
(7) PE 580 B, ABEX 1.47

(2) Società Italiana Resine, Milano
(3) poly(butadiene-co-styrene), emulsion (cold rubber) with about 23.5% styrene units and 37 parts naphthenic oil per 100 parts polymer
(4) brown elastomer
(5) for the manufacture of tires, shoes, floor coverings, transparent goods
(6) film from MTC on CsI
(7) PE 580 B, ABEX 1.47

1321(121 − 22111) + **172111** $C_4H_6-C_8H_8$ *P* 2397

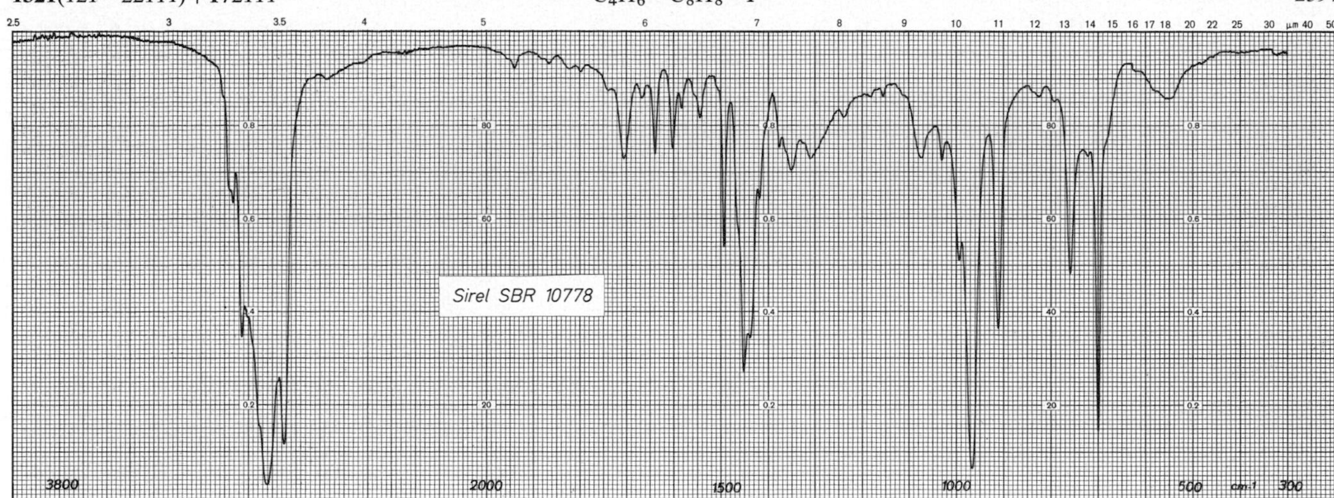

(1) **Sirel SBR 10778**
(3) Poly(butadien-co-styrol), mit etwa 23.5% Styroleinheiten und 37.5 Tln. naphthenischem Mineralöl auf 100 Tln. Polymer
(4) braunes Elastomer
(5) für die Herstellung von Reifen, Schuhen, hellen Sohlen, Sport- und Haushaltsartikeln
(6) Schicht aus MTC auf CsI
(7) PE 580 B, ABEX 1.43

(2) Società Italiana Resine, Milano
(3) poly(butadiene-co-styrene), with ca. 23.5% styrene units and 37.5 parts naphthenic oil per 100 parts polymer
(4) brown elastomer
(5) for the manufacture of tires, shoes, light soles, sports and household goods
(6) film from MTC on CsI
(7) PE 580 B, ABEX 1.43

1321(121 − 22111) + **172112** $C_4H_6-C_8H_8$ *P* 2398

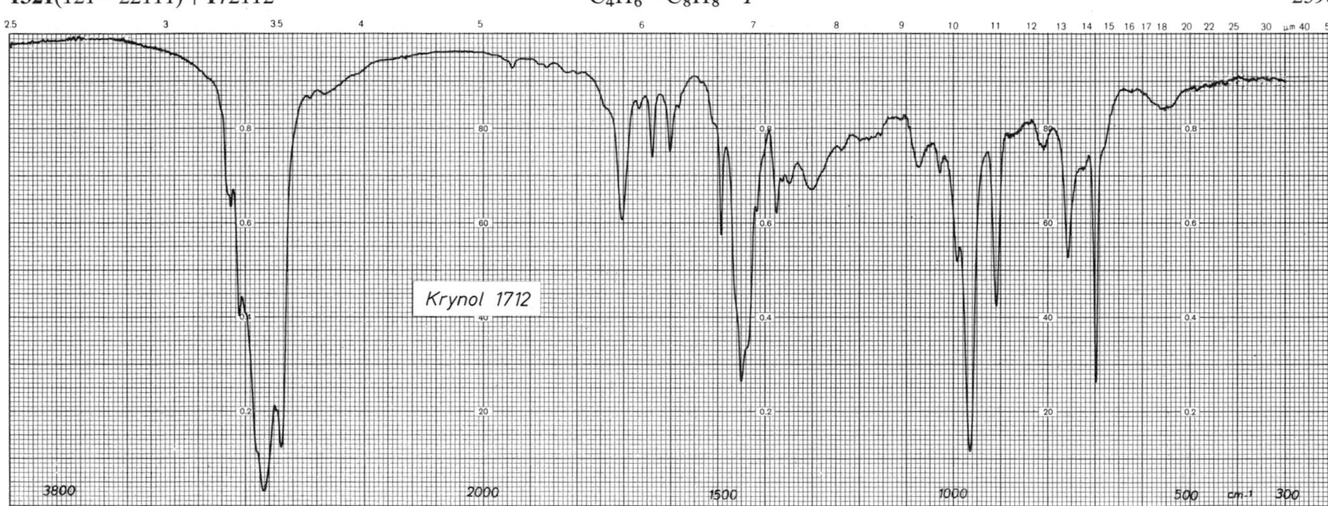

(1) **Krynol 1712**
(3) Poly(butadien-co-styrol), mit hocharomatischem Mineralöl gestreckt (37.5/100)
(4) schwarzes, blasiges Elastomer
(5) für Reifenlaufflächen und technische Artikel
(6) Schicht aus MTC auf CsI
(7) PE 580 B, ABEX 1.26

(2) Polysar (Deutschland) GmbH, Frankfurt
(3) poly(butadiene-co-styrene) with high-aromatic oil (37.5/100)
(4) black, blistered elastomer
(5) for tire treads and technical goods
(6) film from MTC on CsI
(7) PE 580 B, ABEX 1.26

1321(121 − 22111) + **172112** $C_4H_6-C_8H_8$ *P* 2399

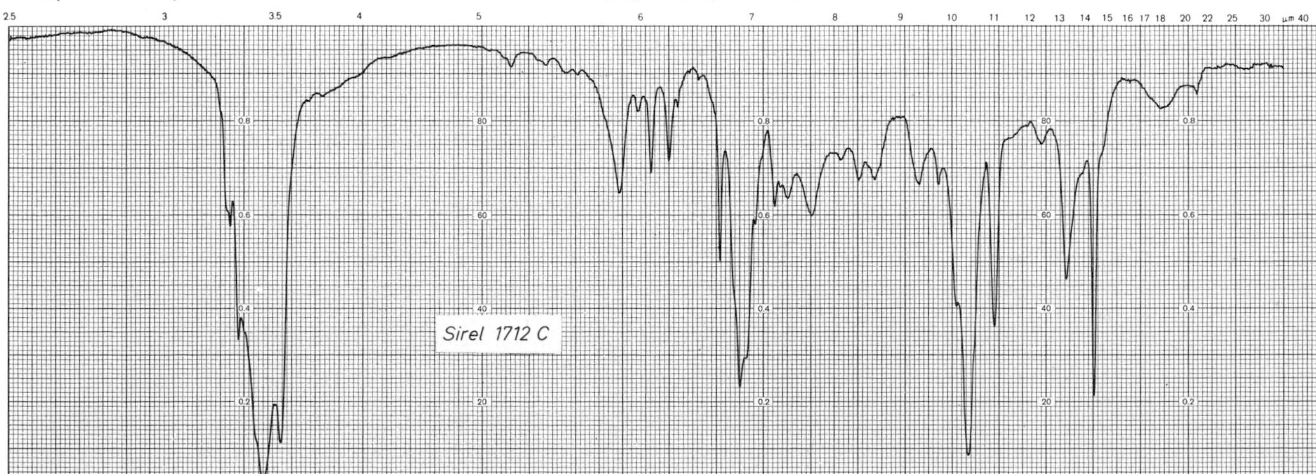

(1) **Sirel 1712 C**
(3) Poly(butadien-co-styrol) mit 37.5 Tln. hocharomatischem Mineralöl auf 100 Tle. Elastomer; mit Antiozon-Stabilisator
(4) schwarzes, blasiges Elastomer
(5) Allzweckkautschuk für die Reifenindustrie
(6) Schicht aus MTC auf CsI
(7) PE 580 B, ABEX 1.59

(2) S.I.R. Deutschland GmbH, Frankfurt
(3) poly(butadiene-co-styrene) with 37.5 parts high-aromatic oil per 100 parts elastomer; with anti-ozonant
(4) black, blistered elastomer
(5) all-purpose rubber for the tire industry
(6) film from MTC on CsI
(7) PE 580 B, ABEX 1.59

1321(121 – 22111) $C_4H_6-C_8H_8$ *P* 2400

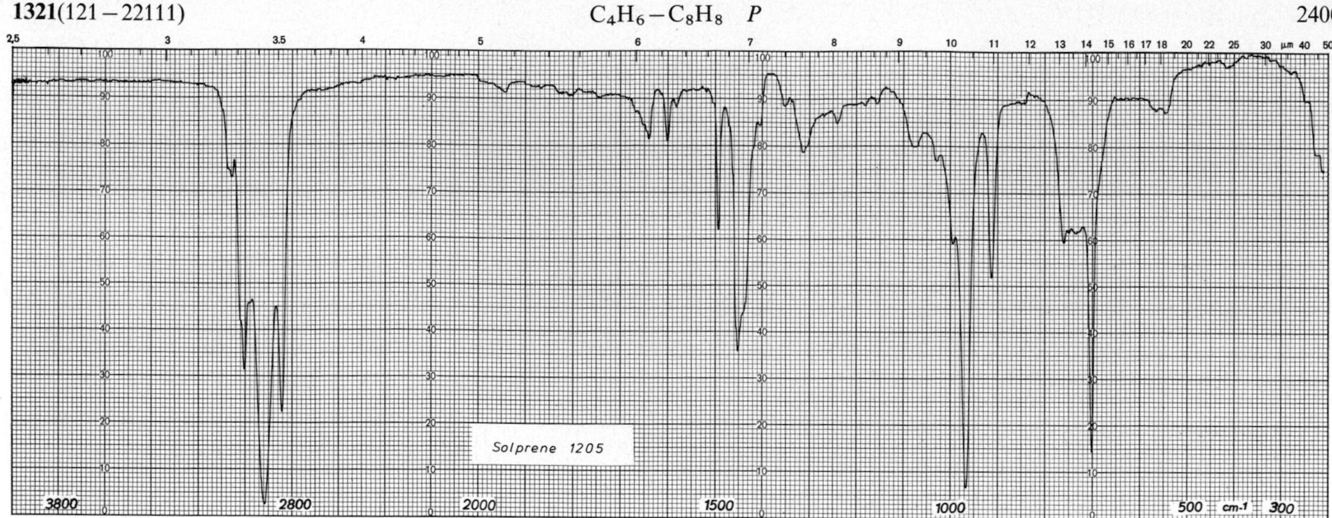

(1) **Solprene 1205**
(3) Poly(butadien-b-styrol), Butadien-Styrol-Blockcopolymer
(4) farbloses Elastomer
(5) thermoplastischer Kautschuk für Schuhsohlen, Dichtungen, Fußbodenbeläge
(6) Schicht aus CLF auf CsI

(2) Phillips Petroleum International GmbH, Frankfurt
(3) poly(butadiene-b-styrene), butadiene-styrene block copolymer
(4) colorless elastomer
(5) thermoplastic rubber for shoe soles, seals, floor coverings
(6) film from CLF on CsI

1321(121 – 22111) $C_4H_6-C_8H_8$ *P* 2401

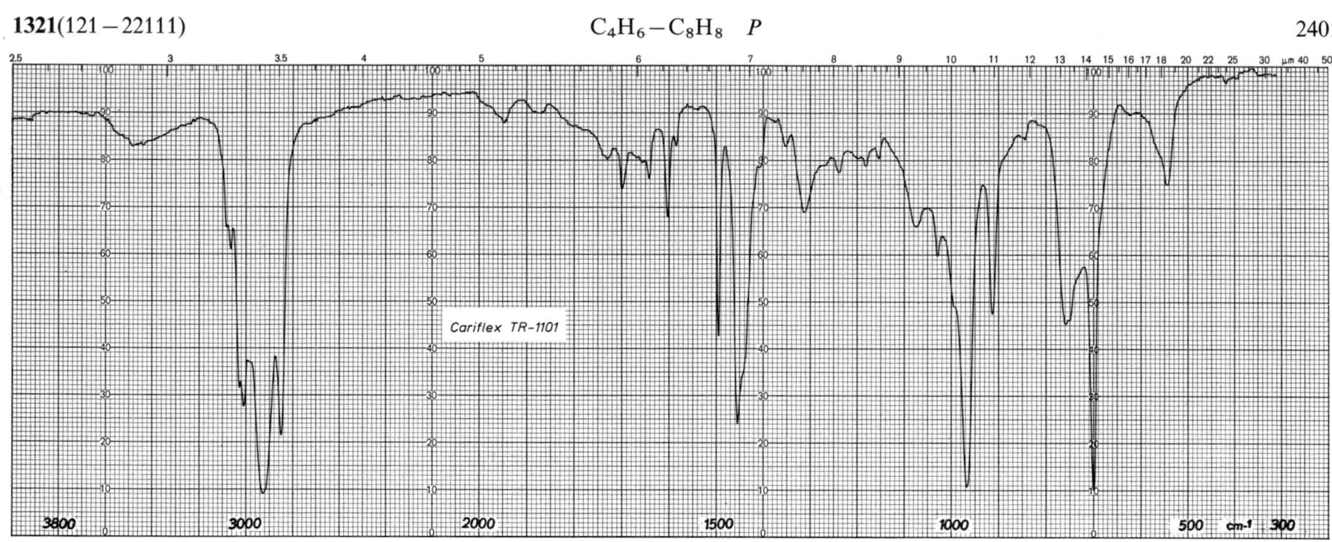

(1) **Cariflex TR-1101**
(3) Styrol-Butadien-Styrol-Dreiblock-Copolymer; Butadien:Styrol = 70:30
(4) farblose, blasige Pellets
(5) für alle typischen SBR-Vulkanisate
(6) Schicht aus MTC auf CsI

(2) Shell Nederlande Chemie B.V., Rotterdam
(3) styrene-butadiene-styrene triblock copolymer; butadiene:styrene = 70:30
(4) colorless, blistered pellets
(5) for all typical SBR vulcanizates
(6) film from MTC on CsI

1321(121 – 22111) $C_4H_6-C_8H_8$ *P* 2402

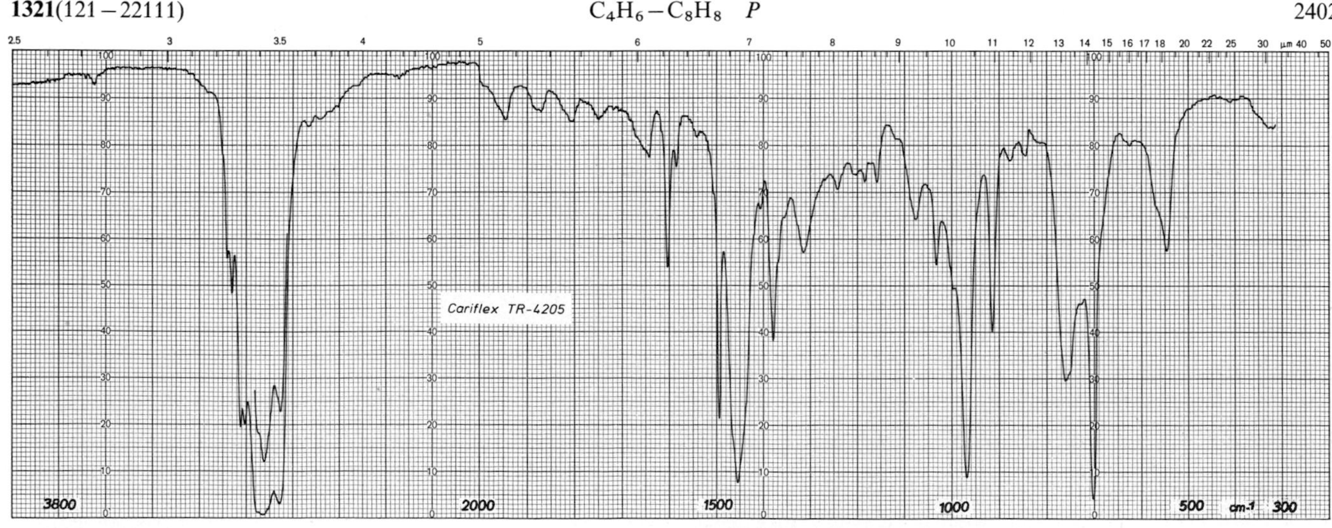

(1) **Cariflex TR-4205**
(3) Styrol-Butadien-Styrol-Dreiblock-Copolymer, Butadien:Styrol = 55:45
(4) farblose, blasige Pellets
(5) für Schuhe, Klebstoffe, zur Modifizierung von Kunststoffen und Bitumen, für Spritzguß- und Extrusionsmischungen
(6) Schicht aus MTC auf CsI

(2) Shell Nederlande Chemie B.V., Rotterdam
(3) styrene-butadiene-styrene triblock copolymer; butadiene:styrene = 55:45
(4) colorless, blistered pellets
(5) for shoes and adhesives, for modifying plastics and bitumen, for injection moulding and extrusion mixtures
(6) film from MTC on CsI

1321(121 − 22111) + **17211**  $C_4H_6-C_8H_8$ *P*  2403

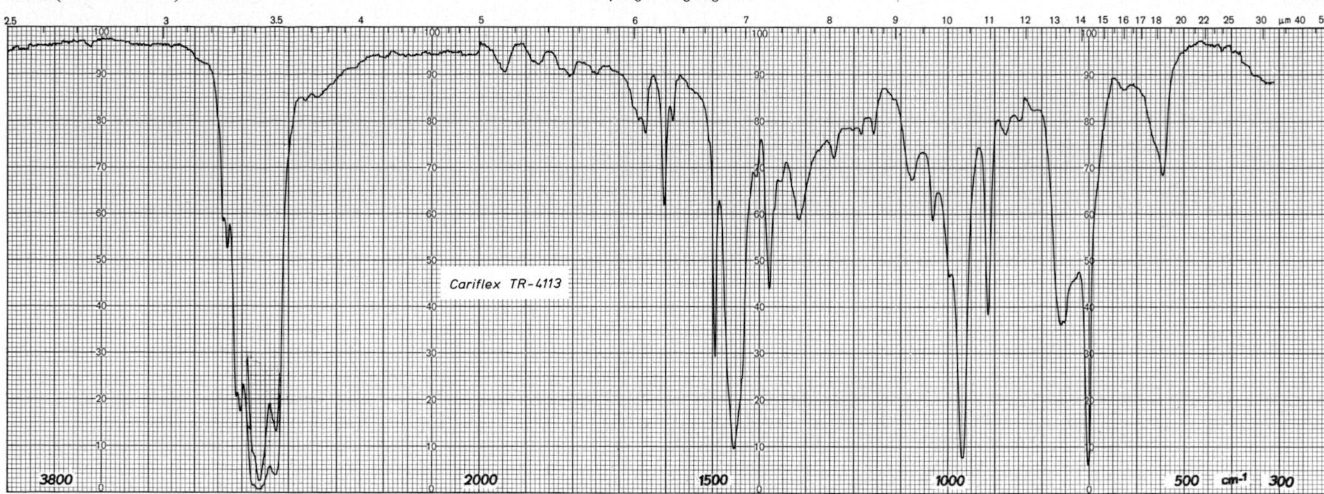

(1) **Cariflex TR-4113**
(3) Styrol-Butadien-Styrol-Dreiblock-Copolymer, Butadien: Styrol = 65:35; mit 31.5 Tln. Mineralöl auf 100 Tle. Kautschukbasis verlängert
(4) farblose, blasige Pellets
(5) für alle typischen SBR-Vulkanisate
(6) Schicht aus MTC auf CsI

(2) Shell Nederlande Chemie B.V., Rotterdam
(3) styrene-butadiene-styrene triblock copolymer; butadiene: styrene = 65:35; extended with 31.5 parts mineral oil per 100 parts rubber
(4) colorless, blistered pellets
(5) for all typical SBR vulcanizates
(6) film from MTC on CsI

1321(121 − 22111) + **17211** $C_4H_6-C_8H_8$ *P* 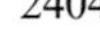 2404

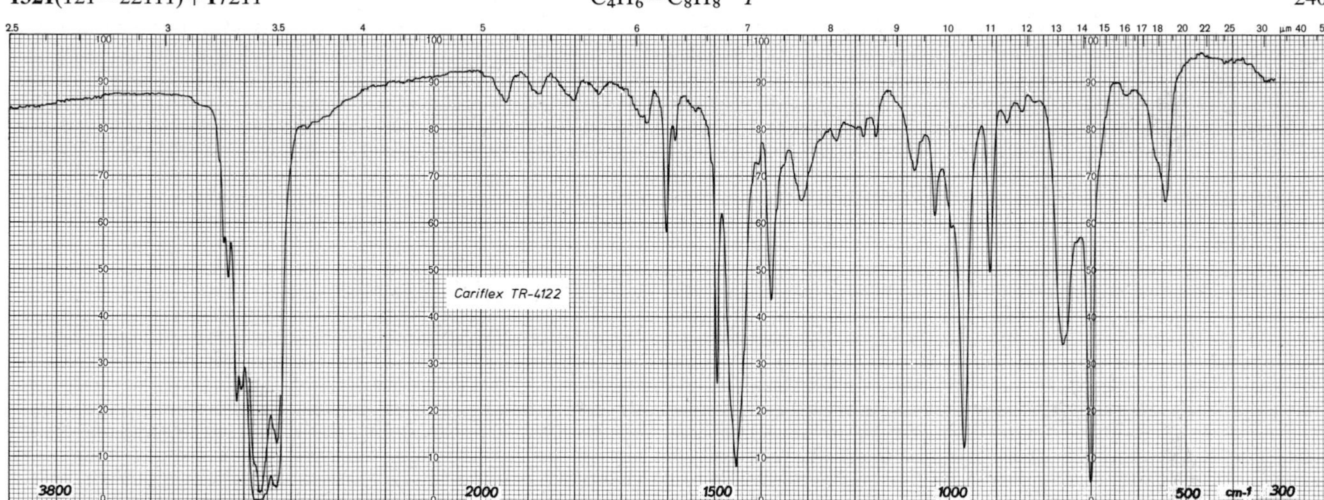

(1) **Cariflex TR-4122**
(3) Styrol-Butadien-Styrol-Dreiblock-Copolymer (Styrol-Butadien-Verhältnis etwa 1:1), mit Mineralöl (35.5 Gew.-%) verlängert
(4) farblose, blasige Pellets
(5) für Schuhe, Klebstoffe, zur Modifizierung von Kunststoffen und Bitumen, für Spritzguß- und Extrusions-compounds
(6) Schicht aus MTC auf CsI

(2) Shell Nederlande Chemie B.V., Rotterdam
(3) styrene-butadiene-styrene triblock copolymer (styrene-butadiene ratio ca. 1:1 extended with mineral oil (35 wt.%)
(4) colorless, blistered pellets
(5) for shoes and adhesives, for the modification of plastics and bitumen, for injection moulding and extrusion compounds
(6) film from MTC on CsI

1321(121 − 22111) $C_4H_6-C_8H_8$ *P*  2405

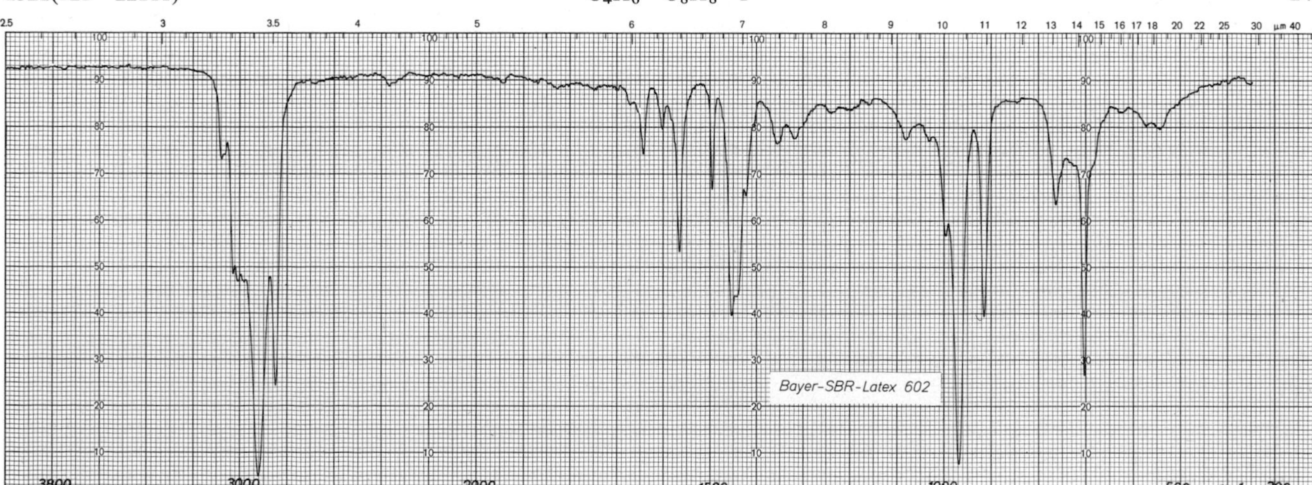

(1) **Bayer-SBR-Latex 602**
(3) carboxylgruppenhaltiges Poly(butadien-co-styrol) mit 35% Styroleinheiten, ohne reaktive Gruppen
(4) milchige, wäßrige Dispersion (67%)
(5) Schaumbeschichtungen für textile Bodenbeläge (schwefelvernetzt)
(6) Schicht auf KRS-5

(2) Bayer AG, Leverkusen
(3) poly(butadiene-co-styrene) containing carboxyl groups, 35% styrene units, no reactive groups
(4) milky, aqueous dispersion (67%)
(5) foam backing for textile floor coverings (crosslinked with sulfur)
(6) film on KRE-5

1321(122 – 22111) 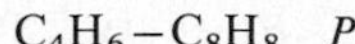 $C_4H_6-C_8H_8$ *P*  2406

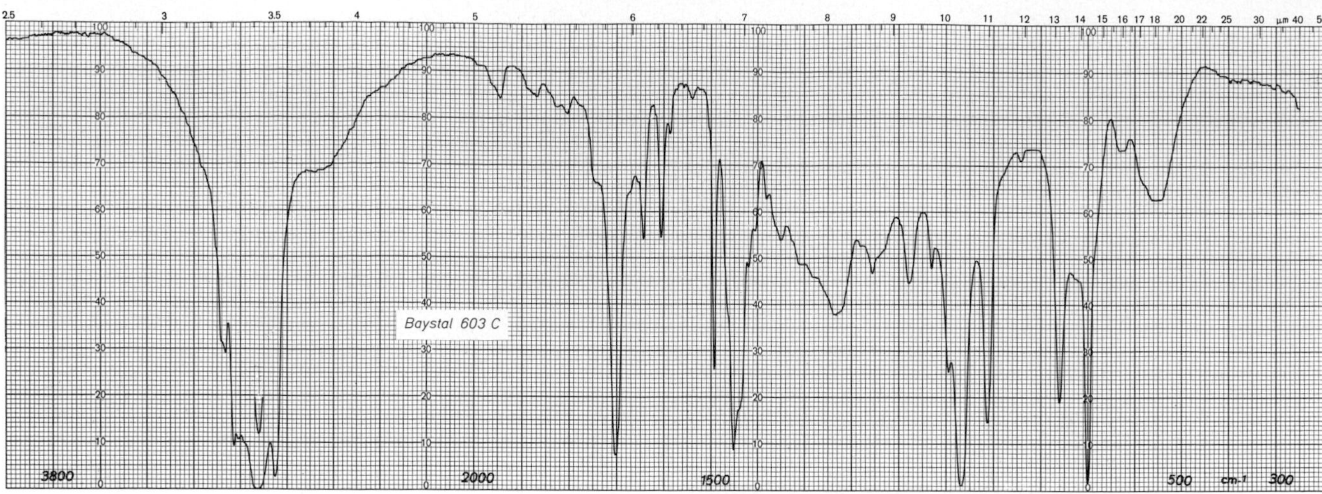

(1) **Baystal 603C**
(3) carboxylgruppenhaltiges Poly(butadien-co-styrol)
(4) weiße, wäßrige Dispersion (54%)
(5) universell anwendbar, vor allem für Textilbeschichtungen
(6) eingetrocknete Schicht auf KRS-5

(2) Bayer AG, Leverkusen
(3) poly(butadiene-co-styrene) containing carboxyl groups
(4) white, aqueous dispersion (54%)
(5) universally applicable, particularly for coating textiles
(6) dried film on KRS-5

1321(121 – 22111) $C_4H_6-C_8H_8$ *P* 2407

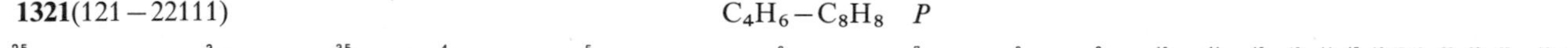

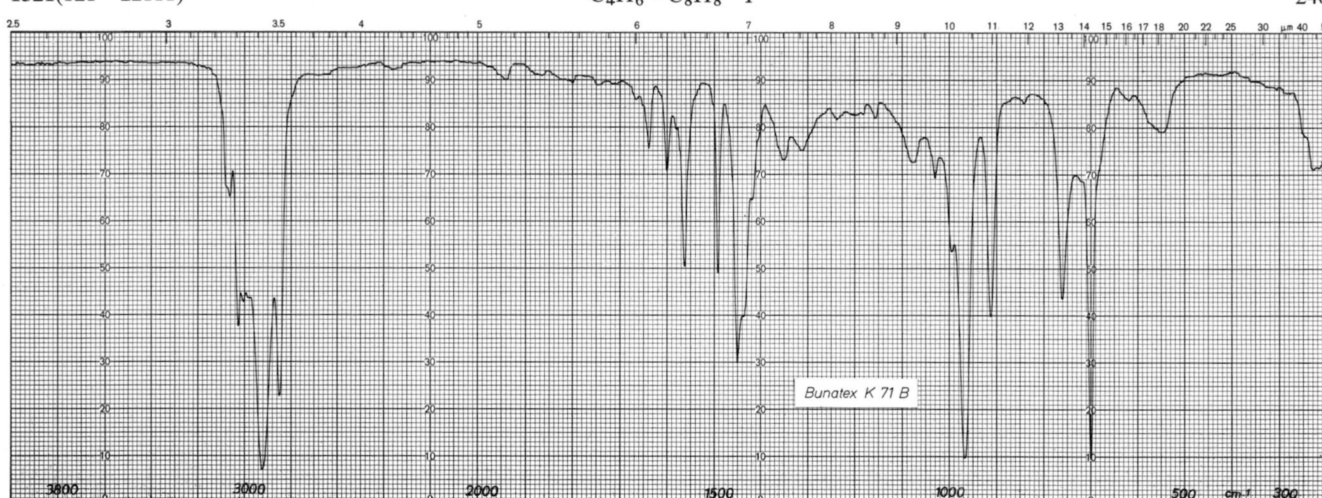

(1) **Bunatex K71B**
(3) Poly(butadien-co-styrol), durch Zusatz einer styrolreichen Komponente verstärkt
(4) milchige, wäßrige Dispersion (68%)
(5) für Latexschaum-Formteile und -Streichware
(6) Schicht auf KRS-5

(2) Chemische Werke Hüls, Marl
(3) poly(butadiene-co-styrene) reinforced by the addition of a styrene-rich component
(4) milky, aqueous dispersion (68%)
(5) for latex foam mouldings and coatings
(6) film on KRS-5

1321(121 – 22111) $C_4H_6-C_8H_8$ *P* 2408

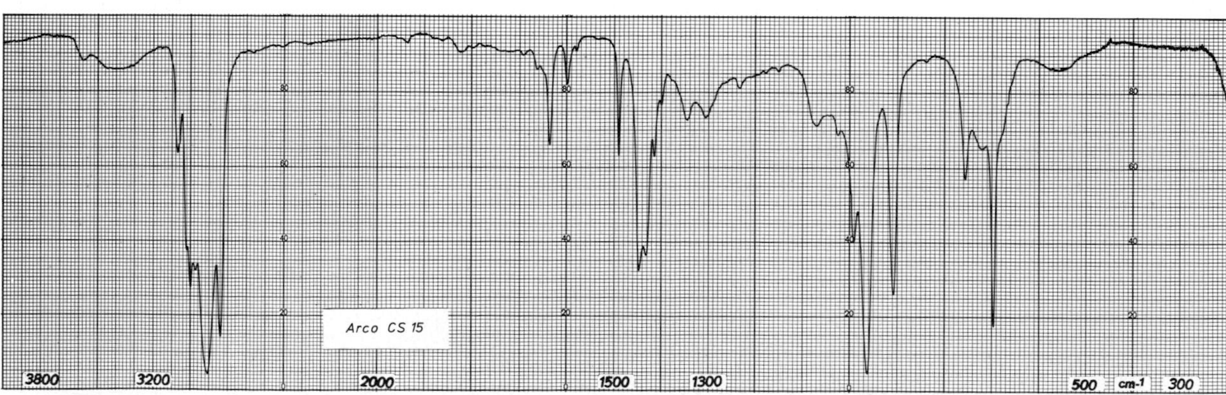

(1) **Arco CS15**
(3) Oligo(butadien-co-styrol) mit etwa 25 Gew.-% Styroleinheiten
(5) „flüssiger Kautschuk“ für mannigfaltige Anwendungen
(6) Schicht zwischen KBr (12.5 μm)

(2) Atlantic-Richardson Co.
(3) oligo(butadiene-co-styrene) with ca. 25 wt.% styrene units
(5) multipurpose “liquid rubber”
(6) film between KBr (12.5 μm)

1321(121 – 22111) $C_4H_6-C_8H_8$ *P* 2409

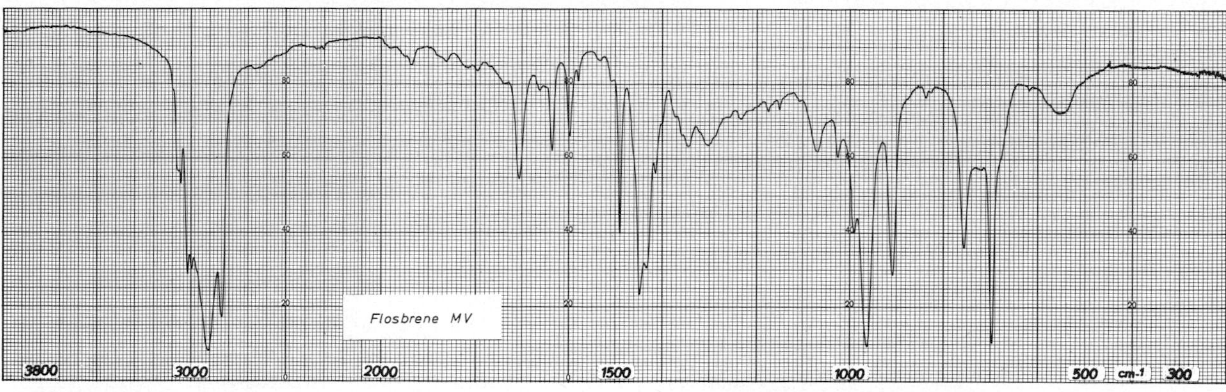

(1) **Flosbrene MV**
(3) Oligo(butadien-co-styrol) mit 5% einpolymerisierter organischer Säure; etwa 25% Styroleinheiten, M = 5 kg mol^{-1}
(4) viskose Flüssigkeit
(5) für vulkanisierbare Gummimischungen (Extender, Weichmacher); als Verarbeitungshilfsmittel in Neopren- und Nitrilkautschuk-Mischungen, als Imprägniermittel, Dichtungsmasse und dergleichen
(6) Schicht zwischen CsI

(2) American Synthetic Rubber Corp.
(3) oligo(butadiene-co-styrene) with 5% copolymerized, organic acid; about 25% styrene units, M = 5 kg mol^{-1}
(4) viscous liquid
(5) for vulcanizable rubber blends (extender, plasticizer); as processing aid in neoprene and nitrile rubber blends, for impregnation, as a sealant and the like
(6) film between CsI

1321(121 – 22111) – **133**22151 $C_4H_6-C_8H_8-C_3H_3N$ *P* 2410

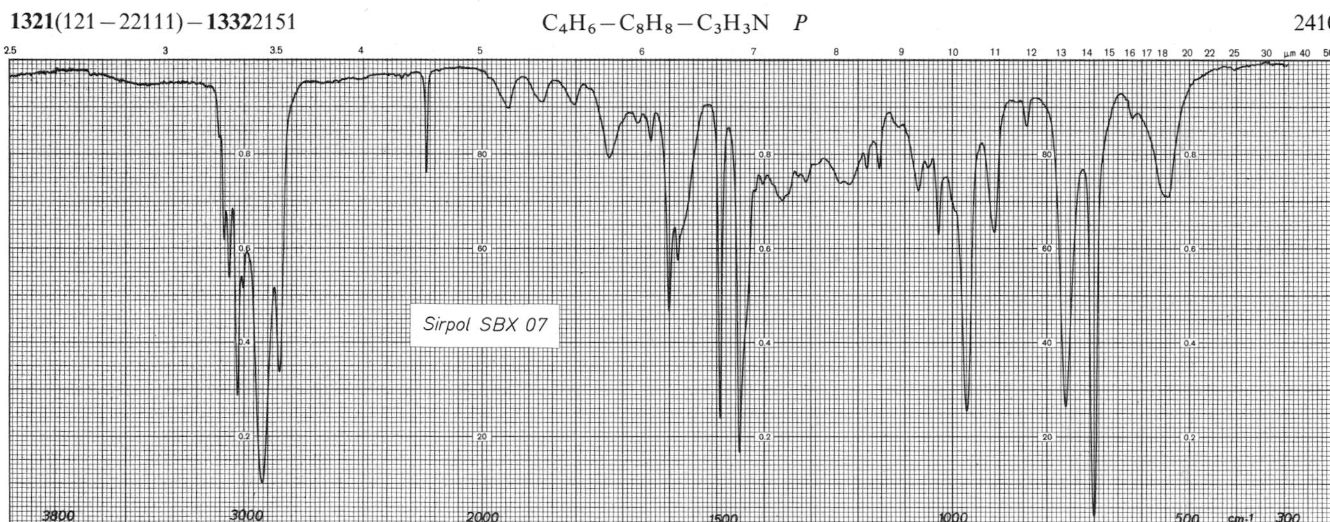

(1) **Sirpol SBX 07**
(3) Poly(butadien-co-styrol-co-acrylnitril), carboxyliert
(4) weißer SBR-Latex mit 50% Feststoff
(5) für Imprägnierungen und Überzüge
(6) Schicht auf KRS-5
(7) PE 580 B, FLAT, ABEX 1.07

(2) Società Italiana Resine, Milano
(3) poly(butadiene-co-styrene-co-acrylonitrile), carboxylated
(4) white SBR latex with 50% solids
(5) for impregnation and coating
(6) film on KRS-5
(7) PE 580 B, ABEX 1.07

1321(121 – 22111) – **32**3213 $C_4H_6-C_8H_8-C_7H_7H$ *P* 2411

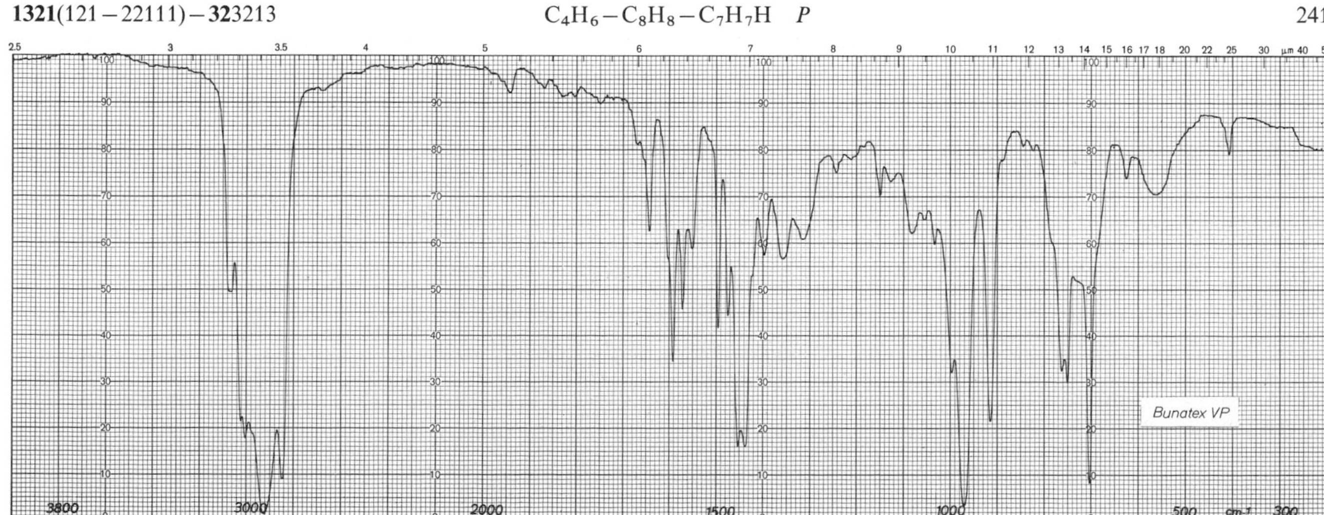

(1) **Bunatex VP**
(3) Poly(butadien-co-styrol-co-vinylpyridin)
(4) milchige, wäßrige Dispersion (40%)
(5) kationischer Latex, in Kombination mit Resorcin-Formaldehyd-Harz zur Verbesserung der Gummi-Textil-Haftung
(6) Schicht auf KRS-5

(2) Chemische Werke Hüls, Marl
(3) poly(butadiene-co-styrene-co-vinylpyridine)
(4) milky, aqueous dispersion (40%)
(5) cationic latex, for improving rubber-textile adhesion in combination with resorcinol-formaldehyde resins
(6) film on KRS-5

13(**21**121 – **32**2151) $C_4H_6-C_3H_6$ *P* 2412

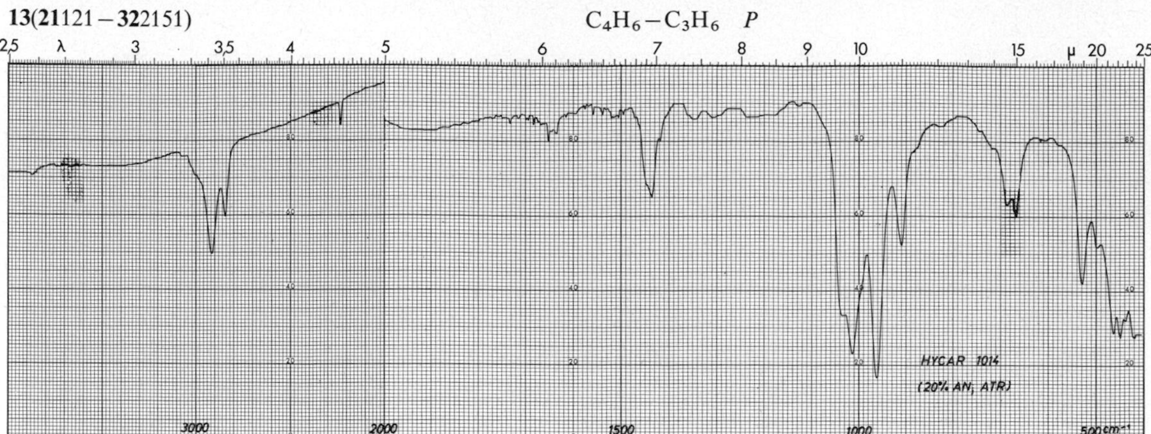

(1) **Hycar 1014**
(3) Poly(butadien-co-acrylnitril) mit 20% AN-Einheiten
(4) gelbliches Elastomer
(6) ATR (KRS-5)
(7) PE 125, relative Intensitäten und Bandenlagen gegenüber dem Transmissionsspektrum verschoben

(2) B. F. Goodrich, Cleveland, O.
(3) poly(butadiene-co-acrylonitrile) with 20% AN units
(4) yellowish elastomer
(6) ATR (KRS-5)
(7) PE 125, relative intensities and band positions displaced in the transmission spectrum

13(**21**121 – **32**2151) $C_4H_6-C_3H_3N$ *P* 2413

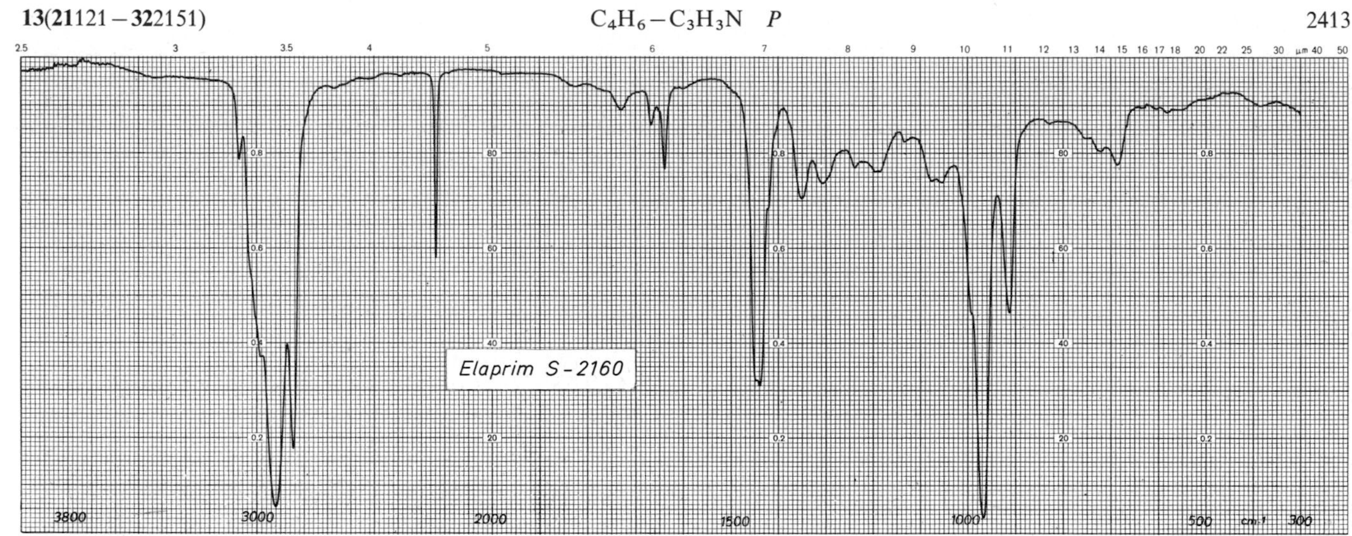

(1) **Elaprim S-2160**
(3) Poly(butadien-co-acrylnitril), 21% AN
(4) bräunliches, blasiges Elastomer
(5) Petroleum-, Fahrzeug-, Luftfahrt- und Maschinenindustrie; Schläuche, Dichtungen, flexible Behälter, Handschuhe
(6) Schicht aus DCB auf CsI
(7) PE 580 B, ABEX 1,18

(2) Montedison, Milano
(3) poly(butadiene-co-acrylonitrile), 21% AN
(4) brown, blistered elastomer
(5) petroleum, vehicle, aviation and machine industries; tubing, seals, flexible containers, gloves
(6) film from DCB on CsI
(7) PE 580 B, ABEX 1.18

13(**21**121 – **32**2151) $C_4H_6-C_3H_3N$ *P* 2414

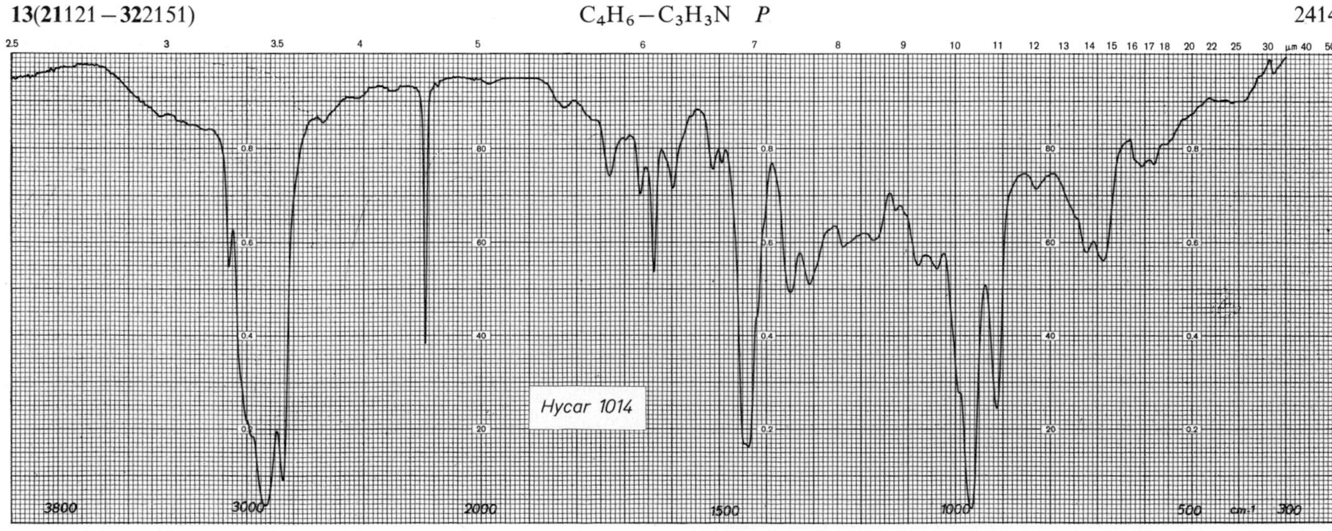

(1) **Hycar 1014**
(3) Poly(butadien-co-acyrlnitril) mit 21% AN-Einheiten
(4) schwarzes Elastomer
(5) Standard-Nitrilkautschuk für Walzen, Transportbänder, Textilbeschichtungen
(6) in MTC gequollen und auf CsI getrocknet
(7) PE 580 B, ABEX 1.64

(2) B. F. Goodrich Comp., Akron, Ohio
(3) poly(butadiene-co-acrylonitrile), 21% AN
(4) black elastomer
(5) standard nitrile rubber for rollers, conveyor belts, textile coatings
(6) swollen with MTC and dried on CsI
(7) PE 580 B, ABEX 1.64

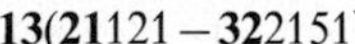
13(21121 – **32**2151) $C_4H_6-C_3H_3N$ *P* 2415 

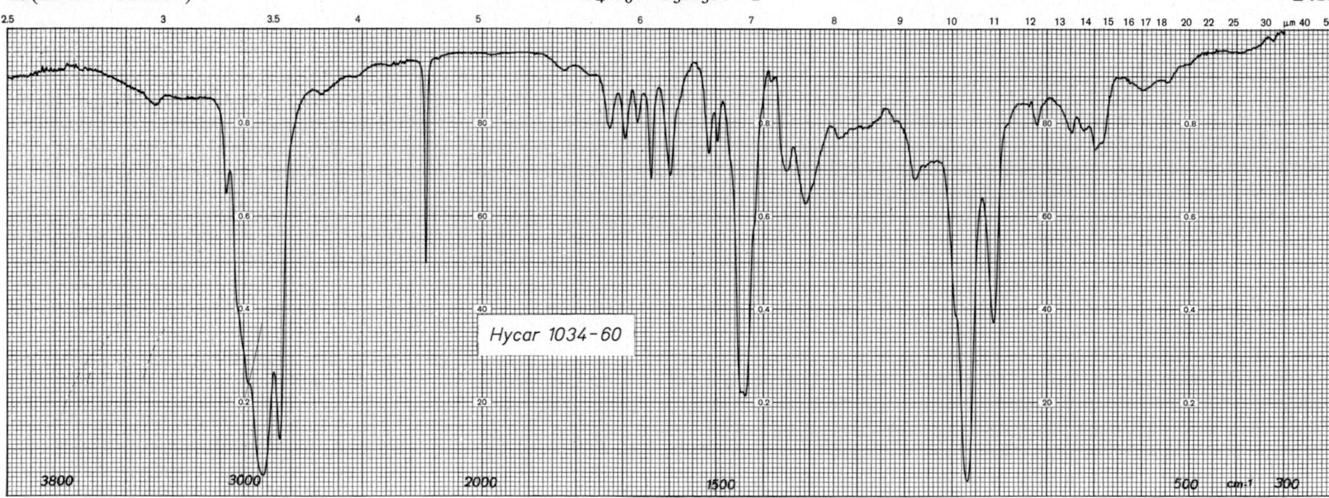

(1) **Hycar 1034-60**
(3) Poly(butadien-co-acrylnitril); 21% AN-Einheiten
(4) schmutzigbraunes, blasiges Elastomer
(5) Standard-Nitrilkautschuk für Schläuche, Transportbänder, Textilbeschichtungen
(6) Schicht aus MTC auf CsI, bei 50 °C getrocknet
(7) PE 580 B, ABEX 1.86

(2) B. F. Goodrich Comp., Akron, Ohio
(3) poly(butadiene-co-acrylonitrile), 21% AN
(4) dirty brown, blistered elastomer
(5) standard nitrile rubber for tubing, conveyor belts, textile coatings
(6) film from MTC on CsI, dried at 50 °C
(7) PE 580 B, ABEX 1.86

13(21121 – **32**2151) $C_4H_6-C_3H_3N$ *P* 2416 

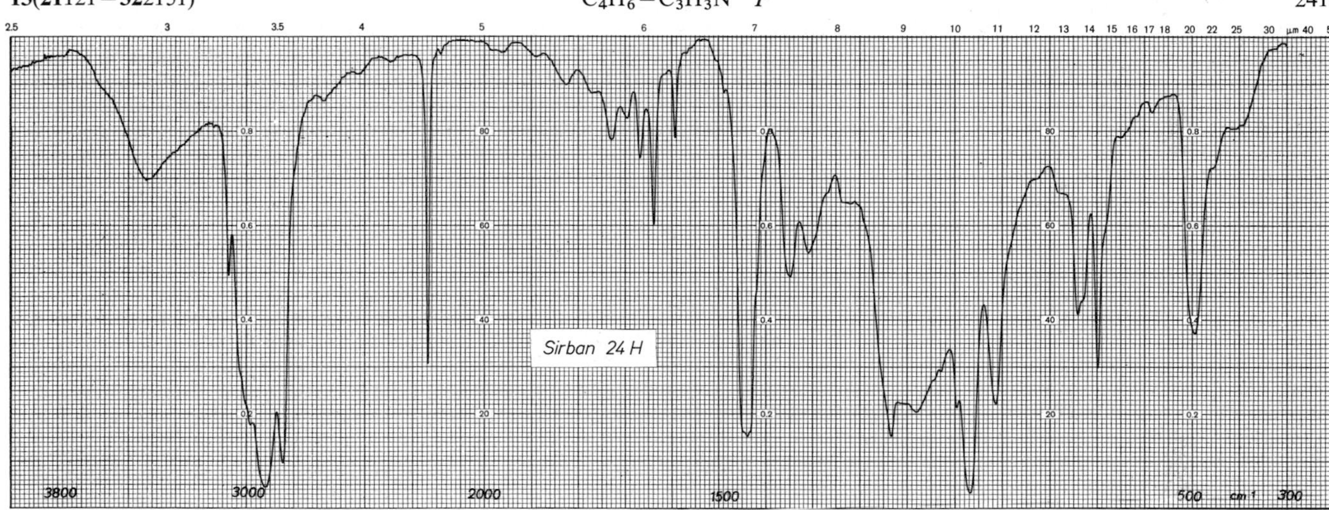

(1) **Sirban 24 H**
(3) Poly(butadien-co-acrylnitril) mit 24% AN-Einheiten
(4) mittelbraunes Elastomer
(5) für öl- und lösemittelbeständige Gummiteile
(6) Schicht aus MTC (Gel) auf CsI
(7) PE 580 B, ABEX 1.54, SMOOTH 2

(2) Società Italiana Resine, Milano
(3) poly(butadiene-co-acrylonitrile), 24% AN
(4) mid-brown elastomer
(5) for oil and solvent-resistant, rubber components
(6) film from MTC (gel) on CsI
(7) PE 580 B, ABEX 1.54, SMOOTH 2

13(21121 – **32**2151) $C_4H_6-C_3H_3N$ *P* 2417 

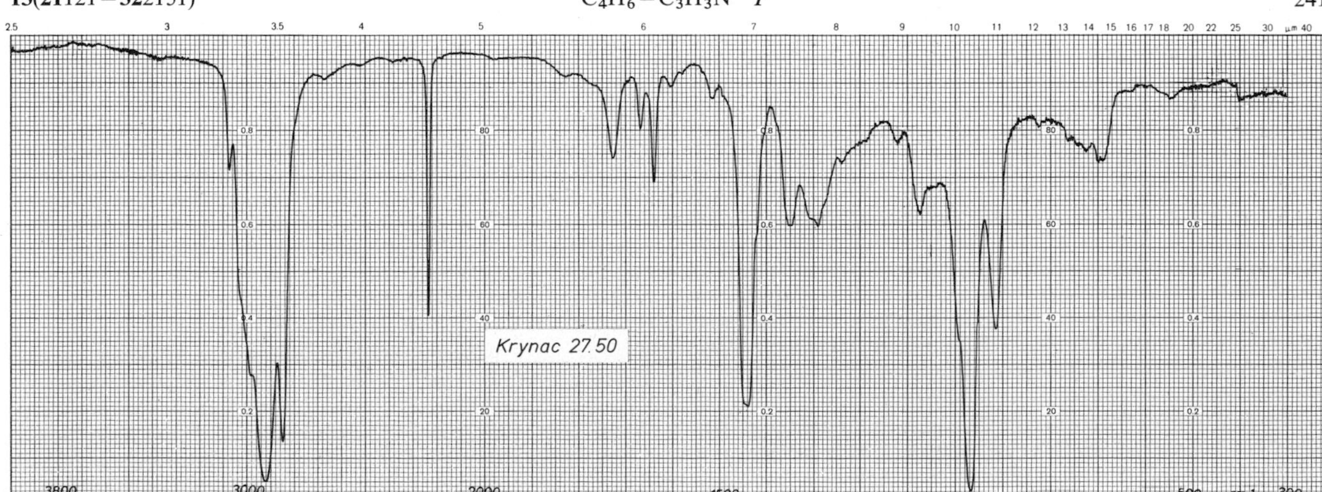

(1) **Krynac 27.50**
(3) Poly(butadien-co-acrylnitril), 27% AN
(4) fast farbloses, blasiges Elastomer
(5) Allzweckkautschuk
(6) Schicht aus MTC auf CsI
(7) PE 580 B, ABEX 1.57

(2) Polysar (Deutschland) GmbH, Frankfurt
(3) poly(butadiene-co-acrylonitrile), 27% AN
(4) almost colorless, blistered elastomer
(5) all-purpose rubber
(6) film from MTC on CsI
(7) PE 580 B, ABEX 1.57

13(**21**121 − **32**2151) $C_4H_6-C_3H_3N$ *P* 2418

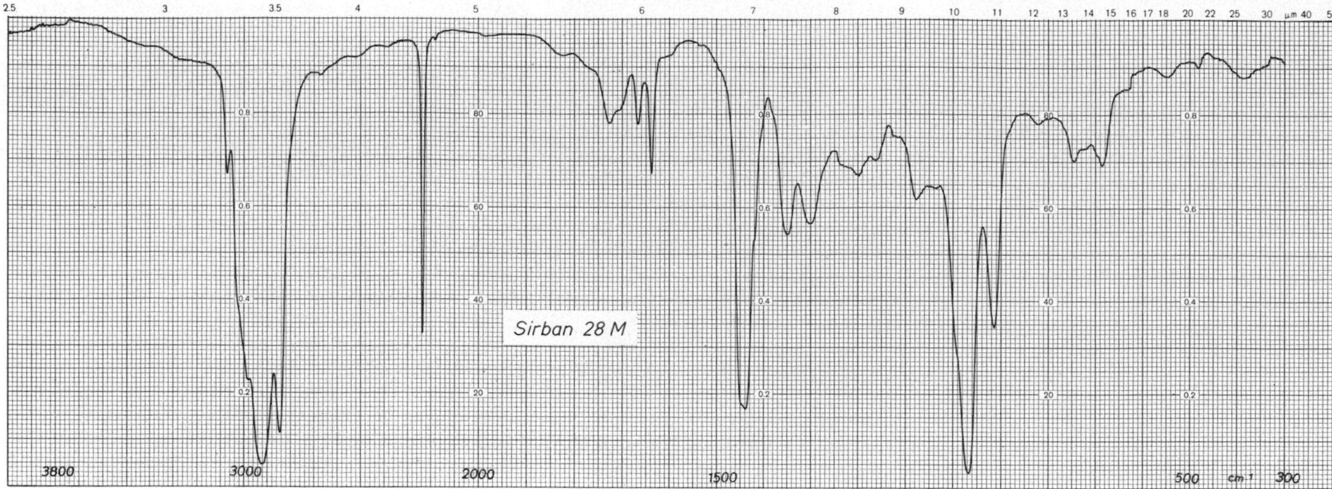

(1) **Sirban 28M**
(3) Poly(butadien-co-acrylnitril), 28% AN
(4) mittelbraunes, blasiges Elastomer
(5) für öl- und lösemittelbeständige Vulkanisate mit hoher Elastizität und Kälteflexibilität
(6) Schicht aus MTC auf CsI
(7) PE 580 B, ABEX 1.14

(2) S.I.R. Deutschland GmbH, Frankfurt
(3) poly(butadiene-co-acrylonitrile), 28% AN
(4) mid-brown, blistered elastomer
(5) for oil and solvent-resistant vulcanizates with high elasticity and cold flexibility
(6) film from MTC on CsI
(7) PE 580 B, ABEX 1.14

13(**21**121 − **32**2151) $C_4H_6-C_3H_3N$ *P* 
2419

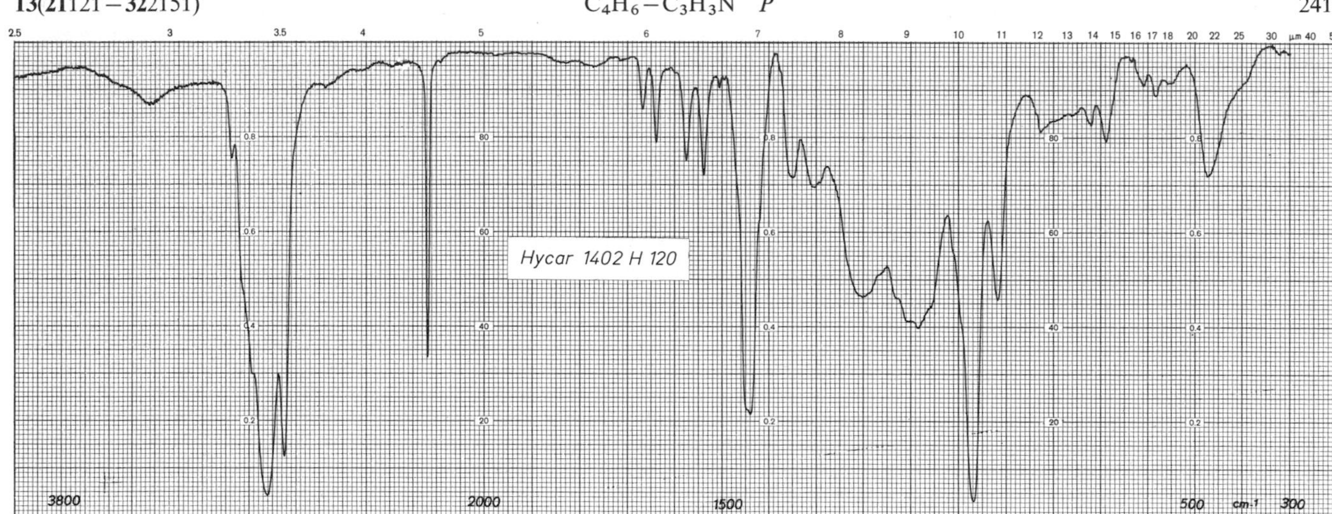

(1) **Hycar 1402H120**
(3) Poly(butadien-co-acrylnitril); mit 33% AN-Einheiten, leicht vorvernetzt
(4) eierschalenfarbenes Pulver
(5) Nitrilkautschuk für Asbest- und Korkbindung, zum Modifizieren von Phenolharzen, PVC und ABS-Kunststoffen
(6) Schicht aus MTC auf CsI, bei 50 °C i.V. getrocknet
(7) PE 580 B, ABEX 1.80

(2) B. F. Goodrich Comp., Akron, Ohio
(3) poly(butadiene-co-acrylonitrile); 33% AN, slightly precrosslinked
(4) eggshell-colored powder
(5) nitrile rubber for binding asbestos and cork, for modifying phenol resins, PVC and ABS plastics
(6) film from MTC on CsI, dried at 50 °C in vacuo
(7) PE 580 B, ABEX 1.80

13(**21**121 − **32**2151) $C_4H_6-C_3H_3N$ *P* 
2420

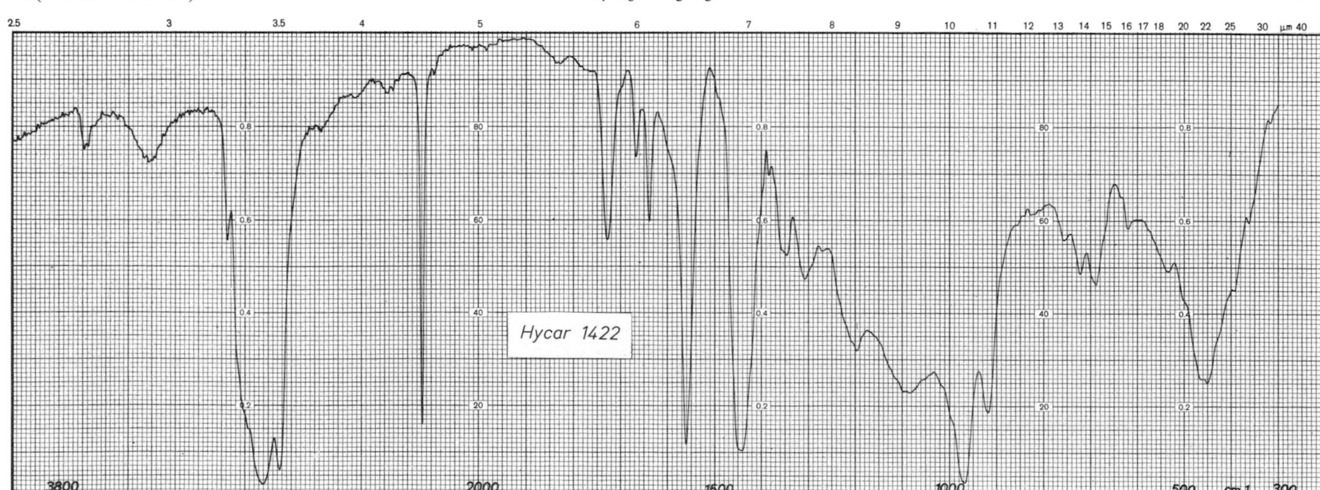

(1) **Hycar 1422**
(3) Poly(butadien-co-acrylnitril) (33% AN-Einheiten) mit Füllstoffen
(4) eierschalenfarbenes Pulver
(5) in Mischungen mit PVC und ABS-Kunststoffen zur Modifikation von Phenolharzen; zur Bindung von Asbest und Kork
(6) Schicht aus MTC auf CsI
(7) PE 580 B, ABEX 3.59

(2) B. F. Goodrich Comp., Akron, Ohio
(3) poly(butadiene-co-acrylonitrile) (33% AN units) with filler
(4) eggshell-colored powder
(5) blended with PVC and ABS plastics for the modification of phenol resins; for binding asbestos and cork
(6) film from MTC on CsI
(7) PE 580 B, ABEX 3.59

13(21121 − **32**2151) $C_4H_6-C_3H_3N$ *P* 2421

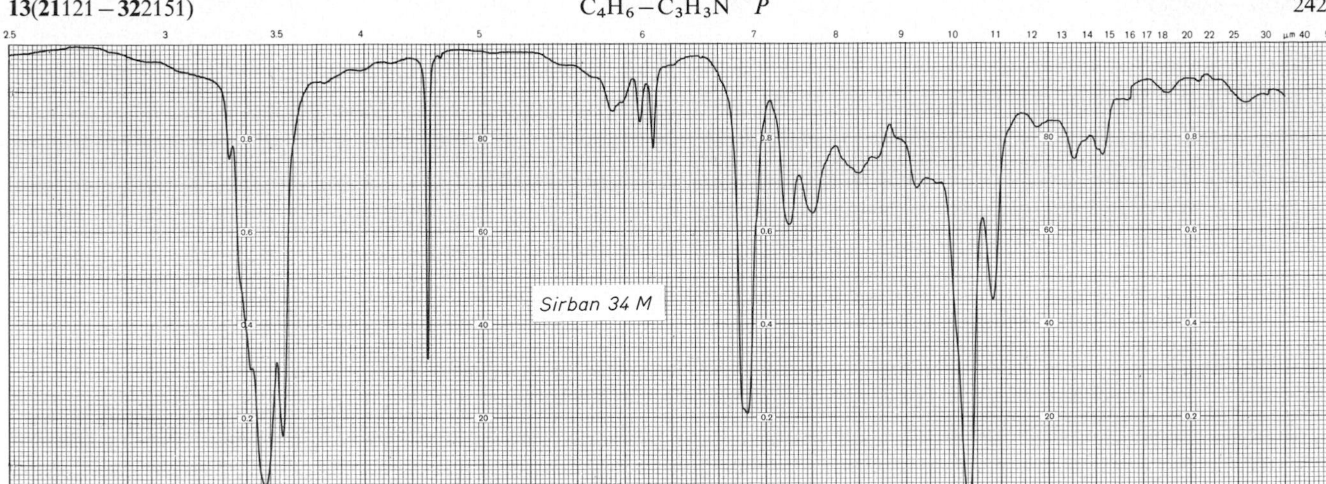

(1) **Sirban 34M**
(3) Poly(butadien-co-acrylnitril), 34% AN
(4) mittelbraunes, blasiges Elastomer
(5) für öl-, lösemittel- und kältebeständige Vulkanisate (Automobil- und Textilindustrie)
(6) Schicht aus MTC auf CsI
(7) PE 580 B, ABEX 1.05

(2) S.I.R. Deutschland GmbH, Frankfurt
(3) poly(butadiene-co-acrylonitrile), 34% AN
(4) mid-brown, blistered elastomer
(5) for oil, solvent and cold-resistant vulcanizates (automobile and textile industries)
(6) film from MTC on CsI
(7) PE 580 B, ABEX 1.05

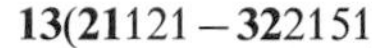
13(21121 − **32**2151) $C_4H_6-C_3H_3N$ *P*  2422

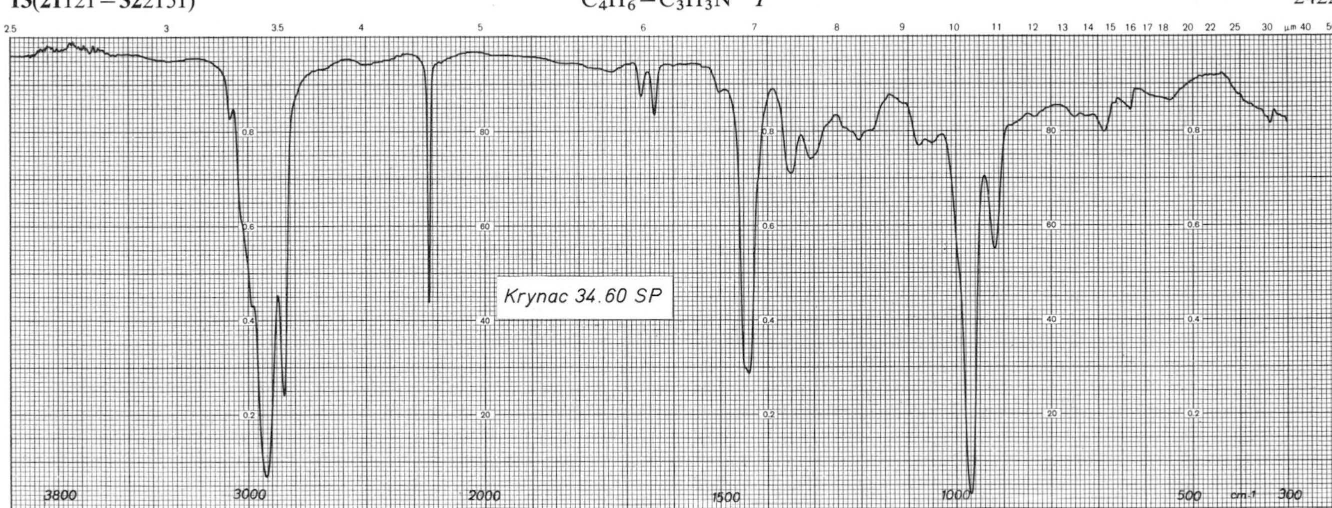

(1) **Krynac 34.60 SP**
(3) Poly(butadien-co-acrylnitril), carboxyliert; 34% AN
(4) leicht bräunliches, undurchsichtiges, blasiges Elastomer
(5) Spezialtype für Vulkanisate mit optimaler Wärmebeständigkeit
(6) Schicht aus MTC auf CsI
(7) PE 580 B, ABEX 1.47

(2) Polysar (Deutschland) GmbH, Frankfurt
(3) poly(butadiene-co-acrylonitrile), carboxylated; 34% AN
(4) light brown, opaque, blistered elastomer
(5) special grade for vulcanizates with optimal, thermal resistance
(6) film from MTC on CsI
(7) PE 580 B, ABEX 1.47

13(21121 − **32**2151) + **1833**733 $C_4H_6-C_3H_3N$ *P* 2423

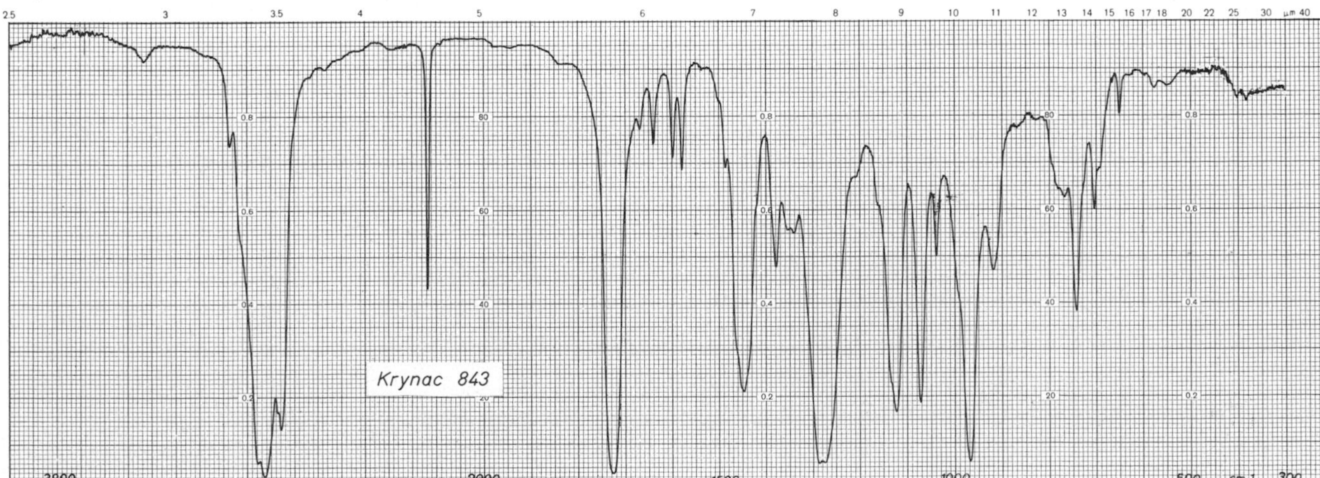

(1) **Krynac 843**
(3) Poly(butadien-co-acrylnitril), carboxyliert, 34% AN, vorplastiziert mit Dioctylphthalat (50/100)
(4) fast farbloses, blasiges Elastomer
(5) für ölbeständige Vulkanisate mit guten physikalischen Eigenschaften
(6) Schicht aus MTC auf CsI
(7) PE 580 B, ABEX 1.34

(2) Polysar (Deutschland) GmbH, Frankfurt
(3) poly(butadiene-co-acrylonitrile), carboxylated; 34% AN preplasticized with dioctyl phthalate (50/100)
(4) almost colorless, blistered elastomer
(5) for oil-resistant vulcanizates with good physical properties
(6) film from MTC on CsI
(7) PE 580 B, ABEX 1.34

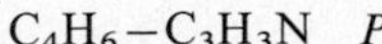

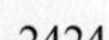

13(21121 – **32**2151) $C_4H_6 - C_3H_3N$ *P* 2424

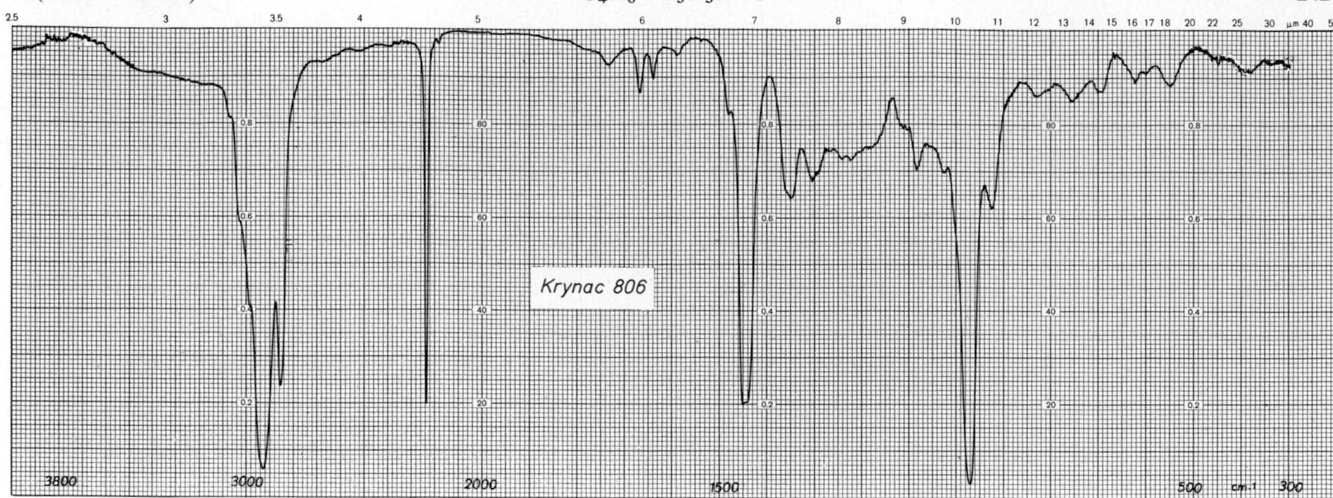

(1) **Krynac 806**
(3) Poly(butadien-co-acrylnitril), 38% AN
(4) leicht bräunliches, undurchsichtiges, blasiges Elastomer
(5) für Gummiartikel mit maximaler Ölbeständigkeit
(6) Schicht aus MTC auf CsI
(7) PE 580 B, ABEX 1.57

(2) Polysar (Deutschland) GmbH, Frankfurt
(3) poly(butadiene-co-acrylonitrile), 38% AN
(4) slightly brownish, opaque, blistered elastomer
(5) for rubber goods having maximal oil resistance
(6) film from MTC on CsI
(7) PE 580 B, ABEX 1.57

13(21121 – **32**2151) $C_4H_6 - C_3H_3N$ *P* 2425

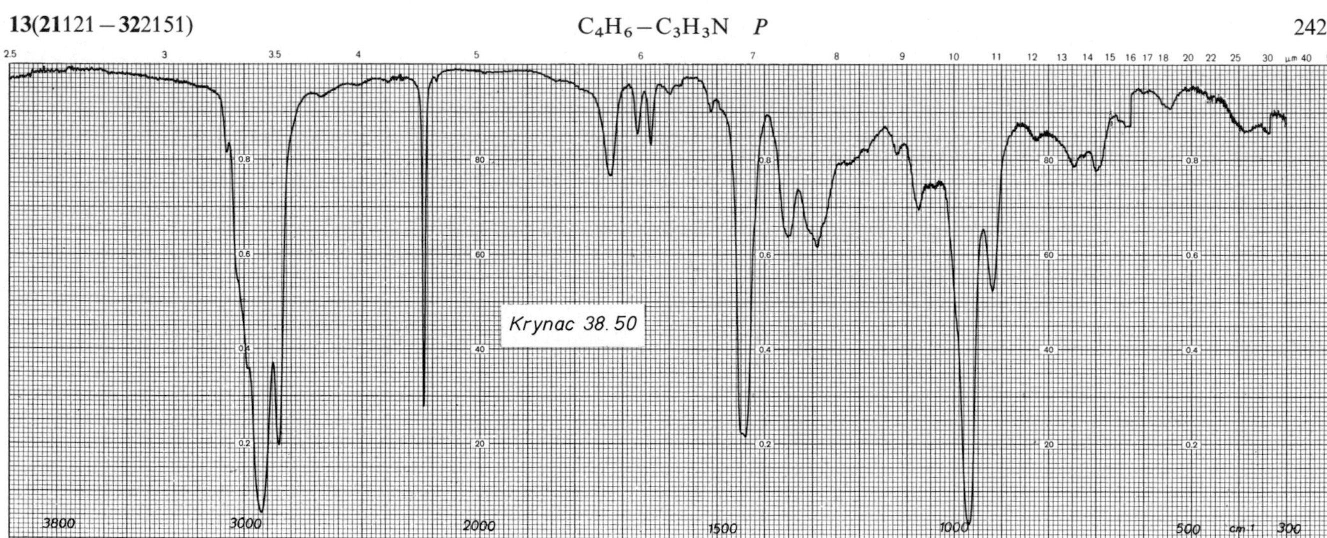

(1) **Krynac 38.50**
(3) Poly(butadien-co-acrylnitril), 38% AN
(4) farbloses, blasiges Elastomer
(5) für ölbeständige Vulkanisate
(6) Schicht aus MTC auf CsI
(7) PE 580 B, ABEX 1.76

(2) Polysar (Deutschland) GmbH, Frankfurt
(3) poly(butadiene-co-acrylonitrile), 38% AN
(4) colorless, blistered elastomer
(5) for oil-resistant vulcanizates
(6) film from MTC on CsI
(7) PE 580 B, ABEX 1.76

13(21121 – **32**2151) $C_4H_6 - C_3H_3N$ *P* 2426

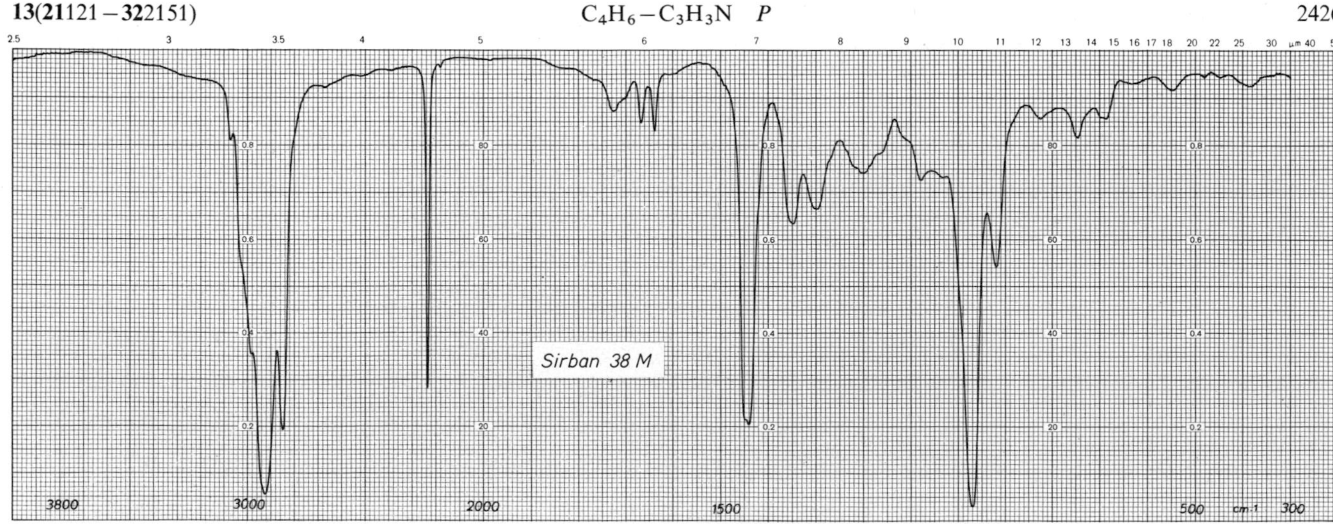

(1) **Sirban 38 M**
(3) Poly(butadien-co-acrylnitril), 38% AN
(4) hellbraunes, blasiges Elastomer
(5) für öl- und lösemittelbeständige Vulkanisate (Öl- und Benzinschläuche)
(6) Schicht aus MTC auf CsI

(2) S.I.R. Deutschland GmbH, Frankfurt
(3) poly(butadiene-co-acrylonitrile), 38% AN
(4) light brown, blistered elastomer
(5) for oil and solvent-resistant vulcanizates (oil and gasoline tubes)
(6) film from MTC on CsI

13(21121 – 322151) $C_4H_6 - C_3H_3N$ *P* 2427

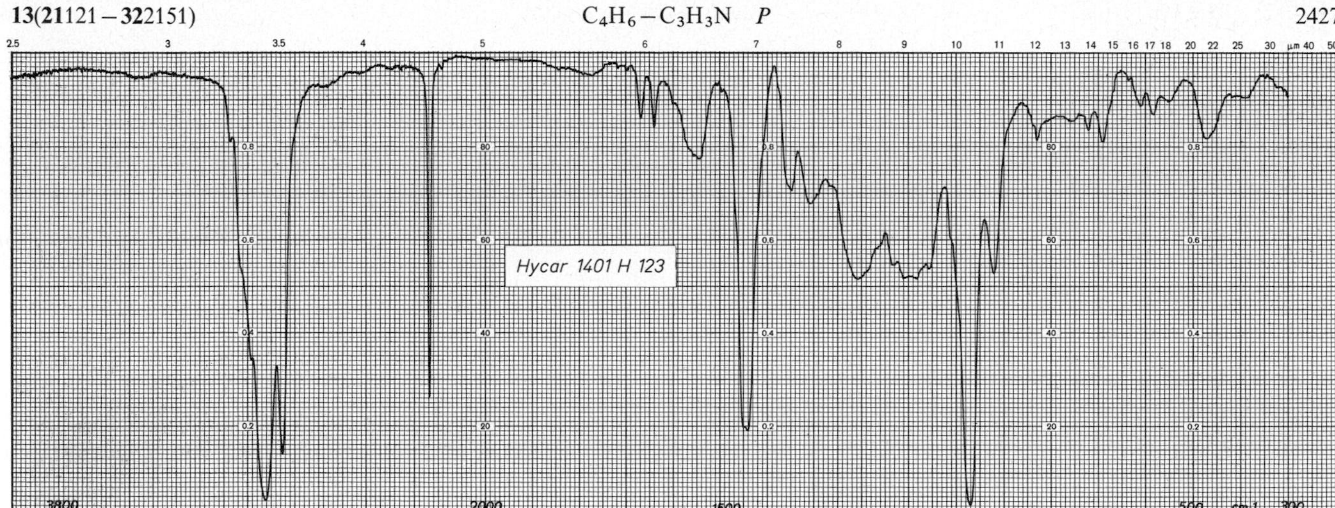

(1) **Hycar 1401 H 123**
(3) Poly(butadien-co-acrylnitril) mit 41% AN-Einheiten, vorvernetzt
(4) eierschalenfarbenes, feinverteiltes Pulver
(5) Nitrilkautschuk (Lebensmittelqualität) für Asbest- und Korkbindung, zur Modifikation von Phenolharzen, PVC und ABS-Kunststoffen
(6) Schicht aus MTC auf CsI, bei 50 °C i.V. getrocknet
(7) PE 580 B, ABEX 2.03

(2) B. F. Goodrich Comp., Akron, Ohio
(3) poly(butadiene-co-acrylonitrile) with 41% AN units precrosslinked
(4) eggshell-colored, finely divided powder
(5) nitrile rubber (food grade) for binding asbestos and cork, for the modification of phenolic resins, PVC and ABS plastics
(6) film from MTC on CsI, dried in vacuo at 50 °C
(7) PE 580 B, ABEX 2.03

13(21121 – 322151) $C_4H_6 - C_3H_3N$ *P* 2428

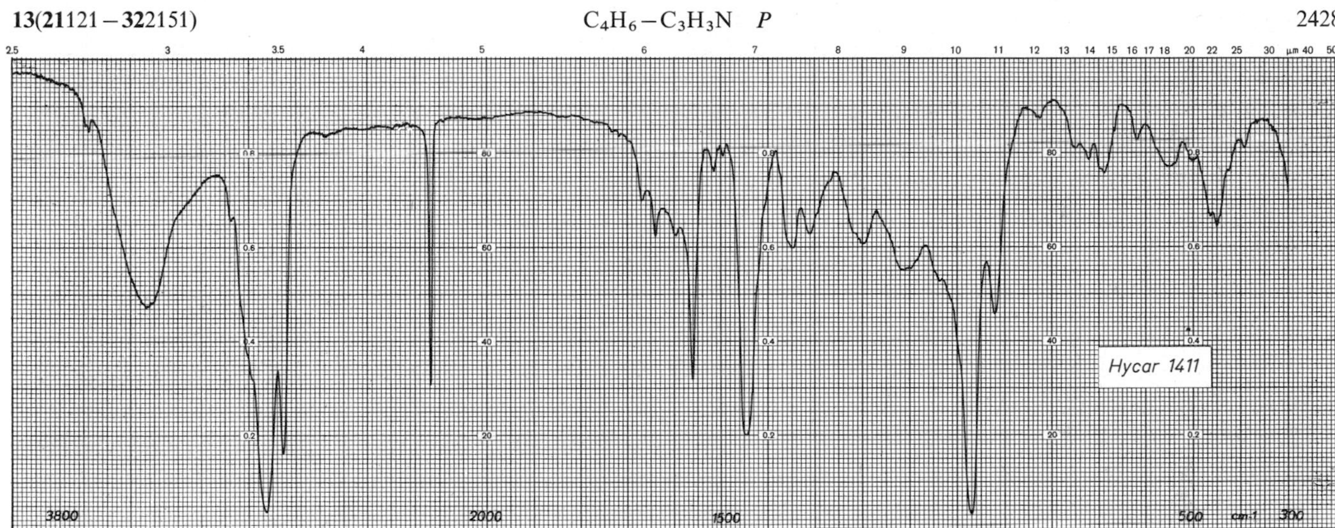

(1) **Hycar 1411**
(3) Poly(butadien-co-acrylnitril) mit 41% AN-Einheiten, vorvernetzt
(4) eierschalenfarbenes, feinverteiltes Pulver
(5) nicht wandernder Modifikator für Harz- und Kunststoffmischungen; zur Bindung von Asbest und Kork, zur Modifikation von Phenolharzen, PVC und ABS-Kunststoffen
(6) in MTC gequollen, in KBr gepreßt
(7) PE 580 B, FLAT, ABEX 2.16

(2) B. F. Goodrich Comp., Akron, Ohio
(3) poly(butadiene-co-acrylonitrile), 41% AN, precrosslinked
(4) eggshell-coloured, finely divided powder
(5) nonmigrating modifier for resin and plastic blends; for binding asbestos and cork, for modifying phenolic resins, PVC and ABS plastics
(6) swollen in MTC, pressed in KBr
(7) PE 580 B, ABEX 2.16

13(21121 – 322151) $C_4H_6 - C_3H_3N$ *P* 2429

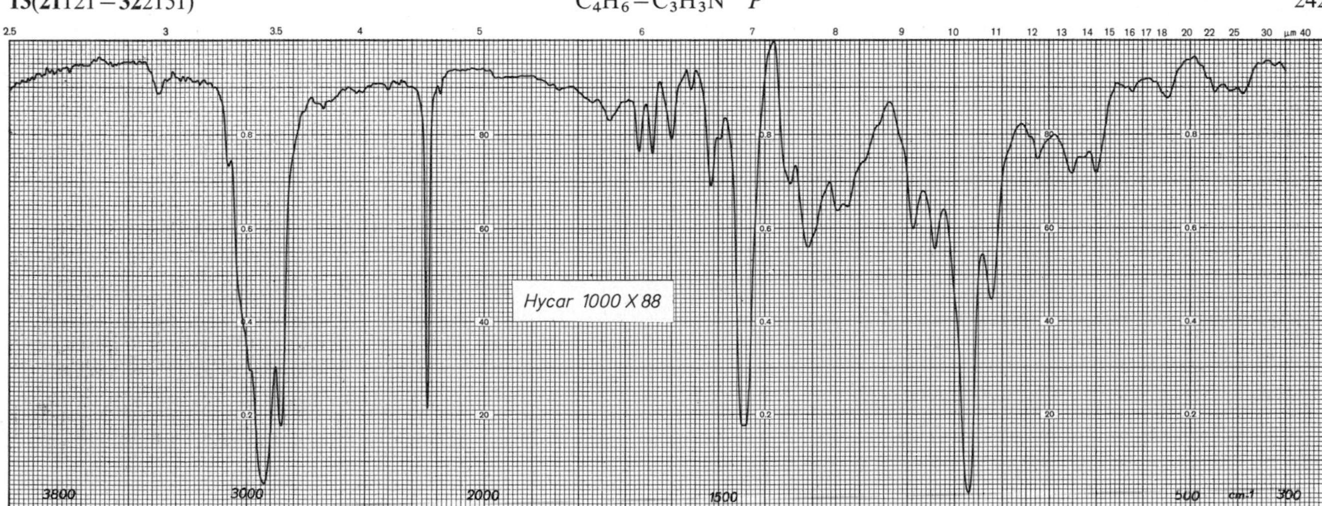

(1) **Hycar 1000 X 88**
(3) Poly(butadien-co-acrylnitril) mit 43% AN-Einheiten
(4) mittelbraunes, blasiges Elastomer
(5) Nitrilkautschuk für Schläuche, Walzen, Transportbänder, Textilbeschichtungen, o-Ringdichtungen
(6) Schicht aus MTC auf CsI, bei 50 °C i.V. getrocknet
(7) PE 580 B, ABEX 4.24, SMOOTH 4

(2) B. F. Goodrich Comp., Akron, Ohio
(3) poly(butadiene-co-acrylonitrile), 43% AN
(4) mid-brown, blistered elastomer
(5) nitrile rubber for tubing, rollers, conveyor belts, textile coatings, O-rings
(6) film from MTC on CsI, dried in vacuo at 50 °C
(7) PE 580 B, ABEX 4.24, SMOOTH 4

13(**21**121 – **32**2151) $C_4H_6-C_3H_3N$ *P* 2430

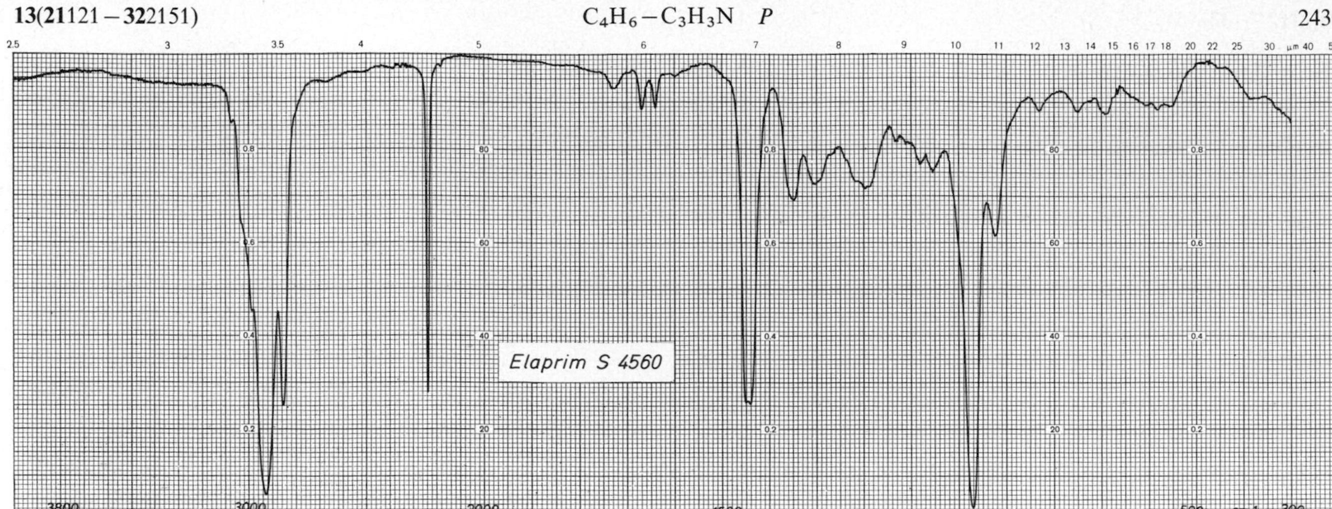

(1) **Elaprim S-4560**	(2) Montedison, Milano
(3) Poly(butadien-co-acrylnitril), 45% AN	(3) poly(butadiene-co-acrylonitrile), 45% AN
(4) gelbliches, blasiges Elastomer	(4) yellowish, blistered elastomer
(5) für ölbeständige Vulkanisate	(5) for oil-resistant vulcanizates
(6) Schicht aus DCB auf CsI	(6) film from DCB on CsI
(7) PE 580 B, ABEX 1.82	(7) PE 580 B, ABEX 1.82

13(**21**121 – **32**2151) $C_4H_6-C_3H_3N$ *P* 2431

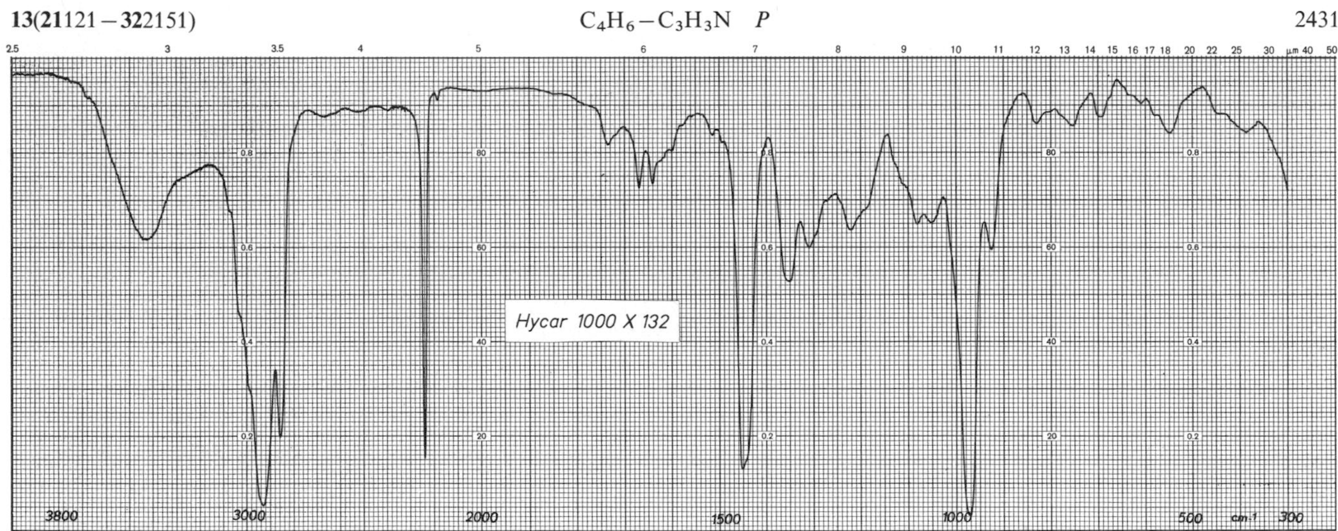

(1) **Hycar 1000 X 132**	(2) B. F. Goodrich Comp., Akron, Ohio
(3) Poly(butadien-co-acrylnitril) mit 50% AN-Einheiten	(3) poly(butadiene-co-acrylonitrile), 50% AN
(4) hellgelbe Lappen	(4) pale yellow flakes
(5) für Walzen, Transportbänder, Textilbeschichtungen, Schläuche und Dichtungen mit optimaler Beständigkeit gegen flüssige Phasen	(5) for rollers, conveyor belts, textile coatings, tubes and seals having optimal resistance to liquids
(6) mit MTC gequollen und mit KBr gepreßt	(6) swollen with MTC and pressed with KBr
(7) PE 580 B, FLAT, ABEX 1.18	(7) PE 580 B, FLAT, ABEX 1.18

13(**21**121 – **32**2151) $C_4H_6-C_3H_3N$ *P* 2432

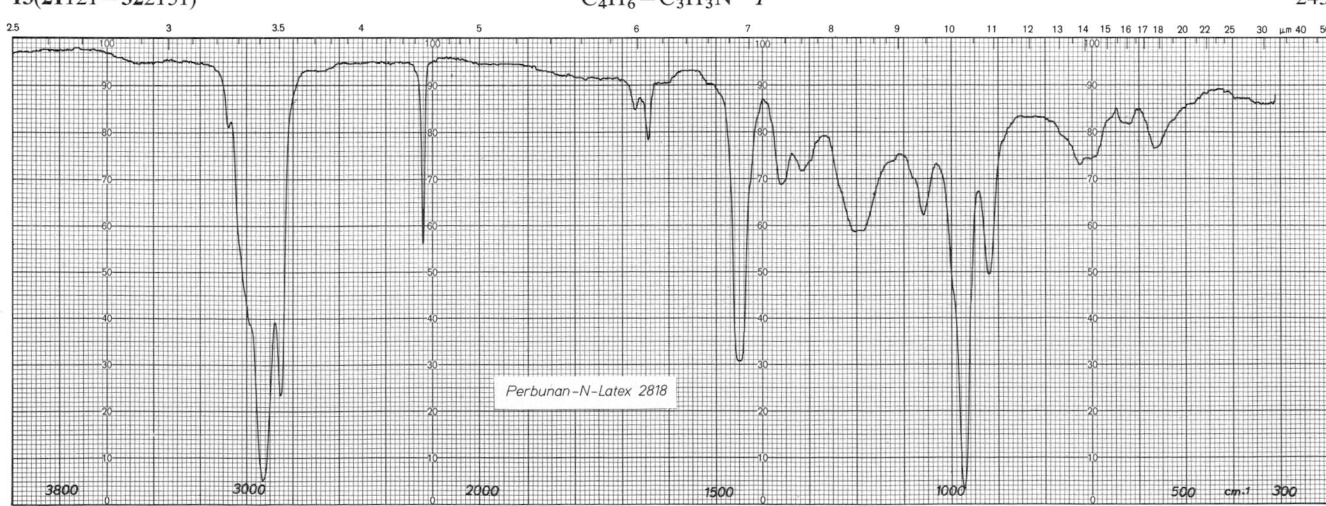

(1) **Perbunan-N-Latex 2818**	(2) Bayer AG, Leverkusen
(3) Poly(butadien-co-acrylnitril) mit 27% AN-Einheiten	(3) poly(butadiene-co-acrylonitrile) with 27% AN units
(4) milchige, wäßrige Dispersion (45%)	(4) milky, aqueous dispersion (45%)
(5) zur Imprägnierung dichter Gewebe	(5) for the impregnation of impermeable fabrics
(6) Schicht auf KRS-5	(6) film on KRS-5

13(**21**121 – **3**22151) 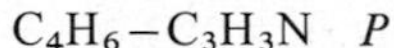 $C_4H_6-C_3H_3N$ *P* 2433

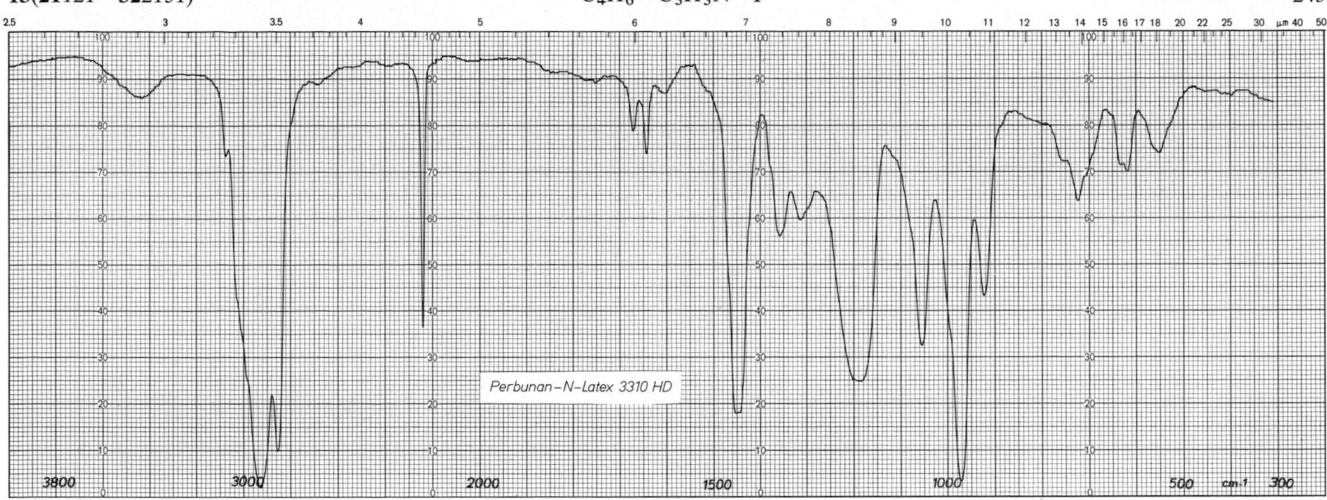

(1) **Perbunan-N-Latex 3310 HD**
(3) Poly(butadien-co-acrylnitril) mit 32% AN-Einheiten
(4) milchige, wäßrige Dispersion (40%)
(5) zur Imprägnierung dichter Gewebe
(6) Schicht auf KRS-5

(2) Bayer AG, Leverkusen
(3) poly(butadiene-co-acrylonitrile) with 32% AN units
(4) milky, aqueous dispersion (40%)
(5) for the impregnation of impermeable fabrics
(6) film on KRS-5

13(**21**121 – **3**22151) $C_4H_6-C_3H_3N$ *P* 2434

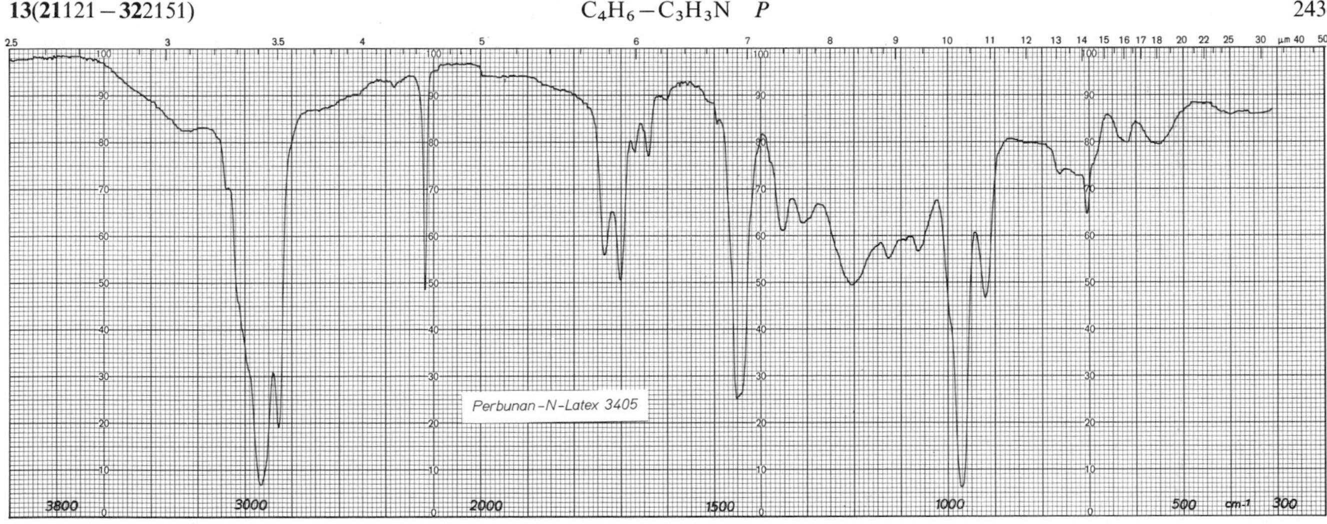

(1) **Perbunan-N-Latex 3405**
(3) Poly(butadien-co-acrylnitril) mit 34% AN-Einheiten
(4) milchige, wäßrige Dispersion (50%)
(5) für die Vliesimprägnierung, Basismaterial für Syntheseleder
(6) Schicht auf KRS-5

(2) Bayer AG, Leverkusen
(3) poly(butadiene-co-acrylonitrile)
(4) milky, aqueous dispersion
(5) for the impregnation of felt, basis for synthetic leather
(6) film on KRS-5

13(**21**121 – **3**22151) $C_4H_6-C_3H_3N$ *P* 2435

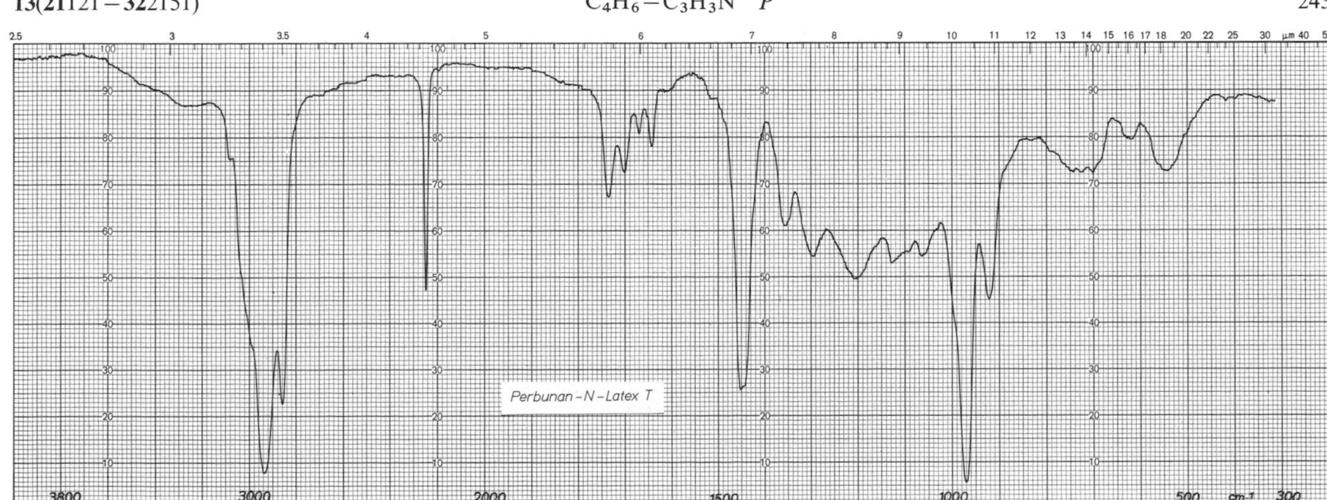

(1) **Perbunan-N-Latex T**
(3) Poly(butadien-co-acrylnitril) mit 35% AN-Einheiten
(4) milchige, wäßrige Dispersion (50%)
(5) für die Vliesimprägnierung (Basismaterial für Syntheseleder), auch für Tauchartikel
(6) Schicht auf KRS-5

(2) Bayer AG, Leverkusen
(3) poly(butadiene-co-acrylonitrile) with 35% AN units
(4) milky, aqueous dispersion (50%)
(5) for impregnating felt (basis for synthetic leather), also for diving gear
(6) film on KRS-5

13(**21**121 – **32**2151) $C_4H_6-C_3H_3N$ *P* 2436

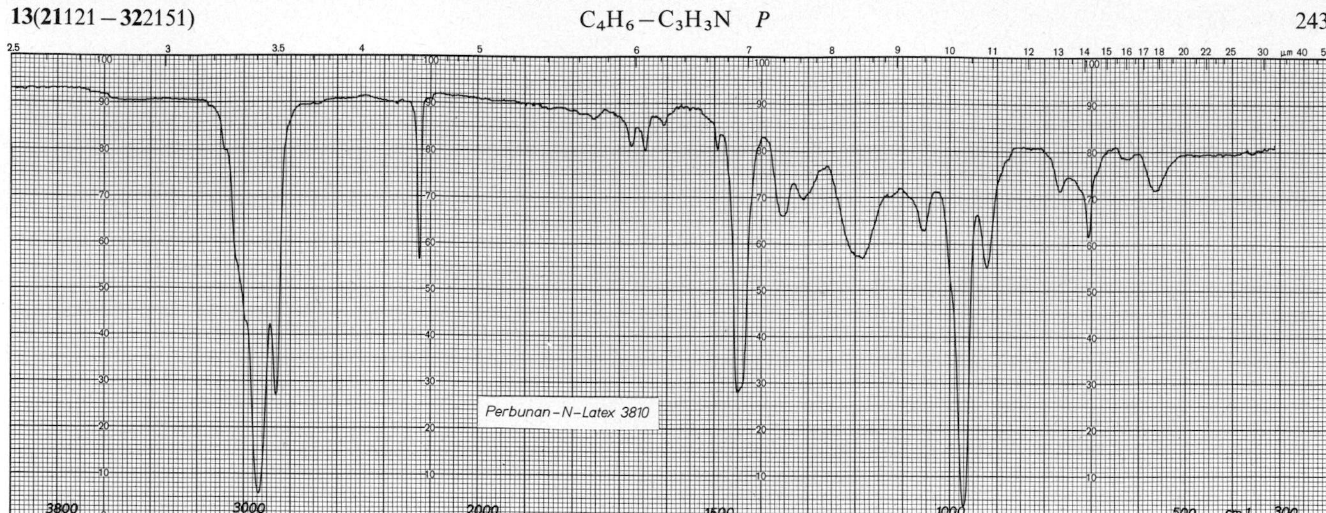

(1) **Perbunan-N-Latex 3810**
(3) Poly(butadien-co-acrylnitril) mit 37% AN-Einheiten
(4) milchige, wäßrige Dispersion (45%)
(5) zur Imprägnierung dichter Gewebe
(6) Schicht auf KRS-5

(2) Bayer AG, Leverkusen
(3) poly(butadiene-co-acrylonitrile) with 37% AN units
(4) milky, aqueous dispersion (45%)
(5) for impregnating impermeable fabric
(6) film on KRS-5

13(**21**121 – **32**2151) $C_4H_6-C_3H_3N$ *P* 2437

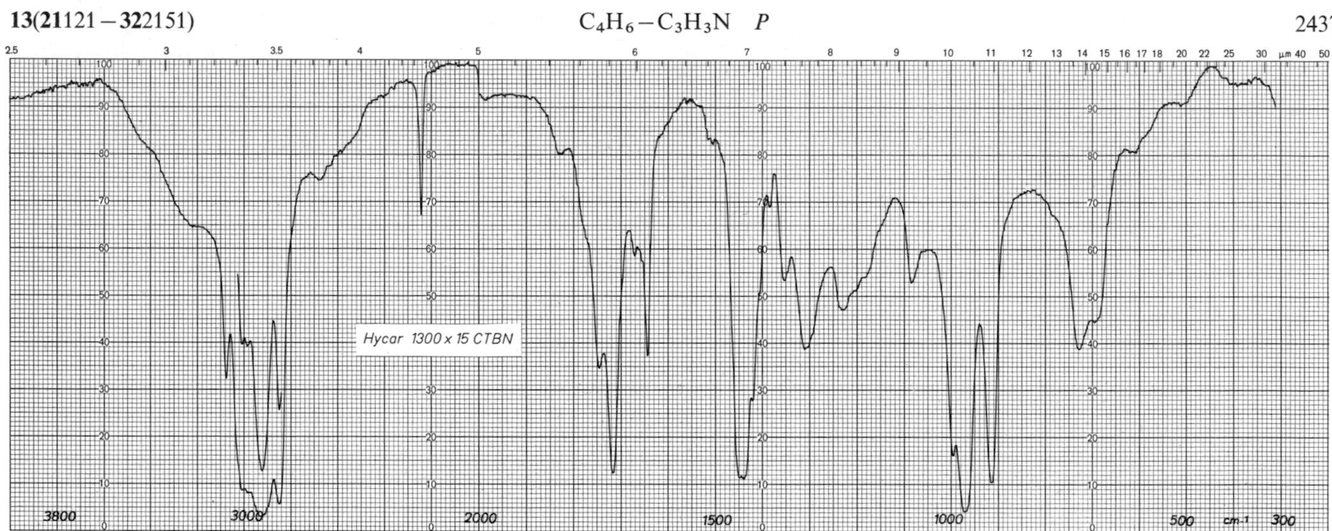

(1) **Hycar 1300 X 15 CTBN**
(3) Oligo(butadien-co-acrylnitril) mit Carboxyl-Endgruppen; 10% AN, 2.47% COOH
(4) mittelbraune, hochviskose, getrübte Flüssigkeit
(5) für Dichtungen, Formteile und andere gummiartige Produkte (mit Epoxidharz als Härter)
(6) Schicht zwischen CsI (25 μm)

(2) B. F. Goodrich Comp., Chem. Division, Cleveland, O.
(3) oligo(butadiene-co-acrylonitrile) with carboxyl end groups; 10% AN, 2.47% COOH
(4) mid-brown, highly viscous, cloudy liquid
(5) for seals, moulded components and other rubbery products (with epoxide resin hardener)
(6) film between CsI (25 μm)

13(**21**121 – **32**2151) $C_4H_6-C_3H_3N$ *P* 2438

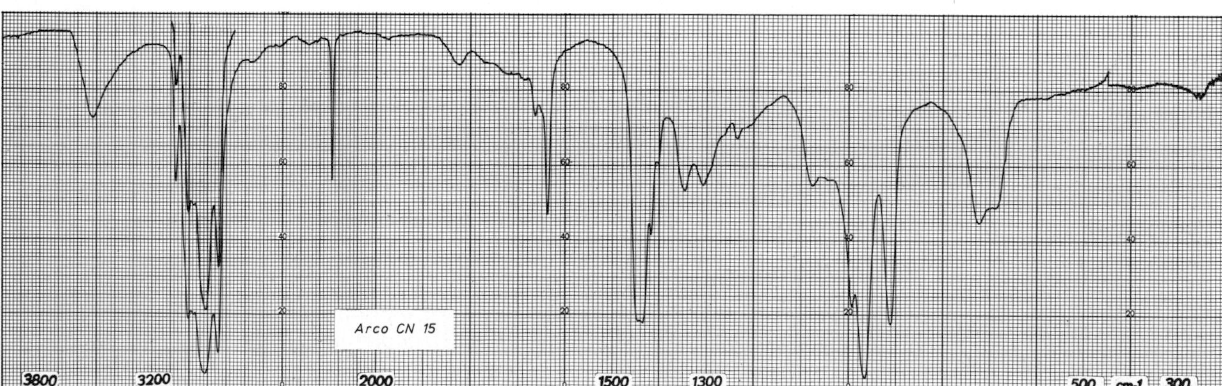

(1) **Arco CN 15**
(3) Oligo(butadien-co-acrylnitril) mit etwa 15 Gew.-% Acrylnitril-Einheiten; Butadiensequenzen: 60% trans, 20% cis, 20% 1,2
(4) viskose Flüssigkeit
(5) „flüssiger Kautschuk“ für mannigfaltige Anwendungen
(6) Schicht zwischen CsI

(2) Atlantic-Richardson Co.
(3) oligo(butadiene-co-acrylonitrile), about 15 wt.% AN; 60% trans, 20% cis and 20% 1,2 units
(4) viscous liquid
(5) multipurpose “liquid rubber”
(6) film between CsI

13(21121 − 322151) 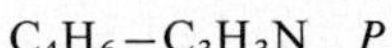 $C_4H_6-C_3H_3N$ *P* 2439

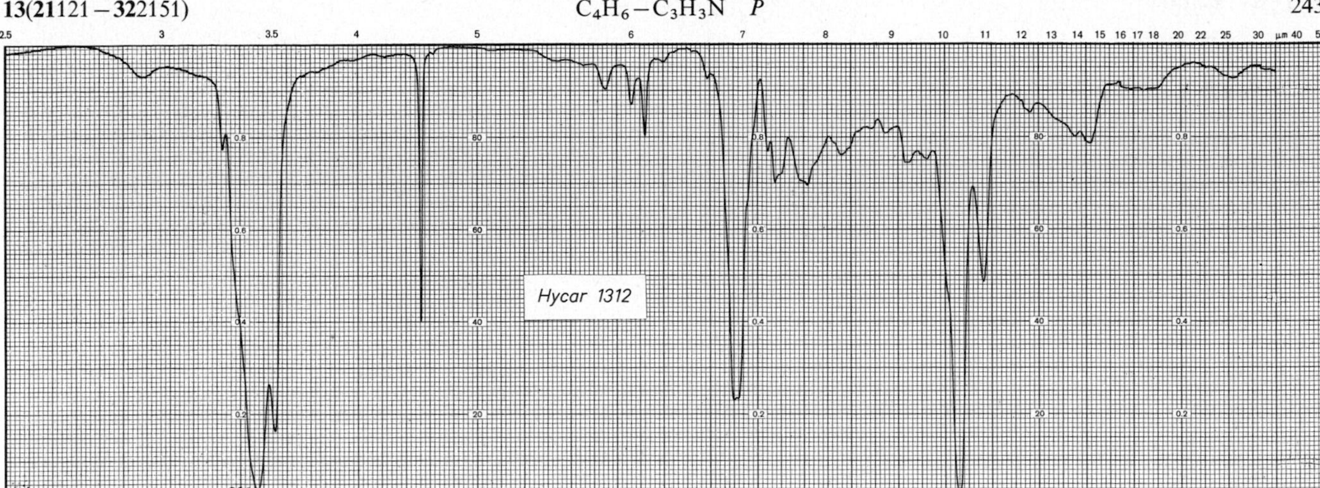

(1) **Hycar 1312**
(3) Oligo(butadien-co-acrylnitril)
(4) schmutzigbraune, viskose Flüssigkeit
(5) niedermolekularer Nitrilkautschuk, verringert die Viskosität und verbessert die Konfektionsklebrigkeit von Kautschukmischungen
(6) sehr dünne Schicht auf CsI
(7) PE 580 B, ABEX 1.12

(2) B. F. Goodrich Comp., Akron, Ohio
(3) oligo(butadiene-co-acrylonitrile)
(4) dirty brown, viscous liquid
(5) low molecular nitrile rubber, lowers the viscosity and improves the adhesion of rubber blends to fabric
(6) very thin film on CsI
(7) PE 580 B, ABEX 1.12

13(21121 − 322151) 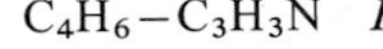 $C_4H_6-C_3H_3N$ *P*  2440

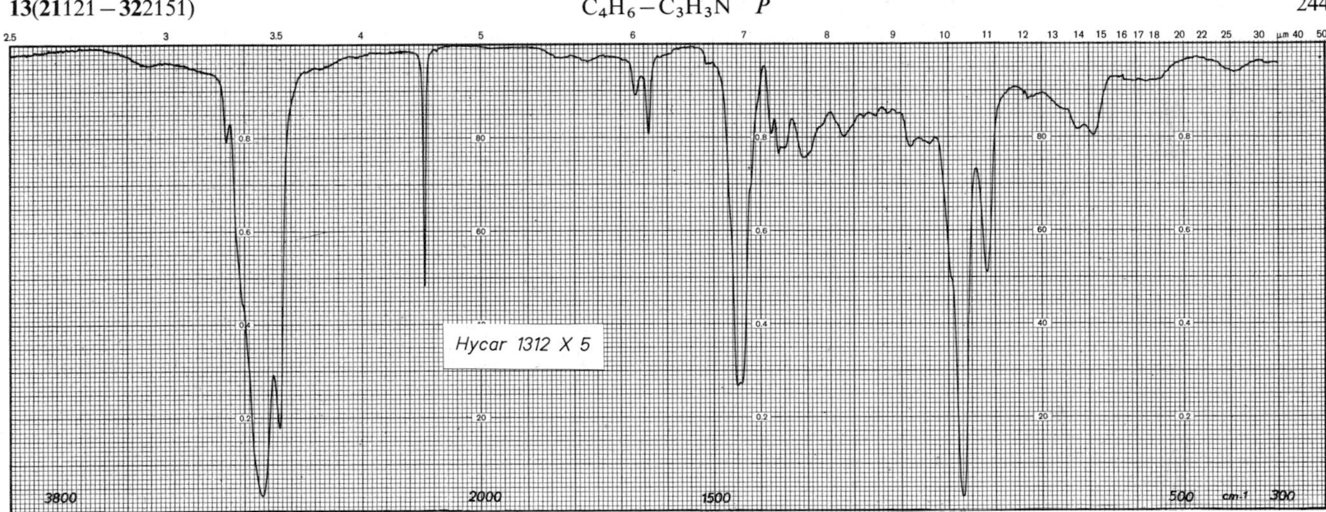

(1) **Hycar 1312X5**
(3) Oligo(butadien-co-acrylnitril)
(4) viskose, schmutzigbraune Flüssigkeit
(5) flüssiger Nitrilkautschuk, verringert die Viskosität und verbessert die Konfektionsklebrigkeit von Kautschukmischungen
(6) sehr dünne Schicht auf CsI
(7) PE 580 B, ABEX 1.28

(2) B. F. Goodrich Comp., Akron, Ohio
(3) oligo(butadiene-co-acrylonitrile)
(4) dirty brown, viscous liquid
(5) liquid nitrile rubber, lowers the viscosity and improves the adhesion of rubber blends to fabric
(6) very thin film on CsI
(7) PE 580 B, ABEX 1.28

13(21121 − 322151) $C_4H_6-C_3H_3N$ *P* 2441

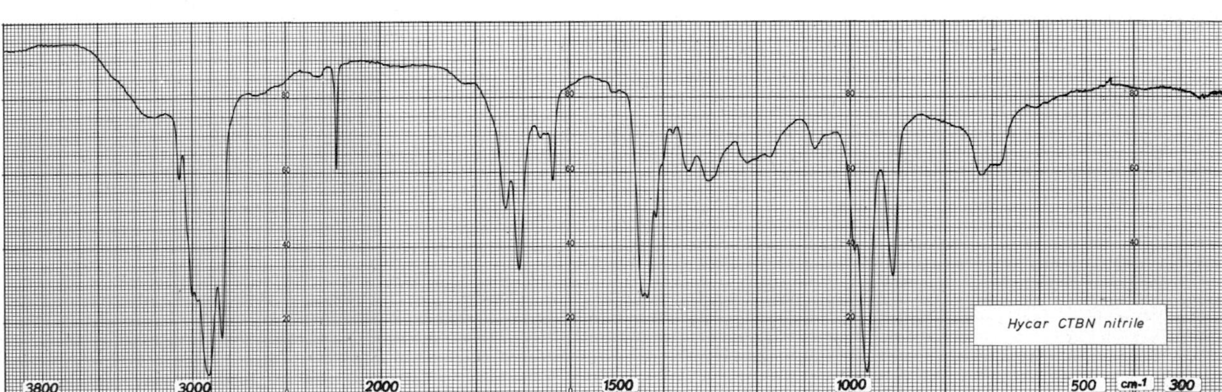

(1) **Hycar CTBN nitrile**
(3) Oligo(butadien-co-acrylnitril) mit Carboxyl-Endgruppen
(4) viskose Flüssigkeit
(5) „flüssiger Kautschuk“ für mannigfaltige Anwendungen
(6) Schicht zwischen CsI

(2) B. F. Goodrich, Cleveland, O.
(3) oligo(butadiene-co-acrylonitrile), with carboxyl end groups
(4) viscous liquid
(5) multipurpose "liquid rubber"
(6) film between CsI

13(**21**121 – **32**2151) $C_4H_6-C_3H_3N$ *P* 2442

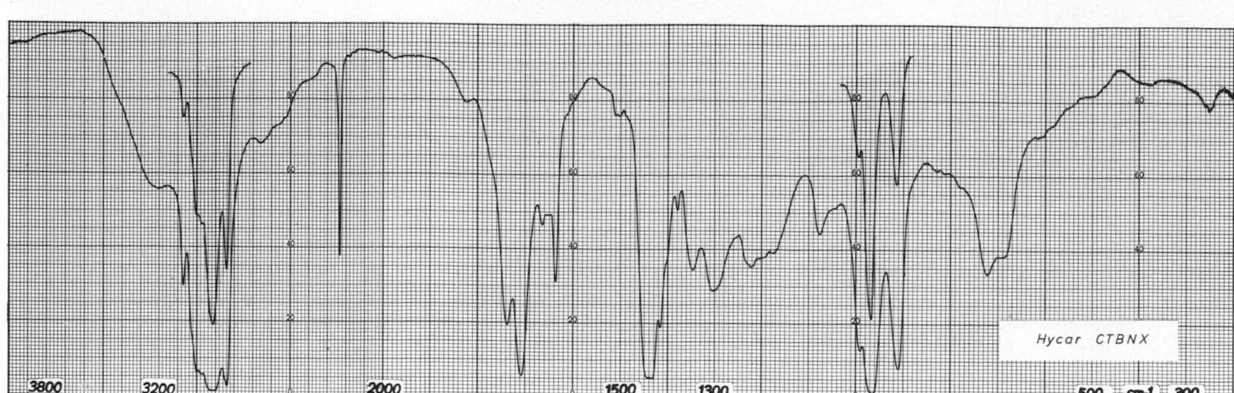

(1) **Hycar CTBNX**
(3) Oligo(butadien-co-acrylnitril) mit mittel- und endständigen Carboxyl-Gruppen
(4) viskose Flüssigkeit
(5) für die Modifizierung von Harzen; für Kleber, glasfaserverstärkte Konstruktionen (Epoxy und Polyester), Urethanschäume, Überzüge, Imprägnierungen, Binder
(6) Schicht zwischen KBr

(2) B. F. Goodrich, Cleveland, O.
(3) oligo(butadiene-co-acrylonitrile) with mid-chain and terminal carboxyl groups
(4) viscous liquid
(5) for the modification of resins; for adhesives, fiberglass-reinforced constructions (epoxy and polyester), urethane foams, coatings, impregnates, binders
(6) film between KBr

13(**21**121 – **32**2151) $C_4H_6-C_3H_3N$ *P* 2443

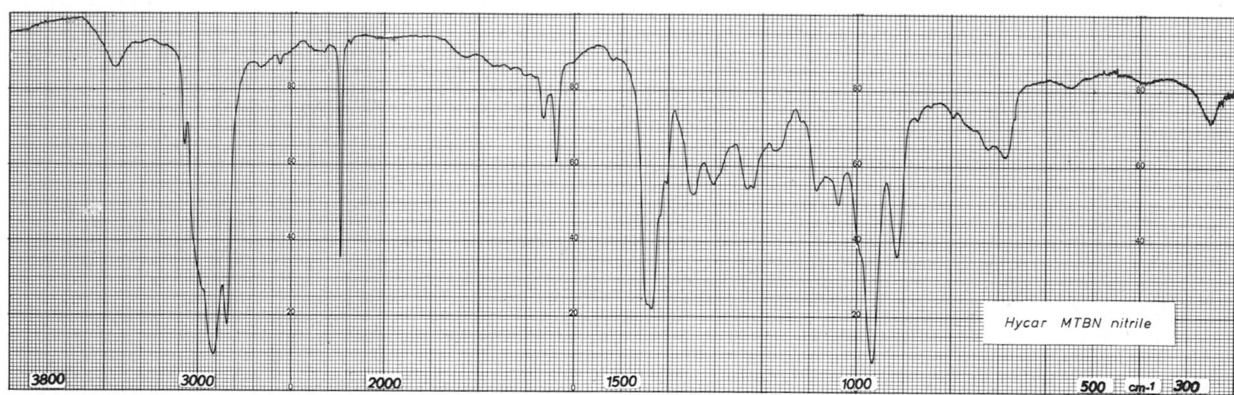

(1) **Hycar MTBN nitrile**
(3) Oligo(butadien-co-acrylnitril) mit Mercaptan-Endgruppen
(4) viskose Flüssigkeit
(5) für Klebstoffe, Überzüge, gießbare Gummimischungen, Binder, Isolierungen; zur Modifizierung von Phenolharzen
(6) Schicht zwischen CsI

(2) B. F. Goodrich, Cleveland, O.
(3) oligo(butadiene-co-acrylonitrile) with mercaptan end groups
(4) viscous liquid
(5) for adhesives, coatings, castable rubber blends, binders, insulation; for the modification of phenolic resins
(6) film between CsI

13(**21**121 – **32**2151) + **113121**111 $C_4H_6-C_3H_3N+C_2H_3Cl$ *P* 2444

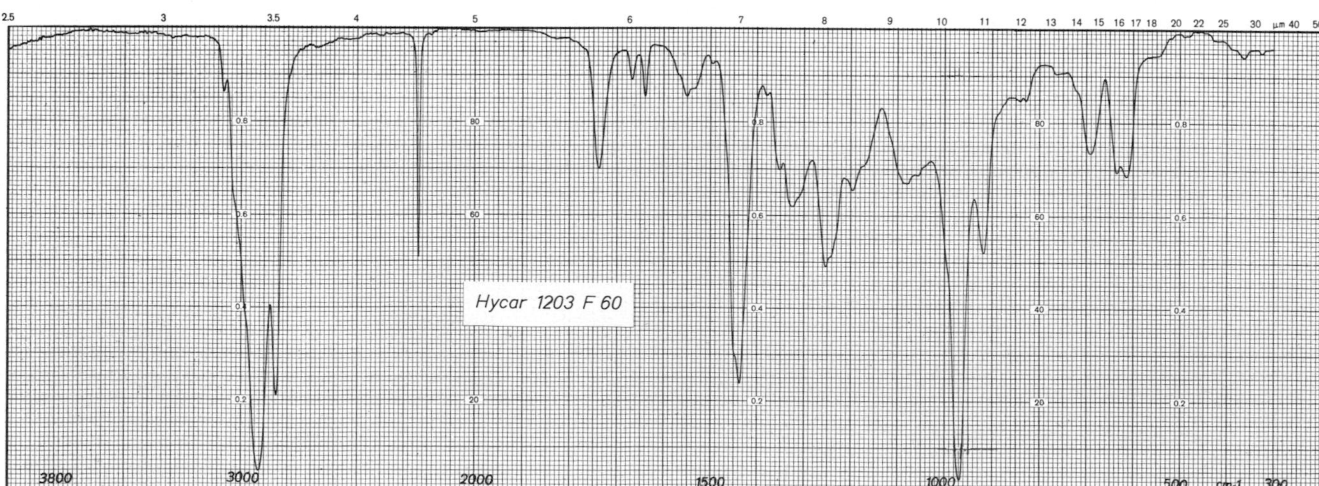

(1) **Hycar 1203 F 60**
(3) Polymergemisch aus 70% Poly(butadien-co-acrylnitril) und 30% PVC
(4) ockerfarbenes, blasiges Elastomer
(5) vorgelierter Nitrilkautschuk-PVC-Verschnitt, Lebensmittelqualität
(6) Schicht aus MTC auf CsI
(7) PE 580 B, ABEX 2.39

(2) B. F. Goodrich Comp., Akron, Ohio
(3) polymer mixture of 70% poly(butadiene-co-acrylonitrile) and 30% PVC
(4) ochre-colored, blistered polymer
(5) pregelled nitrile rubber-PVC blend, food grade
(6) film from MTC on CsI
(7) PE 580 B, ABEX 2.39

13(21121 − **32**2151) + **113121**111 $C_4H_6-C_3H_3N+C_2H_3Cl$ *P* 2445

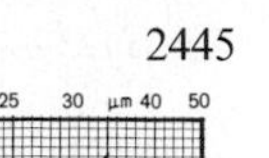

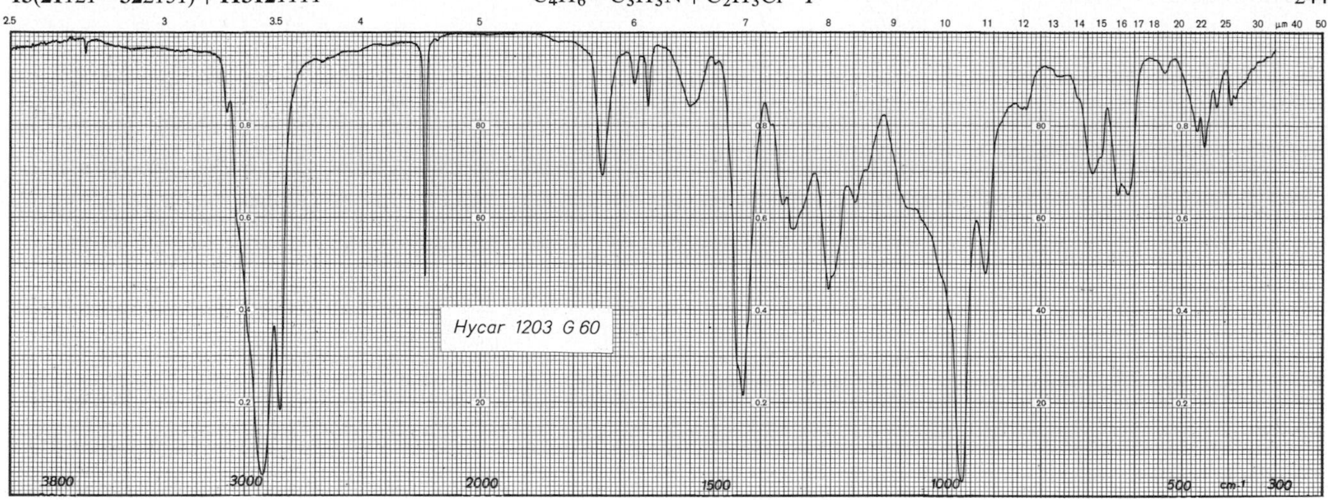

(1) **Hycar 1203 G 60**
(3) Polymergemisch (7:3) aus Poly(butadien-co-acrylnitril) und PVC
(4) ockerfarbene, gepuderte Krumen
(5) für schlagzähe Kunststoffteile, Lebensmittelqualität
(6) Schicht aus MTC auf CsI
(7) PE 580 B, ABEX 1.19

(2) B. F. Goodrich Comp., Akron, Ohi
(3) polymer mixture (7:3) from poly(butadiene-co-acrylonitrile and PVC
(4) ochre-colored, powdery crumbs
(5) for impact-resistant, plastic components, food grade
(6) film from MTC on CsI
(7) PE 580 B, ABEX 1.19

13(21121 − **32**2151) + **113121**111 $C_4H_6-C_3H_3N+C_2H_3Cl$ *P* 2446

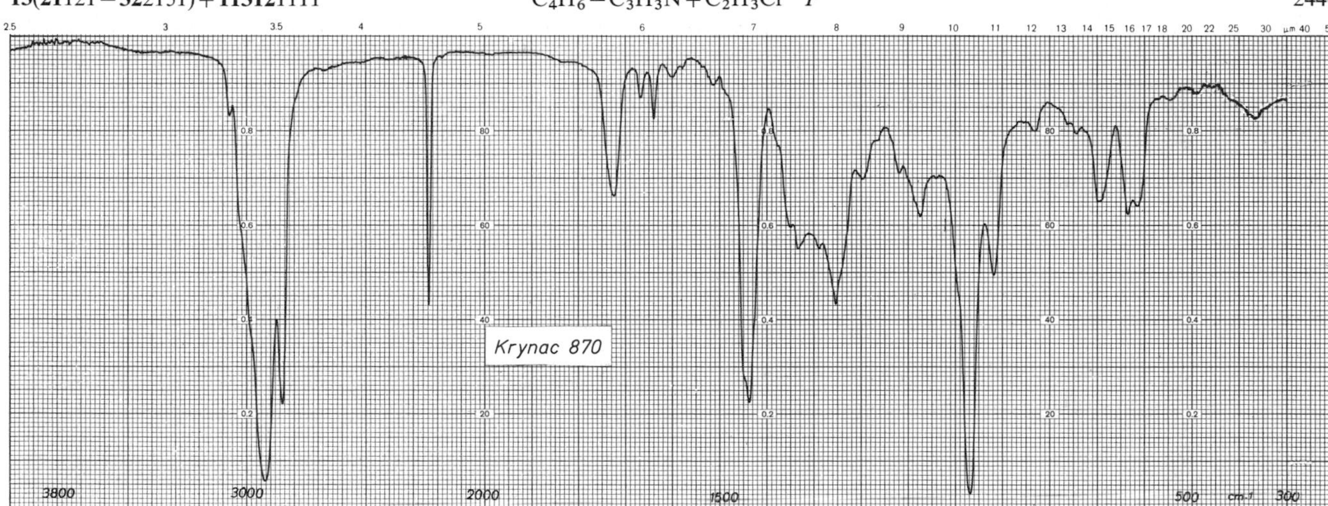

(1) **Krynac 870**
(3) Polymergemisch (70/30) aus carboxyliertem Poly(butadien-co-acrylnitril) und PVC; geliert
(4) leicht bräunliches, undurchsichtiges Elastomer
(5) für ölbeständige Vulkanisate, bessere Verarbeitbarkeit als Krynac 850
(6) Schicht aus m-DCB auf CsI
(7) PE 580 B, ABEX 1.41

(2) Polysar (Deutschland) GmbH, Frankfurt
(3) polymer mixture (70/30) from carboxylated poly(butadiene-co-acrylonitrile) and PVC, gelled
(4) slightly brownish, opaque elastomer
(5) for oil-resistant vulcanizates, more easily processable than Krynac 850
(6) film from m-DCB on CsI
(7) PE 580 B, ABEX 1.41

13(21121 − **32**2151) + **113121**111 $C_4H_6-C_3H_3N+C_2H_3Cl$ *P* 2447

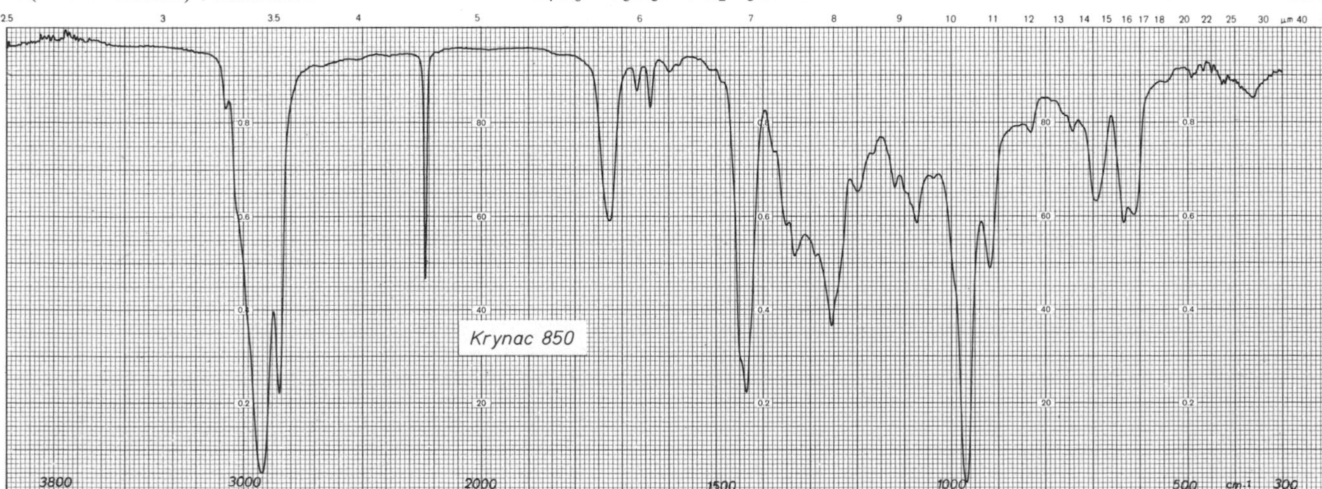

(1) **Krynac 850**
(3) Polymergemisch aus gleichen Teilen Poly(butadien-co-acrylnitril), carboxyliert, und PVC; gelierte Mischung
(4) leicht gelbliches, undurchsichtiges Elastomer
(5) für öl- und ozonbeständige Vulkanisate
(6) Schicht aus m-DCB auf CsI
(7) PE 580 B, ABEX 1.41

(2) Polysar (Deutschland) GmbH, Frankfurt
(3) polymer mixture from equal parts carboxylated poly(butadiene-co-acrylonitrile), and PVC; gelled mixture
(4) slightly yellowish, opaque elastomer
(5) for oil and ozone-resistant vulcanizates
(6) film from m-DCB on CsI
(7) PE 580 B, ABEX 1.41

13(**21**121 – **32**2151) + **113121**111  $C_4H_6-C_3H_3N+C_2H_3Cl$ *P* 2448

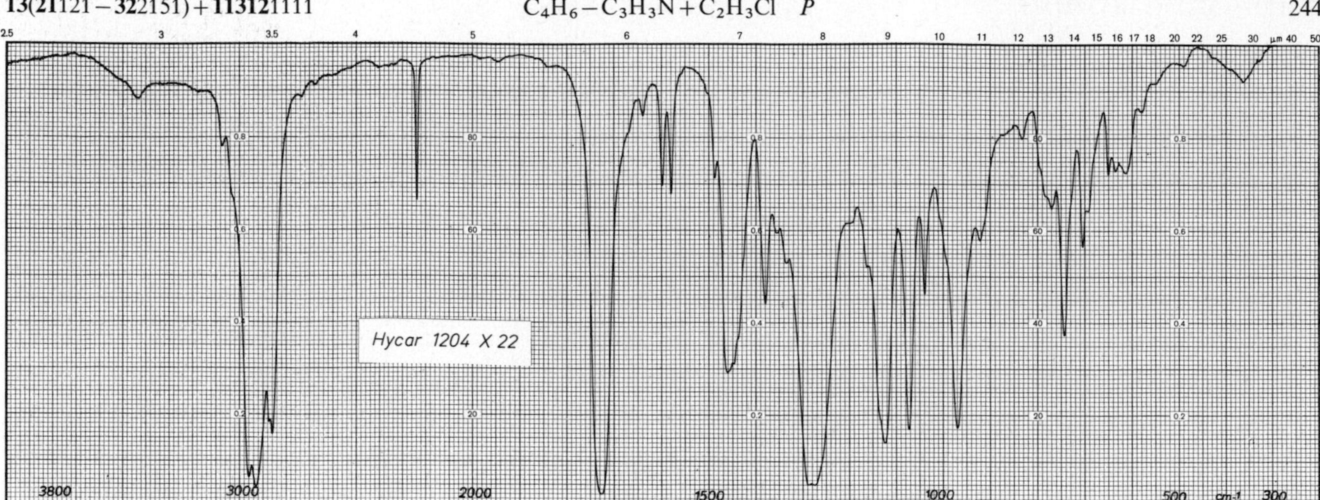

(1) **Hycar 1204 X 22**
(3) Polymergemisch aus Poly(butadien-co-acrylnitril) und PVC, weichgemacht mit Dioctylphthalat (100:60:120)
(4) hellockerfarbener, weicher Kunststoff
(5) für flexible Kunststoffteile
(6) Schicht aus MTC auf CsI
(7) PE 580 B, ABEX 1.90

(2) B. F. Goodrich Comp., Akron, Ohio
(3) polymer mixture from poly(butadiene-co-acrylonitrile and PVC, plasticized with dioctyl phthalate (100:60:120)
(4) pale ochre-colored, soft plastic
(5) for flexible, plastic components
(6) film from MTC on CsI
(7) PE 580 B, ABEX 1.90

13(**21**121 – **32**2151 – **33**6112)  $C_4H_6-C_3H_3N+C_4H_6O_2$ *P*  2449

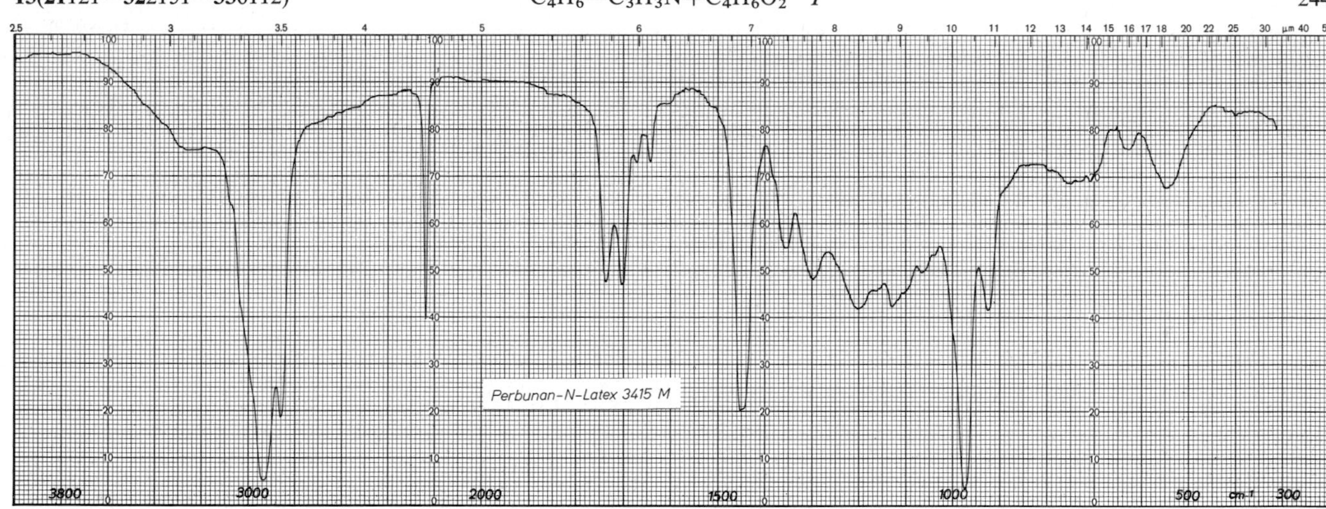

(1) **Perbunan-N-Latex 3415 M**
(3) Poly(butadien-co-acrylnitril-co-methacrylsäure) mit 33% AN- und 4% Methacrylsäure-Einheiten
(4) milchige, wäßrige Dispersion (47.5%)
(5) für die Vliesimprägnierung, Basismaterial für Syntheseleder
(6) Schicht auf KRS-5

(2) Bayer AG, Leverkusen
(3) poly(butadiene-co-acrylonitrile-co-methacrylic acid) with 33% AN and 4% acrylic acid units
(4) milky, aqueous dispersion (47.5%)
(5) for impregnating non-wovens, basis of synthetic rubber
(6) film from KRS-5

13211211 C_5H_8 *P* 2450

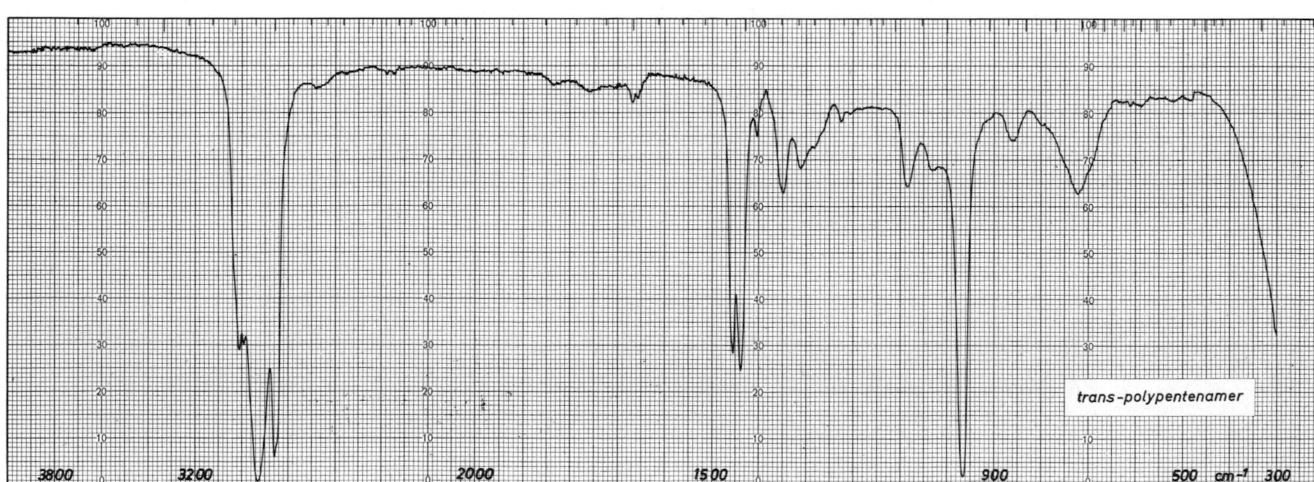

(1) **poly(trans-pentenylene)**
(2) Bayer AG, Leverkusen (Laborpräparat G. Pampus)
(3) $-CH \overset{t}{=} CH(CH_2)_3-$
(4) gelbliches Elastomer
(5) für Gummiartikel aller Art
(6) Schicht aus BZN auf KBr

(1) **poly(trans-pentenylene)**
(2) Bayer AG, Leverkusen (laboratory preparation, G. Pampus)
(4) yellowish elastomer
(5) for all types of rubber goods
(6) film from BZN on KBr

13211211 C_8H_{14} *P* 2451

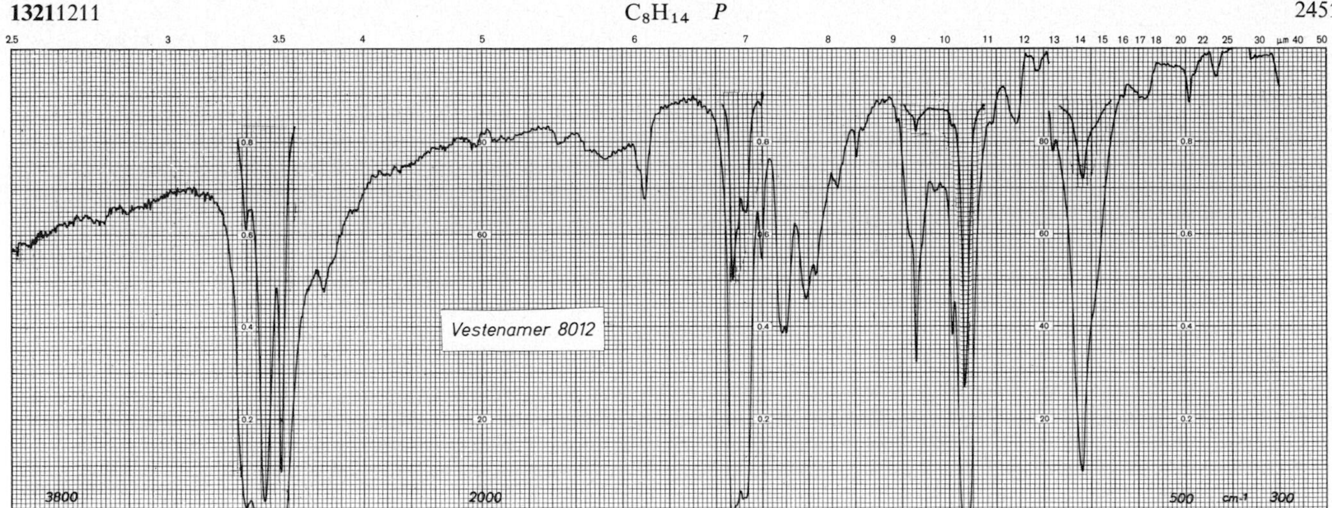

(1) **Vestenamer 8012**
(3) Poly(trans-octenylen), $-CH\overset{tr}{=}CH(CH_2)_6-$
(4) hellgelbes Elastomer
(5) für Kautschukmischungen mit ausgezeichneten Verarbeitungseigenschaften, Vulkanisate mit guter Zugfestigkeit, Elastizität, Zugspannung und Shore-Härte; ausgezeichnete Abriebbeständigkeit und Kälteeigenschaften
(6) Dünnschnitt (60 µm), dünne Schicht aus BZN
(7) PE 580 B

(2) Chemische Werke Hüls AG, Marl
(3) poly(trans-octenylene), $-CH\overset{tr}{=}CH(CH_2)_6-$
(4) pale yellow elastomer
(5) for rubber mixtures with excellent working properties, vulcanizates with good tensile strength, elasticity, tensile stress and Shore hardness; excellent abrasion resistance and properties in the cold
(6) microslice (60 µm), thin film from BZN
(7) PE 580 B

13211221 C_5H_8 *P* 2452

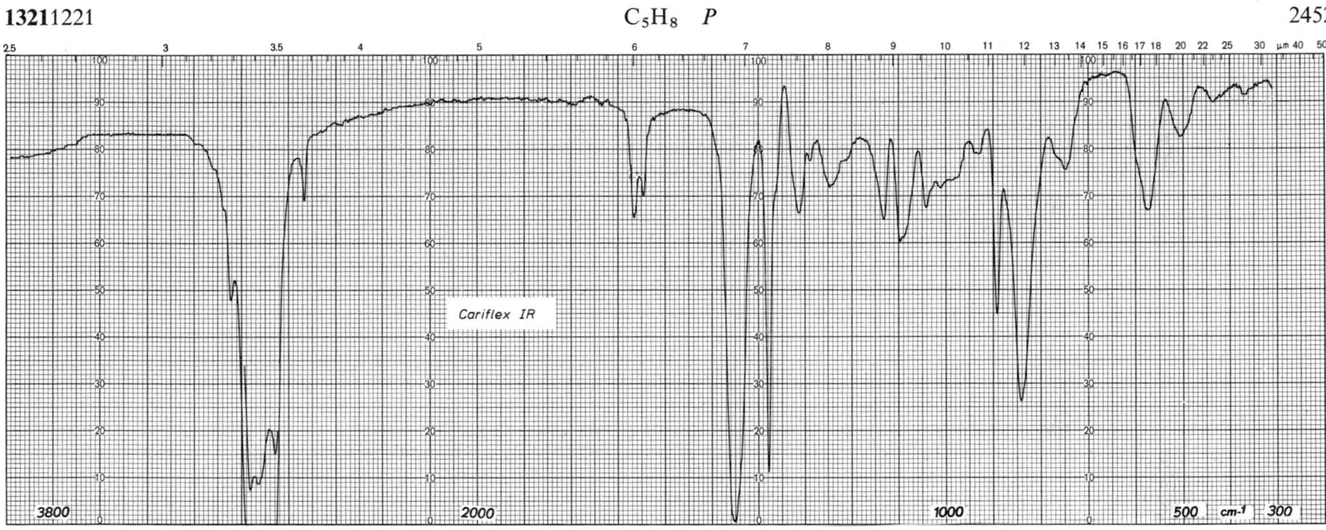

(1) **Cariflex IR 307**
(3) cis-Polyisopren-Kautschuk, Poly(1-methyl-1-cis-butenylen)
(4) farbloses, blasiges Elastomer
(5) für pharmazeutische Anwendungen
(6) Schicht aus MTC auf CsI

(2) Shell Nederlande Chemie B.V., Rotterdam
(3) cis-polyisoprene rubber, poly(1-methyl-1-cis-butenylene)
(4) colorless, blistered elastomer
(5) for pharmaceutical applications
(6) film from MTC on CsI

13211221 C_5H_8 *P* 2453

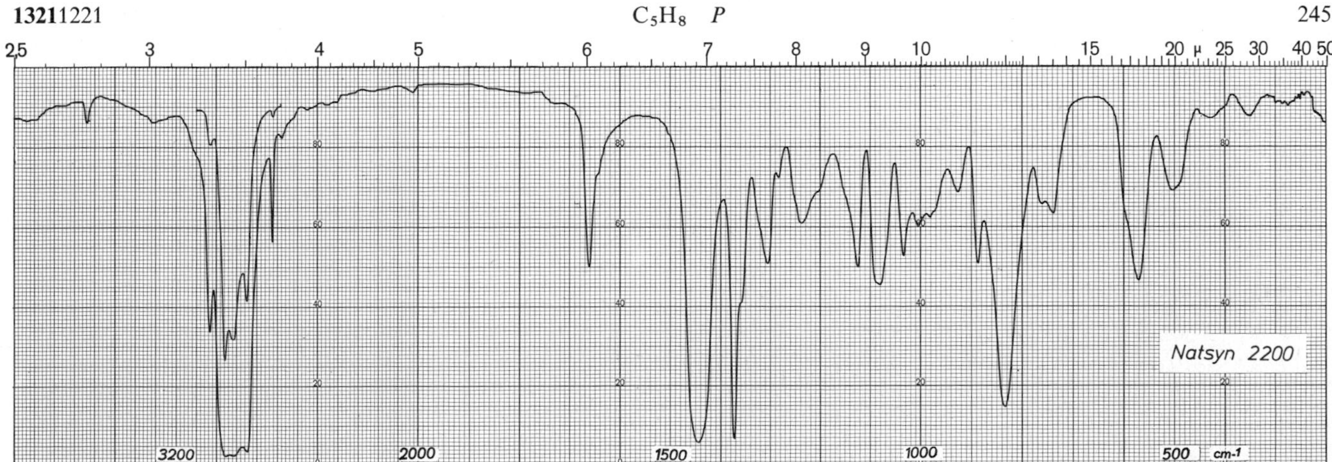

(1) **Natsyn 2200**
(3) cis-Polyisopren, Poly(1-methyl-1-cis-butenylen)
(4) nahezu farbloses Elastomer
(5) Gummirohstoff
(6) Schicht aus BZN aus CsI
(7) PE 325

(2) Goodyear, Acron, Ohio
(3) cis-polyisoprene, poly(1-methyl-1-cis-butenylene)
(4) almost colorless elastomer
(5) rubber raw material
(6) film from BZN on CsI
(7) PE 325

13211221 C_5H_8 *P* 2454

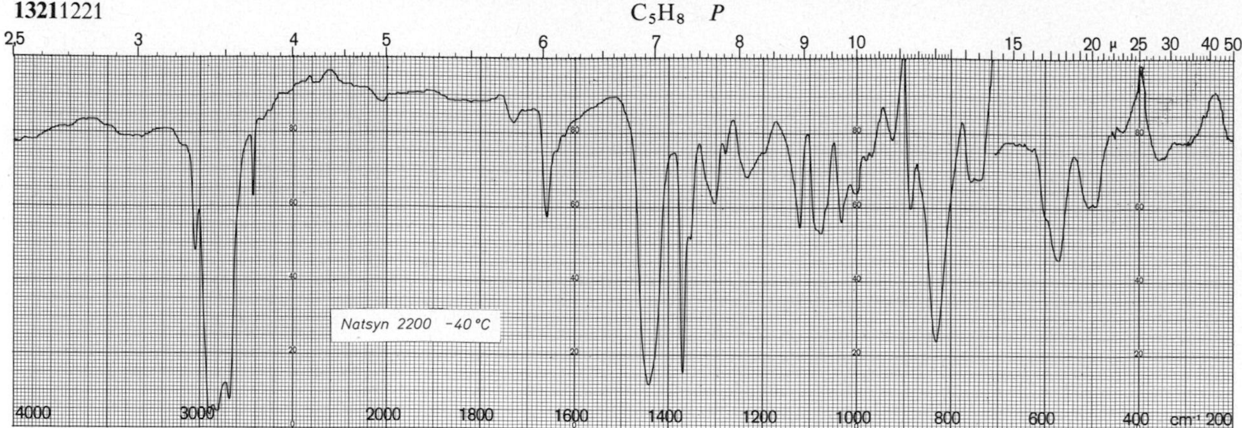

(1) **Natsyn 2200**
(3) cis-Polyisopren, Poly(1-methyl-1-cis-butenylen)
(4) hellgelbes Elastomer
(5) für alle Anwendungen des Naturkautschuks
(6) Schicht aus CLF auf CsI, 233 K
(7) PE 325

(2) Goodyear, Cleveland, O.
(3) cis-polyisoprene, poly(1-methyl-1-cis-butenylene)
(4) pale yellow elastomer
(5) for all the applications of natural rubber
(6) film from CLF on CsI, 233 K
(7) PE 325

13211221
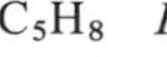
C_5H_8 *P*

2455

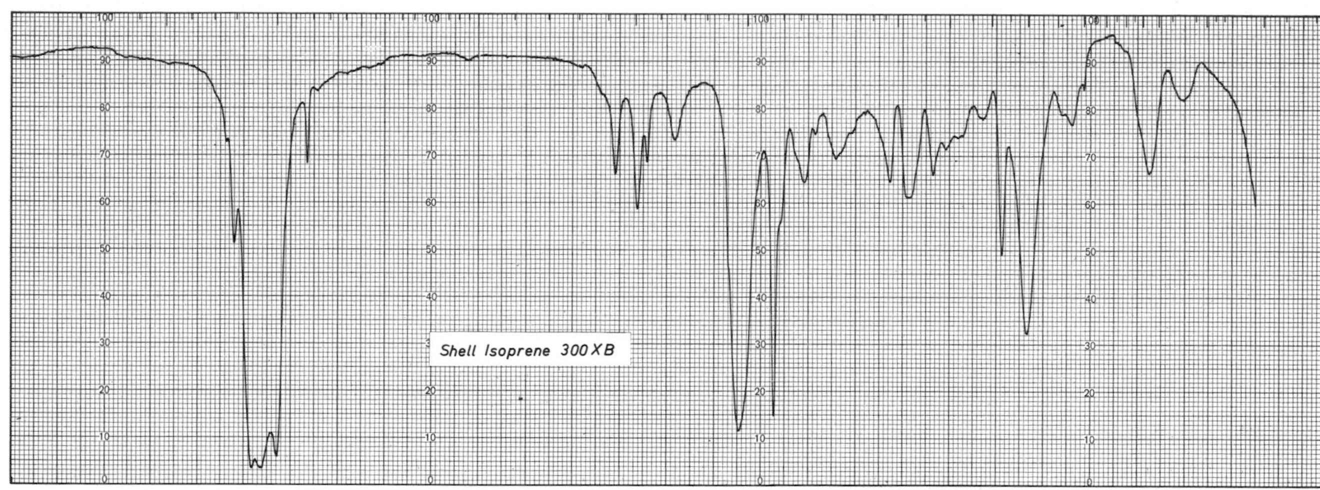

(1) **Shell Isoprene 300 XB**
(3) cis-Polyisopren, Poly(1-methyl-1-cis-butenylen)
(4) farbloses Elastomer
(5) für alle Anwendungen des Naturkautschuks
(6) Schicht aus CCl_4 auf KBr

(2) Shell Nederlande Chemie B.V., Rotterdam
(3) cis-polyisoprene, poly(1-methyl-1-cis-butenylene)
(4) colorless elastomer
(5) for all the applications of natural rubber
(6) film from CCl_4 on KBr

13211221 C_5H_8 *P* 2456

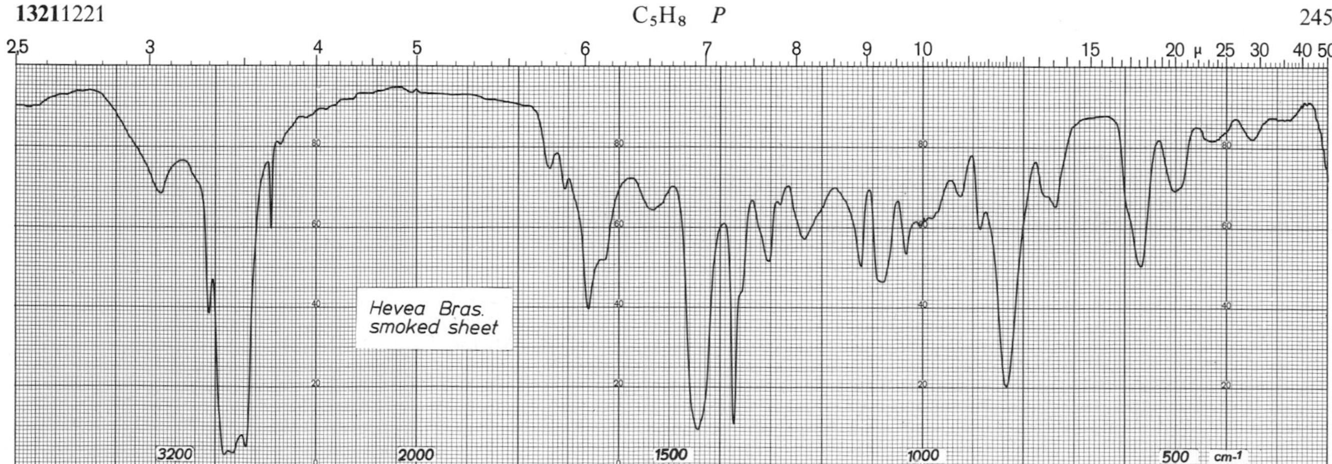

(1) **Naturkautschuk SMR-5**
(2) Hevea brasiliensis
(3) Poly(1-methyl-1-cis-butenylen) mit geringem Anteil an harzartigen Stoffen
(4) gelbbraunes Elastomer
(5) Gummirohstoff
(6) Schicht aus BZN auf CsI

(1) **natural rubber SMR-5**
(3) poly(1-methyl-1-cis-butylene) with a small amount of resinous material
(4) yellow brown elastomer
(5) rubber raw material
(6) film from BZN on CsI

13211221 C_5H_8 *P* 2457

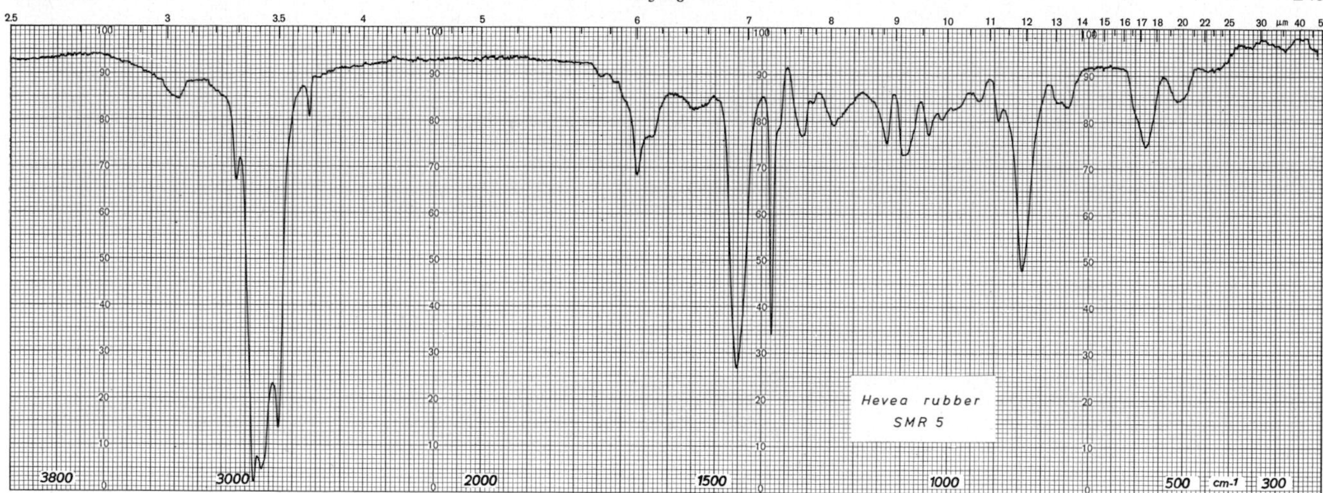

(1) **Naturkautschuk SMR-5**
(2) Hevea brasiliensis
(3) Poly(1-methyl-1-cis-butenylen) mit geringem Anteil an harzartigen Stoffen
(4) gelbbraunes Elastomer
(5) Gummirohstoff für Autoreifen, Schaumgummi, Schläuche
(6) Schicht aus m-DCB auf CsI

(1) **natural rubber SMR-5**
(3) poly(1-methyl-1-cis-butenylene) with a small amount of resinous material
(4) yellow brown elastomer
(5) rubber raw material for auto tires, foam rubber, tubing
(6) film from m-DCB on CsI

13211221 C_5H_8 *P* 2458

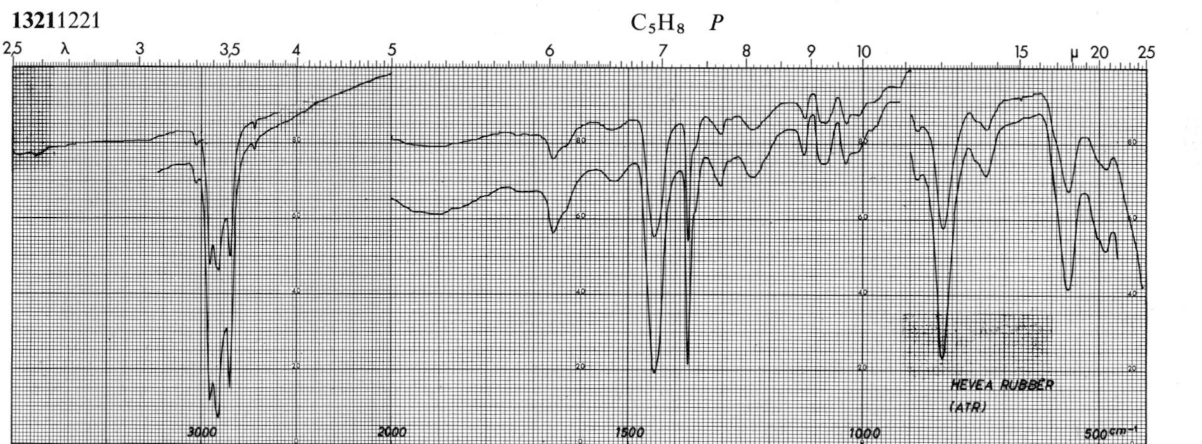

(1) **Naturkautschuk**
(2) Hevea brasiliensis
(3) Poly(1-methyl-1-cis-butenylen), cis-Polyisopren
(4) gelbliches Elastomer
(6) ATR (KRS-5)
(7) PE 125, relative Intensitäten und Bandenlagen gegenüber dem Transmissionsspektrum verschoben

(1) **natural rubber**
(3) poly(1-methyl-1-cis-butenylene), cis-polyisoprene
(4) yellowish elastomer
(6) ATR (KRS-5)
(7) PE 125, the relative intensities and band positions displaced with respect to the transmission spectrum

13211221 + **19172** C_5H_8 *P* 2459

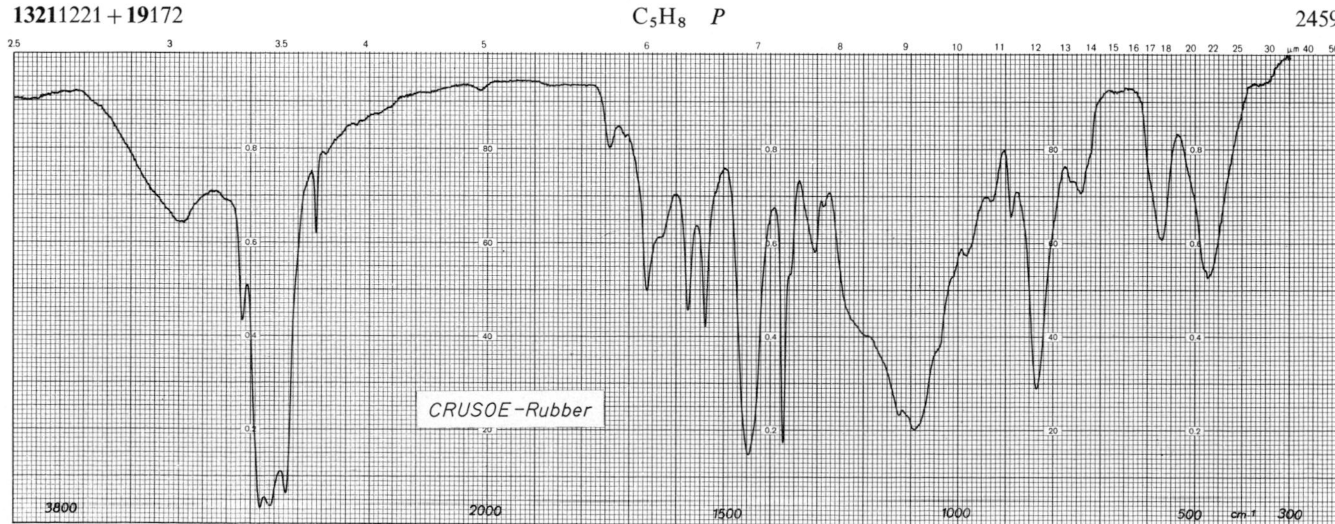

(1) **Crusoe-Rubber**
(2) Plantage Harrisons & Crosfield (durch P. Tiefenbacher, Hamburg)
(3) Naturkautschuk, mooneystabilisiert; enthält Pigment
(4) ockerfarbenes, krümeliges Pulver
(5) für Vulkanisate aller Art
(6) Schicht aus MTC auf CsI
(7) PE 580 B, ABEX 1.62; Bande bei 1090 cm^{-1} gehört zum Pigment

(2) Plantage Harrisons & Crosfield (from P. Tiefenbacher, Hamburg)
(3) natural rubber, Mooney stabilized, contains pigment
(4) ochre-colored, crumb-like powder
(5) for all types of vulcanizates
(6) film from MTC on CsI
(7) PE 580 B, ABEX 1.62; band at 1090 cm^{-1} belongs to the pigment

13211221 + 17211 C_5H_8 *P* 2460

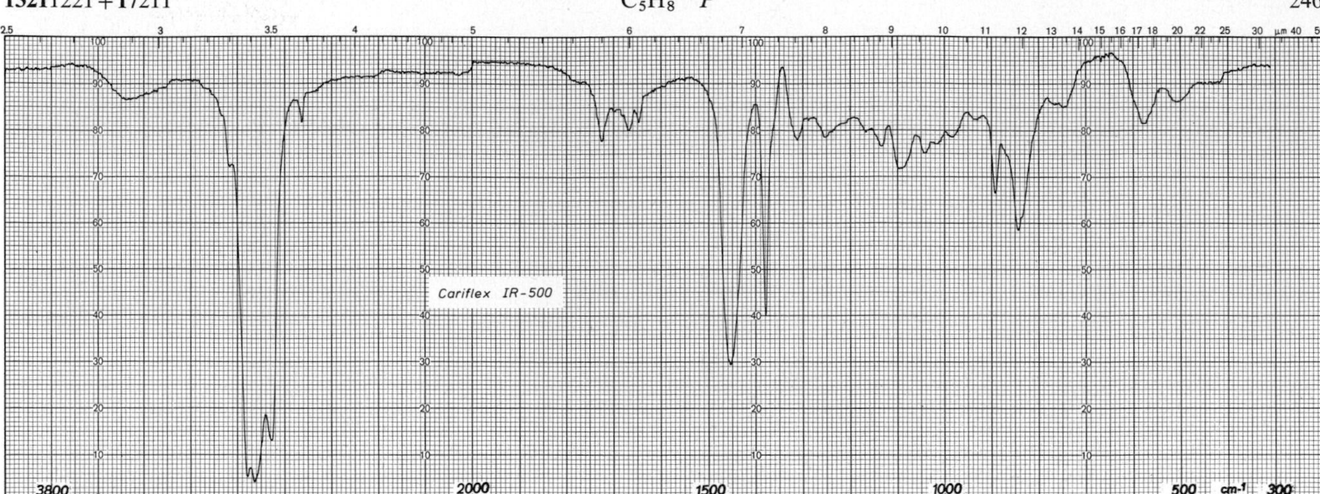

(1) **Cariflex IR 500**
(3) ölverlängerter Polyisopren-Kautschuk (25 Tle. Mineralöl auf 100 Tle. Kautschukbasis)
(4) gelblich-weißes, blasiges Elastomer
(5) alle Anwendungen von Naturkautschuk
(6) Schicht aus m-DCB auf CsI

(2) Shell Nederlande Chemie B.V., Rotterdam
(3) oil-stretched, polyisoprene rubber (25 parts mineral oil per 100 parts rubber)
(4) yellowish-white, blistered elastomer
(5) all the applications of natural rubber
(6) film from m-DCB on CsI

1321(1221 − 22111) $C_5H_8-C_8H_8$ *P* 2461

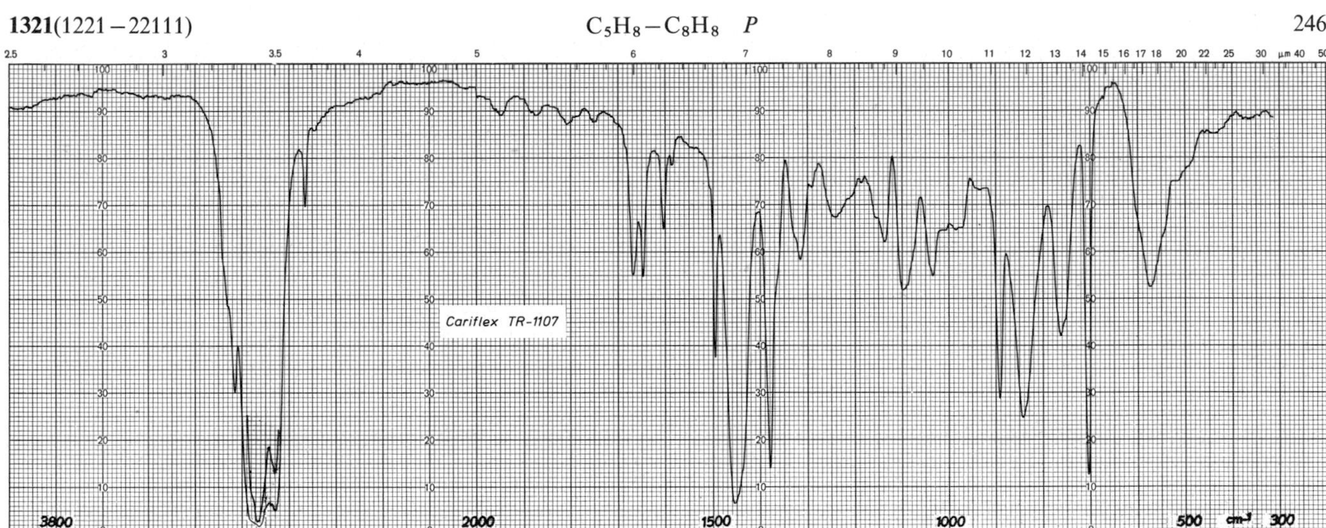

(1) **Cariflex TR-1107**
(3) Styrol-Isopren-Styrol-Dreiblock-Copolymer, Isopren : Styrol = 85 : 15
(4) farblose, blasige Pellets
(5) für Schuhe, Klebstoffe, zur Modifizierung von Kunststoffen und Bitumen, für Spritzguß- und Extrusions-compounds
(6) Schicht aus MTC auf CsI

(2) Shell Nederlande Chemie B.V., Rotterdam
(3) styrene-isoprene-styrene triblock copolymer, isoprene : styrene = 85 : 15
(4) colorless, blistered pellets
(5) for shoes, adhesives, for the modification of plastics and bitumen, for injection moulding and extrusion compounds
(6) film from MTC on CsI

1321(1221 − 22111) $C_5H_8-C_8H_8$ *P* 2462

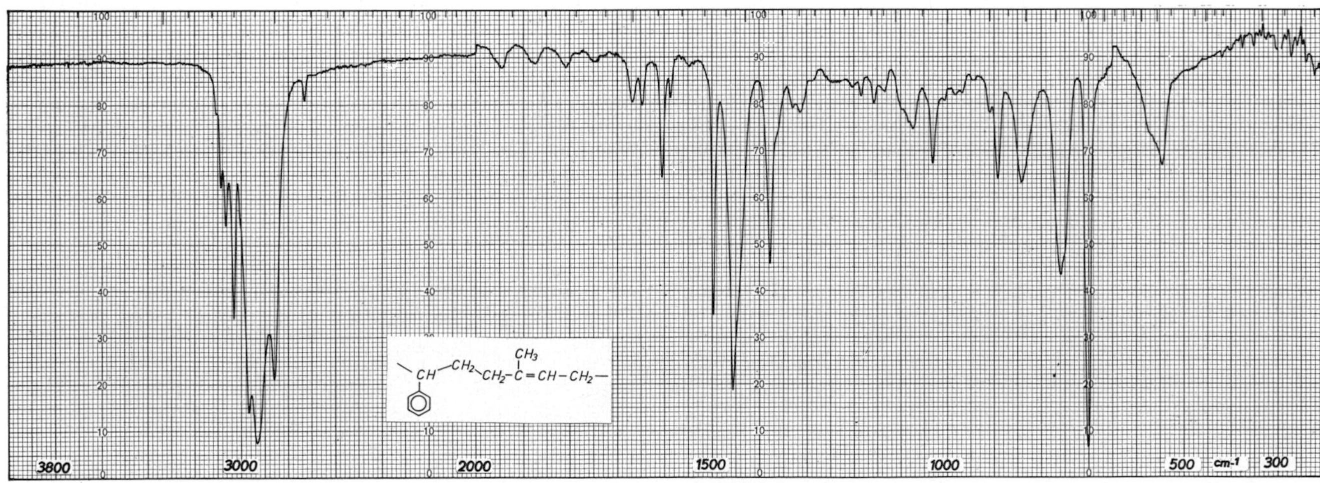

(1) **Polysar**
(3) Poly(isopren-co-styrol); Isopreneinheiten haben überwiegend 1,4-cis-Struktur
(4) farbloses, zähes Elastomer
(5) Synthesekautschuk für verschiedene Anwendungen
(6) Schicht aus CLF auf CsI

(2) Polysar Ltd., Sarnia, Ontario
(3) poly(isoprene-co-styrene); isoprene units mainly in the 1,4-cis form
(4) colorless, tough elastomer
(5) synthetic rubber for various purposes
(6) film from CLF on CsI

1321123/**1121**123 C_7H_{10} *P* 2463

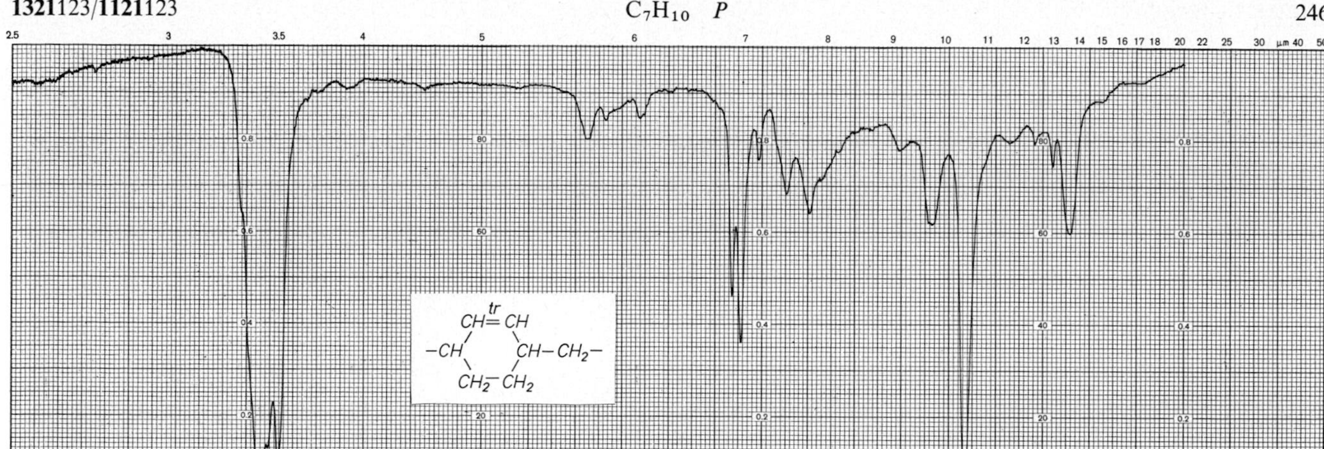

(1) **Norsorex N**
(3) Polynorbornen
(4) weißes Pulver
(5) mit Mineralöl verarbeitet und vulkanisiert für sehr weiche Dichtungen und Formteile; unvulkanisiert: für Kitte und plastische Dichtungsmassen
(6) in BZN gequollen auf CsI
(7) PE 580 B, FLAT, ABEX 1.52

(2) CdF Chemie GmbH, Köln
(3) polynorbornene
(4) white powder
(5) treated with mineral oil and vulcanized for very soft seals and moulded parts; unvulcanized: for putty and plastic, sealing materials
(6) swollen in BZN on CsI
(7) PE 580 B, FLAT, ABEX 1.52

1321123/**1121**123 C_7H_{10} *P* 2464

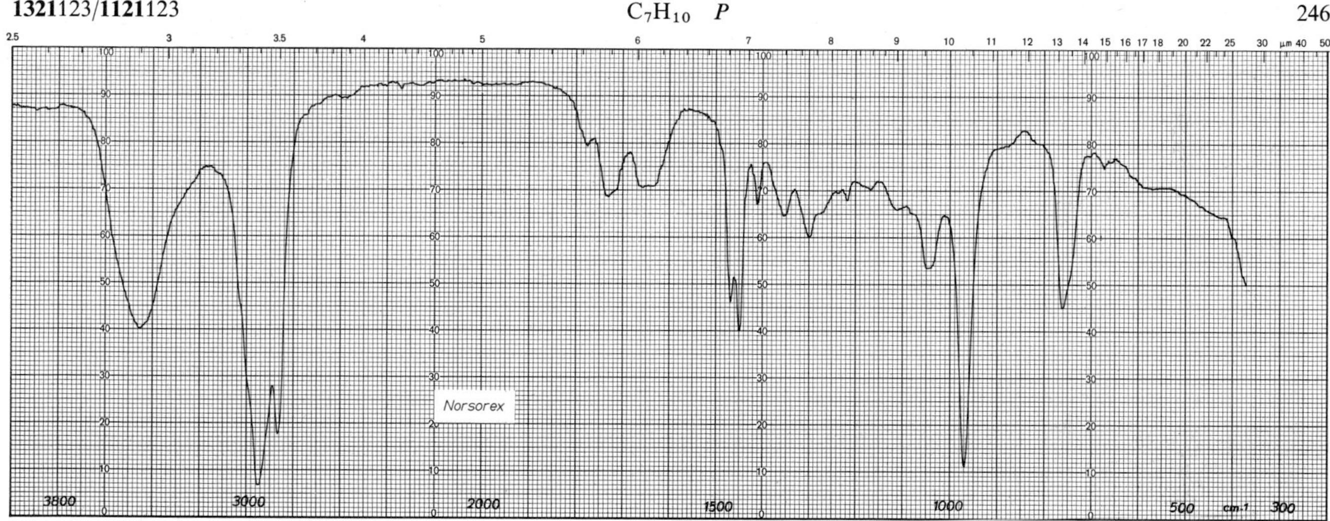

(1) **Norsorex**
(3) Polynorbornen
(4) eierschalenfarbenes Pulver
(5) mit Mineralöl für Weichgummiartikel
(6) KBr (3.5/350)

(2) CdF Chimie, Paris-La Défense
(3) polynorbornene
(4) eggshell-colored powder
(5) for soft rubber goods when combined with mineral oil
(6) KBr (3.5/350)

1321123/**1121**123 + **19**172 C_7H_{10} *P* 2465

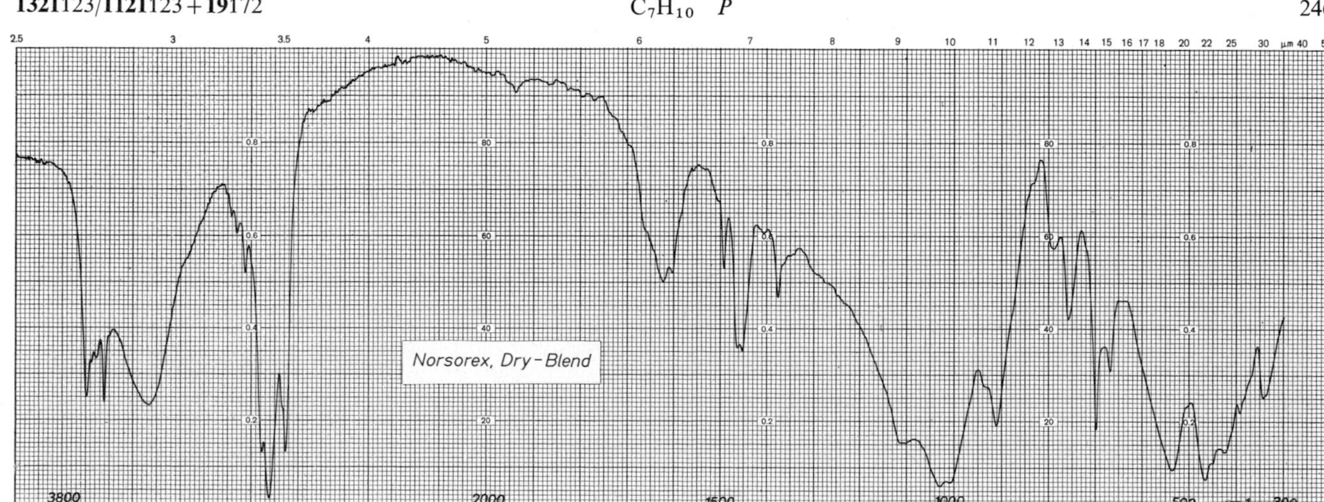

(1) **Norsorex, Dry-Blend**
(3) Mischung aus Norsorex (Polynorbornen), Weichmacher (Alkylbenzol) und Kaolin (1:2:2)
(4) sandfarbenes Pulver
(5) verarbeitungsfertige Weichgummimischung
(6) KBr (2/400)
(7) PE 580 B, ABEX

(2) CdF Chemie GmbH, Köln
(3) mixture of Norsorex (polynorbornene), plasticizer (alkylbenzene) and kaolin (1:2:2)
(4) sand-colored powder
(5) ready-to-process, soft rubber blend
(6) KBr (2/400)
(7) PE 580 B, ABEX

1321(22111 – 1211) $C_8H_8-C_4H_6$ *P* 2466

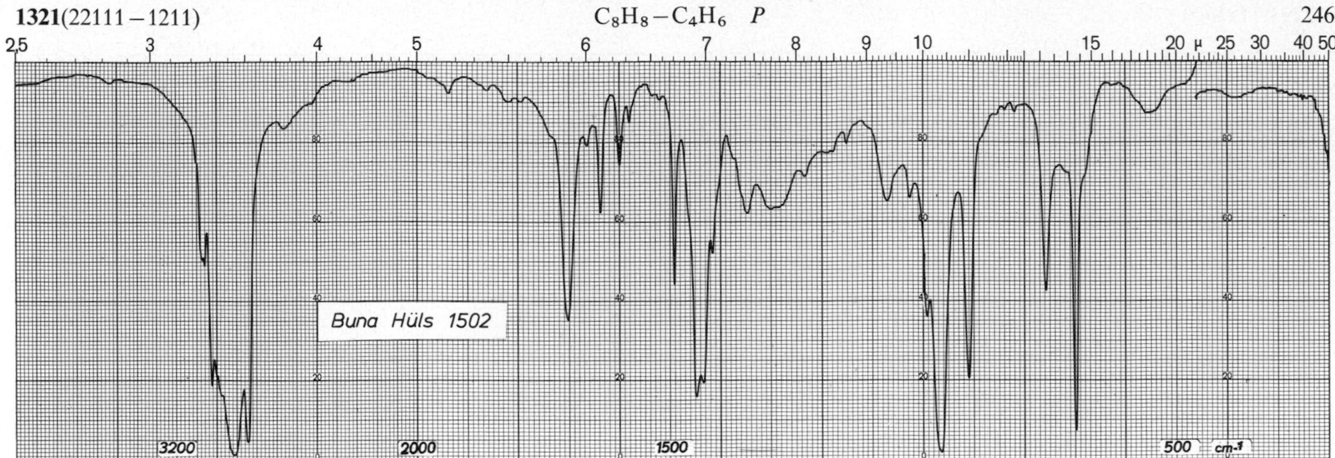

(1) **Buna Hüls 1502**
(3) Poly(styrol-co-butadien), 53.5% Styrol
(4) gelbliches Elastomer
(5) Gummirohstoff
(6) Schicht aus BZN auf CsI
(7) PE 321

(2) Bunawerke Hüls, Marl
(3) poly(styrene-co-butadiene), 53.5% styrene
(4) yellowish elastomer
(5) rubber raw material
(6) film from BZN on KBr
(7) PE 321

1321(22111 – 1211) $C_8H_8-C_4H_6$ *P* 2467

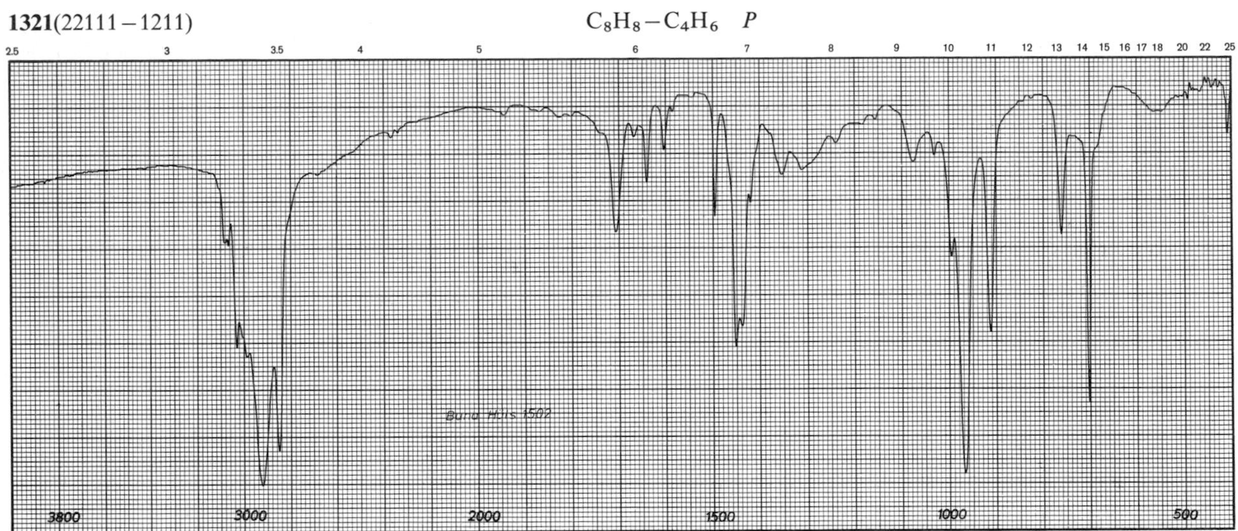

(1) **Buna Hüls 1502**
(3) Poly(styrol-co-butadien), 53.5% Styrol
(4) gelbliches Elastomer
(5) Synthesekautschuk für vielseitige Anwendungen
(6) Schicht aus CLF auf KBr

(2) Chemische Werke Hüls/Buna Werke Hüls, Marl
(3) poly(styrene-co-butadiene), 53.5% styrene
(4) yellowish elastomer
(5) multipurpose, synthetic rubber
(6) film from CLF on KBr

1321(22111 – 1211) $C_8H_8-C_4H_6$ *P* 2468

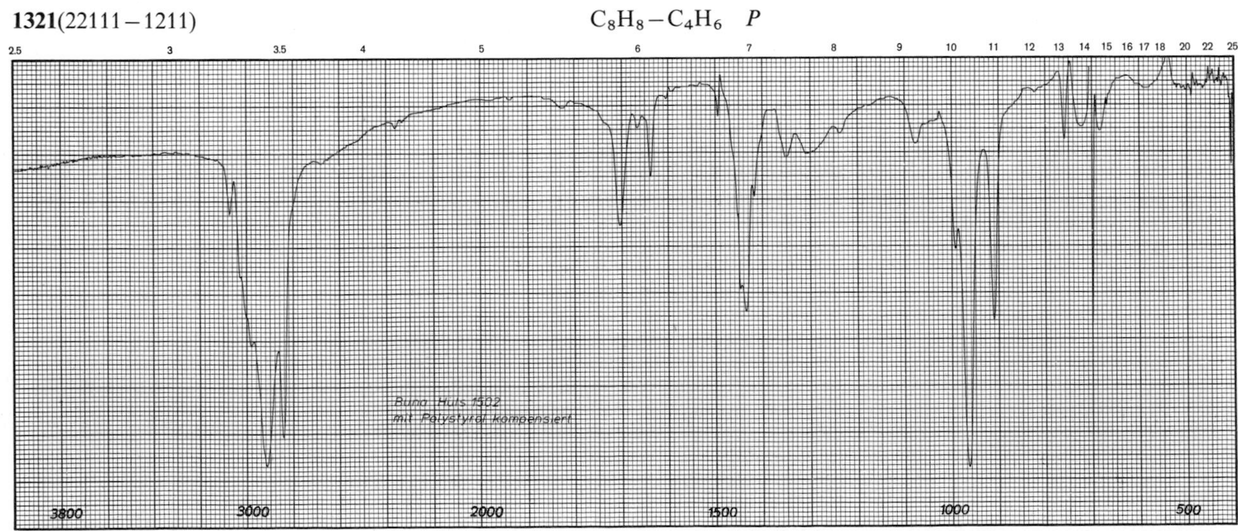

(1) **Buna Hüls 1502**
(3) Poly(styrol-co-butadien), 53.5% Styrol
(4) gelbliches Elastomer
(5) Synthesekautschuk für vielseitige Anwendungen
(6) Schicht aus CLF auf KBr, Styrolabsorptionen mit Polystyrol kompensiert
(7) Nicolet 7199

(2) Chemische Werke Hüls/Buna Werke Hüls, Marl
(3) poly(styrene-co-butadiene), 53.5% styrene
(4) yellowish elastomer
(5) multipurpose, synthetic rubber
(6) film from CLF on KBr, styrene absorptions compensated with polystyrene
(7) Nicolet 7199

13(221111 − 4411) $C_2F_4-CF_3NO$ *P* 2469

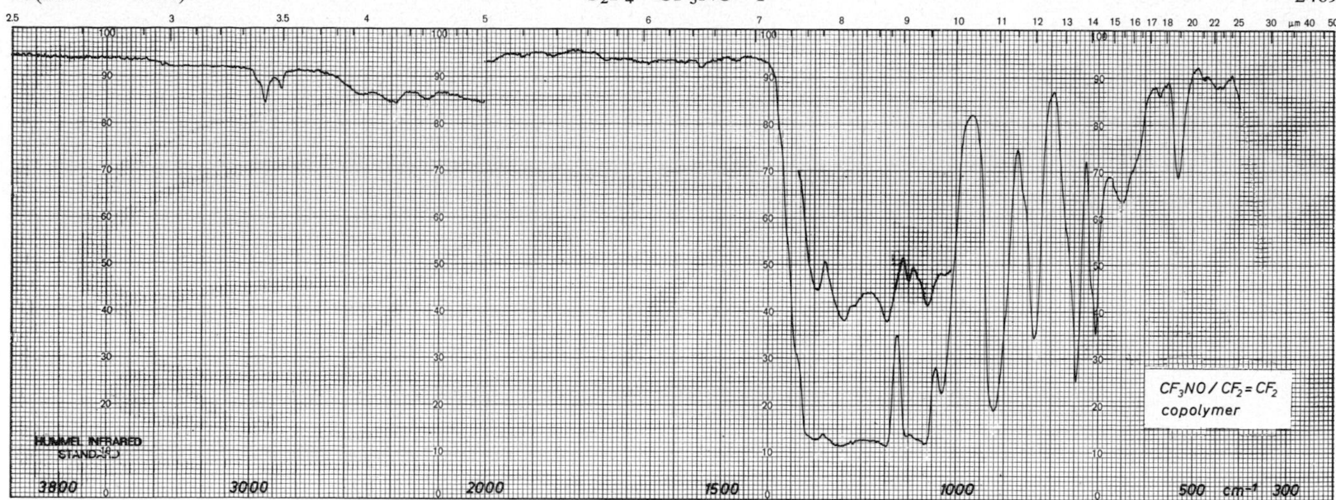

(1) **Nitroso-Kautschuk**
(2) Peninsular Chem. Res. Inc., Gainsville, Fla. (by E. C. Stump)
(3) alternierendes 1:1-Copolymer aus Tetrafluorethan und Nitrosotrifluormethyl
(4) milchig-trübes Elastomer
(5) für chemisch resistente, über weite Temperaturbereiche anwendbare Gummiartikel
(6) kapillare Schicht zwischen KBr
(7) S. M. Toy, W. D. English, W. E. Crane, M. S. Toy, J. Macromol. Sci.-Chem. **A3** (7) (1969) 1355...66

(1) **nitroso rubber**
(3) alternating 1:1 copolymer from tetrafluoroethylene and nitrosotrifluoromethyl
(4) milky elastomer
(5) for chemically resistant articles usable over a wide temperature range
(6) capillary film between KBr
(7) S. M. Toy, W. D. English, W. E. Crane, M. S. Toy, J. Macromol. Sci.-Chem. **A3** (7) (1969) 1355...66

13(3111112 − 221112) $C_2H_2F_2-C_3F_6$ *P* 2470

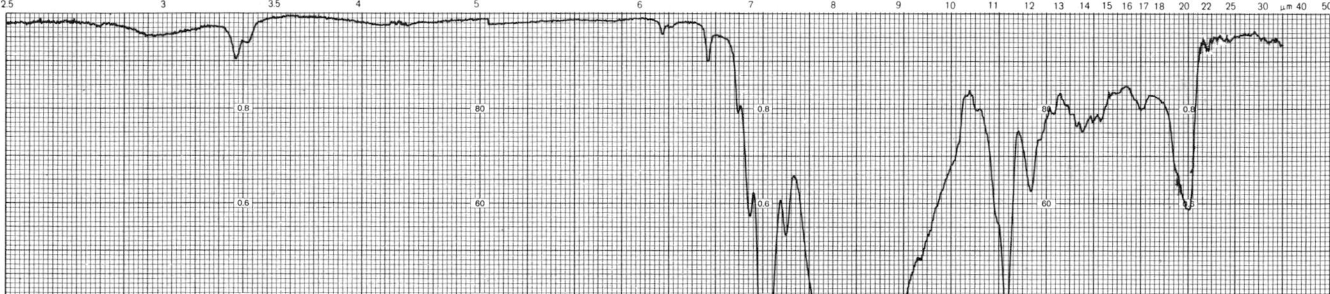

(1) **Tecnoflon FOR 70**
(3) Poly(vinylidenfluorid-co-hexafluorpropylen)
(4) weißes Elastomer
(5) für Vulkanisate mit hoher Temperatur- und Chemikalienbeständigkeit; o-Ringe, Wellendichtringe, Dichtungen
(6) Schicht aus ATC auf CsI
(7) PE 580 B, ABEX 1.76

(2) Montedison, Milano
(3) poly(vinylidene fluoride-co-hexafluoropropylene)
(4) white elastomer
(5) for vulcanizates with high temperature and chemical resistance; o-rings, corrugated washers, seals
(6) film from ATC on CsI
(7) PE 580 B, ABEX 1.76

13(3111112 − 221112) $C_2H_2F_2-C_3F_6$ *P* 2471

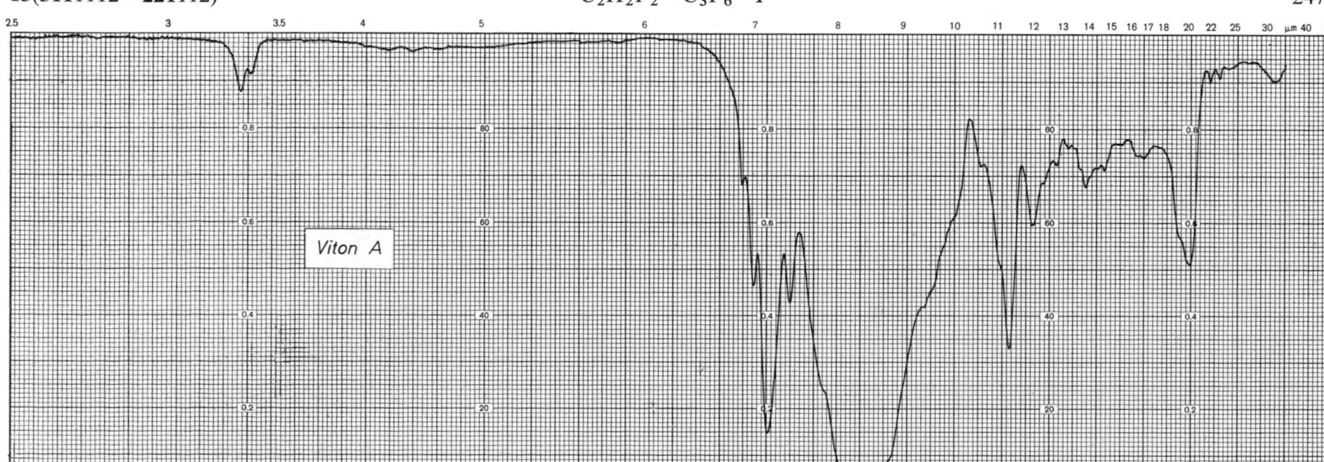

(1) **Viton A**
(3) Poly(vinylidenfluorid-co-hexafluoropropylen)
(4) farblose, elastische Pellets
(5) hitze- und chemikalienbeständiges Elastomer
(6) Schicht aus ACT auf CsI
(7) PE 580 B, ABEX 1.19

(2) Du Pont de Nemours GmbH, Düsseldorf
(3) poly(vinylidene fluoride-co-hexafluoropropylene)
(4) colorless, elastic pellets
(5) heat and chemical-resistant elastomer
(6) film from ACT on CsI
(7) PE 580 B, ABEX 1.19

13(3111112–221112) $C_2H_2F_2-C_3F_6$ *P* 2472

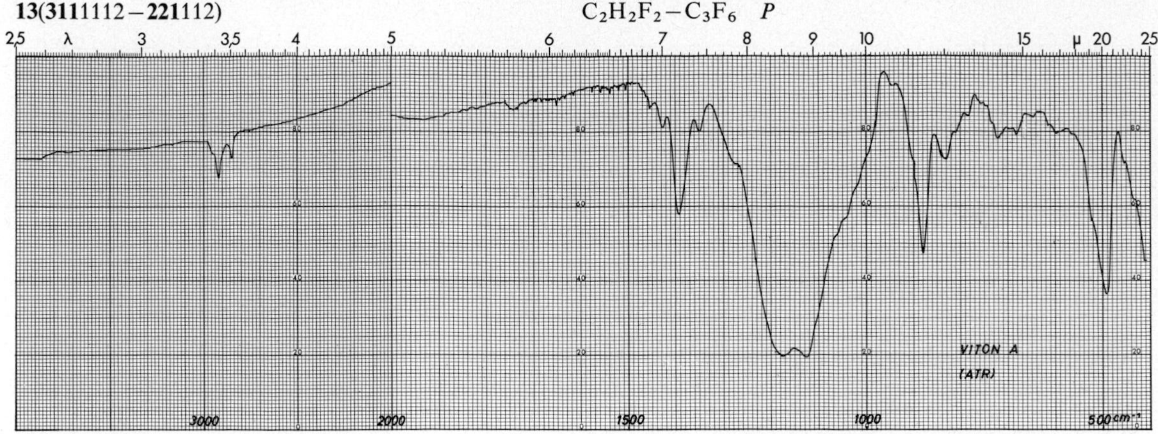

(1) **Viton A**
(3) Poly(vinylidenfluorid-co-hexafluorpropylen)
(4) farblose, elastische Pellets
(5) hitze- und chemikalienbeständiges Elastomer
(6) ATR (KRS-5)
(7) PE 125, relative Intensitäten und Bandenlagen gegenüber dem Transmissionsspektrum verschoben

(2) Du Pont de Nemours GmbH, Düsseldorf
(3) poly(vinylidene fluoride-co-hexafluoropropylene)
(4) colorless, elastic pellets
(5) heat and chemical-resistant elastomer
(6) ATR (KRS-5)
(7) PE 125, relative intensities and band positions are displaced with respect to the transmission spectrum

13(3111112–221112) $C_2H_2F_2-C_3F_6$ *P* 2473

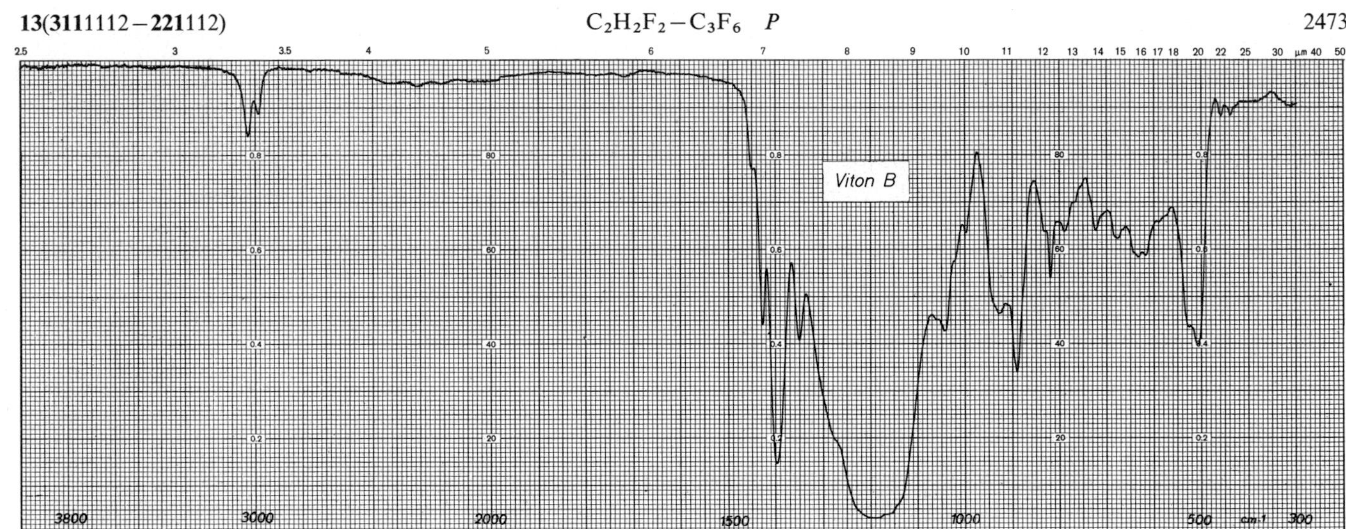

(1) **Viton B**
(3) Poly(vinylidenfluorid-co-hexafluorpropylen)
(4) farblose, elastische Pellets
(5) hitze- und chemikalienbeständiges Allzweck-Elastomer (gegenüber Viton A verbesserte thermische Stabilität und Chemikalienbeständigkeit)
(6) Schicht aus ACT auf CsI
(7) PE 580 B, ABEX 1.46

(2) Du Pont de Nemours GmbH, Düsseldorf
(3) poly(vinylidene fluoride-co-hexafluoropropylene)
(4) colorless, elastic pellets
(5) heat and chemical-resistant, multipurpose elastomer (better thermal stability and chemical resistance than Viton A)
(6) film from ACT on CsI
(7) PE 580 B, ABEX 1.46

13(3111112–221112) $C_2H_2F_2-C_3F_6$ *P* 2474

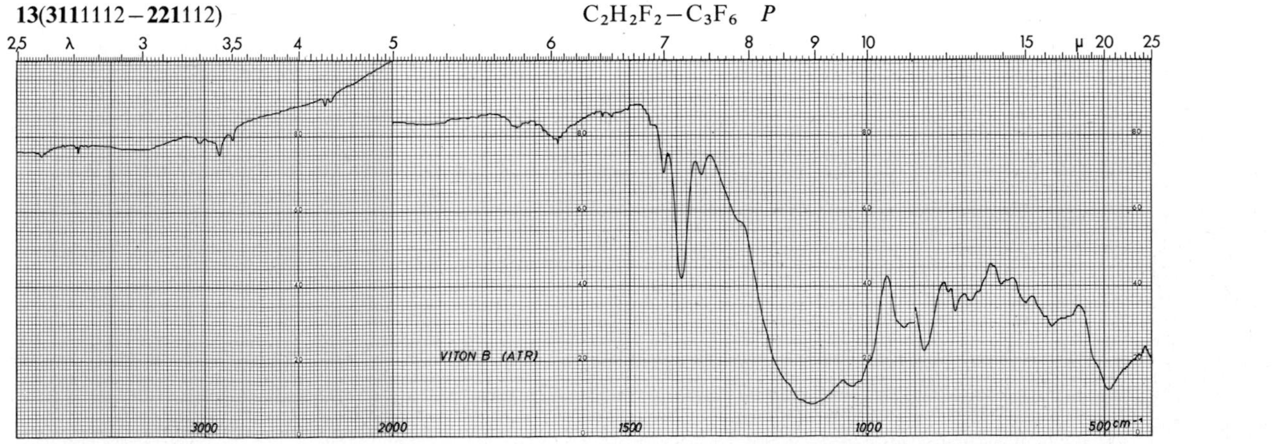

(1) **Viton B**
(3) Poly(vinylidenfluorid-co-hexafluorpropylen)
(4) farblose, elastische Pellets
(5) hitze- und chemikalienbeständiges Allzweck-Elastomer (gegenüber Viton A verbesserte thermische Stabilität und Chemikalienbeständigkeit)
(6) ATR (KRS-5)
(7) PE 125, relative Intensitäten und Bandenlagen gegenüber dem Transmissionsspektrum verschoben

(2) Du Pont de Nemours GmbH, Düsseldorf
(3) poly(vinylidene fluoride-co-hexafluoropropylene)
(4) colorless, elastic pellets
(5) heat and chemical-resistant, multipurpose elastomer (better thermal stability and chemical resistance than Viton A)
(6) ATR (KRS-5)
(7) PE 125, relative intensities and band positions are displaced with respect to transmission spectrum

13(3111112 – 221112) $C_2H_2F_2-C_3F_6$ *P* 2475

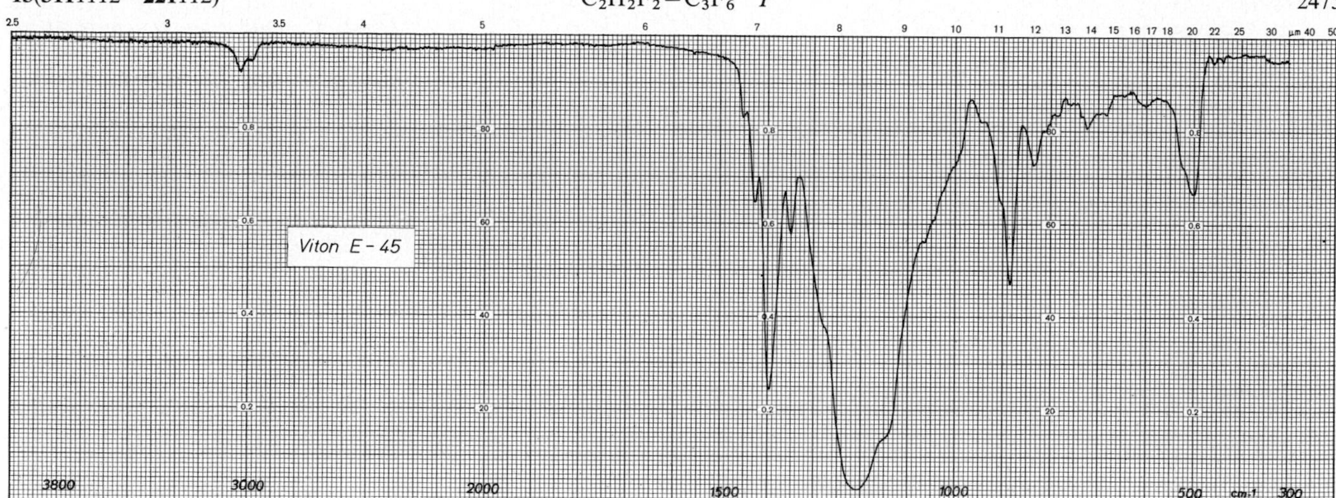

(1) **Viton E-45**
(3) Poly(vinylidenfluorid-co-hexafluorpropylen)
(4) farblose, elastische Pellets
(5) Basispolymer für Viton E-430; niedrigviskoses Elastomer mit guten Fließeigenschaften zum Füllen komplizierter Formen (ähnlich Viton A)
(6) Schicht aus ACT auf CsI
(7) PE 580 B, ABEX 1.58

(2) Du Pont de Nemours GmbH, Düsseldorf
(3) poly(vinylidene fluoride-co-hexafluoropropylene)
(4) colorless, elastic pellets
(5) base polymer for Viton E-430; low viscosity elastomer with good flow properties for filling complicated moulds (similar to Viton A)
(6) film from ACT on CsI
(7) PE 580 B, ABEX 1.58

13(3111112 – 221112) $C_2H_2F_2-C_3F_6$ *P* 2476

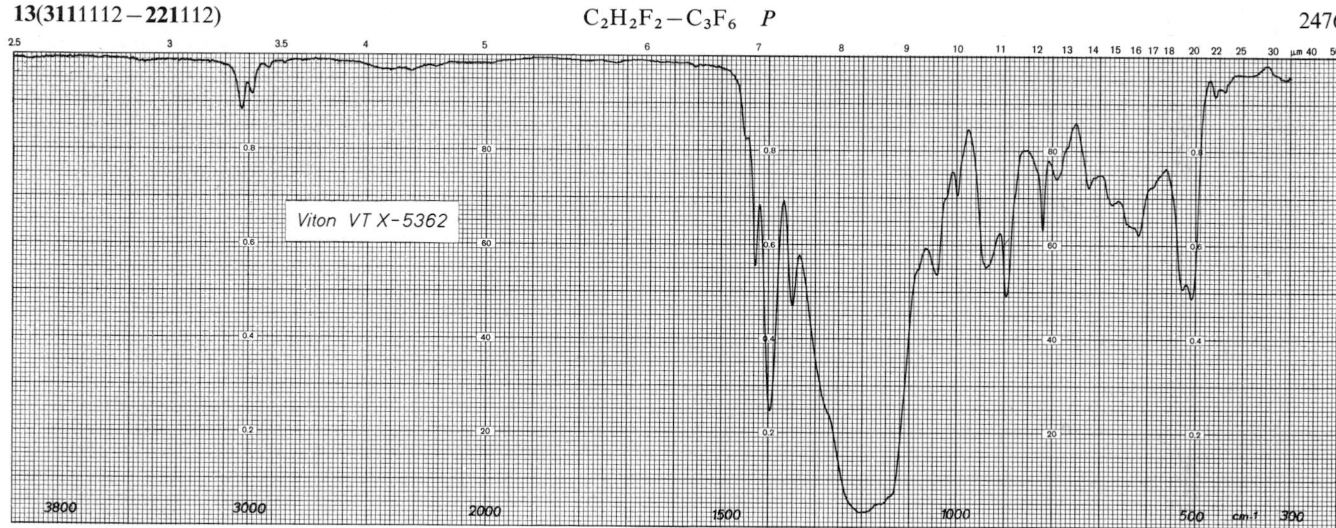

(1) **Viton VT X-5362**
(3) Poly(vinylidenfluorid-co-hexafluorpropylen)
(4) farblose, amorphe Masse
(5) Fluorelastomer, von hoher thermischer und chemischer Beständigkeit für O-Ringdichtungen, Packungen und Gießmassen
(6) Schicht aus ACT auf CsI
(7) PE 580 B, ABEX 1.09

(2) Du Pont de Nemours GmbH, Düsseldorf
(3) poly(vinylidene fluoride-co-hexafluoropropylene)
(4) colorless, amorphous mass
(5) fluoroelastomer, having high thermal and chemical resistance for o-rings, packing and casting compounds
(6) film from ATC on CsI
(7) PE 580 B, ABEX 1.09

133111112 $C_2H_2F_2$ *P* 2477

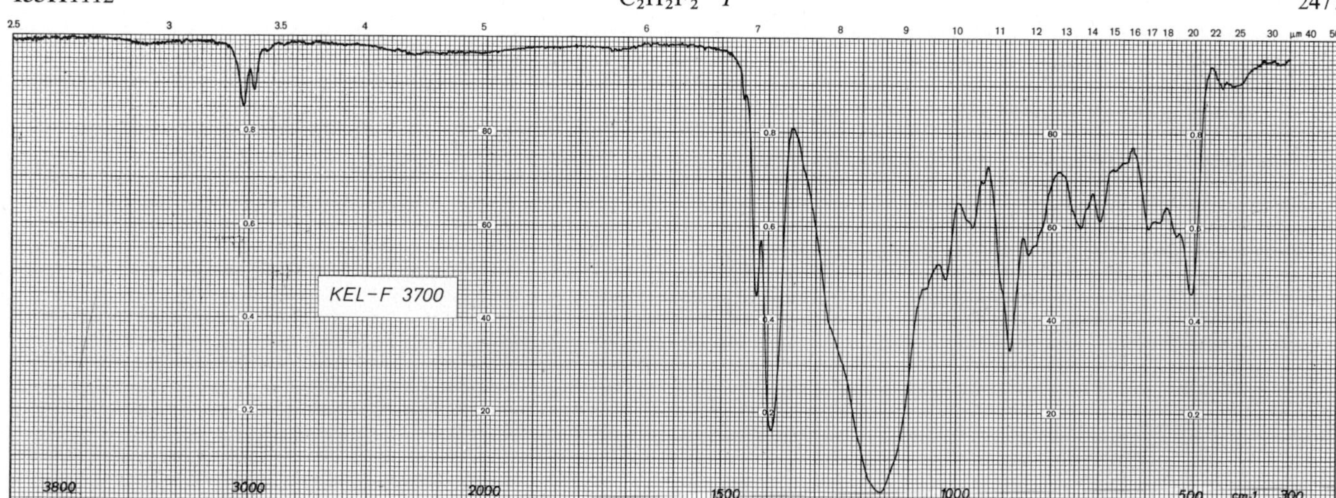

(1) **KEL-F 3700**
(3) Vinylidenfluorid-Copolymer
(4) weißes, blasiges Elastomer
(5) für temperaturbeständige und chemikalienfeste Werkstücke
(6) Schicht aus EAC auf CsI
(7) PE 580 B, ABEX 1.54

(2) Minnesota Mining, St. Paul, Minn.
(3) vinylidene fluoride copolymer
(4) white, blistered elastomer
(5) for temperature and chemical-resistant components
(6) film from EAC on CsI
(7) PE 580 B, ABEX 1.54

1331211211 C_4H_5Cl *P* 2478

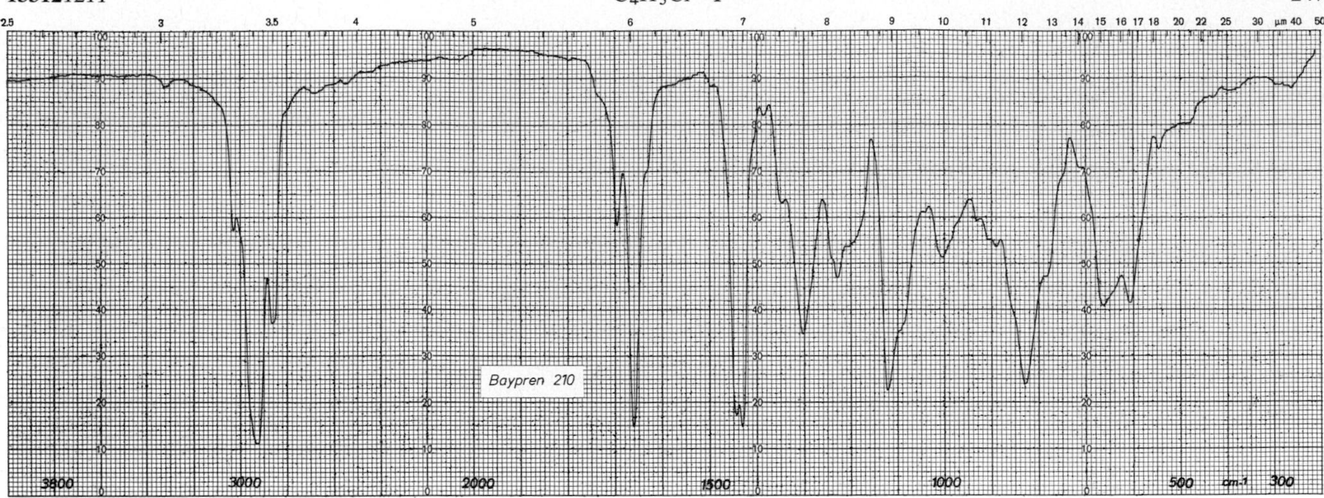

(1) **Baypren 210**
(3) Poly(1-chlor-1-butenylen), überwiegend trans
(4) hellbraune, biegsame Stücke
(5) für Form- und Spritzartikel, verstärkte Schläuche, Walzenbezüge, Riemen und Gurte, Elektroanwendungen, Schaumgummi, Stiefel
(6) Schicht aus m-DCB auf CsI

(2) Bayer AG, Leverkusen
(3) poly(1-chloro-1-butenylene), mainly trans
(4) light brown, flexible pieces
(5) for moulded and injection moulded articles, reinforced hoses, roller coatings, belts and straps, electrical applications, foam rubber, boots
(6) film from m-DCB on CsI

1331211211 C_4H_5Cl *P* 2479

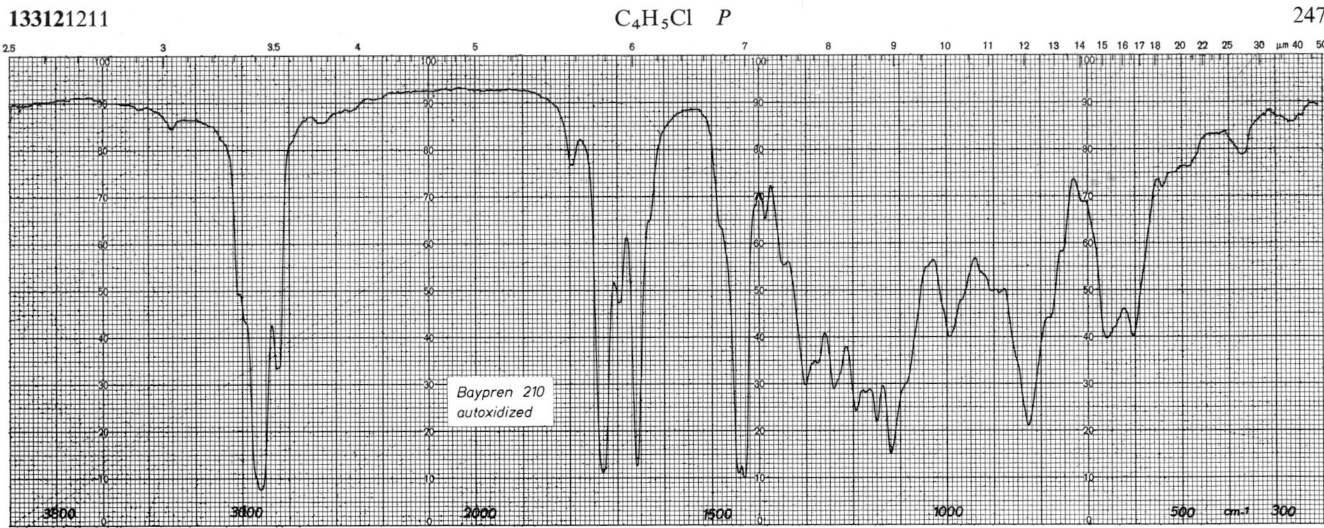

(1) **Baypren 210**
(3) Poly(1-chlor-1-butenylen), überwiegend trans; alte Probe, autoxidiert
(4) braune, flache Stücke
(6) Schicht aus m-DCB

(2) Bayer AG, Leverkusen
(3) poly(1-chloro-1-butenylene), mainly trans; old sample, autoxidized
(4) flat, brown pieces
(6) film from m-DCB

1331211211 C_4H_5Cl *P* 2480

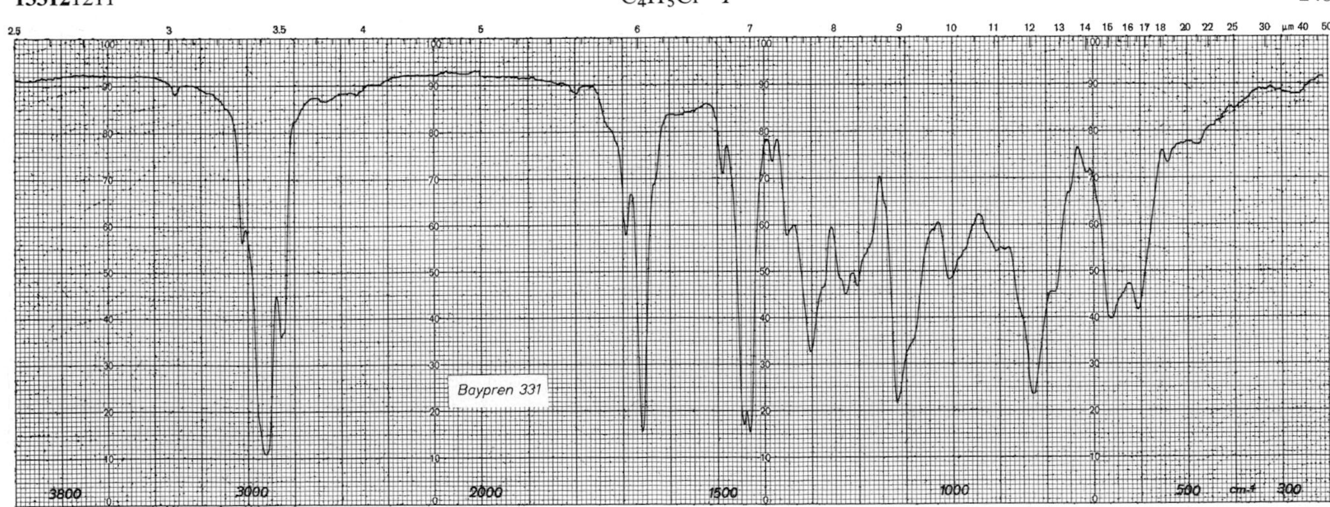

(1) **Baypren 331**
(3) Poly(1-chlor-1-butenylen), überwiegend trans, teilkristallin
(4) flache, schwachbraune Stücke
(5) für Klebstoffe (Schuh-, Möbel- und Bauindustrie)
(6) Schicht aus m-DCB auf CsI

(2) Bayer AG, Leverkusen
(3) poly(1-chloro-1-butenylene), mainly trans, partially crystalline
(4) flat, light brown pieces
(5) for adhesives (shoe, furniture and building industries)
(6) film from m-DCB on CsI

133121211 C_4H_5Cl *P* 2481

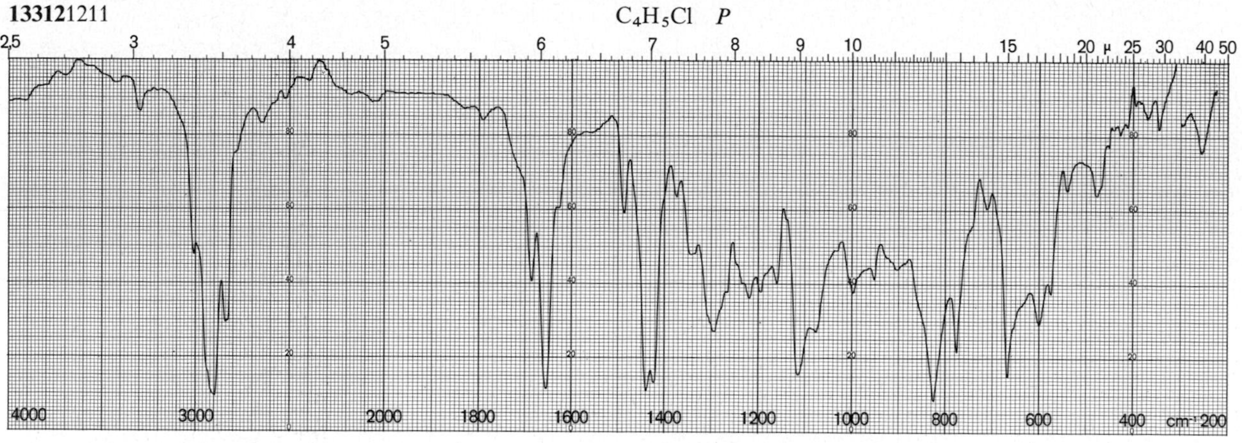

(1) **Baypren 331**
(3) Poly(1-chlor-1-butenylen), überwiegend trans, teilkristallin
(4) gelbbraune, harte Stücke
(5) Synthesekautschuk für öl- und treibstoffbeständige Gummiartikel
(6) Schicht aus m-DCB auf CsI, 233 K
(7) PE 325

(2) Bayer AG, Leverkusen
(3) poly(1-chloro-1-butenylene), mainly trans, partially crystalline
(4) hard, yellow brown pieces
(5) synthetic rubber for oil and temperature-resistant components
(6) film from m-DCB on CsI, 233 K

133121211 C_4H_5Cl *P* 2482

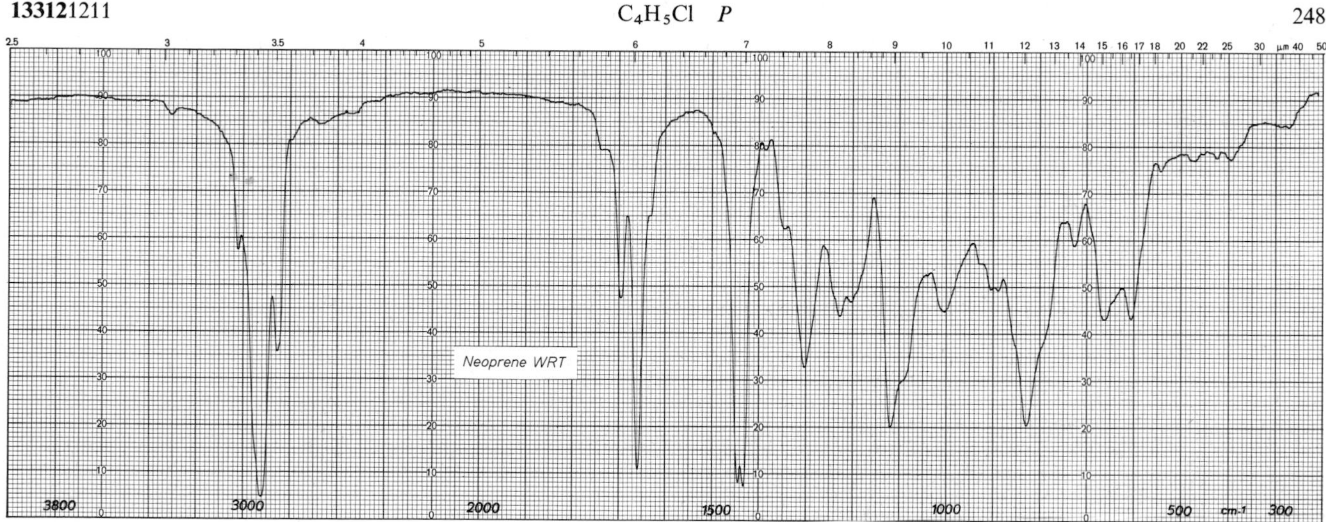

(1) **Neoprene WRT**
(3) Poly(1-chlor-1-butenylen), überwiegend trans
(4) hellbräunliches Elastomer
(5) Synthesekautschuk für benzinbeständigen Gummi
(6) Schicht aus m-DCB auf CsI

(2) Du Pont, Wilmington, Dela.
(3) poly(1-chloro-1-butenylene), mainly trans
(4) light brownish elastomer
(5) synthetic rubber for gasoline-resistant articles
(6) film from m-DCB on CsI

133121211 C_4H_5Cl *P* 2483

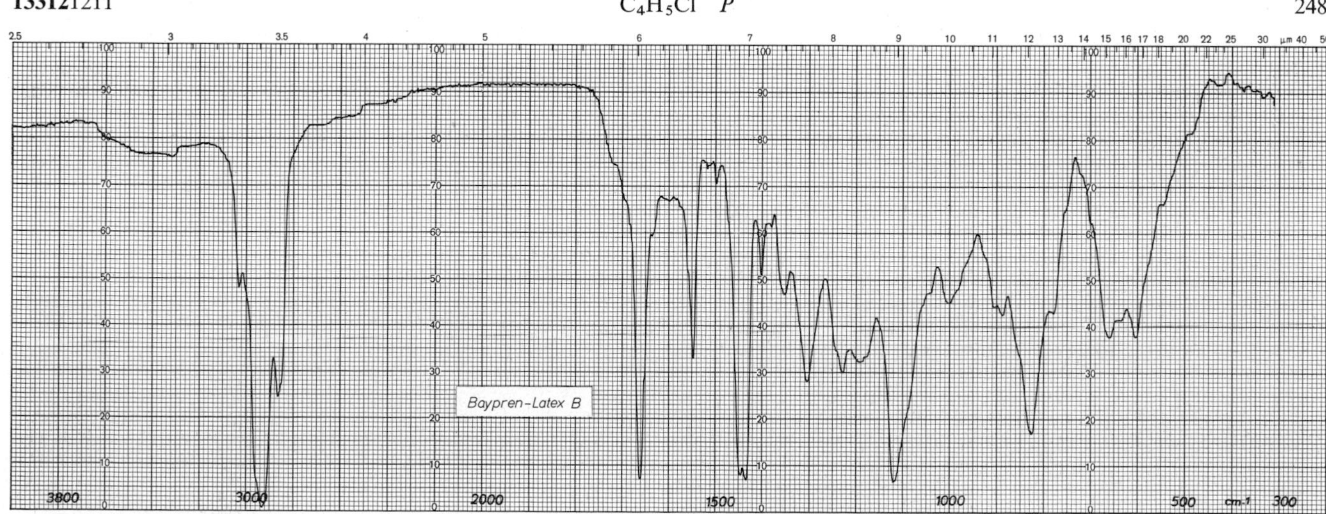

(1) **Baypren-Latex B**
(3) Poly(1-chlor-1-butenylen), überwiegend trans
(4) milchige, wäßrige Dispersion (58%)
(5) überwiegend für Bitumenvergütung
(6) Schicht auf KRS-5
(7) geringe bis mittlere Kristallisation

(2) Bayer AG, Leverkusen
(3) poly(1-chloro-1-butenylene), mainly trans
(4) milky, aqueous dispersion (58%)
(5) mainly for improving bitumen
(6) film on KRS-5
(7) low to moderate crystallinity

133121211 C_4H_5Cl *P* 2484

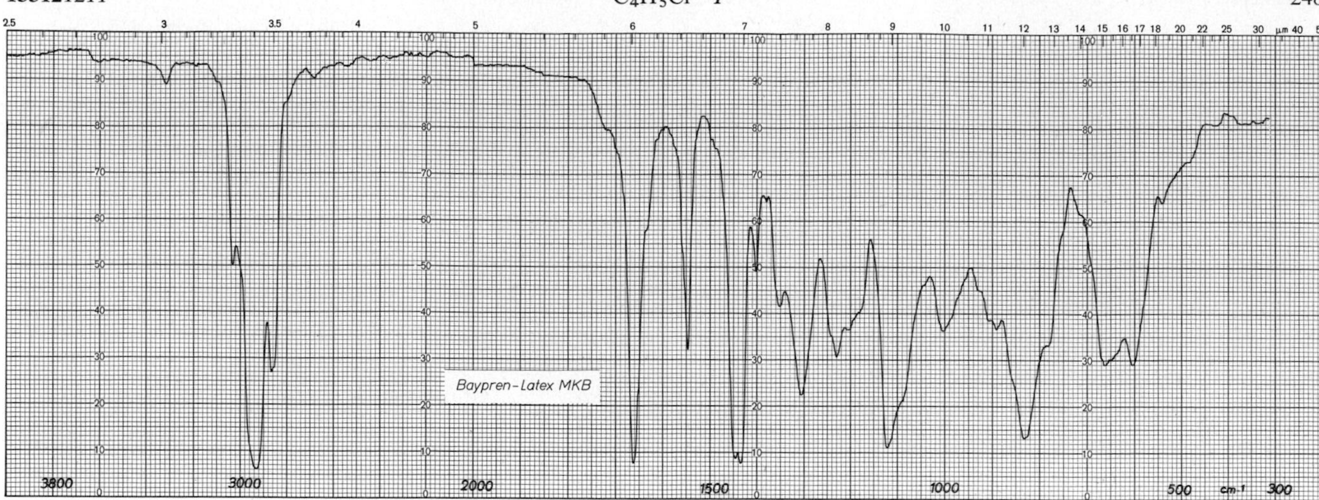

(1) **Baypren-Latex-MKB**
(3) Poly(1-chlor-1-butenylen), überwiegend trans
(4) milchige, wäßrige Dispersion (58%)
(5) Allzwecklatex, hauptsächlich als Bindemittel für verschiedene Fasern
(6) Schicht auf KRS-5
(7) geringe bis mittlere Kristallisation

(2) Bayer AG, Leverkusen
(3) poly(1-chloro-1-butenylene), mainly trans
(4) milky, aqueous dispersion (58%)
(5) all-purpose latex, mainly as binder for various fibers
(6) film on KRS-5
(7) low to moderate crystallinity

133121211 C_4H_5Cl *P* 2485

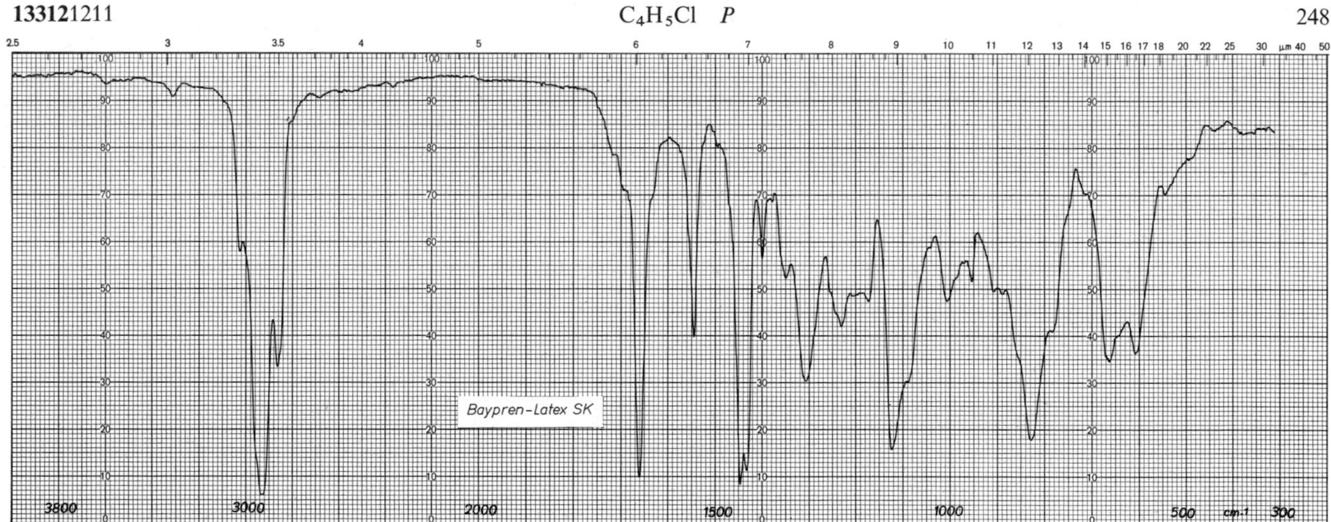

(1) **Baypren-Latex SK**
(3) Poly(1-chlor-1-butenylen), überwiegend trans
(4) milchige, wäßrige Dispersion (55%)
(5) zur Herstellung steifer Vorder- und Hinterkappen von Schuhen, für Dispersionsklebstoffe
(6) Schicht auf KRS-5
(7) sehr starke Kristallisation

(2) Bayer AG, Leverkusen
(3) poly(1-chloro-1-butenylene-co-methacrylic acid) with 4% methacrylic acid units
(4) milky, aqueous dispersion (59%)
(5) for coating and impregnating, vulcanized at room temperature
(6) film on KRS-5
(7) very high crystallinity

13(3121211 – 33611) $C_4H_5Cl - C_4H_6O_2$ *P*  2486

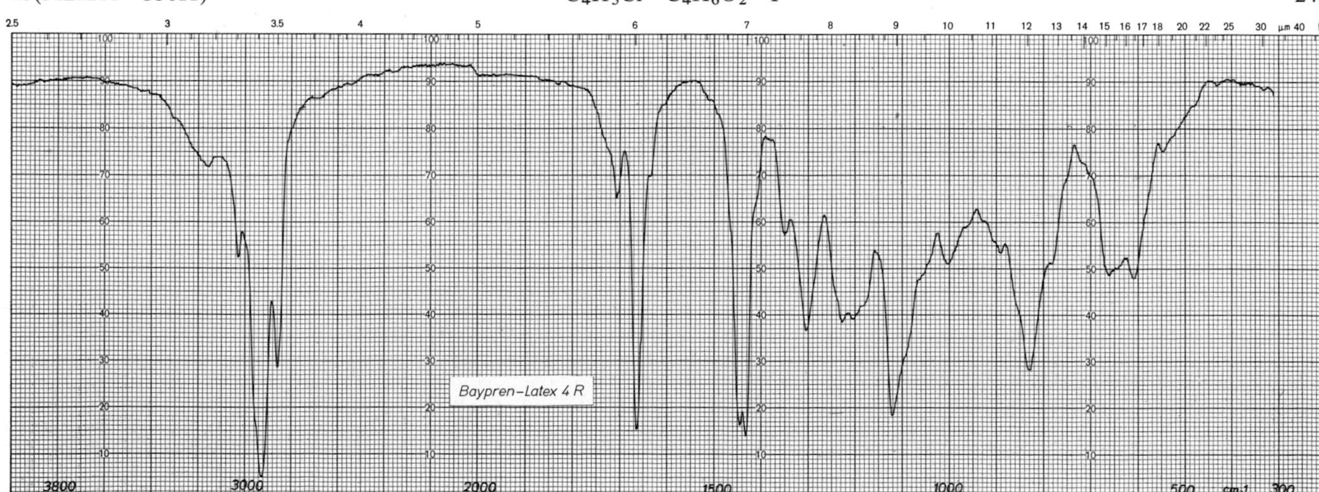

(1) **Baypren-Latex 4R**
(3) Poly(1-chlor-1-butenylen-co-methacrylsäure) mit 4% Methacrylsäureeinheiten
(4) milchige, wäßrige Dispersion (50%)
(5) für Überzüge und Imprägnierungen, vulkanisiert bei Zimmertemperatur
(6) Schicht auf KRS-5
(7) sehr geringe Kristallisation

(2) Bayer AG, Leverkusen
(3) poly(1-chloro-1-butenylene), mainly trans
(4) milky, aqueous dispersion (55%)
(5) for the manufacture of shoe toe and heal caps, for dispersion adhesives
(6) film on KRS-5
(7) very low crystallinity

13(3331112 – 413231) $C_2H_4O-C_3H_5ClO$ *P* 2487

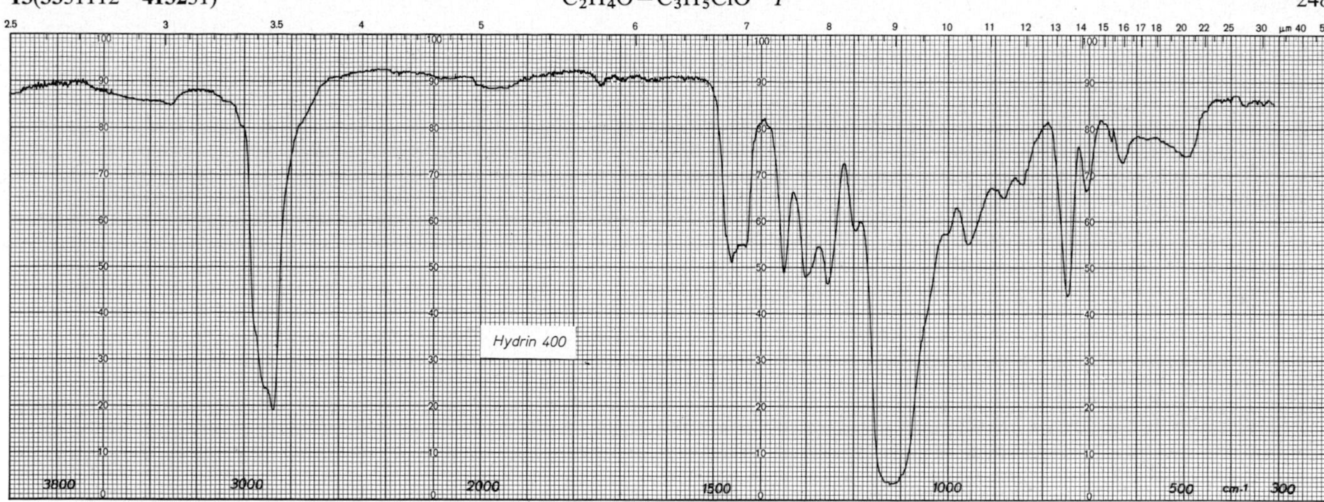

(1) **Hydrin 400**
(3) Poly(oxyethylen-co-epichlorhydrin)
(4) wachsgelbes, blasiges Elastomer
(5) für mineralölbeständige Schläuche, Dichtungen und Membranen (–40 °C...120 °C)
(6) Schicht aus CLF auf CsI
(7) mit S vulkanisierbar

(2) B. F. Goodrich Chem. Co., Cleveland, O.
(3) poly(oxyethylene-co-epichlorohydrin)
(4) waxy yellow, blistered elastomer
(5) for oil-resistant hoses, seals and membranes (–40 °C to 120 °C)
(6) film from CLF on CsI
(7) vulcanizable with S

13(3331112 – 413231) $C_2H_4O-C_3H_5ClO$ *P* 2488

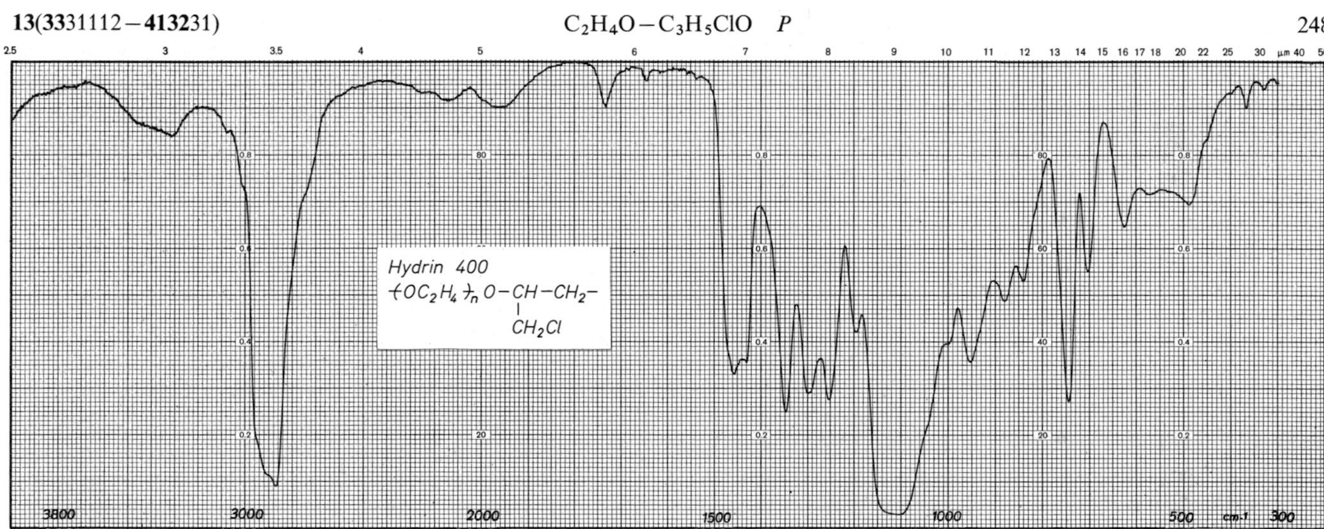

(1) **Hydrin 400**
(3) Poly(oxyethylen-co-epichlorhydrin)
(4) gelbliches, blasiges Elastomer
(5) mit Peroxiden oder schwefelvernetzbares Elastomer mit guter Tieftemperaturflexibilität (bis –40 °C) und guter Hitzebeständigkeit, beständig gegen Öle, Lösemittel, Treibstoffe und Chemikalien
(6) Schicht aus MTC auf CsI
(7) PE 580 B, ABEX 1.95

(2) B. F. Goodrich Comp., Akron, Ohio
(3) poly(oxyethylene-co-epichlorohydrin)
(4) yellowish, blistered elastomer
(5) crosslinkable with peroxides or sulfur with good low temperature (to –40 °C) flexibility and good heat resistance, resistant to oil, solvents, fuel and chemicals
(6) film from MTC on CsI
(7) PE 580 B, ABEX 1.95

13(3331112 – 413231) $C_2H_4O-C_3H_5ClO$ *P* 2489

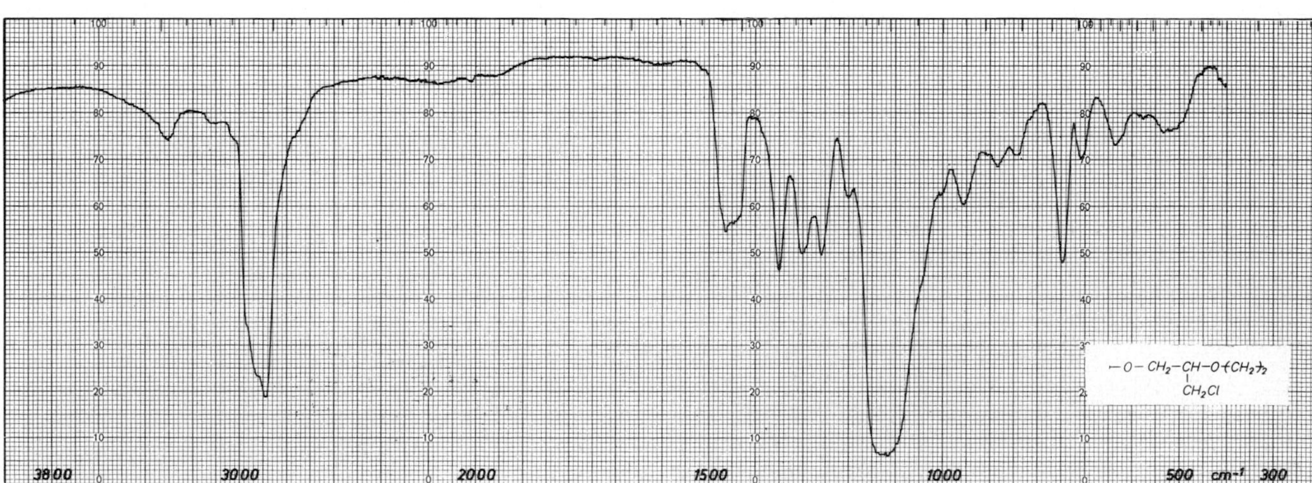

(1) **Hydrin 200**
(3) Poly(oxyethylen-co-epichlorhydrin), etwa äquimolar
(4) farbloses Elastomer
(5) für mineralölbeständige Schläuche und Membranen
(6) Schicht aus CLF/CCl_4 auf KBr
(7) G. Adank, T. R. Goshorn, Angew. Makromol. Chem. **16/17** (1971) 103...15

(2) B. F. Goodrich, Cleveland, O.
(3) poly(oxyethylene-co-epichlorohydrin), approximately equimolar
(4) colorless elastomer
(5) for mineral oil-resistant hoses and membranes
(6) film from CLF/CCl_4 on KBr
(7) G. Adank, T. R. Goshorn, Angew. Makromol. Chem. **16/17** (1971) 103...15

13(33721111–21111) $C_4H_6O_2-C_2H_4$ *P* 2490

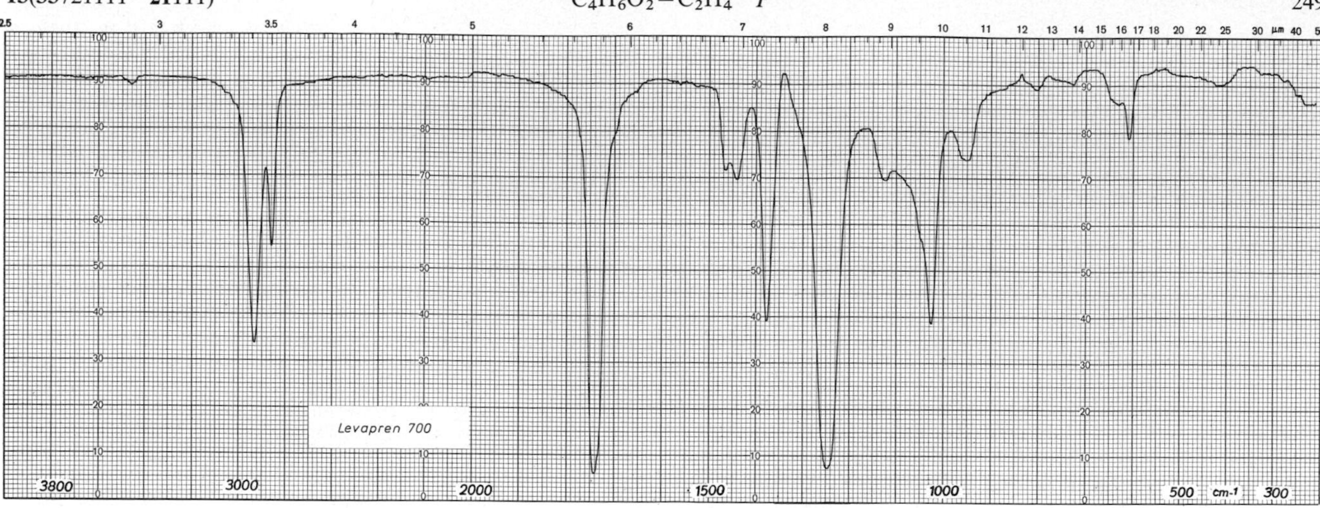

(1) **Levapren 700**
(3) Poly(vinylacetat-co-ethylen), 70% VAc-Einheiten
(4) farbloses Elastomer (bei Alterung bräunliche Verfärbung)
(5) für oxidations- und lichtbeständige Vulkanisate; für Klebstoffe und zur Elastifizierung von Kunststoffen
(6) Schicht aus CLF auf CsI

(2) Bayer AG, Leverkusen
(3) poly(vinyl acetate-co-ethylene), 70% VAc units
(4) colorless elastomer (browns on ageing)
(5) for oxidation and light-resistant vulcanizates
(6) film from CLF on CsI

13(33721111–21111) $C_4H_6O_2-C_2H_4$ *P* 2491

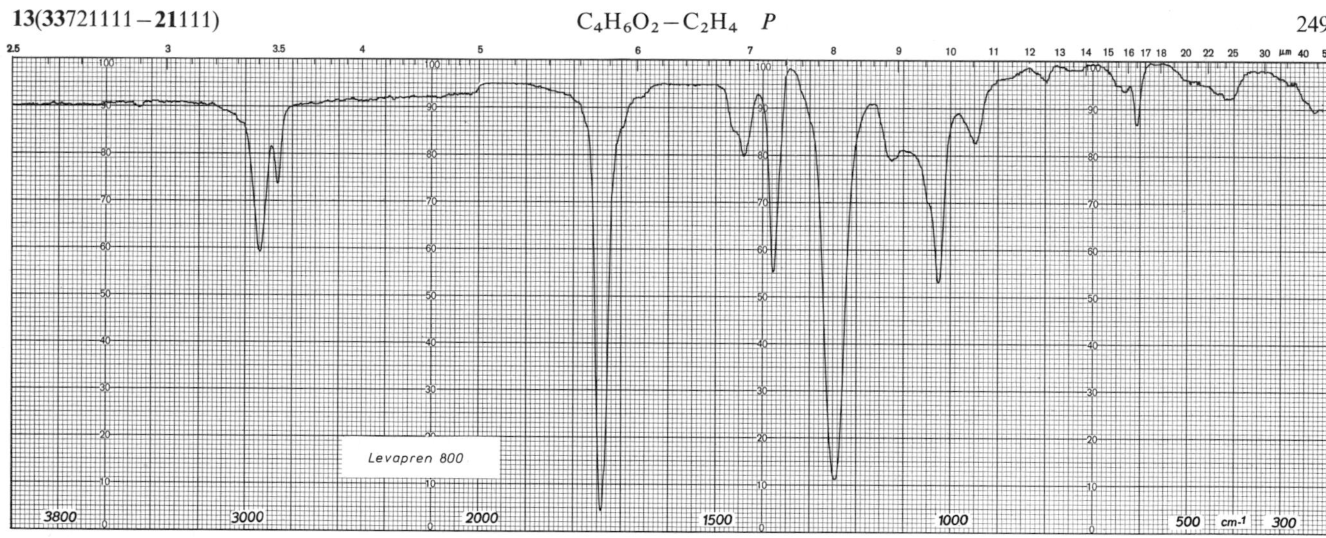

(1) **Levapren 800**
(3) Poly(vinylacetat-co-ethylen), 80% VAc-Einheiten
(4) farbloses Elastomer
(5) für oxidations- und lichtbeständige Vulkanisate; für Klebstoffe und zur Elastifizierung von Kunststoffen
(6) Schicht aus CLF auf CsI

(2) Bayer AG, Leverkusen
(3) poly(vinyl acetate-co-ethylene), 80% VAc units
(4) colorless elastomer
(5) for oxidation and light-resistant vulcanizates; for adhesives and for elastifying plastics
(6) film from CLF on CsI

13337221111 $C_5H_8O_2$ *P* 2492

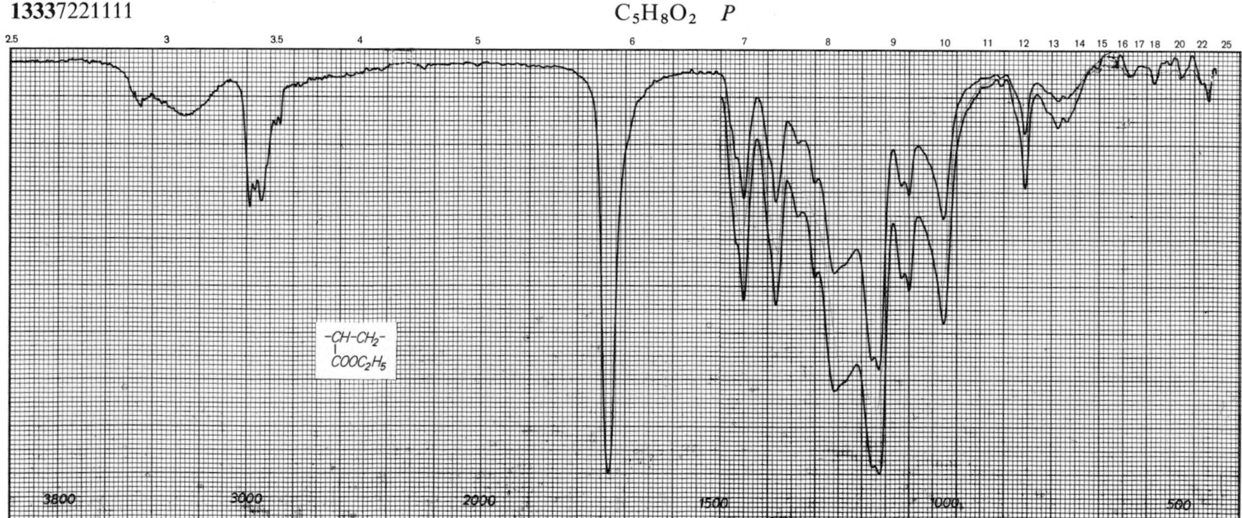

(1) **Hycar 2671**
(3) Poly(ethylacrylat)
(4) farbloses Elastomer
(5) Gummirohstoff
(6) Schicht aus ATC auf CsI
(7) Nicolet FTIR 7199

(2) B. F. Goodrich, Cleveland, O.
(3) poly(ethyl acrylate)
(4) colorless elastomer
(5) rubber raw material
(6) film from ATC on CsI
(7) Nicolet FTIR 7199

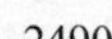

13337221111 $C_5H_8O_2$ *P* 2493

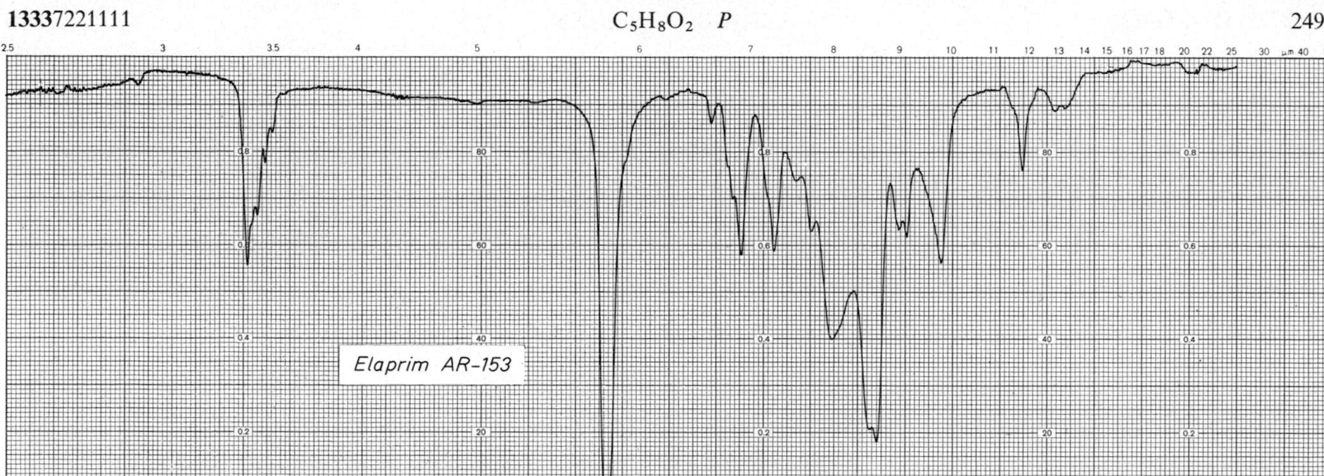

(1) **Elaprim AR-153**
(3) reaktives Poly(ethylacrylat), chlorfrei
(4) weißes, weiches Elastomer
(5) Automobilindustrie: Schläuche für heißes Öl, Ringe, Dichtungen, Zündkerzenkappen
(6) Schicht aus DCB auf CsI
(7) PE 580 B, ABEX 1.81

(2) Montedison, Milano
(3) reactive poly(ethyl acrylate) chlorine-free
(4) soft, white elastomer
(5) automobile industry; hoses for hot oil, washers, seals, spark plug covers
(6) film from DCB on CsI
(7) PE 580 B, ABEX 1.81

13(**33**7221111 – **413**23) $C_5H_8O_2 - C_4H_7ClO$ *P* 2494

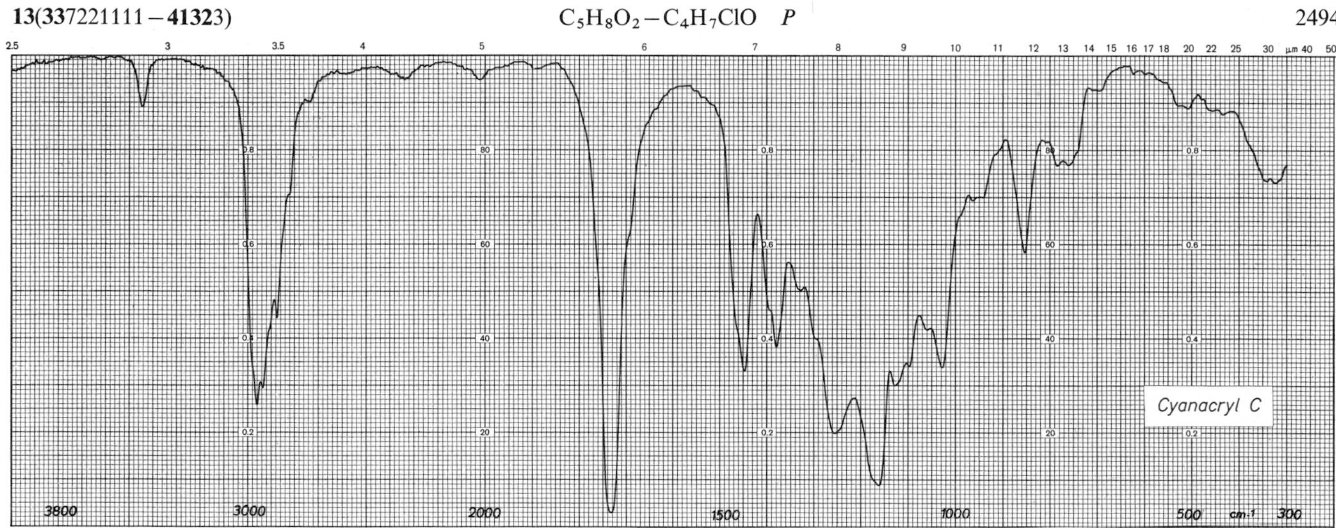

(1) **Cyanacryl C**
(3) Poly(ethylacrylat-co-vinyl-2-chlorethylether); VCEE: einige Prozent
(4) farbloses, etwas blasiges Elastomer
(5) für hitze-, kälte- und ölbeständige Gummiteile, für thermisch hochbelastbare Dichtungen und Formteile
(6) Schicht aus MTC auf CsI
(7) PE 580 B, ABEX 1.36

(2) American Cyanamid Comp., Bound Brook, N.J.
(3) poly(ethyl acrylate-co-vinyl 2-chloroethyl ether); a few percent VCEE
(4) colorless, somewhat blistered elastomer
(5) for heat, cold, and oil-resistant, rubber components, for thermally stable seals and mouldings
(6) film from MTC on CsI
(7) PE 580 B, ABEX 1.36

13(**33**7221111 – **413**23) $C_5H_8O_2 - C_4H_7ClO$ *P* 2495

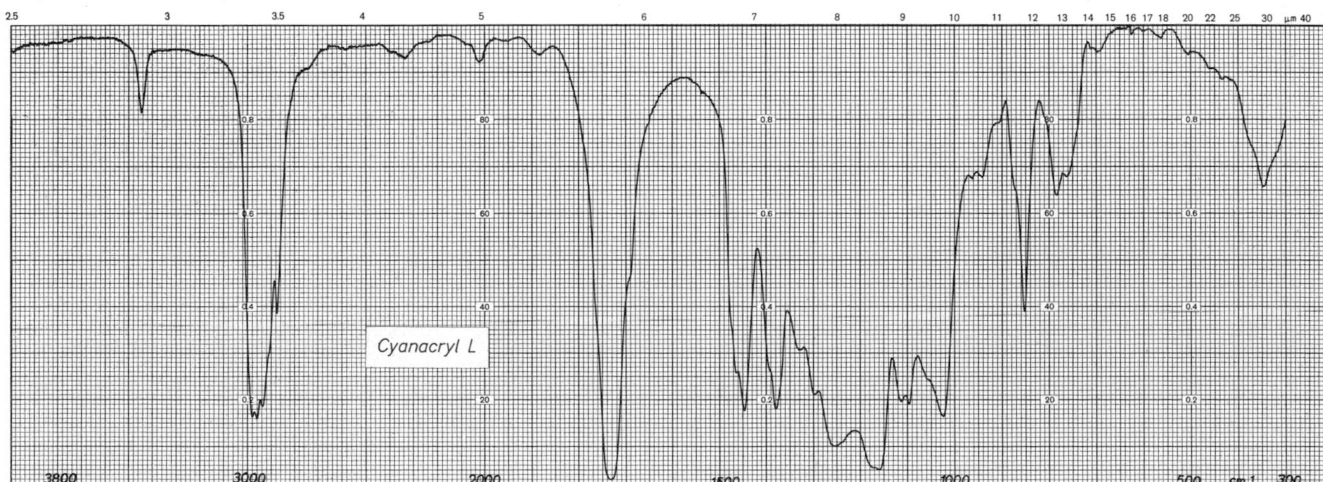

(1) **Cyanacryl L**
(3) Poly(ethylacrylat-co-vinyl-2-chlorethylether); VCEE: einige Prozent
(4) farbloses, etwas blasiges Elastomer
(5) für hitze- und ölbeständige Gummiteile
(6) Schicht aus MTC auf CsI
(7) PE 580 B, ABEX 1.36

(2) American Cyanamid Comp., Bound Brook, N.J.
(3) poly(ethyl acrylate-co-vinyl 2-chloroethyl ether); a few percent VCEE
(4) colorless, somewhat blistered elastomer
(5) for heat and oil-resistant, rubber components
(6) film from MTC on CsI
(7) PE 580 B, ABEX 1.36

13(**33**7221111 – **4132**3) $C_5H_8O_2-C_4H_7ClO$ *P* 2496

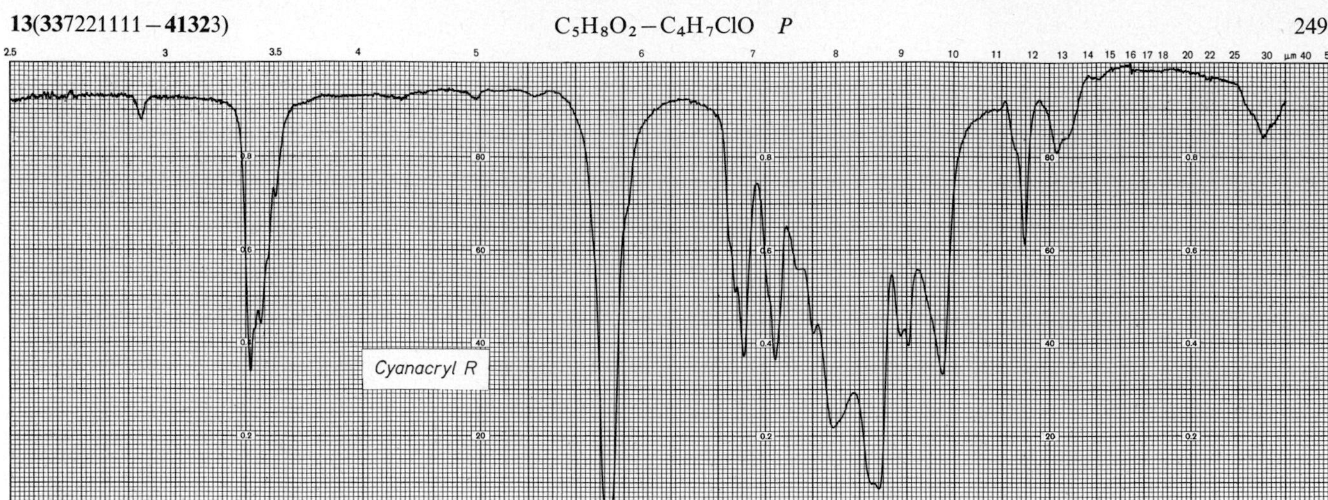

(1) **Cyanacryl R**
(3) Poly(ethylacrylat-co-vinyl-2-chlorethylether); VCEE: etwa 5%
(4) farbloses, etwas blasiges Elastomer
(5) für hitze- und ölbeständige Gummiteile
(6) Schicht aus MTC auf CsI
(7) PE 580 B, ABEX 1.96

(2) American Cyanamid Comp., Bound Brook, N.J.
(3) poly(ethyl acrylate-co-vinyl-2-chloroethyl ether); VCEE ca. 5%
(4) colorless, somewhat blistered elastomer
(5) for heat and oil-resistant, rubber components
(6) film from MTC on CsI
(7) PE 580 B, ABEX 1.96

13(**33**7221111 – **4132**3) $C_5H_8O_2-C_4H_7ClO$ *P* 2497

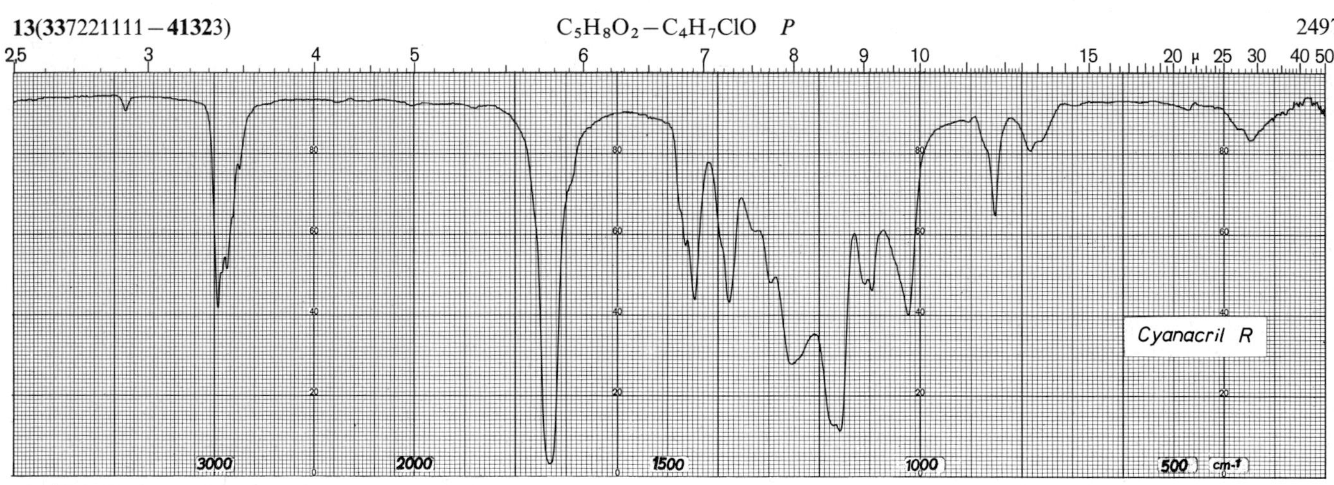

(1) **Cyanacryl R** (in Spektrum lies: Cyanacryl)
(2) American Cyanamid Co., Bound Brook, N.J.
(3) Poly(ethylacrylat-co-vinyl-2-chlorethylether); VCEE: etwa 5%
(4) farbloses Elastomer
(5) für witterungs- und mineralölbeständige, thermisch hoch belastbare Dichtungen und Formteile
(6) Film aus BZN auf CsI
(7) PE 325

(1) **Cyanacryl R** (read Cyanacryl in the spectrum)
(3) poly(ethyl acrylate-co-vinyl 2-chloroethyl ether); VCEE ca. 5%
(4) colorless elastomer
(5) for weather and mineral oil-resistant seals and mouldings with high thermal stability
(6) film from BZN on CsI
(7) PE 325

13(**33**7221111 – **4132**3) $C_5H_8O_2-C_3H_5ClO$ *P* 2498

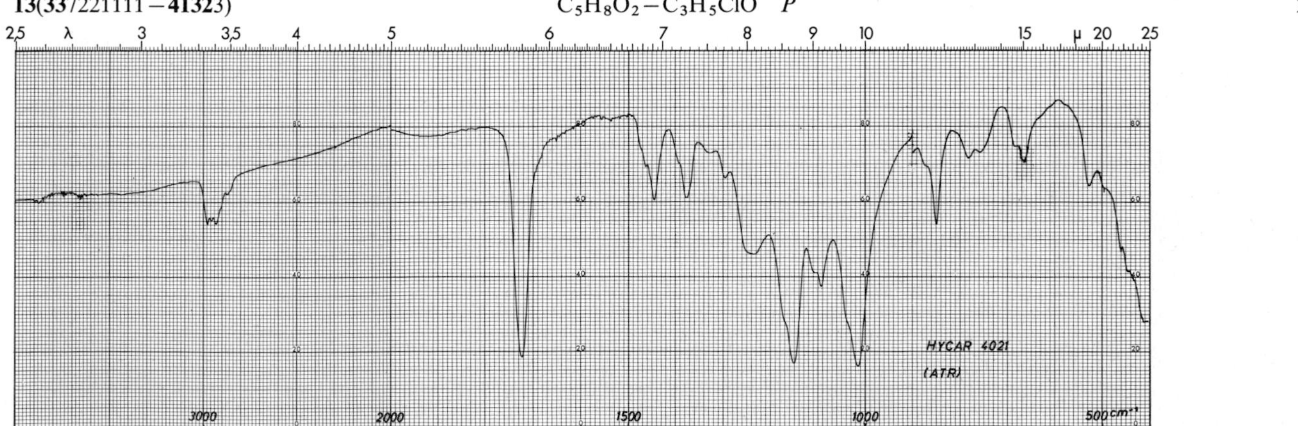

(1) **Hycar 4021**
(3) Poly(ethylacrylat-co-vinyl-2-chlorethylether)
(4) farbloses Elastomer
(5) Gummirohstoff
(6) ATR (KRS-5)
(7) PE 125, relative Intensitäten und Bandenlagen gegenüber dem Transmissionsspektrum verschoben

(2) B. F. Goodrich, Cleveland, O.
(3) poly(ethyl acrylate-co-vinyl 2-chloroethyl ether)
(4) colorless elastomer
(5) rubber raw material
(6) ATR (KRS-5)
(7) PE 125, relative intensities and band positions are displaced with respect to the transmission spectrum

1333741211 2499

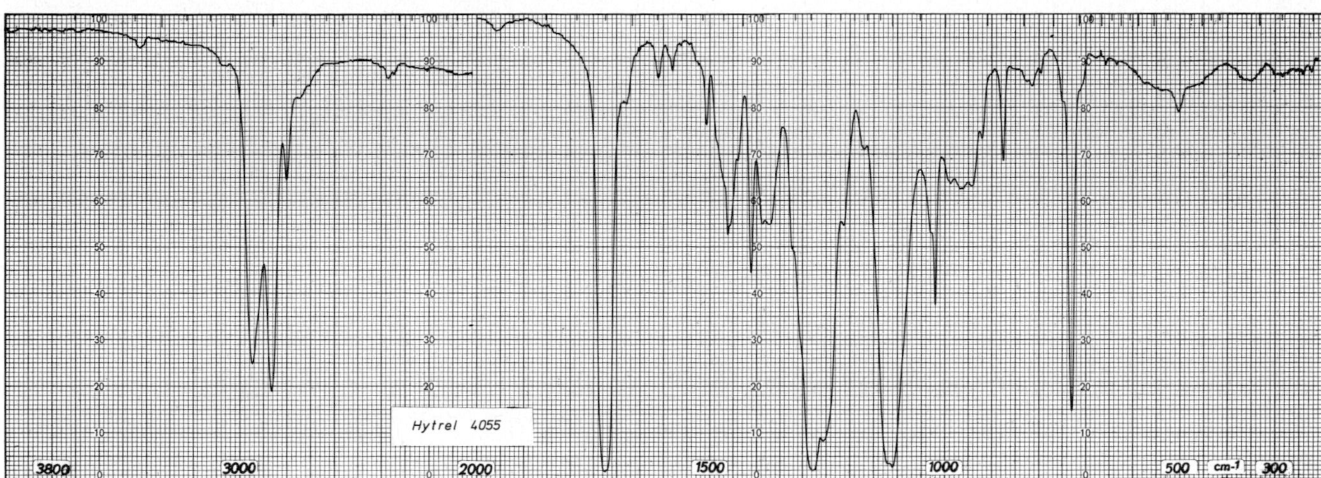

(1) **Hytrel 4055**
(3) Poly(oxytetramethylenoxyterephthaloyl)-co-poly[dodeca(oxytetramethylen)oxyterephthaloyl]
(4) elfenbeinfarbenes Elastomer
(5) thermoplastisches Elastomer
(6) Film aus CLF aus CsI
(7) G. H. Hoeschele, W. K. Witsiepe, Angew. Makromol. Chem. **29/30** (1973) 267...89; G. H. Hoeschele, Chimie **28** (1974) 544...52

(2) Du Pont, Wilmington, Dela.
(3) poly(oxytetramethyleneoxyterephthaloyl)-co-poly [dodeca(oxytetramethylene)oxyterephthaloyl]
(4) ivory-colored elastomer
(5) thermoplastic elastomer
(6) film from CLF on CsI
(7) G. H. Hoeschele, W. K. Witsiepe, Angew. Makromol. Chem. **29/30** (1973) 267...89; G. H. Hoeschele, Chimie **28** (1974) 544...52

1333741211 2500

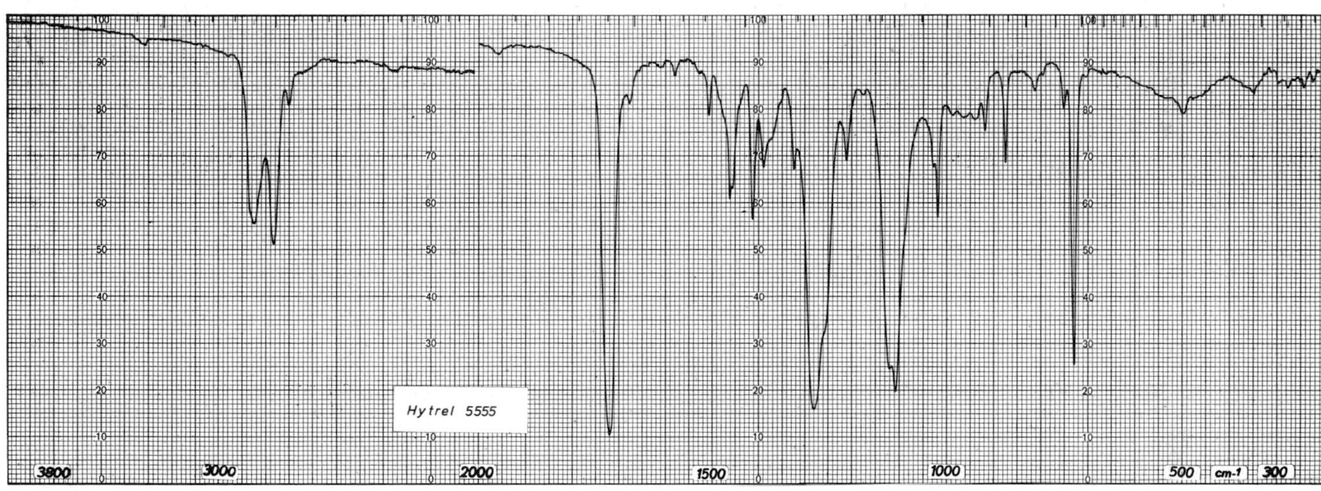

(1) **Hytrel 5555**
(3) Poly(oxytetramethylenoxyterephthaloyl)-co-poly[dodeca(oxytetramethylen)oxyterephthaloyl]
(4) elfenbeinfarbenes Elastomer
(5) thermoplastisches Elastomer
(6) Film aus CLF aus CsI
(7) G. H. Hoeschele, W. K. Witsiepe, Angew. Makromol. Chem. **29/30** (1973) 267...89; G. H. Hoeschele, Chimie **28** (1974) 544...52

(2) Du Pont, Wilmington, Dela.
(3) poly(oxytetramethyleneoxyterephthaloyl)-co-poly [dodeca(oxytetramethylene)oxyterephthaloyl]
(4) ivory-colored elastomer
(5) thermoplastic elastomer
(6) film from CLF on CsI
(7) G. H. Hoeschele, W. K. Witsiepe, Angew. Makromol. Chem. **29/30** (1973) 267...89; G. H. Hoeschele, Chimie **28** (1974) 544...52

1333741211 2501

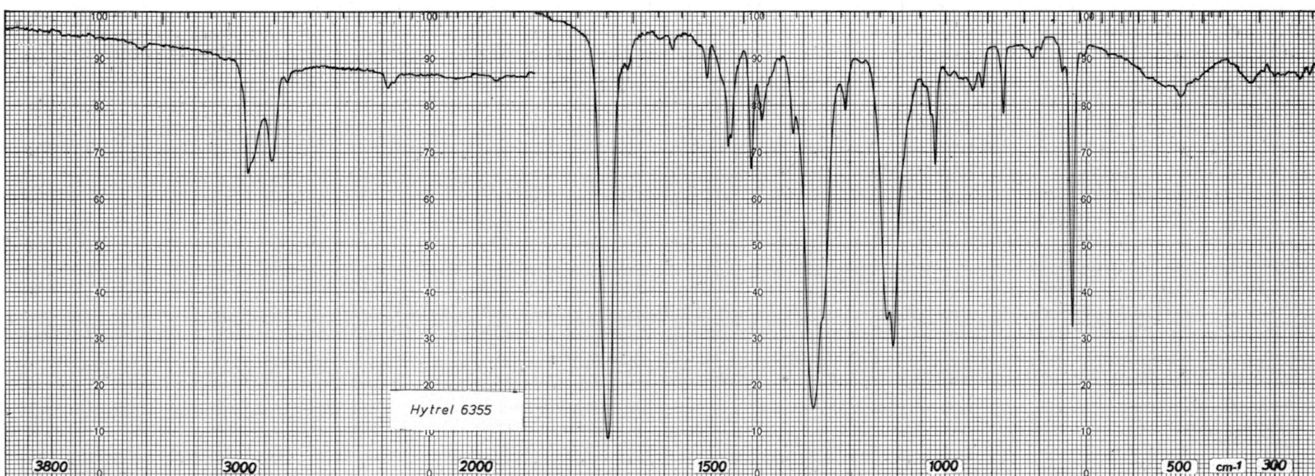

(1) **Hytrel 6355**
(3) Poly(oxytetramethylenoxyterephthaloyl)-co-poly[dodeca(oxytetramethylen)oxyterephthaloyl]
(4) elfenbeinfarbenes Elastomer
(5) thermoplastisches Elastomer
(6) Film aus CLF aus CsI
(7) G. H. Hoeschele, W. K. Witsiepe, Angew. Makromol. Chem. **29/30** (1973) 267...89; G. H. Hoeschele, Chimie **28** (1974) 544...52

(2) Du Pont, Wilmington, Dela.
(3) poly(oxytetramethyleneoxyterephthaloyl)-co-poly [dodeca(oxytetramethylene)oxyterephthaloyl]
(4) ivory-colored elastomer
(5) thermoplastic elastomer
(6) film from CLF on CsI
(7) G. H. Hoeschele, W. K. Witsiepe, Angew. Makromol. Chem. **29/30** (1973) 267...89; G. H. Hoeschele, Chimie **28** (1974) 544...52

13(3511−3111112) $C_2F_3Cl-C_2H_2F_2$ *P* 2502

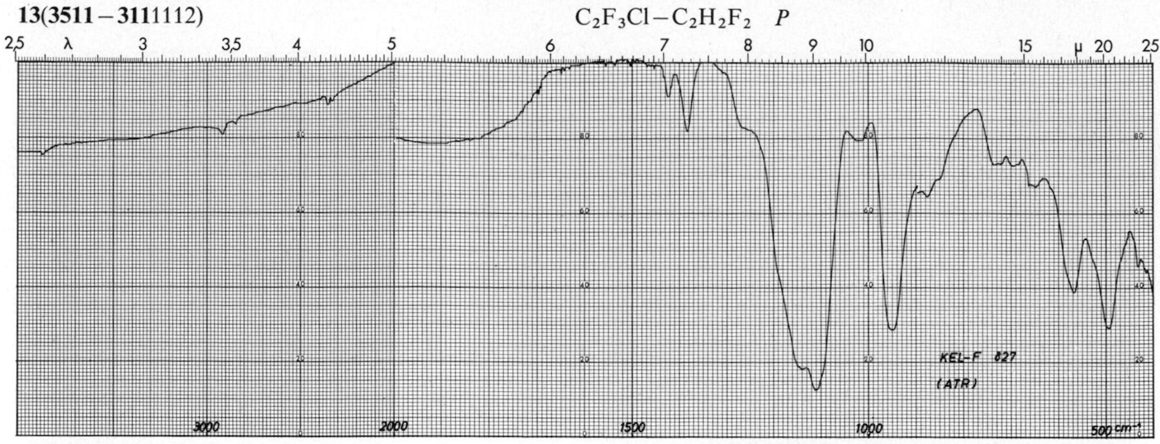

(1) **Kel-F 827**
(3) Poly(trifluorchlorethylen-co-vinylidenfluorid)
(4) farbloses Elastomer
(5) für thermisch und chemisch widerstandsfähige Gummiartikel
(6) ATR (KRS-5)
(7) PE 125; relative Intensitäten und Bandenlagen gegenüber dem Transmissionsspektrum verschoben

(2) Minnesota Mining & Manufacturing Co., Düsseldorf
(3) poly(trifluoroethylene-co-vinylidene fluoride)
(4) colorless elastomer
(5) for thermally and chemically resistant, rubber goods
(6) ATR (KRS-5)
(7) PE 125; relative intensities and band positions are displaced with respect to the transmission spectrum

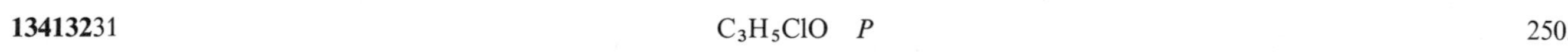

13413231 C_3H_5ClO *P* 2503

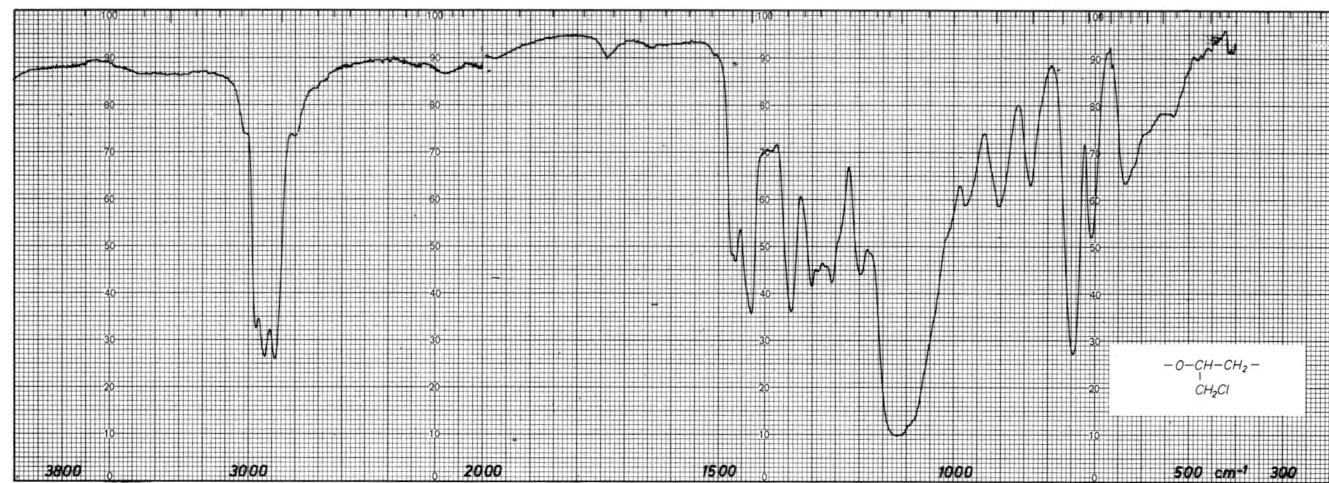

(1) **Hydrin 100**
(3) Polyepichlorhydrin, $-CH(CH_2Cl)-CH_2-O-$
(4) farbloses Elastomer
(5) für mineralölbeständige Schläuche und Membranen
(6) Schicht aus CLF/CTC auf KBr
(7) G. Adank, T. R. Goshorn, Angew. Makromol. Chem. **16717** (1971) 103...15

(2) B. F. Goodrich, Cleveland, O.
(3) polyepichlorohydrin $-CH(CH_2Cl)-CH_2-O-$
(4) colorless elastomer
(5) for mineral oil-resistant tubes and membranes
(6) film from CLF/CTC on KBr
(7) G. Adank, T. R. Goshorn, Angew. Makromol. Chem. **16717** (1971) 103...15

134213121 CHNO 2504

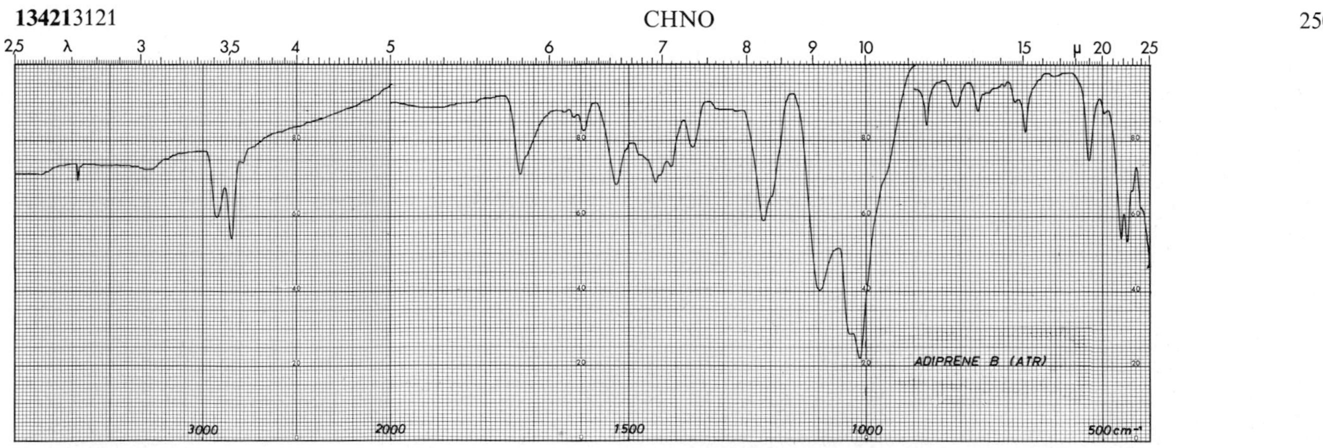

(1) **Adiprene B**
(3) Poly(etherurethan)
(4) gelbliches Elastomer
(5) Gummirohstoff
(6) ATR (KRS-5)
(7) PE 125, relative Intensitäten und Bandenlagen gegenüber dem Transmissionsspektrum verschoben

(2) Du Pont, Wilmington, Dela.
(3) poly(ether urethane)
(4) yellowish elastomer
(5) rubber raw material
(6) ATR (KRS-5)
(7) PE 125, relative intensities and band positions displaced with respect to the transmission spectrum

134213121

2505

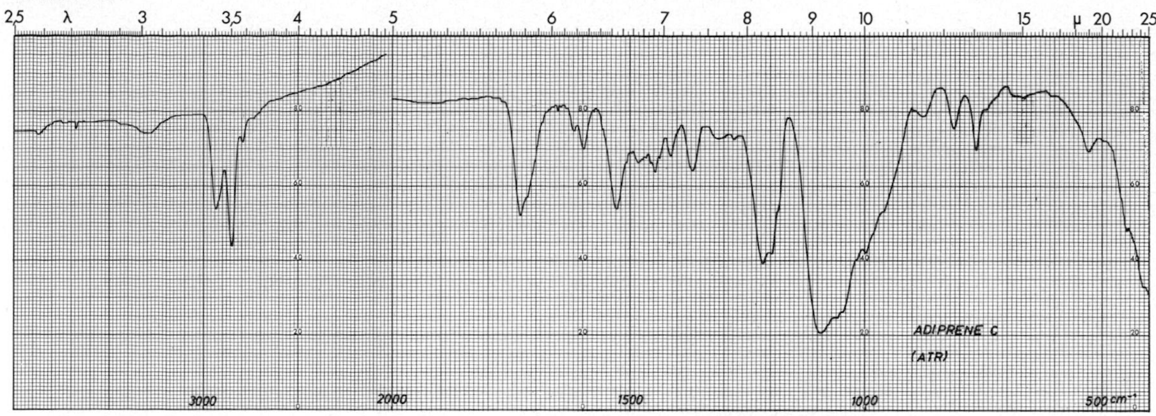

(1) **Adiprene C**
(3) Poly(etherurethan)
(4) gelbliches Elastomer
(5) Gummirohstoff
(6) ATR (KRS-5)
(7) PE 125, relative Intensitäten und Bandenlagen gegenüber dem Transmissionsspektrum verschoben

(2) Du Pont, Wilmington, Dela.
(3) poly(ether urethane)
(4) yellowish elastomer
(5) rubber raw material
(6) ATR (KRS-5)
(7) PE 125, relative intensities and band positions displaced with respect to the transmission spectrum

1342131212

2506

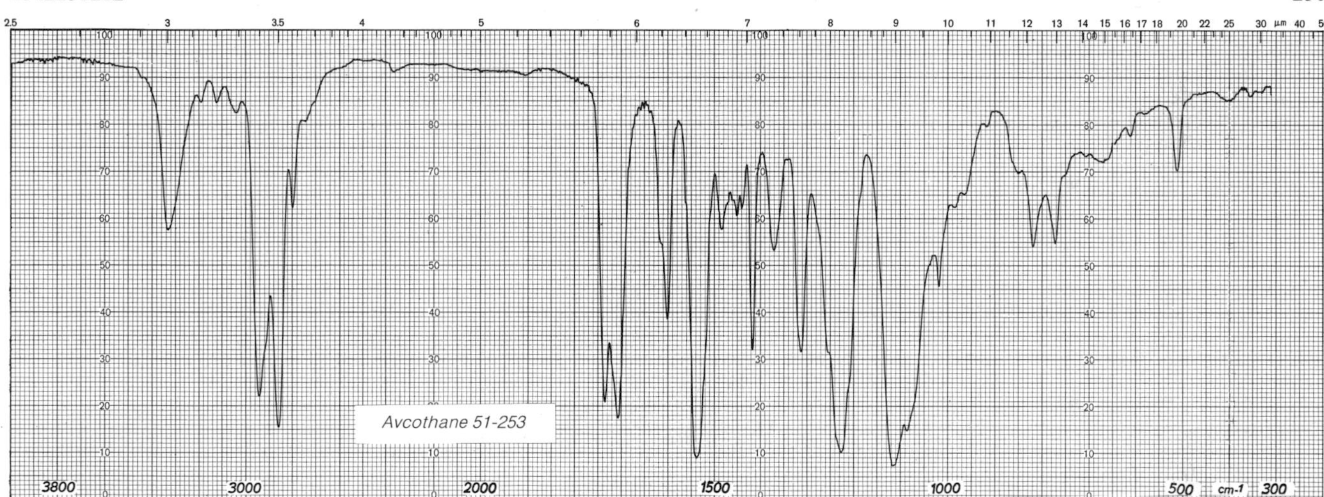

(1) **Avcothane 51-253**
(3) Poly(etherurethan) auf Basis Poly(oxytetramethylen) (mit OH-Endgruppen) und 4,4′-Diisocyanatodiphenylmethan
(4) wasserklare, hochviskose Substanz
(5) biokompatibles Material für medizinische Anwendungen
(6) Schicht auf CsI

(2) AVCO Everett
(3) poly(ether urethane) based on poly(oxytetramethylene) (with OH end groups) and 4,4′-diisocyanatodiphenylmethane
(4) crystal clear, highly viscous substance
(5) biocompatible material for medical applications
(6) film on CsI

1342131212

2507

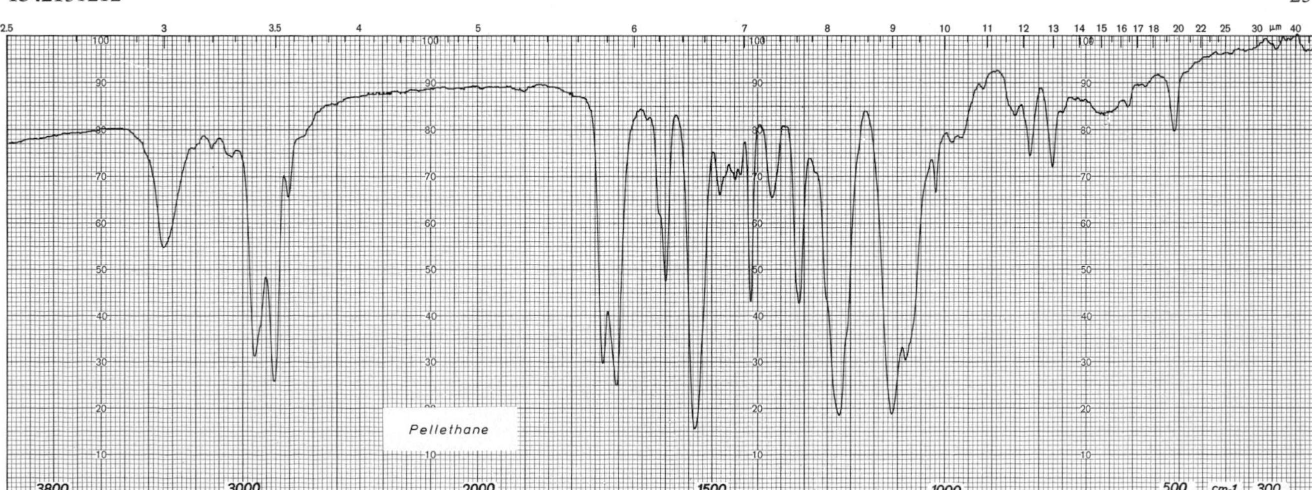

(1) **Pellethane**
(3) mit 4,4′-Diisocyanatodiphenylmethan verlängertes Poly(oxytetramethylen) (mit OH-Endgruppen), verknüpft mit einem Diamin
(4) farbloses Granulat
(5) biokompatibles Material für medizinische Anwendungen
(6) Schicht aus DMF auf CsI

(2) Upjohn Polymer, s'Hertogenbosch
(3) poly(oxytetramethylene) lengthened with 4,4′-diisocyanatodiphenylmethane (with OH end groups), joined by a diamine
(4) colorless granules
(5) biocompatible material for medical applications
(6) film from DMF on CsI

1342131212 2508

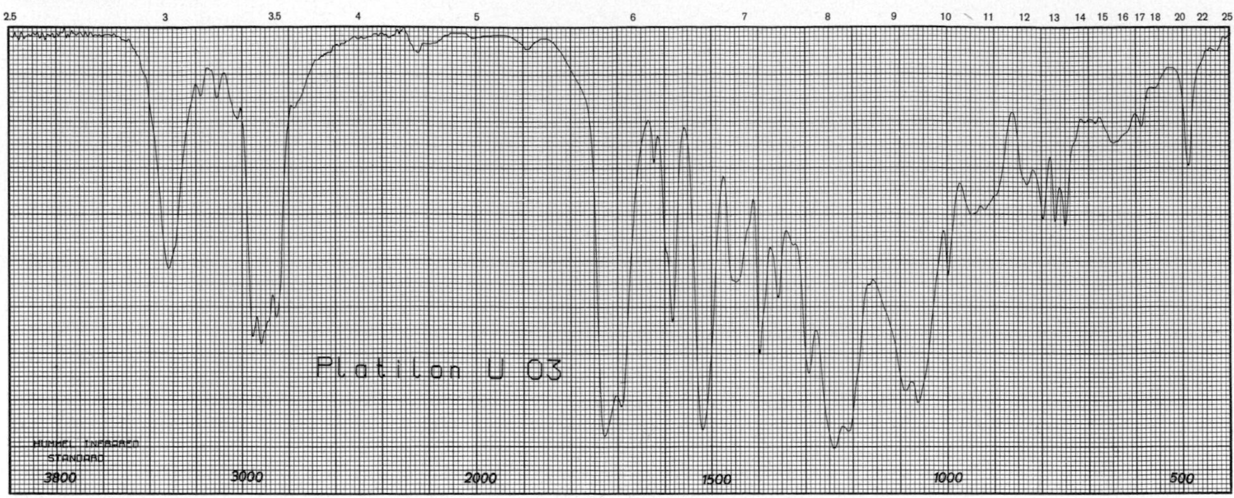

(1) **Platilon U 03**
(3) Poly(etherurethan) auf Basis 4,4'-Diisocyanatodiphenylmethan und anderen Komponenten
(4) gelbliches, weiches Elastomer
(5) physiologisch unbedenkliches, hautverträgliches, hydrolyse- und gegen Mikroorganismen beständiges, thermoplastisches Elastomer
(6) Schmelzfilm (ca. 15 µm)
(7) Nicolet FTIR 20 SX

(2) Plate, Bonn
(3) poly(ether urethane) on the basis of 4,4'-diisocyanatodiphenylmethane and other components
(4) yellowish, soft elastomer
(5) physiologically safe, skin compatible, hydrolysis and microorganism-resistant, thermoplastic elastomer
(6) film from the melt (ca. 15 µm)
(7) Nicolet FTIR 20 SX

1342131212 2509

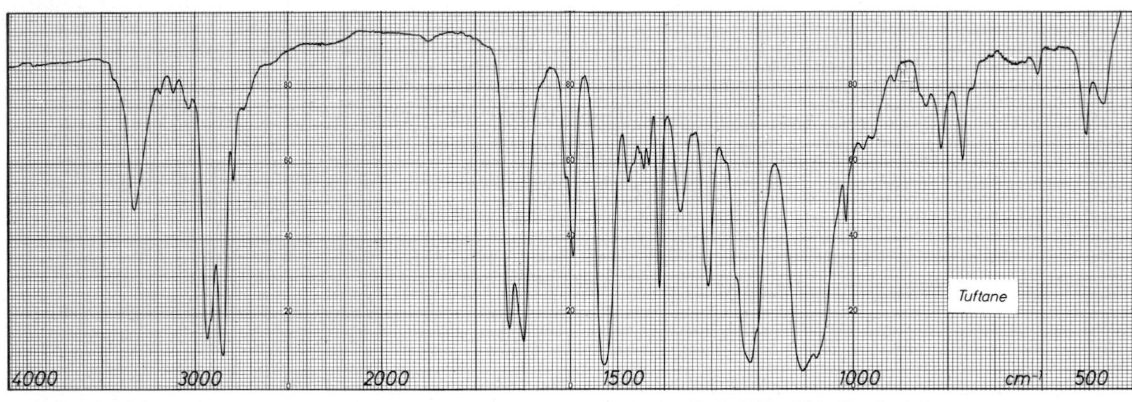

(1) **Tuftane TF 410**
(3) Poly(etherurethan) auf Basis Poly(oxytetramethylen) und 4,4'-Diisocyanatodiphenylmethan
(4) gelbliches Elastomer
(5) physiologisch verträgliches Material
(6) freitragender, dünner Film aus DMF
(7) das Polymere wurde vorher aus DMF mit MTL umgefällt

(2) B. F. Goodrich, Cleveland, O.
(3) poly(ether urethane) with poly(oxytetramethylene) and 4,4'-diisocyanatodiphenylmethane
(4) yellowish elastomer
(5) physiologically compatible material
(6) freestanding, thin film from DMF
(7) the polymer was first precipitated from DMF with MTL

134213123 2510

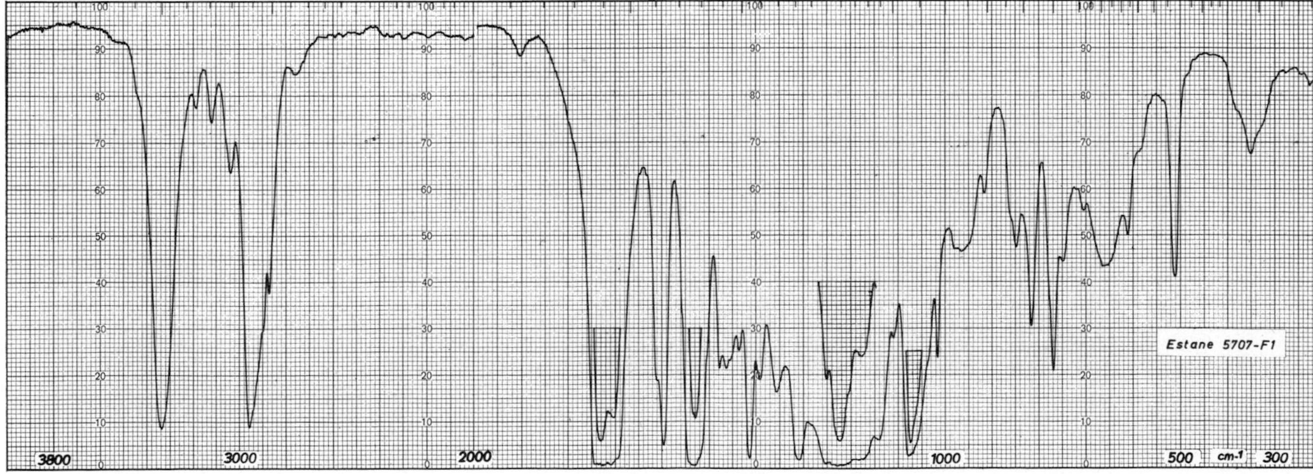

(1) **Estane 5707-F1**
(3) Poly(esterurethan) mit 4,4'-Diisocyanatodiphenylmethan als Diisocyanatkomponente; enthält möglicherweise auch Polyoxyethylensequenzen
(4) gelbliches Elastomer
(5) physiologisch verträgliches Material
(6) Film (20...25 µm) aus DMF

(2) B. F. Goodrich, Cleveland, O.
(3) poly(ester urethane) with 4,4'-diisocyanatodiphenylmethane as the diisocyanate component; probably also contains polyoxyethylene sequences
(4) yellowish elastomer
(5) physiologically compatible material
(6) film (20...25 µm) from DMF

134213123 2511

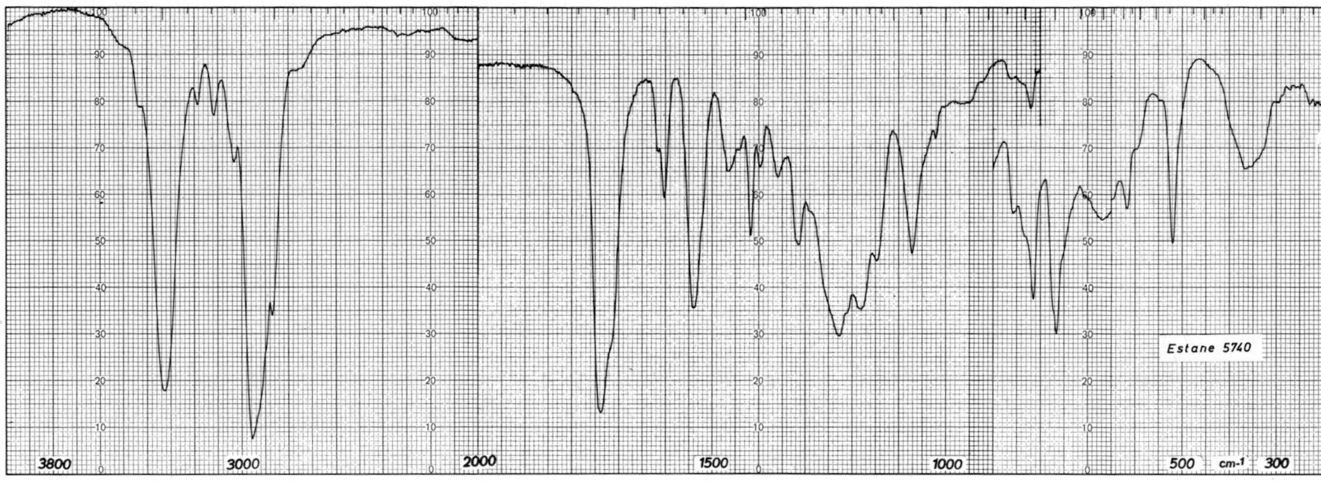

(1) **Estane 5740**
(3) Poly(esterurethan) mit 4,4′-Diisocyanatodiphenylmethan als Diisocyanatkomponente
(4) gelbliches Elastomer
(5) physiologisch verträgliches Material
(6) freitragender Film (40...50 µm; 200...900/cm und 2000...4000/cm), sehr dünne Schicht aus DMF auf KBr (800...1200/cm)

(2) B. F. Goodrich, Cleveland, O.
(3) poly(ester urethane) with 4,4′-diisocyanatodiphenylmethane as the diisocyanate component
(4) yellowish elastomer
(5) physiologically compatible material
(6) freestanding film (40...50 µm; 200...900/cm and 2000...4000/cm), very thin film from DMF on KBr (800...1200/cm)

134213123/**14**84 2512

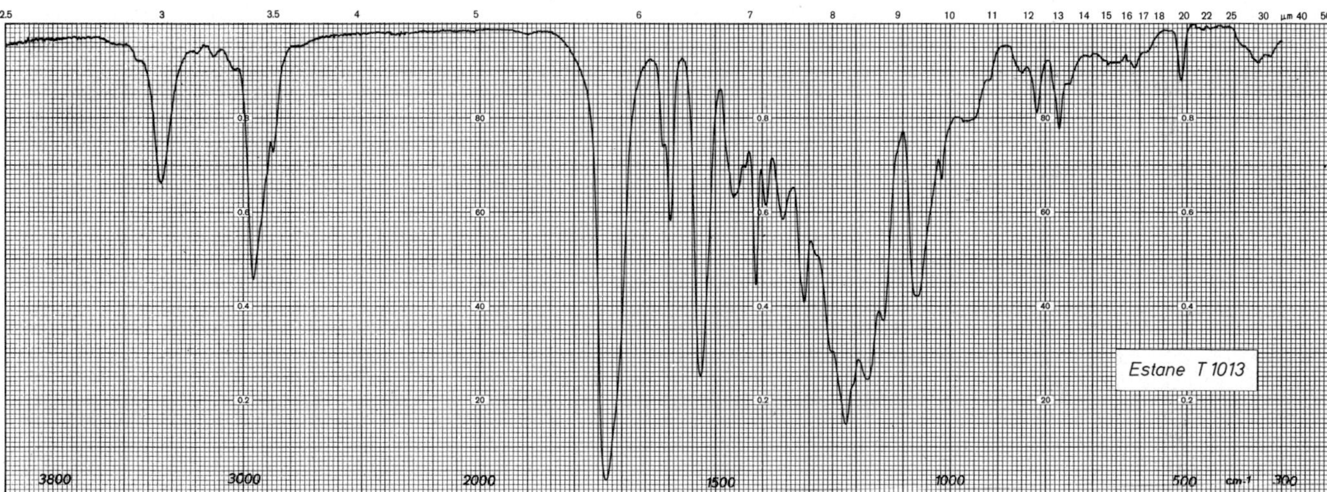

(1) **Estane T 1013**
(3) aromatisch-aliphatisches Poly(esterurethan) mit 4,4′-Diisocyanatodiphenylmethan und endständigen OH-Gruppen
(4) nahezu farblose, dünne Elastomerstückchen
(5) als Vorstrich für Gewebebeschichtungen, Polymer zum Verschneiden für Voranstriche und Beschichtungen
(6) Schicht aus MTC auf CsI
(7) PE 580 B, ABEX 1.75

(2) B. F. Goodrich, Akron, Ohio
(3) aromatic-aliphatic poly(ester urethane) with 4,4′-diisocyanatodiphenylmethane and terminal OH groups
(4) almost colorless, thin pieces of elastomer
(5) as primer for textile coatings, polymer for blending in undercoats and coatings
(6) film from MTC on CsI
(7) PE 580 B, ABEX 1.75

134213123 2513

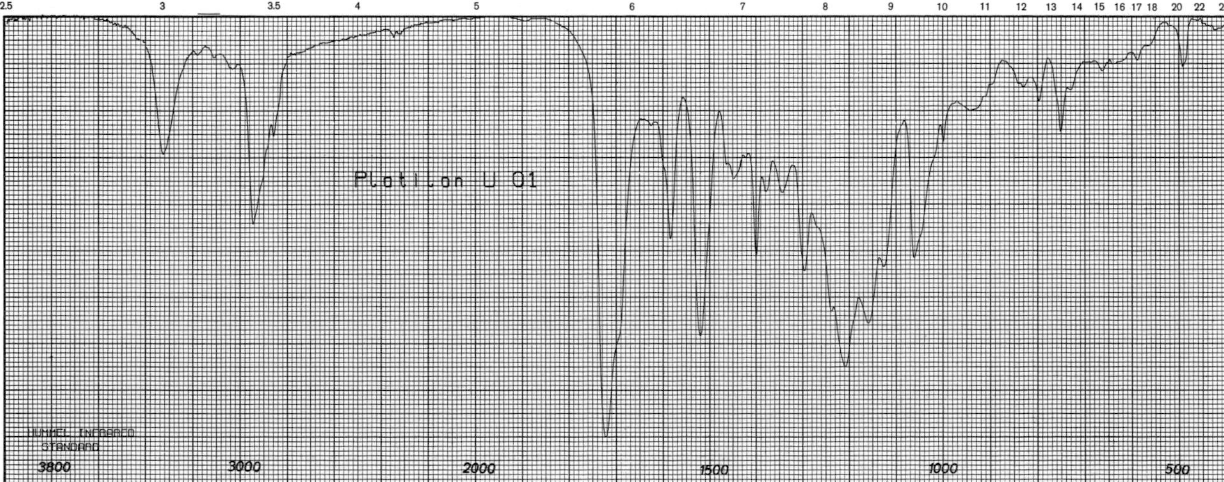

(1) **Platilon U 01**
(3) Poly(esterurethan) auf Basis 4,4′-Diisocyanatodiphenylmethan und anderen Komponenten
(4) gelbliches, weiches Elastomer
(5) thermoplastisches Elastomer zur Oberflächenveredlung (Schaumstoffe, Textilien), zur Herstellung von Rohrverbindungen, Manschetten, Treibriemen
(6) Schicht aus DMA auf KRS-5

(2) Plate, Bonn
(3) poly(ester urethane) on the basis of 4,4′-diisocyanatodiphenylmethane and other components
(4) yellowish, soft elastomer
(5) thermoplastic elastomer for surface treatment (foams and textiles), for the manufacture of pipe joints, sleeving, transmission belts
(6) film from DMA on KRS-5

134213123 2514

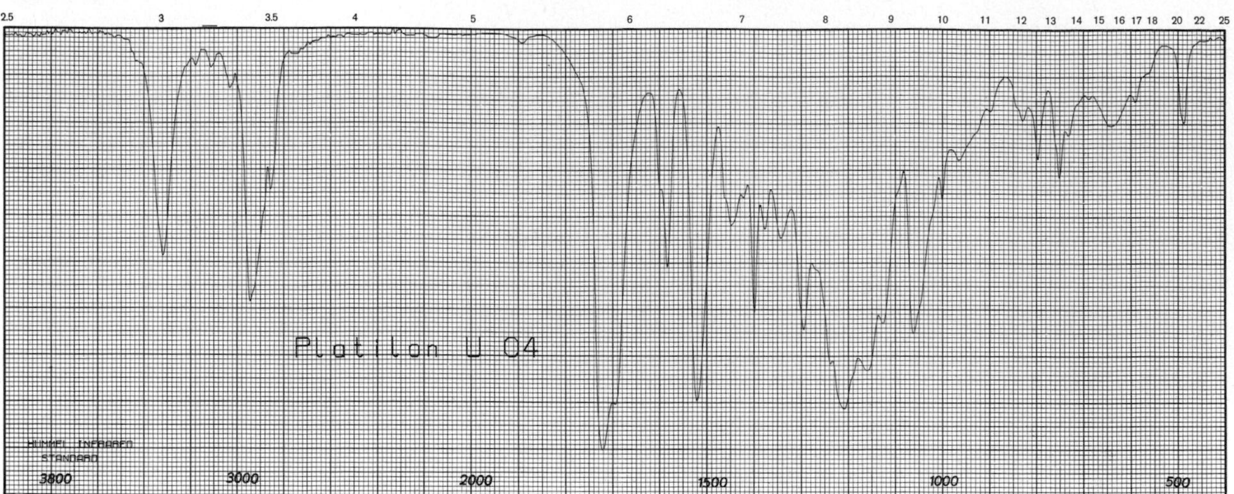

(1) **Platilon U 04**
(3) Poly(esterurethan) auf Basis 4,4′-Diisocyanatodiphenylmethan und anderen Komponenten
(4) gelbliches, weiches Elastomer
(5) thermoplastisches Elastomer zur Oberflächenveredlung (Schaumstoffe, Textilien), zur Herstellung von Rohrverbindungen, Manschetten, Treibriemen
(6) Schmelzfilm (ca. 15 μm)
(7) Nicolet FTIR 20 SX

(2) Plate, Bonn
(3) poly(ester urethane) on the basis of 4,4′-diisocyanatodiphenylmethane and other components
(4) yellowish, soft elastomer
(5) thermoplastic elastomer for surface treatment (foams and textiles), for the manufacture of pipe joints, sleeving, transmission belts
(6) film from the melt (ca. 15 μm)
(7) Nicolet FTIR 20 SX

134213123 2515

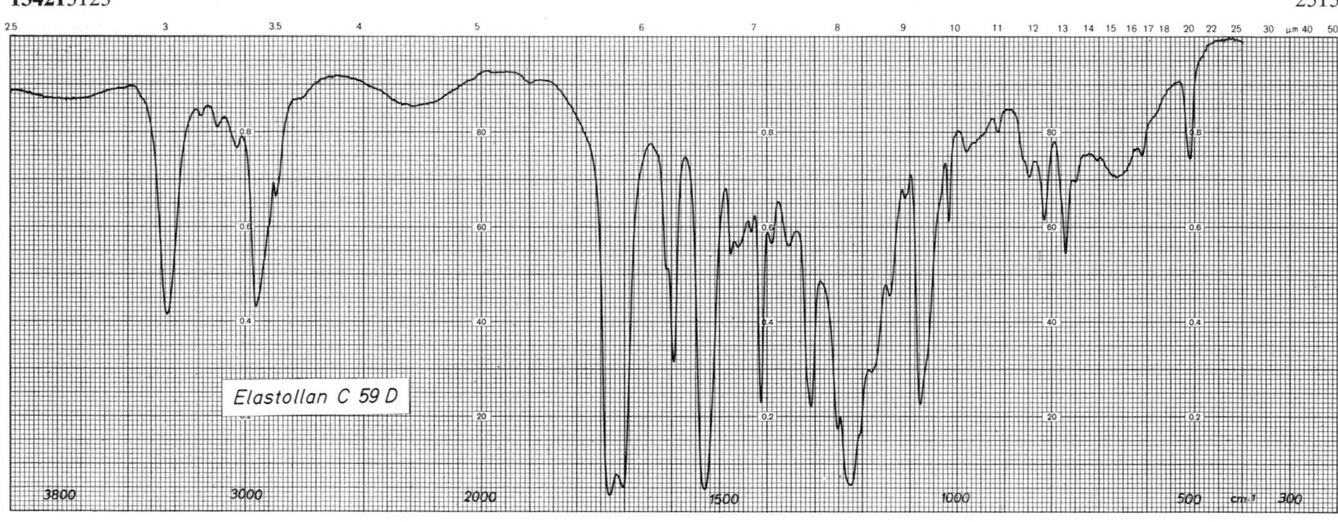

(1) **Elastollan C 59 D**
(3) Poly(esterurethan) auf Basis 4,4′-Diisocyanatodiphenylmethan
(4) farbloses, milchiges Elastomer
(5) Führungsrollen für Rolltreppen, Skiliftteller, Zahnräder, Schutzkanten, Lagerschalen
(6) Film aus DMF auf KRS-5
(7) PE 580 B, ABEX 1.38

(2) Elastogran Polyurethan-Gruppe, BASF AG, Ludwigshafen
(3) poly(ester urethane) with 4,4′-diisocyanatodiphenylmethane
(4) colorless, milky elastomer
(5) guide rollers for escalators, skilift plates, gear wheels, protective edging, bearing linings
(6) film from DMF on KRS-5
(7) PE 580 B, ABEX 1.38

134213123 2516

(1) **Elastollan C 74 D**
(3) Poly(esterurethan) auf Basis 4,4′-Diisocyanatodiphenylmethan
(4) milchiges Granulat
(5) für Abdeckmanschetten, Lagerbuchsen, Streckwerke, Zahnräder, Türschloßteile
(6) Schicht aus DMF auf KRS-5
(7) PE 580 B, ABEX 1.17

(2) Elastogran Polyurethan-Gruppe, BASF AG, Ludwigshafen
(3) poly(ester urethane) with 4,4′-diisocyanatodiphenylmethane
(4) milky granules
(5) protective collars, bearing bushes, drafting systems
(6) film from DMA on KRS-5
(7) PE 580 B, ABEX 1.17

134213123 2517

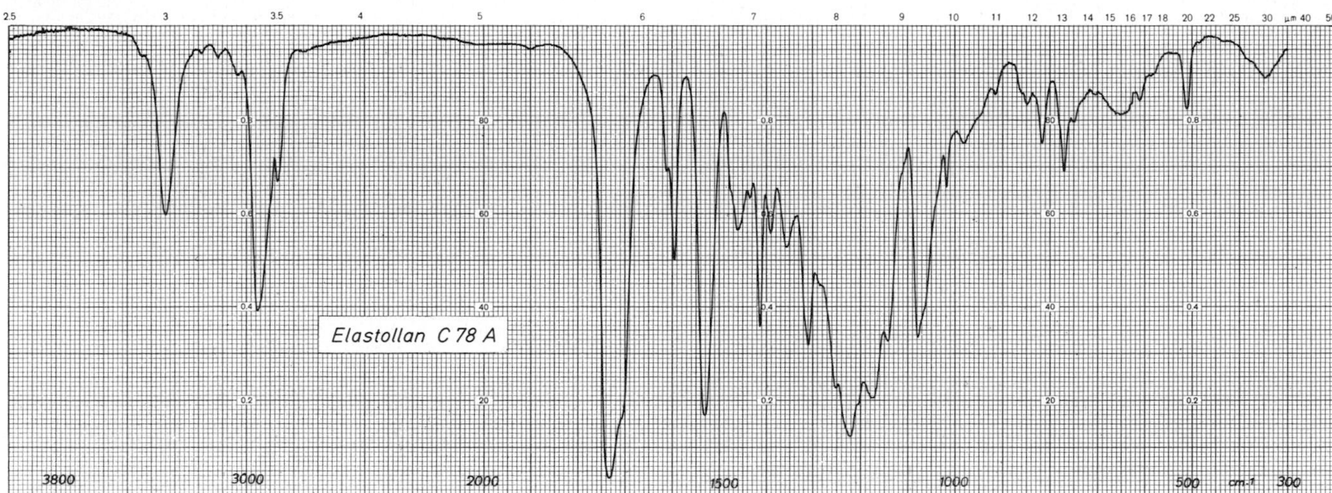

(1) **Elastollan C 78 A**
(3) Poly(esterurethan) auf Basis 4,4′-Diisocyanatodiphenylmethan
(4) farbloses, transparentes Elastomer
(5) Verschlauchummantelungen, technische Teile, Folien
(6) Schicht aus DMF auf KRS-5
(7) PE 580 B, ABEX 1.10

(2) Elastogran Polyurethan-Gruppe, BASF AG, Ludwigshafen
(3) poly(ester urethane) with 4,4′-diisocyanatodiphenylmethane
(4) colorless, transparent elastomer
(5) hose pipe coverings, technical components, films
(6) film from DMF on KRS-5
(7) PE 580 B, ABEX 1.10

134213123 2518

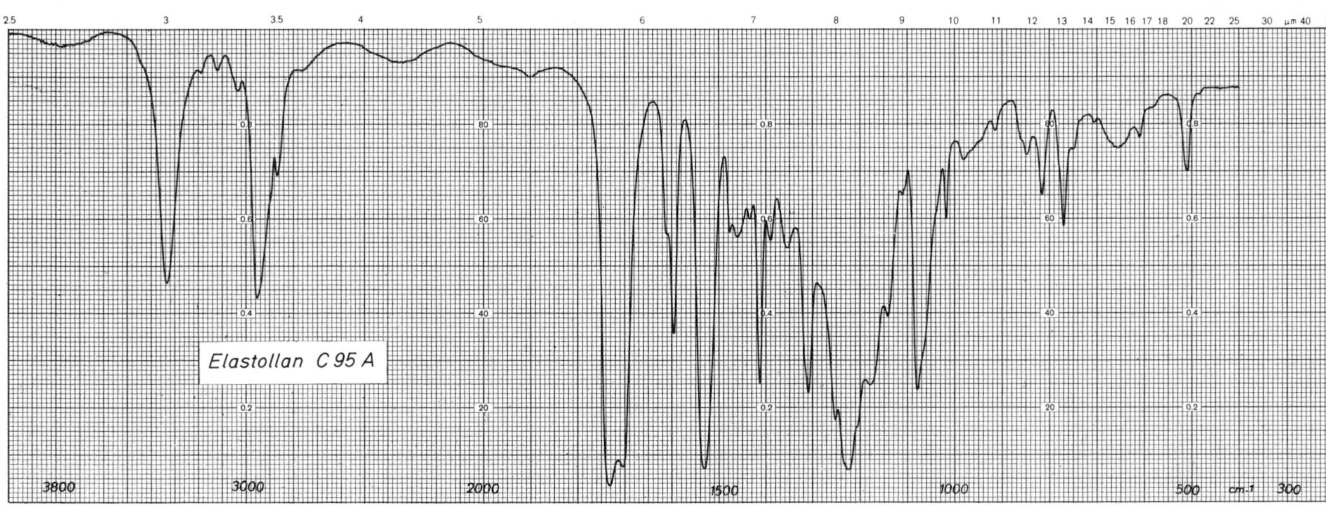

(1) **Elastollan C 95 A**
(3) Poly(esterurethan) auf Basis 4,4′-Diisocyanatodiphenylmethan
(4) farbloses, trübes Elastomer
(5) Dichtringe für Hydraulikelemente, Halbzeuge, Buchsen, Türschloßelemente
(6) Film aus DMF auf KRS-5
(7) PE 580 B, ABEX 1.02

(2) Elastogran Polyurethan-Gruppe, BASF AG, Ludwigshafen
(3) poly(ester urethane) with 4,4′-diisocyanatodiphenylmethane
(4) colorless, cloudy elastomer
(5) sealing rings for hydraulic elements, semifinished products, bushes, doorlock components
(6) film from DMF on KRS-5
(7) PE 580 B, ABEX 1.02

134213152 2519

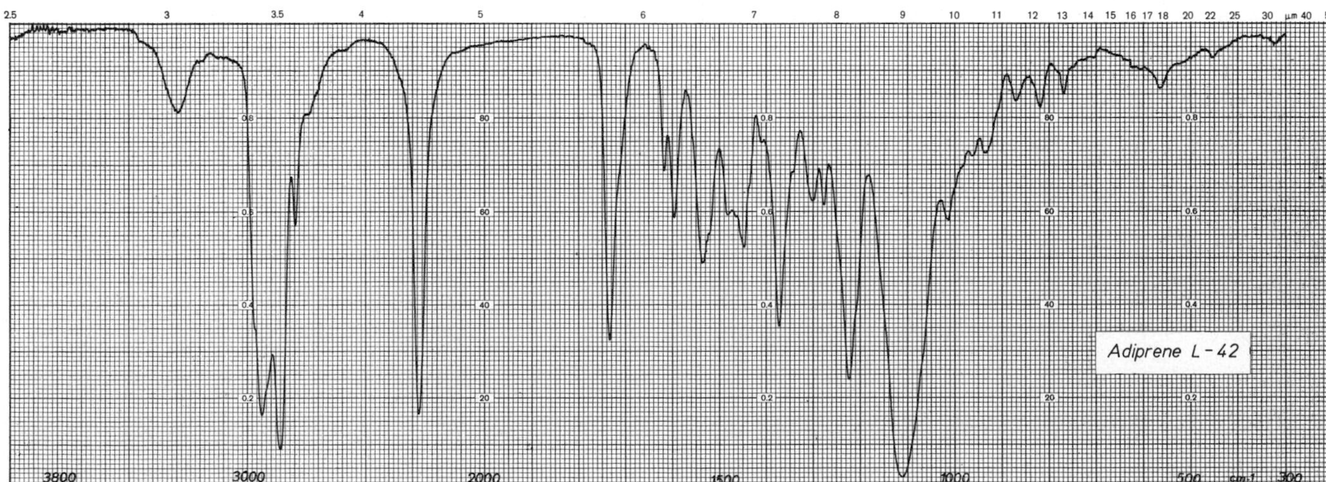

(1) **Adiprene L 42**
(3) Poly(etherurethan)diisocyanat, härtbar mit Methylen-bis-(o-chloranilin)
(4) weiße, hartwachsähnliche Masse
(5) flüssiges Urethanelastomer für Walzen, harte Räder, Diaphragmen, Stiefel
(6) Schicht auf CsI
(7) PE 580 B, ABEX 1.76

(2) Du Pont de Nemours GmbH, Düsseldorf
(3) poly(ether urethane) diisocyanate curable with methylene-bis-(o-chloroaniline)
(4) white, hard wax-like mass
(5) liquid urethane elastomer for rollers, rigid wheels, diaphragms, boots
(6) film from CsI
(7) PE 580 B, ABEX 1.76

134213152 2520

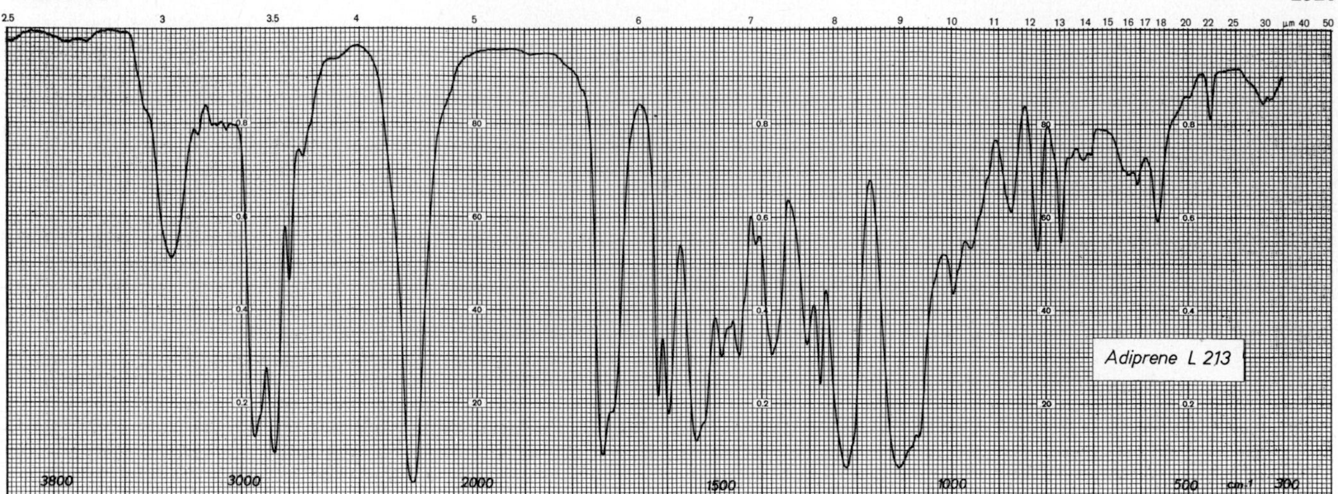

(1) **Adiprene L-213**
(3) Poly(etherurethan)diisocyanat, härtbar mit Methylen-bis-(o-chloranilin)
(4) weiße, schmierige Masse
(5) flüssiges Urethanelastomer
(6) Schicht auf CsI
(7) PE 580 B, ABEX 1.01

(2) Du Pont de Nemours GmbH, Düsseldorf
(3) poly(ether urethane) diisocyanate, curable with methylene-bis-(o-chloroaniline)
(4) white, viscous mass
(5) fluid urethane elastomer
(6) film on CsI
(7) PE 580 B, ABEX 1.01

134213152 2521

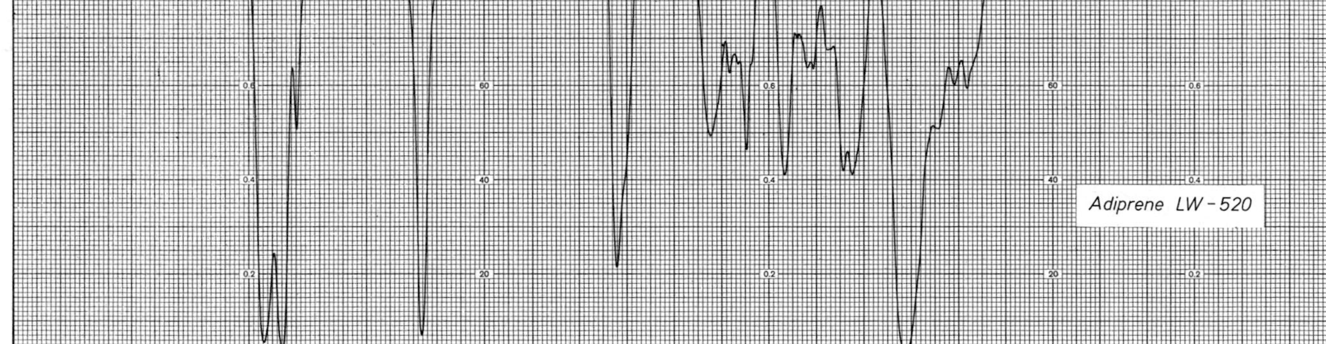

(1) **Adiprene LW-520**
(3) Poly(etherurethan)diisocyanat auf Basis Methylen-bis-(4-cyclohexylisocyanat)
(4) weiße, streichfähige Substanz
(5) für hydrolysebeständige und tieftemperaturflexible Gummiteile; benötigt Methylendianilin als Vernetzungsmittel
(6) Schicht auf CsI
(7) PE 580 B, ABEX 1.13

(2) Du Pont de Nemours GmbH, Düsseldorf
(3) poly(ether urethane) diisocyanate based on methylene-bis-(4-cyclohexyl isocyanate)
(4) white, spreadable mass
(5) for hydrolysis-resistant and low temperature-flexible, rubber components; requires methylene dianiline as crosslinking agent
(6) film on CsI
(7) PE 580 B, ABEX 1.13

134213152 2522

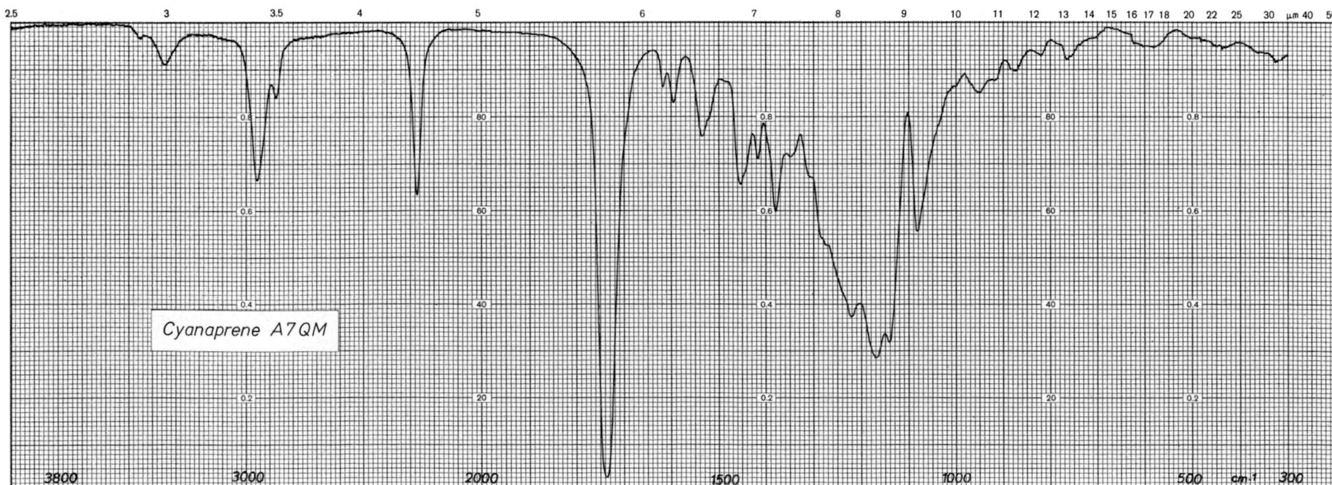

(1) **Cyanaprene A7 QM**
(3) Poly(esterurethan)diisocyanat mit 2.1...2.5% NCO
(4) nahezu farblose, feste Substanz
(5) mit Vernetzer (Cyanaset M) für gegossene oder gepreßte Elastomere
(6) Schicht aus MTC auf CsI
(7) PE 580 B, ABEX 1.37

(2) American Cyanamid Comp., Bound Brook, N.J.
(3) poly(ester urethane) diisocyanate with 2.1...2.5% NCO
(4) almost colorless, solid substance
(5) together with crosslinker (Cyanaset M) for cast or pressed elastomers
(6) film from MTC on CsI
(7) PE 580 B, ABEX 1.37

134213152 2523

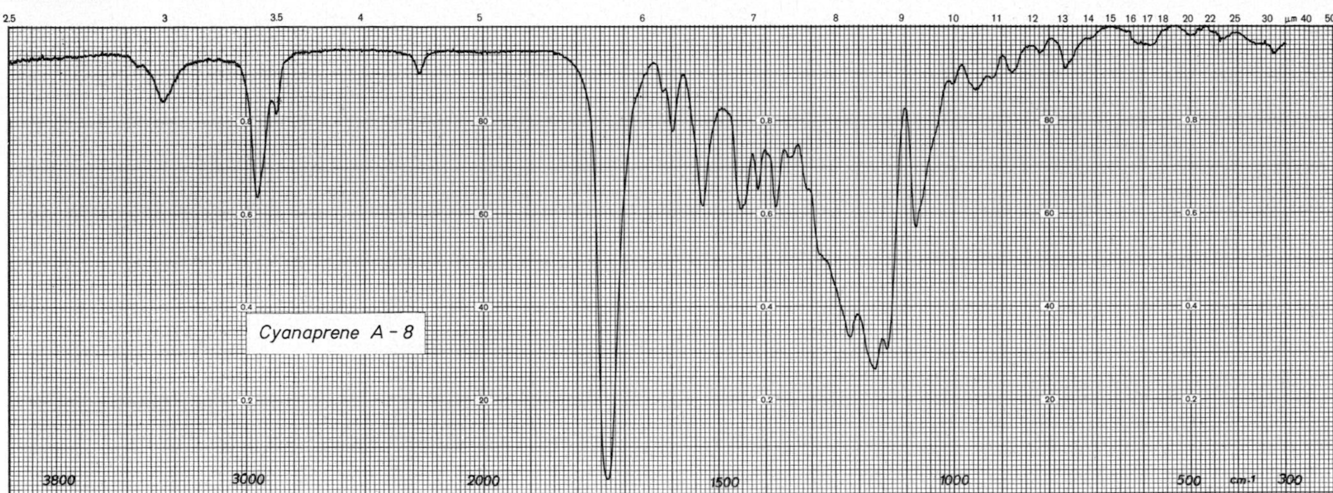

(1) **Cyanaprene A-8**
(3) aliphatisch-aromatisches Poly(esterurethan)-diisocyanat mit 2.9...3.1% NCO-Gruppen
(4) nahezu farblose, feste Substanz
(5) Präpolymer; mit Azelainsäure zum Gießen, Pressen oder Spritzpressen von Elastomerteilen
(6) Schicht aus MTC auf CsI
(7) PE 580 B, ABEX 1.57

(2) American Cyanamid Comp., Bound Brook, N.J.
(3) aromatic-aliphatic poly(ester urethane) diisocyanate with 2.9...3.1% NCO groups
(4) almost colorless, solid substance
(5) prepolymer; with azelaic acid for casting, moulding or injection moulding of elastomeric components
(6) film from MTC on CsI
(7) PE 580 B, ABEX 1.57

134213152 2524

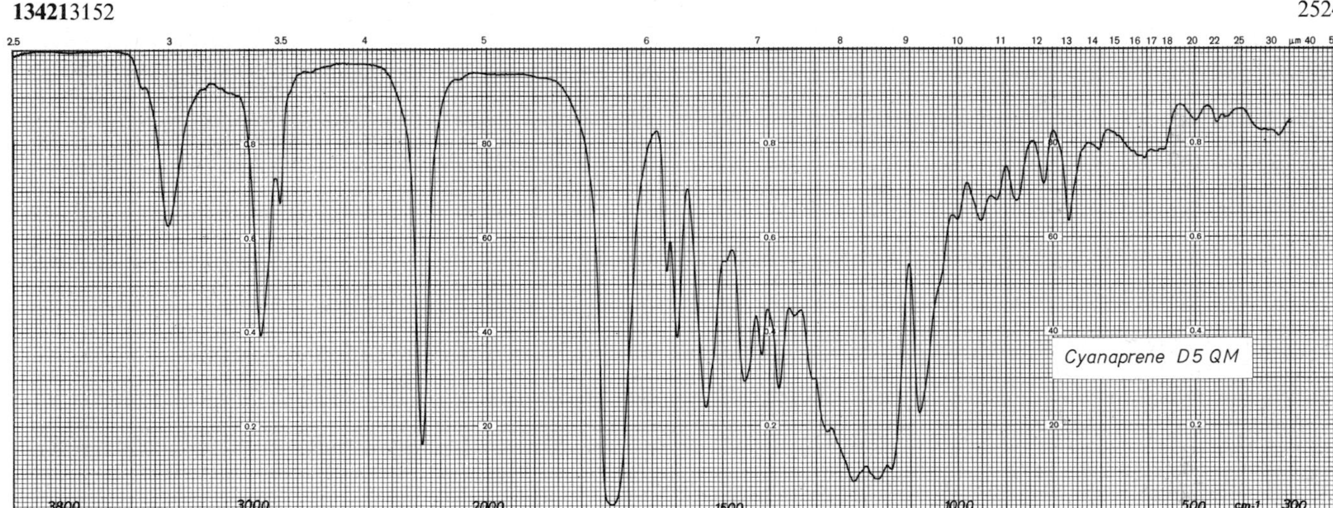

(1) **Cyanaprene D5 QM**
(3) Poly(esterurethan)diisocyanat mit 5.1% NCO-Gruppen
(4) nahezu farblose, schmierige Substanz
(5) mit Vernetzer (Cyanaset M) für gegossene oder gepreßte Elastomere
(6) Schicht aus MTC auf CsI
(7) PE 580 B, ABEX 1.01

(2) American Cyanamid Comp., Bound Brook, N.J.
(3) poly(ester urethane) diisocyanate with 5.1% NCO groups
(4) almost colorless, viscous substance
(5) together with crosslinker (Cyanaset M) for cast or pressed elastomers
(6) film from MTC on CsI
(7) PE 580 B, ABEX 1.01

134213152 2525

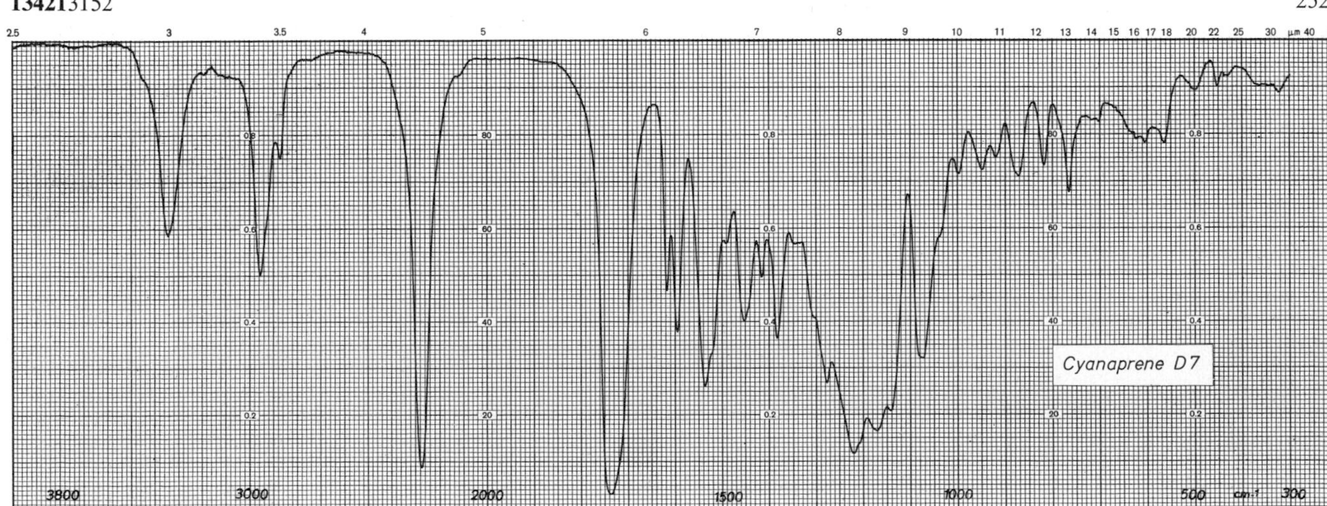

(1) **Cyanaprene D7**
(3) Poly(esterurethan)diisocyanat mit 7.1% NCO-Gruppen
(4) nahezu farblose Substanz
(5) mit Vernetzer 4,4′-Methylen-bis-(2-chloranilin) für gegossene oder gepreßte Elastomere
(6) Schicht aus MTC auf CsI
(7) PE 580 B, ABEX 1.21

(2) American Cyanamid Comp., Bound Brook, N.J.
(3) poly(ester urethane) diisocyanate with 7.1% NCO groups
(4) almost colorless substance
(5) with 4,4′-methylene-bis-(2-chloroaniline) crosslinker for cast or moulded elastomers
(6) film from MTC on CsI
(7) PE 580 B, ABEX 1.21

13431 $C_5H_{10}O_2S_4$ *P* 2526

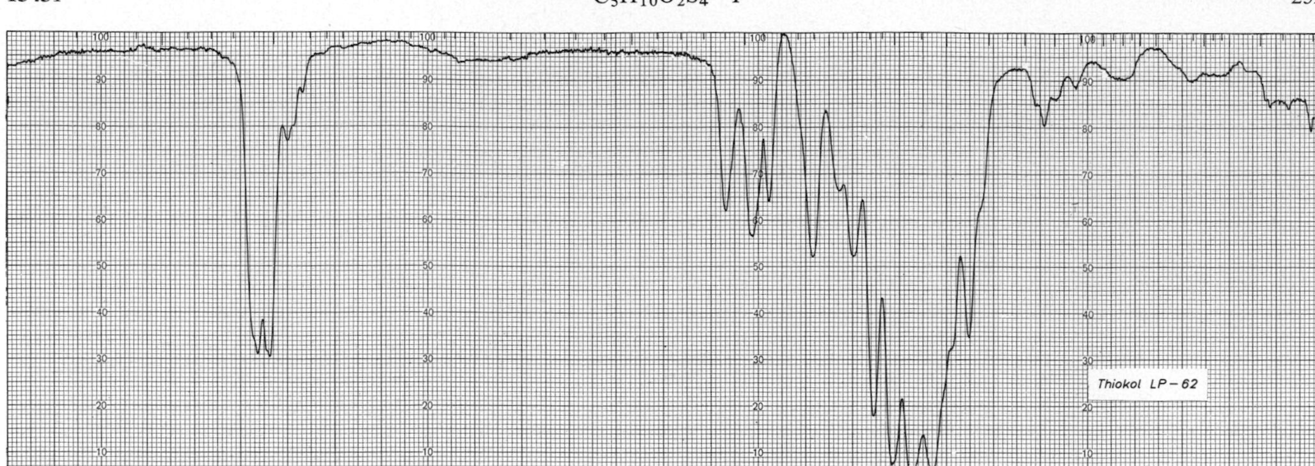

(1) **Thiokol LP-62**
(3) polymeres Polysulfidacetal mit SH-Endgruppen: $-C_2H_4-O-CH_2-O-C_2H_4-S_n-$
(4) viskose Flüssigkeit
(5) vulkanisierbares Elastomer für vielseitige Anwendungen
(6) Schicht zwischen CsI

(2) Thiokol Chem., Corp.
(3) polysulfide formal with terminal SH groups: $-C_2H_4-O-CH_2-O-C_2H_4-S_n-$
(4) viscous liquid
(5) multipurpose, vulcanizable elastomer
(6) film between CsI

13431 $C_5H_{10}O_2S_4$ *P* 2527

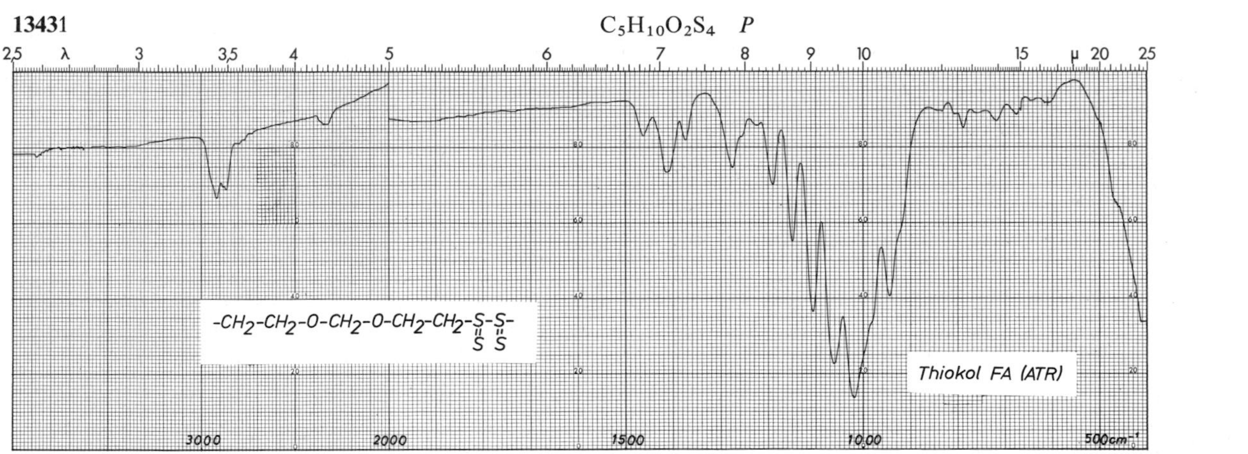

(1) **Thiokol FA**
(3) Polysulfidformal aus Dichlordiethylformal und Natriumpolysulfid
(4) bräunlichgelbes Elastomer
(5) Gummirohstoff
(6) ATR (KRS-5)
(7) PE 125

(2) Thiokol-Gesellschaft, Mannheim-Waldhof
(3) polysulfide formal from dichlorodiethyl formal and sodium polysulfide
(4) brownish-yellow elastomer
(5) rubber raw material
(6) ATR (KRS-5)
(7) PE 125

13431 $C_5H_{10}O_2S_4$ *P* 2528

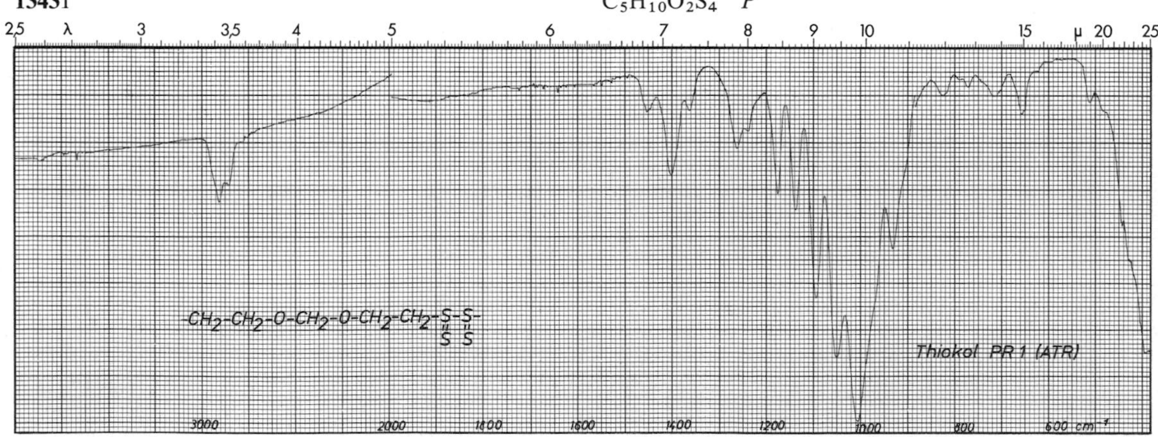

(1) **Thiokol PR 1**
(3) Polysulfidformal aus Dichlordiethylformal und Natriumpolysulfid
(4) weißlichgraues Elastomer
(5) Gummirohstoff
(6) ATR (KRS-5)
(7) PE 125

(2) Thiokol-Gesellschaft, Mannheim-Waldhof
(3) polysulfide formal from dichlorodiethyl formal and sodium polysulfide
(4) whitish-grey elastomer
(5) rubber raw material
(6) ATR (KRS-5)
(7) PE 125

13431 $C_5H_{10}O_2S_4$ *P* 2529

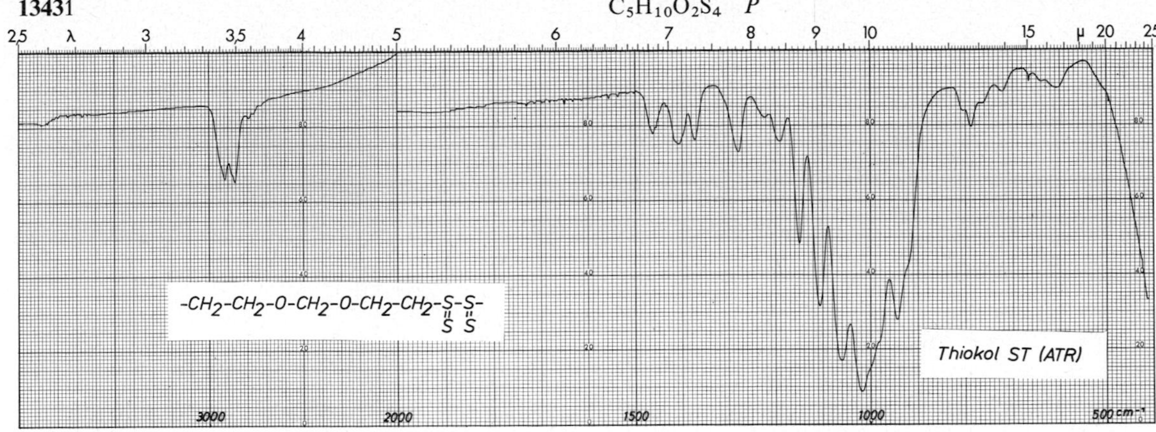

(1) **Thiokol ST**
(3) Polysulfidformal aus Dichlordiethylformal und Natriumpolysulfid
(4) gelbliches Elastomer
(5) Gummirohstoff
(6) ATR (KRS-5)
(7) PE 125

(2) Thiokol-Gesellschaft, Mannheim-Waldhof
(3) polysulfide formal from dichlorodiethyl formal and sodium polysulfide
(4) yellowish elastomer
(5) rubber raw material
(6) ATR (KRS-5)
(7) PE 125

135132 CHClOS *P* 2530

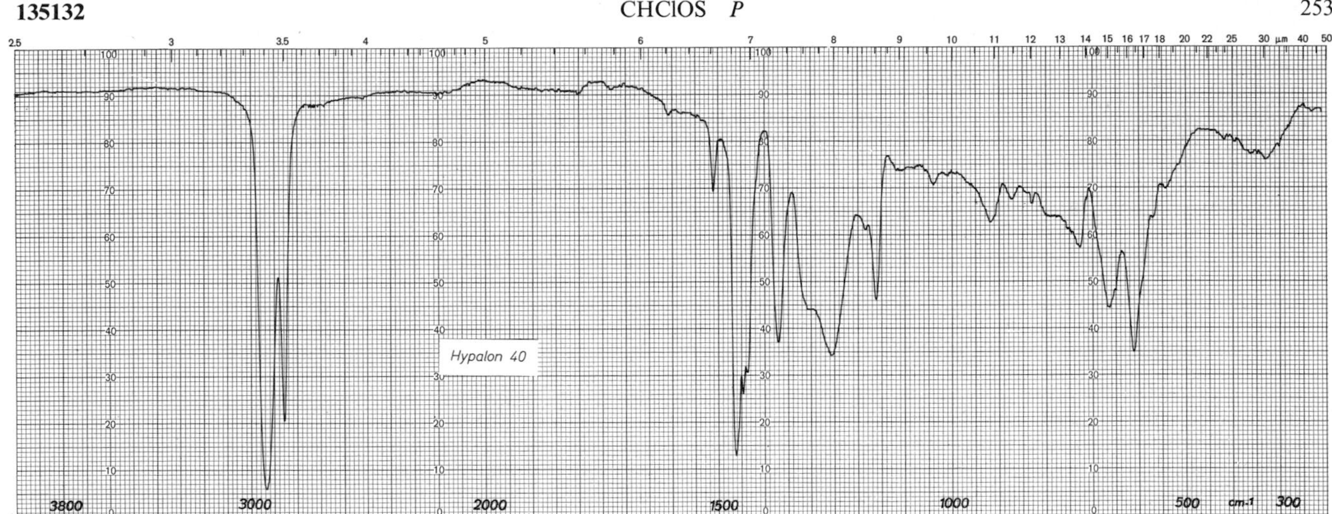

(1) **Hypalon 40**
(3) chlorsulfoniertes Polyethylen
(4) farbloses Elastomer
(5) ozonfester Kautschuk für vielfache Anwendungen, für chemisch resistente Anstriche
(6) Schicht aus m-DCB auf CsI

(2) Du Pont, Wilmington, Dela.
(3) chlorosulfonated polyethylene
(4) colorless elastomer
(5) ozone-resistant, multipurpose rubber, for chemically resistant coatings
(6) film from m-DCB on CsI

13824133331121 SiC_2H_6O *P* 2531

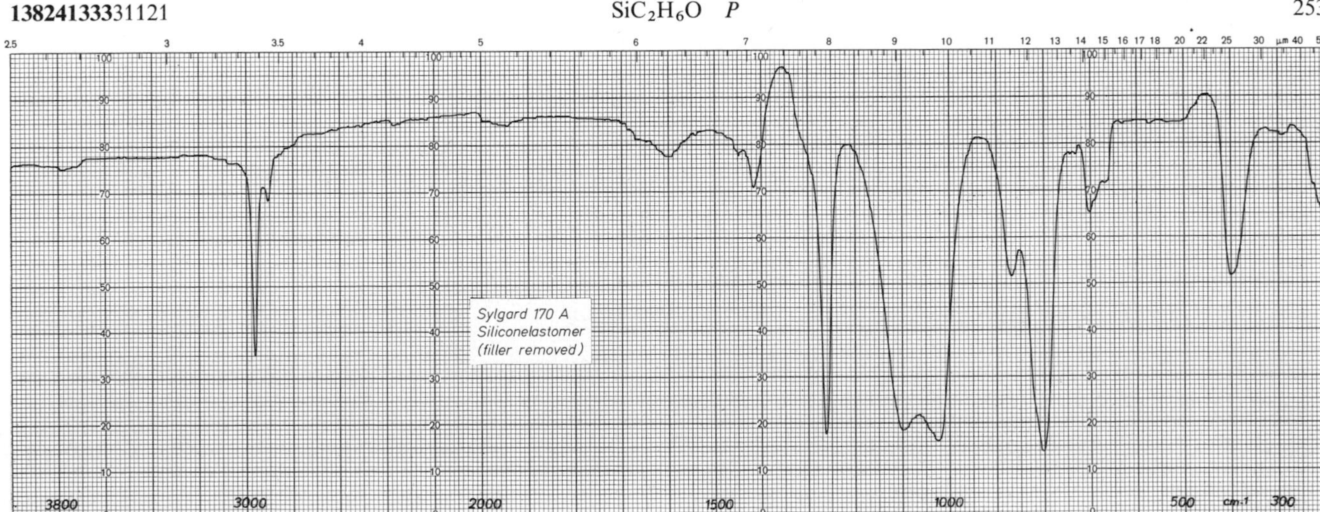

(1) **Sylgard 170 A**
(3) Poly(dimethylsiloxan) mit Füllstoff
(4) schwarze, dickflüssige Masse
(5) Silikonelastomer niederer Viskosität für elastische, feuerfeste Vulkanisate; Vergußmassen, Elektroisoliermaterial (Zweikomponentenmasse)
(6) Substanz zentrifugiert; klare, obere Schicht zwischen CsI

(2) Dow Corning GmbH, Düsseldorf
(3) polydimethylsiloxane with filler
(4) black, viscous mass
(5) low-viscosity silicone elastomer for elastic, fireproof vulcanizates; casting compound, electrical insulation material (two-component composition)
(6) substance centrifuged; clear supernatant between CsI

1382413331121 SiC_2H_6O *P* 2532

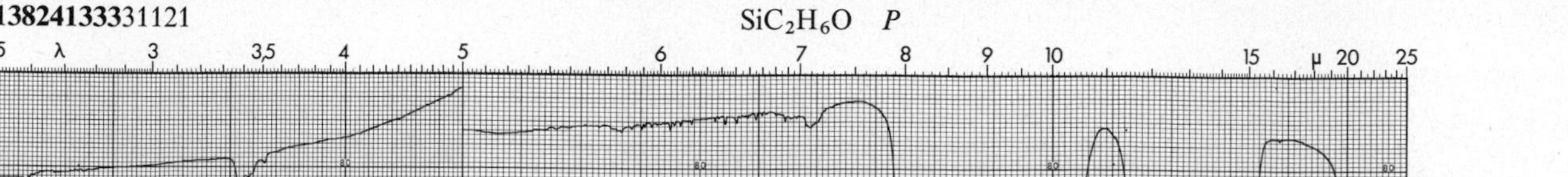

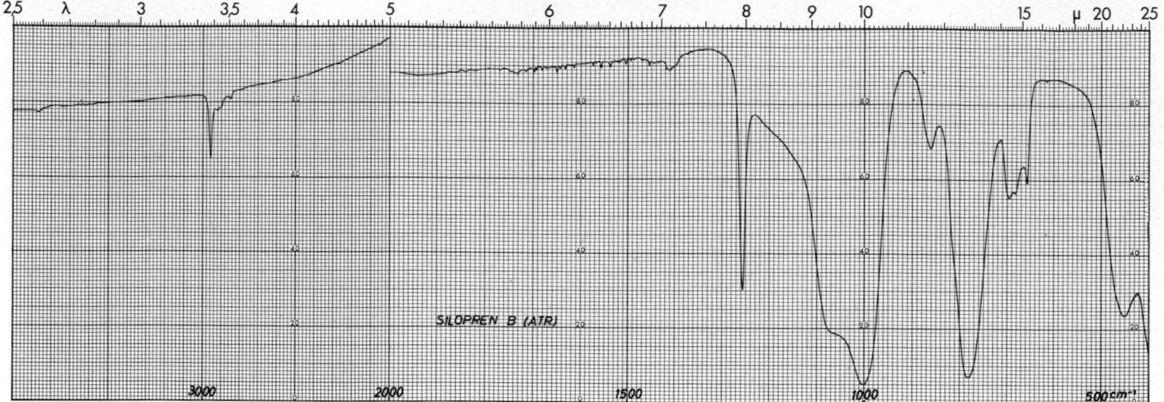

(1) **Silopren B**
(3) Poly(dimethylsiloxan) mit reaktiven Gruppen
(4) farbloses Elastomer
(5) Silikongummi für Formen
(6) ATR (KRS-5)
(7) PE 125, relative Intensitäten und Bandenlagen gegenüber dem Transmissionsspektrum verschoben

(2) Bayer AG, Leverkusen
(3) polydimethylsiloxane with reactive groups
(4) colorless elastomer
(5) silicone rubber for moulds
(6) ATR (KRS-5)
(7) PE 125, relative intensities and band positions displaced with respect to the transmission spectrum

1382413331121 SiC_2H_6O *P* 2533

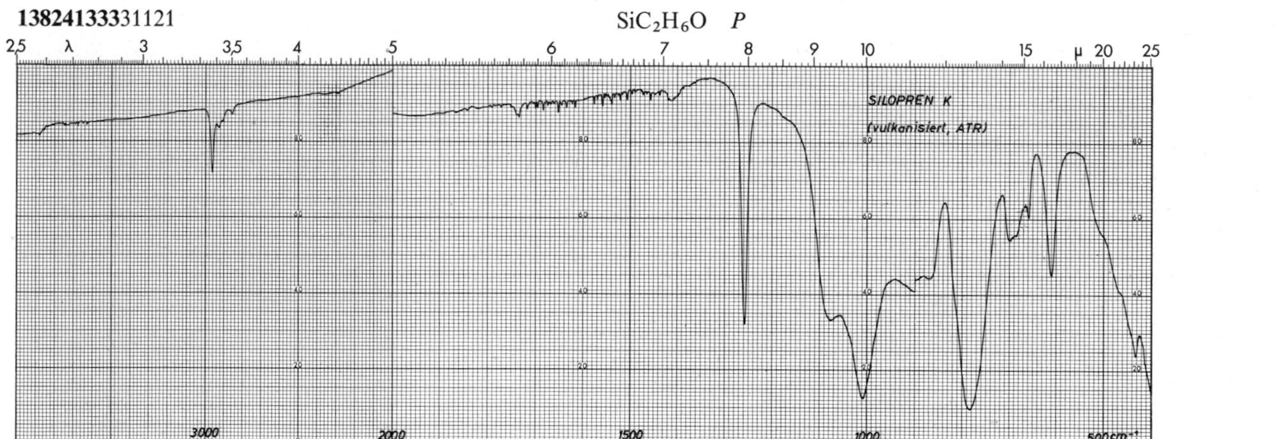

(1) **Silopren K**
(3) Poly(dimethylsiloxan) mit reaktiven Gruppen, vulkanisiert
(4) farbloses Elastomer
(5) Silikongummi für Formen
(6) ATR (KRS-5)
(7) PE 125, relative Intensitäten und Bandenlagen gegenüber dem Transmissionsspektrum verschoben

(2) Bayer AG, Leverkusen
(3) polydimethylsiloxane with reactive groups, vulcanized
(4) colorless elastomer
(5) silicone rubber for moulds
(6) ATR (KRS-5)
(7) PE 125, relative intensities and band positions displaced with respect to the transmission spectrum

1382413331121 SiC_2H_6O *P* 2534

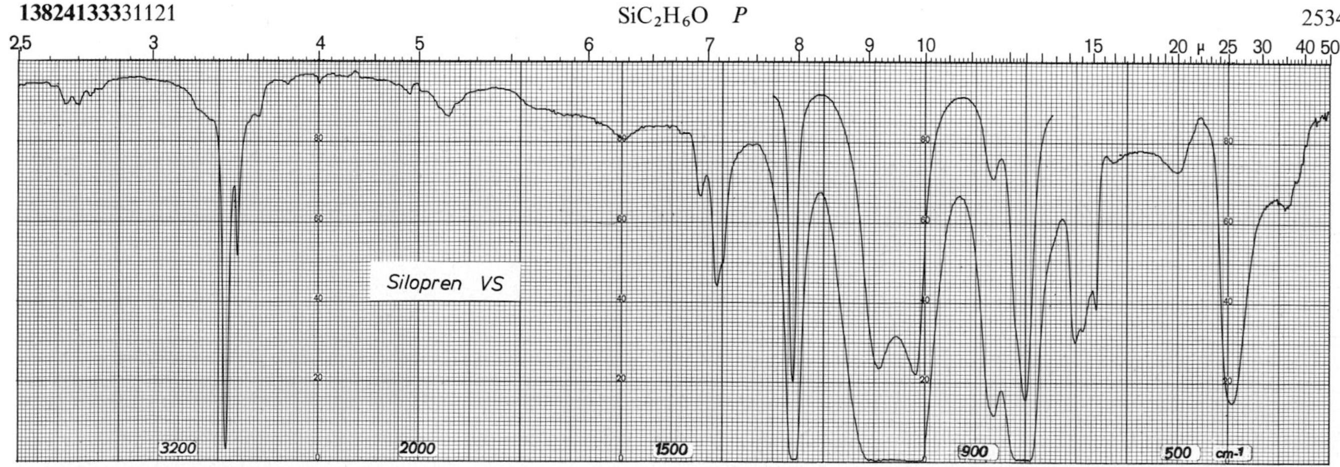

(1) **Silopren VS (Versuchsprodukt)**
(3) Poly(dimethylsiloxan) mit 1...2% Doppelbindungen (vermutlich Divinylsiloxy-Gruppen)
(4) farbloses, zäh-elastisches Material
(5) für temperatur- und chemikalienbeständige Gummiartikel
(6) Film aus BZN auf CsI
(7) PE 325

(2) Bayer AG, Leverkusen
(3) polydimethylsiloxane with 1...2% double bonds (probably divinylsiloxy groups)
(4) colorless, tough, elastic material
(5) for temperature and chemical-resistant, rubber goods
(6) film from BZN on CsI
(7) PE 325

13824133331121 SiC_2H_6O *P* 2535

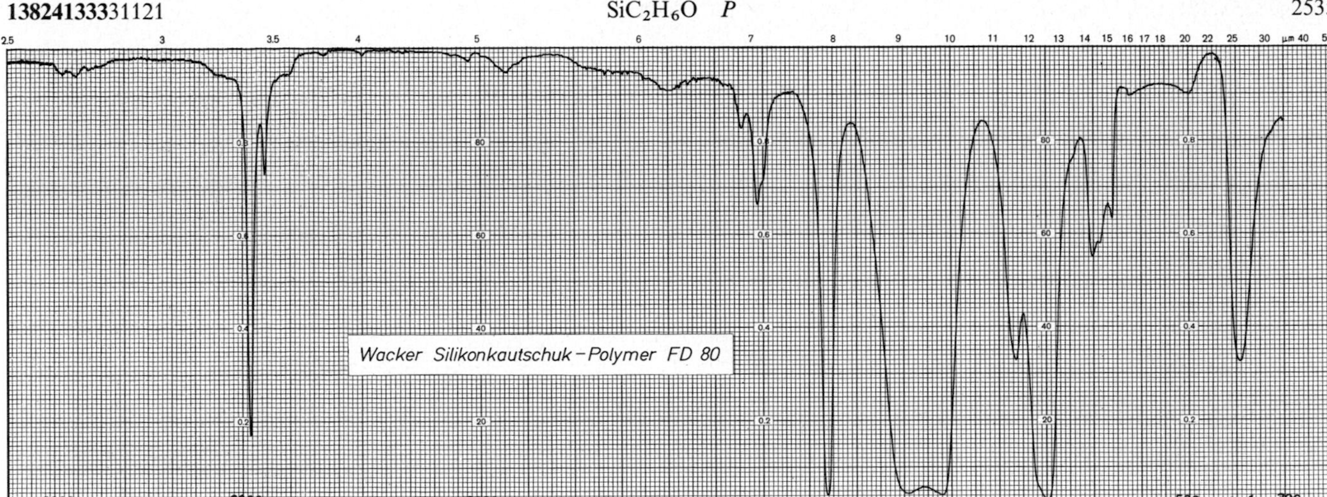

(1) **Wacker Siliconkautschuk-Polymer FD 80**
(3) reaktives Poly(dimethylsiloxan)
(4) wasserklare, farblose, viskose Flüssigkeit
(5) für temperaturbeständige Lackierungen
(6) Schicht zwischen CsI
(7) PE 580 B, ABEX 1.30

(2) Wacker Chemie, München
(3) reactive polydimethylsiloxane
(4) crystal clear, colorless, viscous liquid
(5) for temperature-resistant lacquering
(6) film between CsI
(7) PE 580 B, ABEX 1.30

13824133331121 SiC_2H_6O *P* 2536

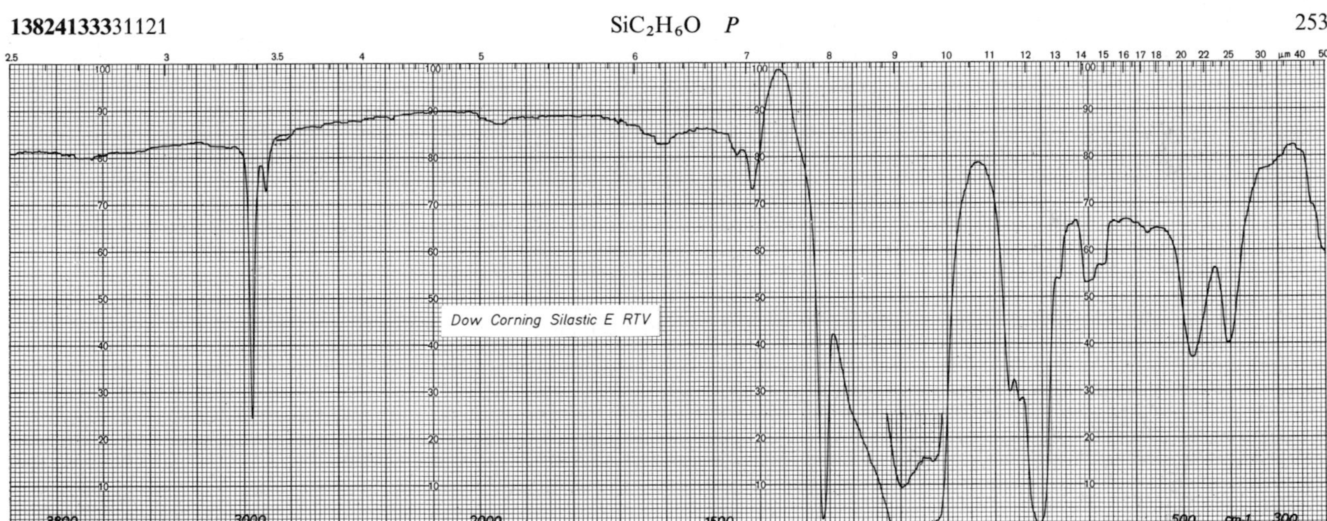

(1) **Silastic E RTV**
(3) Poly(dimethylsiloxan) mit anorganischem Füllstoff
(4) weiße, streichfähige Masse
(5) lösemittelfreier Silikonkautschuk für den Formenbau (Zweikomponentenmasse)
(6) dünne Schicht auf CsI

(2) Dow Corning GmbH, Düsseldorf
(3) polydimethylsiloxane with inorganic filler
(4) white, spreadable mass
(5) solvent-free, silicone rubber for mould construction (two-component composition)
(6) thin film on CsI

13824133331121 SiC_2H_6O *P* 2537

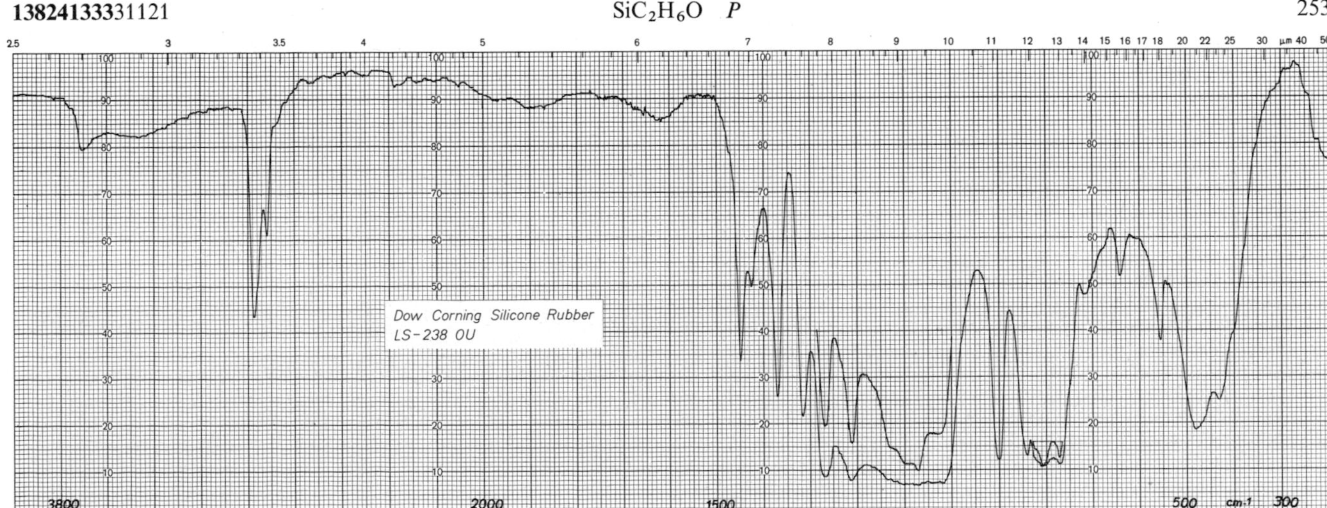

(1) **Silicone Rubber LS-238 OU**
(3) Poly(dimethylsiloxan) mit anorganischem Füllstoff
(4) schmutzigweiße, knetbare Masse
(5) für Vulkanisate mit hoher Zugfestigkeit, guter Weiterreißfestigkeit und hohem Rückstellvermögen
(6) dünne Schicht auf CsI

(2) Dow Corning GmbH, Düsseldorf
(3) polydimethylsiloxane with inorganic filler
(4) dirty white, kneadable mass
(5) for vulcanizates with high tensile strength, good resistance to tear propagation and high restoring power
(6) thin film on CsI

13824133331121 SiC_2H_6O *P* 2538

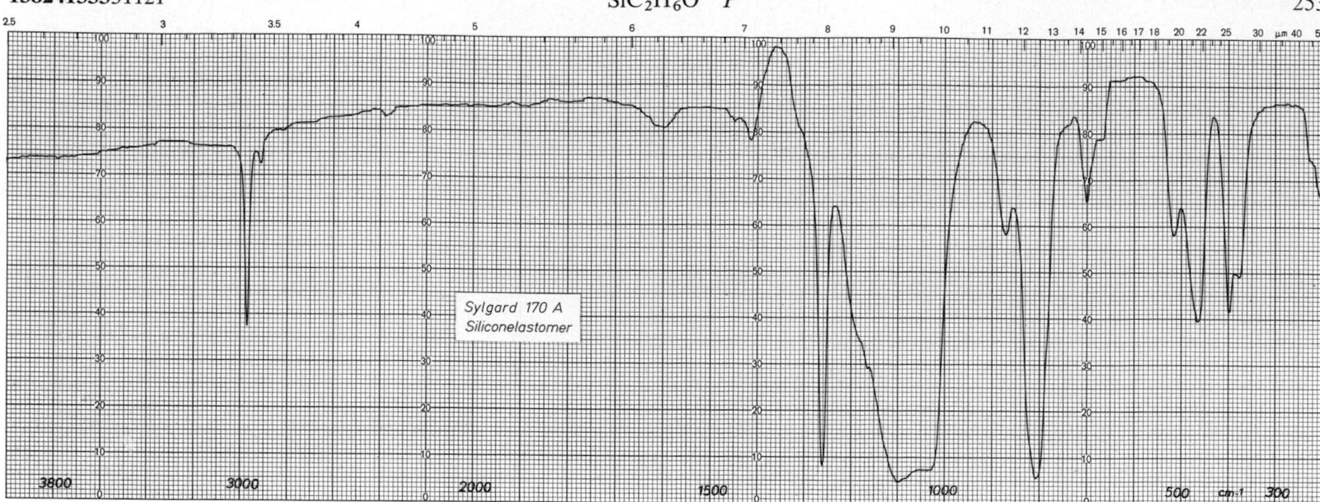

(1) **Sylgard 170 A**
(3) Poly(dimethylsiloxan) mit Füllstoff
(4) schwarze, dickflüssige Masse
(5) Silikonelastomer niederer Viskosität für elastische, feuerfeste Vulkanisate; Vergußmassen, Elektroisoliermaterial (Zweikomponentenmasse)
(6) dünne Schicht auf CsI

(2) Dow Corning GmbH, Düsseldorf
(3) polydimethylsiloxane with filler
(4) black, viscous mass
(5) low-viscosity, silicone elastomer for elastic, fireproof vulcanizates; casting compound, electrical insulation (two-component composition)
(6) thin film on CsI

13824133332 2539

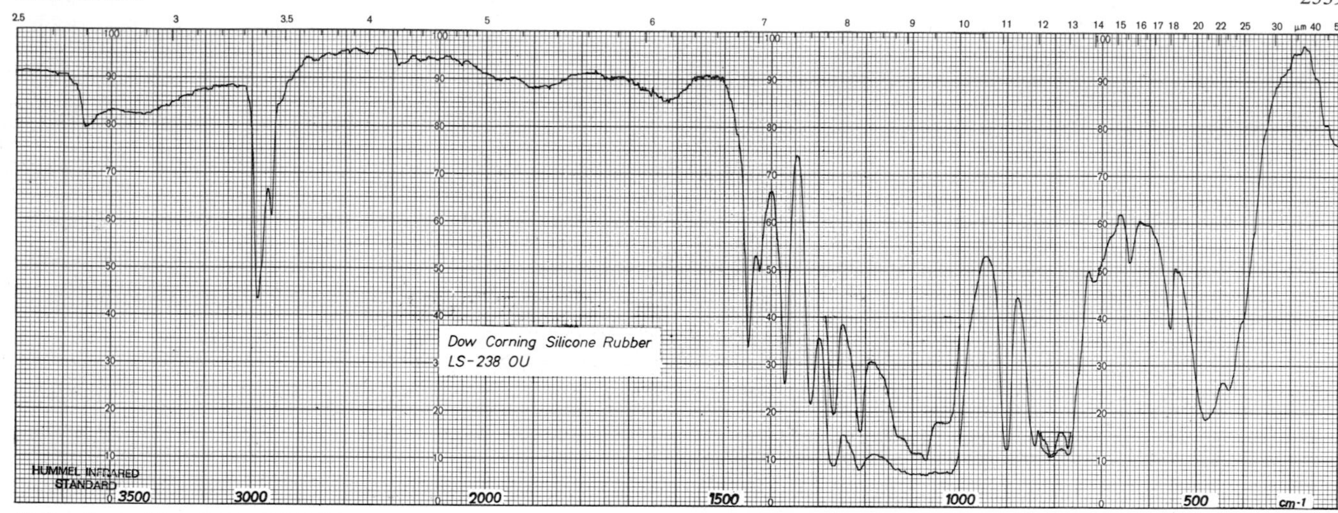

(1) **Dow Corning Silicone Rubber LS-238 OU**
(3) gefülltes, aromatisch-aliphatisches Polysiloxan
(4) knetbare Masse
(5) für chemisch und thermisch beständige Vulkanisate
(6) dünne Schicht auf CsI

(2) Dow Corning, Düsseldorf
(3) filled, aromatic-aliphatic polysiloxane
(4) kneadable mass
(5) for chemically and thermally resistant vulcanizates
(6) thin film on CsI

1.4 Harze

1.4 Resins

1411 $C_{20}H_{28}O_2$ *P* 2540

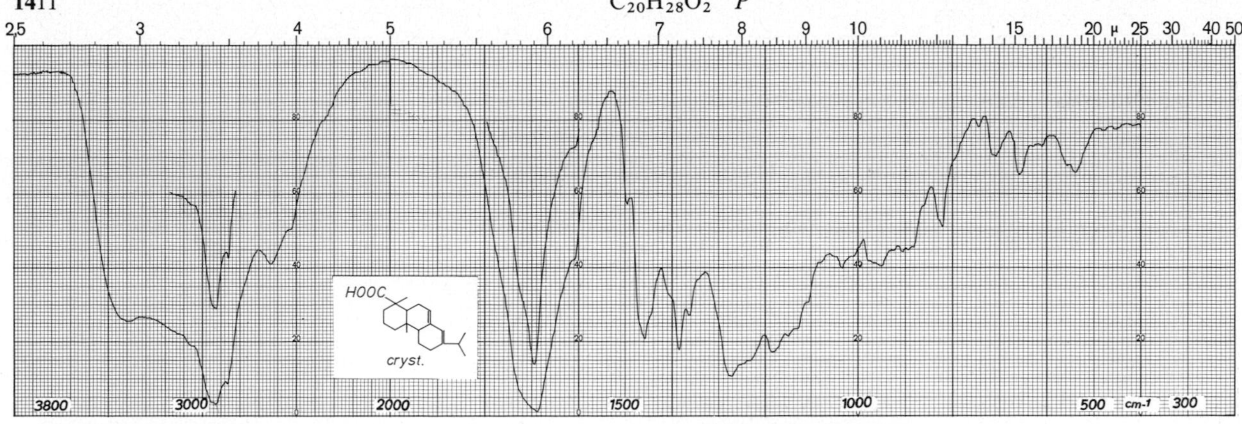

(1) **Abietinsäure, umkristallisiert**
(2) Laborpräparat (durch K. Hultzsch, Hoechst AG)
(4) gelbes Pulver
(6) KBr (4/350 und 1.5/350)
(7) PE 325

(1) **abietic acid, recrystallized**
(2) laboratory preparation (from K. Hultzsch; Hoechst AG)
(4) yellow powder
(6) KBr (4/350 and 1.5/350)
(7) PE 325

1411 2541

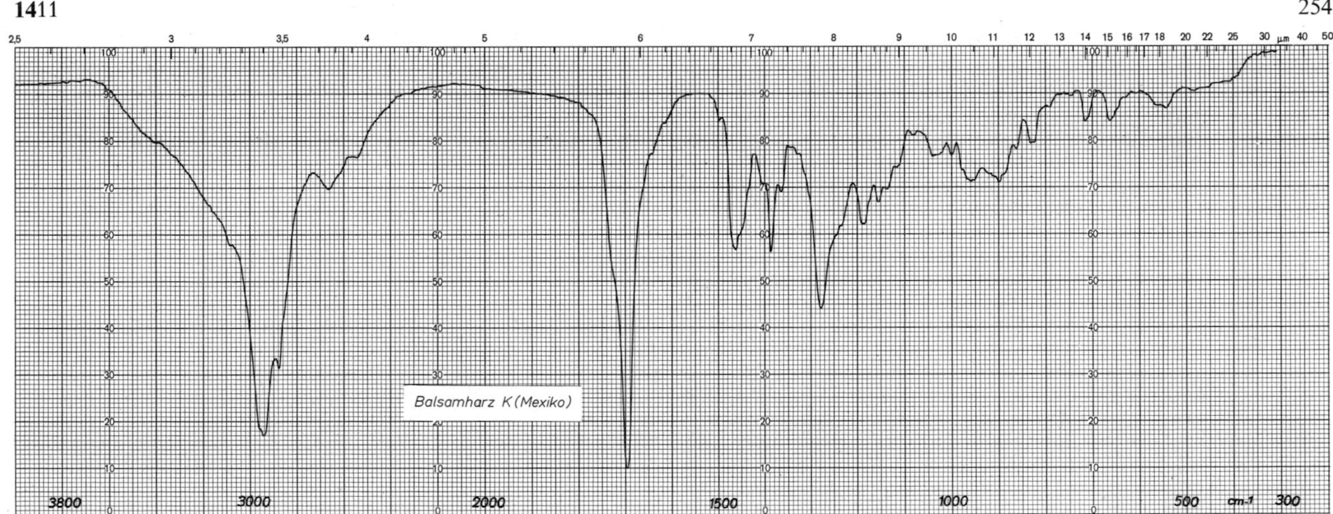

(1) **Balsamharz K**
(2) Mexiko; durch Berger & Ehrhorn, Hamburg
(3) Gemisch von Harzsäuren
(4) bernsteinfarbenes Harz
(5) Rohstoff für die Herstellung von Lackharzen und Klebstoffen
(6) Schicht aus CLF auf CsI

(1) **balsam resin K**
(2) Mexico; from Berger & Ehrhorn, Hamburg
(3) mixture of resin acids
(4) amber-colored resin
(5) raw material for the manufacture of lacquer resins and adhesives
(6) film from CLF on CsI

1411 2542

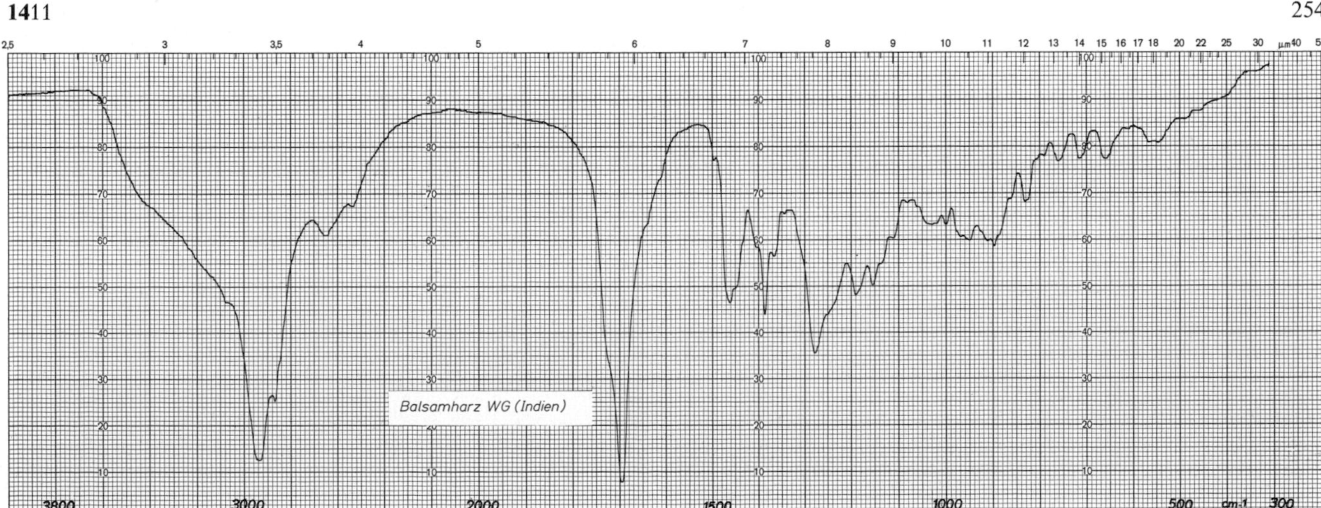

(1) **Balsamharz WG**
(2) Indien; durch Berger & Ehrhorn, Hamburg
(3) Gemisch von Harzsäuren
(4) bernsteinfarbenes Harz
(5) Rohstoff für die Herstellung von Lackharzen und Klebstoffen
(6) Schicht aus CLF auf CsI

(1) **balsam resin WG**
(2) India; from Berger & Ehrhorn, Hamburg
(3) mixture of resin acids
(4) amber-colored resin
(5) raw material for the manufacture of lacquer resins and adhesives
(6) film from CLF on CsI

1411 2543

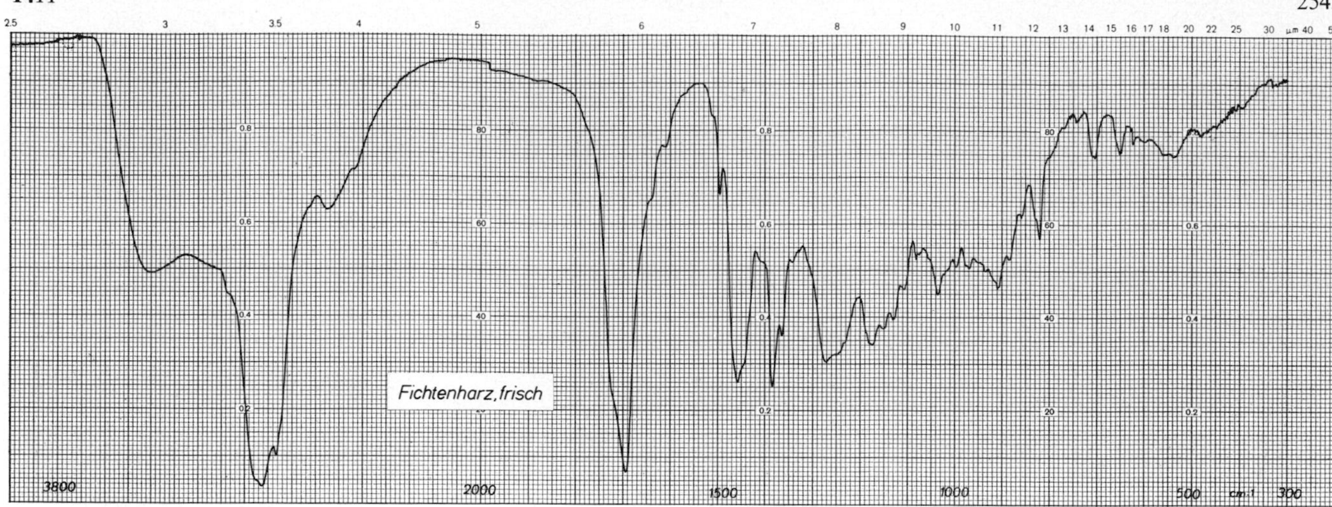

(1) **Fichtenharz, frisch**
(3) Gemisch von Harzsäuren und Terpenen
(4) weiches, gelbes Harz mit festen Einschlüssen
(6) Schmelzfilm auf CsI
(7) PE 580 B, ABEX 1.34

(1) **pine resin, fresh**
(2) Picea
(3) mixture of resin acids acids and terpenes
(4) soft, yellow resin with solid inclusions
(6) film from the melt on CsI
(7) PE 580 B, ABEX 1.34

1411 2544

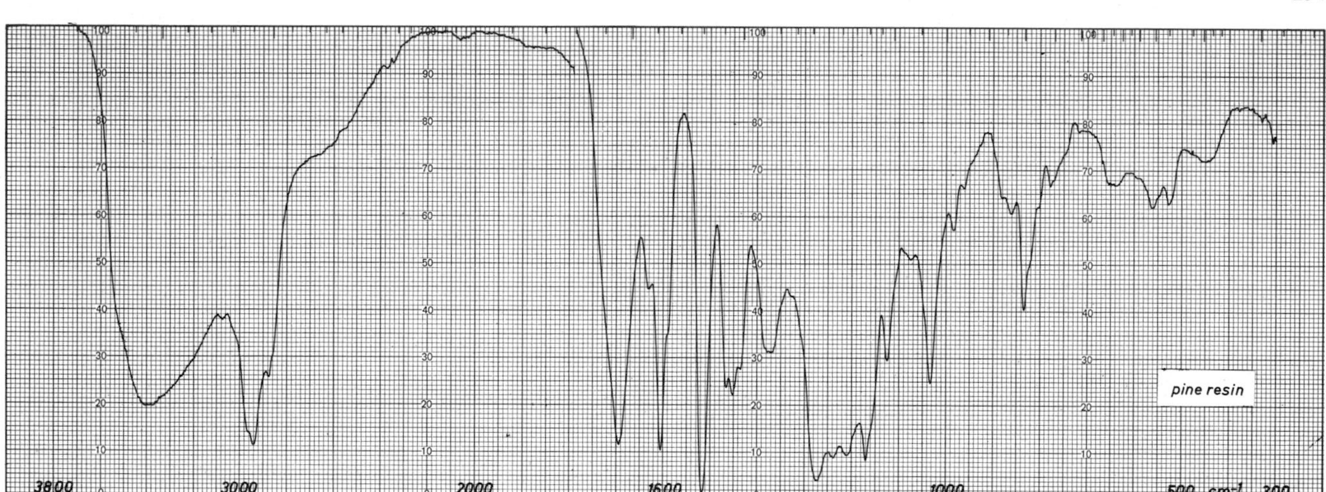

(1) **Fichtenharz**
(3) Gemisch aus Harzsäuren und ätherischen Ölen
(4) schmutzig-weißes, weiches Harz
(6) mit KBr (3/300), ETL und etwas HCl verrieben, getrocknet und gepreßt

(1) **pine resin**
(2) Picea excelsa
(3) mixture of resin acids and ethereal oils
(4) soft, dirty white resin
(6) ground with KBr (3/300), ETL and a little HCl, dried and pressed

1411 2545

Wurzelharz 10-X-TM

(1) **Wurzelharz 10-X-TM**
(3) Gemisch von Harzsäuren
(4) hellgelbes Harz
(5) sehr helles Harz für Kleber
(6) Schicht aus CLF auf CsI

(1) **wood rosin 10-X-TM**
(2) Reichhold Chemicals Inc., White Plains, N.J.
(3) mixture of resin acids
(4) pale yellow resin
(5) very pale resin for adhesives
(6) film from CLF on CsI

1411 2546

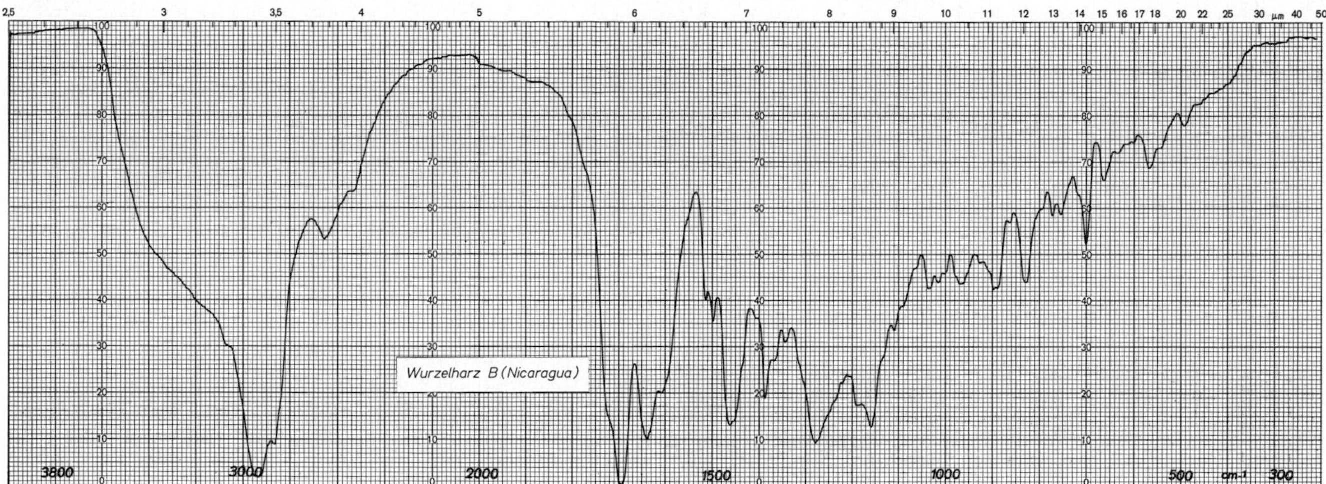

(1) **Wurzelharz B**
(2) Nicaragua; durch Berger & Ehrhorn, Hamburg
(3) Gemisch von oxidierten Harzsäuren
(4) dunkelbraunes Harz
(5) Rohstoff für die Herstellung von Lackharzen und Klebstoffen
(6) Schicht aus CLF auf CsI

(1) **wood rosin B**
(2) Nicaragua; from Berger & Ehrhorn, Hamburg
(3) mixture of oxidized resin acids
(4) dark brown resin
(5) raw material for the manufacture of lacquer resins and adhesives
(6) film from CLF on CsI

1411 2547

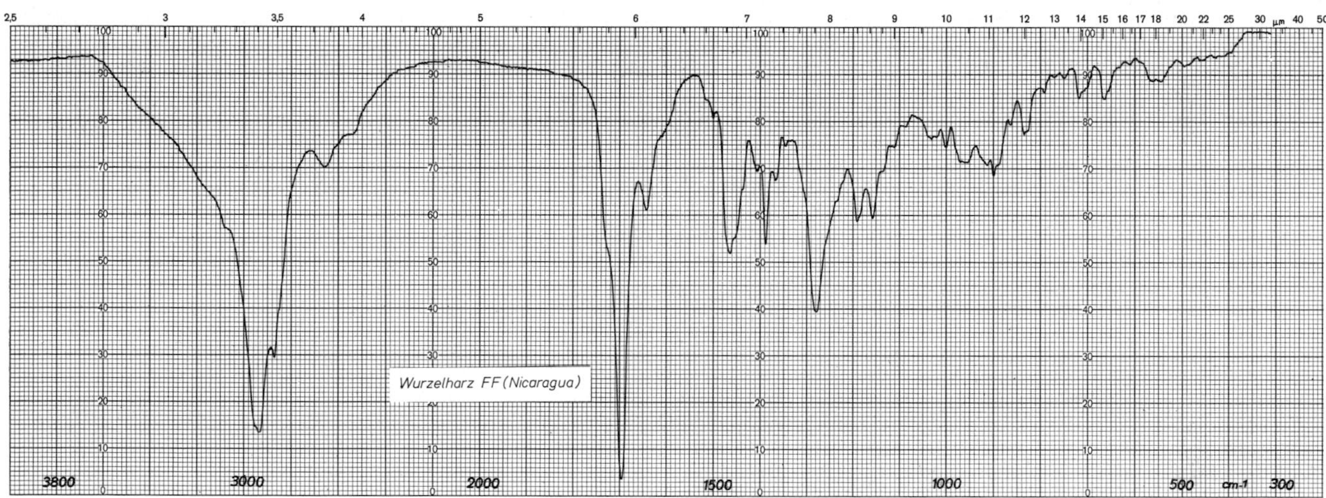

(1) **Wurzelharz FF**
(2) Nicaragua; durch Berger & Ehrhorn, Hamburg
(3) Gemisch von Harzsäuren (mäßig oxidiert)
(4) mittelbraunes Harz
(5) Rohstoff für die Herstellung von Lackharzen und Klebstoffen
(6) Schicht aus CLF auf CsI

(1) **wood rosin FF**
(2) Nicaragua; from Berger & Ehrhorn, Hamburg
(3) mixure of resin acids (moderately oxidized)
(4) midbrown resin
(5) raw material for the manufacture of lacquer resins and adhesives
(6) film from CLF on CsI

1411 2548

Galipot

(1) **Galipot**
(2) Harz aus Pinus pinaster
(3) Gemische aus Harzsäuren und flüchtigen Terpenen
(4) bernsteinfarbene Stücke
(5) in der Parfümerie und für Speziallacke
(6) Schicht aus MTC auf KRS-5
(7) PE 580 B, ABEX 1.74

(1) **galipot resin**
(2) Pinus pinaster resin
(3) mixture of resin acids and volatile terpenes
(4) amber-colored lumps
(5) in perfumery and for speciality lacquers
(6) film from MTC on KRS-5
(7) PE 580 B, ABEX 1.74

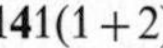

141(1+2) 2549

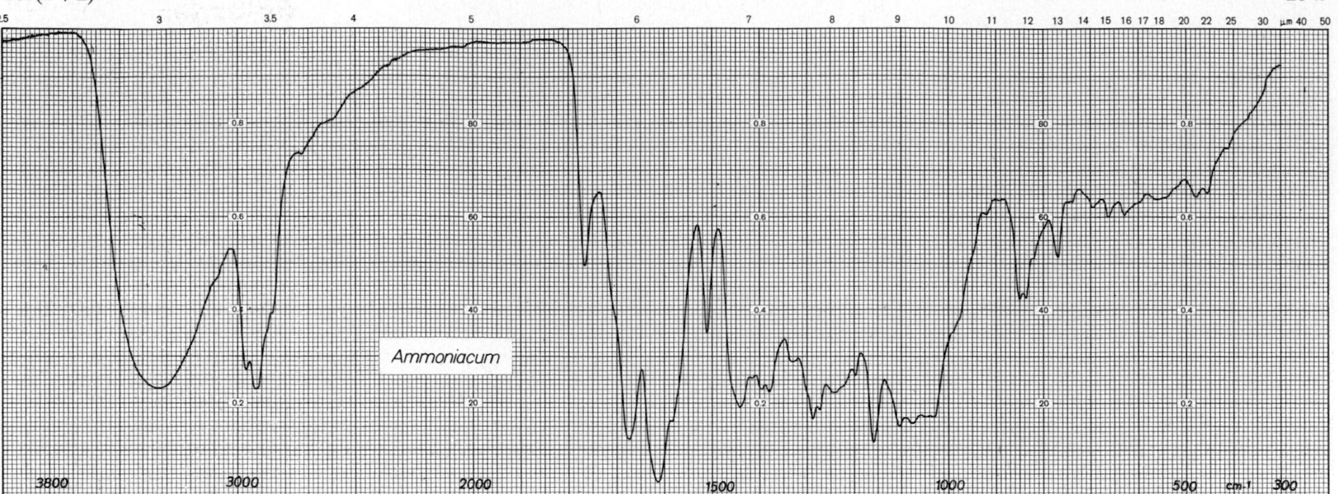

(1) **Ammoniacum**
(2) Harz der Umbellifera dorema ammoniacum (Afghanistan, Armenien, Persien)
(3) Gemisch aus Harzsäuren, Harzestern und phenolischen Komponenten
(4) bernsteinfarbene Stücke
(5) in der Medizin und als Zusatz zu Kitten
(6) Schmelzfilm zwischen CsI
(7) PE 580 B, ABEX 1.19

(1) **gum ammoniac**
(2) Umbellifera dorema ammoniacum resin (Afghanistan, Armenia, Iran)
(3) mixture of resin acids, resin esters and phenolic components
(4) amber-colored pieces
(5) in medicine and as an additive for putties
(6) film from the melt between CsI
(7) PE 580 B, ABEX 1.19

141(1+2) 2550

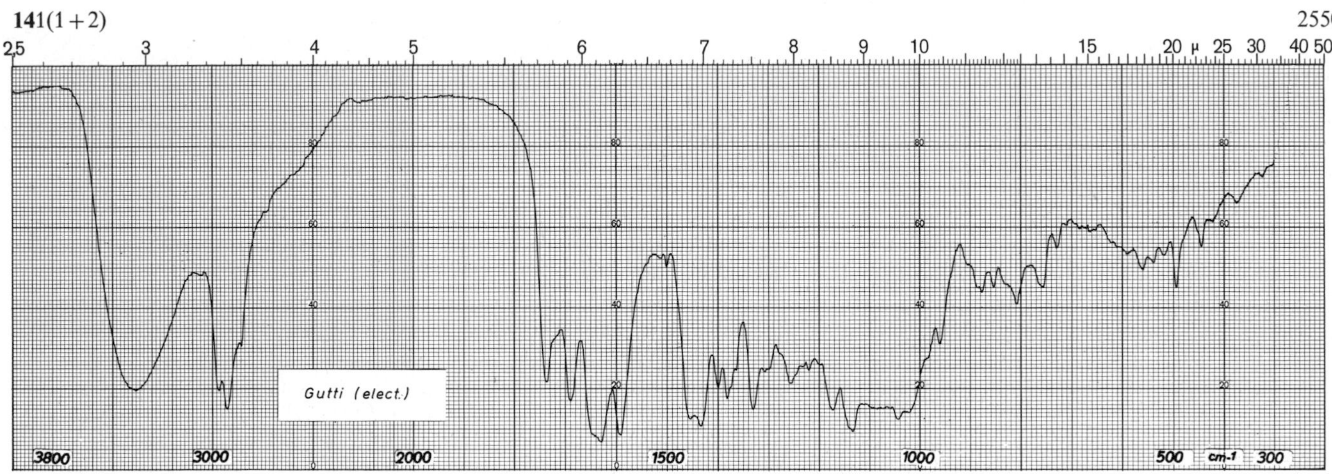

(1) **Gummigutt (Gutti)**
(2) aus Garcinia morella (Ceylon, Siam, Kambodscha)
(3) Gemisch von Harzsäuren und Harzestern
(4) rotbraunes Harz
(5) für pharmazeutische Zwecke, Speziallacke und Aquarellfarben
(6) KBr (3/350)
(7) PE 325

(1) **gamboge**
(2) from Garcinia morella (Sri Lanka, Thailand, Cambodia)
(3) mixture of resin acids and resin esters
(4) red brown resin
(5) for pharmaceutical purposes, speciality lacquers and water colors
(6) KBr (3/350)
(7) PE 325

131(1+2+3) 2551

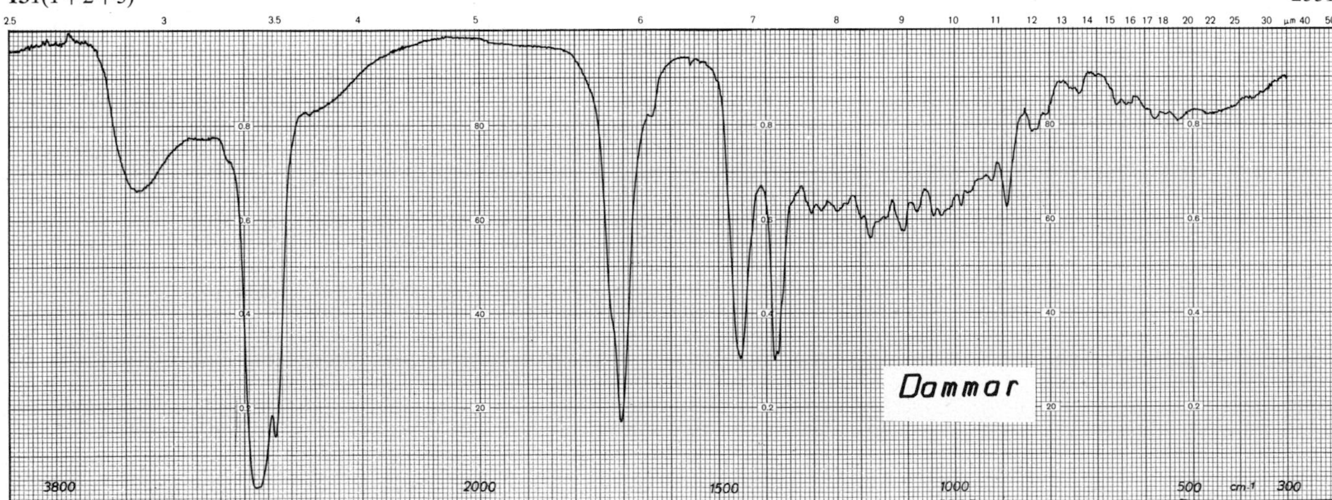

(1) **Dammar**
(2) Harz aus südostasiatischen Bäumen (Shorea- und Hopea-Arten, Dipterocarpaceae)
(3) Gemisch aus Harzsäuren, Harzestern und Harzalkoholen
(4) hellgelbe Harzbrocken
(5) Bindemittel für Emaillelacke, für Ölbilder und Pflastermassen
(6) Schicht aus MTC auf CsI
(7) PE 580 B, ABEX 1.79

(1) **dammar**
(2) Southeast Asian tree resin (Shorea and Hopea spp., Dipterocarpaceae)
(3) mixture of resin acids, resin esters and resin alcohols
(4) pale yellow resin pieces
(5) binder for enamels, for oil paintings and for plaster compounds
(6) film from MTC on CsI
(7) PE 580 B, ABEX 1.79

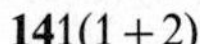

141(1+2) 2552

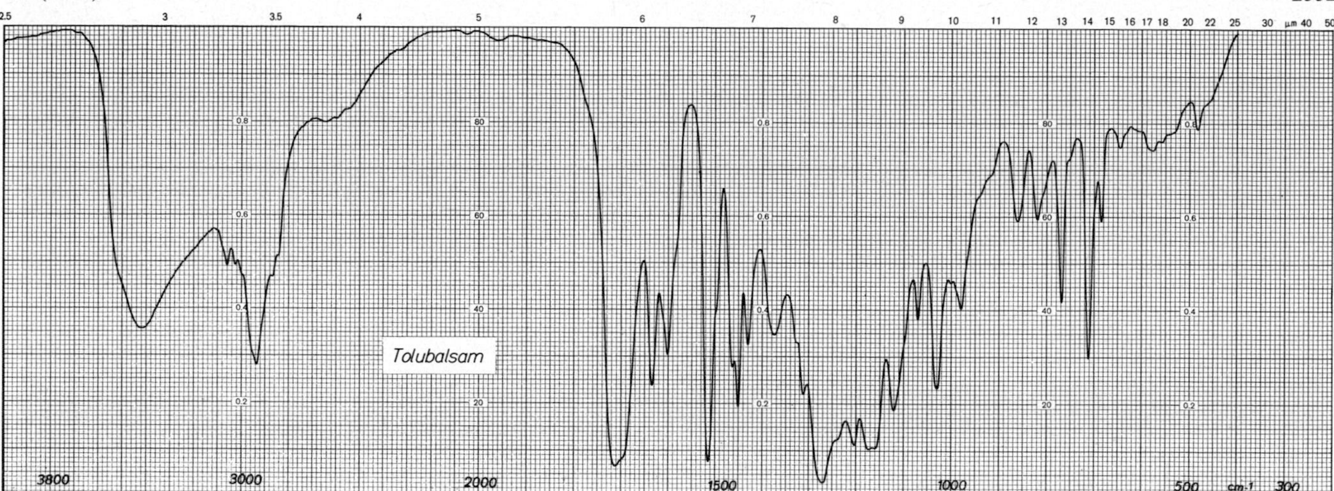

(1) **Tolubalsam**
(2) Harz aus Myroxylon balsamum (Columbien, Venezuela)
(3) aromatisch-aliphatisches Harz aus Harzsäuren und Harzestern (Benzoate, Cinnamate), Harzalkoholen und ätherischen Ölen
(4) dunkelbraune, weiche Stücke
(5) in der Pharmazie
(6) KBr (2.6/350)
(7) PE 580 B, ABEX 1.10

(1) **tolu balsam**
(2) Myroxylon balsamum gum (Columbia, Venezuela)
(3) aliphatic-aromatic resin containing resin acids and esters (benzoates, cinnamates), resin alcohols and ethereal oils
(4) soft, dark brown pieces
(5) in pharmacy
(6) KBr (2.6/350)
(7) PE 580 B, ABEX 1.10

1412 2553

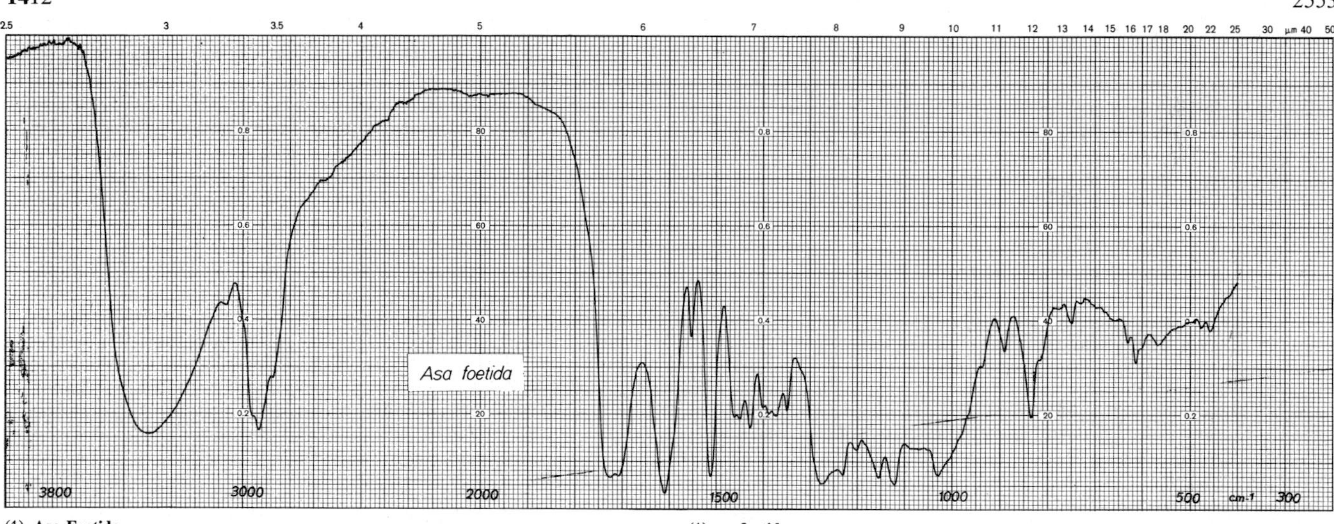

(1) **Asa Foetida**
(2) Harz aus eingetrocknetem Saft der Wurzelköpfe einiger Doldenblütler
(3) Gemisch aus aromatisch-aliphatischen Harzestern, schwefelhaltigen ätherischen Ölen, Polysacchariden und Salzen
(4) gelbbraune Stücke
(5) Nervenberuhigungsmittel
(6) KBr (2/350), H_2O subtrahiert (F = 1.2)
(7) PE 580 B, ABEX 1.28

(1) **asafoetida**
(2) resin obtained from the dried sap of the root tops of certain Umbelliferae
(3) mixture of aromatic-aliphatic resin esters, sulfur-containing ethereal oils, polysaccharides and salts
(4) yellow brown pieces
(5) antispasmodic
(6) KBr (2/350), H_2O subtracted (F = 1.2)
(7) PE 580 B, ABEX 1.28

1412 2554

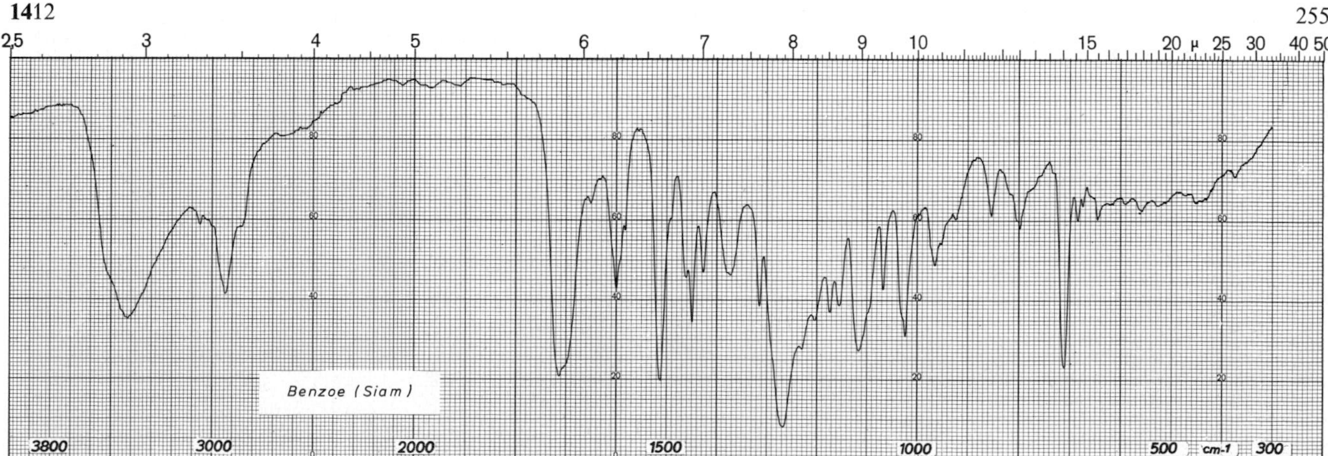

(1) **Siam-Benzoe**
(2) Harz aus Styrax var. (Styracaceae)
(3) aromatisch-aliphatisches Esterharz (Benzoate, Cinnamate und ätherische Öle)
(4) gelbliches Harz mit weißem Kern
(5) in der Parfümerie
(6) KBr (3.5/350)
(7) PE 325

(1) **Siam benzoin**
(2) resin from the Styrax genus (Styracaceae)
(3) aromatic-aliphatic ester resin (benzoates, cinnamates and ethereal oils)
(4) yellowish resin with white center
(5) in perfumery
(6) KBr (3.5/350)
(7) PE 325

1412 2555

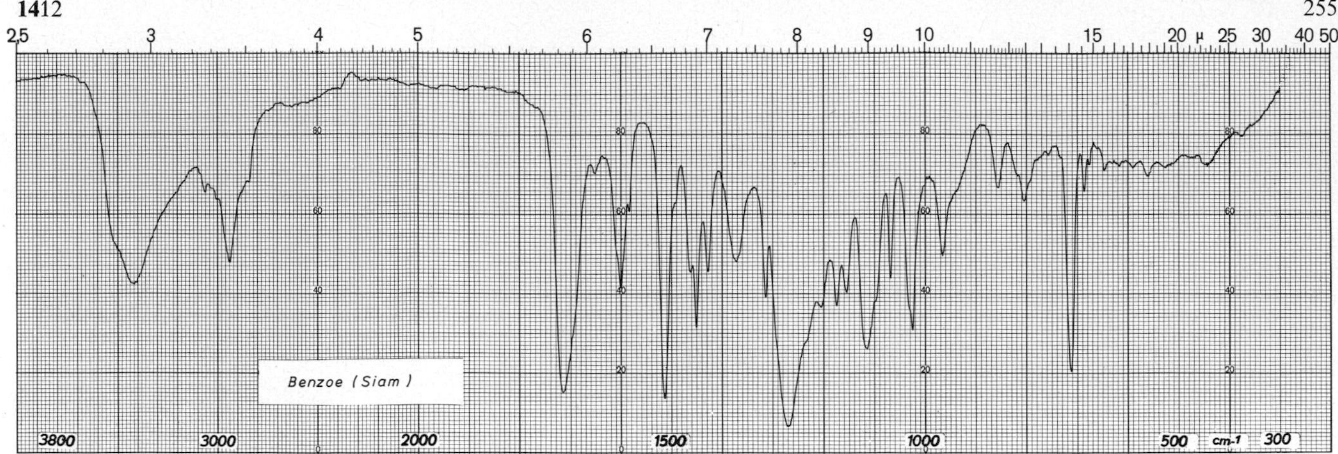

(1) **Siam-Benzoe (Mandeln)**
(2) Harz aus Styrax var. (Styracaceae)
(3) aromatisch-aliphatisches Esterharz (Benzoate, Cinnamate und ätherische Öle)
(4) größere Harzkörner mit weißem Kern
(5) in der Parfümerie
(6) KBr (2/350)
(7) PE 325

(1) **Siam benzoin (almonds)**
(2) resin from the Styrax genus (Styracaceae)
(3) aromatic-aliphatic ester resin (benzoates, cinnamates and ethereal oils)
(4) large grains of resin with white centers
(5) in perfumery
(6) KBr (2/350)
(7) PE 325

1412 2556

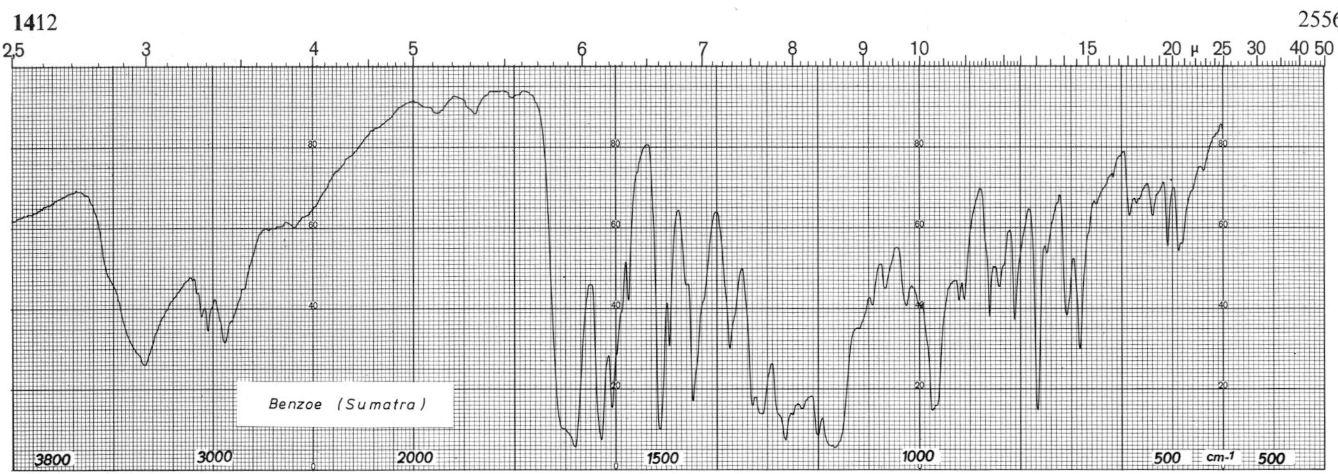

(1) **Sumatra-Benzoe (Mandeln)**
(2) Harz aus Styrax var. (Styracaceae, Sumatra), durch C. E. Roeper, Hamburg
(3) aromatisch-aliphatisches Esterharz
(4) gelbliches Harz mit weißem Kern
(5) in der Pharmazie und Parfümerie
(6) KBr (3/350)
(7) PE 325

(1) **Sumatra benzoin (almonds)**
(2) resin from the Styrax genus (Styracaceae, Sumatra), from C. E. Roeper, Hamburg
(3) aromatic-aliphatic ester resin
(4) yellowish resin with white center
(5) in pharmacy and perfumery
(6) KBr (3/350)
(7) PE 325

1412 2557

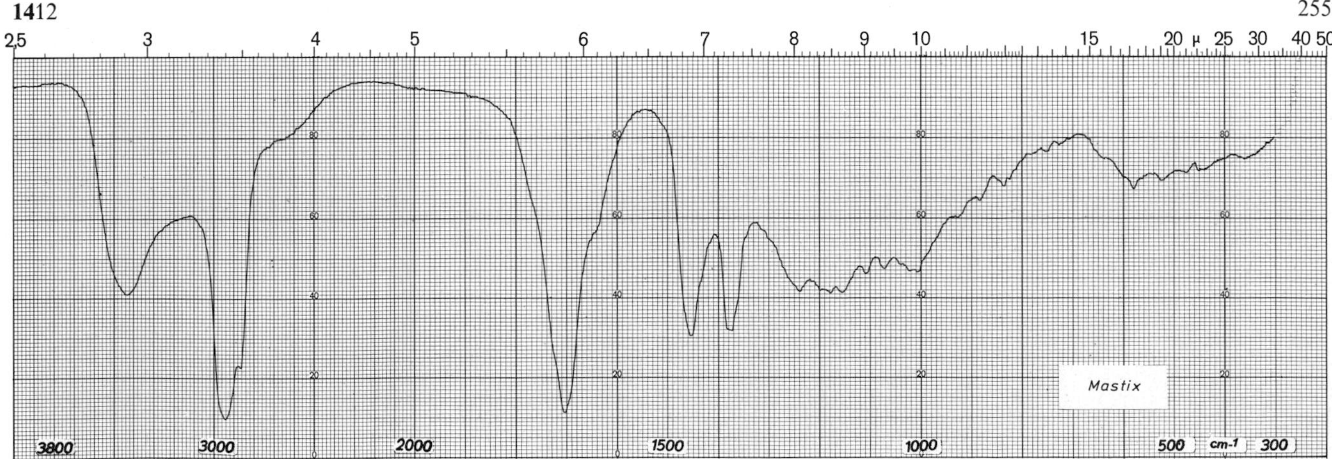

(1) **Mastix**
(2) Harz aus Pistacia lentiscus
(3) aliphatisches Esterharz mit OH-Gruppen
(4) gelbe Kügelchen
(5) für feine Lacke und als Fixiermittel in der Parfümerie
(6) KBr (3/350)
(7) PE 325

(1) **mastic**
(2) Pistacia lentiscus resin
(3) aliphatic ester resin with OH groups
(4) yellow spheres
(5) for fine lacquers and as perfume fixative
(6) KBr (3/350)
(7) PE 325

1412 2558

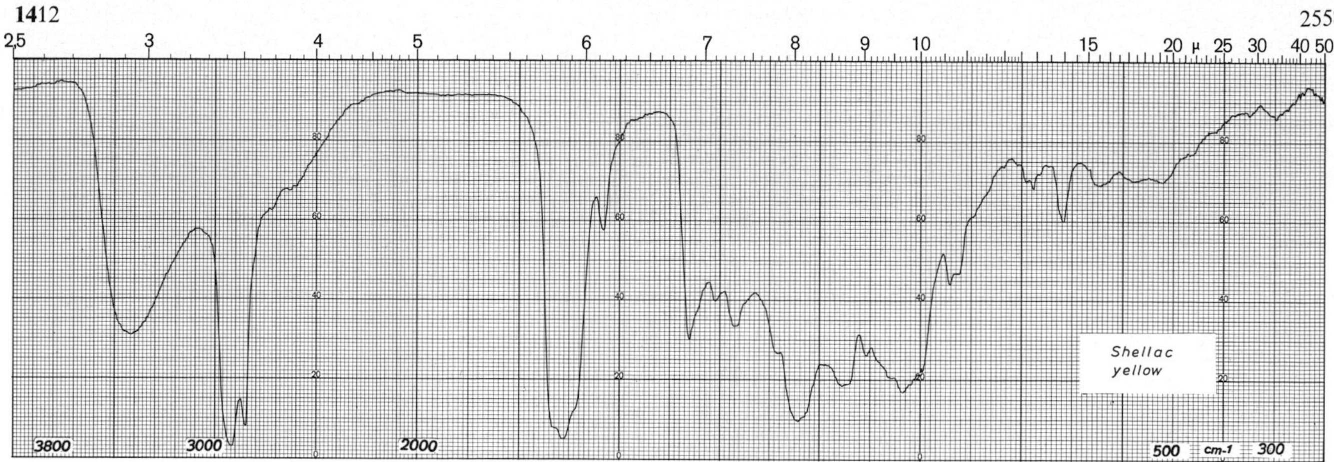

(1) **Schellack, gelb**
(2) Ausscheidungsprodukt der indischen Lackschildlaus; durch C. E. Roeper, Hamburg
(3) Gemisch aus Lactiden, Lactonen, Estern und Ethern aliphatischer und hydroaromatischer Polyhydroxysäuren
(4) ockerfarbene, harte Plättchen
(5) für Spritlacke
(6) Schmelzfilm
(7) PE 325

(1) **shellac, yellow**
(2) excretion product of the Indian lac beetle; from C. E. Roeper, Hamburg
(3) mixture of lactides, lactones, esters and ethers of aliphatic and hydroaromatic polyhydroxy acids
(4) hard, ochre-colored plates
(5) for spirit lacquers
(6) film from the melt
(7) PE 325

1412 2559

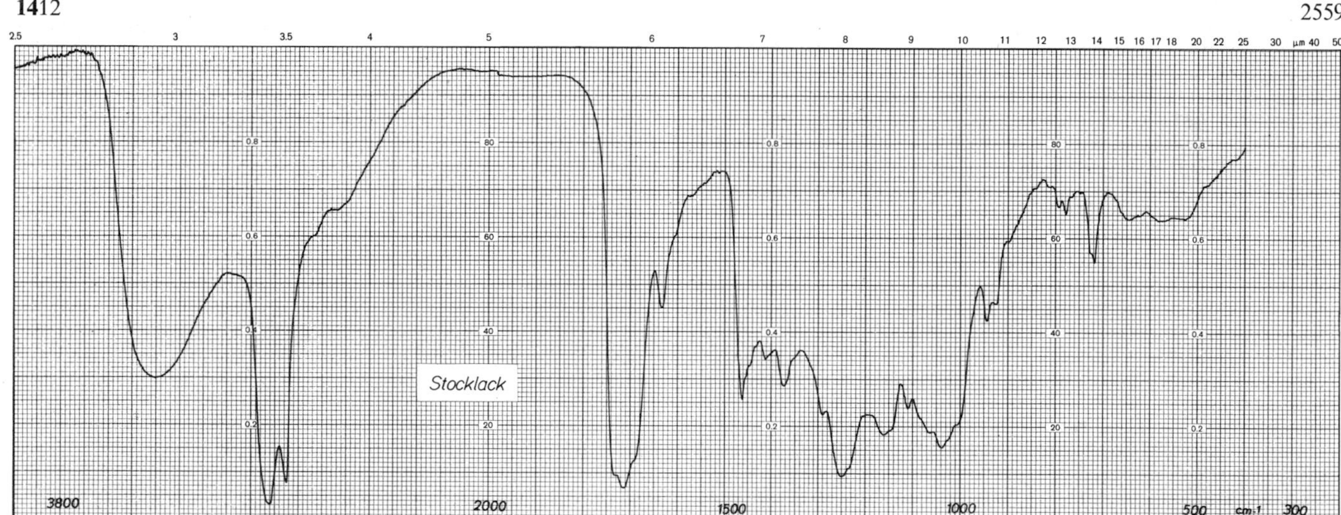

(1) **Stocklack (Thailand)**
(2) Ausscheidungsprodukt der Lackschildlaus
(3) Gemisch aus Lactiden, Lactonen, Estern und Ethern aliphatischer und hydroaromatischer Polyhydroxysäuren
(4) braune, opake Stücke
(5) für Spritlacke
(6) Schmelzfilm zwischen CsI
(7) PE 580 B, ABEX 1.32

(1) **stick-lac**
(2) excretion product of the lac beetle
(3) mixture of lactides, lactones, esters and ethers of aliphatic and hydroaromatic polyhydroxy acids
(4) brown, opaque pieces
(5) for spirit lacquers
(6) film from the melt between CsI
(7) PE 580 B, ABEX 1.32

1413 2560

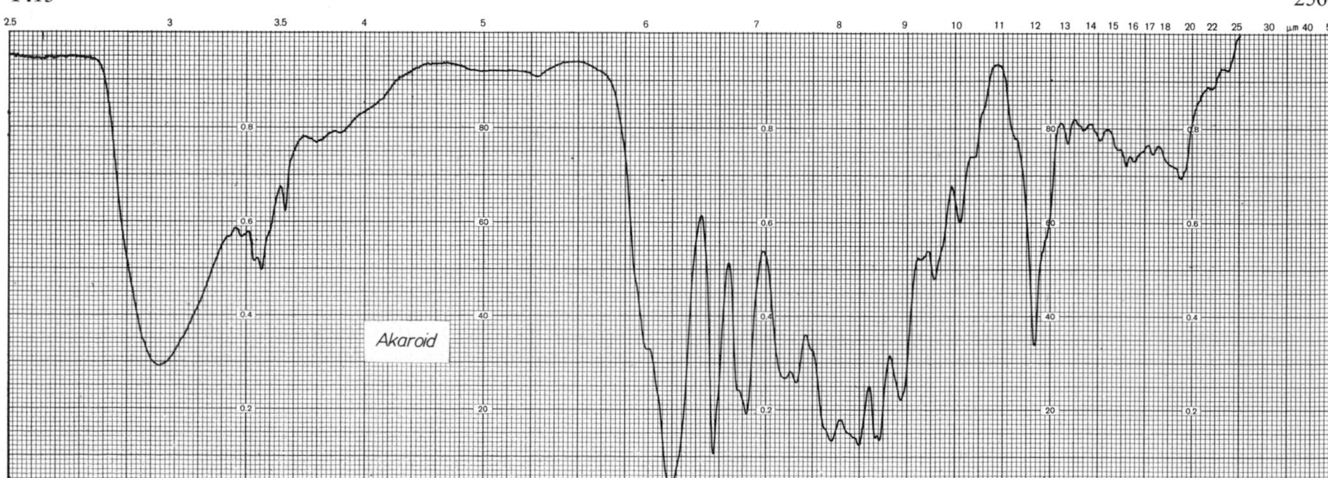

(1) **Akaroid**
(2) Harz einiger Xantorrhoea-Arten (Australien)
(3) aromatisch-aliphatisches Harz
(4) braune, opake Stücke
(5) für Speziallacke und Ziegellacke
(6) Schicht aus ETL auf KRS-5
(7) PE 580 B, ABEX 1.72

(1) **acaroid resin**
(2) resin from certain Australian grass trees
(3) aromatic-aliphatic resin
(4) opaque, brown pieces
(5) for speciality lacquers and for tile lacquer
(6) film from ETL on KRS-5
(7) PE 580 B, ABEX 1.72

1413 2561

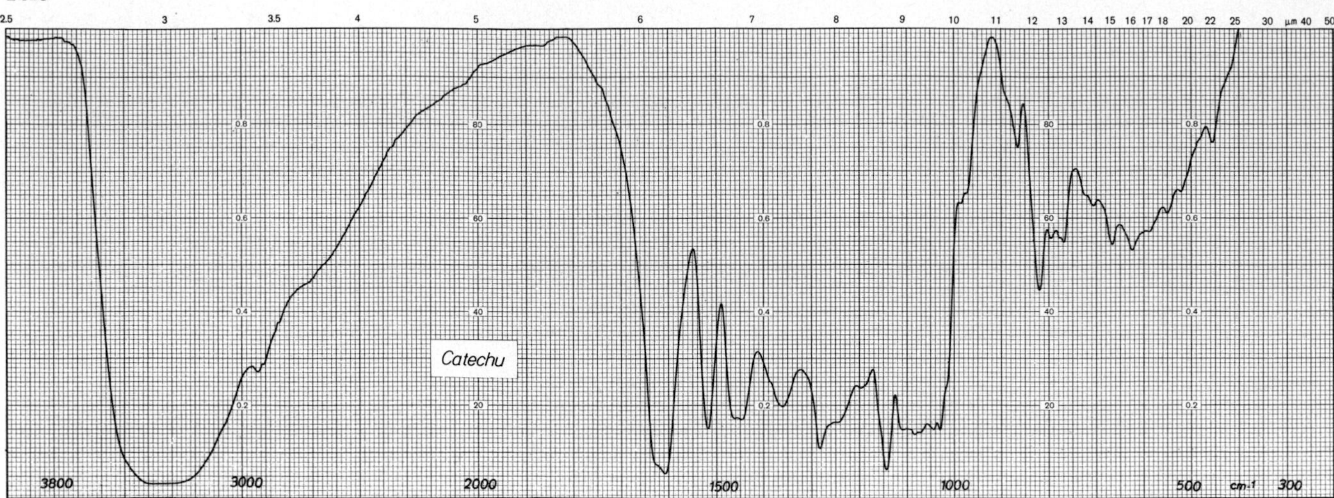

(1) **Catechu**
(2) eingedickte Extrakte aus dem Kernholz der vorder- und hinterindischen Gerberakazie
(3) Gemisch phenolischer Körper
(4) braune, opake Stücke
(5) zum Färben von Baumwolle und Seide
(6) KBr (1.25/350)
(7) PE 580 B, ABEX 1.78

(1) **catechu**
(2) thickened extract from the heart wood of the Near and East Indian acacia
(3) mixture of phenolic bodies
(4) brown, opaque pieces
(5) for dyeing cotton and silk
(6) KBr (1.25/350)
(7) PE 580 B, ABEX 1.78

1413 2562

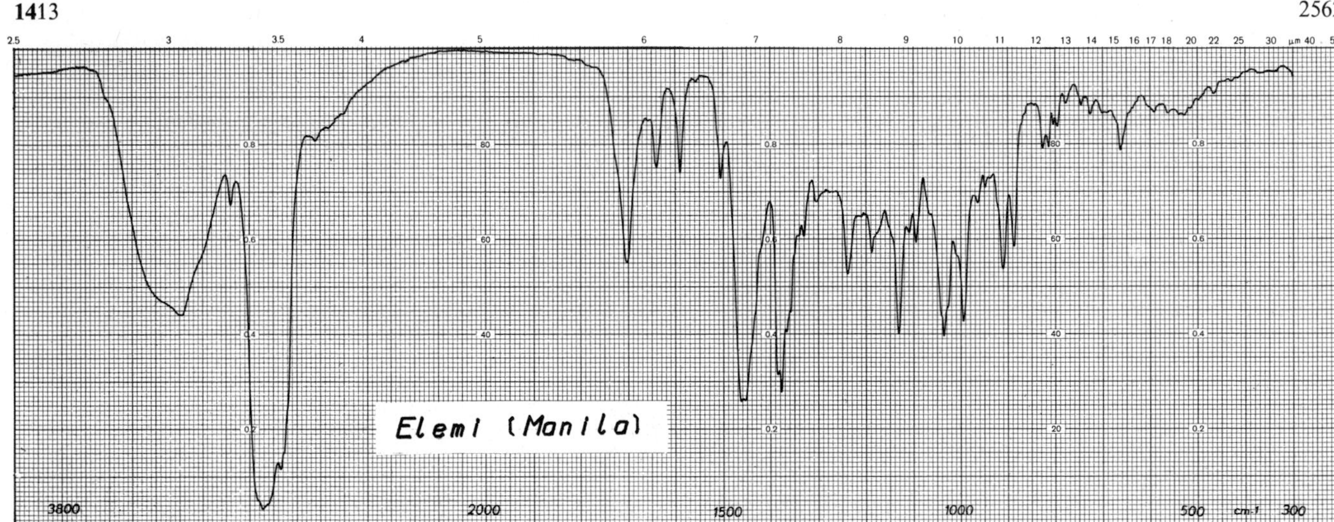

(1) **Elemi (Manila)**
(2) Harz aus Burseraceen
(3) Resenharz mit Harzalkoholen und Harzsäuren
(4) hellgelbes, zähes Harz
(5) für Öllacke und in der Pharmazie
(6) Schmelzfilm zwischen CsI
(7) PE 580 B, ABEX 1.23

(1) **elemi (Manila)**
(2) Burseraceae resin
(3) resin with resin acids and resin alcohols
(4) tough, pale yellow resin
(5) for oil lacquers and in pharmacy
(6) film from the melt between CsI
(7) PE 580 B, ABEX 1.23

1413 2563

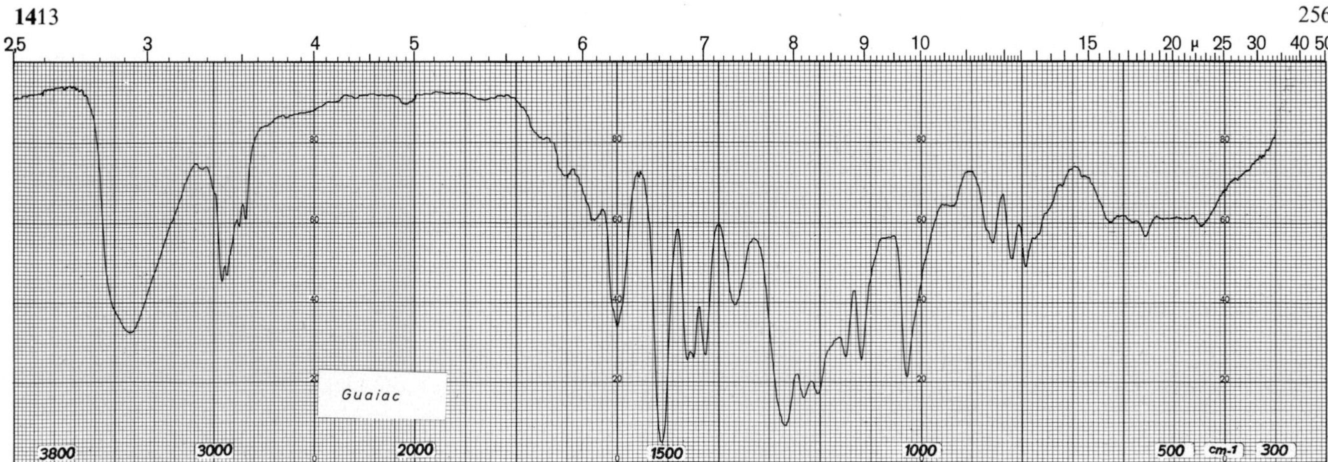

(1) **Guaiac-Harz**
(2) durch Ausschmelzen des Kernholzes von Guaiacum officinale gewonnenes Harz
(3) überwiegend phenolische und etherartige Verbindungen
(4) braunes Harz
(5) in der pharmazeutischen Industrie
(6) KBr (1.7/350)
(7) PE 325

(1) **guaiacum resin**
(2) resin melted out of the heart wood of timber from Guaiacum officinale
(3) mainly phenolic and ether compounds
(4) brown resin
(5) in the pharmaceutical industry
(6) KBr (1.7/350)
(7) PE 325

141(3+1) 2564

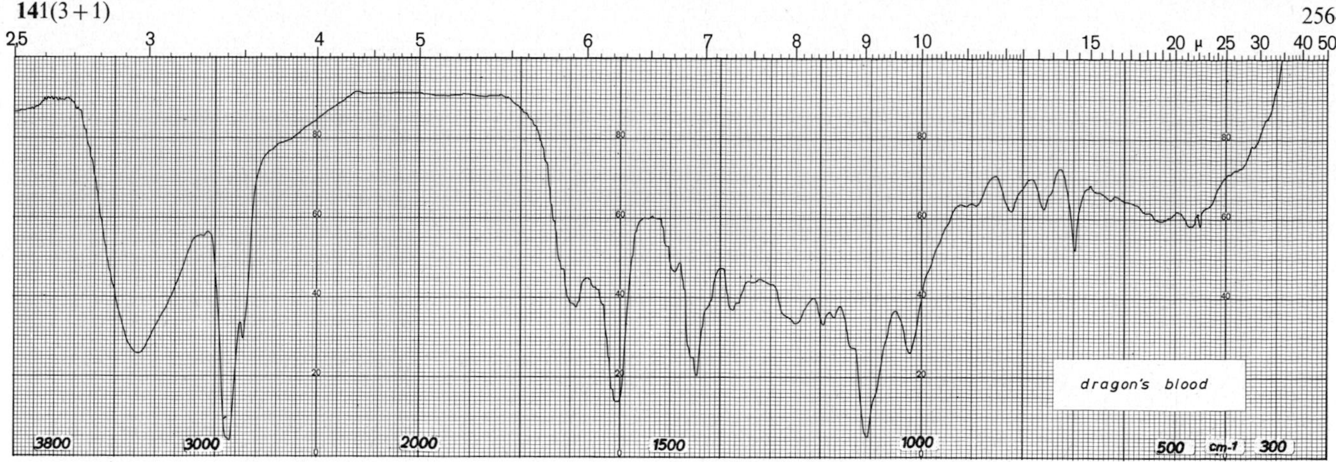

(1) **Drachenblut**
(2) aus Früchten der Kletterpalme (Calmus draco, Südostasien); durch C. E. Roeper, Hamburg
(3) Gemisch aus Polysacchariden, Harzsäuren und aromatischen Körpern
(4) dunkelrotbraunes Harz
(5) zur Herstellung von dunkelroten Spritlacken
(6) KBr (2/300)
(7) PE 325, Ordinate 1.67fach gedehnt

(1) **dragon's blood**
(2) from the fruit of the palm Calmus draco (Southeast Asia); from C. E. Roeper, Hamburg
(3) mixture of polysaccharides, resin acids and aromatic bodies
(4) dark red-brown resin
(5) for the manufacture of dark red, spirit lacquers
(6) KBr (2/300)
(7) PE 325, ordinate expanded 1.67-fold

141(3+1) 2565

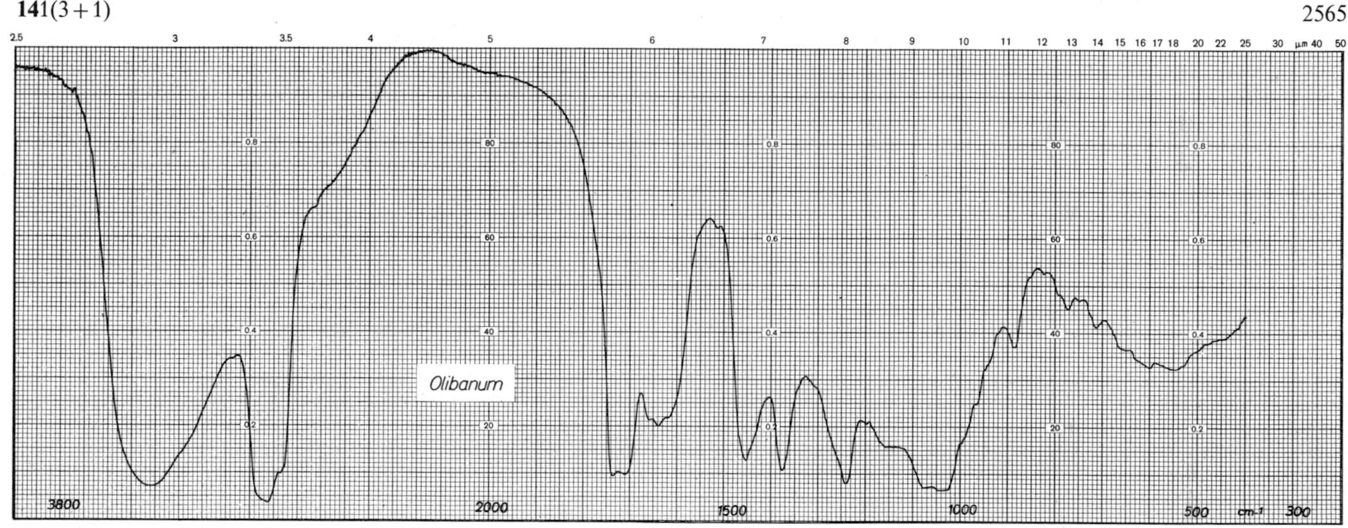

(1) **Olibanum**
(2) Pflanzensaft von Burseraceen (Eritrea)
(3) Gemisch aus Harzalkoholen, Harzsäuren, Estern und ätherischen Ölen
(4) ockerfarbene, opake Harzstücke
(5) Räuchermittel für Fixiermittel und Pflaster
(6) KBr (3/350), H_2O subtrahiert (F=1)
(7) PE 580 B, ABEX 1.44

(1) **olibanum**
(2) sap from Burseraceae (Eritrea)
(3) mixture of resin alcohols, resin acids, esters and ethereal oils
(4) ochre-colored, opaque resin
(5) incense for fixatives and plasters
(6) KBr (3/350), H_2O subtracted (F=1)
(7) PE 580 B, ABEX 1.44

1414 2566

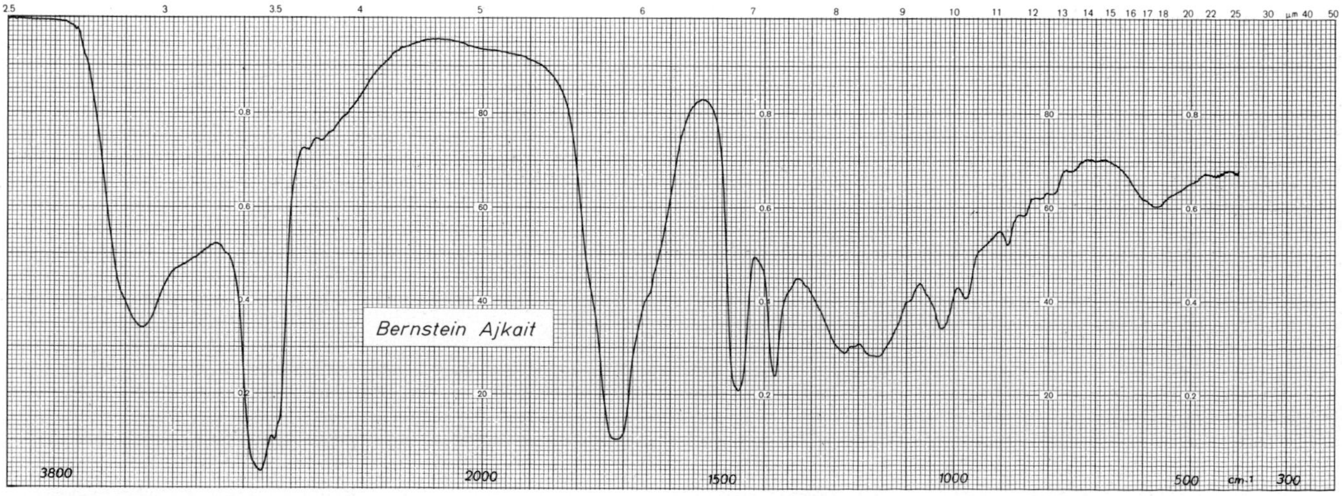

(1) **Bernstein, Ajkait**
(2) Ajka, Ungarn; US National Museum 95801
(3) fossiles, aliphatisches Esterharz mit OH-Gruppen
(4) tiefrotes, transparentes Harz
(6) KBr (2/400)
(7) PE 580 B, ABEX 1.05

(1) **amber, aykaite**
(2) Ajka, Hungary; US National Museum 95801
(3) fossilized, aliphatic ester resin with OH groups
(4) deep red, transparent resin
(6) KBr (2/400)
(7) PE 580 B, ABEX 1.05

1414 2567

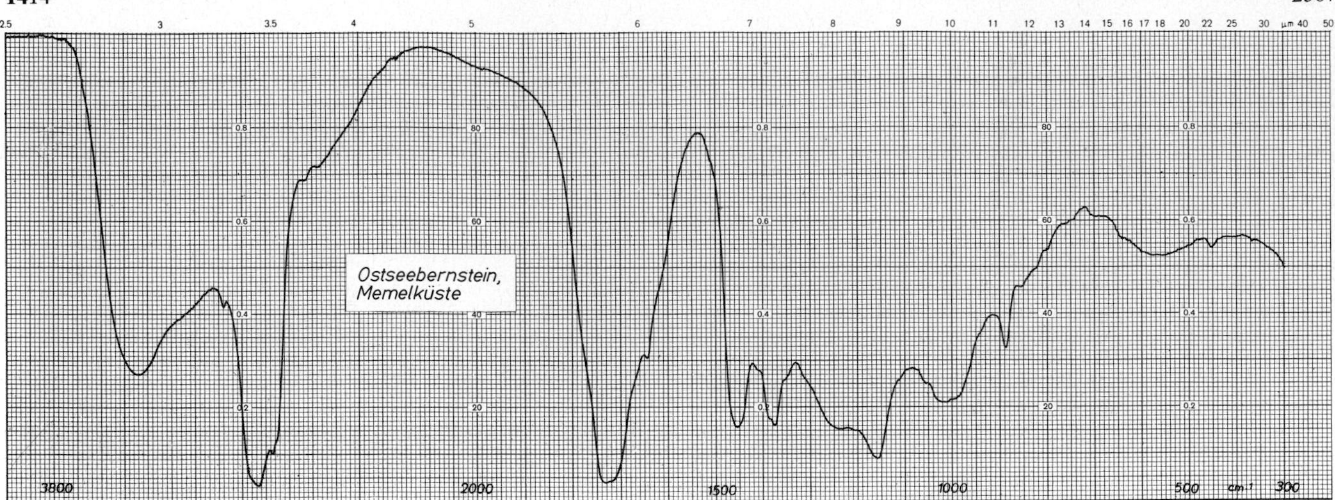

(1) **Bernstein, Memelküste**
(3) Resenharz mit Ester-, Säure- und OH-Gruppen
(4) mittelbraunes Harz
(6) KBr (4/350)
(7) PE 580 B, ABEX 1.24

(1) **amber, Memel coast**
(3) unsaponifiable resin with ester, acid and OH groups
(4) mid-brown resin
(6) KBr (4/350)
(7) PE 580 B, ABEX 1.05

1414 2568

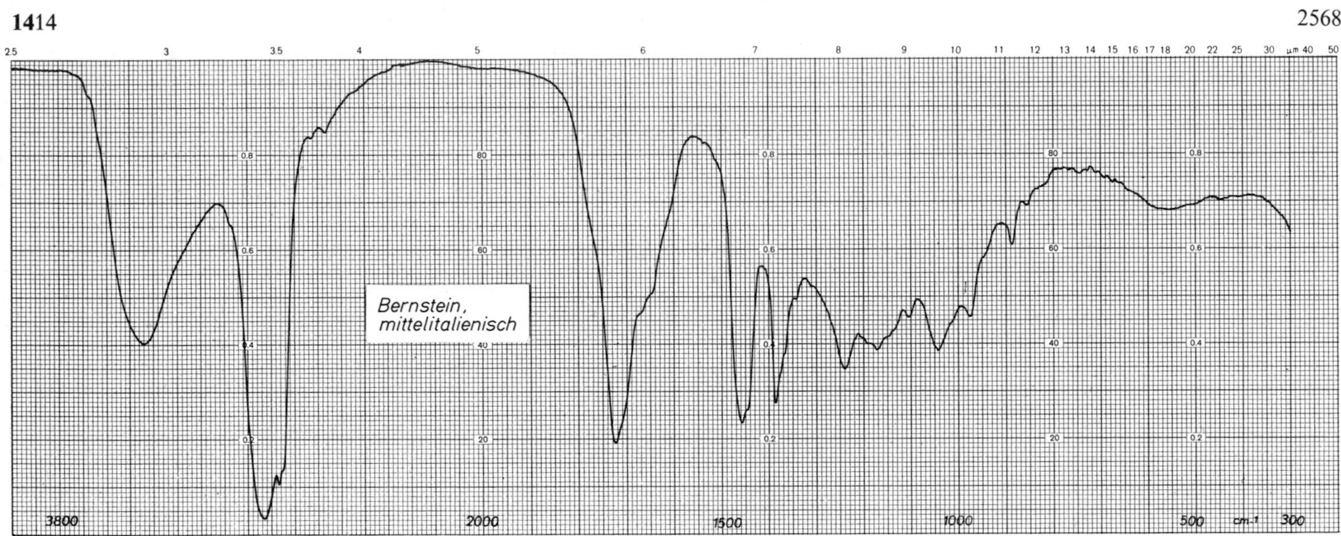

(1) **Bernstein, mittelitalienisch**
(3) Resenharz mit Ester-, Säure- und OH-Gruppen
(4) mittelbraunes Harz
(6) KBr (4/350)
(7) PE 580 B, ABEX 1.20

(1) **amber, Central Italian**
(3) unsaponifiable resin with ester, acid and OH groups
(4) mid-brown resin
(6) KBr (4/350)
(7) PE 580 B, ABEX 1.20

1414 2569

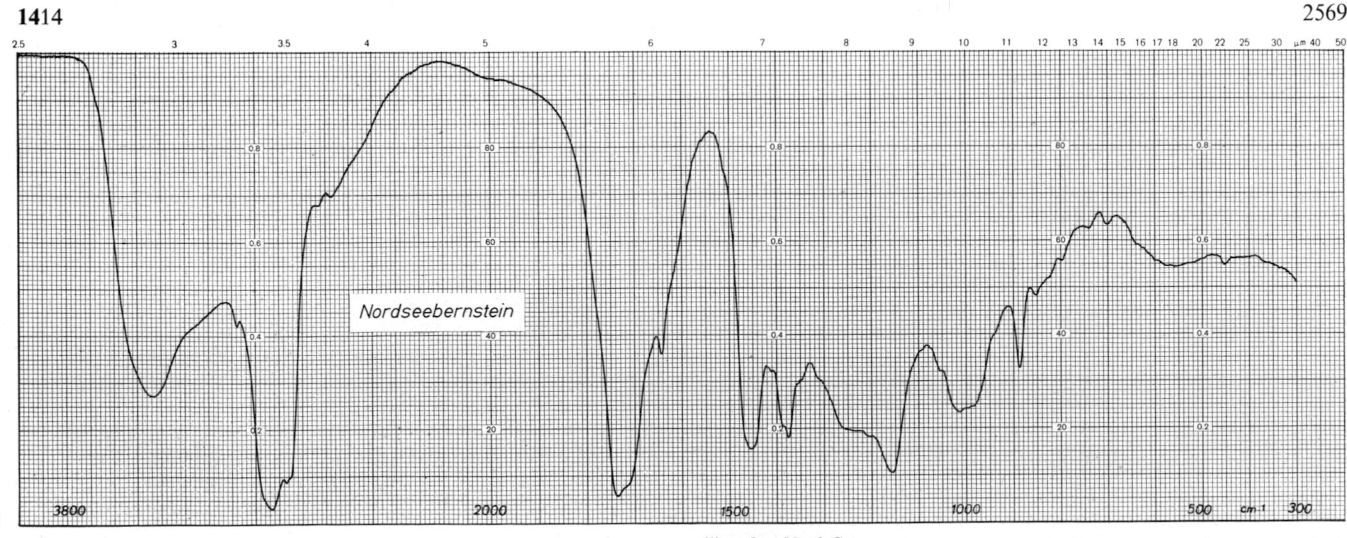

(1) **Bernstein, Nordsee**
(2) Eigenfund
(3) Resenharz mit Ester-, Säure- und OH-Gruppen
(4) dunkelgelbes, flomiges Stück
(6) KBr (4/350)
(7) PE 580 B, ABEX 1.58

(1) **amber, North Sea**
(2) own find
(3) unsaponifiable resin with ester, acid and OH groups
(4) dark yellow cloudy lump
(6) KBr (4/350)
(7) PE 580 B, ABEX 1.58

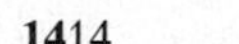
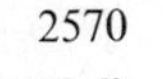

1414 2570

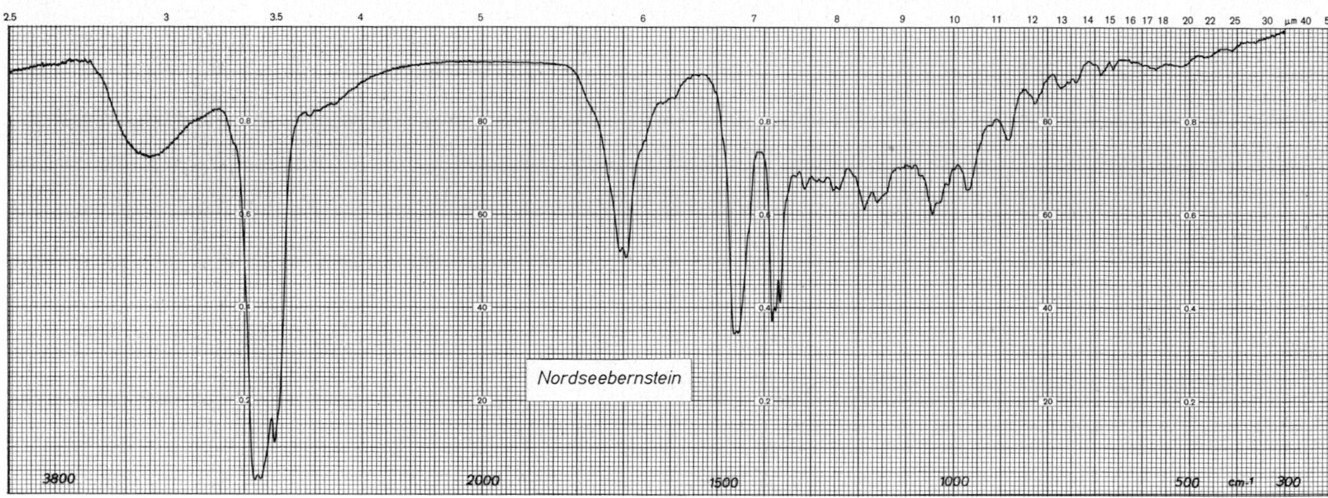

(1) **Bernstein, Nordsee**
(2) Eigenfund
(3) fossiles Harz
(4) dunkelbraunes, opakes Stück
(6) Schicht aus MTC auf CsI
(7) PE 580 B, ABEX 1.41

(1) **amber, North Sea**
(2) own find
(3) fossil resin
(4) dark brown, opaque lump
(6) film from MTC on CsI
(7) PE 580 B, ABEX 1.41

1414 2571

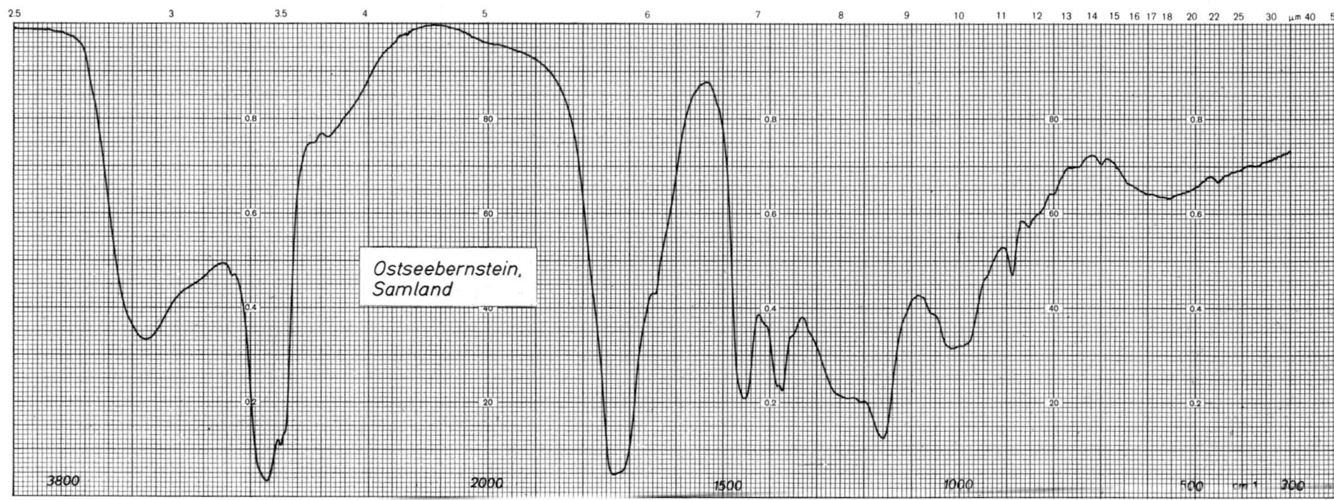

(1) **Bernstein, Samland**
(3) Resenharz mit Ester-, Säure- und OH-Gruppen
(4) mittelbraunes, durchscheinendes Harz
(6) KBr (4/350)
(7) PE 580 B, ABEX 1.10

(1) **amber, Samland**
(3) unsaponifiable resin with ester, acid and OH groups
(4) mid-brown, translucent resin
(6) KBr (4/350)
(7) PE 580 B, ABEX 1.10

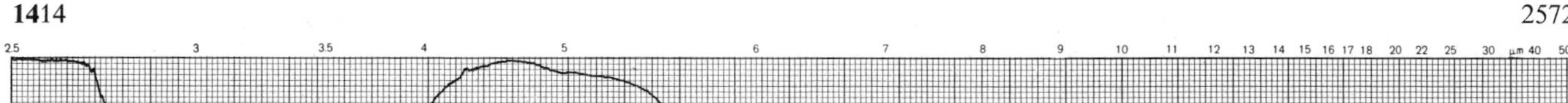

1414 2572

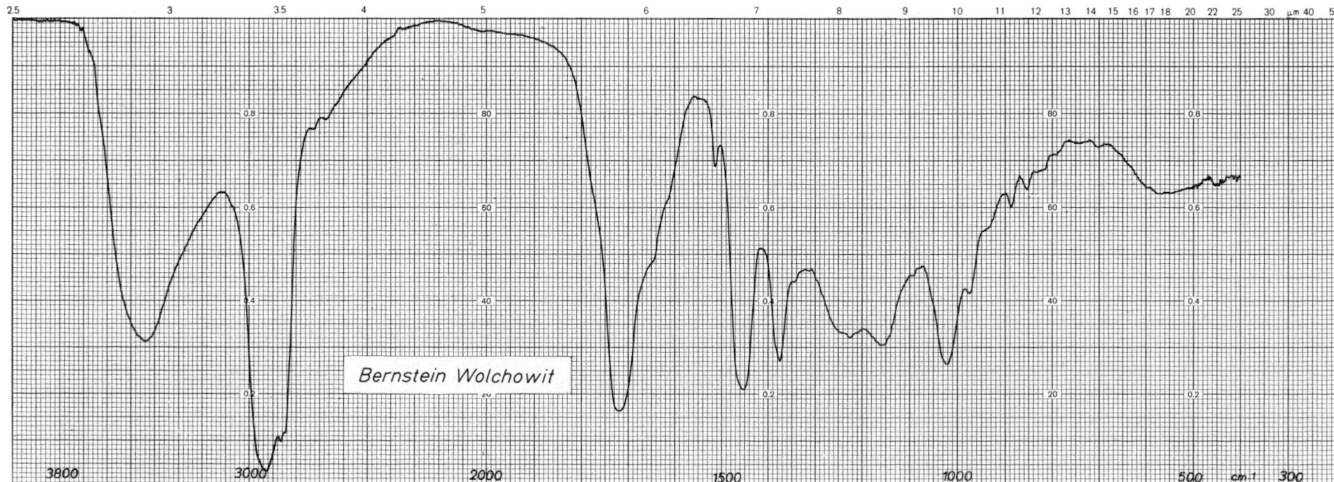

(1) **Bernstein, Wolchowit**
(2) Wolchow, Böhmen-Mähren, ČSSR, US National Museum R 7302
(3) fossiles, aliphatisches Esterharz mit OH-Gruppen
(4) gelbbraunes, flomiges Harz
(6) KBr (2/400)
(7) PE 580 B, ABEX 1.51

(1) **amber, Wolchowite**
(2) Wolchow, Bohemia-Moravia, CSSR, US National Museum R 7302
(3) fossil, aliphatic ester resin with OH groups
(4) yellow-brown, fatty resin
(6) KBr (2/400)
(7) PE 580 B, ABEX 1.51

1414 2573

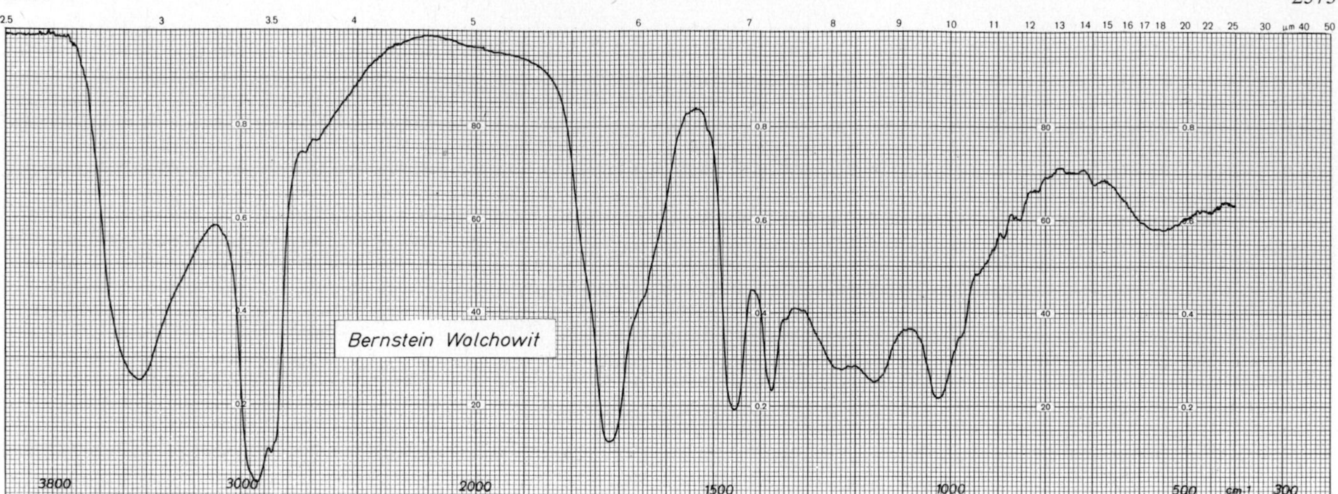

(1) **Bernstein, Wolchowit**
(2) Wolchow, Böhmen-Mähren, ČSSR, US National Museum C2428
(3) fossiles, aliphatisches Esterharz mit OH-Gruppen
(4) gelbbraunes, flomiges Harz
(6) KBr (2/400)
(7) PE 580 B, ABEX 1.30

(1) **amber, wolchowite**
(2) Wolchow, Bohemia-Moravia, CSSR, US National Museum C2428
(3) fossil, aliphatic ester resin with OH groups
(4) yellow-brown, cloudy resin
(6) KBr (2/400)
(7) PE 580 B, ABEX 1.30

1414 2574

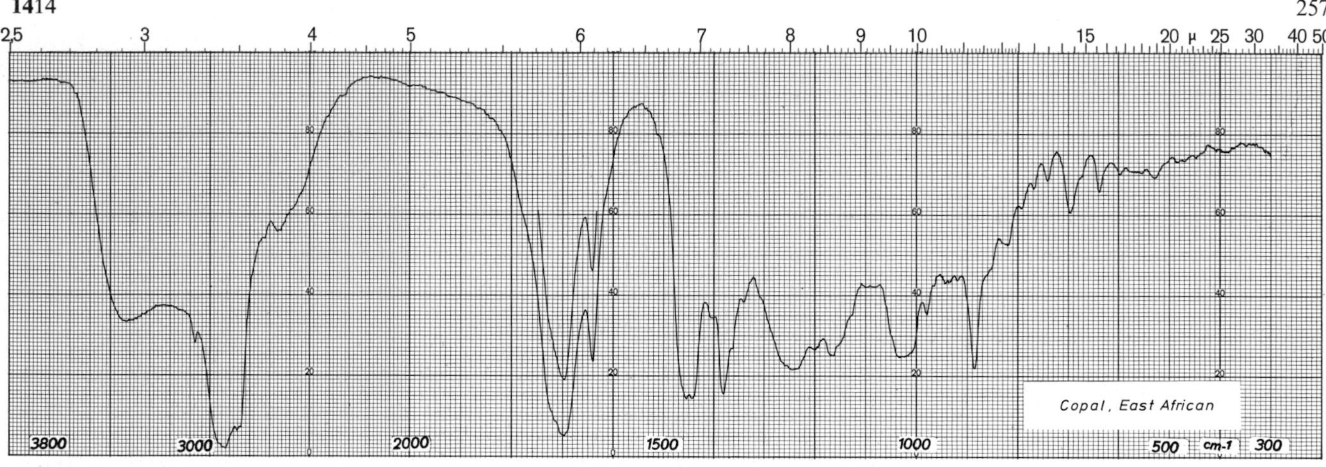

(1) **Kopal, ostafrikanisch**
(2) halbfossiles Harz aus Caesalpiniaceen
(3) Gemisch von Harzsäuren und Resenen
(4) gelbe, spröde Stücke
(5) für die Herstellung von Öllacken
(6) KBr (5/350)

(1) **copal, East African**
(2) semi-fossil, Caesalpiniacea resin
(3) mixture of resin acids and unsaponifiables
(4) friable, yellow pieces
(5) for the manufacture of oil varnishes
(6) KBr (5/350)

1415 2575

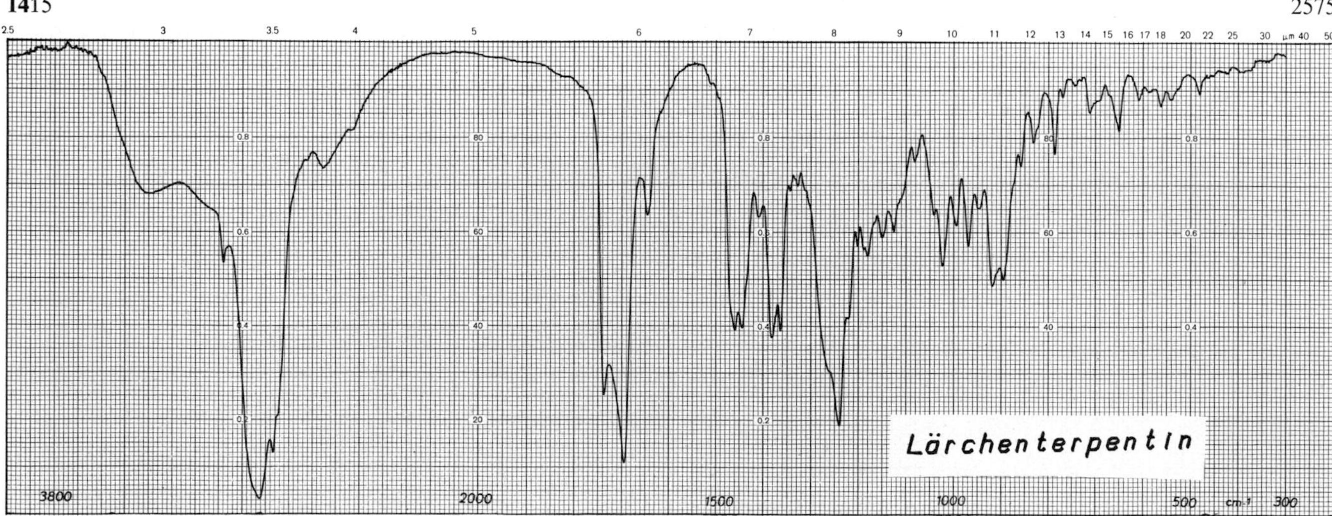

(1) **Lärchenterpentin**
(2) Baumharz aus Lärchen
(3) Harzsäuren, Harzester und flüchtige Terpene
(4) gelbes, viskoses Harz
(5) für pharmazeutische Zwecke
(6) kapillare Schicht zwischen CsI
(7) PE 580 B, ABEX 1.75

(1) **Venice turpentine**
(2) larch resin
(3) resin acids, resin esters and volatile terpenes
(4) yellow, viscous resin
(5) for pharmaceutical purposes
(6) capillary film between CsI
(7) PE 580 B, ABEX 1.75

1415 2576

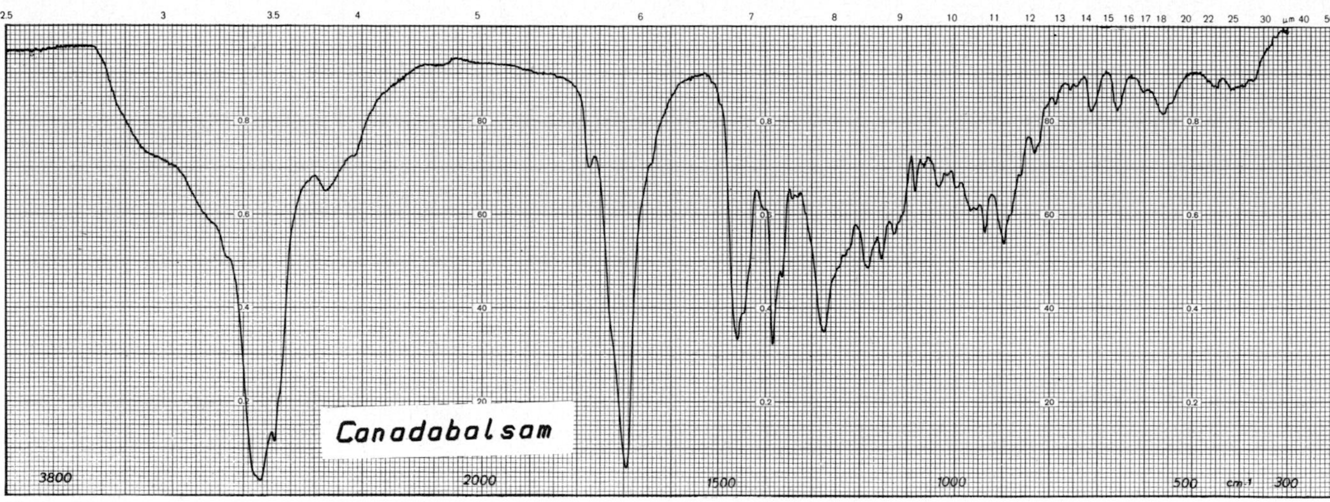

(1) **Canadabalsam**
(2) Harz aus Abies canadensis und Abies balsamea
(3) Gemisch aus Harzsäuren und flüchtigen Terpenen
(4) hellgelbes, hochviskoses Harz
(5) Linsenkitt, zur Herstellung mikroskopischer Präparate
(6) Schmelzschicht zwischen CsI
(7) PE 580 B, ABEX 1.82

(1) **Canada balsam**
(2) Abies canadensis and Abies balsamea resin
(3) mixture of resin acids and volatile terpenes
(4) pale yellow, highly viscous resin
(5) transparent cement for microscopical preparations
(6) film from the melt between CsI
(7) PE 580 B, ABEX 1.82

1415 2577

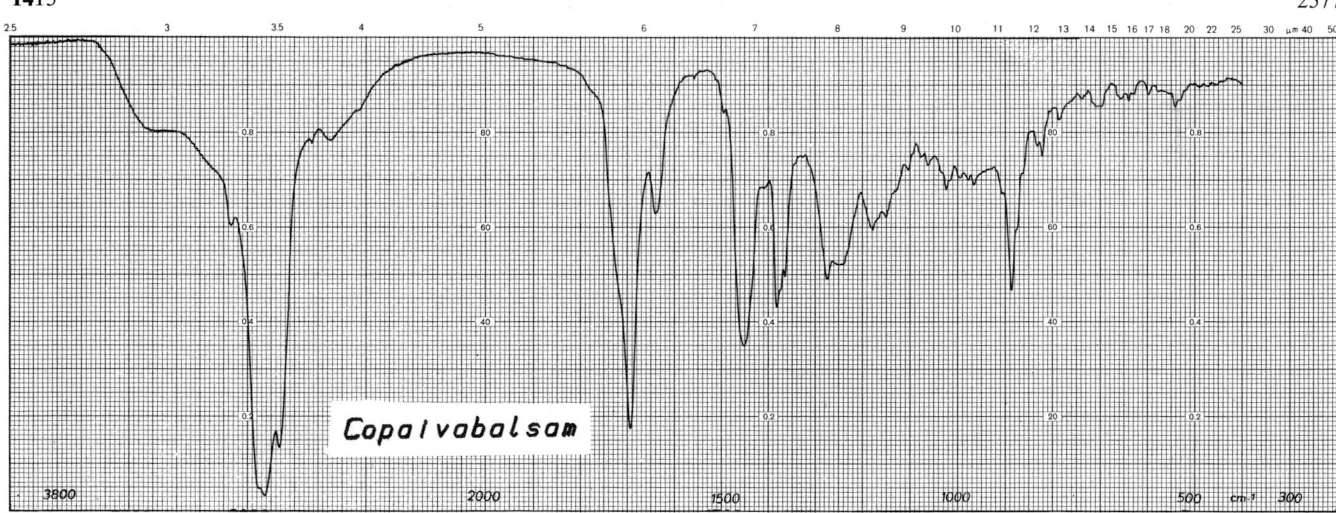

(1) **Copaivabalsam**
(2) Baumharz aus Copaiva var. (Brasilien)
(3) Gemisch aus Harzsäuren und ätherischen Ölen
(4) braune, etwas viskose Flüssigkeit
(5) in der Pharmazie, für Lacke und Firnisse
(6) kapillare Schicht zwischen CsI
(7) PE 580 B, ABEX 1.40

(1) **copaiba balsam**
(2) resin from the Brazilian Copaiba genus of trees
(3) mixture of resin acids and ethereal oils
(4) brown, somewhat viscous liquid
(5) in pharmacy, for lacquers and varnishes
(6) capillary film between CsI
(7) PE 580 B, ABEX 1.40

1415 2578

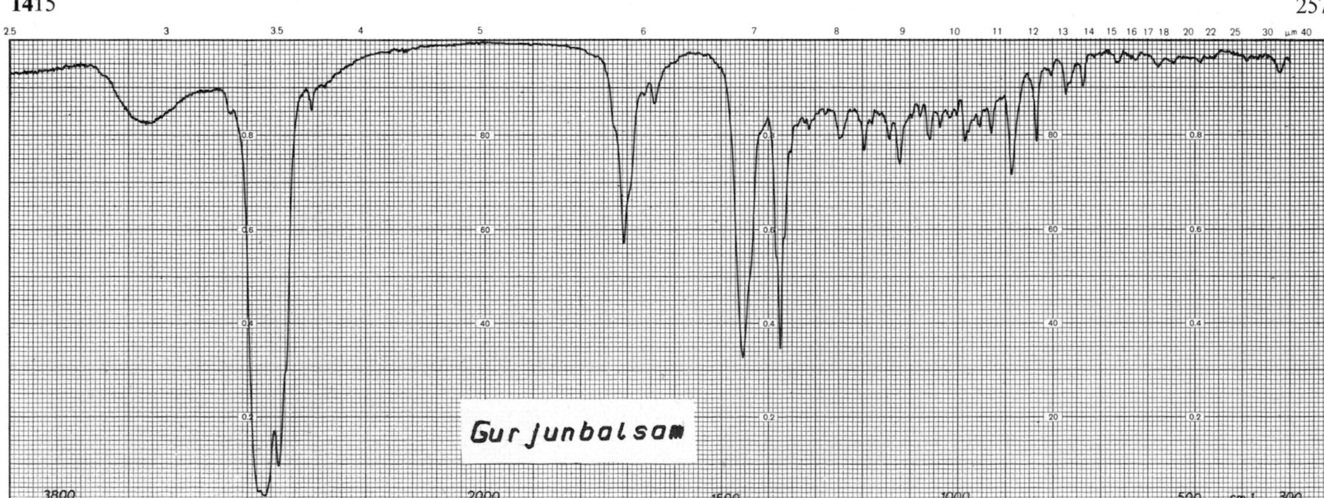

(1) **Gurjunbalsam**
(2) aus Dipterocarpus turbinatus und anderen Dipterocarpus-Arten (Hinterindien)
(3) Gemisch aus terpenartigen, ätherischen Ölen und Harzsäuren
(4) braune Flüssigkeit
(5) in der Pharmazie
(6) kapillare Schicht zwischen CsI
(7) PE 580 B, ABEX 1.95

(1) **gurjun balsam**
(2) from Dipterocarpus turbinatus and other Dipterocarpus species (Indochina)
(3) a mixture of terpene-like, ethereal oils and resin acids
(4) brown liquid
(5) in pharmacy
(6) capillary film between CsI
(7) PE 580 B, ABEX 1.95

1415 2579

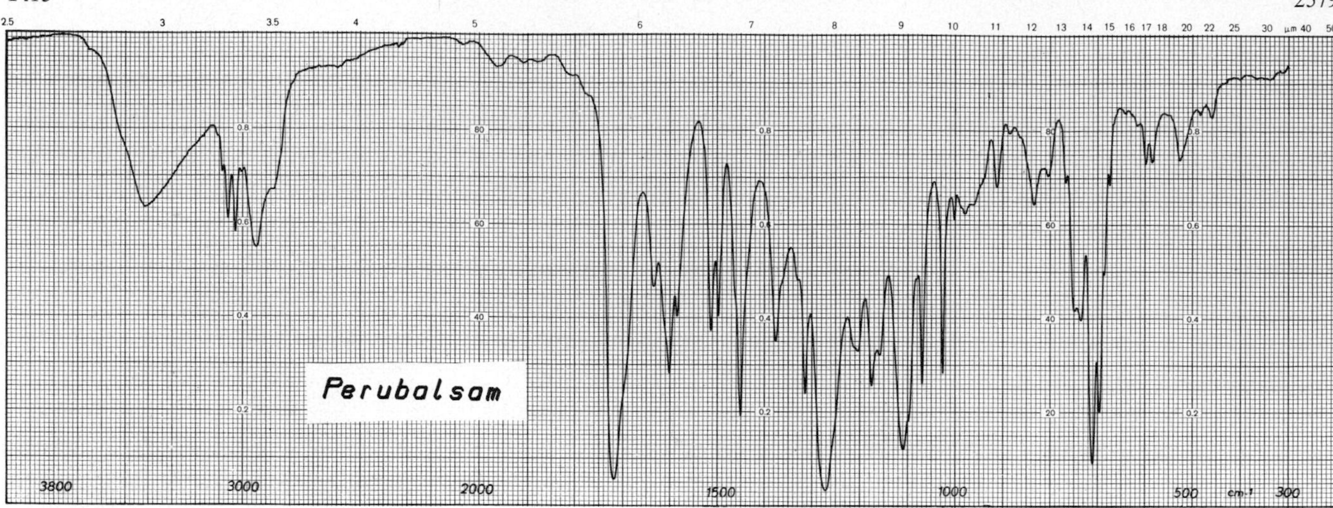

(1) **Perubalsam**
(2) Harz aus Myroxylon pereira (San Salvador)
(3) Harzester (Benzylester und ätherische Öle)
(4) dunkelbraune, viskose Flüssigkeit
(5) Parfümerie, Medizin, Technik
(6) kapillare Schicht zwischen CsI
(7) PE 580 B, ABEX 1.29

(1) **Balsam of Peru**
(2) Myroxylon pereira resin (San Salvador)
(3) oleoresin ester (benzyl esters and ethereal oils)
(4) dark brown, viscous liquid
(5) perfumery, medicine, technology
(6) capillary film between CsI
(7) PE 580 B, ABEX 1.29

1416 2580

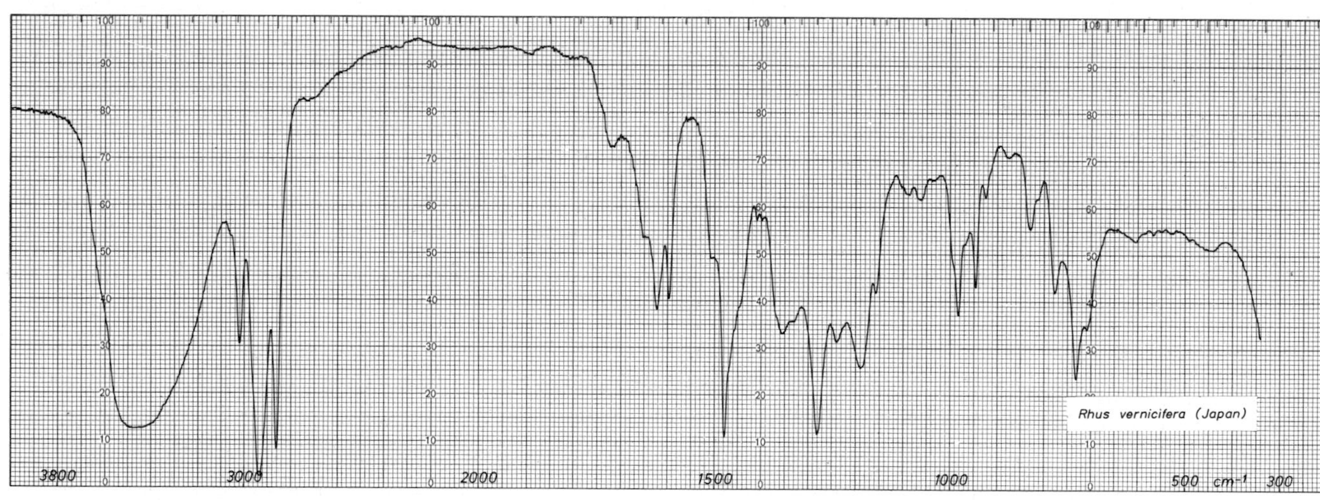

(1) **Japanlack aus Rhus vernicifera (Japan)**
(2) durch C. W. Beck, Vassar College, Poughkeepsie
(3) aliphatisch-aromatische Verbindung mit phenolischen und alkoholischen Gruppen
(4) trübe, mittelbraune, mittelviskose Flüssigkeit
(5) für feine Lackschnitzereien
(6) Schicht zwischen KBr (15 µm)

(1) **Japanese lacquer from Rhus vernicifera (Japan)**
(2) from C. W. Beck, Vassar College, Poughkeepsie
(3) aliphatic-aromatic compound with phenolic and alcoholic groups
(4) turbid, mid-brown, medium viscous liquid
(5) for quality lacquered wood carvings
(6) film between KBr (15 µm)

1416 2581

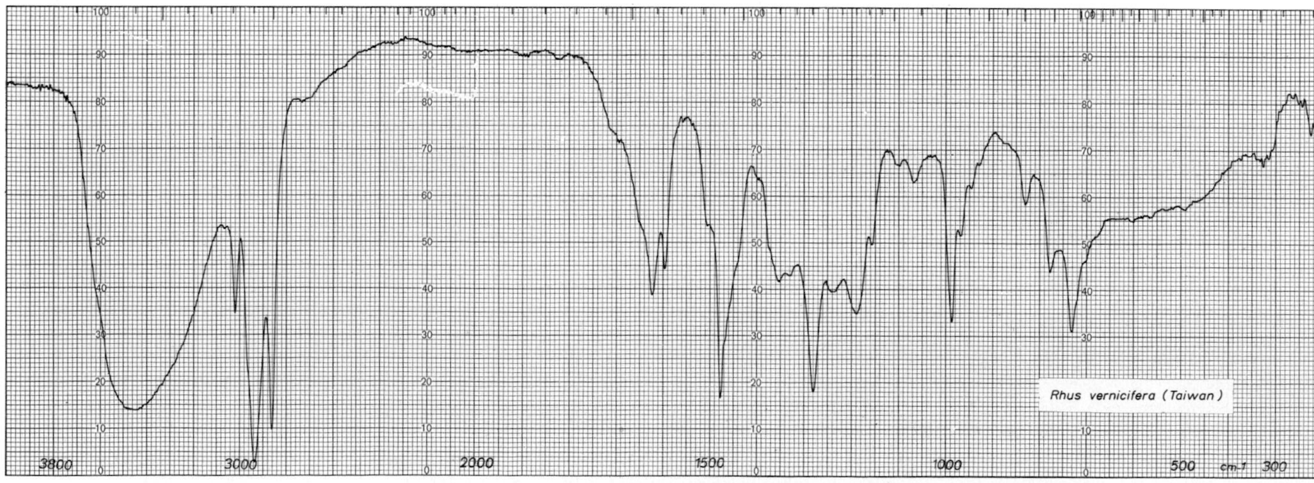

(1) **Japanlack aus Rhus vernicifera (Taiwan)**
(2) durch C. W. Beck, Vassar College, Poughkeepsie
(3) Mischung aliphatisch-aromatischer Körper mit phenolischen und alkoholischen Gruppen
(4) trübe, mittelbraune, mittelviskose Flüssigkeit
(5) für feine Lackschnitzereien
(6) Schicht zwischen KBr (15 µm)

(1) **Japanese lacquer from Rhus vernicifera (Taiwan)**
(2) from C. W. Beck, Vassar College, Poughkeepsie
(3) mixture of aliphatic-aromatic bodies with phenolic and alcoholic groups
(4) cloudy, mid-brown, medium viscous liquid
(5) for quality lacquered carvings
(6) film between KBr (15 µm)

1416 2582

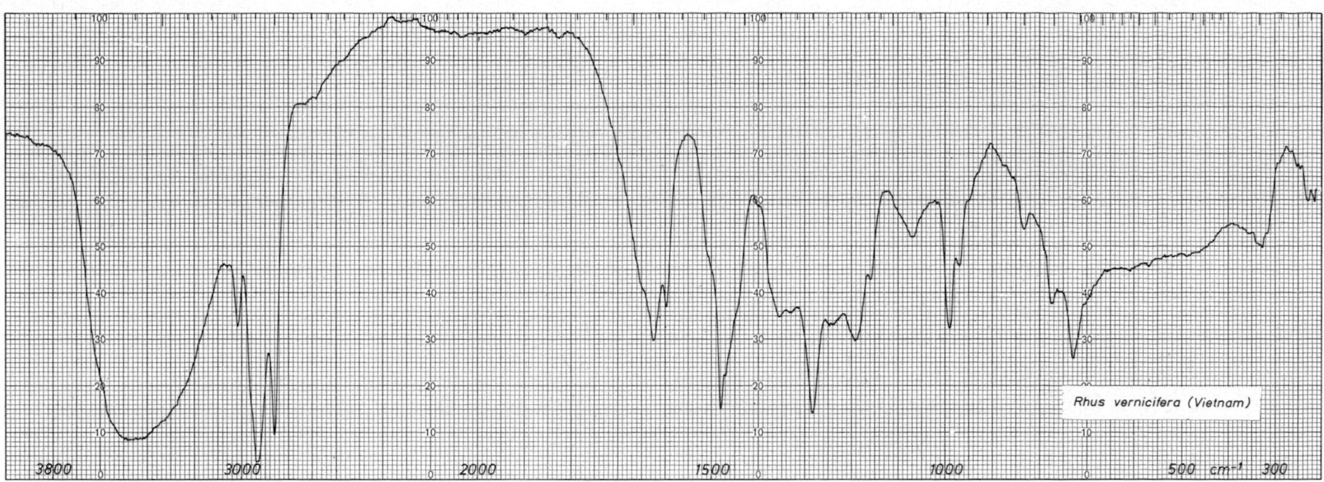

(1) **Japanlack aus Rhus vernicifera (Vietnam)**
(2) durch C. W. Beck, Vassar College, Poughkeepsie
(3) Mischung aliphatisch-aromatischer Körper mit phenolischen und alkoholischen Gruppen
(4) trübe, mittelbraune, mittelviskose Flüssigkeit
(5) für feine Lackschnitzereien
(6) Schicht zwischen KBr (15 µm)

(1) **Japanese lacquer from Rhus vernicifera (Vietnam)**
(2) from C. W. Beck, Vassar College, Poughkeepsie
(3) mixture of aliphatic-aromatic bodies with phenolic and alcoholic groups
(4) cloudy, mid-brown, medium viscous liquid
(5) for quality lacquered wood carvings
(6) film between KBr (15 µm)

1416 2583

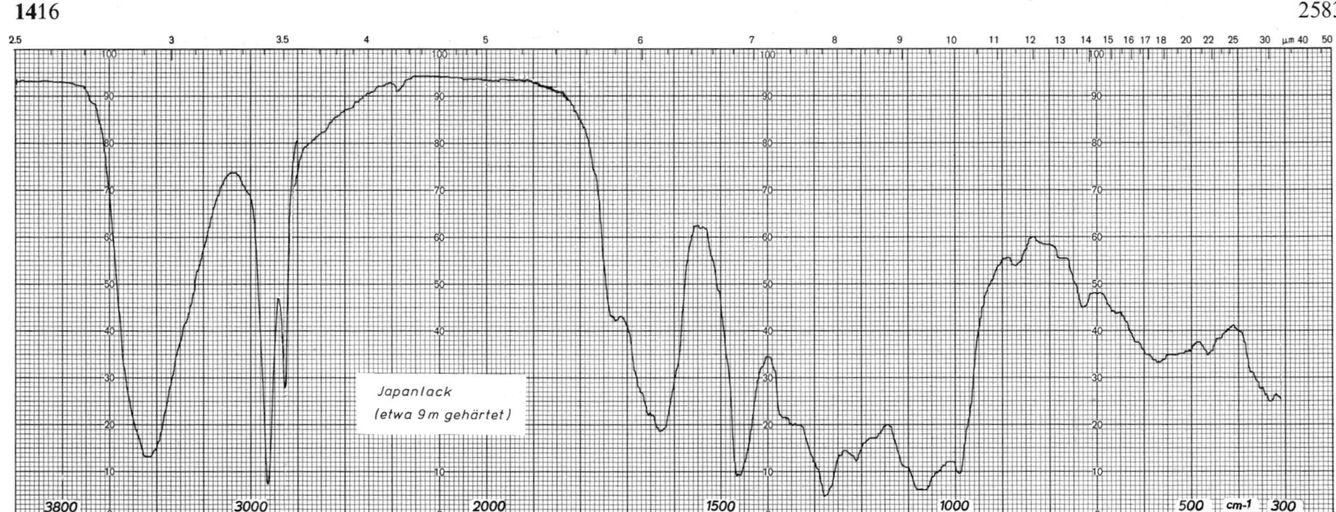

(1) **Japanlack (etwa 9 m gehärtet)**
(2) durch A. Burmester, TU Berlin
(3) überwiegend aliphatisches Harz mit alkoholischen und Ethergruppen
(4) schwarze Lackstückchen
(5) für Lackstückchen
(6) geschabte Substanz in KBr
(7) Ordinate gedehnt (2800...300 cm^{-1} stark, 4000...2800 weniger stark)

(1) **Japanese lacquer (hardened for ca. 9 m)**
(2) from A. Burmester, TU Berlin
(3) mainly aliphatic resin with alcoholic and ether groups
(4) black pieces of lacquer
(5) for lacquered wood carvings
(6) shavings of substance in KBr
(7) ordinate expanded (2800...300 cm^{-1} strongly, 4000...2800 cm^{-1} less strongly)

1416 2584

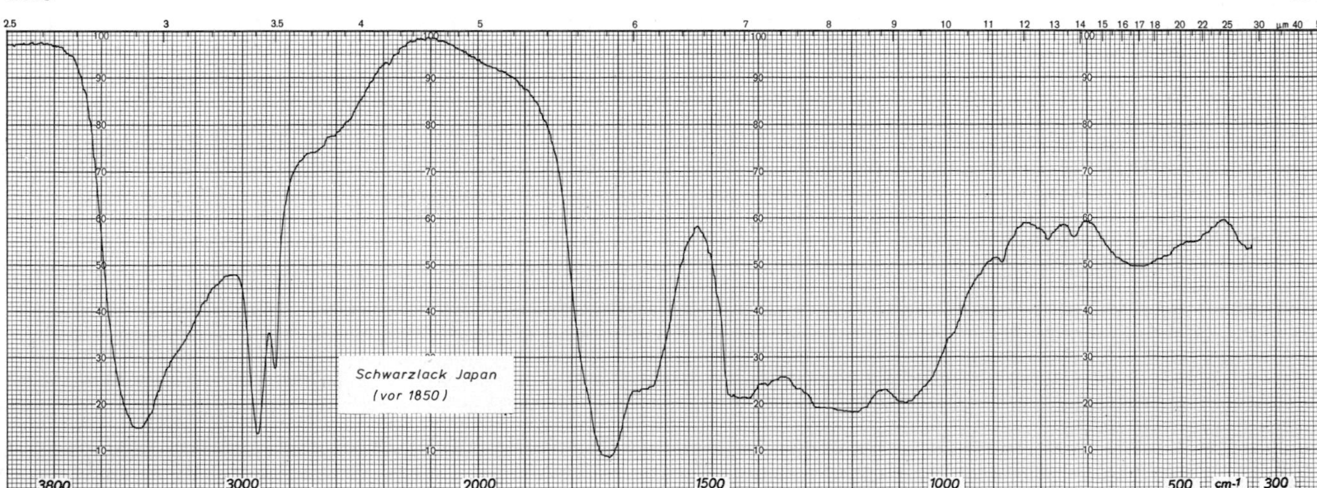

(1) **Japanlack (Schwarzlack, vor 1850)**
(2) durch A. Burmester, TU Berlin
(3) überwiegend aliphatisches Harz mit alkoholischen und Ethergruppen
(4) braune Lackspäne
(5) für Lackschnitzereien
(6) fein zerschabte Substanz in KBr

(1) **Japan lacquer (Japan black, pre-1850)**
(2) from A. Burmester, TU Berlin
(3) mainly aliphatic resin with alcoholic and ether groups
(4) brown lacquer fragments
(5) for lacquered wood carvings
(6) finely shaved substance in KBr

1416 2585

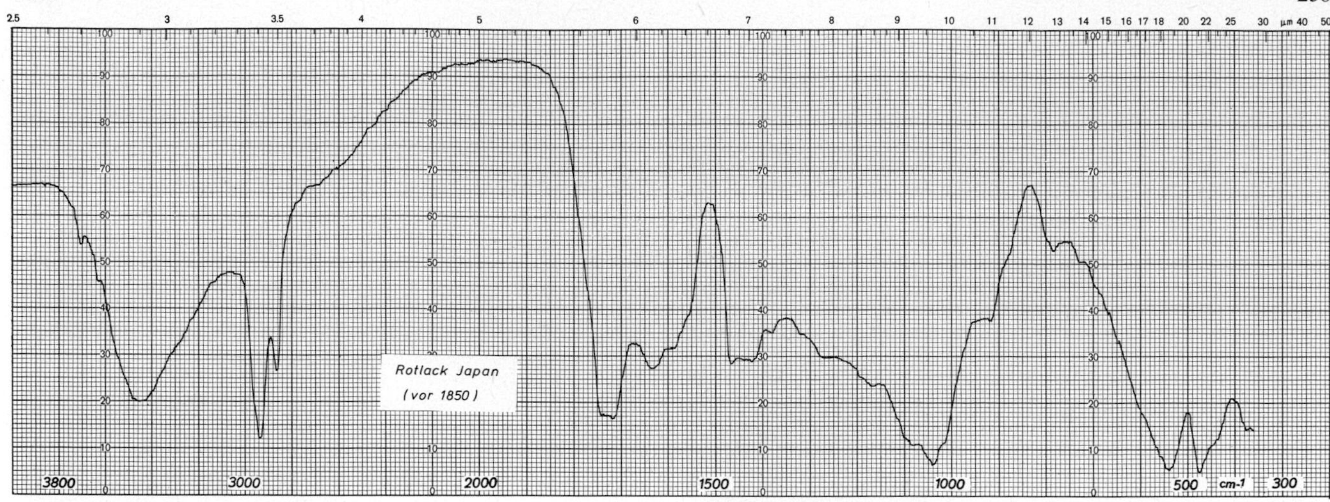

(1) **Japanlack (Rotlack, vor 1800)**
(2) durch A. Burmester, TU Berlin
(3) überwiegend aliphatisches Harz mit alkoholischen und Ethergruppen
(4) rotbraune Lackspäne
(5) für Lackschnitzereien
(6) KBr (grob verteilt)
(7) Ordinate stark gedehnt

(1) **Japan lacquer (Japan red, pre-1800)**
(2) from A. Burmester, TU Berlin
(3) mainly aliphatic resin with alcoholic and ether groups
(4) red-brown lacquer fragments
(5) for lacquered wood carvings
(6) KBr (coarsely distributed)
(7) ordinate greatly expanded

1417 2586

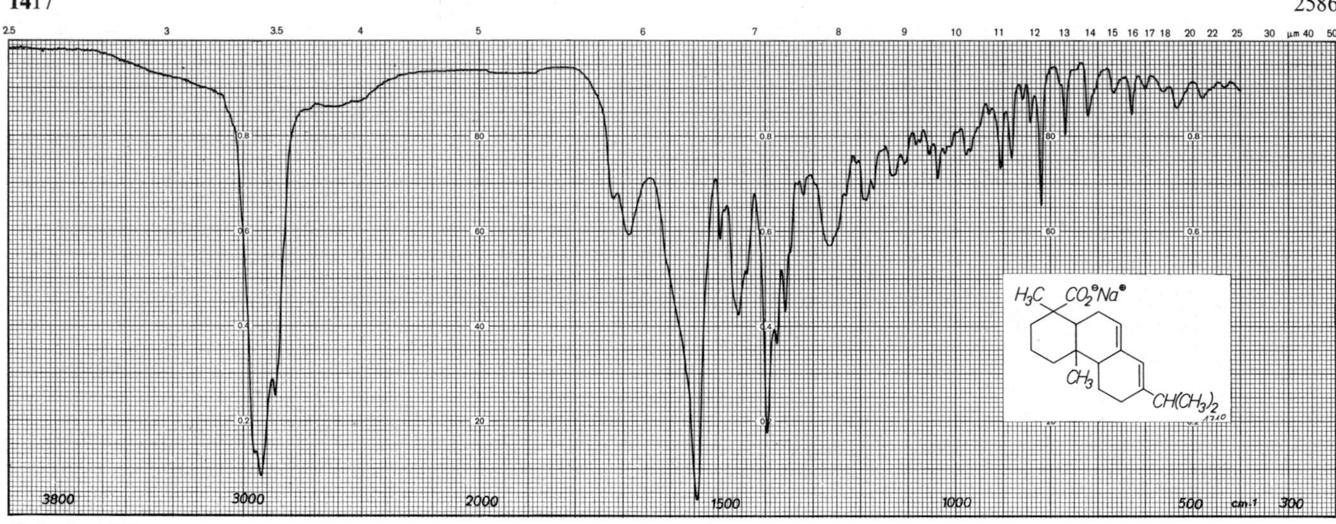

(1) **Dresinate 731**
(3) Kolophonium, Na-Salz
(4) gelbes, zähes Harz
(5) Emulgator für Polymerisationsprozesse
(6) Schicht aus ETL auf KRS-5
(7) PE 580 B, ABEX 1.21

(2) Hercules, Wilmington, Dela.
(3) colophony, sodium salt
(4) tough, yellow resin
(5) emulsifier in polymerization processes
(6) film from ETL on KRS-5
(7) PE 580 B, ABEX 1.21

1417 2587

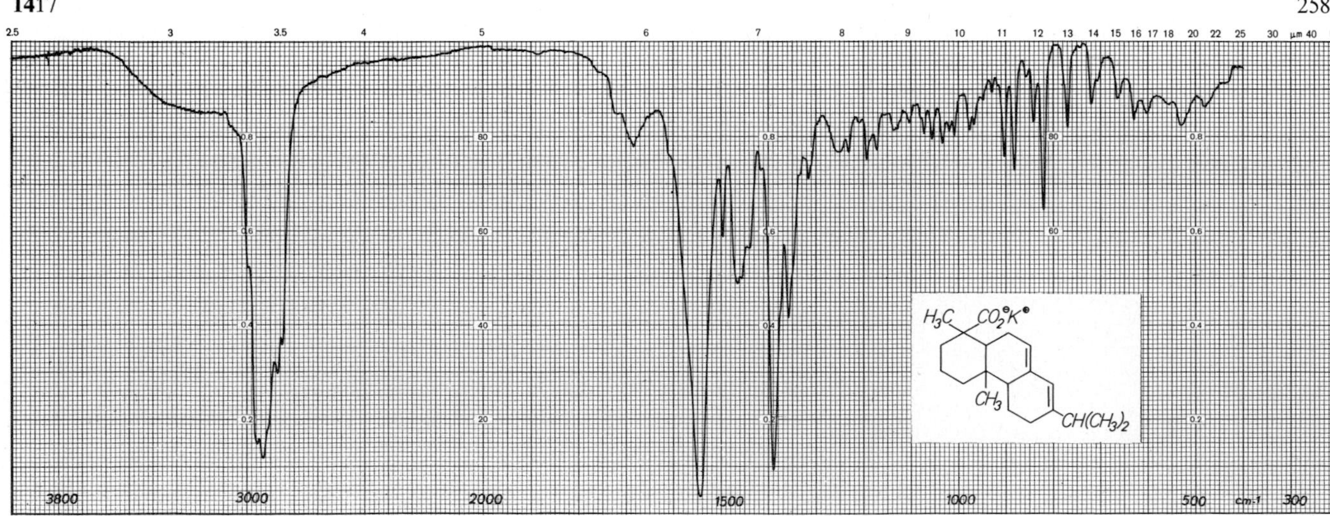

(1) **Dresinate 214**
(3) Kolophonium, K-Salz
(4) gelbes, zähes, opakes Harz
(5) Emulgator für Polymerisationsprozesse
(6) Schicht aus ETL auf KRS-5
(7) PE 580 B, FLAT, ABEX 1.50

(2) Hercules, Wilmington, Dela.
(3) colophony, K salt
(4) tough, opaque, yellow resin
(5) emulsifier for polymerization processes
(6) film from ETL on KRS-5
(7) PE 580 B, FLAT, ABEX 1.50

1417 2588

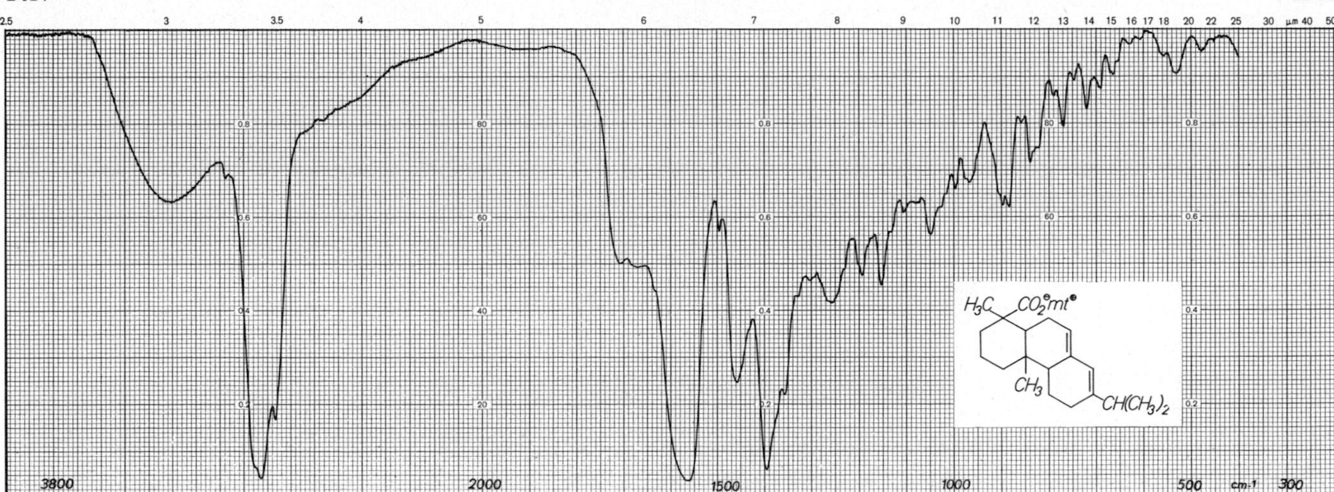

(1) **Dresinate XX**
(3) Salz des Kolophoniums
(4) gelbliches Pulver
(6) Schicht aus ETL auf KRS-5
(7) PE 580 B, ABEX 1.75

(2) Hercules, Wilmington, Dela.
(3) colophony salt
(4) yellowish powder
(6) film from ETL on KRS-5
(7) PE 580 B, ABEX 1.75

1417 2589

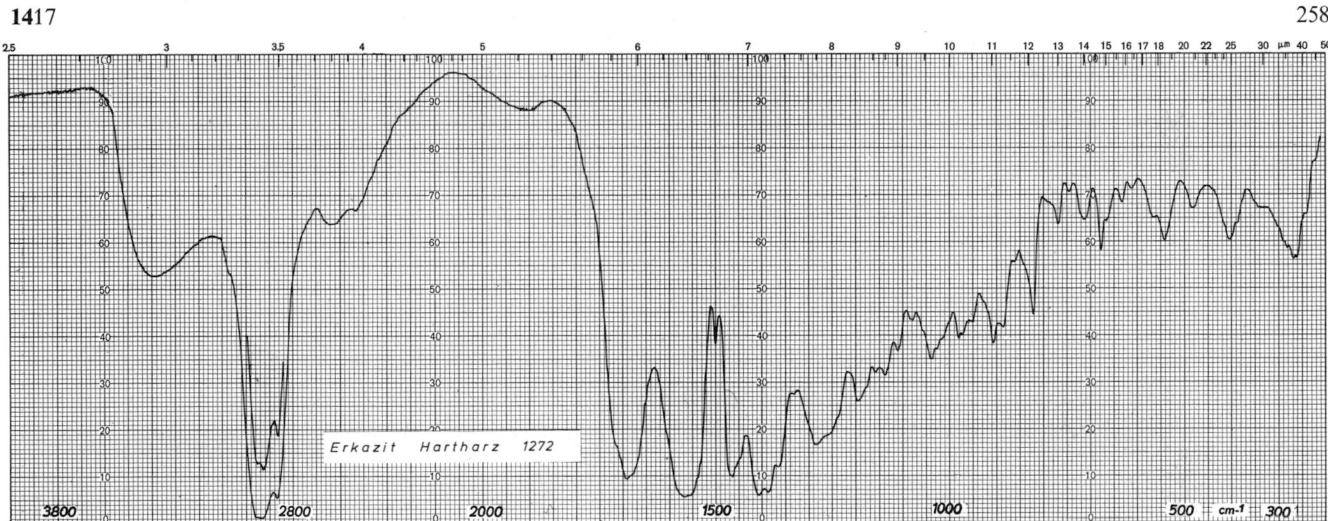

(1) **Erkazit Hartharz 1272**
(3) im Schmelzfluß abgekalktes, extrahelles Hartharz (etwa 5% Kalkhydrat)
(4) hellbraune Harzstücke
(5) für preisgünstige Konsumlacke, Druckfarben-Bindemittel, Klebstoffe, Bronzetinkturen, Siccativlösungen
(6) Schicht aus BZN auf CsI

(2) Robert Kraemer, Bremen
(3) extra light-colored hard rosin, neutralized with ca. 5% calcium hydroxide
(4) light-brown resin lumps
(5) for economical consumer varnishes, printing ink binders, adhesives, bronze tinctures, siccative solutions
(6) film from BZN on CsI

1417 2590

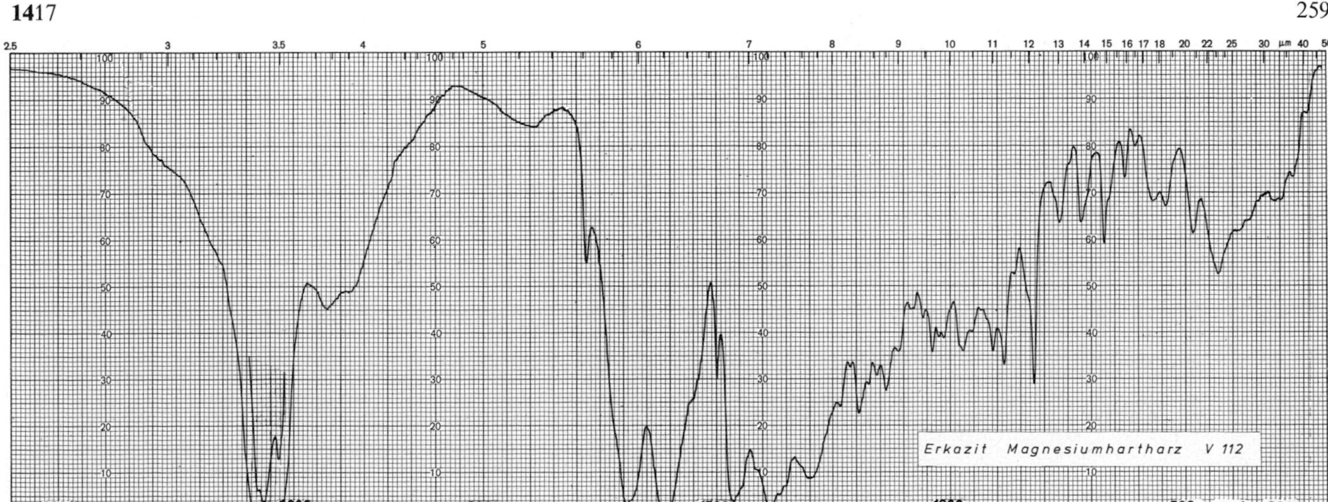

(1) **Erkazit-Magnesiumhartharz V 112**
(3) im Schmelzfluß mit $Mg(OH)_2$ gehärtetes Harz
(4) hellbraunes Harz
(5) für Tiefdruckfarben und Klebstoffe, Mattierungsharz für Lack-Wachs-Kombinationen
(6) Schicht aus BZN auf CsI

(2) Robert Kraemer, Bremen
(3) rosin hardened with $Mg(OH)_2$
(4) light-brown resin
(5) for gravure inks and adhesives, delustering resin for lacquer-wax combinations
(6) film from BZN on CsI

1417 2591

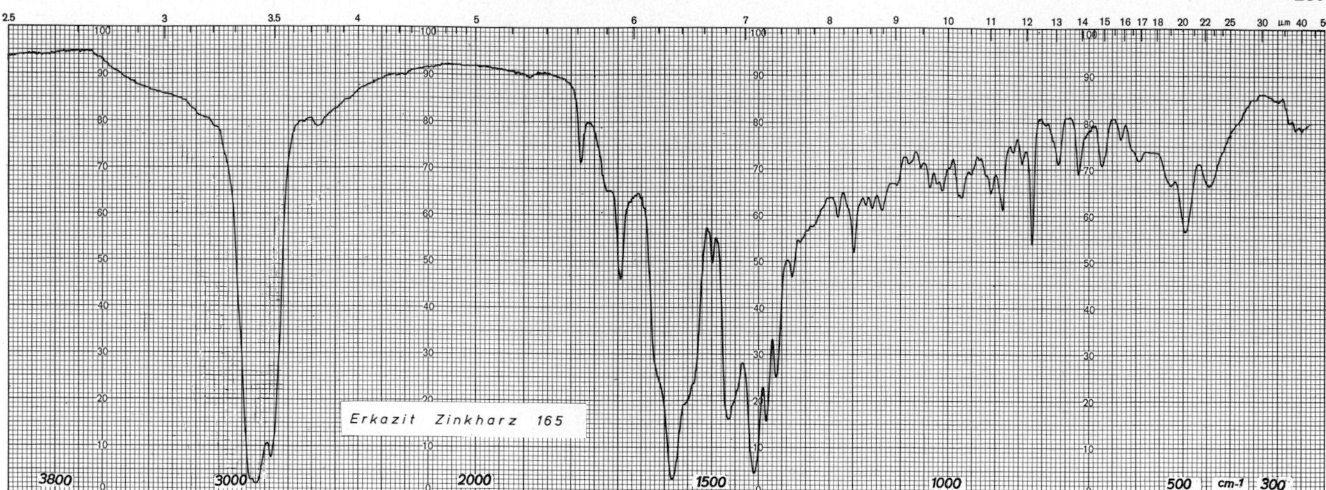

(1) **Erkazit-Zinkharz 165**
(3) sehr hartes, im Schmelzfluß maximal abgezinktes (etwa 9% Zn) Hartharz
(4) bernsteinfarbenes Harz
(5) Antihaut- und Antirunzel-Mittel, Spezial- oder Korrekturharz; in allen Öl- oder Alkyd-Lacken; für Druckfarben und Klebstoffe
(6) Schicht aus BZN auf CsI

(2) Robert Kraemer, Bremen
(3) very hard resin maximally neutralized with ca. 9% Zn
(4) amber-colored resin
(5) anti-skin and wrinkling agent, speciality or adjustment resin; in all oil or alkyd finishes; for printing inks and adhesives
(6) film from BZN on CsI

1417 2592

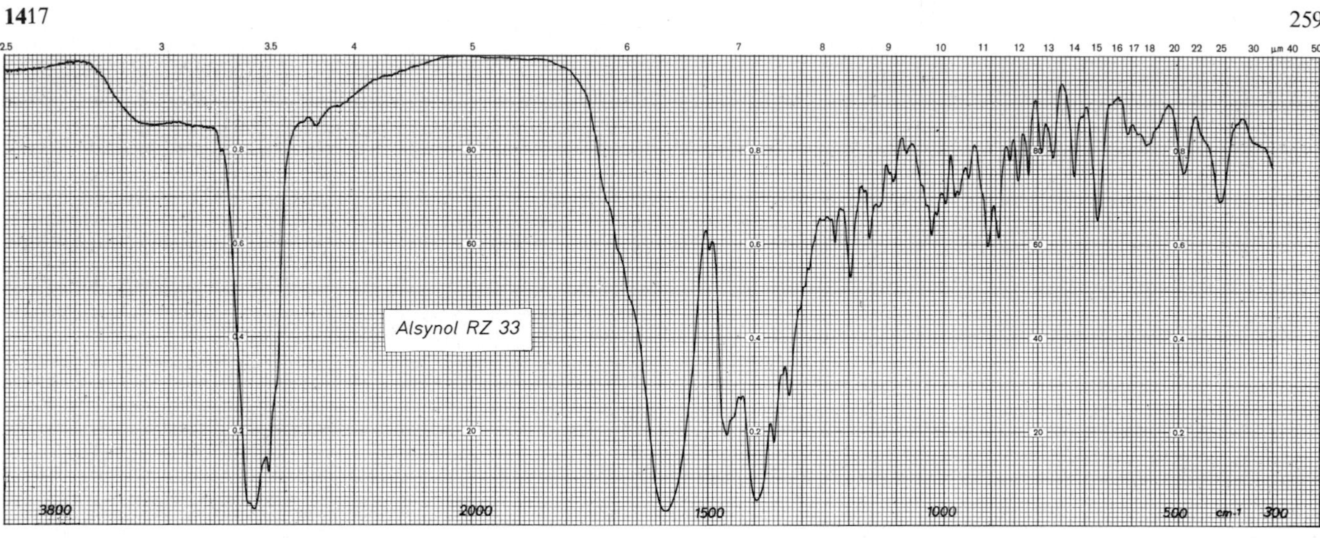

(1) **Alsynol RZ 33**
(3) Zink-Calcium-Resinat
(4) bernsteinfarbene Schuppen
(5) für Hochleistungs-Illustrationstiefdruckfarben
(6) Schicht aus MTC auf CsI
(7) PE 580 B, ABEX 1.42

(2) Synres Nederland BV, Hoek van Holland
(3) zinc-calcium resinate
(4) amber-colored flakes
(5) in high performance inks for gravure illustrations
(6) film from MTC on CsI
(7) PE 580 B, ABEX 1.42

1417 2593

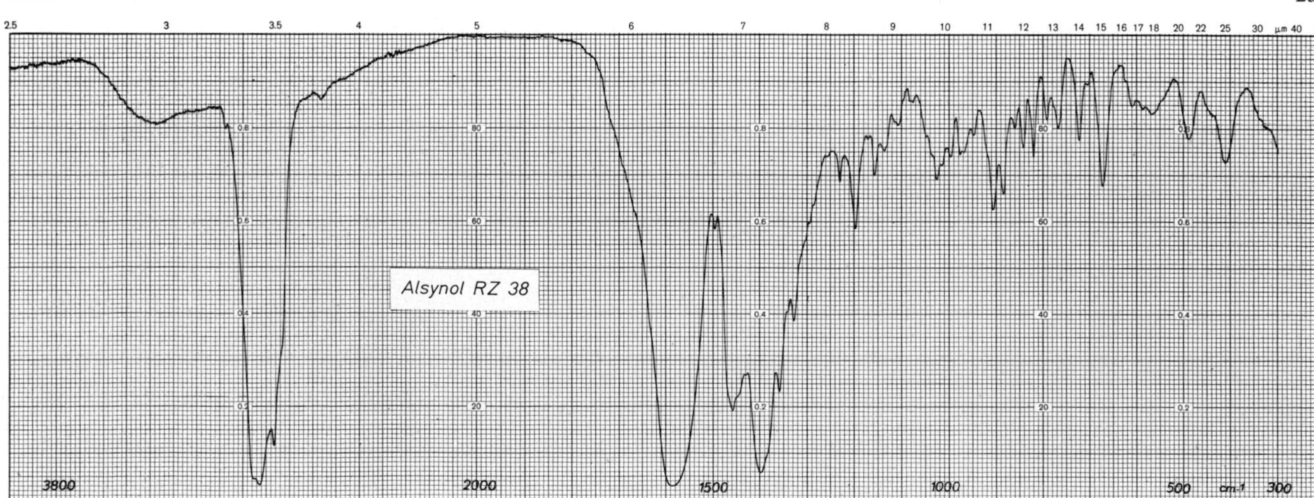

(1) **Alsynol RZ 38**
(3) modifiziertes Zink-Calcium-Resinat
(4) bernsteinfarbene Schuppen
(5) für Hochleistungs-Illustrationstiefdruckfarben
(6) Schicht aus MTC auf CsI
(7) PE 580 B, ABEX 2.65

(2) Synres Nederland BV, Hoek van Holland
(3) modified zinc-calcium resinate
(4) amber-colored flakes
(5) in high performance inks for gravure illustrations
(6) film from MTC on CsI
(7) PE 580 B, ABEX 2.65

1417 2594

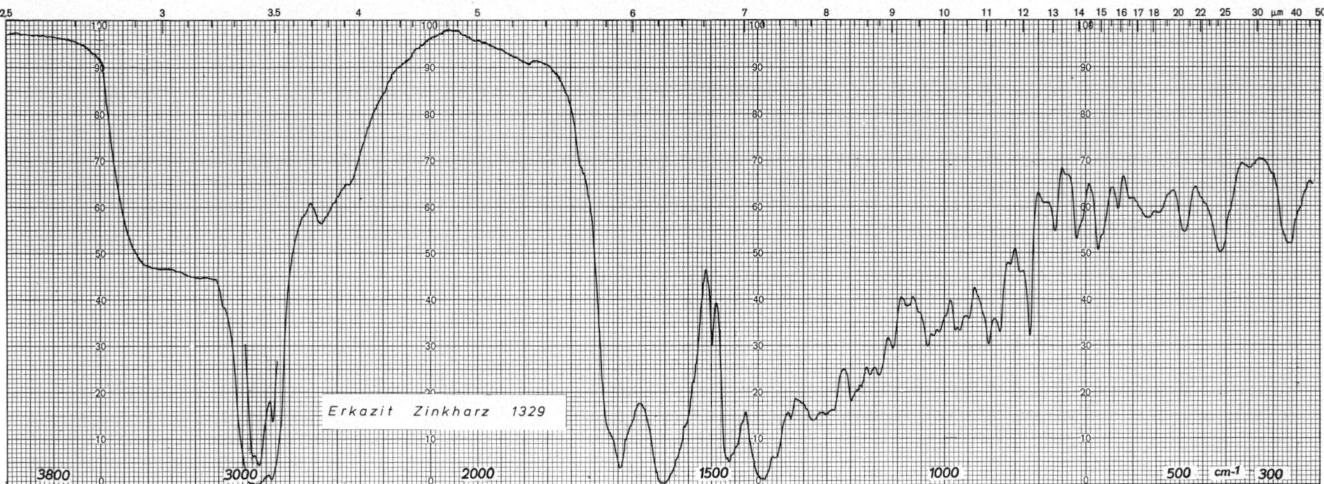

(1) **Erkazit-Zinkharz 1329**
(3) kombiniertes Zinkkalkharz mit etwa 4.6% ZnO und 2.3% CaO
(4) helles, bernsteinfarbenes Harz
(5) Hauptharz, Kombinationsharz oder Korrekturharz für Innenanwendungen, für Harttrockenöle, Fußboden-, Möbel- und Schleif-Lacke, Bindemittel für den Öltiefdruck
(6) Schicht aus BZN auf CsI

(2) Robert Kraemer, Bremen
(3) combined zinc-calcium resin with about 4.6% ZnO and 2.3% CaO
(4) light, amber-colored resin
(5) main resin, combination resin or adjusting resin for inside use, for hard-drying oils, floor, furniture and rubbing varnishes, binder in oil intaglio
(6) film from BZN on CsI

1418 2595

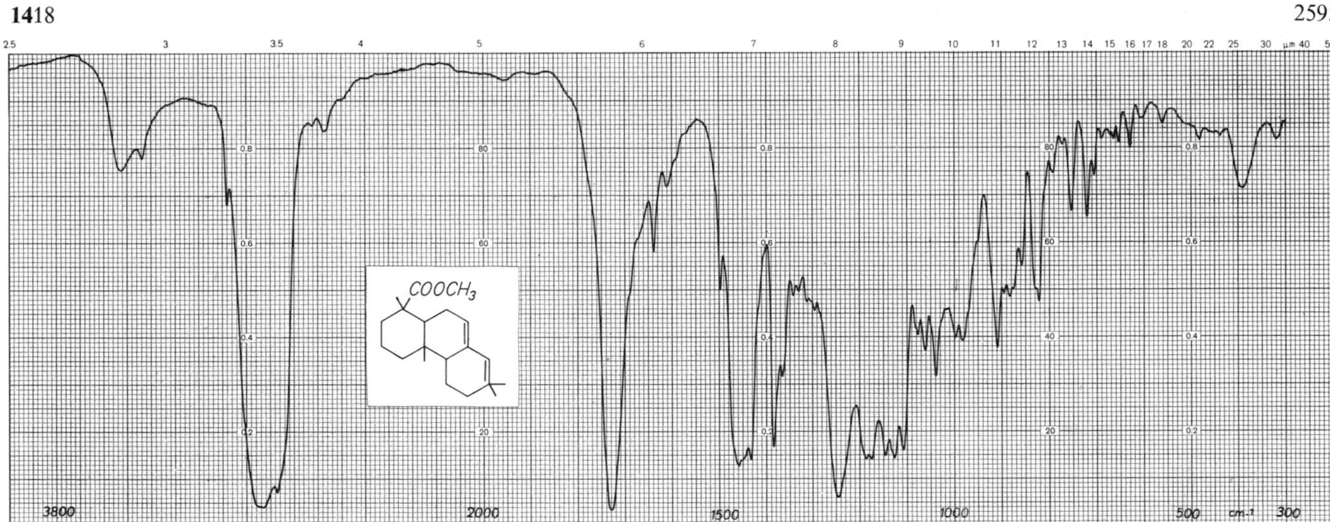

(1) **Methylabietat, Abietinsäuremethylester**
(2) Laborpräparat U. Pohl, Institut für Physikalische Chemie, Universität zu Köln
(4) gelbliche, viskose Substanz
(6) kapillare Schicht zwischen CsI
(7) PE 580 B, ABEX 1.15

(1) **methyl abietate, methyl ester of abietic acid**
(2) laboratory preparation, U. Pohl, Institut für Physikalische Chemie, Universität zu Köln
(4) yellowish, viscous substance
(6) capillary film between CsI
(7) PE 580 B, ABEX 1.15

1418 2596

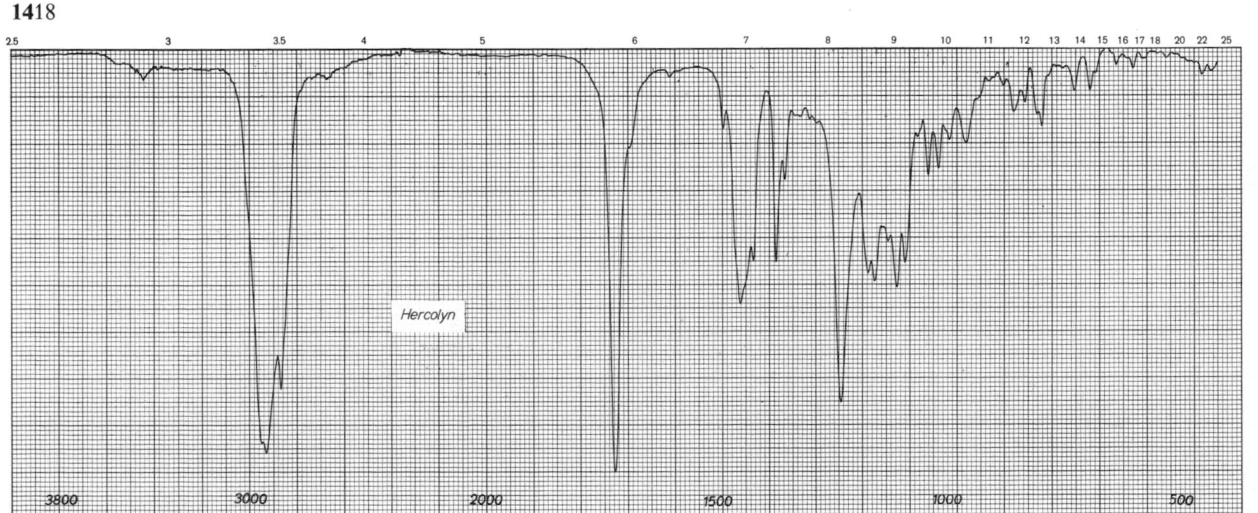

(1) **Hercolyn**
(3) Methylester eines Gemisches aus Hydro- und Dehydroabietinsäuren
(4) hellgelbe, viskose Flüssigkeit
(5) Weichharz
(6) Film auf CsI
(7) Nicolet FTIR 7199

(2) Hercules, Wilmington, Dela.
(3) methyl esters of a mixture of hydroabietic and dehydroabietic acids
(4) pale yellow, viscous liquid
(5) soft resin
(6) film on CsI
(7) Nicolet FTIR 7199

1418 2597

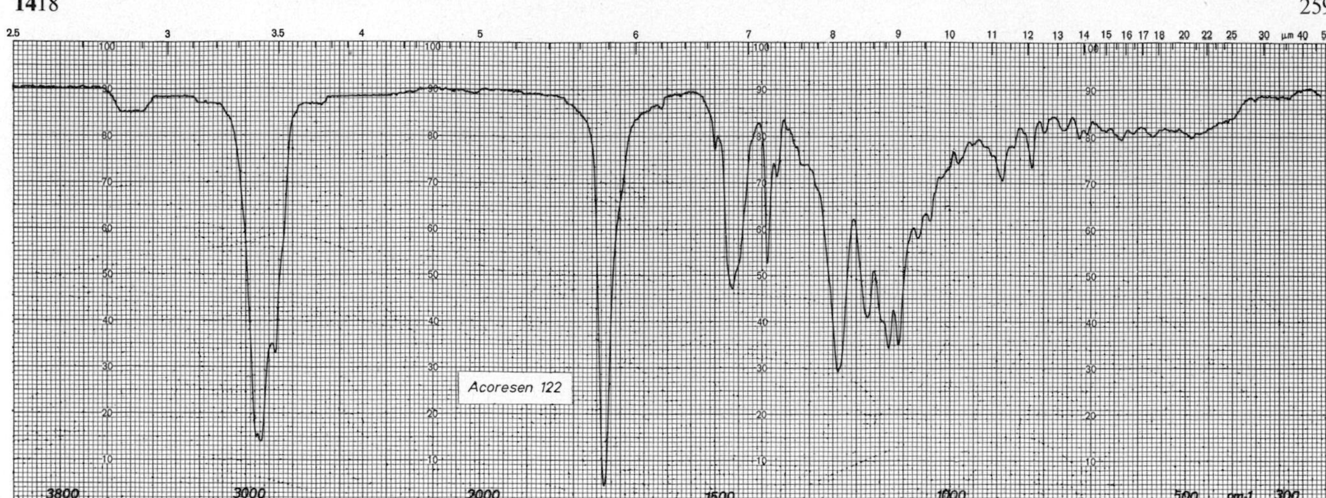

(1) **Acoresen 122**
(3) Glycerinester des Kolophoniums
(4) hellbraunes Harz
(5) für Bronzetinkturen und Klebstoffe, in Bindemitteln mit Cellulosenitrat
(6) Schicht aus CLF auf CsI

(2) Abshagen & Co., Hamburg-Wandsbek
(3) glycerol ester of colophony
(4) light brown resin
(5) for bronze tinctures and adhesives, with cellulose nitrate in binders
(6) film from CLF on CsI

1418 2598

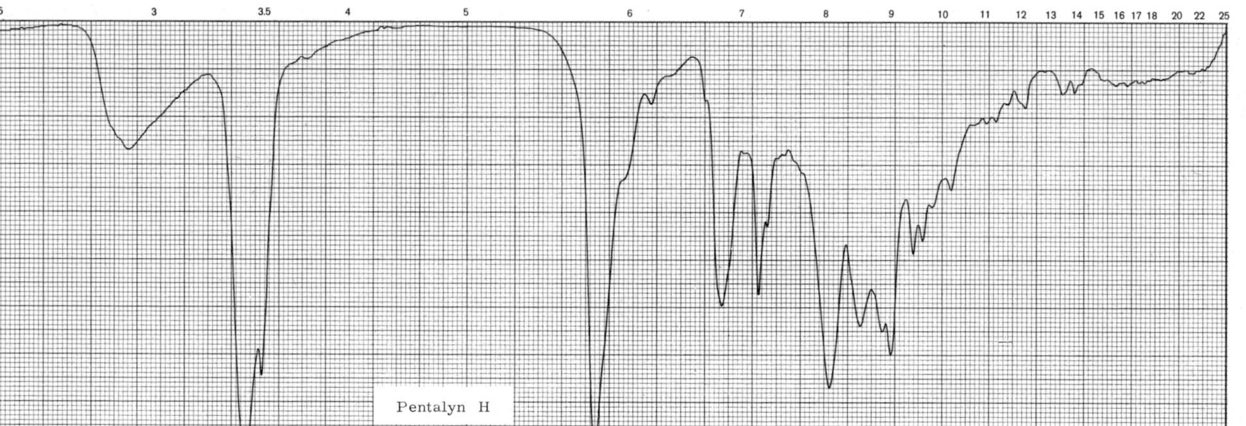

(1) **Pentalyn H**
(3) Pentaerythritolester von hydrogeniertem Naturharz
(4) bernsteinfarbenes Harz
(5) zur Herstellung von Spezialklebstoffen; zur Verbesserung des Glanzes, der Fülle und Härte von Lackfarben
(6) Schicht aus MTC auf CsI
(7) Nicolet 20 SX, normiert ($A_{max} = 1$)

(2) Hercules, Wilmington, Dela.
(3) pentaerythritol ester of hydrogenated natural resin
(4) amber-colored resin
(5) for the manufacture of speciality adhesives; for the improvement of the gloss, body and hardness of laquer paints
(6) film from MTC on CsI
(7) Nicolet 20 SX, normalized ($A_{max} = 1$)

1418/**1533**711 2599

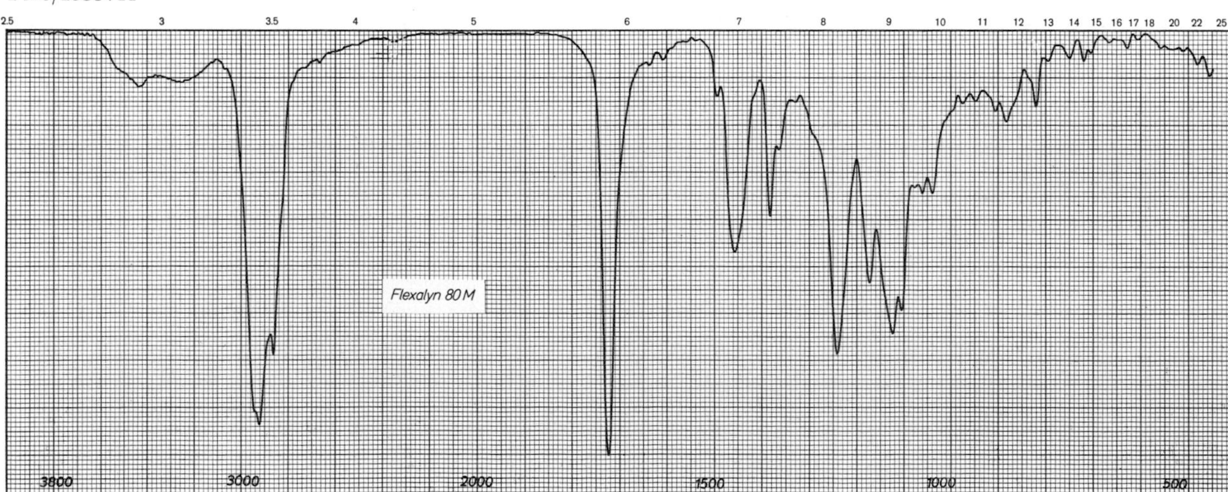

(1) **Flexalyn 80 M**
(3) Diethylenglycolester des Kolophoniums
(4) orangefarbenes, zähflüssiges Harz
(5) für Klebstoffe
(6) Film auf CsI
(7) Nicolet FTIR 7199

(2) Hercules, Wilmington, Dela.
(3) diethylene glycol ester of colophony
(4) orange-colored, viscous resin
(5) for adhesives
(6) film on CsI
(7) Nicolet FTIR 7199

1418

2600

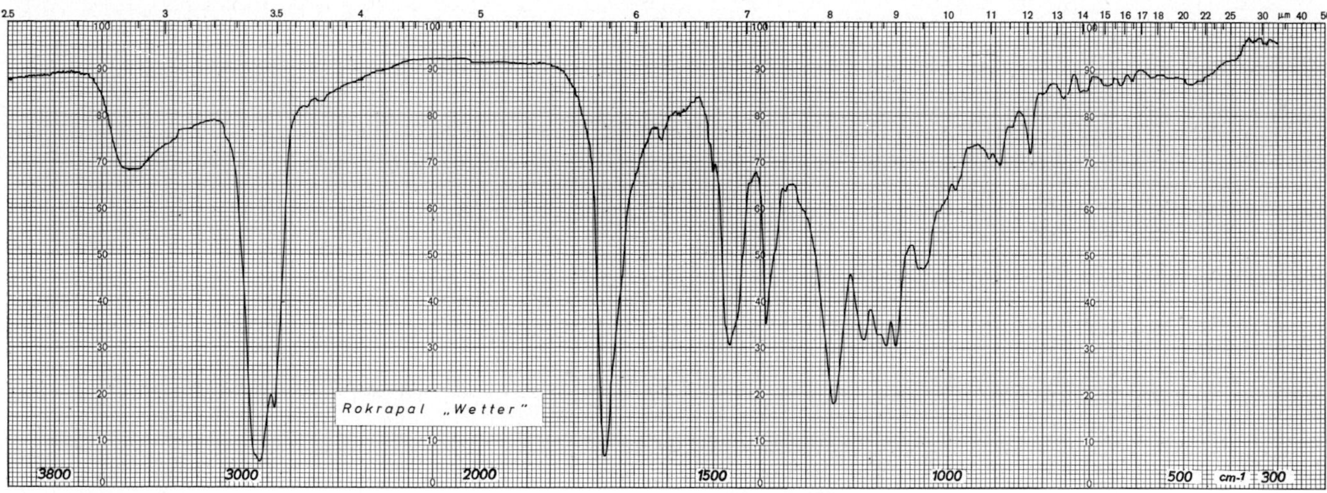

(1) **Rokrapal „Wetter"**
(3) modifiziertes Naturharz, mit Polyalkoholen verestert
(4) dunkelbraunes Harz
(5) für hochwertige Öllacke und Spachtel
(6) Schicht aus EAC auf CsI

(2) Robert Kraemer, Bremen
(3) modified natural resin, esterified with polyalcohols
(4) dark brown resin
(5) for high quality, oil finishes and fillers
(6) film from EAC on CsI

1418

2601

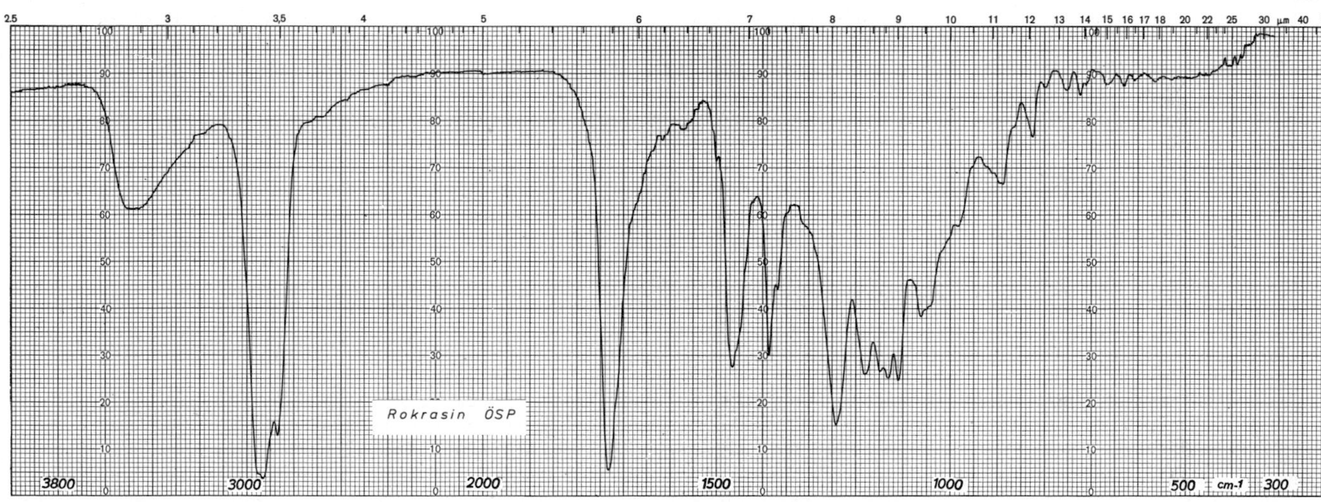

(1) **Rokrasin ÖSP**
(3) Harzester auf Edelharzbasis
(4) dunkelbraunes Harz
(5) zur Verbesserung des Glanzes, Verlaufes, der Fülle, Haftfestigkeit und Härte von Öllacksystemen für Innen- und spezielle Außenanwendungen
(6) Schicht aus EAC auf CsI

(2) Robert Kraemer, Bremen
(3) rosin ester based on high quality rosin
(4) dark-brown resin
(5) for improving the gloss, flow, body, adhesion and hardness of oil paints for internal and speciality external use
(6) film from EAC on CsI

1421

2602

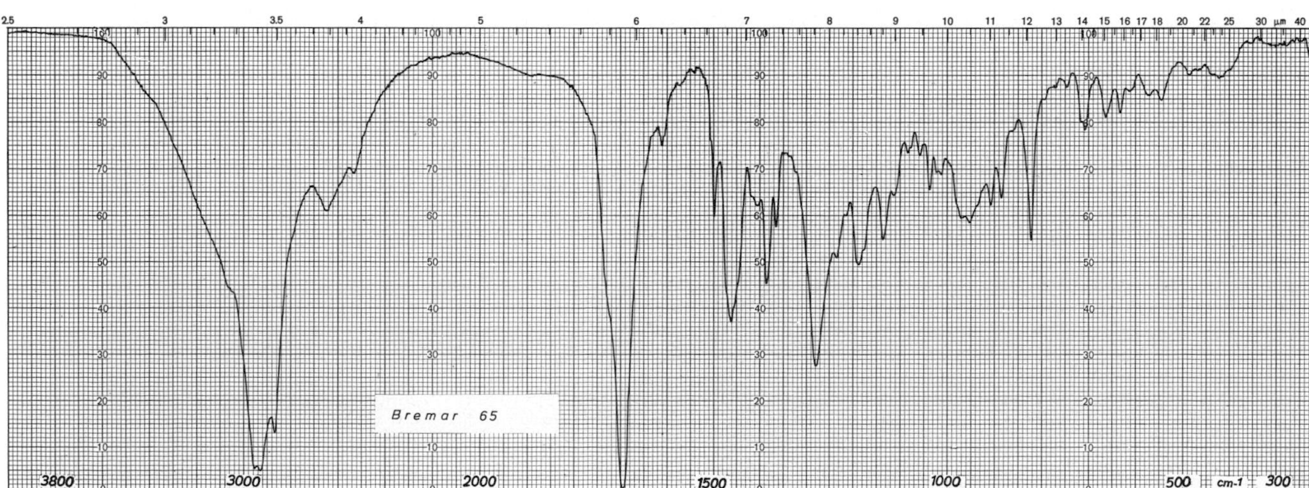

(1) **Bremar 65**
(3) stabilisiertes, disproportioniertes Naturharz
(4) bernsteinfarbenes Harz
(5) Klebstoffe, Emulgatoren, Resinierung von Pigmenten, Metallresinate; für Kautschukmischungen, Haftwachse, künstliche Gerbstoffe und Sulfierungsprodukte
(6) Schicht aus EAC auf CsI
(7) hergestellt durch katalytische Disproportionierung von Balsamkolophonium; oxidationsbeständig

(2) Robert Kraemer, Bremen
(3) stabilized, disproportionated natural resin
(4) amber-colored resin
(5) adhesives, emulsifiers, resination of pigments, metal resinates; for rubber blends, sealing wax, artificial tanning mixtures and sulfurating products
(6) film from EAC on CsI
(7) manufactured by the catalytic disproportionation of colophony balsam; oxidation-resistant

1422 2603

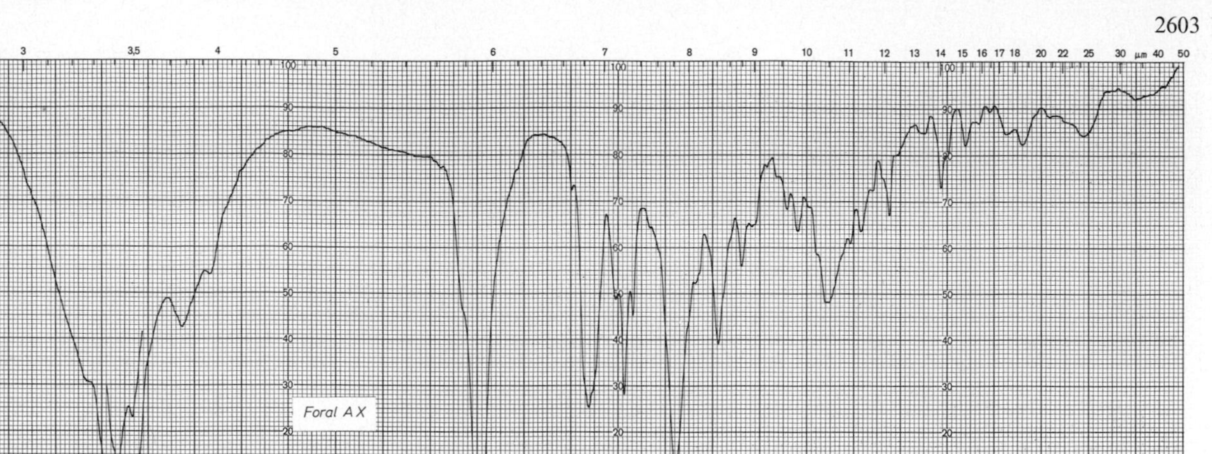

(1) **Foral AX**
(3) hydrogeniertes Wurzelharz, Gemisch gesättigter Harzsäuren
(4) hellgelbes Harz
(5) für die Herstellung von Klebstoffen, Heißschmelzmassen und Heißsiegelüberzüge; Klebrigmacher
(6) Schicht aus CLF auf CsI

(2) Hercules GmbH, Hamburg
(3) hydrogenated hard rosin, mixture of saturated resin acids
(4) pale yellow resin
(5) for the manufacture of adhesives, hot melting compounds and hot sealing coatings; for promoting tackiness
(6) film from CLF on CsI

1421

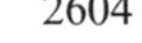
2604

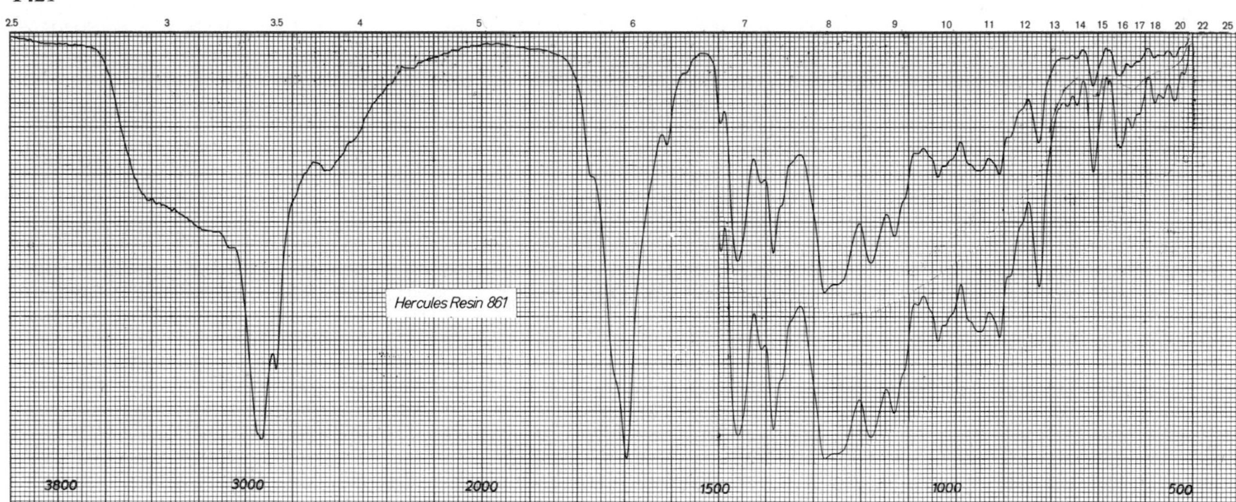

(1) **Hercules Resin 861**
(3) disproportioniertes Destillatharz (Wurzelharz) mit Lactonstrukturen
(4) orangegelbes, sprödes Harz
(5) zur Herstellung von Alkyden, Epoxidharzestern, Druckfarben und Klebern
(6) Schmelzfilm
(7) Nicolet FTIR 7199

(2) Hercules, Wilmington, Dela.
(3) disproportionated distillate resin (wood rosin) with lactone structures
(4) orange-yellow, brittle resin
(5) for the manufacture of alkyd and epoxy resins, printing inks and adhesives
(6) film from the melt
(7) Nicolet FTIR 7199

1422/**1833**121

2605

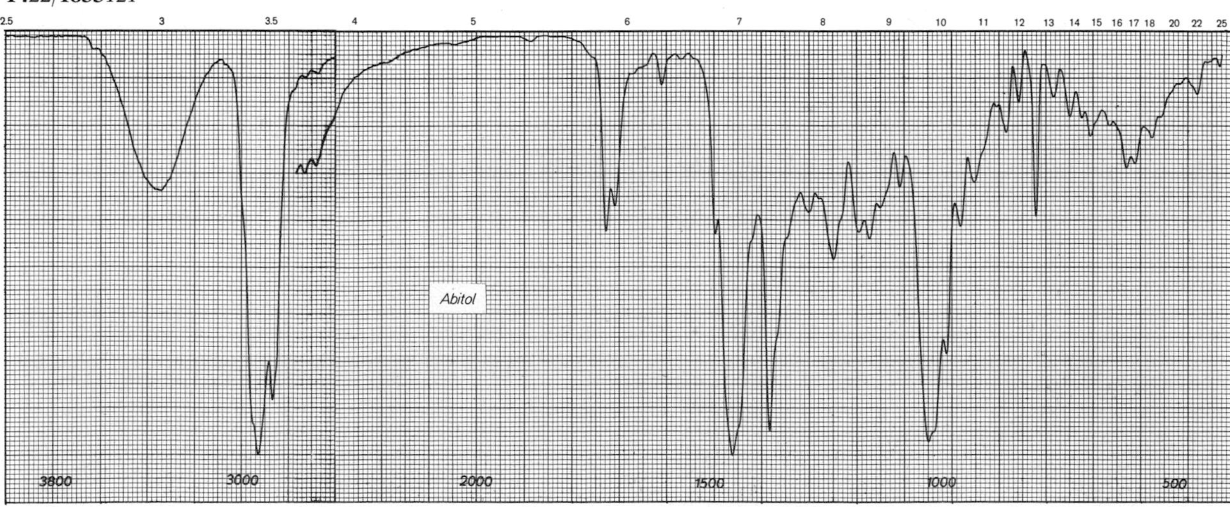

(1) **Abitol**
(3) Gemisch aus Harzalkoholen (Tetrahydroabietinol, Dehydroabietinol)
(4) gelbliches, viskoses Weichharz
(5) für spezielle, magere Alkyde
(6) Film auf CsI
(7) Nicolet FTIR 7199

(2) Hercules, Wilmington, Dela.
(3) mixture of resin alcohols (tetrahydroabietinol, dehydroabietinol)
(4) yellowish, viscous soft resin
(5) for speciality low-oil alkyds
(6) film on CsI
(7) Nicolet FTIR 7199

1422 2606

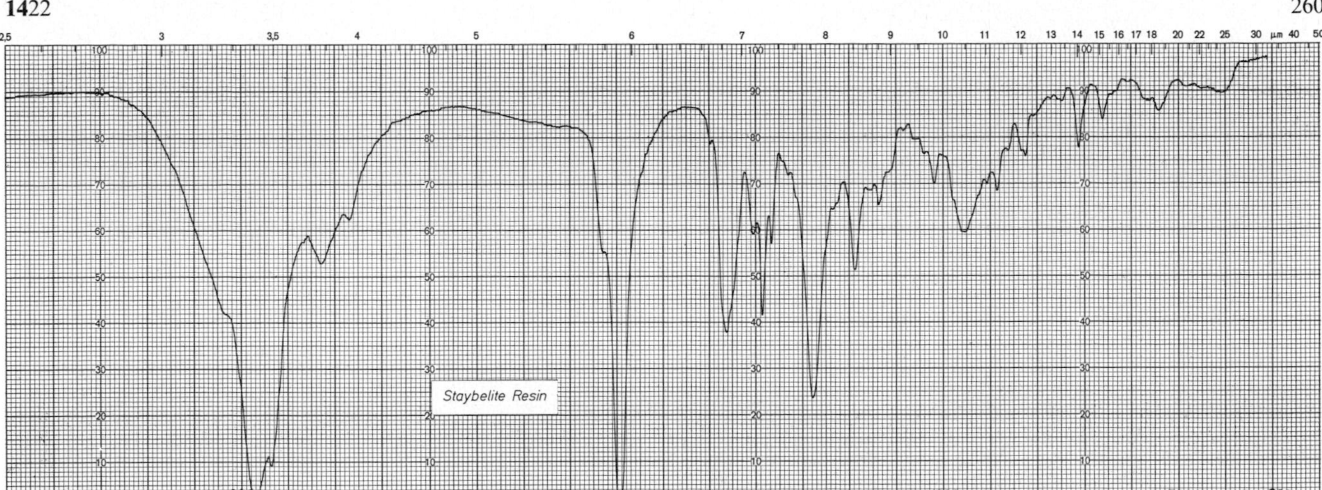

(1) **Staybelite Resin**
(3) hydrogeniertes, oxidationsbeständiges Wurzelharz
(4) gelbes bis hellbraunes Harz
(5) Klebrigmacher für Gummimischungen; für Klebstoffe, Heißschmelzmassen, Lackkunstharze, Metallresinate, Lötflußmittel
(6) Schicht aus CLF auf CsI

(2) Hercules GmbH, Hamburg
(3) hydrogenated, oxidation-resistant, wood rosin
(4) yellow to light brown resin
(5) adhesifier for rubber blends; for adhesives, hot melting compounds, synthetic lacquer resins, metal resinates, soldering fluxes
(6) film from CLF on CsI

1422 2607

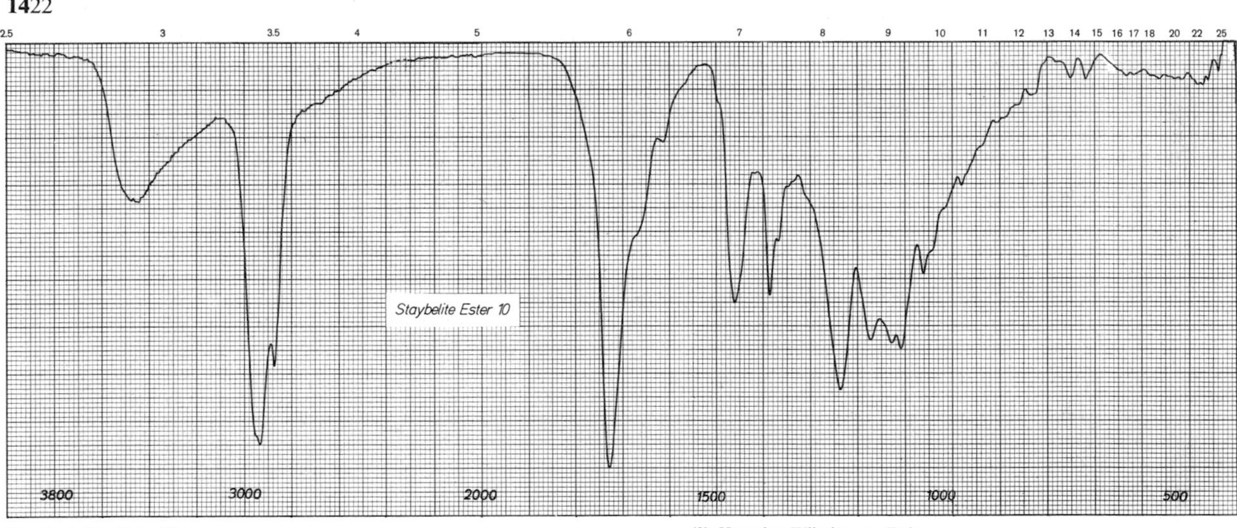

(1) **Staybelite Ester 10**
(3) Glycerinester des hydrierten Kolophoniums
(4) orangefarbene Harzstücke
(5) für Öl- und Cellulosenitratlacke
(6) Schmelzfilm
(7) Nicolet FTIR 7199

(2) Hercules, Wilmington, Dela.
(3) glycerol ester of hydrogenated colophony
(4) orange-colored resin
(5) for oil and nitrocellulose lacquers
(6) film from the melt
(7) Nicolet FTIR 7199

1423 2608

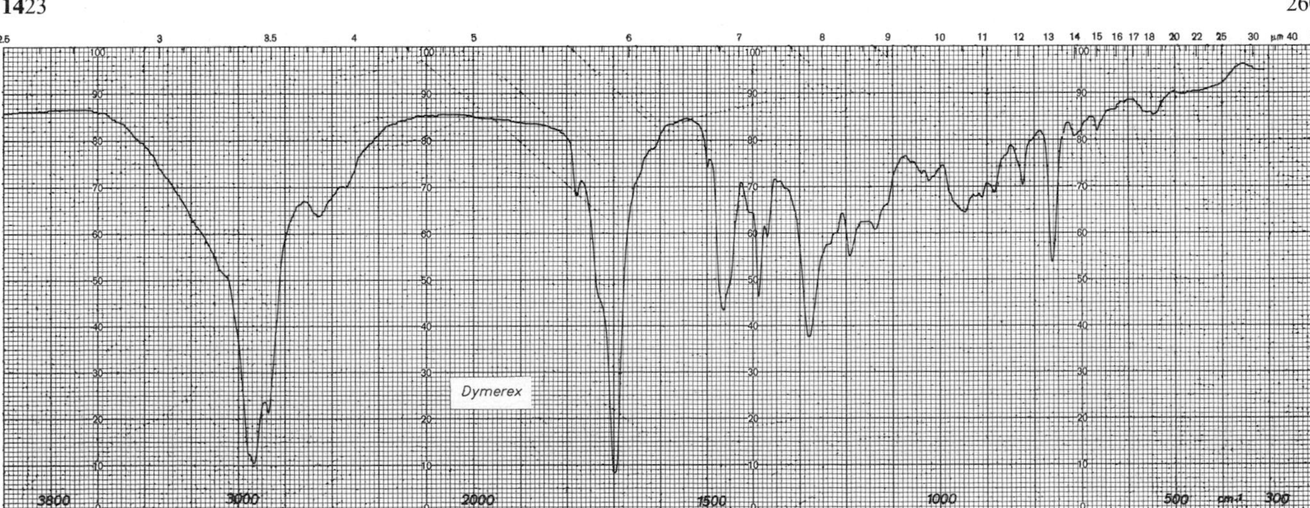

(1) **Dymerex**
(3) dimerisiertes Kolophonium, hochschmelzend
(4) gelbliches Harz
(5) Rohstoff für die Herstellung von Lackharzen, oxidationsbeständig
(6) Schicht auf CsI

(2) Hercules Inc., Wilmington, Dela.
(3) dimerized colophony, high melting
(4) yellowish resin
(5) raw material for the manufacture of lacquer resins, oxidation-resistant
(6) film on CsI

1423

2609

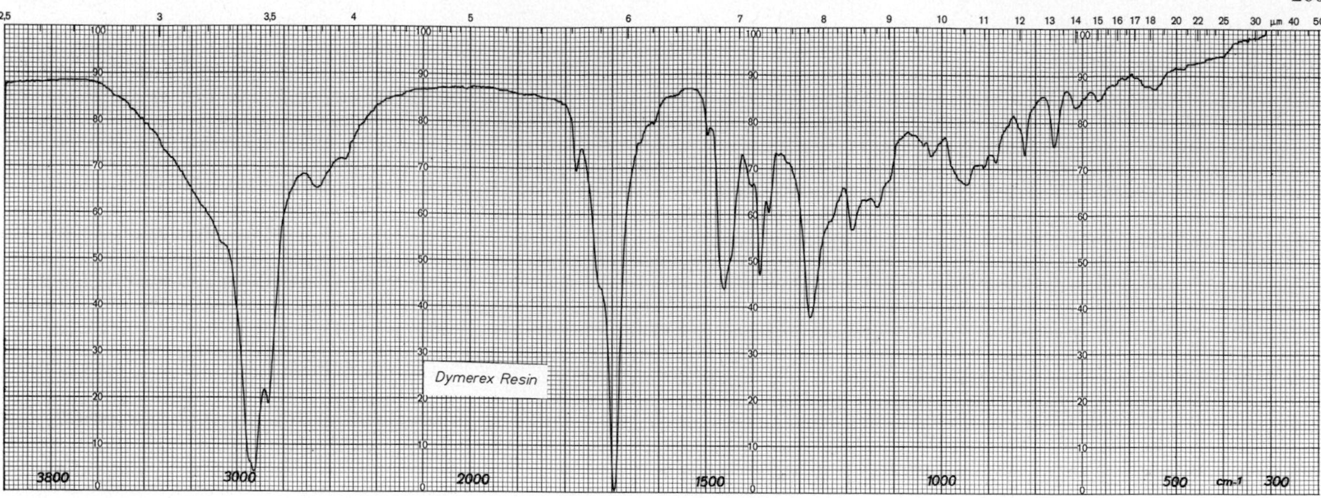

(1) **Dymerex Resin**
(3) dimerisierte Harzsäuren
(4) gelbe, flache Harzstücke
(5) Rohstoff für Lackharze, Firnisse, Epoxyharzester und Metallresinate; oxidationsbeständig
(6) Schicht aus CLF auf CsI

(2) Hercules GmbH, Hamburg
(3) dimerized rosin acids
(4) yellow resin
(5) raw material for lacquer resins, varnishes, epoxy resin esters and metal resinates; oxidation-resistant
(6) film from CLF on CsI

1423

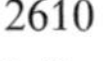
2610

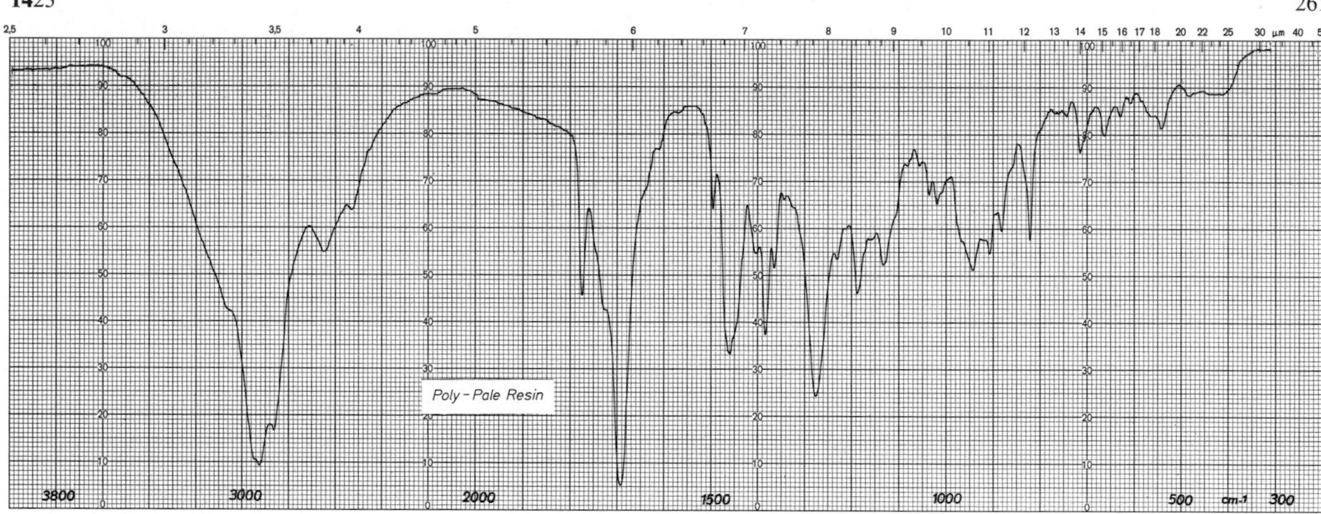

(1) **Poly-Pale Resin**
(3) teilweise polymerisiertes (dimerisiertes) Kolophonium
(4) gelbe, flache, durchsichtige Harzstückchen
(5) für Klebstoffe und Heißschmelzmassen, Metallresinate, Druckfarben, Gummimischungen, Kunststoff-Fußböden
(6) Schicht aus CLF auf CsI

(2) Hercules GmbH, Hamburg
(3) partially polymerized (dimerized) colophony
(4) yellow, transparent resin
(5) for adhesives and hot melting compounds, metal resinates, printing inks, rubber blends, plastic floorings
(6) film from CLF on CsI

1423

2611

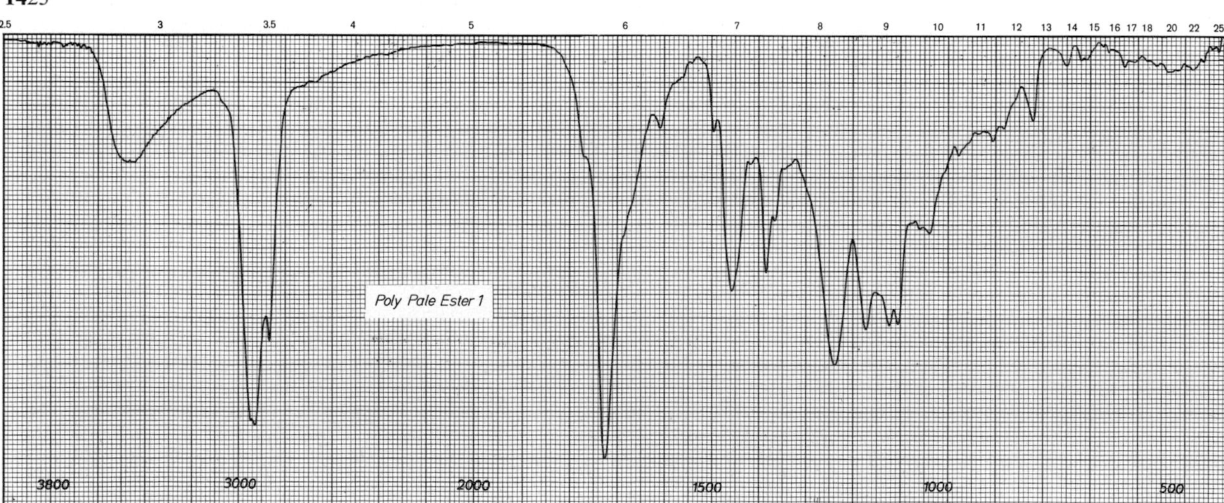

(1) **Poly Pale Ester 1**
(3) Glycerinester des polymerisierten Kolophoniums
(4) hellorangefarbene Harzstücke
(5) für Öl- und Cellulosenitratlacke
(6) Schicht aus MTC auf CsI
(7) Nicolet FTIR 7199

(2) Hercules, Wilmington, Dela.
(3) glycerol ester of polymerized colophony
(4) pale orange-colored resin
(5) for oil and cellulose nitrate lacquers
(6) film from MTC on CsI
(7) Nicolet FTIR 7199

1424 2612

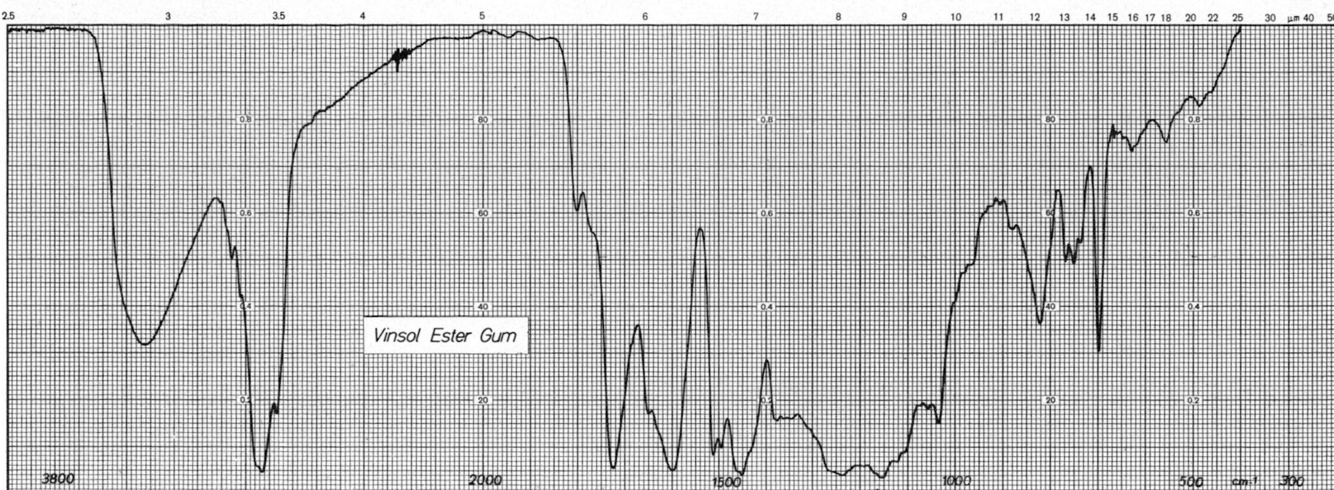

(1) **Vinsol Ester Gum**
(3) Glycerinester des Vinsol-Harzes
(4) braune, opake Stücke
(5) für benzinbeständige Lackierungen
(6) KBr (3/350)
(7) Nicolet 7199

(2) Hercules, Wilmington, Dela.
(3) glycerol ester of Vinsol resin
(4) brown, opaque pieces
(5) for gasoline-resistant lacquers
(6) KBr (3/350)
(7) Nicolet 7199

1424 2613

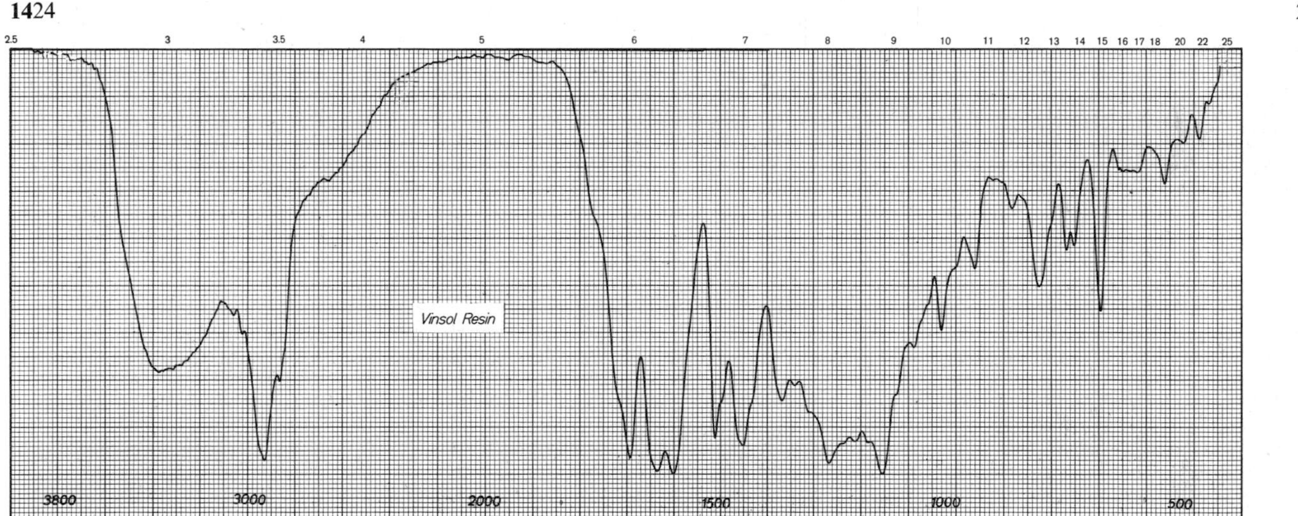

(1) **Vinsol Resin**
(3) oxidiertes Wurzelharz
(4) dunkelbraunes Harz
(5) für Spezialanstriche; Mikroluftporenbildner und Plastifikator für Beton
(6) Schmelzfilm
(7) Nicolet FTIR 7199

(2) Hercules, Wilmington, Dela.
(3) oxidized wood rosin
(4) dark brown resin
(5) for speciality coatings; micro-air, pore-forming and plasticizing agent for concrete
(6) film from the melt
(7) Nicolet FTIR 7199

1425 2614

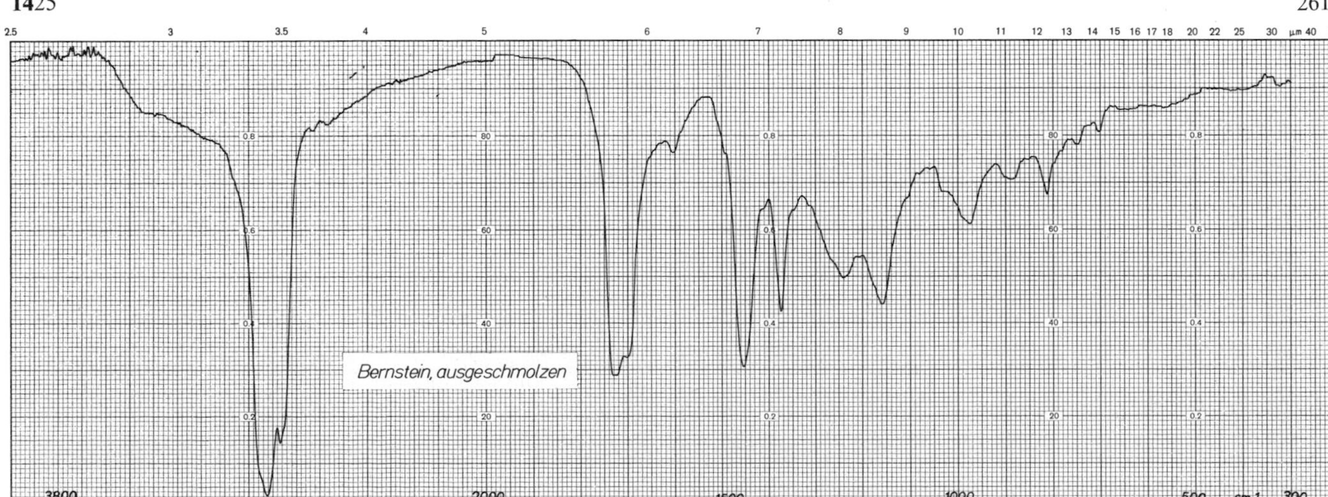

(1) **Bernstein, ausgeschmolzen**
(2) Laborpräparat, Institut für Physikalische Chemie, Köln
(3) Gemisch von Harzalkoholen, Harzestern und Harzsäuren
(4) dunkelgelbe, klare Stücke
(5) für Speziallacke
(6) Schmelzfilm auf CsI
(7) PE 580 B, ABEX 2.42

(1) **amber, fused**
(2) laboratory preparation, Institut für Physikalische Chemie, Köln
(3) mixture of resin alcohols, resin esters and resin acids
(4) clear, dark yellow pieces
(5) for speciality lacquers
(6) film from the melt
(7) (7) PE 580 B, ABEX 2.42

1425 2615

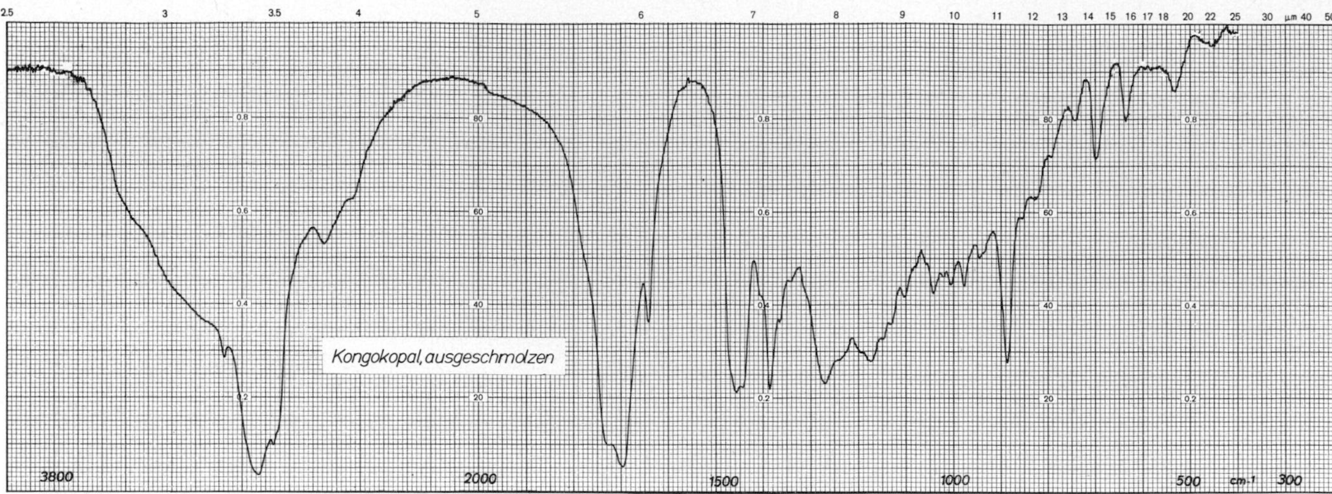

(1) **Kongo-Kopal, ausgeschmolzen**
(2) Laborpräparat, Institut für Physikalische Chemie, Köln
(3) Gemisch aus Harzsäuren und Harzestern
(4) dunkelgelbe Stücke
(5) für Speziallacke
(6) KBr (3/350), H_2O subtrahiert (F = 1.2)
(7) PE 580 B, FLAT, ABEX 1.82

(1) **Congo copal, fused**
(2) laboratory preparation, Institut für Physikalische Chemie, Köln
(3) mixture of resin acids and resin esters
(4) dark yellow pieces
(5) for speciality lacquers
(6) KBr (3/350), H_2O subtracted (F = 1.2)
(7) PE 580 B, FLAT, ABEX 1.82

1426 2616

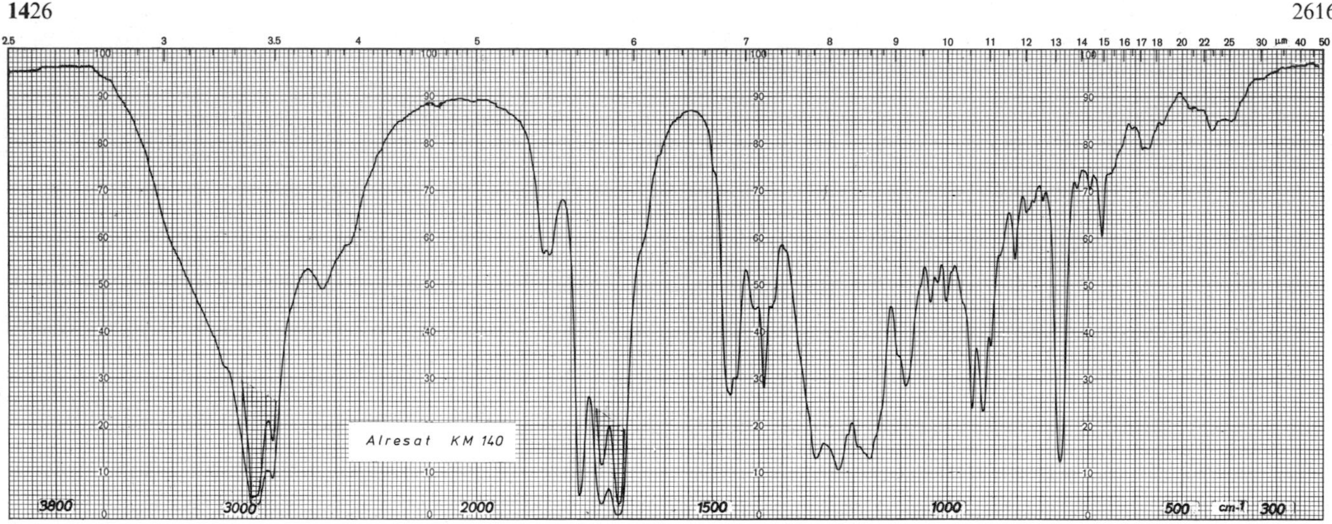

(1) **Alresat KM 140**
(3) Harzsäure-Maleinsäureanhydrid-Addukt (klassisches Maleinatharz)
(4) gelbliches Harz
(5) für wasserlösliche Flexodruckfarben und wasserabwaschbare Buchdruckfarben
(6) Schicht aus CLF auf CsI

(2) Hoechst AG, Frankfurt/M.-Hoechst
(3) rosin acid-maleic anhydric adduct (classical maleate resin)
(4) yellowish resin
(5) for water-soluble, flexographic inks and water-removable, book printing inks
(6) film from CLF on CsI

1426 2617

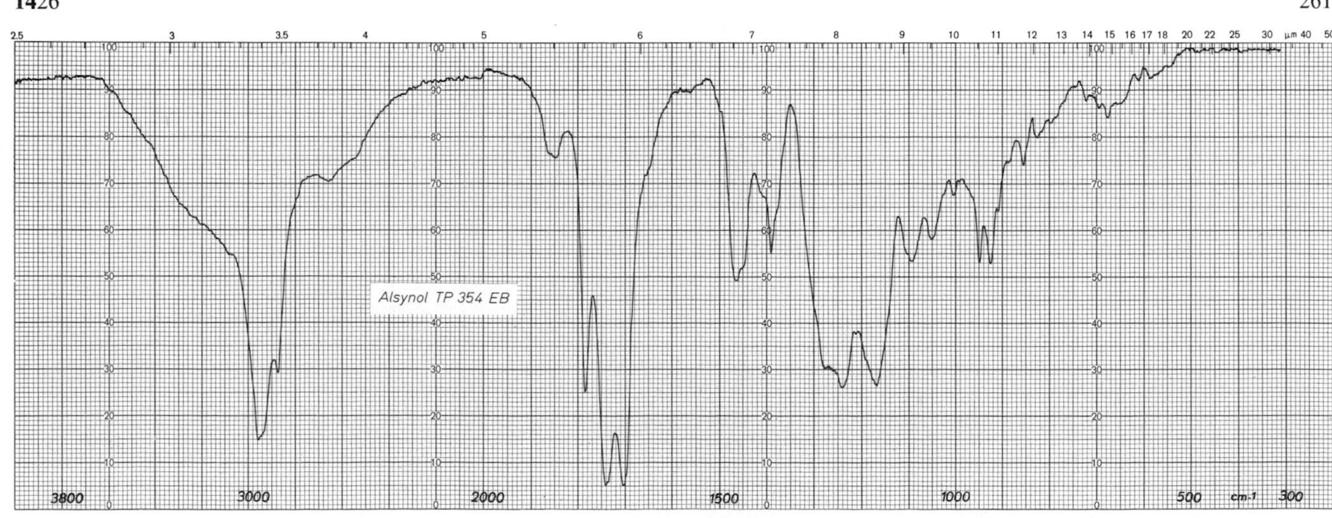

(1) **Alsynol TP 354 EB**
(3) Kolophonium-Fumarsäure-Addukt (hoher Anhydridgehalt)
(4) bernsteinfarbene Harzstücke
(5) für Flexo-Druckfarben
(6) Schicht aus EAC auf CsI

(2) Synres Nederland NV, Hoek van Holland
(3) colophony-fumaric acid adduct (high anhydride content)
(4) amber-colored resin
(5) for flexographic inks
(6) film from EAC on CsI

1426 2618

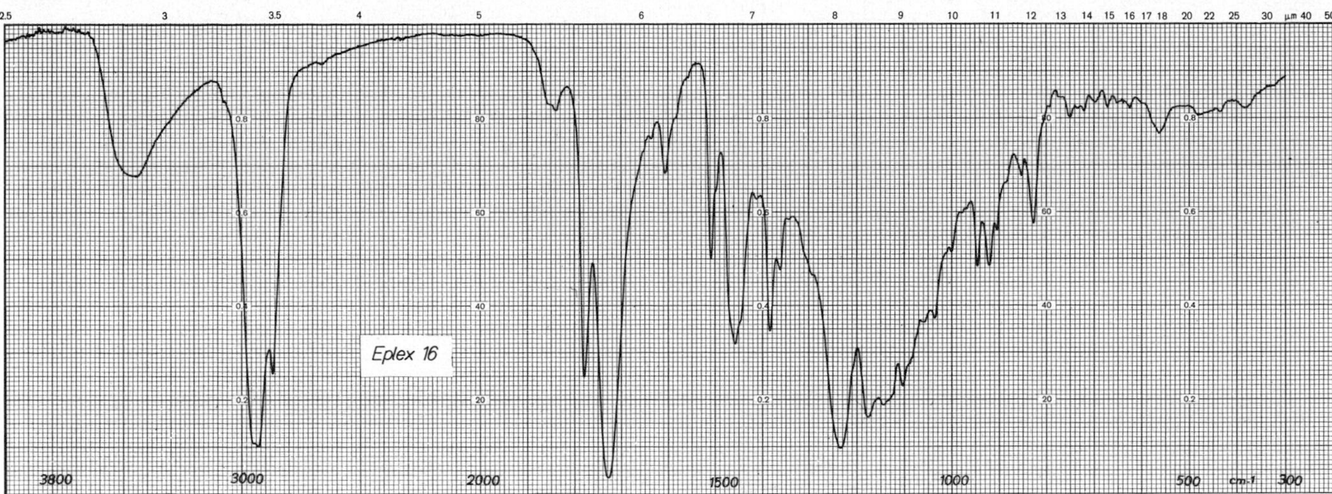

(1) **Eplex 16**
(3) Maleinatharz, Carboxylgruppen des Harzsäureanteils mit Glycerin verestert
(4) bernsteinfarbene Stücke
(5) für Öllacke
(6) Schicht aus MTC auf CsI
(7) PE 580 B, ABEX 1.46

(2) Crosby Chemicals Inc., Picayune, Miss.
(3) maleate resin, the carboxyl residues of the resin acid component have been esterified with glycerol
(4) amber-colored
(5) for oil lacquers
(6) film from MTC on CsI
(7) PE 580 B, ABEX 1.46

1426 2619

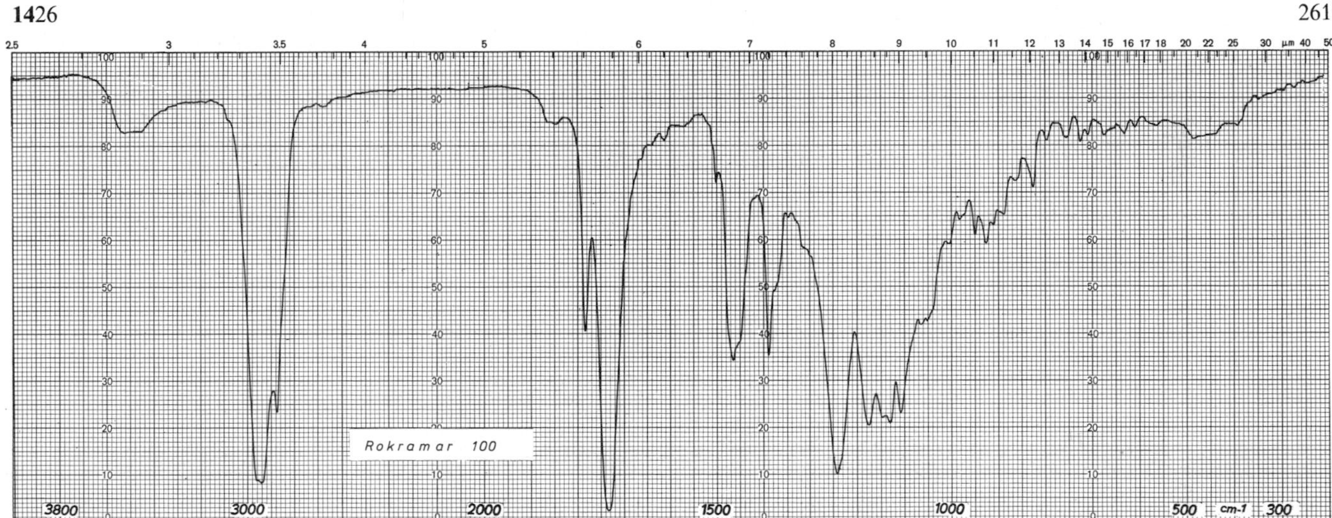

(1) **Rokramar 100**
(3) Maleinatharz des klassischen Typs (Maleinsäureanhydridaddukt an Harzsäure)
(4) gelbes Harz
(5) zur Herstellung von Cellulosenitrat- und Holzöllacken, Glanzharz für Alkydbindemittel, für Klebstoffe
(6) Schicht aus EAC auf CsI

(2) Robert Kraemer, Bremen
(3) classical maleate resin (maleic anhydride adduct of resin acid)
(4) yellow resin
(5) for the manufacture of cellulose nitrate and wood oil lacquers, gloss resin for alkyd-binding agents
(6) film from EAC on CsI

1426 2620

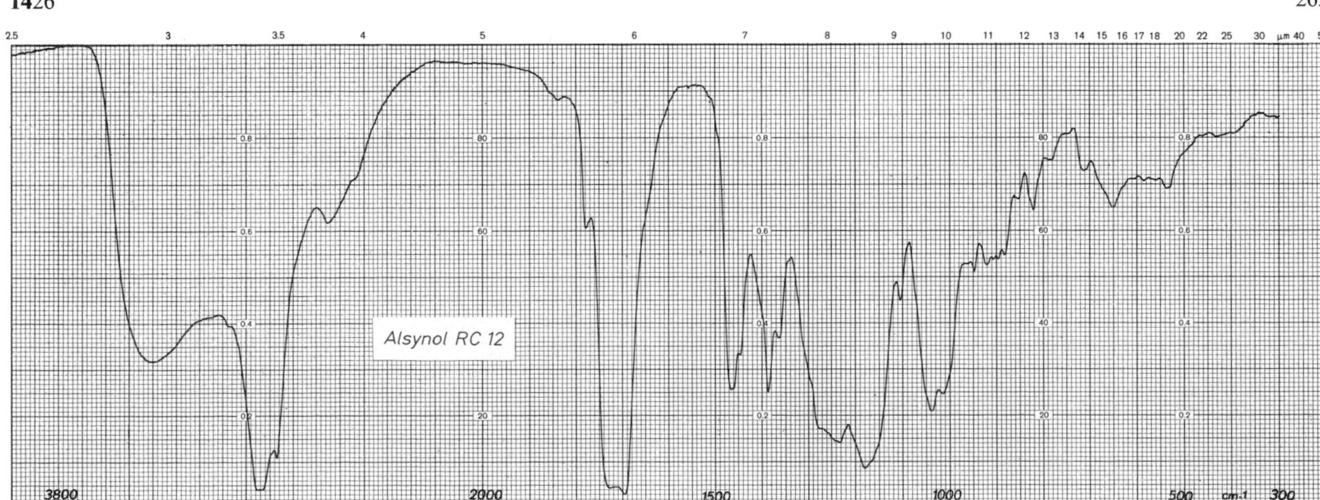

(1) **Alsynol RC 12**
(3) Maleinsäureanhydrid-Kolophonium-Addukt verestert mit Pentaerythrit
(4) hellgelbe Schuppen
(5) für flexographische Druckfarben und Überdruckfirnisse für Verpackungen
(6) Schicht aus ACT auf CsI
(7) PE 580 B, ABEX 1.22

(2) Synres Nederland BV, Hoek van Holland
(3) maleic anhydride-colophony adduct esterified with pentaerythritol
(4) pale yellow flakes
(5) for flexographic printing inks and print-coating varnishes for packaging
(6) film from ATC on CsI
(7) PE 580 B, ABEX 1.22

1426

2621

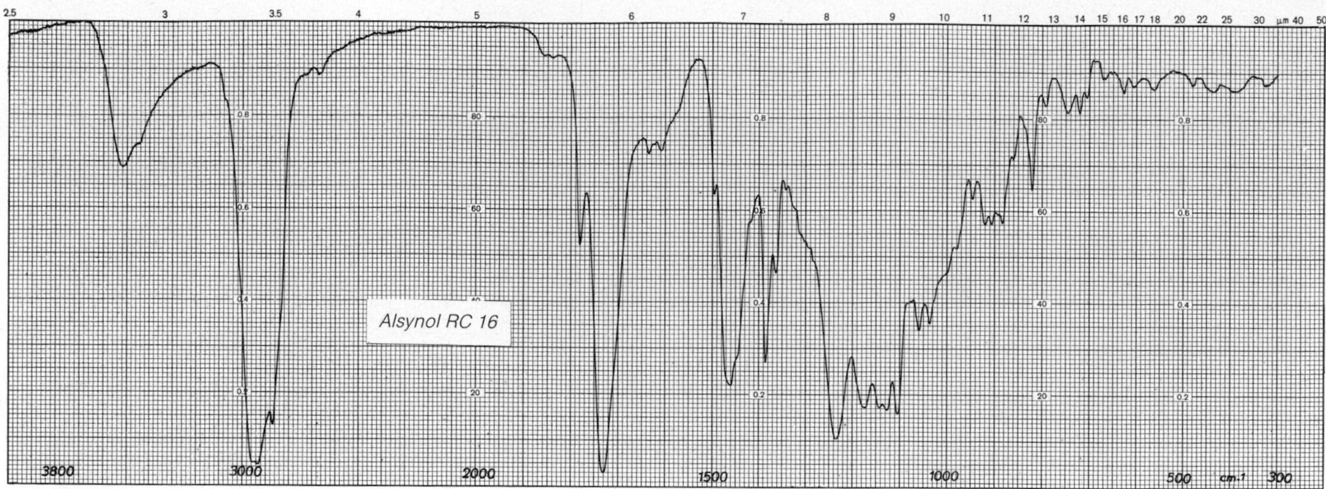

(1) **Alsynol RC 16**
(3) Maleinsäureanhydrid-Kolophonium-Addukt, verestert mit Pentaerythrit (enthält restliche Anhydridstrukturen)
(4) bernsteinfarbene Schuppen
(5) für Rollenfarben auf porösem Papier (Zeitungsdruck)
(6) Schicht aus MTC auf CsI
(7) PE 580 B, ABEX 1.53

(2) Synres Nederland BV, Hoek van Holland
(3) maleic anhydride-colophony adduct esterified with pentaerythritol (contains residual anhydride groups)
(4) amber-colored flakes
(5) for web printing inks on porous paper (newsprint)
(6) film from MTC on CsI
(7) PE 580 B, ABEX 1.53

142(6+8)

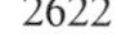

2622

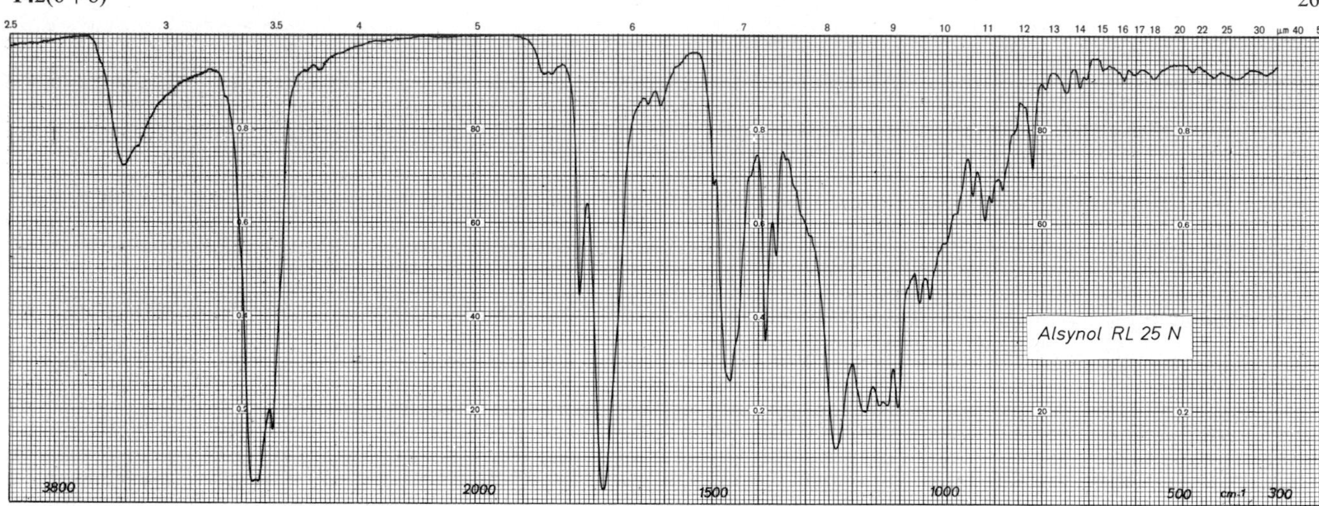

(1) **Alsynol RL 25 N**
(3) Phenol-Formaldehyd-Harz, modifiziert mit Kolophonium, verestert mit Pentaerythrit
(4) bernsteinfarbene Schuppen
(5) für Bogenfarben (Quickset) auf Basis von verkochten Firnissen
(6) Schicht aus MTC auf CsI
(7) PE 580 B, ABEX 1.38

(2) Synres Nederland BV, Hoek van Holland
(3) phenol-formaldehyde resin, modified with colophony, esterified with pentaerythritol
(4) amber-colored flakes
(5) for proof inks (quicksets) based on boiled varnishes
(6) film from MTC on CsI
(7) PE 580 B, ABEX 1.38

142(6+8)

2623

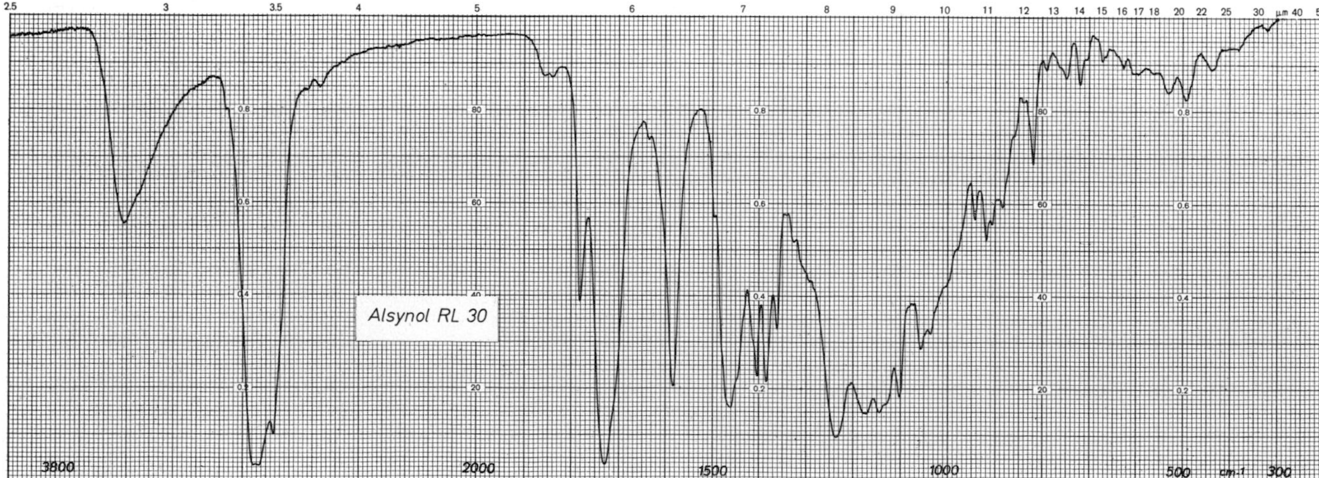

(1) **Alysynol RL 30**
(3) Phenol-Formaldehyd-Harz, modifiziert mit speziell behandeltem Kolophonium, verestert mit Pentaerythrit (enthält Anhydridgruppen)
(4) bernsteinfarbene Schuppen
(5) für Hochleistungs-Illustrationstiefdruckfarben
(6) Schicht aus MTC auf CsI
(7) PE 580 B, ABEX 1.64

(2) Synres Nederland BV, Hoek van Holland
(3) phenol-formaldehyde resin, modified with specially treated colophony, esterified with pentaerythritol (contains anhydride groups)
(4) amber-colored flakes
(5) for high performance, intaglio illustration inks
(6) film from MTC on CsI
(7) PE 580 B, ABEX 1.64

142(6+8) 2624

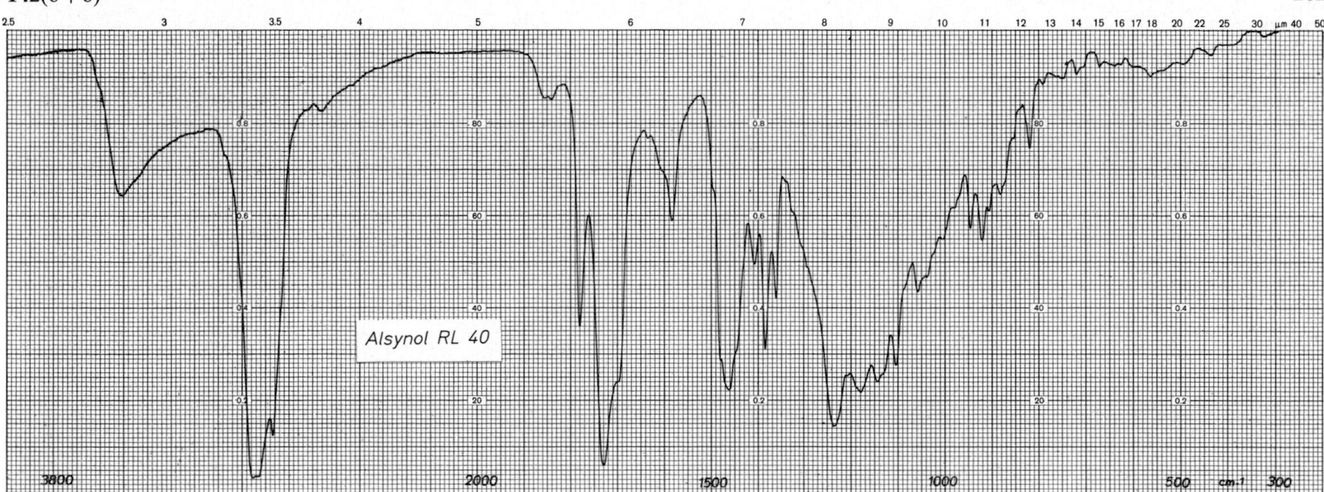

(1) **Alsynol RL 40**
(3) Phenol-Formaldehyd-Harz, modifiziert mit speziell behandeltem Kolophonium, verestert mit Pentaerythrit (enthält Anhydridgruppen)
(4) bernsteinfarbene Schuppen
(5) für Hochleistungs-Illustrationstiefdruckfarben
(6) Schicht aus MTC auf CsI
(7) PE 580 B, ABEX 1.40

(2) Synres Nederland BV, Hoek van Holland
(3) phenol-formaldehyde resin, modified with specially treated colophony, esterified with pentaerythritol (contains anhydride groups)
(4) amber-colored flakes
(5) for high performance, intaglio illustration inks
(6) film from MTC on CsI
(7) PE 580 B, ABEX 1.40

1428 2625

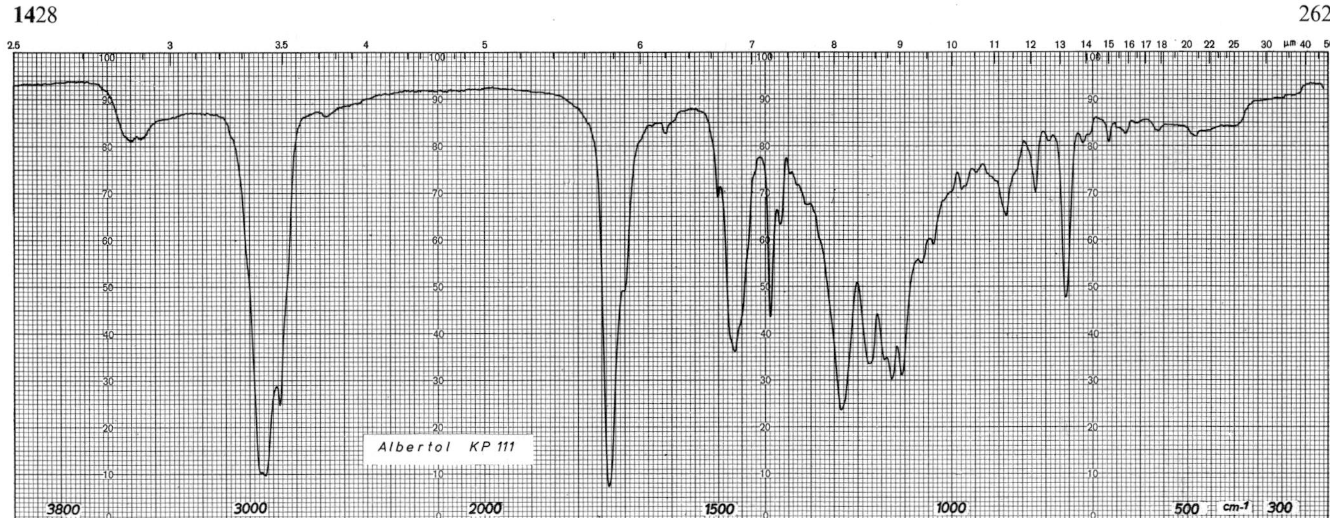

(1) **Albertol KP 111**
(3) Kolophonium-modifiziertes Phenolharz
(4) gelbbraunes Harz
(5) Standardharz für Öl- und Alkydlacke; für Grundierungen, Spachtel und Buntlacke
(6) Schicht aus CLF auf CsI

(2) Hoechst AG, Frankfurt/M.-Höchst
(3) colophony-modified phenol-formaldehyde resin
(4) yellow-brown resin
(5) standard resin for oil and alkyd finishes, for primers, fillers and colored finishes
(6) film from CLF on CsI

1428 2626

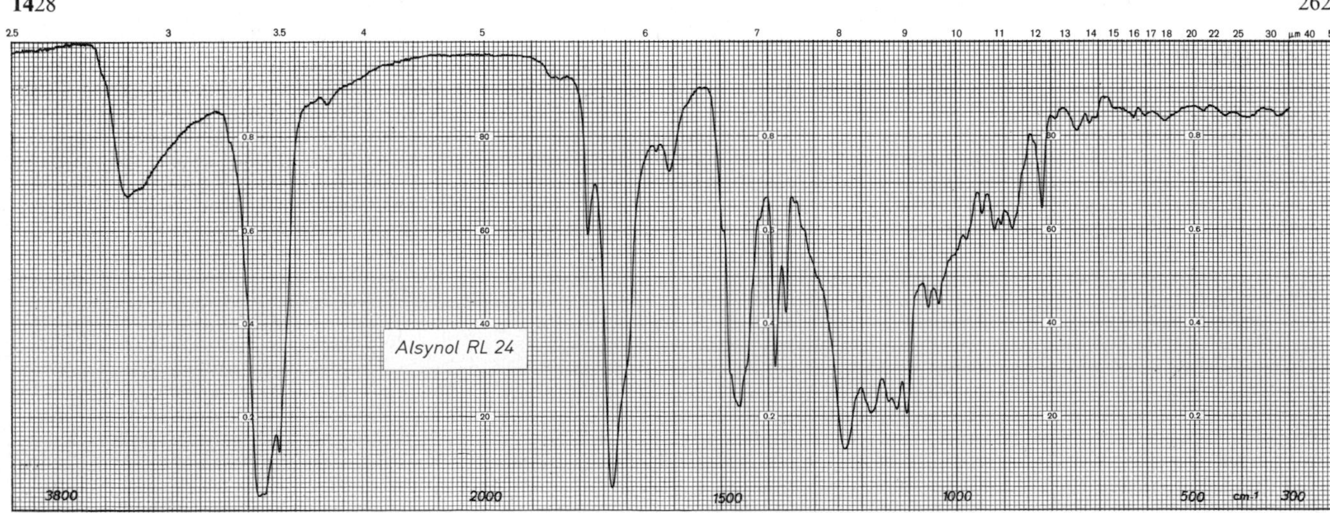

(1) **Alsynol RL 24**
(3) Phenol-Formaldehyd-Harz, modifiziert mit Kolophonium, verestert mit Pentaerythrit
(4) hellbraune Schuppen
(5) in kalt gemischten Bogen-(Quickset-)Farben und verkochten Überdruckfirnissen, Kombinationsharz Rollenfarben
(6) Schicht aus MTC auf CsI
(7) PE 580 B, ABEX 1.46

(2) Synres Nederland BV, Verkaufsbüro Mainz
(3) phenol-formaldehyde resin, modified with colophony, esterified with pentaerythritol
(4) light brown flakes
(5) in cold-mixed, proof inks (quicksets) and boiled, overprinting varnishes, resin-combination, web printing inks
(6) film from MTC on CsI
(7) PE 580 B, ABEX 1.46

1428

2627

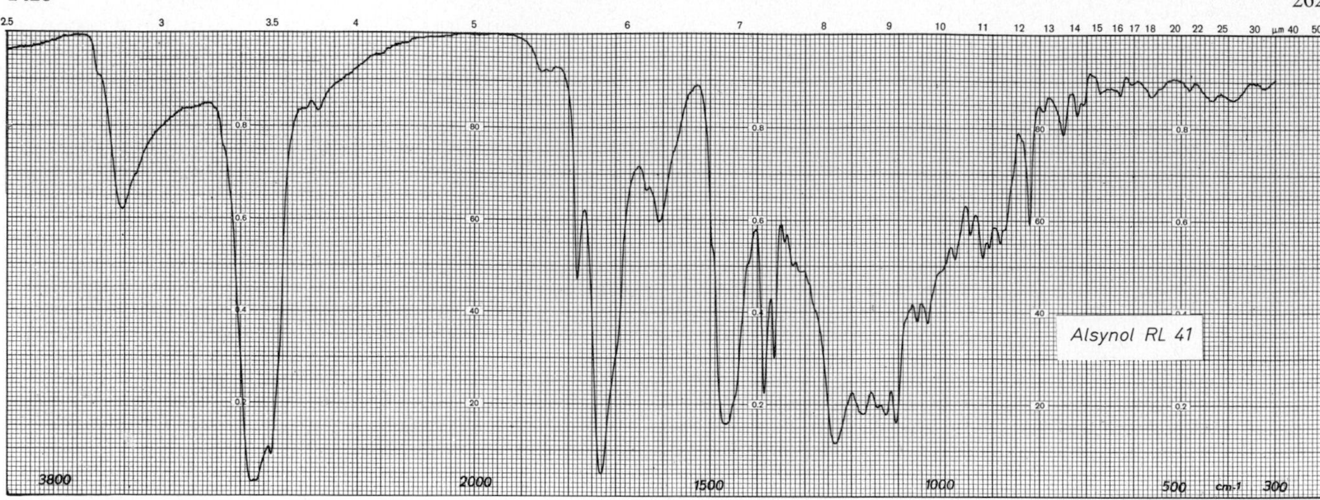

(1) **Alsynol RL 41**
(3) Phenol-Formaldehyd-Harz, modifiziert mit Kolophonium, verestert mit Pentaerythrit
(4) bernsteinfarbene Schuppen
(5) für Rollen- und Rollenheatsetfarben
(6) Schicht aus MTC auf CsI
(7) PE 580 B, ABEX 1.37

(2) Synres Nederland BV, Hoek van Holland
(3) phenol-formaldehyde resin, modified with colophony, esterified with pentaerythritol
(4) amber-colored flakes
(5) for web and web heat-set inks
(6) film from MTC on CsI
(7) PE 580 B, ABEX 1.37

1428

2628

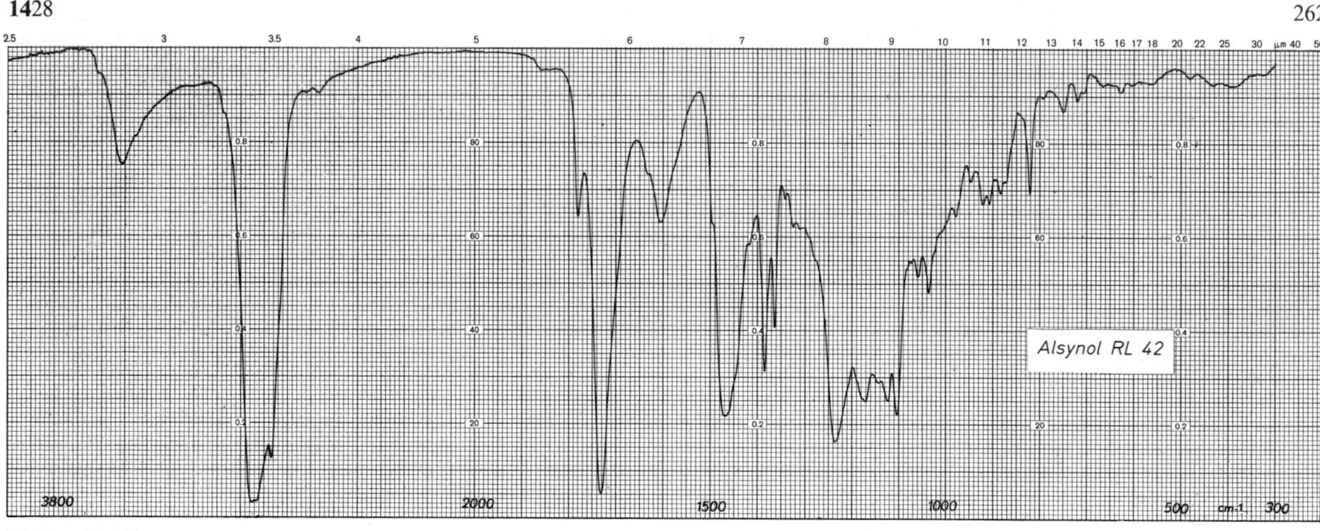

(1) **Alsynol RL 42**
(3) Phenol-Formaldehyd-Harz, modifiziert mit Kolophonium, verestert mit Pentaerythrit
(4) bernsteinfarbene Schuppen
(5) für Rollen- und Rollenheatsetfarben
(6) Schicht aus MTC auf CsI
(7) PE 580 B, ABEX 1.25

(2) Synres Nederland BV, Hoek van Holland
(3) phenol-formaldehyde resin, modified with colophony, esterified with pentaerythritol
(4) amber-colored flakes
(5) for web inks and web heat-set inks
(6) film from MTC on CsI
(7) PE 580 B, ABEX 1.25

1428

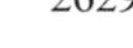
2629

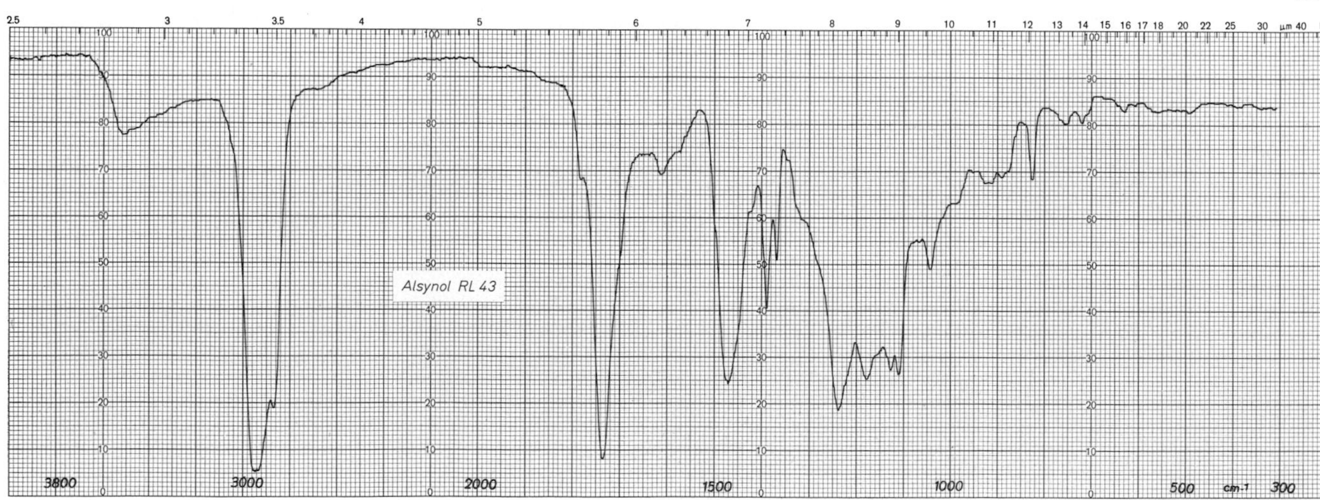

(1) **Alsynol RL 43**
(3) Phenolharz-modifizierter Harzester (Kolophoniumbasis)
(4) bernsteinfarbene Harzstücke
(5) für Rollenoffset-Heatset-Firnisse
(6) Schicht aus EAC auf CsI

(2) Synres Nederland BV, Hoek van Holland
(3) phenolic resin-modified resin ester (based on colophony)
(4) amber-colored resin
(5) for web offset, heat-set varnishes
(6) film from EAC on CsI

1428 2630

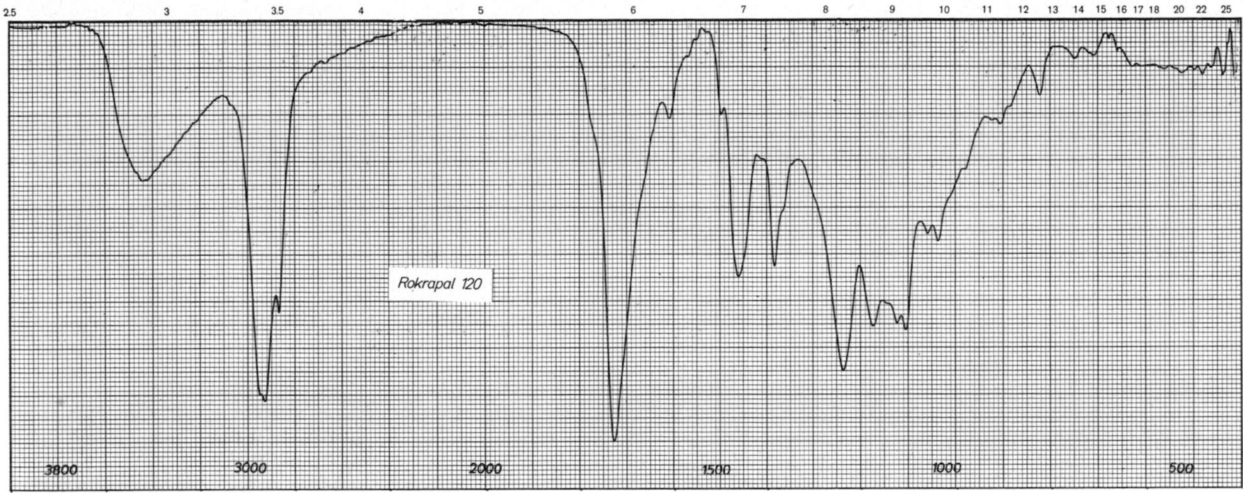

(1) **Rokrapal 120**
(3) mit Xylol-Formaldehyd-Harz modifizierter Harzester
(4) bernsteinfarbenes Harz
(5) Kombinationsharz für Öl- und Alkydlacke; zu wasserfesten, hochglänzenden chemikalienbeständigen Anstrichen
(6) Schicht aus MTC auf CsI
(7) Nicolet FTIR 7199

(2) Robert Kraemer, Bremen
(3) resin ester modified with xylene-formaldehyde resin
(4) amber-colored resin
(5) ingredient resin for oil and alkyd finishes; in high gloss, waterproof, chemically resistant paints
(6) film from MTC on CsI
(7) Nicolet FTIR 7199

1428/**1533**(7 – 6) 2631

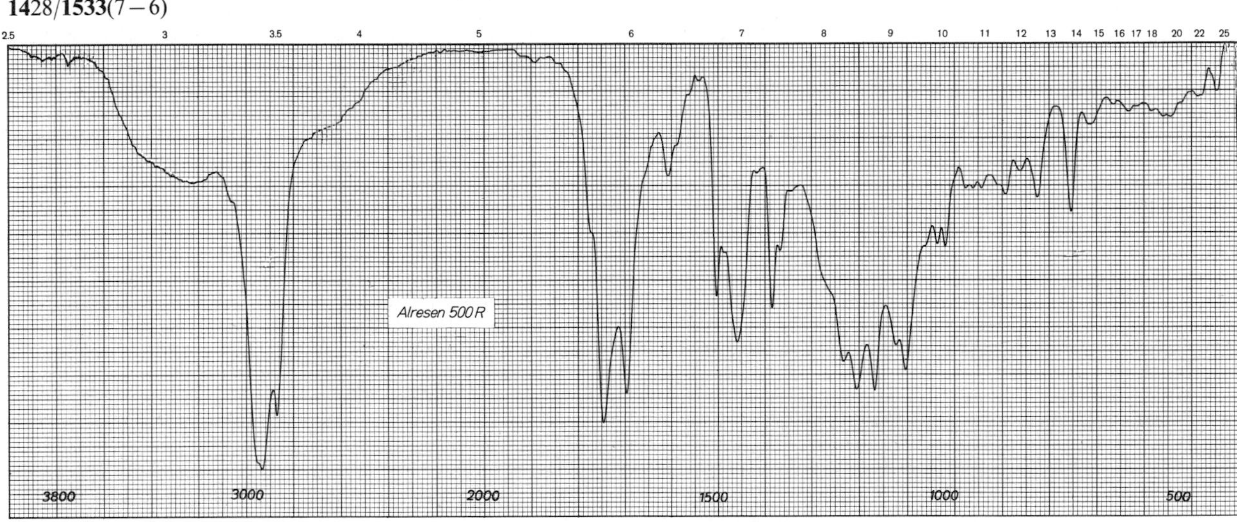

(1) **Alresen 500 R**
(3) naturharzmodifiziertes Alkylphenolharz; enthält Phenylester- neben freien Carboxygruppen
(4) orangebraune Bruchstücke
(5) für Spezialkleber
(6) Schicht aus MTC auf CsI
(7) Nicolet FTIR 7199

(2) Hoechst AG, Werk Albert, Wiesbaden-Biebrich
(3) alkylphenol resin modified with natural resin, contains phenyl esters as well as free carboxyl groups
(4) orange-brown, broken pieces
(5) for speciality adhesives
(6) film from MTC on CsI
(7) Nicolet FTIR 7199

1429 2632

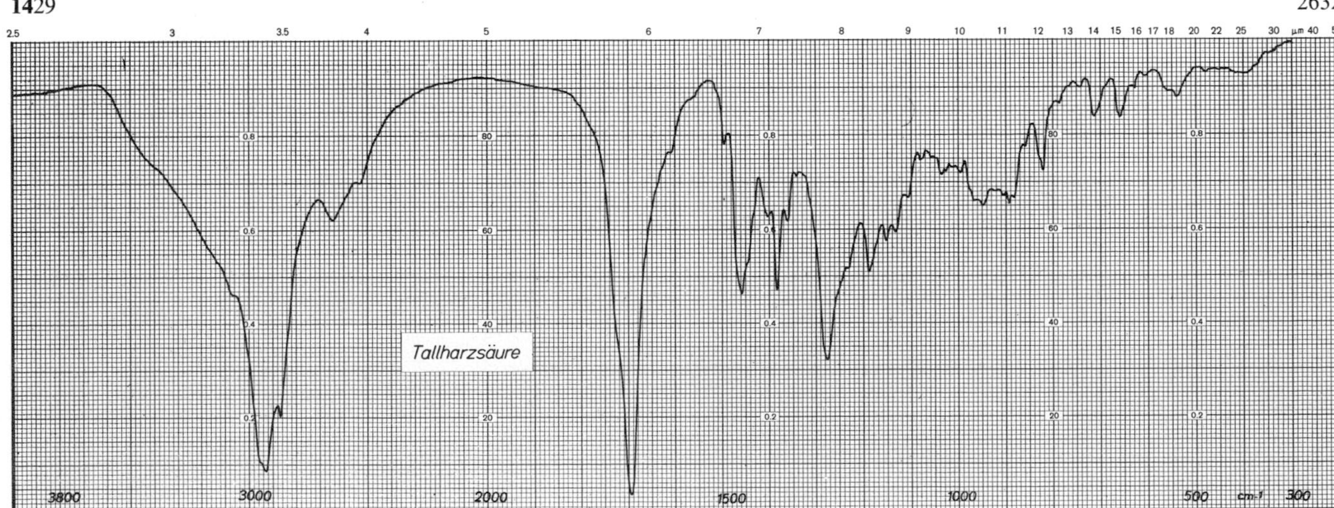

(1) **Tallharzsäure**
(3) aus Tallöl gewonnene Harzsäure
(4) rotbraunes, kandisartiges Harz
(5) zur Herstellung von Lackharzen
(6) Schicht aus MTC auf CsI
(7) PE 580 B, FLAT, ABEX 1.16

(1) **tall resin acid**
(2) Noury van der Lande N.V., Deventer
(3) resin acid produced from tall oil
(4) red-brown, candy-like resin
(5) for the manufacture of lacquer resins
(6) film from MTC on CsI
(7) PE 580 B, FLAT, ABEX 1.16

1429 | 2633

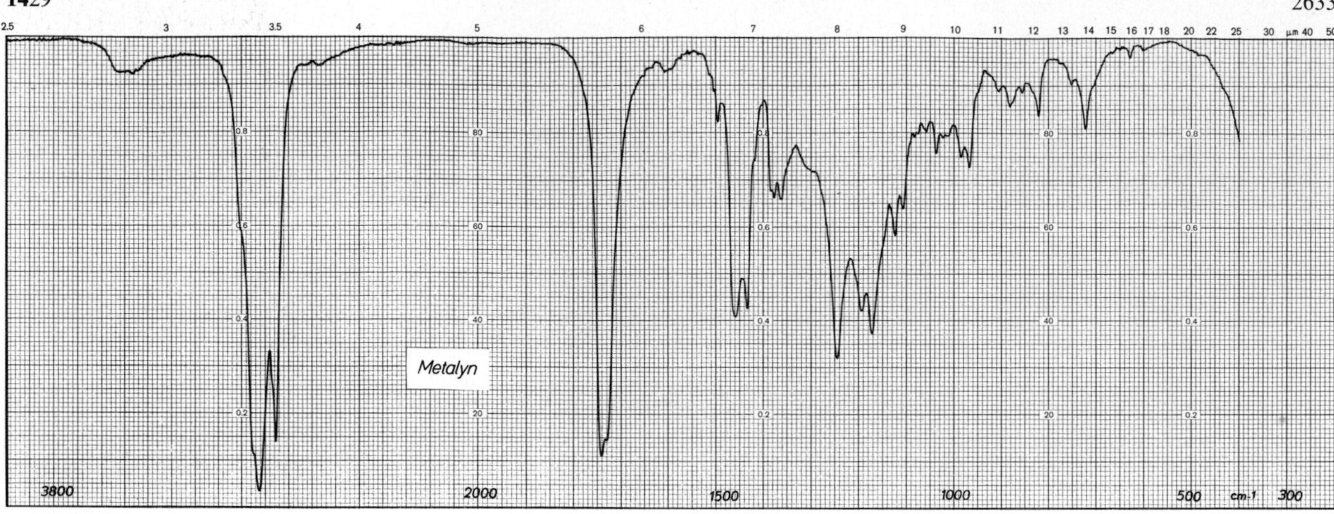

(1) **Metalyn**
(3) Tallölmethylester
(4) goldbraune, mittelviskose Flüssigkeit
(5) Weichharz
(6) Schicht zwischen KBr
(7) PE 580 B, ABEX 1.46

(2) Hercules, Inc., Wilmington, Dela.
(3) tall oil methyl ester
(4) gold-brown, medium viscous liquid
(5) soft resin
(6) film between KBr
(7) PE 580 B, ABEX 1.46

1429 | 2634

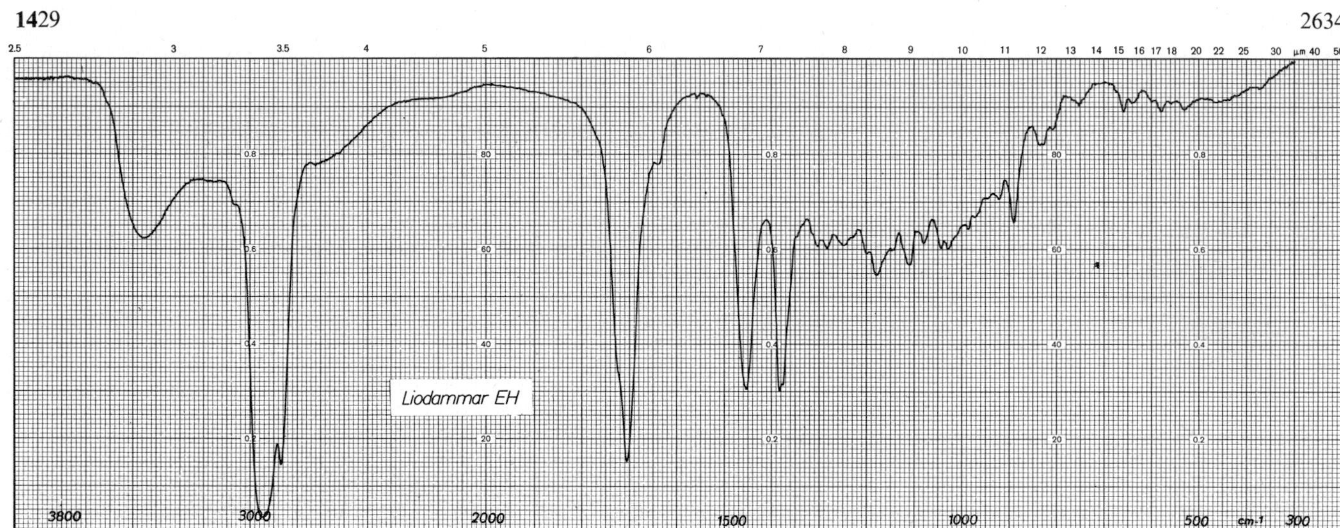

(1) **Liodammar EH**
(3) Dammar-Umwandlungsprodukt
(4) bernsteinfarbene, kandisartige Stücke
(5) für Cellulosenitrat- und Kunstharzlacke
(6) Schicht aus MTC auf CsI
(7) PE 580 B, FLAT, ABEX 1.66

(2) Sichel-Werke, Hannover
(3) dammar reaction product
(4) amber-colored, candy-like resin
(5) for cellulose nitrate and synthetic resin lacquers
(6) film from MTC on CsI
(7) PE 580 B, FLAT, ABEX 1.66

1429 | 2635

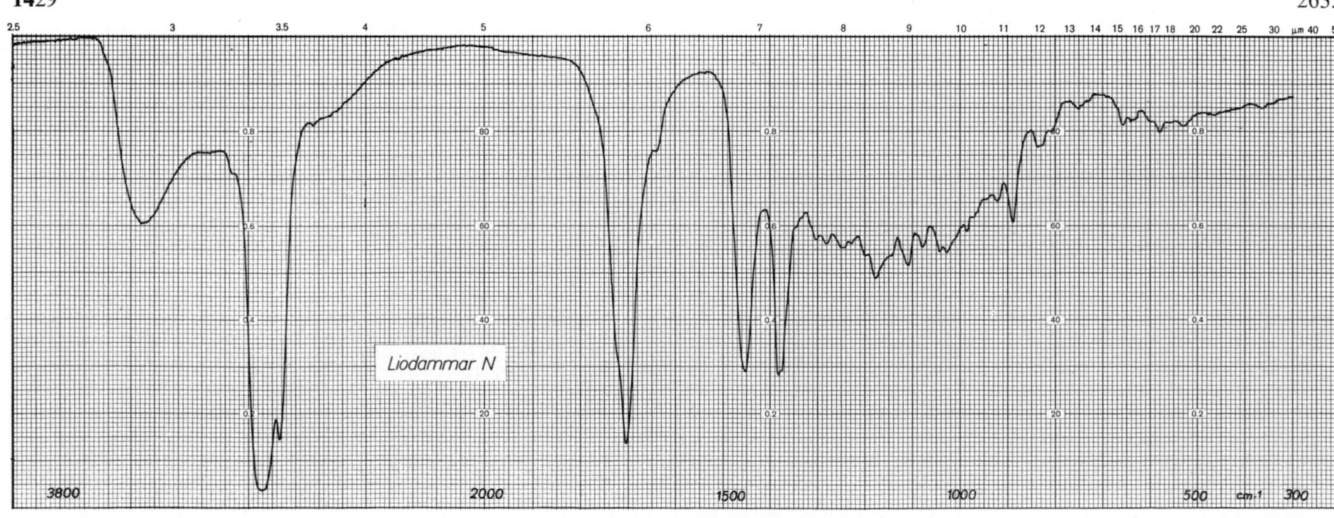

(1) **Liodammar N**
(3) Dammar-Umwandlungsprodukt
(4) bernsteinfarbene, kandisartige Stücke
(5) für Cellulosenitrat- und Kunstharzlacke
(6) Schicht aus MTC auf CsI
(7) PE 580 B, ABEX 1.43

(2) Sichel-Werke, Hannover
(3) dammar reaction product
(4) for cellulose nitrate and synthetic resin lacquers
(6) film from MTC on CsI
(7) PE 580 B, ABEX 1.43

1429 2636

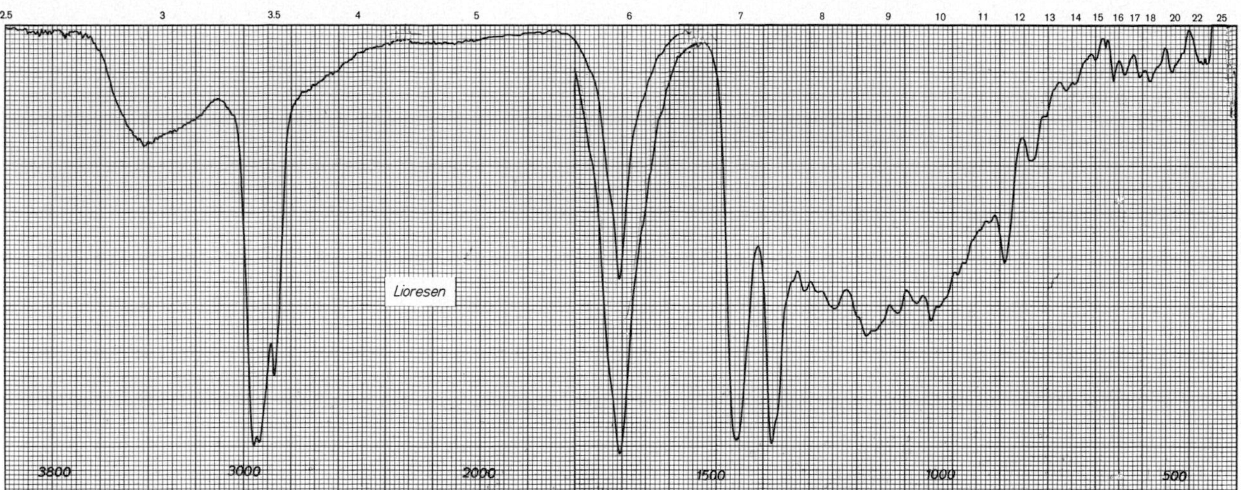

(1) **Lioresen**
(3) Lackharz auf Dammar-Basis
(4) bräunlich-rote Stücke
(5) mit trocknenden Ölen verkocht zu wetterfesten Anstrichen
(6) Schicht aus MTC auf CsI
(7) Nicolet FTIR 7199

(2) Sichel-Werke, Hannover
(3) dammar-based, lacquer resin
(4) brownish-red pieces
(5) for weather-resistant paints when boiled with drying oils
(6) film on MTC on CsI
(7) Nicolet FTIR 7199

1431/**12**334 $C_{12}H_{20}O_{10}$ *P* 2637

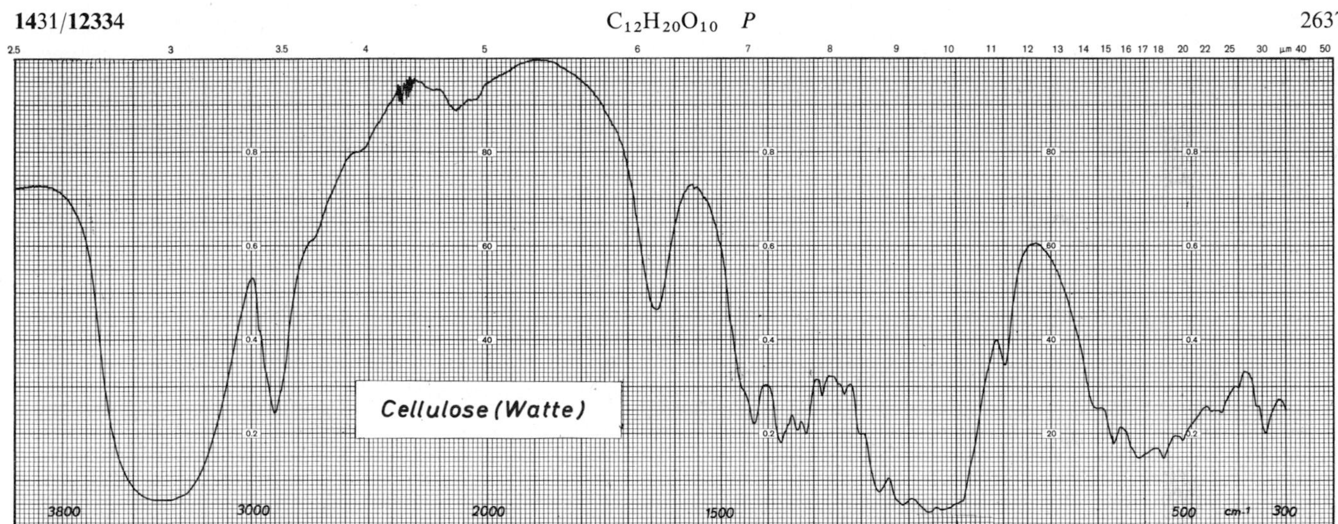

(1) **α-Cellulose (Watte)**
(2) Handelsprodukt
(3) Polysaccharid aus Cellobiose-Einheiten
(4) weiße Fasern
(6) fein geschnitten, KBr (2.5/355)
(7) PE 580 B, ABEX

(1) **α-cellulose (cotton wool)**
(2) commercial product
(3) polysaccharide from cellobiose units
(4) white fibers
(6) finely chopped KBr (2.5/355)
(7) PE 580 B, ABEX

1431 2638

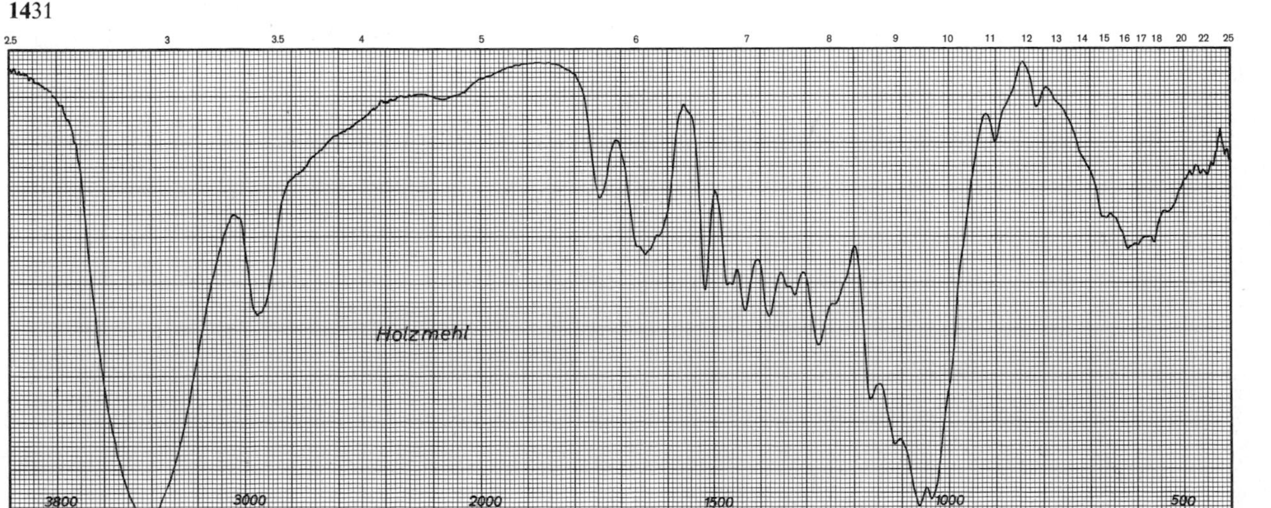

(1) **Holzmehl C 140**
(3) Cellulose + Lignin
(4) gelbes Pulver
(5) Füllstoff
(6) KBr (1.5/335)
(7) Nicolet 7199

(1) **wood flour C 140**
(2) Bakelite GmbH, Letmathe/Iserlohn
(3) cellulose + lignin
(4) yellow powder
(5) filler
(6) KBr (1.5/335)
(7) Nicolet 7199

1431 2639

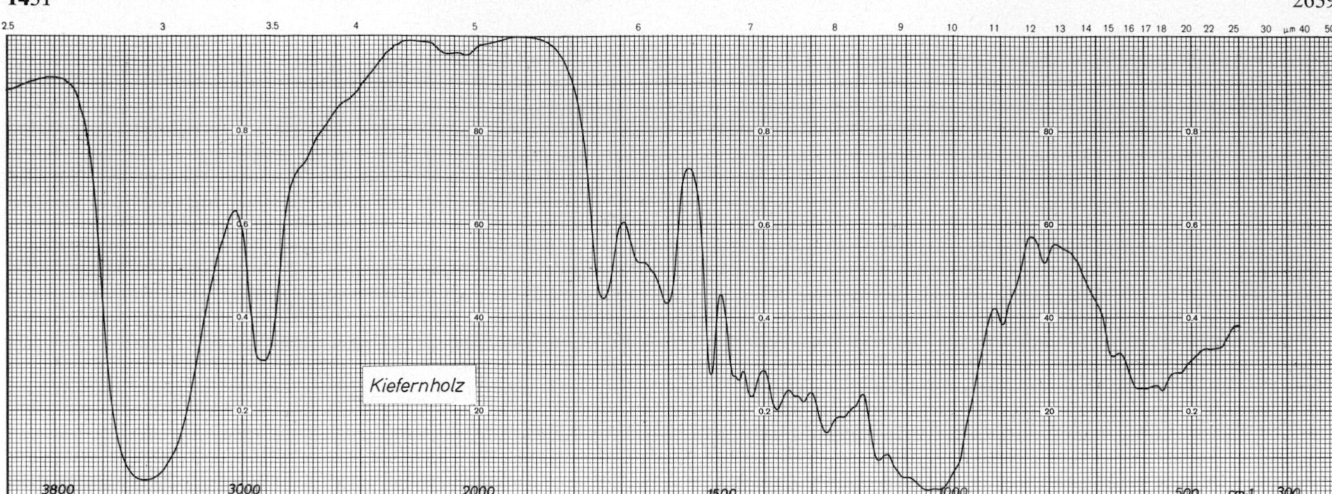

(1) **Kiefernholz**
(2) Fraunhofer-Institut für Holzforschung, Braunschweig (durch E. Schriever)
(3) Cellulose + Lignin
(4) gelbes Pulver
(5) Füllstoff
(6) KBr (2/350)
(7) PE 580 B, ABEX

(1) **pine wood**
(2) Fraunhofer-Institut für Holzforschung, Braunschweig (from E. Schriever)
(3) cellulose + lignin
(4) yellow powder
(5) filler
(6) KBr (2/350)
(7) PE 580 B, ABEX

14(31 – 831) 2640

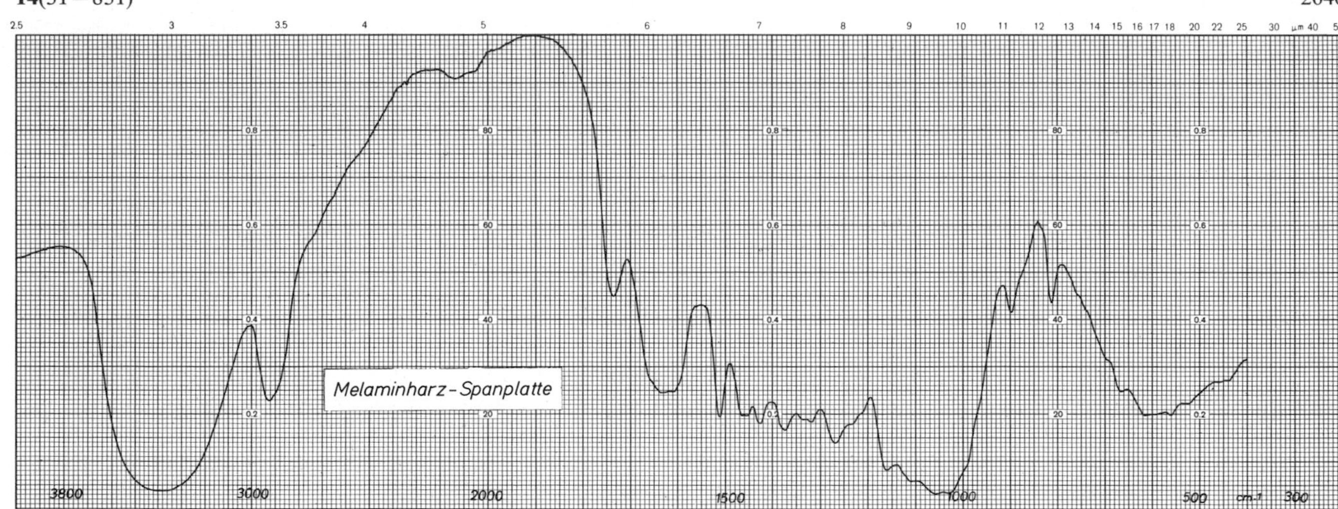

(1) **Melaminharz-Spanplatte**
(2) Fraunhofer-Institut für Holzforschung, Braunschweig (durch E. Schriever)
(3) mit Melamin-Formaldehyd-Harz gebundenes Kiefernholzmehl
(4) gelbliche Platte
(6) KBr (2/350), ABEX

(1) **melamine resin chipboard**
(2) Fraunhofer-Institut für Holzforschung, Braunschweig (from E. Schriever)
(3) pinewood flour bound with melamine-formaldehyde resin
(4) yellowish board
(6) KBr (2/350), ABEX

1432/**1533**411 2641

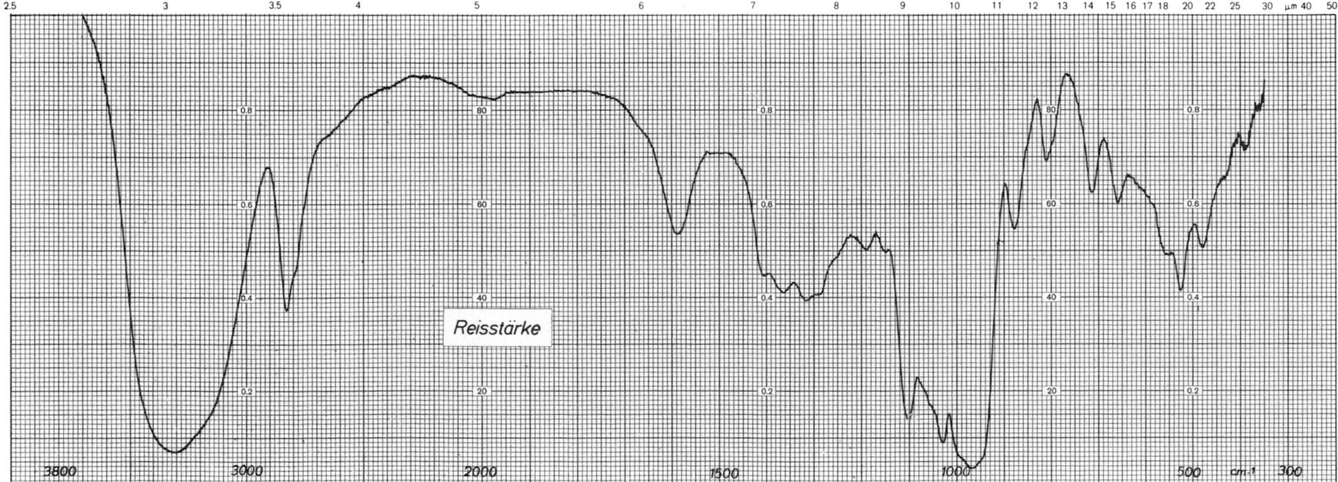

(1) **Reisstärke**
(2) Hoffmanns Stärkefabriken, Bad Salzuflen
(3) Polyglucosid
(4) weiße Brocken
(5) Verdickungsmittel, Schutzkolloid, Wäschestärke
(6) KBr (1.5/350)
(7) PE 580 B, ABEX 1.34

(1) **rice starch**
(3) polyglucoside
(4) white lumps
(5) thickener, protective colloid, laundry starch
(6) KBr (1.5/350)
(7) PE 580 B, ABEX 1.34

1432 2642

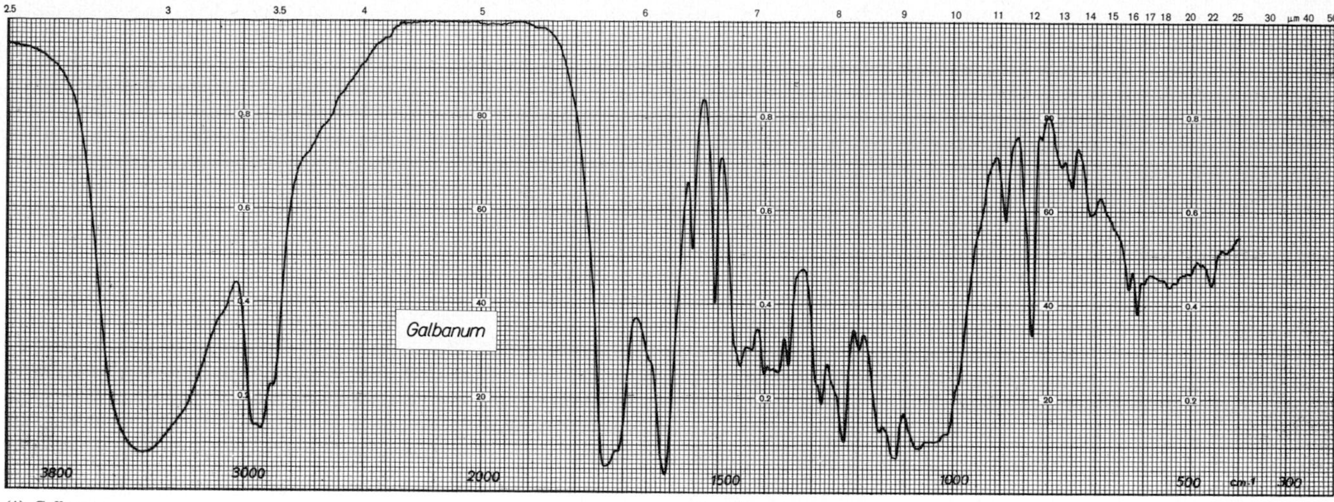

(1) **Galbanum**
(2) getrockneter Saft von Ferula-Harzen
(3) Gemisch aus Polysacchariden, Harzen und ätherischen Ölen
(4) schmutzigbraune Harzstückchen
(5) in der Pharmazie und zur Seifenparfümierung
(6) KBr (2/400)
(7) PE 580 B, ABEX

(1) **galbanum**
(2) dried Ferula resin sap
(3) mixture of polysaccharides, resins and ethereal oils
(4) dirty brown resin
(5) in pharmacy and for perfuming soap
(6) KBr (2/400)
(7) PE 580 B, ABEX

1432 2643

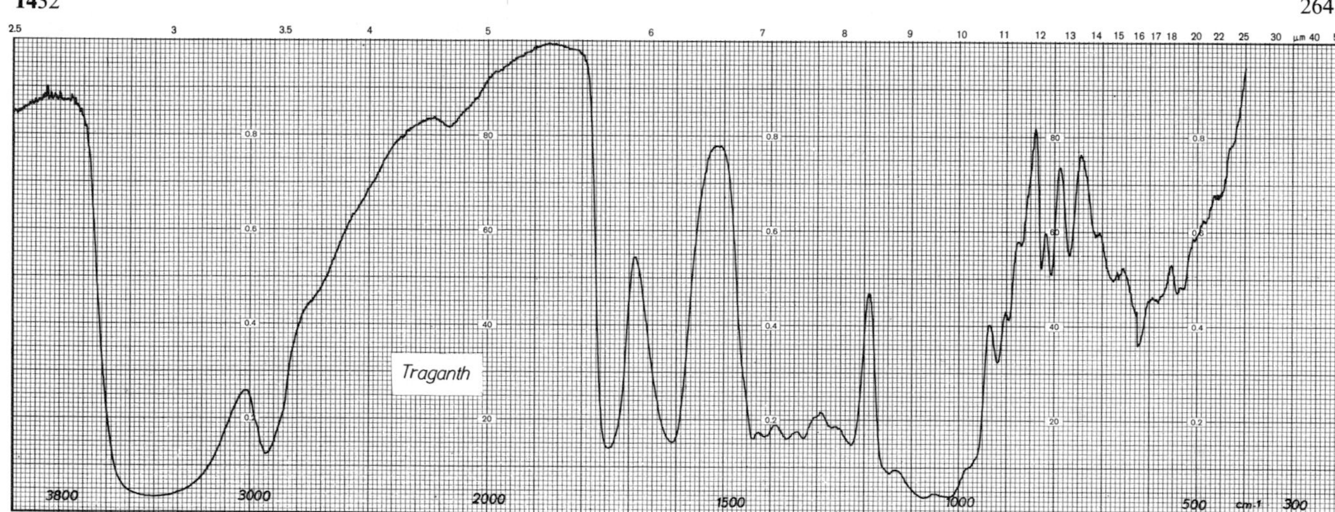

(1) **Traganth**
(2) getrockneter Saft auf Astragalus-Arten (Vorderer Orient)
(3) Polysaccharid aus der Gruppe der Hemicellulosen
(4) leicht gelbliche, feste Stückchen
(5) zu Appreturen und in der pharmazeutischen Industrie
(6) Schicht aus H_2O auf KRS-5
(7) PE 580 B, FLAT, ABEX 1.66

(1) **tragacanth gum**
(2) dried sap of Astragalus species (Near East)
(3) hemicellulose polysaccharide
(4) pale yellow, solid pieces
(5) for leather dressing and in the pharmaceutical industry
(6) film from H_2O on KRS-5
(7) PE 580 B, FLAT, ABEX 1.66

14352 2644

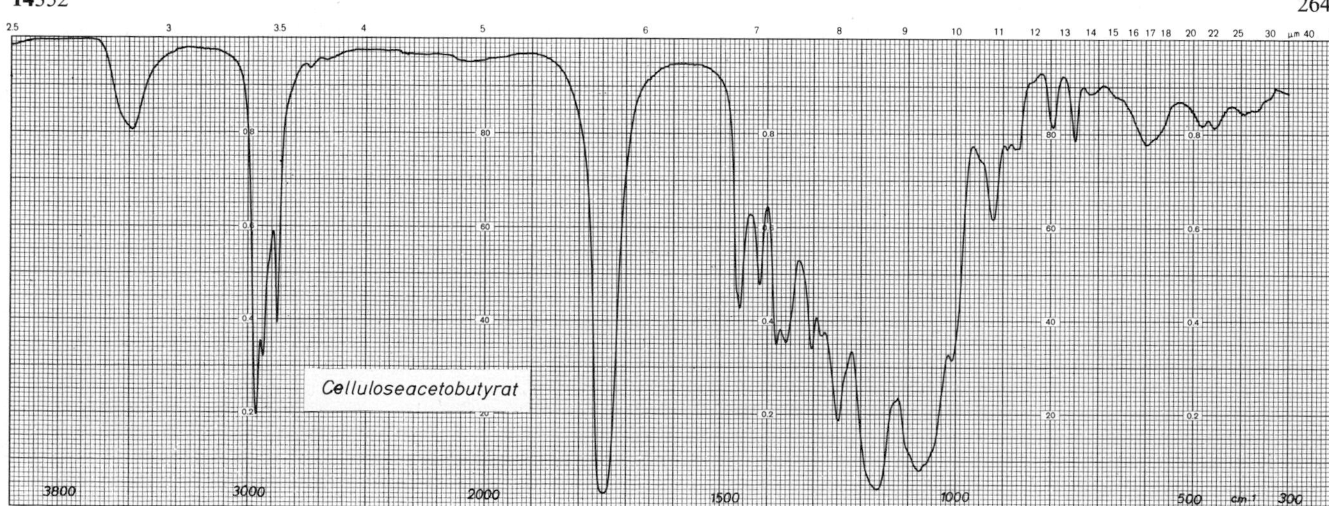

(1) **Eastman Celluloseacetatebutyrate CAB-551-0.01**
(2) Eastman Chem. Prod., Kingsport (durch Krahn Chemie, Hamburg)
(3) Celluloseacetatbutyrat mit hohem Butyratgehalt (53 Gew.-% Butyryl, 2 Gew.-% Acetyl, 1.6 Gew.-% OH)
(4) weißes Pulver
(5) Zusatz zu hitzehärtenden Lacken, Pulver- und high-solid-Lackharzen; verträglich mit Acrylatharzen, Styrol und MMA
(6) Schicht aus MTC auf CsI

(2) Eastman Chem. Prod., Kingsport (from Krahn Chemie, Hamburg)
(3) cellulose acetate butyrate with high butyrate content (53 wt.% butyryl, 2 wt.% acetyl, 1.6 wt.% OH)
(4) white powder
(5) additive for heat-curing lacquers, powder and high solid lacquer resins; compatible with acrylic resins, styrene and MMA
(6) film from MTC on CsI

14354 2645

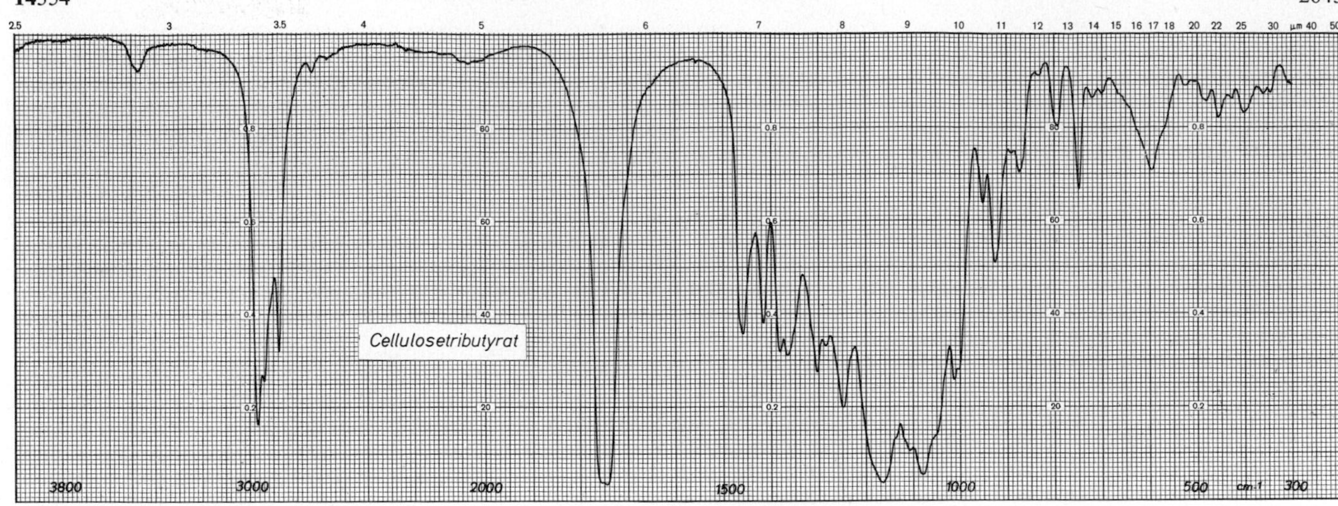

(1) **Cellulosetributyrat (57.1% Butyrylgruppen, 0.12% OH)**
(2) Tennessee Eastman Co., Kingsport, Tenn. (Laborpräparat)
(4) weiße, faserige Substanz
(6) Schicht aus MTC auf CsI
(7) PE 580 B, ABEX 1.26

(1) **cellulose tributyrate (57.1% butyryl groups, 0.12% OH)**
(2) Tennessee Eastman Co., Kingsport, Tenn. (laboratory preparation)
(4) white, fibrous substance
(6) film from MTC on CsI
(7) PE 580 B, ABEX 1.26

1438 2646

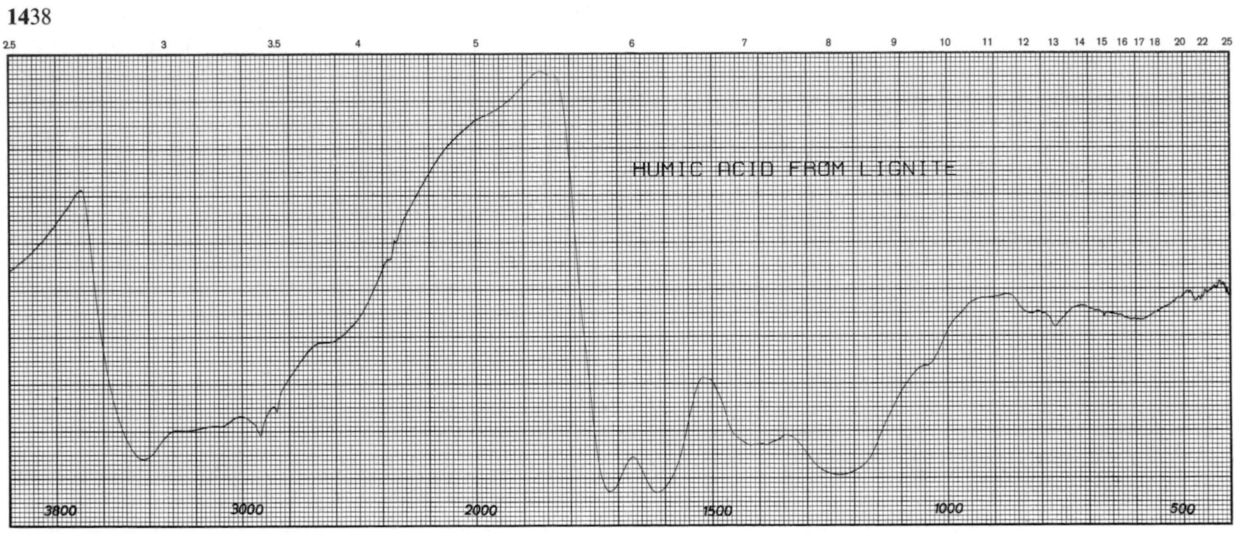

(1) **Huminsäure aus Braunkohle**
(2) Forschungsanstalt für Landwirtschaft, Braunschweig
(3) Gemisch polymerer phenolischer, carbonsaurer und chinoider Körper
(4) braunes Pulver
(6) KBr (0.97350); Nicolet FTIR 7199
(7) Huminsäuren bilden sich unter dem Einfluß von Mikroorganismen, wahrscheinlich aus Lignin

(1) **humic acid from lignite**
(3) mixture of polymeric, phenolic, carboxylic acids and quinoid bodies
(4) brown powder
(6) KBr (0.9/350); Nicolet FTIR 7199
(7) humic acids are probably formed by the action of microrganisms on lignin

1438 2647

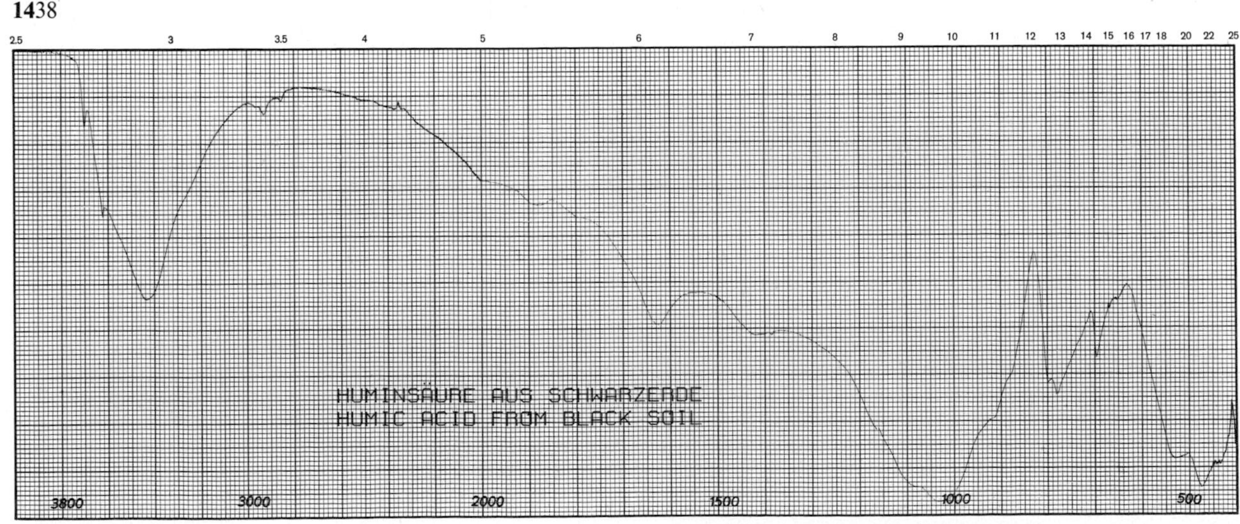

(1) **Huminsäure aus Schwarzerde**
(2) Forschungsanstalt für Landwirtschaft, Braunschweig
(3) Gemisch organischer Körper mit anorganischem Material (Silikate)
(4) braunes Pulver
(6) KBr (2/350)

(1) **humic acid from chernozem (black earth)**
(3) mixture of organic bodies and inorganic material (silicates)
(4) brown powder
(6) KBr (2/350)

1439 2648

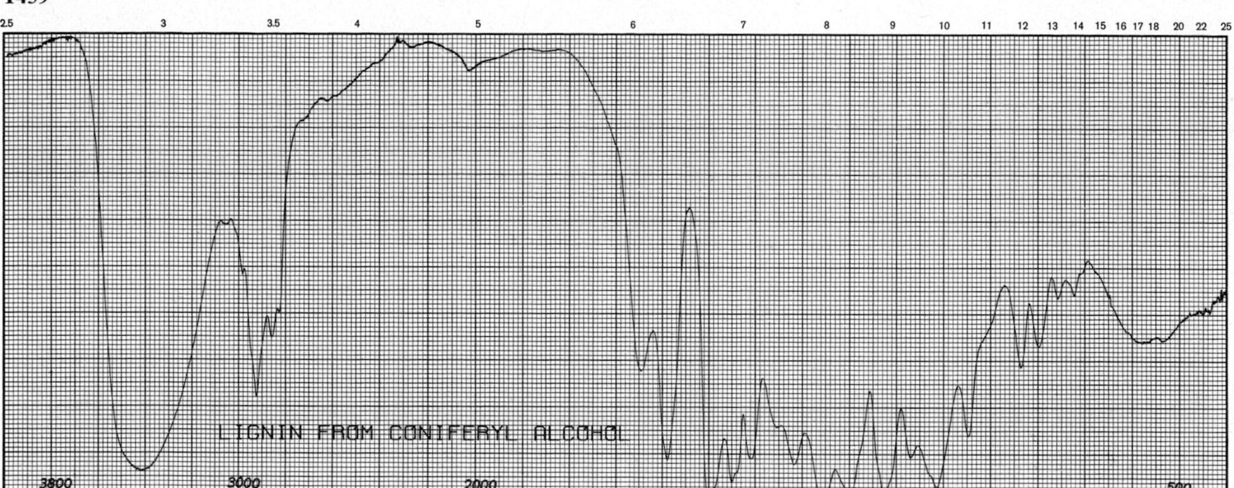

(1) **Lignin aus Coniferylalkohol**
(2) Fraunhofer Institut für Holzforschung, Braunschweig
(4) gelbes Pulver
(6) KBr (2.4/375)
(7) Nicolet FTIR 7199, Ordinate gedehnt

(1) **lignin from coniferyl alcohol**
(4) yellow powder
(6) KBr (2.4/375)
(7) Nicolet FTIR 7199, ordinate expanded

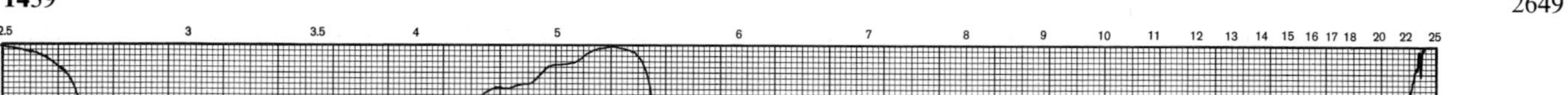

1439 2649

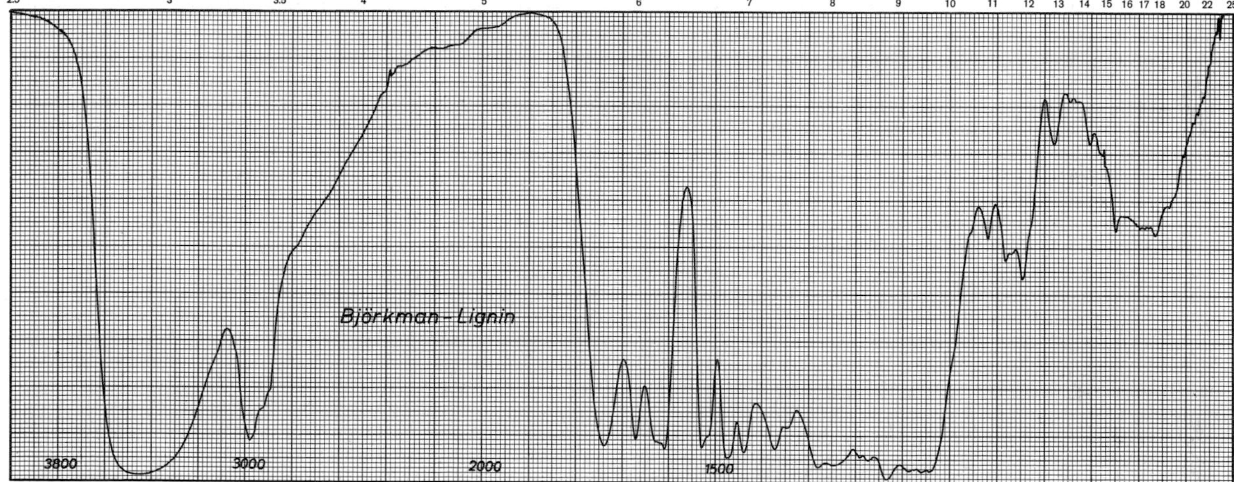

(1) **Bjoerkman-Lignin, Lignin aus Fichtenholz**
(2) Fraunhofer Institut für Holzforschung, Braunschweig
(4) gelbes Pulver
(6) KBr (3.5/370)
(7) Nicolet FTIR 7199; untergrundkorrigiert

(1) **Bjoerkman lignin, lignin from spruce wood**
(4) yellow powder
(6) KBr (3.5/370)
(7) Nicolet FTIR 7199; background corrected

1439 2650

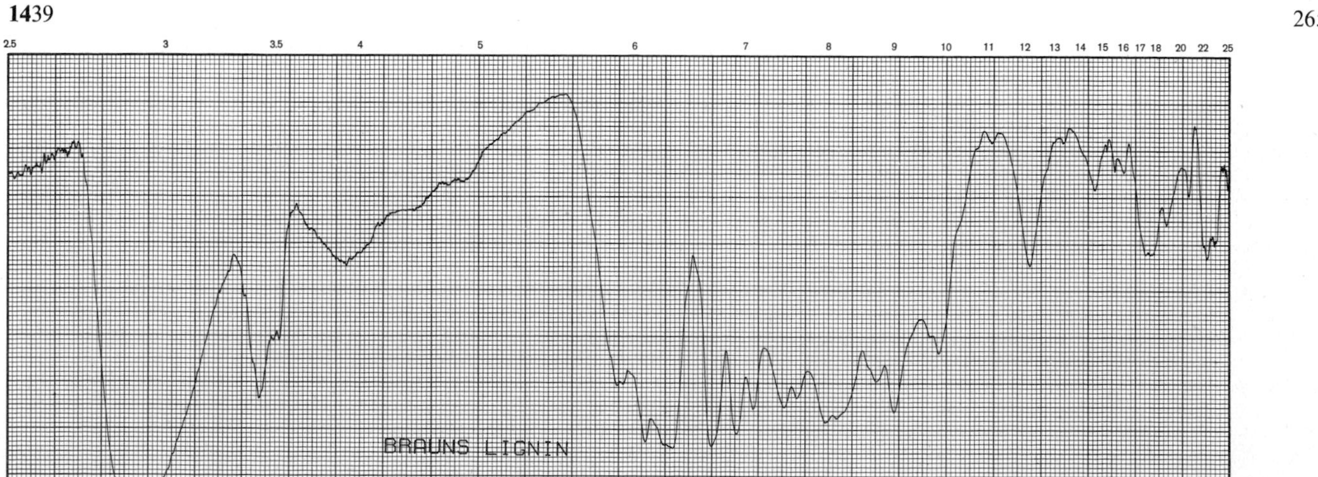

(1) **Brauns Lignin**
(4) gelbes Pulver
(6) KBr (1.7/380)
(7) Nicolet FTIR 7199; untergrundkorrigiert

(4) yellow powder
(6) KBr (1.7/380)
(7) Nicolet FTIR 7199; background corrected

1441 2651

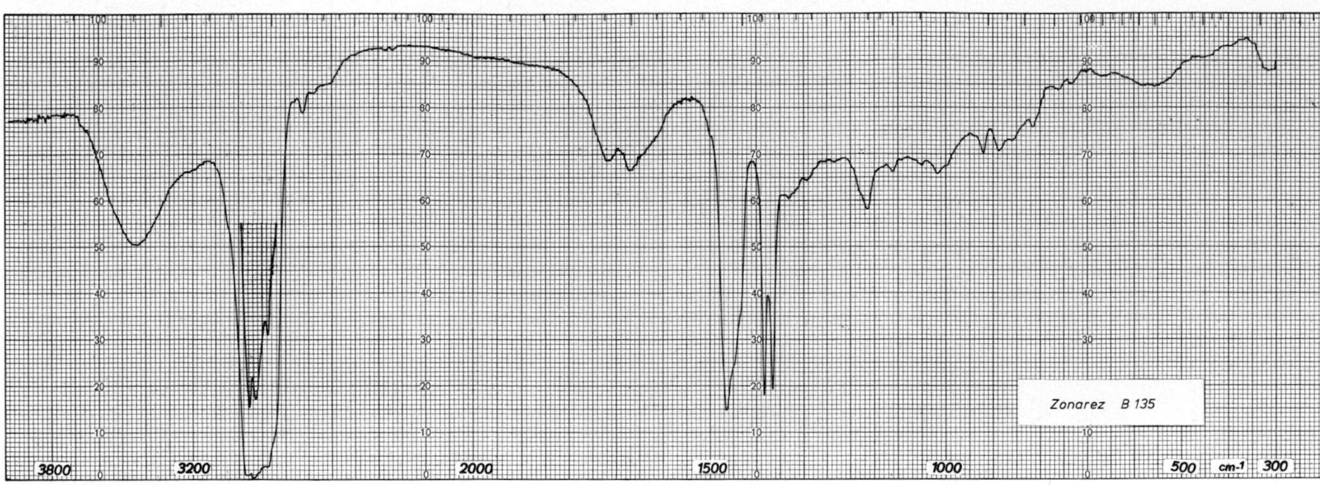

(1) **Zonarez B 135**
(3) Poly(β-pinen)
(4) sprödes, leicht gelbliches Harz
(5) Spezialharz für die Klebstoffindustrie
(6) KBr (3/350)

(2) Arizona Comp.
(3) poly(β-pinene)
(4) brittle, pale yellowish resin
(5) speciality resin for the adhesive industry
(6) KBr (3/350)

1441/**152**11 2652

Escorez 1102 U

(1) **Escorez 1102 U**
(3) aliphatisches Kohlenwasserstoffharz, hochverzweigt
(4) gelbe, transparente Plättchen (Erweichungspunkt 100 °C)
(5) zur Erhöhung der Klebrigkeit von Kautschukmischungen, Modifizierung von Klebern, Dichtungsmassen und Kitten, Beschichtung von Papier und Pappe
(6) aufgeschmolzene Schicht auf CsI
(7) enthält vermutlich olefinische Strukturen

(2) Esso Chemie, Köln
(3) aliphatic hydrocarbon resin, highly branched
(4) yellow, transparent platelets (softening point 100 °C)
(5) for increasing the tack of rubber blends, for modifying adhesives, sealing compounds and putties, for coating paper and board
(6) film fused on CsI
(7) probably contains olefinic structures

1441/**152**11 2653

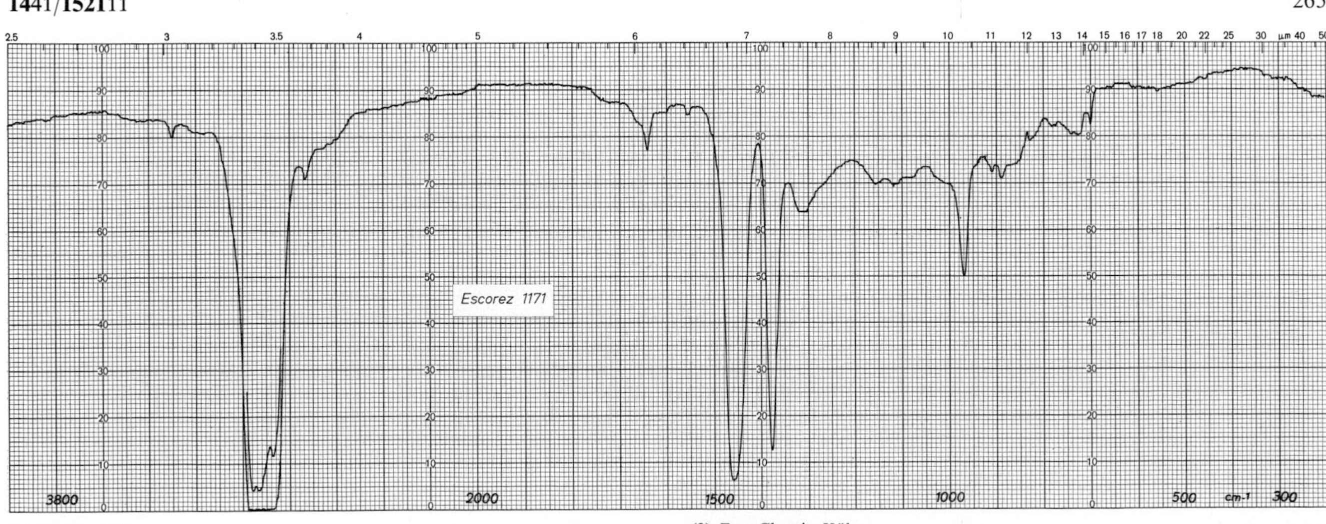

(1) **Escorez 1171**
(3) aliphatisches Kohlenwasserstoffharz, hochverzweigt
(4) bernsteinfarbene Brocken (Erweichungspunkt 70 °C)
(5) zur Erhöhung der Klebrigkeit von Kautschukmischungen, Modifizierung von Klebern, Dichtungsmassen und Kitten, Beschichtung von Papier und Pappe
(6) aufgeschmolzene Schicht auf CsI
(7) enthält vermutlich olefinische Strukturen

(2) Esso Chemie, Köln
(3) aliphatic hydrocarbon resin, highly branched
(4) amber-colored lumps (softening point 70 °C)
(5) for increasing the tack of rubber blends, for modifying adhesives, sealing compounds and putties, for coating paper and board
(6) film fused on CsI
(7) probably contains olefinic structures

4441/**1521**11

2654

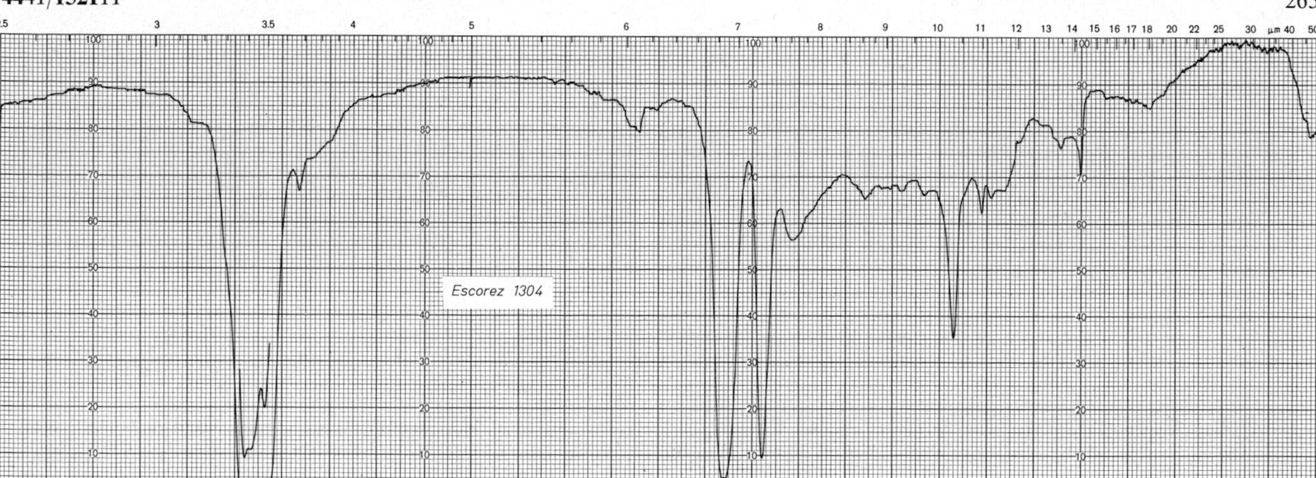

(1) **Escorez 1304**
(3) aliphatisches Kohlenwasserstoffharz, hochverzweigt
(4) hellgelbe, transparente Plättchen (Erweichungspunkt 100 °C)
(5) zur Erhöhung der Klebrigkeit von Kautschukmischungen, Modifizierung von Klebern, Dichtungsmassen und Kitten, Beschichtung von Papier und Pappe
(6) aufgeschmolzene Schicht auf CsI
(7) enthält vermutlich olefinische Strukturen

(2) Esso Chemie, Köln
(3) aliphatic hydrocarbon resin, highly branched
(4) pale yellow, transparent platelets (softening point 100 °C)
(5) for increasing the tack of rubber blends, for modifying adhesives, sealing compounds and putties, for coating paper and board
(6) film fused on CsI
(7) probably contains olefinic structures

1442/**1521**11

2655

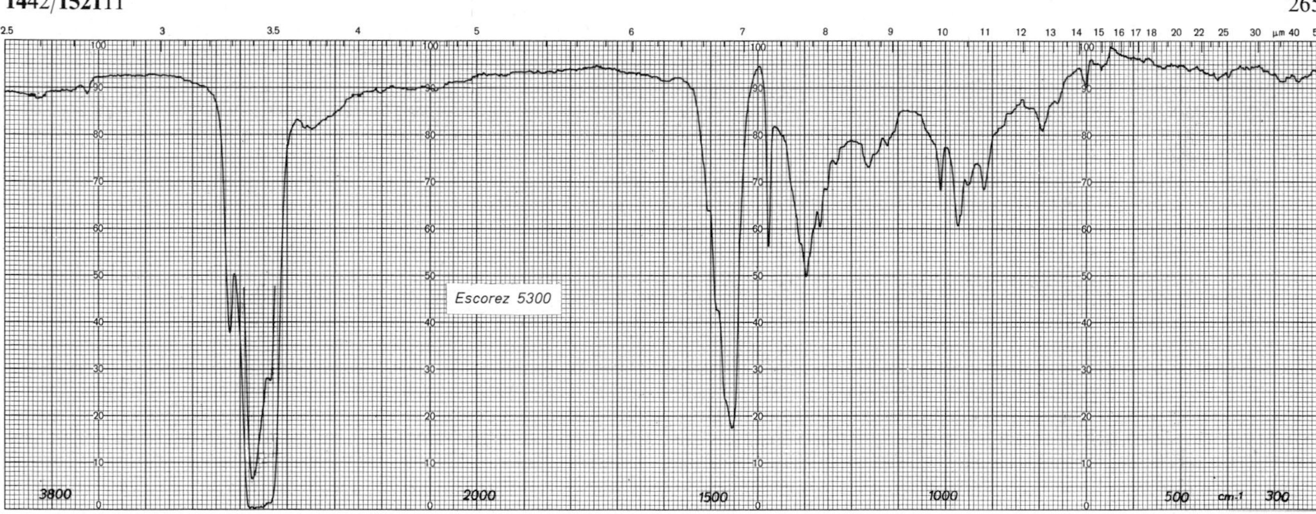

(1) **Escorez 5300**
(3) überwiegend aliphatisches, ungesättigtes Kohlenwasserstoffharz
(4) farblose, transparente Plättchen
(5) für Haft- und Schmelzkleber, Schmelzbeschichtungen, in Kautschukmischungen
(6) aufgeschmolzene Schicht auf CsI

(2) Esso Chemie, Köln
(3) mainly aliphatic, unsaturated hydrocarbon resin
(4) colorless, transparent platelets
(5) for contact and melting adhesives, fused coatings, in rubber blends
(6) film fused on CsI

1442

2656

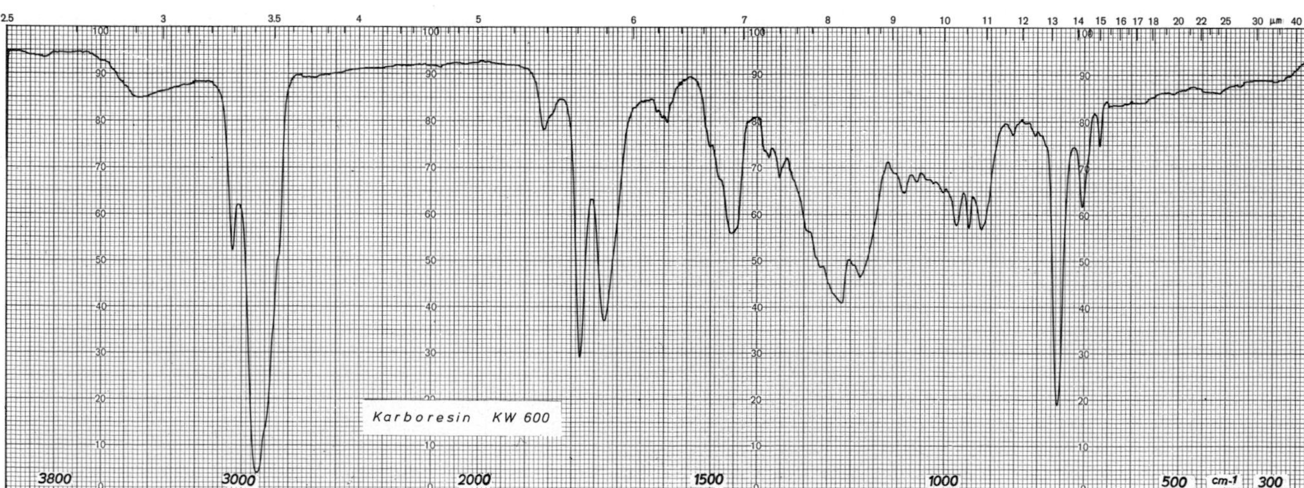

(1) **Karboresin KW 600**
(3) Harz auf Basis ungesättigter Kohlenwasserstoffe
(4) hellbraunes Harz
(5) Spezialharz für Illustrations-Tiefdruckverfahren
(6) Schicht aus CLF auf CsI
(7) Bande bei 758 cm^{-1}: CLF

(2) Hoechst AG, Frankfurt/M.-Höchst
(3) resin hydrocarbons based on unsaturated
(4) light-brown resin
(5) speciality resin for intaglio illustration inks
(6) film from CLF on CsI
(7) band at 758 $^{-1}$: CLF

1442 2657

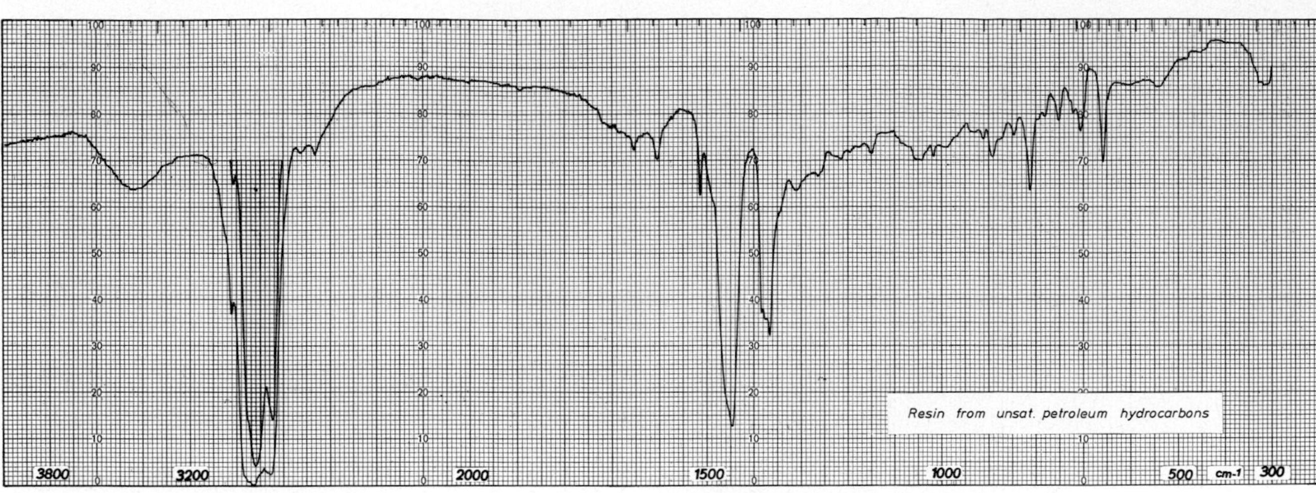

(1) **Kohlenwasserstoffharz, aliphatisch-ungesättigt**
(2) Beiersdorf, Hamburg (Entwicklungsprodukt)
(3) Harz aus ungesättigten Petroleumkohlenwasserstoffen
(4) sprödes, bernsteinfarbenes Harz
(5) Lackharz
(6) KBr (4/350)

(1) **aliphatic, unsaturated hydrocarbon resin**
(2) Beiersdorf, Hamburg, (development product)
(3) resin from unsaturated petroleum hydrocarbons
(4) brittle, amber-colored resin
(5) lacquer resin
(6) KBr (4/350)

1442 2658

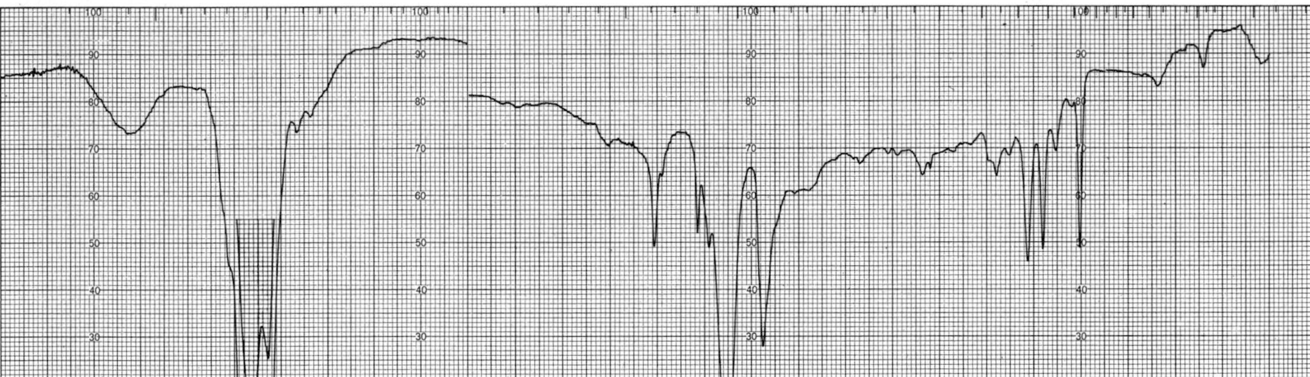

(1) **Kohlenwasserstoffharz, aliphatisch-ungesättigt**
(2) Beiersdorf, Hamburg (Entwicklungsprodukt)
(3) Harz aus ungesättigten Petroleumkohlenwasserstoff
(4) sprödes, braunes Harz
(5) Lackharz
(6) KBr (4/350)

(1) **aliphatic, unsaturated hydrocarbon resin**
(2) Beiersdorf, Hamburg (development product)
(3) resin from unsaturated petroleum hydrocarbons
(4) brittle, brown resin
(5) lacquer resin
(6) KBr (4/350)

1442 2659

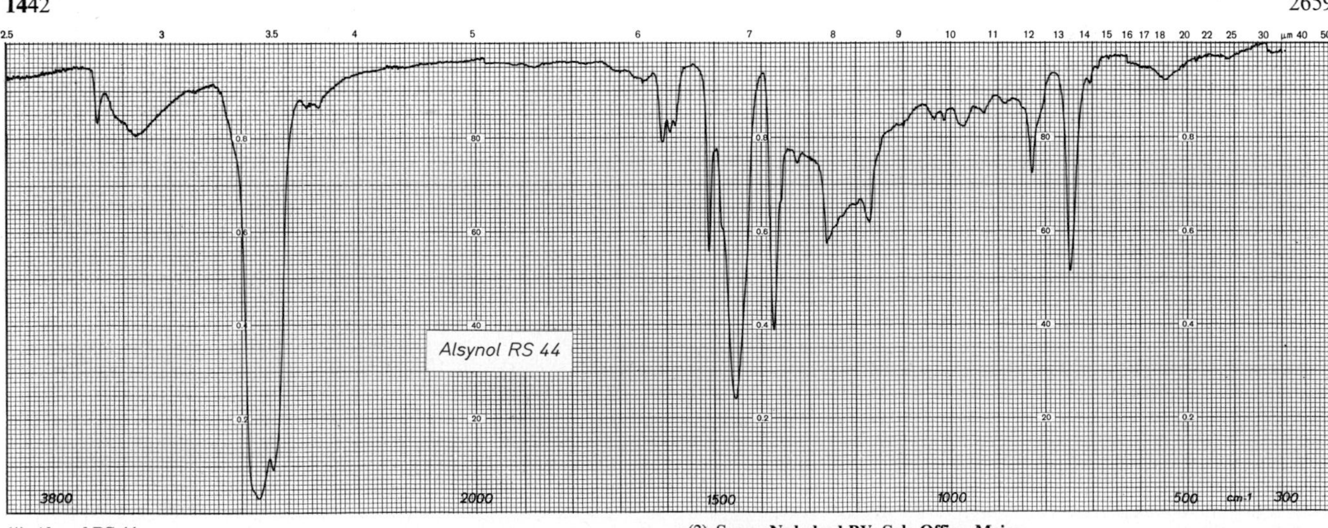

(1) **Alsynol RS 44**
(2) Synres Nederland BV, Verkaufsbüro Mainz
(3) Cyclokautschuk, hochviskose Type
(4) hellbernsteinfarbene Harzstückchen
(5) für Hochleistungs-Illustrationstiefdruckfarben, zur Verbesserung der Pigmentbenetzungseigenschaften und der Verdruckbarkeit der Farbe
(6) Schicht aus MTC auf CsI
(7) PE 580 B, ABEX 1.76

(2) **Synres Nederland BV, Sale Office, Mainz**
(3) cyclized rubber, high viscosity grade
(4) pale amber-colored resin
(5) for high performance, intaglio illustration inks, for improving the pigment wetting qualities and the printability of the ink
(6) film from MTC on CsI
(7) PE 580 B, ABEX 1.76

2660

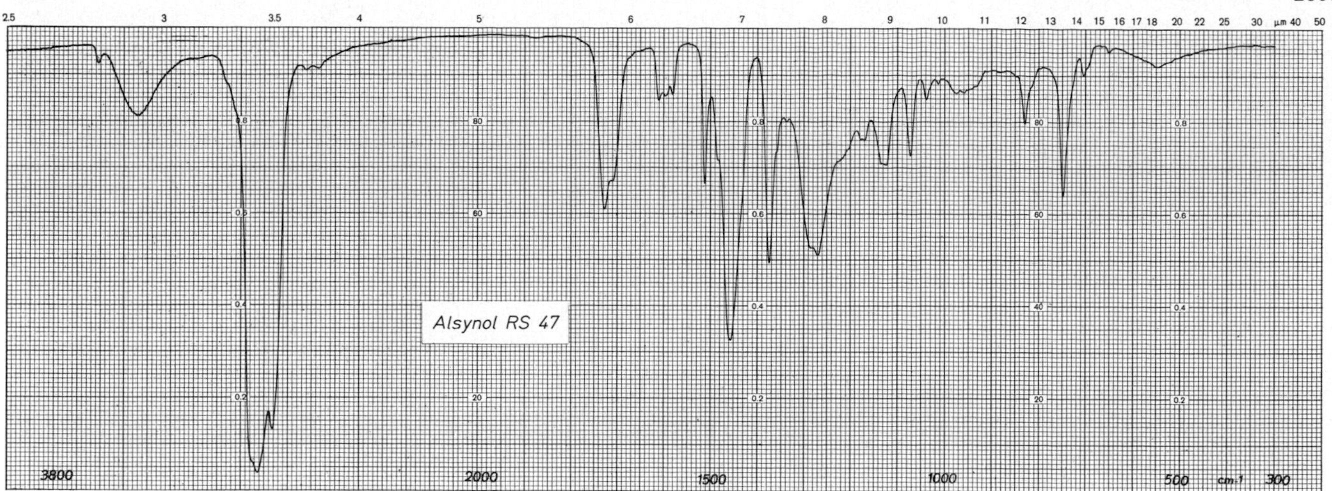

(1) **Alsynol RS 47**
(3) Cyclokautschuk mit hohem Cyclisierungsgrad
(4) hellgelbe Harzstückchen
(5) als Harzzusatzmittel (3...4%) zur Verbesserung der Verdruckbarkeit von Farben
(6) Schicht auf CsI
(7) PE 580 B, ABEX 1.08

(2) Synres Nederland BV, Hoek van Holland
(3) cyclized rubber with a high degree of cyclization
(4) pale yellow resin
(5) as resin additive (3...4%) for improving printability of inks
(6) film from MTC on CsI
(7) PE 580 B, ABEX 1.08

1442 2661

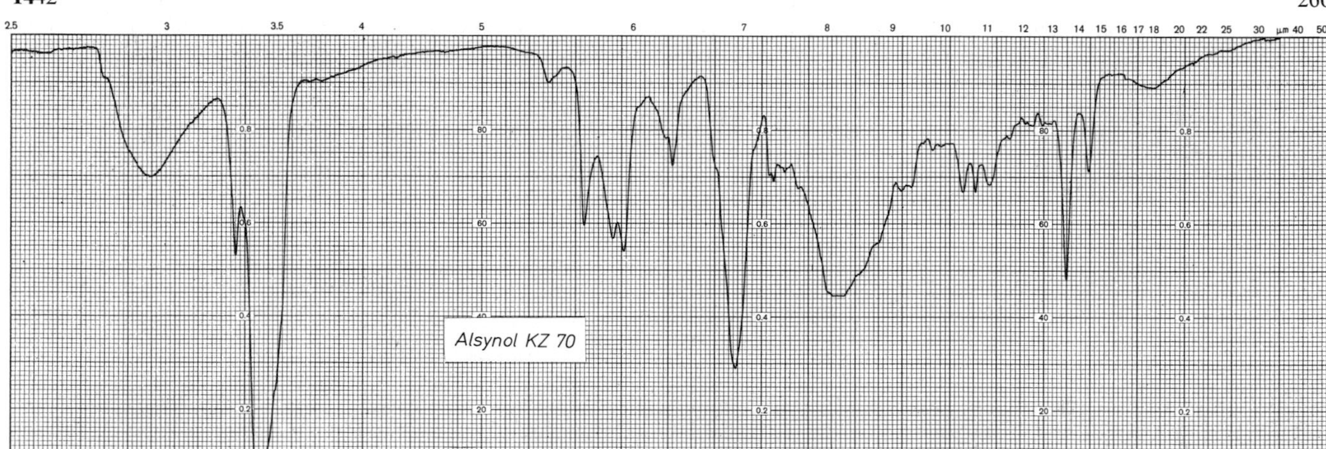

(1) **Alsynol KZ 70**
(3) modifiziertes Kohlenwasserstoffharz
(4) braune, flache Harzstücke
(5) hochviskoses Harz für Hochleistungs-Illustrationstiefdruckfarben
(6) Schicht aus MTC auf CsI
(7) PE 580 B, ABEX 1.14

(2) Synres Nederland BV, Hoek van Holland
(3) modified hydrocarbon resin
(4) brown resin
(5) highly viscous resin for high performance, intaglio illustration inks
(6) film from MTC on Csi
(7) PE 580 B, ABEX 1.14

1442 2662

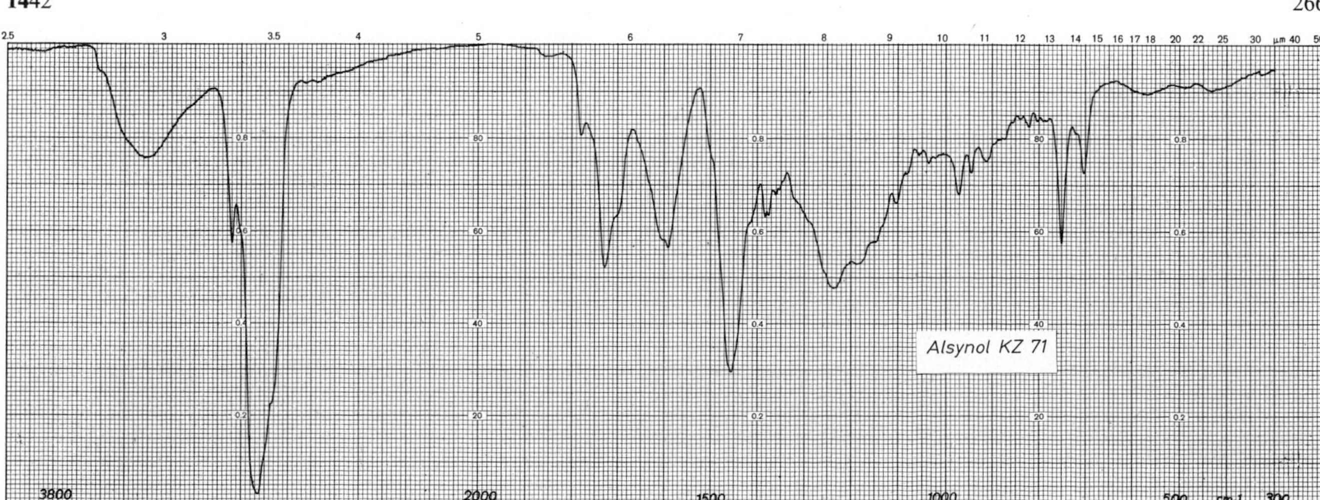

(1) **Alsynol KZ 71**
(3) modifiziertes Kohlenwasserstoffharz
(4) braune Harzstückchen
(5) für den Hochleistungs-Illustrationstiefdruck
(6) Schicht aus MTC auf CsI
(7) PE 580 B, ABEX 1.20

(2) Synres Nederland BV, Hoek van Holland
(3) modified hydrocarbon resin
(4) brown resin
(5) for high performance, intaglio illustration inks
(6) film from MTC on CsI
(7) PE 580 B, ABEX 1.20

1442 C_4H_6 *P* 2663

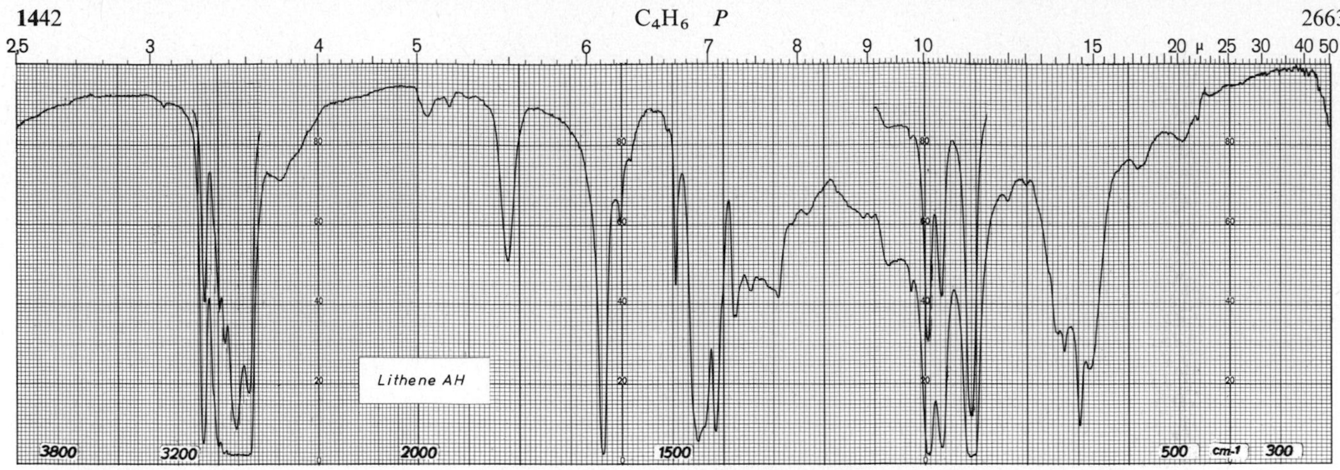

(1) **Lithene AH**
(3) Oligobutadien
(4) hellbraune, viskose Flüssigkeit
(5) für thermisch aushärtbare Überzüge, zum Vernetzen von Ethylen-Propylen-Kautschukmischungen
(6) Schicht zwischen CsI (100 µm, kapillar)

(2) Metallgesellschaft AG, Frankfurt
(3) oligo(butadiene)
(4) light brown, viscous liquid
(5) for thermally curable coatings, for crosslinking ethylene-propylene rubber mixtures
(6) film between CsI (100 µm, capillary)

1442 C_4H_6 *P* 2664

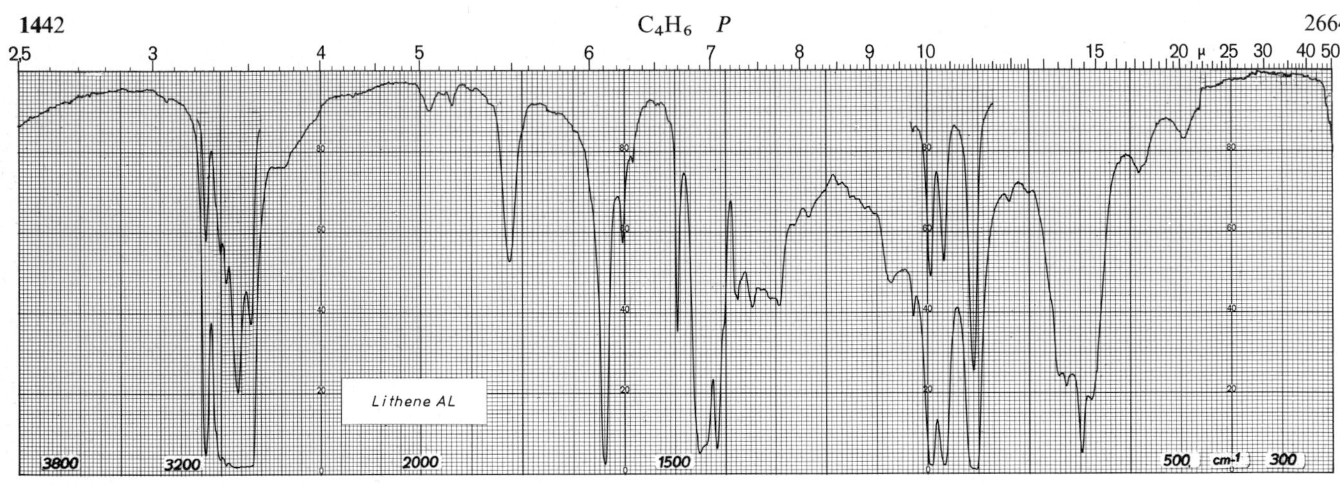

(1) **Lithene AL**
(3) Oligobutadien
(4) hellgelbe, niedrigviskose Flüssigkeit
(5) für thermisch aushärtbare Überzüge, zum Vernetzen von Ethylen-Propylen-Kautschukmischungen
(6) Schicht zwischen CsI (100 µm, kapillar)

(2) Metallgesellschaft AG, Frankfurt
(3) oligo(butadiene)
(4) pale yellow, low viscosity liquid
(5) for thermally curable coatings, for crosslinking ethylene-propylene rubber mixture
(6) film between CsI (100 µm, capillary)

1442 C_4H_6 *P* 2665

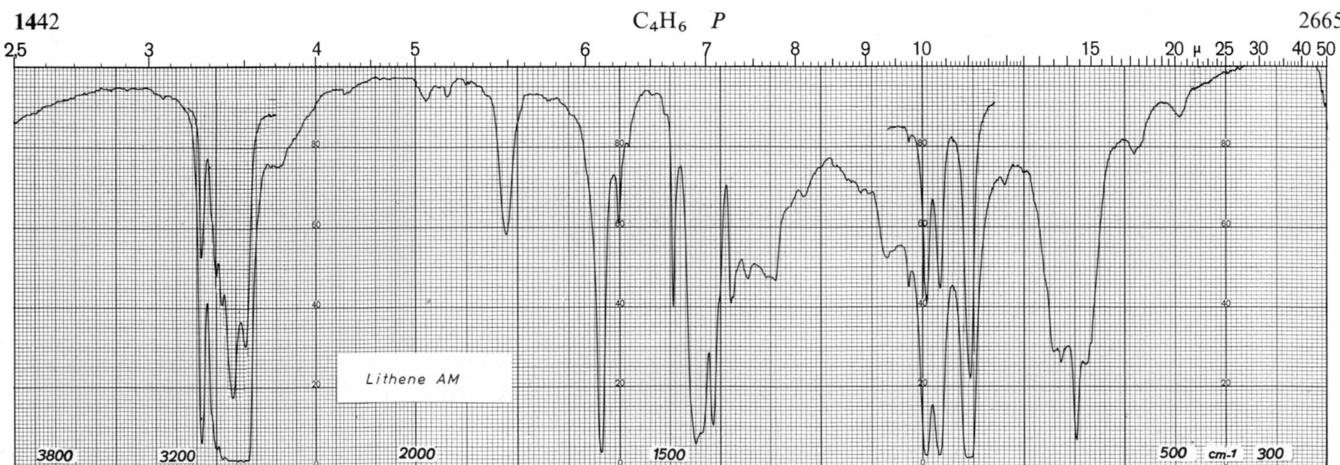

(1) **Lithene AM**
(3) Oligobutadien
(4) hellgelbe, viskose Flüssigkeit
(5) für härtbare Überzüge und zur Vulkanisation von Ethylen-Propylen-Kautschukmischungen
(6) Schicht zwischen CsI (100 µm, kapillar)

(2) Metallgesellschaft AG, Frankfurt
(3) oligo(butadiene)
(4) pale yellow, viscous liquid
(5) for thermally curable coatings, for vulcanizing ethylene-propylene rubber mixtures
(6) film between CsI (100 µm, capillary)

1442 C_4H_6 *P* 2666

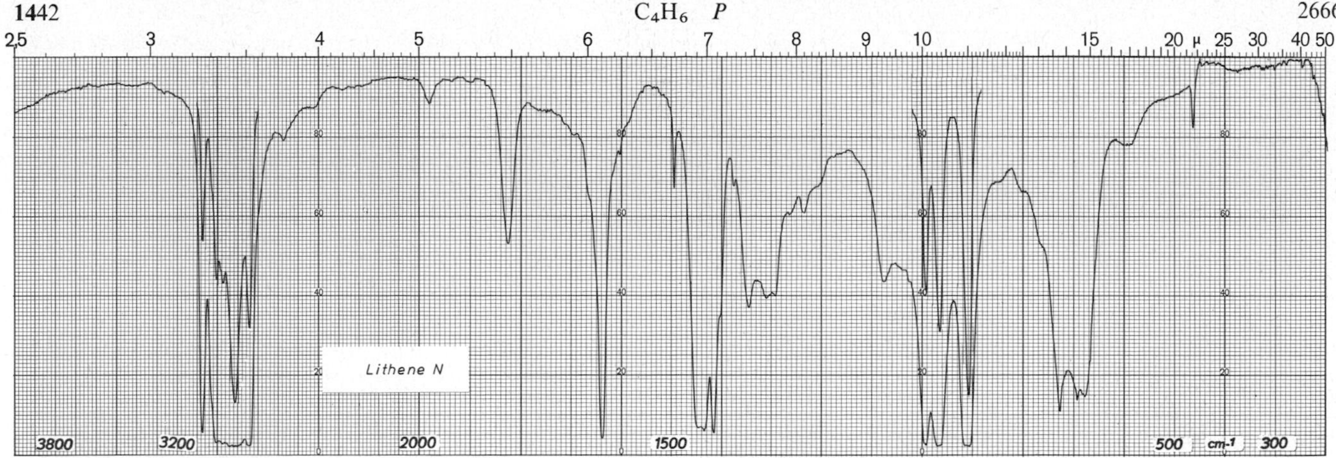

(1) **Lithene N**
(3) Oligobutadien
(4) farblose, niedrigviskose Flüssigkeit
(5) für Dosenlacke; nicht extrahierbarer Weichmacher für Gummimischungen
(6) Schicht zwischen CsI (100 µm, kapillar)

(2) Metallgesellschaft AG, Frankfurt
(3) oligo(butadiene)
(4) colorless, low viscosity liquid
(5) can lacquer; nonextractable plasticizer for rubber blends
(6) film between CsI (100 µm, capillary)

1442 C_4H_6 *P* 2667

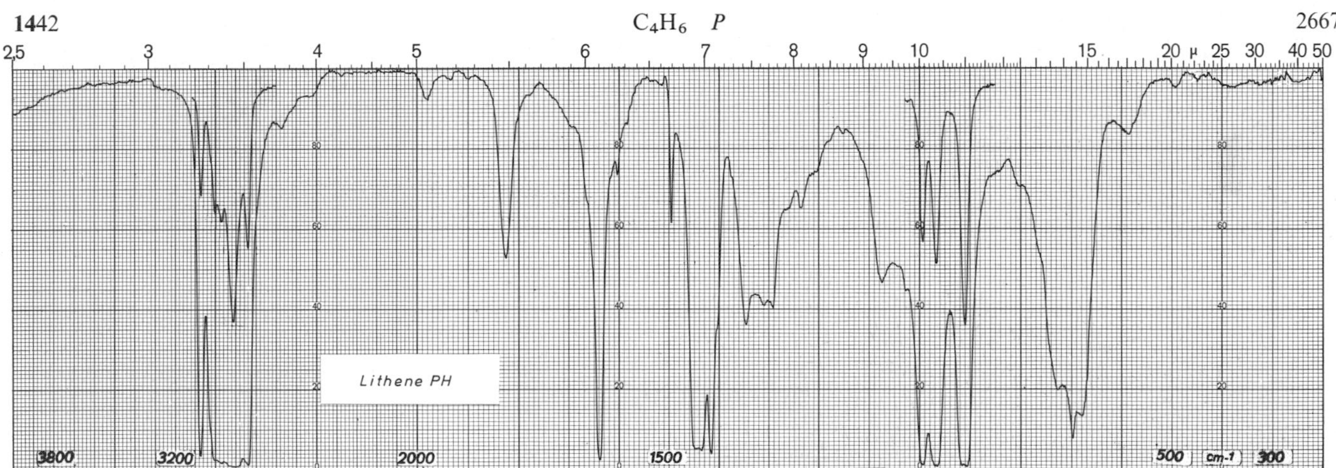

(1) **Lithene PH**
(3) Oligobutadien
(4) hellgelbe, viskose Flüssigkeit
(5) für die Herstellung von hydrophilen Bindemitteln für die Elektrotauchlackierung; für Firnisse und Lacke
(6) Schicht zwischen CsI (100 µm, kapillar)

(2) Metallgesellschaft AG, Frankfurt
(3) oligo(butadiene)
(4) pale yellow, viscous liquid
(5) for the manufacture of hydrophilic binders for electro dipcoatings; for lacquers and varnishes
(6) film between CsI (100 µm, capillary)

1442 C_4H_6 *P* 2668

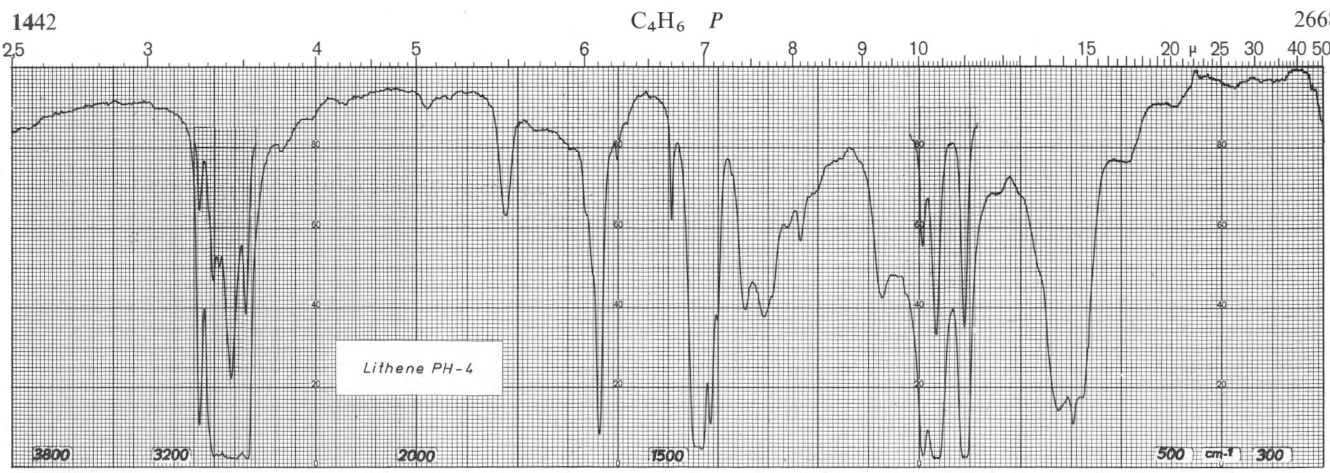

(1) **Lithene PH-4**
(3) Oligobutadien
(4) farblose, niedrigviskose Flüssigkeit
(5) nach Maleinisierung zur Herstellung von hydrophilen Bindemitteln für die Elektrotauchlackierung
(6) Schicht zwischen CsI (100 µm, kapillar)

(2) Metallgesellschaft AG, Frankfurt
(3) oligo(butadiene)
(4) colorless, low viscosity liquid
(5) after maleation for the manufacture of hydrophilic binders for electro dip-coatings
(6) film between CsI (100 µm, capillary)

1442 C_4H_6 *P* 2669

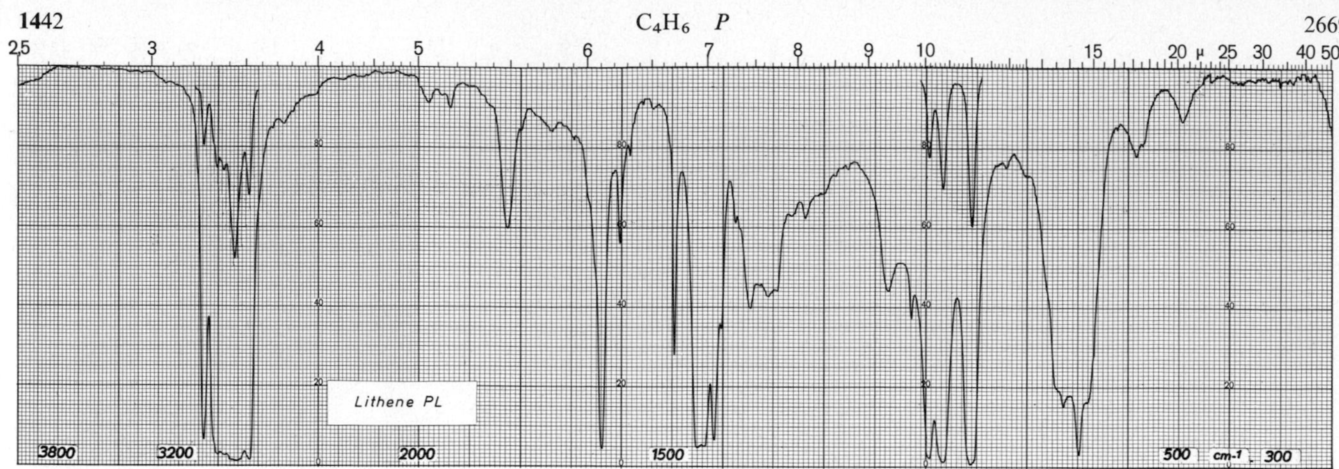

(1) **Lithene PL**
(3) Oligobutadien
(4) gelbe Flüssigkeit
(5) zur Herstellung hydrophiler Bindemittel für Elektrotauchlackierungen; für Firnisse und Lacke
(6) Schicht zwischen CsI (100 μm, kapillar)

(2) Metallgesellschaft AG, Frankfurt
(3) oligo(butadiene)
(4) yellow liquid
(5) for the manufacture of hydrophilic binders for electro dip-coatings; for varnishes and lacquers
(6) film between CsI (100 μm, capillary)

1442 C_4H_6 *P* 2670

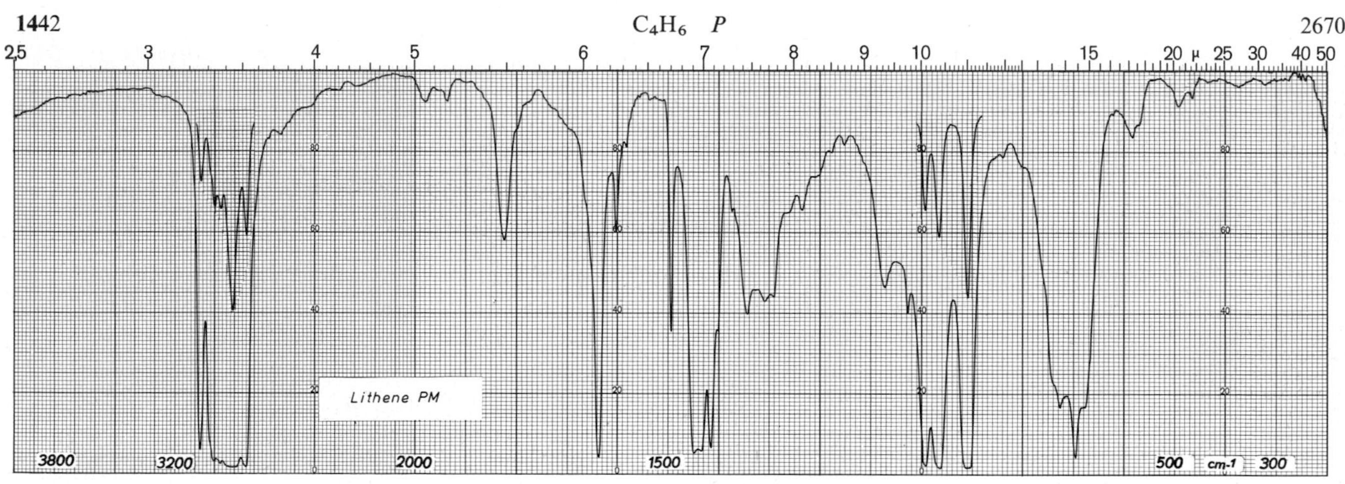

(1) **Lithene PM**
(3) Oligobutadien
(4) hellgelbe, niedrigviskose Flüssigkeit
(5) für die Herstellung von hydrophilen Bindemitteln für Elektrotauchlackierungen
(6) Schicht zwischen CsI (100 μm, kapillar)

(2) Metallgesellschaft AG, Frankfurt
(3) oligo(butadiene)
(4) pale yellow, low viscosity liquid
(5) for the manufacture of hydrophilic binders for electro dip-coatings
(6) film between CsI (100 μm, capillary)

1442 C_4H_6 *P* 2671

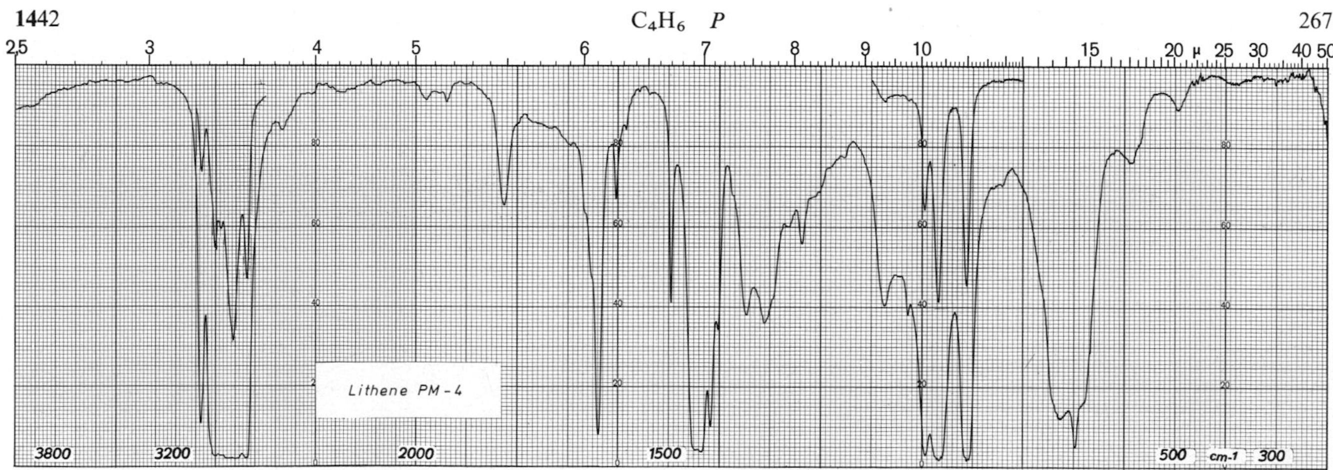

(1) **Lithene PM-4**
(3) Oligobutadien
(4) gelbe, niedrigviskose Flüssigkeit
(5) nach Maleinisierung für die Herstellung hydrophiler Bindemittel für die Elektrotauchlackierung
(6) Schicht zwischen CsI (100 μm, kapillar)

(2) Metallgesellschaft AG, Frankfurt
(3) oligo(butadiene)
(4) yellow, viscous liquid
(5) after maleation for the manufacture of hydrophilic binders for electro dip-coatings
(6) film between CsI (100 μm, capillary)

1442 $C_4H_6-C_4H_2O_3$ *P* 2672

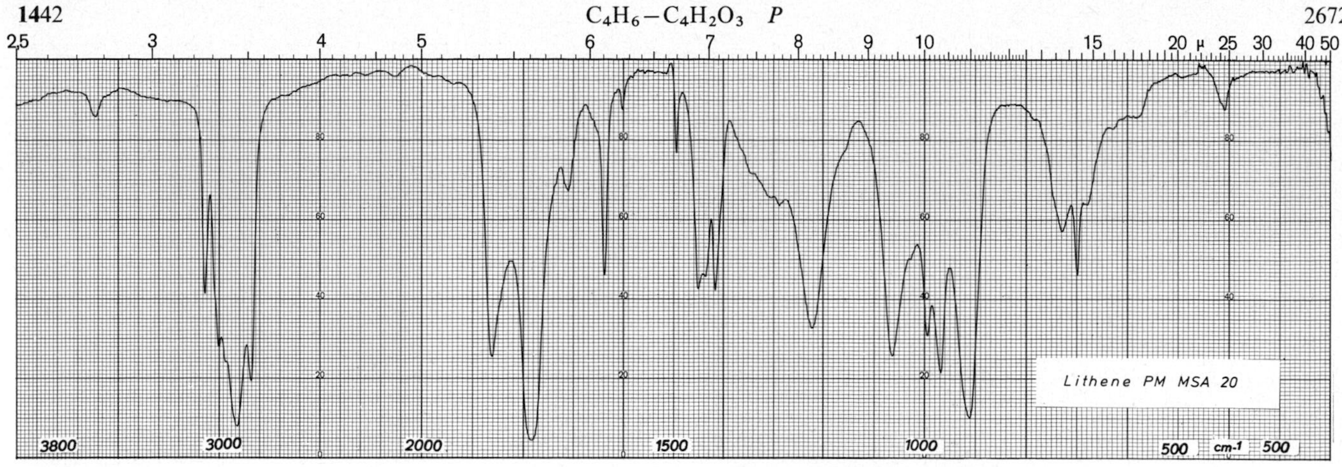

(1) **Lithene PM MSA 20**
(3) mit Maleinsäureanhydrid umgesetztes Oligobutadien
(4) hochviskose, gelbe Flüssigkeit
(5) Bindemittel für hydrophile Elektrotauchlackierungen
(6) Schicht zwischen CsI (25 μm)

(2) Metallgesellschaft AG, Frankfurt
(3) oligo(butadiene) reacted with maleic anhydride
(4) yellow, highly viscous liquid
(5) binder for hydrophilic electro dip-coatings
(6) film between CsI (25 μm)

1442 $C_4H_6-C_4H_2O_3$ *P* 2673

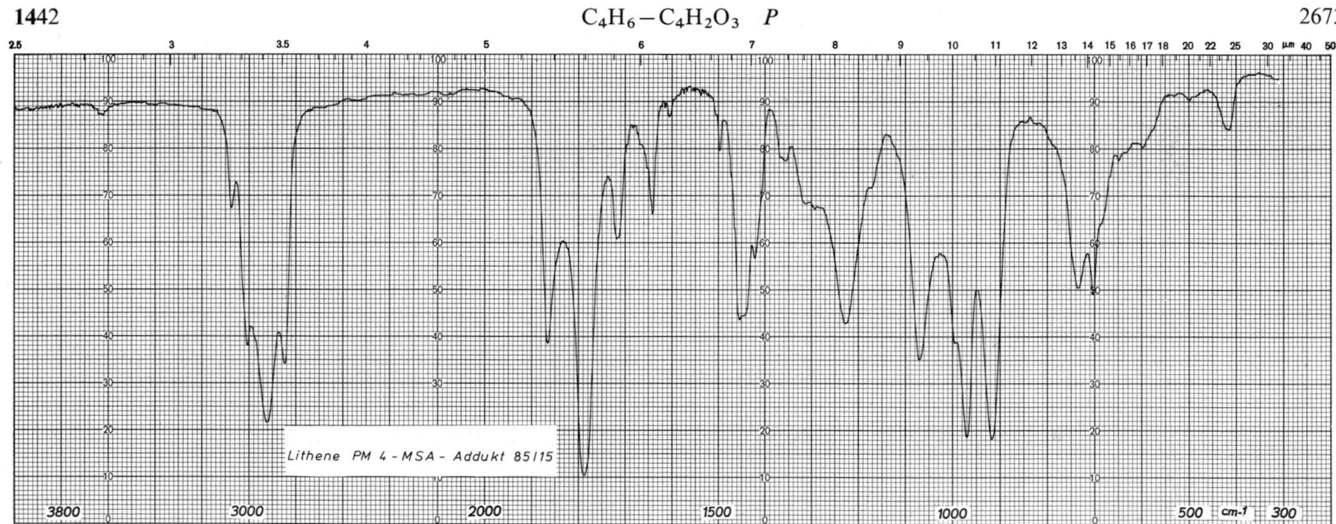

(1) **Lithene PM 4-MSA-Addukt 85/15**
(3) durch Anlagerung von Maleinsäureanhydrid an endständige Vinylgruppen oligomeren Butadiens gewonnenes Produkt
(4) gelbe, zähe Flüssigkeit
(5) Ausgangsprodukt für hydrophilisierte Lackharzsysteme
(6) Schicht zwischen CsI (25 μm)
(7) Formel idealisiert, das Produkt enthält vermutlich noch Vinylgruppen

(2) Metallgesellschaft AG, Frankfurt
(3) manufactured by the addition of maleic anhydride to the terminal vinyl groups of oligomeric butadiene
(4) yellow, viscous liquid
(5) starting material for hydrophilic coating resin systems
(6) film between CsI (25 μm)
(7) formula idealized, the product probably still contains vinyl groups

1442 2674

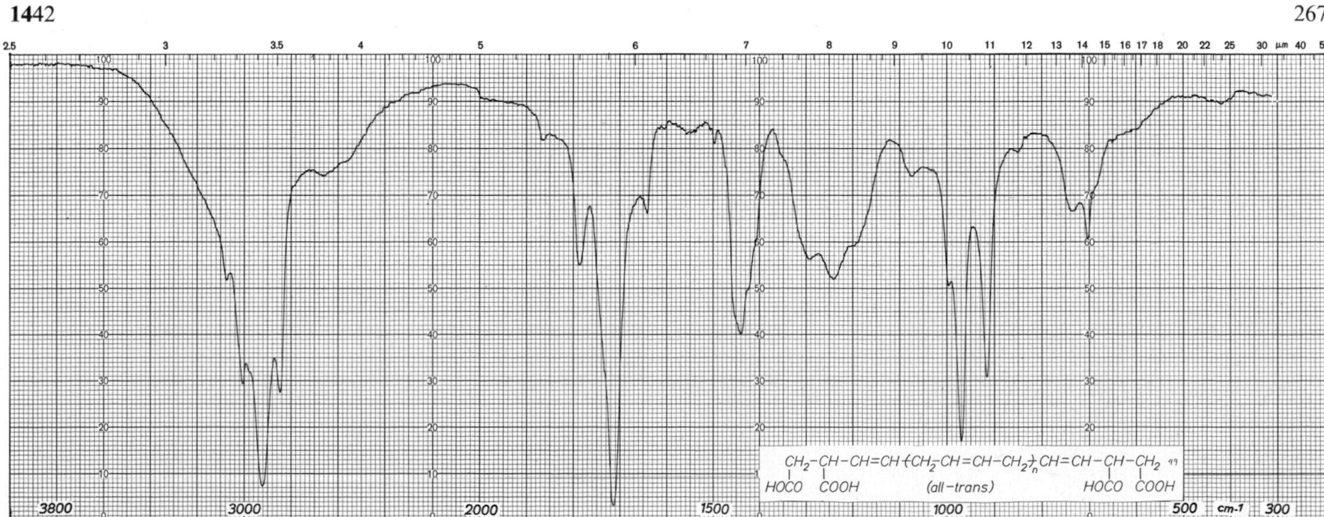

(1) **Lithene PM 4-Maleinsäureanhydrid-Addukt 85/15, hydrolysiert**
(2) Metallgesellschaft AG, Frankfurt
(3) durch Hydrolyse mit H_2O gewonnen, enthält noch Anhydridgruppen
(4) zähes, gelbes Harz
(5) für die Herstellung hydrophiler Bindemittel
(6) Schicht aus CLF auf CsI
(7) Formel idealisiert, das Produkt enthält vermutlich noch Vinylgruppen

(1) **Lithene PM 4-maleic anhydride adduct 85/15 hydrolyzed**
(3) obtained by hydrolysis with H_2O, still contains anhydride residues
(4) very viscous, yellow resin
(5) for the manufacture of hydrophilic binders
(6) film from CLF on CsI
(7) formula idealized, the product probably still contains vinyl groups

1442 | 2675

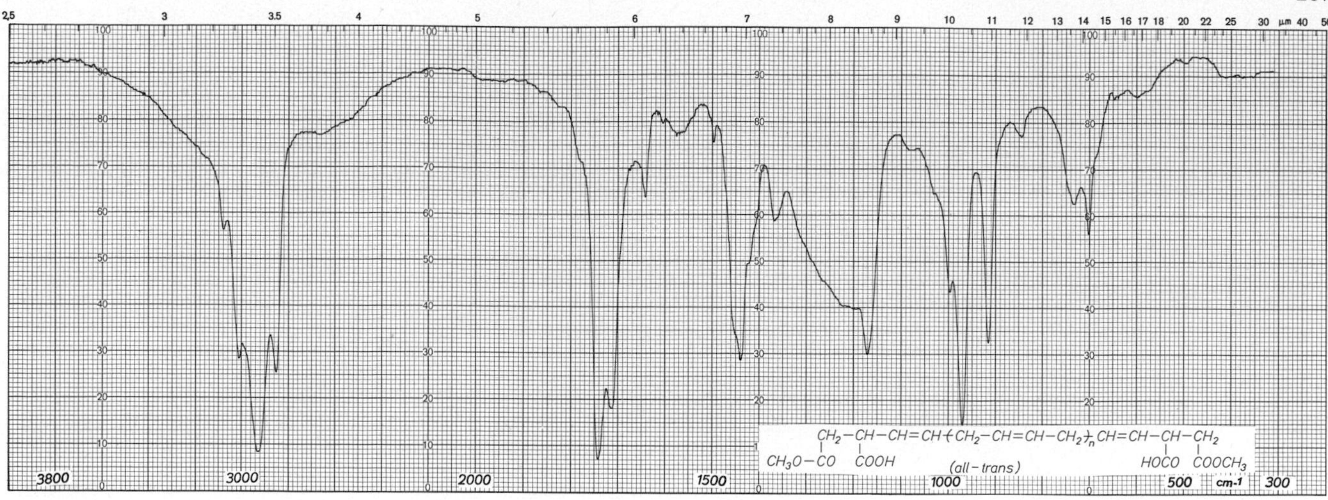

(1) **Lithene PM 4-Maleinsäureanhydrid-Addukt 85/15, mit Methanol zum Halbester umgesetzt**
(2) Metallgesellschaft AG, Frankfurt
(4) gelbes, dickviskoses Harz
(5) für die Herstellung hydrophiler Bindemittel
(6) Schicht zwischen CsI (25 μm)
(7) Formel ist idealisiert; das Produkt enthält vermutlich nicht umgesetzte Vinylgruppen

(1) **Lithene PM 4-maleic anhydride adduct, half esterified with methanol**
(4) highly viscous, yellow liquid
(5) for the manufacture of hydrophilic binders
(6) film between CsI (25 μm)
(7) formula idealized; the product probably still contains unreacted vinyl groups

1442 | 2676

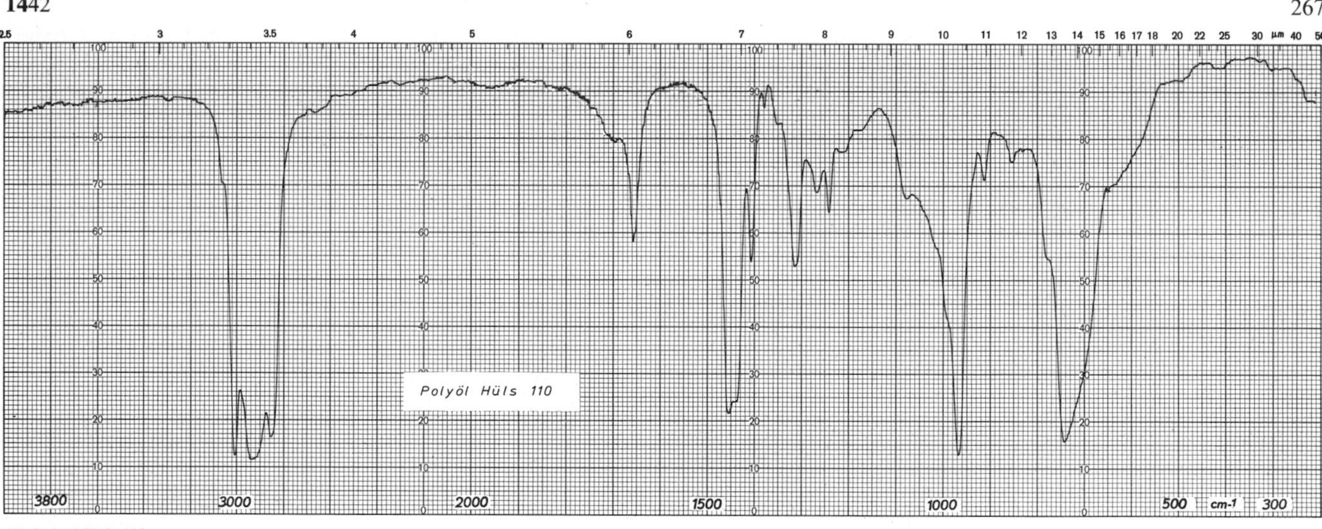

(1) **Polyöl Hüls 110**
(3) oligomeres Butadien mit überwiegend 1,4-Einheiten (cis und trans)
(4) farblose, etwas viskose Flüssigkeit
(5) Rohstoff für Lackharze
(6) Schicht zwischen CsI

(2) Chemische Werke Hüls AG, Marl
(3) oligo(butadiene) with mainly 1,4-units, (cis and trans)
(4) colorless, somewhat viscous liquid
(5) raw material for coating resins
(6) film between CsI

1442 | 2677

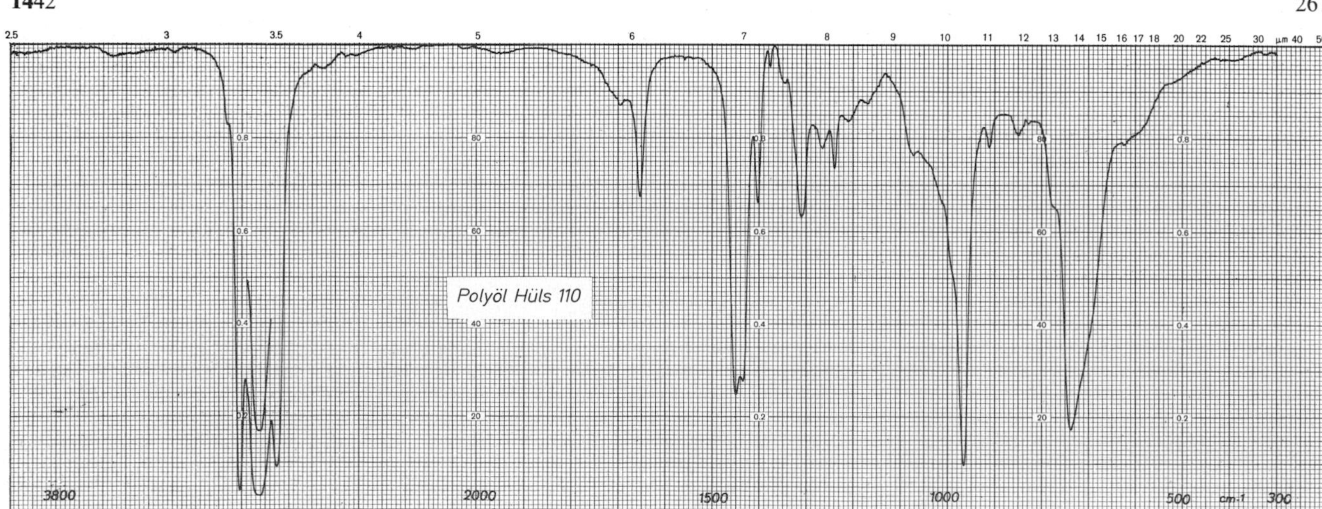

(1) **Polyöl Hüls 110**
(3) Oligobutadien (72% cis, 27% trans, 1% 1,2)
(4) transparentes, farbloses, mittelviskoses Öl
(5) als Komponente bei der Herstellung lufttrocknender Alkyde, nach Umsatz mit MSA für wasserlösliche Bindemittel
(6) kapillare Schicht zwischen CsI
(7) PE 580 B, ABEX 1.96

(2) Chemische Werke Hüls AG, Marl
(3) oligo(butadiene) (72% cis, 27% trans, 1% 1,2)
(4) colorless, transparent, medium viscous oil
(5) as a component in the manufacture of air-drying alkyds, for water-soluble binders after reaction with maleic anhydride
(6) capillary film between CsI
(7) PE 580 B, ABEX 1.96

1442 2678

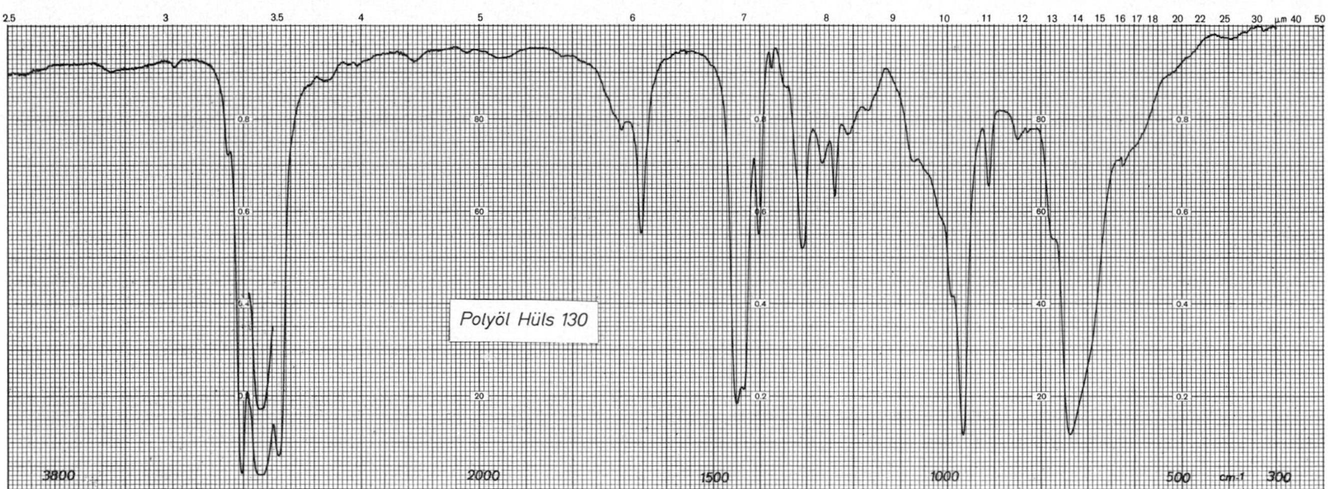

(1) **Polyöl Hüls 130**
(3) Oligobutadien
(4) bräunliches, transparentes, dickflüssiges Öl
(5) als Komponente bei der Herstellung lufttrocknender Alkyde nach Umsatz mit MSA für wasserlösliche Bindemittel
(6) kapillare Schicht zwischen CsI
(7) PE 580 B, ABEX 1.98

(2) Chemische Werke Hüls AG, Marl
(3) oligo(butadiene)
(4) brownish, transparent, viscous oil
(5) as a component in the manufacture of air-drying alkyds, for water-soluble binders after reaction with maleic anhydride
(6) capillary film between CsI
(7) PE 580 B, ABEX 1.98

1442/**1321**122 2679

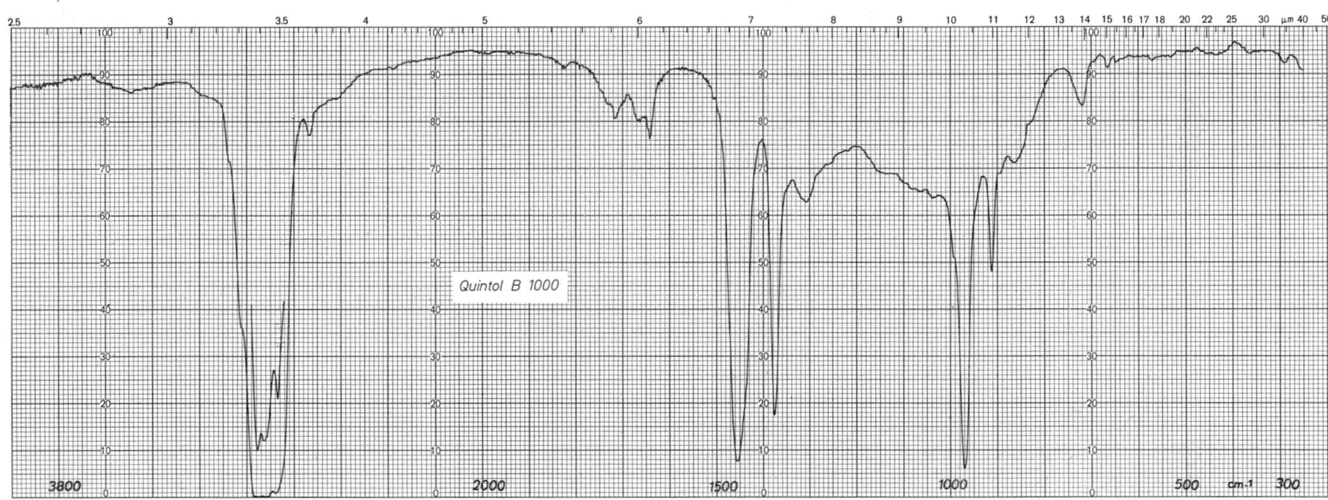

(1) **Quintol B 1000**
(3) Poly(1-methyl-2-cis-butenylen)
(4) gelbe, sehr zähe Substanz
(5) in Öllacken als teilweiser Ersatz der trocknenden Öle; nach Umsetzung mit Maleinsäureanhydrid zur Herstellung von Alkydharzen oder ET-Lacken
(6) Schicht zwischen CsI

(2) Nippon Zeon Co., Tokyo
(3) poly(1-methyl-2-cis-butenylene)
(4) extremely viscous, yellow substance
(5) in oil finishes as partial substitute for the drying oil; after reaction with maleic anhydride for the manufacture of alkyd resins or electro dip-coatings
(6) film between CsI

144(2 – 3) – **17**111 2680

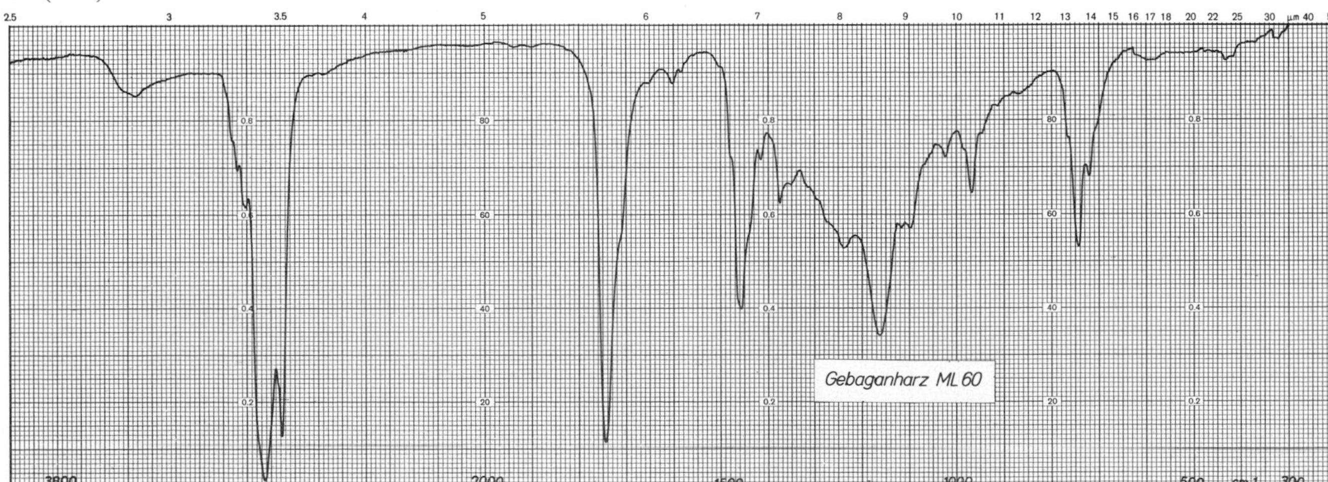

(1) **Gebaganharz ML 60**
(3) Poly(cyclopentadien-co-inden-co-leinöl)
(4) braune, zähschmierige Substanz
(5) Lackharz
(6) Schicht zwischen CsI
(7) PE 580 B, ABEX 1.14

(2) Verkaufsvereinigung für Teererzeugnisse, Essen
(3) poly(cyclopentadiene-co-indene-co-linseed oil)
(4) sticky, viscous, brown substance
(5) resin for finishes
(6) film between CsI
(7) PE 580 B, ABEX 1.14

1443 2681

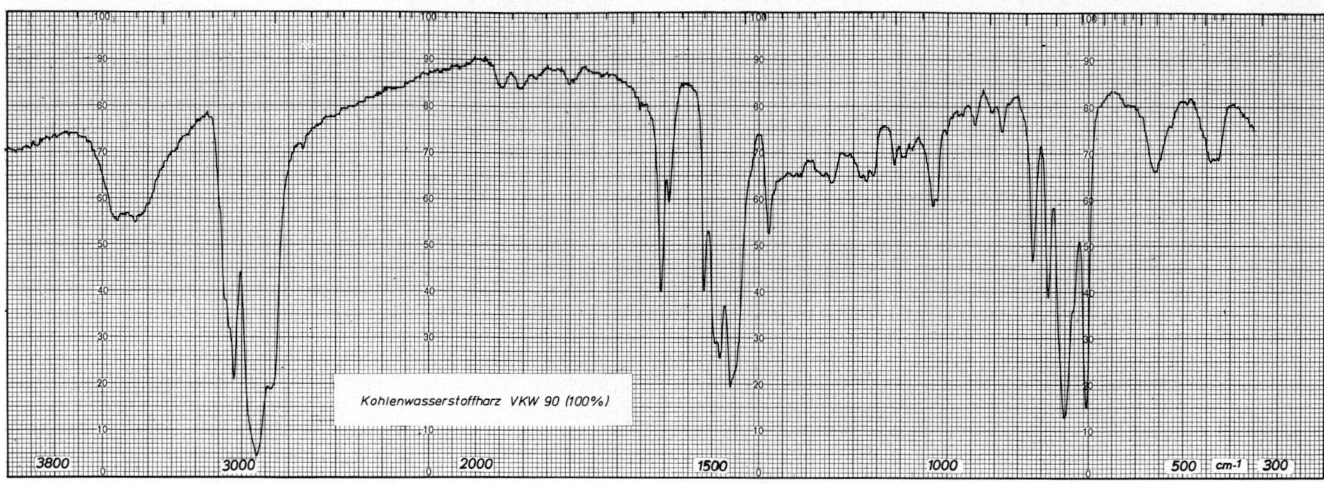

(1) **Kohlenwasserstoffharz VKW 90** (100%)
(3) aliphatisch-aromatisches Kohlenwasserstoffharz
(4) gelbes, transparentes, sprödes Harz
(5) Lackharz
(6) KBr (4.4/300)

(2) Hoechst AG, Werk Wiesbaden (Reichhold-Albert)
(3) aliphatic-aromatic hydrocarbon resin
(4) brittle, transparent, yellow resin
(5) lacquer resin
(6) KBr (4.4/300)

1443 2682

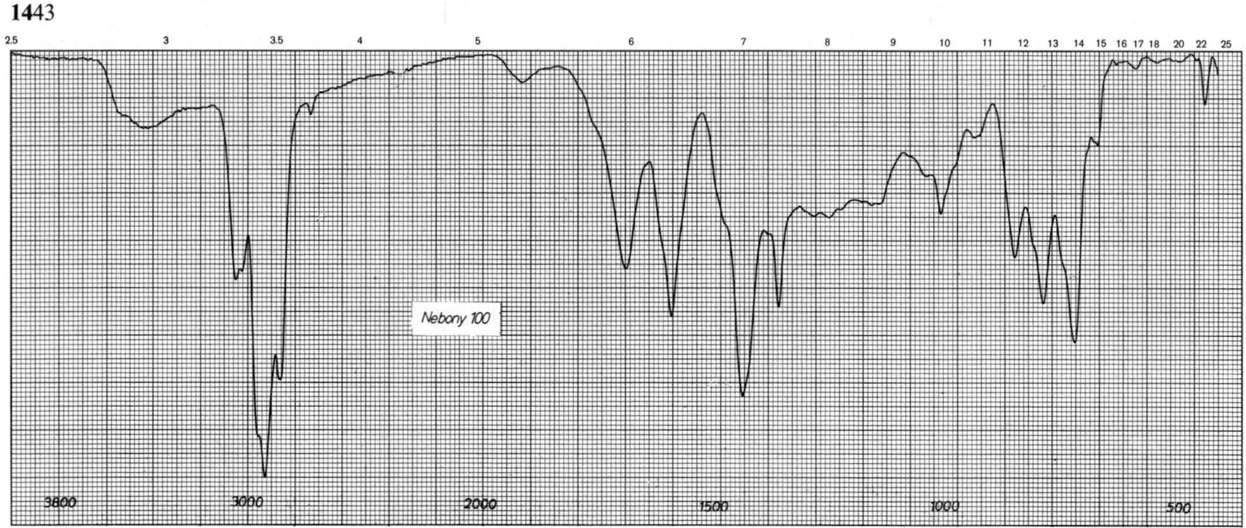

(1) **Nebony 100**
(3) Petroleumkohlenwasserstoff-Harz, aromatisch-aliphatisch
(4) dunkelbraune Harzstücke
(5) Lackharz
(6) Schmelzfilm
(7) Nicolet FTIR 7199

(2) Neville Chem. Co., Neville Island, Pittsburgh, Pa.
(3) petroleum hydrocarbon resin, aromatic-aliphatic
(4) dark-brown resin
(5) lacquer resin
(6) film from the melt
(7) Nicolet FTIR 7199

1443/**152**12 2683

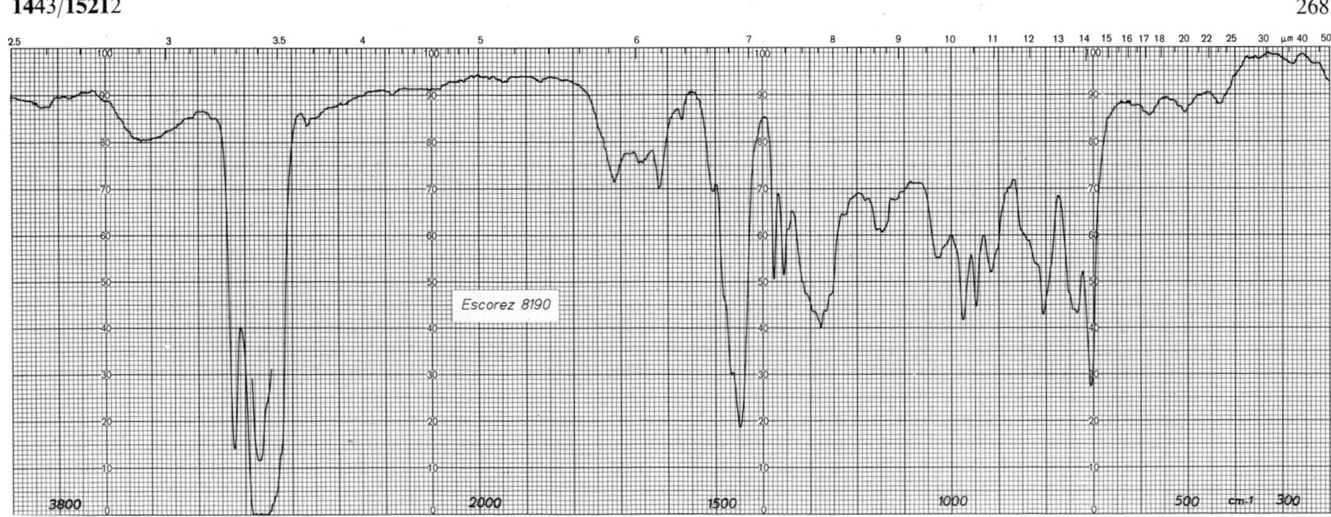

(1) **Escorez 8190**
(3) cycloaliphatisch-aromatisches Kohlenwasserstoffharz, reaktionsfähig
(4) bernsteinfarbene, transparente Brocken
(5) nach Umsetzung mit Maleinsäureanhydrid, trocknenden Ölen oder ungesättigten Fettsäuren zur Herstellung von Bindemitteln für die Druckfarben- und Lackindustrie
(6) aufgeschmolzene Schicht auf CsI

(2) Esso Chemie, Köln
(3) alicyclic-aromatic hydrocarbon resin, reactive
(4) amber-colored, transparent pieces
(5) for the manufacture of binders for the priting ink and paint industries after it has been reacted with maleic anhydride, drying oils or unsaturated fatty acids
(6) fused film on CsI

1443/15212 2684

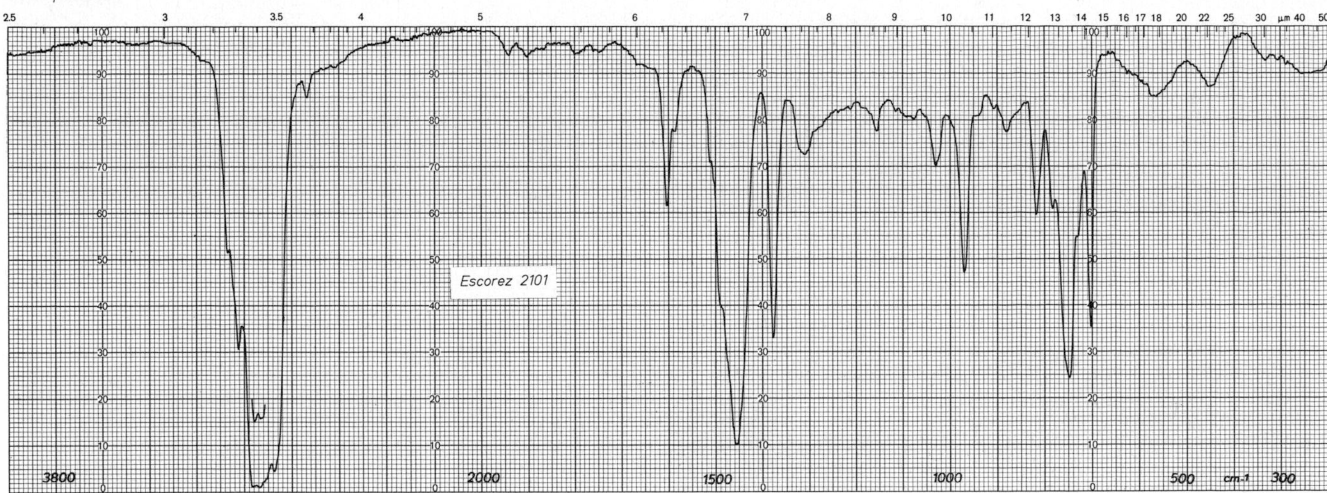

(1) **Escorez 2101**
(3) aromatisch-aliphatisches Kohlenwasserstoffharz
(4) bernsteinfarbene, transparente Plättchen (Erweichungspunkt 150°C)
(5) zur Erhöhung der Klebrigkeit von Kautschukmischungen, Modifizierung von Klebern, Dichtungsmassen und Kitten, Beschichtung von Papier und Pappe
(6) enthält vermutlich olefinische Strukturen

(2) Esso Chemie, Köln
(3) aliphatic-aromatic hydrocarbon resin
(4) amber-colored, transparent platelets (softening temperature 150°C)
(5) for increasing the tackiness of rubber compositions, for modifying adhesives, sealing compounds and putties, for coating paper and board
(6) probably contains olefinic structures

1443/15212 2685

Escorez 3102

(1) **Escorez 3102**
(3) überwiegend aromatisches Kohlenwasserstoffharz
(4) kaffeebraune Plättchen
(5) zur Erhöhung der Klebrigkeit von Kautschukmischungen, Modifizierung von Klebern, Dichtungsmassen und Kitten, Beschichtung von Papier und Pappe
(6) aufgeschmolzene Schicht auf CsI

(2) Esso Chemie, Köln
(3) mainly aromatic hydrocarbon resin
(4) coffee-brown platelets
(5) for increasing the tackiness of rubber compositions, for modifying adhesives, sealing compounds and putties, for coating paper and board
(6) film fused on CsI

1443 2686

Mowilith DM 680

(1) **Mowilith DM 680**
(3) weichmacherfreie Polystyroldispersion (50%)
(4) weiße Dispersion
(5) für Schuhkappenversteifung, technische Filzausrüstung und tiefziehfähige Folienbeflockung
(6) getrocknete Dispersion in CLF gelöst, Schicht auf CsI

(2) Hoechst AG, Frankfurt/M.-Höchst
(3) plasticizer-free polystyrene dispersion (50%)
(4) white dispersion
(5) for stiffening shoe toe caps, technical felt finishes and deep drawable flock coatings for films
(6) dried dispersion dissolved in CLF, film on CsI

1443 2687

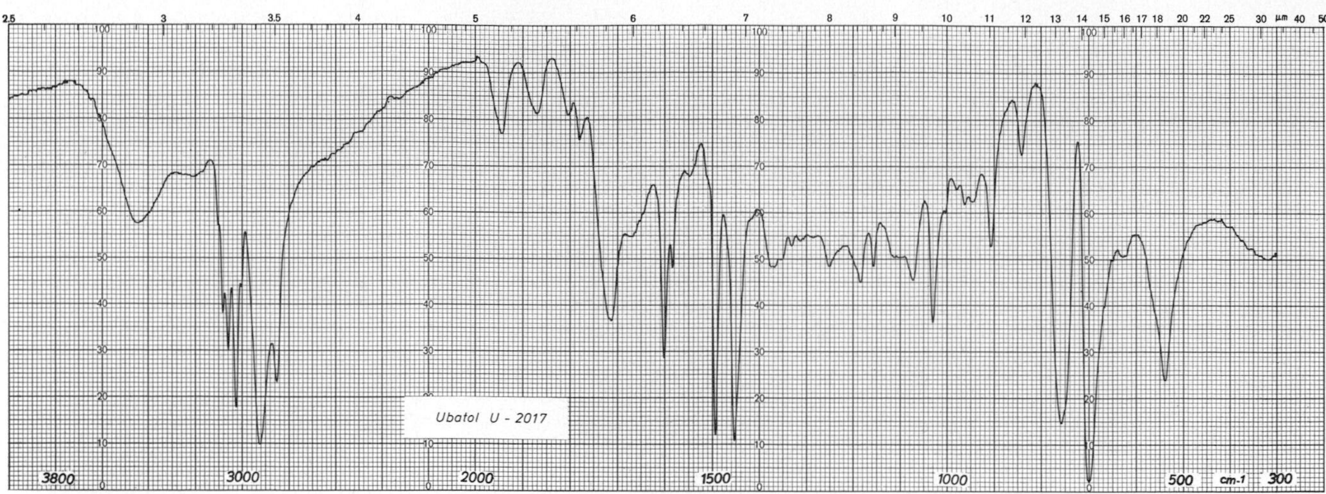

(1) **Ubatol U-2017**
(3) feindisperse, wäßrige Kunststoffdispersion auf Basis von Styrol
(4) schwachgelbliche Dispersion
(5) für Pflegemittel
(6) getrockneter Rückstand in KBr

(2) Hendricks & Sommer, Tönisvorst
(3) finely dispersed, aqueous, styrene-based, resin dispersion
(4) pale yellowish dispersion
(5) for cleansers
(6) dried residue in KBr

1443 2688

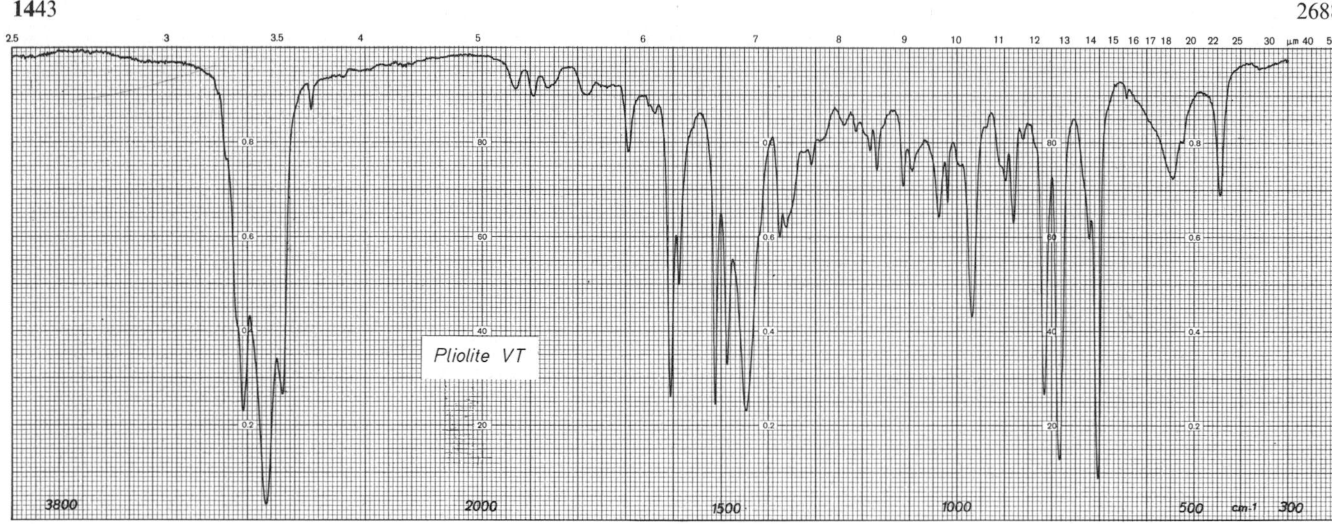

(1) **Pliolite VT**
(3) Poly(vinyltoluol-co-butadien)
(4) elfenbeinfarbenes Harz
(5) Lackharz
(6) Schicht aus MTC auf CsI
(7) PE 580 B, ABEX 1.75

(2) Goodyear Tire & Rubber Co., Akron, Ohio
(3) poly(vinyltoluene-co-butadiene)
(4) ivory-colored resin
(5) coating resin
(6) film from MTC on CsI
(7) PE 580 B, ABEX 1.75

14(43 – 783) 2689

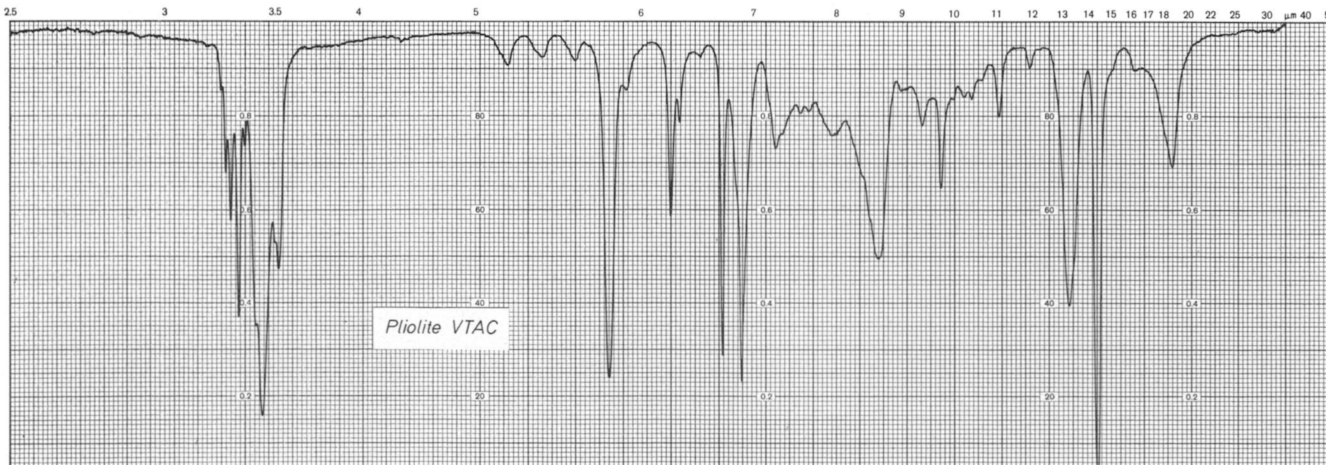

(1) **Pliolite VTAC**
(3) Poly(styrol-co-vinyltoluol-co-butylacrylat)
(4) weiße, bröcklige Substanz
(5) Lackharz
(6) Schicht aus MTC auf CsI
(7) PE 580 B, ABEX 1.37

(2) Goodyear Tire & Rubber Co., Akron, Ohio
(3) poly(styrene-co-vinyltoluene-co-butyl acrylate)
(4) white, crumbly substance
(5) coating resin
(6) film from MTC on CsI
(7) PE 580 B, ABEX 1.37

14(43 – 794) 2690

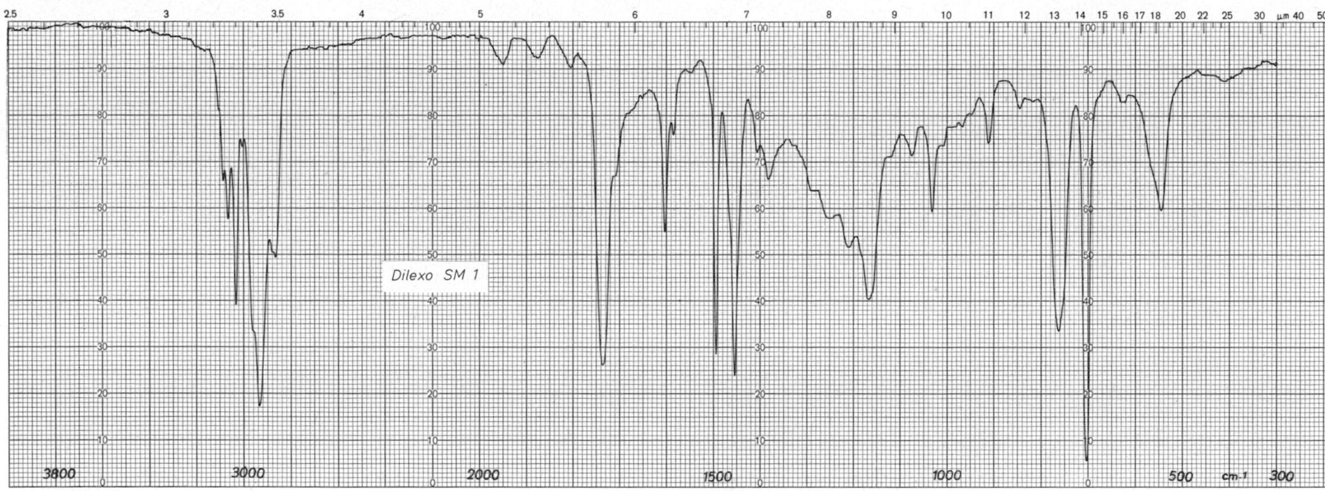

(1) **Dilexo SM 1**
(3) Poly(styrol-co-maleinsäureester)
(4) weiße Dispersion (50%)
(5) für Innenanstriche mit hohem Pigmentgehalt
(6) Schicht auf KRS-5

(2) Texaco Chemie, Homberg/Ndrh.
(3) poly(styrene-co-maleic ester)
(4) white dispersion (50%)
(5) for internal paints with a high pigment content
(6) film on CsI

14(43 – 794) 2691

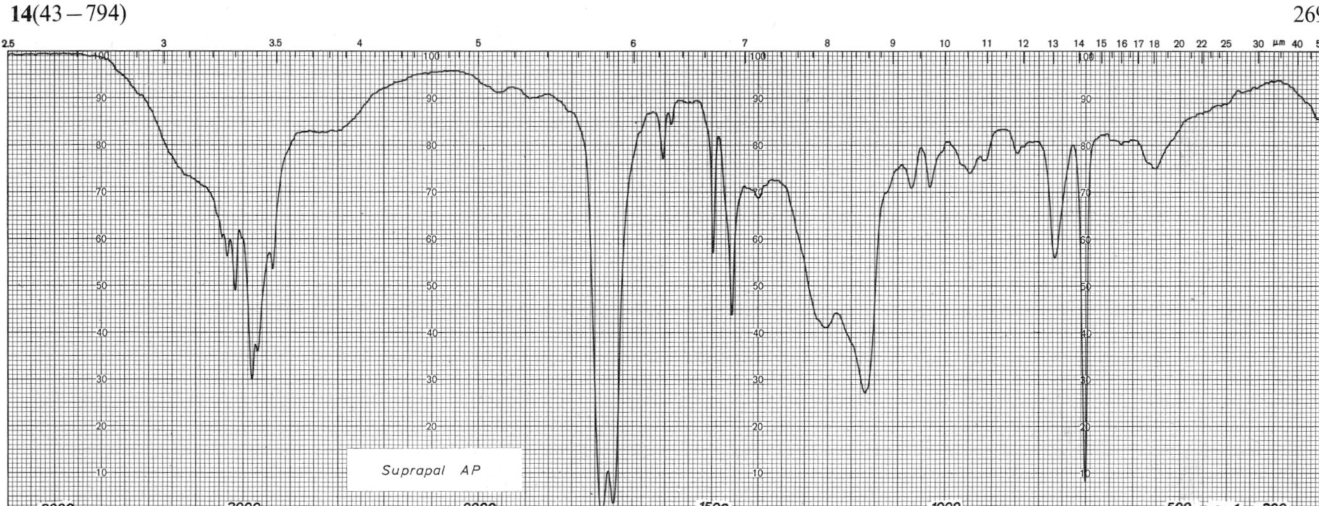

(1) **Suprapal AP**
(3) synthetisches Harz aus Styrol und Maleinsäureester, frei von Phenolgruppen und Kolophonium
(4) weißes, körniges Pulver
(5) in Kombination mit Cellulosenitrat oder Ethylcellulose für Papier- und Folienlacke; als Alleinbindemittel oder in Kombination mit Cellulosenitrat und Polyamidharzen für Flexo- und Tiefdruckfarben
(6) klarer Film aus ACT auf CsI

(2) BASF AG, Ludwigshafen
(3) synthetic resin from poly(styrene-co-maleic ester), free from phenol groups and from colophony
(4) white, grainy powder
(5) combined with cellulose nitrate or ethyl cellulose for paper and film lacquers; as sole binder or in combination with cellulose nitrate and polyamide resin for flexographic and intaglio printing inks
(6) film from ACT on CsI

14441 2692

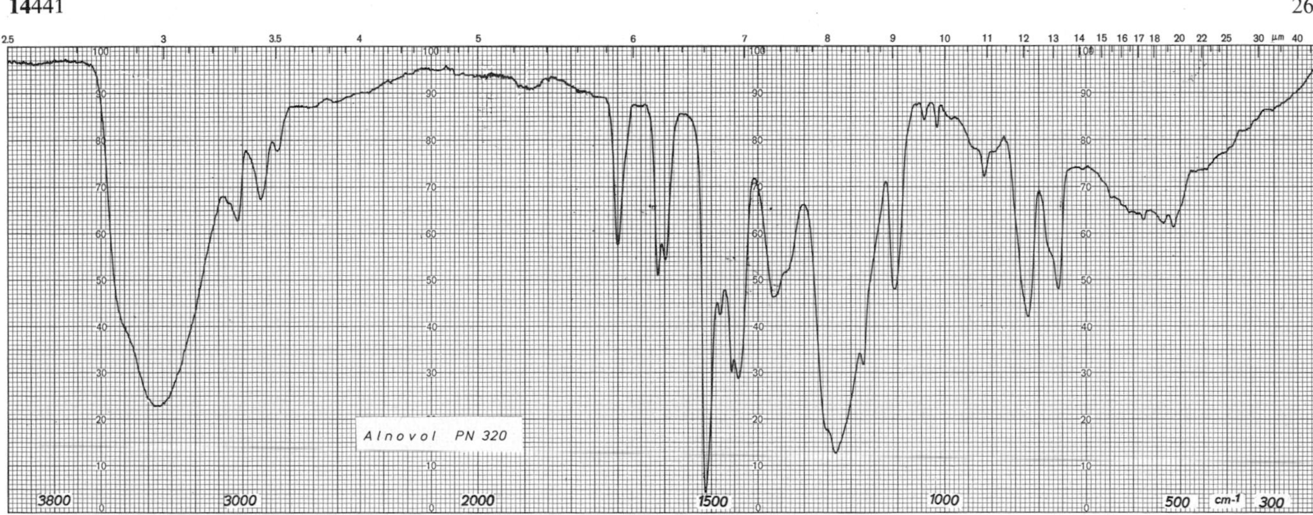

(1) **Alnovol PN 320**
(3) Phenolnovolak
(4) orangebraunes Harz
(5) für schnelltrocknende Spritzlacke, benzin- und mineralölfeste Lackierungen, für Anilin-Gummidruckfarben und Kugelschreiberpasten
(6) Schicht aus ATC auf CsI

(2) Hoechst AG, Frankfurt/M.-Höchst
(3) phenol novolac
(4) orange-brown resin
(5) for quick-drying spray lacquers, for gasoline and oil-proof finishes, for aniline offset printing inks
(6) film from ACT on CsI

14441 2693

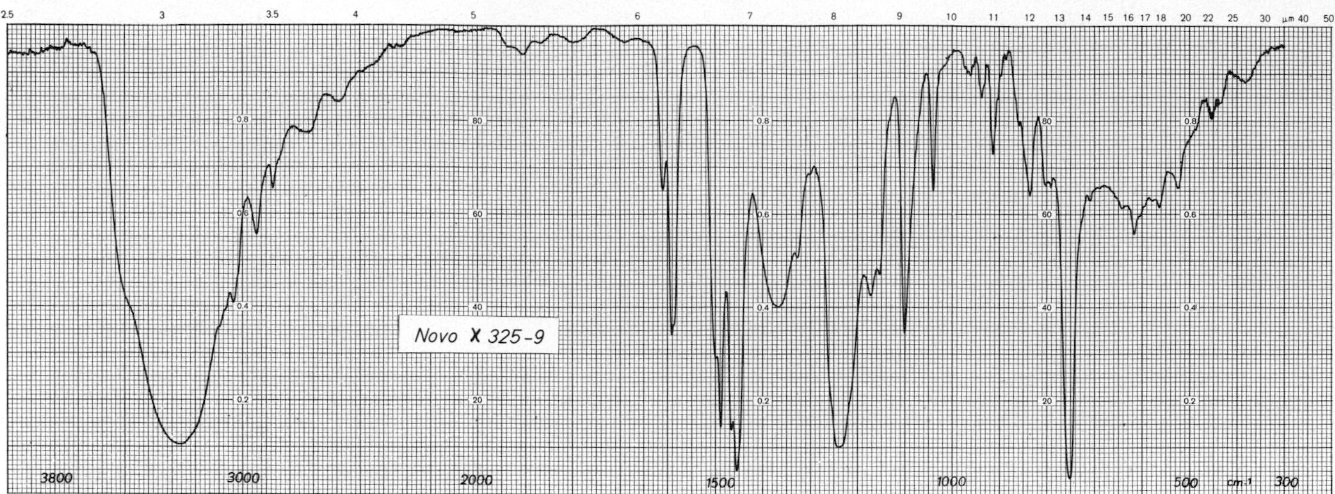

(1) **Novo X 325-9, Phenolnovolak mit ausschließlich o-Verknüpfungen**
(2) G. Casiraghi, Istituto di Chimica Organica dell'Università, Parma
(3) Kondensationsprodukt aus Phenol und Paraformaldehyd; $M = 294 \text{ g mol}^{-1}$
(4) transparentes, gelbliches Harz
(6) Schmelzfilm auf CsI
(7) PE 580 B, ABEX 2.20
(8) G. Casiraghi, G. Casnati, Mara Cornia, G. Satori, Franca Bigi, Makromol. Chem. **182** (1981) 2973...9

(1) **Novo X 325-9, phenol novolac, solely o-linked**
(3) condensation product between phenol and paraformaldehyde; $M = 294 \text{ g mol}^{-1}$
(4) yellowish, transparent resin
(6) film from the melt on CsI
(7) PE 580 B, ABEX 2.20
(8) G. Casiraghi, G. Casnati, Mara Cornia, G. Satori, Franca Bigi, Makromol. Chem. **182** (1981) 2973...9

14441 2694

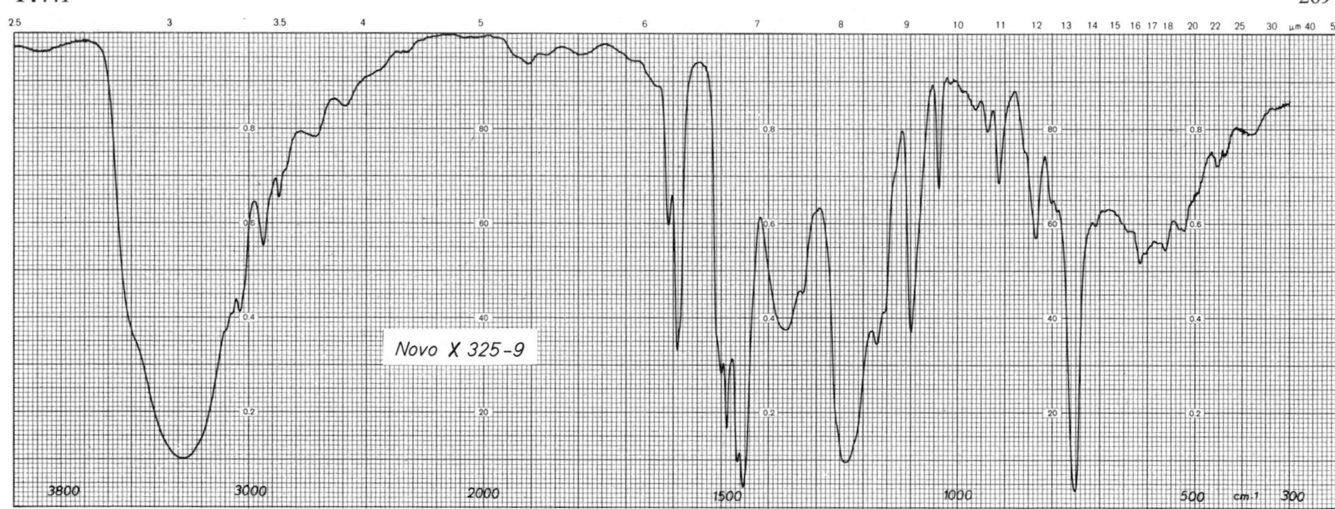

(1) **Novo X 325-9, Phenolnovolak mit ausschließlich o-Verknüpfungen**
(2) G. Casiraghi, Istituto di Chimica Organica dell'Università, Parma
(3) Kondensationsprodukt aus Phenol und Paraformaldehyd: $M = 400 \text{ g mol}^{-1}$
(4) transparentes, gelbes, sprödes Harz
(6) Schmelzfilm auf CsI
(7) PE 580 B, ABEX 2.20
(8) G. Casiraghi, G. Casnati, Mara Cornia, G. Satori, Franca Bigi, Makromol. Chem. **182** (1981) 2973...9

(1) **Novo X 325-9, phenol novolac, solely o-linked**
(3) condensation product between phenol and paraformaldehyde; $M = 400 \text{ g mol}^{-1}$
(4) brittle, transparent, yellow resin
(6) film from the melt on CsI
(7) PE 580 B, ABEX 2.20
(8) G. Casiraghi, G. Casnati, Mara Cornia, G. Satori, Franca Bigi, Makromol. Chem. **182** (1981) 2973...9

14441 2695

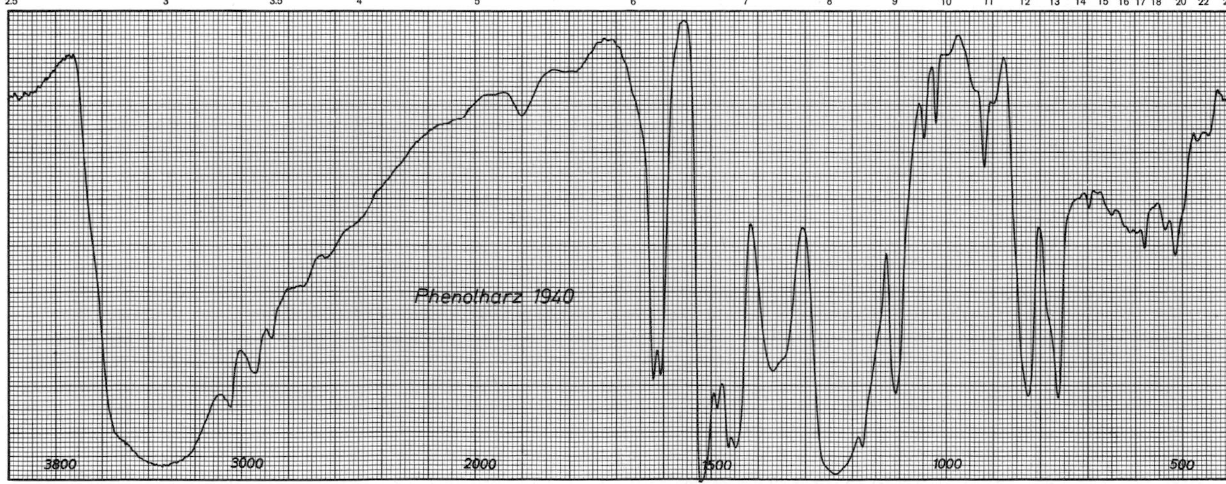

(1) **Phenolharz 1940**
(3) Phenolnovolak
(4) braungelbes Harz
(5) mit Hexamethylentetramin härtbares Bindemittel für Preßwerkstoffe
(6) KBr (3.8/350)
(7) Nicolet FTIR 7199

(2) Bakelite GmbH, Letmathe/Iserlohn
(3) phenol novolac
(4) brown-yellow resin
(5) curable with hexamethylenetetramine binding agent for moulding compounds
(6) KBr (3.8/350)
(7) Nicolet FTIR 7199

14441 2696

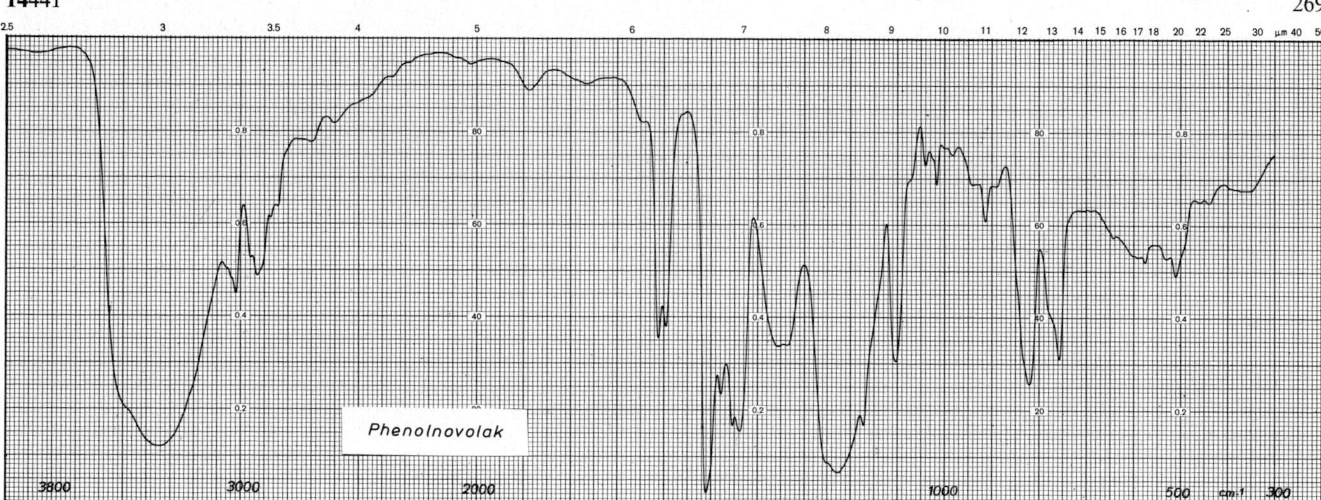

(1) **Supraplast-Harz 122**
(3) Phenol-Formaldehyd-Harz, sauer kondensiert (Phenolnovolak)
(4) blasige, gelbglänzende Harzstücke
(5) mit Hexamethylentetramin thermisch härtbare Preßmassen
(6) Film aus BTL auf CsI
(7) PE 580 B

(2) Südwest-Chemie, Neu-Ulm
(3) phenol-formaldehyde resin, acid condensed (phenol novolac)
(4) blistered, glistening, yellow resin
(5) moulding compound thermally curable with hexamethylenetetramine
(6) film from BTL on CsI
(7) PE 580 B

14441 2697

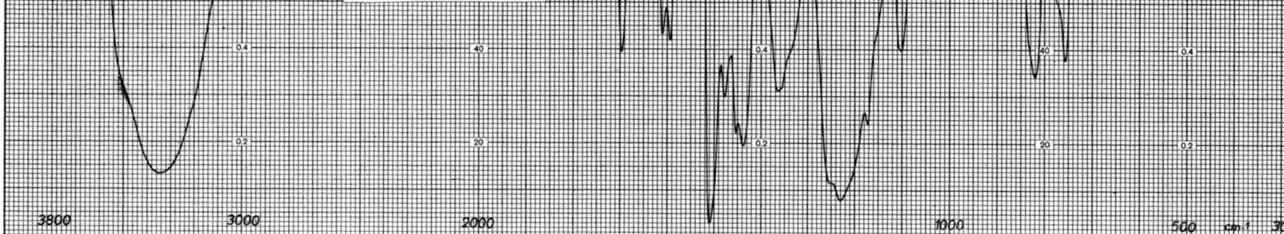

(1) **Technisches Harz T4 SS X**
(3) Phenolnovolak (95...97% Festharz)
(4) orangebraunes Harz
(5) für die Herstellung von Preßmassen
(6) Schicht aus ACT auf CsI
(7) PE 580 B, ABEX 1.46

(2) Dynamit Nobel AG, Troisdorf
(3) phenol novolac (95...97% solid resin)
(4) orange-brown resin
(5) for the manufacture of moulding compounds
(6) film from ACT on CsI
(7) PE 580 B, ABEX 1.46

14441 + **13**(**21**12 − **32**215) 2698

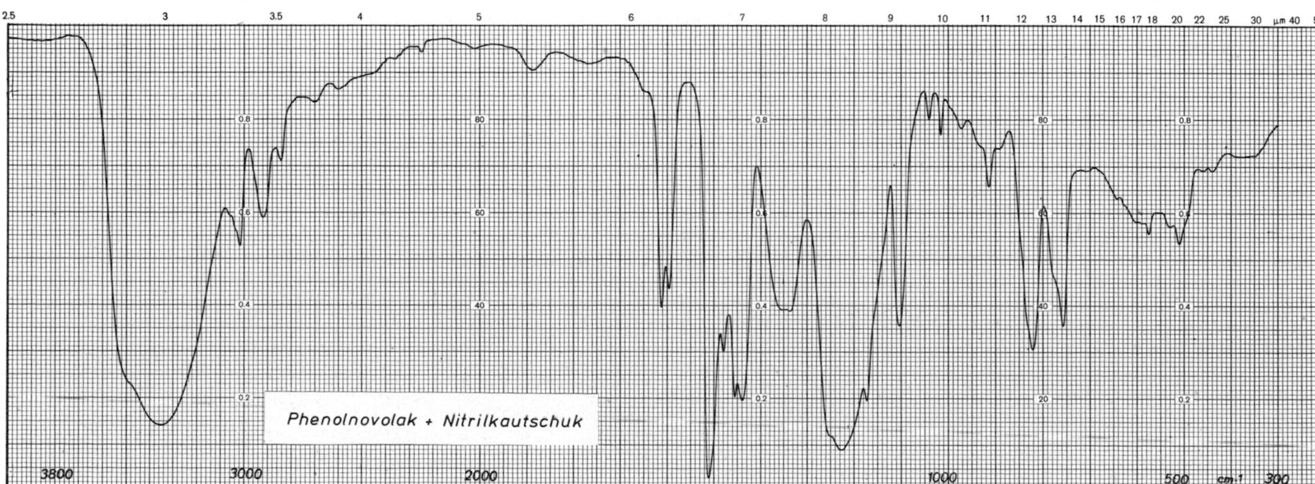

(1) **Supraplast-Harz 108**
(3) Phenolnovolak mit wenig beigemischtem Nitrilkautschuk
(4) trübgelbe Harzstücke
(6) Film aus BTL + BZN auf CsI
(7) PE 580 B, ABEX

(2) Südwest-Chemie, Neu-Ulm
(3) phenol novolac with a little admixed nitrile rubber
(4) cloudy yellow resin
(6) film from BTL + BZN on CsI
(7) PE 580 B, ABEX

14441 + 1832113 2699

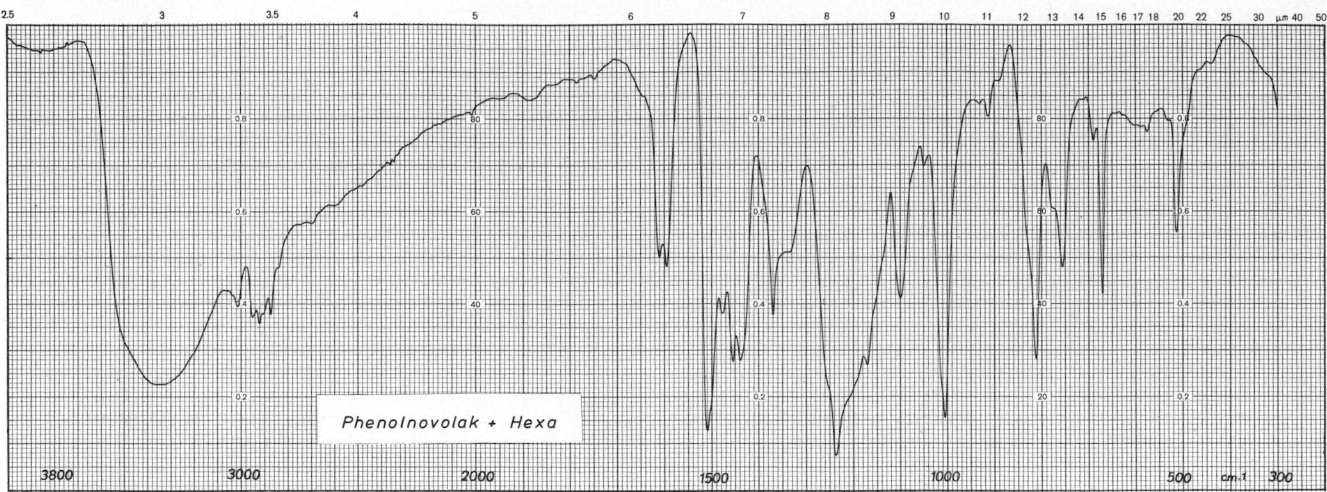

(1) **Supraplast-Harz 101**
(3) Phenolnovolak + Hexamethylentetramin
(4) schwach gelbliches Pulver
(5) thermisch härtendes Harz für Preßmassen
(6) KBr (2/400)
(7) PE 580 B, FLAT

(2) Südwest-Chemie, Neu-Ulm
(3) phenol novolac + hexamethylenetetramine
(4) pale yellowish powder
(5) thermally curable resin for moulding compounds
(6) KBr (2/400)
(7) PE 580 B, FLAT

14441 + 1832113 2700

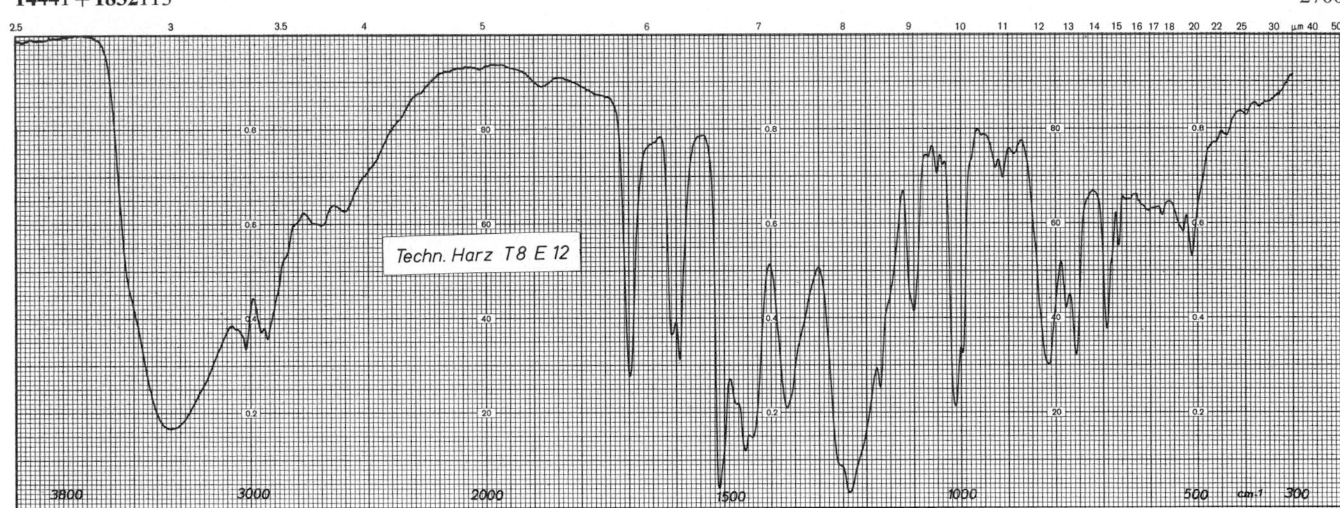

(1) **Technisches Harz T8 E12**
(3) Phenolnovolak + Hexamethylentetramin, fein gemahlen
(4) ockerfarbenes Pulver
(5) Bindemittel für Reibbeläge, zur Kombination mit natürlichen und synthetischen Elastomeren
(6) Schicht aus ACT auf CsI
(7) PE 580 B, ABEX 1.41

(2) Dynamit Nobel AG, Troisdorf
(3) phenol novolac + hexamethylenetetramine, finely ground
(4) ochre-colored powder
(5) binder for friction linings, for combination with natural and synthetic elastomers
(6) film from ACT on CsI
(7) PE 580 B, ABEX 1.41

14441 + 1832113 2701

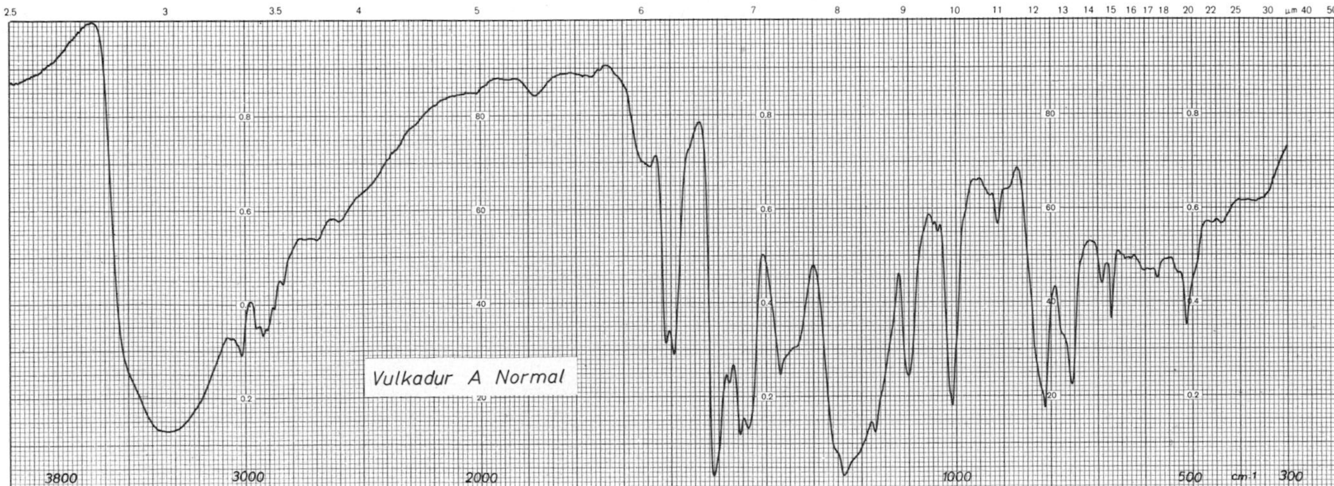

(1) **Vulkadur A Normal**
(3) Phenolnovolak + Hexamethylentetramin
(4) orangefarbenes Pulver
(5) Füllstoffverstärker bei der Perbunanherstellung
(6) KBr (2/350)
(7) PE 580 B, ABEX 1.19

(2) Bayer AG, Leverkusen
(3) phenol novolac + hexamethylenetetramine
(4) orange-colored powder
(5) filler reinforcement in Perbunan manufacture
(6) KBr (2/350)
(7) PE 580 B, ABEX 1.19

14(441 + 31) + **1832**113 2702

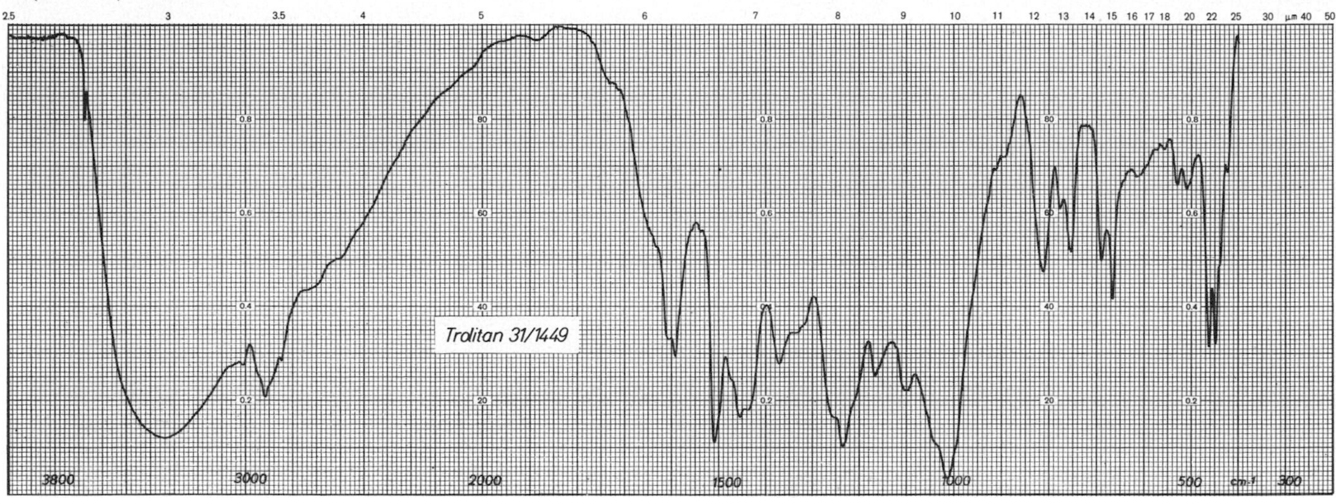

(1) **Trolitan 31/1449**
(3) Phenolharzformmasse mit Holzmehl, enthält Hexamethylentetramin
(4) dunkelgraues Granulat
(5) für Klein- und Großteile (Schraubverschlüsse, Drehknöpfe, Schalter, Sockel usw.)
(6) KBr (2.5/300)
(7) PE 580 B, FLAT, ABEX 1.43

(2) Dynamit Nobel AG, Troisdorf
(3) phenolic resin moulding compound with wood flour, contains hexamethylenetetramine
(4) dark grey granules
(5) for large and small components (screw caps, control knobs, switches, bases etc.)
(6) KBr (2.5/300)
(7) PE 580 B, FLAT, ABEX 1.43

14(441 + 64) + **1832**113 2703

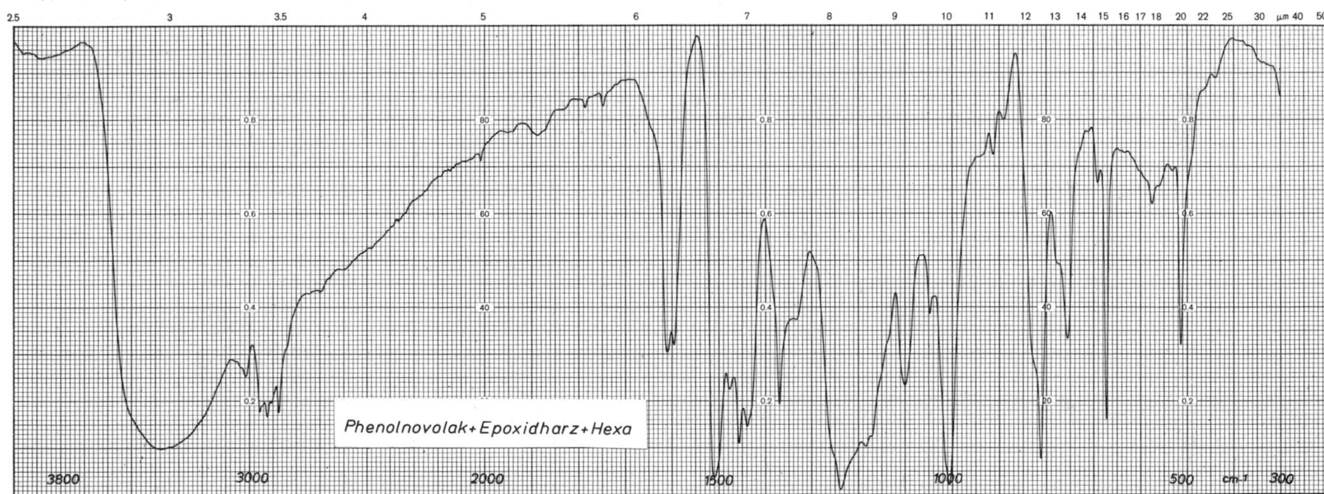

(1) **Supraplast-Harz 118**
(3) Phenolnovolak + Epoxidharz + Hexamethylentetramin
(4) elfenbeinfarbenes Pulver
(5) thermisch härtendes Harz für Preßmassen
(6) KBr (2/400)
(7) PE 580 B, FLAT

(2) Südwest-Chemie, Neu-Ulm
(3) phenol novolac + epoxy resin + hexamethylenetetramine
(4) ivory-colored powder
(5) thermally curable resin for moulding compounds
(6) KBr (2/400)
(7) PE 580 B, FLAT

14(441 + 31) + **1832**113 + **19**122 2704

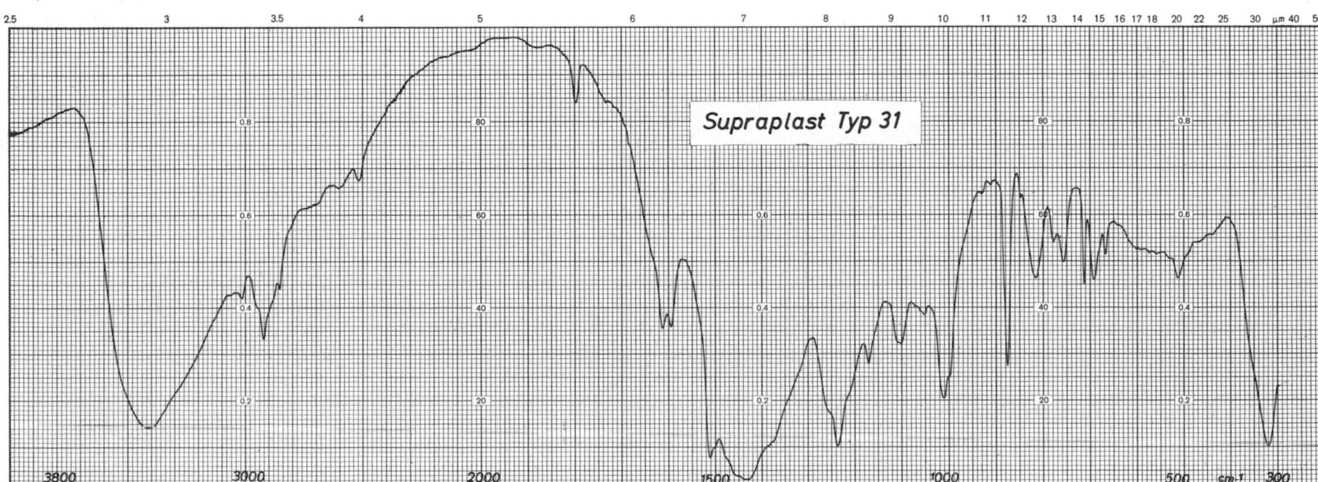

(1) **Supraplast-Preßmasse Type 31**
(3) Phenolnovolak + Hexamethylentetramin, mit Holzmehl und Kreide als Füllstoffen
(4) schwarze Körner
(5) thermisch härtbare Preßmasse
(6) KBr (1.6/360)
(7) PE 580 B

(2) Südwest-Chemie, Neu-Ulm
(3) phenol novolac + hexamethylenetetramine, filled with wood flour and chalk
(4) black grains
(5) thermally curable moulding compound
(6) KBr (1.6/360)
(7) PE 580 B

14(441 + 31) + **1832**113 + **19**122 2705

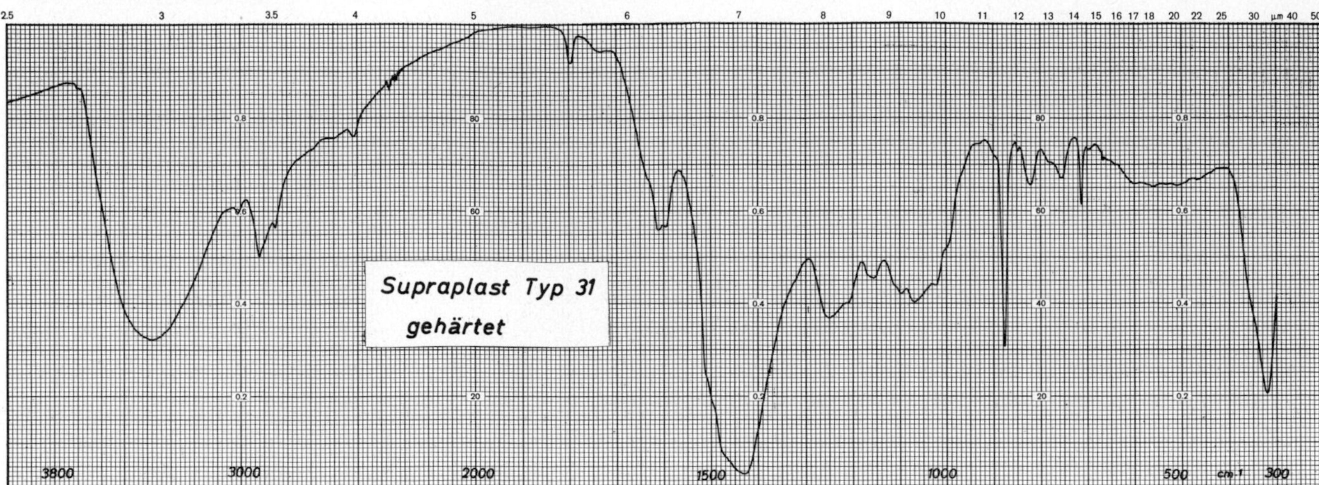

(1) **Supraplast-Preßmasse Typ 31, gehärtet**
(3) Phenolnovolak + Holzmehl + Kreide, mit Hexamethylentetramin gehärtet
(4) schwarzes Preßstück
(6) mit Nagelfeile abgefeilt, KBr (1.7/355)
(7) PE 580 B, ABEX

(2) Südwest-Chemie, Neu-Ulm
(3) phenol novolac + wood flour + chalk, cured with hexamethylenetetramine
(4) black moulding
(6) filed with a nail file, KBr (1.7/355)
(7) PE 580 B, ABEX

13441 + **1832**113 + **19**172 2706

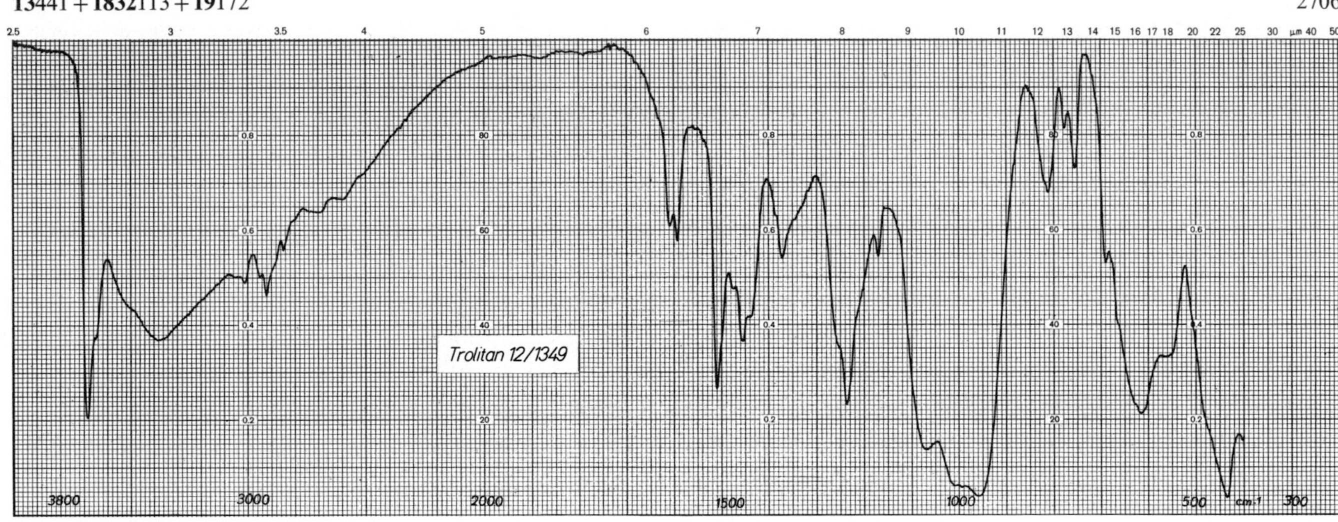

(1) **Trolitan Typ 12/1349**
(3) Phenolnovolak + Hexamethylentetramin + Asbestfaser
(4) dunkelgraues Granulat
(5) Duroplast-Formmasse mit erhöhter Formbeständigkeit für Armaturen, Pumpenteile, Dichtungs- und Schaltelemente, Kupplungsscheiben, Isolierkappen
(6) KBr (1.6/300)
(7) PE 580 B, FLAT, ABEX 1.45

(2) Dynamit Nobel AG, Troisdorf
(3) phenol novolac + hexamethylenetetramine + asbestos fibers
(4) dark grey granules
(5) thermosetting moulding compound with improved shape retention for instrument panels, pump components, sealing and switching elements, clutch plates, insulating caps
(6) KBr (1.6/300)
(7) PE 580 B, FLAT, ABEX 1.45

14441 + **1832**113 2707

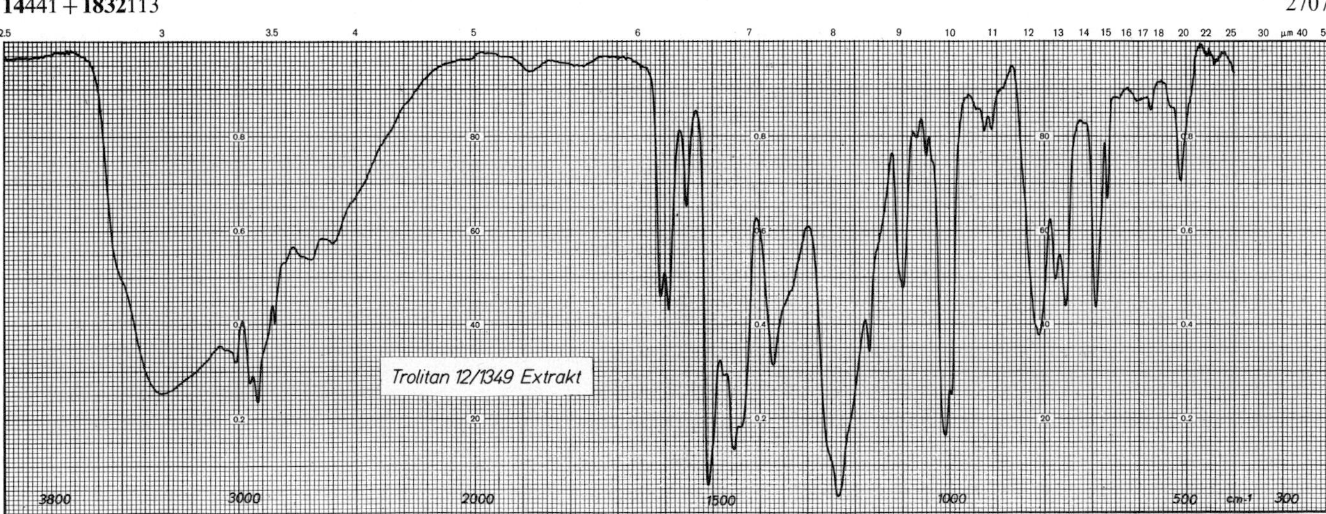

(1) **Trolitan Typ 12/1349**
(3) Phenolnovolak + Hexamethylentetramin + Füllstoffgemisch, BTL-Extrakt
(4) dunkelgraues Granulat
(5) Duroplast-Formmasse mit erhöhter Formbeständigkeit
(6) BTL-Extrakt auf KBr eingetrocknet (Phenolharz + HMTA)
(7) PE 580 B, FLAT, ABEX 1.10

(2) Dynamit Nobel AG, Troisdorf
(3) phenol novolac + hexamethylenetetramine + filler mixture, BTL extract
(4) dark grey granules
(5) thermosetting moulding compound with improved shape retention
(6) BTL extract dried on KBr (phenol resin plus HMTA)
(7) PE 580 B, FLAT, ABEX 1.10

14441 + **1832**113 + **19**172 + **14**31 2708

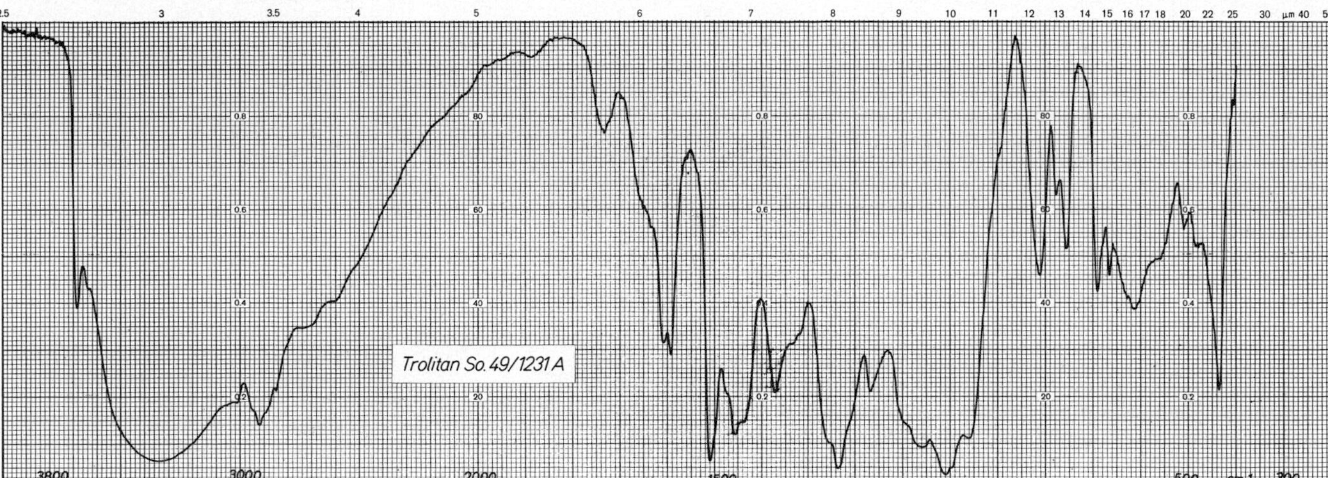

(1) **Trolitan Typ So. 49/1231 A**
(3) Phenolnovolak + Hexamethylentetramin + Asbestfasern + Holzmehl
(4) dunkelgraues Granulat
(5) Duroplastformmasse mit erhöhter Formbeständigkeit
(6) KBr (2.33/300)
(7) PE 580 B, FLAT, ABEX 1.92

(2) Dynamit Nobel AG, Troisdorf
(3) phenol novolac + hexamethylenetetramine + asbestos fibers + wood flour
(4) dark grey granules
(5) thermosetting moulding compound with improved shape retention
(6) KBr (2.33/300)
(7) PE 580 B, FLAT, ABEX 1.92

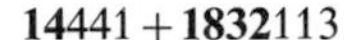

14441 + **1832**113 2709

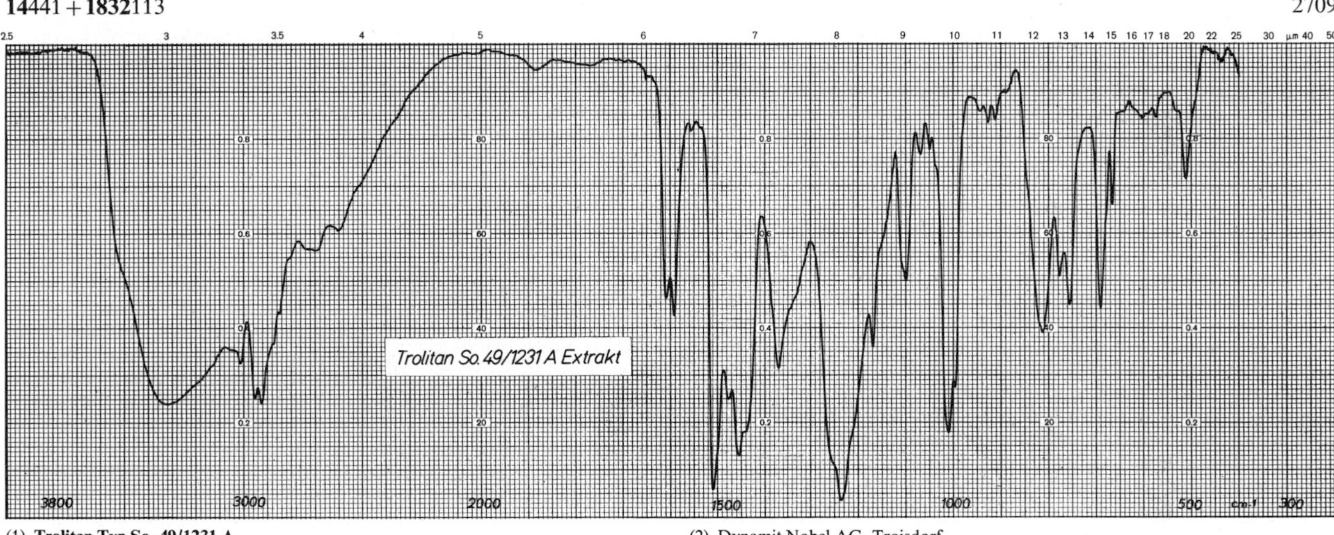

(1) **Trolitan Typ So. 49/1231 A**
(3) Phenolnovolak + Hexamethylentetramin + Füllstoffgemisch, mit BTL extrahiert
(4) dunkelgraues Granulat
(5) Duroplast-Formmasse mit erhöhter Formbeständigkeit
(6) BTL-Extrakt auf KBr eingetrocknet (Phenolharz + HMTA)
(7) PE 580 B, FLAT, ABEX 1.16

(2) Dynamit Nobel AG, Troisdorf
(3) phenol novolac + hexamethylenetetramine + filler mixture, extracted with BTL
(4) dark grey granules
(5) thermosetting moulding compound with improved shape retention
(6) BTL extract dried on KBr (phenol resin + HMTA)
(7) PE 580 B, FLAT, ABEX 1.16

1444(1 + 3) 2710

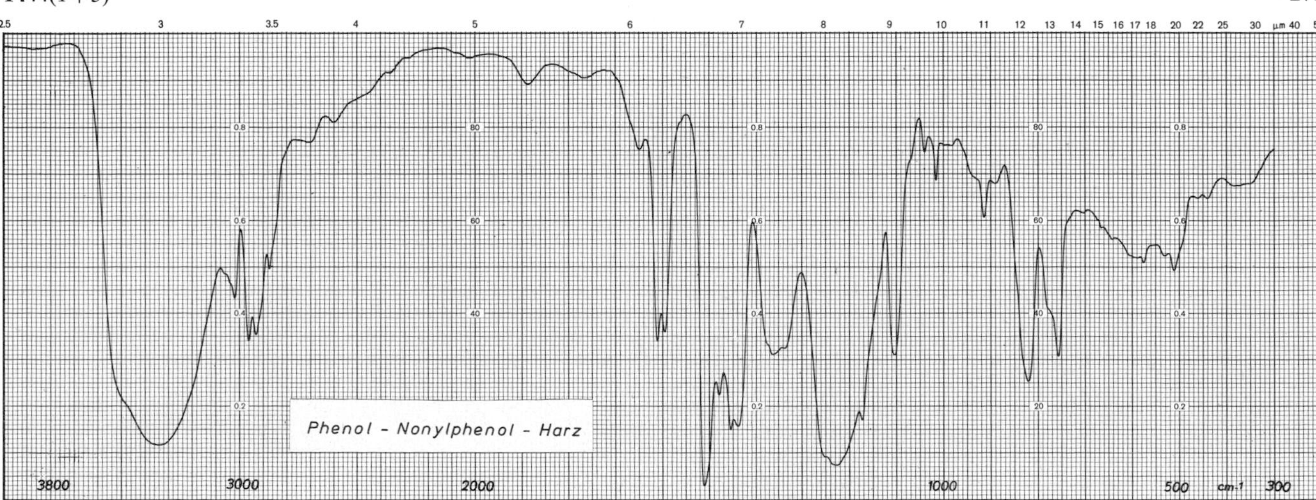

(1) **Supraplast-Harz 03**
(3) Phenol-Nonylphenol-Harz
(4) gelbes Pulver
(6) Schicht aus BTL auf CsI
(7) PE 580 B

(2) Südwest-Chemie, Neu-Ulm
(3) phenol-nonylphenol resin
(4) yellow powder
(6) film from BTL on CsI
(7) PE 580 B

14442 2711

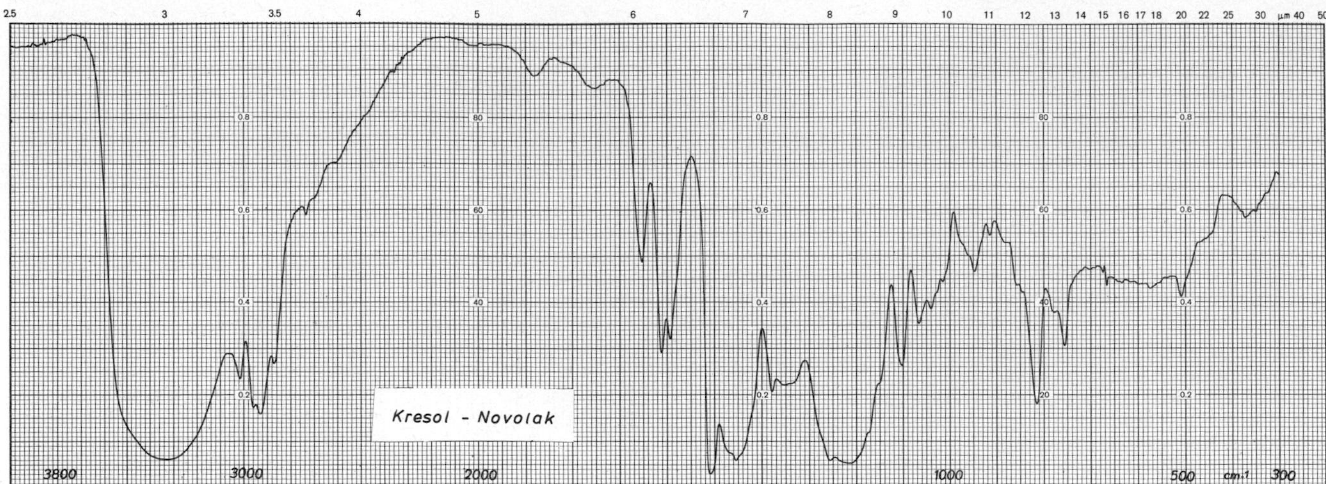

(1) **Supraplast-Harz E 3452**
(3) Kresolnovolak
(4) bernsteinfarbene Harzstücke
(5) mit Hexamethylentetramin zu thermisch härtbaren Preßmassen
(6) Film aus BTL auf CsI
(7) PE 580 B, ABEX

(2) Südwest-Chemie, Neu-Ulm
(3) cresol novolac
(4) amber-colored resin
(5) forms thermally curable moulding compounds with hexamethylenetetramine
(6) film from BTL on CsI
(7) PE 580 B, ABEX

1444(2+1) 2712

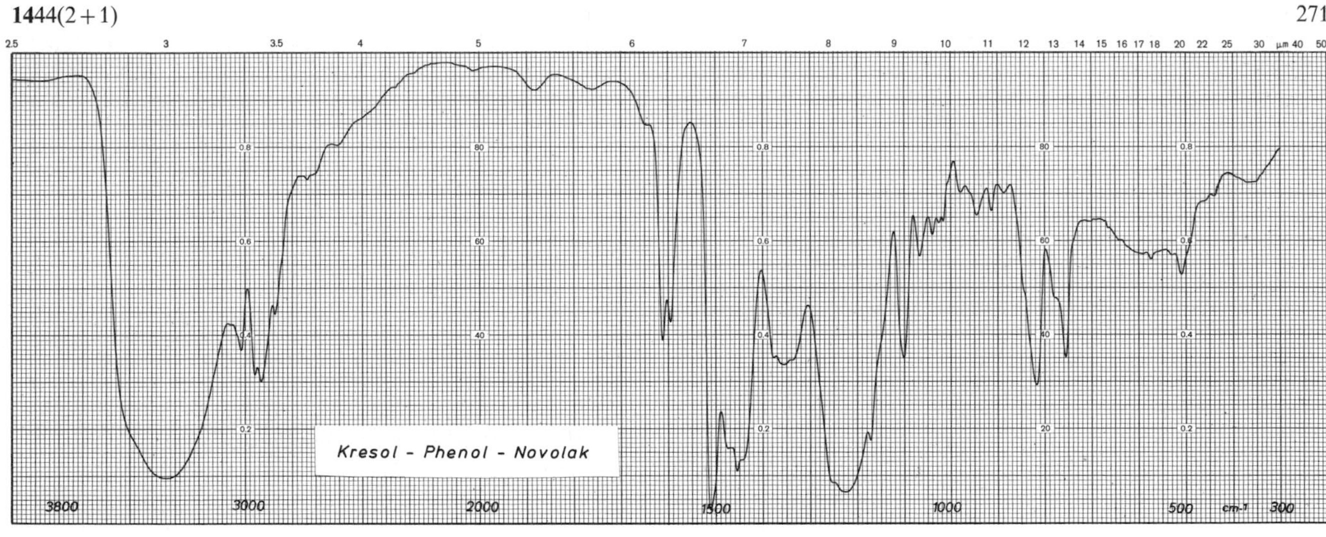

(1) **Supraplast-Harz 154**
(3) Kresol-Phenol-Novolak
(4) bernsteinfarbene Harzstücke
(6) Film aus BTL auf CsI
(7) PE 580 B

(2) Südwest-Chemie, Neu-Ulm
(3) cresol-phenol novolac
(4) ivory-colored resin
(6) film from BTL on CsI
(7) PE 580 B

1444(2+1)+**1832**113 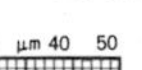2713

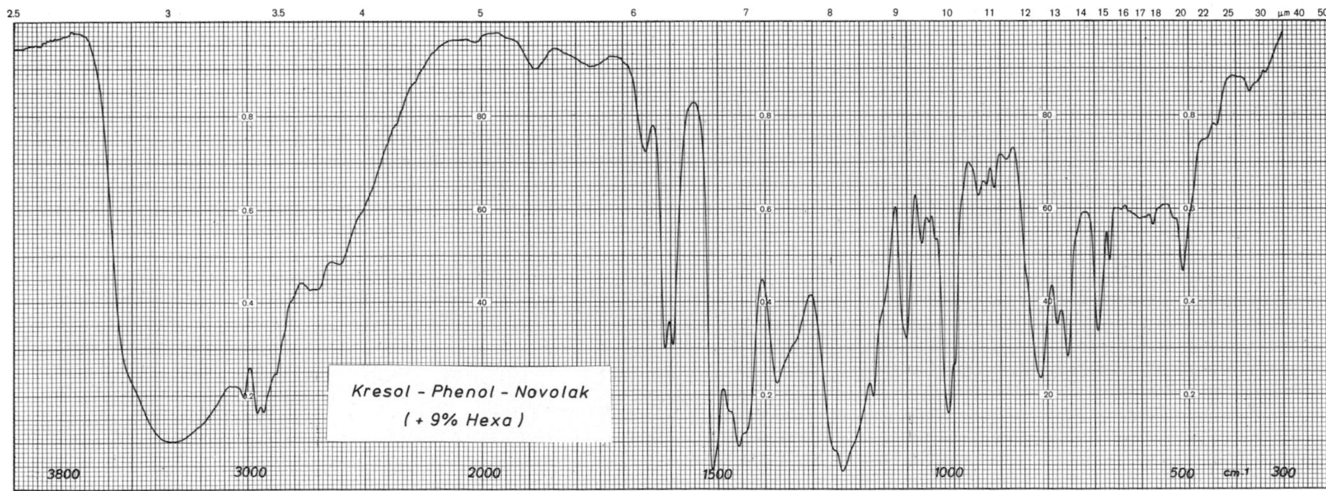

(1) **Supraplast-Harz 154 A**
(3) Kresol-Phenol-Novolak mit 9% Hexamethylentetramin
(4) elfenbeinfarbenes Pulver
(5) für thermisch härtbare Preßmassen
(6) Film aus BTL auf CsI
(7) PE 580 B, ABEX

(2) Südwest-Chemie, Neu-Ulm
(3) cresol-phenol novolac with 9% hexamethylenetetramine
(4) ivory-colored powder
(5) for thermally curable moulding compounds
(6) film from BTL on CsI
(7) PE 580 B, ABEX

14451

2714

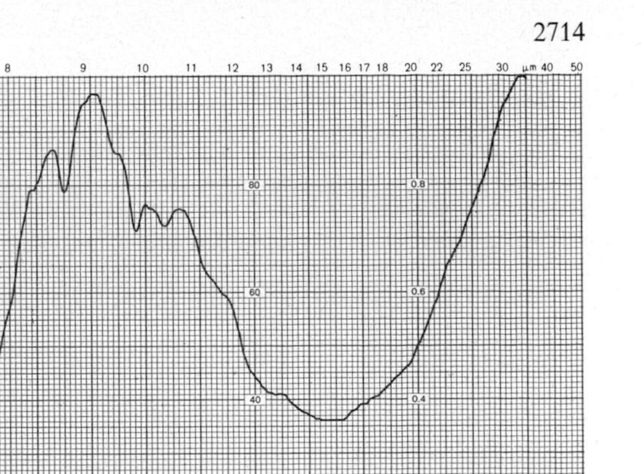

(1) **Novogen P 40**
(3) wäßrige Lösung eines Phenolresols
(4) braune, viskose Flüssigkeit
(5) Bindemittel für Spanholz
(6) Schicht zwischen KRS-5
(7) PE 580 B, ABEX 1.34

(2) Deutsche Texaco AG, Hamburg
(3) aqueous solution of a phenol resol
(4) brown, viscous liquid
(5) binder for chipboard
(6) film between KRS-5
(7) PE 580 B, ABEX 1.34

14451

2715

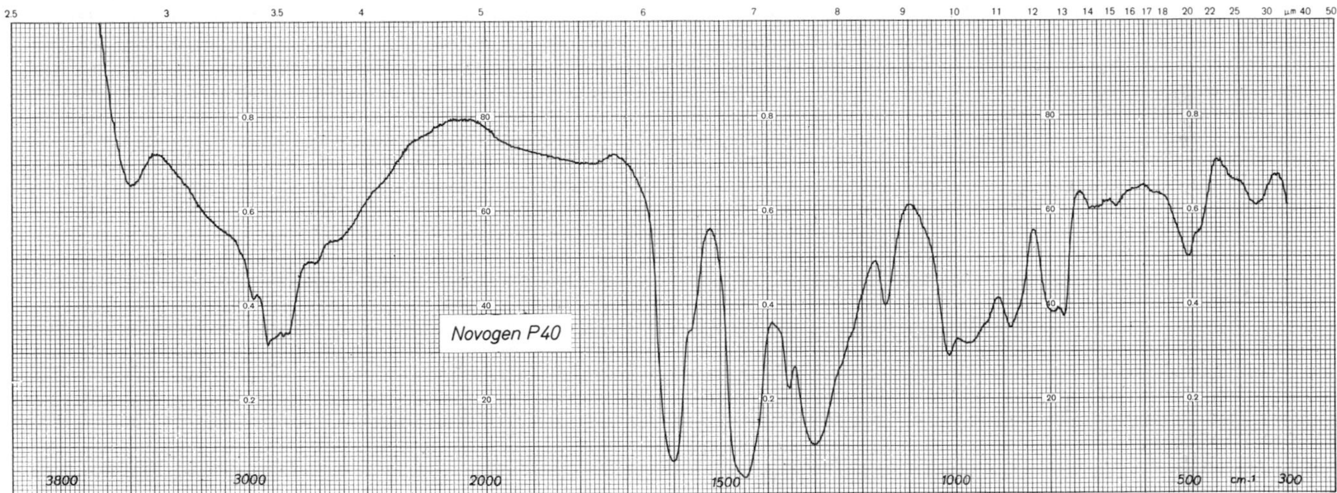

(1) **Novogen P 40**
(3) Phenolresol
(4) braunes, dickflüssiges Harz
(5) Bindemittel für Spanholz
(6) Schicht auf KRS-5, 1 h bei 130 °C i.V. gehärtet
(7) PE 580 B, ABEX 1.50

(2) Deutsche Texaco AG, Moers-Meerbeck
(3) phenol resol
(4) brown, viscous resin
(5) binder for chipboard
(6) film on KRS-5, cured for 1 h at 130 °C in vacuo
(7) PE 580 B, ABEX 1.50

14451

2716

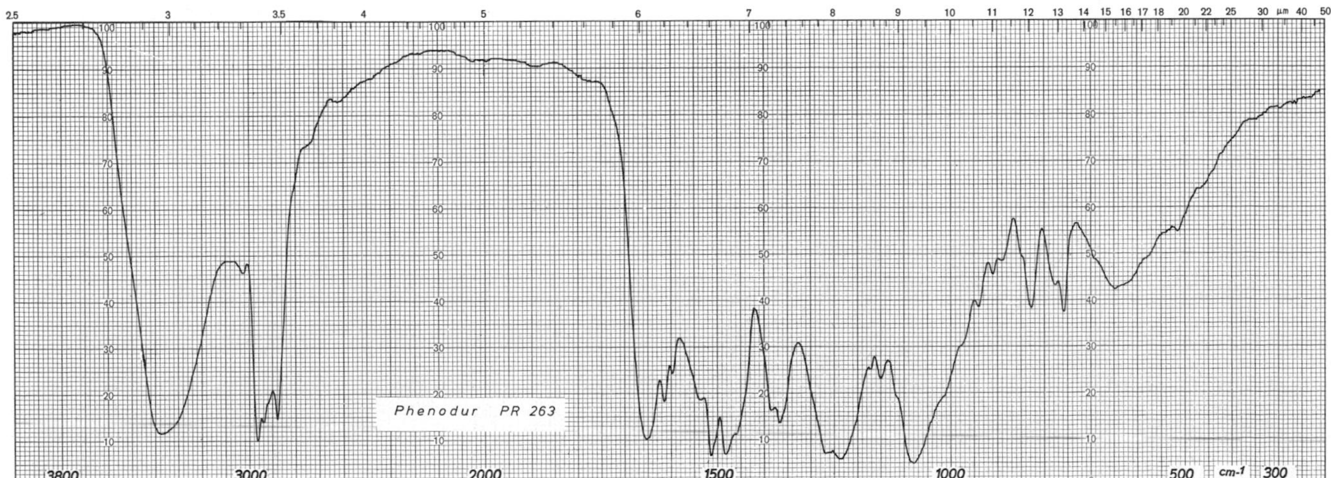

(1) **Phenodur PR 263**
(3) kalthärtendes Phenolharz (Phenolresol)
(4) gelbbraune, dickflüssige Lösung (70% in BTL)
(5) für säurehärtende Haftgrundierungen, luft- und wärmetrocknende, benzin-, benzol- und ölfeste Anstriche
(6) Schicht auf CsI

(2) Hoechst AG, Frankfurt/M.-Höchst
(3) cold-curing phenol resin (phenol resol)
(4) yellow-brown, viscous solution (70% in BTL)
(5) for acid-curing resin primers, air and heat-drying, gasoline, benzene and oil-resistant paints
(6) film on CsI

14451 2717

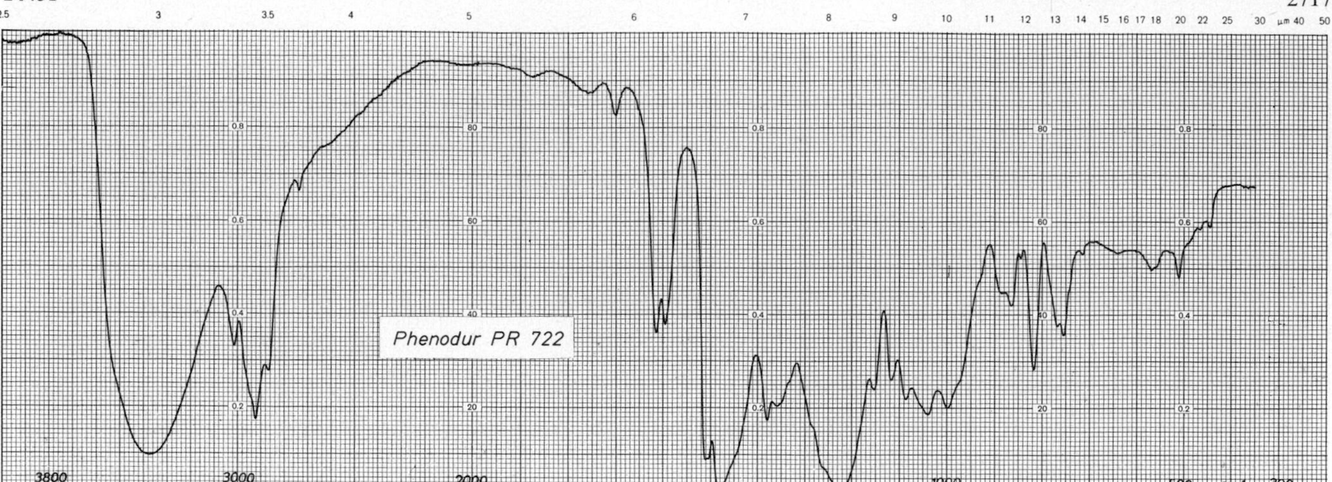

(1) **Phenodur PR 722**
(3) nichtplastifiziertes Phenolharz
(4) bernsteinfarbenes Harz
(5) für hitzehärtende Phenol-Epoxidharz-Kombinationen; Innen- und Außenlackierungen von Blechverpackungen, Schutzüberzüge für Apparate usw.
(6) Schicht aus ATC/MTC auf CsI
(7) PE 580 B, ABEX 1.49

(2) Hoechst AG, Frankfurt/M.-Höchst
(3) nonplasticized phenolic resin
(4) amber-colored resin
(5) for heat-curing phenol-epoxy resin combinations; internal and external lacquering of tin cans, protective coatings for instruments, etc.
(6) film from ATC/MTC on CsI
(7) PE 580 B, ABEX 1.49

14451 2718

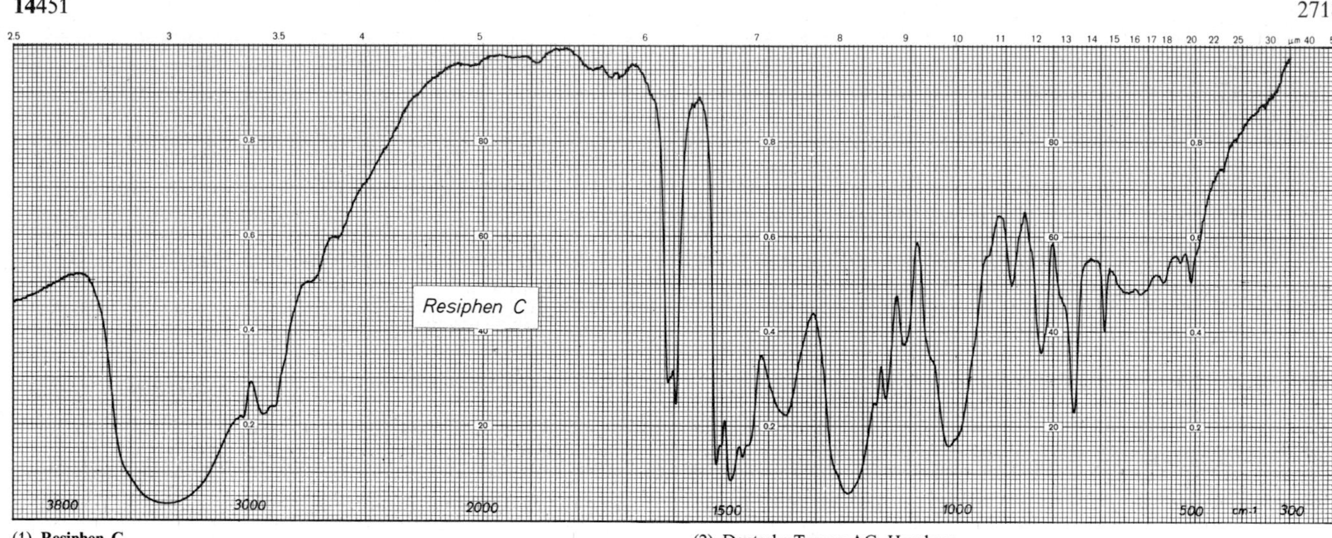

(1) **Resiphen C**
(3) Phenolresol
(4) braune, zähe Flüssigkeit
(5) für die Herstellung von Hartschäumen
(6) Schicht auf KRS-5
(7) PE 580 B, ABEX 1.87

(2) Deutsche Texaco AG, Hamburg
(3) phenol resol
(4) brown, viscous liquid
(5) for the manufacture of rigid foams
(6) film on KRS-5
(7) PE 580 B, ABEX 1.87

14451 2719

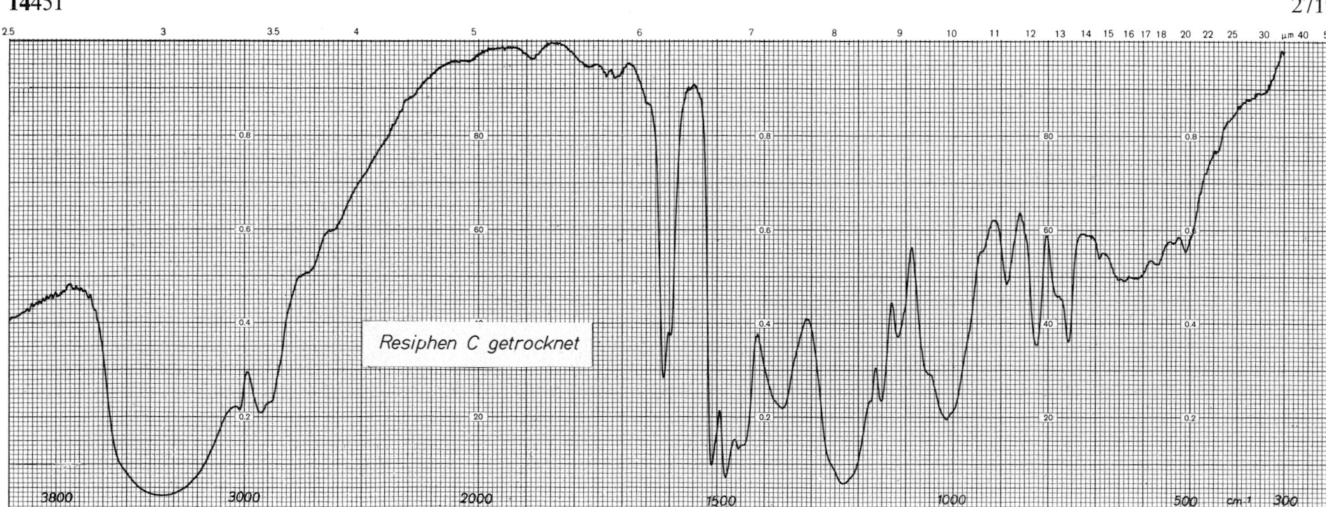

(1) **Resiphen C**
(3) Phenolresol
(4) braune, zähe Flüssigkeit
(5) für die Herstellung von Hartschäumen
(6) Schicht auf KRS-5, 48 h i.V. bei 50 °C getrocknet (H_2O und Phenol entfernt)
(7) PE 580 B, ABEX 2.17

(2) Deutsche Texaco AG, Hamburg
(3) phenol resol
(4) brown, viscous liquid
(5) for the manufacture of rigid foams
(6) film on KRS-5, dried in vacuo at 50 °C for 48 h (H_2O and phenol removed)
(7) PE 580 B, ABEX 2.17

14451 2720

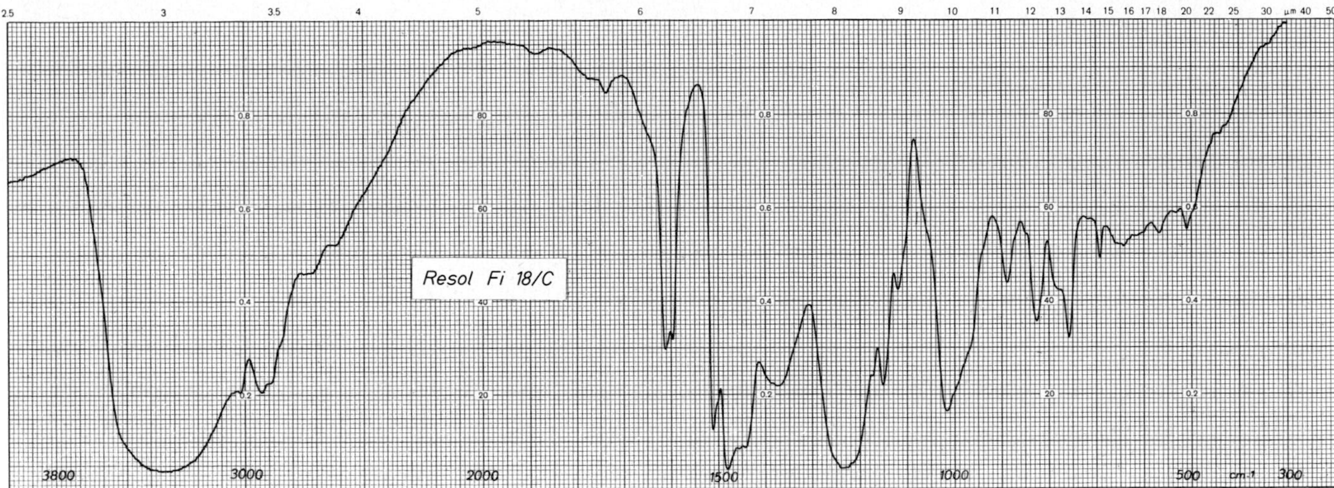

(1) **Resol Fi 18/C**
(3) wäßrige Lösung eines Phenolresols
(4) braune, zähe Flüssigkeit
(5) Bindemittel für Schleifscheiben
(6) Schicht zwischen KRS-5
(7) PE 580 B, ABEX 1.03

(2) Deutsche Texaco AG, Hamburg
(3) aqueous solution of a phenol resol
(4) brown, viscous liquid
(5) bonding agent for friction pads
(6) film between KRS-5
(7) PE 580 B, ABEX 1.03

14451 2721

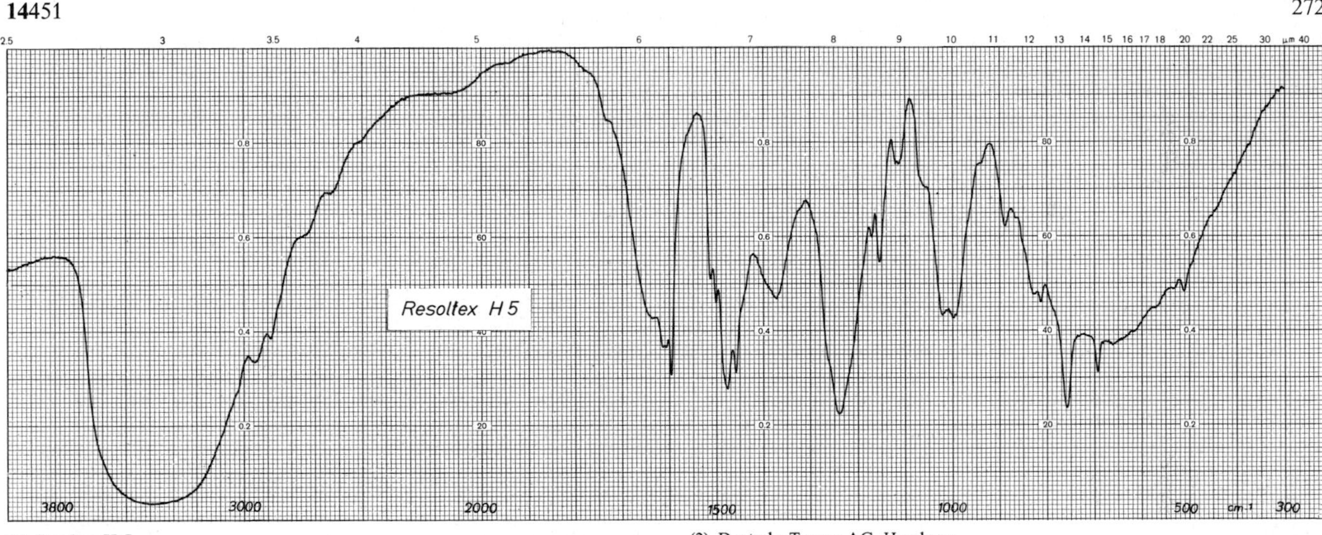

(1) **Resoltex H 5**
(3) wäßrige Lösung eines Phenolresols
(4) transparente, viskose, braune Flüssigkeit
(5) Bindemittel für Schichtpreßholz
(6) Schicht zwischen KRS-5
(7) PE 580 B, ABEX 1.14

(2) Deutsche Texaco AG, Hamburg
(3) aqueous solution of a phenol resol
(4) transparent, brown, viscous liquid
(5) bonding agent for plywood
(6) film between KRS-5
(7) PE 580 B, ABEX 1.14

14451 2722

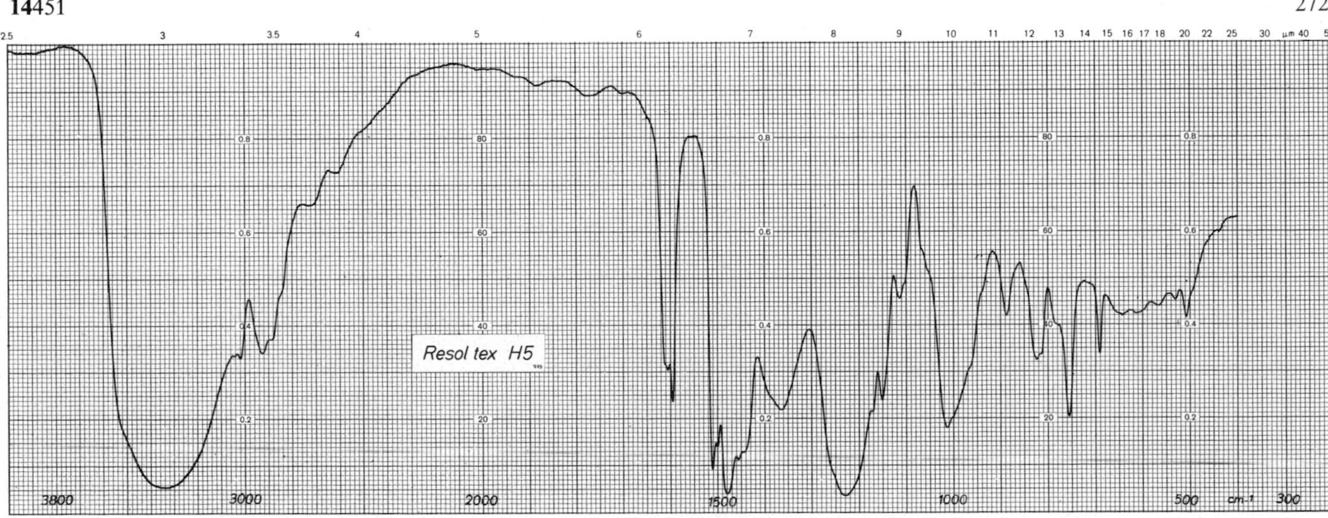

(1) **Resoltex H 5**
(3) Phenolresol
(4) braunes, dickflüssiges Harz
(5) Bindemittel für Schichtpreßholz
(6) Schicht auf KRS-5, 1 h bei 50 °C i.V. getrocknet
(7) PE 580 B, ABEX 1.25

(2) Deutsche Texaco AG, Hamburg
(3) phenol resol
(4) brown, viscous resin
(5) bonding agent for plywood
(6) film on KRS-5, dried at 50 °C in vacuo for 1 h
(7) PE 580 B, ABEX 1.25

14451 2723

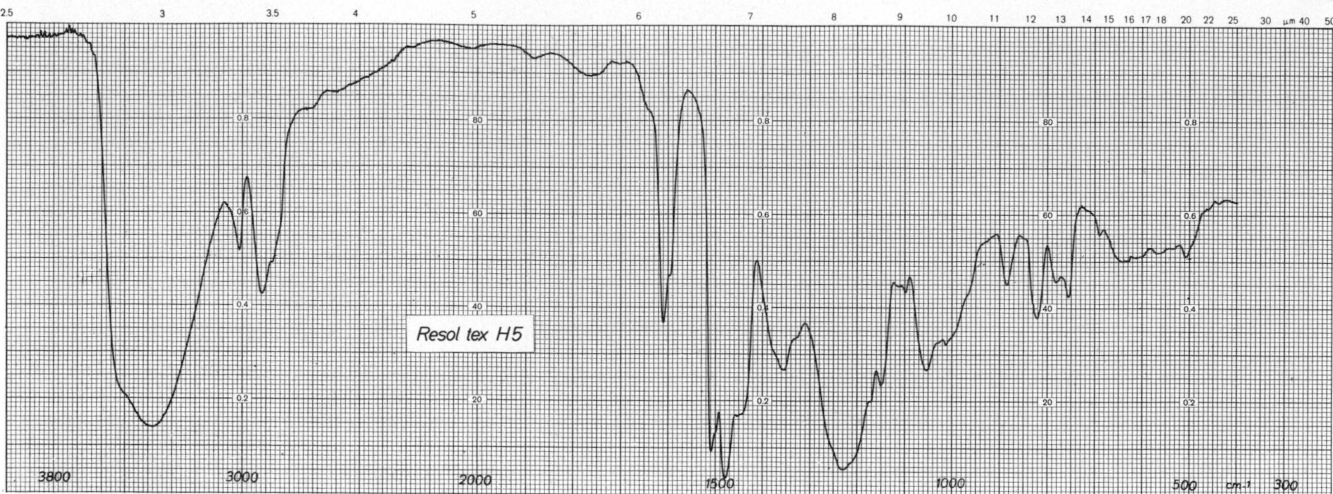

(1) **Resoltex H 5**
(3) Phenolresol, gehärtet
(4) braunes, dickflüssiges Harz
(5) Bindemittel für Schichtpreßholz
(6) Schicht auf KRS-5, 1 h bei 130 °C i.V. gehärtet
(7) PE 580 B, ABEX 1.53

(2) Deutsche Texaco AG, Hamburg
(3) phenol resol, cured
(4) brown, viscous resin
(5) bonding agent for plywood
(6) film on KRS-5, cured for 1 h at 130 °C in vacuo
(7) PE 580 B, ABEX 1.53

14451 2724

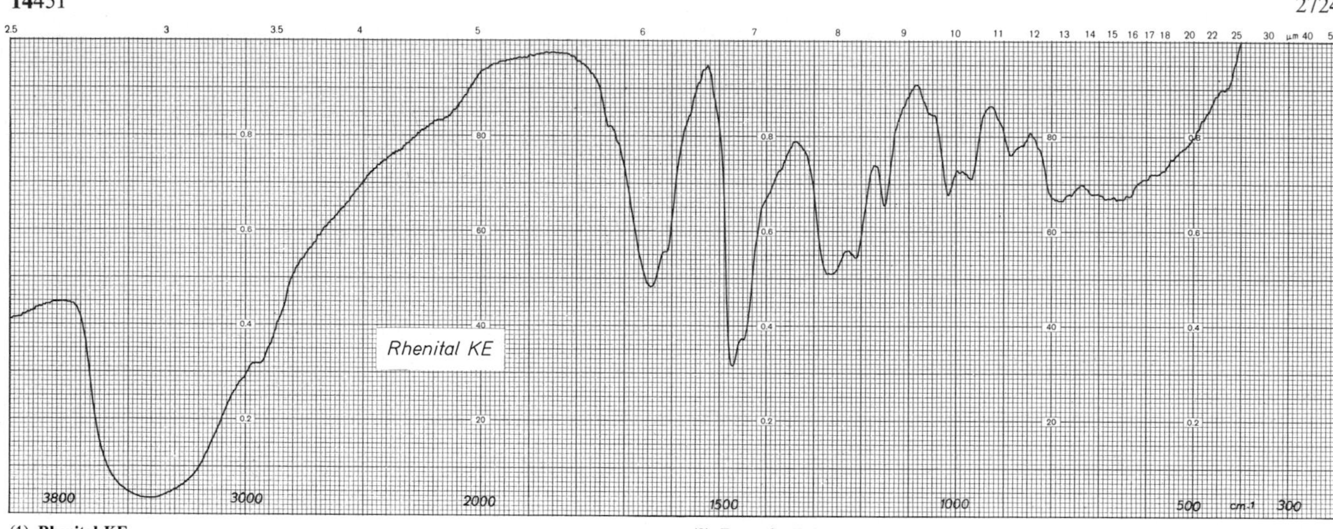

(1) **Rhenital KE**
(3) wasserlösliches, fällbares Phenolresol
(4) braune, viskose Flüssigkeit
(5) Bindemittel für Faserplatten
(6) Schicht zwischen KRS-5
(7) PE 580 B, ABEX 1.70

(2) Deutsche Texaco AG, Hamburg
(3) water-soluble, precipitable phenol resol
(4) brown, viscous liquid
(5) bonding agent for fiberboard
(6) film between KRS-5
(7) PE 580 B, ABEX 1.70

14451 2725

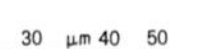

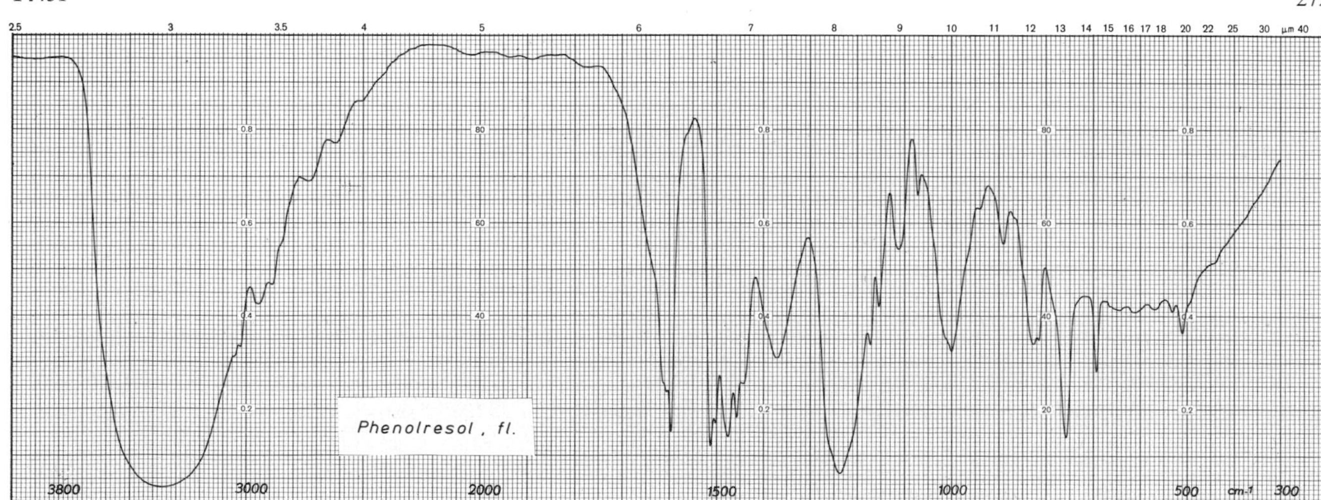

(1) **Supraplast-Harz flüssig 5**
(3) alkalisch kondensiertes Phenol-Formaldehyd-Harz (Phenolresol)
(4) braune, mittelviskose Flüssigkeit
(5) thermisch härtendes Harz für Preßmassen, zum Binden von Edelkohle und Graphiterzeugnissen
(6) kapillare Schicht zwischen CsI
(7) PE 580 B

(2) Südwest-Chemie, Neu-Ulm
(3) alkali-condensed phenol-formaldehyde resin (phenol resol)
(4) brown, medium viscous liquid
(5) thermally curing resin for mouldings, for bonding purified carbon and graphite products
(6) capillary film between CsI
(7) PE 580 B

14451 2726

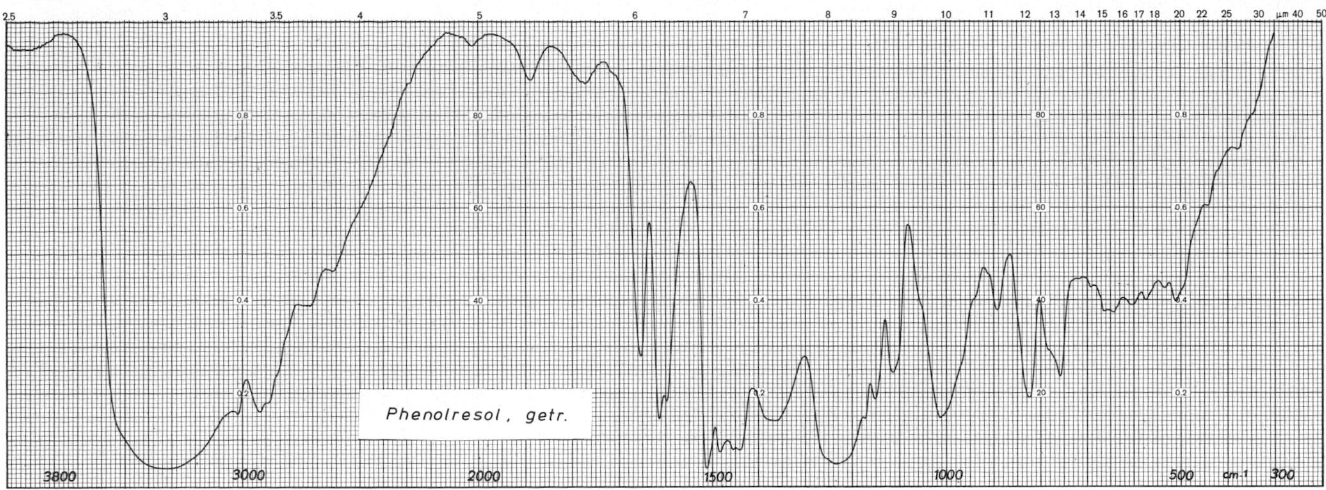

(1) **Supraplast-Harz 5**
(3) alkalisch kondensiertes Phenol-Formaldehyd-Harz (Phenolresol)
(4) braune, mittelviskose Flüssigkeit
(5) sehr reaktives Harz für thermisch härtende Preßmassen, zum Binden von Edelkohle und Graphiterzeugnissen
(6) Schicht auf CsI, 24 h bei 50 °C i.V. getrocknet
(7) PE 580 B

(2) Südwest-Chemie, Neu-Ulm
(3) alkali-condensed phenol-formaldehyde resin (phenol resol)
(4) brown, medium viscous liquid
(5) very reactive resin, thermally curing for moulding compounds, for binding purified carbon and graphite products
(6) film on CsI, dried for 24 h at 50 °C in vacuo
(7) PR 580 B

14451 2727

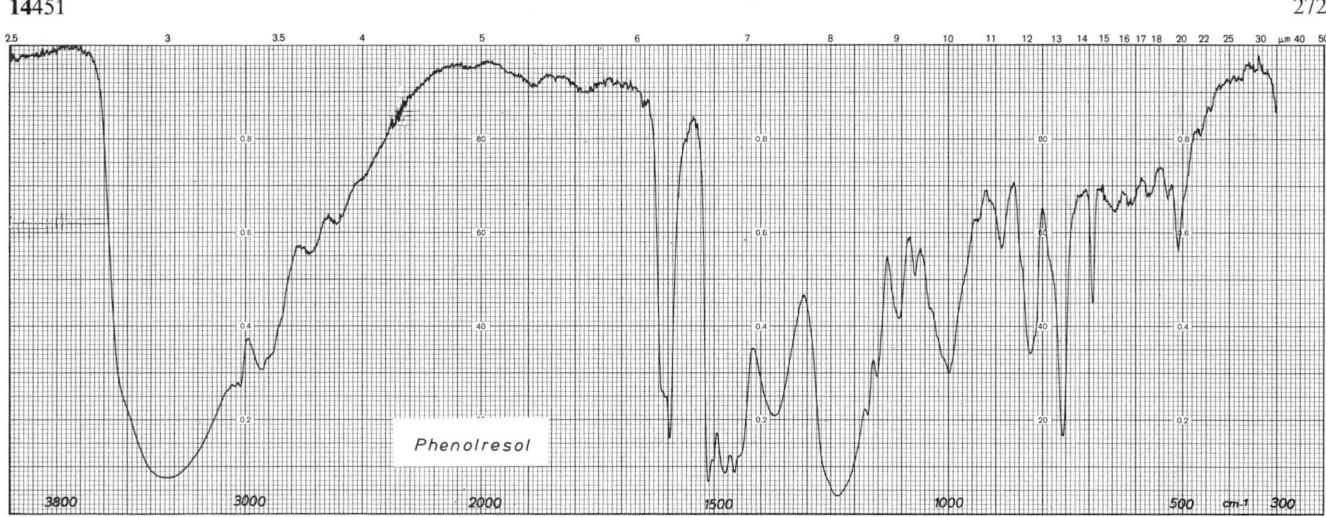

(1) **Supraplast-Harz 9228**
(3) alkalisch kondensiertes Phenol-Formaldehyd-Harz (Phenolresol)
(4) braune, viskose Lösung in MTL
(5) wärmehärtendes Harz für Preßmassen
(6) Schicht auf KRS-5
(7) PE 580 B

(2) Südwest-Chemie, Neu-Ulm
(3) alkali-condensed phenol-formaldehyde resin (phenol resol)
(4) brown, viscous solution in MTL
(5) for thermally curing moulding compositions
(6) film on KRS-5
(7) PE 580 B

14451 2728

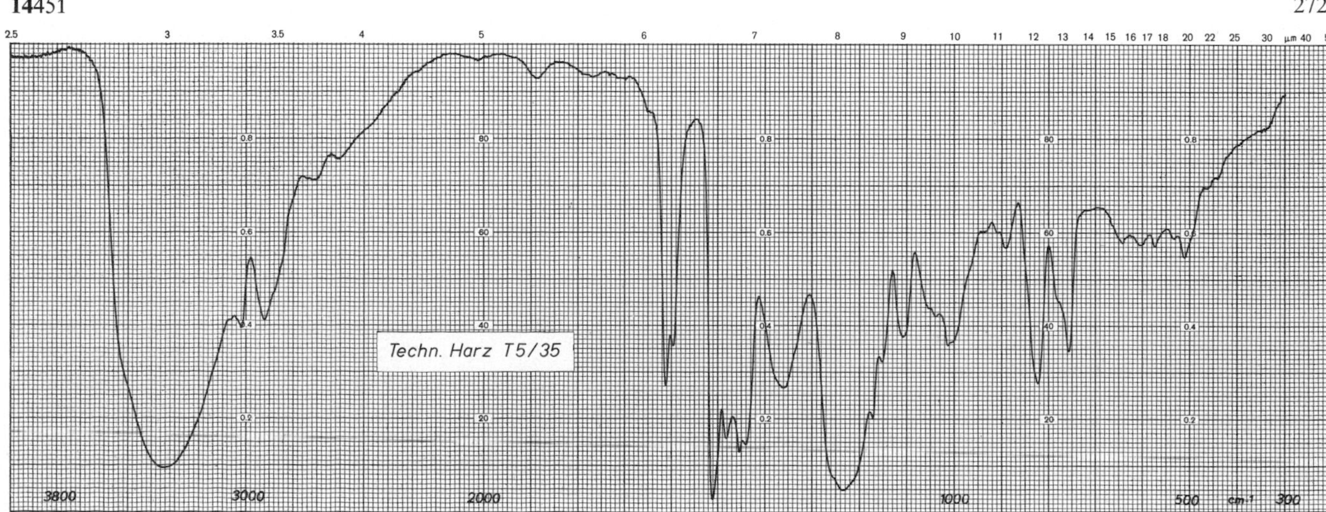

(1) **Technisches Harz T 5/35**
(3) alkalifreies Phenolresol (35% Festharz), alkohollöslich
(4) rotbraune Flüssigkeit
(5) zum Abbinden von Holzfurnieren für wasserfestes Schichtpreßholz
(6) Schicht auf CsI, i.V. getrocknet
(7) PE 580 B, ABEX 1.52

(2) Dynamit Nobel AG, Troisdorf
(3) alkali-free phenol resol (35% solid resin), alcohol-soluble
(4) red-brown liquid
(5) for bonding timber veneers to waterproof plywood
(6) film on CsI, dried in vacuo
(7) PE 580 B, ABEX 1.52

14451 | 2729

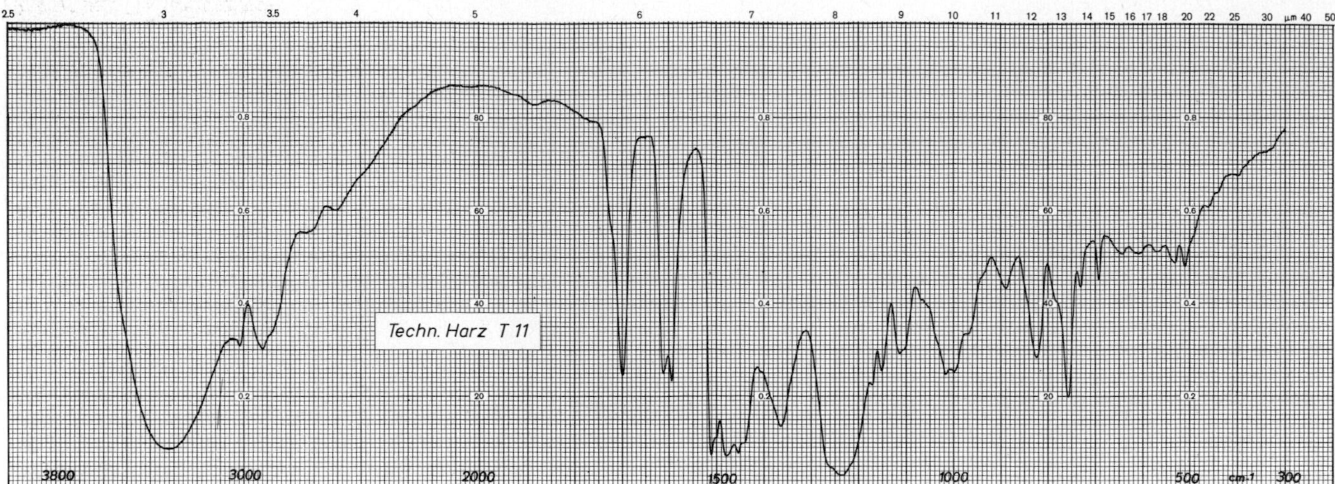

(1) **Technisches Harz T 11**
(3) Phenolresol (über 90% Festharz)
(4) bernsteinfarbene Harzstücke
(5) in alkoholischer Lösung als Imprägnierharz (Papier), zur Herstellung von elektrotechnischem Hartpapier, für Preßmassen mit beliebigen Füllstoffen
(6) Schicht aus ACT auf CsI
(7) PE 580 B, ABEX 1.38

(2) Dynamit Nobel AG, Troisdorf
(3) phenol resol (more than 90% solid resin)
(4) amber-colored resin
(5) in alcoholic solution for impregnating paper with resin, for the manufacture of laminated papers for electrical technology, for moulding compounds with any filler
(6) film from ACT on CsI
(7) PE 580 B, ABEX 1.38

14451 | 2730

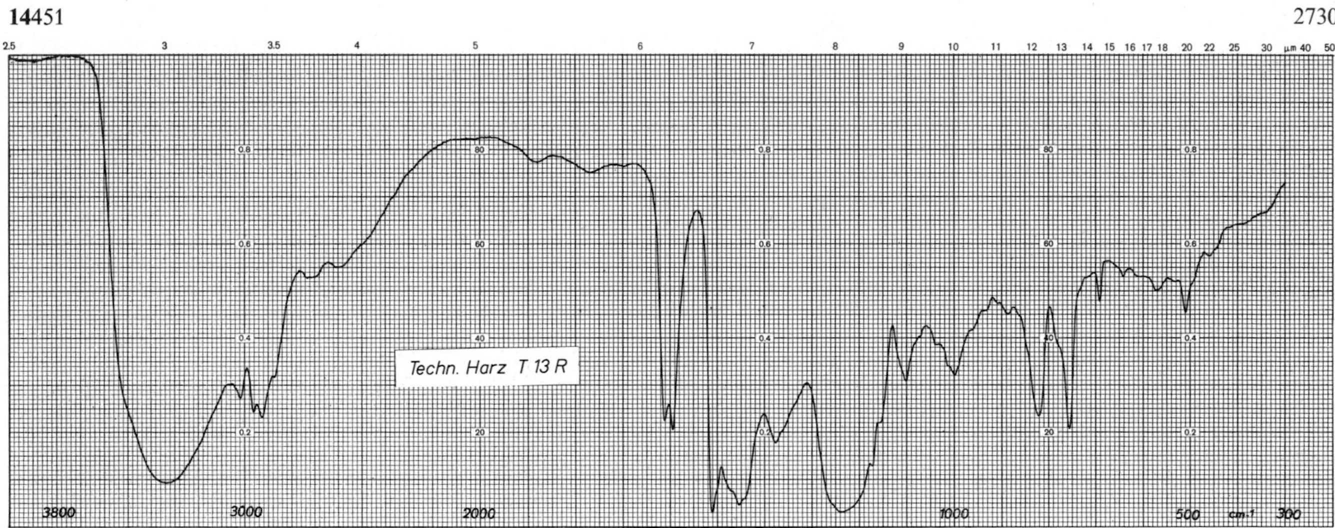

(1) **Technisches Harz T 13 R**
(3) modifiziertes Phenolresol (54...58% Festharz), löslich in Alkoholen und Ketonen
(4) dunkelbraune, etwas viskose Flüssigkeit
(5) zur Herstellung von elektrotechnischem Hartpapier
(6) Schicht auf CsI, i.V. getrocknet
(7) PE 580 B, ABEX 1.36

(2) Dynamit Nobel AG, Troisdorf
(3) modified phenol resol (54...58% solid resin), soluble in alcohols and ketones
(4) dark brown, somewhat viscous liquid
(5) for the manufacture of laminated papers for electrical technology
(6) film from CsI, dried in vacuo
(7) PE 580 B, ABEX 1.36

1445(1+3) | 2731

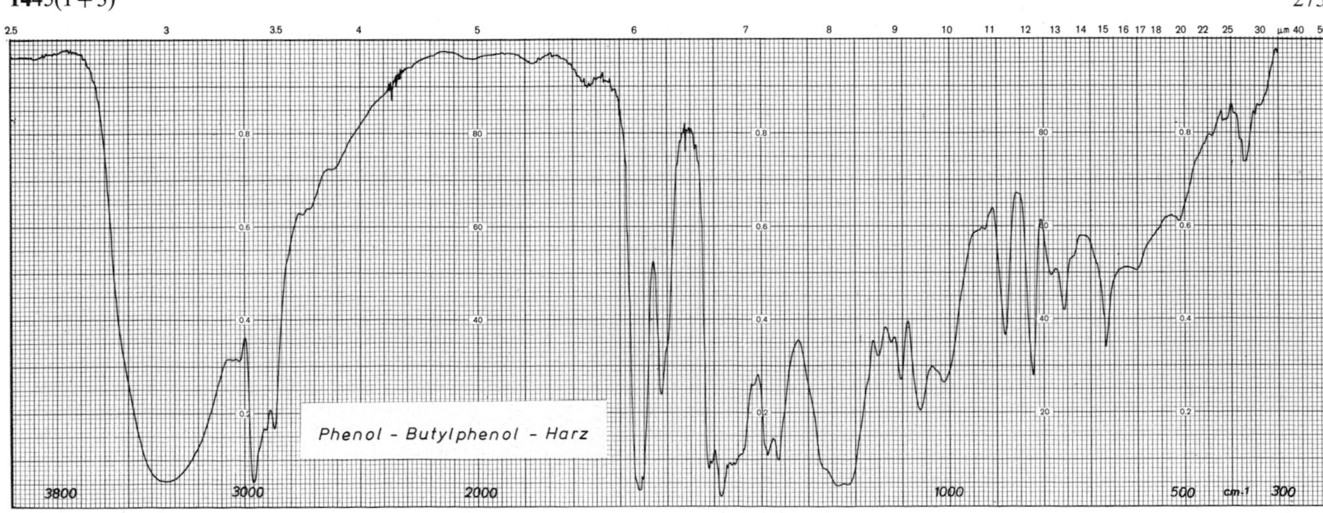

(1) **Supraplast-Harz 04**
(3) Phenol-Butylphenol-Harz
(4) braune, transparente viskose Lösung aus ATC+EAC
(5) thermisch härtendes Harz für Preßmassen
(6) Schicht auf CsI, i.V. getrocknet
(7) PE 580 B

(2) Südwest-Chemie, Neu-Ulm
(3) phenol-butylphenol resin
(4) transparent, brown, viscous solution from ATC+EAC
(5) thermally curing resin for moulding compounds
(6) film on CsI, dried in vacuo
(7) PE 580 B

14452 2732

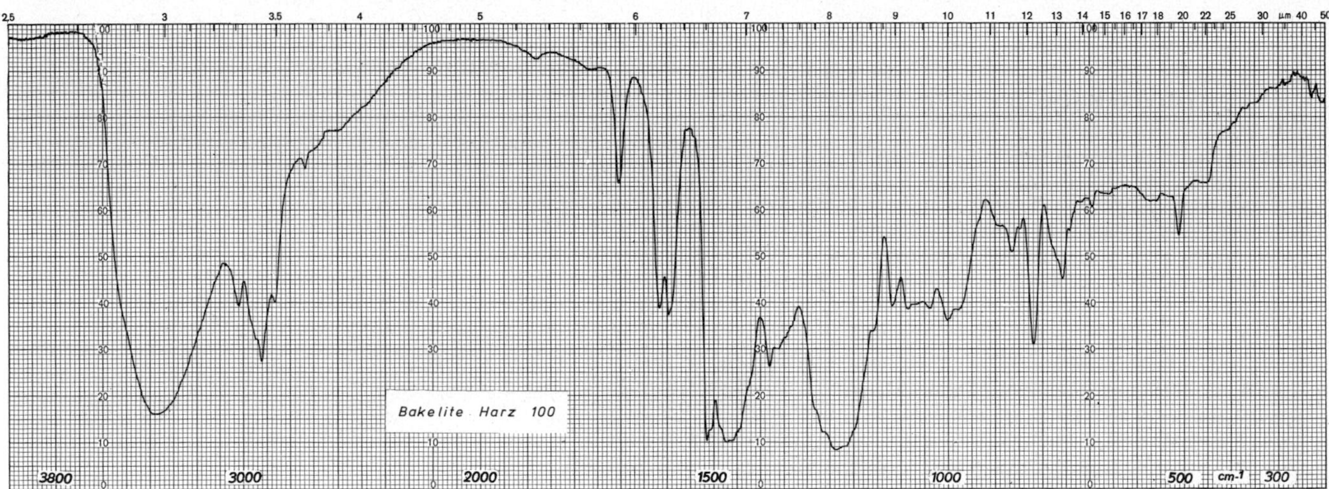

(1) **Bakelite-Harz 100**
(3) Kresolresol
(4) gelbe Harzstücke
(5) für Innenschutz- und Faßlacke; in Kombination mit Epoxidharz für sterilisationsfeste und tiefziehfähige Konservendosenlacke
(6) Schicht aus ACT auf CsI

(2) Bakelite GmbH, Letmathe/Westf.
(3) cresol resol
(4) yellow resin
(5) for internal protection and drum lacquers; when combined with epoxy resins for sterilization-resistant, deep drawable food can lacquers
(6) film from ATC on CsI

14452 2733

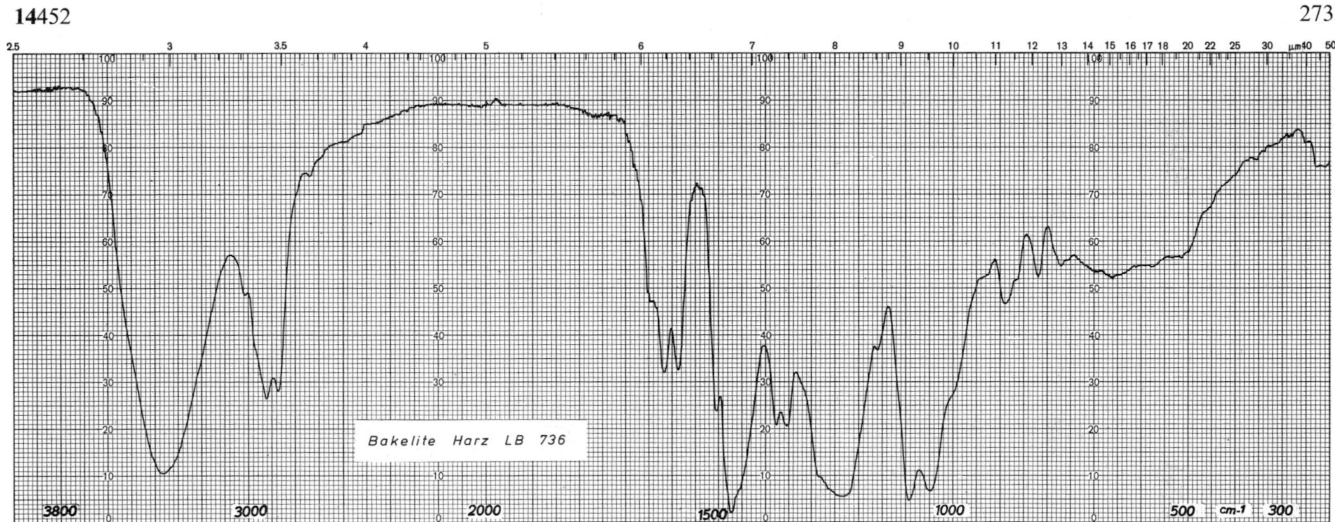

(1) **Bakelite-Harz LB 736**
(3) Kresolresol
(4) rotbraune, transparente Lösung (60% in EGL)
(5) für Innenschutzlacke; in Kombination mit höhermolekularen Epoxidharzen auch für Konservendosen-, Innenschutz- und Faßlacke
(6) Schicht auf CsI

(2) Bakelite GmbH, Letmathe/Westf.
(3) cresol resol
(4) transparent, red-brown solution (60% in EGL)
(5) for internal protection lacquers; in combination with high molar mass epoxy resins for food cans, internal protection and drum lacquers
(6) film on CsI

14452 2734

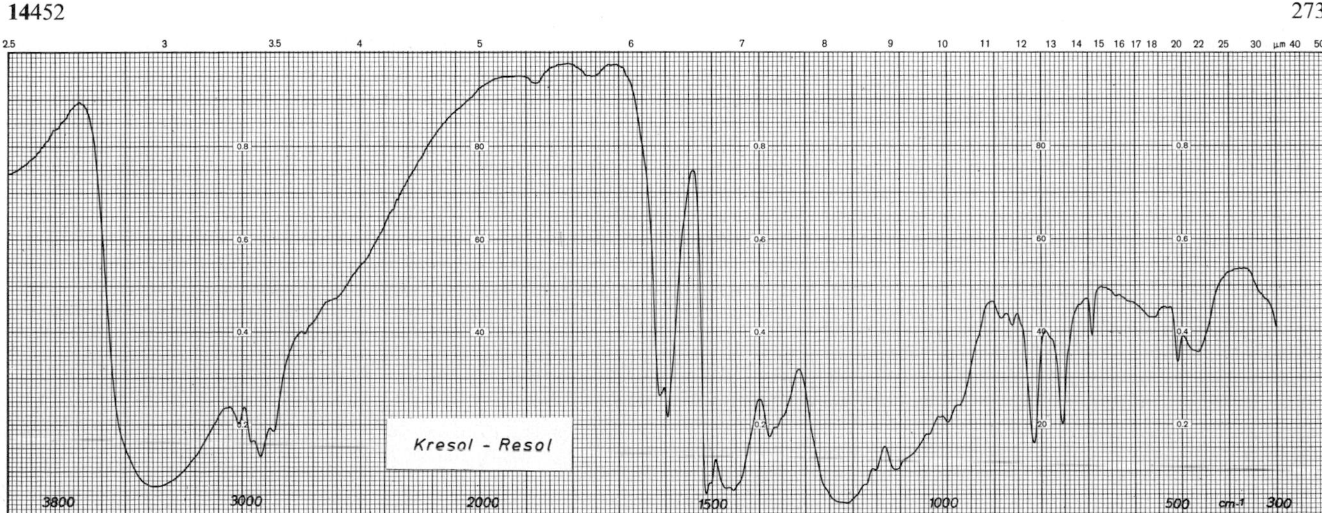

(1) **Supraplast-Harz III-hart**
(3) alkalisch kondensiertes Kresol-Formaldehyd-Harz (Kresolresol)
(4) bräunliches Harz
(5) für thermisch härtbare Preßmassen
(6) KBr (2/400)
(7) PE 580 B, ABEX

(2) Südwest-Chemie, Neu-Ulm
(3) alkali-condensed cresol-formaldehyde resin (cresol resol)
(4) brownish resin
(5) for heat-curable moulding compounds
(6) KBr (2/400)
(7) PE 580 B, ABEX

14452 2735

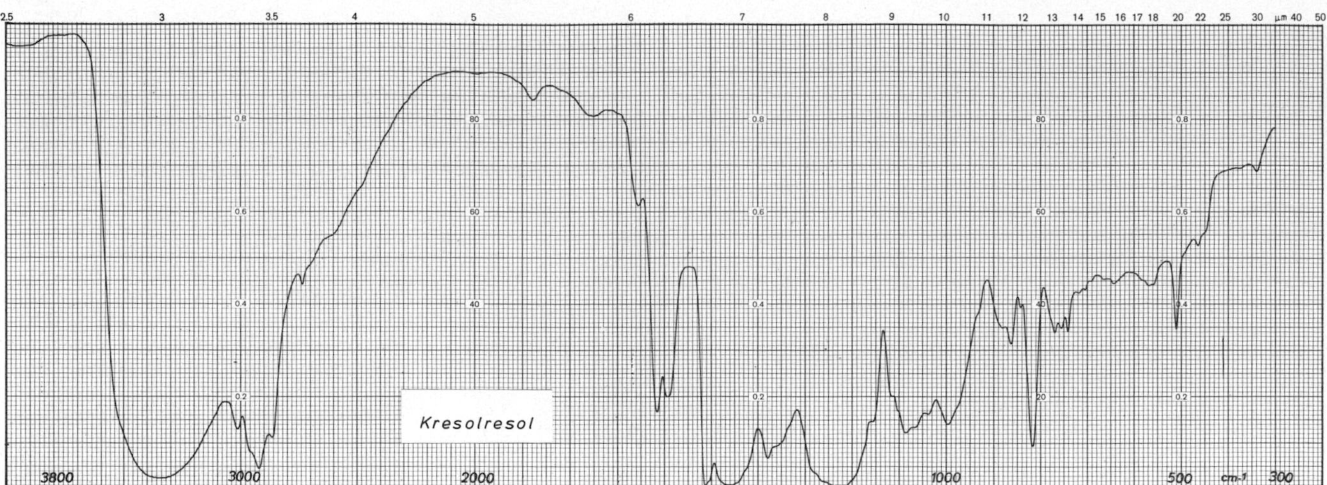

(1) **Supraplast-Harz 13, Lösung**
(3) Kresolresol
(4) braune, transparente, dickflüssige Lösung (ETL)
(5) für Hartgewebetafeln aus Baumwollfein- und -grobgewebe
(6) Schicht auf KRS-5, i.V. getrocknet
(7) PE 580 B

(2) Südwest-Chemie, Neu-Ulm
(3) cresol resol
(4) brown, viscous, transparent liquid (ETL)
(5) for coarse and fine laminated cotton fabric-board
(6) film from KRS-5, dried in vacuo
(7) PE 580 B

14452 2736

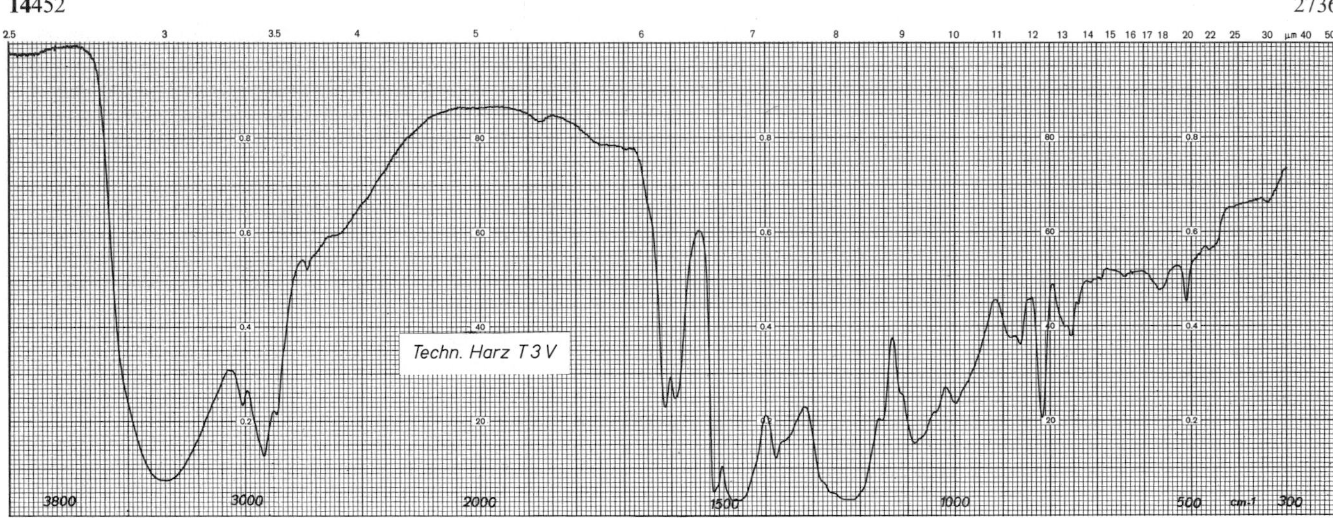

(1) **Technisches Harz T 3 V**
(3) Kresolresol (92...94% Festharz)
(4) dunkelbraune, etwas viskose Flüssigkeit
(5) zur Herstellung von Hartpapier, Hartgeweben, als Bindemittel für Reibbeläge; schneller härtend als T 3
(6) Schicht auf CsI, i.V. getrocknet
(7) PE 580 B, ABEX 1.85

(2) Dynamit Nobel AG, Troisdorf
(3) cresol resol (92...94% solid resin)
(4) dark brown, somewhat viscous liquid
(5) for the manufacture of laminated papers, laminated fabrics, as bonding agent for friction pads, faster curing than T 3
(6) film on CsI, dried in vacuo
(7) PE 580 B, ABEX 1.85

1445(2+3) 2737

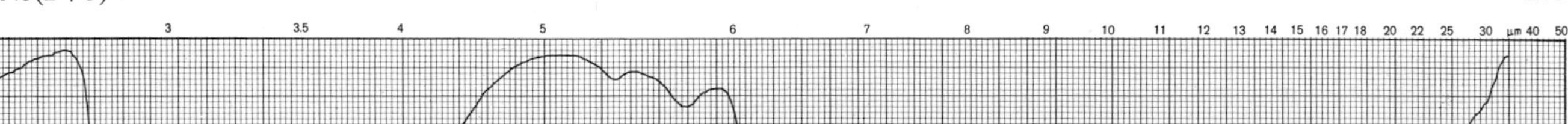

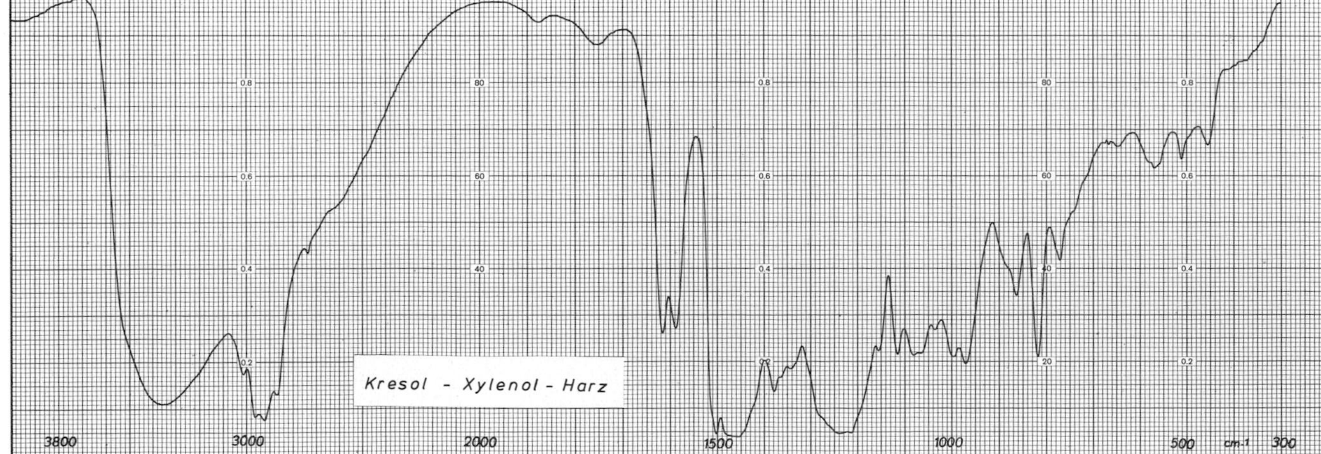

(1) **Supraplast-Harz 05**
(3) Kresol-Xylenol-Harz (Resol)
(4) bernsteinfarbene Harzstücke
(6) Schicht aus BTL auf CsI, i.V. getrocknet
(7) PE 580 B

(2) Südwest-Chemie, Neu-Ulm
(3) cresol-xylenol resin (resol)
(4) amber-colored resin
(6) film from BTL on CsI, dried in vacuo
(7) PE 580 B

14453 2738

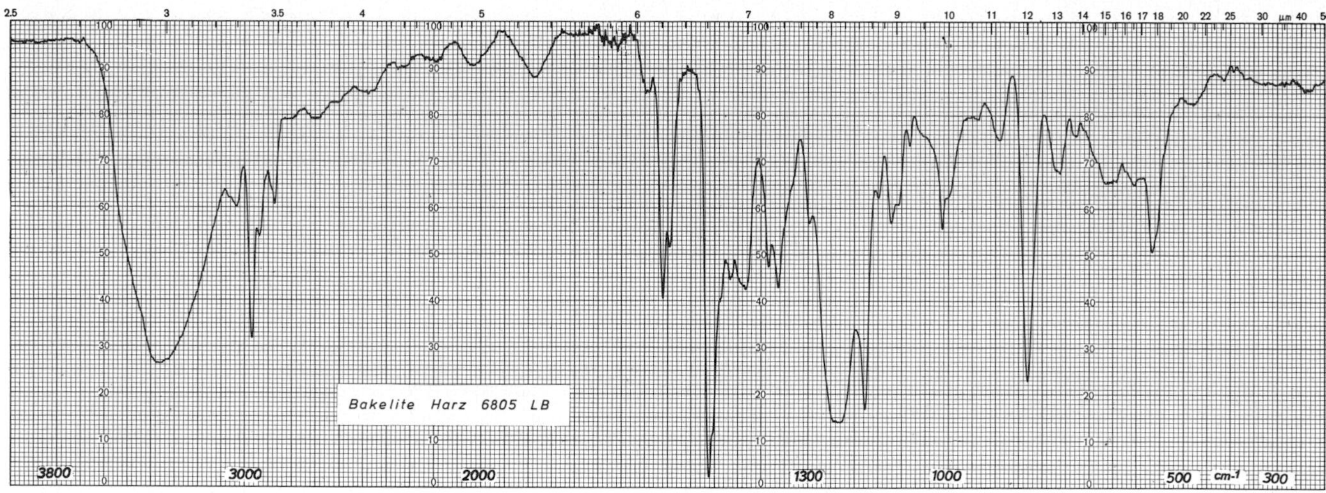

(1) **Bakelite-Harz 6805 LB**
(3) Bisphenol-A-Resol
(4) gelbe Harzstücke
(5) in Kombination mit höhermolekularen Epoxidharzen für sterilisationsfeste und tiefziehfähige Dosenlacke, für Innenschutz- und Faßlacke
(6) Schicht aus ACT auf CsI
(7) besonders umweltfreundlich (phenol- und kresolfrei)

(2) Bakelite GmbH, Letmathe/Westf.
(3) bisphenol A resol
(4) yellow resin pieces
(5) in combination with high molar mass epoxy resins for sterilizable, deep drawable can lacquers, for internal protection and drum lacquers
(6) film from ATC on CsI
(7) particularly nonpolluting (free from phenol and cresol)

14453 2739

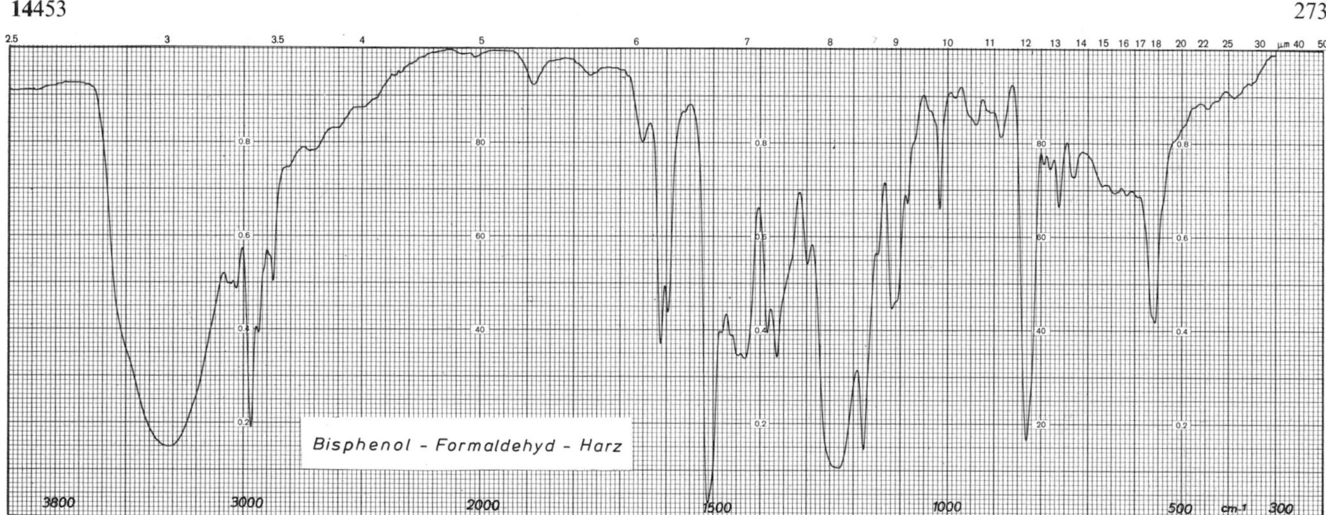

(1) **Supraplast-Harz 02**
(3) Bisphenol-Formaldehyd-Harz
(4) gelbe, transparente Harzstücke
(6) Schicht aus BTL auf CsI
(7) PE 580 B

(2) Südwest-Chemie, Neu-Ulm
(3) bisphenol A-formaldehyde resin
(4) yellow, transparent resin pieces
(6) film from BTL on CsI
(7) PE 580 B

14461 2740

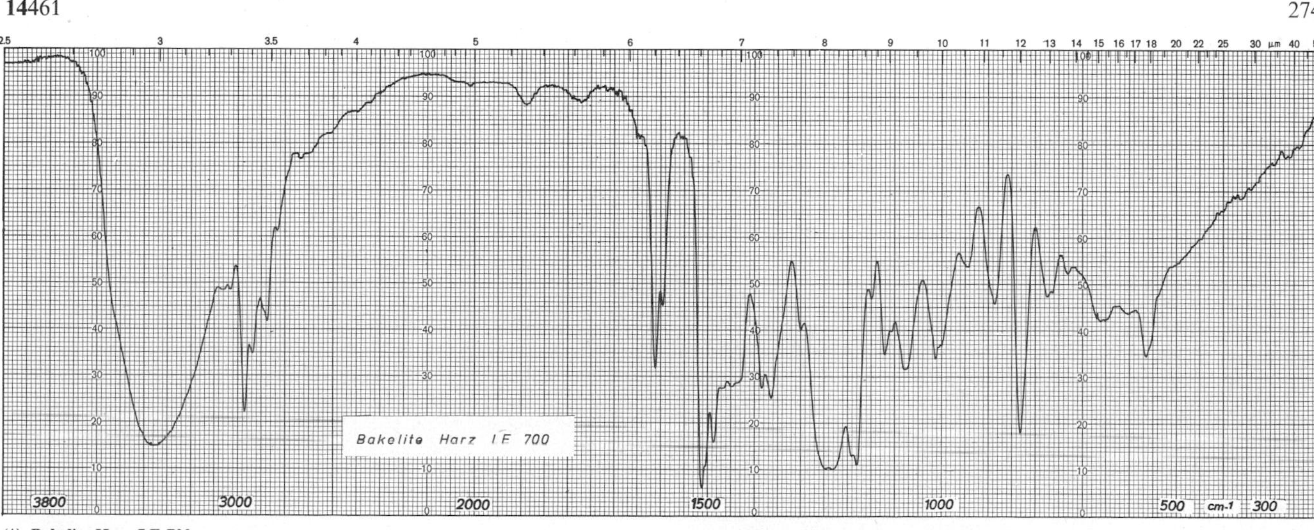

(1) **Bakelite-Harz LE 700**
(3) Phenolresol, methanolverethert
(4) dunkelbraune Lösung (75% in IPL)
(5) in Kombination mit ETL-Bindemitteln zur Verbesserung der Korrosionsschutzwerte und Steigerung der Filmhärte von Elektrotauchlacken (Grundierungen)
(6) Schicht auf CsI

(2) Bakelite GmbH, Letmathe/Westf.
(3) phenol resol, etherified with methanol
(4) dark red solution (75% in IPL)
(5) in combination with ETL bonding agents for improving the anticorrosion value and raising the film hardness of electro dip coatings (primers)
(6) film on CsI

14461 2741

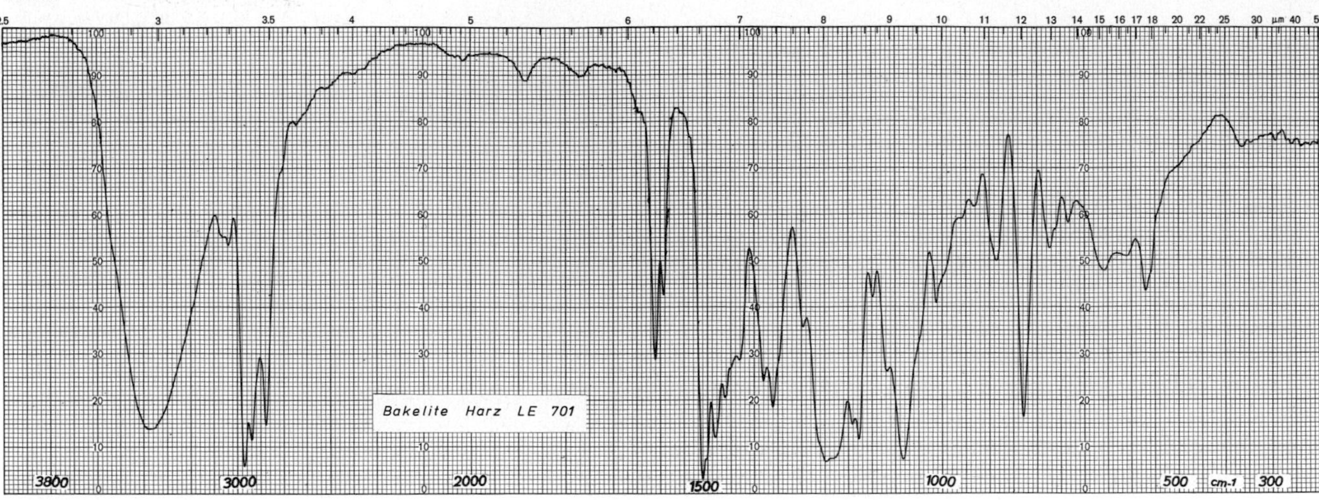

(1) **Bakelite-Harz LE 701**
(3) Phenolresol, methanolverethert
(4) rotbraune, transparente Lösung
(5) wie Bakelite-Harz LE 700 (geringere Reaktivität)
(6) Schicht auf CsI

(2) Bakelite GmbH, Letmathe/Westf.
(3) phenol resol, etherified with methanol
(4) red-brown, transparent solution
(5) like Bakelite-Harz LE 700 (lower reactivity)
(6) film on CsI

14461 2742

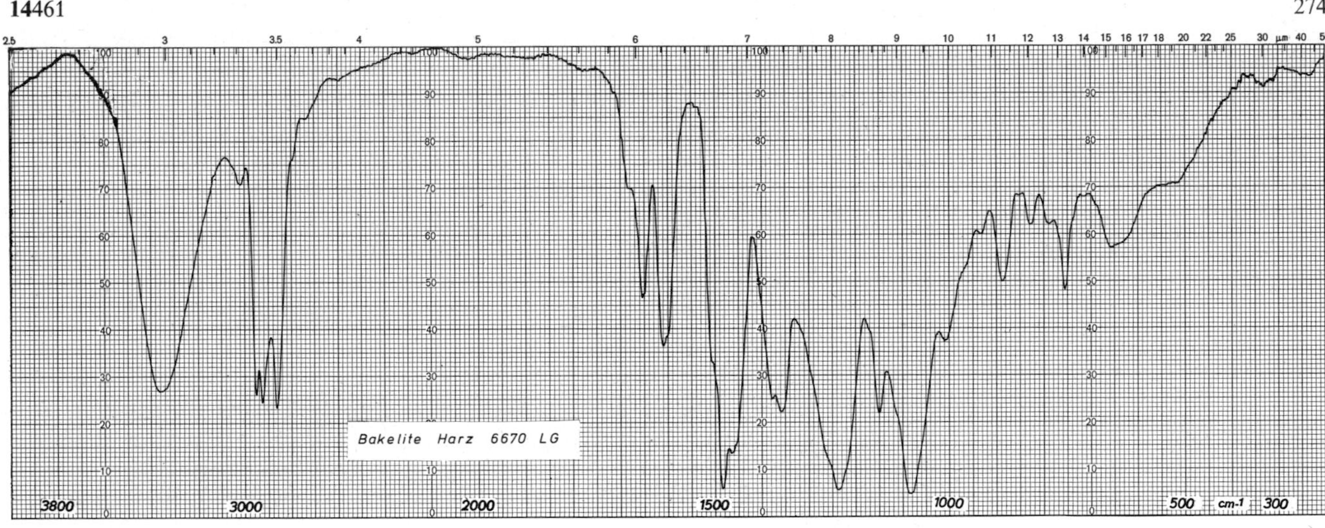

(1) **Bakelite-Harz 6670 LG**
(3) Phenolresol, mit BTL verethert
(4) rotbraune, transparente Lösung (65% in BTL)
(5) als Alleinbindemittel oder in Kombination mit plastifizierenden Komplementärharzen (Epoxidharzen oder Polyvinylbutyralen) für hochbeanspruchte Grundierungen und Innenschutzbeschichtungen
(6) Schicht auf CsI (24 h bei 120 °C getrocknet)

(2) Bakelite GmbH, Letmathe/Westf.
(3) phenol resol, etherified with butanol
(4) transparent, red-brown solution (65% in BTL)
(5) as sole binder or in combination with plasticized, complementary resins (epoxy resins or polyvinylbutyrals) for highly stressed primers and internal coatings
(6) film on CsI (dried at 120 °C for 24 h)

14461 2743

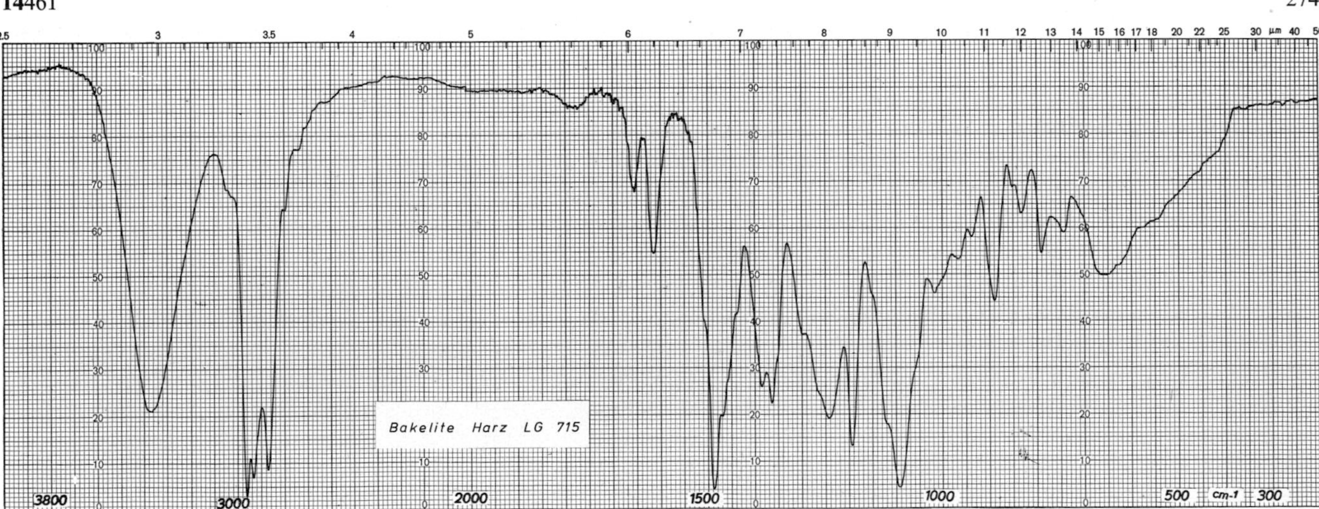

(1) **Bakelite-Harz LG 715**
(3) Phenolresol, mit BTL verethert
(4) rotbraune, transparente Lösung (50% in BTL)
(5) Standardharz für lösemittelbeständige Beschichtungen; in Kombination mit höhermolekularen Epoxidharzen auch für Tauchgrundierungen
(6) Schicht auf CsI

(2) Bakelite GmbH, Letmathe/Westf.
(3) phenol resol, etherified with butanol
(4) transparent, red-brown solution (50% in BTL)
(5) standard resin for solvent-resistant coatings; in combination with high molar mass epoxy resins also for dip primers
(6) film on CsI

14463 2744

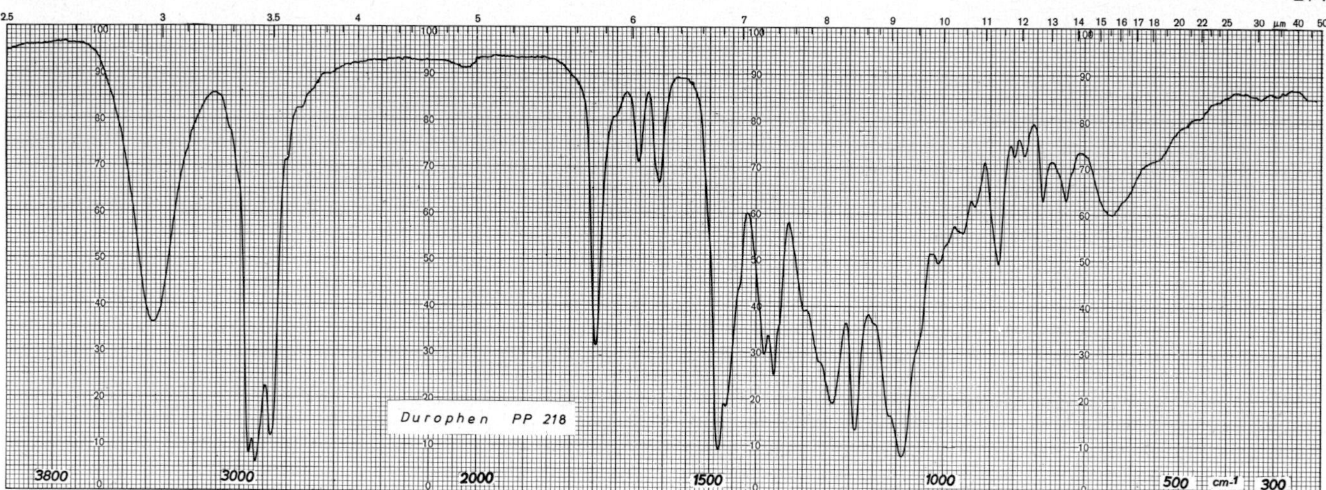

(1) **Durophen PP 218**
(3) fettsäuremodifiziertes Resol
(4) gelbbraune, dickflüssige Lösung (70% in XYL)
(5) für ofentrocknende Grundierungen und Lacke (Emballagen- und Verpackungslacke), Motoren- und Isoliertränklacke
(6) Schicht auf CsI

(2) Hoechst AG, Frankfurt/M.-Höchst
(3) fatty acid-modified resol
(4) yellow-brown, viscous solution (70% in XYL)
(5) for oven-drying primers and lacquers, (encasing and packaging lacquers), motor and insulation dip lacquers
(6) film on CsI

14463 2745

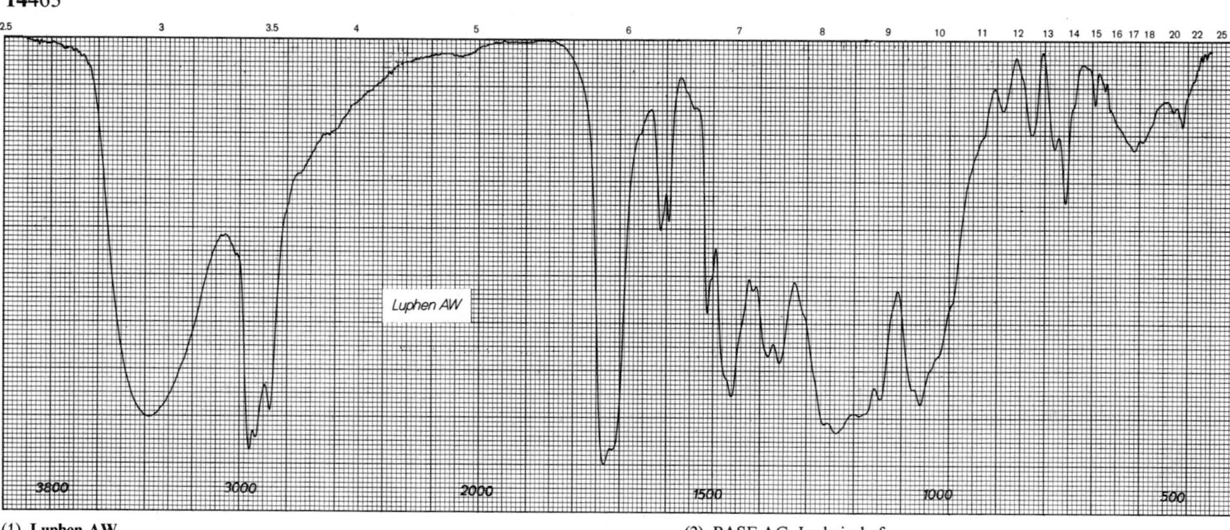

(1) **Luphen AW**
(3) plastifiziertes Phenolharz, alkoholische Lösung
(4) weinrote, zähe Lösung
(5) für Einbrennlackierung
(6) Film auf CsI
(7) Nicolet FTIR 7199

(2) BASF AG, Ludwigshafen
(3) plasticized phenolic resin in alcoholic solution
(4) viscous, wine red solution
(5) for stoving enamels
(6) film on CsI
(7) Nicolet FTIR 7199

14463

2746

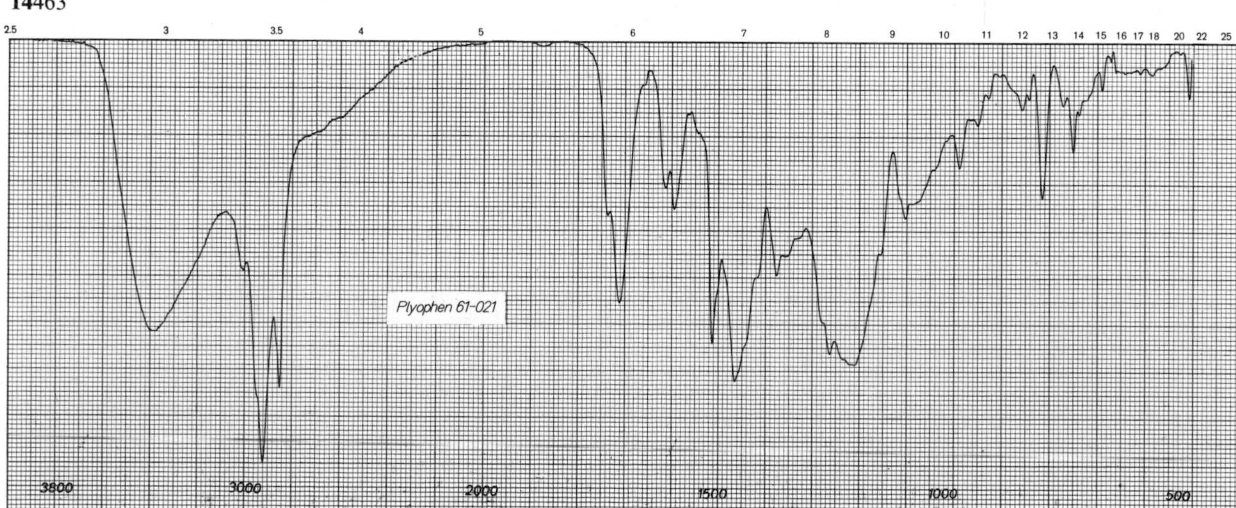

(1) **Plyophen 61-021**
(3) plastifiziertes Kresolresol
(4) dunkelrotbraune, viskose Lösung
(5) hitzehärtendes Harz für Schichtpreßstoffe
(6) Film auf CsI
(7) Nicolet FTIR 7199

(2) Hoechst AG/Reichhold Chemie, Hamburg
(3) plasticized cresol resol
(4) dark reddish-brown, viscous solution
(5) heat-curing resin for laminates
(6) film on CsI
(7) Nicolet FTIR 7199

14463 2747

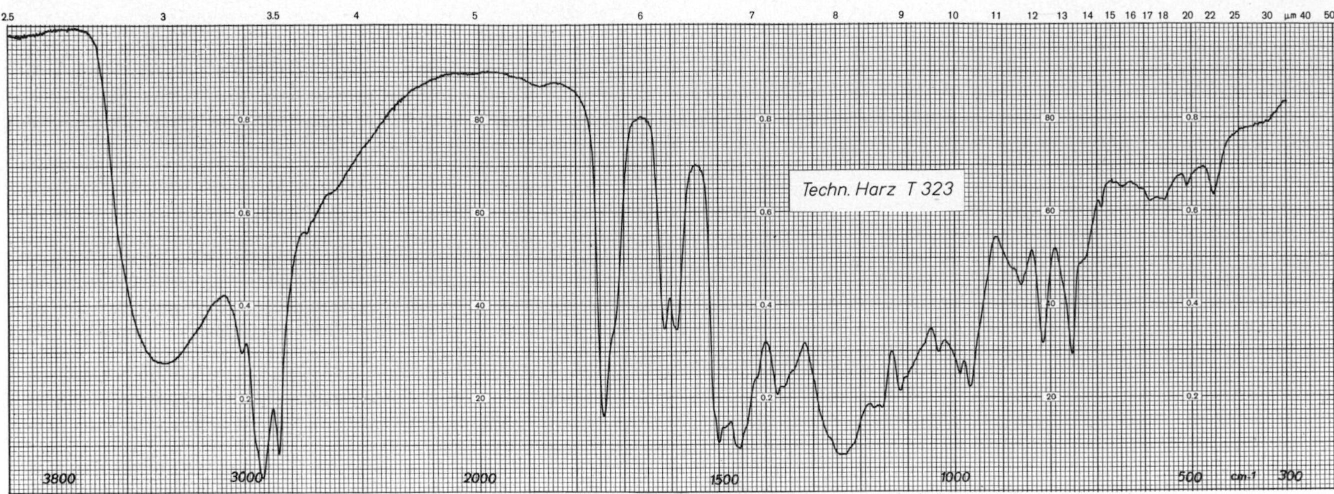

(1) **Technisches Harz T 323**
(3) modifiziertes Kresolresol (48...52% Festharz), löslich in Ketonen
(4) mittelbraune Flüssigkeit
(5) zur Herstellung kaltstanzbarer, elektrotechnischer Hartpapiere
(6) Schicht auf CsI, i.V. getrocknet
(7) PE 580 B, ABEX 1.40

(2) Dynamit Nobel AG, Troisdorf
(3) modified cresol resol (48...52% solid resin) soluble in ketones
(4) mid-brown liquid
(5) for the manufacture of cold punchable, electrical impregnated papers
(6) film on CsI, dried in vacuo
(7) PE 580 B, ABEX 1.40

14464 2748

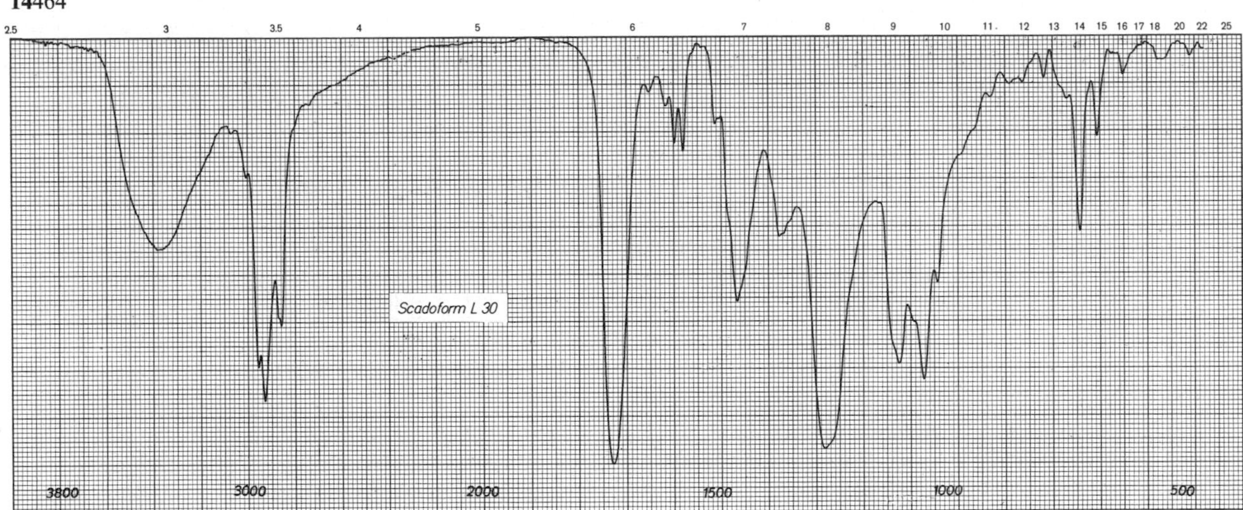

(1) **Scadoform L 30**
(3) mit Phthalsäurepolyester modifiziertes Phenolharz
(4) weinrotes Harz
(5) für elastische und resistente Einbrennlackierungen
(6) Film auf CsI
(7) Nicolet FTIR 7199

(2) Scado Kunstharzindustrie N.V., Zwolle
(3) phenol resin modified with phthalic polyester
(4) wine red resin
(5) for elastic and resistant stove enamels
(6) film on CsI
(7) Nicolet FTIR 7199

14471 2749

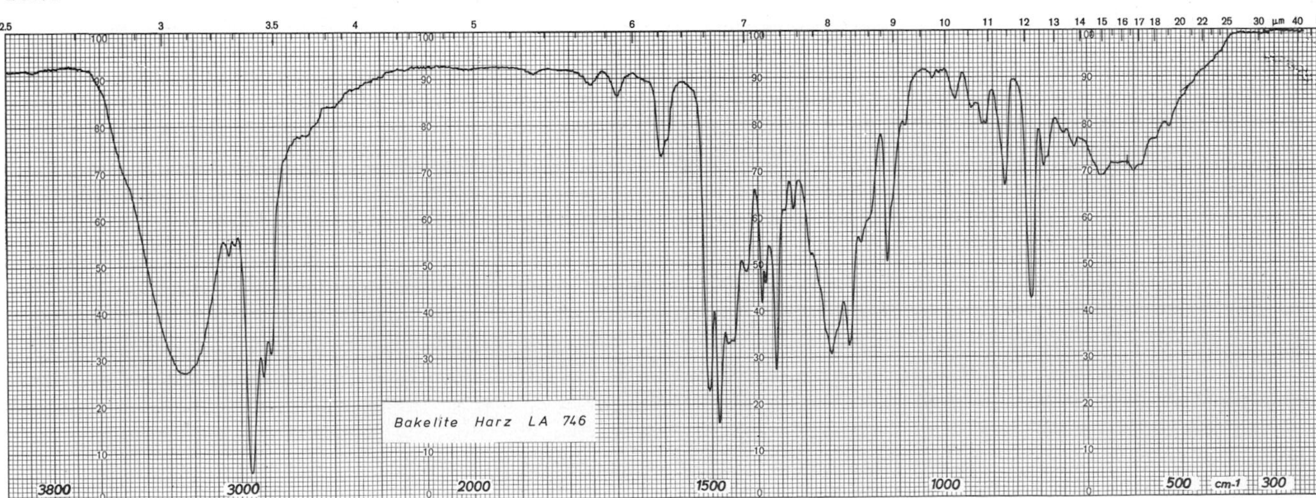

(1) **Bakelite-Harz LA 746**
(3) t-Butylphenolharz
(4) gelbe Harzstücke
(5) nach dem Verkochen mit trocknenden Ölen und Alkydharzen für lufttrocknende Öllacke, speziell für harzölige Lacke
(6) Schicht aus Aceton auf CsI

(2) Bakelite GmbH, Letmathe/Westf.
(3) t-butylphenol resin
(4) yellow resin
(5) after heating with drying oils and alkyd resins for air-drying oil finishes, especially for resin oil finishes
(6) film from acetone on CsI

14471 2750

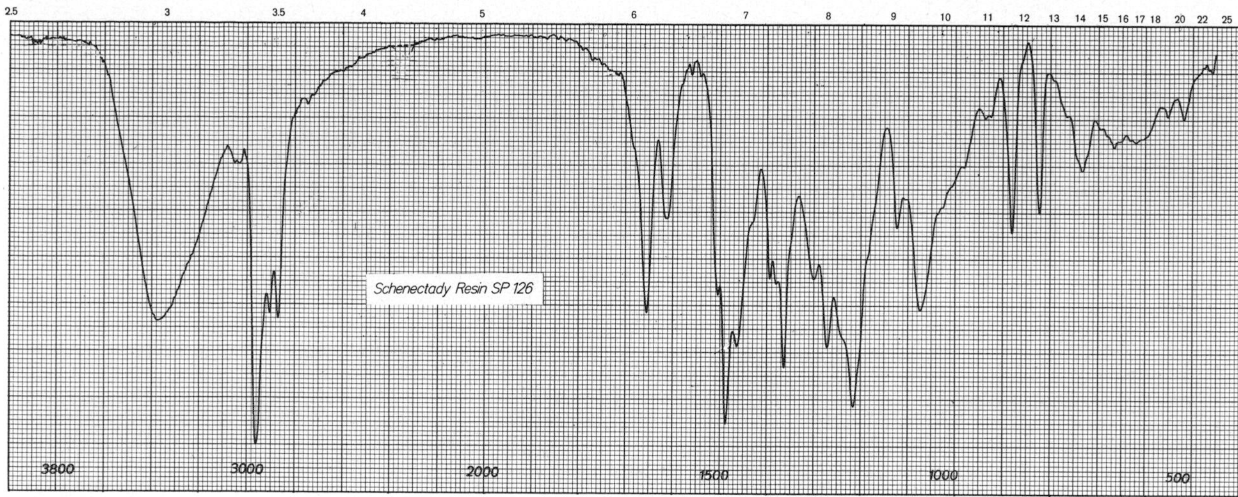

(1) **Schenectady Resin SP 126**
(3) t-Butylphenolharz
(4) orangefarbenes Harz
(5) Lackharz
(6) Schicht aus MTC auf CsI
(7) Nicolet FTIR 7199

(2) Schenectady Chemicals, Schenectady, N.Y.
(3) t-butylphenol resin
(4) orange-colored resin
(5) varnish resin
(6) film from MTC on CsI
(7) Nicolet FTIR 7199

14471 2751

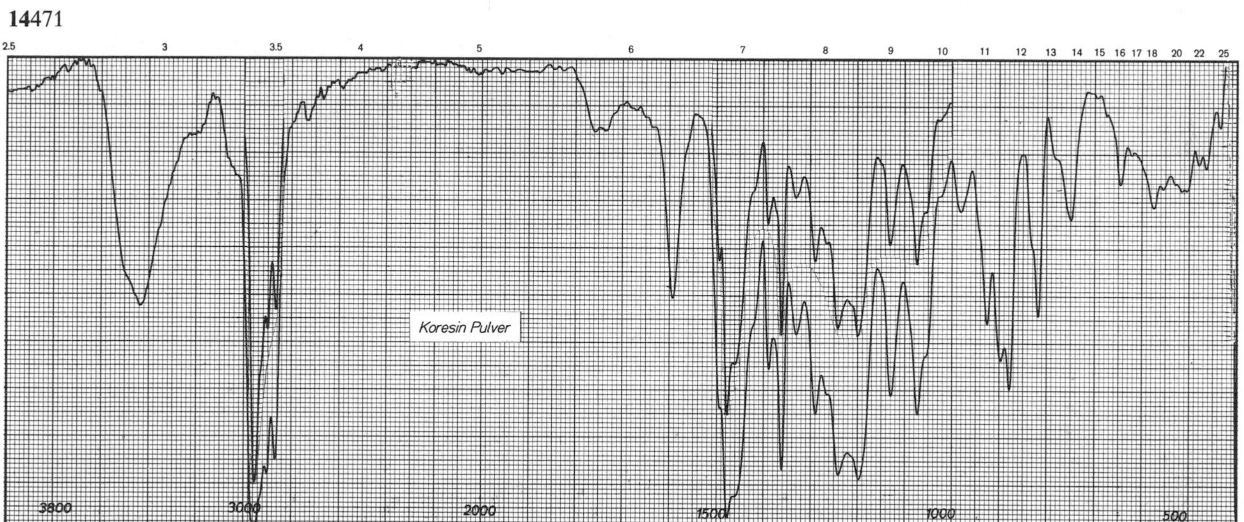

(1) **Koresin**
(3) t-Butylphenol-Acetylen-Kondensationsprodukt
(4) dunkelgraues Harz
(5) Hilfsmittel für die Kautschukindustrie
(6) Schicht aus MTC auf CsI
(7) Nicolet FTIR 7199

(2) BASF AG, Ludwigshafen
(3) t-butylphenol-acetylene condensation product
(4) dark grey resin
(5) additive for the rubber industry
(6) film from MTC on CsI
(7) Nicolet FTIR 7199

14472 2752

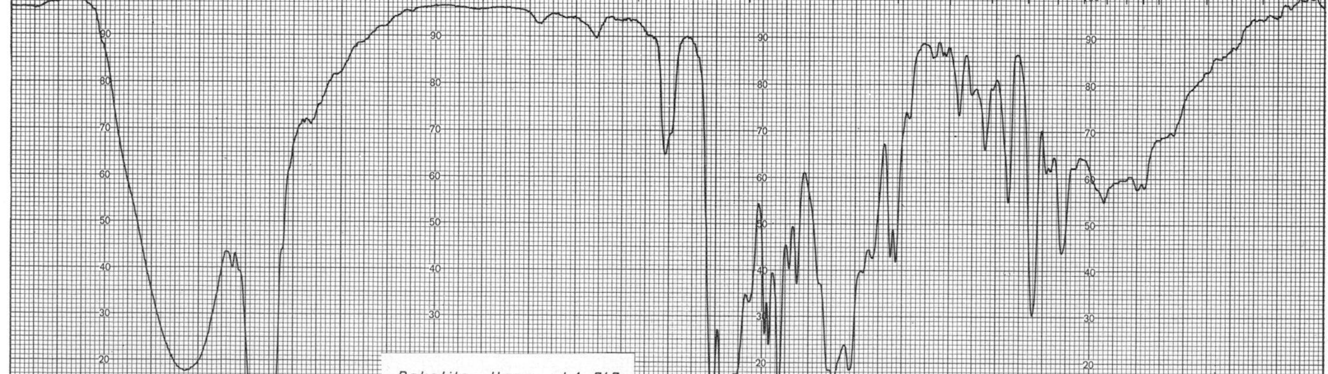

(1) **Bakelite-Harz LA 747**
(3) t-Octylphenolharz
(4) gelbliche Harzstücke
(5) nach dem Verkochen mit trocknenden Ölen und Alkyldharzen für lufttrocknende Öllacke, speziell für harzölige Lacke
(6) Schicht aus CLF auf CsI

(2) Bakelite GmbH, Letmathe/Westf.
(3) t-octylphenol resin
(4) yellowish resin
(5) after heating with drying oils and alkyd resins for air-drying finishes, especially for finishes containing resin oil
(6) film from CLF on CsI

14472 2753

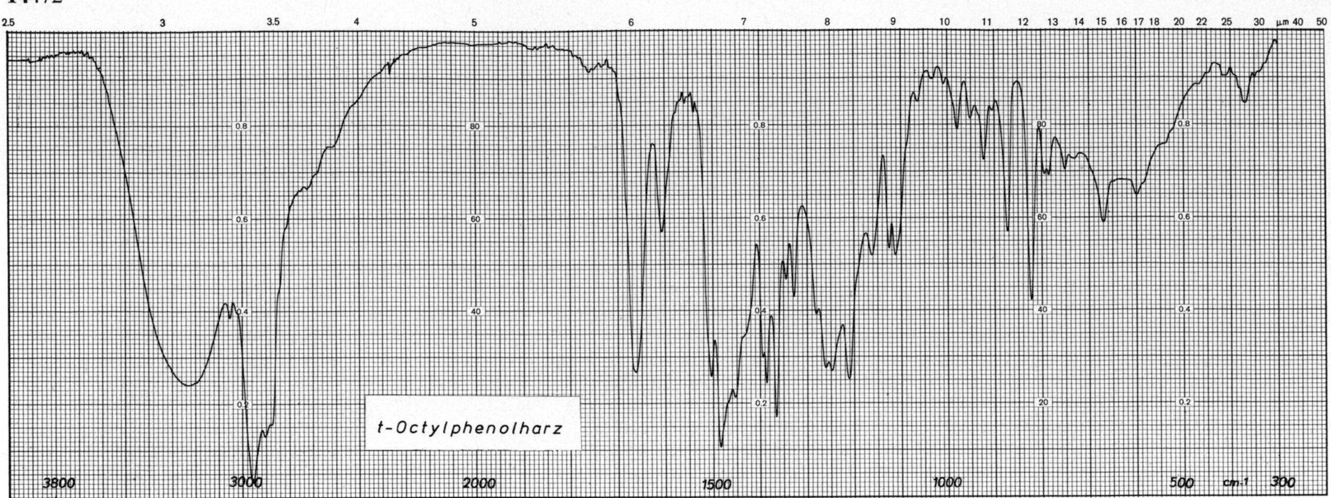

(1) **Supraplast-Harz 01**
(3) t-Octylphenolharz
(4) transparente, schwach rosa gefärbte Harzstücke
(6) Schicht aus BTL auf CsI
(7) PE 580 B

(2) Südwest-Chemie, Neu-Ulm
(3) t-octylphenol resin
(4) pale pink, transparent resin
(6) film from BTL on CsI
(7) PE 580 B

14474 2754

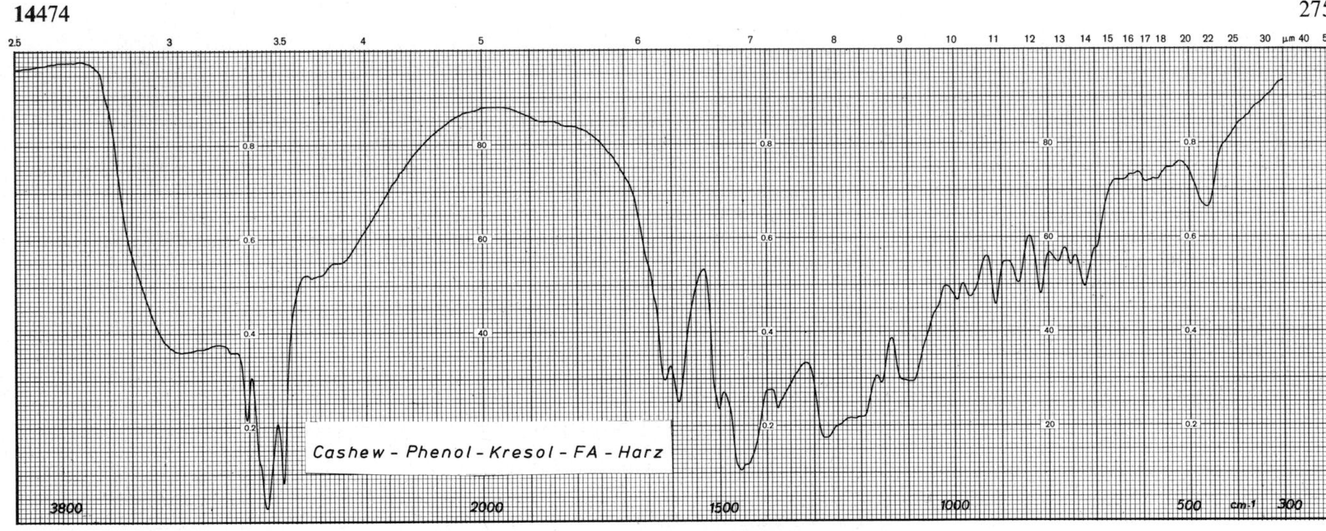

(1) **Supraplast-Harz K 555**
(3) Cashew-Phenol-Kresol-Formaldehyd-Harz
(4) braunes Pulver
(6) Schicht aus MTC auf CsI
(7) PE 580 B

(2) Südwest-Chemie, Neu-Ulm
(3) cashew oil-phenol-cresol-formaldehyde resin
(4) brown powder
(6) film from MTC on CsI
(7) PE 580 B

14476 2755

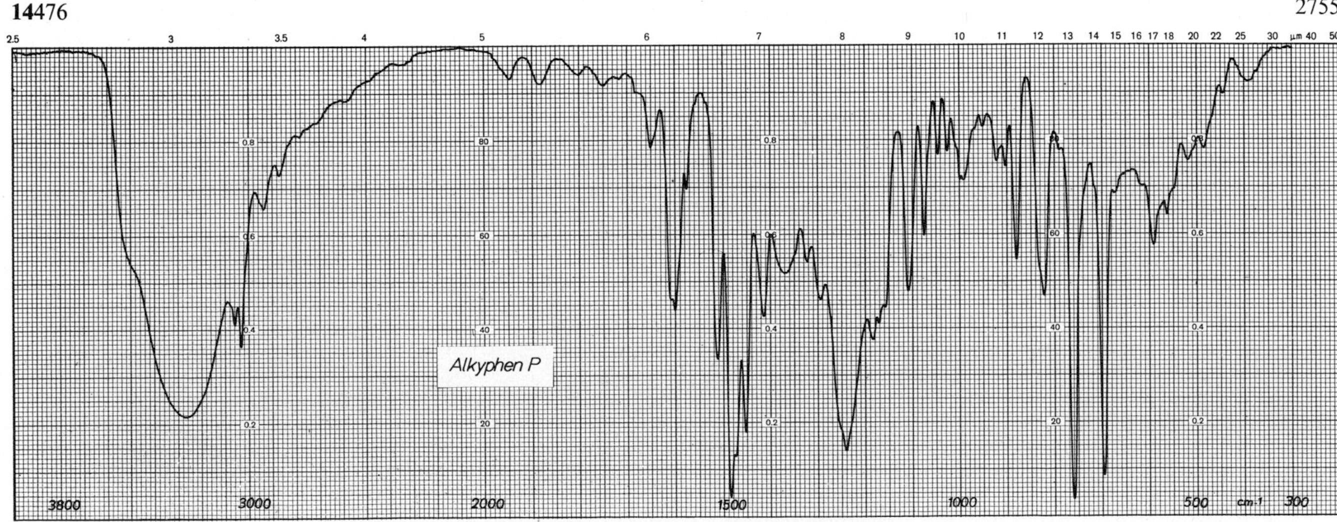

(1) **Alkyphen P**
(3) p-Phenylphenolharz
(4) honigfarbenes, kandisähnliches Harz
(5) für wetterfeste Anstriche
(6) Film aus MTC auf CsI
(7) PE 580 B, ABEX 1.13

(2) BASF AG, Ludwigshafen
(3) p-phenylphenol resin
(4) honey-colored, candy-like resin
(5) for weather-proof paints
(6) film from MTC on CsI
(7) PE 580 B, ABEX 1.13

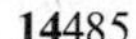

14485 2756

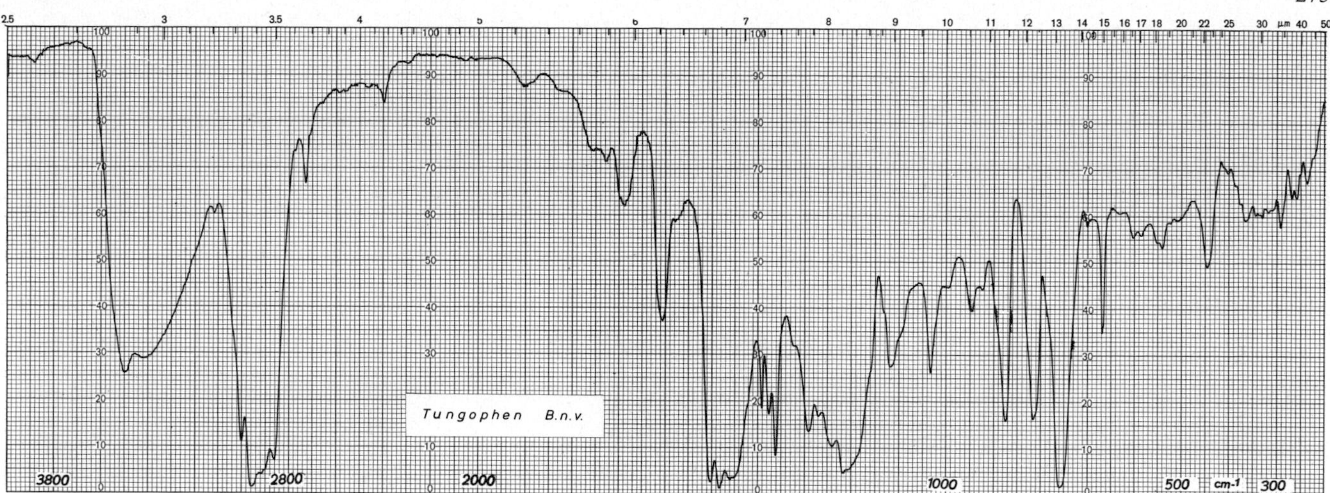

(1) **Tungophen B nv**
(3) durch Kondensation von substituierten Phenolen und Xylolformaldehydharz erhaltenes Harz mit aromatischen-aliphatischen Ether-, alkoholischen und phenolischen OH-Gruppen
(4) hellbraune Harzstücke
(5) zur Beschleunigung der Durchtrocknung und Härtung von Alkydharzlacken
(6) Film aus CLF auf CsI

(2) Bayer AG, Leverkusen
(3) resin manufactured by condensing xylene-formaldehyde resin with substituted phenols containing aromatic-aliphatic ether linkages, alcoholic and phenolic OH groups
(4) light brown resin
(5) for accelerating the drying out and curing of alkyd resin finishes
(6) film from CLF on CsI

14486 2757

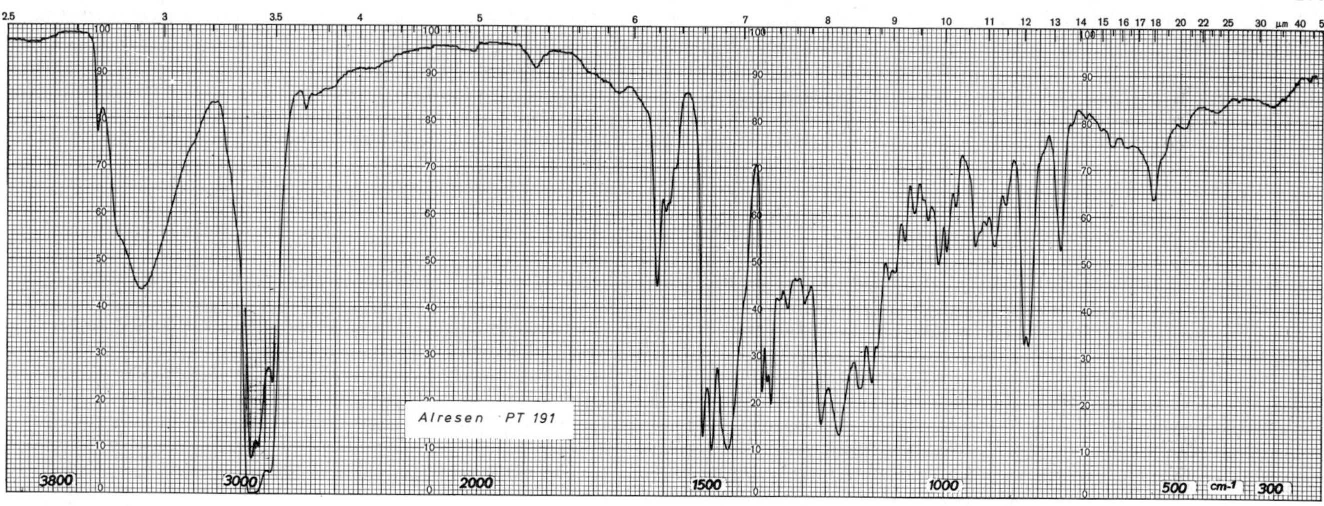

(1) **Alresen PT 191**
(3) Terpenphenolharz
(4) hellbraune Harzplättchen
(5) für wetter- und hitzebeständige Aluminiumbronzefarben
(6) Schicht aus CLF auf CsI

(2) Hoechst AG, Frankfurt/M.-Höchst
(3) terpene-phenol resin
(4) light brown resin
(5) for weather and heat-resistant aluminium bronze paints
(6) film from CLF on CsI

14(51 – 62) $C_2H_3Cl-C_6H_{12}O$ *P* 2758

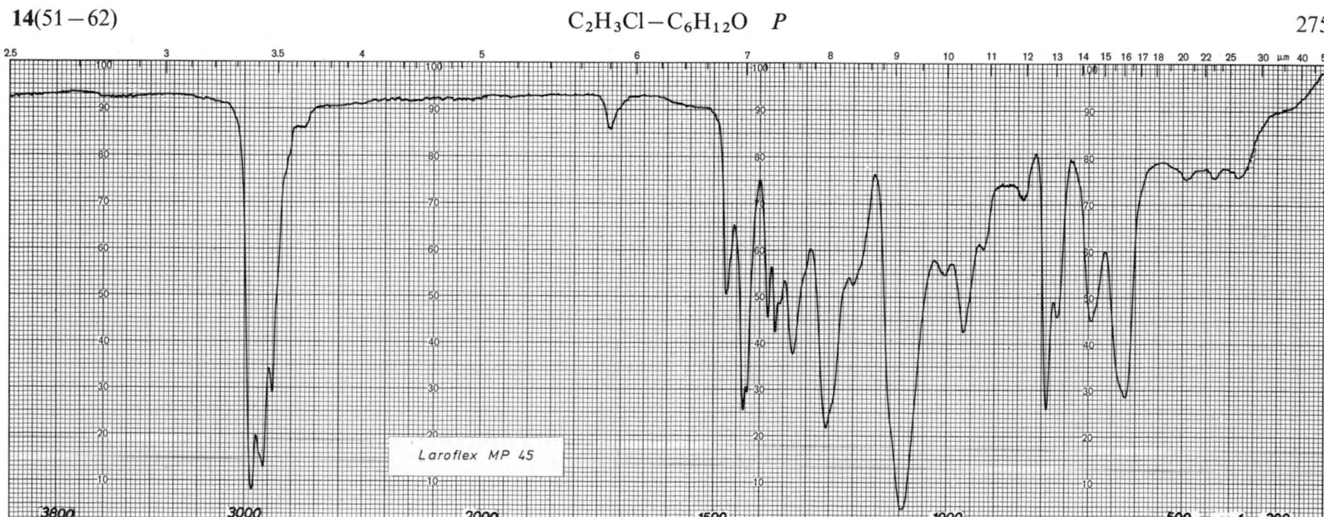

(1) **Laroflex MP 45**
(3) Poly(vinylchlorid-co-vinylisobutylether)
(4) weißes Pulver
(5) für alkali- und säurefeste licht- und wetterbeständige Korrosionsschutzlacke, Anstriche auf Beton, Asbestzement und Kunststoff, für Straßenmarkierungen und Fassaden; in Kombinationen mit anderen Lackharzen, Teeren und Bitumina
(6) klarer Film aus ACT auf CsI

(2) BASF AG, Ludwigshafen
(3) poly(vinyl chloride-co-vinyl isobutyl ether)
(4) white powder
(5) for acid and alkali, light and weather-resistant, protective lacquers, paints for concrete, asbestos cement and plastic, for road markings and for facades; in combination with other coating resins, tars and bitumens
(6) clear film from ACT on CsI

14(51 – 781)

2759

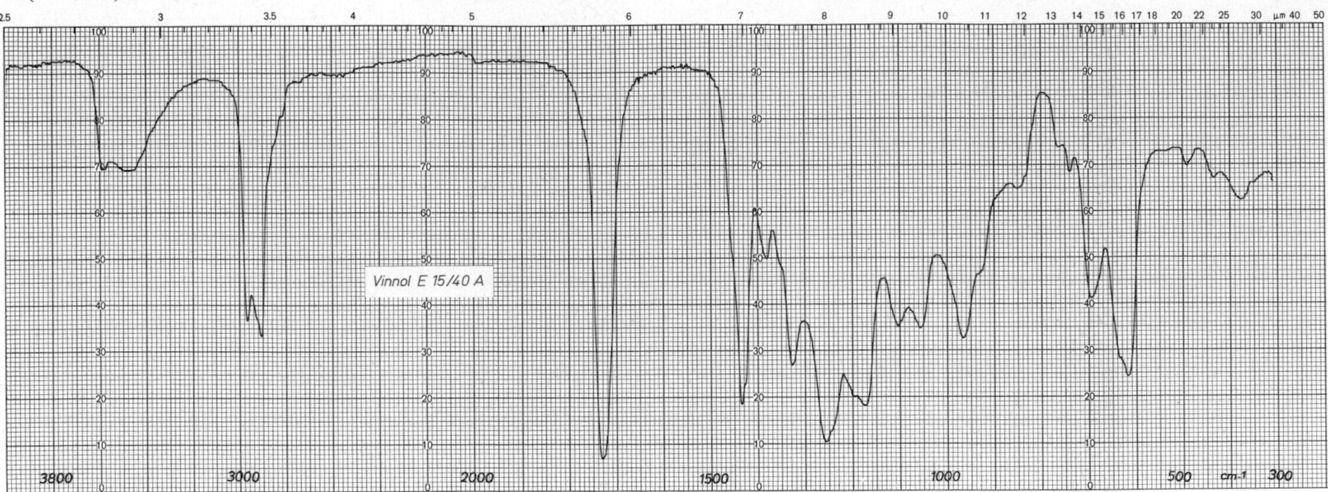

(1) **Vinnol E 15/40 A**
(3) Poly(vinylchlorid-co-acrylat) mit freien OH-Gruppen
(4) eierschalenfarbene, leichte Substanz
(5) für pulverförmige Dispersionsfarben, Edelputze, Spachtelmassen
(6) Schicht aus MTC auf CsI

(2) Wacker-Chemie, Burghausen
(3) poly(vinyl chloride-co-acrylate) with free OH groups
(4) light, eggshell-colored substance
(5) for powdered, dispersion paints, renderings and fillers
(6) film from MTC on CsI

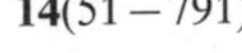
14(51 – 791) $C_2H_3Cl–C_4H_6O_2–C_4H_4O_4$ *P*

2760

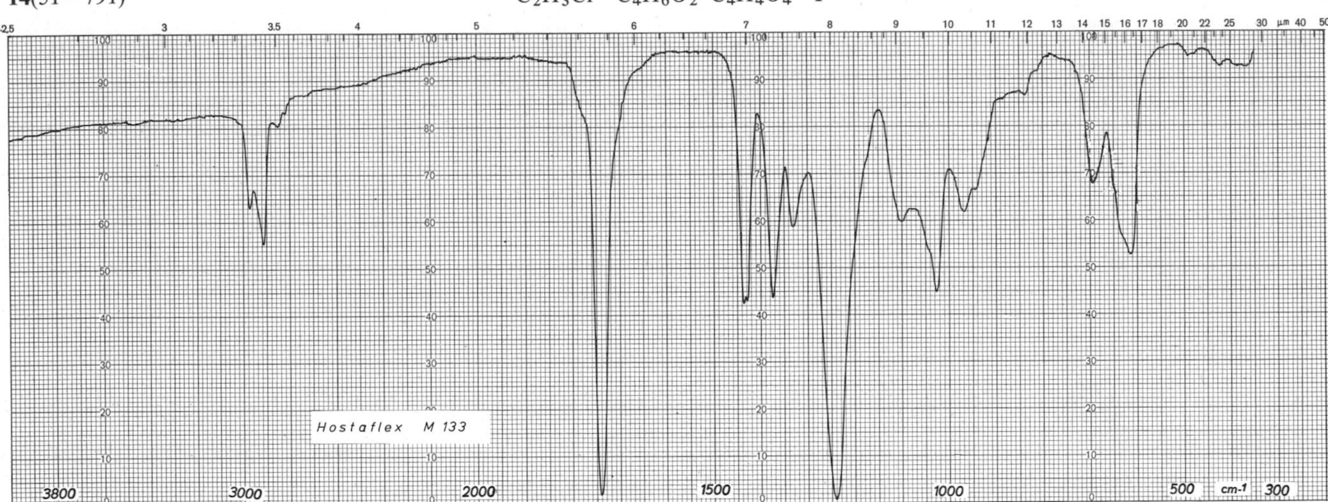

(1) **Hostaflex M 133**
(3) Terpolymer aus Vinylchlorid, Vinylacetat und einer Dicarbonsäure (letztere mit 3%)
(4) rosastichig-weißes Pulver
(5) Bindemittel für Anstriche und Klebstoffe; heißsiegelbare, chemikalien-, wetter- und wasserfeste Überzüge mit guter Haftung auf Metallgrundfolien und Abziehlacke
(6) Schicht aus BTN auf CsI

(2) Hoechst AG, Frankfurt/M.-Höchst
(3) terpolymer of vinyl chloride, vinyl acetate and a dibasic carboxylic acid (3% of the latter)
(4) pink-flecked, white powder
(5) binder for coatings and adhesives; hot sealable, chemical, weather and water-proof coatings with good adhesion to metal foils and for rubbing down lacquers
(6) film from BTN on CsI

14(51 – 791) $C_2H_3Cl–C_4H_6O_2$ *P* 2761

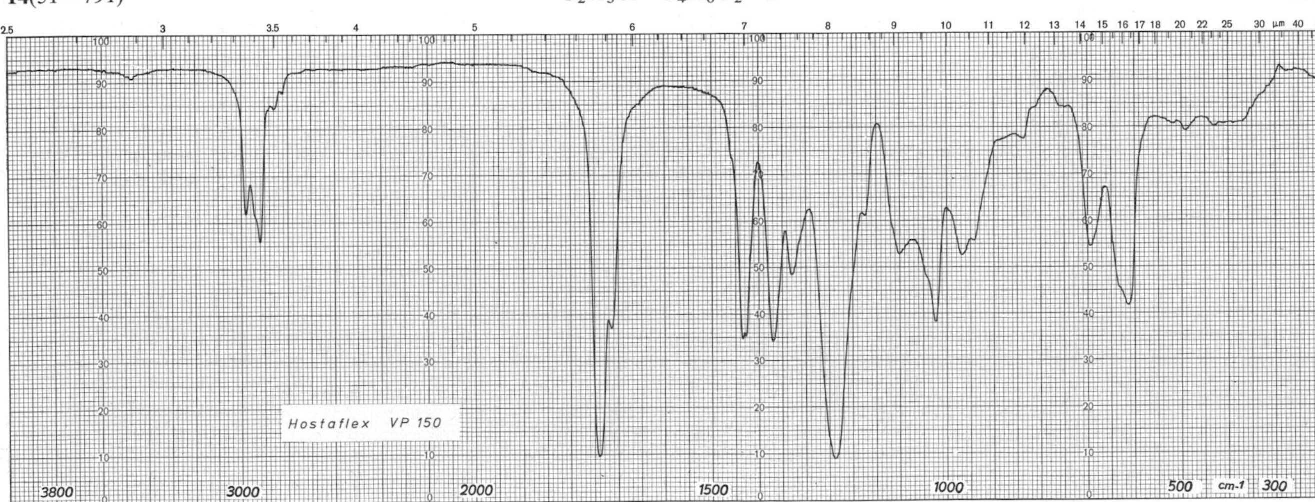

(1) **Hostaflex VP 150**
(3) Poly(vinylchlorid-co-vinylacetat), 85:15
(4) weißes, körniges Pulver
(5) für chemikalien- und witterungsbeständige Korrosionsschutzanstriche; für biegsame, heißsiegelfähige Überzüge für Papier, Pappe u. dgl.
(6) freitragender Film aus BTN

(2) Hoechst AG, Frankfurt/M.-Höchst
(3) poly(vinyl chloride-co-vinyl acetate), 85:15
(4) white, grainy powder
(5) for chemical and weather-resistant, corrosion-resistant paints, for flexible, bot sealable coatings for paper and card
(6) freestanding film from BTN

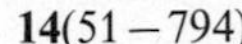

14(51 – 794) | 2762

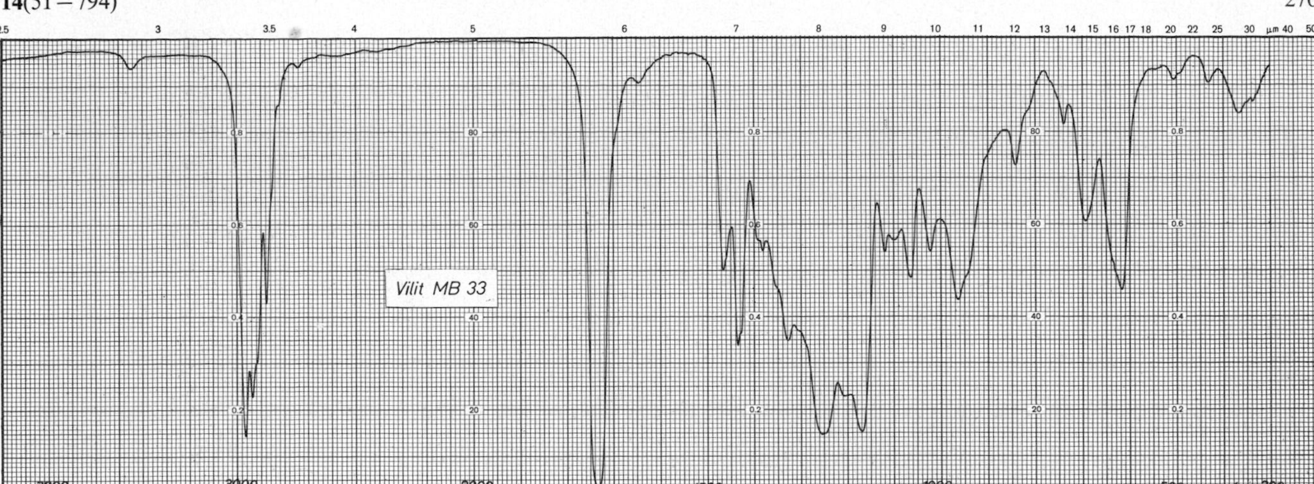

(1) **Vilit MB 33**	(2) Chemische Werke Hüls AG, Marl
(3) Poly(vinylchlorid-co-maleinsäureester)	(3) poly(vinyl chloride-co-maleate ester)
(4) weißes Pulver	(4) white powder
(5) Bindemittel für Korrosionsschutzlacke	(5) binder for anticorrosive lacquers
(6) Schicht aus MTC auf CsI	(6) film from MTC on CsI
(7) PE 580 B, ABEX	(7) PE 580 B, ABEX

14(51 – 794) | 2763

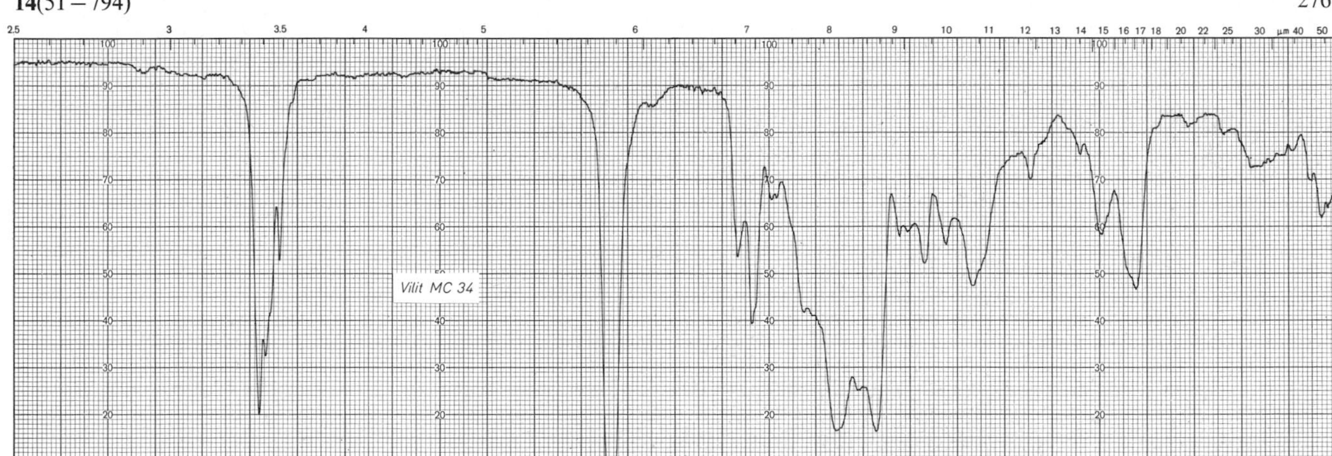

(1) **Vilit MC 34**	(2) Chemische Werke Hüls AG, Marl
(3) Vinylchlorid-Maleinsäureester-Terpolymer mit freien Carboxylgruppen	(3) vinyl chloride, maleate ester, terpolymer containing free carboxyl groups
(4) weißes Pulver	(4) white powder
(5) Bindemittel für Korrosionsschutzlacke, hohe Metallhaftung	(5) binder for anticorrosive lacquers, good adhesion to metal
(6) Schicht aus MTC auf CsI	(6) film from MTC on CsI
(7) Beckman IR 12	(7) Beckman IR 12

145(2 – 1) | $C_2H_2Cl_2 - C_2H_3Cl$ *P* | 2764

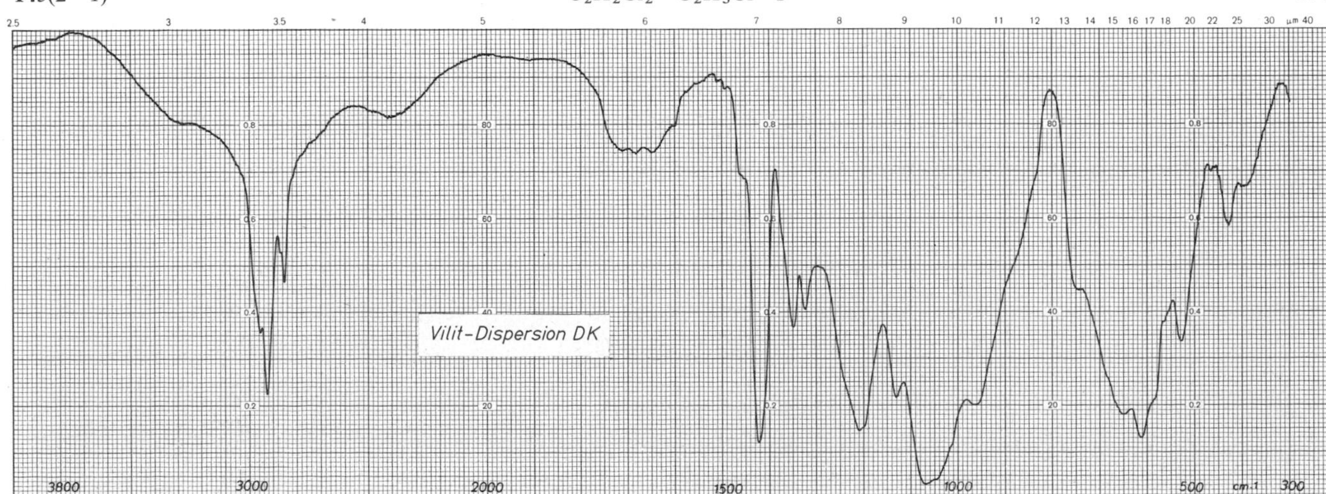

(1) **Vilit-Dispersion DK (Produkt von 1966)**	(1) **Vilit-Dispersion DK (sample from 1966)**
(2) Chemische Werke Hüls AG, Marl	(3) dispersion of a poly(vinylidene chloride-co-vinyl chloride)
(3) Dispersion eines Poly(vinylidenchlorid-co-vinylchlorid)	(4) white dispersion
(4) weiße Dispersion	(5) for chemically resistant and flameproof coatings
(5) für chemisch beständige und flammfeste Überzüge	(6) dried film on KRS-5
(6) eingetrocknete Schicht auf KRS-5	(7) PE 580 B, ABEX 1.55
(7) PE 580 B, ABEX 1.55	

14(52–783) 2765

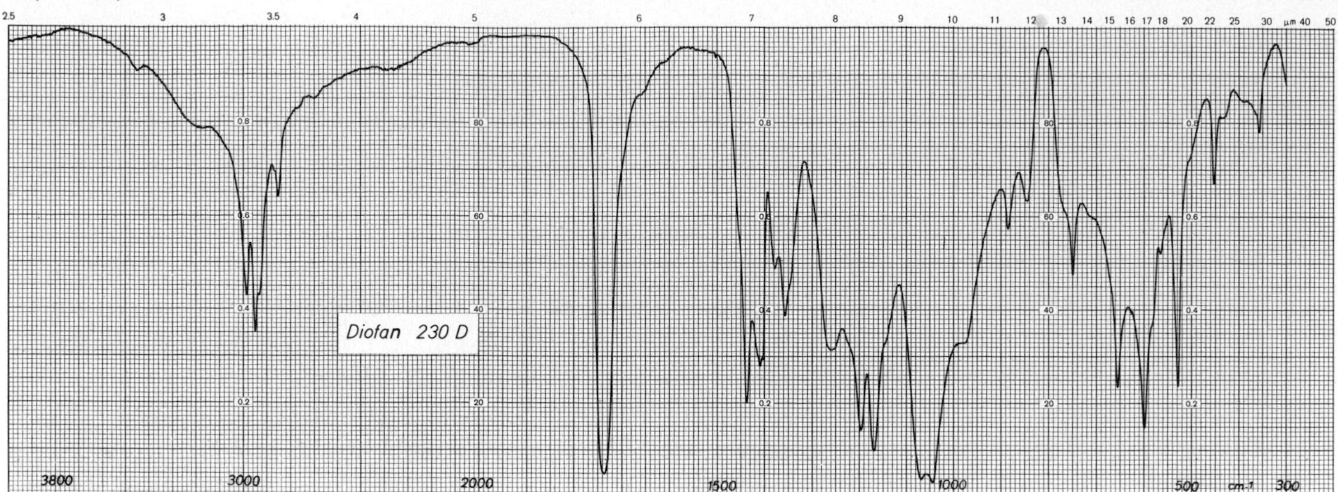

(1) **Diofan 230 D (Muster von 1966)**
(2) BASF AG, Ludwigshafen
(3) Poly(vinylidenchlorid-co-acrylester)
(4) weiße Dispersion
(5) zur Beschichtung von Papier und Folien
(6) eingetrocknete Schicht auf KRS-5
(7) PE 580 B, ABEX 1.20

(1) **Diofan 230 D (sample from 1966)**
(3) poly(vinylidene chloride-co-acrylate ester)
(4) white dispersion
(5) for coating paper and films
(6) dried film on KRS-5
(7) PE 580 B, ABEX 1.20

14(52–783) 2766

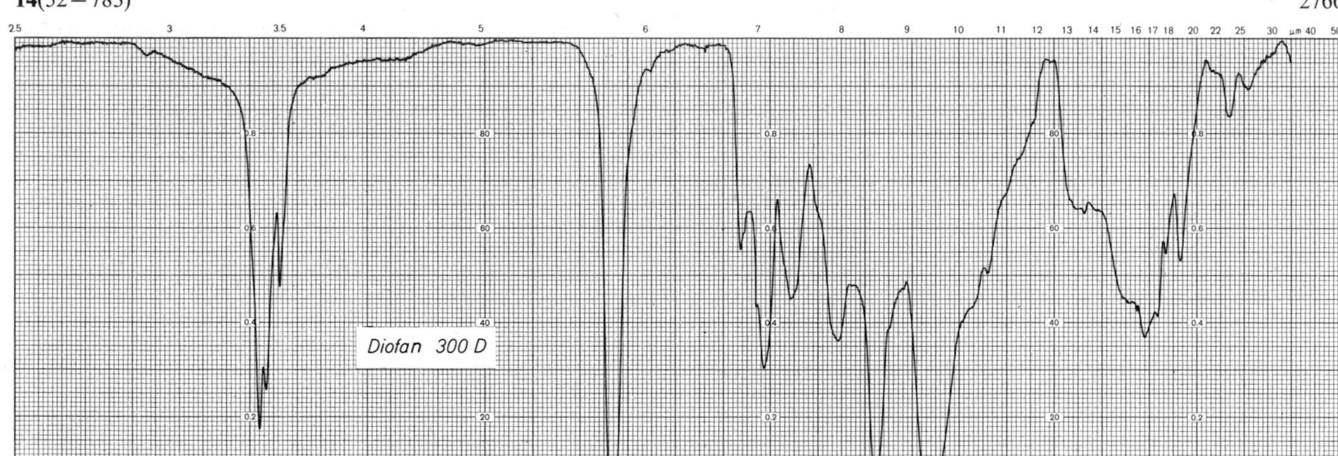

(1) **Diofan 300 D (Muster von 1966)**
(2) BASF AG, Ludwigshafen
(3) Poly(vinylidenchlorid-co-acrylester)
(4) weiße Dispersion
(5) zur Beschichtung von Papier und Folien
(6) eingetrocknete Schicht auf KRS-5
(7) PE 580 B, ABEX 1.56

(1) **Diofan 300 D (sample from 1966)**
(3) poly(vinylidene chloride-co-acrylate ester)
(4) white dispersion
(5) for coating paper and films
(6) dried film on KRS-5
(7) PE 580 B, ABEX 1.56

1454 2767

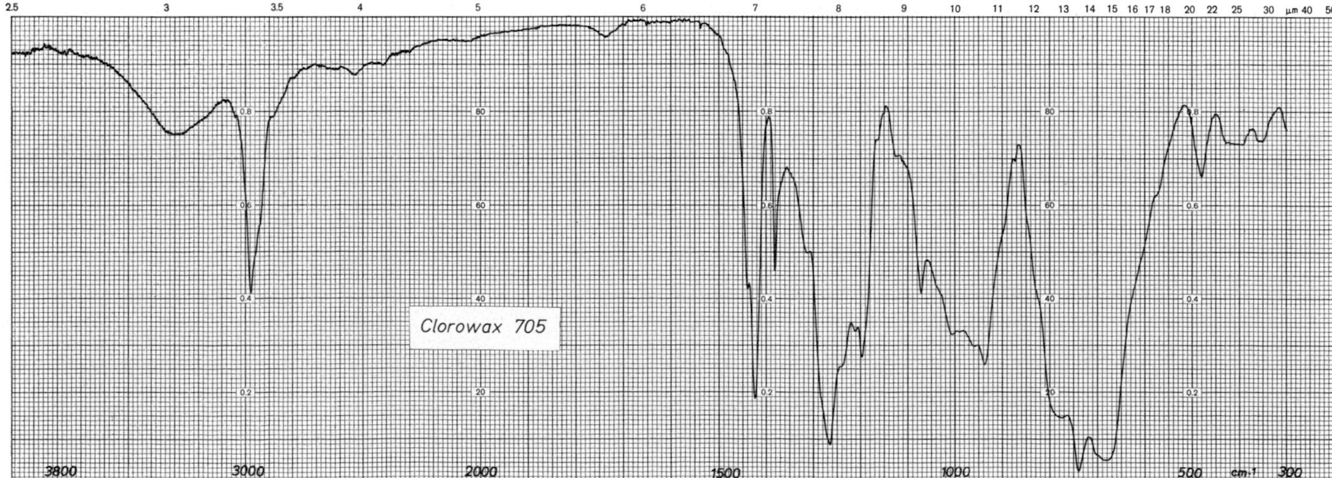

(1) **Clorowax 705**
(3) hitzestabilisiertes, chloriertes Paraffin
(4) weißes Pulver
(5) zur Flammfestausrüstung
(6) Schicht aus MTC auf CsI
(7) PE 580 B

(2) Diamond Alkali
(3) heat-stabilized, chlorinated paraffin
(4) white powder
(5) for flameproofing
(6) film from MTC on CsI
(7) PE 580 B

1454 2768

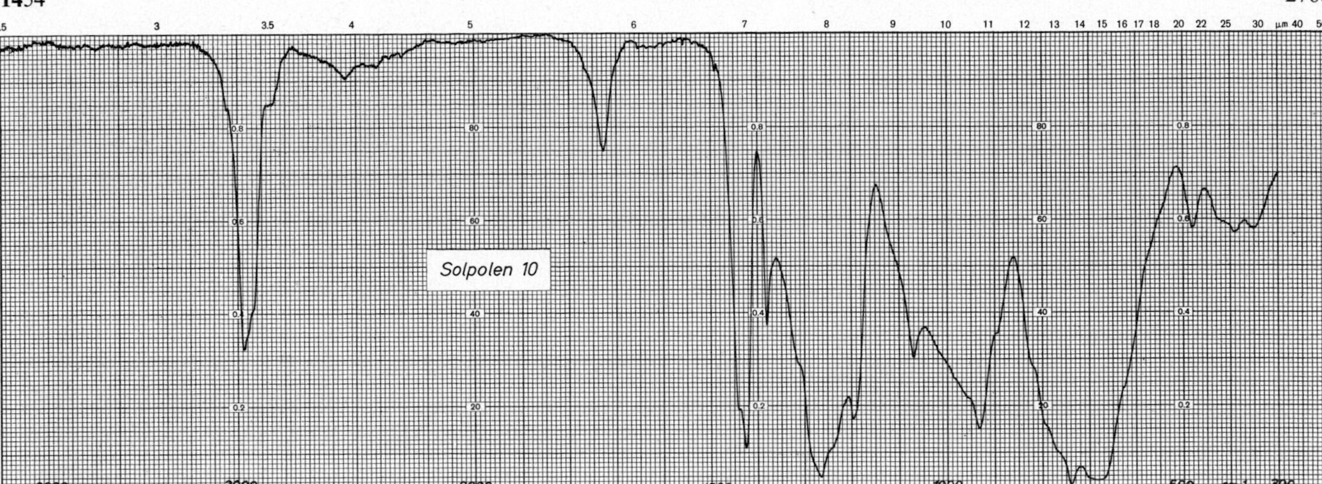

(1) **Solpolen 10**
(3) hochchloriertes Polyethylen
(4) weißes Pulver
(5) für flammfeste und chemisch widerstandsfähige Lackierungen
(6) Schicht aus MTC auf CsI
(7) PE 580 B, ABEX 1.68

(2) Società Elettrica ed Elettrochimica del Caffáro
(3) highly chlorinated polyethylene
(4) white powder
(5) for flameproof and chemically resistant lacquers
(6) film from MTC on CsI
(7) PE 580 B, ABEX 1.68

1454 2769

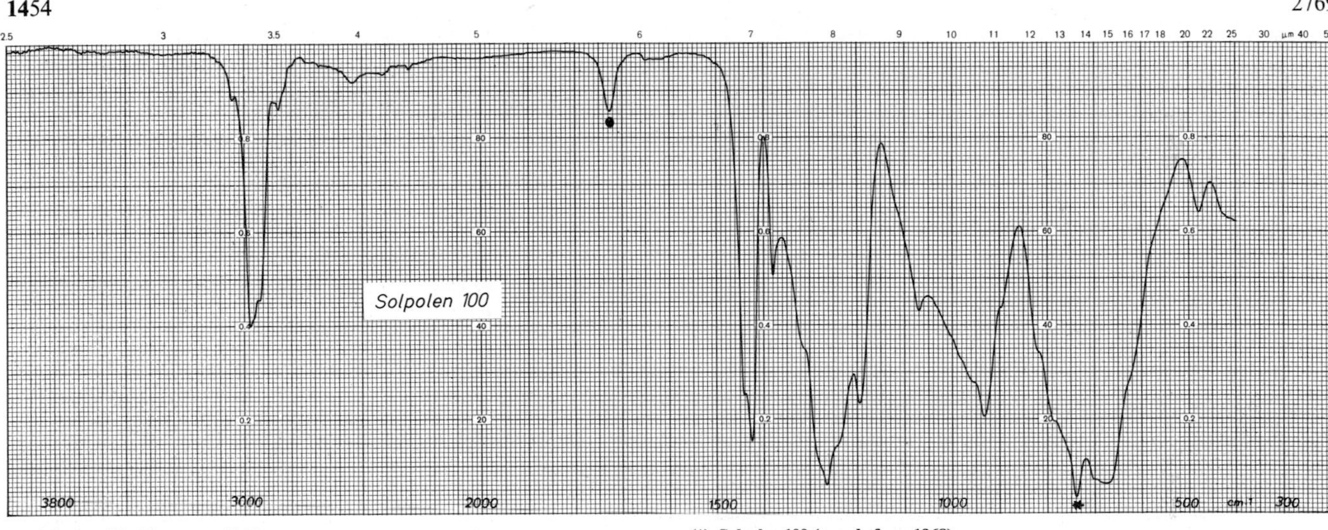

(1) **Solpolen 100 (Muster von 1968)**
(2) Società Elettrica ed Elettrochimica del Caffáro
(3) hochchloriertes Polyethylen
(4) weißes Pulver
(5) für flammfeste und chemisch widerstandsfähige Lackierung
(6) Schicht aus MTC auf CsI; * (740 cm^{-1}): CH_2Cl_2, * (1728 cm^{-1}): Carbonyl (Oxidation)
(7) PE 580 B, ABEX 1.83

(1) **Solpolen 100 (sample from 1968)**
(3) highly chlorinated polyethylene
(4) white powder
(5) for flameproof and chemically resistant lacquers
(6) film from MTC on CsI; * (740 cm^{-1}): CH_2Cl_2, * (1728 cm^{-1}): carbonyl (oxidation)
(7) PE 580 B, ABEX 1.83

1454 2770

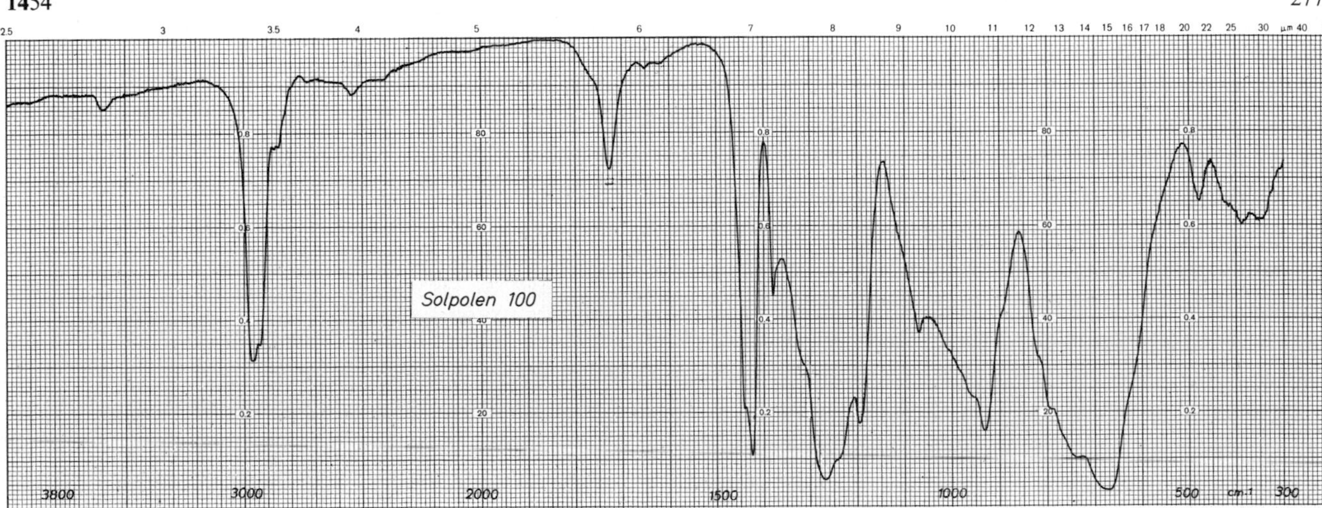

(1) **Solpolen 100 (Muster von 1968)**
(2) Società Elettrica ed Elettrochimica del Caffáro
(3) hochchloriertes Polyethylen
(4) weißes Pulver
(5) für flammfeste und chemisch widerstandsfähige Lackierungen
(6) Schmelzfilm zwischen CsI
(7) PE 580 B, ABEX 1.16

(1) **Solpolen 100 (sample from 1968)**
(3) highly chlorinated polyethylene
(4) white powder
(5) for flameproof and chemically resistant lacquers
(6) film from the melt between CsI
(7) PE 580 B, ABEX 1.6

1554 2771

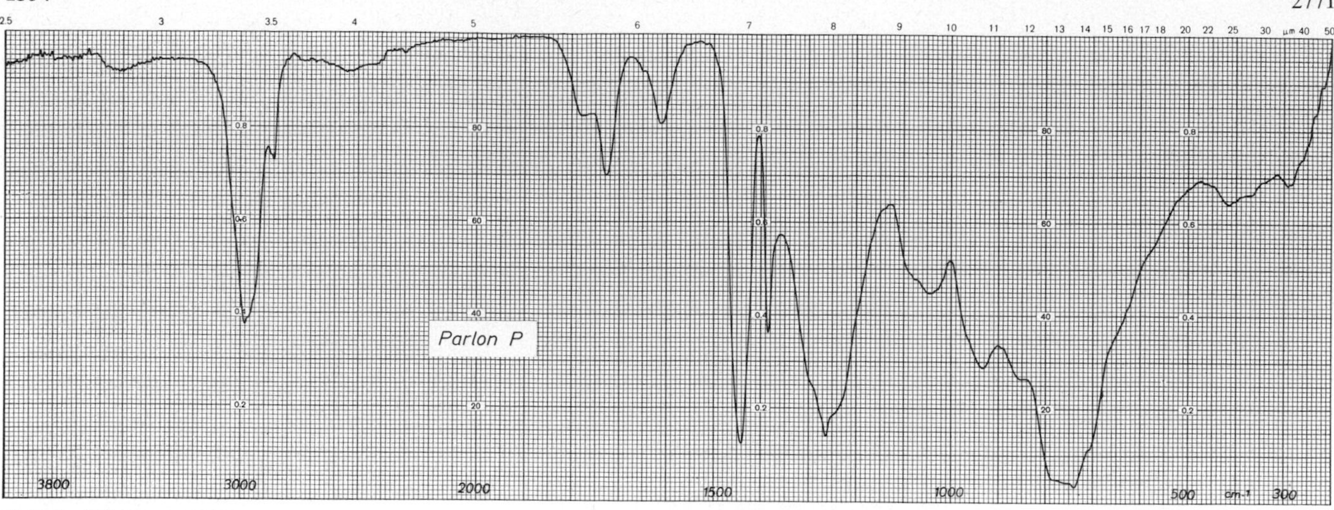

(1) **Parlon P (Muster von 1966)**
(2) Hercules, Wilmington, Dela.
(3) chloriertes Polypropylen
(4) weißes Pulver
(5) für chemisch beständige, flammfeste Überzüge
(6) Schicht aus MTC auf CsI
(7) PE 580 B, ABEX 2.05

(1) **Parlon P (sample from 1966)**
(3) chlorinated polypropylene
(4) white powder
(5) for chemically resistant, flameproof coatings
(6) film from MTC on CsI
(7) PE 580 B, ABEX 2.05

1454 2772

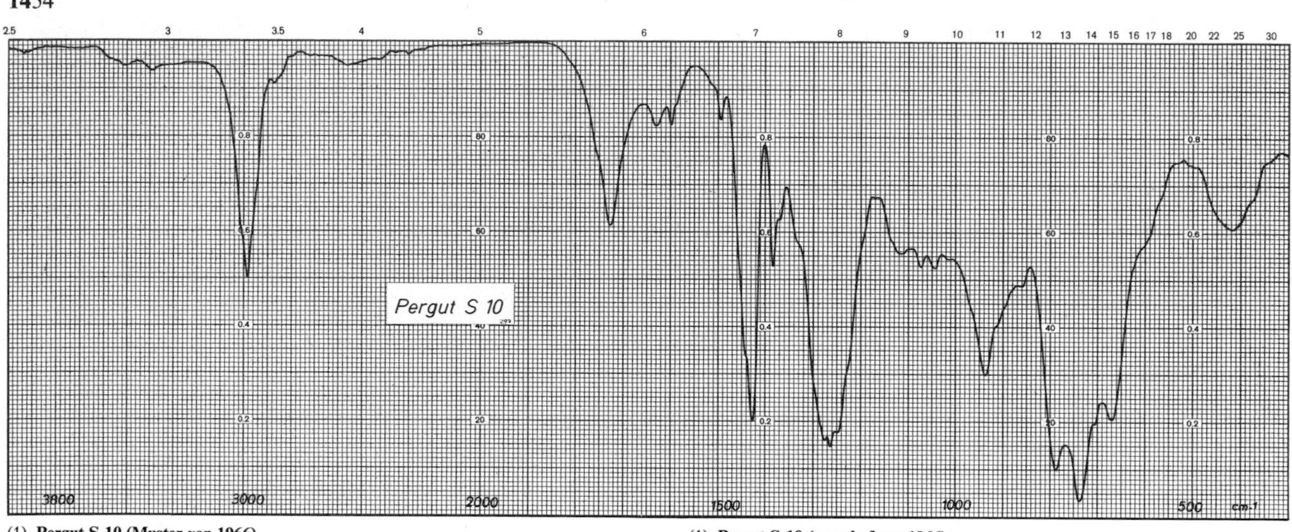

(1) **Pergut S 10 (Muster von 1966)**
(2) Bayer AG, Leverkusen
(3) Chlorkautschuk
(4) weißes Pulver
(5) für chemikalienbeständige Anstriche, z. B. Schwimmbäder
(6) Schicht aus MTC auf CsI
(7) PE 580 B, ABEX 1.37; 1263 cm^{-1}, 739 cm^{-1}: CH_2Cl_2

(1) **Pergut S 10 (sample from 1966)**
(3) chlorinated rubber
(4) white powder
(5) for chemical-resistant coatings, e.g. for swimming pools
(6) film from MTC on CsI
(7) PE 580 B, ABEX 1.37; 1263 cm^{-1}, 739 cm^{-1}: CH_2Cl_2

1454 2773

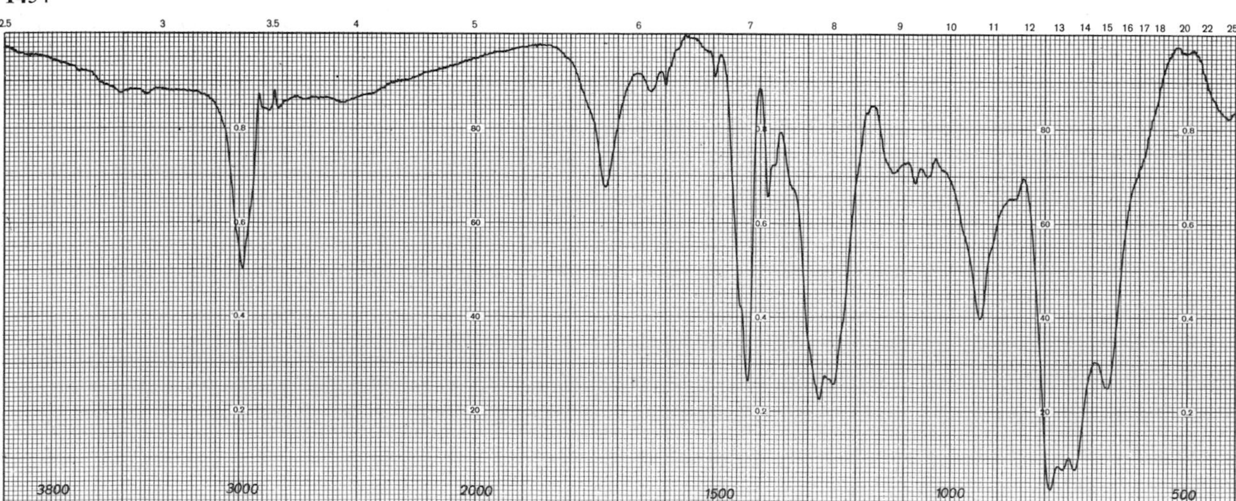

(1) **Pergut S 10 (Muster von 1966)**
(2) Bayer AG, Leverkusen
(3) Chlorkautschuk
(4) weißes Pulver
(5) für chemikalienbeständige Anstriche, z. B. Schwimmbäder
(6) KBr (5/350)
(7) PE 580 B, ABEX 1.66, FLAT; H_2O subtrahiert, F = 0.8799

(1) **Pergut S 10 (sample from 1966)**
(3) chlorinated rubber
(4) white powder
(5) for chemical-resistant coatings, e.g. for swimming pools
(6) KBr (5/350)
(7) PE 580 B, ABEX 1.66, FLAT; H_2O subtracted, F = 0.8799

1454

2774

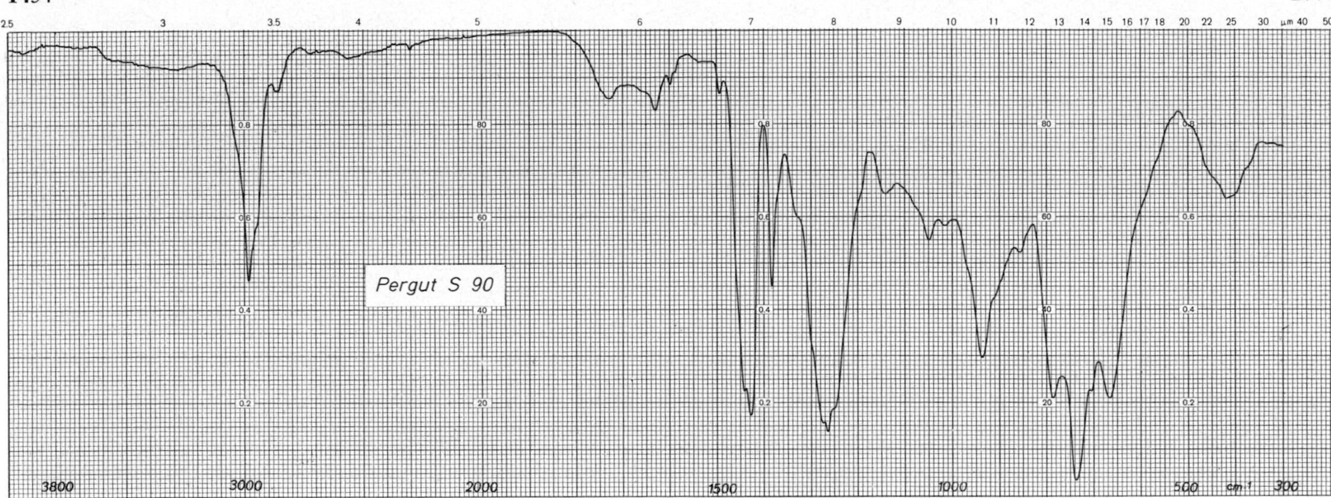

(1) **Pergut S 90 (Muster von 1966)**
(2) Bayer AG, Leverkusen
(3) Chlorkautschuk
(4) elfenbeinfarbenes Pulver
(5) für chemikalienbeständige Anstriche, z. B. Schwimmbäder
(6) Schicht aus MTC auf CsI
(7) PE 580 B, ABEX 1.72; H_2O subtrahiert

(1) **Pergut S 90 (sample from 1966)**
(3) chlorinated rubber
(4) ivory-colored powder
(5) for chemical-resistant coatings, e.g. for swimming pools
(6) film from MTC on CsI
(7) PE 580 B, ABEX 1.72; H_2O subtracted

1454

2775

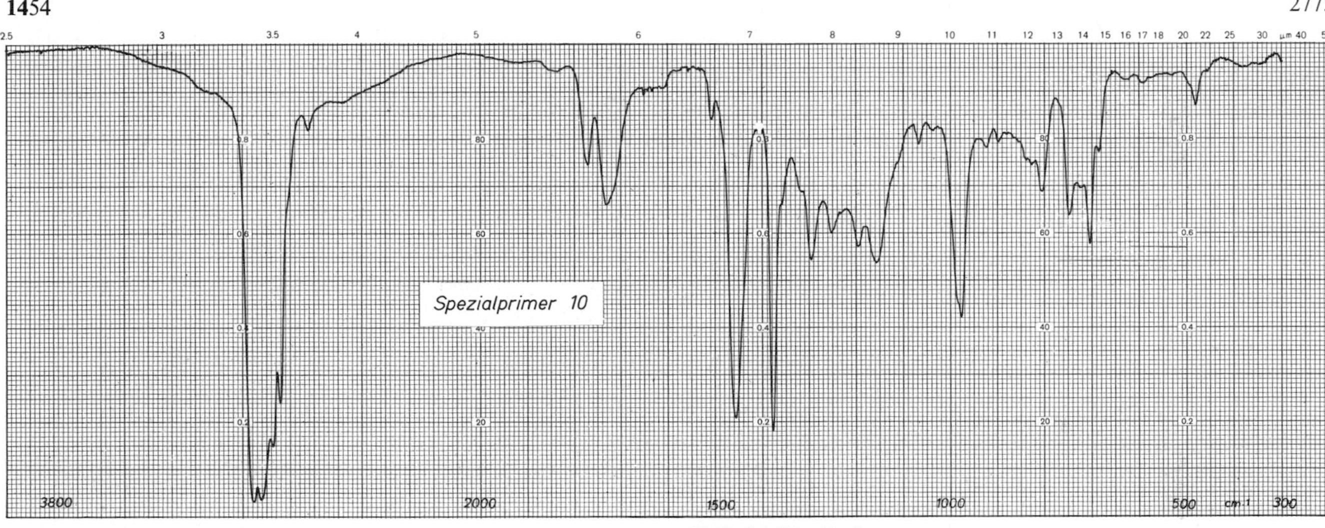

(1) **Spezialprimer 10**
(3) halogeniertes Polymer, gelöst in TOL
(4) farblose Flüssigkeit
(5) verbessert die Haftung von Cuvertin-Lacken auf unpolaren Oberflächen (EPDM, PP)
(6) Schicht aus MTC auf CsI, bei 40 °C i.V. getrocknet
(7) PE 580 B, ABEX 1.50

(2) Henkel, Düsseldorf
(3) halogenized polymer, dissolved in TOL
(4) colorless liquid
(5) improves the adhesion of Cuvertin lacquers to nonpolar surfaces (EPDM, PP)
(6) film from MTC on CsI, dried in vacuo at 40 °C
(7) PE 580 B, ABEX 1.50

1454

2776

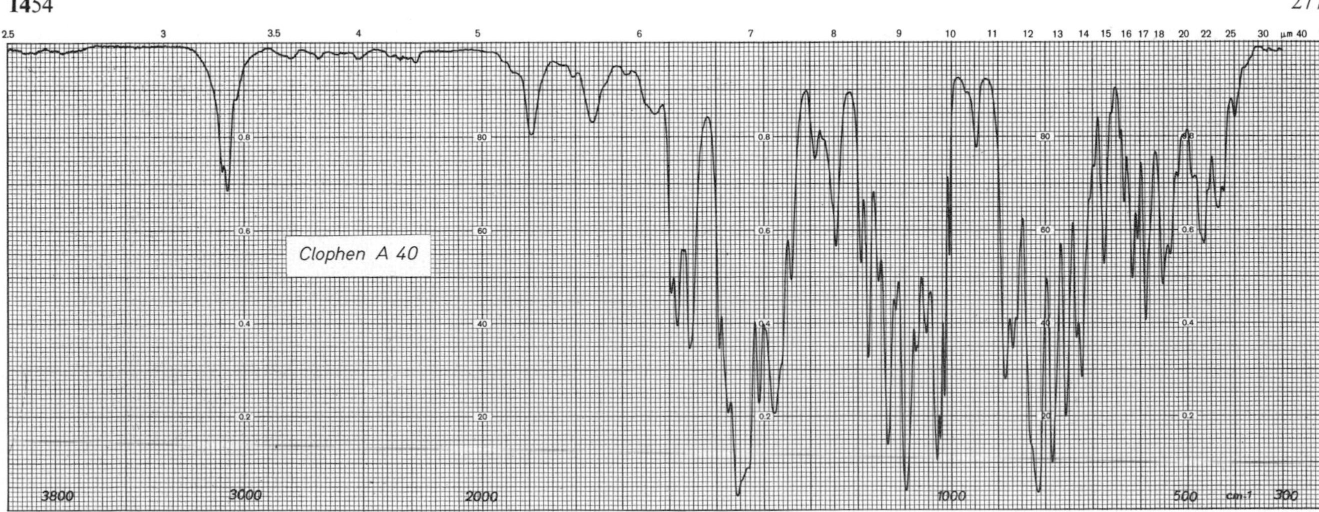

(1) **Clophen A 40**
(3) chloriertes Diphenyl
(4) farblose Flüssigkeit
(5) flammhemmender Weichmacher
(6) Schicht zwischen CsI
(7) PE 580 B, ABEX 1.23

(2) Bayer AG, Leverkusen
(3) chlorinated diphenyl
(4) colorless liquid
(5) flame-retardant plasticizer
(6) film between CsI
(7) PE 580 B, ABEX 1.23

1454 2777

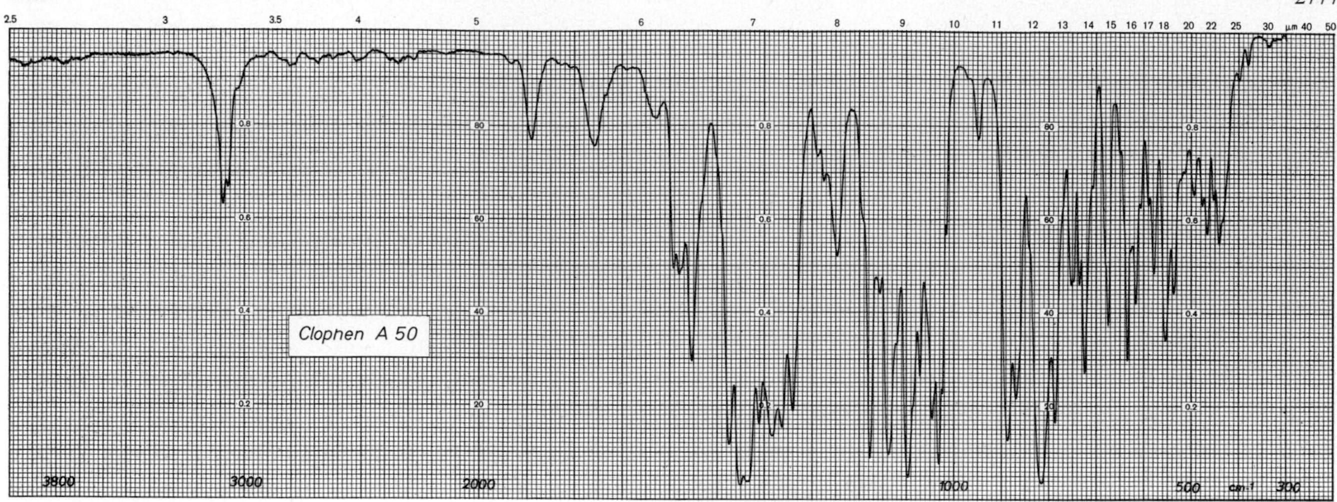

(1) **Clophen A 50**
(3) chloriertes Diphenyl
(4) farblose, viskose Flüssigkeit
(5) flammhemmender Weichmacher
(6) Schicht zwischen CsI
(7) PE 580 B, ABEX 1.65

(2) Bayer AG, Leverkusen
(3) chlorinated diphenyl
(4) colorless, viscous liquid
(5) flame-retardant plasticizer
(6) film between CsI
(7) PE 580 B, ABEX 1.65

1454 2778

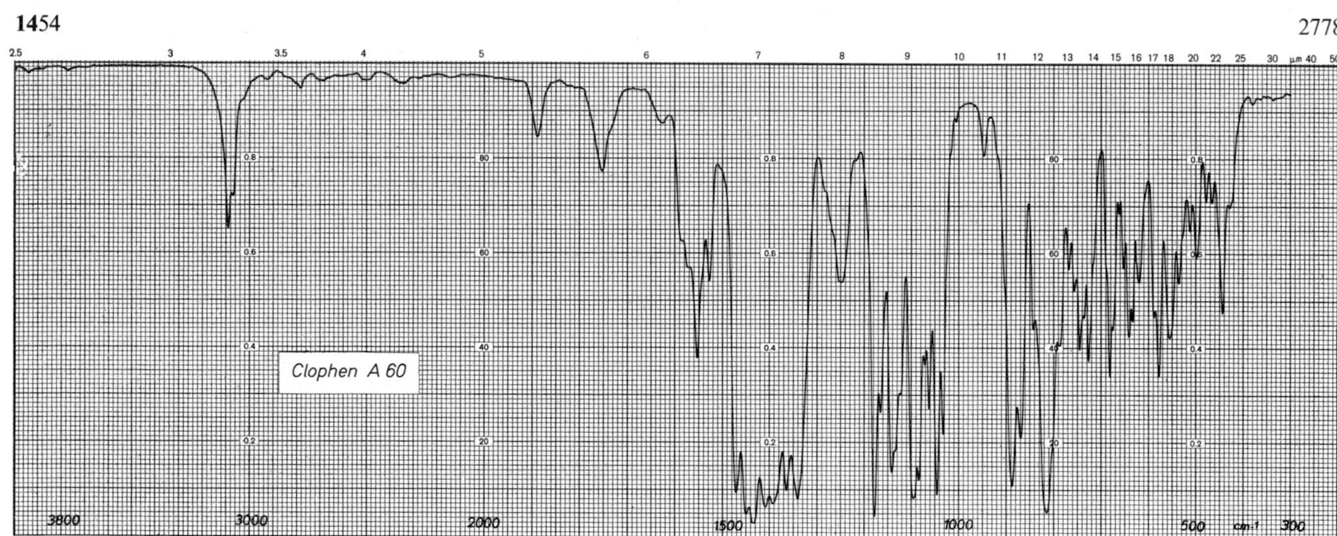

(1) **Clophen A 60**
(3) chloriertes Diphenyl
(4) hochviskose, farblose Flüssigkeit
(5) Weichmacher für alkali- und säurebeständige Lackierungen auf Chlorkautschuk- oder PVC-Basis
(6) Schicht auf CsI
(7) PE 580 B, ABEX 1.33

(2) Bayer AG, Leverkusen
(3) chlorinated diphenyl
(4) highly viscous, colorless liquid
(5) plasticizer for acid and alkali-resistant lacquers based on chlorinated rubber of PVC
(6) film on CsI
(7) PE 580 B, ABEX 1.33

1454 2779

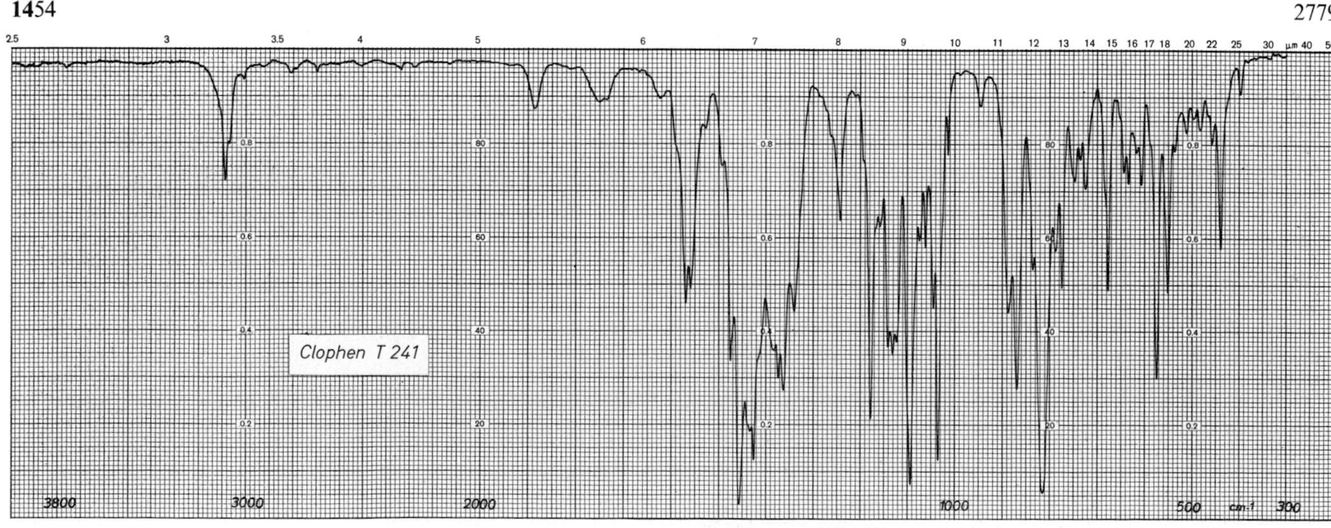

(1) **Clophen T 241**
(3) chloriertes Diphenyl
(4) klare Flüssigkeit
(5) flammhemmender Weichmacher
(6) Schicht zwischen CsI
(7) PE 580 B, ABEX 1.48

(2) Bayer AG, Leverkusen
(3) chlorinated diphenyl
(4) clear liquid
(5) flame-retardant plasticizer
(6) film between CsI
(7) PE 580 B, ABEX 1.48

1454 2780

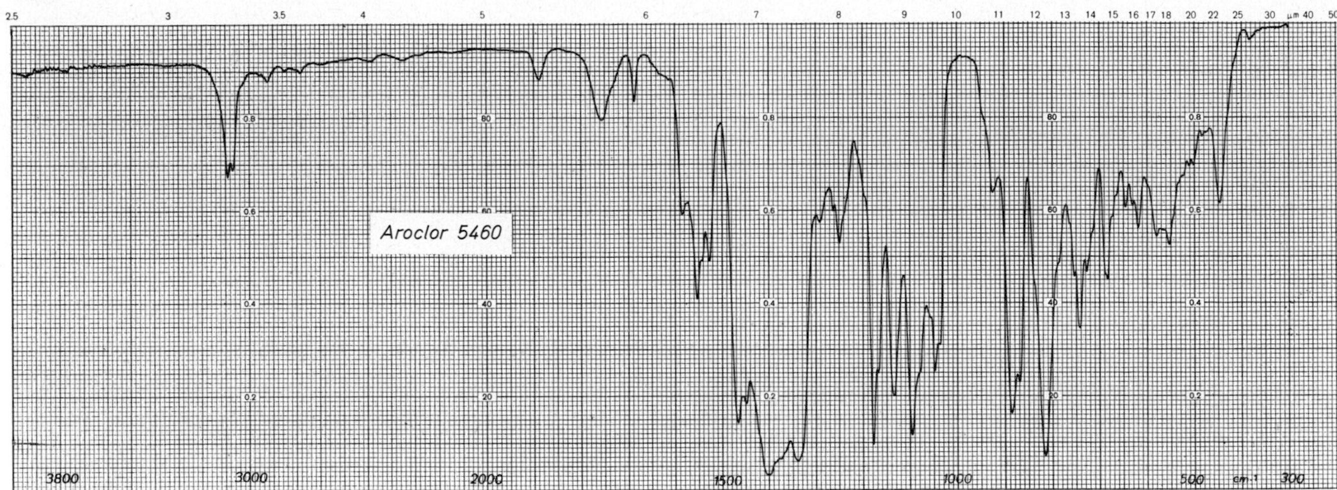

(1) **Aroclor 5460 (Muster von 1966)**
(2) Monsanto Chem. Comp., St. Louis, Mo.
(3) chloriertes Terphenyl (60% Cl)
(4) weißes Pulver
(5) als Zumischung zur Erzeugung von Flammfestigkeit
(6) Schicht aus MTC auf CsI
(7) PE 580 B, ABEX 1.48

(1) **Aroclor 5460 (sample from 1966)**
(3) chlorinated terphenyl (60% Cl)
(4) white powder
(5) as flameproofing additive
(6) film from MTC on CsI
(7) PE 580 B, ABEX 1.48

1454 2781

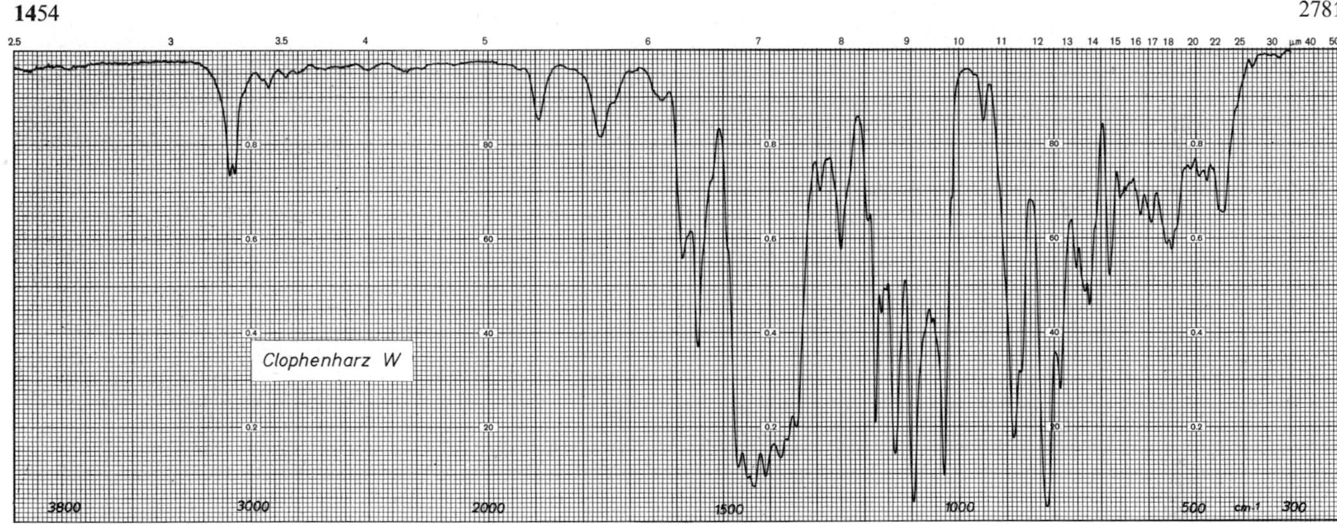

(1) **Clophenharz W**
(3) chloriertes Polyphenyl
(4) hellgelbe Harzstückchen
(5) Weichharz für Öl- und Alkydharzfarben, verbessert die Haftfestigkeit und Elastizität von Grundierungen
(6) Schicht aus MTC auf CsI
(7) PE 580 B, ABEX 1.42

(2) Bayer AG, Leverkusen
(3) chlorinated polyphenyl
(4) pale yellow resin pieces
(5) soft resin for oil and alkyd paints, improves the adhesion and elasticity of primers
(6) film from MTC on CsI
(7) PE 580 B, ABEX 1.42

1455 2782

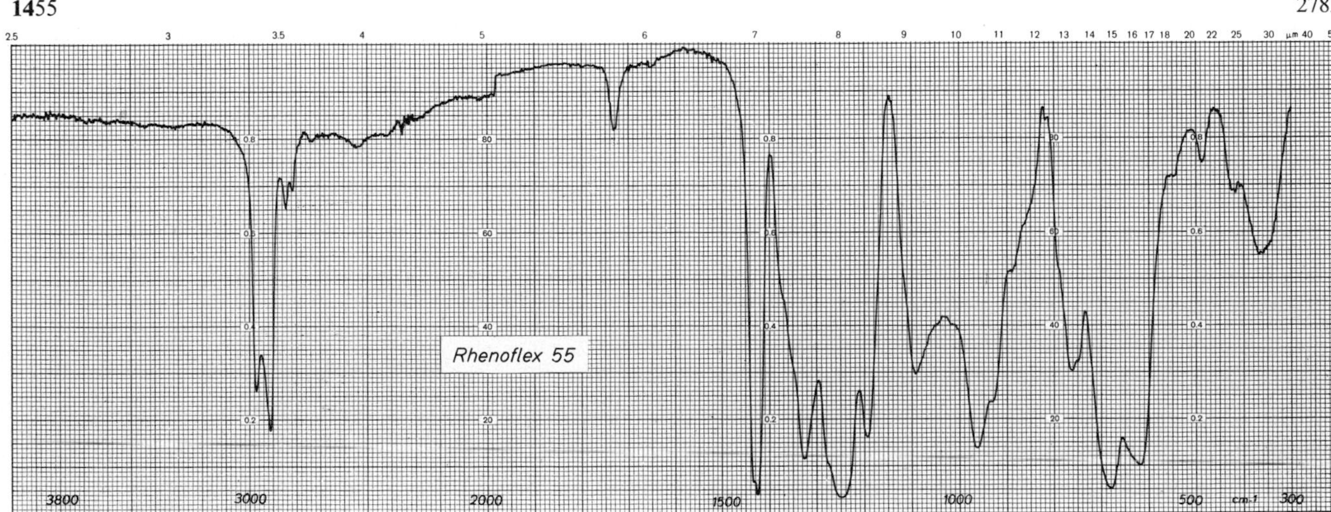

(1) **Rhenoflex 55 (Probe von 1966)**
(2) Dynamit Nobel AG, Troisdorf
(3) chloriertes Polyvinylchlorid
(4) weiße, grobkörnige Substanz
(5) für Abzieh-, Isolier- und Korrosionsschutzlacke, für Kleber und zur Tonbandbeschichtung
(6) Schicht aus EAC auf CsI, 10 d i.V. bei 80°C getrocknet
(7) PE 580 B, ABEX 3.9; * (1730 cm^{-1}): EAC

(1) **Rhenoflex 55 (sample from 1966)**
(3) chlorinated polyvinyl chloride
(4) coarse, white particles
(5) for rubbing down, insulation and anticorrosion lacquers, for adhesives and magnetic tape coatings
(6) film from EAC on CsI, dried for 10 d in vacuo at 80°C
(7) PE 580 B, ABEX 3.9; * (1730 cm^{-1}): EAC

1455

2783

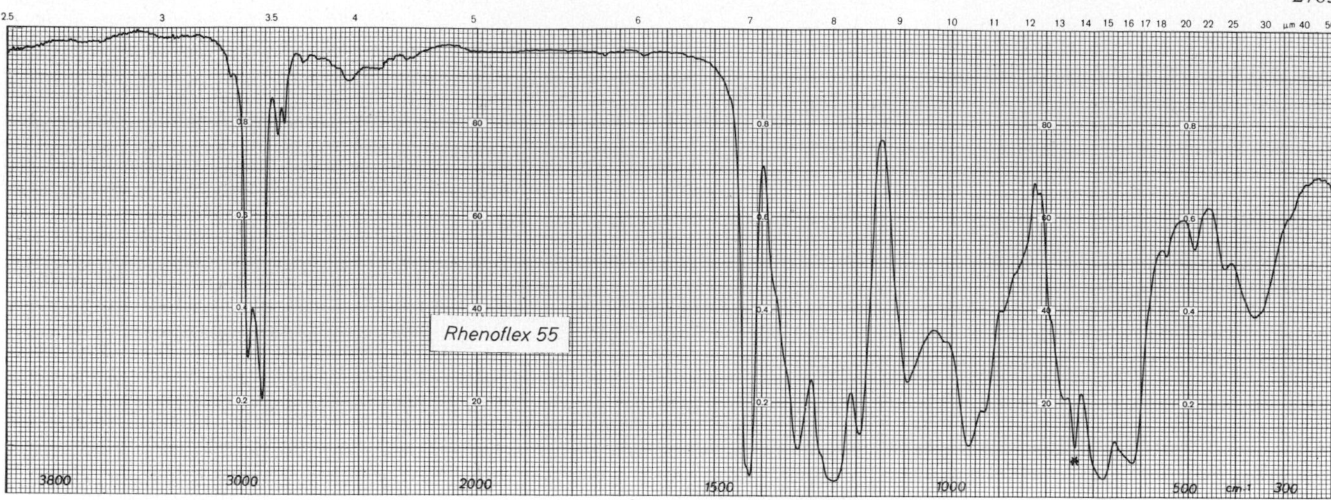

(1) **Rhenoflex 55 (Probe von 1966)**
(2) Dynamit Nobel AG, Troisdorf
(3) chloriertes Polyvinylchlorid
(4) weiße, grobkörnige Substanz
(5) für Abzieh-, Isolier- und Korrosionsschutzlacke, für Kleber und zur Tonbandbeschichtung
(6) Schicht aus MTC auf CsI, 10 d i.V.
(7) PE 580 B, ABEX 3.9; * (740 cm^{-1}): MTC

(1) **Rhenoflex 55 (sample from 1966)**
(3) chlorinated polyvinyl chloride
(4) coarse, white particles
(5) for rubbing down, insulation and anticorrosion lacquers, for adhesives and magnetic tape coatings
(6) film from MTC on CsI, dried for 10 d in vacuo at 80 °C
(7) PE 580 B, ABEX 3.9; * (740 cm^{-1}): MTC

1455

2784

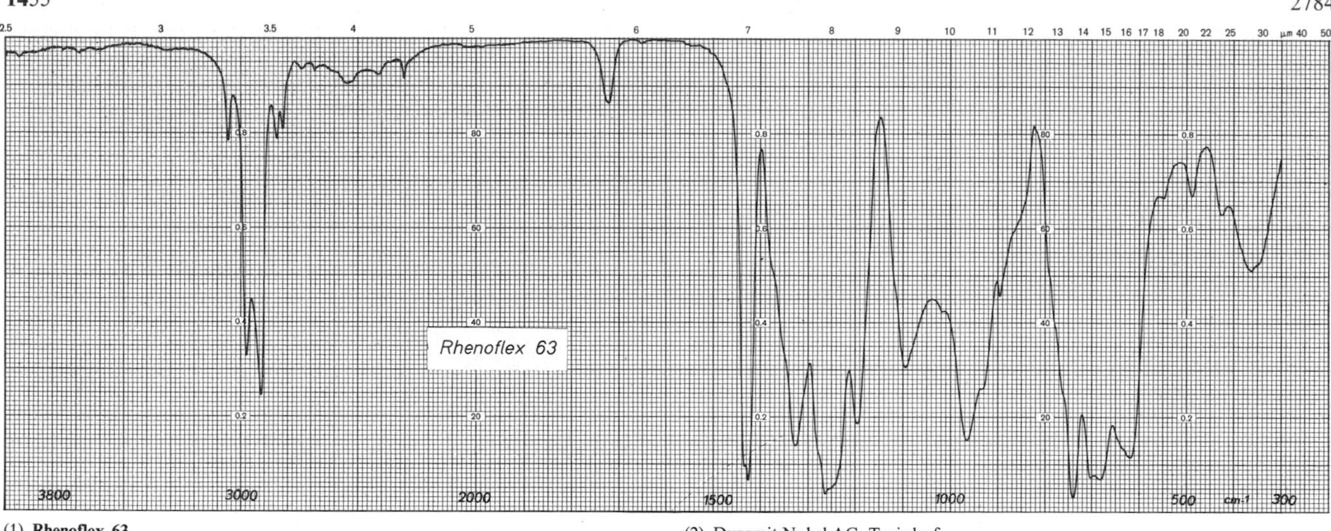

(1) **Rhenoflex 63**
(3) chloriertes Polyvinylchlorid
(4) farbloses Material
(5) für Abzieh-, Isolier- und Korrosionsschutzlacke, für Kleber und zur Tonbandbeschichtung
(6) Schicht aus MTC auf CsI
(7) PE 580 B, ABEX 1.26

(2) Dynamit Nobel AG, Troisdorf
(3) chlorinated polyvinyl chloride
(4) colorless material
(5) for rubbing down, insulation and anticorrosion lacquers, for adhesives and magnetic tape coatings
(6) film from MTC on CsI
(7) PE 580 B, ABEX 1.26

1458

2785

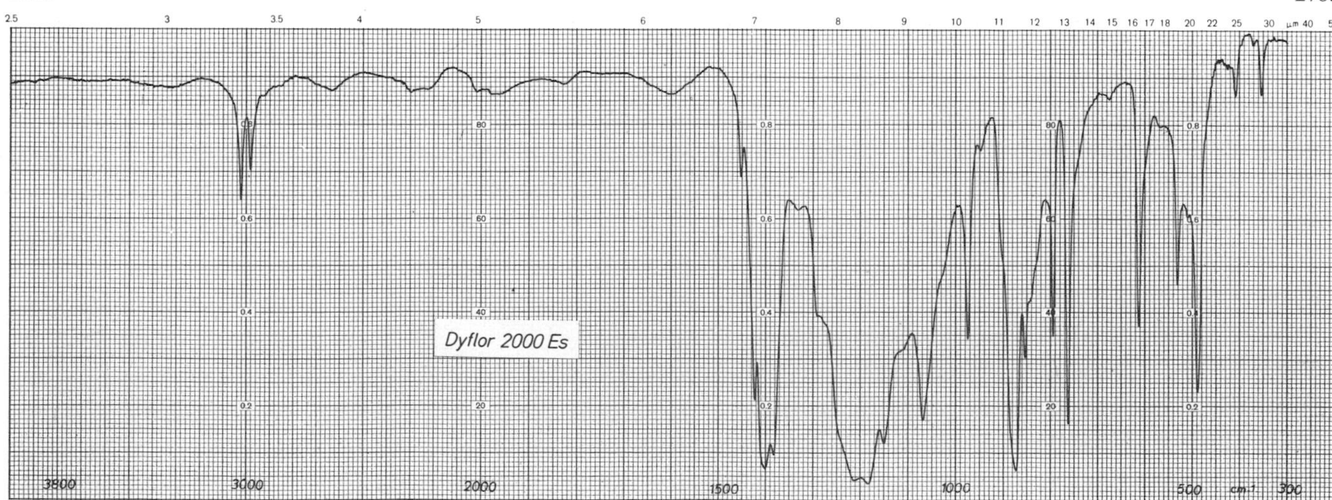

(1) **Dyflor 2000 ES**
(3) Poly(vinylidenfluorid)
(4) weißes Pulver
(5) für die elektrostatische Pulverbeschichtung, für chemikalienbeständige, flammwidrige, warmfeste Beschichtungen
(6) rekristallisierter Schmelzfilm zwischen CsI
(7) PE 580 B, ABEX 1.09

(2) Dynamit Nobel AG, Troisdorf
(3) poly(vinylidene fluoride)
(4) white powder
(5) for electrostatic powder coating, for chemical, flame and heat-resistant coatings
(6) film recrystallized from the melt between CsI
(7) PE 580 B, ABEX 1.09

1462/**1533**1211 C_4H_8O *P* 2786

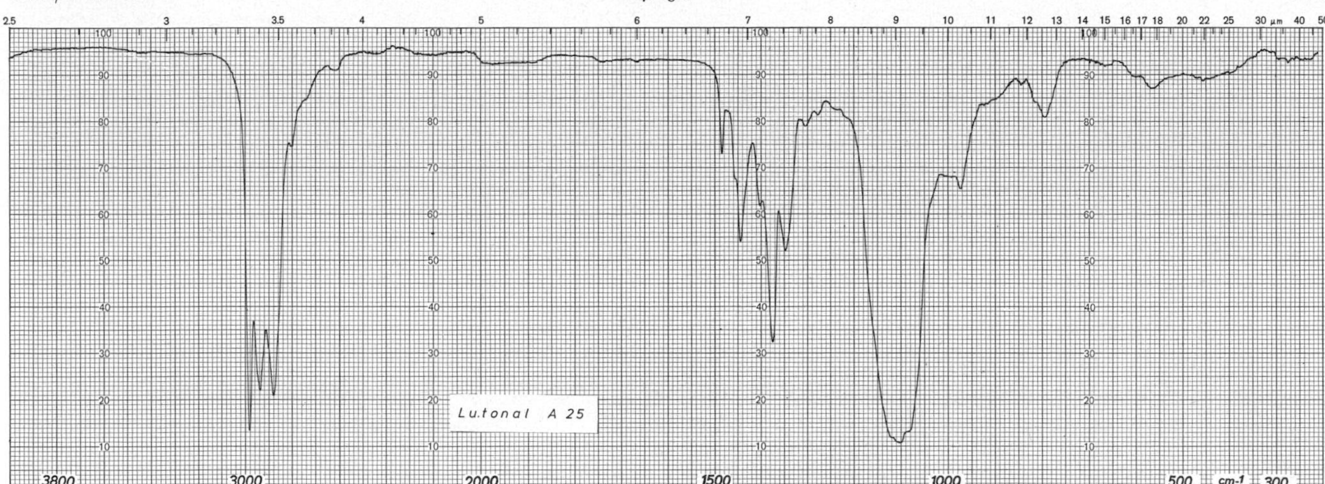

(1) **Lutonal A 25**
(3) Poly(vinylethylether)
(4) leicht viskose, gelbbraune Lösung (beim Stehen verfärbt)
(5) als Zusatz zu Cellulosenitratlacken (Verbesserung des Haftvermögens und der Flexibilität), als Zusatz zu Bitum und Wachsen (Verbesserung des Haftvermögens und der Flexibilität bei tieferen Temperaturen); mit Harzen und Füllstoff als Klebstoff
(6) Schicht auf CsI

(2) BASF AG, Ludwigshafen
(3) poly(vinyl ethyl ether)
(4) yellow-brown, slightly viscous solution (discolored on standing)
(5) as additive to nitrocellulose lacquers (improves the flexibility and adhesion), bitumen and wax additive (improves the flexibility and adhesion at low temperature); in combination with resins and fillers as an adhesive
(6) film on CsI

1463 $C_8H_{14}O_2$ *P* 2787

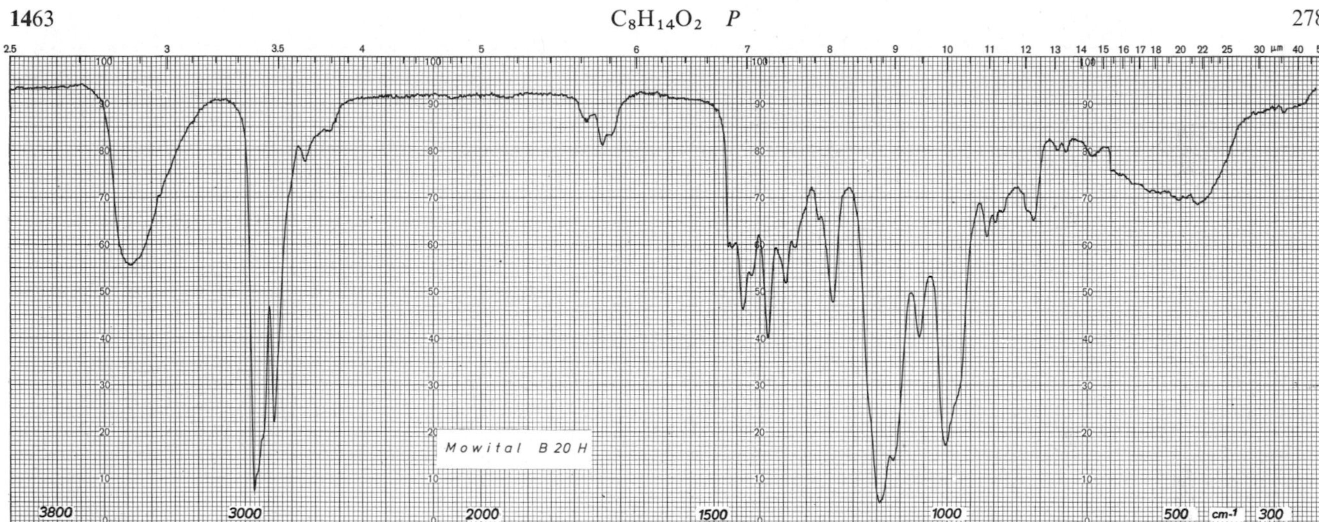

(1) **Mowital B 20 H**
(3) Polyvinylbutyral (mit Vinylalkoholgruppen)
(4) weißes Pulver
(5) für Folienlacke, Druckfarben, Washprimer und Shopprimer
(6) Schicht aus BTL auf CsI

(2) Hoechst AG, Frankfurt/M.-Höchst
(3) poly(vinylbutyral) (with vinyl alcohol groups)
(4) white powder
(5) for film lacquers, printing inks, wash primers and shop primers
(6) film from BTL on CsI

1463 $C_8H_{14}O_2$ *P* 2788

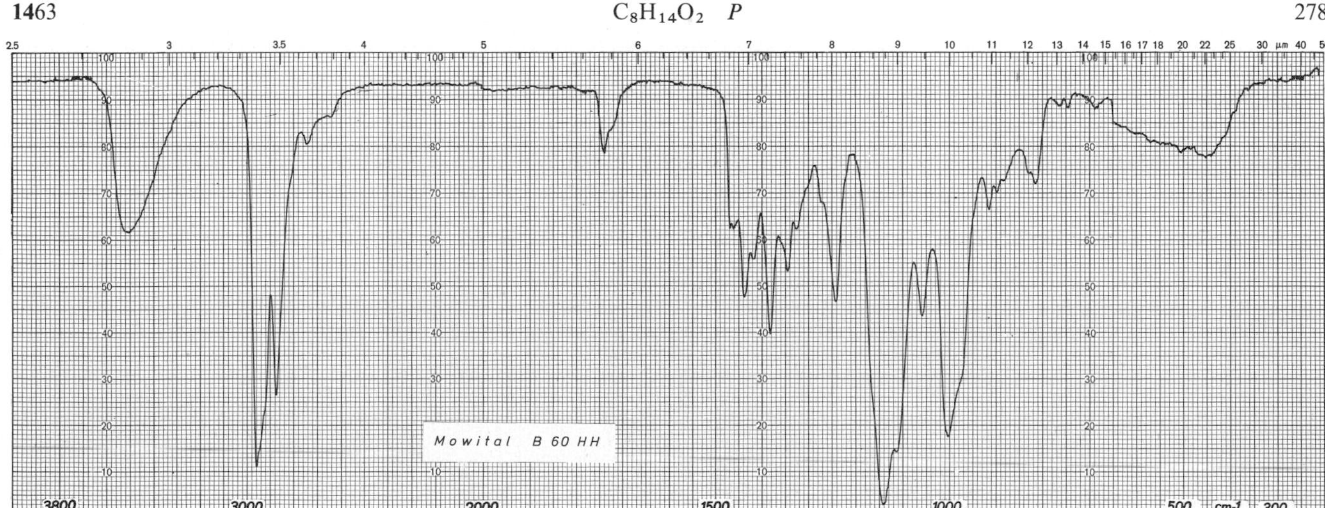

(1) **Mowital B 60 HH**
(3) Polyvinylbutyral (mit Vinylalkohol- und einen kleinen Anteil an Vinylacetatgruppen)
(4) weißes Pulver
(5) für Folienlacke, Druckfarben, Washprimer und Shopprimer
(6) Schicht aus BTL auf CsI

(2) Hoechst AG, Frankfurt/M.-Höchst
(3) poly(vinylbutyral) (with vinyl alcohol and a small proportion of vinyl acetate groups)
(4) white powder
(5) for film lacquers, printing inks, wash primers and shop primers
(6) film from BTL on CsI

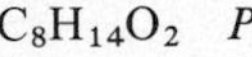

1463 $C_8H_{14}O_2$ *P* 2789

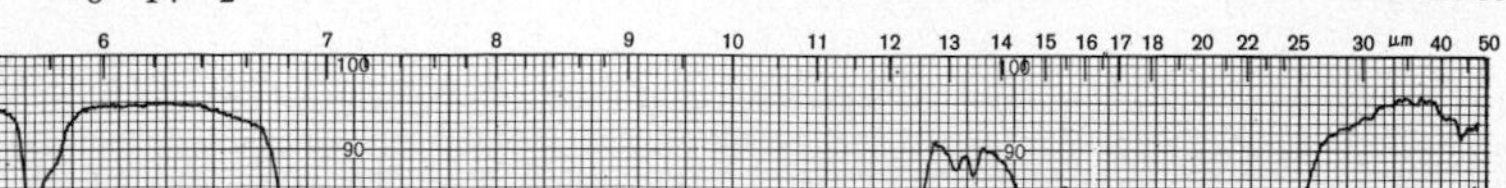

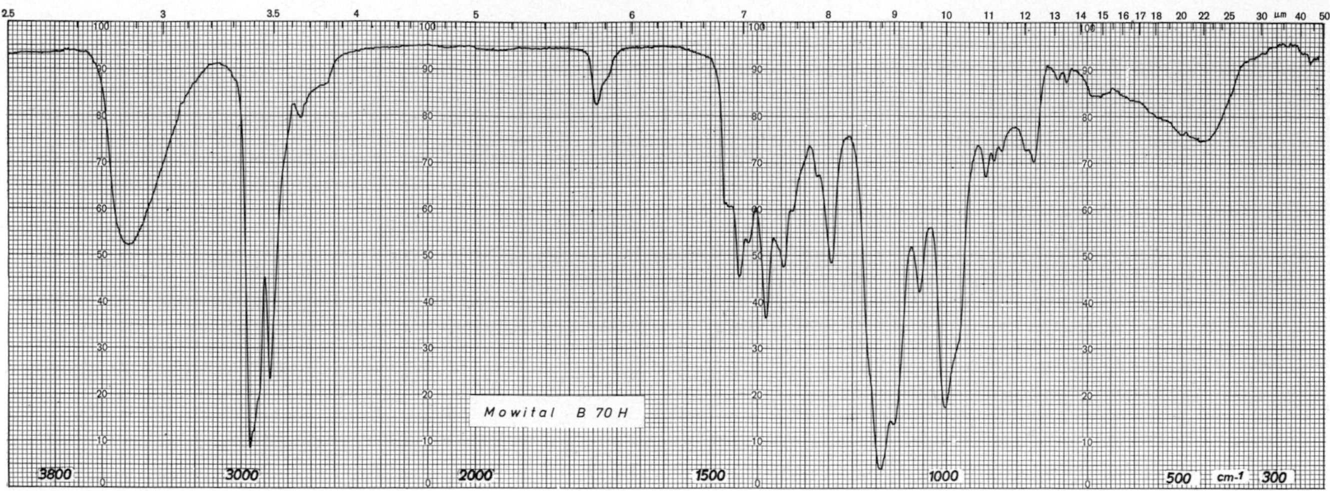

(1) **Mowital B70H**
(3) Polyvinylbutyral (74...77%) mit 18...21% Vinylalkohol- und 3% Vinylacetat-Einheiten
(4) weißes Pulver
(5) für Folienlacke, Druckfarben, Washprimer und Shopprimer; sehr haftfestes Selbstbindemittel
(6) Schicht aus BTL auf CsI

(2) Hoechst AG, Frankfurt/M.-Höchst
(3) poly(vinylbutyral) (74...77%) with 18...21% vinyl alcohol and 3% vinyl acetate
(4) white powder
(5) for film lacquers, printing inks, wash primers and shop primers; very tenacious, self-binder
(6) film from BTL on CsI

1463 2790

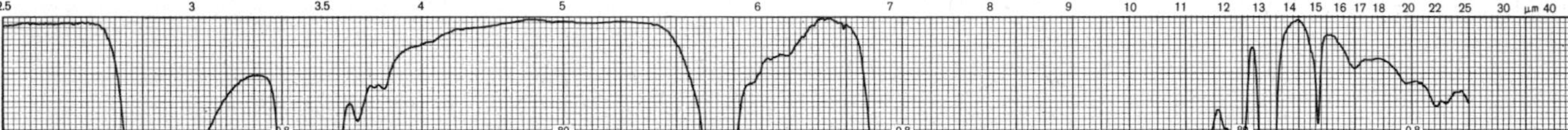

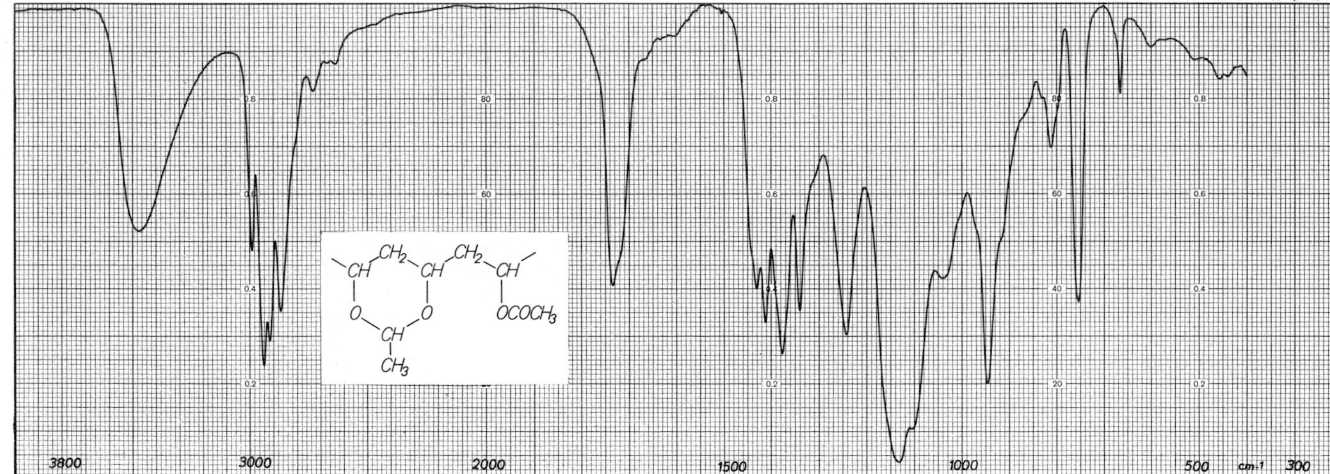

(1) **Pioloform A**
(3) Poly(vinylacetal) mit restlichen Vinylacetatgruppen
(4) gelbliches Pulver
(5) für Überzüge, Zusatz zu Lackharzen
(6) Schicht aus CLF auf KBr
(7) PE 580 B, ABEX 1,06

(2) Wacker GmbH, München
(3) poly(vinylacetal) with residual vinyl acetate groups
(4) yellowish powder
(5) for coatings, additive for lacquer resins
(6) film from CLF on KBr
(7) PE 580 B, ABEX 1,06

14641 2791

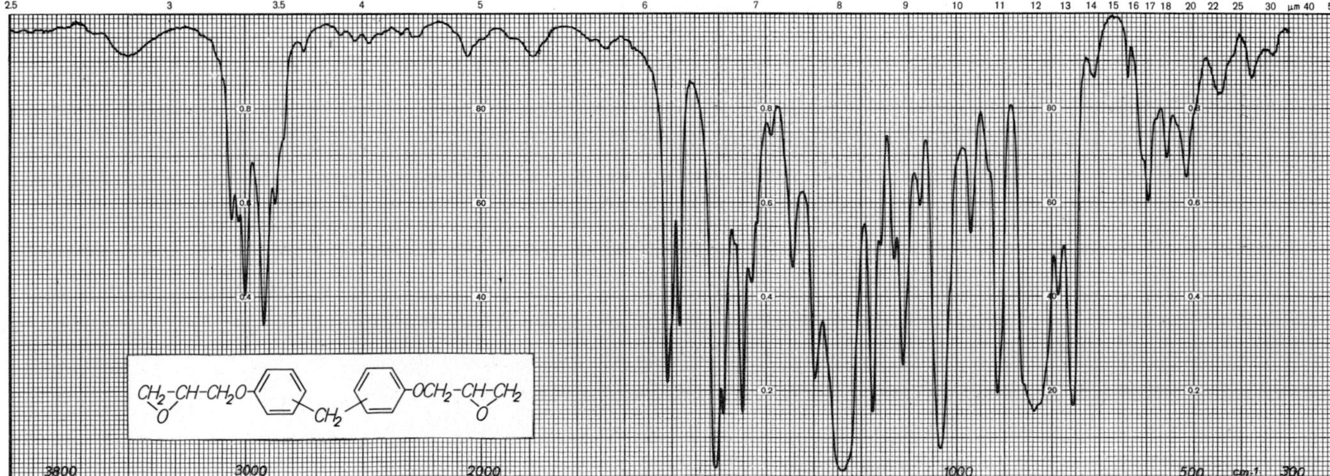

(1) **Rütapox 0158**
(3) Bisphenol-F-bis(glycidylether); 50% 4,4'-, 40% 4,2'-, 10% 2,2'-Isomer; $C_{19}H_{18}O_4$, $M = 310.3\ g\ mol^{-1}$
(4) weiße, etwas schmierige Substanz
(5) zur Herstellung von Epoxidharzen
(6) Schmelzfilm zwischen CsI
(7) PE 580 B
(8) W.-D. Domke, Organ. Magn. Reson. **18** (1982) 193

(2) Bakelite GmbH, Iserlohn
(3) bisphenol F-bis(glycidyl ether); 50% 4,4'; 40% 4,2; 10% 2,2'-isomers
(4) white, somewhat greasy substance
(5) for the manufacture of epoxy resins
(6) film from the melt between CsI
(7) PE 580 B
(8) W.-D. Domke, Organ. Magn. Reson. **18** (1982) 193

14641/**1533**412 2792

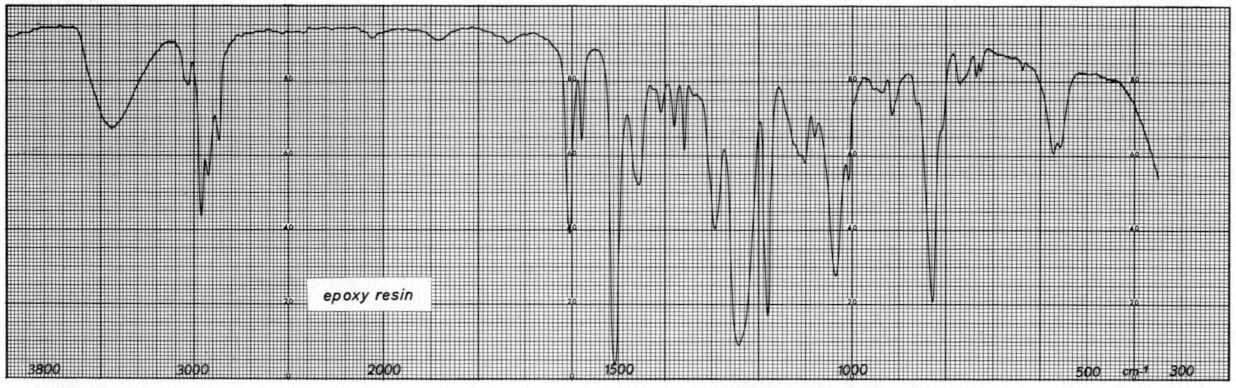

(1) **Araldit B**
(3) Epoxidharz auf Basis Bisphenol-A und Epichlorhydrin
(4) gelbliches Harz
(5) in Kombination mit Härtern (Aminen, Amidaminen, Polyamiden, Thioplasten u.a.) für Kleber, Beschichtungen, Spachtelmassen, 2-Komponentenlack
(6) Schicht aus ACT auf KBr

(2) Ciba-Geigy AG, Basel
(3) epoxy resin based on bisphenol A and epichlorohydrin
(4) yellowish resin
(5) combined with curing agents (amines, amidamines, polyamides, polysulfide rubbers etc.) for adhesives, coatings, fillers, two-component surface coatings
(6) film from ACT on KBr

14641 2793

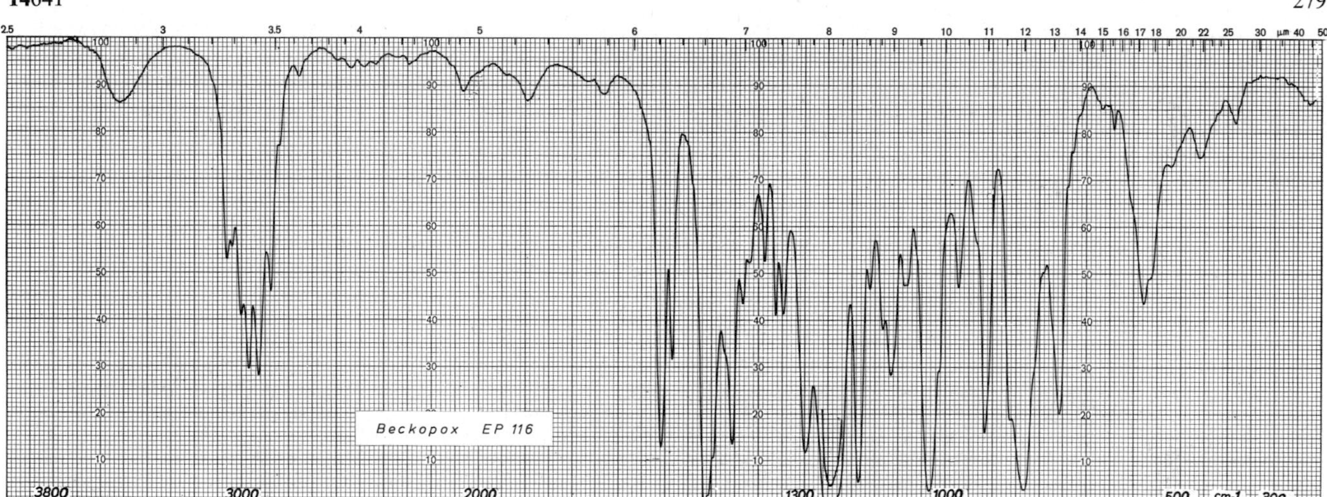

(1) **Beckopox EP116**
(3) nichtkristallisierendes, unmodifiziertes, relativ niedrigviskoses Epoxidharz Basis Bisphenol A
(4) hellgelbe Flüssigkeit (ohne Lösemittel)
(5) für chemisch und mechanisch stark beanspruchte Beschichtungen und lösemittelfreie Lacksysteme
(6) kapillare Schicht zwischen CsI

(2) Hoechst AG, Frankfurt/M.-Höchst
(3) noncrystalline, unmodified, relatively low viscosity epoxy resin based on bisphenol A
(4) pale yellow, solvent-free liquid
(5) for highly mechanically and chemically stressed coatings and solvent-free lacquers
(6) capillary film between CsI

14641 2794

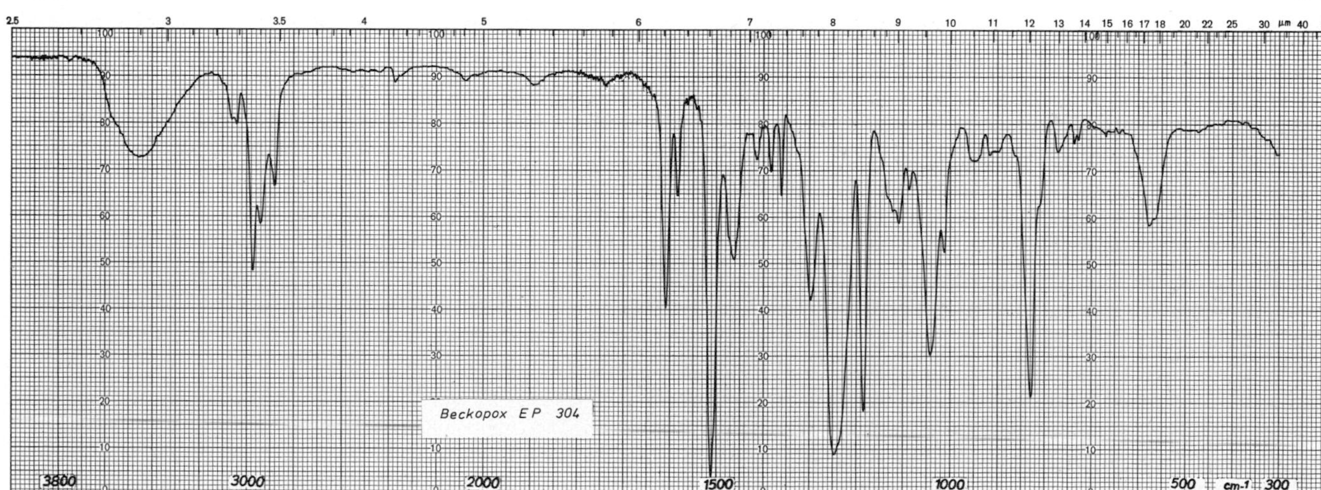

(1) **Beckopox EP304**
(3) Epoxidharz auf Basis Bisphenol A
(4) transparente, leicht gelbliche Plättchen
(5) zur Herstellung von Epoxidharzestern, für kalthärtende Reaktionslacke und chemikalienbeständige Einbrennlackierungen, für Sinterpulver
(6) klare Schicht aus Essigester auf CsI

(2) Hoechst AG, Werk Hamburg
(3) epoxy resin based on bisphenol A
(4) slightly yellowish, transparent platelets
(5) for the manufacture of epoxy resin esters, for cold curing reaction lacquers and chemical-resistant stove enamels, for sintering powder
(6) clear film from ethyl acetate on CsI

14641 2795

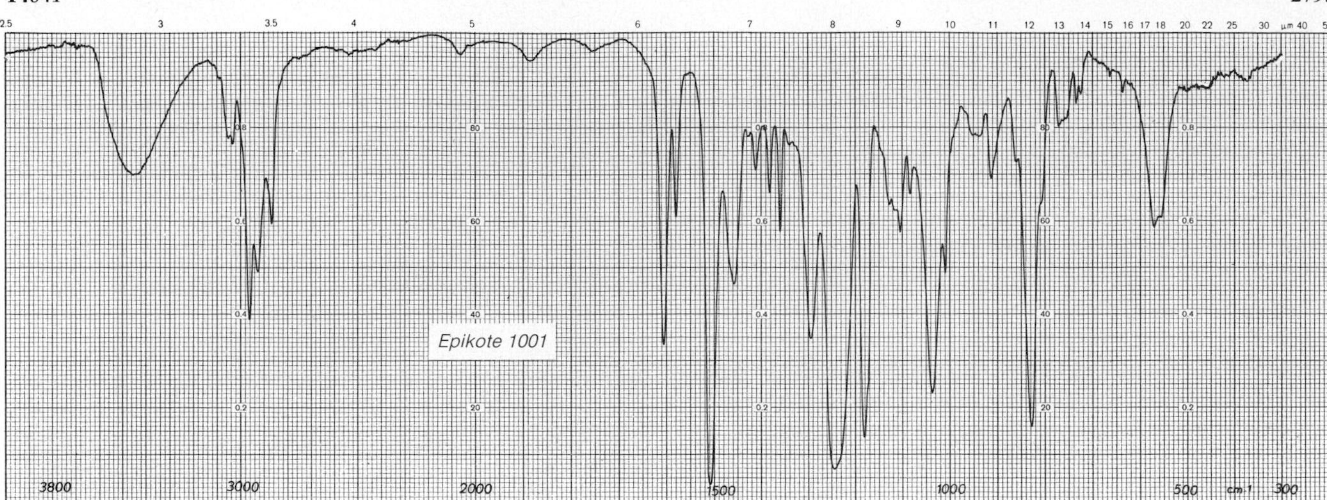

(1) **Epikote 1001**
(3) Epoxidharz auf Basis Bisphenol A und Epichlorhydrin; Epoxidäquivalent: 450...500 g Harz/mol Epoxid
(4) farblose, flache Harzstücke
(5) zur Herstellung von Anstrichmitteln, Gieß- und Laminierharzen, Klebstoffen
(6) Schicht aus MTC auf CsI
(7) PE 580 B, ABEX 1,58

(2) Deutsche Shell Chemie, Frankfurt/M.
(3) epoxy resin based on bisphenol A and epichlorohydrin; epoxide equivalent 450...500 g resin/mol epoxide
(4) colorless resin
(5) for the manufacture of coating materials, casting and laminating resins, adhesives
(6) film from MTC on CsI
(7) PE 580 B, ABEX 1,58

14641 2796

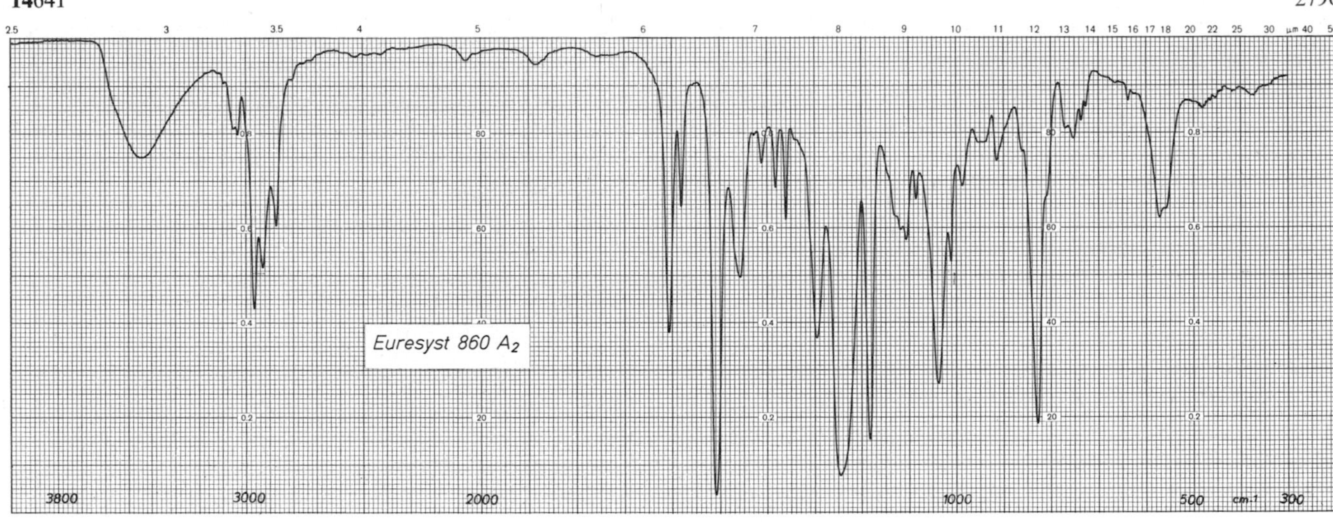

(1) **Euresyst 860 A2**
(3) Epoxidharz auf Basis Bisphenol A
(4) gelbliche, mittelviskose Flüssigkeit
(5) Binder für Zweikomponenten-Druckfarbensysteme
(6) getrocknete Schicht auf CsI

(2) Schering AG, Bergkamen
(3) epoxy resin based on bisphenol A
(4) yellowish, medium viscous liquid
(5) binder for two-component printing ink systems
(6) dried film on CsI

14641/**1533**412 2797

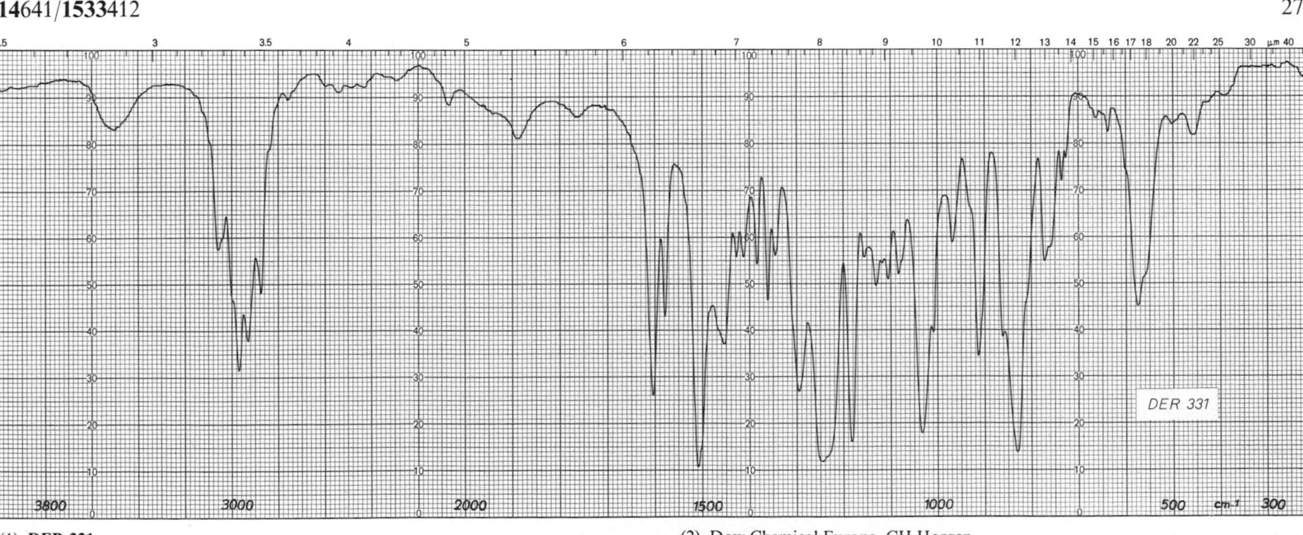

(1) **DER 331**
(3) Epoxidharz auf Basis Bisphenol A und Epichlorhydrin
(4) schwachgelbe, hochviskose Flüssigkeit
(5) Basisharz für Beschichtungen und Spachtel
(6) Schicht auf CsI

(2) Dow Chemical Europe, CH Horgen
(3) epoxy resinbased on bisphenol A and epichlorohydrin
(4) pale yellow, highly viscous liquid
(5) basic resin for coatings and fillers
(6) film on CsI

14641/**1533**412 2798

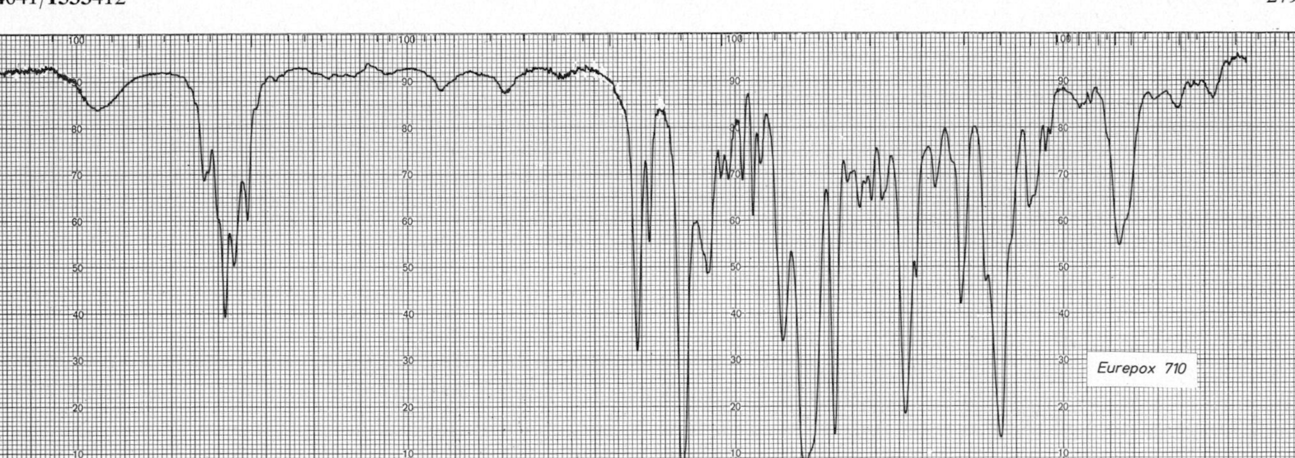

(1) **Eurepox 710**
(3) Epoxidharz auf Basis Bisphenol A
(4) gelbliches, dickflüssiges Harz
(5) Bindemittel für Spachtel, Beschichtungen, Kunstharzmörtel und -beton; Reaktionskleber, für Gießharze und Laminate
(6) Schicht zwischen CsI

(2) Schering AG, Berlin/Bergkamen
(3) epoxy resin based on bisphenol A
(4) yellowish, viscous liquid
(5) binder for fillers, coatings, synthetic resin mortars and concrete; for reaction adhesives, casting resins and laminates
(6) film between CsI

14641 + **19**172 2799

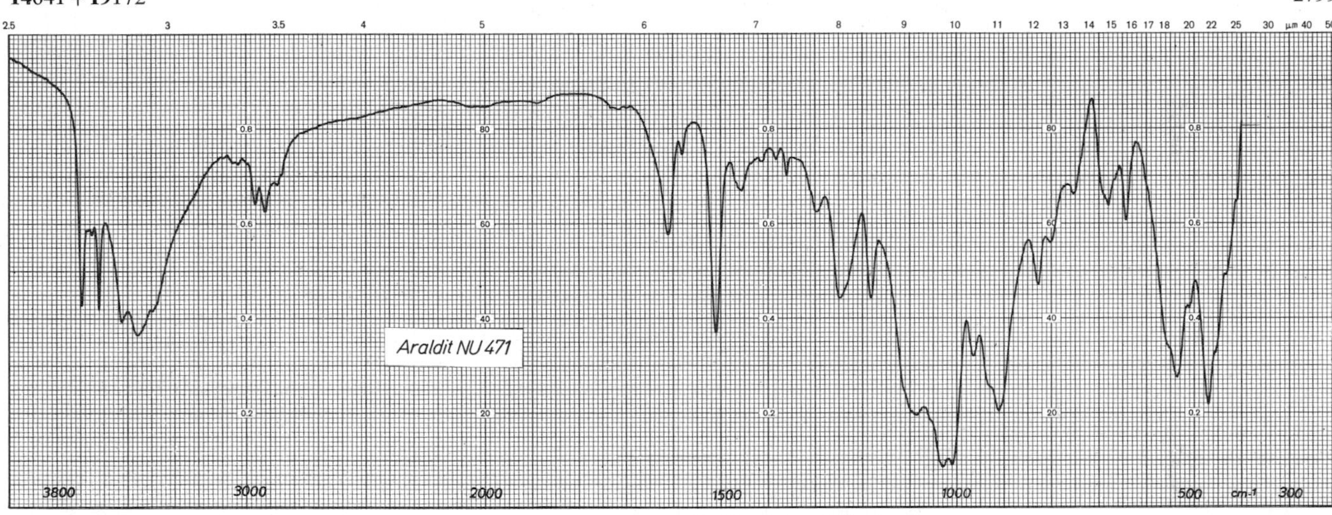

(1) **Araldit NU 471**
(3) anorganisch gefülltes Epoxidharz
(4) mausgraue, körnige Substanz
(5) mit Polysilikat gefüllte Universalpreßmasse auf Epoxidharzbasis; Isolierteile für die Elektro- und Elektronikindustrie, für Flugzeug- und Automobil-Teile, Maschinenbau- und Chemieapparate
(6) KBr (1/400)
(7) PE 580 B, FLAT

(2) Ciba-Geigy AG, Basel
(3) epoxy resin with inorganic filler
(4) drab grey, grainy material
(5) universal moulding material based on epoxy resin, contains polysilicate; insulating components for the electrical and electronic industries, for aircraft and automobile components, machinery and chemical apparatus
(6) KBr (1/400)
(7) PE 580 B, FLAT

14641 2800

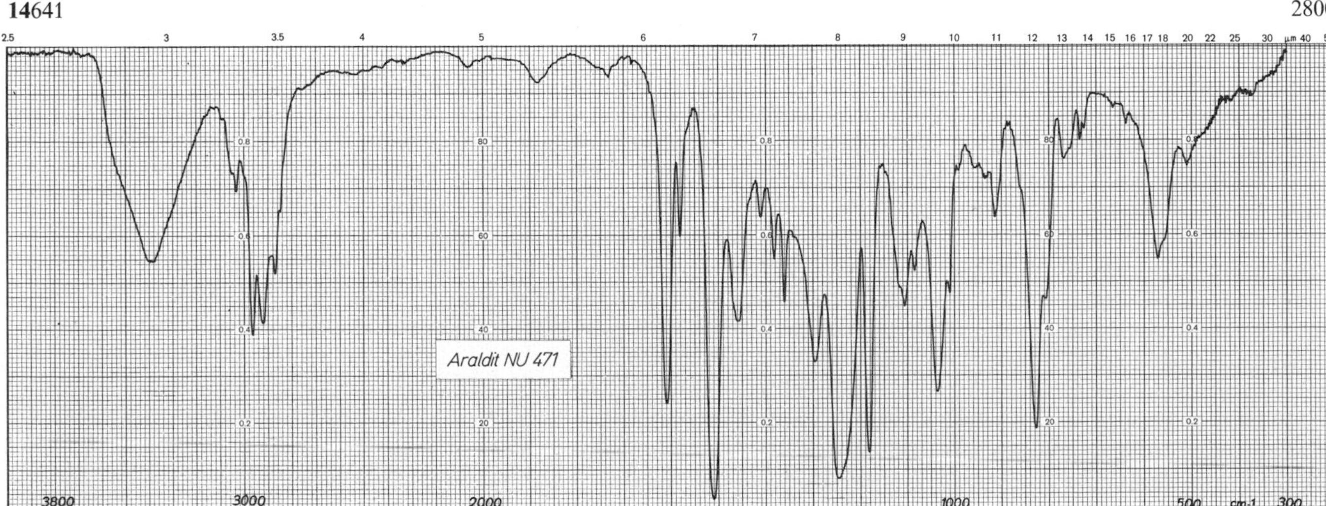

(1) **Araldit NU 471**
(3) Epoxidharz mit anorganischem Füllstoff, MTC-Extrakt
(4) mausgraue, körnige Substanz
(5) mit Polysilikat gefüllte Universalpreßmasse auf Epoxidharzbasis; Isolierteile für die Elektro- und Elektronikindustrie, für Flugzeug- und Automobil-Teile, Maschinen- und Chemieapparate
(6) MTC-Extrakt, auf CsI getrocknet
(7) PE 580 B, FLAT, ABEX 1.62

(2) Ciba-Geigy AG, Basel
(3) epoxy resin with inorganic filler, MTC extract
(4) drab grey, grainy material
(5) universal moulding material based on epoxy resin, contains polysilicate; insulating components for the electrical and electronic industries, for aircraft and automobile components, machinery and chemical apparatus
(6) MTC extract, dried on CsI
(7) PE 580 B, FLAT, ABEX 1.62

14641 2801

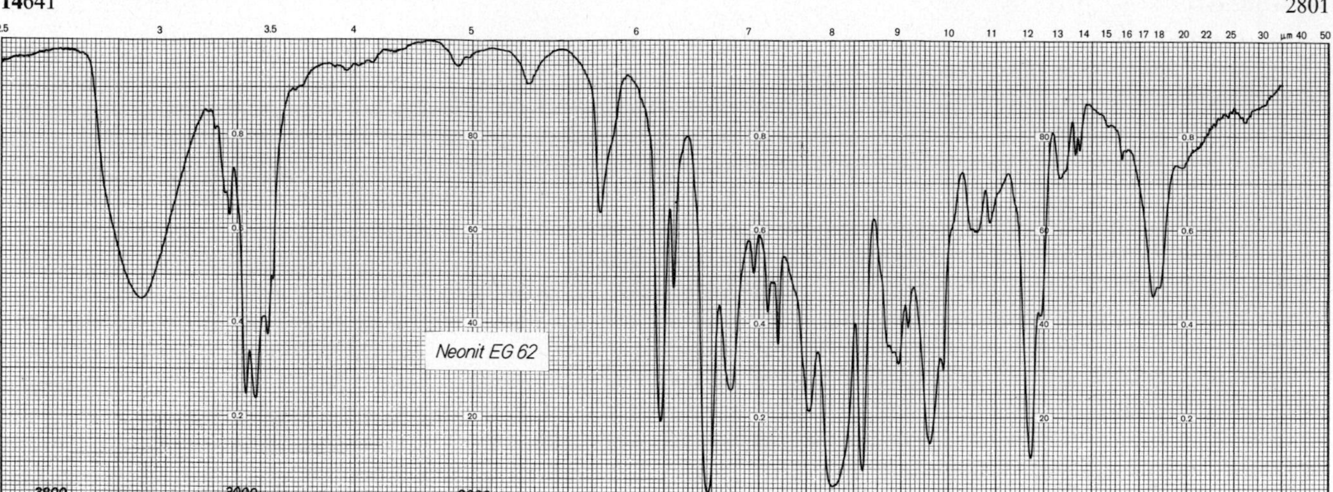

(1) **Neonit EG 62**
(3) Epoxidharz mit 30% Glasfaser, EAC-Extrakt
(4) rote Plättchen
(5) Stäbchenpreßmasse für mechanisch hochwertige Formteile der Elektroindustrie, des Maschinen- und Apparatebaus
(6) EAC-Extrakt, eingetrocknete Schicht auf CsI
(7) PE 580 B, ABEX 1.11

(2) Ciba-Geigy AG, Basel
(3) epoxy resin with 30% glass fiber, EAC extract
(4) red platelets
(5) rod moulding composition for high quality mechanical mouldings for the electrical industry and for machine and apparatus manufacture
(6) EAC extract, dried film on CsI
(7) PE 580 B, ABEX 1.11

14642 2802

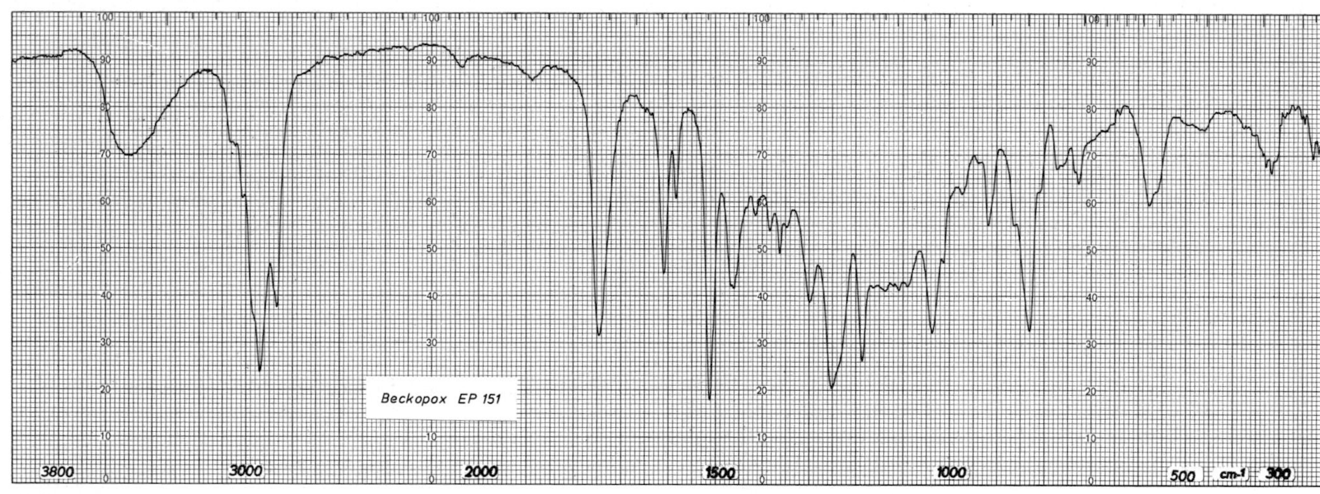

(1) **Beckopox EP 151**
(3) Epoxidharzester, fettsäuremodifiziert; OH-gruppenhaltig
(4) farbloses, dickflüssiges Harz
(5) intern plastifiziertes Epoxidharz für Lackharzkombinationen
(6) Schicht zwischen CsI

(2) Hoechst AG, Werk Hamburg (Reichhold-Albert)
(3) epoxy resin ester, fatty acid-modified; contains OH groups
(4) colorless, viscous resin
(5) for internally plasticized epoxy resin for lacquer resin combinations
(6) film between CsI

14642 2803

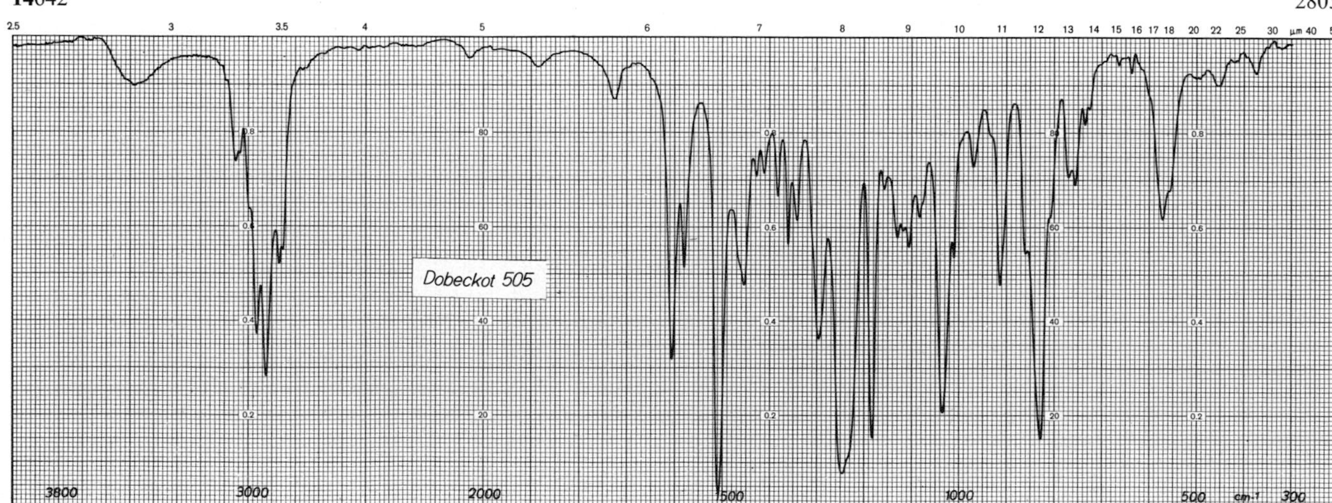

(1) **Dobeckot 505**
(3) modifiziertes Epoxidharz
(4) leicht gelbliche, klare, viskose Flüssigkeit
(5) Gießharz (mit Aminhärter) für Kleintransformatoren, Magnetspulen u.ä. mit Wicklungen aus dünnen Drähten
(6) Schicht auf CsI
(7) PE 580 B, SMOOTH 2, ABEX 1.42

(2) BASF Farben + Fasern AG, Beck Elektroisolier-System, Hamburg
(3) modified epoxy resin
(4) clear, slightly yellowish, viscous resin
(5) casting resin (with amine curing agent) for small transformers, solenoids etc. with fine wire windings
(6) film on CsI
(7) PE 580 B, SMOOTH 2, ABEX 1.42

14642

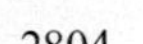
2804

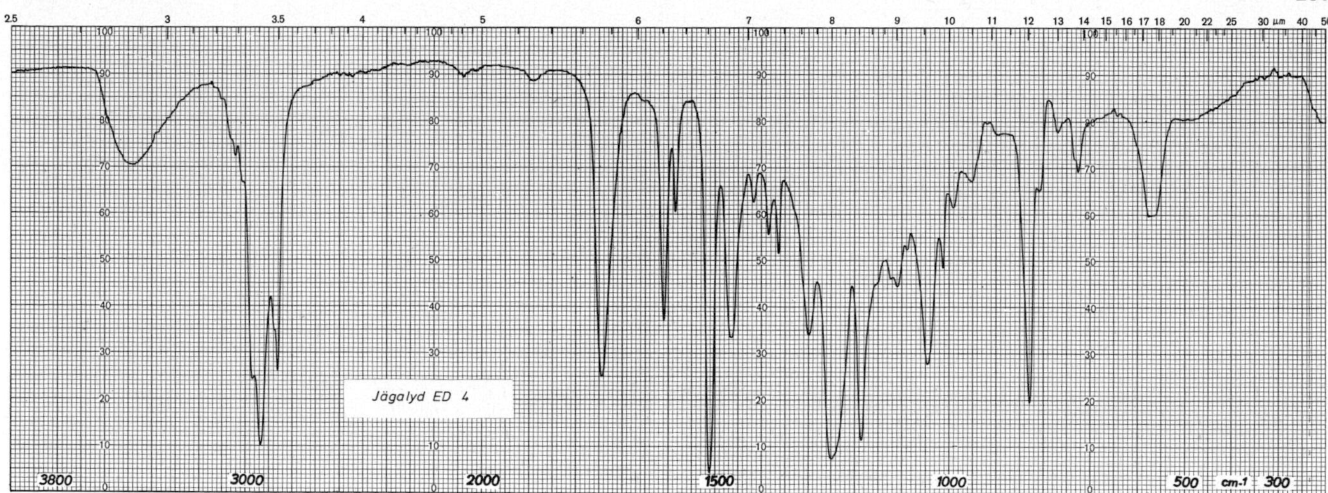

(1) **Jägalyd ED4**
(3) Ricinenfettsäure-modifizierter Epoxidharzester; 40% Ricinenfettsäure, 60% Epoxidharz
(4) transparente, gelbe Harzlösung
(5) für luft- und ofentrocknende Lacke und Grundierungen
(6) Schicht auf CsI

(2) E. Jäger, Düsseldorf
(3) castor oil fatty acid-modified epoxy resin ester; 40% castor oil fatty acid, 60% epoxy resin
(4) transparent, yellow, resin solution
(5) for air and oven-drying finishes and primers
(6) film on CsI

14642

2805

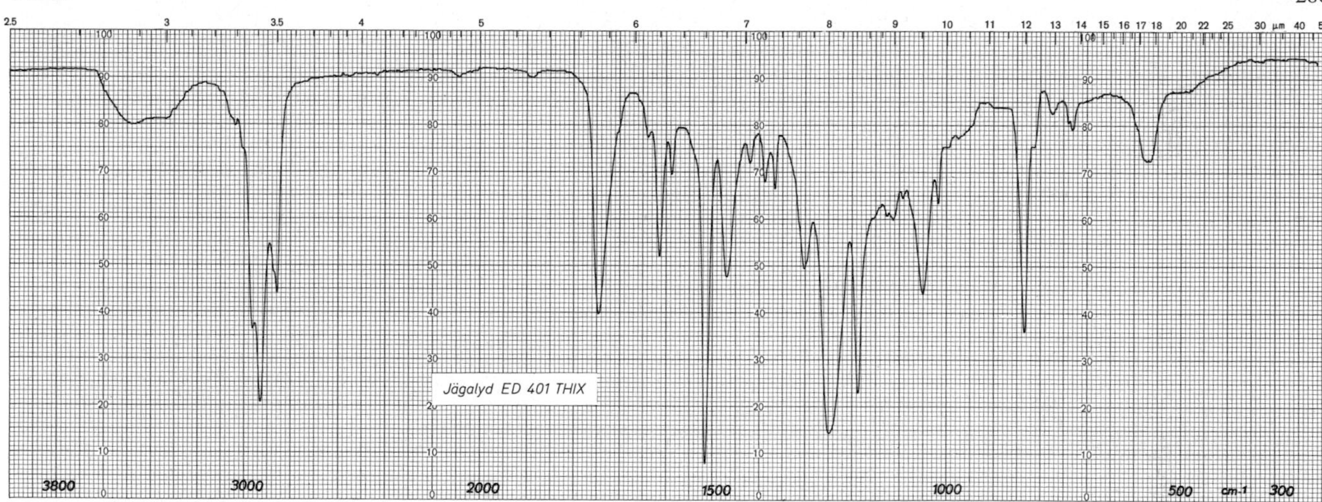

(1) **Jägalyd ED401 Thix**
(3) vollthixotroper Epoxidharzester; Epoxidgehalt: 60%, Fettsäuregehalt: 40%
(4) mittelbraune, gelartige Substanz (50% in XYL)
(5) für Zinkstaub- und Dickschichtgrundierungen
(6) Schicht auf CsI

(2) E. Jäger, Düsseldorf
(3) completely thixotropic epoxy resin ester; epoxide content 60% fatty acid content 40%
(4) mid-brown, gel-like substance (50% in XYL)
(5) for zinc-dust and thick-coat primers
(6) film on CsI

14642

2806

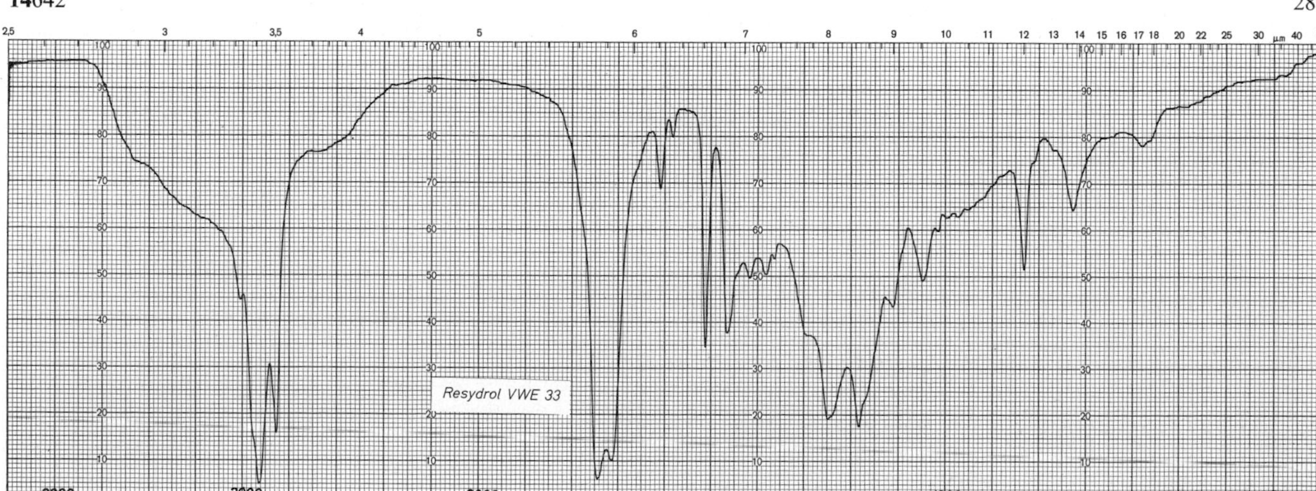

(1) **Resydrol VWE33**
(2) Vianova Kunstharz AG, Wien (Hoechst-Gruppe)
(3) wasserlöslicher, trocknender Epoxidharzester; Ölart: spezielle Fettsäuren, SZ (Festharz): 110...130
(4) dunkelbraune, etwas viskose Lösung (75% in Lösemittelgemisch)
(5) wasserverdünnbares Lackbindemittel
(6) Schicht aus CsI

(2) Vianova Kunstharz AG, Wien (Hoechst group)
(3) water-soluble, drying epoxy resin ester; oil type: speciality fatty acids, solid resin: 110...130
(4) dark brown, somewhat viscous solution (75% in a solvent mixture)
(5) water-thinnable lacquer binder
(6) film on CsI

14642 2807

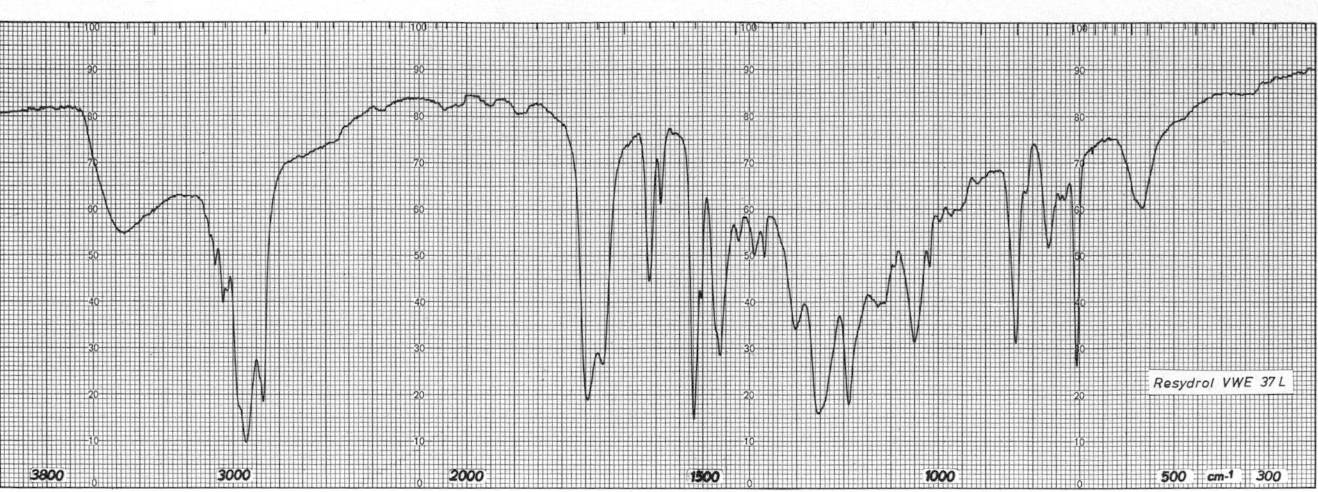

(1) **Resydrol VWE 37 L**
(3) Epoxidharzester mit sauren Gruppierungen, hydrophilisiert
(4) honigfarbene, dickflüssige Lösung
(5) wasserverdünnbares Lackbindemittel
(6) Schicht auf CsI

(2) Hoechst AG, Frankfurt/M.-Höchst
(3) epoxy resin ester, with acid groups, hydrophilized
(4) viscous, honey-colored liquid
(5) water-thinnable lacquer binder
(6) film on CsI

14(642 − 43) 2808

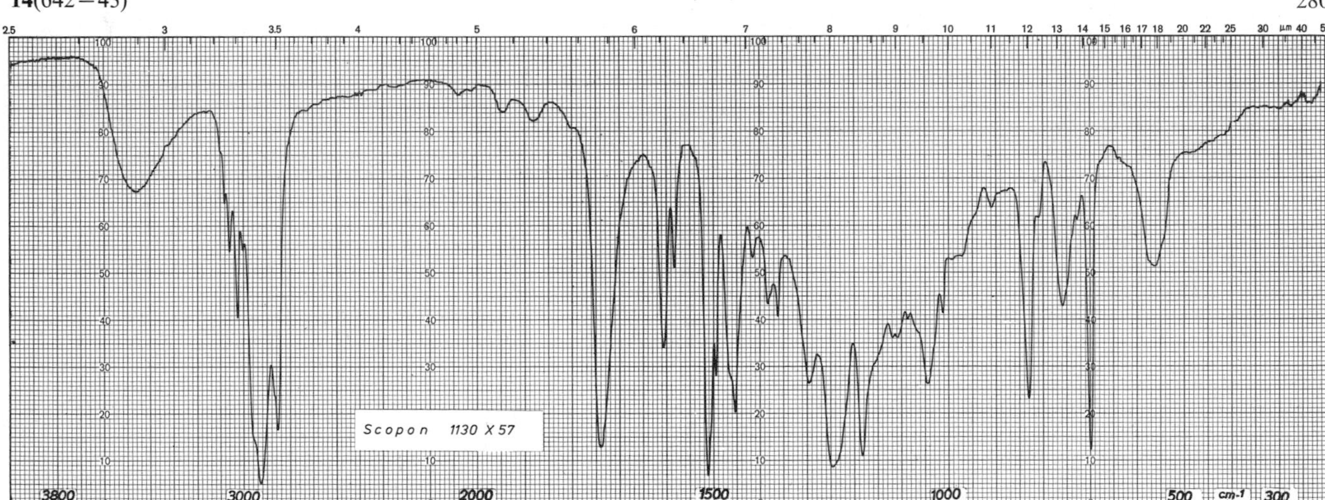

(1) **Scopon 1130X57**
(3) styrolmodifizierter Epoxidharzester auf Basis Tallöl- und Ricinenfettsäuren
(4) dickflüssige, gelbe Lösung (57% in XYL)
(5) für luft- und ofentrocknende, chemikalienfeste Spritzlacke, Automobilgrundierungen, abriebfeste Farben und Klarlacke
(6) Schicht auf CsI

(2) Scado, Zwolle/Meppen
(3) styrene-modified epoxy resin ester based on tung oil and castor oil fatty acids
(4) yellow, viscous solution (57% in XYL)
(5) for air and oven-drying, chemical-resistant spray lacquers, automobile primers, abrasion-resistant paints and clear varnishes
(6) film on CsI

1464 + **16**126 + **19**172 2809

(1) **Laminat V34 − L32 + MNA + DMP30 + 92626**
(3) epoxidierter Novolak mit Anhydridhärter, Beschleuniger (p-Dimethylamino-o-xylenol) und Glasgewebe (37% Harz)
(4) braune, schwach transparente Preßplatte
(6) mit Nagelfeile abgefeilt, KBr (2/400)
(7) PE 580 B, oben: FLAT, ABEX 2.00

(2) Bakelite GmbH, Letmathe
(3) epoxidized novolac with anhydride curing agent, accelerator (p-dimethylamino-o-xylenol) and glass fabric (37% resin)
(4) brown, slightly transparent, moulded sheet
(6) filings, KBr (2/400)
(7) PE 580 B; above: FLAT, ABEX 2.00

1464 + **16**126 + **19**172 2810

(1) **Laminat VII31 – 0164 + HX + DMP30**
(3) Epoxidharz auf Basis Bisphenol A mit Anhydridhärter und Beschleuniger (p-Dimethylamino-o-xylenol); mit anorganischem Füllstoff (37% Harz)
(4) olivgrüne Preßplatte
(6) mit Nagelfeile abgefeilt, KBr (2/400)
(7) PE 580 B

(2) Bakelite GmbH, Letmathe
(3) epoxy resin based on bisphenol A with anhydride curing agent and accelerator (p-dimethylamino-o-xylenol); with inorganic filler (37% resin)
(4) olive green, moulded sheet
(6) nail file filings, KBr (2/400)
(7) PE 580 B

1464 + **16**11 + **19**172 2811

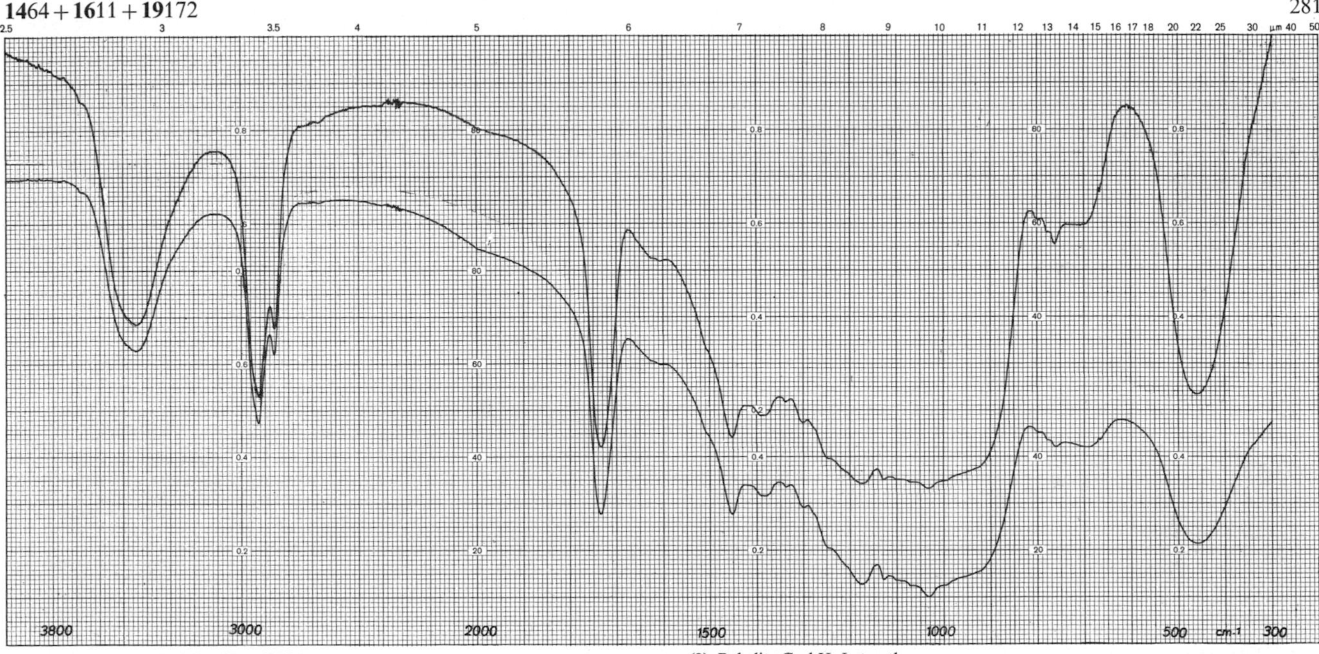

(1) **Laminat IX33 – Cy160 + SL + 92626**
(3) cycloaliphatisches Epoxidharz (Cyclohexanonabkömmling) mit cycloaliphatischem Amin (Härter) und Glasgewebe (37% Harz)
(4) olivgrüne Preßplatte
(6) mit Nagelfeile abgefeilt, KBr (2/400)
(7) PE 580 B; oben: ABEX 2.29

(2) Bakelite GmbH, Letmathe
(3) alicyclic epoxy resin (cyclohexanone derivative) with alicyclic amine (curing agent) and glass fabric (37% resin)
(4) olive green, moulded sheet
(6) filings, KBr (2/400)
(7) PE 580 B; above: FLAT, ABEX 2.29

1466 2812

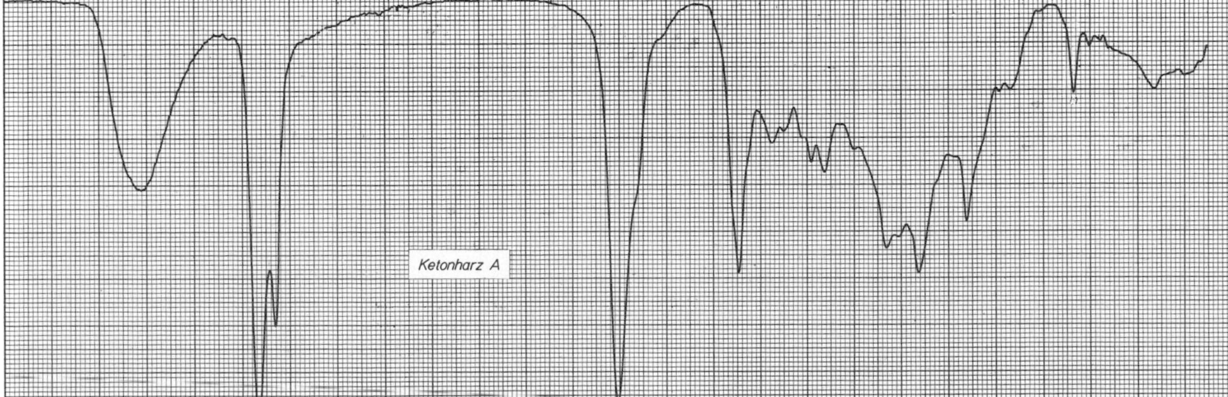

(1) **Ketonharz A**
(3) Kondensationsprodukt aus Cyclohexanon und Formaldehyd
(4) gelbe Harzstücke
(5) in Kombination mit Cellulosenitrat oder Ethylcellulose für Papier- und Holzlacke
(6) Schicht aus MTC auf CsI; * (736 cm^{-1}): restl. MTC
(7) Nicolet FTIR 7199

(2) BASF AG, Ludwigshafen
(3) cyclohexanone formaldehyde condensation product
(4) yellow resin
(5) for paper and wood varnishes in combination with cellulosenitrate or ethylcellulose
(6) film from MTC on CsI; * (736 cm^{-1}) residual MTC
(7) Nicolet FTIR 7199

1466 2813

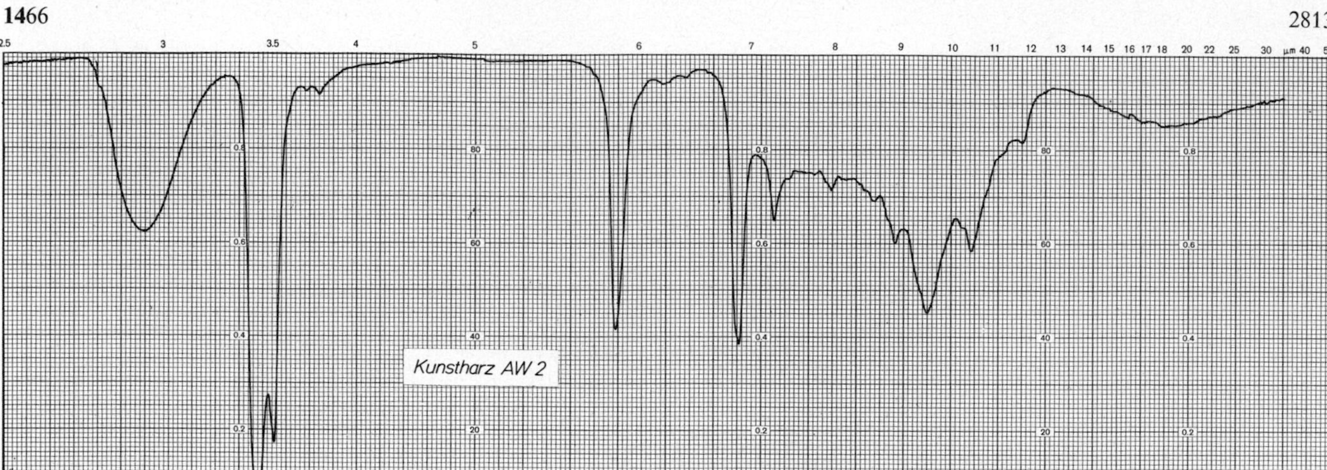

(1) **Kunstharz AW 2**
(3) Kondensationsprodukt aus Cyclohexanon und Methylcyclohexanon
(4) schwach gelbliches Harz
(5) für Öl- und Alkydlacke, für Cellulosenitratlacke
(6) Schicht aus MTC auf CsI
(7) PE 580 B, ABEX 1.12

(2) BASF AG, Ludwigshafen
(3) condensation product containing cyclohexanone and methyl cyclohexanone
(4) pale yellowish resin
(5) for oil and alkyd finishes, for cellulose nitrate lacquers
(6) film from MTC on CsI
(7) PE 580 B, ABEX 1.12

1466 2814

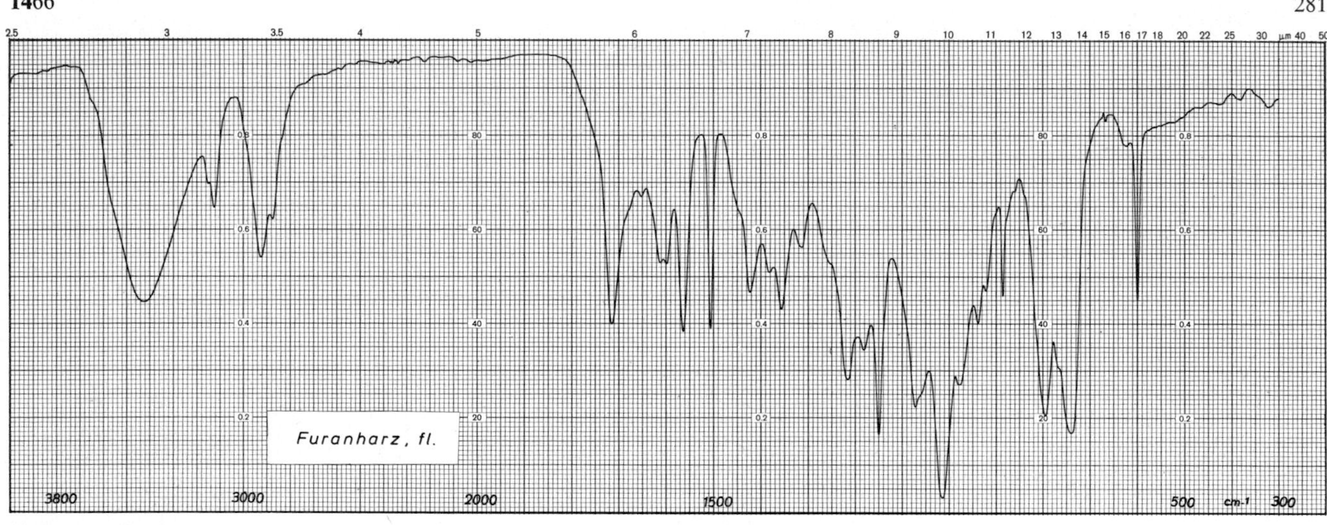

(1) **Supraplast-Harz K 130**
(3) Furanharz
(4) zähflüssiges, dunkelbraunes Harz
(6) kapillare Schicht zwischen CsI
(7) PE 580 B

(2) Südwest-Chemie, Neu-Ulm
(3) furan resin
(4) dark brown, viscous resin
(6) capillary film between CsI
(7) PE 580 B

1466

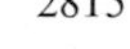

2815

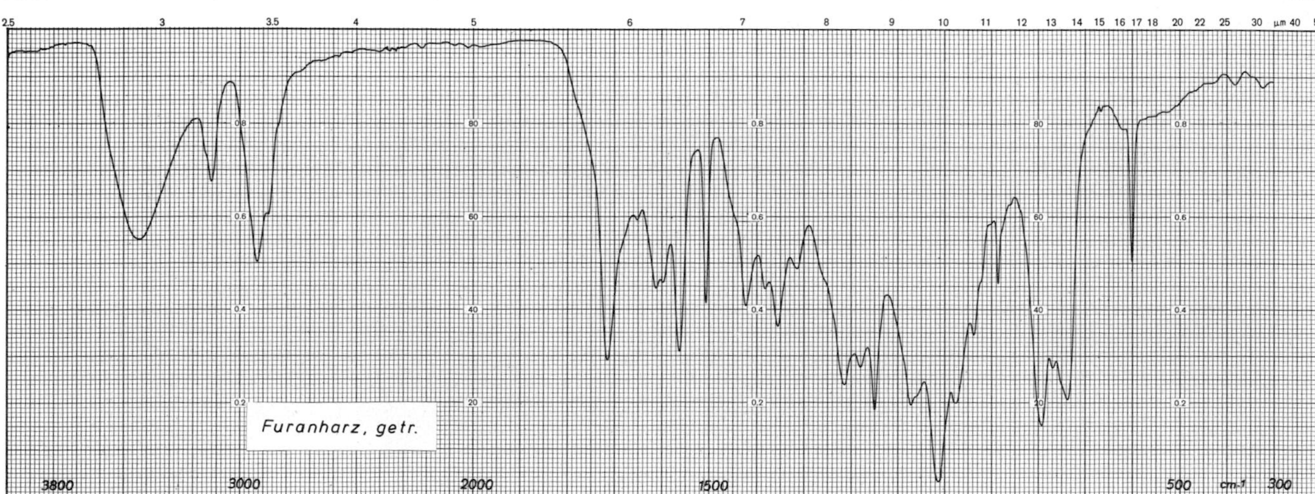

(1) **Supraplast-Harz K 130**
(3) Furanharz
(4) zähflüssiges, dunkelbraunes Harz
(6) Schicht auf CsI, i.V. getrocknet
(7) PE 580 B

(2) Südwest-Chemie, Neu Ulm
(3) furan resin
(4) dark brown, viscous resin
(6) film on CsI, dried in vacuo
(7) PE 580 B

1467 2816

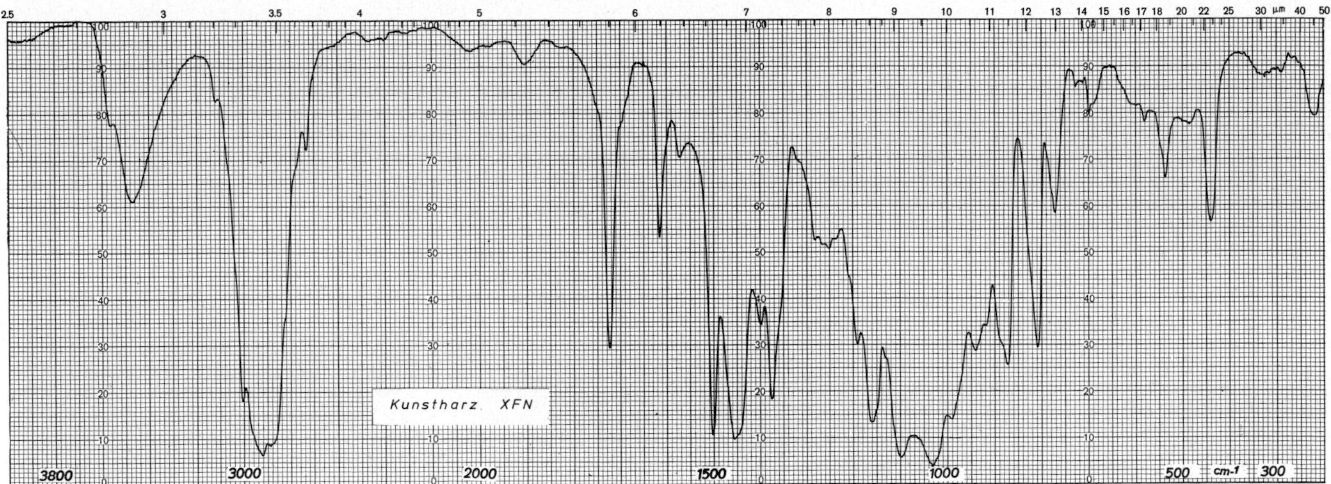

(1) **Kunstharz XFN**
(3) etherartiges Kondensationsprodukt aus aromatischen Kohlenwasserstoffen (XYL) und Formaldehyd
(4) gelbes, transparentes, zähflüssiges Harz
(5) für Cellulosenitrat-Kombinationslacke
(6) Schicht auf CsI

(2) Bayer AG, Leverkusen
(3) ether-type condensation product of an aromatic hydrocarbon (XYL) and formaldehyde
(4) very viscous, transparent, yellow resin
(5) for cellulose nitrate combination lacquers
(6) film on CsI

1471 2817

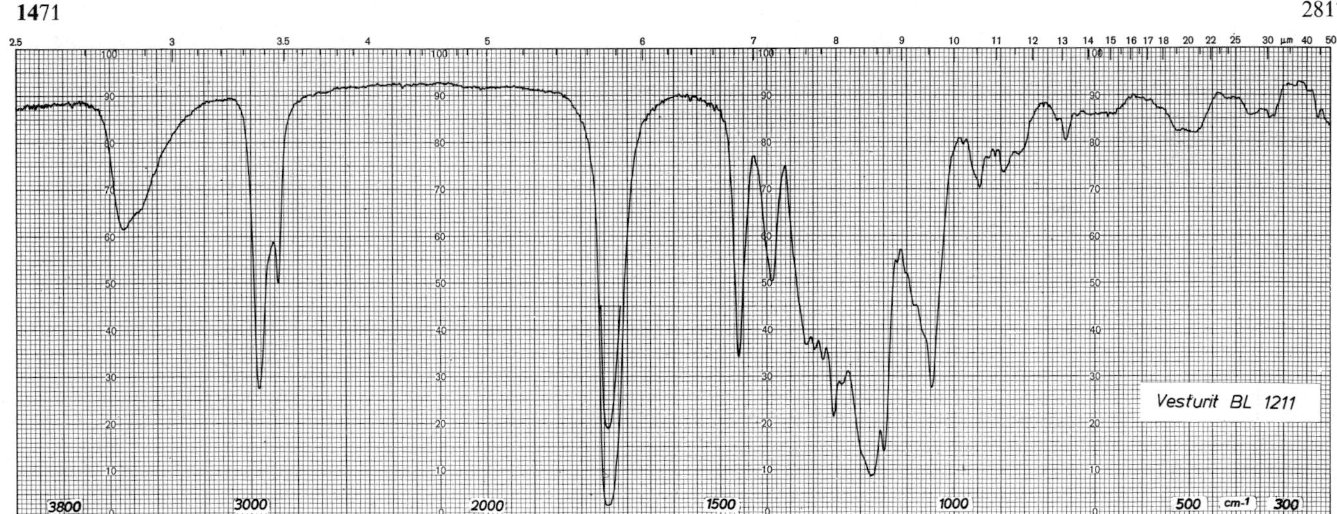

(1) **Vesturit BL1211**
(3) ölfreier aliphatischer Polyester
(4) trübes, viskoses Harz
(5) lösemittelfreies Harz für high-solid-Lacke
(6) Schicht auf CsI

(2) Chemische Werke Hüls AG, Marl
(3) oil-free, aliphatic polyester
(4) cloudy, viscous resin
(5) solvent-free resin for high-solids lacquers
(6) film on CsI

147(11 – 31) 2818

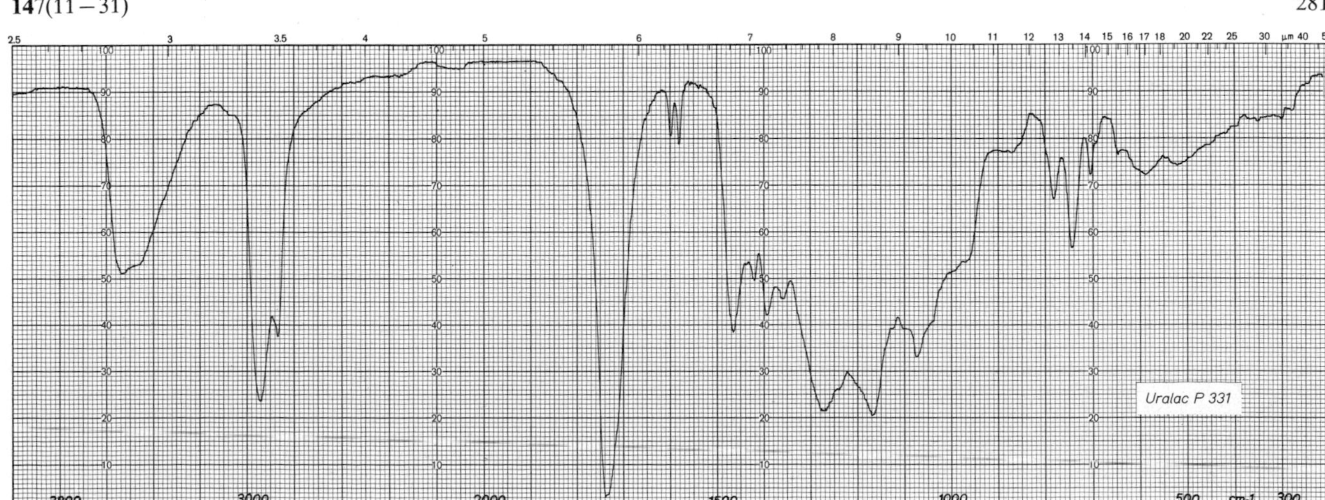

(1) **Uralac P331**
(3) OH-gruppenhaltiger, caprolactonmodifizierter Polyester mit einkondensierten Phthalestergruppen
(4) schwach maisfarbene, viskose Lösung
(5) für Zweikomponenten-Polyurethanlacke mit hohem Festkörpergehalt; für Lackierungen mit hohem Glanz, guter Härte und ausgezeichneter Elastizität
(6) Schicht auf CsI

(2) Scado B.V., Zwolle
(3) OH group-containing, caprolactone-modified polyester, with phthalic ester groups
(4) pale, corn-colored, viscous solution
(5) for two-component polyurethane lacquers with a high solids content; for high gloss lacquers, having good hardness and excellent elasticity
(6) film on CsI

14714 $C_{14}H_{22}O_4$ *P* 2819

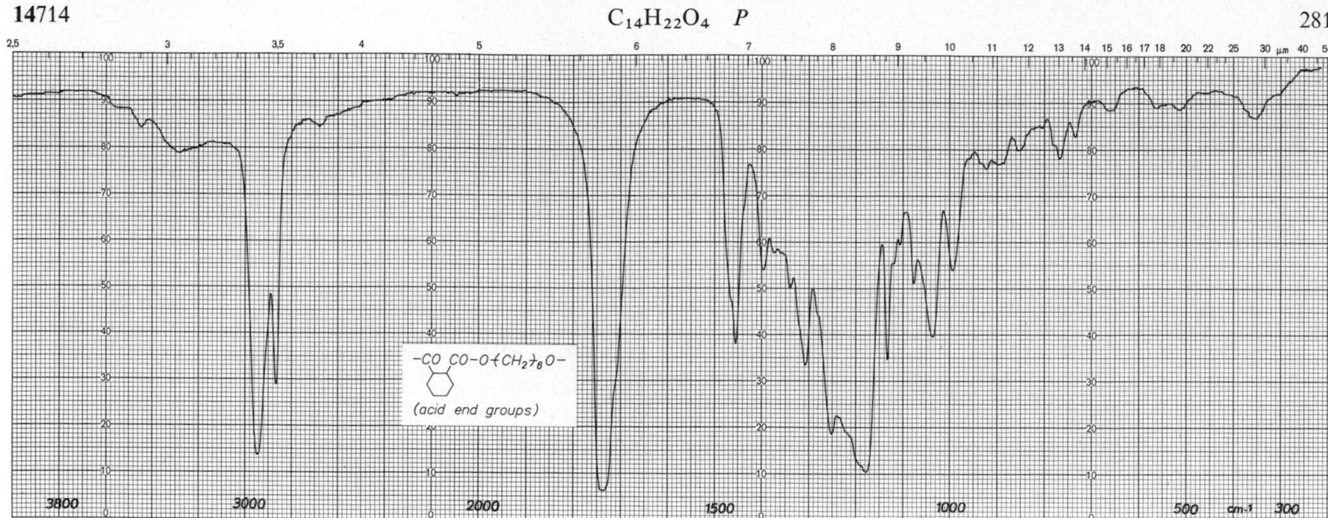

(1) **Hexahydrophthalsäure-Hexamethylendiol-Polyester (11:10)**
(2) Laborpräparat F. Lohse, Ciba-Geigy, Basel
(4) zähe, farblose Substanz
(6) Schicht aus CLF auf CsI

(1) **hexahydrophthalic acid-hexamethylenediol polyester (11:10)**
(2) laboratory preparation, F. Lohse, Ciba-Geigy, Basel
(4) tough, colorless substance
(6) film from CLF on CsI

14721 2820

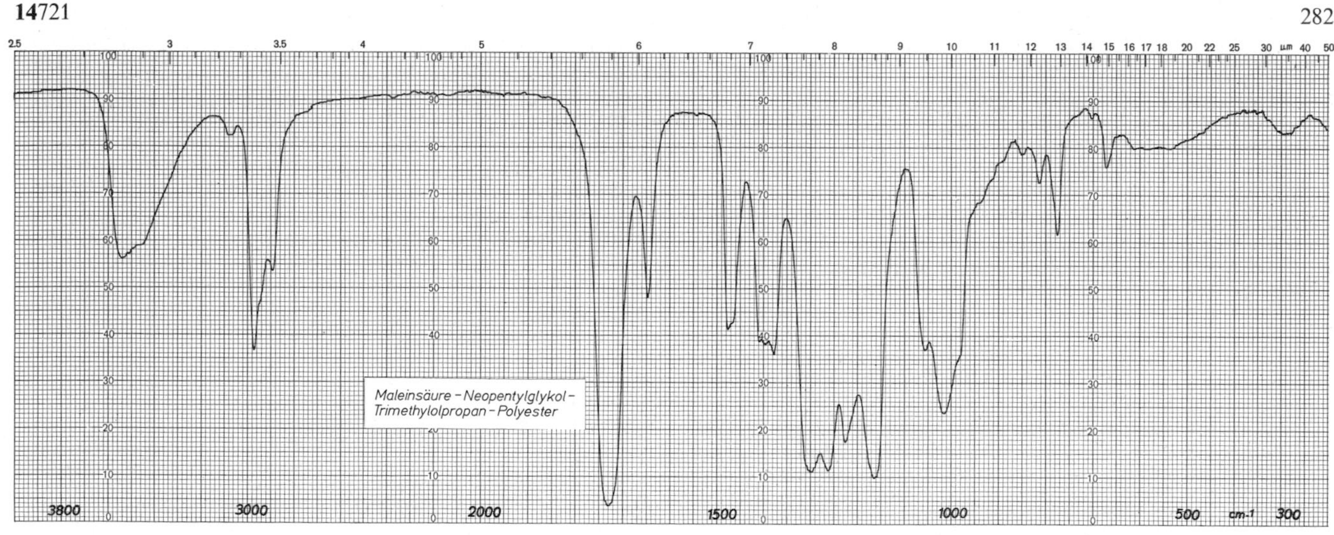

(1) **Maleinsäure-Neopentylglycol-Trimethylolpropan-Polyester**
(2) Laborpräparat E. Knappe, BASF Farben und Fasern AG, Münster
(4) farblos-transparentes, festes Harz
(6) Film aus CLF auf CsI

(1) **maleic acid-neopentyl glycol-trimethylolpropane polyester**
(2) laboratory preparation, E. Knappe, BASF Farben und Fasern AG, Münster
(4) solid, transparent, colorless resin
(6) film from CLF on CsI

14721 2821

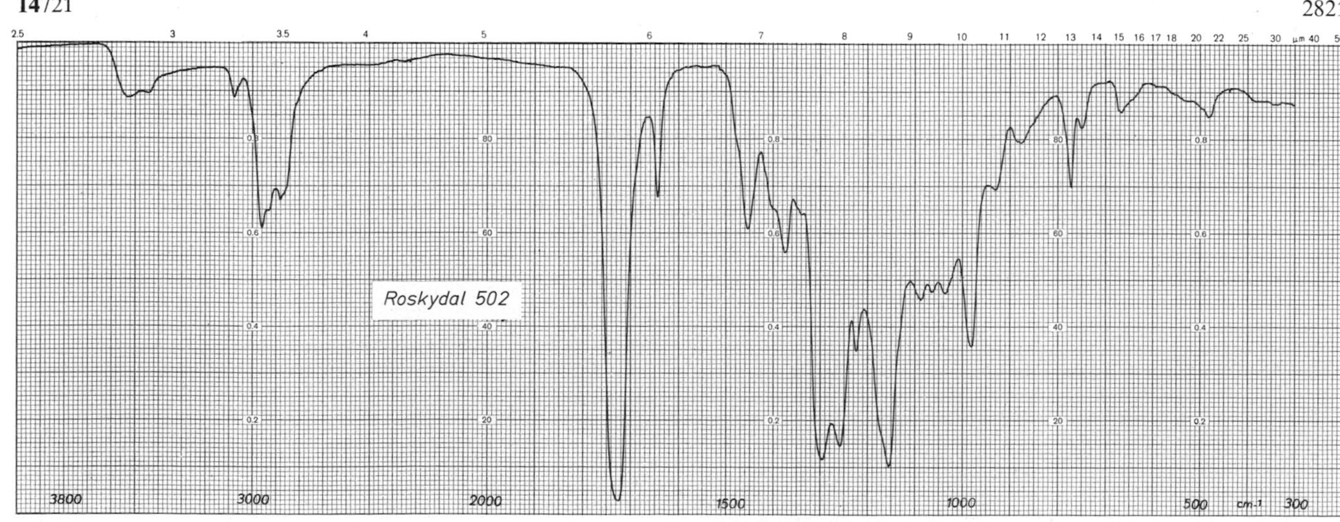

(1) **Roskydal 502**
(3) ungesättigtes Polyesterharz (Glanzpolyester), hart, hochreaktiv
(4) fast farblose Lösung (65% in Styrol)
(5) für klare oder pigmentierte Fertigeffektlacke, für offenporige Lackierungen, Abgießmattinen für Dekorfolien
(6) getrocknete Schicht auf CsI

(2) Bayer AG, Leverkusen
(3) unsaturated polyester resin (polish polyestery) hard, highly reactive
(4) almost colorless solution (65% in styrene)
(5) for clear or pigmented, ready lacquered effect, for porous lacquers, pour-on, matt effect for decorative foils
(6) dried film on CsI

14721 2822

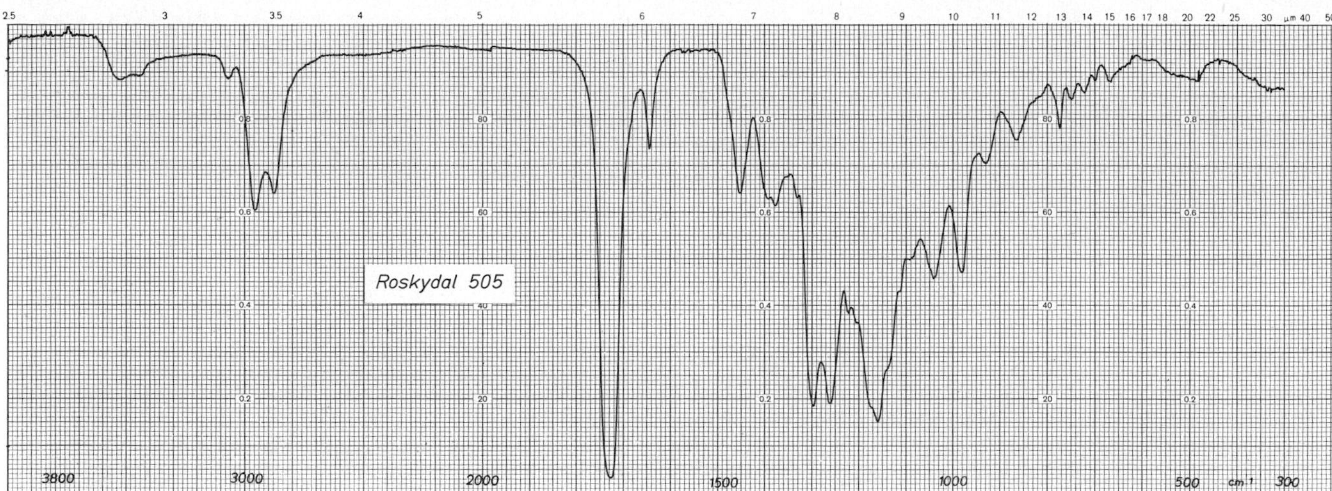

(1) **Roskydal 505**
(3) ungesättigtes Polyesterharz (Glanzpolyester), reaktiv, mittelelastisch
(4) fast farblose Lösung (73% in Styrol)
(5) für Grundierungen, klare und pigmentierte Decklacke, Zieh- und Spritzspachtel
(6) getrocknete Schicht auf CsI
(7) PE 580 B, ABEX 1.45

(2) Bayer AG, Leverkusen
(3) unsaturated polyester resin (polish polyester) reactive, moderately elastic
(4) almost colorless solution (73% in styrene)
(5) for primers, clear and pigmented covering lacquers, stopping and spray fillers
(6) dried film on CsI
(7) PE 580 B, ABEX 1.45

14721 2823

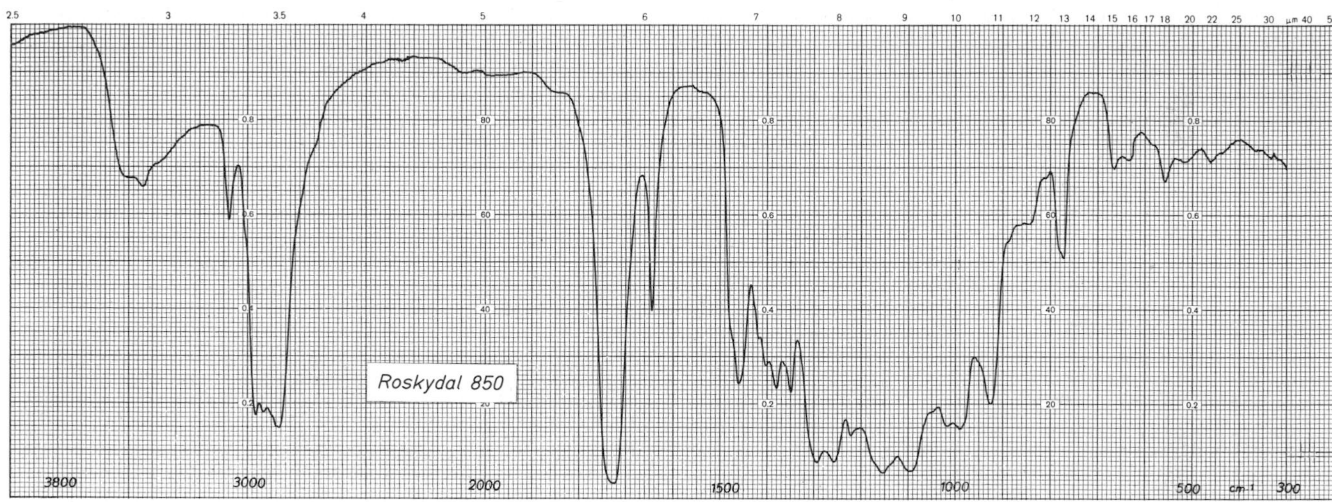

(1) **Roskydal 850 W**
(3) in H_2O emulgierbares, ungesättigtes Polyesterharz
(4) fast farblose, viskose Flüssigkeit
(5) Wasserlacke für offenporige Lackierungen, klare oder pigmentierte Dünnschicht-lackierungen
(6) kapillare Schicht zwischen CsI
(7) PE 580 B, ABEX 1.55

(2) Bayer AG, Leverkusen
(3) unsaturated polyester resin emulsifiable in H_2O
(4) almost colorless, viscous liquid
(5) aqueous lacquer for porous finishes, clear or pigmented, thin film lacquers
(6) capillary film between CsI
(7) PE 580 B, ABEX 1.55

14721 2824

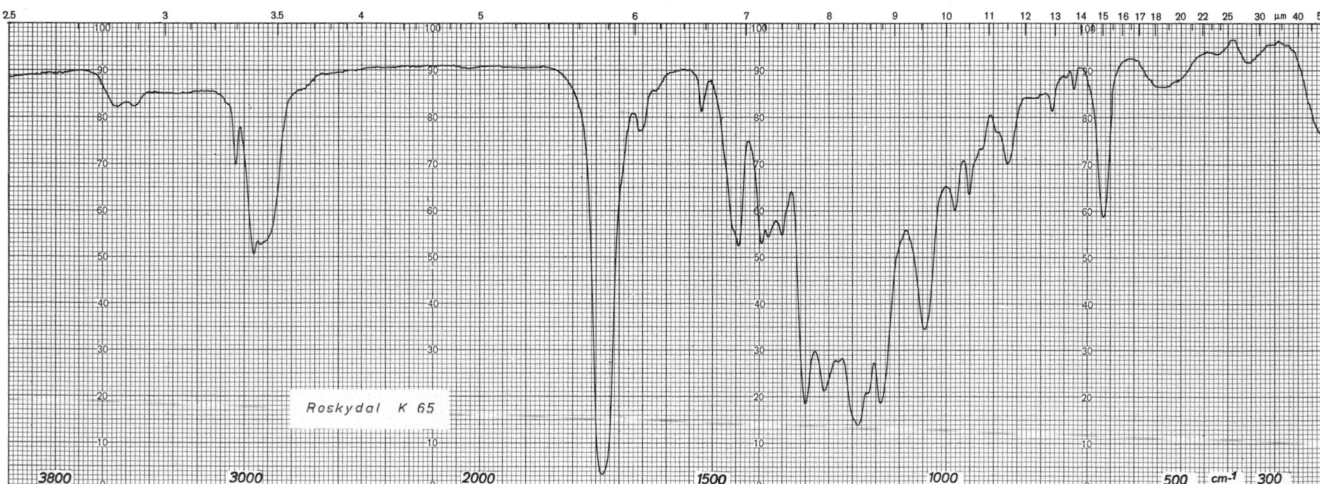

(1) **Roskydal K 65**
(3) ungesättigtes Polyesterharz
(4) gelbe, transparente, zähe Flüssigkeit
(5) für höchstreaktive, elastische Spachtel
(6) Schicht auf CsI
(7) Styrol evaporiert

(2) Bayer AG, Leverkusen
(3) unsaturated polyester resin
(4) yellow, transparent, viscous solution
(5) for extremely reactive, elastic filler
(6) film on CsI
(7) styrene evaporated

14721 2825

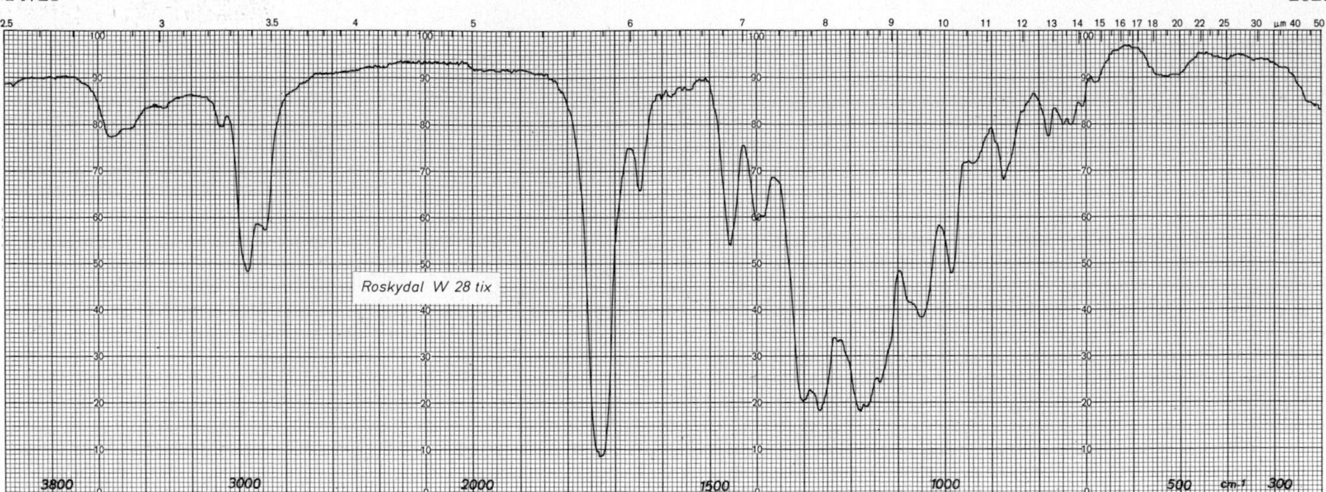

(1) **Roskydal W 28 tix**
(3) ungesättigtes Polyesterharz (Paraffintyp), 60% in Styrol
(4) transparente, gelbliche Harzlösung
(5) für offenporige Lackierungen, klare und pigmentierte Dünnschichtlackierungen
(6) Schicht auf CsI (i.V. getrocknet)
(7) Ordinate gedehnt

(2) Bayer AG, Leverkusen
(3) unsaturated polyester resin (paraffin type), 60% in styrene
(4) yellowish, transparent solution
(5) for porous lacquers, clear and pigmented, thin film lacquers
(6) film on CsI (dried in vacuo)
(7) ordinate expanded

14722 2826

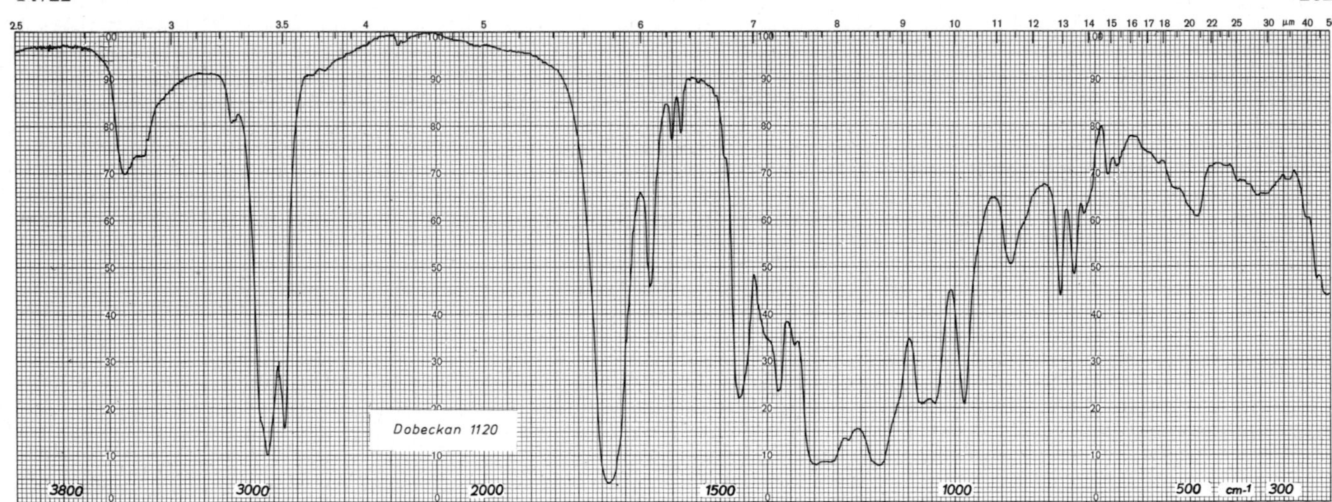

(1) **Dobeckan 1120**
(3) ungesättigtes Polyesterharz
(4) gelbe, transparente Harzlösung
(5) für Gieß- und Tränkharze
(6) Schicht auf CsI (i.V. getrocknet)

(2) BASF Farben + Fasern AG, Beck Elektroisolier-Systeme, Hamburg
(3) unsaturated polyester resin
(4) yellow, transparent resin solution
(5) for casting and dipping resins
(6) film on CsI (dried in vacuo)

14722 2827

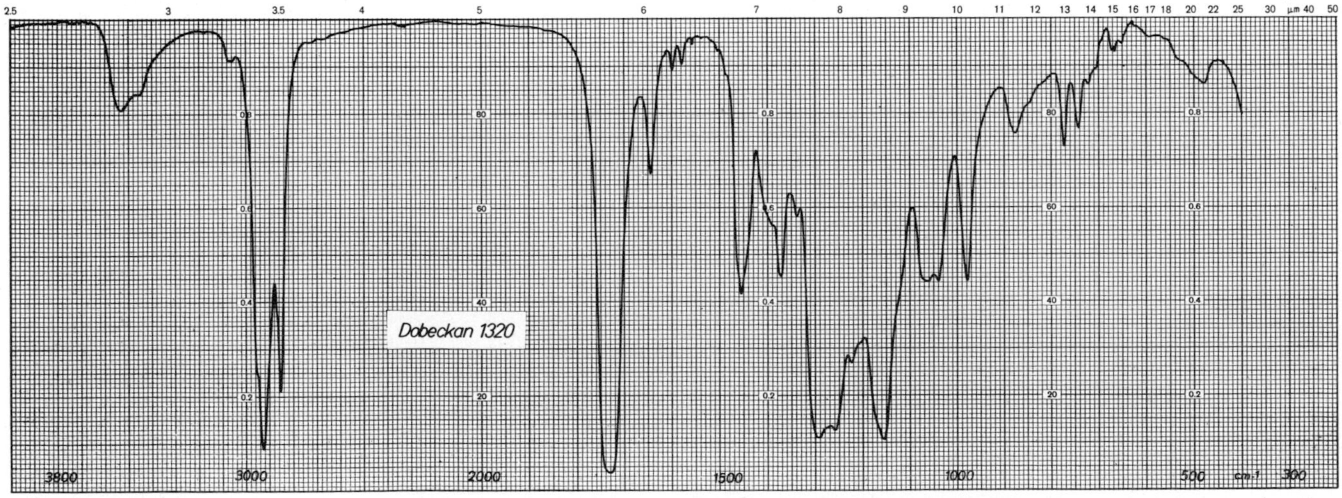

(1) **Dobeckan 1320**
(3) ungesättigtes Polyesterharz
(4) gelbe, klare, viskose Flüssigkeit
(5) Elektroisolier-Tränkharz für Normmotoren bis Baugröße 355, große Spezialmaschinen, Verteilertransformatoren
(6) Schicht auf KBr, bei 50 °C i.V. getrocknet
(7) PE 580 B, FLAT, ABEX 1.12

(2) BASF Farben + Fasern AG, Beck Elektroisolier-Systeme, Hamburg
(3) unsaturated polyester resin
(4) clear, yellow, viscous liquid
(5) electrical insulation impregnating resin for standard motors up to size 355 and for large, special motors, distribution transformers
(6) film on KBr, dried at 50 °C in vacuo
(7) PE 580 B, FLAT, ABEX 1.12

14722 2828

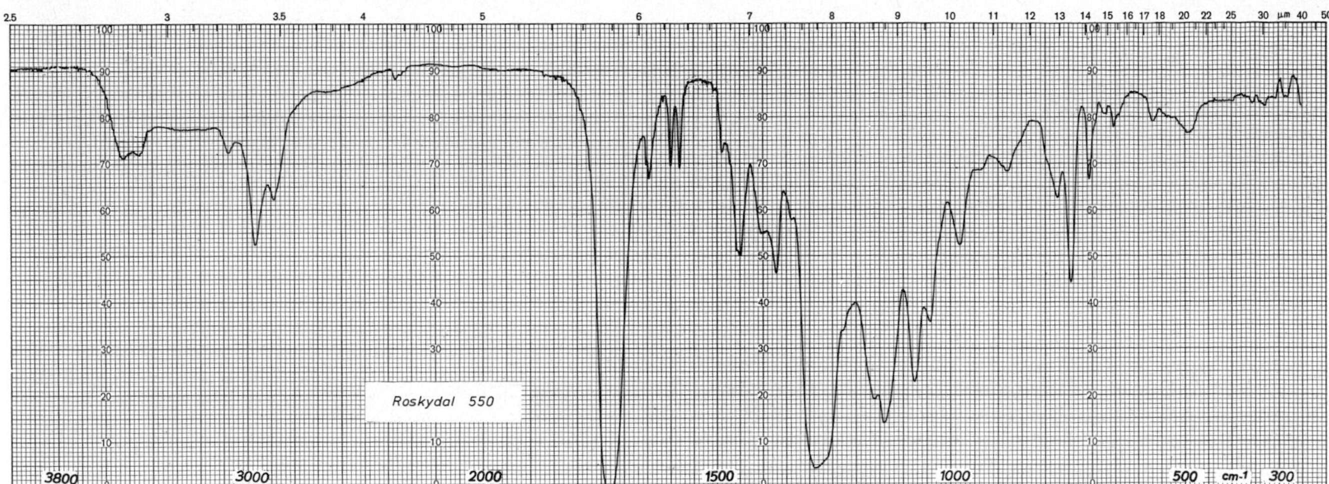

(1) **Roskydal 550**
(3) ungesättigtes Polyesterharz auf Basis Phthalsäure-Maleinsäure-Polyester
(4) transparentes, gelbliches, zähflüssiges Harz
(5) kein Alleinbindemittel; als elastifizierende Komponente in Polierlacken, in paraffinhaltigen Lacken gegen Nadelstiche, für elastische Spritzfüller und Ziehspachtel
(6) Schicht auf CsI (i.V. getrocknet)

(2) Bayer AG, Leverkusen
(3) unsaturated polyester resin based on phthalate maleate polyester
(4) yellowish, transparent, viscous liquid
(5) elasticizing component in paraffin-containing lacquers for preventing pin holes; for elastic, spray fillers and stopping
(6) film on CsI (dried in vacuo)

14722 2829

Roskydal UV 11

(1) **Roskydal UV 11**
(3) ungesättigtes Polyesterharz auf Phthalat-Maleinat-Basis (Paraffintyp)
(4) leicht gelbliches, zähflüssiges Harz
(5) für Klarlacke und Walzgrundierungen, zur Beschichtung von Holz und Holzimitationen (UV-härtend)
(6) Schicht auf CsI (i.V. getrocknet)

(2) Bayer AG, Leverkusen
(3) unsaturated polyester resin based on phthalate-maleate polyester (paraffin type)
(4) slightly yellowish, viscous resin
(5) for clear lacquers and roll-on primers, for coating timber and timber imitations (UV-curing)
(6) film on CsI (dried in vacuo)

14722 2830

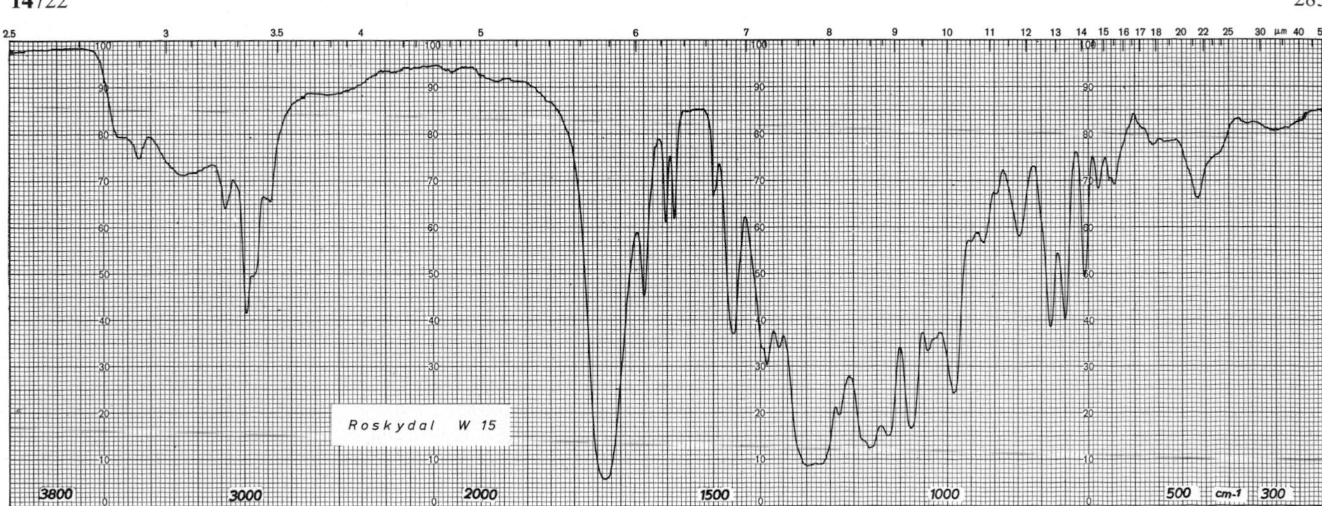

(1) **Roskydal W 15**
(3) ungesättigtes Polyesterharz auf Phthalat-Maleinat-Basis (Paraffintyp)
(4) farbloses, klares, zähflüssiges Harz
(5) für Walz- und Gießaktivgründe, Härterlacke, für das Sandwich- und Umkehrverfahren
(6) Schicht auf CsI (i.V. getrocknet)

(2) Bayer AG, Leverkusen
(3) unsaturated polyester resin based on phthalate-maleate polyester (paraffin type)
(4) clear, colorless, viscous resin
(5) for rolled and poured active coatings, for curable varnishes, for the sandwich and the reversal process
(6) film on CsI (dried in vacuo)

14722 2831

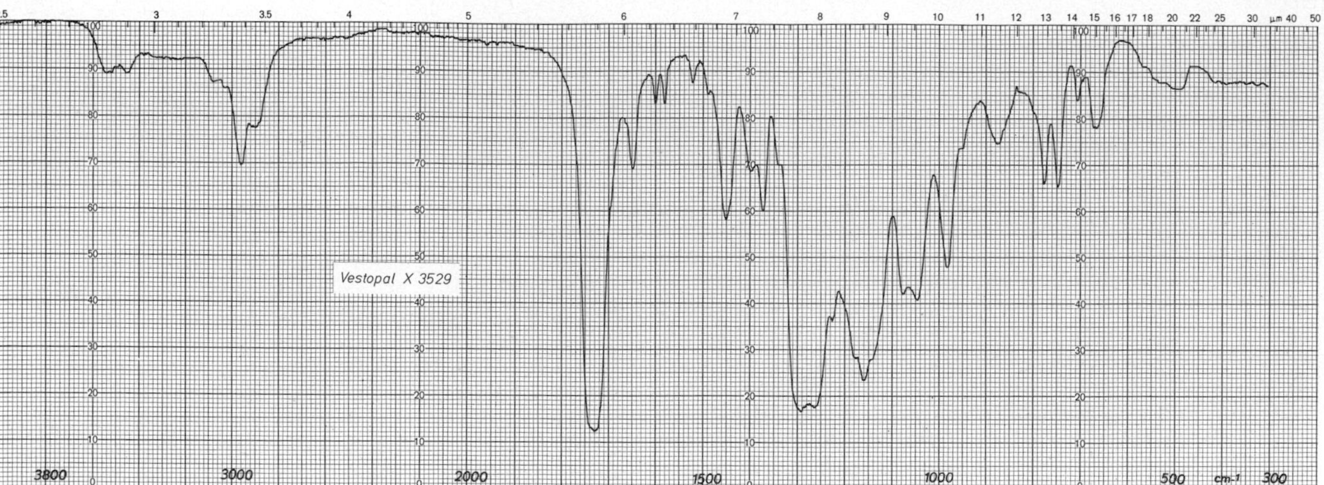

(1) **Vestopal X 3529**
(3) aminvorbeschleunigtes, sehr hochreaktives, ungesättigtes Polyesterharz
(4) gelbe Lösung in Styrol (34% Styrol)
(5) Bindemittel für Ziehspachtel, auch Glasfaserspachtel
(6) Schicht auf CsI (i.V. getrocknet)

(2) Chemische Werke Hüls AG, Marl
(3) amino-preaccelerated, very highly reactive unsaturated polyester resin
(4) yellow solution in styrene (34% styrene)
(5) binder for stopping and glass fiber-reinforced fillers
(6) film on CsI (dried in vacuo)

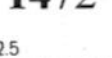
1472

2832

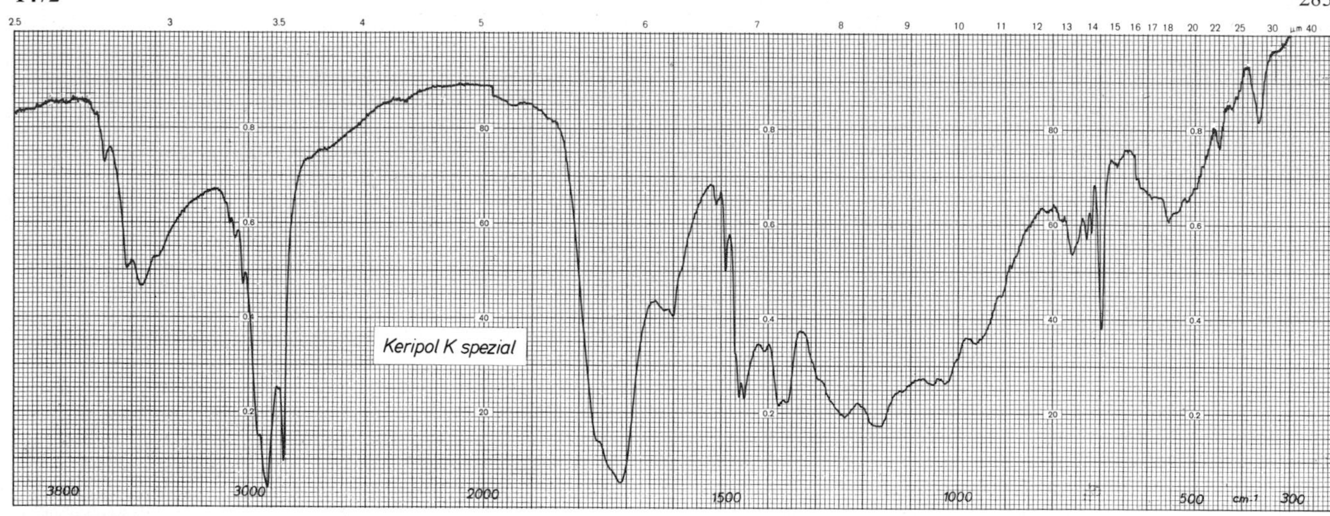

(1) **Keripol K spezial**
(3) ungesättigtes Polyesterharz mit Langglasfasern
(4) graue Stückchen
(5) härtbare Preßmasse
(6) mit Butylmethylketon extrahiert, braune Schicht auf CsI
(7) PE 580 B, ABEX 2.19

(2) Phoenix Gummiwerke, Hamburg
(3) unsaturated polyester resin with long glass fibers
(4) small, grey pieces
(5) curable moulding compound
(6) extracted with butyl methyl ketone, brown film on CsI
(7) PE 580 B, ABEX 2.19

1472 + **19**172 2833

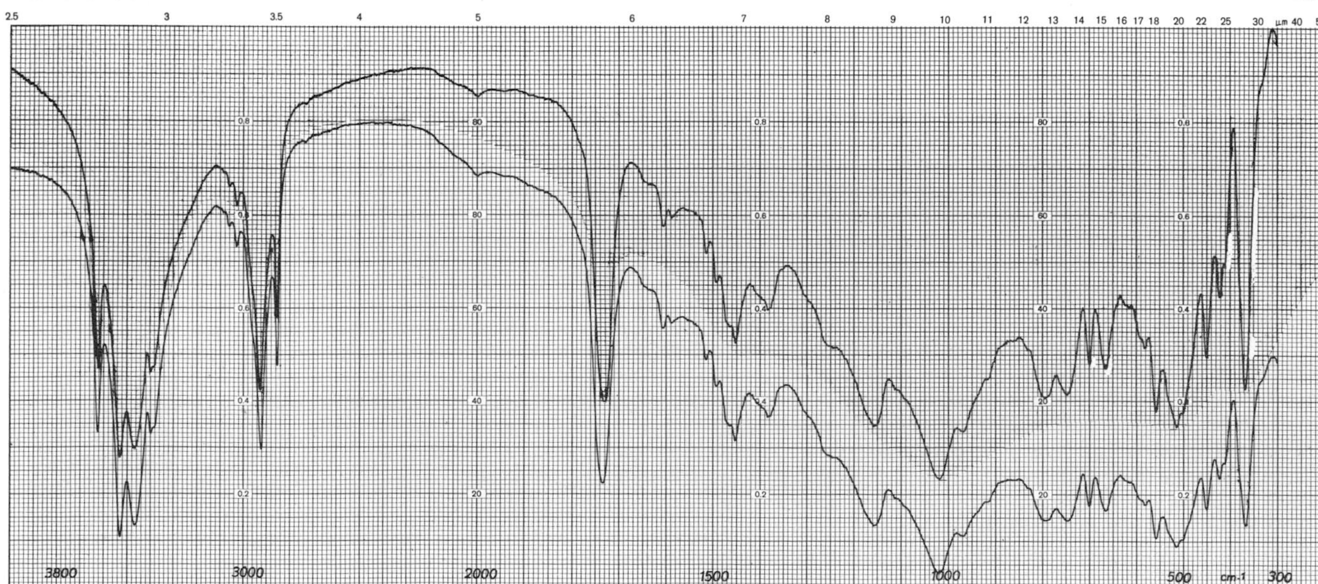

(1) **Keripol K Spezial**
(3) ungesättigtes Polyesterharz mit Langglasfasern
(4) graues Preßstück
(5) für Spritzgieß- und Spritzpreß-Verarbeitung
(6) mit Nagelfeile abgefeilt, KBr (2/400)
(7) PE 580 B, ABEX; oben: FLAT (1.51)

(2) Phoenix Gummiwerke, Hamburg
(3) unsaturated polyester resin with long glass fibers
(4) grey moulding
(5) for injection casting and injection moulding techniques
(6) filings; KBr (2/400)
(7) PE 580 B, ABEX; above: FLAT (1.51)

14723 2834

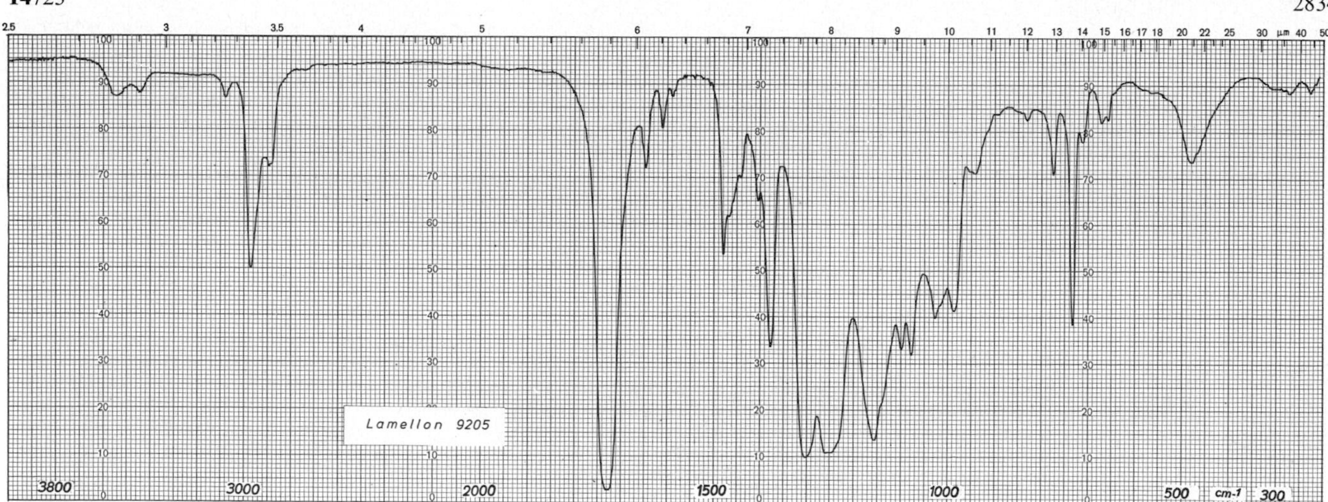

(1) **Lamellon 9205**
(3) transparentes Gelcoatharz auf Basis eines modifizierten, ungesättigten Isophthalsäurepolyesterharzes
(4) farblose Gallerte
(5) für Bodenanstriche
(6) Schicht auf CsI

(2) Scado BV, Zwolle
(3) transparent, gel-coat resin based on modified unsaturated isophathalic polyester resin
(4) colorless gel
(5) for floor coatings
(6) film on CsI

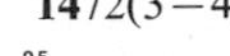
1472(3 – 4)

2835

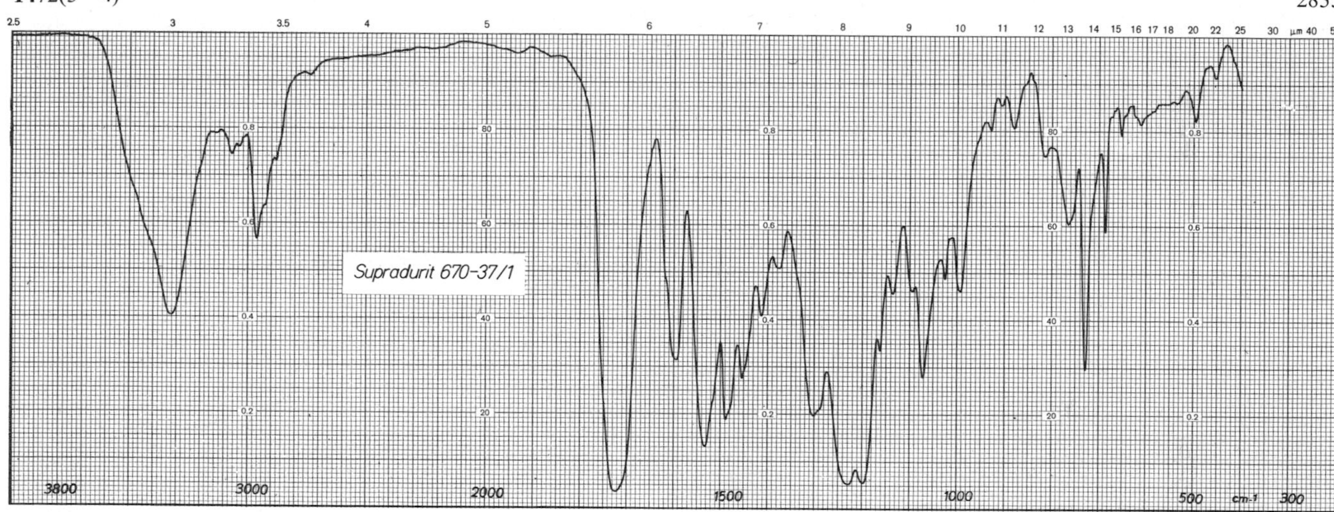

(1) **Supradurit 670-37/1**
(3) Polyesterurethan
(4) farblose, viskose Flüssigkeit
(5) Drahtlack
(6) Schicht auf KBr, bei 50 °C i.V. getrocknet
(7) PE 580 B, FLAT, ABEX 1.26

(2) BASF Farben + Fasern AG, Beck Elektroisolier-Systeme, Hamburg
(3) poly(ester urethane)
(4) colorless, viscous liquid
(5) wire lacquer
(6) film on KBr, dried in vacuo at 50 °C
(7) PE 580 B, FLAT, ABEX 1.26

1472(3 – 4) + **191**(72 + 22)

2836

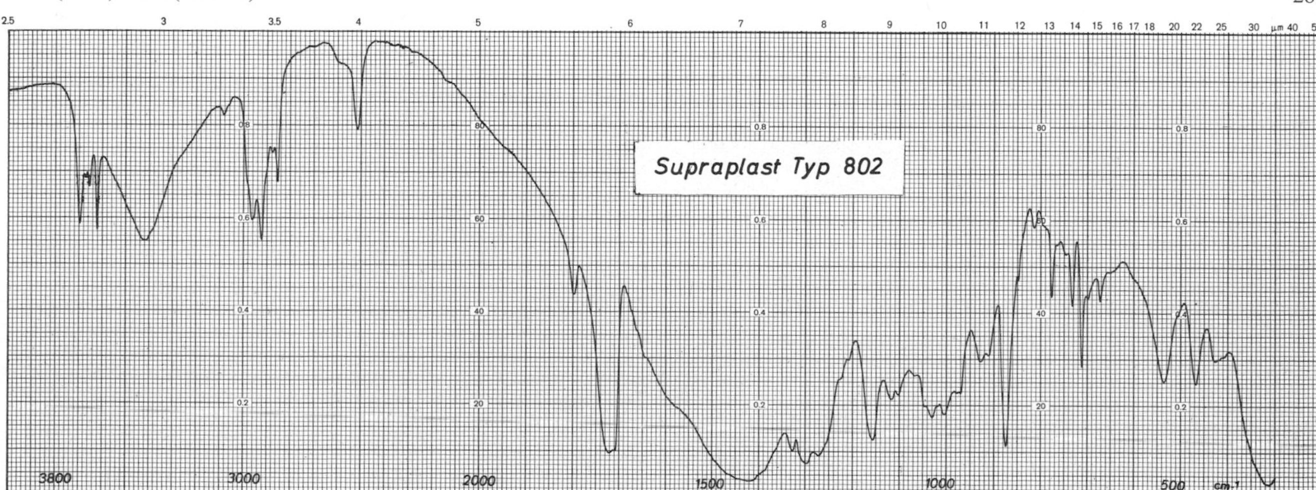

(1) **Supraplast-Preßmasse Typ 802**
(3) ungesättigtes Polyesterharz auf Basis Iso- und Terephthalsäure, mit Glas und Kreide als Füllstoff
(4) graue Körner
(5) thermisch härtbare Preßmasse
(6) KBr (1.6/360)
(7) PE 580 B; 315 cm^{-1}: Absorption des KBr

(2) Südwest-Chemie, Neu-Ulm
(3) unsaturated polyester resin based on iso and terephthalic acids, filled with glass and chalk
(4) grey grains
(5) thermally curable moulding compound
(6) KBr (1.6/360)
(7) PE 580 B; 315 cm^{-1}: KBr absorption

1472(3 − 4) + **191**(72 + 22) 2837

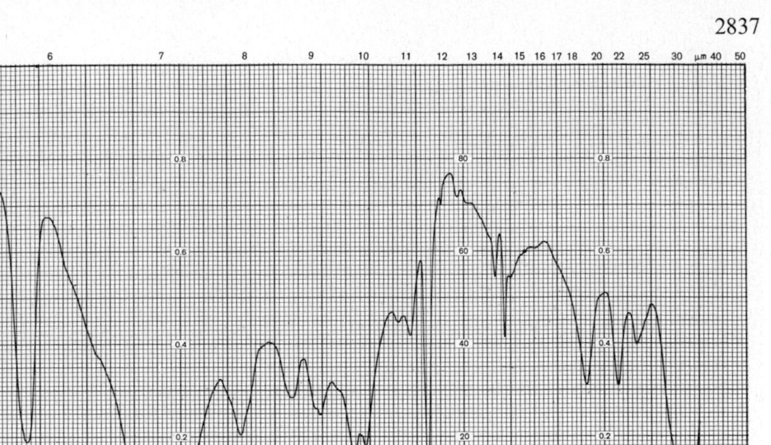

(1) **Supraplast-Preßmasse Typ 802, gehärtet**
(3) ungesättigtes Polyesterharz auf Basis Iso- und Terephthalsäure, Füllstoff: Glasfasern und Kreide
(4) graue Preßplatte
(6) mit Nagelfeile abgefeilt, KBr (1.8/350)
(7) PE 580 B; 320 cm^{-1}: Absoprtion des KBr

(2) Südwest-Chemie, Neu-Ulm
(3) unsaturated polyester resin based on iso and terephthalic acids, filled with glass fibers and chalk
(4) grey moulded sheet
(6) filings, KBr (1.8/350)
(7) PE 580 B; 320 cm^{-1}: KBr absorption

14724 2838

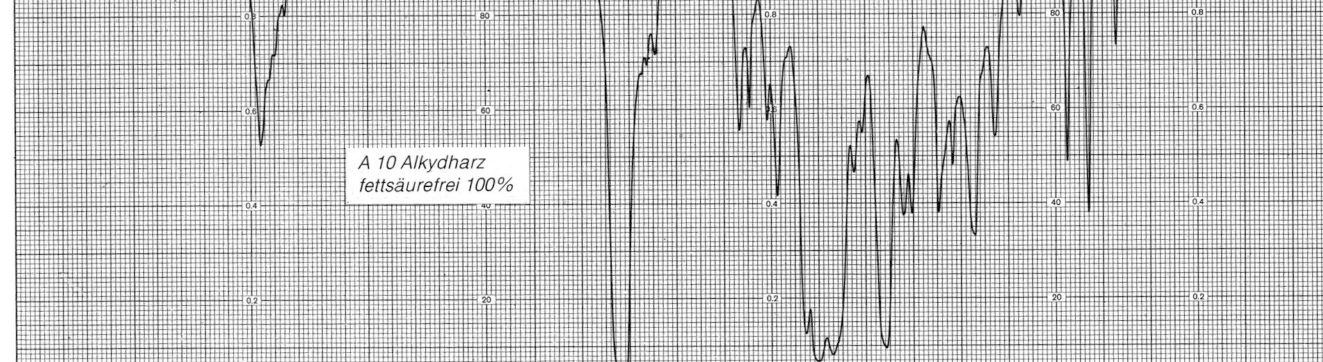

(1) **ungesättigtes Polyesterharz, fettsäurefrei, auf Basis Fumar- und Terephthalsäure**
(2) Hoechst AG, Werk Albert, Wiesbaden
(3) 46.4% Fumarsäure, 22.0% Terephthalsäure
(4) eierschalenfarbene Harzstückchen
(5) Testharz für quantitative Messungen
(6) Schicht aus MTC auf CsI
(7) PE 580 B, ABEX 1.23

(1) **unsaturated polyester resin, free from fatty acid based on fumaric and terephthalic acids**
(3) 46.4% fumaric acid, 22.0% terephthalic acid
(4) eggshell-colored resin pieces
(5) test resin for quantitative measurements
(6) film from MTC on CsI
(7) PE 580 B, ABEX 1.23

1472(4 − 3) 2839

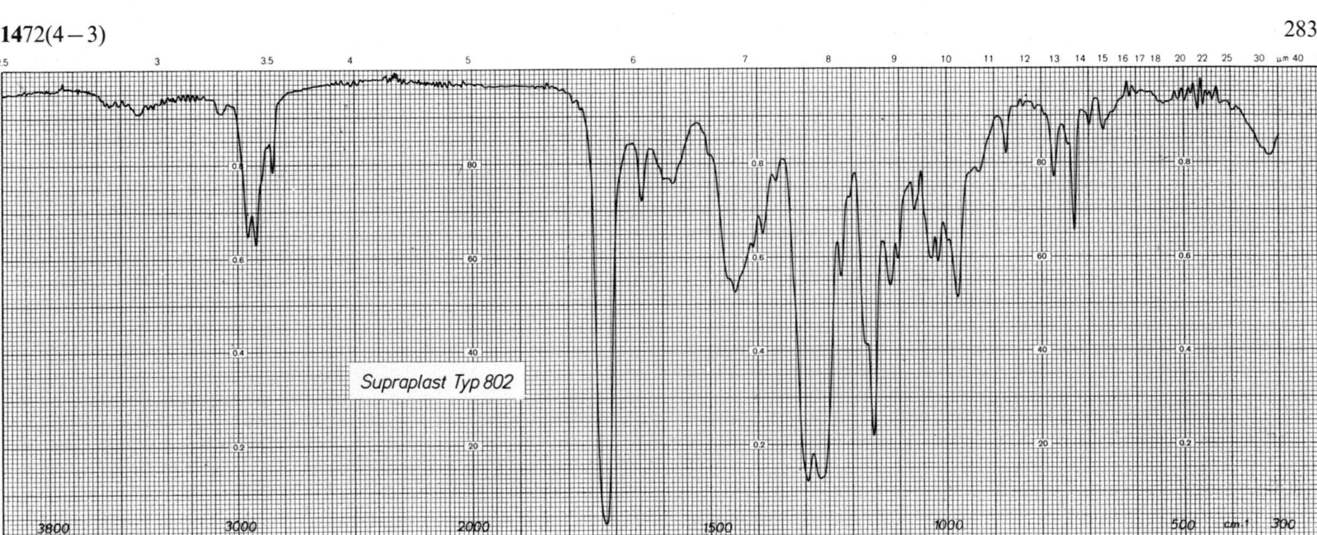

(1) **Supraplast Typ 802**
(3) ungesättigtes Polyesterharz auf Basis Tere- und Isophthalsäure
(4) graues Granulat
(5) härtbare Preßmasse
(6) mit CLF extrahiert, Schicht auf CsI; nach 30 min gemessen
(7) PE 580 B, ABEX

(2) Südwest-Chemie, Neu-Ulm
(3) unsaturated polyester resin based on tere and isophthalic acids
(4) grey granules
(5) curable moulding compound
(6) extracted with CLF, film on CsI; measured after 30 min
(7) PE 580 B, ABEX

1472(2–3) 2840

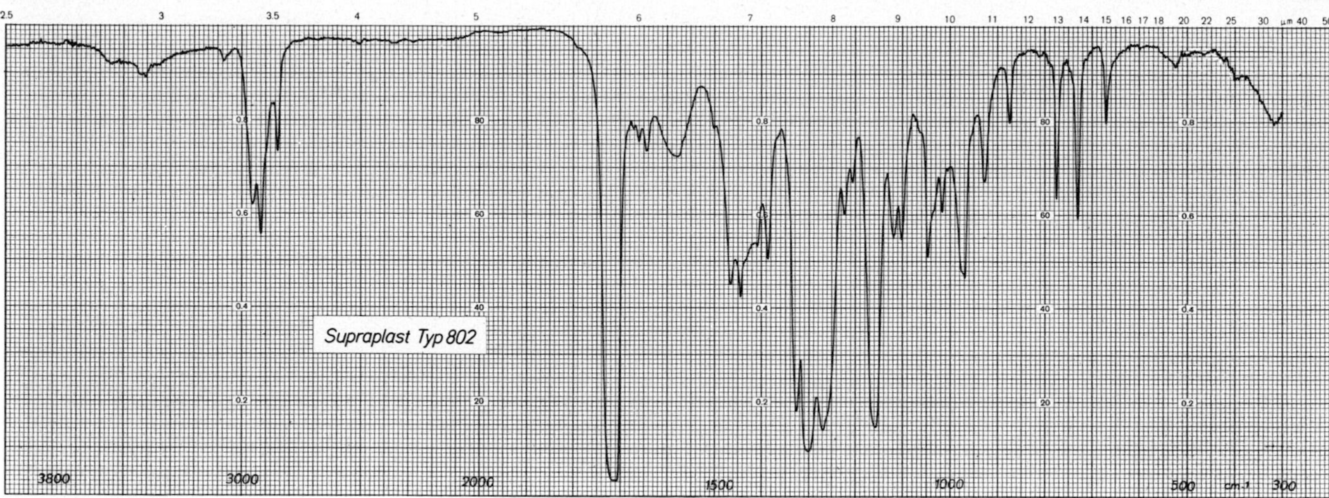

(1) **Supraplast Typ 802**
(3) ungesättigtes Polyesterharz auf Basis Tere- und Isophthalsäure
(4) graues Granulat
(5) härtbare Preßmasse
(6) mit CLF extrahiert, Schicht auf CsI; nach 15 h gemessen
(7) PE 580 B, ABEX 1.71

(2) Südwest-Chemie, Neu-Ulm
(3) unsaturated polyester resin based on tere and isophthalic acids
(4) grey granules
(5) curable moulding compound
(6) extracted with CLF, film on CsI; measured after 15 h
(7) PE 580 B, ABEX 1.71

14725 2841

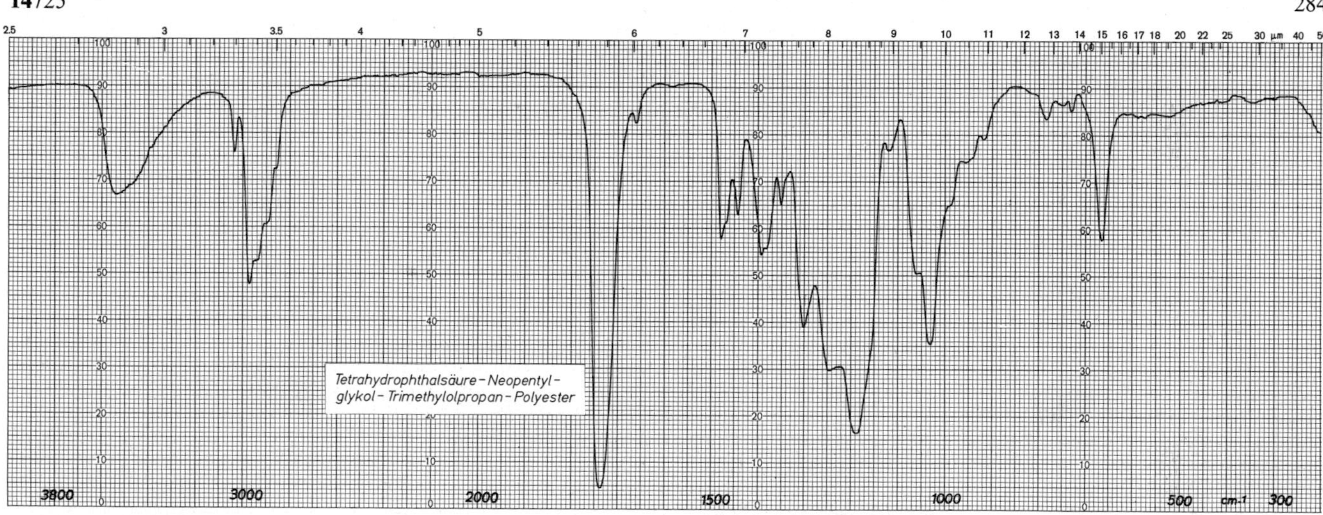

(1) **Tetrahydrophthalsäure-Neopentylglycol-Trimethylolpropan-Polyester**
(2) Laborpräparat E. Knappe, BASF Fasern und Farben AG, Münster
(4) gelbliches, transparentes Harz
(6) klarer Film aus CLF auf CsI

(1) **tetrahydrophthalic acid-neopentyl glycol-trimethylolpropane polyester**
(2) laboratory preparation, E. Knappe, BASF Farben und Fasern AG, Münster
(4) yellowish, transparent resin
(6) clear film from CLF on CsI

14725 2842

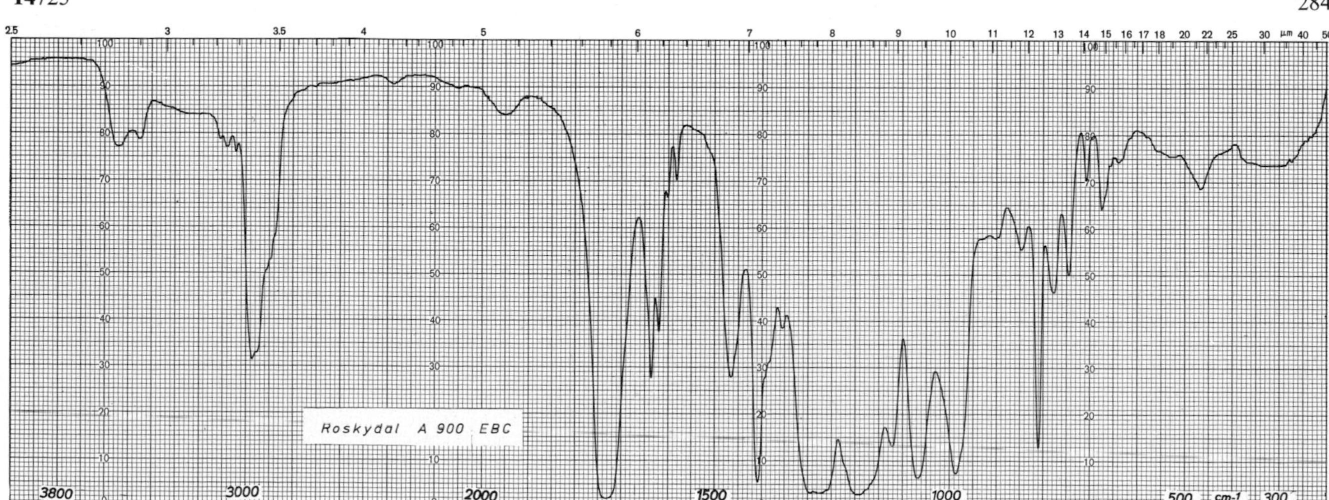

(1) **Roskydal A 900 EBC**
(3) ungesättigtes Polyesterharz mit Acrylester als monomere Komponente
(4) gelbliche, klare, zähe Flüssigkeit
(5) für Beschichtungen (Holz und Holzwerkstoffe), elektronenstrahlhärtend
(6) Schicht auf CsI

(2) Bayer AG, Leverkusen
(3) unsaturated polyester resin with acrylic ester as monomer component
(4) clear, yellowish, viscous liquid
(5) for coatings (wood and wood products) curable by electron irradiation
(6) film on CsI

14726 2843

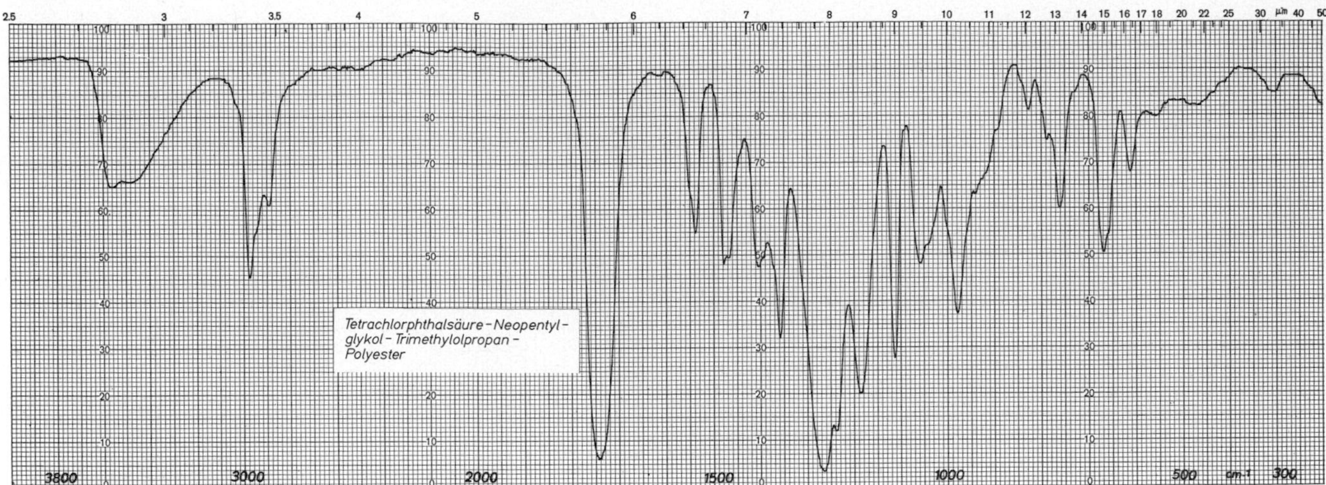

(1) **Tetrachlorphthalsäure-Neopentylglycol-Trimethylolpropan-Polyester**
(2) Laborpräparat E. Knappe, BASF Fasern und Farben AG, Münster
(4) goldgelbe, transparente Stücke
(6) Film aus CLF auf CsI

(1) **tetrachlorophthalic acid-neopentyl glycol-trimethylolpropane polyester**
(2) laboratory preparation, E. Knappe, BASF Farben und Fasern AG, Münster
(4) golden yellow, transparent pieces
(6) film from CLF on CsI

14727/**11337**211 $C_{14}H_{14}O_4$ *P* 2844

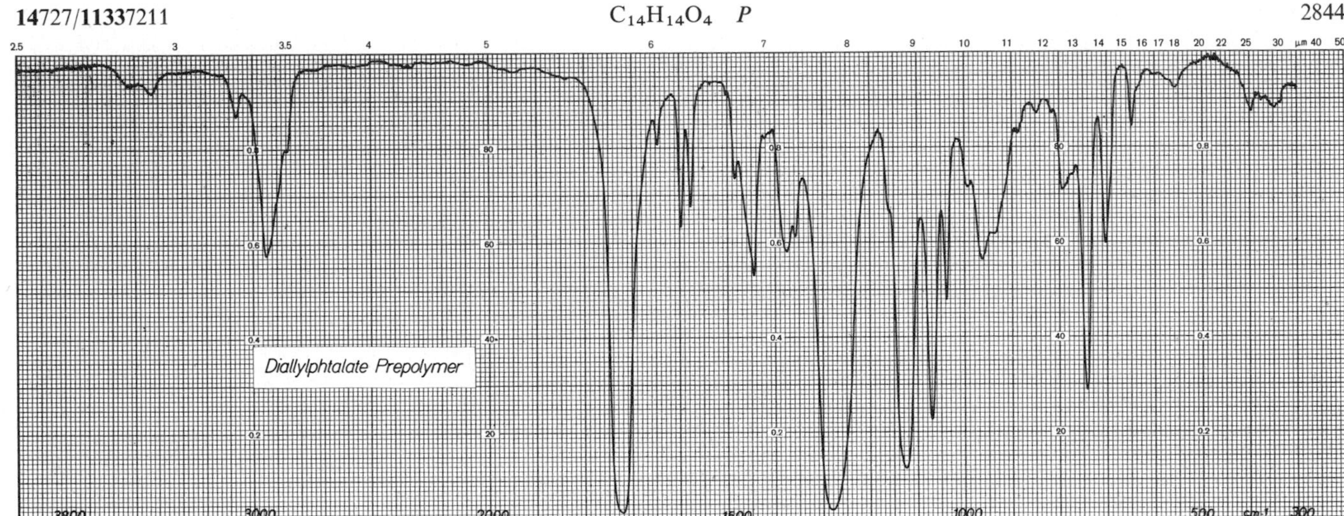

(1) **Diallylphthalate Prepolymer**
(3) Oligo(diallylphthalat)
(4) weißes Pulver
(5) Präpolymer zur Herstellung vernetzter Kunststoffe
(6) Film aus MTC
(7) PE 580 B, ABEX 1.42

(2) Monsanto Chem. Comp., St. Louis, Mo.
(3) oligo(diallyl phthalate)
(4) white powder
(5) prepolymer for the manufacture of crosslinked plastics
(6) film from MTC
(7) PE 580 B, ABEX 1.42

1472(7 – 8) 2845

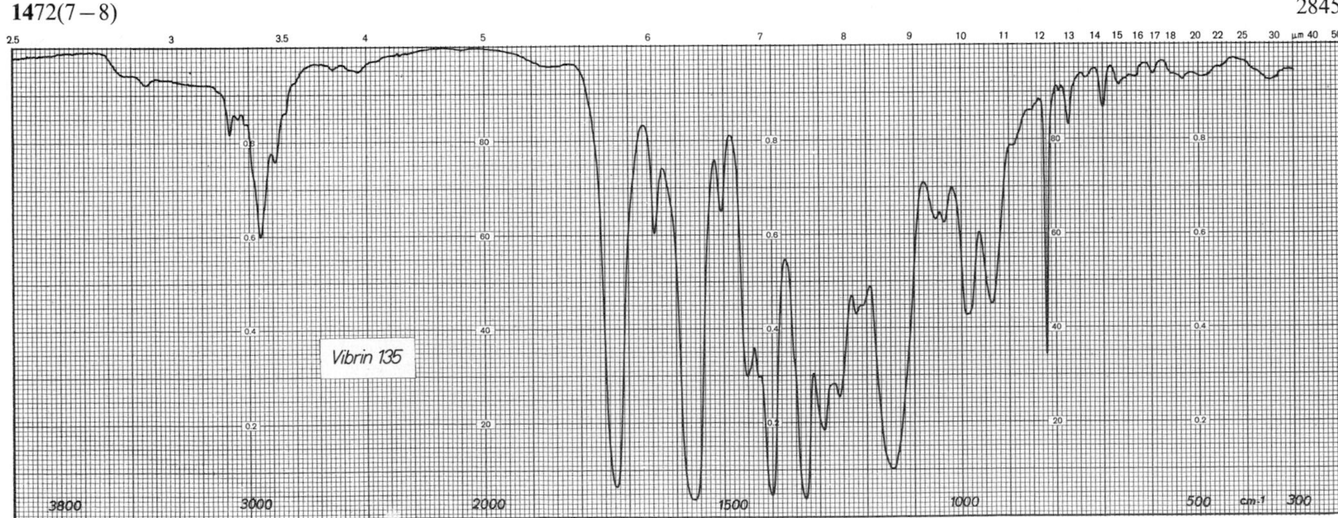

(1) **Vibrin 135**
(3) ungesättigtes Polyesterharz auf Basis Triallylcyanurat
(4) gelbliche, zähe Flüssigkeit
(5) für hitzebeständige Glasfaserlaminate
(6) Schicht zwischen CsI
(7) PE 580 B, ABEX 1.16

(2) US Rubber, Naugatuck
(3) unsaturated polyester resin based on triallyl cyanurate
(4) yellowish, viscous liquid
(5) for heat-resistant, glass fiber laminates
(6) film between CsI
(7) PE 580 B, ABEX 1.16

14728/**14**872 2846

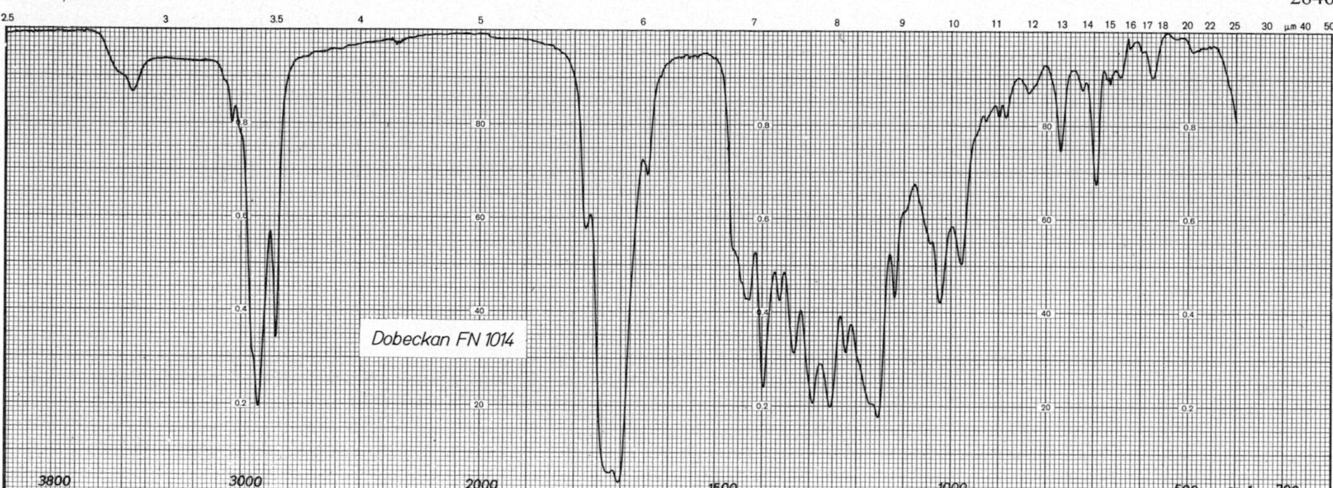

(1) **Dobeckan FN 1014**
(3) ungesättigtes Polyesterimidharz
(4) gelbe, klare, viskose Flüssigkeit
(5) Elektroisolier-Tränkharz für Kleintransformatoren, Neontransformatoren, Magnetspulen
(6) Schicht auf KBr
(7) PE 580 B, FLAT, ABEX 1.36

(2) BASF Farben + Fasern AG, Beck Elektroisolier-Systeme, Hamburg
(3) unsaturated polyester-imide resin
(4) clear, yellow, viscous liquid
(5) impregnating resin for electrical insulation of small transformers, neon transformers and magnet coils
(6) film on KBr
(7) PE 580 B, FLAT, ABEX 1.36

14728/**14**872 2847

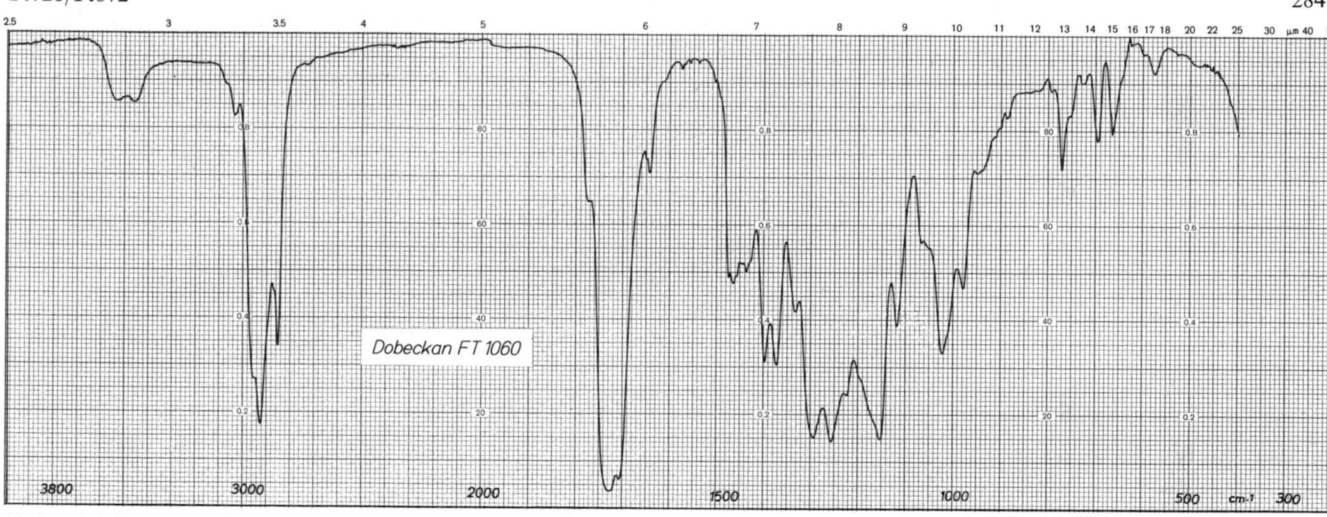

(1) **Dobeckan FT 1060**
(3) ungesättigtes Polyesterimidharz
(4) gelbe, klare, viskose Flüssigkeit
(5) Elektroisolier-Tränkharz für Normmotoren bis Baugröße 160, Kleintransformatoren
(6) Schicht auf KBr
(7) PE 580 B, FLAT, ABEX 1.31

(2) BASF Farben + Fasern AG, Beck Elektroisolier-Systeme, Hamburg
(3) unsaturated polyester-imide resin
(4) clear, yellow, viscous liquid
(5) impregnating resin for electrical insulation of standard motors up to size 160, small transformers
(6) film on KBr
(7) PE 580 B, FLAT, ABEX 1.31

14731 2848

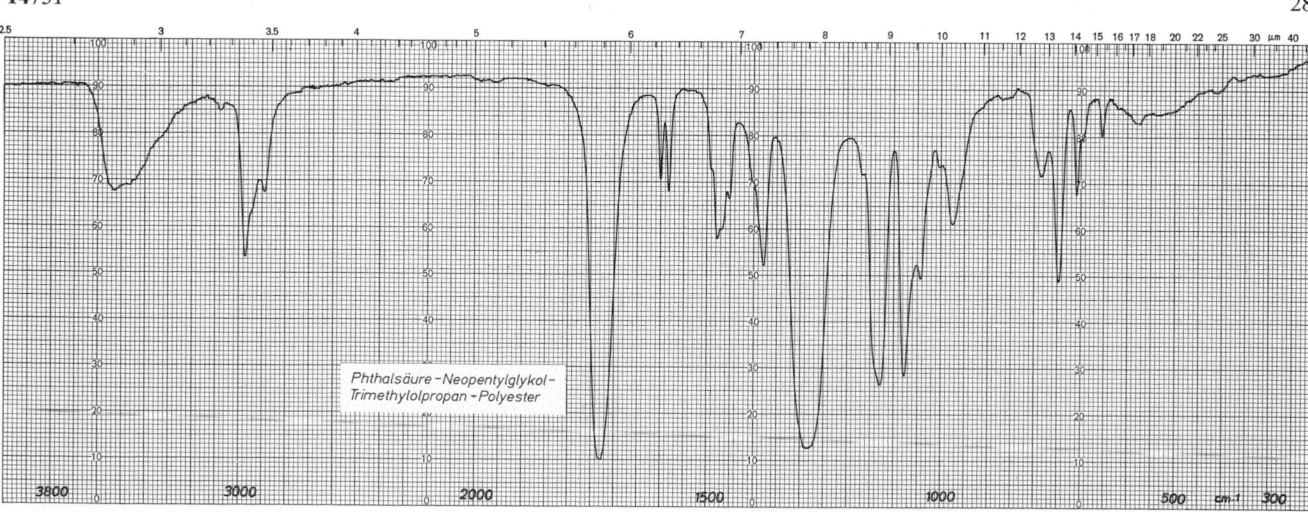

(1) **Phthalsäure-Neopentylglycol-Trimethylolpropan-Polyester**
(2) Laborpräparat E. Knappe, BASF Fasern und Farben AG, Münster
(4) schmutzigweiße, feste Stücke
(6) klarer Film aus CLF auf CsI

(1) **phthalic acid-neopentyl glycol-trimethylolpropane polyester**
(2) laboratory preparation, E. Knappe, BASF Farben und Fasern AG, Münster
(4) dirty white, solid pieces
(6) clear film from CLF on CsI

14731 2849

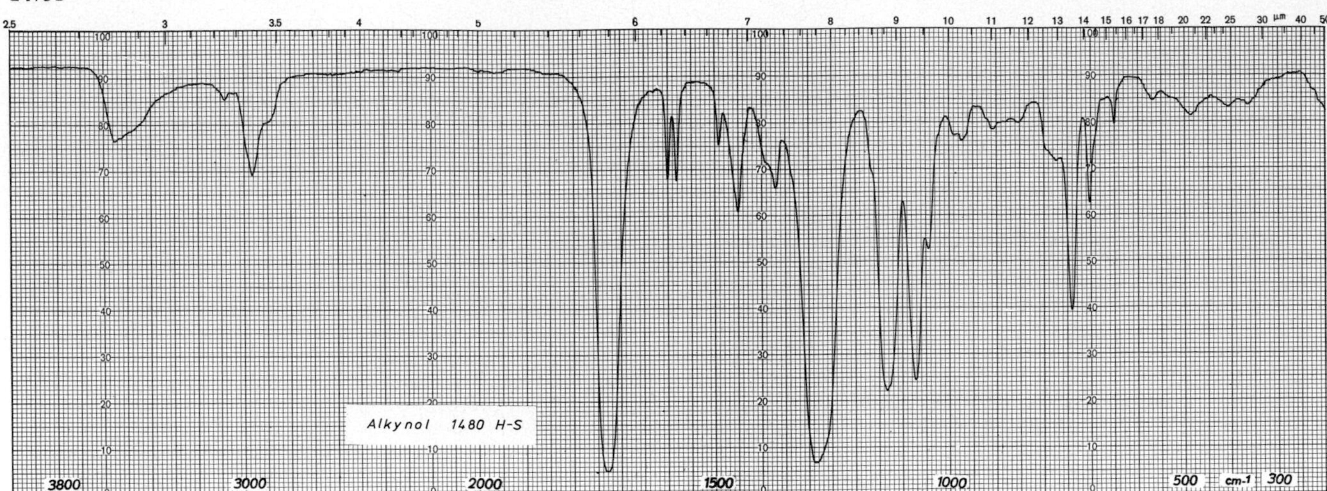

(1) **Alkynol 1480 hs**
(3) ölfreier, OH-haltiger, gesättigter Polyester auf Phthalsäurebasis
(4) transparente, farblose Lösung (48% in EGA)
(5) für festkörperreiche Industrie-Einbrennlacke, Automobil-Füller und -Decklacke, Zweikomponentenlacke
(6) Schicht auf CsI

(2) Bayer AG, Leverkusen
(3) oil-free, OH-containing, saturated polyester based on phthalic acid
(4) colorless, transparent solution (48% in EGA)
(5) for transparent, high-solid content, industrial stove enamels, automobile fillers and coating lacquers, two-component lacquers
(6) film on CsI

14731 2850

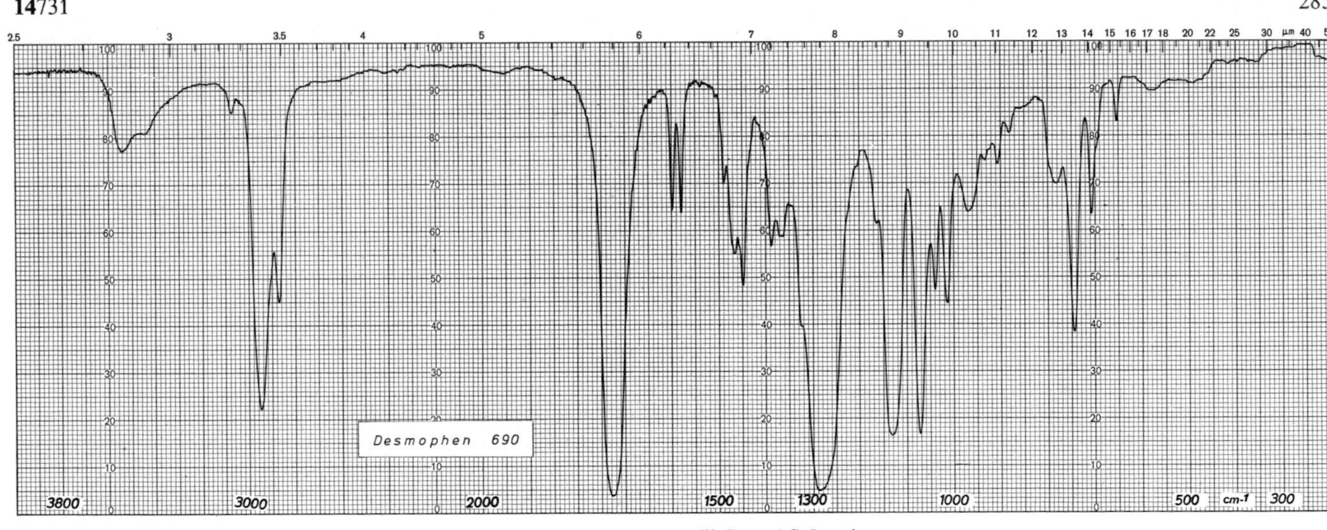

(1) **Desmophen 690**
(3) verzweigter, hydroxylgruppenhaltiger Polyester auf Phthalsäurebasis
(4) farbloses Hartharz
(5) für farbton- und wetterfeste Zwei- und Einkomponentenlacke
(6) Film aus ACT auf CsI

(2) Bayer AG, Leverkusen
(3) branched, OH-containing polyester based on phthalic acid
(4) colorless, hard resin
(5) for colorfast, weatherproof two and one-component lacquers
(6) film from ACT on CsI

14731/**16**23 2851

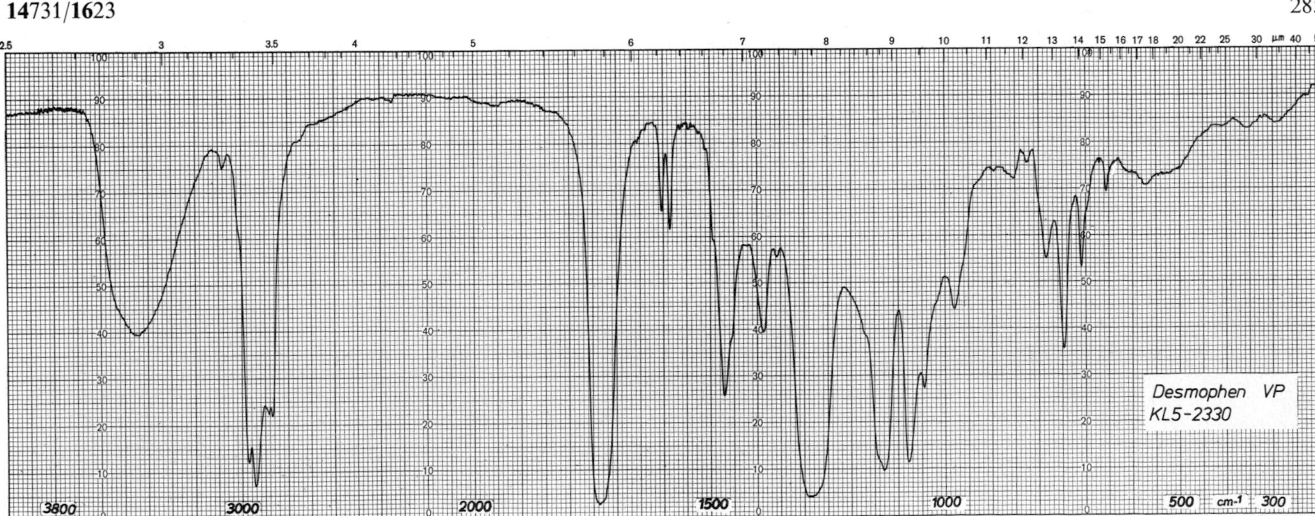

(1) **Desmophen VP KL 5-2330**
(3) Phthalsäurecopolyester mit reaktiven OH-Gruppen
(4) klare, farblose, viskose Substanz
(5) Komponente für die Herstellung von Polyurethanen
(6) Schicht auf CsI

(2) Bayer AG, Leverkusen
(3) phthalic acid copolyester with reactive OH groups
(4) clear, colorless, viscous substance
(5) intermediate for the manufacture of polyurethanes
(6) film on CsI

14731/**16**23 2852

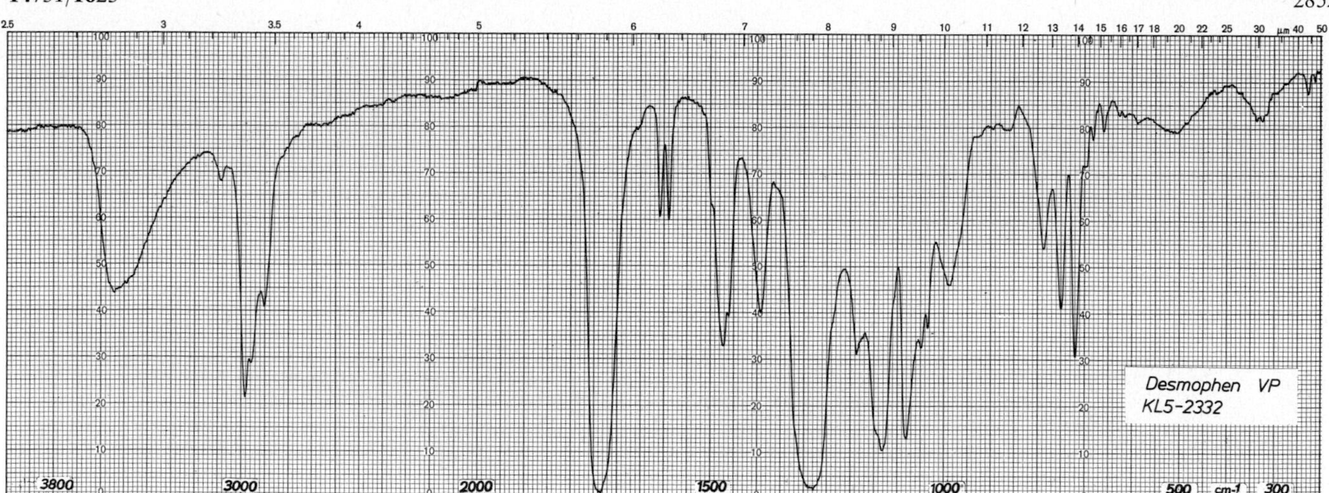

(1) **Desmophen VP KL 5-2332**
(3) Phthalsäurecopolyester mit reaktiven OH-Gruppen
(4) klare, farblose, viskose Substanz
(5) Komponente für die Herstellung von Polyurethanen
(6) Schicht auf CsI

(2) Bayer AG, Leverkusen
(3) phthalic acid copolyester with reactive OH groups
(4) clear, colorless, viscous substance
(5) intermediate for the manufacture of polyurethanes
(6) film on CsI

14731 2853

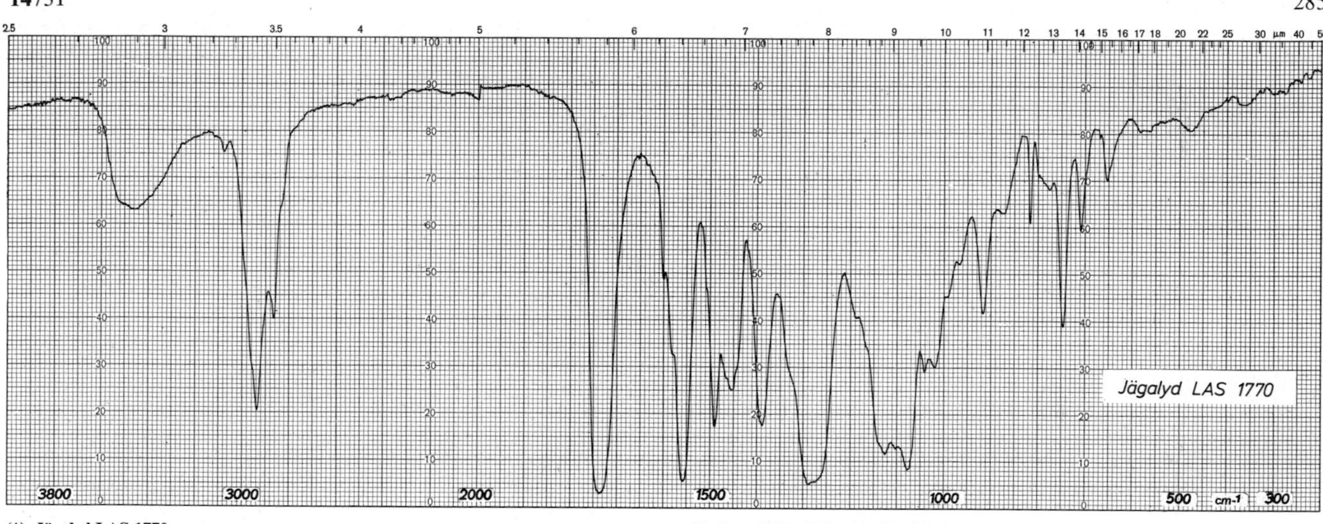

(1) **Jägalyd LAS 1770**
(3) OH-haltiger Polyester auf Phthalsäurebasis; 80% in Ethylglykol/Solvesso 100, 1:1
(5) für lösemittelarme Einbrennsysteme
(6) Schicht auf CsI

(2) Ernst Jäger, Düsseldorf-Reisholz
(3) OH-containing polyester based on phthalic acid; 80% in ethylene glycol/Solvesso 100, 1:1
(5) for low-solvent stoving systems
(6) film on CsI

14731 2854

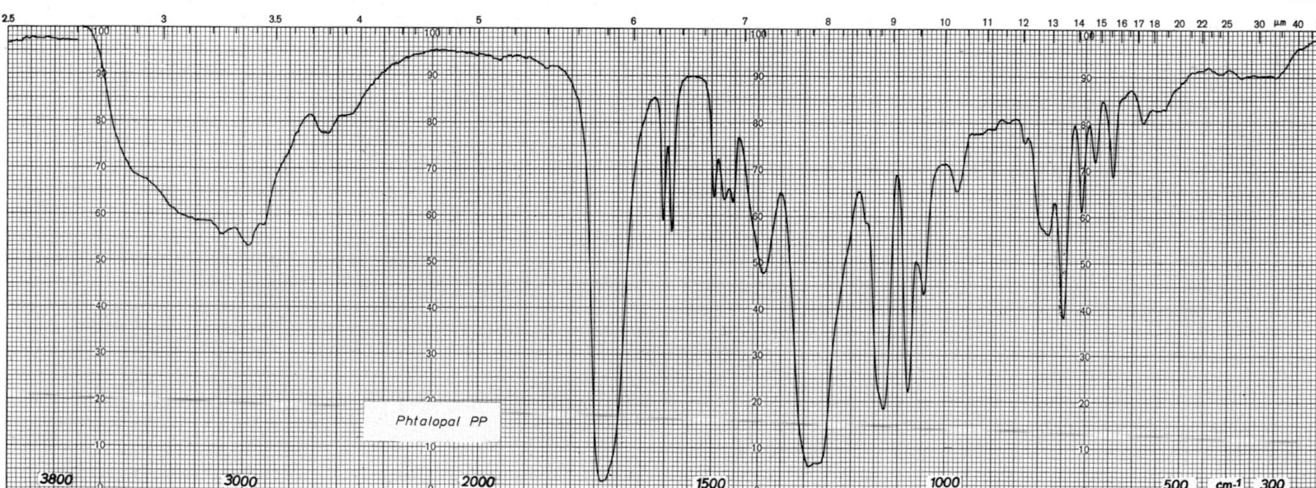

(1) **Phtalopal PP**
(3) Phthalsäure-Pentaerythrit-Polyester, sauer
(4) glasklare Stücke
(5) sehr helles, geruchfreies Hartharz für lichtechte Cellulosenitrat-Holzlacke und Papierlacke
(6) klarer Film aus ACT auf CsI

(2) BASF AG, Ludwigshafen
(3) phthalic acid-pentaerythritol polyester, acidic
(4) crystal clear pieces
(5) very bright, odorless resin for colorfast wood and paper lacquer
(6) clear film from ACT on CsI

14731 2855

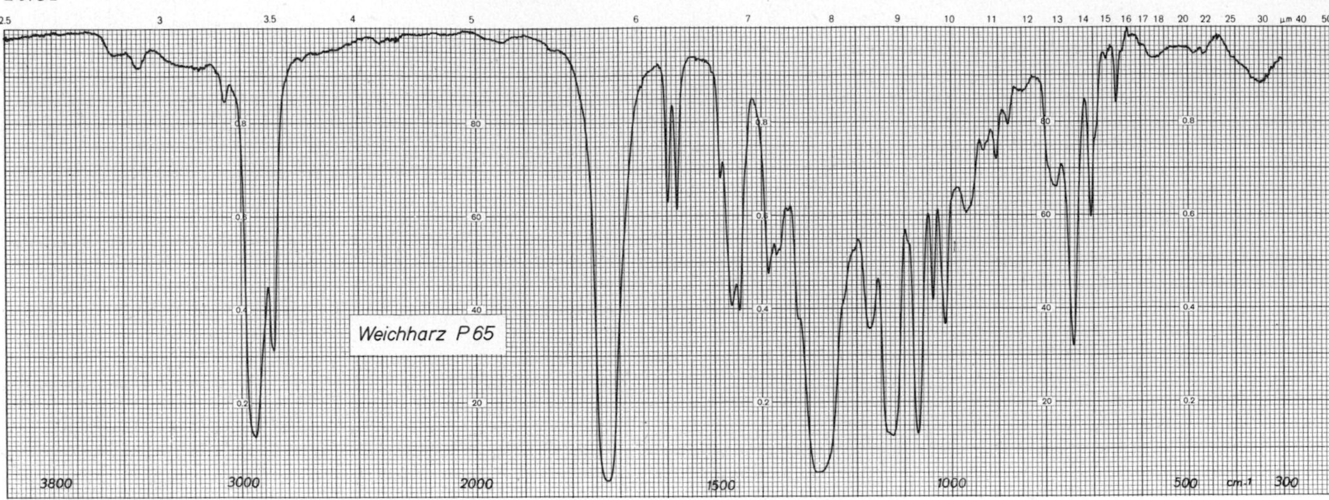

(1) **Weichharz P 65**
(3) nicht reaktiver Phthalsäurepolyester
(4) gelbliches, viskoses Harz
(5) für Polyurethan-Einkomponenten- und -Zweikomponentenlacke, für Farbpasten
(6) getrocknete Schicht auf CsI
(7) PE 580 B, ABEX 2.10

(2) Bayer AG, Leverkusen
(3) nonreactice phthalic acid polyester
(4) yellowish, viscous resin
(5) for one and two-component, polyurethane lacquer, for colored paste inks
(6) dried film on CsI
(7) PE 580 B, ABEX 2.10

147(31 – 81) 2856

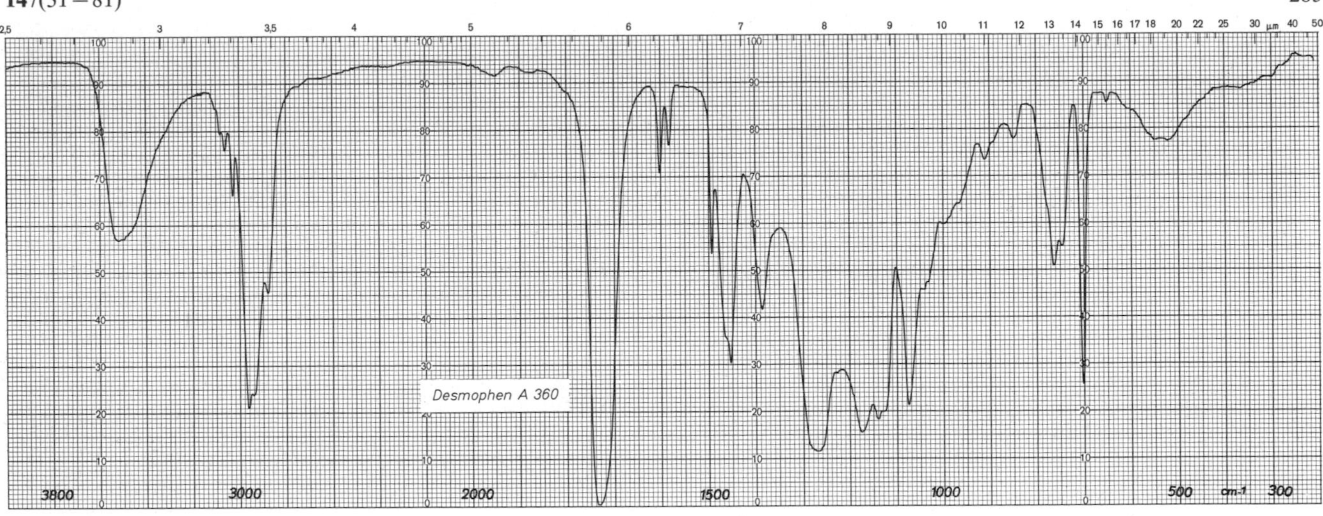

(1) **Desmophen A 360**
(3) OH-gruppenhaltiger Polyester (Phthalsäureester/Polyacrylat)
(4) gelbliche, dickflüssige Lösung (60% in XYL/EGA)
(5) als Reaktionspartner für Desmodur N zur Herstellung von Zweikomponenten-Polyurethanlacken; in Kombination mit Desmodur L für schnelltrocknende Zweikomponentenlacke
(6) Schicht auf CsI

(2) Bayer AG, Leverkusen
(3) polyester with OH groups (phthalate/polyacrylate)
(4) yellowish, viscous solution (60% in XYL/EGA)
(5) as partner for Desmodur N in the manufacture of two-component polyurethane lacquers, in combination with Desmodur L for quick-drying, two-component lacquers
(6) film on CsI

14732 2857

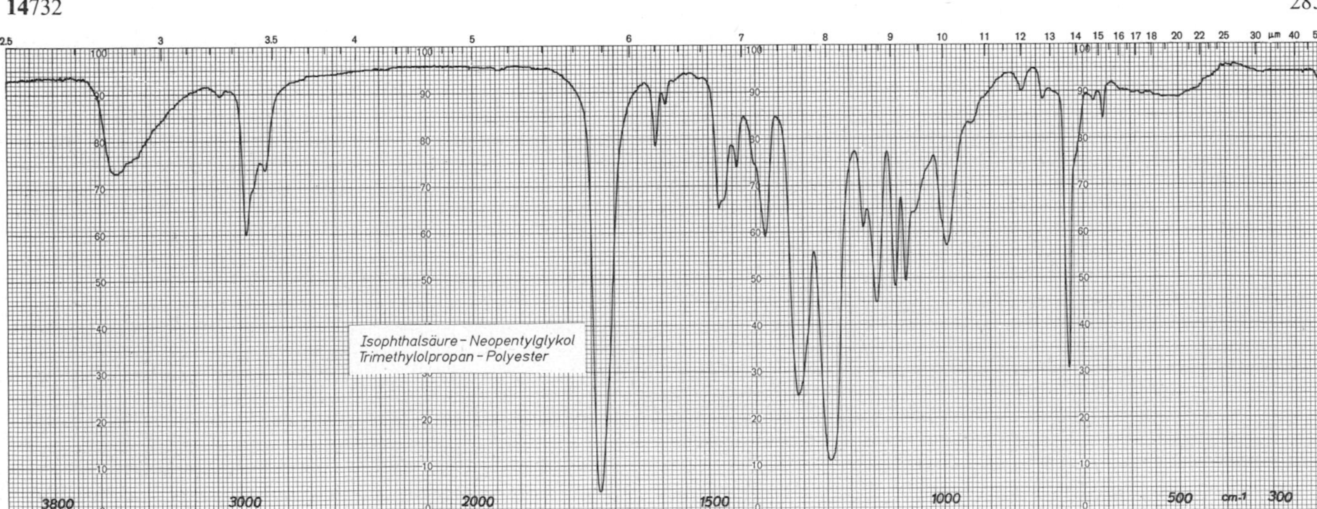

(1) **Isophthalsäure-Neopentylglycol-Trimethylolpropan-Polyester**
(2) Laborpräparat E. Knappe, BASF Fasern und Farben AG, Münster
(4) transparente, hellgelbe Stücke
(6) Film aus CLF auf CsI

(1) **isophthalic acid-neopentyl glycol-trimethylolpropane polyester**
(2) laboratory preparation, E. Knappe, BASF Fasern und Farben AG, Münster
(4) transparent, pale yellow pieces
(6) film from CLF on CsI

14732 2858

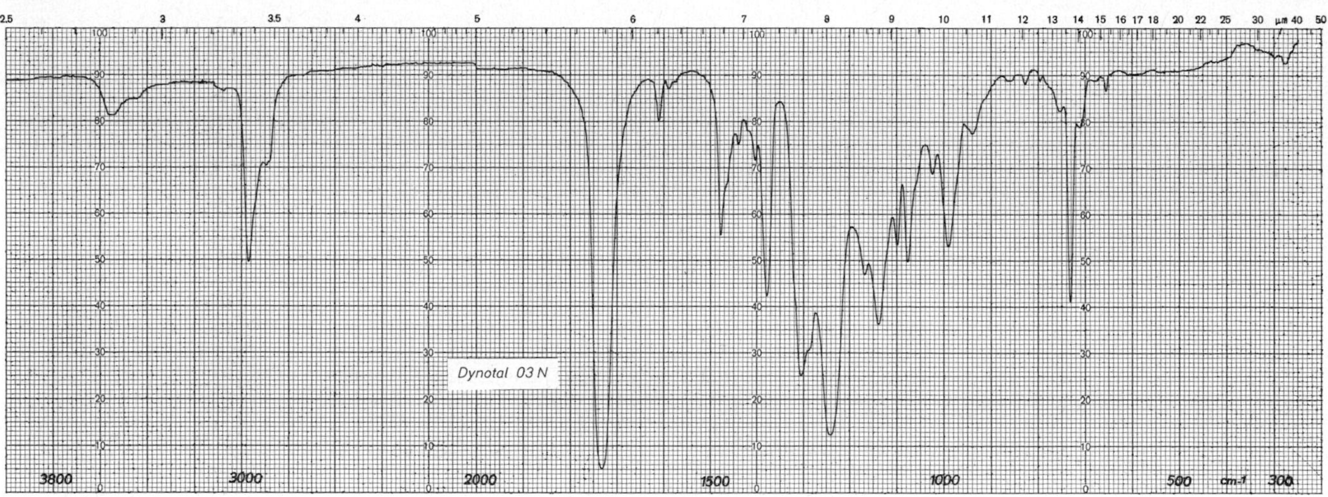

(1) **Dynotal 03 N**
(3) ölfreies Isophthalsäurealkyd
(4) farblose, hochviskose Lösung (60% in Solvesso 150)
(5) für Einbrennlacke
(6) Schicht auf CsI

(2) Dyno Industrier AS, Oslo
(3) oil-free isophthalic acid alkyd
(4) colorless, highly viscous solution (60% in Solvesso 150)
(5) for stove enamels
(6) film on CsI

14732 2859

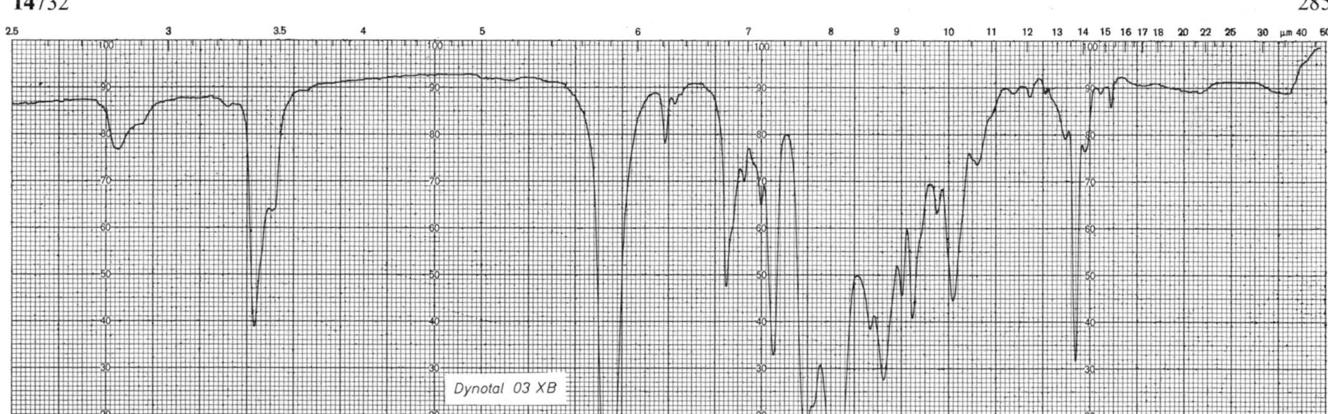

(1) **Dynotal 03 XB**
(3) ölfreies Isophthalsäurealkyd
(4) farblose, hochviskose Lösung (70% in XYL/BTL 9:1)
(5) für Einbrennlacke
(6) Schicht auf CsI

(2) Dyno Industrier AS, Oslo
(3) oil-free isophthalic acid alkyd
(4) colorless, highly viscous solution (70% in XYL/BTL 9:1)
(5) for stove enamels
(6) film on CsI

14732 2860

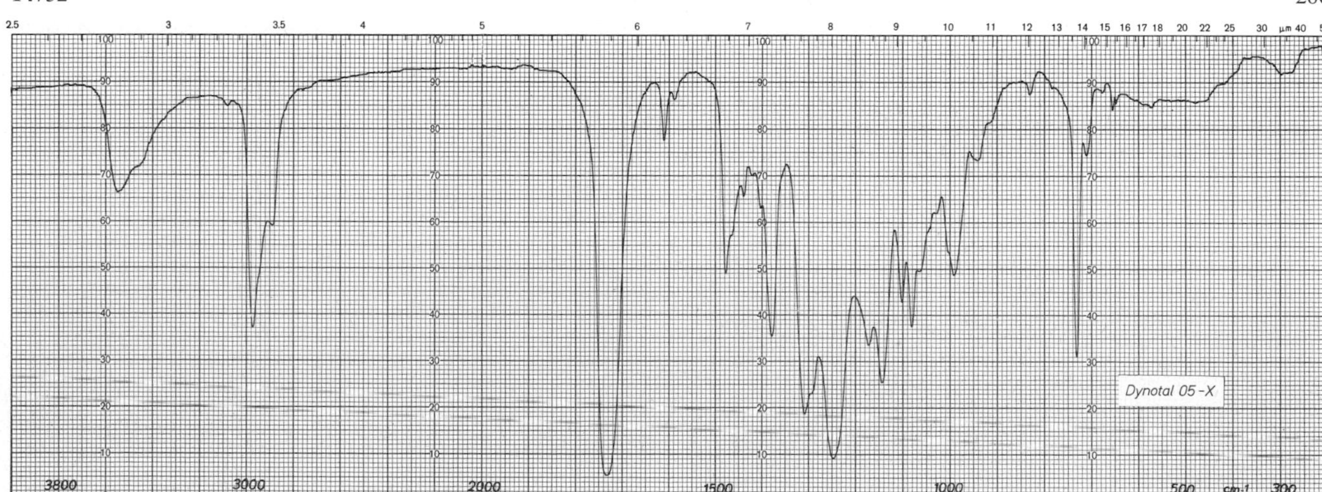

(1) **Dynotal 05-X**
(3) ölfreies Alkyd auf Isophthalsäurebasis von niederer Viskosität
(4) farblose, dickviskose Lösung
(5) in Kombination mit Melaminharzen (empfohlen: Dynomin MM 100) für Einbrennlackierungen; die Lackformulierung enthält bis zu 70% Bindemittel
(6) Schicht auf CsI
(7) für optimale Elastifizierung werden 20...25 Gew.-% Melaminharz empfohlen, für die Härtung 3 Gew.-% (bezogen auf das Aminoharz) p-Toluolsulfonsäure

(2) Dyno Industrier A.S., Oslo
(3) low-viscosity, oil-free, isophthalic acid-based alkyd
(4) very viscous, colorless solution
(5) for combination with melamine resins (Dynomin MM 100 recommended) in stove enamels; the formulated enamel contains up to 70% binder
(6) film on CsI
(7) 20...25 wt.% melamine resin is recommended for optimal elasticizing, for curing 3 wt.% p-toluenesulfonic acid (with respect to the amino resin)

14732 2861

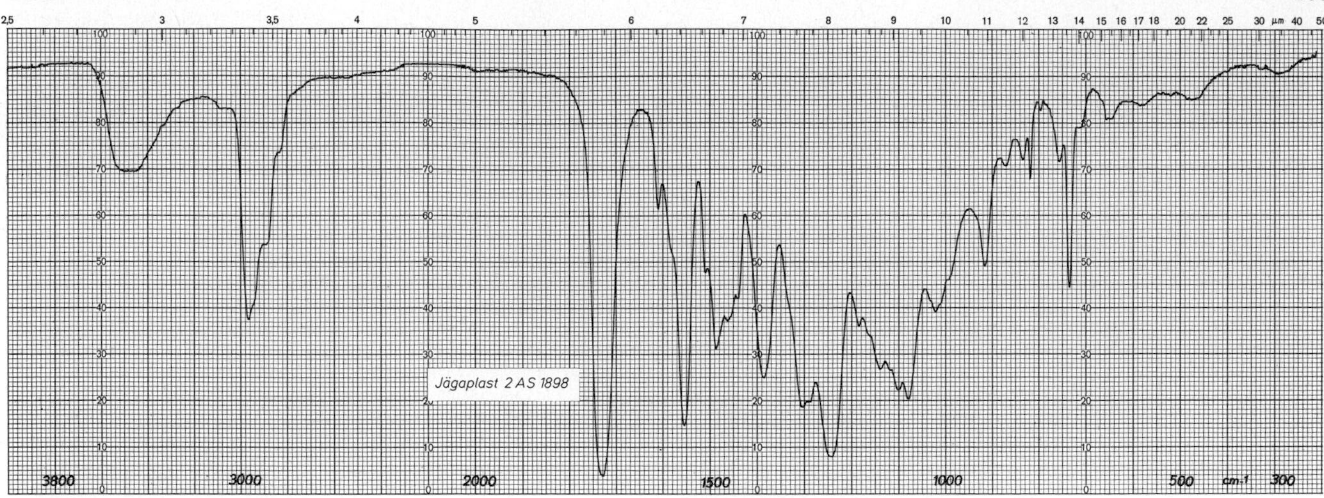

(1) **Jägaplast LAS 1898** (Beschriftung im Spektrum inkorrekt)
(2) E. Jäger, Düsseldorf
(3) speziell modifizierter, saurer (SZ 25...40), OH-gruppenhaltiger Polyester auf Isophthalsäurebasis
(4) honigfarbene, viskose Lösung (85%ig)
(5) selbstvernetzender, gesättigter Polyester für hochwertige, lösemittelarme Einbrenn-Industrielacke
(6) Schicht auf CsI

(1) **Jägaplast LAS 1898** (incorrect name on spectrum)
(3) specially modified, acidic (acid No. 25...40), OH group-containing polyester based on isophthalic acid
(4) honey-colored, viscous solution (85%)
(5) self-crosslinking, saturated polyester for high-quality, low-solvent, industrial stove enamels
(6) film on CsI

14732 2862

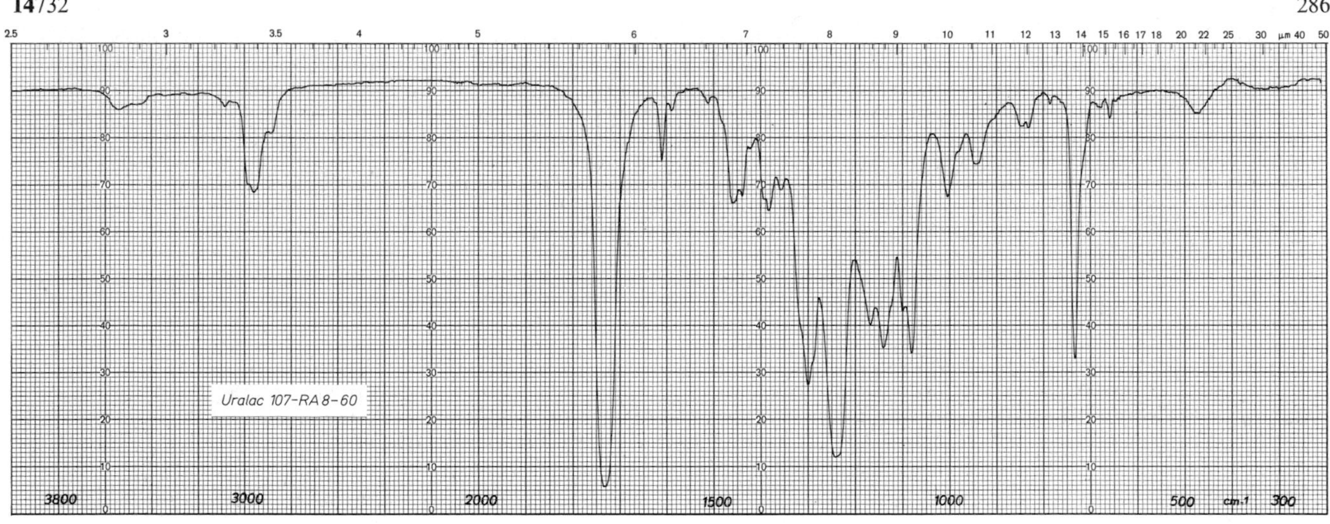

(1) **Uralac 107-RA 8-60**
(3) ölfreier Isophthalsäurepolyester
(4) schwach bräunlich, etwas viskose Lösung
(5) zur Herstellung von hochelastischen und vergilbungsresistenten Coil-coating-Lacken und Blechlacken
(6) Schicht auf CsI

(2) Scado B.V., Zwolle
(3) oil-free isophthalic polyester
(4) pale brownish, somewhat viscous solution
(5) for the manufacture of highly elastic and yellowing-resistant coil coating lacquers and tinplate lacquers
(6) film on CsI

1473(2–3) 2863

Dynapol L 206

(1) **Dynapol L 206**
(3) linearer, thermoplastischer Copolyester auf Basis aromatischer (Iso- und Terephthalsäure) Dicarbonsäuren und aliphatischer Diole
(4) nahezu farblose Harzstückchen
(5) mit Melamin- oder Benzoguanamin-Harzen für Einbrennlacke
(6) Schicht aus MTC auf CsI
(7) PE 580 B, ABEX 1.08

(2) Dynamit Nobel AG, Troisdorf
(3) linear, thermoplastic copolyester based on aromatic dicarboxylic acids (iso and terephthalic acids) and aliphatic diols
(4) almost colorless resin
(5) with melamine or benzoguanidine resins for stove enamels
(6) film from MTC on CsI
(7) PE 580 B, ABEX 1.08

1473(2–3) 2864

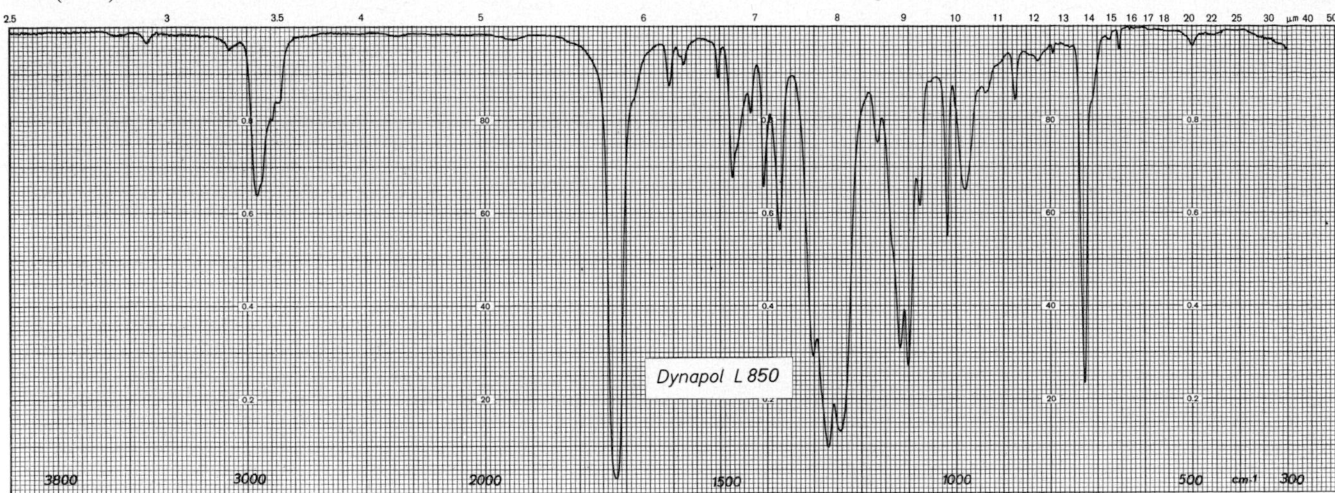

(1) **Dynapol L 850**
(3) linearer, thermoplastischer Copolyester auf Basis aromatischer (Iso- und Terephthalsäure) Dicarbonsäure und aliphatischer Diole
(4) hellbeigefarbene Harzstücke
(5) für Metallbeschichtungen, zur Lackierung von Kunststoffen, Polyesterharzen, Hart-PVC, Cellulose-Folien
(6) Schicht aus MTC auf CsI
(7) PE 580 B, ABEX 1.01

(2) Dynamit Nobel AG, Troisdorf
(3) linear thermoplastic copolyester based on aromatic dicarboxylic acids (iso and terephthalic acids) and aliphatic diols
(4) pale beige resin pieces
(5) for coating metals, for lacquering plastics, polyester resins, rigid PVC, cellulose films
(6) film from MTC on CsI
(7) PE 580 B, ABEX 1.01

1473(2–3) 2865

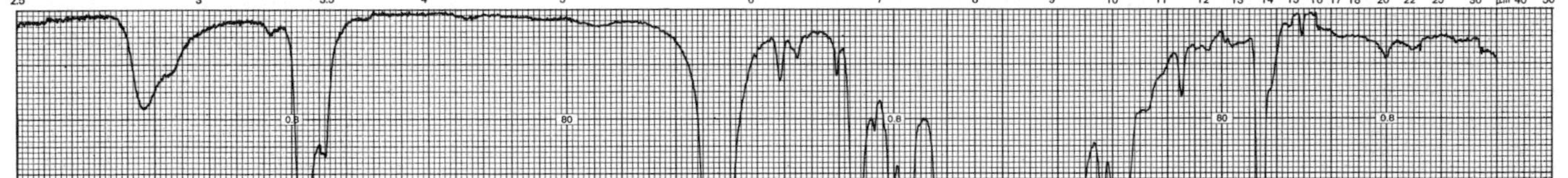
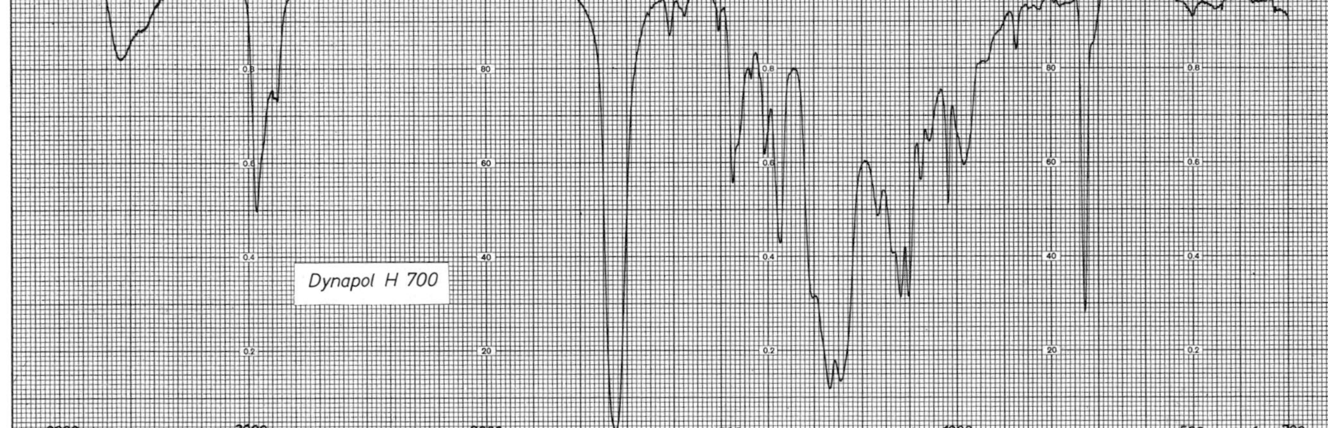

(1) **Dynapol H 700**
(3) hitzehärtbarer, verzweigter, OH-haltiger Copolyester auf Basis aromatischer (Iso- und Terephthalsäure) und gesättigter aliphatischer Dicarbonsäuren
(4) nahezu farbloses Harz
(5) für band- und konventionelle Lackierungen mit guten Stanz- und Tiefzieheigenschaften; mit Celluloseacetatbutyrat: Metallic-Lacke
(6) Schicht aus MTC auf CsI
(7) PE 580 B, ABEX 1.86

(2) Dynamit Nobel AG, Troisdorf
(3) heat-curable, branched, OH-containing copolyester based on aromatic acids (iso and terephthalic acids) and saturated aliphatic dicarboxylic acids
(4) almost colorless resin
(5) for strip and conventional lacquers with good punching and deep drawing properties; with cellulose acetate butyrate: metallic lacquers
(6) film from MTC on CsI
(7) PE 580 B, ABEX 1.86

1473(2–3) 2866

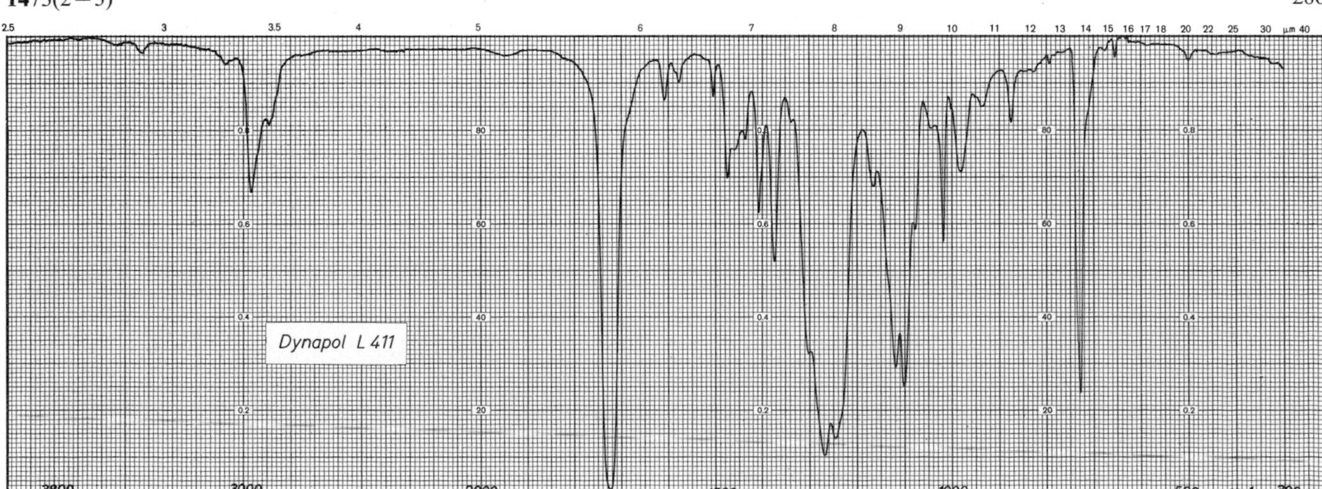

(1) **Dynapol L 411**
(3) löslicher, linearer, thermoplastischer Copolyester auf Basis aromatischer (Iso- und Terephthalsäure) und gesättigter aliphatischer Dicarbonsäuren
(4) nahezu farblose Harzstücke
(5) in Kombination mit Melamin- oder Benzoguanaminharzen für tiefzieh- und stanzfähige Blech- und Bandlackierungen
(6) Schicht aus MTC auf CsI
(7) PE 580 B, ABEX 1.36

(2) Dynamit Nobel AG, Troisdorf
(3) soluble, linear, thermoplastic copolyester based on aromatic acids (iso and terephthalic acids) and saturated aliphatic dicarboxylic acids
(4) almost colorless resin pieces
(5) in combination with melamine or benzoguanidine resins for deep drawable, punchable sheet and strip lacquers
(6) film from MTC on CsI
(7) PE 580 B, ABEX 1.36

1473(2–3) 2867

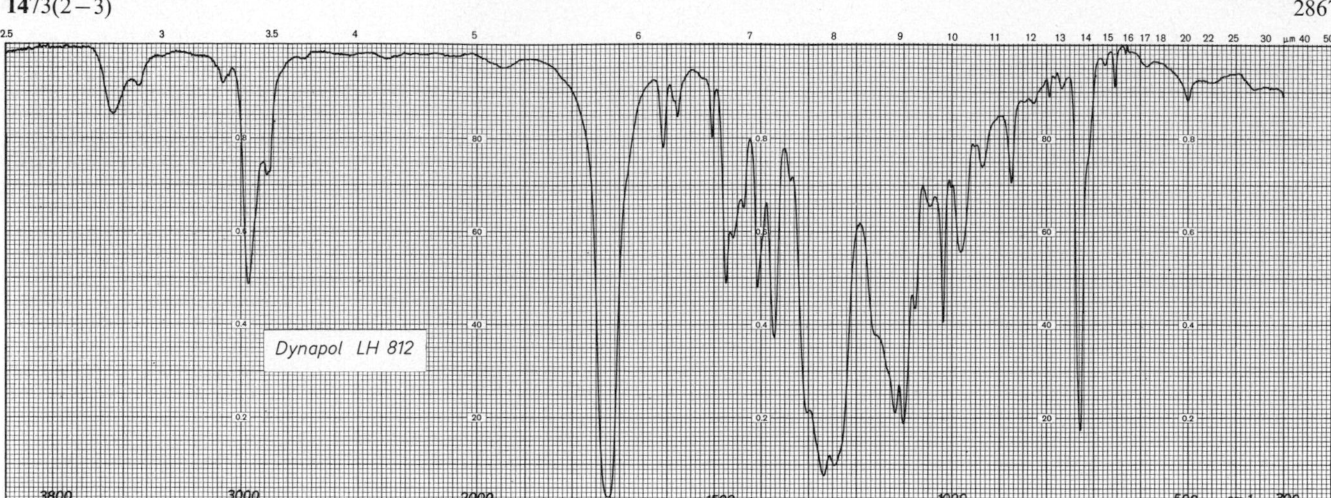

(1) **Dynapol LH 812**
(3) linearer, OH-gruppenhaltiger Copolyester auf Basis aromatischer (Iso- und Terephthalsäure) und aliphatischer Dicarbonsäuren
(4) nahezu farblose Harzstücke
(5) mit Vernetzerharzen für körperreiche Industrie-Einbrennlacke, für Tafel- und Bandlackierungen
(6) Schicht aus MTC auf CsI
(7) PE 580 B, ABEX 1.08

(2) Dynamit Nobel AG, Troisdorf
(3) linear copolyester based on aromatic acids (iso and terephthalic acids) and aliphatic dicarboxylic acids, containing OH groups
(4) almost colorless resin pieces
(5) combined with crosslinking resins for full-bodied industrial stove enamels, for plate and strip enamels
(6) film from MTC on CsI
(7) PE 580 B, ABEX 1.08

1473(2–3) 2868

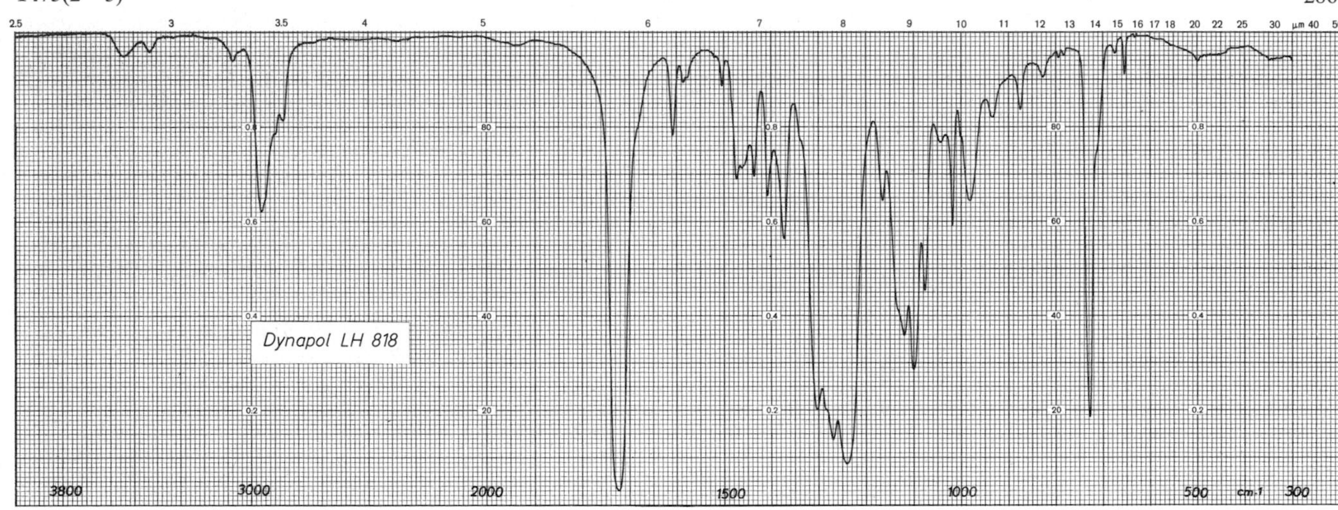

(1) **Dynapol LH 818**
(3) linearer, OH-gruppenhaltiger Copolyester auf Basis aromatischer (Iso- und Terephthalsäure und aliphatischer Dicarbonsäuren
(4) farblose Harzstücke
(5) für Tafel- und Bandlackierungen
(6) Schicht aus MTC auf CsI
(7) PE 580 B, ABEX 1.02

(2) Dynamit Nobel AG, Troisdorf
(3) linear copolyester based on aromatic acids (iso and terephthalic acids) and aliphatic dicarboxylic acids, containing OH groups
(4) colorless resin pieces
(5) lacquering plates and strips
(6) film from MTC on CsI
(7) PE 580 B, ABEX 1.02

1473(2–3) 2869

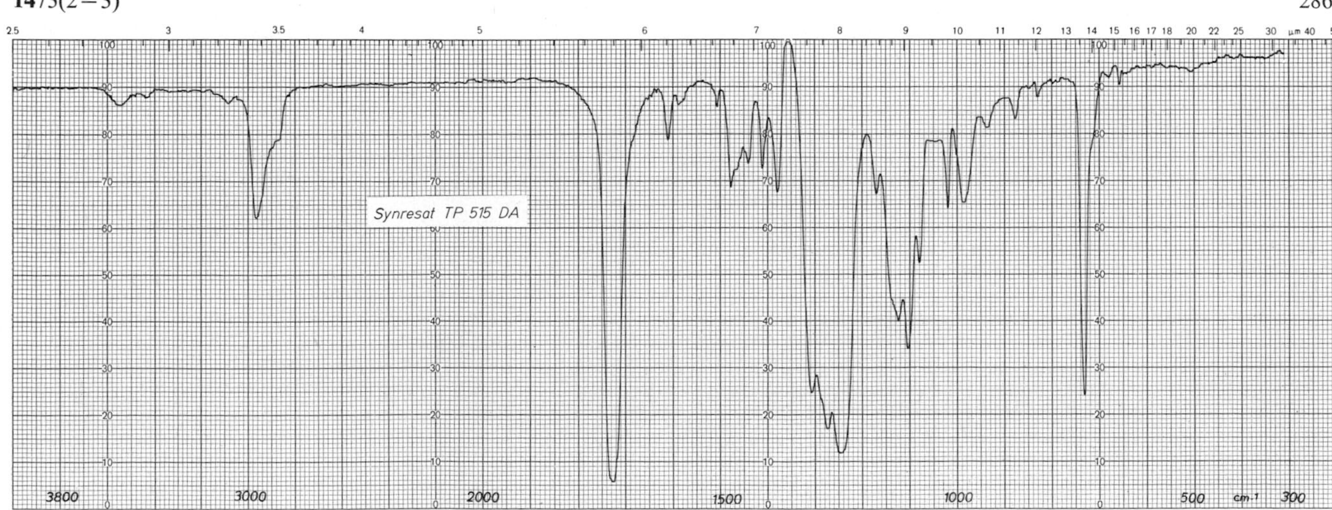

(1) **Synresat TP 515 DA**
(3) lineares Polesterharz auf Basis Iso- und Terephthalsäure
(4) hellgelbe Lösung
(5) für coil-coating-Lacke mit guter Haftung auf Stahl und Aluminium
(6) Schicht auf CsI

(2) Synres Nederland BV, Hoek van Holland
(3) linear polyester resin based on iso and terephthalic acids
(4) pale yellow solution
(5) for coil-coating lacquers with good adhesion to steel and aluminium
(6) film on CsI

14(732 + 832 + 852) 2870

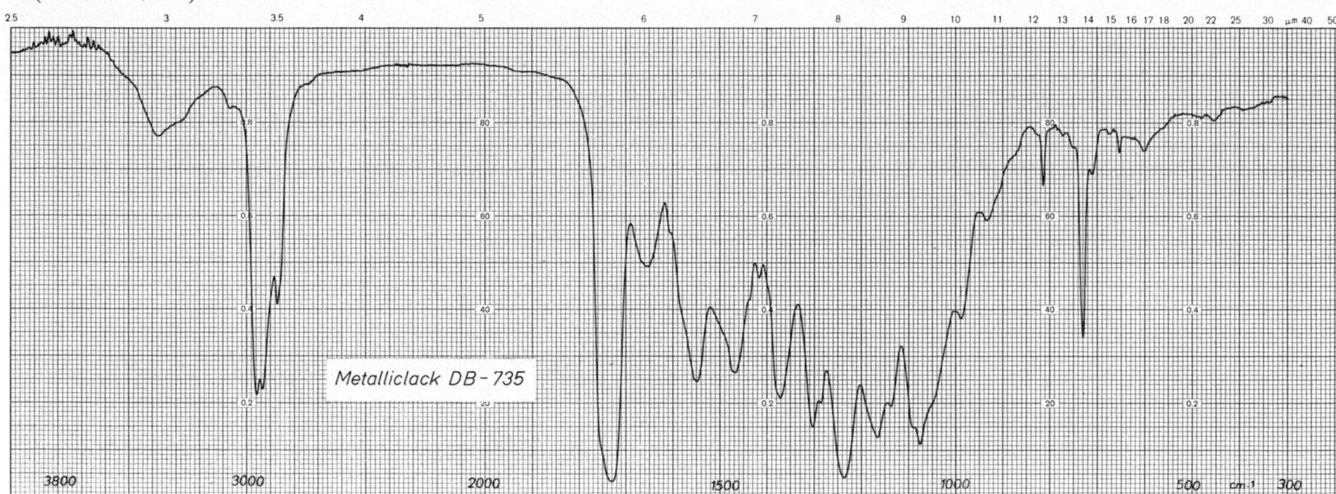

(1) **Metalliclack DB-735**
(3) Isophthalsäurepolyester + Melaminharz + Harnstoffharz
(4) silbergraue Lösung (dispergiertes Metall)
(5) Automobillack
(6) getrocknete Schicht des pigmentfreien Lacks auf CsI
(7) PE 580 B, ABEX 1.36

(2) Daimler Benz AG, Werk Sindelfingen
(3) isophthalic acid polyester + melamine resin + urea resin
(4) silvery-grey solution (dispersed metal)
(5) automobile lacquer
(6) dried film of pigment-free lacquer on CsI
(7) PE 580 B, ABEX 1.36

14(732 − 9412) 2871

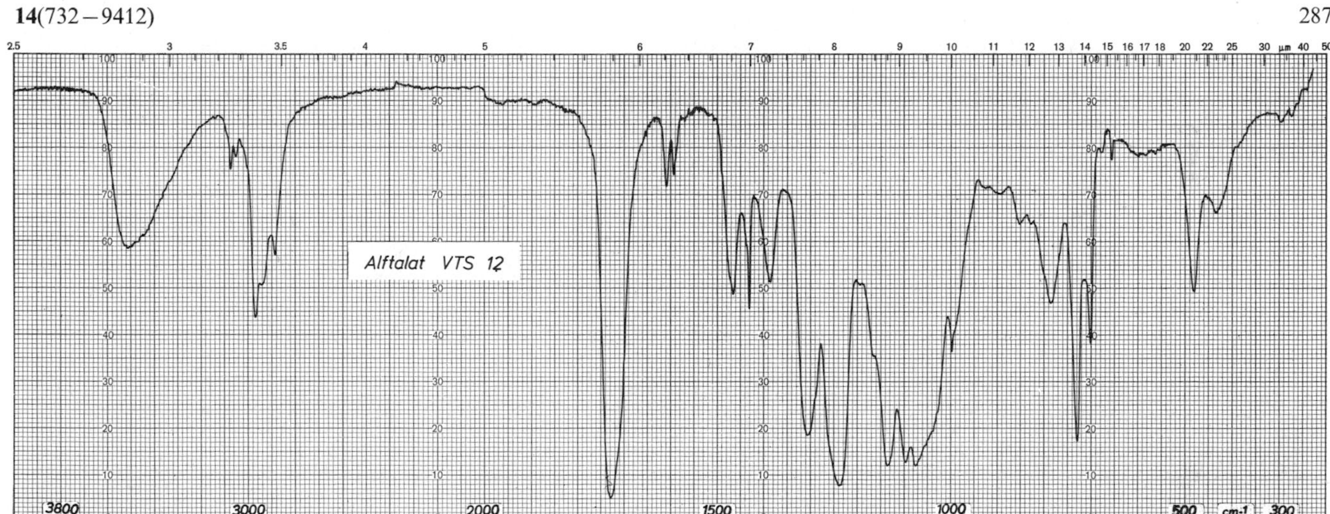

(1) **Alftalat VTS 12**
(3) Isophthalsäurepolyester, modifiziert mit Phenylmethylsiliconharz
(4) gelbliches Harz
(5) für wetterbeständige und gilbungsfeste Einbrennlackierungen (Stahl, Leichtmetall)
(6) Schicht aus CLF auf CsI

(2) Hoechst AG, Werk Albert, Wiesbaden
(3) isophthalic acid polyester modified with phenyl methyl silicone resin
(4) yellowish resin
(5) for weather-resistant and yellowing-resistant stove enamels (for steel and light alloys)
(6) film from CLF on CsI

14(732 − 9412) 2872

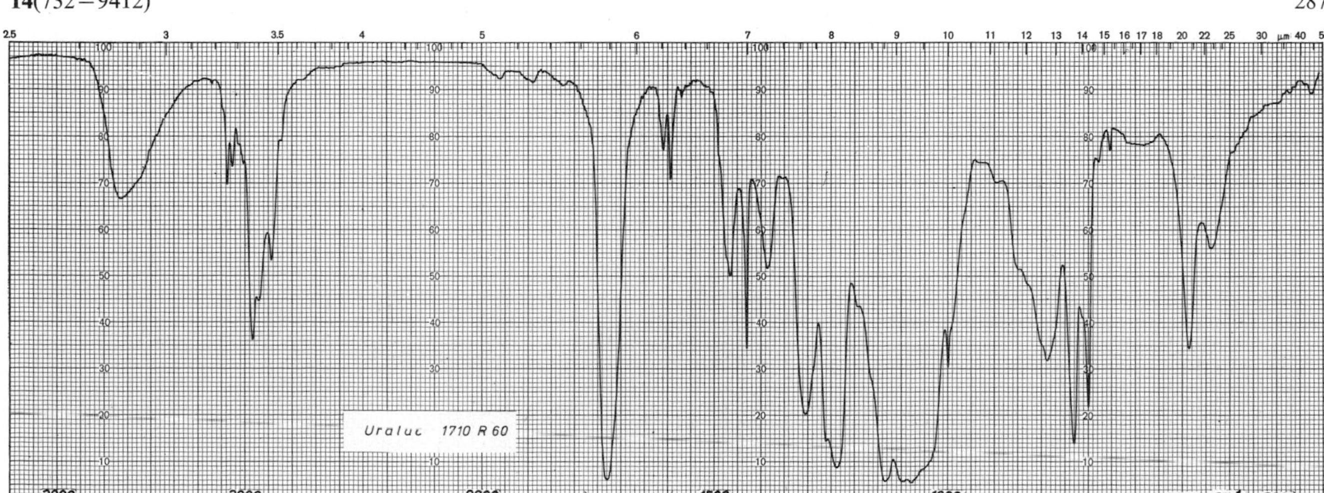

(1) **Uralac 1710 R 60**
(3) Phenylmethylsiliconharz-modifizierter, ölfreier Isophthalsäurepolyester
(4) helle, dickflüssige Lösung in EGA (60%)
(5) speziell für coil-coating-Lacke
(6) Schicht auf CsI

(2) Scado, Zwolle/Meppen
(3) phenylmethylsilicone resin-modified, oil-free, isophthalic acid polyester
(4) pale, viscous solution in EGA (60%)
(5) specially for coil-coating lacquers
(6) film on CsI

14733 2873

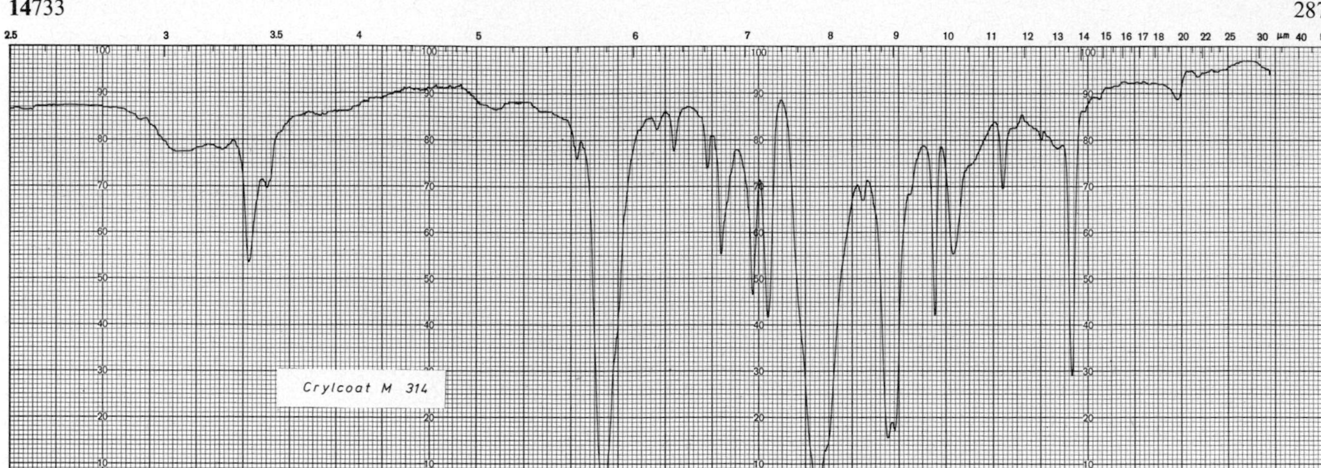

(1) **Crylcoat M 314**
(3) Terephthalsäurepolyester, sauer
(4) eierschalenfarbene, grobkörnige Substanz
(5) COOH-Träger
(6) Schicht aus EAC auf CsI

(2) UCB Division Chimique, Brüssel
(3) terephthalic acid polyester, acidic
(4) eggshell-colored, coarse-grained substance
(5) COOH carrier
(6) film from EAC on CsI

14733 2874

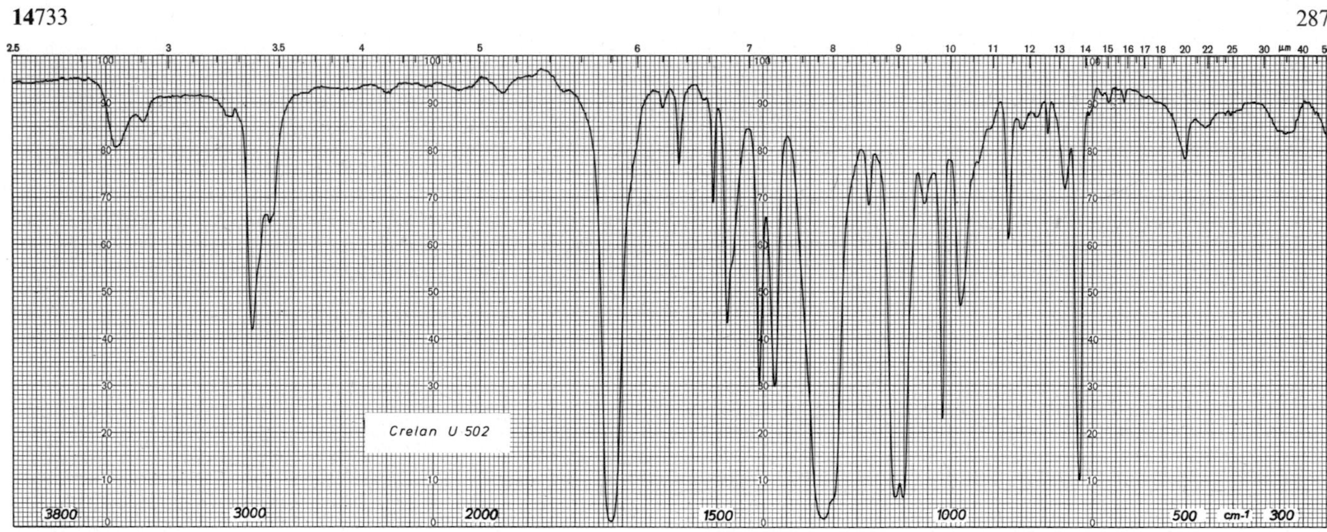

(1) **Crelan U 502**
(3) OH-gruppenhaltiger, vernetzbarer, ölfreier gesättigter Polyester auf Terephthalsäurebasis
(4) leicht gefärbtes, transparentes, körniges, sprödes Hartharz
(5) für elektrostatisch verspritzbare PUR-Pulverlacke
(6) klarer Film aus CLF auf CsI

(2) Bayer AG, Leverkusen
(3) OH group-containing, crosslinkable, oil-free, saturated polyester based on terephthalic acid
(4) slightly colored, transparent, brittle, hard resin grains
(5) for electrostatically sprayable PUR powder lacquers
(6) clear film from CLF on CsI

14733 2875

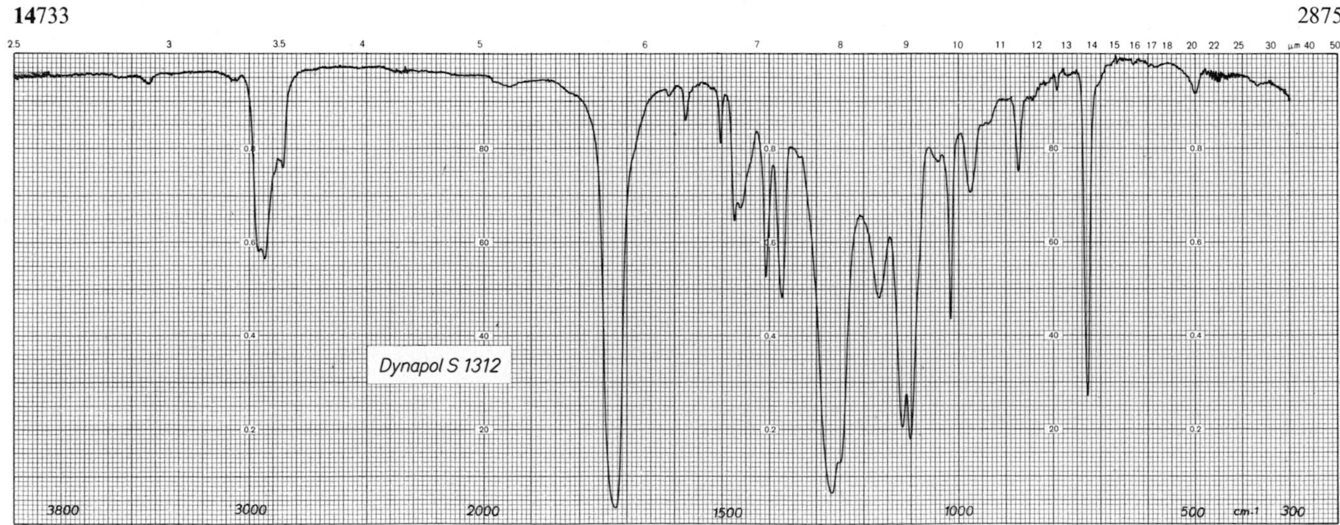

(1) **Dynapol S 1312**
(3) Copolyester auf Terephthalsäurebasis
(4) hellbraunes, durchsichtiges Elastomer
(5) für die Folienkaschierung
(6) Schicht aus MTC auf CsI
(7) PE 580 B, ABEX 1.77

(2) Dynamit Nobel AG, Troisdorf
(3) copolyester based on terephthalic acid
(4) light brown, transparent elastomer
(5) for laminating films
(6) film from MTC on CsI
(7) PE 580 B, ABEX 1.77

14733 2876

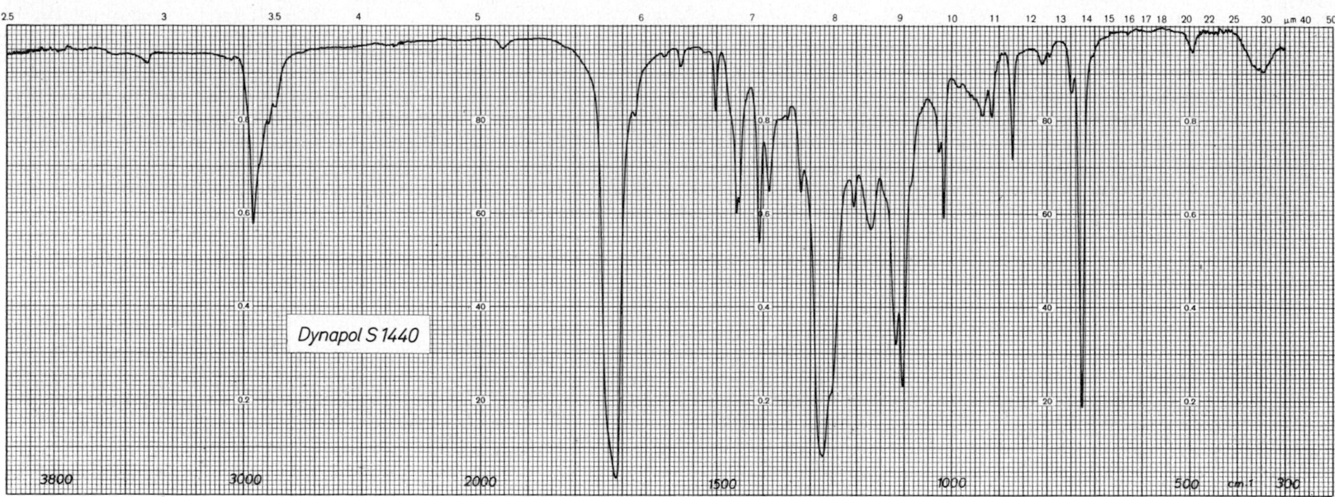

(1) **Dynapol S 1440**
(3) schwachkristalliner Copolyester auf Terephthalsäurebasis
(4) weißes, undurchsichtiges Granulat
(5) für Folienlacke und -kleber
(6) Schicht aus MTC auf CsI
(7) PE 580 B, ABEX 1.21

(2) Dynamit Nobel AG, Troisdorf
(3) slightly crystalline copolyester based on terephthalic acid
(4) opaque, white granules
(5) for film lacquers and film adhesives
(6) film from MTC on CsI
(7) PE 580 B, ABEX 1.21

14733 2877

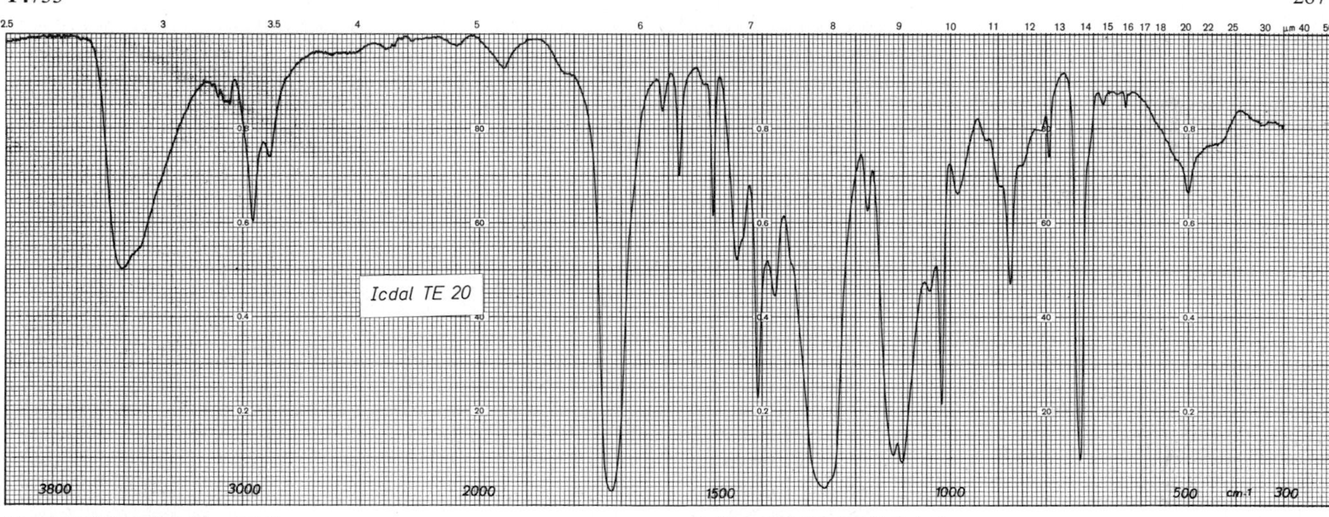

(1) **Icdal TE 20, Drahtlackharz TE 20**
(3) OH-gruppenhaltiger Copolyester auf Terephthalsäurebasis
(4) hellbraune Harzstücke
(5) für Drahtlackierungen
(6) Schicht aus MTC auf CsI
(7) PE 580 B, ABEX 1.58

(2) Dynamit Nobel AG, Troisdorf
(3) OH group-containing copolyester based on terephthalic acid
(4) light brown resin pieces
(5) for lacquering wire
(6) film from MTC on CsI
(7) PE 580 B, ABEX 1.58

14733 2878

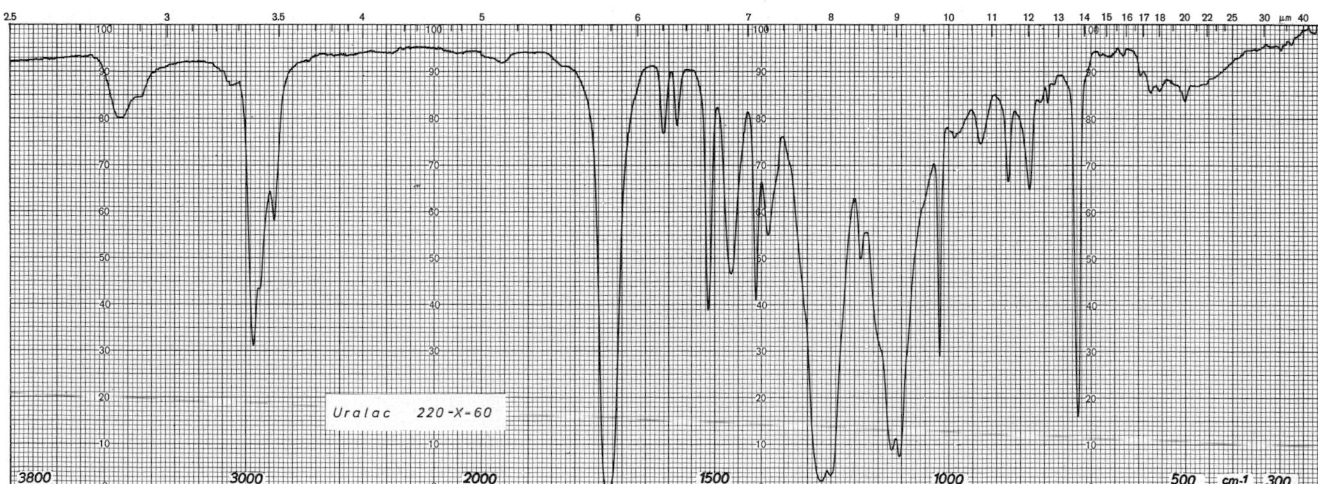

(1) **Uralac 220-X-60**
(3) ölfreies Polyesterharz auf Terephthalsäurebasis
(4) gelblich-braune Lösung (60% in XYL)
(5) gilbresistenter und glanzhaltiger Einbrennlack für Hitzedauerbelastung; hart, chemisch resistent
(6) Schicht auf CsI

(2) Scado, Zwolle/Meppen
(3) oil-free polyester resin based on terephthalic acid
(4) yellowish-brown solution (60% in XYL)
(5) yellowing-resistant, gloss-retaining stove enamel for continual heat stress; hard, chemically resistant
(6) film on CsI

14733 2879

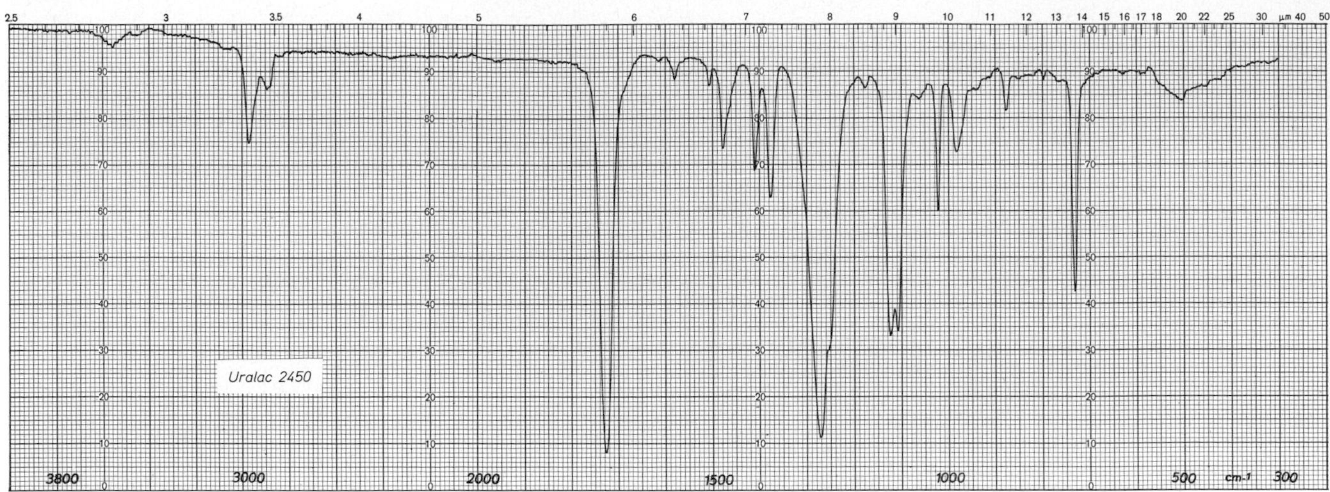

(1) **Uralac 2450**
(3) Terephthalsäurepolyester, ölfrei
(4) farblose, durchsichtige Harzstücke
(5) ölfreies, säuregruppenhaltiges Polyesterharz für die Kombination mit (geringen Mengen) Epoxidharz für EPS-Pulver (Einbrennemaillen)
(6) Schicht aus MTC auf CsI

(2) Scado Archer Daniels, Rühle über Meppen
(3) terephthalic acid polyester, oil-free
(4) colorless, transparent resin pieces
(5) oil-free, acid group-containing polyester resin for combination with (small amounts of) epoxy resin for EPA powder (stove enamel)
(6) film from MTC on CsI

14733 2880

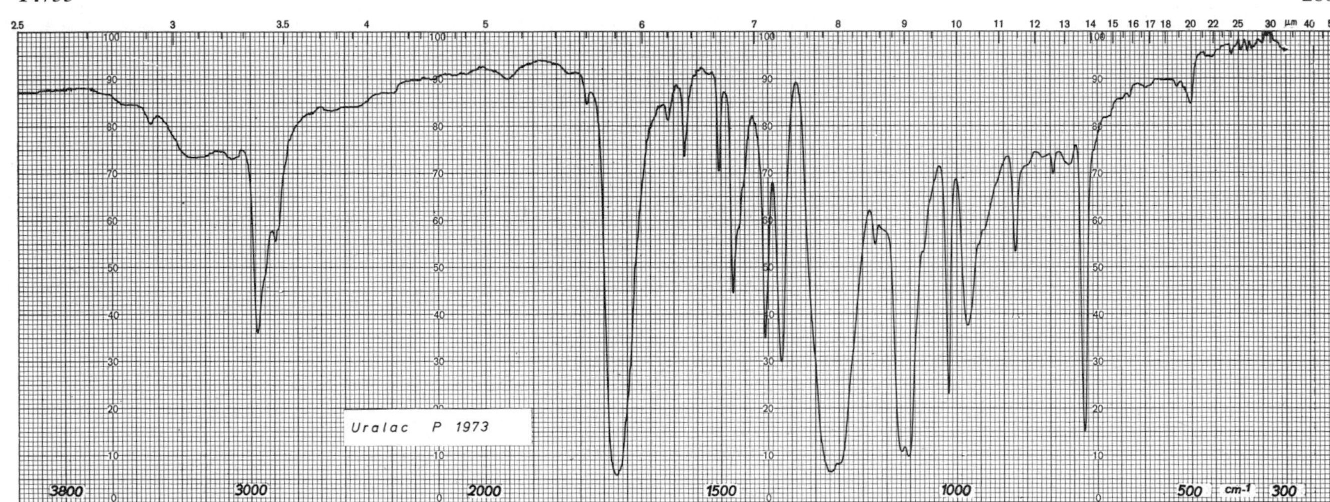

(1) **Uralac P 1973**
(3) ölfreies Polyesterharz auf Terephthalsäurebasis
(4) gelbliches Harz
(5) für wetterfeste Anstriche mit hohen mechanischen Eigenschaften: Möbel, Waschmaschinen, Kühlschränke, Fahrzeuge, Landmaschinen, Alu- und Stahlfenster
(6) Schicht aus ACT auf CsI

(2) Scado, Zwolle/Meppen
(3) oil-free polyester resin based on terephthalic acid
(4) yellowish resin
(5) for weatherproof coatings with good mechanical properties, for furniture, washing machines, refrigerators, vehicles, agricultural machines, aluminium and steel window frames
(6) film from ACT on CsI

14733 2881

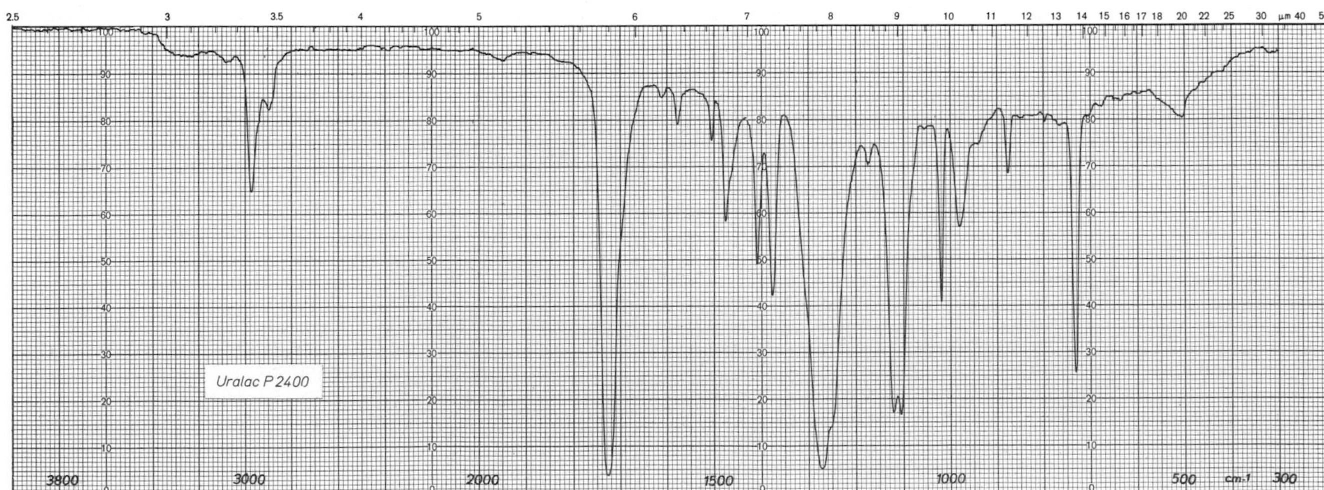

(1) **Uralac P 2400**
(3) Terephthalsäurepolyester, sauer
(4) fast farblose, opake Harzstücke
(5) säuregruppenhaltiges Polyesterharz zur Herstellung von EPS-Pulvern (Einbrennemaillen mit geringem Anteil Triglycidylisocyanurat)
(6) Schicht aus MTC auf CsI

(2) Scado Archer Daniels, Rühle über Meppen
(3) terephthalic polyester, acidic
(4) almost colorless, opaque resin pieces
(5) polyester resin containing acidic groups for the manufacture of EPA powders (stove enamels with a small proportion of triglycidyl isocyanurate)
(6) film from MTC on CsI

14733 2882

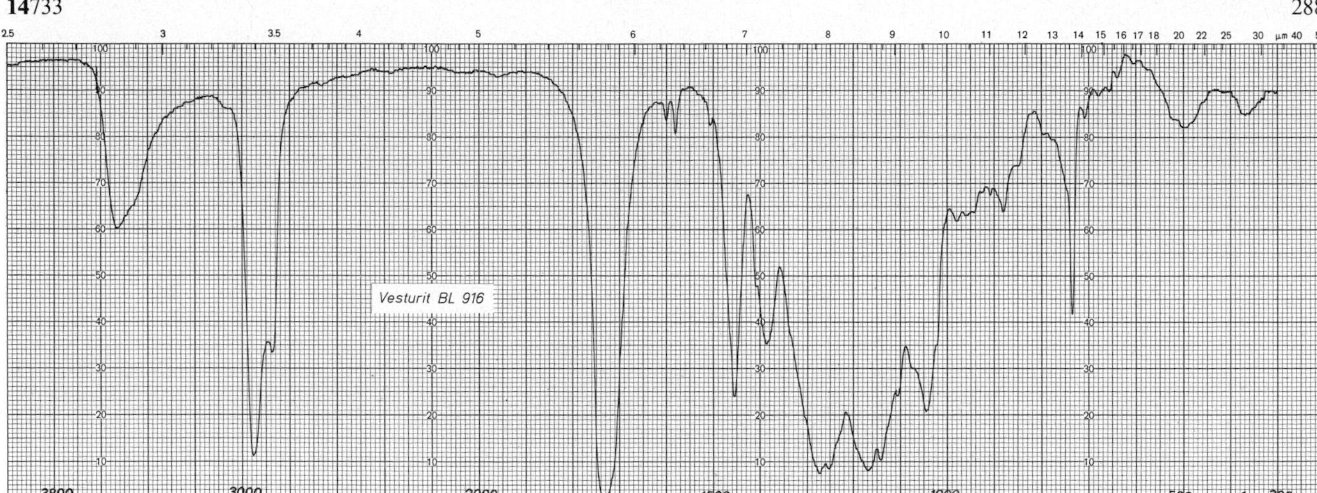

(1) **Vesturit BL 916**
(3) OH-haltiger, schwachverzweigter Polyester auf Terephthalsäurebasis
(4) farblose, viskose Lösung (80% in EGA)
(5) mit Aminoplasten für lösemittelarme Einbrennlacke (HS-Lacke); für Decklacke (120 °C, 10 min)
(6) Schicht auf CsI

(2) Chemische Werke Hüls AG, Marl
(3) slightly branched polyester based on terephthalic acid, containing OH groups
(4) colorless, viscous solution (80% in EGA)
(5) with aminoplast resin for low-solvent stove enamels (HA lacquers); for finishing lacquers (120 °C for 10 min)
(6) film on CsI

14733 2883

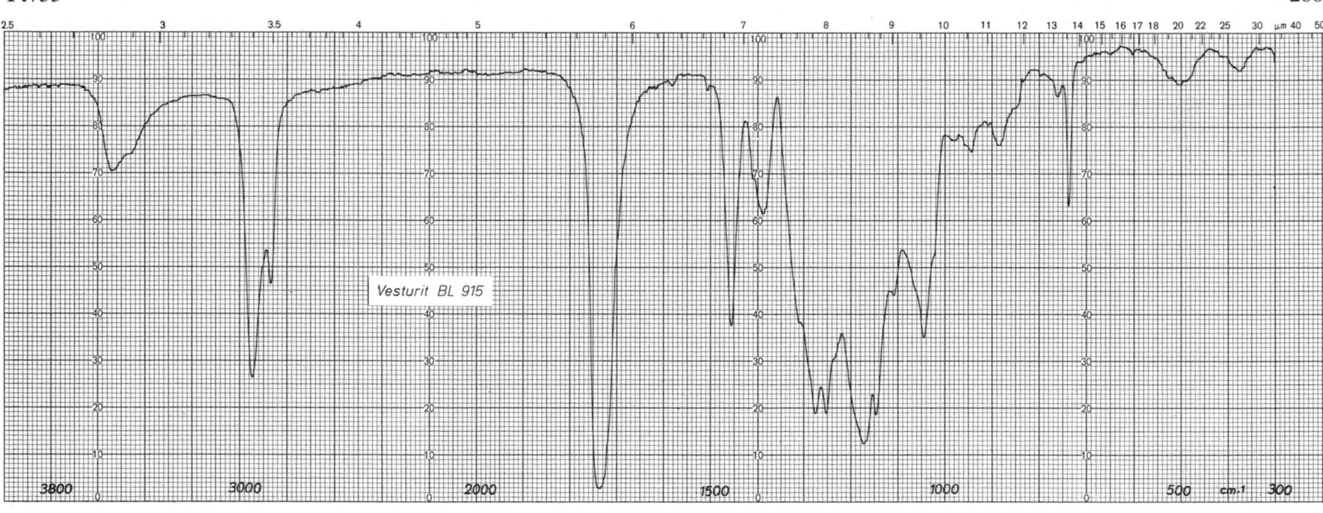

(1) **Vesturit BL 915**
(3) OH-haltiger, schwachverzweigter Polyester auf Terephthalsäurebasis
(4) farblose, viskose Lösung (80% in EGA)
(5) mit Aminoplasten für lösemittelarme Einbrennlacke (HS-Lacke); für Decklacke (120 °C, 10 min)
(6) Schicht auf CsI

(2) Chemische Werke Hüls AG, Marl
(3) slightly branched polyester based on terephthalic acid, containing OH groups
(4) colorless, viscous solution (80% in EGA)
(5) with aminoplast resin for low-solvent stove enamels (HA lacquers); for finishing lacquers (120 °C for 10 min)
(6) film on CsI

1473(3 – 2) 2884

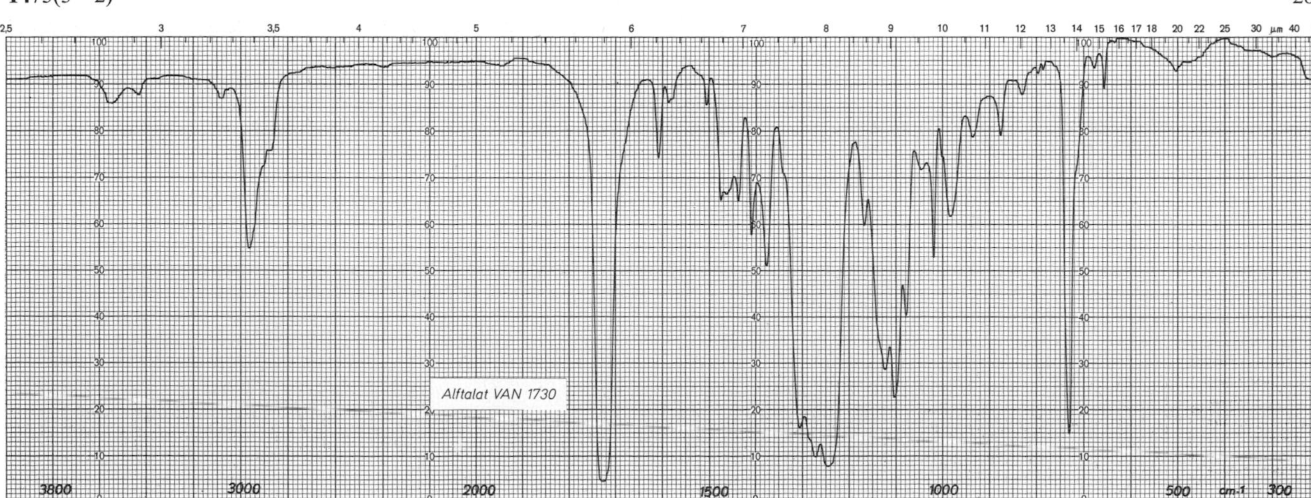

(1) **Alftalat VAN 1730**
(3) ölfreier Copolyester auf Basis Tere- und Isophthalsäure mit endständigen OH-Gruppen
(4) wachsgelbe, trübe Lösung (57% in EGA/XYL)
(5) hitzehärtend für hochelastische Überzüge; in Kombination mit Aminharzen für elastische und wetterbeständige Beschichtungen
(6) Schicht auf CsI

(2) Hoechst AG, Frankfurt/M.-Höchst
(3) oil-free copolyester based on tere and isophthalic acids, with terminal OH groups
(4) wax yellow, turbid solution (57% in EGA/XYL)
(5) heat-curing, for highly elastic coatings; in combination with amine resins for elastic, weather-resistant coatings
(6) film on CsI

1473(3–2) 2885

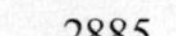

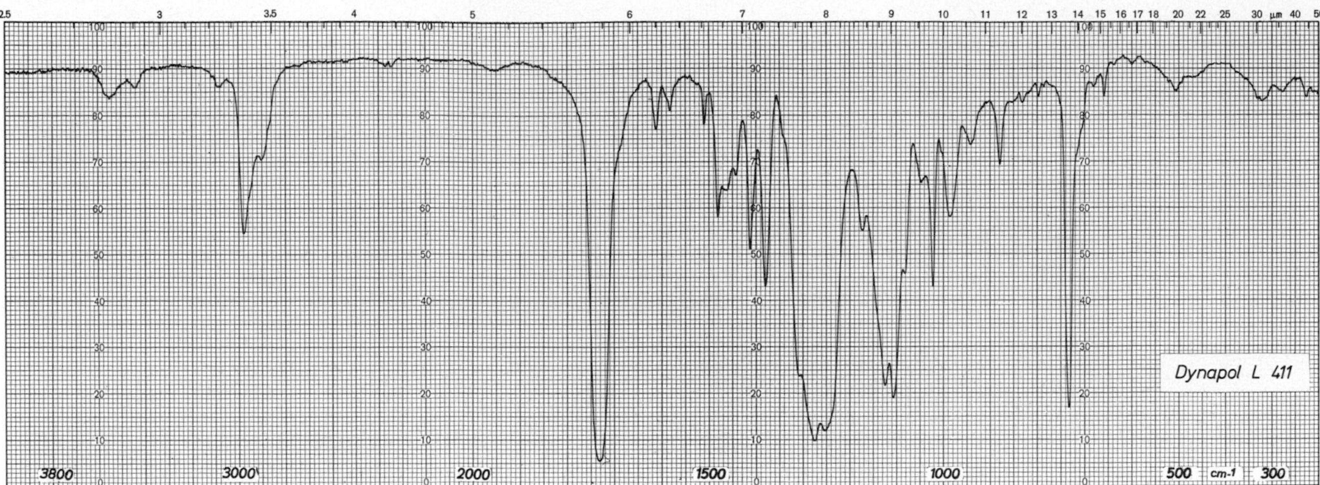

(1) **Dynapol L 411**
(3) hochmolekularer Copolyester auf Tere- und Isophthalsäurebasis, gesättigten aliphatischen Dicarbonsäuren und aliphatischen Diolen
(4) trübes, gelbes, dickflüssiges Harz
(5) für die Lackierung von Metallen; große Haftfestigkeit und extreme Elastizität der Lackfilme
(6) Schicht auf CsI

(2) Dynamit AG, Troisdorf
(3) high molar mass copolyester based on tere and isophthalic acids, saturated aliphatic dicarboxylic acids and aliphatic diols
(4) turbid, yellow, viscous resin
(5) for lacquering metals; highly adhesive and extremely elastic films
(6) film on CsI

1473(3–2) 2886

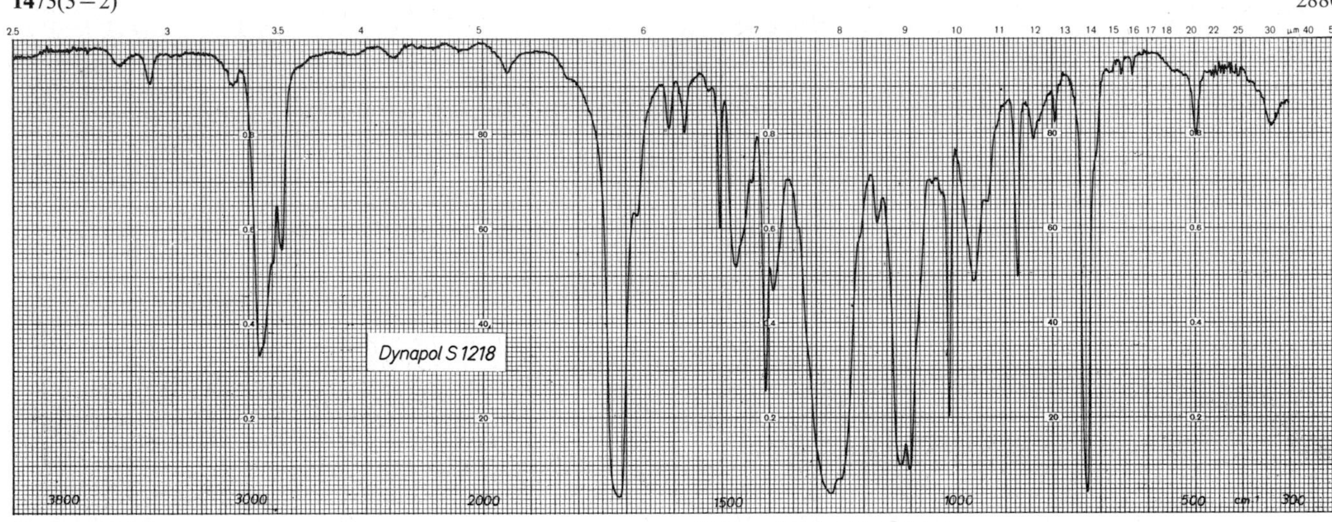

(1) **Dynapol S 1218**
(3) schwachkristalliner Copolyester auf Tere- und Isophthalsäurebasis
(4) weißes, undurchsichtiges Granulat
(5) für die Folienkaschierung
(6) Schicht aus MTC auf CsI
(7) PE 580 B, ABEX 1.96

(2) Dynamit Nobel AG, Troisdorf
(3) slightly crystalline copolyester based on tere and isophthalic acids
(4) white, opaque granules
(5) for film lamination
(6) film from MTC on CsI
(7) PE 580 B, ABEX 1.96

1473(3–2) 2887

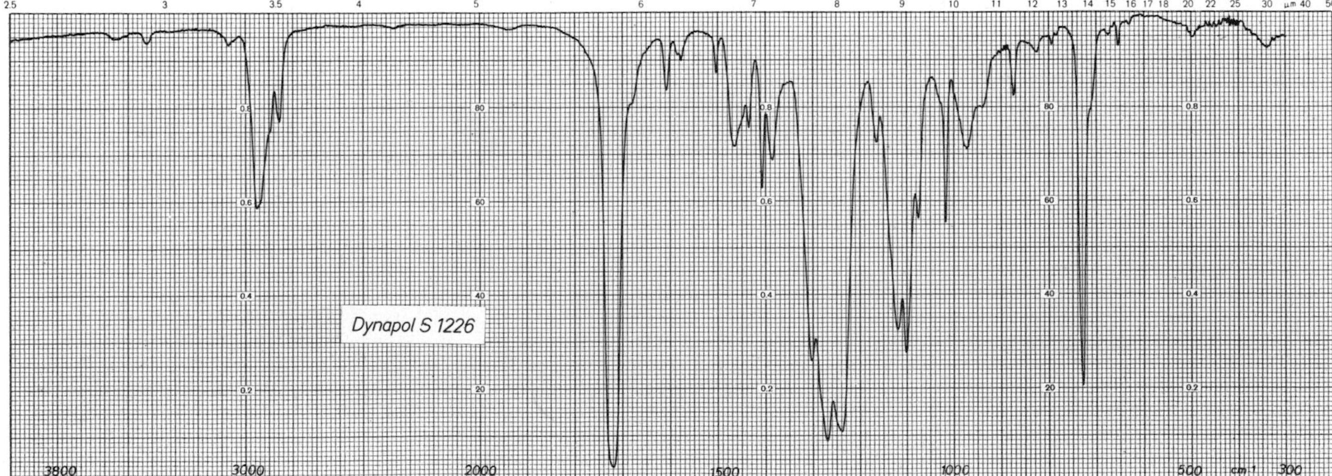

(1) **Dynapol S 1226**
(3) schwachkristalliner Copolyester auf Tere- und Isophthalsäurebasis
(4) weiße, undurchsichtige Stücke
(5) für die Folienkaschierung
(6) Schicht aus MTC auf CsI
(7) PE 580 B, ABEX 1.26

(2) Dynamit Nobel AG, Troisdorf
(3) slightly crystalline copolyester based on tere and isophthalic acids
(4) white, opaque pieces
(5) for laminating films
(6) film from MTC on CsI
(7) PE 580 B, ABEX 1.26

1473(3 – 2) 2888

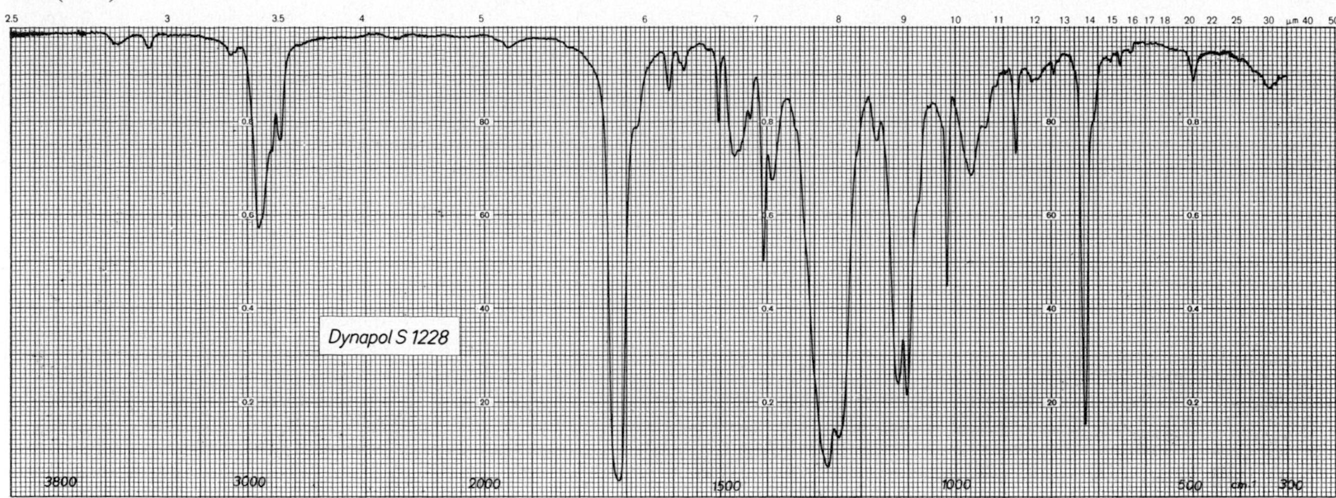

(1) **Dynapol S 1228**
(3) teilkristalliner Copolyester auf Tere- und Isophthalsäurebasis
(4) weißes, undurchsichtiges Granulat
(5) für die Folienkaschierung
(6) Schicht aus MTC auf CsI
(7) PE 580 B, ABEX 1.59

(2) Dynamit Nobel AG, Troisdorf
(3) partially crystalline copolyester based on tere and isophthalic acids
(4) white, opaque granules
(5) for film lamination
(6) film from MTC on CsI
(7) PE 580 B, ABEX 1.59

1473(3 – 2) 2889

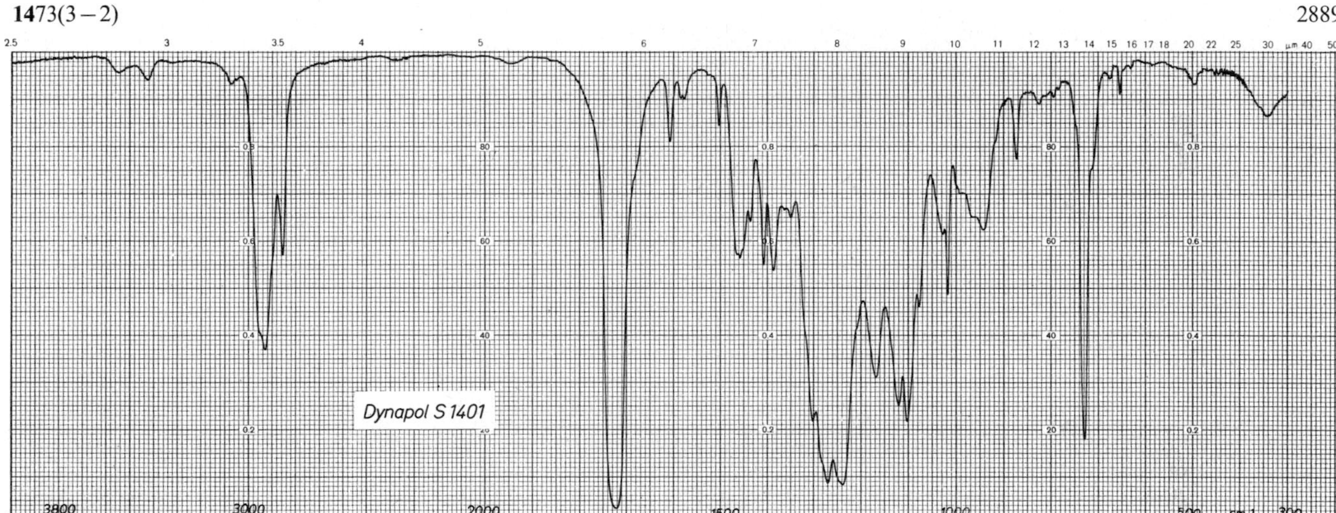

(1) **Dynapol S 1401**
(3) schwachkristalliner Copolyester auf Tere- und Isophthalsäurebasis
(4) weißes, undurchsichtiges Granulat
(5) für die Folienkaschierung
(6) Schicht aus MTC auf CsI
(7) PE 580 B, ABEX 1.25

(2) Dynamit Nobel AG, Troisdorf
(3) slightly crystalline copolyester based on tere and isophthalic acids
(4) white, opaque pieces
(5) for laminating films
(6) film from MTC on CsI
(7) PE 580 B, ABEX 1.25

1473(3 – 2) 2890

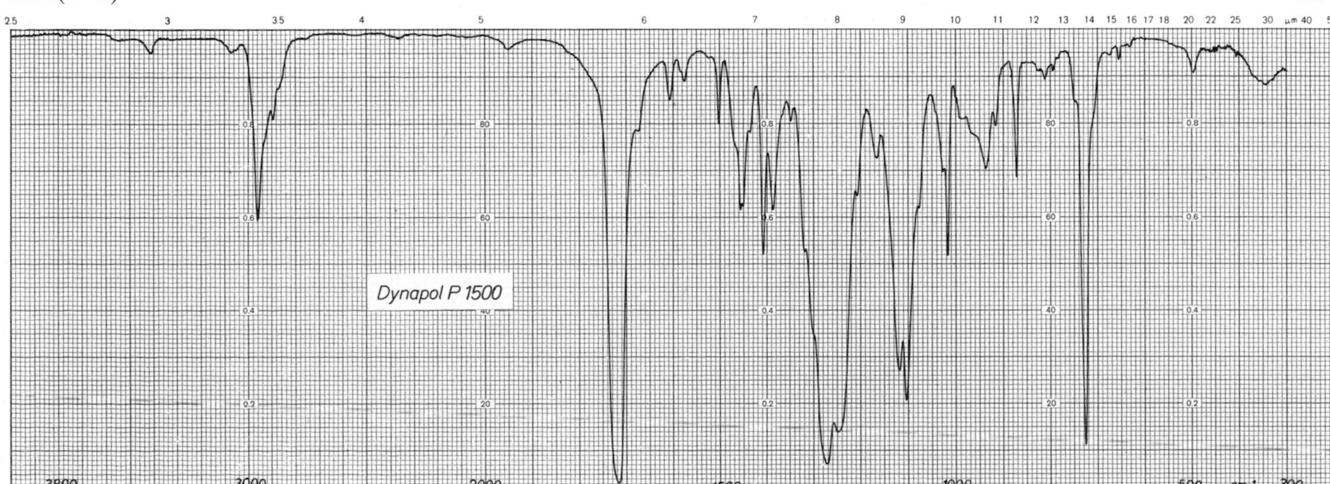

(1) **Dynapol P 1500**
(3) teilkristalliner Copolyester auf Tere- und Isophthalsäurebasis
(4) fast farbloses, durchsichtiges Granulat
(5) Bindemittel für das Wirbelsinterverfahren; für selbsthaftende, wärmestandfeste Beschichtungen
(6) Schicht aus MTC auf CsI
(7) PE 580 B, ABEX 1.24

(2) Dynamit Nobel AG, Troisdorf
(3) partially crystalline copolyester based on tere and isophthalic acids
(4) almost colorless, transparent granules
(5) binding agent for fluidized bed sintering; for self-adhesive, heat-resistant coatings
(6) film from MTC on CsI
(7) PE 580 B, ABEX 1.24

1473(3 – 2) 2891

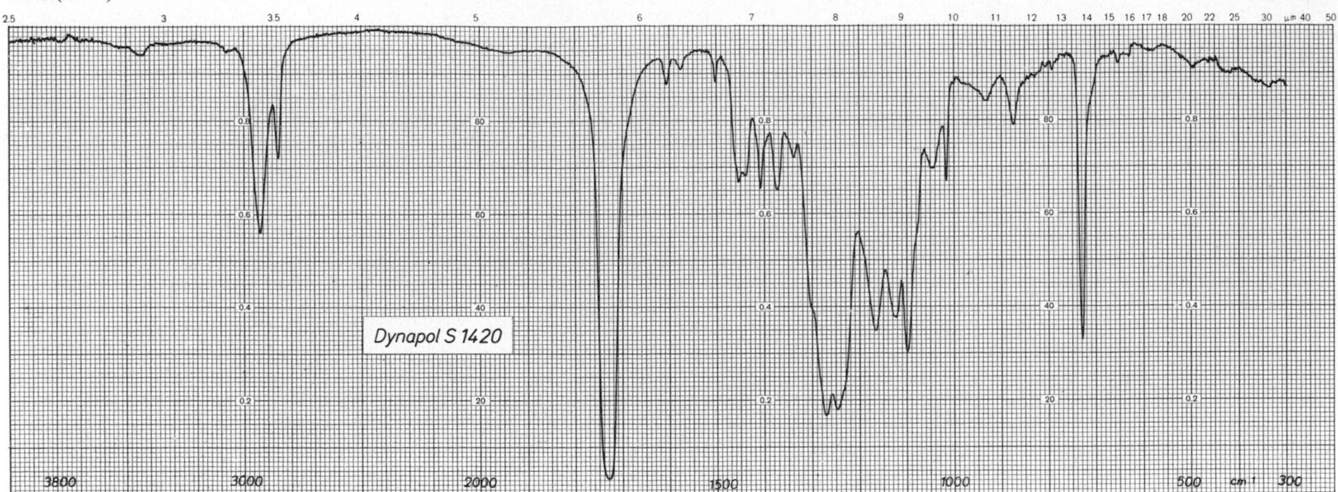

(1) **Dynapol S 1420**
(3) Copolyester auf Tere- und Isophthalsäurebasis
(4) gelbliches, fast durchsichtiges Elastomer
(5) für Folienkaschierungen, mit Isocyanaten vernetzbar
(6) Schicht aus MTC auf CsI
(7) PE 580 B, ABEX 1.71

(2) Dynamit Nobel AG, Troisdorf
(3) copolyester based on tere and isophthalic acids
(4) yellowish, almost transparent elastomer
(5) for film lamination, crosslinkable with isocyanates
(6) film from MTC on CsI
(7) PE 580 B, ABEX 1.71

1473(3 – 2) 2892

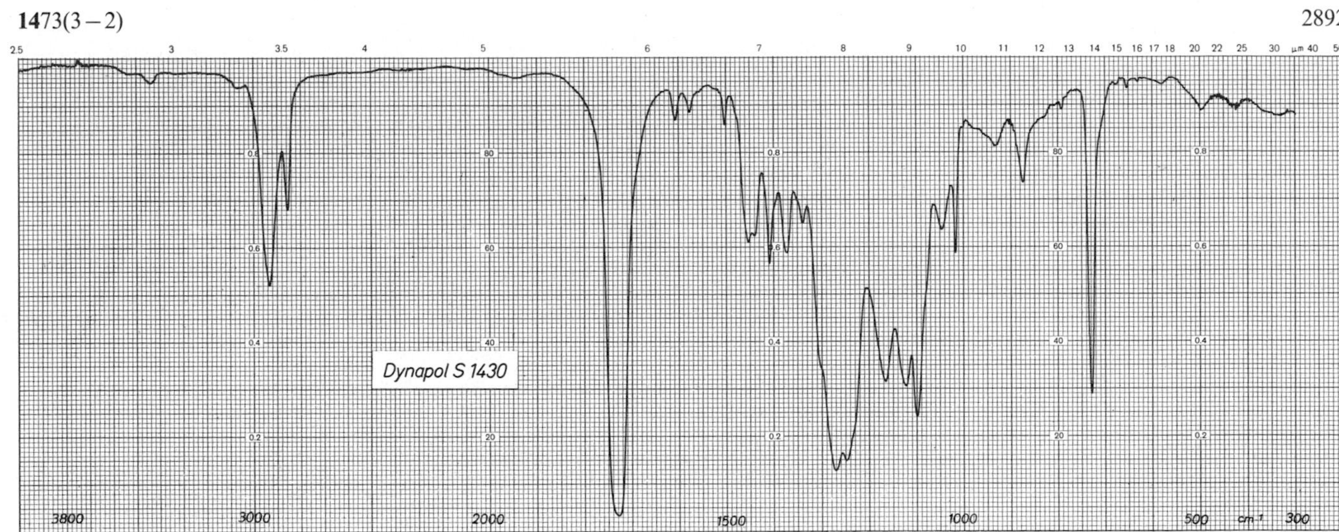

(1) **Dynapol S 1430**
(3) Copolyester auf Tere- und Isophthalsäurebasis
(4) graugrünes, transparentes, hartes Elastomer
(5) für Folienkaschierungen, mit Isocyanaten vernetzbar
(6) Schicht aus MTC auf CsI
(7) PE 580 B, ABEX 1.27

(2) Dynamit Nobel AG, Troisdorf
(3) copolyester based on tere and isophthalic acids
(4) grey-green, hard, transparent elastomer
(5) for film lamination, crosslinkable with isocyanates
(6) film from MTC on CsI
(7) PE 580 B, ABEX 1.27

14734/**14**771 2893

(1) **Vesturit BL 932**
(3) wasserverdünnbares, gesättigtes, aliphatisch-aromatisches Polyesterharz (83% in BTL)
(4) farblose, viskose Lösung
(5) in Kombination mit Hexamethoxymelamin für wasserverdünnbare Einbrennlacke mit hohem Pigmentaufnahmevermögen
(6) Schicht auf CsI

(2) Chemische Werke Hüls AG, Marl
(3) water-dilutable, saturated, aliphatic-aromatic polyester resin (83% in BTL)
(4) colorless, viscous solution
(5) combined with hexamethoxymelamine for water-dilutable stove enamels with a large pigment capacity
(6) film on CsI

147411 2894

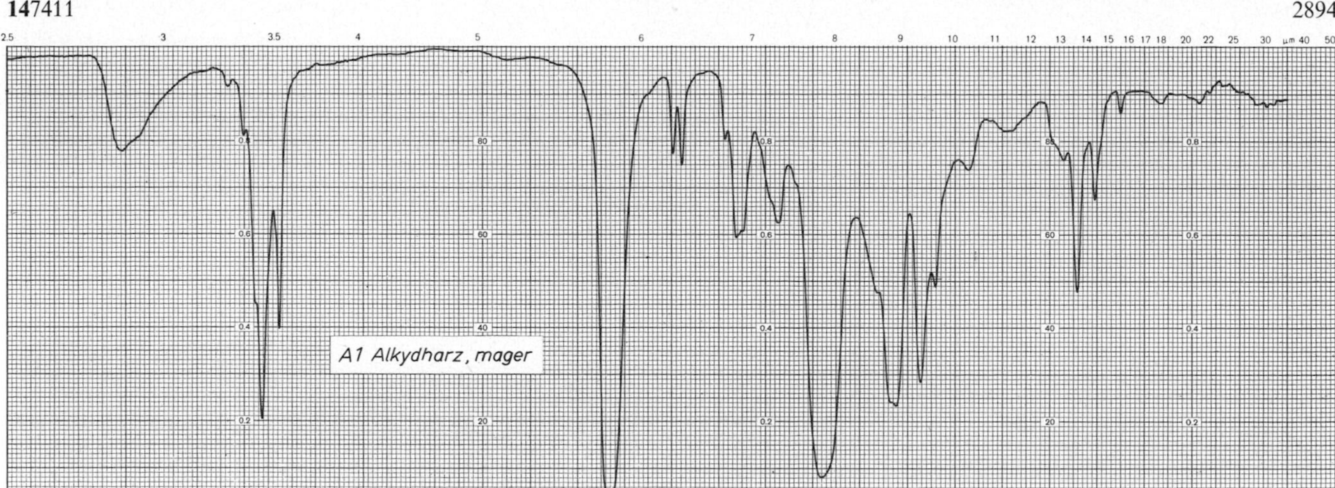

(1) **mageres Alkyd auf Basis Phthalsäure, Maleinsäure und Fettsäuren**
(2) Hoechst AG, Werk Albert, Wiesbaden (durch E. Schwenk)
(3) 22.1% PSA, 1.3% MSA
(4) gelbliche Lösung
(5) Standard für quantitative Untersuchungen
(6) getrocknete Schicht auf CsI
(7) PE 580 B, ABEX 1.68

(1) **short-oil alkyd based on phthalic acid, maleic acid and fatty acids**
(2) Hoechst AG, Werk Albert, Wiesbaden (from E. Schwenk)
(3) 22.1% phthalic anhydride, 1.3% maleic anhydride
(4) yellowish solution
(5) standard for quantitative investigations
(6) dried film on CsI
(7) PE 580 B, ABEX 1.68

147411 2895

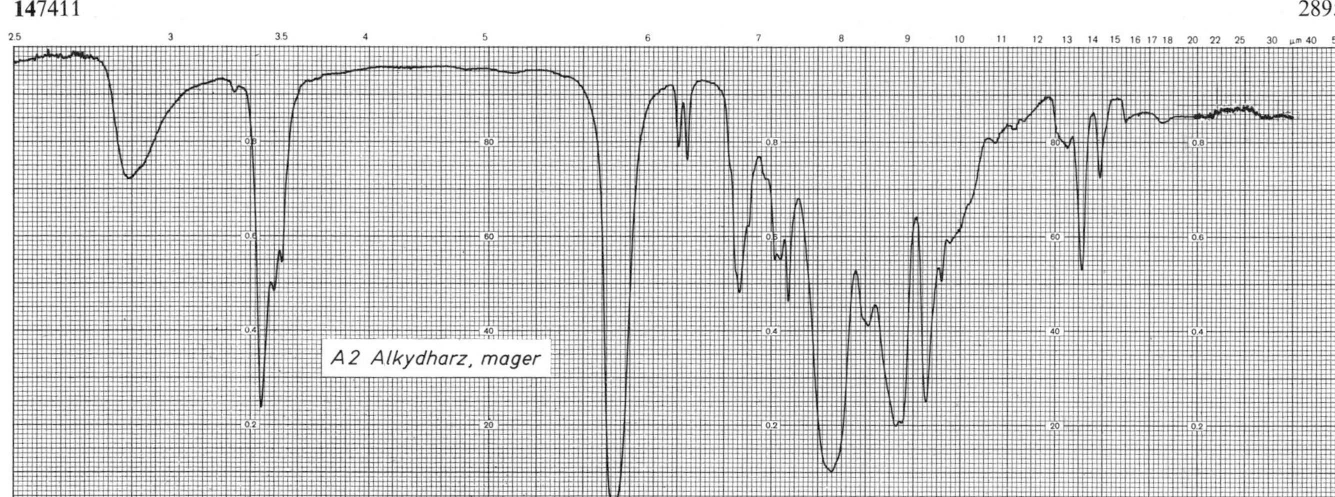

(1) **mageres Alkyd auf Basis Phthalsäure, Adipinsäure, Maleinsäure und Fettsäuren**
(2) Hoechst AG, Werk Albert, Wiesbaden (durch E. Schwenk)
(3) 17.0% PSA, 2.7% Adipinsäure, 0.5% MSA
(4) fast farblose Lösung
(5) Standard für quantitative Untersuchungen
(6) getrocknete Schicht auf CsI
(7) PE 580 B, ABEX 1.12

(1) **short-oil alkyd based on phthalic acid, maleic acid and fatty acids**
(2) Hoechst AG, Werk Albert, Wiesbaden (from E. Schwenk)
(3) 17.0% phthalic anhydride, 2.7% adipic acid, 0.5% maleic anhydride
(4) almost colorless solution
(5) standard for quantitative investigations
(6) dried film on CsI
(7) PE 580 B, ABEX 1.12

147411 2896

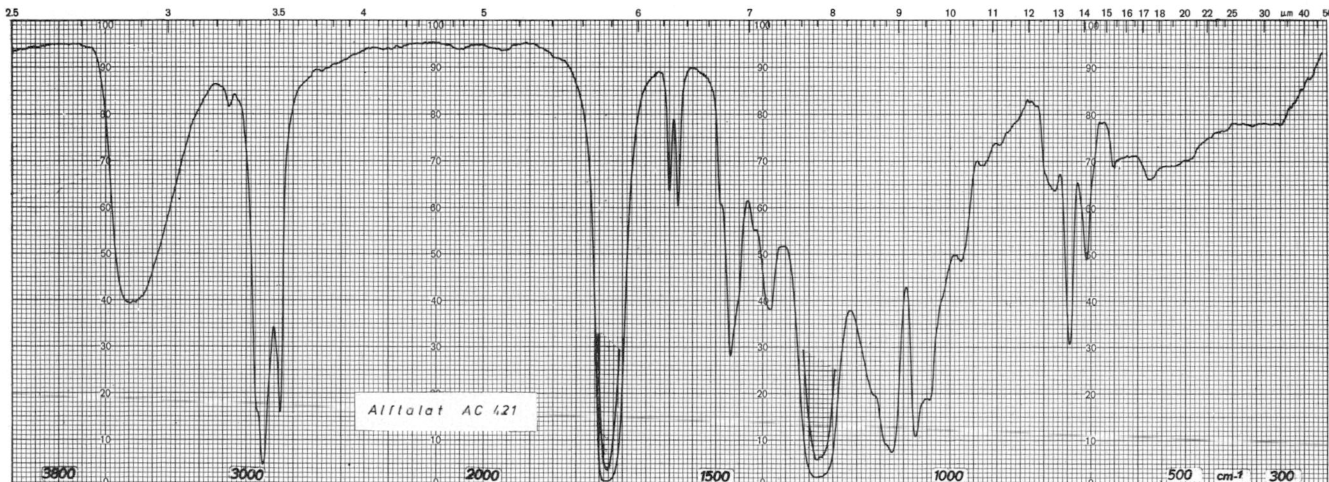

(1) **Alftalat AC 421**
(3) Cocosöl-Alkyd
(4) viskose, gelbliche, etwas trübe Flüssigkeit
(5) für lichtbeständige Cellulosenitratlacke auf Holz, Papier und Metall, SH- und Spritzlacke, Flexodruckfarben (mit Alresat KM 400)
(6) Schicht auf CsI

(2) Hoechst AG, Frankfurt/M.-Höchst
(3) coconut oil phthalic alkyd
(4) viscous, yellowish, somewhat turbid liquid
(5) for light-resistant cellulose nitrate lacquers for wood, paper and metal, acid-hardening and spray lacquers, flexographic inks (with Alresat KM 400)
(6) film on CsI

147411 2897

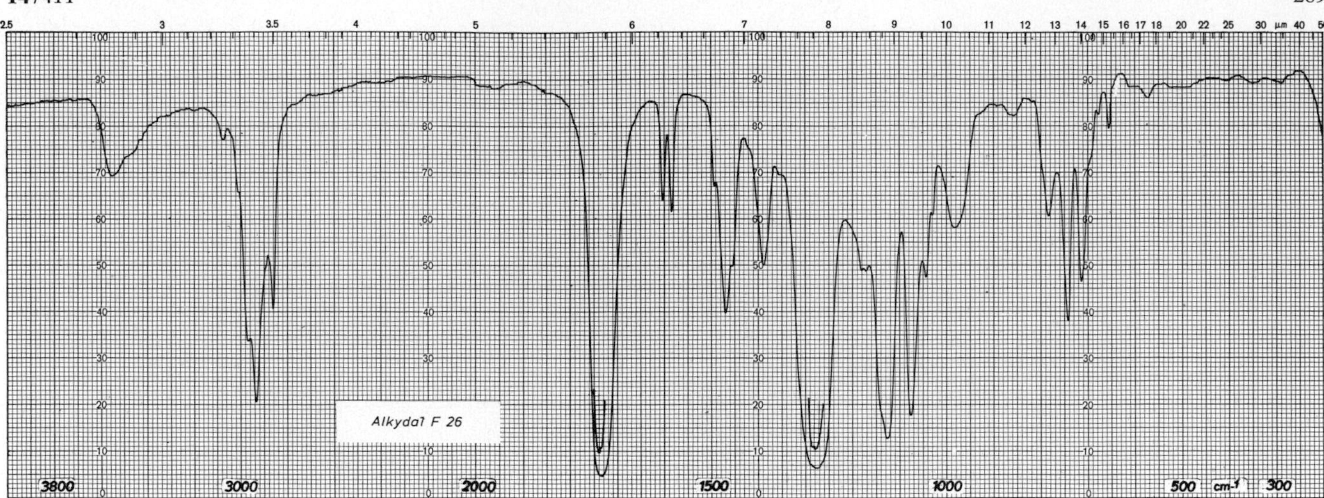

(1) **Alkydal F 26**
(3) luft- und wärmetrocknendes, kurzöliges Alkyd auf Basis pflanzlicher Fettsäuren
(4) schwach gelbliche, transparente Harzlösung (60% in XYL)
(5) zur Herstellung von Grundierungen, Spachteln, Füllern, Decklacken, Einschichtlacken, Heizkörpertauch- und -flutlacken
(6) Schicht auf CsI, bei 50 °C i.V. getrocknet

(2) Bayer AG, Leverkusen
(3) air and heat-drying, short-oil phthalic alkyd based on vegetable fatty acids
(4) pale yellowish, transparent resin solution (60% in XYL)
(5) for the manufacture of primers, stopping, fillers, top coat lacquers, single coat lacquers, hot impregnation and flow-coating paints
(6) film from CsI, dried in vacuo at 50 °C

147411 2898

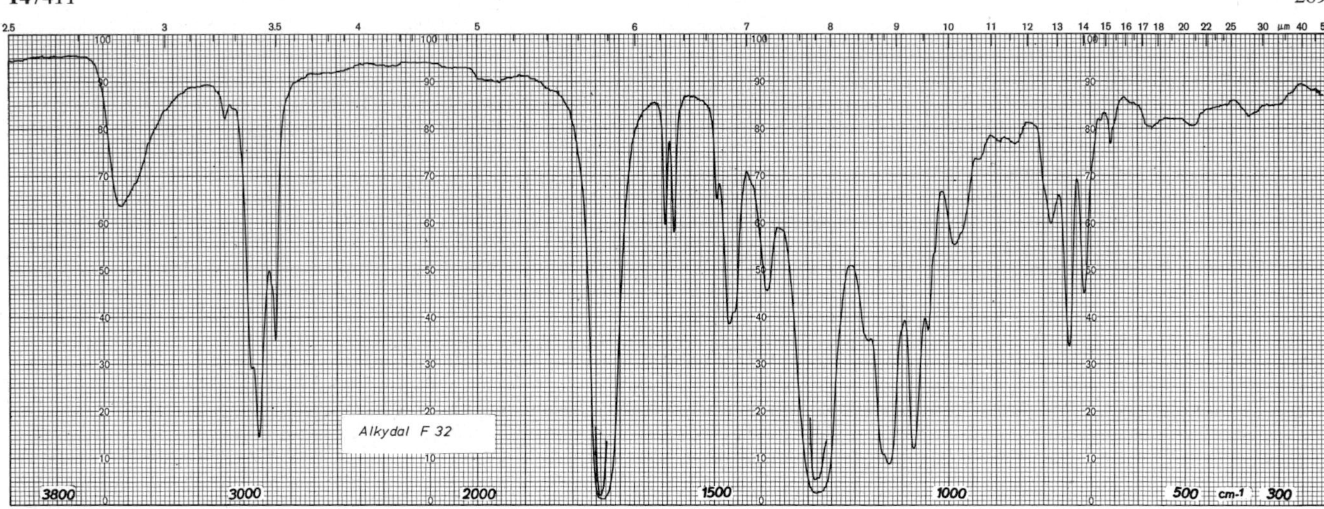

(1) **Alkydal F 32**
(3) kurzöliges Alkyd auf Basis gesättigter Fettsäuren; 32% Triglyceride, 38% PSA
(4) farblose, transparente Lösung (60% in Supersol M)
(5) für Autodecklacke (Erstlackierung) und Haushaltsgeräte-Lacke
(6) Schicht auf CsI

(2) Bayer AG, Leverkusen
(3) short-oil alkyd based on saturated fatty acids 32% triglycerides, 38% phthalic anhydride
(4) colorless, transparent solution (60% in Supersol M)
(5) for automobile coating lacquers (first coat) and household appliance lacquer
(6) film on CsI

147411 2899

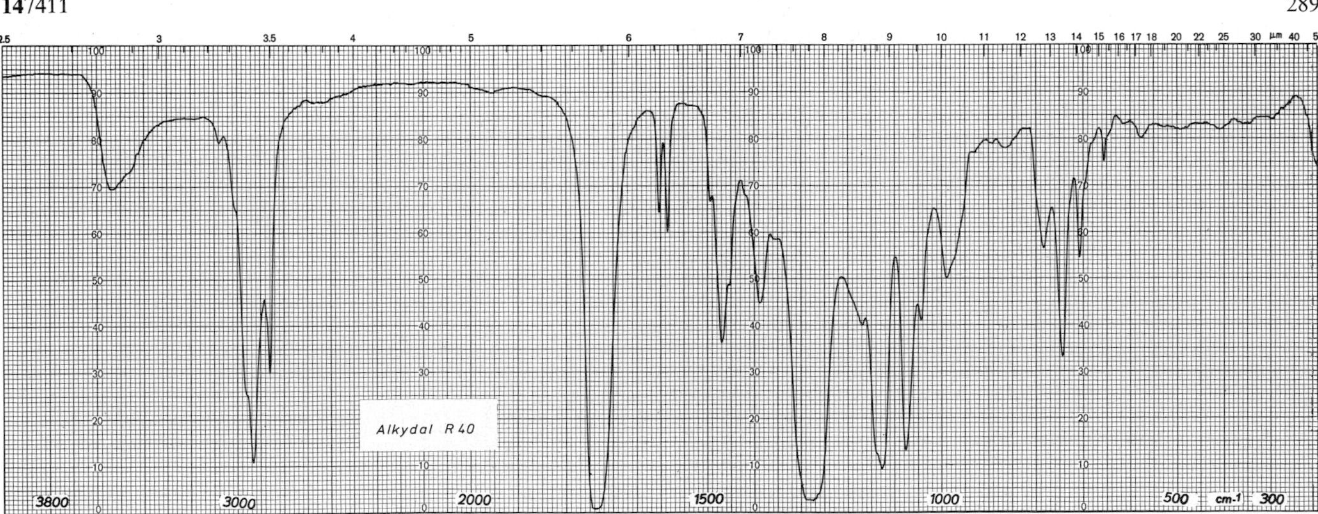

(1) **Alkydal R 40**
(3) kurzöliges Ricinenalkyd; 40% Triglyceride, 38% PSA, 2.5% OH
(4) leicht gelbliche, transparente Lösung (605 in XYL)
(5) für ofentrocknende Industrielacke
(6) Schicht auf CsI

(2) Bayer AG, Leverkusen
(3) short-oil, castor oil alkyd: 40% triglyceride, 38% phthalic anhydride, 2.5% OH
(4) pale yellowish, transparent solution
(5) for oven-drying industrial lacquer
(6) film on CsI

147411 2900

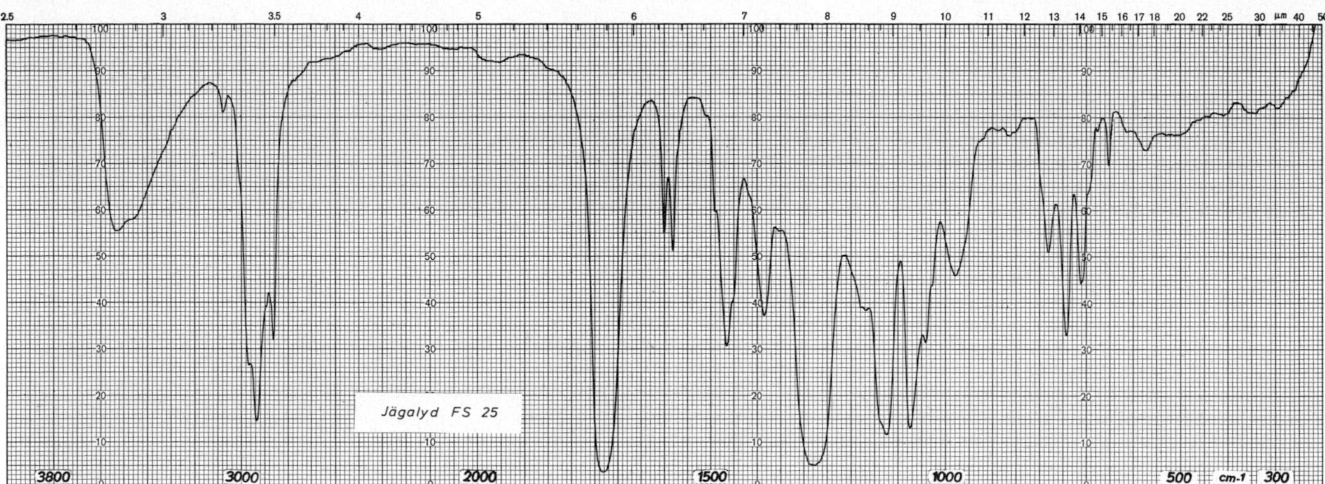

(1) **Jägalyd FS 25**
(3) niedrigviskoses Kurzölalkyd; 25% Triglyceride gesättigter Fettsäuren, 32% PSA
(4) leicht gelbliche Lösung
(5) für farbtonstabile Einbrenn-, SH- und Cellulosenitratlacke
(6) Schicht auf CsI

(2) E. Jäger, Düsseldorf
(3) low-viscosity short-oil alkyd, 25% triglycerides of saturated fatty acids, 32% phthalic anhydride
(4) pale yellowish solution
(5) for color-stable, stoving, acid-hardening and cellulose nitrate lacquers
(6) film on Csi

147411 2901

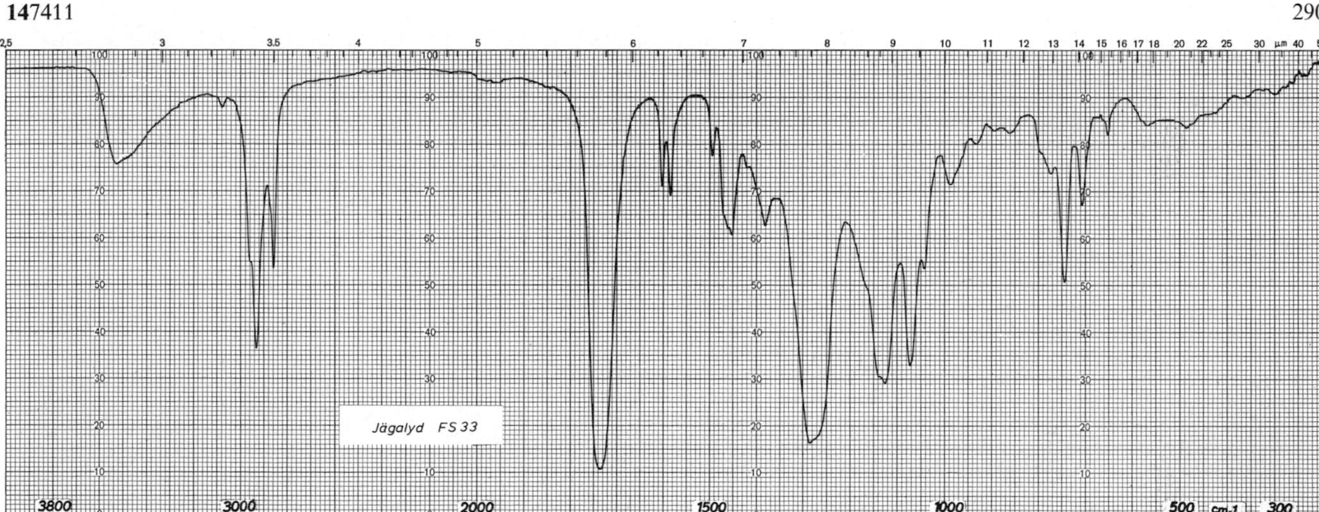

(1) **Jägalyd FS 33**
(3) nichttrocknendes, mageres Alkyd; 33% Triglyceride hochgereinigter, gesättigter Fettsäuren, 42% PSA
(4) transparente, leicht gelbliche Lösung (60% in XYL)
(5) für Einbrennlackierungen
(6) Schicht auf CsI

(2) E. Jäger, Düsseldorf
(3) nondrying short-oil alkyd; 33% triglycerides of highly purified, saturated fatty acids, 42% phthalic anhydride
(4) transparent, pale yellowish solution (60% in XYL)
(5) for stove enamels
(6) film on CsI

147411 2902

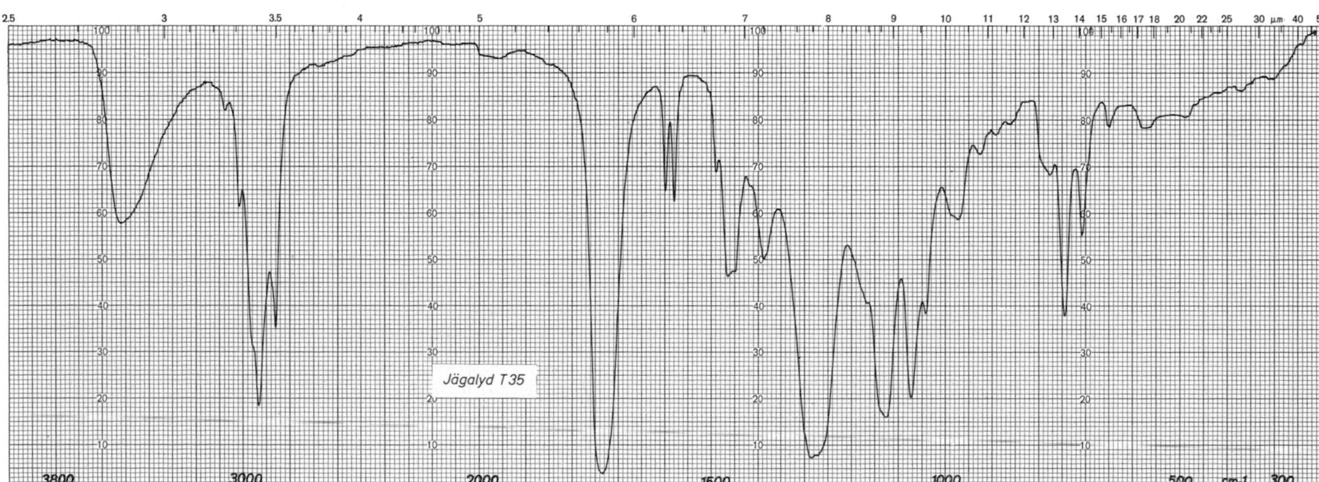

(1) **Jägalyd T 35**
(3) mageres, leinölmodifiziertes Alkyd; 35% trocknende pflanzliche Öle, 9% modifizierte Harze, 36% PSA
(4) bernsteinfarbene, etwas viskose Lösung (60% in XYL)
(5) für luft- und ofentrocknende Grundierungen und Lacke
(6) Schicht auf CsI

(2) E. Jäger, Düsseldorf
(3) short-oil, linseed oil-modified alkyd; 35% plant drying oils, 9% modifying resin, 36% phthalic anhydride
(4) amber-colored, somewhat viscous solution (60% in XYL)
(5) for air and oven-drying primers and lacquers
(6) film on CsI

147411 2903

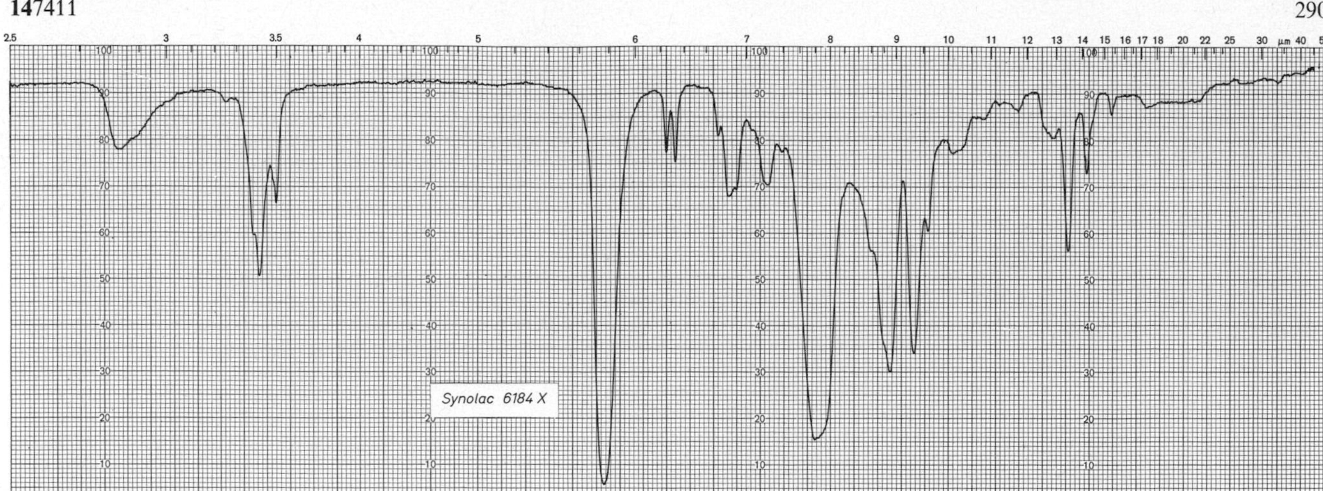

(1) **Synolac 6184 X**
(3) kurzöliges, nicht oxidierendes Alkyd (46% PSA, 27% gesättigte Fettsäuren; Pentaerythritol)
(4) farblose, etwas viskose Lösung
(5) für farblose oder hellfarbige Einbrennemaillen; als Komponente in Cellulosenitratlacken
(6) Schicht auf CsI

(2) Cray Valley Products Ltd., Kent, England
(3) short-oil, nonoxidizing alkyd (46% phthalic anhydride, 27% saturated fatty acids; pentaerythritol)
(4) colorless, somewhat viscous solution
(5) for colorless or light colored stove enamels; as a component of cellulose nitrate lacquers
(6) film on CsI

147411 2904

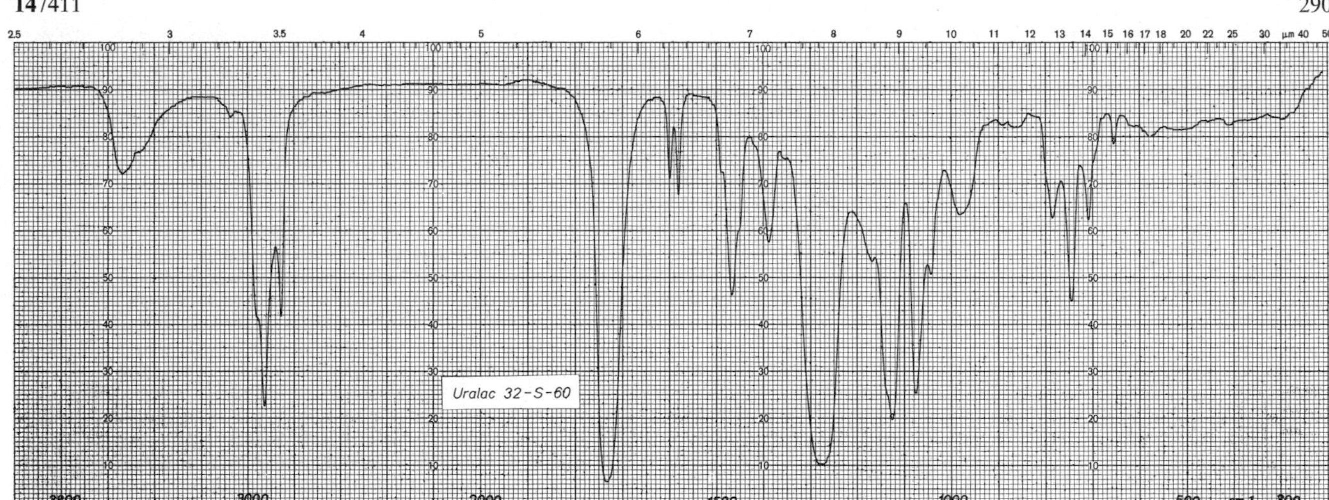

(1) **Uralac 32-S-60**
(3) mageres, mit gesättigten Fettsäuren modifiziertes Alkyd; 32% Triglyceride, 38% PSA
(4) schwachbräunliche, viskose Lösung (60% in Solvesso 100)
(5) für nichtgilbende, wetterbeständige und hochglänzende Einbrennlacke (in Kombination mit Melaminharz) für Automobile, Haushaltsgeräte, medizinische Apparate
(6) Schicht auf CsI

(2) Scado, Zwolle/Meppen
(3) lean alkyd modified with saturated fatty acids; 32% triglycerides, 38% phthalic anhydride
(4) light brownish, viscous solution (60% in Solvesso 100)
(5) for non-yellowing, weather-resistant and high gloss stove enamels (in combination with melamine resin) for automobiles, household appliances, medical apparatus
(6) film on CsI

147412 2905

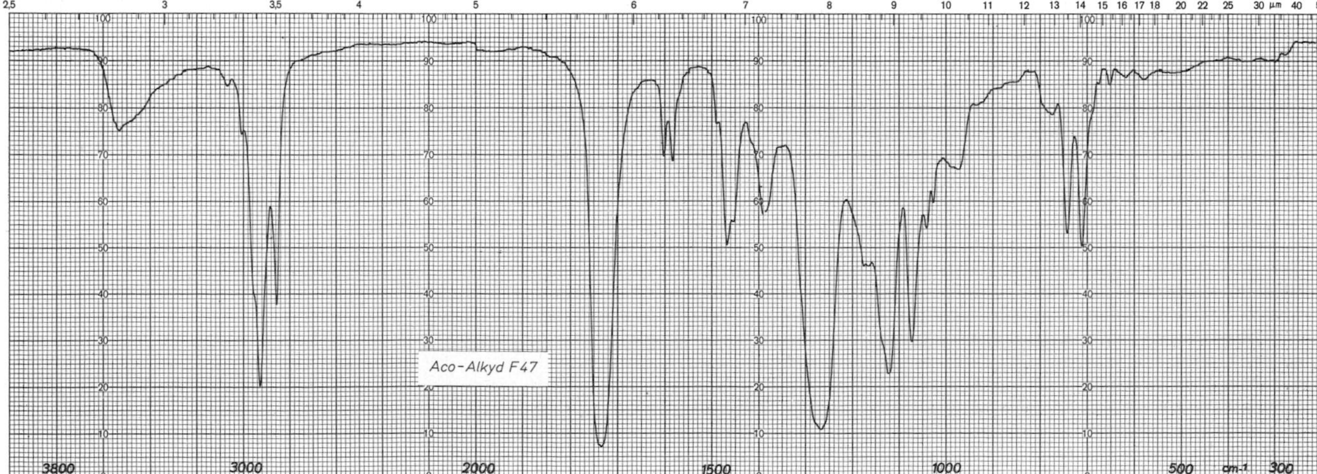

(1) **Aco-Alkyd F47**
(3) mittelöliges Alkyd (26% PSA, 47% Triglyceride)
(4) hellbraune, dickflüssige Lösung (60%ig in TBZ)
(5) für sehr schnell luft- oder wärmeforciert trocknende Industrielackierungen, Fahrzeuglacke, Heizkörper- und Effektlacke; 80°C-Emaillen
(6) Schicht auf CsI

(2) Abshagen & Co., Hamburg-Wandsbek
(3) middle-oil alkyd (26% phthalic anhydride, 47% glycerides)
(4) light brown, viscous solution (60% in TBZ)
(5) for very quick air or forced heat-drying, industrial lacquers, vehicle lacquers, radiator and textured paints, 80°C enamels
(6) film on CsI

147412 2906

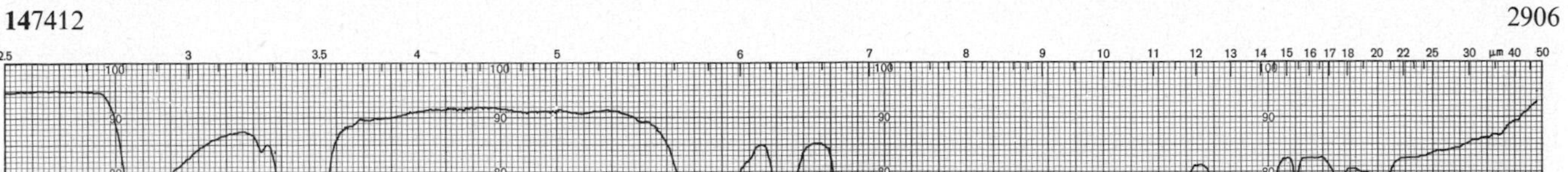

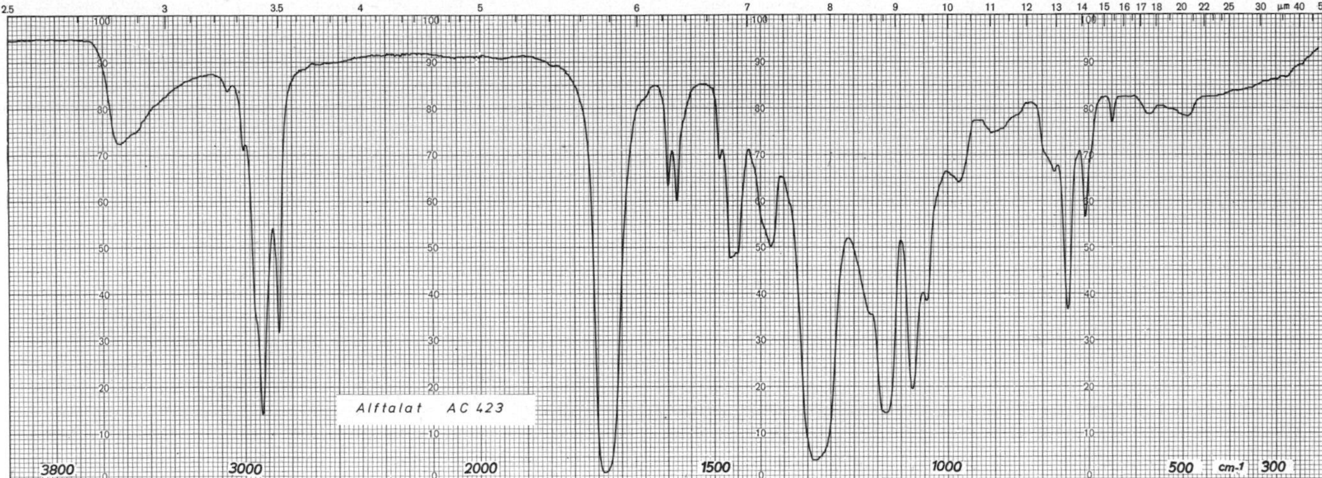

(1) **Alftalat AC423**
(3) Erdnußölalkyd
(4) gelbe Lösung (60% in XYL)
(5) für SH- und Cellulosenitrat-Kombinationslacke
(6) Schicht auf CsI

(2) Hoechst AG, Frankfurt/M.-Höchst
(3) ground nut oil alkyd
(4) yellow solution (60% in XYL)
(5) for acid-hardening and cellulose nitrate combination lacquers
(6) film on CsI

147412 2907

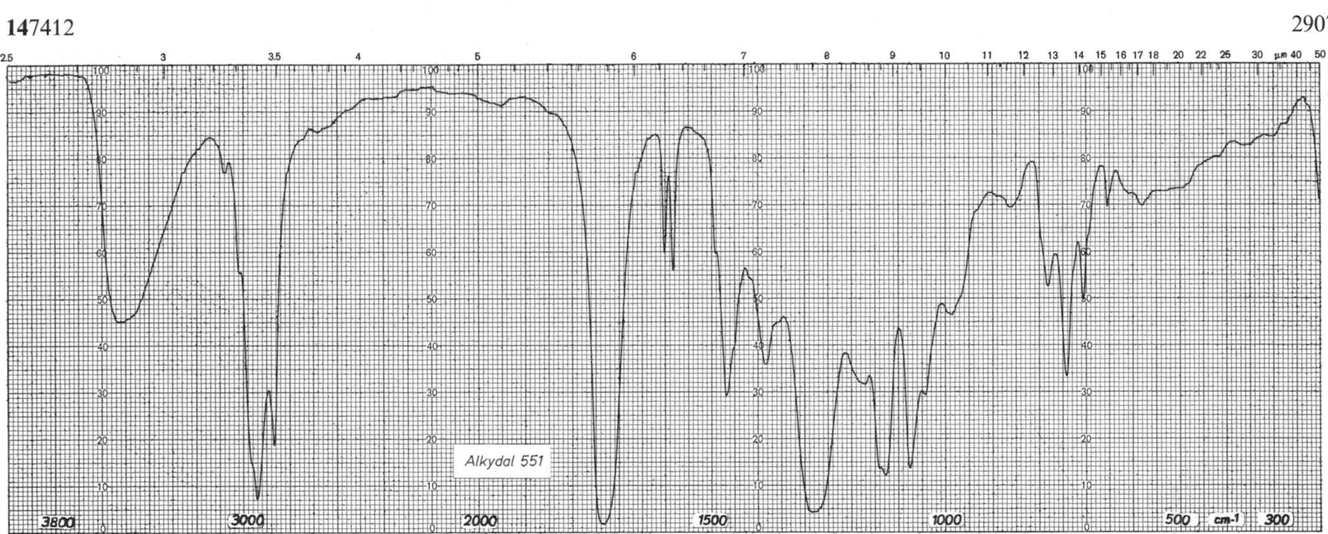

(1) **Alkydal 551**
(3) mittelöliges Alkyd; 50% Triglyceride (Sojaöl), 32% PSA
(4) gelbe, transparente Harzlösung (50% in Kristallöl 60)
(5) für gilbungsresistente Seidenglanzlacke, Vorlacke und Füllgründe, matte Wandfarben
(6) Schicht auf CsI

(2) Bayer AG, Leverkusen
(3) middle-oil alkyd; 50% triglycerides (soy-bean oil), 32% phthalic anhydride
(4) yellow, transparent resin solution (50% in Kristallöl 60)
(5) for yellowing-resistant, silky lustre paints undercoats and fillers, matt wall paints
(6) film on CsI

147412 2908

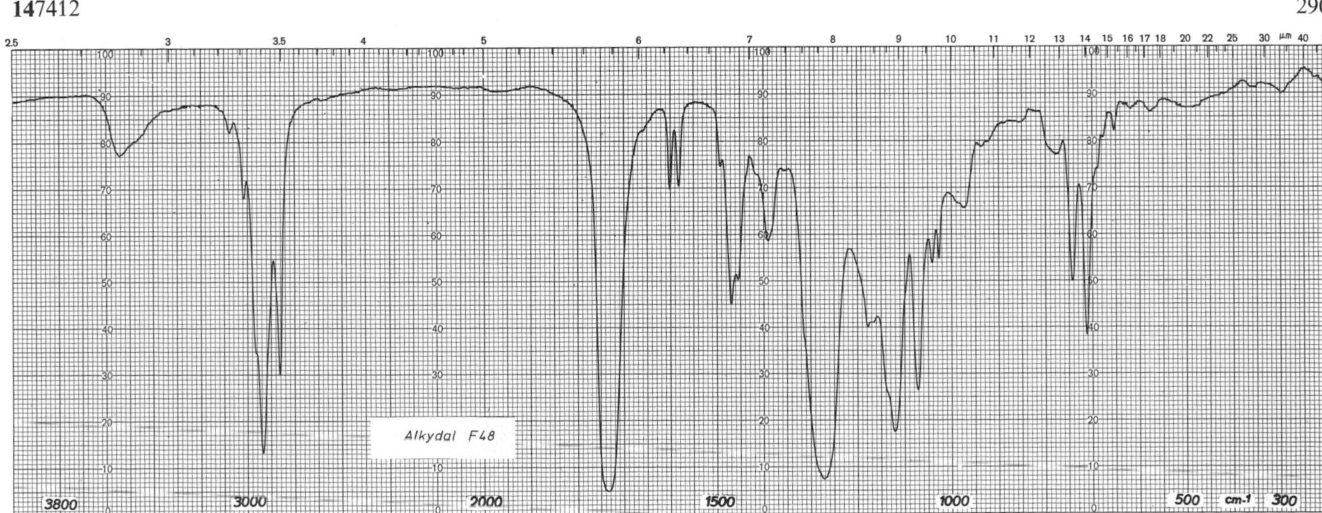

(1) **Alkydal F48**
(3) Alkyd auf Basis trocknender pflanzlicher Fettsäuren; 48% Triglyceride, 26% PSA
(4) leicht gelbliche, transparente Lösung (55% in TBZ/XYL)
(5) für luft- und wärmetrocknende Industrielackierungen, Einbrenn- und Aerosollacke
(6) Schicht auf CsI

(2) Bayer AG, Leverkusen
(3) alkyd based on vegetable drying fatty acids; 48% triglycerides, 26% phthalic anhydride
(4) pale yellowish, transparent solution (55% in TBZ/XYL)
(5) for air and heat-drying, industrial lacquers, stove enamels and aerosol paints
(6) film on CsI

147412 2909

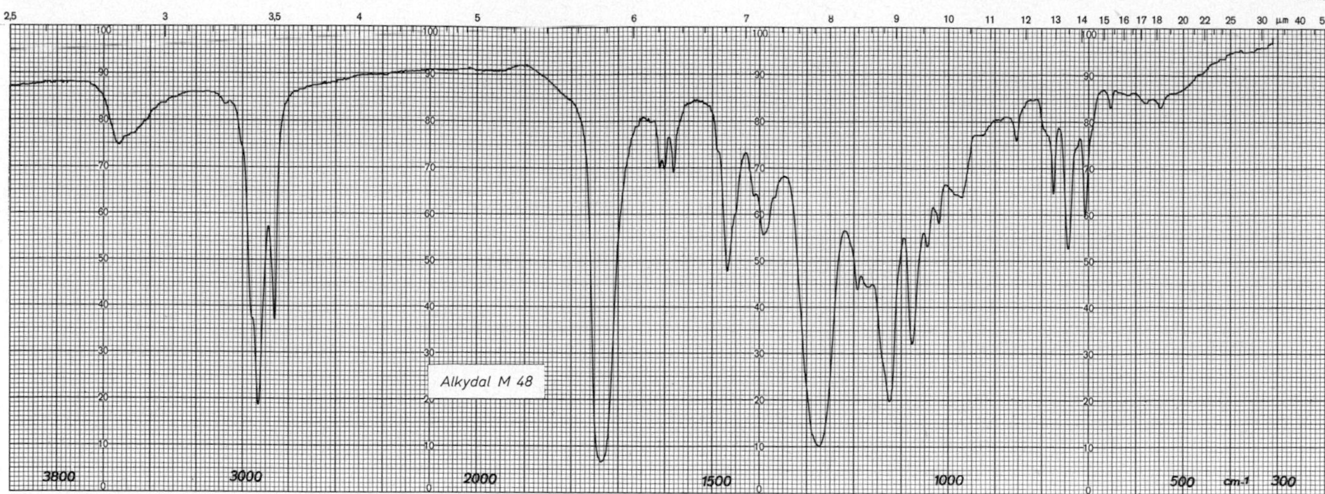

(1) **Alkydal M48**
(3) mittelöliges, lufttrocknendes Alkyd auf Basis trocknender pflanzlicher Fettsäuren
(4) farblose, hochviskose Lösung (55% in KER/XYL)
(5) für hochwertige luft- und wärmetrocknende Industrielacke und für lufttrocknende Fahrzeuglacke
(6) Schicht auf CsI

(2) Bayer AG, Leverkusen
(3) middle-oil alkyd based on vegetable drying fatty acids and phthalic anhydride
(4) colorless, highly viscous solution (55% in KER/XYL)
(5) for high quality, air and heat-drying, industrial lacquers and for air-drying vehicle lacquers
(6) film on CsI

147412 2910

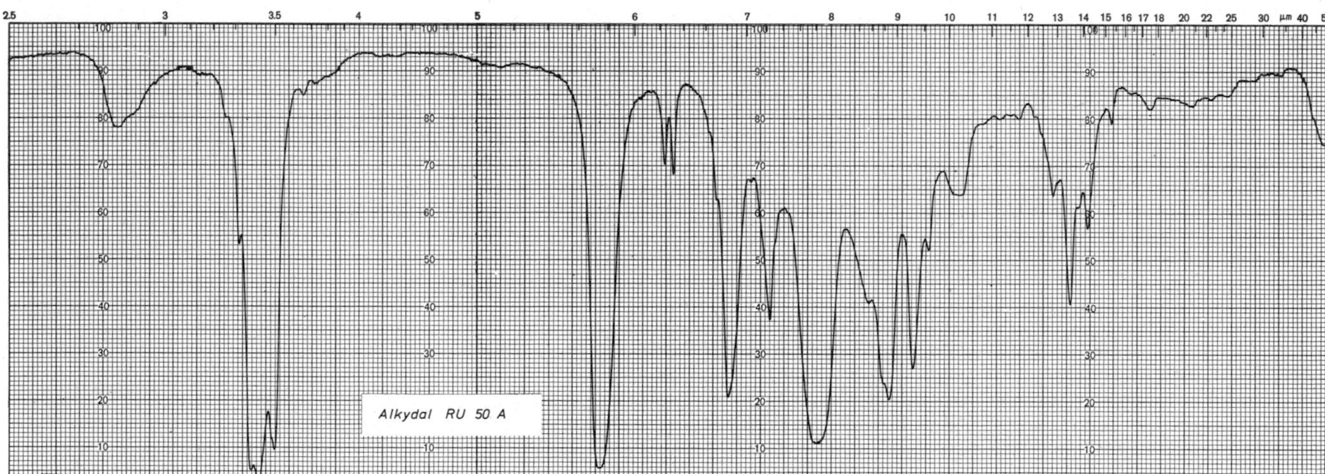

(1) **Alkydal RU50A**
(3) mittelöliges, alkohollösliches, ricinusölmodifiziertes Alkyd; 50% Triglyceride, 28% PSA
(4) leicht gelbliche, transparente Lösung
(5) für Cellulosenitrat-Kombinationslacke, Papier-(Spritz-)Flexodruck- und säurehärtende Lacke, elastifizierendes Kombinationsharz
(6) Schicht zwischen CsI

(2) Bayer AG, Leverkusen
(3) middle-oil, alcohol-soluble, castor oil-modified alkyd, 50% triglycerides, 28% phthalic anhydride
(4) pale yellowish, transparent solution
(5) for nitrocellulose combination lacquers, flexographic inks, paper (spray) and acid-hardening lacquers, elasticizing combination resin
(6) film between CsI

147412 2911

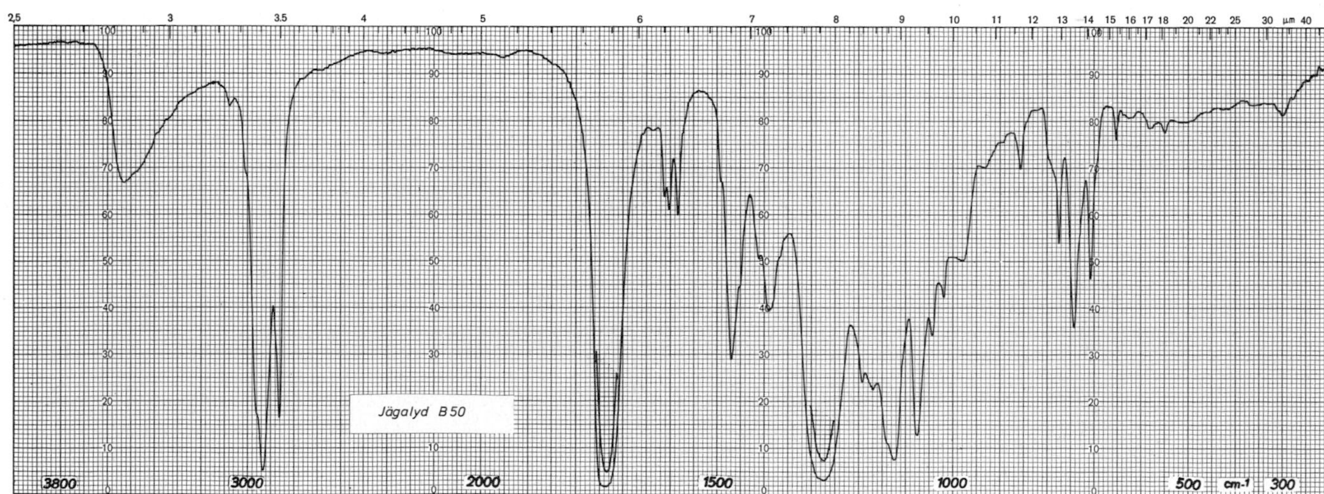

(1) **Jägalyd B50**
(3) mittelfettes Alkyd; 50% Triglyceride spezieller pflanzlicher Fettsäuren, 25% PSA
(4) leicht gelbliche, gefärbte Lösung (45% in TBZ/XYL)
(5) für Heizkörper-, Maschinen- und Autoreparatur-Lacke
(6) Schicht auf CsI

(2) E. Jäger, Düsseldorf
(3) medium fat alkyd; 50% special vegetable triglycerides, 25% phthalic anhydride
(4) pale yellow, colored solution (45% in TBZ/XYL)
(5) for radiator, machine and automobile repair lacquers
(6) film on CsI

147412 2912

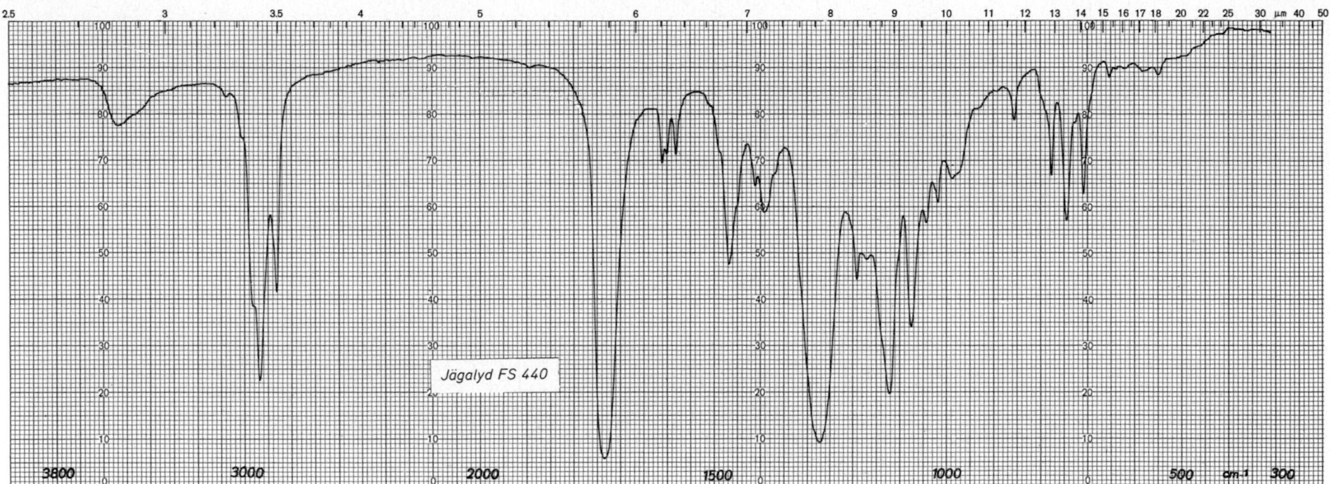

(1) **Jägalyd FS440**
(3) fettsäuremodifiziertes Alkyd; 44% Triglyceride spezieller trocknender Fettsäuren, 27% PSA
(4) bernsteinfarbene, etwas viskose Lösung (50% in TBZ/BAC)
(5) für schnelltrocknende, überlackierbare Autoreparatur- und Maschinenlacke; kann mit Melaminharzen und Isocyanaten kombiniert werden
(6) Schicht auf CsI

(2) E. Jäger, Düsseldorf
(3) fatty acid-modified alkyd, 44% triglycerides of special drying fatty acids, 27% phthalic anhydride
(4) amber-colored, somewhat viscous solution (50% in TBZ/BAC)
(5) for quick-drying, coverable automobile repair and machine lacquers; can be combined with melamine resins and isocyanates
(6) film on CsI

147412 2913

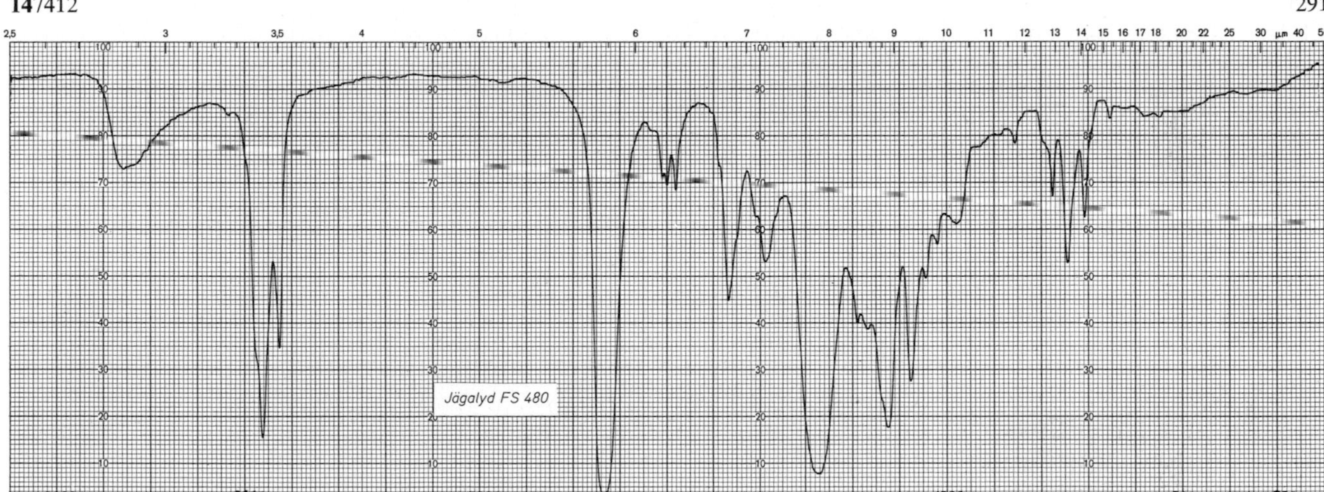

(1) **Jägalyd FS480**
(3) mittelfettes Alkyd; 48% Triglyceride spezieller trocknender Fettsäuren, 23% PSA
(4) honigfarbene, etwas viskose Lösung (55% in TBZ/XYL)
(5) für hochwertige, schnelltrocknende Autoreparatur- und Industrielacke
(6) Schicht auf CsI

(2) E. Jäger, Düsseldorf
(3) medium fat alkyd; 48% triglycerides of special drying fatty acids; 23% phthalic anhydride
(4) honey-colored, somewhat viscous solution (55% in TBZ/XYL)
(5) for high quality, quick-drying automobile repair and industrial lacquers
(6) film on CsI

147412 2914

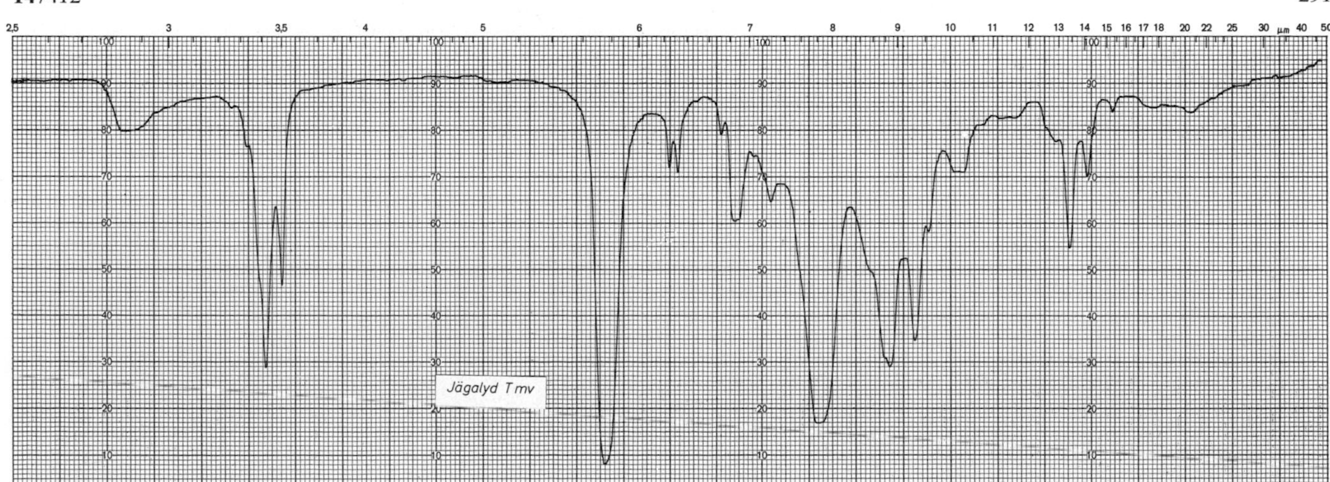

(1) **Jägalyd Tmv**
(3) lufttrocknendes, mittelöliges Alkyd; 50% Leinöl, 31% PSA
(4) bernsteinfarbene, zähe Substanz (100%)
(5) für Grundierungen, Spachteln und Decklacke, auch für Cellulosenitrat-Kombinationsgrundierungen und -spachtel
(6) Schicht aus CLF auf CsI

(2) E. Jäger, Düsseldorf
(3) air-drying, medium fat alkyd; 50% linseed oil, 31% phthalic anhydride
(4) amber-colored, viscous substance (100%)
(5) for primers, fillers and coating lacquers also for cellulose nitrate combination primers and fillers
(6) film from CLF on CsI

147412

2915

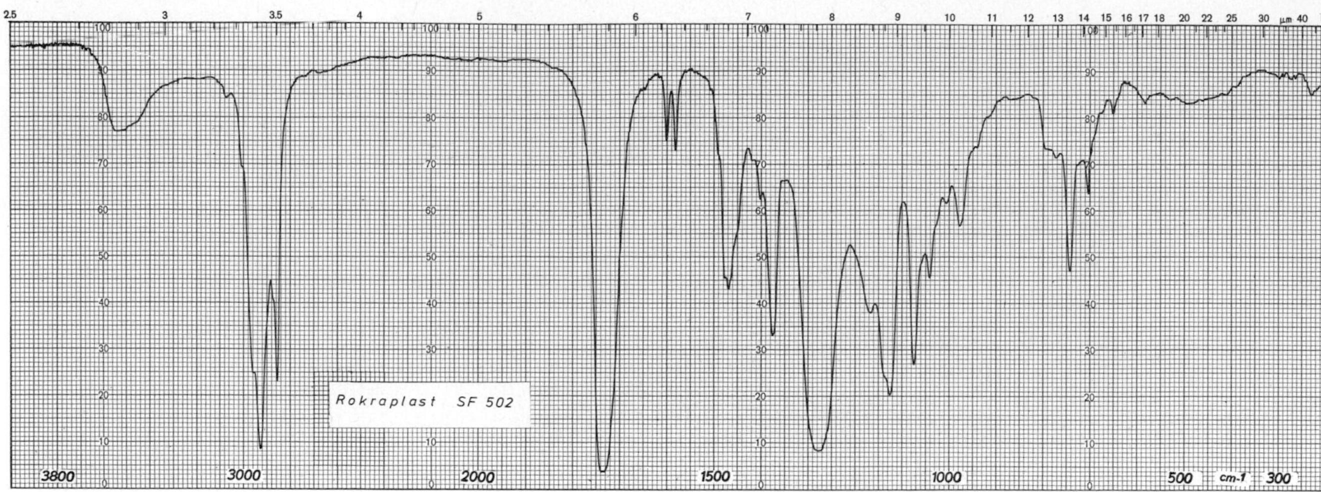

(1) **Rokraplast SF 502**
(3) ölmodifiziertes, mittelöliges, nichttrockendes Alkyd auf Basis spezieller Fettsäureschnitte, 45% Triglyceride (hiervon 30% $C_6 \ldots C_{14}$ und 70% $C_{16} \ldots C_{18}$), 55% PSA
(4) hellgelbes, viskoses Öl (100%ig)
(5) für Cellulosenitrat- und Einbrennlacke, Tief- und Flexodruckfarben
(6) Schicht zwischen CsI

(2) Robert Kraemer, Bremen
(3) oil-modified, medium fat, nondrying alkyd based on a special fatty acid cut, 45% triglycerides (of which 30% $C_6 \ldots C_{14}$ and 70% $C_{16} \ldots C_{18}$), 55% phthalic anhydride
(4) pale yellow, viscous oil (100%)
(5) for cellulose nitrate lacquers and stove enamels, intaglio and flexographic printing inks
(6) film between CsI

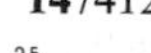
147412

2916

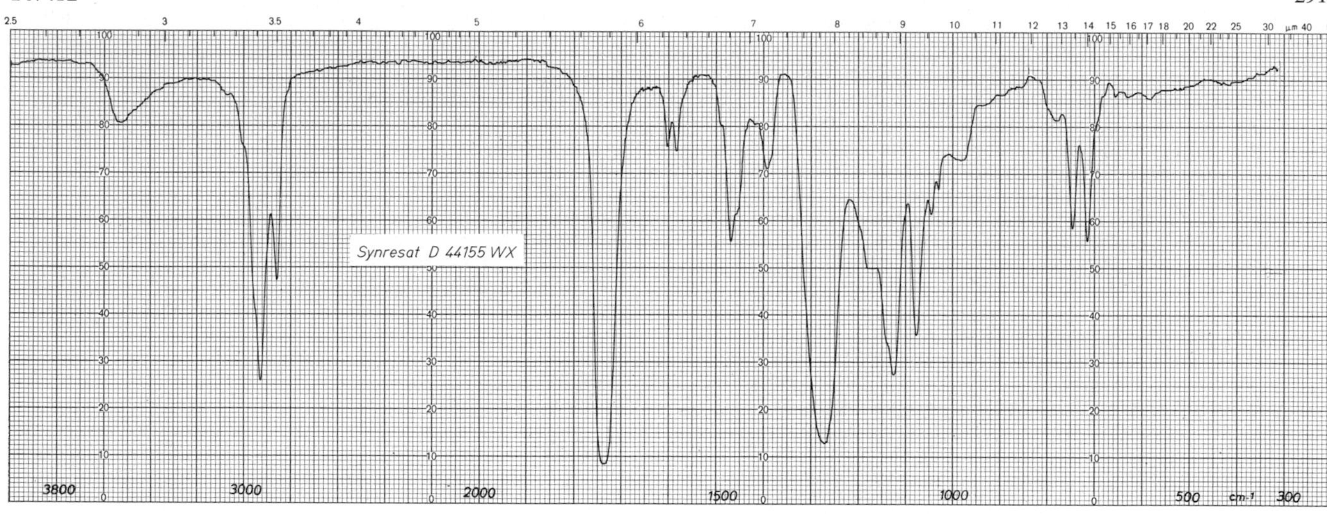

(1) **Synresat D 44155 WX**
(3) mittelöliges Alkyd auf Phthalsäurebasis
(4) hellbraune Lösung
(5) universell anwendbar für außen und innen
(6) Schicht auf CsI

(2) Synres Nederland BV, Hoek van Holland
(3) medium-oil alkyd based on phthalic anhydride
(4) light brown solution
(5) universally applicable, indoors and out
(6) film on CsI

147413 2917

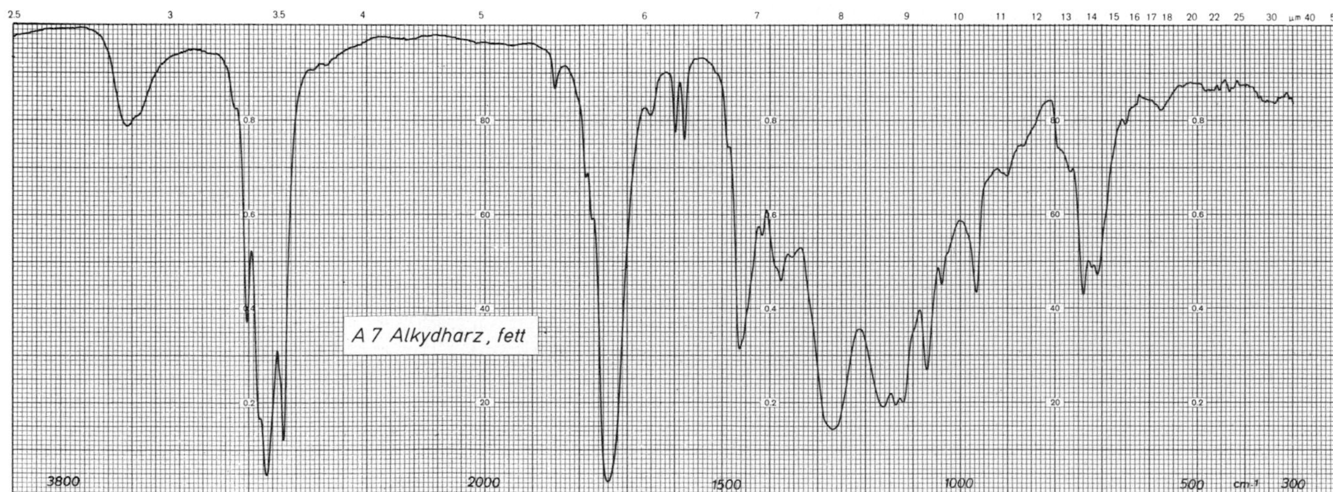

(1) **fettes Alkyd auf Basis Phthalsäure, Maleinsäure, Benzoesäure und Fettsäuren**
(2) Hoechst AG, Werk Albert, Wiesbaden (durch E. Schwenk)
(3) 12.2% PSA, 1.1% MSA, 0.6% Benzoesäure
(4) gelbliche, mittelviskose Flüssigkeit
(5) Standard für quantitative Untersuchungen
(6) Schicht zwischen CsI (15 µm)
(7) PE 580 B, ABEX 1.47

(1) **fat alkyd based on phthalic and maleic anhydrides, benzoic and fatty acids**
(2) Hoechst AG, Werk Albert, Wiesbaden (from E. Schwenk)
(3) 12.2% phthalic anhydride, 1.1% maleic anhydride and 0.6% benzoic acid
(4) yellowish, medium viscous liquid
(5) standard for quantitative investigations
(6) film between CsI (15 µm)
(7) PE 580 B, ABEX 1.47

147413 2818

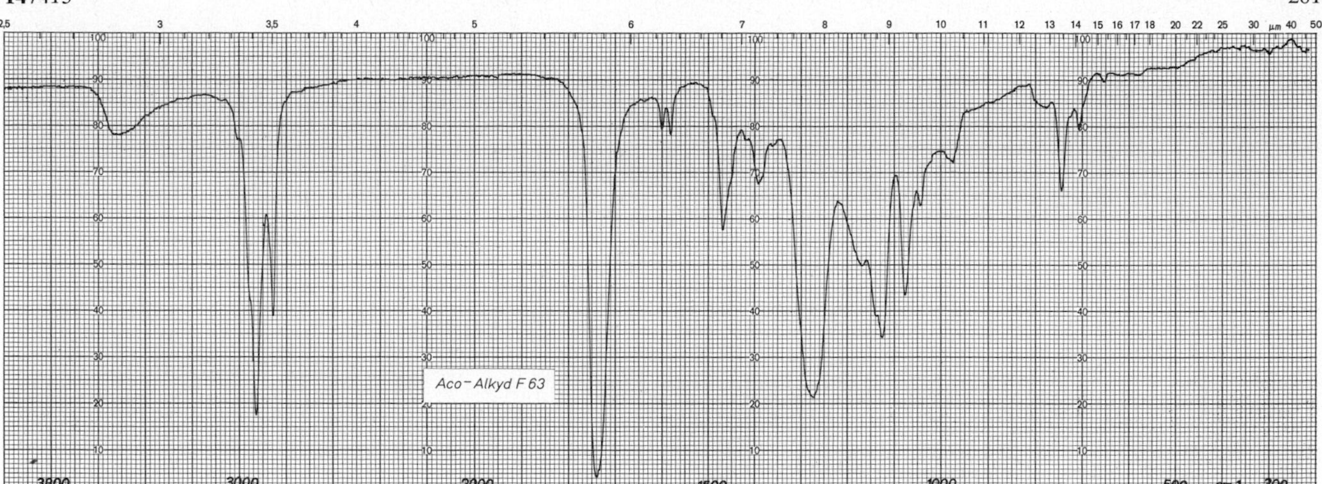

(1) **Aco-Alkyd F63**
(3) langöliges Alkyd auf Basis pflanzlicher Fettsäuren (21% PSA, 63% Triglyceride)
(4) hellbraune, dickflüssige Lösung (60% in TBZ)
(5) für Maler-, Bauten- und Konsumlacke
(6) Schicht auf CsI

(2) Abshagen & Co., Hamburg-Wandsbek
(3) long-oil alkyd based on vegetable acids (21% phthalic anhydride, 63% triglycerides)
(4) light brown, viscous solution (60% in TBZ)
(5) for decorators', builders' and consumer paints
(6) film on CsI

147413 2919

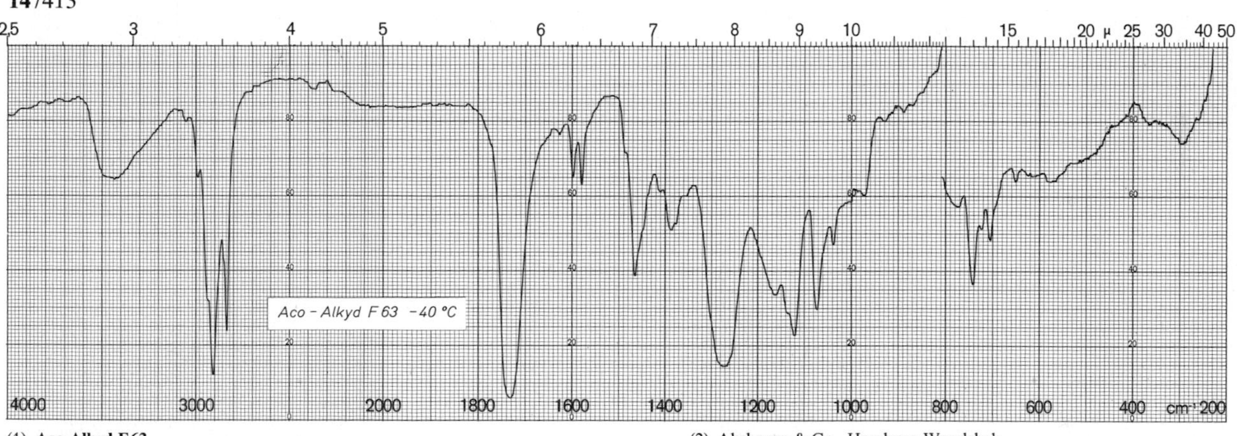

(1) **Aco-Alkyd F63**
(3) langöliges Alkyd auf Basis pflanzlicher Fettsäuren (21% PSA, 63% Triglyceride)
(4) hellbraune, dickflüssige Lösung (60% in TBZ)
(5) für Maler-, Bauten- und Konsumlacke
(6) Schicht auf CsI (233 K)

(2) Abshagen & Co., Hamburg-Wandsbek
(3) long-oil alkyd based on vegetable fatty acids
(4) (21% phthalic anhydride, 63% triglycerides)
(5) light brown, viscous solution (69% in TBZ) for decorators', builders' and consumer paints
(6) film on CsI (233 K)

147413 2920

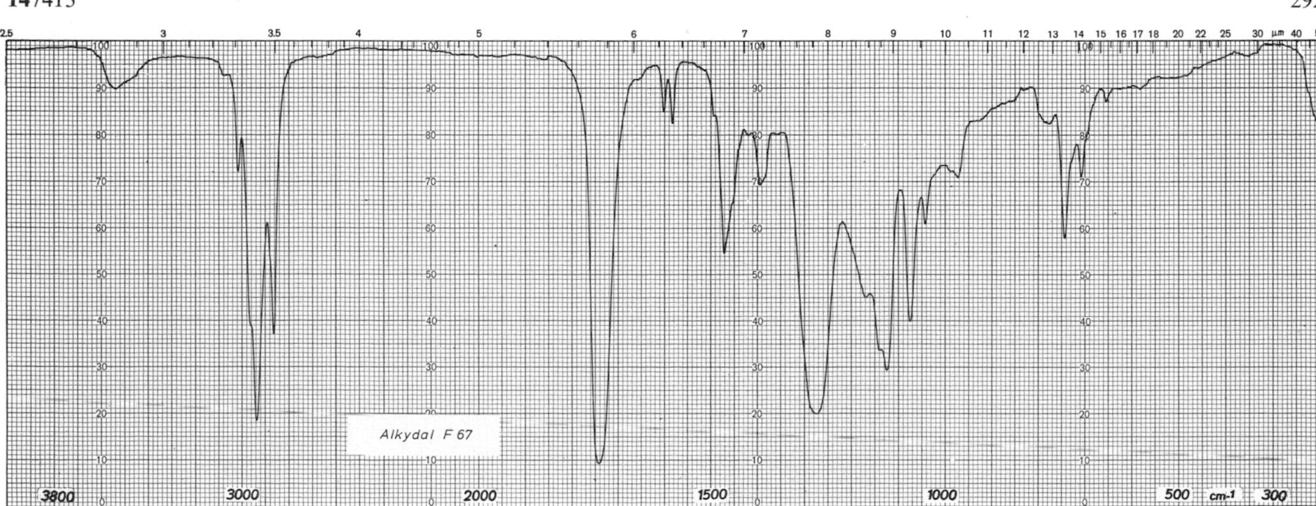

(1) **Alkydal F67**
(3) langöliges Alkyd auf Basis harzsäurearmer Tallölfettsäuren; 66% Triglyceride, 24% PSA
(4) leicht gelbliche, transparente Lösung (60% in TBZ)
(5) für vergilbungsbeständige Malerlacke, Rostschutzfarben, Maschinenlackfarben
(6) Schicht auf CsI

(2) Bayer AG, Leverkusen
(3) long-oil alkyd based on resin acid-poor, tall oil fatty acids; 66% triglycerides, 24% phthalic anhydride
(4) pale yellowish, transparent solution (60% in TBZ)
(5) for yellowing-resistant decorators' paints, antirust coatings, machinery paints
(6) film on CsI

147413 2921

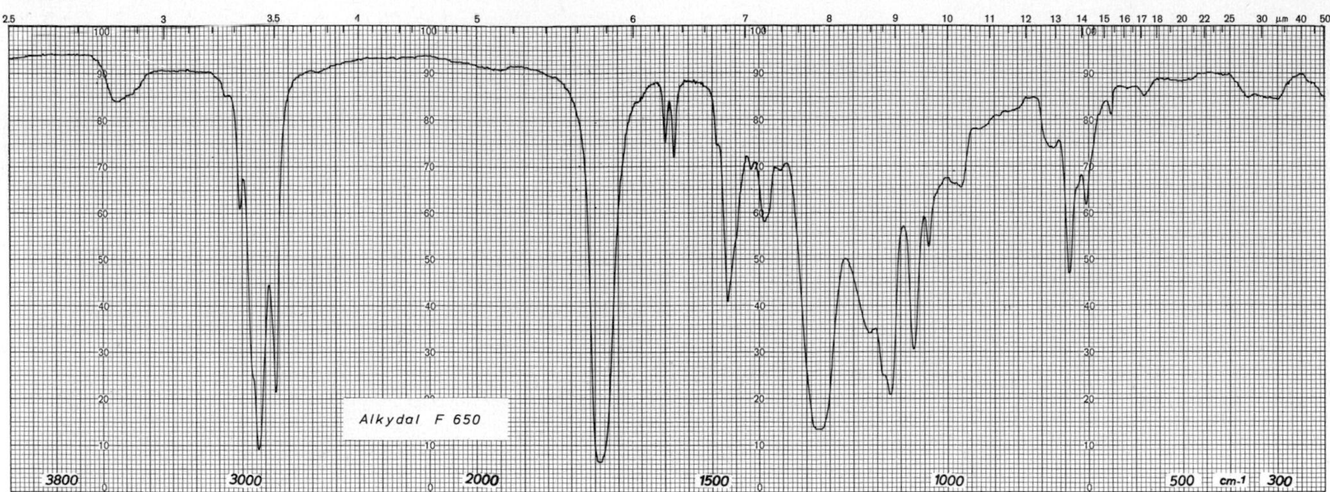

(1) **Alkydal F650**
(3) langöliges, mit trocknenden pflanzlichen Fettsäuren modifiziertes Alkyd; 66% Triglyceride, 25% PSA
(4) transparente, gelbe Lösung (70% in TBZ)
(5) für Malerlacke mit rascher Durchtrocknung
(6) Schicht auf CsI

(2) Bayer AG, Leverkusen
(3) long-oil alkyd modified with vegetable drying oils; 66% triglycerides, 25% phthalic anhydride
(4) transparent, yellow solution (70% in TBZ)
(5) for quick-drying decorators' paints
(6) film on CsI

147413 2922

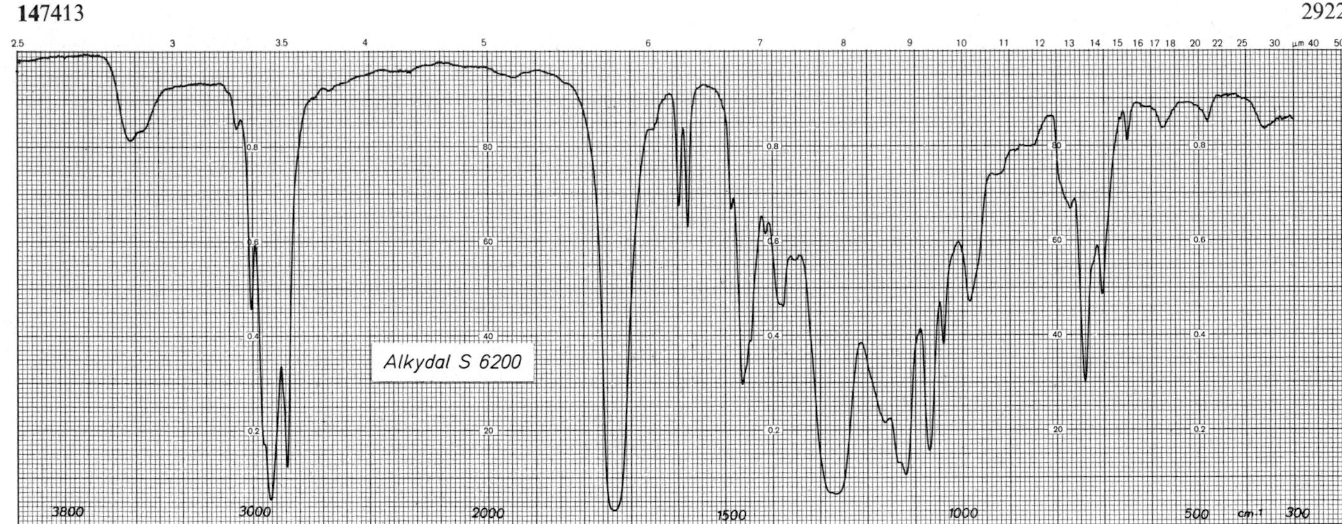

(1) **Alkydal S6200**
(3) langöliges Alkyd mit trocknenden Ölen; 26% PSA, 62% Triglyceriden; 60% in PBZ
(4) fast farblose, viskose Lösung
(5) für Bauten und Do-it-yourself-Lacke, Grundierung für Holz und Metall
(6) Schicht auf CsI, getrocknet
(7) PE580B, ABEX 1.86

(2) Bayer AG, Leverkusen
(3) long-oil alkyd with drying oils; 26% phthalic anhydride, 62% triglycerides; 60% in PBZ
(4) almost colorless, viscous solution
(5) for builders' and do-it-yourself paints, wood and metal primer
(6) dried film on CsI
(7) PE580B, ABEX 1.86

147413 2923

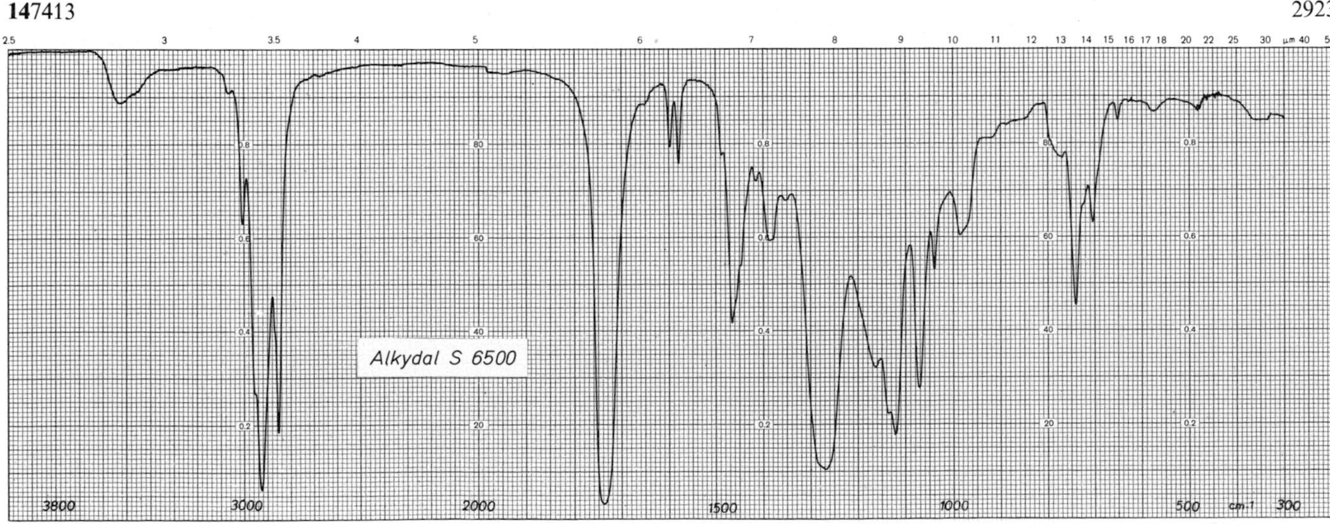

(1) **Alkydal S6500**
(3) langöliges Alkyd mit trocknenden Ölen; 26% PSA, 62% Triglyceride
(4) fast farblose Lösung (65% in TBZ)
(5) für Bauten und Do-it-yourself-Lacke, Grundierung für Holz und Metall, für Maschinen- und Korrosionsschutzlacke
(6) getrocknete Schicht auf CsI
(7) PE580B, ABEX 1.10

(2) Bayer AG, Leverkusen
(3) long-oil alkyd with drying oil; 26% phthalic anhydride, 62% triglycerides
(4) almost colorless solution (65% in TBZ)
(5) for builders' and do-it-yourself paints, primers for wood and metal, for machine and anticorrosion paints
(6) dried film on CsI
(7) PE580B, ABEX 1.10

147413 2924

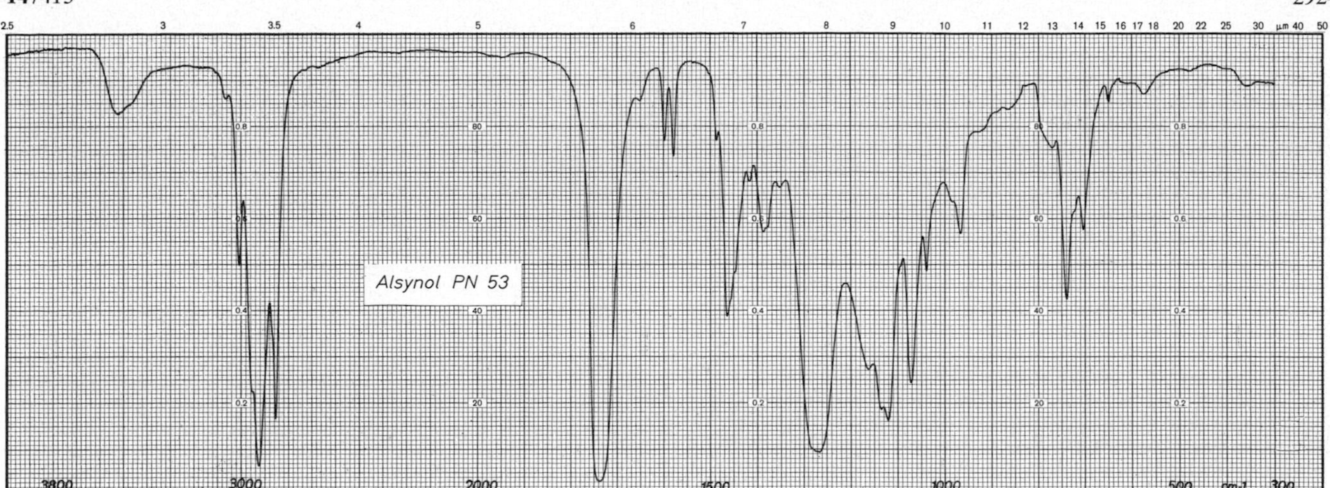

(1) **Alsynol PN53**
(3) langöliges Alkyd, verestert mit Pentaerythrit; 20% PSA, 68% Leinöl
(4) gelbes, mittelviskoses Harz
(5) Standardalkydharzkomponente (Quickset-Zweiphasen), in Firnissen und Glanzfarben
(6) Schicht zwischen CsI

(2) Synres Nederland BV, Hoek van Holland
(3) long-oil alkyd, esterified with pentaerythritol; 20% phthalic anhydride, 68% linseed oil
(4) yellow, medium viscous resin
(5) standard alkyd resin components (quickset two-component), in varnishes and gloss paints
(6) film between CsI

147413 2925

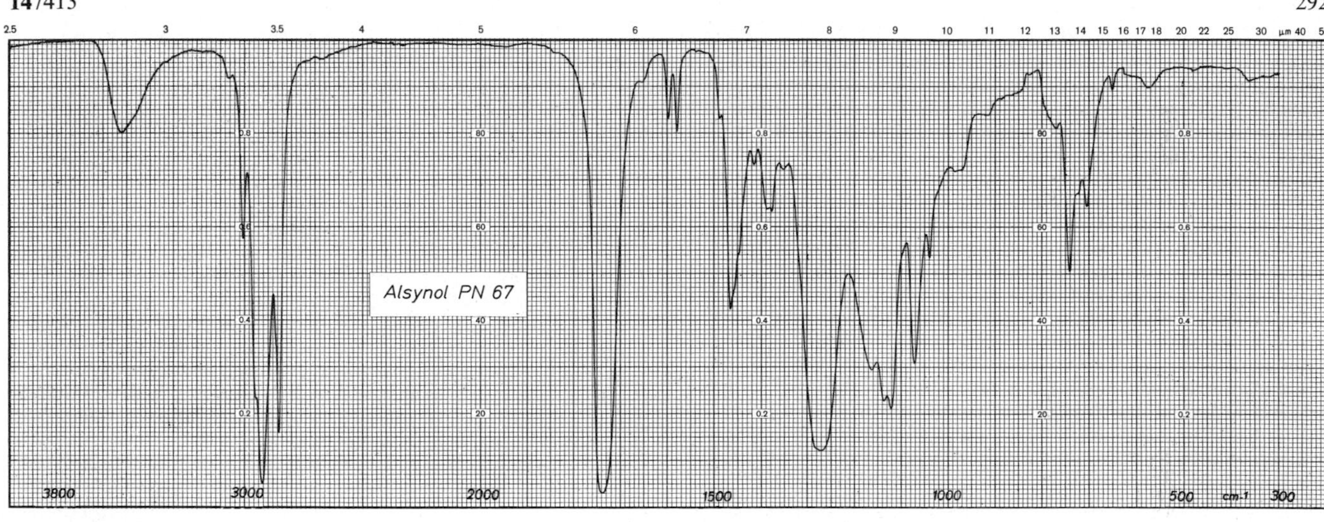

(1) **Alsynol PN67**
(3) Alkyd auf Phthalsäurebasis
(4) hellbraunes, stark viskoses Harz
(5) Standardalkyd
(6) Schicht auf CsI
(7) PE 580 B, ABEX 1.27

(2) Synres Nederland BV, Hoek van Holland
(3) phthalic acid-based alkyd
(4) light brown, highly viscous resin
(5) standard alkyd
(6) film on CsI
(7) PE 580 B, ABEX 1.27

147413 2926

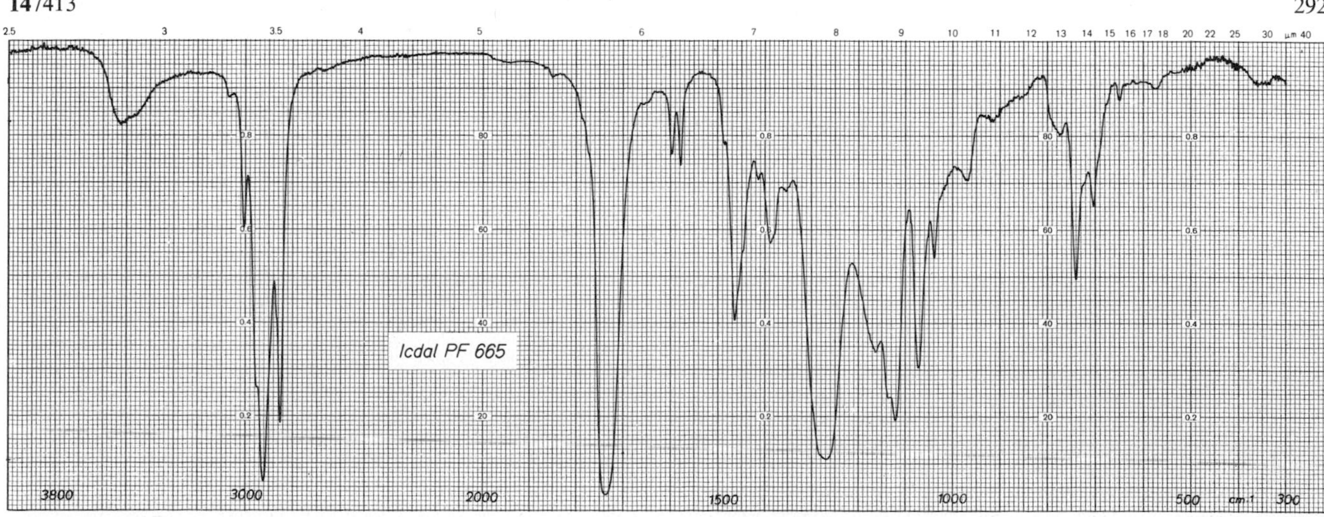

(1) **Icdal PF665**
(3) Alkyd auf Basis PSA, Maleinsäureanhydrid, Sonnenblumenölfettsäuren und Pentaerythrit; Triphenylphosphit als Farbstabilisator
(4) transparentes, gelbes, zähflüssiges Harz
(5) universell anwendbares Alkyd
(6) Schicht zwischen CsI
(7) PE 580 B, ABEX 1.71

(2) Dynamit Nobel AG, Werk Witten
(3) alkyd based on phthalic anhydride, maleic anhydride, sunflower oil fatty acids and pentaerythritol; with triphenyl phosphite as pigment stabilizer
(4) transparent, yellow, viscous resin
(5) universally applicable alkyd
(6) film on CsI
(7) PE 580 B, ABEX 1.71

147413 2927

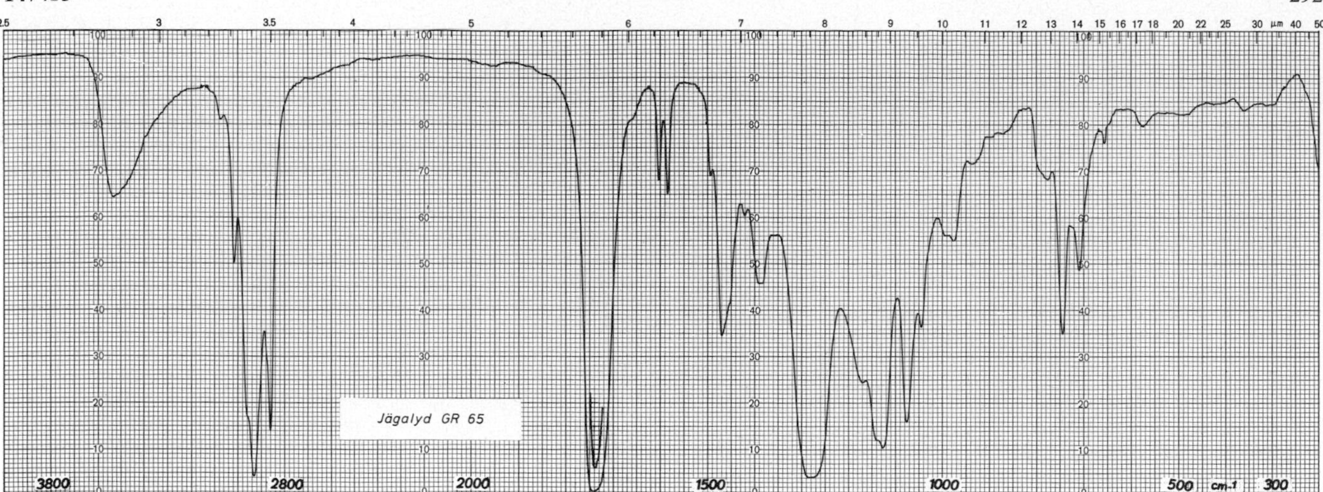

(1) **Jägalyd GR65**
(3) langöliges, mittelviskoses Alkyd; 65% Fischöl, 25% PSA
(4) schmutzig-gelbe Lösung (60% in TBZ)
(5) für preisgünstige Maler-, Bauten- und Korrosionsschutzlacke
(6) Schicht auf CsI

(2) E. Jäger, Düsseldorf
(3) long-oil, medium viscous alkyd; 65% fish oil, 25% phthalic, anhydride
(4) dirty yellow solution (60% in TBZ)
(5) for economical, decorators', builders' and anticorrosion paints
(6) film on CsI

147413 2928

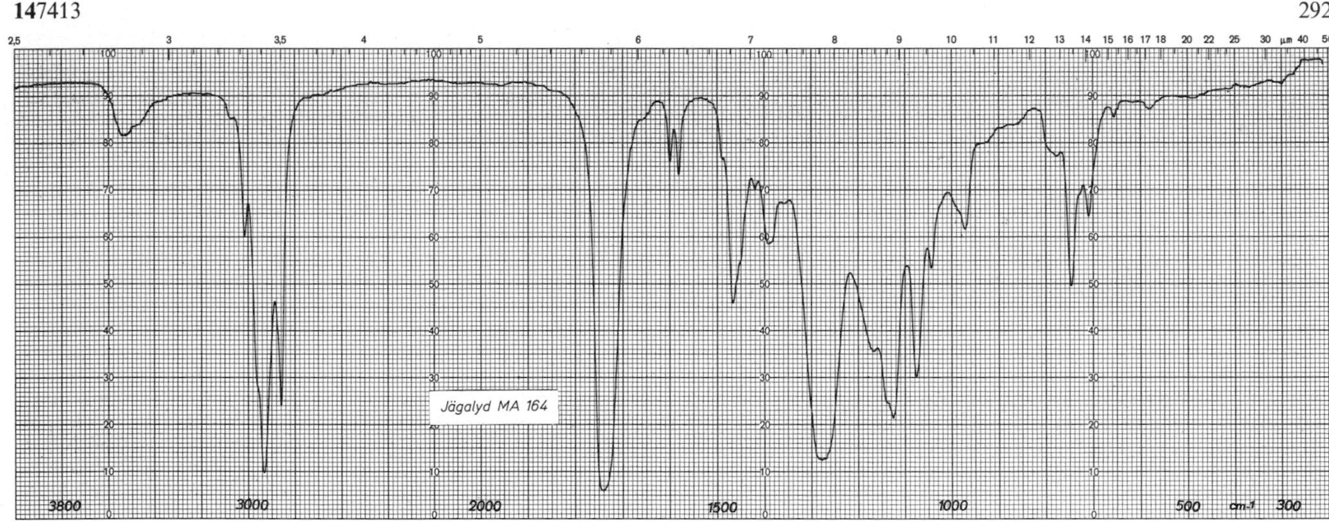

(1) **Jägalyd MA 164**
(3) fettsäuremodifiziertes Spezialalkyd; 63% oxidativ trocknende, linolsäurehaltige Fettsäuren
(4) honigfarbene, etwas viskose Lösung (70% in TBZ)
(5) für konzentrierte Pigmentpasten
(6) Schicht auf CsI

(2) E. Jäger, Düsseldorf
(3) fatty acid-modified speciality alkyd; 63% oxidatively drying, linoleic acid-containing fatty acids
(4) honey-colored, somewhat viscous solution (79% in TBZ)
(5) for concentrated pigment pastes
(6) film on CsI

147413 2929

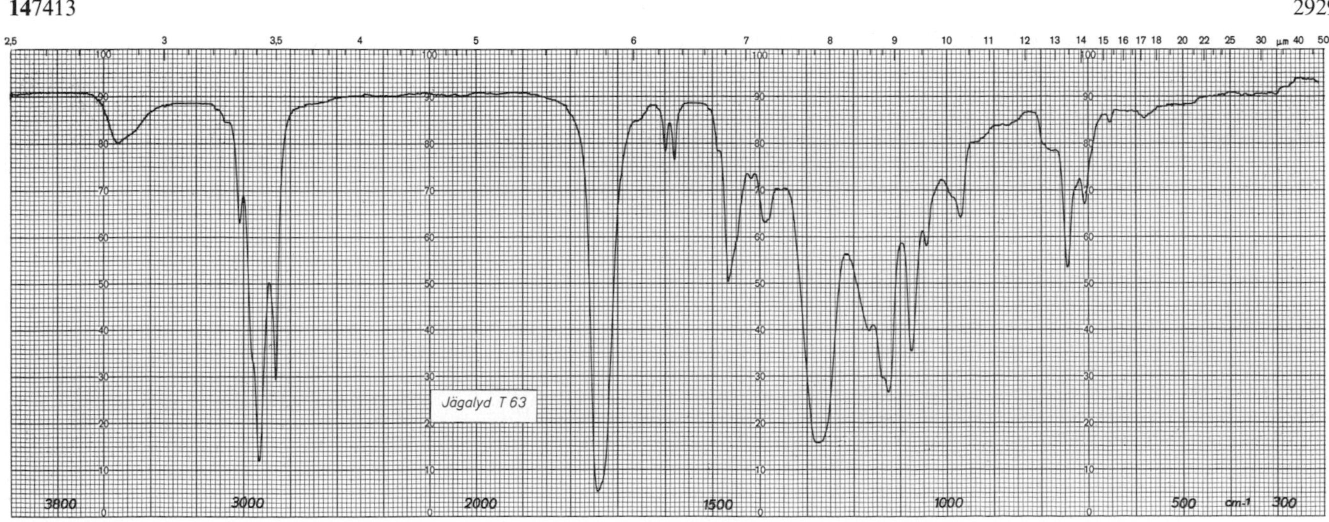

(1) **Jägalyd T 63**
(3) langöliges Leinölalkyd; 63% Öl, 25% PSA
(4) honigfarbene, etwas viskose Lösung (60% in TBZ)
(5) für Rostschutzfarben, Außenlacke für Industrieatmosphäre und Schiffsfarben
(6) Schicht auf CsI

(2) E. Jäger, Düsseldorf
(3) long-oil linseed oil alkyd; 63% oil, 25% phthalic anhydride
(4) honey-colored, somewhat viscous solution (69% in TBZ)
(5) antirust paint, paint for industrial atmospheres and marine paint
(6) film on CsI

147413 2930

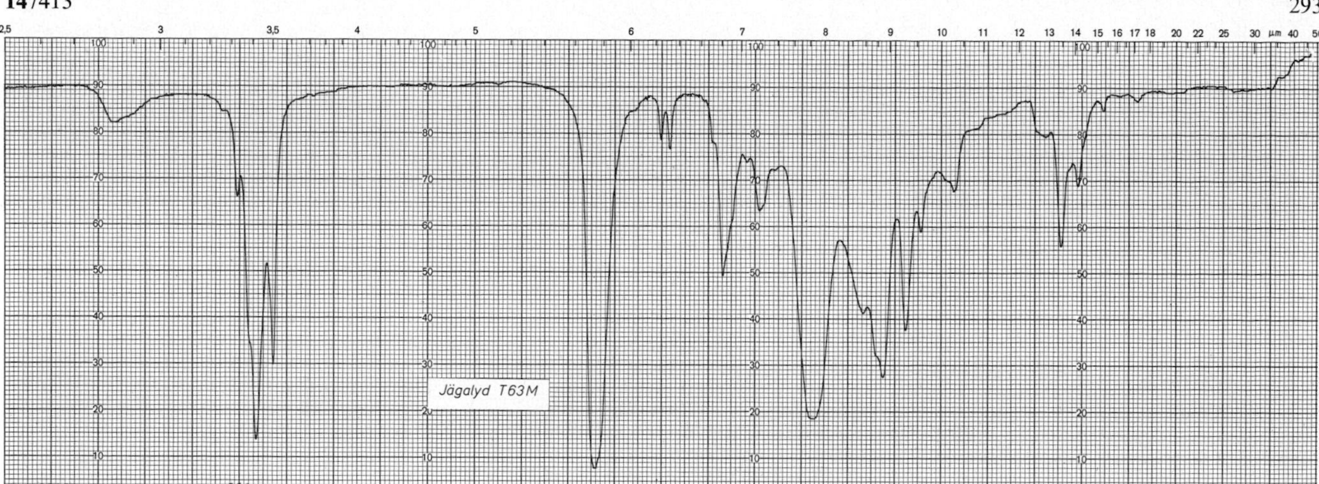

(1) **Jägalyd T63M**
(3) Leinölalkyd (63% Öl)
(4) mittelbraune, etwas viskose Lösung (60% in TBZ)
(5) für schnelltrocknende Maler- und Bautenlacke, für Korrosionsschutzgrundierungen
(6) Schicht auf CsI

(2) E. Jäger, Düsseldorf
(3) linseed oil alkyd; (63% oil)
(4) mid-brown, somewhat viscous solution (60% in TBZ)
(5) for quick-drying, decorators' and builders' paints, for anticorrosion primers
(6) film on CsI

147413

2931

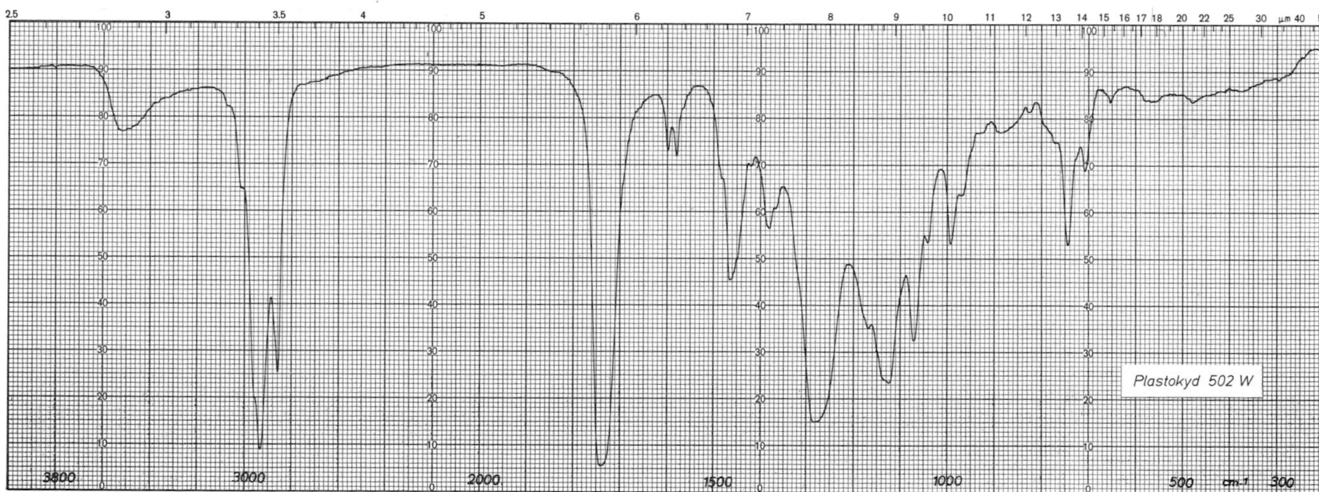

(1) **Plastokyd 502 W**
(3) mittelöliges Alkyd mit 60% Holzöl
(4) hellgelbe, etwas viskose Lösung
(5) universeller Grundierlack, gute Benzinbeständigkeit
(6) Schicht auf CsI

(2) Croda Resins Ltd., Belvedere, Kent, England
(3) medium-oil alkyd with 60% phthalic tung oil
(4) pale yellow, somewhat viscous solution
(5) universal primer, good resistance to gasoline
(6) film on CsI

147413 2932

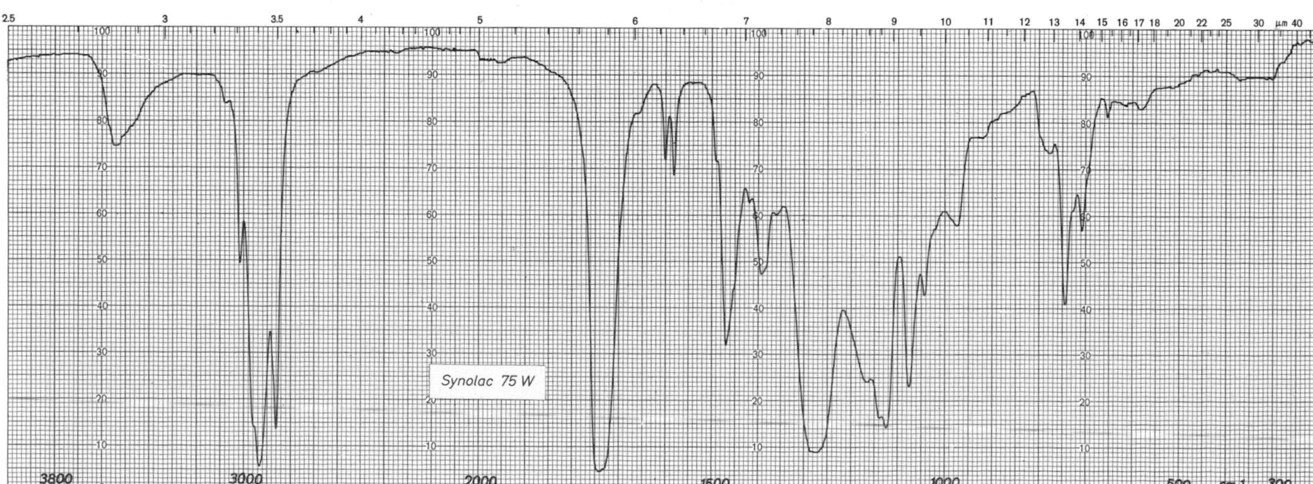

(1) **Synolac 75 W**
(3) langöliges Alkyd
(4) mittelbraune, etwas viskose Lösung
(5) für Fahrzeuglacke
(6) Schicht auf CsI

(2) Cray Valley Products, Kent, England
(3) long-oil alkyd
(4) mid-brown, somewhat viscous solution
(5) for automobile lacquers
(6) film on CsI

147413 2933

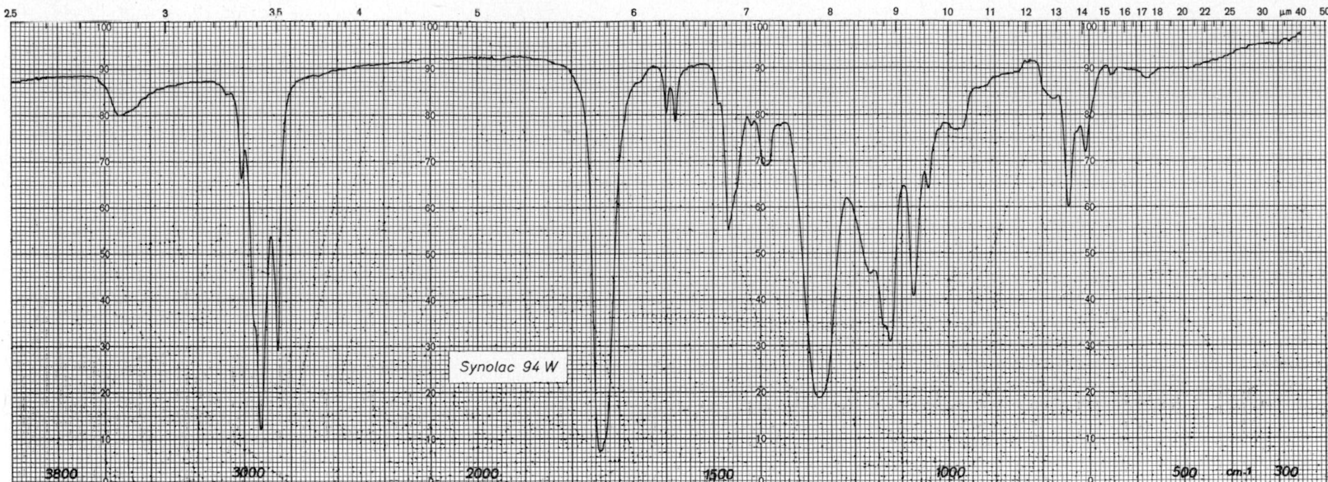

(1) **Synolac 94W**
(3) langöliges Alkyd, 65% Sojaöl
(4) hellbraune, gelartige Masse (noch flüssig; 65% in KER)
(5) für Fahrzeuglacke
(6) Schicht auf CsI

(2) Cray Valley Products, Kent/England
(3) long-oil alkyd, 65% soy-bean oil
(4) light brown, gel-like mass (semi-fluid; 65% in KER)
(5) for automobile lacquers
(6) film on CsI

147413 2934

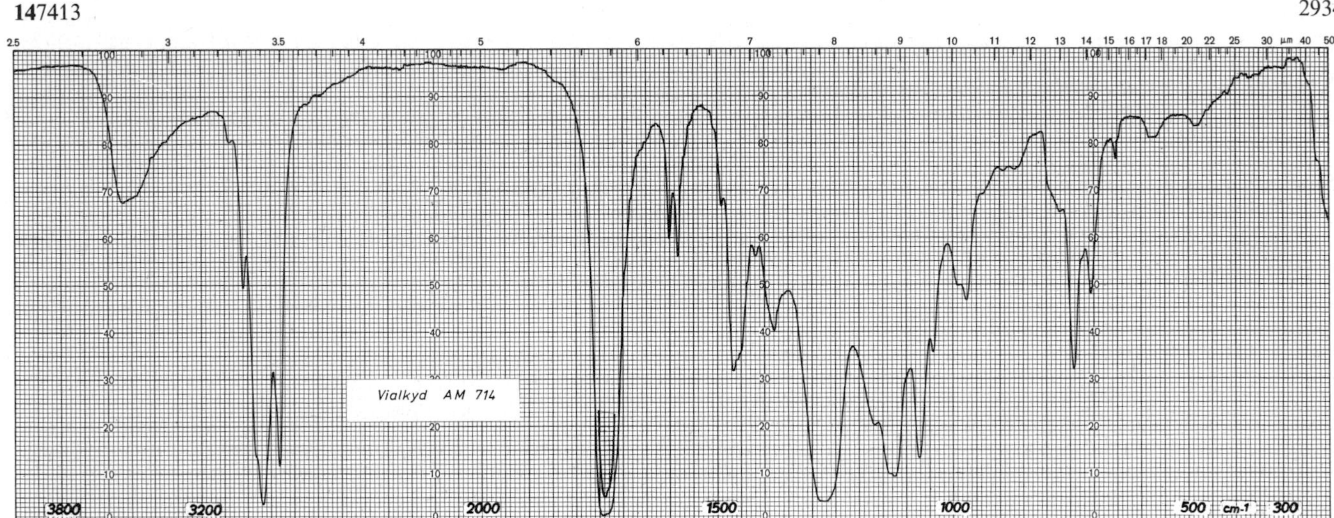

(1) **Vialkyd AM714**
(3) langöliges, trocknendes Alkyd, niedrigviskos
(4) transparente, leicht gelbliche Lösung (60% in TBZ)
(5) für Maler-, Bauten- und Industrielacke, Rostschutzfarben
(6) Schicht auf CsI

(2) Vianova Kunstharz AG, Wien (Hoechst-Gruppe)
(3) long-oil, drying alkyd, low viscosity
(4) transparent, slightly yellowish solution (60% in TBZ)
(5) for decorators', builders' and anticorrosion paints
(6) film on CsI

147414 2935

(1) **Alftalat AC371**
(3) Alkyd auf Basis Phthalsäure und synthetischen Fettsäuren
(4) gelbliches, zähflüssiges Harz
(5) für licht- und wärmebeständige Einbrennlackierungen (Fahrzeuge, Haushaltsgeräte), NC-Kombinationslacke
(6) Schicht auf CsI

(2) Hoechst AG, Frankfurt/M.-Höchst
(3) alkyd based on phthalic acid and synthetic fatty acids
(4) yellowish, viscous resin
(5) for light and heat-resistant stove enamels (vehicles, household appliances), nitrocellulose combination lacquers
(6) film on CsI

147414 2936

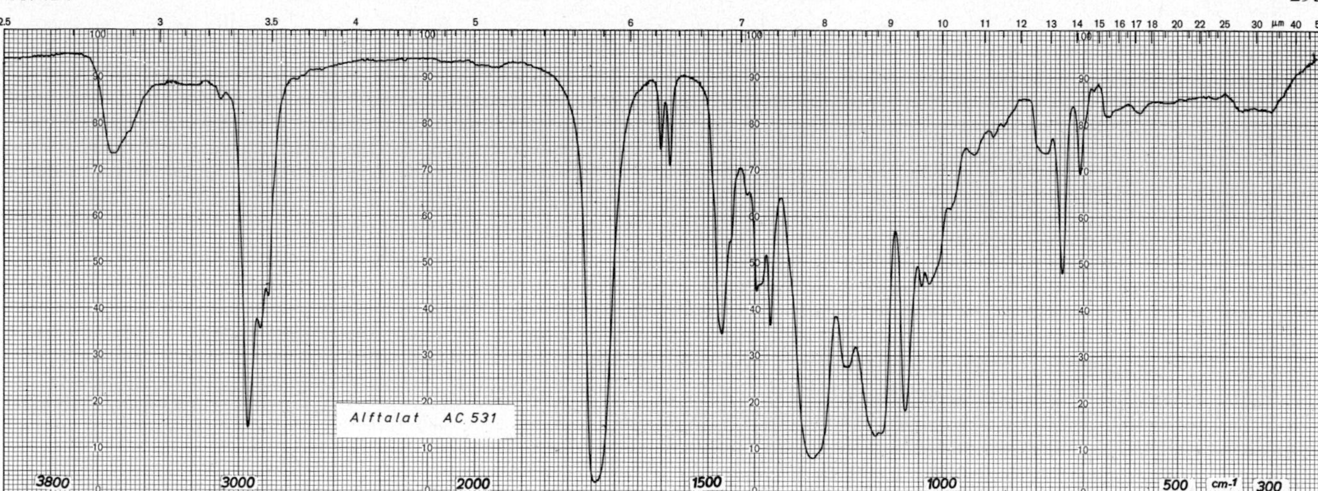

(1) **Alftalat AC531**
(3) Alkyd mit synthetischen Fettsäuren
(4) fast farblose, dickflüssige Lösung (60% in XYL)
(5) für farbton- und wetterbeständige Einbrennlacke (Fahrzeuge, Haushaltsgeräte)
(6) Schicht auf CsI

(2) Hoechst AG, Frankfurt/M.-Höchst
(3) alkyd with synthetic fatty acids
(4) almost colorless, viscous solution (60% in XYL)
(5) for fade and weather-resistant stove enamels (vehicles, household appliances)
(6) film on CsI

147414 2937

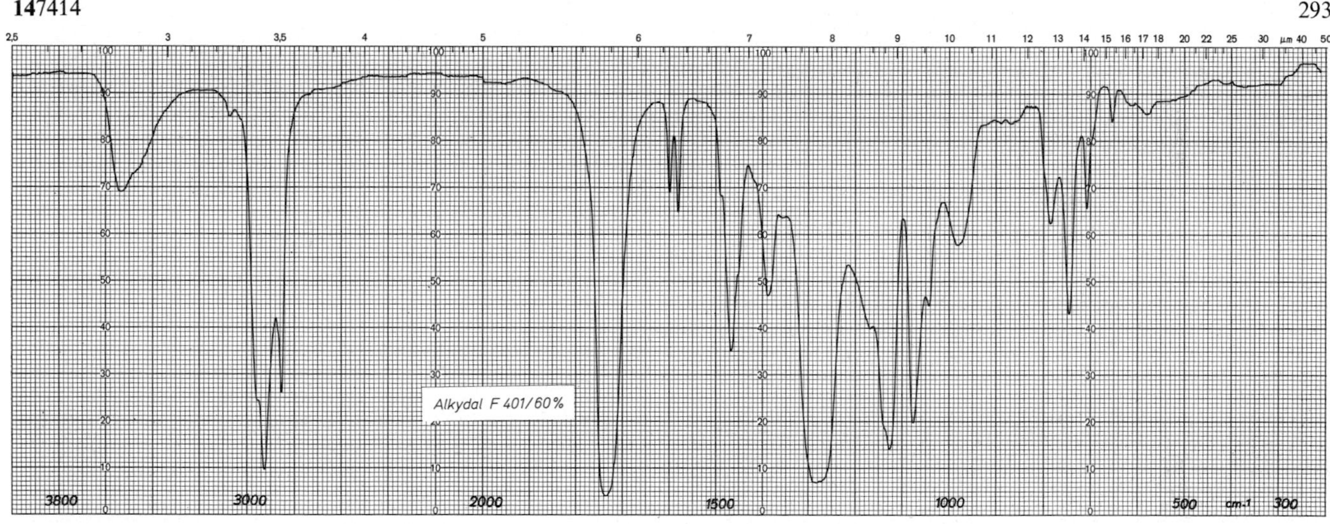

(1) **Alkydal F401**
(3) Alkyd auf Basis Phthalsäure und Fettsäuregemisch
(4) farblose, dickflüssige Lösung (60% in XYL)
(5) Industrielacke
(6) Schicht auf CsI

(2) Bayer AG, Leverkusen
(3) alkyd based on phthalic acid and mixed fatty acids
(4) colorless, viscous solution (60% in XYL)
(5) industrial lacquers
(6) film on CsI

14(741 + 64 + 852) 2938

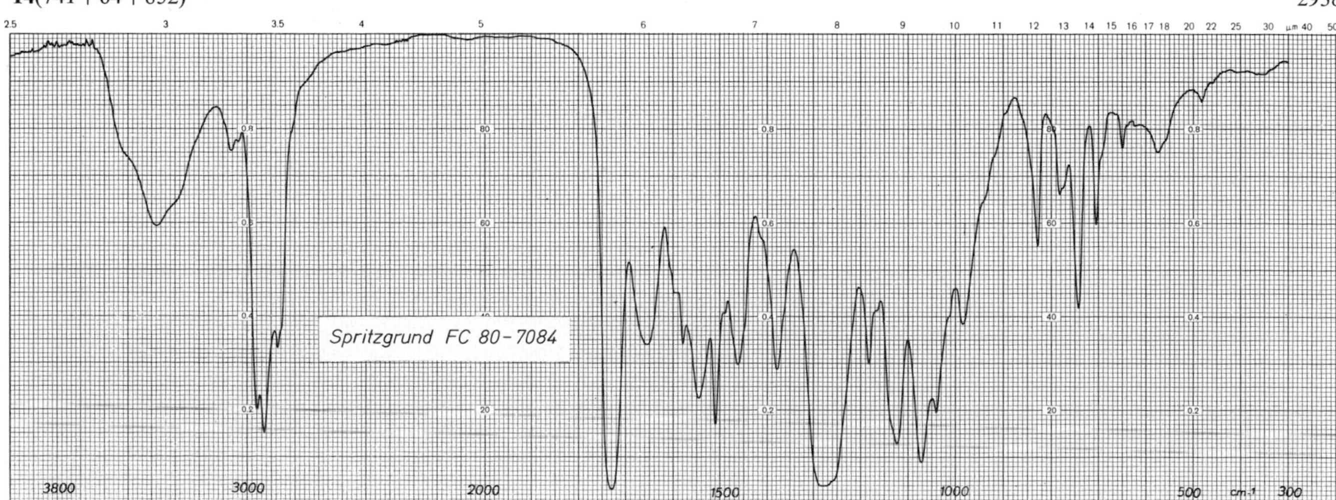

(1) **Spritzgrund FC80-7084**
(3) Kombination aus Alkyd-, Epoxid- und Harnstoffharz
(4) ockerfarbene, viskose Lösung (pigmentiert)
(5) Automobillacke
(6) Probe mit EAC verdünnt, zentrifugiert, eingetrocknete klare Schicht auf CsI
(7) PE580B, ABEX 1.07

(2) Daimler-Benz AG, Werk Sindelfingen
(3) combination of alkyd, epoxy and urea resins
(4) ochre-colored, viscous solution (pigmented)
(5) auto lacquer
(6) sample diluted with EAC, centrifuged, dried, clear film on CsI
(7) PE580B, ABEX 1.07

14(741 + 832) 2939

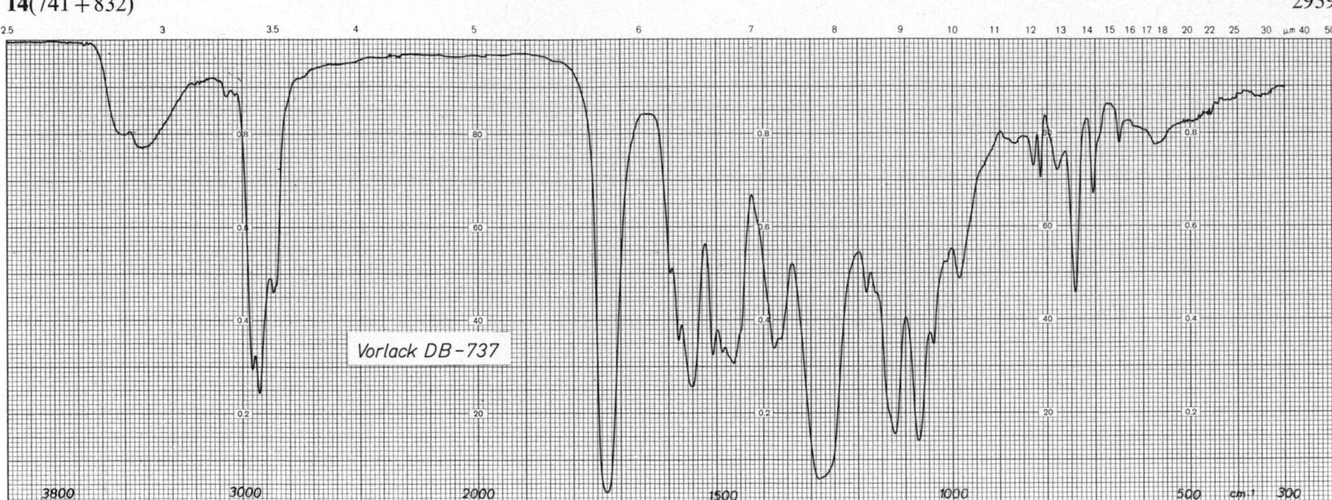

(1) **Vorlack DB-737**
(3) Kombination aus Alkyd- und Melaminharz
(4) weißgelbe, viskose Lösung (pigmentiert)
(5) Automobillack
(6) Probe mit EAC verdünnt, zentrifugiert, eingetrocknete klare Schicht auf CsI
(7) PE 580 B, ABEX 1.31

(2) Daimler-Benz AG, Werk Sindelfingen
(3) melamine and alkyd resin combination
(4) whitish-yellow, viscous solution (pigmented)
(5) auto lacquer
(6) sample diluted with EAC, centrifuged dried, clear film on CsI
(7) PE 580 B, ABEX 1.31

14(741 + 832) 2940

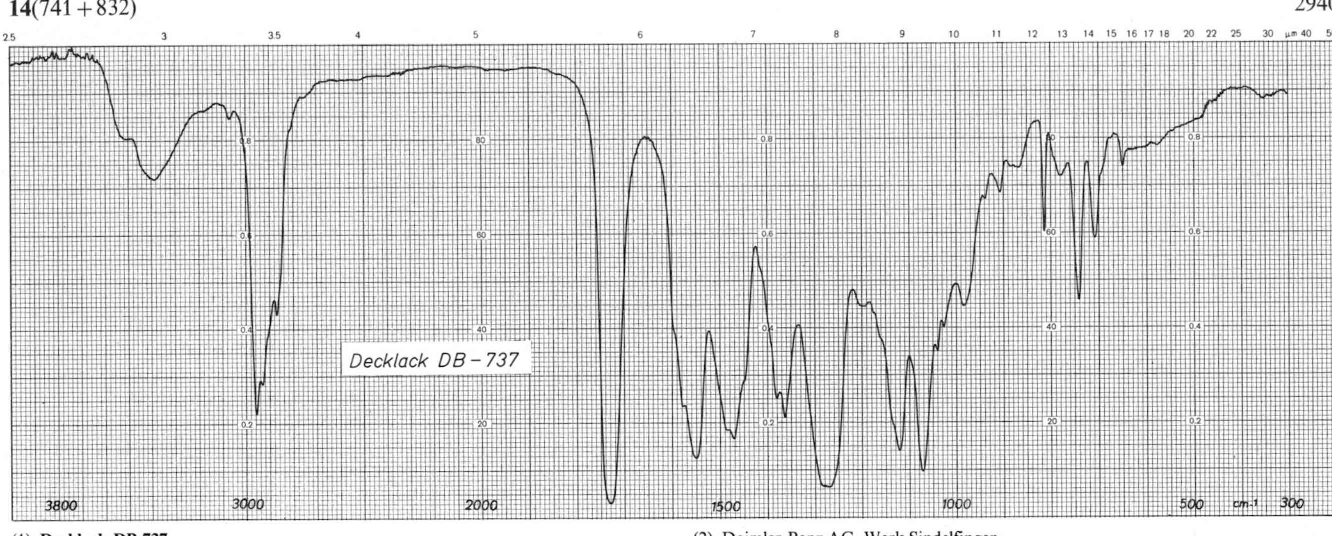

(1) **Decklack DB-737**
(3) Kombination aus Alkyd- und Melamin-Harz
(4) weißgraue, viskose Lösung (pigmentiert)
(5) Automobillack
(6) Probe mit EAC verdünnt, zentrifugiert, eingetrocknete klare Schicht auf CsI
(7) PE 580 B, ABEX 1.71

(2) Daimler-Benz AG, Werk Sindelfingen
(3) combination of alkyd and melamine resins
(4) whitish-grey, viscous solution (pigmented)
(5) auto lacquer
(6) sample diluted with EAC, centrifuged, dried, clear film on CsI
(7) PE 580 B, ABEX 1.71

14(783 + 832) 2941

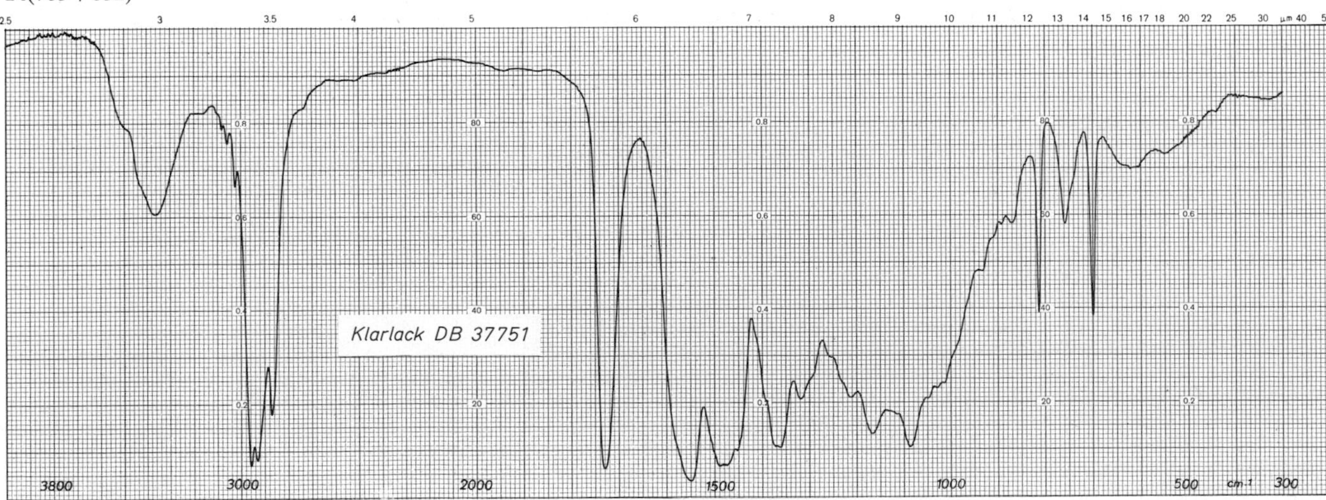

(1) **Klarlack DB 37751**
(3) Kombination aus Acrylat- und Melaminharz
(4) farblose Flüssigkeit
(5) Automobillack
(6) getrocknete Schicht auf CsI
(7) PE 580 B, ABEX 1.06

(2) Daimler-Benz AG, Werk Sindelfingen
(3) combination of acrylate and melamine resins
(4) colorless liquid
(5) auto lacquer
(6) dried film on CsI
(7) PE 580 B, ABEX 1.06

14742 2942

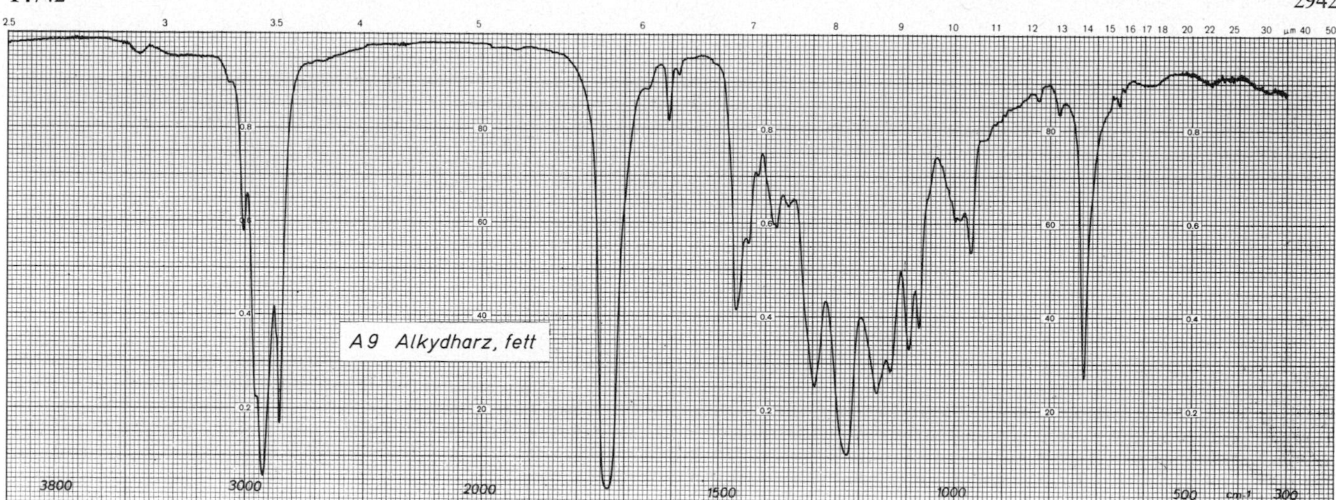

(1) **fettes Alkyd auf Basis Isophthalsäure und Fettsäuren**
(2) Hoechst AG, Werk Albert, Wiesbaden (durch E. Schwenk)
(3) 20% IPS
(4) gelbliche, dickviskose Flüssigkeit
(5) Standard für quantitative Untersuchungen
(6) kapillare Schicht auf CsI
(7) PE 580 B, ABEX 1.29

(1) **fat alkyd based on isophthalic and fatty acids**
(2) Hoechst AG, Werk Albert, Wiesbaden (from E. Schwenk)
(3) 20% isophthalic acid
(4) yellowish, highly viscous liquid
(5) standard for quantitative investigations
(6) capillary film on CsI
(7) PE 580 B, ABEX 1.29

14742 2943

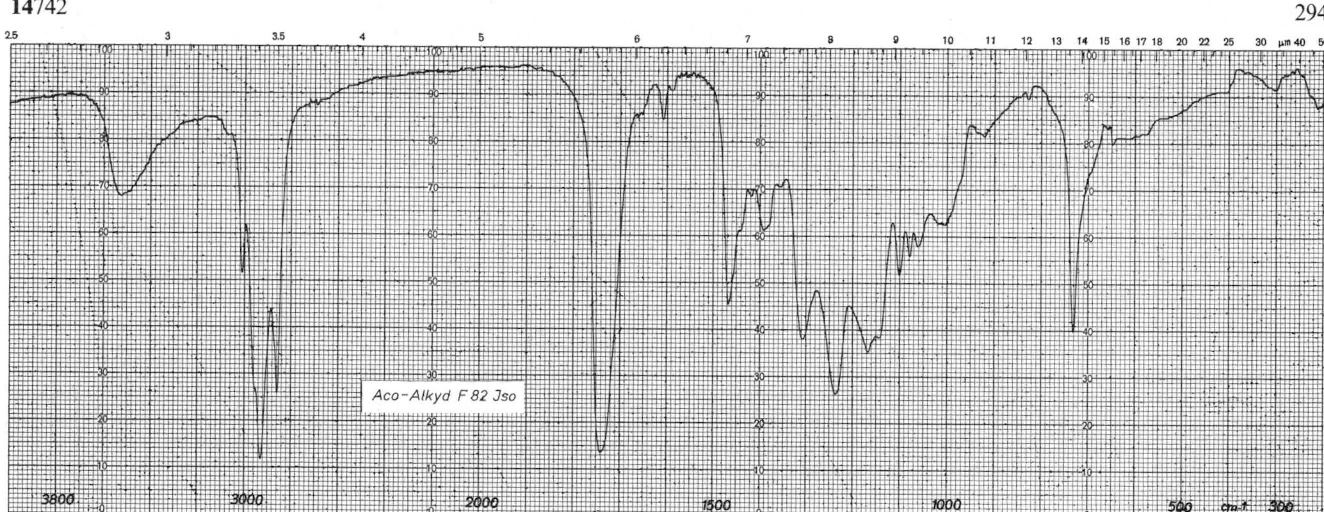

(1) **Aco-Alkyd F82 Iso**
(3) Isophthalsäurealkyd
(4) gelbes, dickflüssiges Öl
(5) Zusatz für Alkyde; für die Herstellung von Druckfarben (gute Pigmentbenetzung)
(6) Schicht zwischen CsI (15 µm)

(2) Abshagen & Co., Hamburg-Wandsbek
(3) isophthalic acid alkyd
(4) yellow viscous oil
(5) alkyd additive; for the manufacture of printing inks (good pigment wetting)
(6) film between CsI (15 µm)

14742 2944

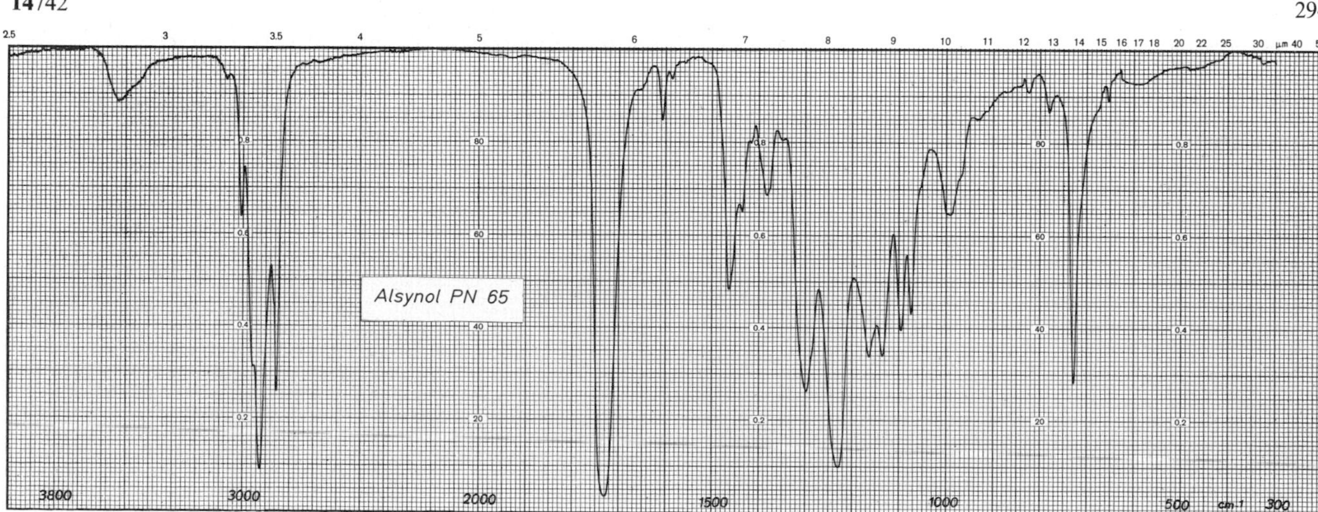

(1) **Alsynol PN 65**
(3) langöliges Alkyd, mit Trimethylolpropan verestert (30% Isophthalsäureanhydrid, 63% Soja-Lein-Öl)
(4) schwachgelbes, klares, viskoses Harz
(5) für thermisch und chemisch widerstandsfähige Lackierungen
(6) Schicht auf CsI (15 µm)
(7) PE 580 B, ABEX 1.70

(2) Synres Nederland BV, Hoek van Holland
(3) long-oil alkyd esterified with trimethylolpropane (30% isophthalic anhydride, 63% soy-bean oil-linseed)
(4) slightly yellow, clear, viscous resin
(5) for thermally and chemically resistant coatings
(6) film on CsI
(7) PE 580 B, ABEX 1.70

14742 2945

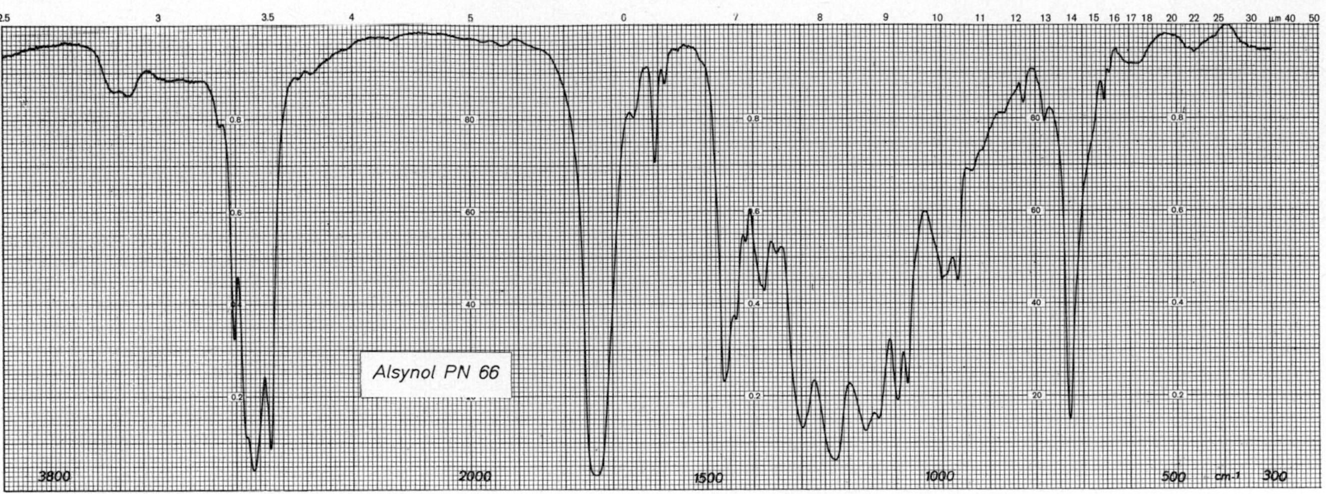

(1) **Alsynol PN 66**
(3) langöliges Isophthalsäurealkyd (20% IPS) verestert mit Trimethylolpropan, modifiziert mit 74% Leinöl
(4) gelbes, dünnviskoses Harz
(5) für Bogen-(Quickset-)farben, Rollenheatsetfarben und Glanzfarben
(6) kapillare Schicht zwischen CsI
(7) PE 580 B, ABEX 1.64

(2) Synres Nederland BV, Hoek van Holland
(3) long-oil isophthalic acid alkyd (20% isophthalic acid) esterified with trimethylolpropane, modified with 74% linseed oil
(4) yellow, slightly viscous resin
(5) for quickset paints, roller, heat-setting paints and gloss paints
(6) capillary film between CsI
(7) PE 580 B, ABEX 1.64

14742 2946

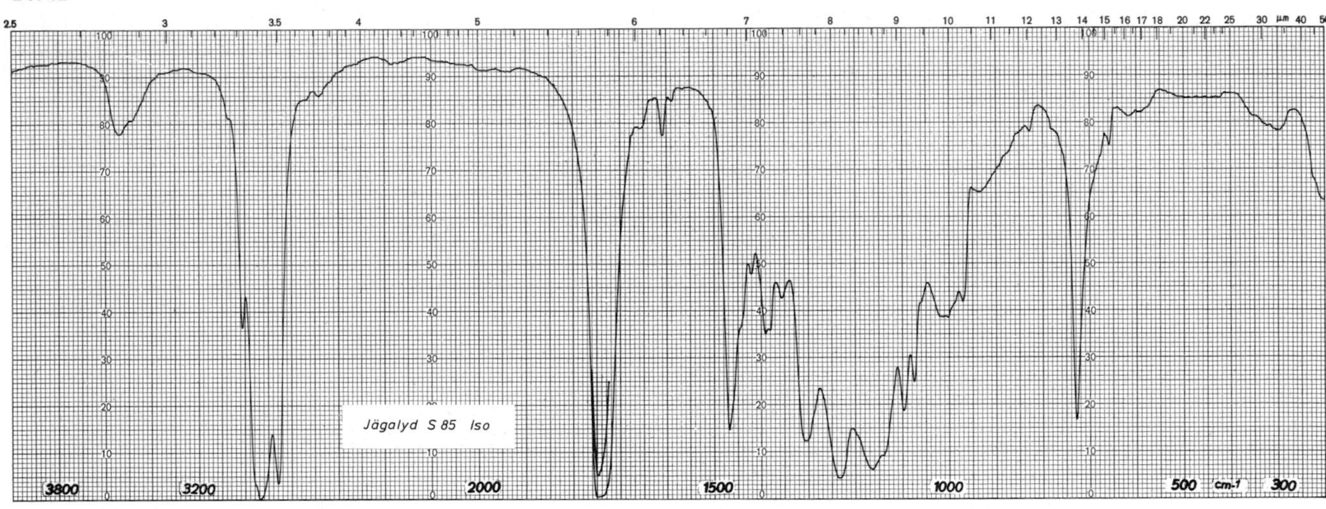

(1) **Jägalyd S 85 Iso**
(3) Isophthalsäurealkyd mit extrem hohem Ölgehalt; 85% Sojafettsäureglyceride, 11% Isophthalsäure
(4) transparente, gelbe viskose Flüssigkeit
(5) für Lacke mit hoher Benetzungs- und Pigmentaufnahmefähigkeit
(6) Schicht zwischen CsI (50 µm, kapillar)

(2) E. Jäger, Düsseldorf
(3) long-oil isophthalic acid alkyd 85% soy-bean fatty acid glycerides, 11% isophthalic acid
(4) transparent, yellow, viscous liquid
(5) for paints with high wetting and pigment-carrying capacities
(6) film between CsI (50 µm, capillary)

1474(2 – 12) 2947

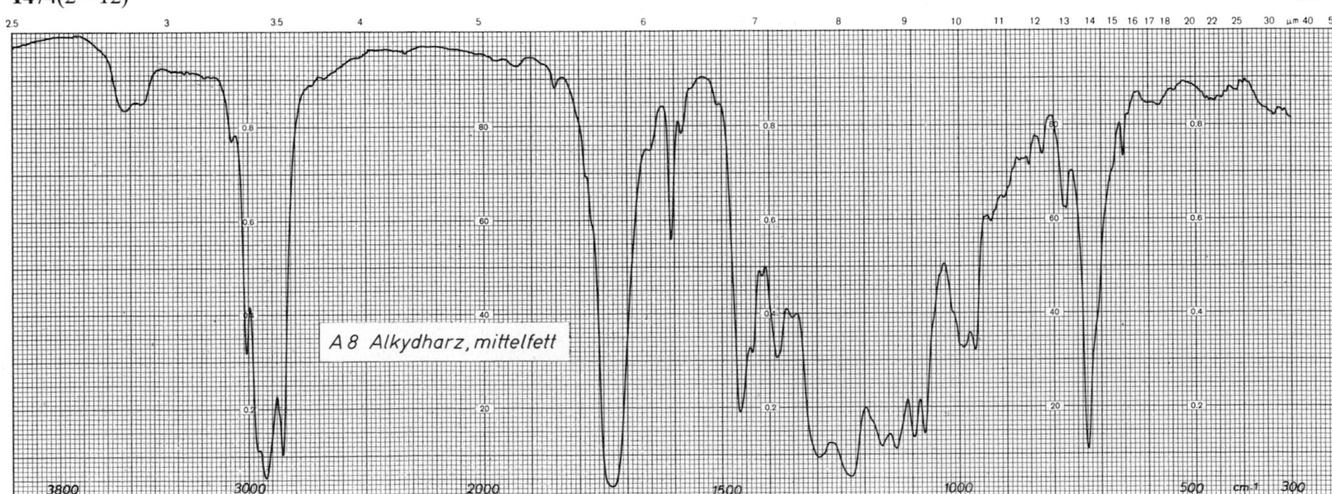

(1) **mittelfettes Alkyd auf Basis Isophthalsäure, Phthalsäure, p-t-Butylbenzoesäure und Fettsäure**
(2) Hoechst AG, Werk Albert, Wiesbaden (durch E. Schwenk)
(3) 22.5% IPS, 3.1% PSA, 2.0% p-t-Butylbenzoesäure
(4) gelbliche, zäh-viskose Flüssigkeit
(5) Standard für quantitative Untersuchungen
(6) Schicht zwischen CsI (15 µm)
(7) PE 580 B, ABEX 1.50

(1) **middle-fat alkyd based on isophthalic, phthalic p-t-butylbenzoic and fatty acid**
(2) Hoechst AG, Werk Albert, Wiesbaden (from E. Schwenk)
(3) 22.5% isophthalic acid, 3.1% phthalic anhydride, 2.0% p-t-butylbenzoic acid
(4) yellowish, extremely viscous liquid
(5) standard for quantitative investigations
(6) film between CsI (15 µm)
(7) PE 580 B, ABEX 1.50

147(42 – 65) 2948

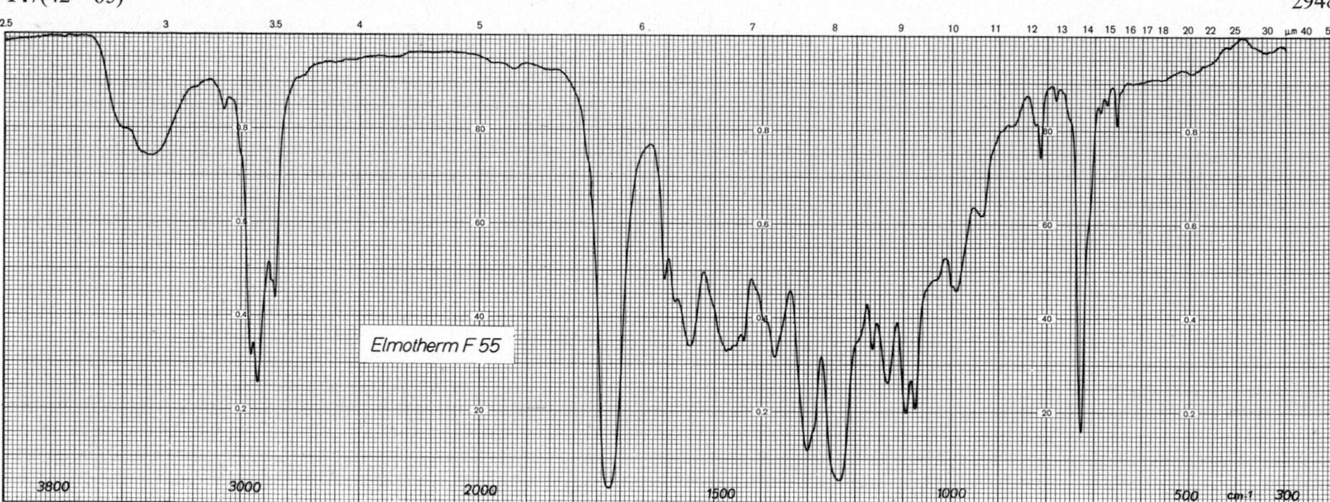

(1) **Elmotherm F55**
(3) imidmodifiziertes Isophthalalkyd
(4) hellbraune Flüssigkeit
(5) Drahtlack für zähharte Überzüge, Wicklungen von elektrischen Maschinen
(6) Schicht auf CsI, bei 50 °C i.V. getrocknet
(7) PE 580 B, FLAT, ABEX 1.26

(2) BASF Farben + Fasern AG, Beck Elektro-Isoliersysteme, Hamburg
(3) imide-modified isophthalic alkyd
(4) light brown liquid
(5) wire varnish for tough hard coatings, the windings of electrical machinery
(6) film on CsI, dried in vacuo at 50 °C
(7) PE 580 B, FLAT, ABEX 1.26

147(42 – 65) 2949

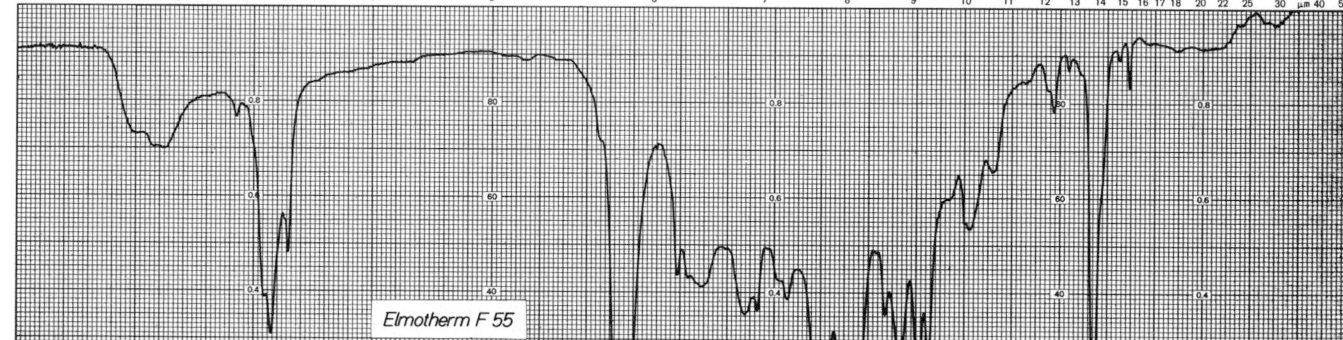

(1) **Elmotherm F55**
(3) imidmodifiziertes Isophthalalkyd
(4) hellbraune Flüssigkeit
(5) Drahtlack für Wicklungen von elektrischen Maschinen
(6) Schicht auf CsI, bei 100 °C i.V. gehärtet
(7) PE 580 B, FLAT, ABEX 1.27

(2) BASF Farben + Fasern AG, Beck Elektro-Isoliersysteme, Hamburg
(3) imide-modified isophthalic alkyd
(4) light brown liquid
(5) wire varnish for the windings of electrical machinery
(6) film from CsI, dried in vacuo at 100 °C
(7) PE 580 B, FLAT, ABEX 1.27

14751 2950

(1) **Alkydal V 10**
(3) styrolisiertes Alkyd; 35% Triglyceride, 26% PSA
(4) fast farblose, dickflüssige Lösung (43% in XYL)
(5) für Grundierungen auf Metall und Holz, Spachtel und Füller, für punktschweißfähige Zinkstaubgrundierungen
(6) Schicht auf CsI

(2) Bayer AG, Leverkusen
(3) styrenated alkyd, 35% triglycerides, 26% phthalic anhydride
(4) almost colorless, viscous solution (43% in XYL)
(5) for priming metal and timber, putties and fillers, for spot-weldable, zinc-dust primers
(6) film on CsI

14751 2951

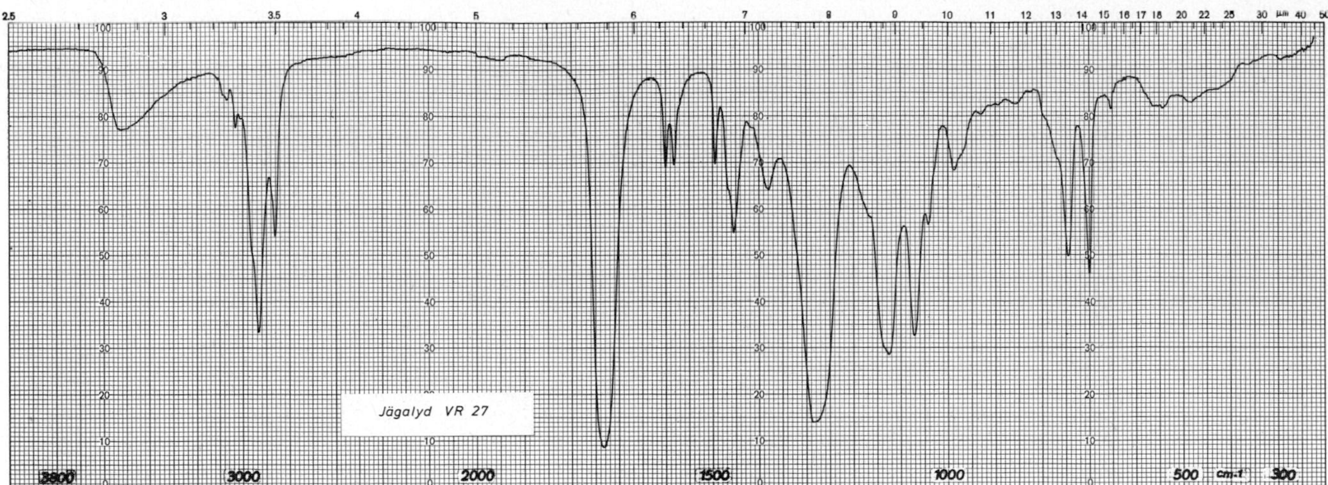

(1) **Jägalyd VR27**
(3) styrolmodifiziertes Ricinenalkyd; 27% Ricinenöl, 20% Styrol, Hartharze
(4) transparente, gelbe Lösung
(5) für wasser- und wetterfeste, harte und haftfeste Lackierungen
(6) Schicht auf CsI

(2) E. Jäger, Düsseldorf
(3) styrenated castor oil alkyd, 27% castor oil, 20% styrene, hard resin
(4) transparent, yellow solution
(5) for water and weatherproof, hard and tenacious varnishes
(6) film on CsI

14752 2952

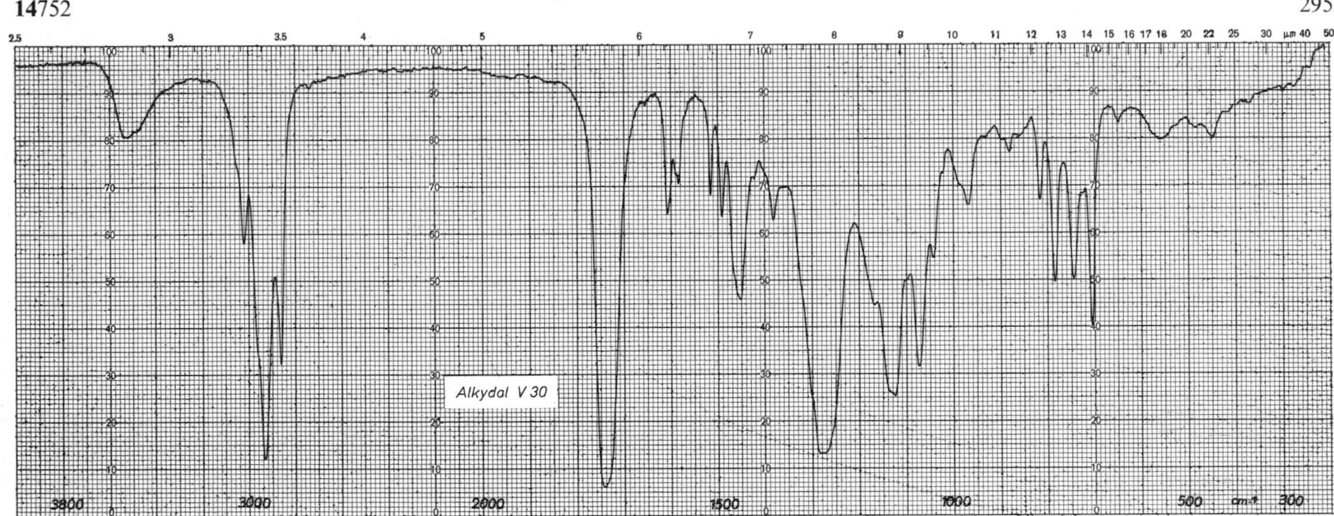

(1) **Alkydal V30**
(3) vinyltoluolmodifiziertes Alkyd; 33% Triglyceride, 19% PSA
(4) fast farblose, dickflüssige Lösung (60% in XYL)
(5) für Grundierungen, Spachtel und Füller, Effektlack, punktschweißfähige Zinkstaubgrundierungen, Kunststofflackierungen
(6) Schicht auf CsI

(2) Bayer AG, Leverkusen
(3) vinyltoluene-modified alkyd, 33% triglycerides, 19% phthalic anhydride
(4) almost colorless, viscous solution (60% in XYL)
(5) for primers, putties and fillers, effect lacquers, spot-weldable, zinc-dust primers
(6) film on CsI

14752 2953

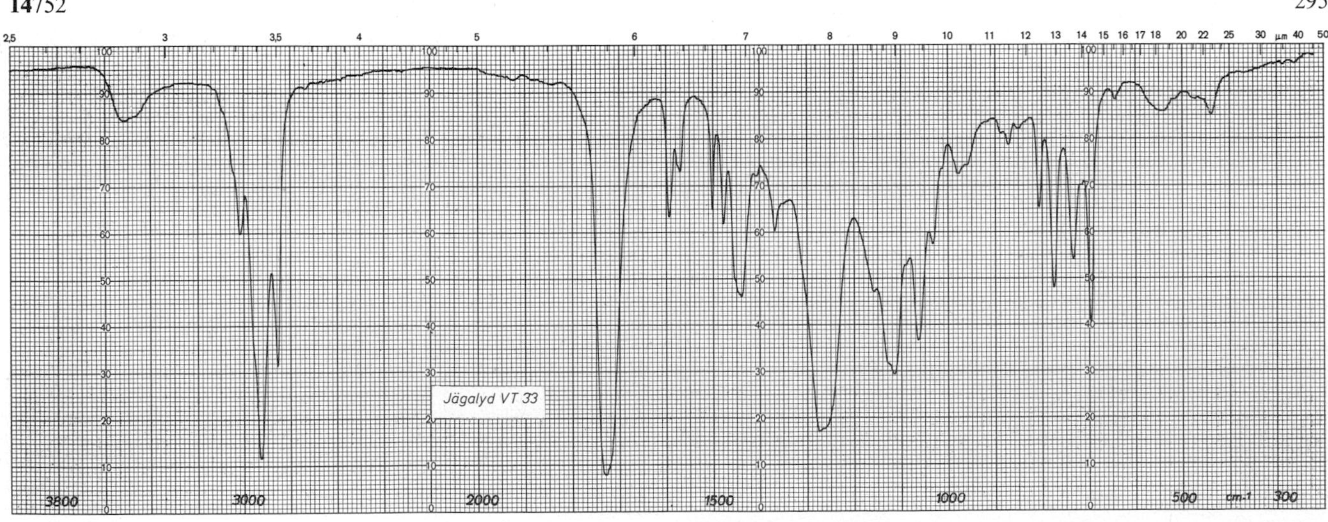

(1) **Jägalyd VT33**
(3) vinyltoluolmodifiziertes Alkyd; Ölgehalt: 33%, PSA: 18%
(4) mittelbraune, etwas viskose Lösung (50% in XYL)
(5) für schnelltrocknende Grund- und Decklacke, Einschicht- und Hammerschlageffektlacke
(6) Schicht auf CsI

(2) E. Jäger, Düsseldorf
(3) vinyltoluene-modified alkyd; oil content 33%, phthalic anhydride 18%
(4) mid-brown, somewhat viscous solution (50% in XYL)
(5) for quick-drying primers and coating lacquers, single coat and hammer finish lacquers
(6) film on CsI

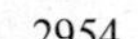

14754 2954

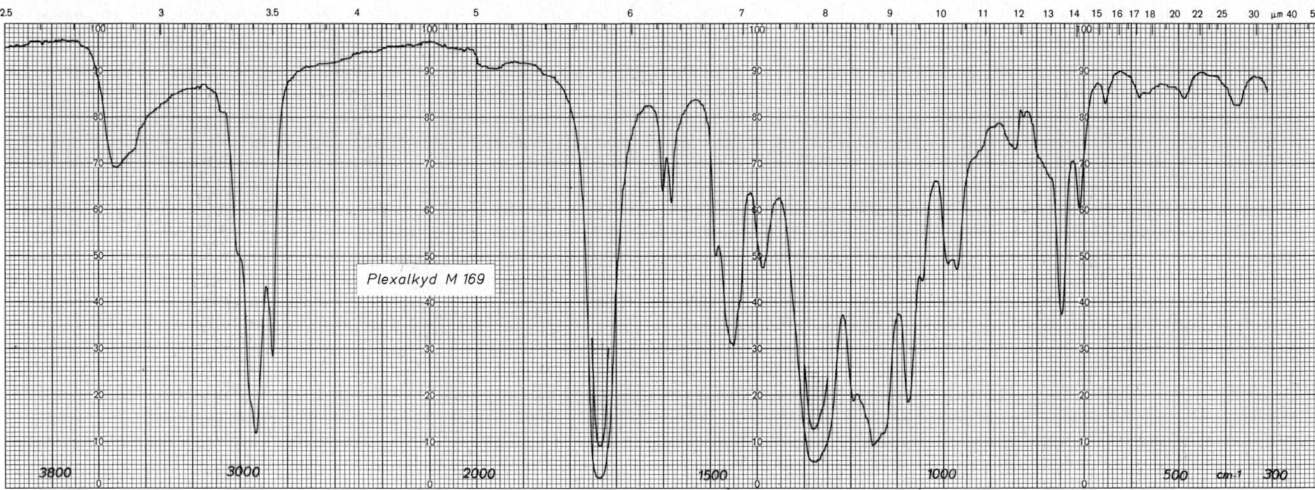

(1) **Plexalkyd M169**
(3) acryliertes Ölalkyd auf Leinölbasis
(4) hellbraune Lösung in Shellsol A/XYL (60%)
(5) schnelltrocknendes Bindemittel für Öl- und benzinfeste Anstriche
(6) Schicht auf CsI

(2) Röhm GmbH, Darmstadt
(3) acrylated linseed oil-based alkyd
(4) light brown solution in Shellsol A/XYL (60%)
(5) quick-drying binding agent for oil and gasolineproof coatings
(6) film on CsI

14754 2955

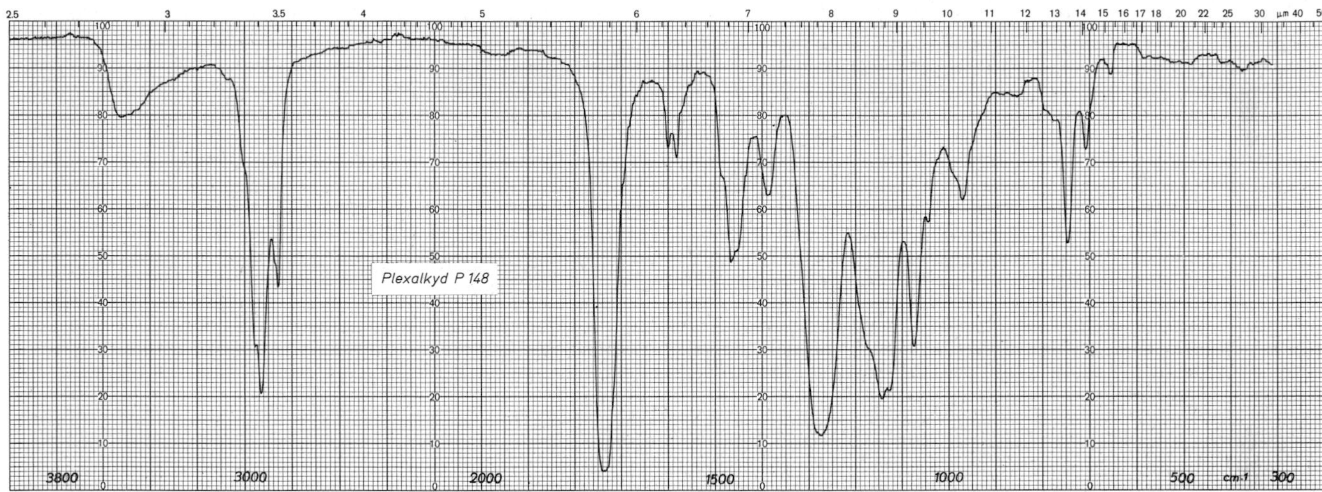

(1) **Plexalkyd P148**
(3) mit Polybutylmethacrylat modifiziertes Leinölalkyd
(4) hellbraune Lösung in Shellsol (60%)
(5) schnelltrocknendes Bindemittel für die Herstellung von Grundierungen und Rostschutzanstrichen
(6) Schicht auf CsI

(2) Röhm GmbH, Darmstadt
(3) linseed oil alkyd modified with polybutyl methacrylate
(4) light brown solution in Shellsol (60%)
(5) quick-drying binding agent for the manufacture of primers and antirust coatings
(6) film on CsI

14754 2956

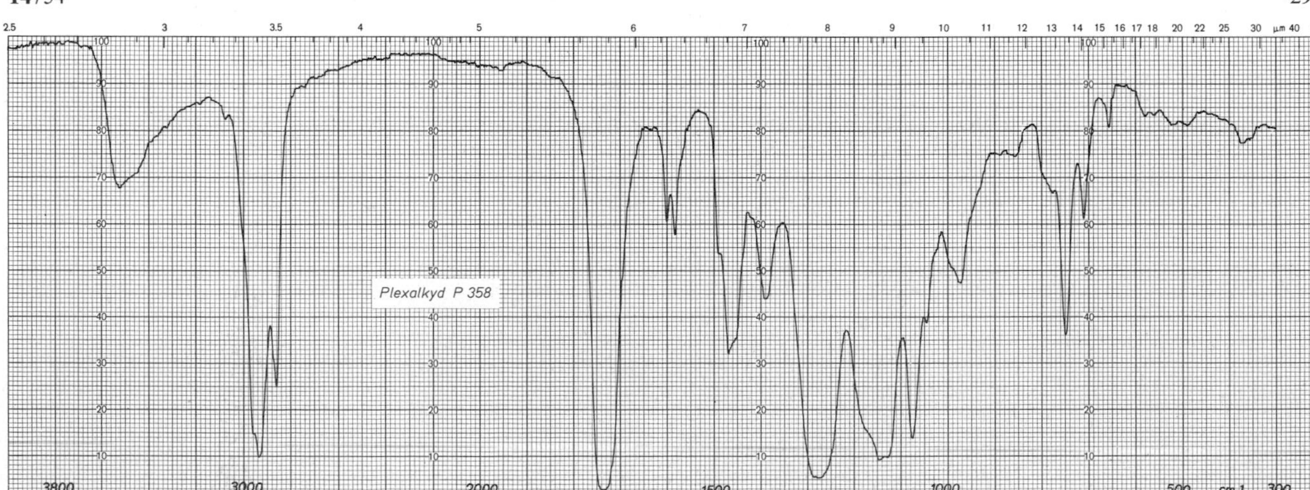

(1) **Plexalkyd P358**
(3) acryliertes Ölalkyd auf Basis Sojaöl/Ricinenöl
(4) hellbraune Lösung in Shellsol A (60%)
(5) schnelltrocknendes Bindemittel für Bauten-, Maler-, Kunststoff- und Aerosollacke
(6) Schicht auf CsI

(2) Röhm GmbH, Darmstadt
(3) acrylate-modified alkyd based on soy-bean and castor oils
(4) light brown solution in Shellsol A (60%)
(5) quick-drying binding agent for builders', decorators' plastic and aerosol paints
(6) film on CsI

147611 2957

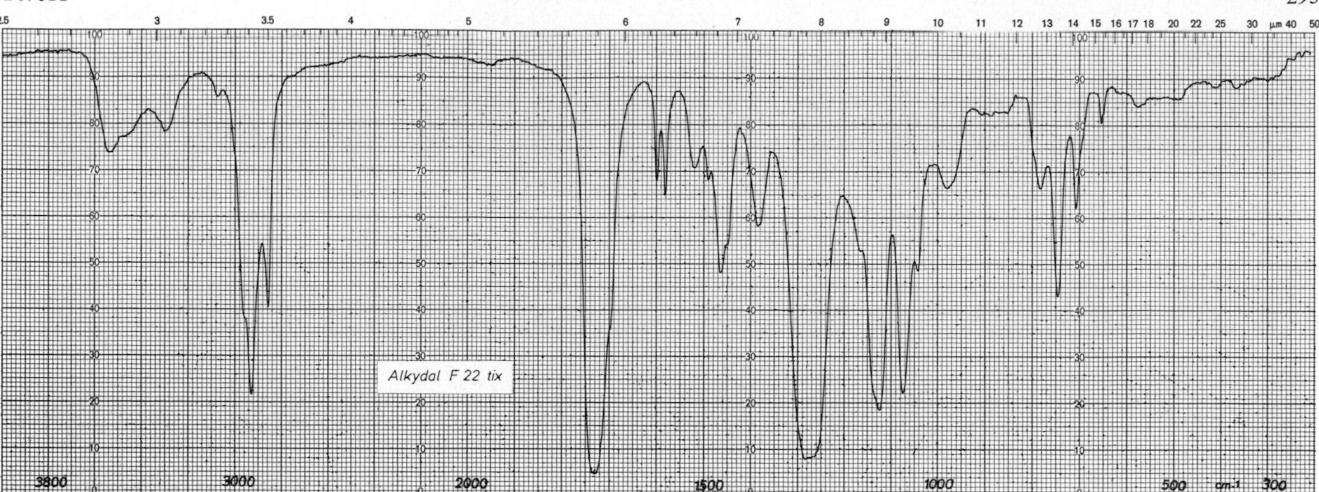

(1) **Alkydal F22 tix**
(3) thixotropes, mageres, mit nichttrocknenden Fettsäuren modifiziertes Alkyd; Thixotropieträger: Polyurethan; 22% Triglyceride, 39% PSA
(4) fast farblose, gelartige Masse (60% in XYL)
(5) für ofentrocknende und säurehärtende Effektlacke, zur Kombination mit anderen Lackbindemitteln
(6) Schicht auf CsI

(2) Bayer AG, Leverkusen
(3) thixotropic, lean, nondrying, fatty acid-modified alkyd; thixotropic component polyurethane, 22% triglycerides, 39% phthalic anhydride
(4) almost colorless, gel-like mass (60% in XYL)
(5) for oven-drying and acid-hardening effect lacquers, for combination with other lacquer binders
(6) film on CsI

147611 2958

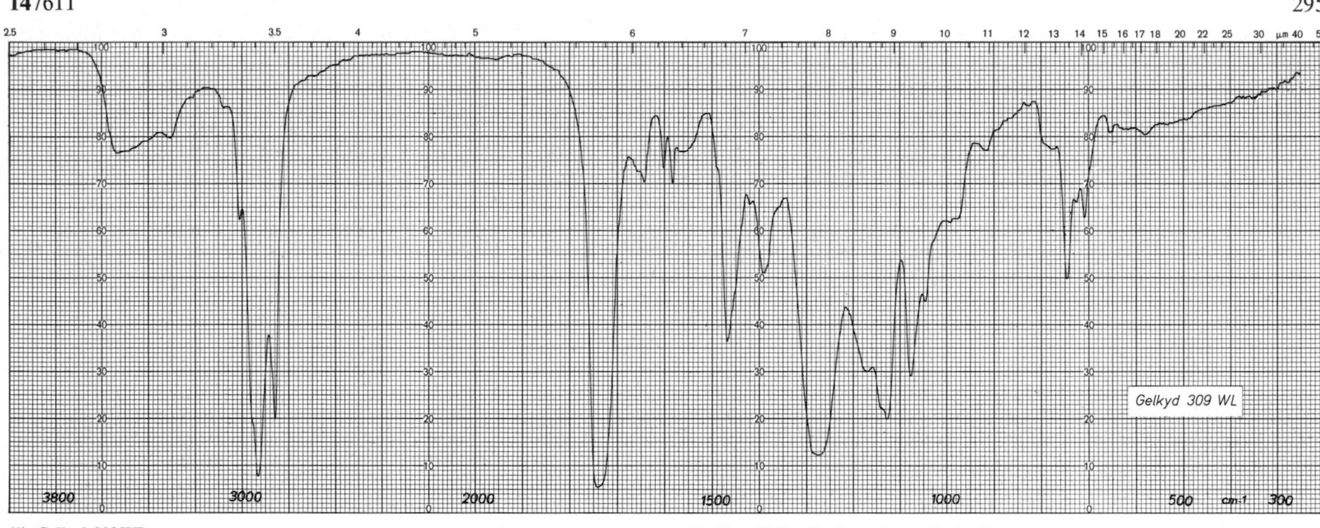

(1) **Gelkyd 309WL**
(3) kurzöliges (linolsäurereich), lufttrocknendes, thixotropes Alkyd
(4) mittelbraunes Gel
(5) für geruchsschwache Wandmattfarben, Seidenglanzlacke
(6) Schicht auf CsI

(2) Cray Valley Products, Kent, England
(3) short-oil, linoleic acid-rich, air-drying, thixotropic alkyd
(4) mid-brown gel
(5) for low-odor, matt wall paints, silky lustre finishes
(6) film on CsI

147612 2959

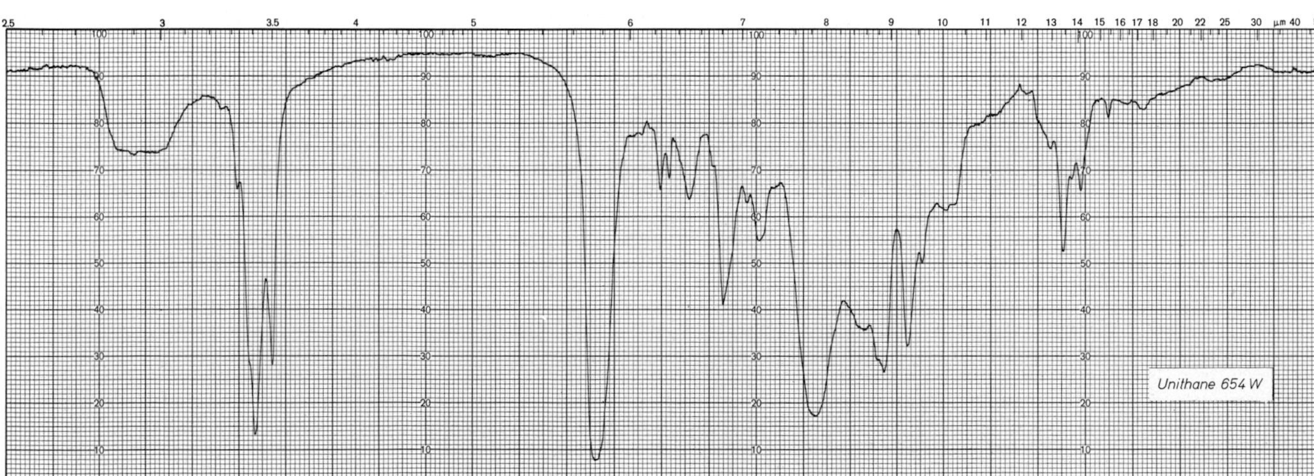

(1) **Unithane 654W**
(3) thixotropes Urethanalkyd auf Leinölbasis
(4) mittelbraunes Gel
(5) meist in Kombination mit langöligen Alkydharzen für wetterbeständige, schnelltrocknende Innen- und Außenlacke
(6) Schicht aus CLF auf CsI

(2) Cray Valley Products, Kent, England
(3) thixotropic, linseed oil-based urethane alkyd
(4) mid-brown gel
(5) mostly in combination with long-oil alkyds for weather-resistant, quick-drying paints for indoors and out
(6) film from CLF on CsI

147612 2960

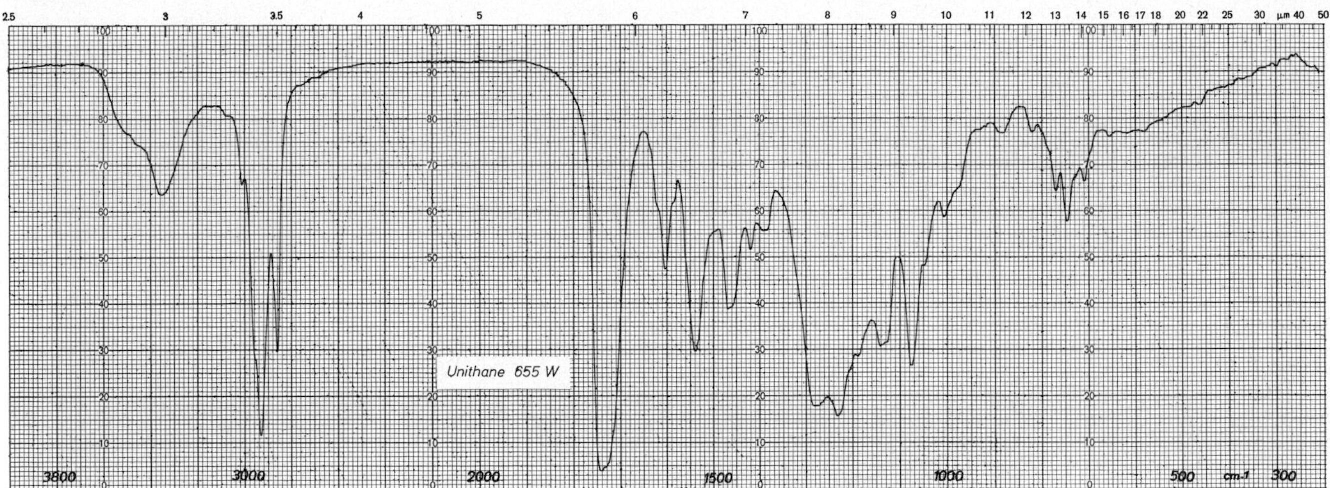

(1) **Unithane 655 W**
(3) Urethanalkyd, linolsäurereich
(4) mittelbraune, viskose Lösung (55% in TBZ)
(5) in Kombination mit langöligen Alkyden speziell für glänzende bis halbmatte Malerlacke, für Fußbodenlacke
(6) Schicht auf CsI

(2) Cray Valley Prod., Kent, England
(3) urethane alkyd, linseed oil-rich
(4) mid-brown, viscous solution (55% in TBZ)
(5) in combination with long-oil alkyds particularly for decorators' gloss to semi-matt finishes, for floor coatings
(6) film on CsI

147613 2961

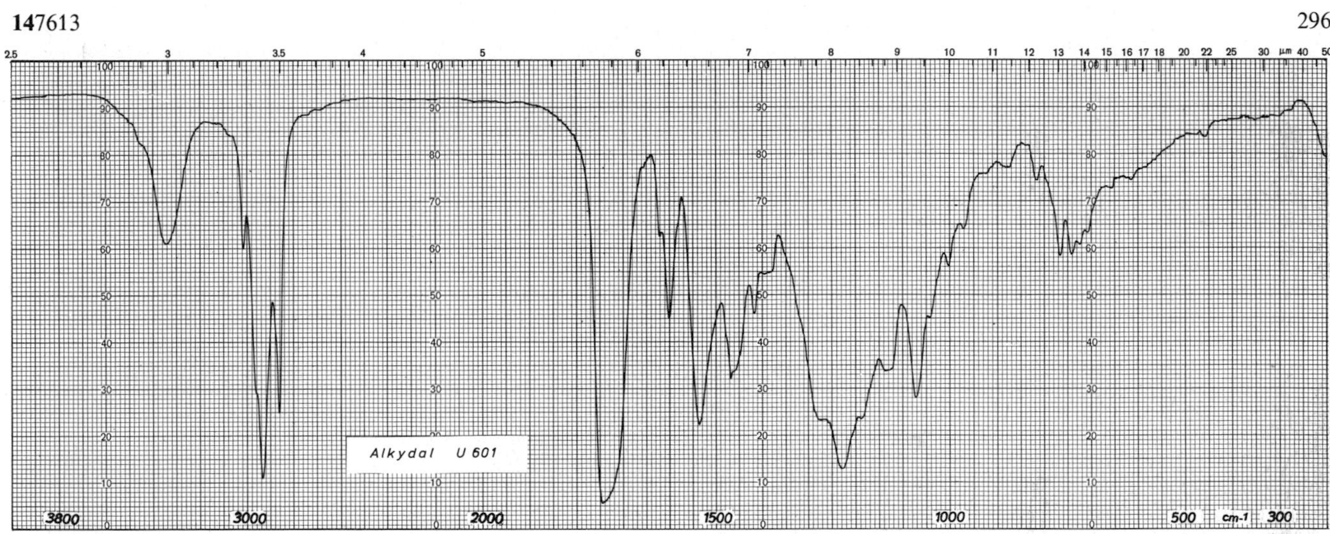

(1) **Alkydal U 601**
(3) langöliges, isocyanatmodifiziertes Alkyd, 61% Sojaöl
(4) transparente, leicht gelbliche Lösung (55% in TBZ)
(5) für strapazierfähige Holzlacke und schnelltrocknende Kunstharzlacke
(6) Schicht auf CsI

(2) Bayer AG, Leverkusen
(3) isocyanate-modified, long-oil alkyd, 61% soy-bean oil
(4) transparent, slightly yellowish solution (55% in TBZ)
(5) for hard-wearing timber finishes and quick-drying, artificial resin finishes
(6) film on CsI

147613 2962

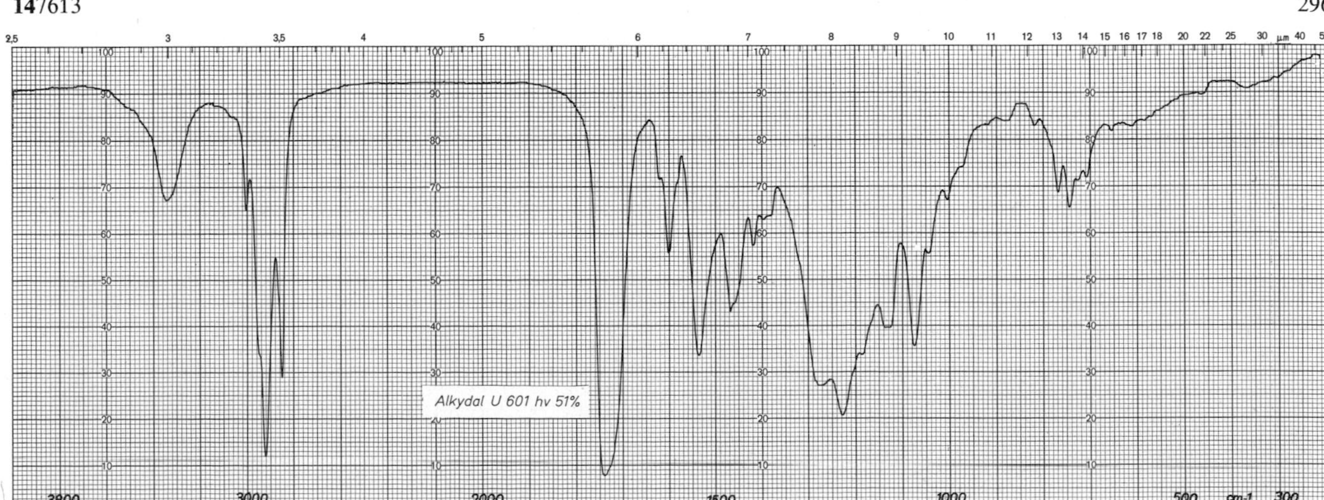

(1) **Alkydal U 601 hv**
(3) langöliges, isocyanatmodifiziertes Alkyd auf Basis Sojaöl; Ölgehalt (Triglycerid): 61%
(4) farblose, dickflüssige Lösung (51% in TBZ)
(5) für strapazierfähige Holzlacke, Parkettversiegelung, schnelltrocknende Kunstharzlacke, Industriegrundierungen
(6) Schicht auf CsI

(2) Bayer AG, Leverkusen
(3) isocyanate-modified, long-oil alkyd, based on soy-bean oil; oil content (triglycerides): 61%
(4) colorless, viscous solution (51% in TBZ)
(5) for hard-wearing timber finishes, parquet sealers, quick-drying, artificial resin finishes
(6) film on CsI

147613 2963

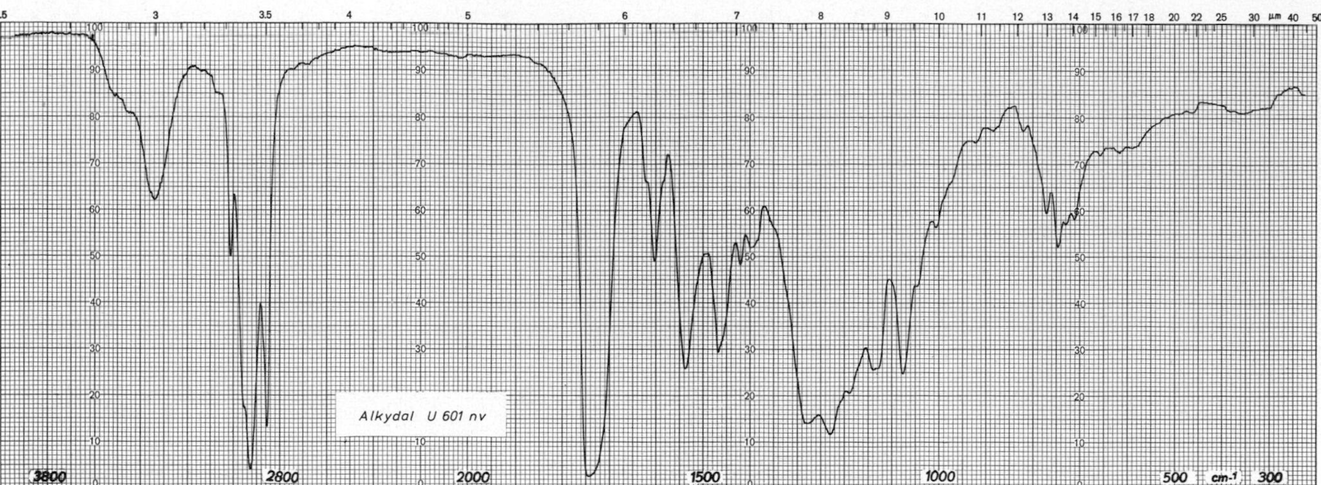

(1) **Alkydal U 601 nv**
(3) langöliges Urethanalkyd mit 63% Sojaöl (60% in TBZ)
(4) farblose, transparente Flüssigkeit
(5) für schnelltrocknende Kunstharzlacke, Industriegrundierungen und -lacke
(6) Schicht auf CsI

(2) Bayer AG, Leverkusen
(3) long-oil urethane alkyd with 63% soy-bean oil (60% in TBZ)
(4) colorless, transparent liquid
(5) for quick-drying, artificial resin finishes, industrial primers and finishes
(6) film on CsI

147613 2964

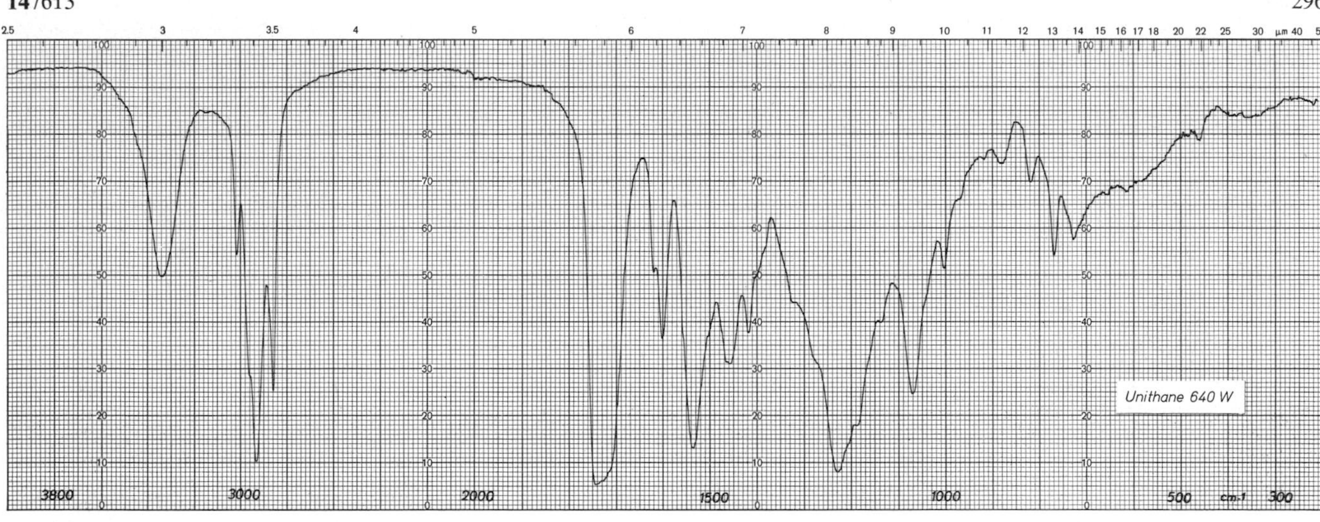

(1) **Unithane 640 W**
(3) Urethanalkyd auf Leinölbasis
(4) mittelbraune, viskose Lösung
(5) für Fußbodenlacke, Primer und Decklacke
(6) Schicht aus CLF auf CsI

(2) Cray Valley Products, Kent, England
(3) urethane alkyd based on linseed oil
(4) mid-brown, viscous solution
(5) for flooring finishes, primers and top coats
(6) film from CLF on CsI

147613 2965

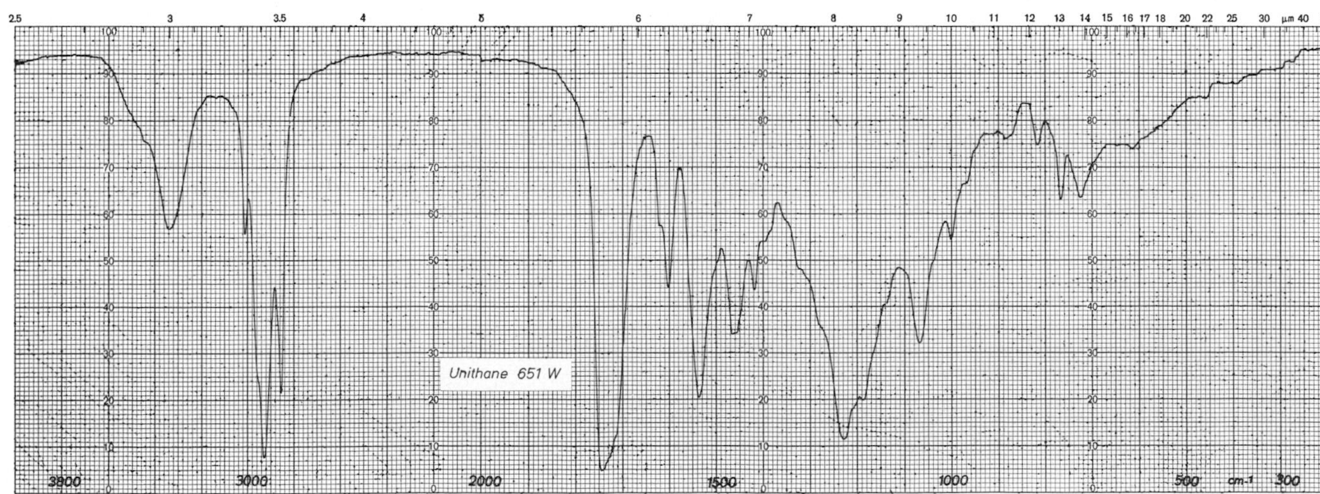

(1) **Unithane 651 W**
(3) ölmodifiziertes, lufttrocknendes Urethanalkyd
(4) mittelbraune, viskose Lösung (60% in TBZ)
(5) für klare und pigmentierte Einkomponenten-Anstrichmittel: Schiffs-, Fußboden-, Maschinenlacke, Industrie- und Dekorationsfarben; Rostschutzlacke
(6) Schicht auf CsI

(2) Cray Valley Prod., Kent/England
(3) oil-modified, air-drying urethane alkyd
(4) mid-brown, viscous solution (60% in TBZ)
(5) for clear and pigmented, single component coatings, marine, floor and machine finishes, industrial and decorative paints; antirust finishes
(6) film on CsI

147613 2966

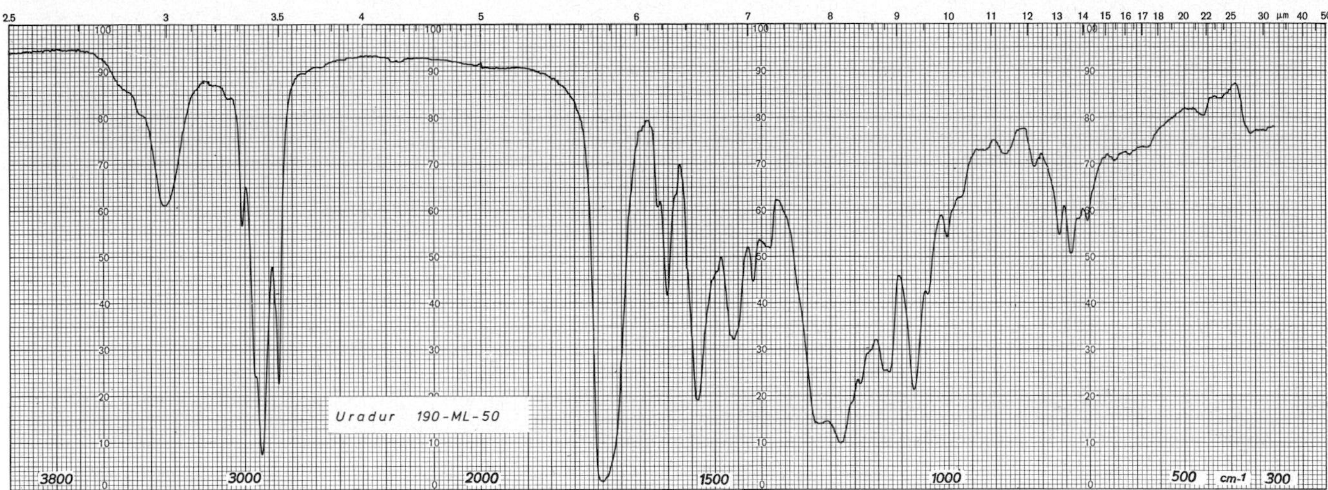

(1) **Uradur 190-ML-50**
(3) langöliges (Safloröl), isocyanatmodifiziertes Alkyd
(4) gelbbraune Flüssigkeit
(5) für abriebfeste Fußbodenlacke, Parkettversiegelungen, Klar-, Boots- und Vorlacke
(6) Schicht auf CsI

(2) Scado, Zwolle/Meppen
(3) long-oil (safflower oil), isocyanate-modified alkyd
(4) yellow-brown liquid
(5) for abrasion-resistant floor coatings, parquet sealants, clear and marine finishes, undercoats
(6) film on CsI

147613 2967

(1) **Alkydal 67 tix**
(3) hochthixotropes, langöliges Alkyd auf Basis harzsäurearmer Tallölfettsäuren; 69% Triglyceride, 22% PSA
(4) hellgelbe, gelartige Masse
(5) für hochthixotrope Do-it-yourself-Farben, Maler- und Bautenschutz-Seidenglanz- und Mattlacke, Rostschutzgrundierungen
(6) Schicht auf CsI

(2) Bayer AG, Leverkusen
(3) highly thixotropic, long-oil alkyd based on low resin acid, tall oil fatty acids; 69% triglycerides, 22% phthalic anhydride
(4) pale yellow, gel-like mass
(5) for highly thixotropic, do-it-yourself paints, decorators' and building-protective, silk-gloss and matt finishes, antirust primer
(6) film on CsI

14762 2968

(1) **Gelkyd 310 W**
(3) kurzöliges, lufttrocknendes, thixotropes Alkyd; 47% Triglyceride (linolsäurereich), 25% PSA, Harzsäuren; Polyol: Pentaerythritol
(4) mittelbraunes, zähes Gel (40% in TBZ)
(5) für Grundierungen, Seidenglanzlacke und Wandfarben
(6) Schicht auf CsI

(2) Cray Valley Products, Kent, England
(3) short-oil, air-drying, thixotropic alkyd; 47% triglycerides (linoleic acid-rich), 25% phthalic anhydride; pentaerythritol as polyol
(4) mid-brown, viscous gel (40% in TBZ)
(5) for primers, silk-gloss and wall paints
(6) film on CsI

14762 2969

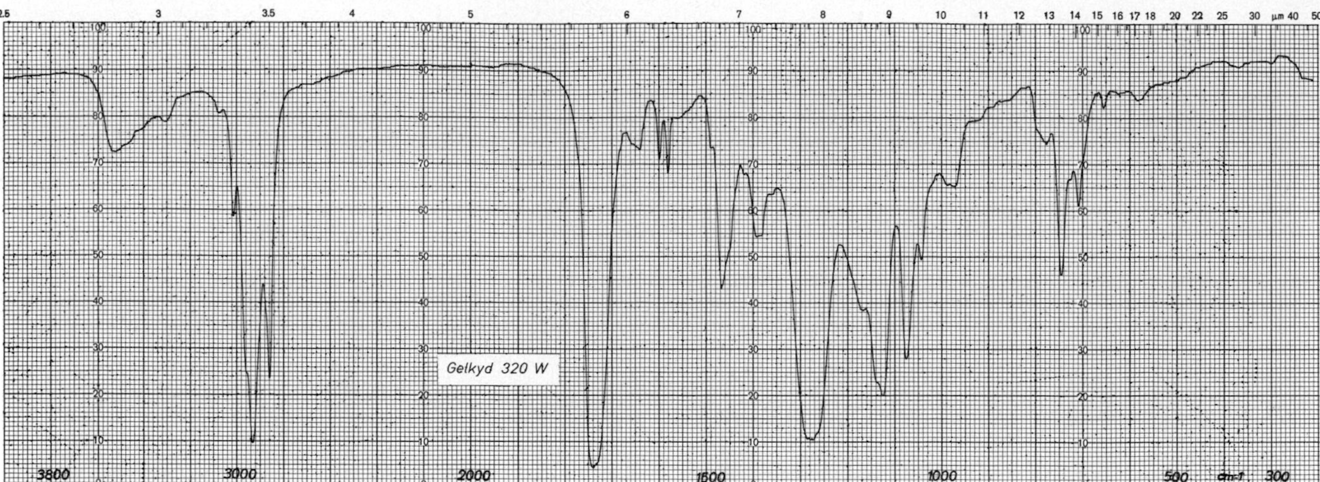

(1) **Gelkyd 320 W**
(3) mittelöliges, lufttrocknendes, thixotropes Alkyd mit starker Gelstruktur; 62% Triglyceride (linolsäurereich), 27% PSA; Polyol: Pentaerythritol
(4) mittelbraunes, zähes Gel (50% in TBZ)
(5) in Kombination mit nichtthixotropen Bindemitteln für universelle Anwendung
(6) Schicht auf CsI

(2) Cray Valley Products, Kent, England
(3) middle-oil, air-drying, thixotropic alkyd with tough gel structure; 62% triglycerides (linoleic acid-rich), 27% phthalic anhydride, pentaerythritol as polyol
(4) tough, mid-brown gel (50% in TBZ)
(5) universally applicable in combination with nonthixotropic binding agents
(6) film on CsI

14762 2970

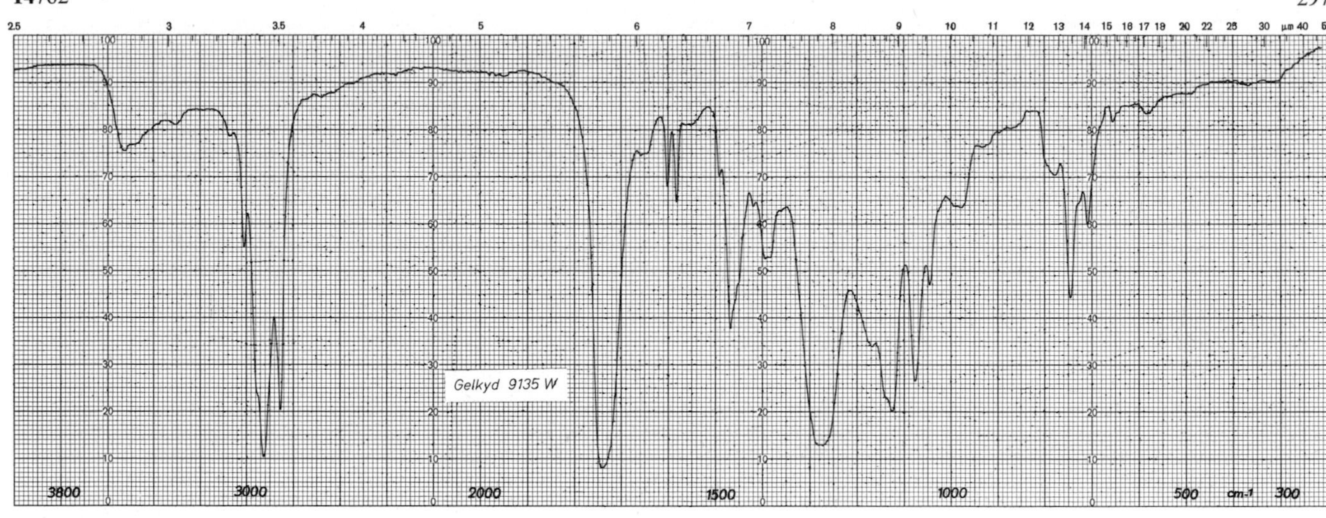

(1) **Gelkyd 9135 W**
(3) langöliges, lufttrocknendes, thixotropes Alkyd; 63% Triglyceride (linolsäurereich) 28% PSA
(4) braunes, zähes Gel
(5) für Decklacke mit Strukturviskosität; Alleinbindemittel in Seidenglanz- und Mattlacken; Hautverhütungsmittel
(6) Schicht auf CsI

(2) Cray Valley Products, Kent, England
(3) air-drying, long-oil, thixotropic alkyd; 63% triglycerides (linoleic acid-rich), 28% phthalic anhydride
(4) tough, brown gel
(5) for coatings possessing structural viscosity, sole binder for silk-finish and matt paints; antiskin-forming agent
(6) film on CsI

14762 2971

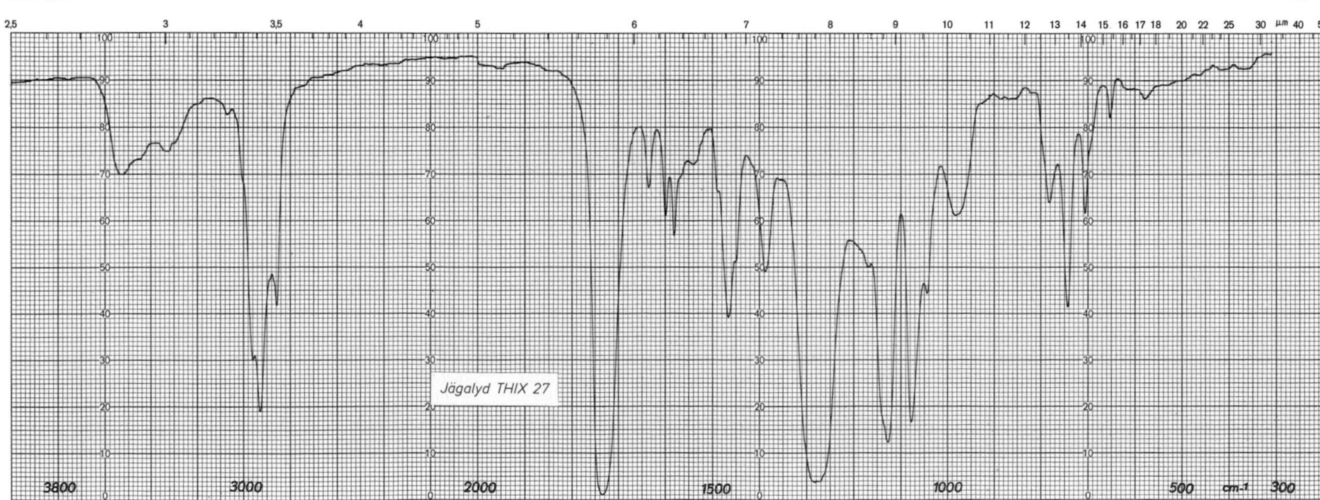

(1) **Jägalyd Thix 27**
(3) kurzöliges, thioxotropes Alkyd; Ölgehalt (pflanzliche Fettsäuren): 27%, modifizierte Harze: unter 9%, PSA: 34%
(4) mittelbraune, gelartige Substanz (60% in XYL)
(5) für luft- und ofentrocknende Grundierungen, Deck-Dickschicht- und Effektlacke
(6) Schicht auf CsI

(2) E. Jäger, Düsseldorf
(3) short-oil, thixotropic alkyd; oil content (vegetable fatty acids) 27%, less than 9% modified resin, phthalic anhydride 34%
(4) mid-brown, gel-like substance (60% in XYL)
(5) for air and oven-drying primers, top-coat, thick-film and effect finishes
(6) film on CsI

14762 2972

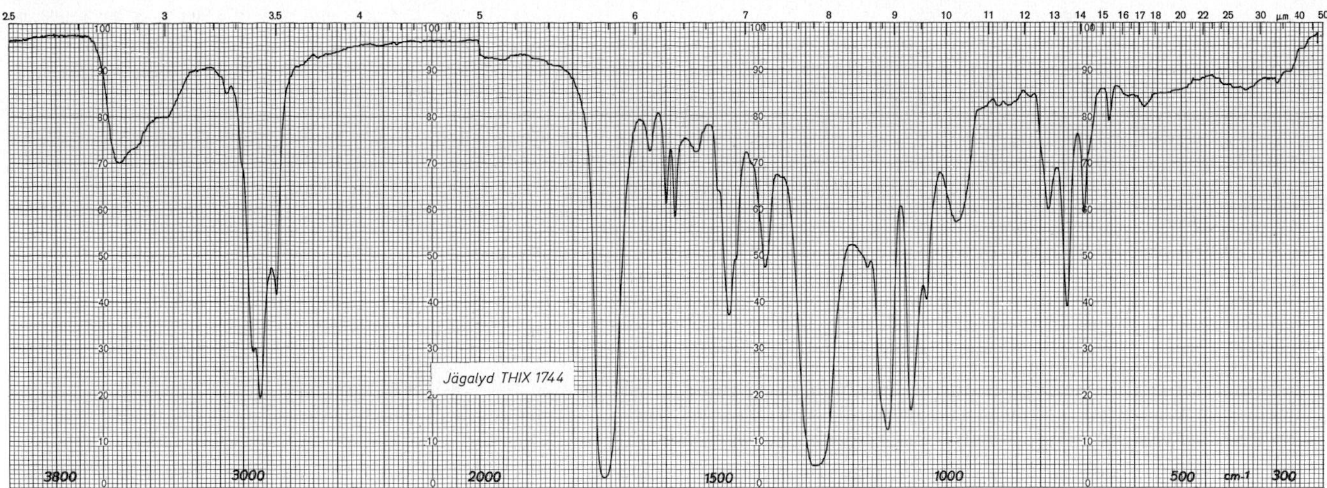

(1) **Jägalyd Thix 1744**
(3) kurzöliges, thixotropes Alkyd; 30% schnelltrocknende, pflanzliche Fettsäuren, >10% modifizierte Harze, 38% PSA
(4) mittelbraune, gelartige Substanz (60% in XYL)
(5) für lufttrocknende Grundierungen, Deck-, Dickschicht- und Effektlacke
(6) Schicht auf CsI

(2) E. Jäger, Düsseldorf
(3) short-oil, thixotropic alkyd, 30% quick-drying vegetable fatty acids, >10% modified resin, 38% phthalic anhydride
(4) mid-brown, gel-like substance (60% in XYL)
(5) for air-drying primers, top-cat, thick-coat and effect finishes
(6) film on CsI

14763 2973

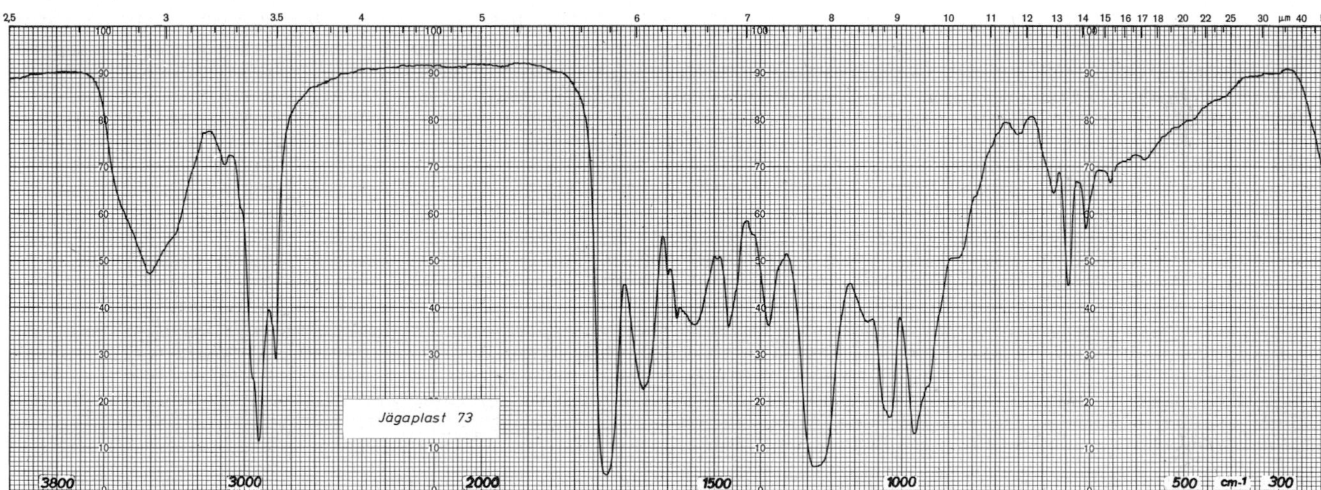

(1) **Jägaplast 73**
(3) präkondensiertes Alleinbindemittel (Alkyd-Harnstoff-Harz)
(4) leicht gelbliche, transparente Lösung (60% in IPL/ETL)
(5) für säurehärtende, irreversible, farblose Möbel- und Parkettversiegelungslacke
(6) Schicht auf CsI

(2) E. Jäger, Düsseldorf
(3) precondensed, sole binder (alkyd-urea resin)
(4) slightly yellowish, transparent solution (60% in IPL/ETL)
(5) for acid-curing, irreversible, colorless, furniture and parquet sealing finishes
(6) film on CsI

14771 2974

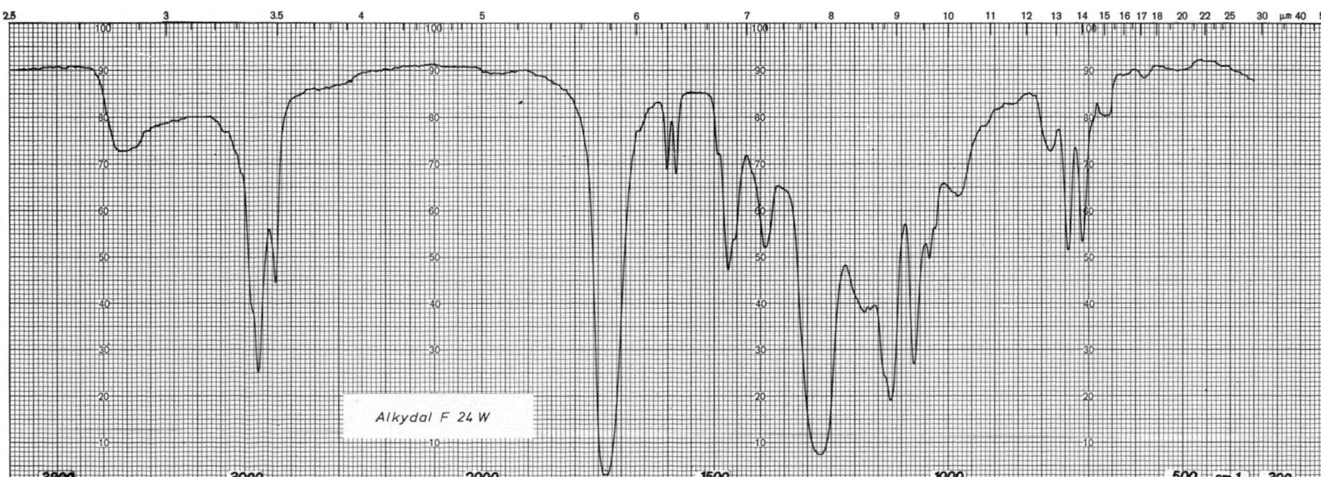

(1) **Alkydal F 24 W**
(3) wasserverdünnbares Alkyd auf Basis trocknender, pflanzlicher Fettsäuren; 25% Triglyceride, 26% PSA
(4) leicht gelbliche, transparente Lösung (85% in IPL/IBL/H_2O 1:1:1)
(5) für wasserverdünnbare Industrie-Einbrennlacke
(6) Schicht auf KRS-5

(2) Bayer AG, Leverkusen
(3) water-dilutable alkyd based on drying, vegetable fatty acids 25% triglycerides, 26% phthalic anhydride
(4) slightly yellowish, transparent solution (85% in IPL/IBL/H_2O 1:1:1)
(5) for water-dilutable, industrial stove enamels
(6) film on KRS-5

14771 2975

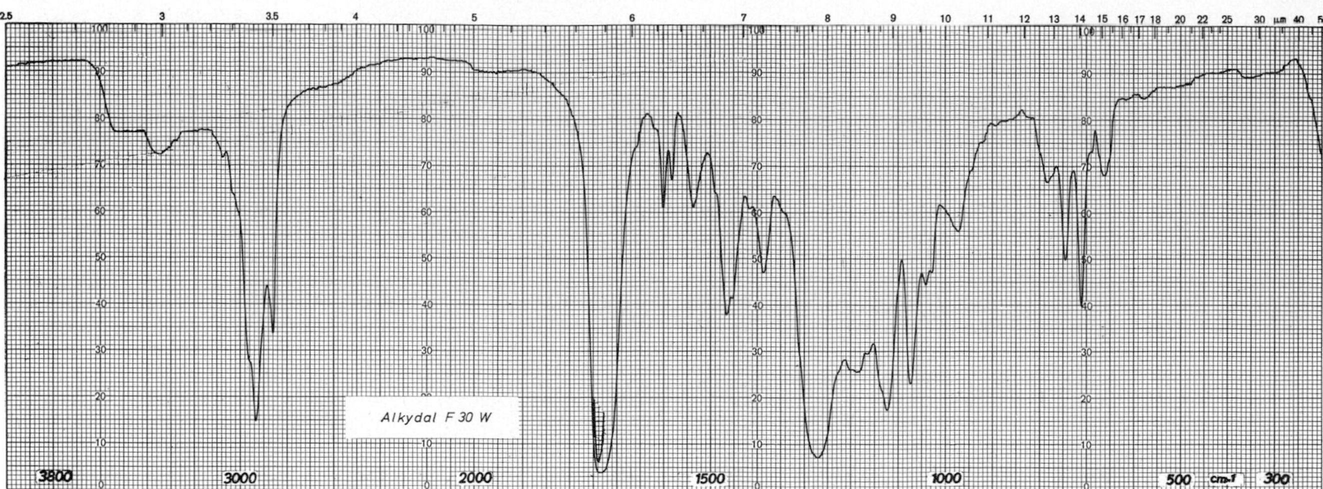

(1) **Alkydal F 30 W**
(3) wasserverdünnbares, lufttrocknendes, kurzöliges Alkyd auf Basis pflanzlicher Fettsäuren, Phenolharz- und Isocyanat-modifiziert; 30% Triglyceride, 19% PSA
(4) gelbliche, trübe Lösung (62% in EGL)
(5) für Industriegrundierungen und Decklacke mit schneller An- und Durchtrocknung
(6) Schicht auf CsI

(2) Bayer AG, Leverkusen
(3) water-dilutable, air-drying, short-oil alkyd based on vegetable fatty acids, modified with phenol resin and isocyanate; 30% triglycerides, 19% phthalic anhydride
(4) yellowish, turbid solution (62% in EGL)
(5) for industrial primers and top coats with quick surface and bulk drying
(6) film on CsI

14711 2976

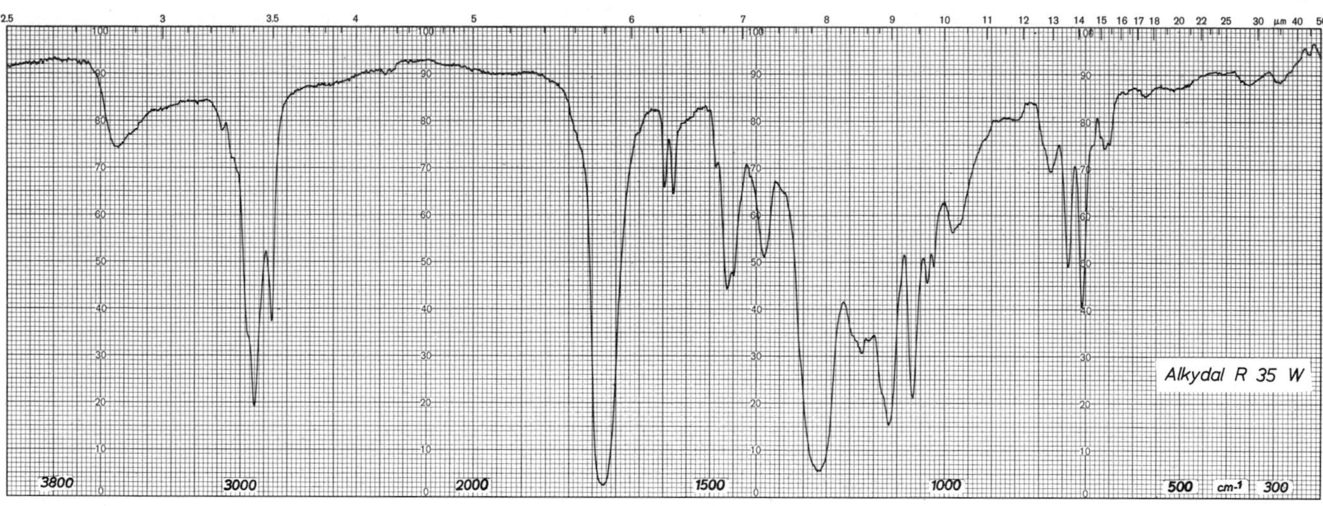

(1) **Alkydal R 35 W**
(3) wasserverdünnbares, kurzöliges Alkyd auf Ricinenölbasis (34% Triglycerid, 25% PSA)
(4) hellgelbes, dickflüssiges Harz
(5) für wasserverdünnbare, hochglänzende und wetterbeständige Einbrenndecklacke; Spritzfüller, Tauch- und Spritzgrundierungen
(6) Schicht auf CsI
(7) 55%ig in einem Glycolether-Alkohol-Wassergemisch, neutralisiert mit Dimethylethanolamin

(2) Bayer AG, Leverkusen
(3) water-dilutable, short-oil alkyd based on castor oil (34% triglycerides, 25% phthalic anhydride)
(4) pale yellow, semisolid resin
(5) for water-dilutable, high gloss, weather-resistant stove enamels; spray-on fillers, dip and spray primers
(6) film on CsI
(7) 55% solution in an aqueous glycol ether-alcohol mixture, neutralized with dimethylethanolamine

14771 2977

Dynotal 010-W

(1) **Dynotal 010-W**
(3) wasserverdünnbares, ölfreies Alkyd auf Isophthalsäurebasis
(4) farblose, dickviskose Lösung
(5) für Einbrennlacke mit Wasser als Hauptlösemittel. Die Lackierungen sind hart und glänzend; in Kombination mit Dynomin MM 100 sind sie flexibel
(6) Schicht auf CsI
(7) zur Neutralisation werden Triethylamin oder Dimethylaminomethylpropanol empfohlen

(2) Dyno Industrier A.S., Oslo
(3) water-dilutable, oil-free alkyd based on isophthalic acid
(4) very viscous, colorless solution
(5) for stove enamels diluted principally with water. The finishes are hard and glossy; in combination with Dynomin MM 100 they are flexible
(6) film on CsI
(7) triethylamine or dimethylaminomethylpropanol are recommended for neutralization

14771

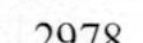
2978

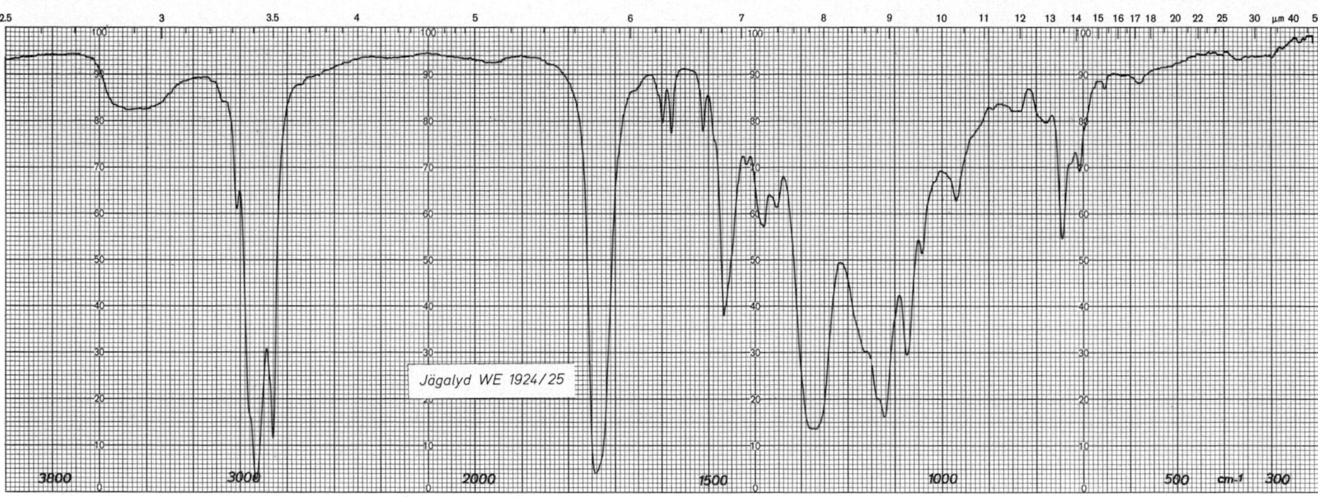

(1) **Jägalyd WE 1925/25**
(3) wasseremulgierbares, langöliges, lufttrocknendes Alkyd auf Basis trocknender, harzfreier Fettsäuren
(4) bernsteinfarbene, etwas viskose Lösung (80% in TBZ)
(5) für Holz-, Papier- und Metall-Lacke
(6) Schicht auf CsI

(2) E. Jäger, Düsseldorf
(3) water-emulsifiable, air-drying, long-oil alkyd based on resin-free, drying fatty acids
(4) amber-colored, somewhat viscous solution (80% in TBZ)
(5) for timber, paper and metallic finishes
(6) film on CsI

14771

2979

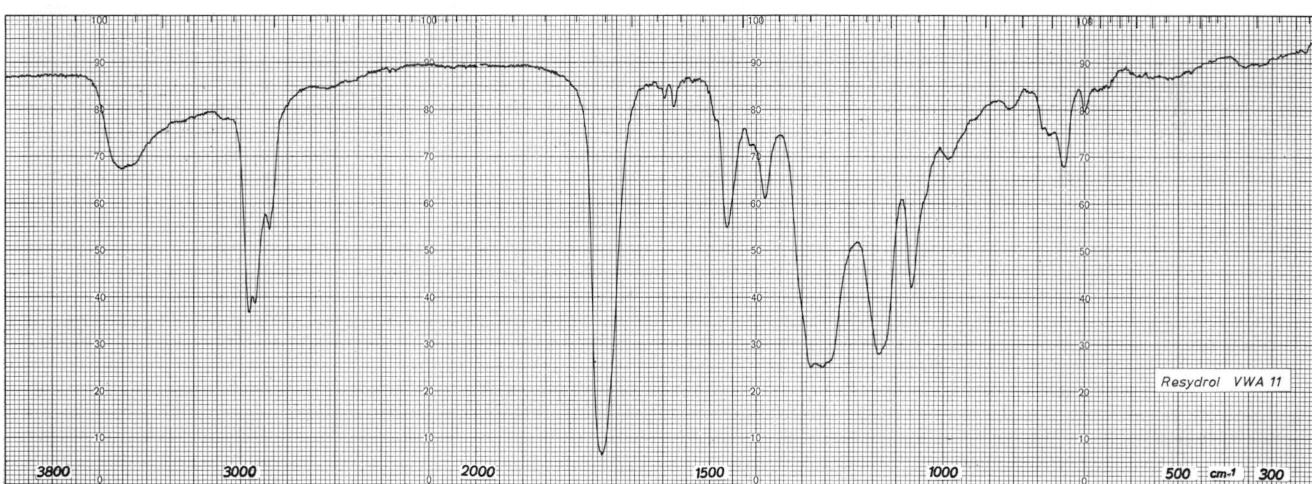

(1) **Resydrol VWA 11**
(3) hydrophilisiertes Alkydharz
(4) honigfarbene, dickflüssige Lösung
(5) Aminharz-vernetzender Polyester für hochwertige Einbrennlacke
(6) Schicht auf CsI

(2) Vianova Kunstharz AG, Wien (Hoechst-Gruppe)
(3) hydrophilized alkyd resin
(4) honey-colored, semi-fluid solution
(5) amino resin-crosslinked polyester for high quality stove enamels
(6) film on CsI

14771

2980

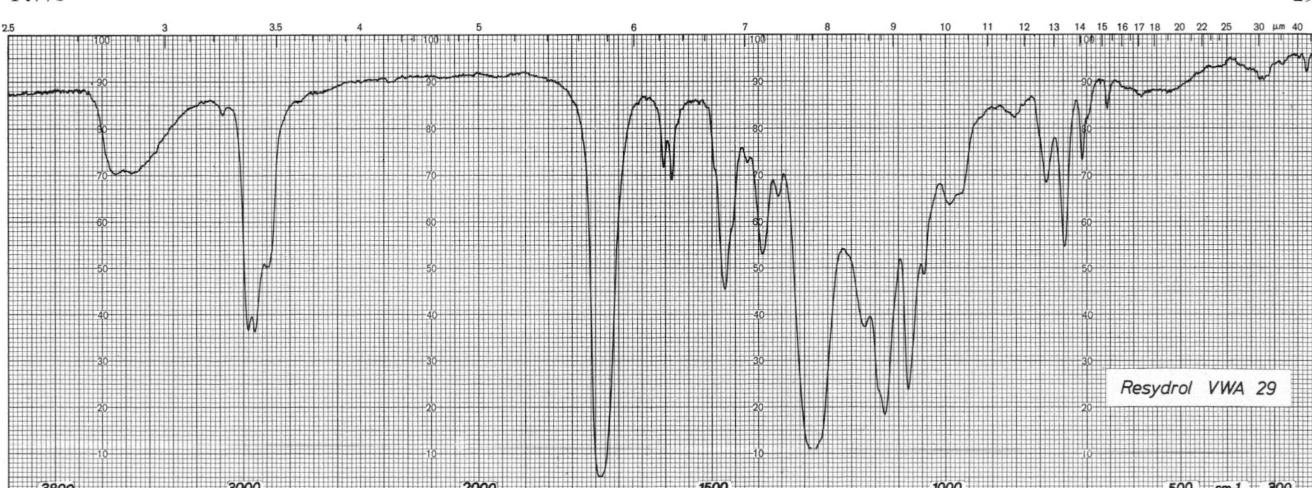

(1) **Resydrol VWA 29**
(3) leicht gelbliches, viskoses Harz
(4) hydrophilisiertes Alkyd auf Phthalsäurebasis
(5) für Einbrennlackierung
(6) Schicht auf CsI

(2) Vianova Kunstharz AG, Wien (Hoechst-Gruppe)
(3) slightly yellowish, viscous resin
(4) hydrophilized alkyd based on phthalic acid
(5) for stove enamels
(6) film on CsI

14771 2981

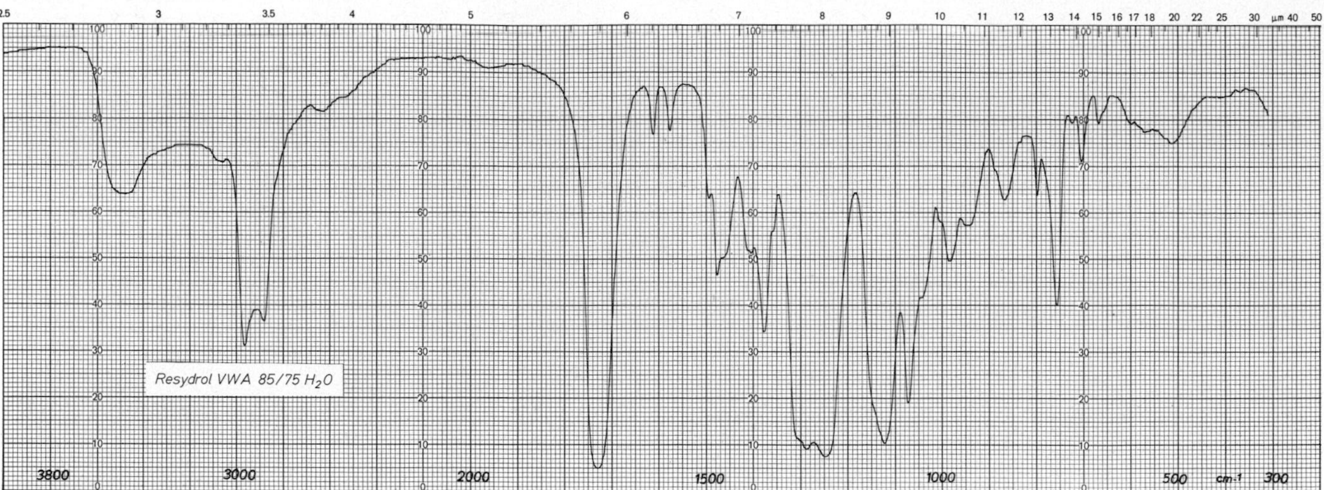

(1) **Resydrol VWA 85/75 H_2O**
(3) wasserlösliches, ölfreies Alkyd
(4) fast wasserhelle, etwas viskose Lösung
(5) für hochglänzende, gilbungsfreie Deck- oder Einschichtlacke für Maschinen und Geräte; in Kombination mit anderen Resydrol-Typen zur Verbesserung von deren Wasserverdünnbarkeit
(6) Schicht auf KRS-5

(2) Vianova Kunstharz AG, Wien (Hoechst-Gruppe)
(3) oil-free, water-soluble alkyd
(4) almost crystal clear, somewhat viscous solution
(5) for high-gloss, non-yellowing top or single-coat finishes for machinery and appliances; for improving the water dilutability of other grades of Resydrol
(6) film on KRS-5

14771 2982

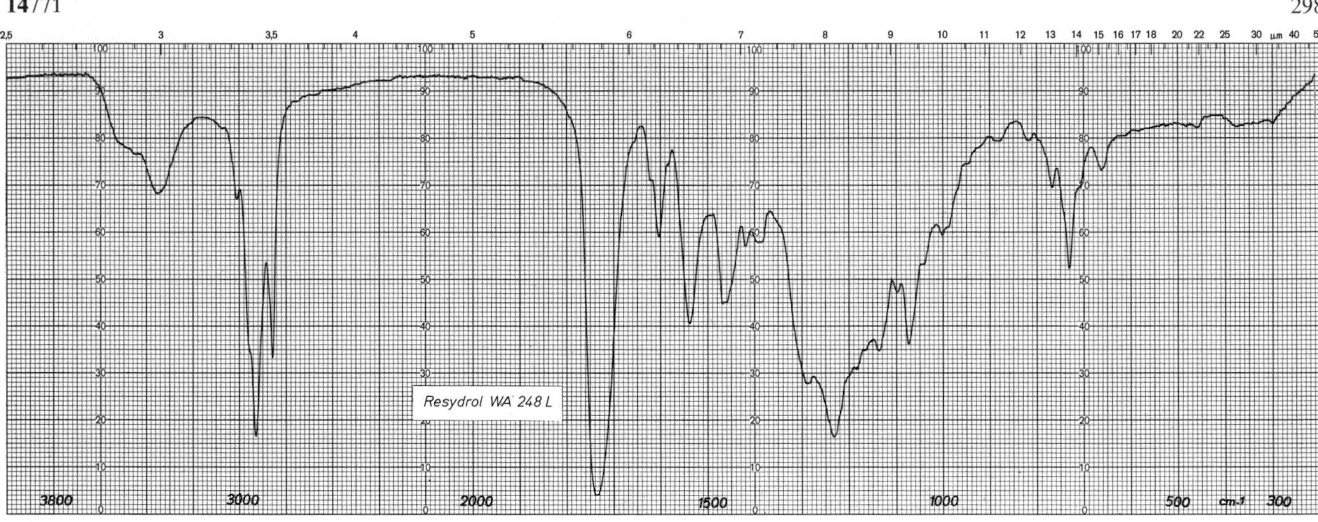

(1) **Resydrol WA 248 L**
(3) wasserverdünnbares oxidativ trocknendes Alkyd mit speziellen ungesättigten Fettsäuren (alkalisch)
(4) hellrotbraune, etwas viskose Lösung
(5) Alleinbindemittel für Korrosionsschutzgrundierungen allein oder in Verbindung mit Resydrol WA 244 L für luft- und ofentrocknende (80°C) Industrielacke
(6) Schicht auf CsI

(2) Vianova Kunstharz AG, Wien (Hoechst-Gruppe)
(3) water-dilutable, oxidatively drying alkyd with special, unsaturated fatty acids (alkaline)
(4) light reddish-brown, somewhat viscous solution
(5) sole binder for anticorrosive primers and, alone or in combination with Resydrol WA 244 L, for air or oven-drying (80°C) industrial finishes
(6) film on CsI

14771 2983

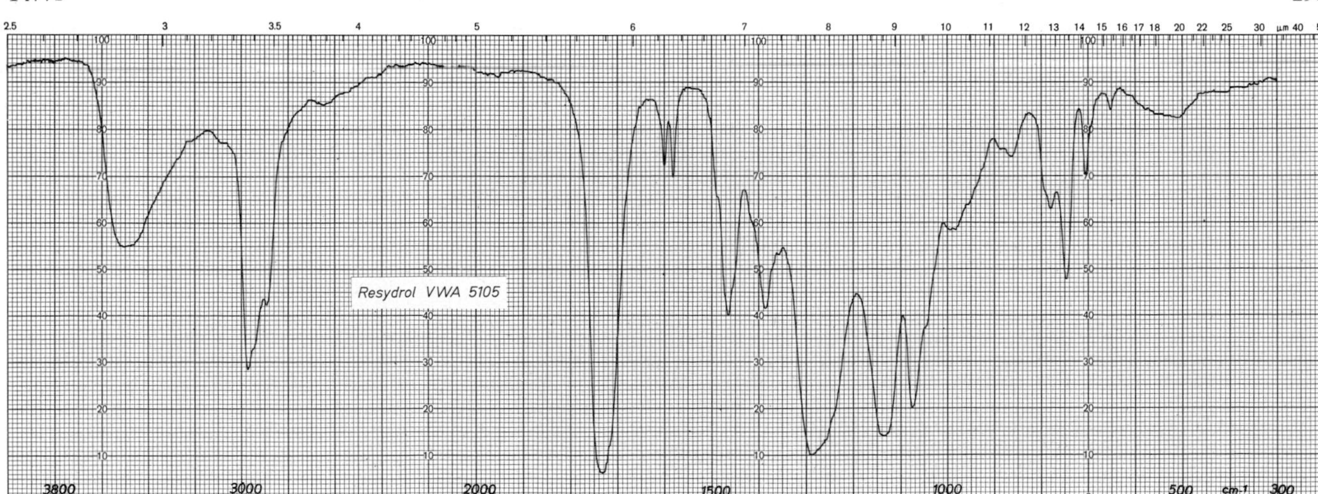

(1) **Resydrol VWA 5105**
(3) wasserlösliches, ölfreies Alkyd auf Phthalsäurebasis
(4) mittelbraune Lösung (90%ig)
(5) besonders hoher Lackfestkörper, niedriger Aminbedarf; für füllige, außenbeständige Deck- und Einschichtlacke (Fahrzeuge, Maschinen, Geräte)
(6) Schicht auf CsI

(2) Vianova Kunstharz AG, Wien (Hoechst-Gruppe)
(3) water-soluble, oil-free alkyd based on phthalic acid
(4) mid-brown solution (90%)
(5) for particularly high solids-content, low amine-requirement finishes; full-bodied, weather-resistant top-coat and one-coat finishes (vehicles, machines, appliances)
(6) film on CsI

14771 2984

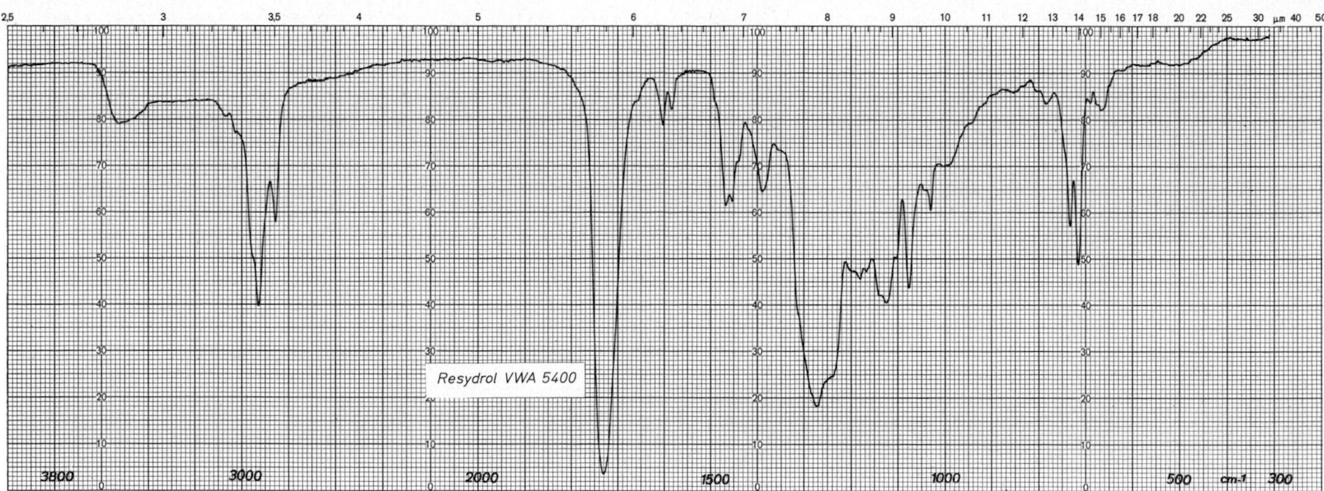

(1) **Resydrol VWA 5400**
(3) wasserlösliches, nichttrocknendes Alkyd; SZ (Festharz): 55...65
(4) honigfarbene, etwas viskose Lösung (70% in Lösemittelgemisch)
(5) für hochglänzende, bunte Einschicht- und Decklacke für Maschinen und Geräte
(6) Schicht auf CsI

(2) Vianova Kunstharz AG, Wien (Hoechst-Gruppe)
(3) water-soluble, nondrying alkyd; acid no. of the solid resin 55....65
(4) honey-colored, somewhat viscous solution (70% in solvent mixture)
(5) for high gloss, colored single coat- and top-coat finishes for machinery and appliances
(6) film on CsI

14772 2985

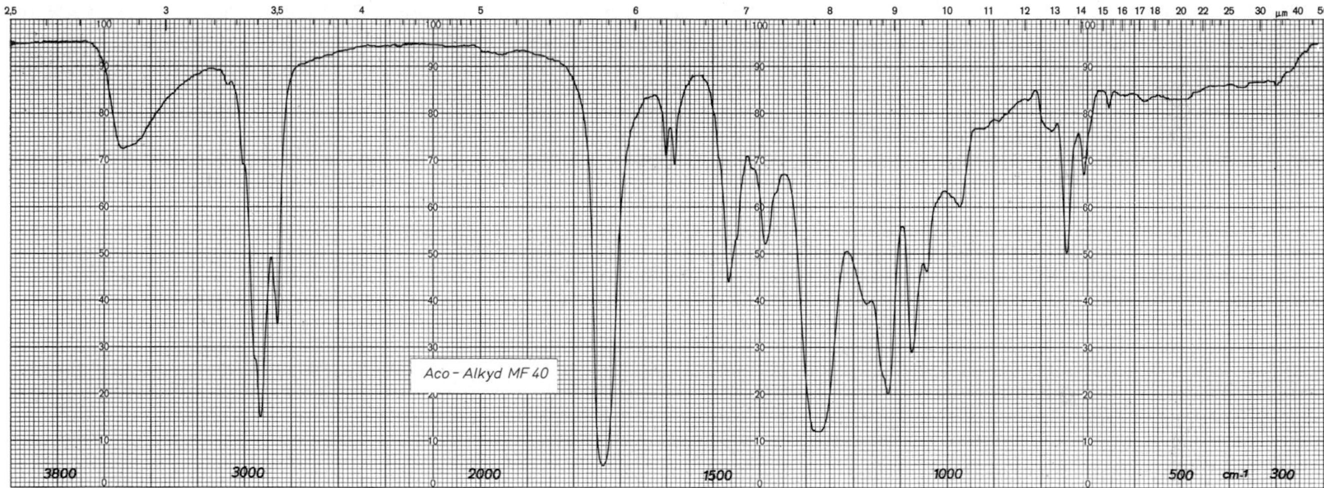

(1) **Aco-Alkyd MF 40**
(3) kurzöliges, harzmodifiziertes Alkyd auf Basis trocknender Fettsäuren (23% PSA, 40% Triglyceride, 20% modifizierte Harze)
(4) mittelbraune, dickflüssige Lösung (60% in XYL)
(5) sehr schnell trocknend; für Grundfarben und Spachtel, Industrielacke, Hammerschlaglacke; in Kombinationen mit Acrylharzen
(6) Schicht aus CsI

(2) Abshagen & Co., Hamburg-Wandsbek
(3) resin-modified, short-oil alkyd based on drying fatty acids (23% phthalic anhydride, 40% triglycerides, 20% modified resin)
(4) mid-brown, semisolid solution (60% in XYL)
(5) very quick-drying; for primers and fillers, industrial finishes, hammer effect finishes; in combination with acrylic resins
(6) film on CsI

14772 2986

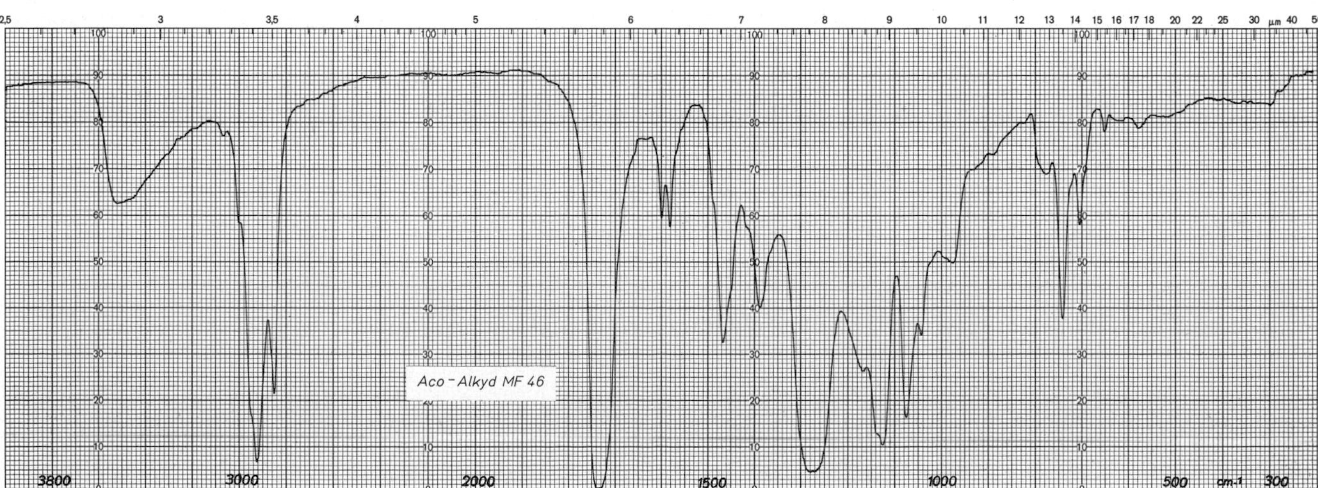

(1) **Aco-Alkyd MF 46**
(3) kurzöliges, harzmodifiziertes Alkyd auf Basis trocknender Fettsäuren (22% PSA, 46% Triglyceride, 10% modifizierte Harze)
(4) hellbraune, viskose Lösung (60% in TBZ)
(5) für schnelltrocknende, elastische Grundierungen und Industrielacke; Bundesbahn-Lacke
(6) Schicht auf CsI

(2) Abshagen & Co., Hamburg-Wandsbek
(3) resin-modified, short-oil alkyd based on drying fatty acids (22% phthalic anhydride, 46% triglycerides, 10% modified resin)
(4) light-brown, viscous solution (60% in TBZ)
(5) for quick-drying, elastic primers and industrial finishes; German Federal Railway finishes
(6) film on CsI

14772 2987

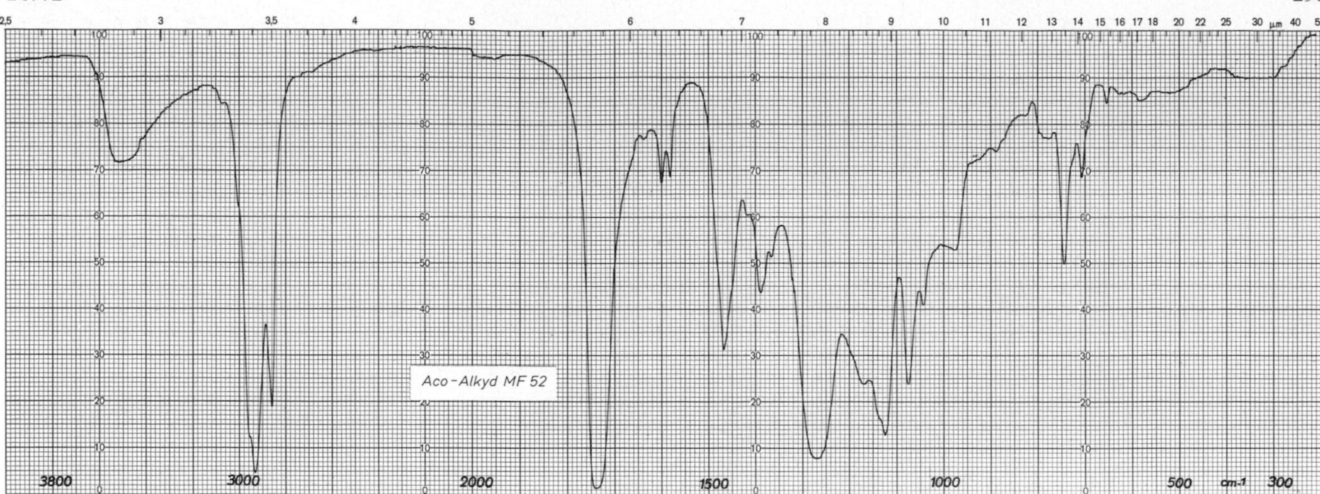

(1) **Aco-Alkyd MF 52**
(3) mittelöliges, harzmodifiziertes Alkyd auf Basis trocknender Fettsäuren (15% PSA, 52% Triglyceride, 22% modifizierte Harze)
(4) hellbraune, viskose Lösung (60% in TBZ)
(5) für elastische Grundierungen, Industrielacke und Spachtelmassen
(6) Schicht auf CsI

(2) Abshagen & Co., Hamburg-Wandsbek
(3) resin-modified, middle-oil alkyd based on drying fatty acids (15% phthalic anhydride, 52% triglycerides, 22% modified resin)
(4) light brown, viscous solution (60% in TBZ)
(5) for elastic primers, industrial finishes and fillers
(6) film on CsI

14772 2988

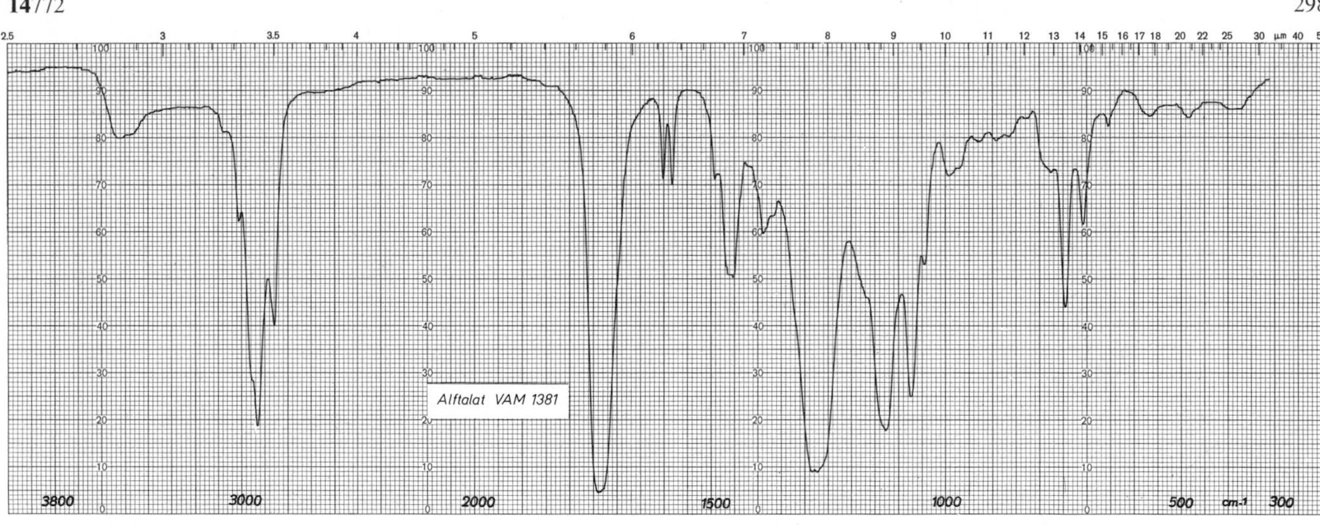

(1) **Alftalat VAM 1381**
(3) holzölfreies, kurzöliges, harzmodifiziertes Alkyd (32% PSA, 38% Triglycerid, 20% modifizierte Harze)
(4) mittelbraune, viskose Lösung (60% in XYL)
(5) für Grundfarben und Spachtel, Zinkchromatgrundierungen, schnelltrocknende Industrielacke
(6) Schicht auf CsI

(2) Hoechst AG, Frankfurt/M.-Höchst
(3) resin-modified, wood oil-free, short-oil alkyd (32% phthalic anhydride, 38% triglycerides, 20% modified resin
(4) mid-brown, viscous solution (60% in XYL)
(5) for primers and fillers, zinc chromate primers, quick-drying industrial finishes
(6) film on CsI

14772 2989

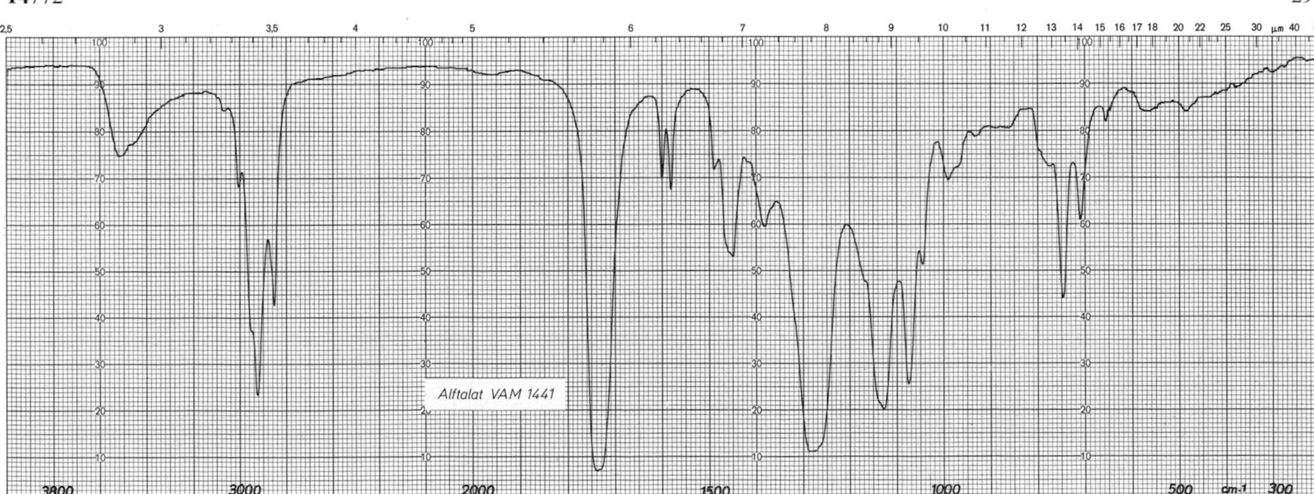

(1) **Alftalat VAM 1441**
(3) holzölfreies, kurzöliges, harzmodifiziertes Alkyd
(4) hellbraune, dickflüssige Lösung (60% in XYL)
(5) für raschtrocknende, elastische Grundfarben und Spachtel, Kunstharz-Metallgrund, Grundanstrich für Schiffsaufbauten
(6) Schicht auf CsI

(2) Hoechst AG, Frankfurt/M.-Höchst
(3) resin-modified, wood oil-free, short-oil alkyd (32% phthalic anhydride, 38% triglycerides, 20% modified resin
(4) mid-brown, viscous solution (60% in XYL)
(5) for primers and fillers, zinc chromate primers, quick-drying industrial finishes
(6) film on CsI

14772 2990

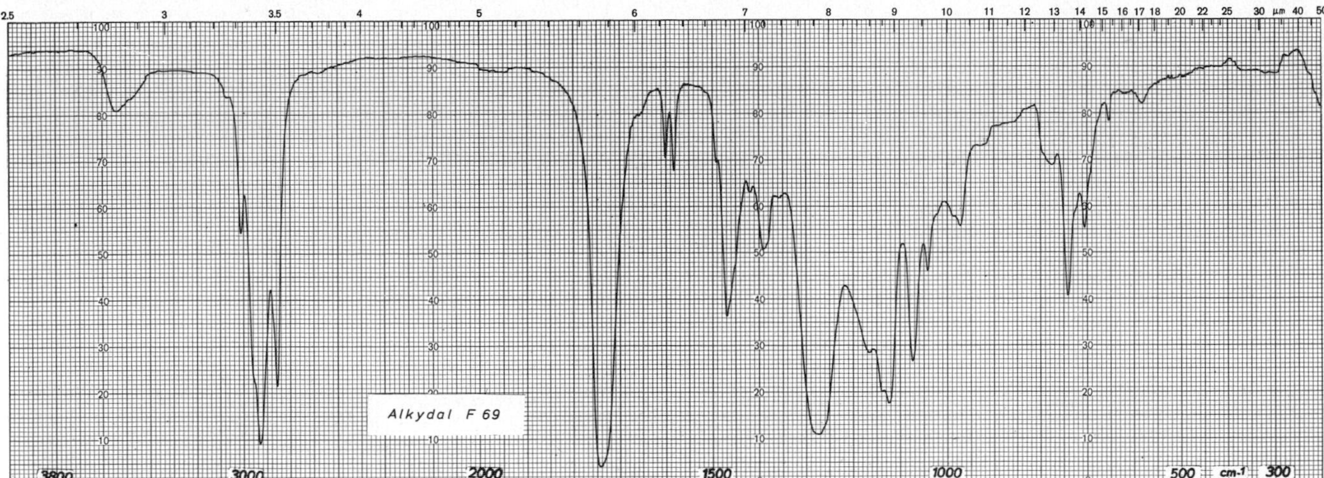

(1) **Alkydal F 69**
(3) langöliges, niedrigviskoses Alkyd auf Basis trocknender, pflanzlicher Fettsäuren, harzmodifiziert; 69% Triglyceride, 22% PSA
(4) transparente, gelbe Lösung (70% in Kristallöl 60)
(5) für gut trocknende Malerlacke
(6) Schicht auf CsI

(2) Bayer AG, Leverkusen
(3) low viscosity, long-oil alkyd based on vegetable, drying fatty acids, resin-modified; 69% triglycerides, 22% phthalic anhydride
(4) transparent, yellow solution (70% in Kristallöl 60)
(5) for good-drying decorators' finishes
(6) film on CsI

14772 2991

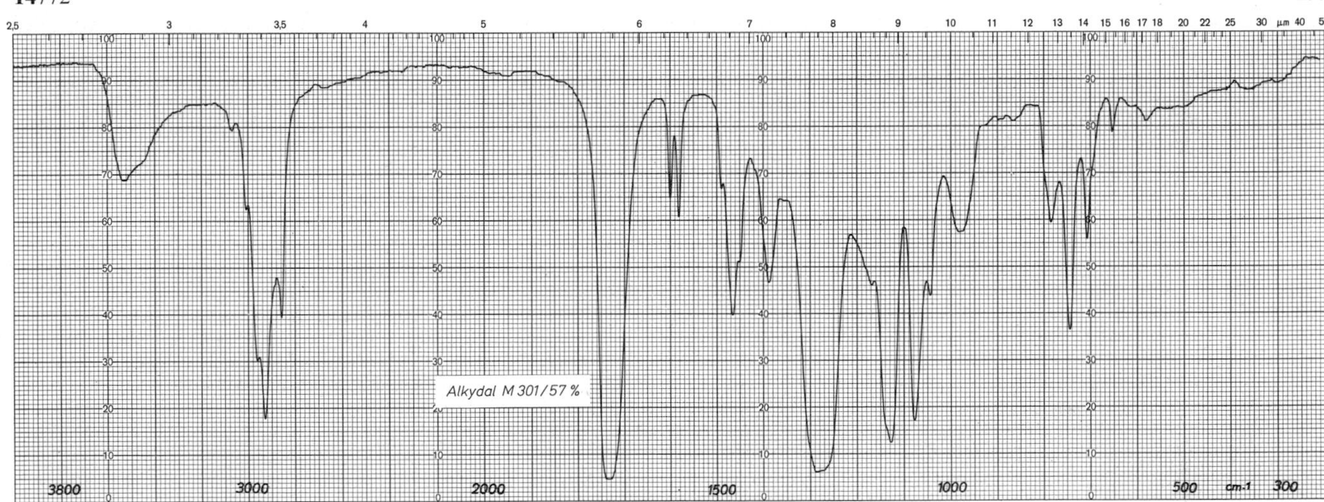

(1) **Alkydal M 301**
(3) kurzöliges, mit Hartharz modifiziertes Alkyd auf Basis trocknender pflanzlicher Öle; 30% Triglyceride, 39% PSA
(4) farblose, dickflüssige Lösung (57% in Supersol M)
(5) für wärme- und ofentrocknende Füller und Grundierungen, Industrie- und Einbrennlacke, Einschichtlacke
(6) Schicht auf CsI

(2) Bayer AG, Leverkusen
(3) resin-modified, short-oil alkyd based on vegetable, drying oils; 30% triglycerides, 39% phthalic anhydride
(4) colorless, viscous solution (57% in Supersol M)
(5) for heat and oven-drying fillers and primers, industrial finishes, stove enamels and one-coat finishes
(6) film on CsI

14772 2992

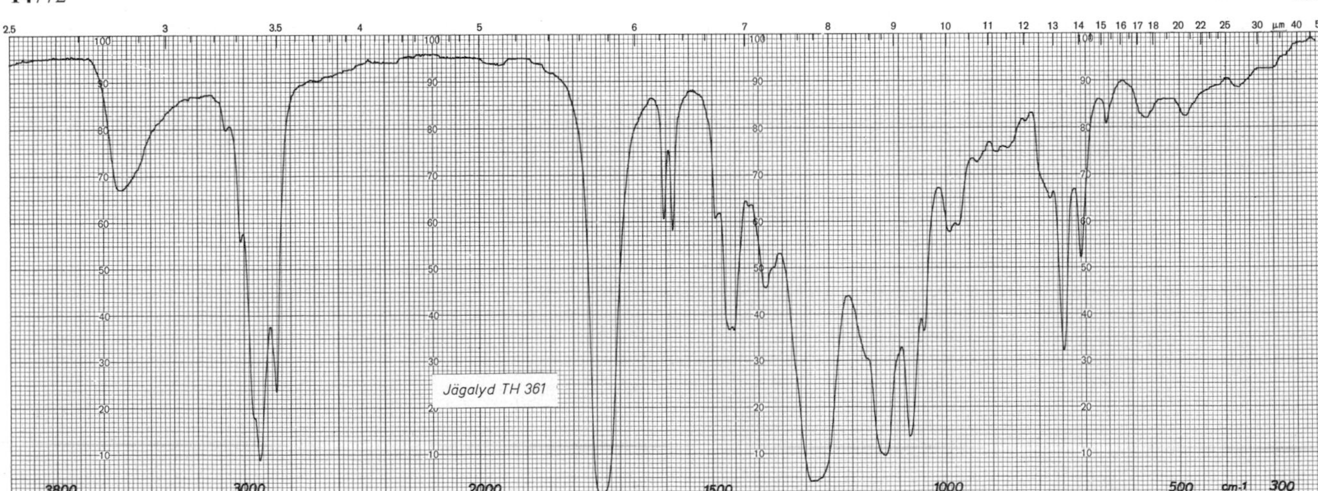

(1) **Jägalyd TH 361**
(3) Alkyd; 36% spezielles Mischöl/Holzöl, 19% modifizierte Harze, 31% PSA
(4) bernsteinfarbene, etwas viskose Lösung (60% in XYL)
(5) für Grundierungen, luft- und ofentrocknende Spachtel, Primer und Füller
(6) Schicht auf CsI

(2) E. Jäger, Düsseldorf
(3) alkyd; 36% special mixed oil/tung oil, 19% modified resin, 31% phthalic anhydride
(4) amber-colored, somewhat viscous solution
(5) for primers, air and oven-drying stoppings, primers and fillers
(6) film on CsI

14772 2993

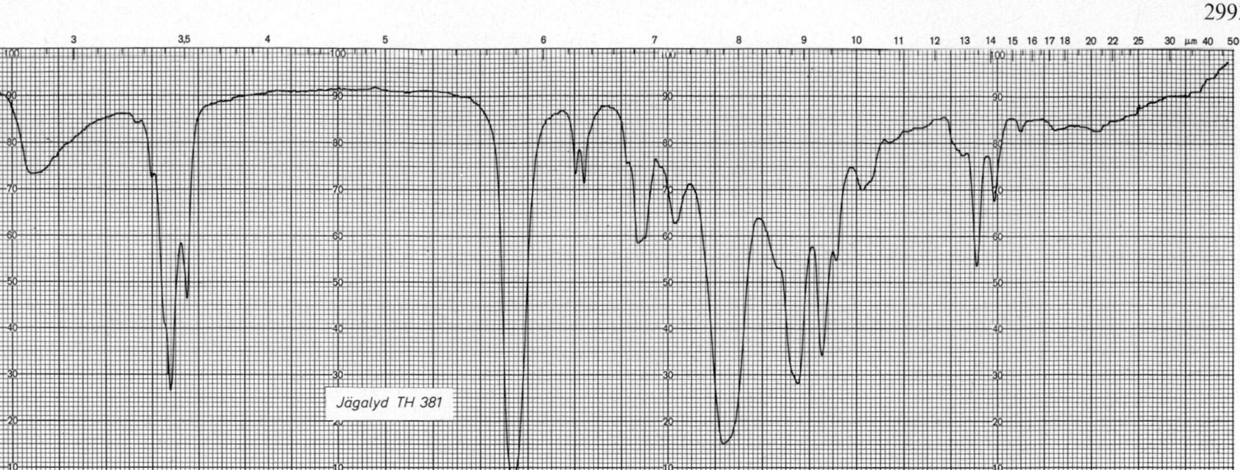

(1) **Jägalyd TH 381**
(3) Alkyd; 38% pflanzliche Öle, 15% modifizierte Harze, 32% PSA
(4) honigfarbene, etwas viskose Lösung (60% in XYL)
(5) für luft- und ofentrocknende Spachtel, Grundierungen und Füller; mit Zinkchromat zu Rostschutzüberzügen
(6) Schicht auf CsI

(2) E. Jäger, Düsseldorf
(3) alkyd; 38% vegetable oils, 15% modified resin, 32% phthalic anhydride
(4) honey-colored, somewhat viscous solution (60% in XYL)
(5) for air and oven-drying stoppings, primers and fillers; with zinc chromate for antirust coatings
(6) film on CsI

14772 2994

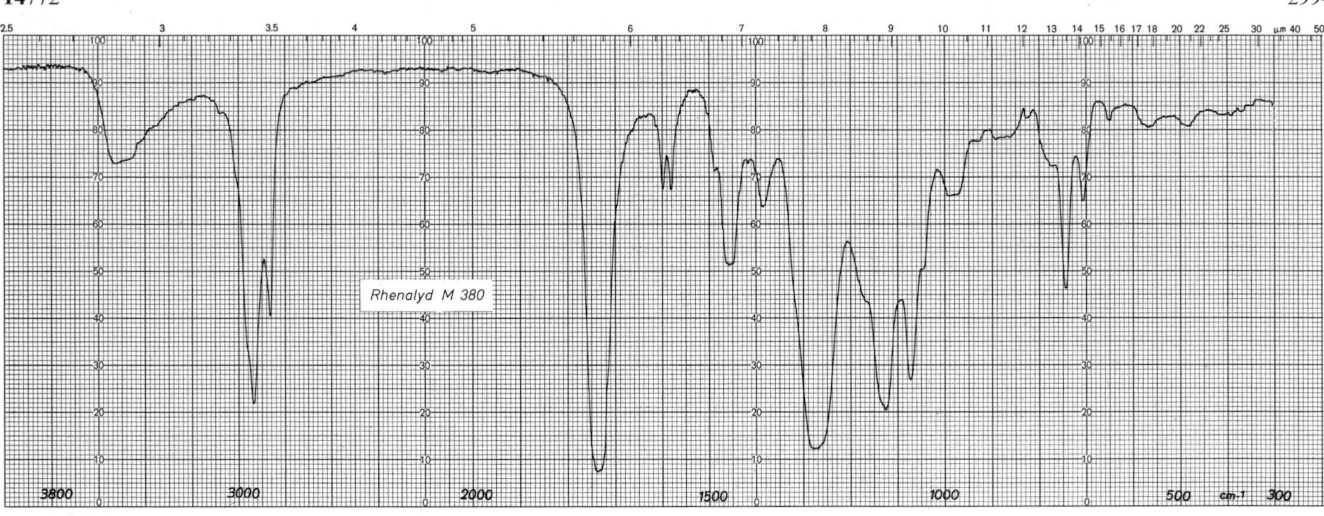

(1) **Rhenalyd M 380**
(3) kurzöliges, trocknendes Alkyd (60% in XYL); 33% PSA, 36% Triglyceride, 20% Hartharz
(4) gelbbraune Lösung
(5) für luft- und ofentrocknende Lacke, Grundierungen, Spachtel, Maschinenlacke, Kombinationen mit Harnstoff- und Melaminharzen
(6) Schicht auf CsI

(2) Texaco Chemie, Homberg/Ndrh.
(3) short-oil, drying alkyd (60% in XYL); 33% phthalic anhydride, 36% triglycerides, 20% hard resin
(4) yellow-brown solution
(5) for air and oven-drying finishes, primers, fillers and machine finishes, combinations with urea and melamine resins
(6) film on CsI

14772 2995

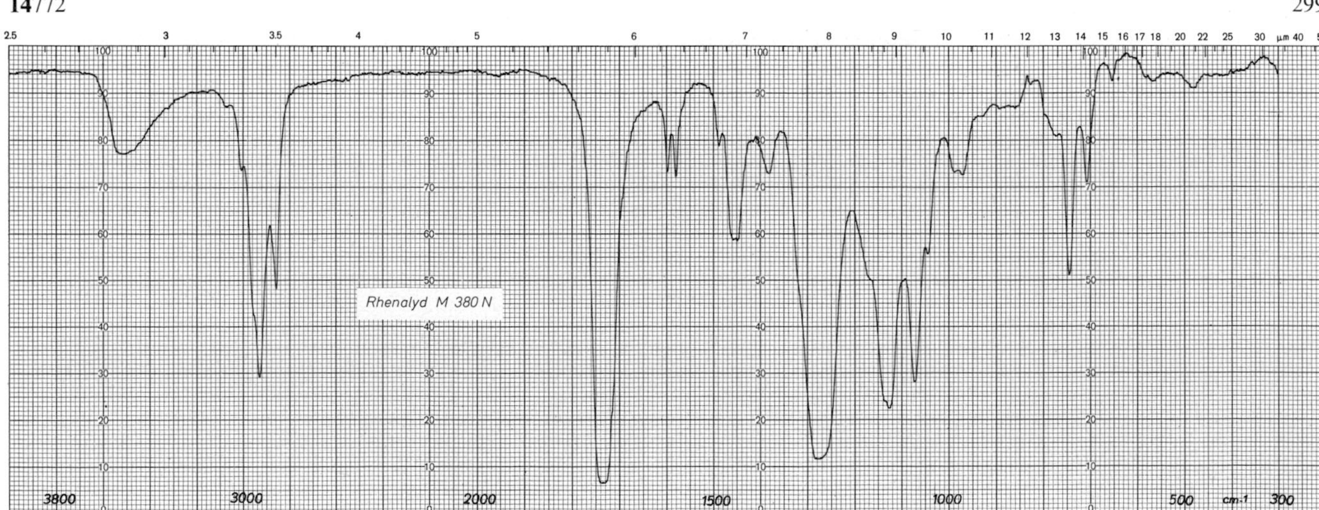

(1) **Rhenalyd M 380 N**
(3) kurzöliges, trocknendes Alkyd (60% in XYL); 37% PSA, 42% Triglyceride, 10% Hartharz
(4) gelbbraune, etwas viskose Lösung
(5) für luft- und ofentrocknende Lacke, Grundierungen, Spachtel, Maschinenlacke; Kombinationen mit Harnstoff- und Melaminharzen, Cellulosenitrat und Maleinatharzen
(6) Schicht auf CsI

(2) Texaco Chemie, Homberg/Ndrh.
(3) short-oil, drying alkyd (60% in XYL); 37% phthalic anhydride, 42% triglycerides, 105 hard resin
(4) yellow-brown, viscous solution
(5) for air and oven-drying finishes, primers, fillers, machine finishes; combinations with urea and melamine resins, with nitrocellulose and with maleate resins
(6) film on CsI

1477(3 – 1) 2996

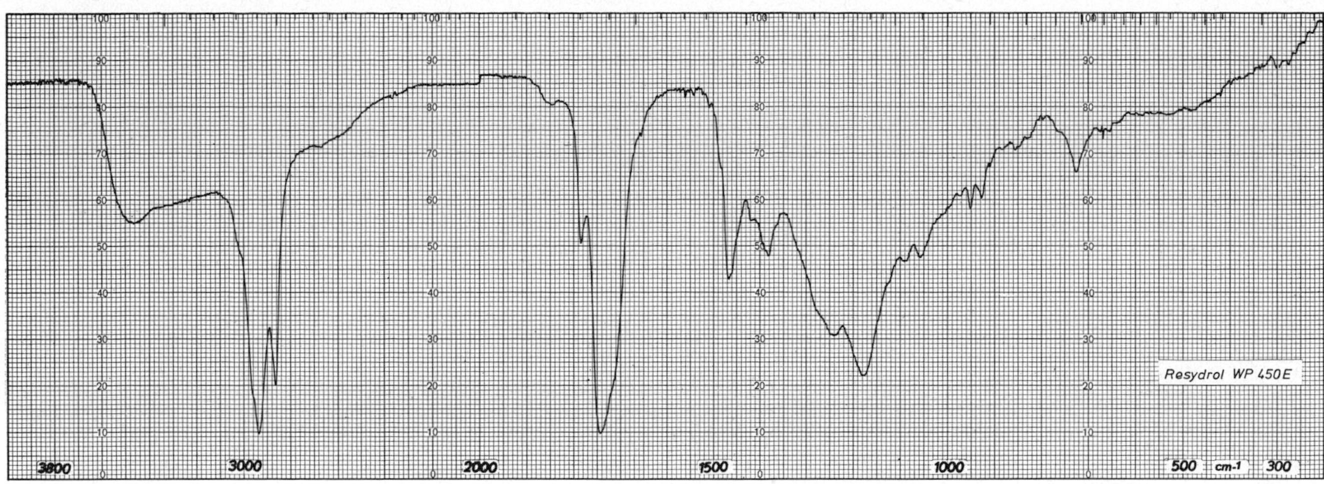

(1) **Resydrol WP 450 E**
(3) hydrophilisiertes, phenolmodifiziertes Alkyd
(4) honigfarbene, zähflüssige Lösung
(5) „plastifiziertes Phenolharz" (wasserverdünnbar) für Grundierungen und Decklacke
(6) Schicht auf CsI

(2) Vianova Kunstharz AG, Wien (Hoechst-Gruppe)
(3) hydrophilized, phenol-modified alkyd
(4) honey-colored, semisolid solution
(5) "plasticized phenol resin" (water-dilutable) for primers and top coats
(6) film on CsI

14776 2997

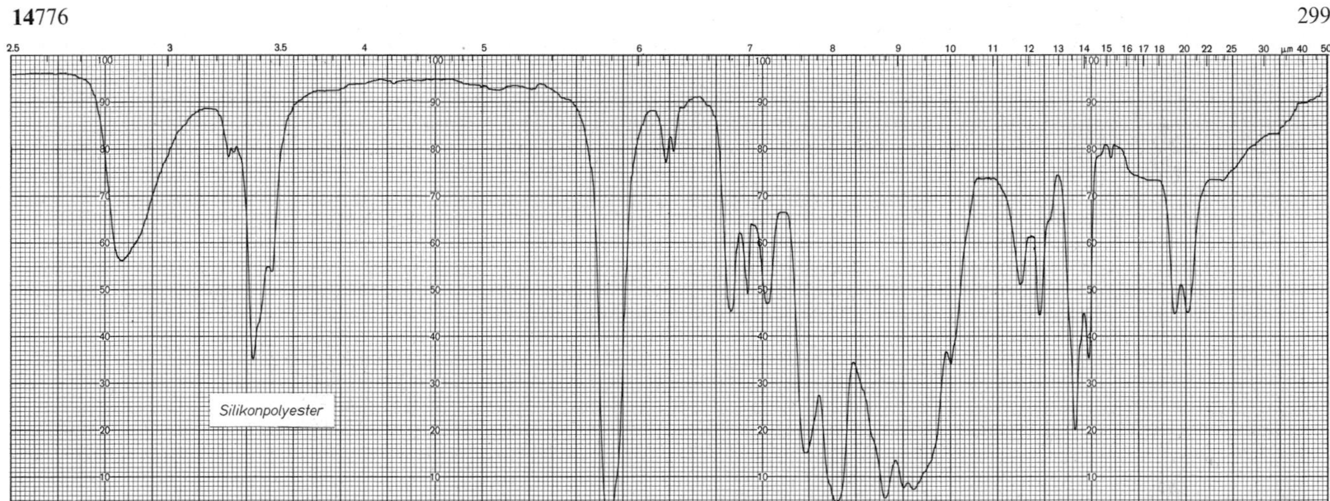

(1) **phenylmethylsiliconmodifizierter Isophthalsäurepolyester**
(2) BASF Farben und Fasern AG, Münster (Laborpräparat, E. Knappe)
(4) farblose, etwas viskose Lösung
(5) für chemisch und thermisch stabile Überzüge
(6) Schicht auf CsI

(1) **phenylmethylsilicone-modified isophthalic polyester (30% silicone)**
(2) BASF Farben und Fasern AG, Münster (laboratory preparation, E. Knappe)
(4) colorless, somewhat viscous solution
(5) for chemically and thermally stable coatings
(6) film on CsI

14776 2998

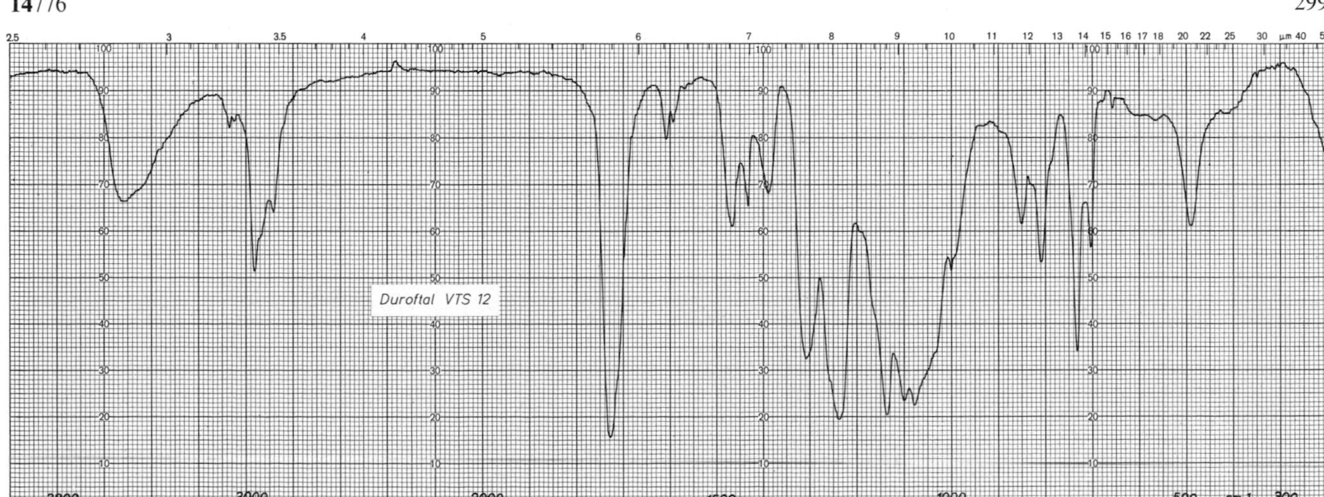

(1) **Duroftal VTS 12**
(3) hitzehärtender, silikonmodifizierter Polyester auf Isophthalsäurebasis
(4) farblose, klare, dickflüssige Lösung (55% in EGA)
(5) wetterbeständige und gilbungsfeste Einbrennlackierungen auf Stahl und Leichtmetall; Coil-Coating
(6) Schicht auf CsI

(2) Hoechst AG, Reichhold-Albert-Cassella
(3) heat-curing, silicone-modified polyester based on isophthalic acid
(4) colorless, clear, semisolid solution (55% in EGA)
(5) weather-resistant and non-yellowing stove enamelling of steel and light alloys; coil coating
(6) film on CsI

14777 2999

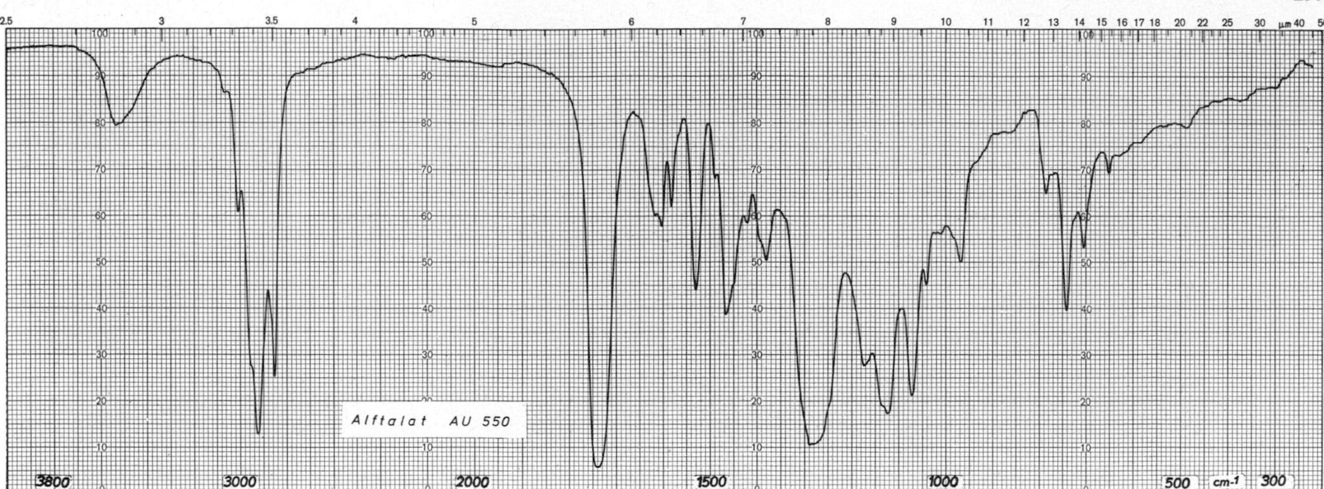

(1) **Alftalat AU 550 (Alu-Alftalat AT 550)**
(3) mit einer organischen Al-Verbindung vorvernetztes Alkydharz auf Ricinenbasis
(4) gelbe Lösung
(5) für Industrie- und Malerlacke, tropenfeste Lackierungen, Bootslacke, Flammenschutzlacke
(6) Schicht auf CsI
(7) rasch an- und durchtrocknend; die mechanischen Eigenschaften und die chemische Widerstandsfähigkeit der Filme sind erhöht

(2) Hoechst AG, Frankfurt/M.-Höchst
(3) castor oil alkyd resin, precrosslinked with an organic aluminium compound
(4) yellow solution
(5) for industrial and decorators' finishes, non-drip, marine and flame-resistant finishes
(6) film on CsI
(7) quick surface and bulk drying; the mechanical properties and the chemical resistance of the coatings are increased

14(778 – 464) 3000

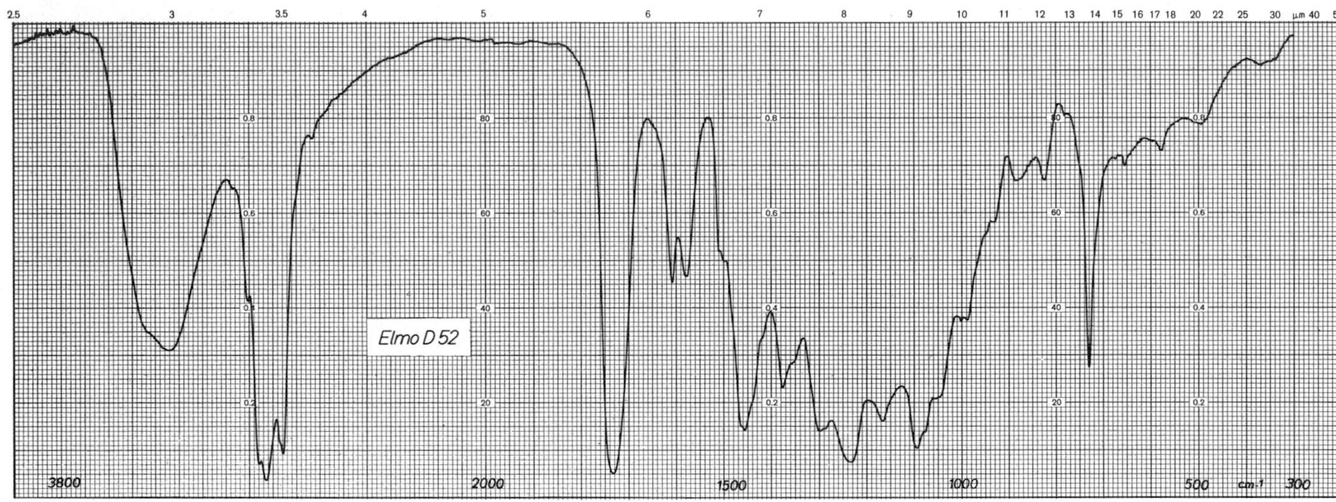

(1) **Elmo D 52**
(3) phenolmodifiziertes Alkyd auf Isophthalsäurebasis
(4) transparente, gelbe, mittelviskose Flüssigkeit
(5) Elektroisolier-Tränklack für Wicklungen von elektrischen Maschinen, insbesondere für den Transformatorenbau
(6) Schicht auf CsI, bei 50 °C i.V. getrocknet
(7) PE 580 B, FLAT, ABEX 1.54

(2) BASF Farben + Fasern AG, Beck Elektro-Isoliersysteme, Hamburg
(3) phenol-modified alkyd based on isophthalic acid
(4) transparent, yellow, medium viscous liquid
(5) impregnation varnish for insulation of the coils of electrical machines, particularly for transformer manufacture
(6) film on CsI, dried at 50 °C, in vacuo
(7) PE 580 B, FLAT, ABEX 1.54

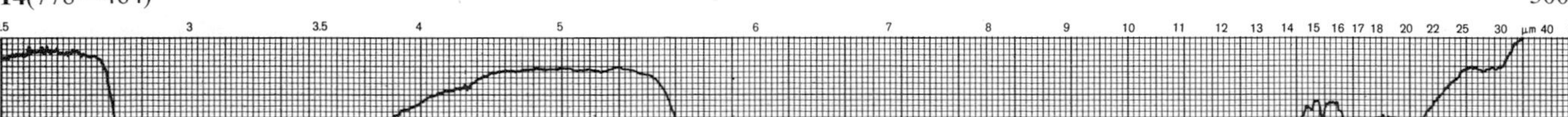

14(778 – 464) 3001

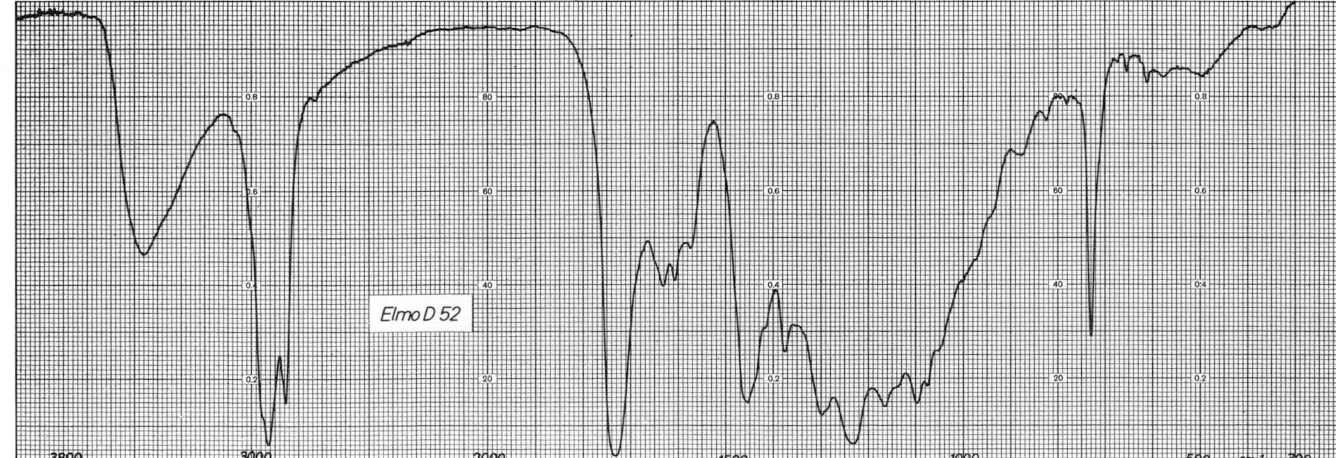

(1) **Elmo D 52**
(3) phenolharzmodifiziertes Isophthalalkyd
(4) transparente, gelbe, mittelviskose Flüssigkeit
(5) Elektroisolier-Tränklack für Wicklungen von elektrischen Maschinen, insbesondere für den Transformatorenbau
(6) Schicht auf CsI, bei 150 °C i.V. getrocknet
(7) PE 580 B, FLAT, ABEX 1.63

(2) BASF Farben + Fasern AG, Beck Elektro-Isoliersysteme, Hamburg
(3) isophthalic alkyd modified with phenolic resin
(4) transparent, yellow, medium viscous liquid
(5) impregnation varnish for insulation of the coils of electrical machines, particularly for transformer manufacture
(6) film on CsI, dried at 150 °C, in vacuo
(7) PE 580 B, FLAT, ABEX 1.63

14(778 – 464) 3002

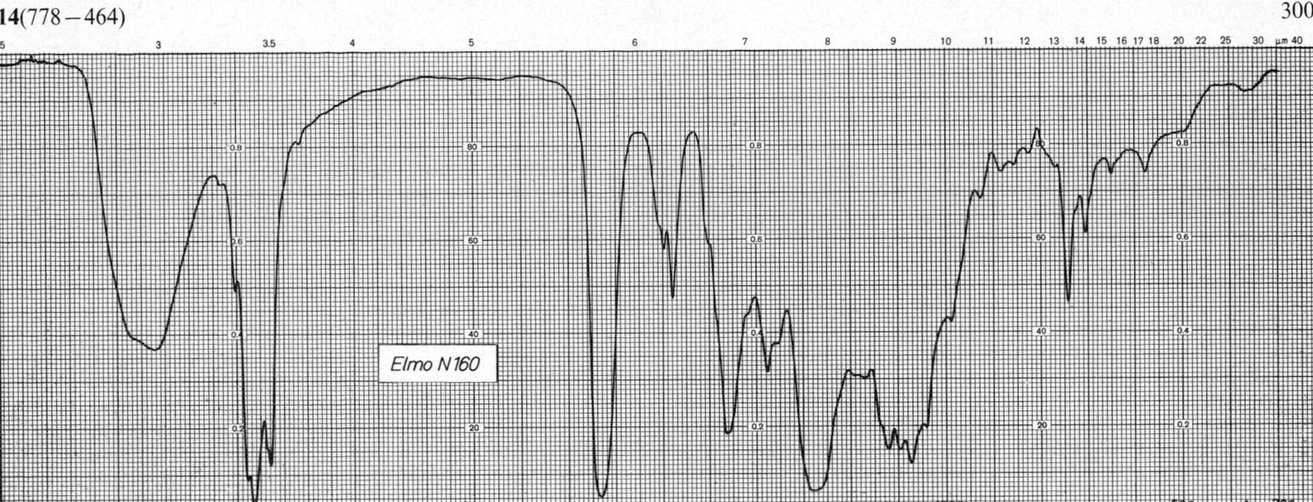

(1) **Elmo N 160**
(3) phenolharzmodifiziertes Alkyd auf Phthalsäurebasis
(4) transparente, gelbe, mittelviskose Flüssigkeit
(5) Elektroisolier-Tränklack für Wicklungen von elektrischen Maschinen, insbesondere für den Transformatorenbau
(6) Schicht auf CsI, bei 50 °C i.V. getrocknet
(7) PE 580 B, FLAT, ABEX 1.26

(2) BASF Farben + Fasern AG, Beck Elektro-Isoliersysteme, Hamburg
(3) modified with phenolic resin alkyd based on phthalic acid
(4) transparent, yellow, medium viscous liquid
(5) impregnation varnish for insulation of the coils of electrical machines, particularly for transformer manufacture
(6) film on CsI, dried at 50 °C, in vacuo
(7) PE 580 B, FLAT, ABEX 1.26

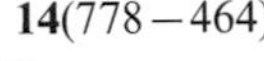
14(778 – 464) 3003

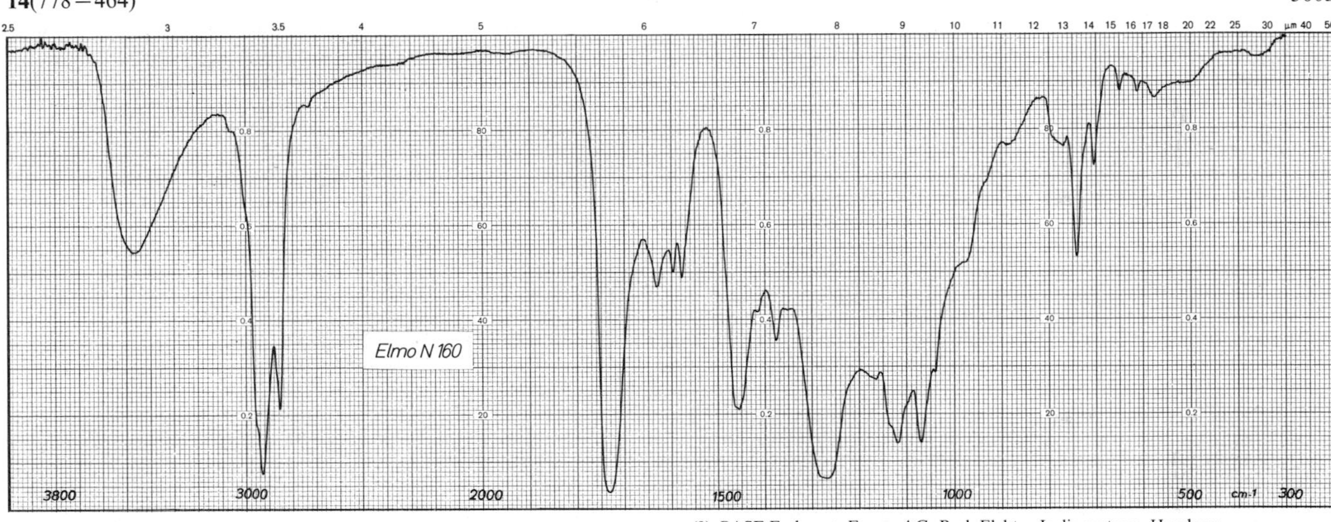

(1) **Elmo N 160**
(3) phenolharzmodifiziertes Phthalalkyd
(4) transparente, gelbe, mittelviskose Flüssigkeit
(5) Elektroisolier-Tränklack für Wicklungen von elektrischen Maschinen, insbesondere für den Transformatorenbau
(6) Schicht auf CsI, bei 150 °C i.V. getrocknet
(7) PE 580 B, FLAT, ABEX 1.26

(2) BASF Farben + Fasern AG, Beck Elektro-Isoliersysteme, Hamburg
(3) phthalic alkyd modified with phenolic resin
(4) transparent, brown, medium viscous liquid
(5) impregnation varnish for insulation of the coils of electrical machines, particularly for transformer manufacture
(6) film on CsI, dried at 150 °C, in vacuo
(7) PE 580 B, FLAT, ABEX 1.26

14781/**15**337221 $C_4H_6O_2$ *P* 3004

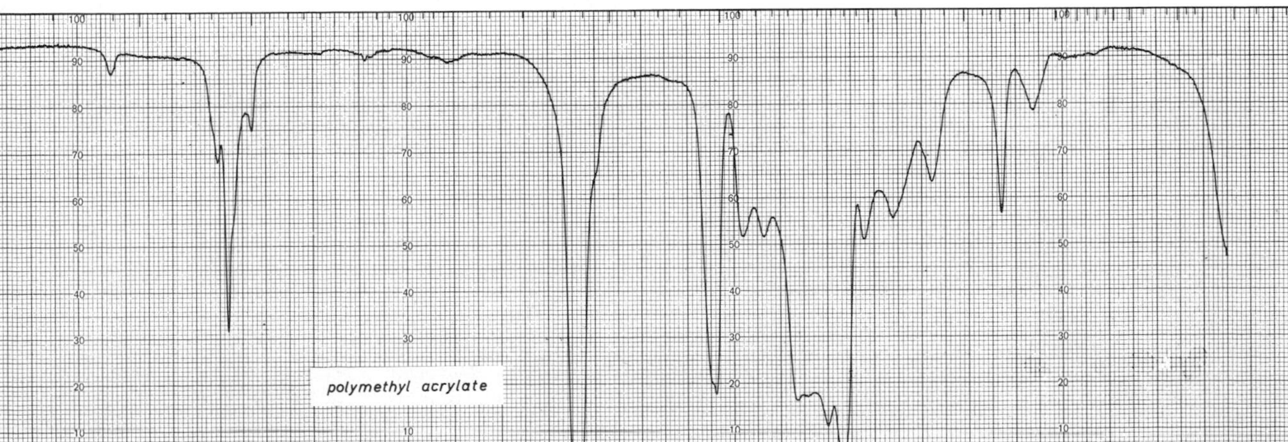

(1) **Acronal 1D**
(3) Poly(methylacrylat)
(4) weiße, milchige Dispersion
(5) Klebstoffrohstoff, für Beschichtungen
(6) eingetrocknet, in CLF aufgenommen, Schicht auf KBr

(2) BASF AG, Ludwigshafen
(3) poly(methyl acrylate)
(4) white, milky dispersion
(5) adhesive raw material, for coatings
(6) dried, taken up in CLF, film on KBr

14781/**15337**221 $C_7H_{12}O_2$ *P* 3005

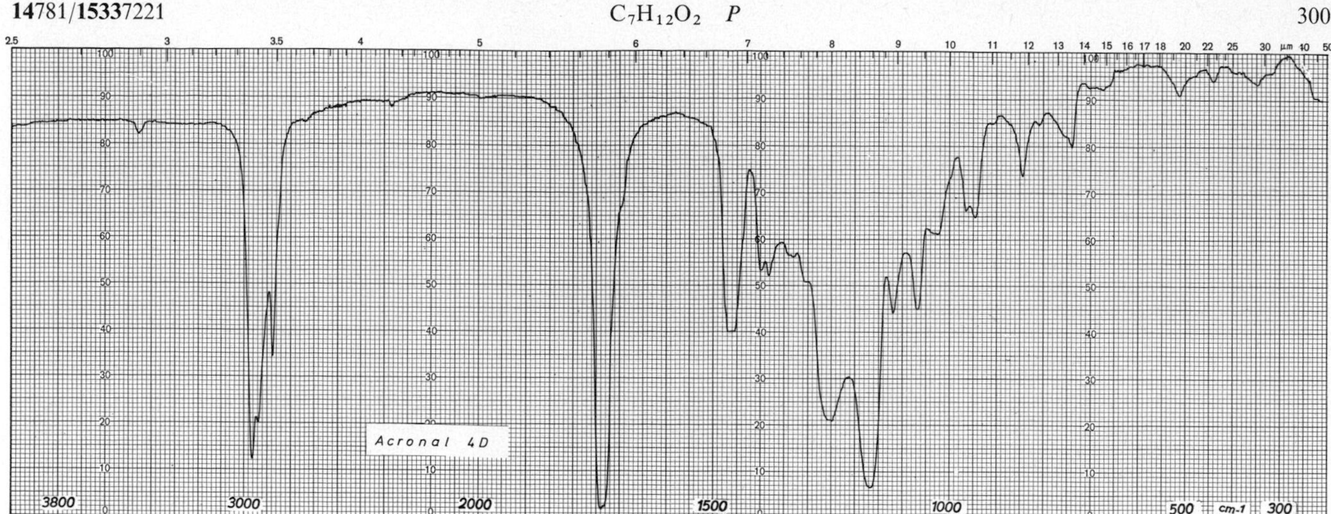

(1) **Acronal 4D**
(3) 50%ige wäßrige Dispersion auf Basis Poly(butylacrylat)
(4) weiße Dispersion
(5) allein oder in Verbindung mit Kunststoffdispersionen und Harzen zur Herstellung von Haftklebern und selbstklebenden Beschichtungen
(6) Schicht auf KRS-5

(2) BASF AG, Ludwigshafen
(3) 50% aqueous dispersion based on poly(butyl acrylate)
(4) white dispersion
(5) alone or combined with plastic dispersions and resins for the manufacture of impact adhesives and self-adhesive coatings
(6) film on KRS-5

14781 $C_7H_{12}O_2$ *P* 3006

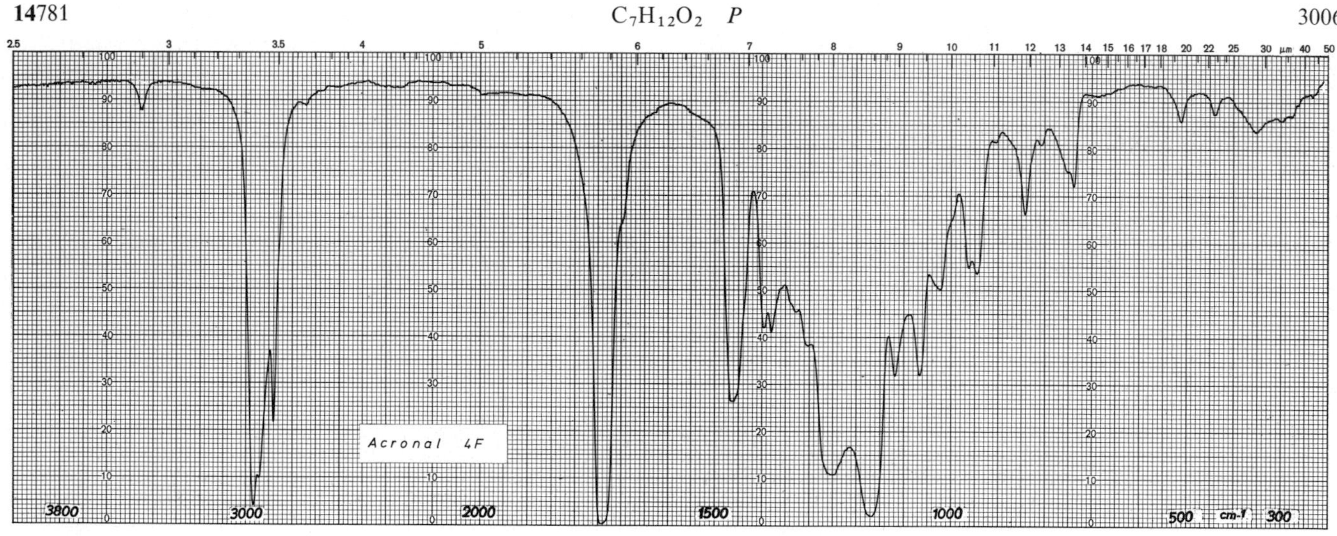

(1) **Acronal 4 F**
(3) Poly(butylacrylat)
(4) glasklares, hochviskoses Harz
(5) in Kombination mit Cellulosenitrat zu Holz-, Papier- und Folienlacken, für Siegellacke, Alufolien- und Kunststofflackierungen; in Kombination mit chlorhaltigen Bindemitteln zu schwerverseifbaren Anstrichen; als härtungsverbessernde Komponente
(6) Schicht auf CsI

(2) BASF AG, Ludwigshafen
(3) poly(butyl acrylate)
(4) highly viscous, crystal clear resin
(5) in combination with cellulose nitrate for timber, paper and film lacquers, for sealing lacquers, aluminium foil and plastic lacquers; in combination with chlorine-containing binders forms difficult to hydrolyze coatings; as additive to improve curability
(6) film on CsI

14781 $C_7H_{12}O_2$ *P* 3007

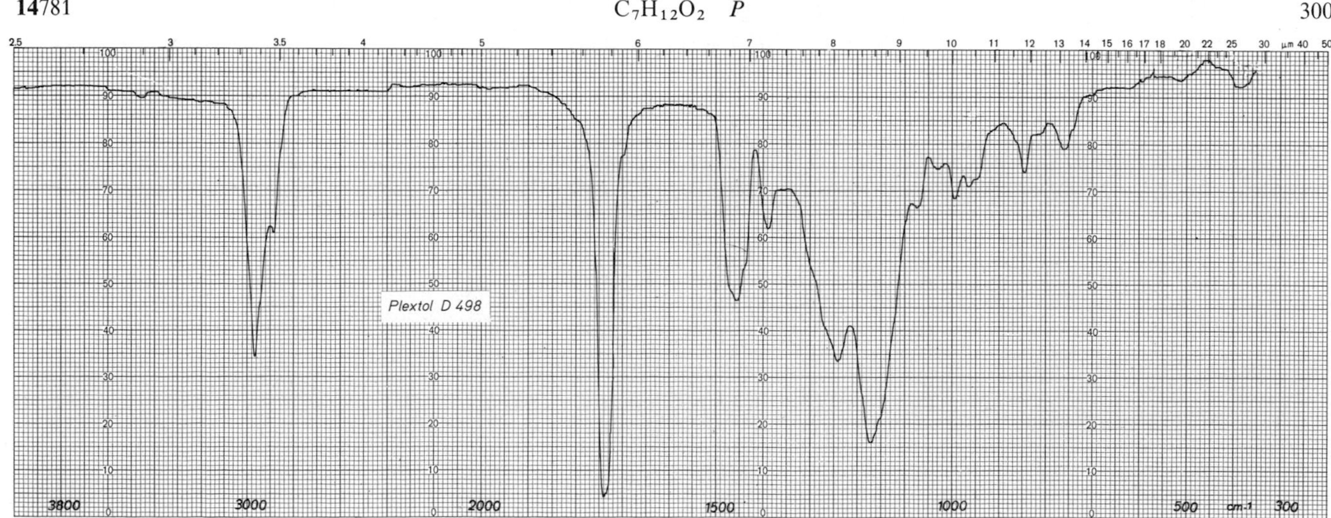

(1) **Plextol D 498**
(3) Hauptbestandteil: Poly(butylacrylat)
(4) weiße Dispersion
(5) Bindemittel in der Lack-, Leder-, Papier- und Textilindustrie; als Zusatz zu Beton, Mörtel, Kunstharzputzen
(6) Schicht auf KRS-5

(2) Röhm GmbH, Darmstadt
(3) major component: poly(butyl acrylate)
(4) white dispersion
(5) binder for the paint, leather, paper and textile industries; an additive for concrete, mortar and synthetic resin renderings
(6) film on KRS-5

14782 3008

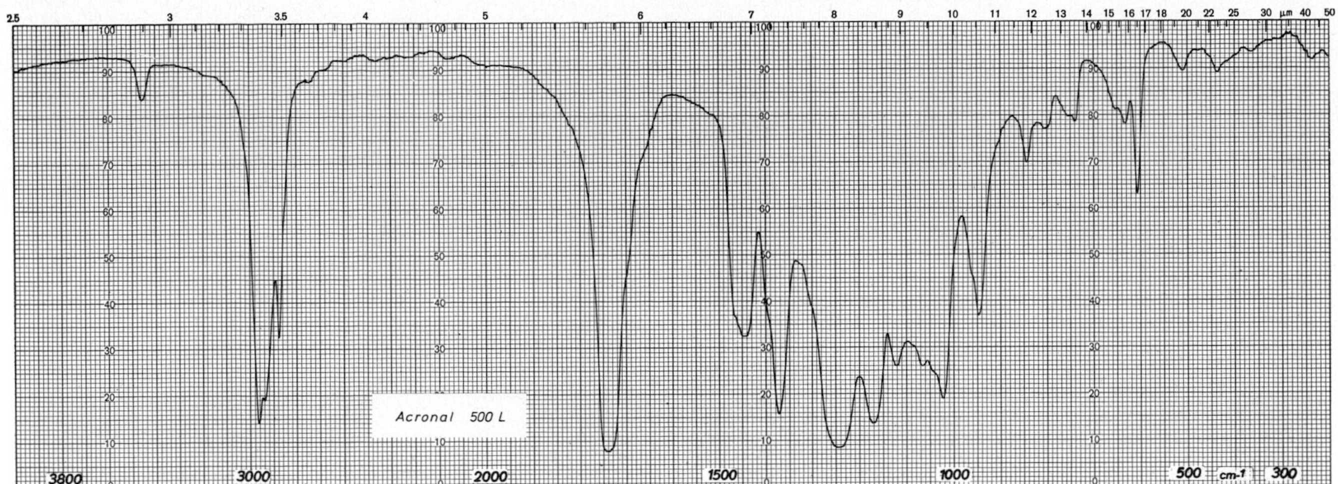

(1) **Acronal 500 L**
(3) copolymerer Acrylsäureester
(4) klare Lösung (40% in EAC)
(5) Klebstoffrohstoff, Beschichtungsmittel für Gewebe, Zusatz zu Heißsiegelbeschichtungen
(6) Schicht auf CsI

(2) BASF AG, Ludwigshafen
(3) acrylic copolyester
(4) clear solution (40% in EAC)
(5) adhesive raw material, coating agent for fabric, additive for hot sealing coatings
(6) film on CsI

14782 3009

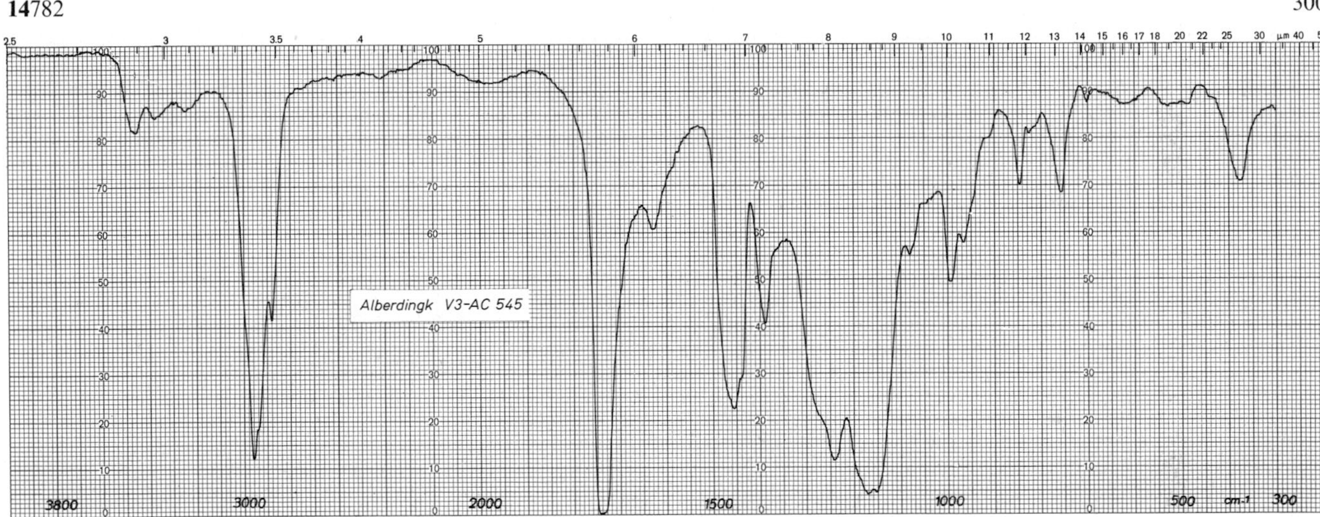

(1) **Alberdingk V3-AC 545**
(3) copolymere Acrylsäureester (ohne Weichmacher und Schutzkolloide)
(4) weiße Dispersion
(5) für Glanzfarben, Fassadenfarben, Putze
(6) Schicht auf KRS-5

(2) Vereinigte Uerdinger Ölwerke Alberdingk und Boley
(3) acrylic copolyester (without plasticizer or protective colloid)
(4) white dispersion
(5) for gloss paints, external wall paints, renderings
(5) film on KRS-5

14782 $C_7H_{12}O_2-C_6H_{10}O_3$ *P* 3010

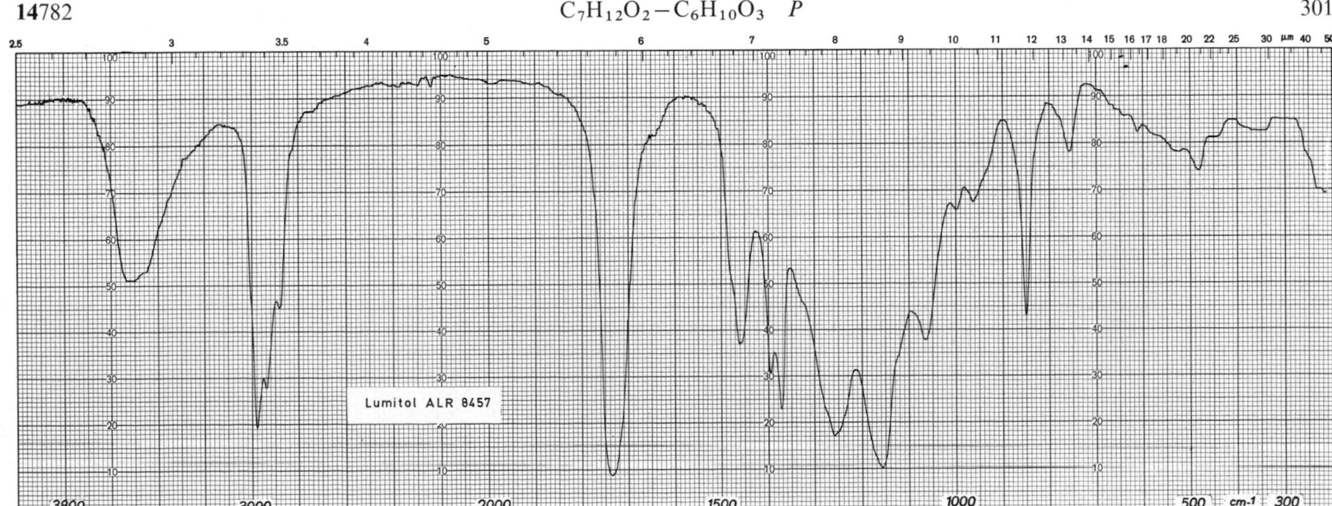

(1) **Lumitol ALR 8457**
(3) Poly(t-butylacrylat-co-acrylsäureoxypropylester)
(4) gelbe, dickflüssige Lösung (80%)
(5) für high-solid-Lacke
(6) Schicht auf CsI

(2) BASF AG, Ludwigshafen
(3) poly(t-butyl acrylate-co-acrylate oxypropyl ester)
(4) yellow, viscous solution (80%)
(5) for high-solids finishes
(6) film on CsI

14782 3011

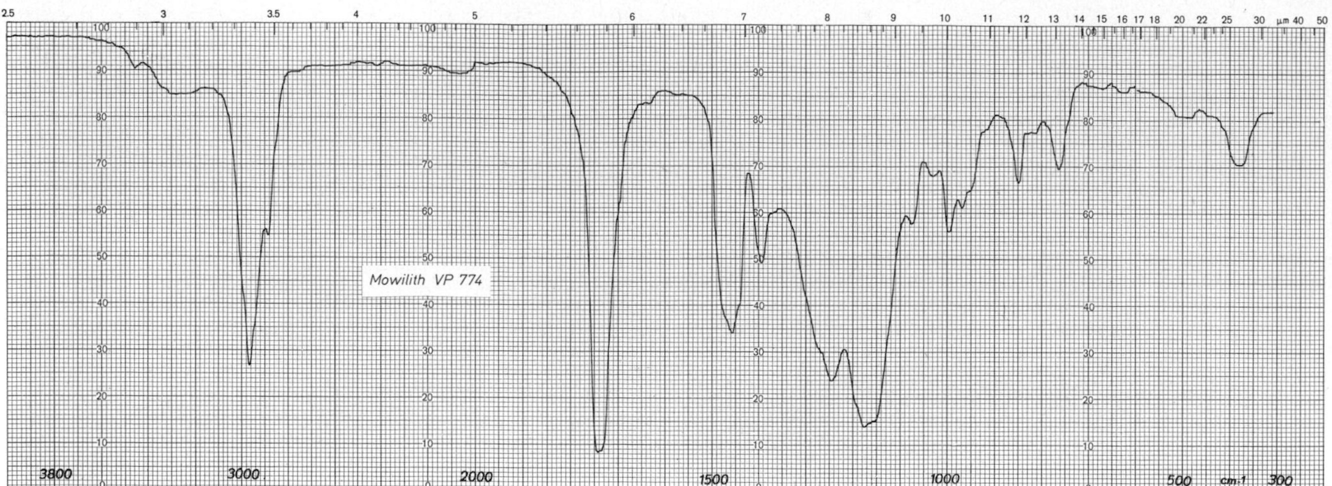

(1) **Mowilith VP 774**
(3) copolymere Acrylsäureester
(4) weiße Dispersion (46%)
(5) für glänzende und halbglänzende Dispersionsfarben (Außenanstriche); für Beschichtungen auf Asbestzement, Hartfaser- und Spanpreßplatten
(6) Schicht auf KRS-5

(2) Hoechst AG, Frankfurt/M.-Höchst
(3) acrylic copolyester
(4) white dispersion (46%)
(5) for gloss and semi-gloss dispersion paints, (outdoor); for coating asbestos cement, hard fiber and chipboards
(6) film on KRS-5

14782 3012

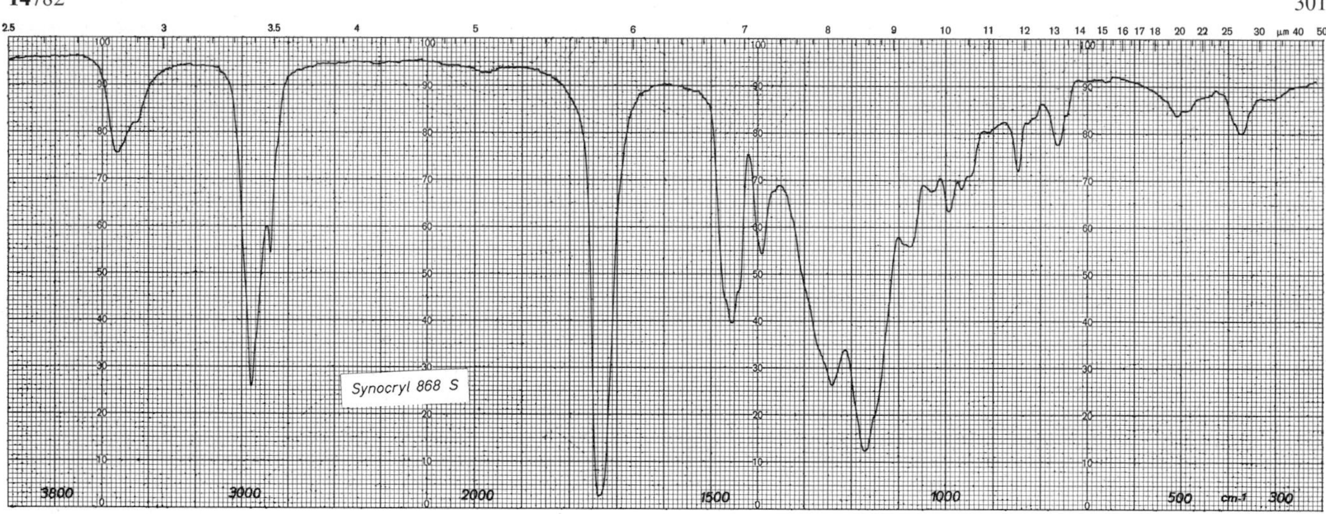

(1) **Synacryl 868 S** (im Spektrum lies: Synacryl)
(3) isocyanatvernetzbares Acrylatharz
(4) fast farblose, viskose Lösung (60% in XYL/EGA 2:1)
(5) bei Raumtemperatur mit Diisocyanaten oder -addukten härtbar; zur Beschichtung von weichen Kunststoffen (Weich-PVC, halbfeste Polyurethanschäume)
(6) Schicht auf CsI

(1) **Synacryl 868 S** (read Synacryl in the spectrum)
(2) Cray Valley Products, Kent, England
(3) isocyanate-crosslinkable acrylic resin
(4) almost colorless, viscous solution (60% in XYL/EGA 2:1)
(5) curable at room temperature with diisocyanates or adducts; for coating soft plastics (soft PVC, semirigid polyurethane foams)
(6) film on CsI

14782 3013

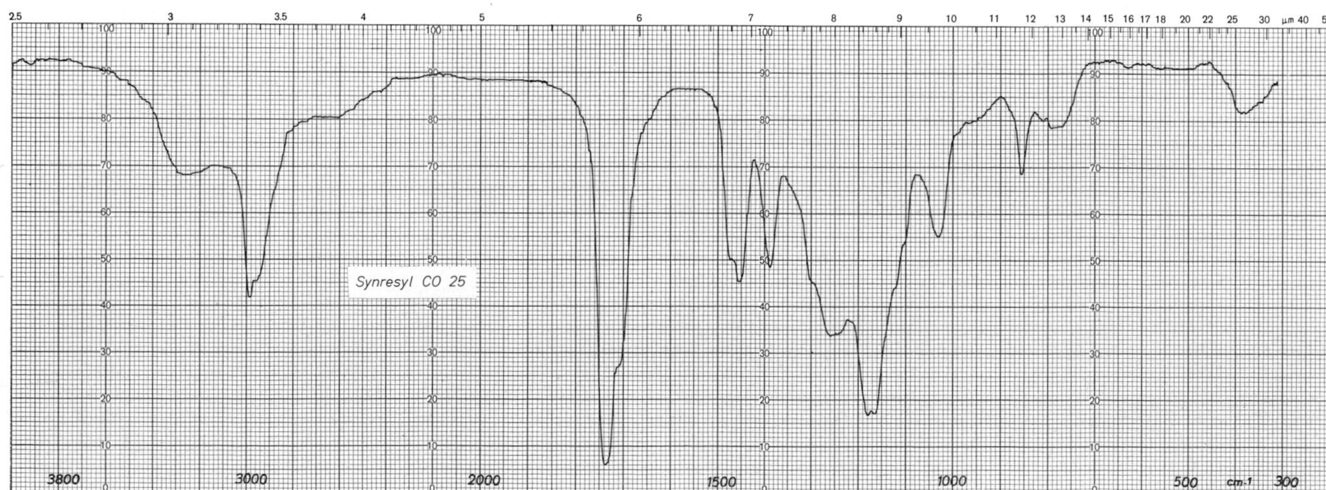

(1) **Synresyl CO 25**
(3) Polyacrylat-Dispersion
(4) weiße, wäßrige Dispersion
(5) für Walzspachtel und Grundierungen
(6) eingetrocknete Schicht auf KRS-5

(2) Synres Nederland NV, Hoek van Holland
(3) polyacrylate dispersion
(4) white, aqueous dispersion
(5) for roller fillers and primers
(6) dried film on KRS-5

14782 3014

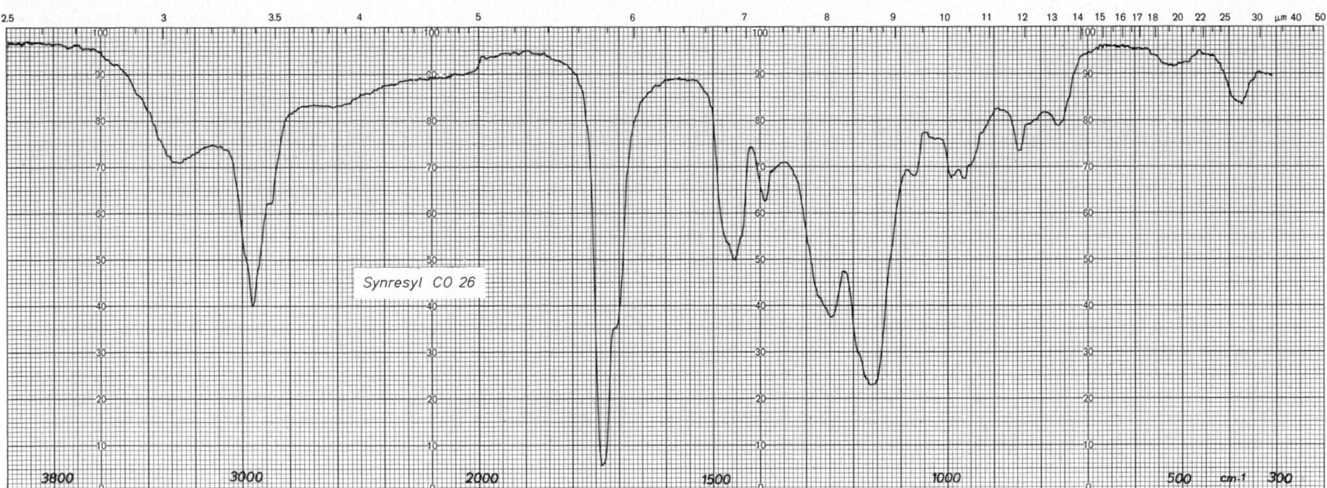

(1) **Synresyl CO 26**
(3) Polyacrylat-Dispersion
(4) weiße, wäßrige Dispersion
(5) für Walzspachtel und Grundierungen
(6) eingetrocknete Schicht auf KRS-5

(2) Synres Nederland NV, Hoek van Holland
(3) polyacrylate dispersion
(4) white, aqueous dispersion
(5) for roller fillers and primers
(6) dried film on KRS-5

14782 3015

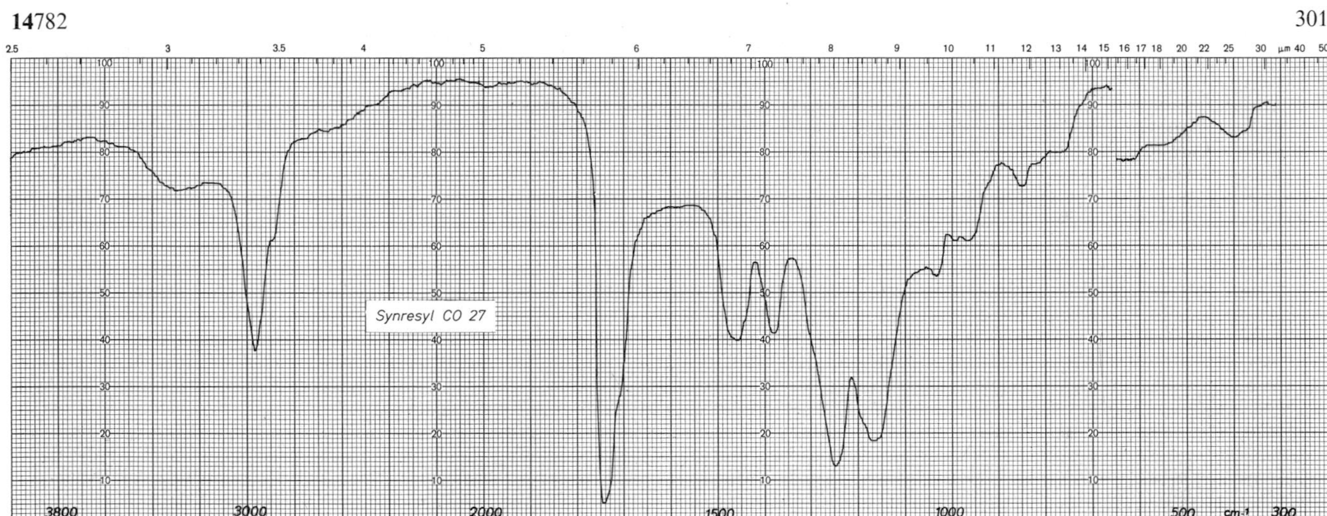

(1) **Synresyl CO 27**
(3) Polyacrylat-Dispersion
(4) weiße, wäßrige Dispersion
(5) für Walzspachtel und Grundierungen
(6) dünne, weiße Schicht auf KRS-5
(7) Ordinate etwas gedehnt

(2) Synres Nederland NV, Hoek van Holland
(3) polyacrylate dispersion
(4) white, aqueous dispersion
(5) for roller fillers and primers
(6) thin, white film on KRS-5
(7) ordinate slightly expanded

14782 3016

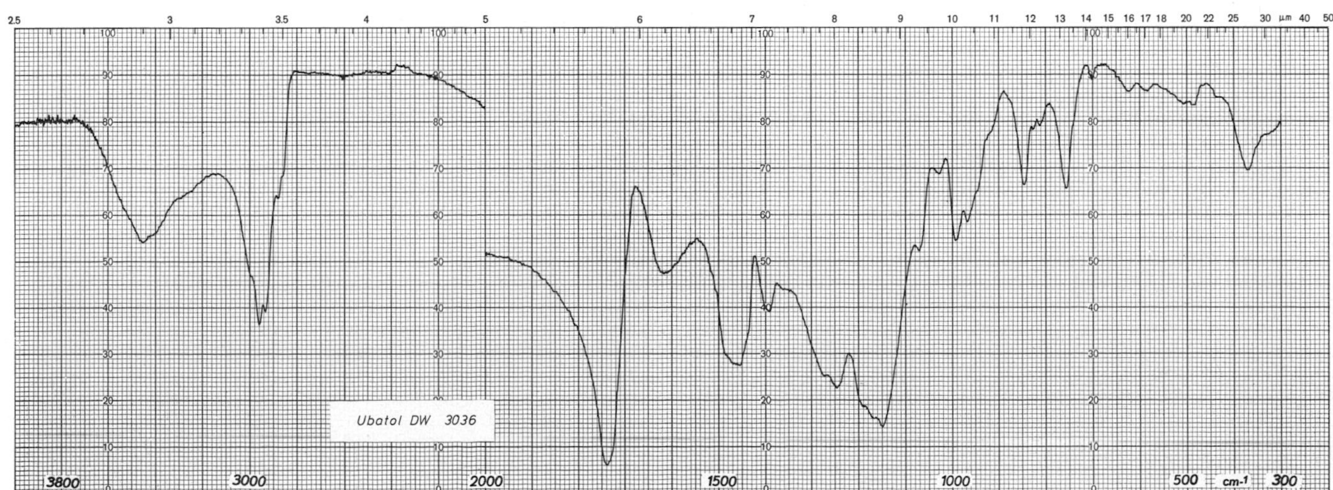

(1) **Ubatol DW-3036**
(3) feindisperse, wäßrige Kunststoffdispersion auf Basis von zinkreaktivem Polyacrylat (metallhaltig)
(4) rosé-weiße Dispersion
(5) für Pflegemittel
(6) Trockenrückstand in KBr

(2) Hendricks & Sommer, Tönisvorst
(3) aqueous resin dispersion based on reactive zinc polyacrylate (metal-containing)
(4) pinkish-white dispersion
(5) for cleansers
(6) dried residue in KBr

14782 3017

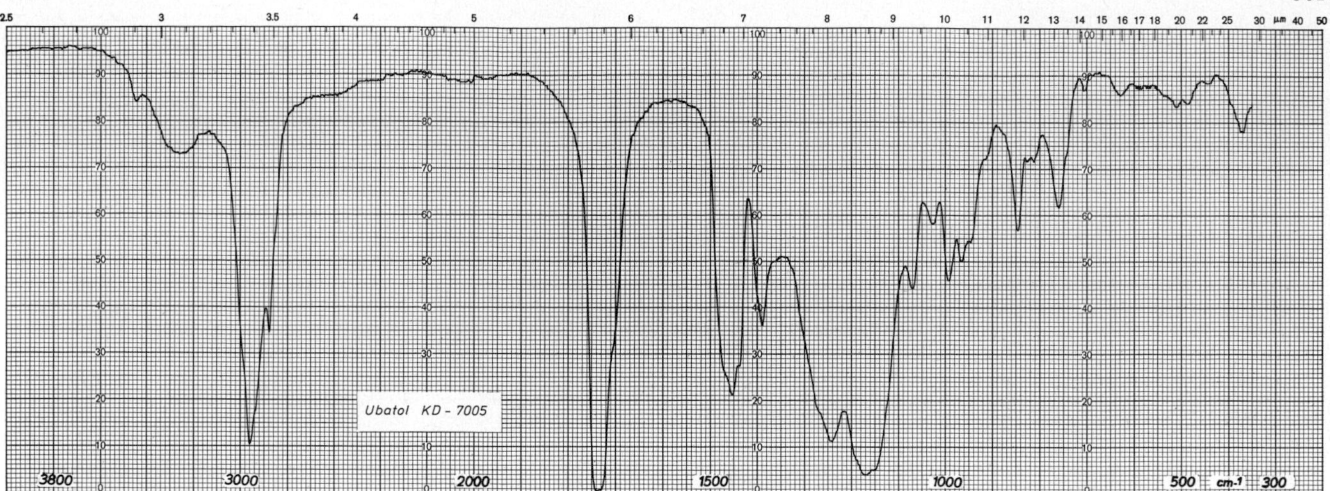

(1) **Ubatol KD-7005**
(3) Kunststoffdispersion auf Acrylatbasis
(4) weiße Dispersion
(5) für wäßrige Einlaßgründe
(6) Schicht auf KRS-5

(2) Hendricks & Sommer, Tönisvorst
(3) acrylate-based resin dispersion
(4) aqueous dispersion
(5) for aqueous sealing primers
(6) film on KRS-5

14782 3018

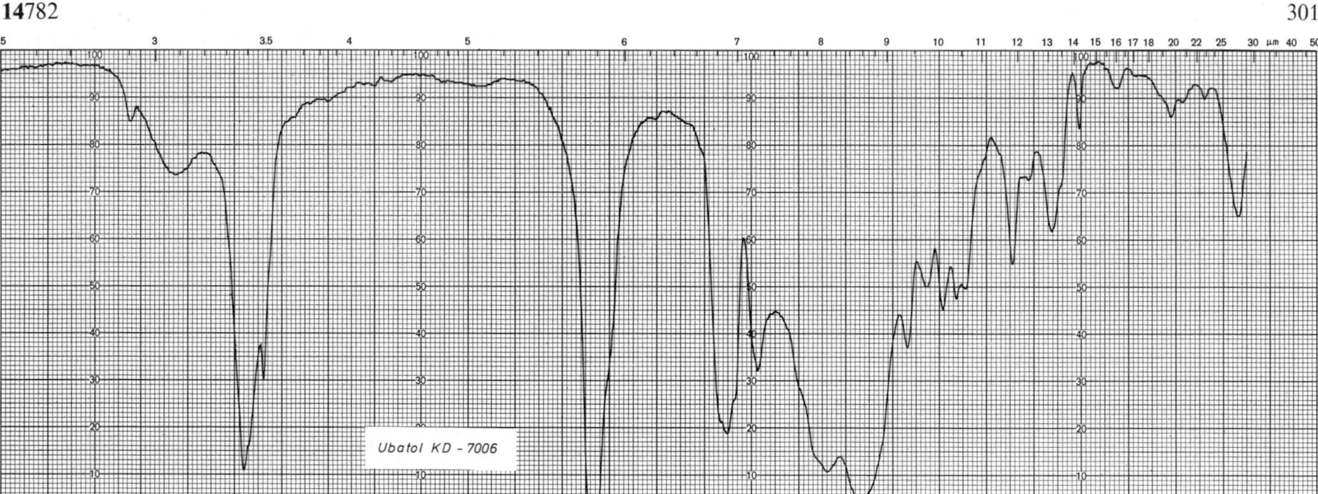

(1) **Ubatol KD-7006**
(3) Kunststoffdispersion auf Acrylatbasis
(4) weiße Dispersion
(5) für wäßrige Einlaßgründe
(6) Schicht auf KRS-5

(2) Hendricks & Sommer, Tönisvorst
(3) acrylate-based resin dispersion
(4) white dispersion
(5) for aqueous sealing primers
(6) film on KRS-5

14782 3019

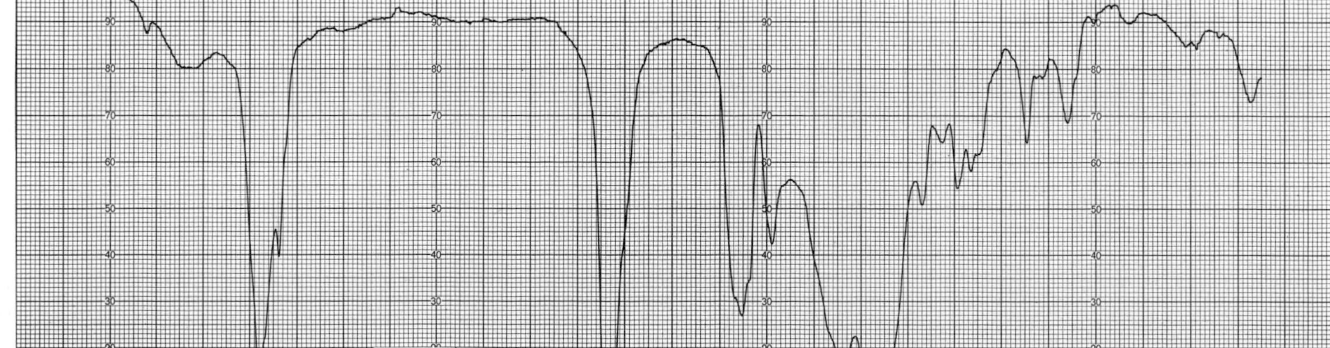

(1) **Ubatol KD-7007**
(3) Kunststoffdispersion auf Acrylatbasis
(4) weiße Dispersion
(5) für Fassadenfarben
(6) Schicht auf KRS-5

(2) Hendricks & Sommer, Tönisvorst
(3) acrylate-based resin dispersion
(4) white dispersion
(5) for external wall paints
(6) film on KRS-5

147831 3020

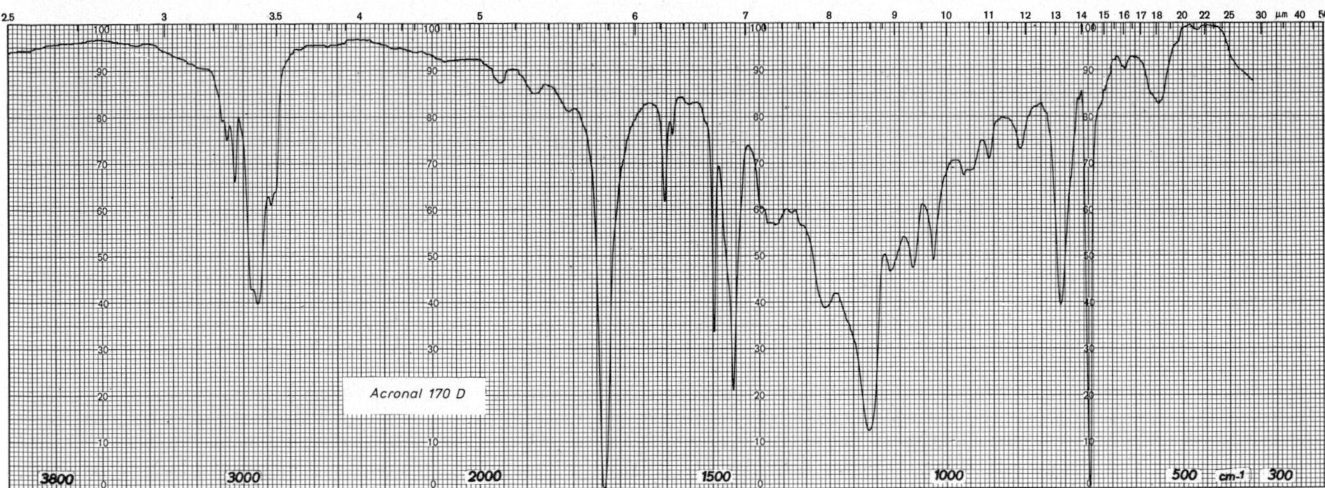

(1) **Acronal 170 D**
(3) weichmacher- und lösemittelfreie, 45%ige wäßrige Dispersion eines Styrol-Acrylsäureester-Copolymeren mit schwach anionaktivem Tensid
(4) weiße Dispersion
(5) für schwer verseifbare Anstriche und Beschichtungen (Asbestzement, Papier usw.)
(6) Schicht auf KRS-5
(7) 200...2000 cm^{-1}: Ordinate gedehnt

(2) BASF AG, Ludwigshafen
(3) plasticizer and solvent-free, 45% aqueous dispersion of a styrene-acrylic ester copolymer with a slightly anionic surface-active agent
(4) white dispersion
(5) for hydrolysis-resistant coatings and layers (asbestos cement, paper, etc.)
(6) film on KRS-5
(7) 200...2000 cm^{-1}: ordinate expanded

147831 3021

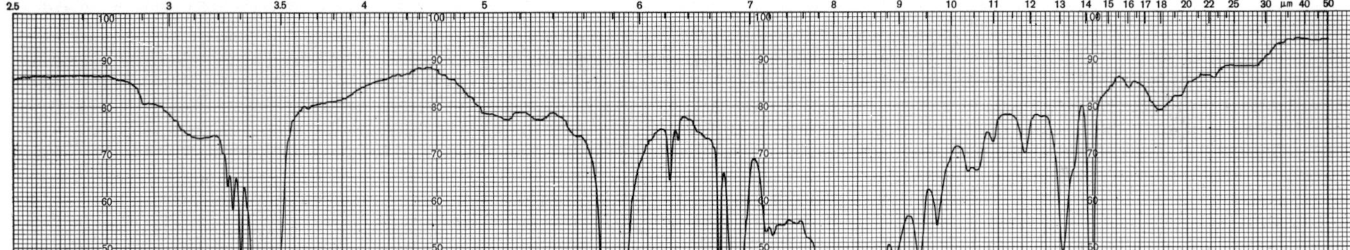
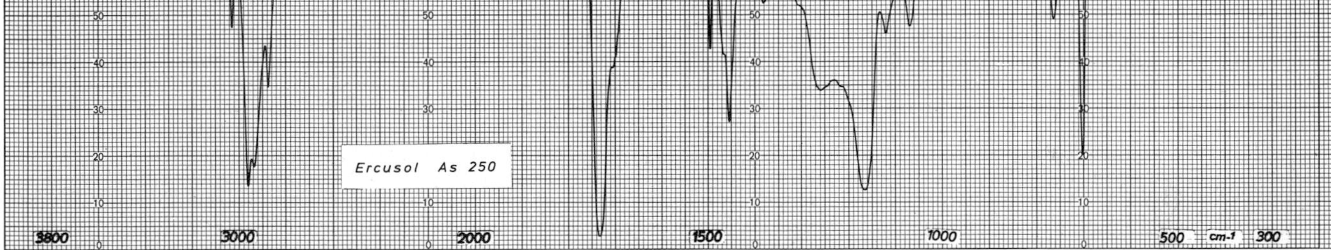

(1) **Ercusol AS 250**
(3) Acrylatharz auf Basis Styrol-Acrylsäureester-Copolymer
(4) weiße Dispersion
(5) für Korrosionsschutzgrundierungen, Glanzfarben, Wandplastiken, Dekorationsputz, Bautenschutzfarben und Klarlacke; luft- und ofentrocknend
(6) Schicht auf KRS-5

(2) Bayer AG, Leverkusen
(3) acrylic resin based on styrene-acrylic ester copolymer
(4) white dispersion
(5) for anticorrosion primers, gloss paints, wall mouldings, decorative renderings, protective building paints and clear finishes; air and oven-drying
(6) film on KRS-5

147831 3022

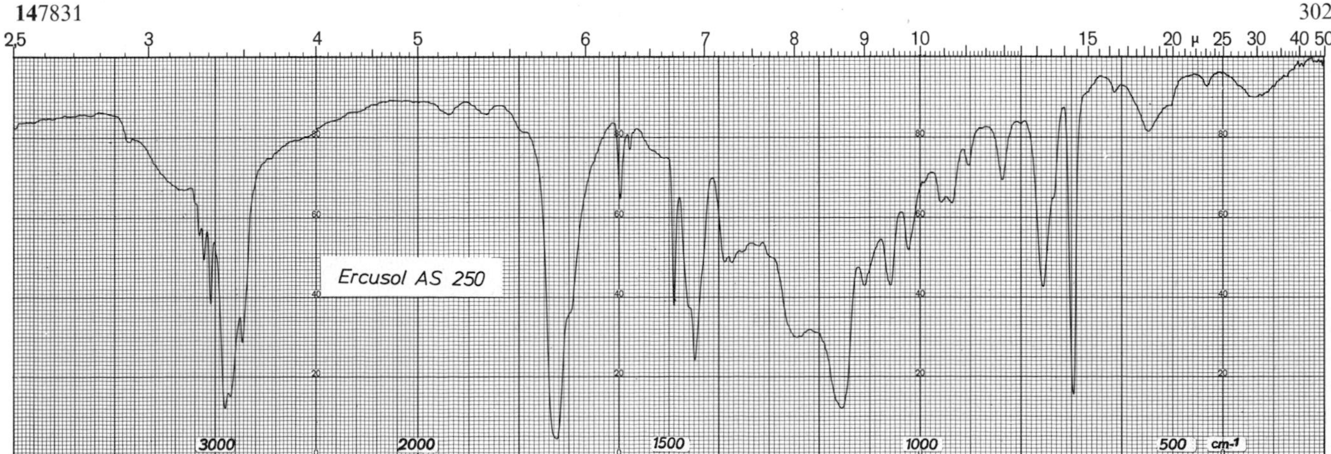

(1) **Ercusol AS 250**
(3) Styrol-Acrylester-Copolymer
(4) weiße Dispersion
(5) selbstvernetzend, bei Luft- und Ofentrocknung guter Korrosionsschutz; pigmentiert und als Klarlack licht- und wetterfest, gute Haftung auf metallischem und mineralischem Untergrund, mit allen Lacksystemen überstreichbar
(6) nach Eintrocknen gelöst, Schicht auf CsI
(7) PE 325

(2) Bayer AG, Leverkusen
(3) acrylic resin based on styrene acrylic ester copolymer
(4) white dispersion
(5) self-crosslinking, good protection against corrosion when air or oven dried; pigmented and as a clear finish, lightfast and weatherproof, good adhesion to metallic and mineral substrates, compatible with every type of finish
(6) dissolved after drying, film on CsI
(7) PE 325

147831 

3023

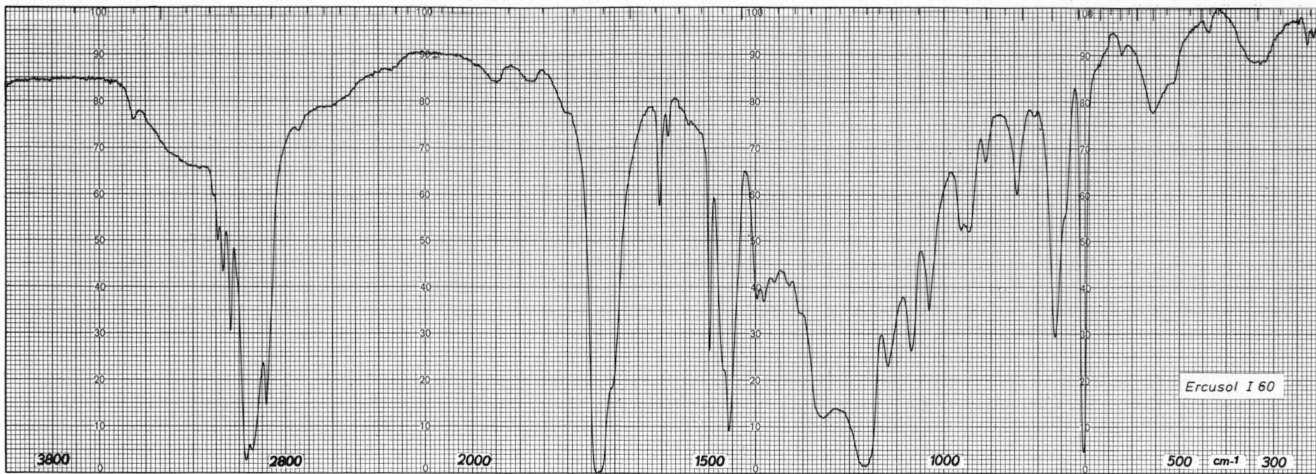

(1) **Ercusol I 60**
(3) Basis Poly(styrol-co-butylacrylat)
(4) weiße, milchige Dispersion (40% Festkörper)
(5) für Korrosionsschutzanstriche, Holz- und Beton-Anstriche
(6) Schicht auf CsI

(2) Bayer AG, Leverkusen
(3) acrylic resin based on poly(styrene-co-butyl acrylate)
(4) white, milky dispersion (40% solids)
(5) for anticorrosion coatings, timber and concrete coatings
(6) film on CsI

147831

3024

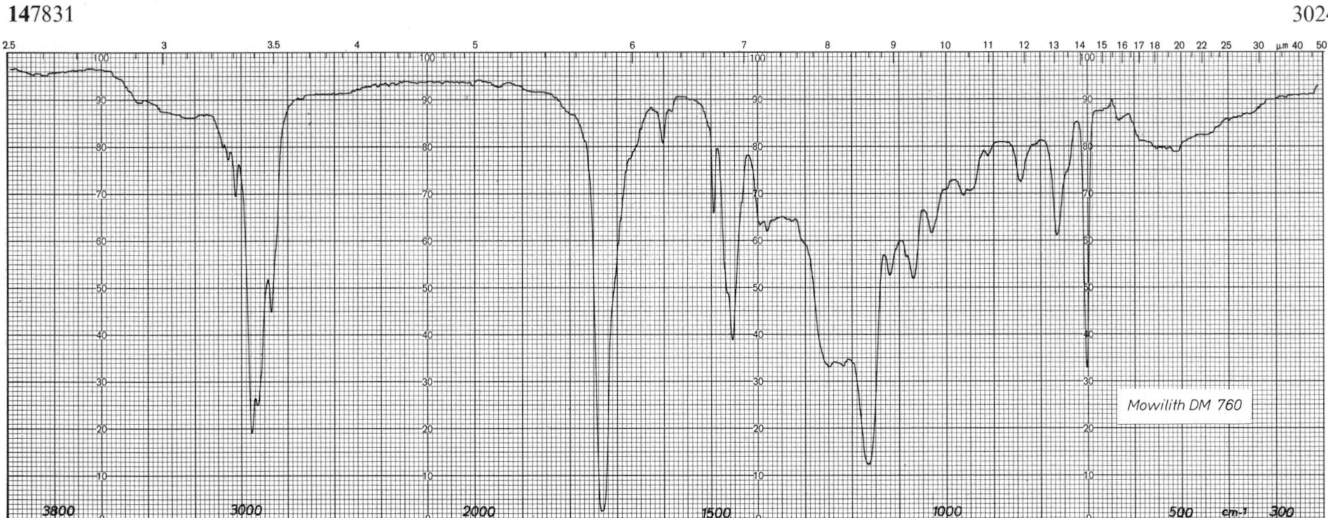

(1) **Mowilith DM 760**
(3) Poly(butylacrylat-co-styrol)
(4) milchige, wäßrige Dispersion (34%)
(5) sehr feinteilige, lösemittel- und weichmacherfreie Dispersion für die Herstellung von Grundierungen für poröse Untergründe
(6) Schicht auf KRS-5

(2) Hoechst AG, Frankfurt/M.-Höchst
(3) poly(butyl acrylate-co-styrene)
(4) milky, aqueous dispersion (34%)
(5) very fine, solvent and plasticizer-free dispersion for the manufacture of primers for porous substrates
(6) film on KRS-5

147831

3025

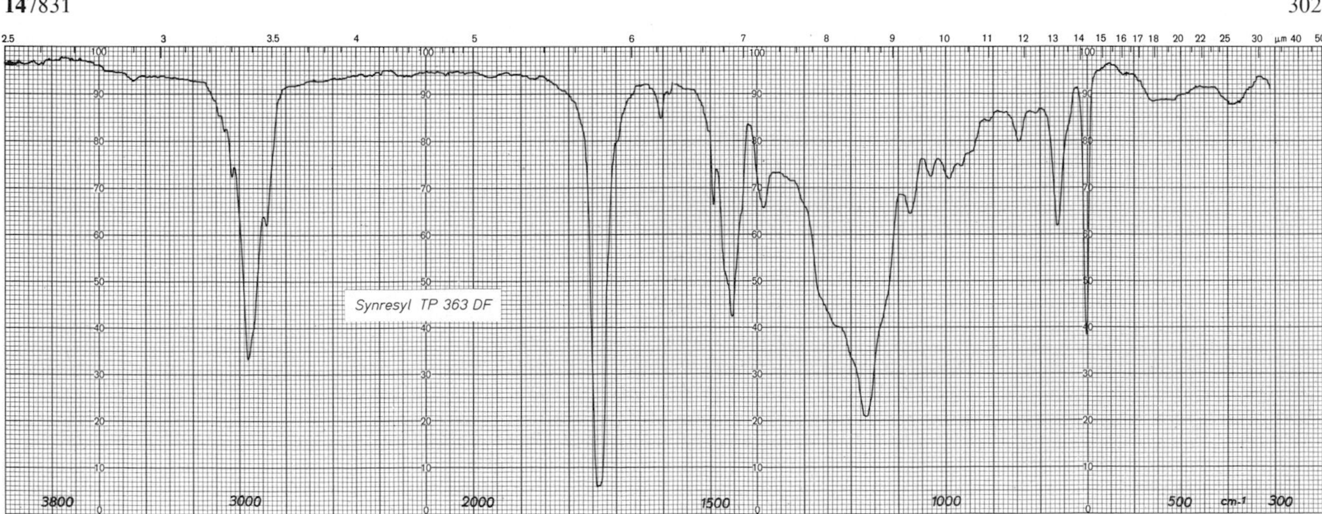

(1) **Synresyl TP 363 DF**
(3) Polyacrylat-Dispersion mit OH-Endgruppen
(4) weiße, wäßrige Dispersion
(5) für Wandbeschichtungen
(6) eingetrocknete Schicht auf KRS-5

(2) Synres Nederland NV, Hoek van Holland
(3) polyacrylate dispersion with OH terminal groups
(4) white, aqueous dispersion
(5) for wall coatings
(6) dried film on KRS-5

147831 3026

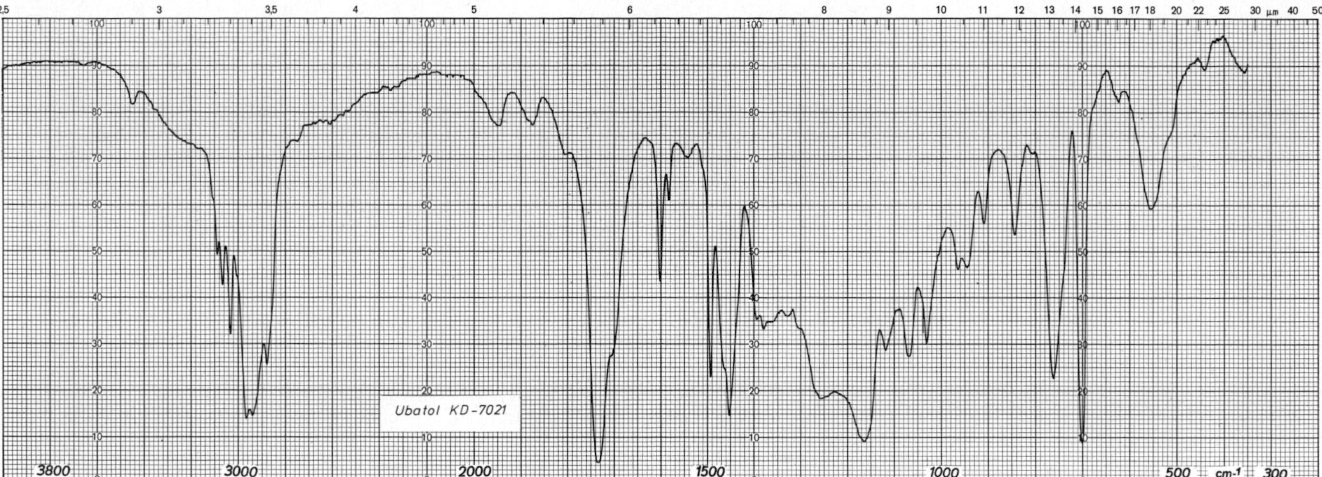

(1) **Ubatol KD-7021**
(3) Kunststoffdispersion auf Basis eines Styrol-Acrylsäureester-Copolymeren, weichmacher- und lösemittelfrei
(4) weiße Dispersion
(5) für Außenanstriche mit guter Wetterstabilität
(6) Schicht auf KRS-5

(2) Hendricks & Sommer, Tönisvorst
(3) resin dispersion based on styrene-acrylic ester copolymers, plasticizer and solvent-free
(4) white dispersion
(5) for outdoor coatings with good weather resistance
(6) film on KRS-5

147831 3027

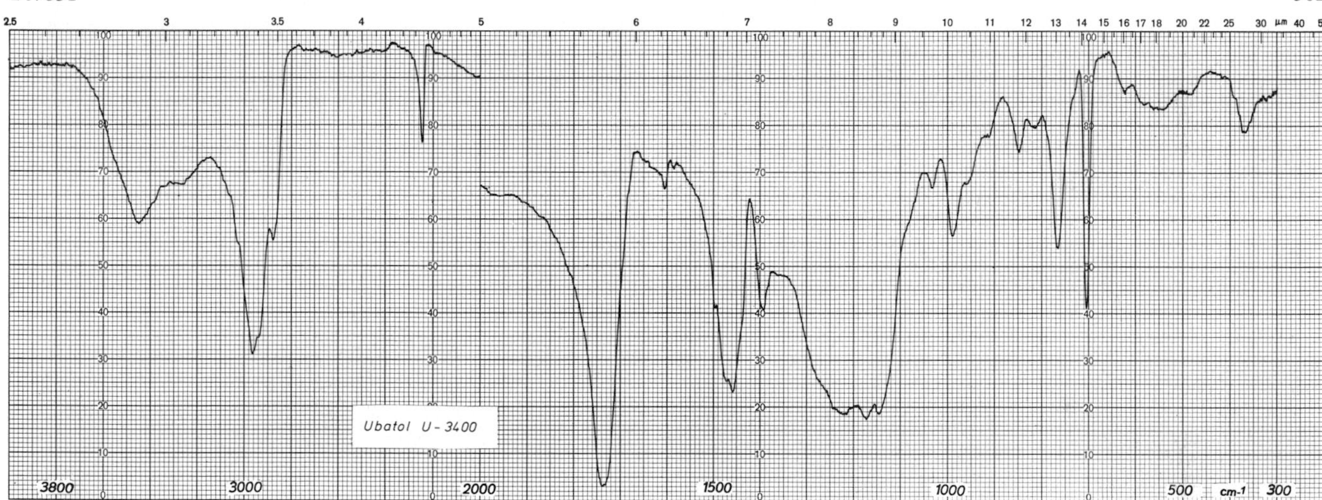

(1) **Ubatol U-3400**
(3) feindisperse, wäßrige Kunststoffdispersion auf der Basis eines Acrylat-Styrol-Copolymeren
(4) weiße, wäßrige Dispersion
(5) für Haushaltspflegemittel
(6) trockener Rückstand in KBr

(2) Hendricks & Sommer, Tönisvorst
(3) fine, aqueous resin dispersion based on an acrylate-styrene copolymer
(4) white, aqueous dispersion
(5) for household cleansers
(6) dried residue in KBr

147831 3028

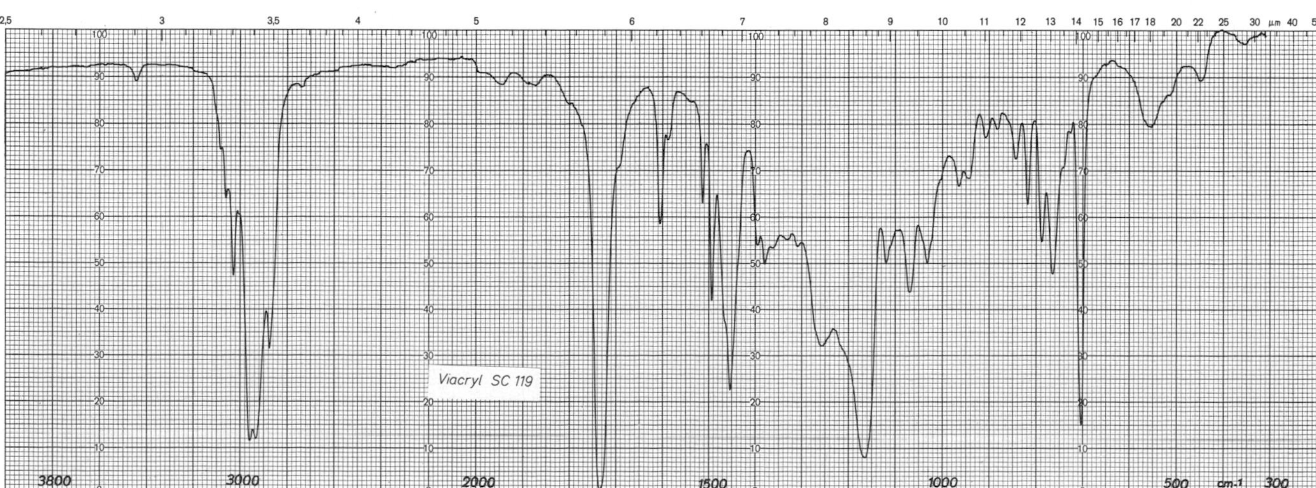

(1) **Viacryl SC 119 (≡VC 1319)**
(3) thermoplastisches Acrylatharz
(4) farblose, etwas viskose Lösung (50% in Spezialbenzin)
(5) Alleinbindemittel für Straßenmarkierfarben
(6) Schicht auf CsI

(2) Vianova Kunstharz AG, Wien (Hoechst-Gruppe)
(3) thermoplastic acrylic resin
(4) colorless, somewhat viscous solution (50% in a special benzine solution)
(5) sole binder for highway marking paints
(6) film on CsI

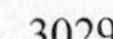

147832 $C_7H_{12}O_2-C_6H_{12}O$ *P* 3029

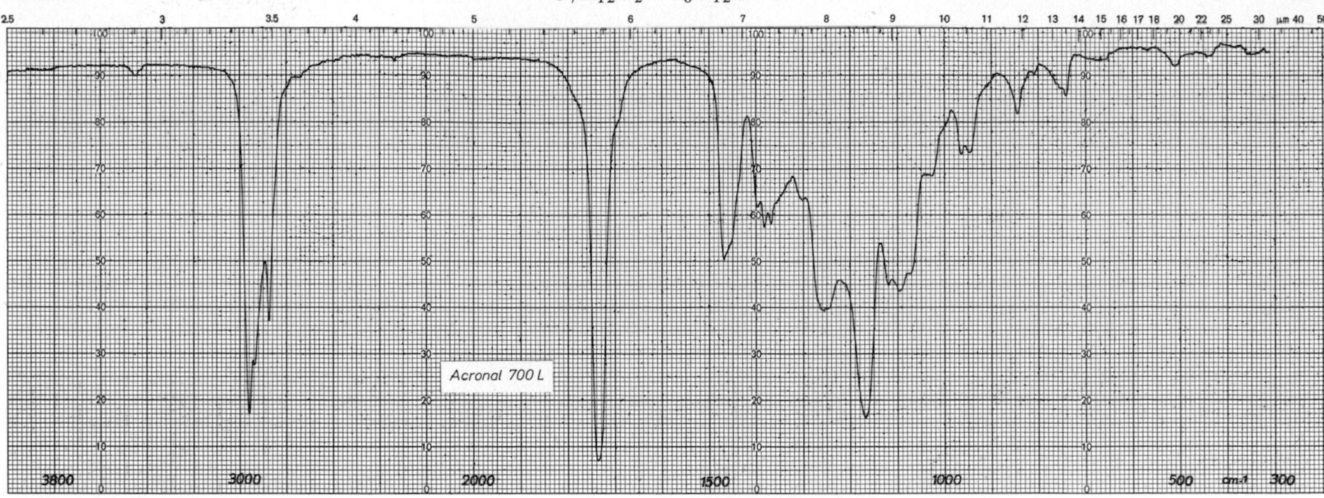

(1) **Acronal 700 L**
(3) Poly(butylacrylat-co-vinylisobutylether)
(4) farblose, viskose Lösung (50% in EAC)
(5) licht- und alterungsbeständiges Weichharz zur Plastifizierung von Cellulosenitratlacken und chlorhaltigen Bindemitteln; zur Herstellung elastischer Überzüge
(6) Schicht auf CsI

(2) BASF AG, Ludwigshafen
(3) poly(butyl acrylate-co-vinyl isobutyl ether)
(4) colorless, viscous solution (50% in EAC)
(5) lightfast, ageing-resistant, soft resin for plasticizing nitrocellulose lacquers and chlorine-containing binding agents; for the manufacture of elastic coatings
(6) film on CsI

147833 3030

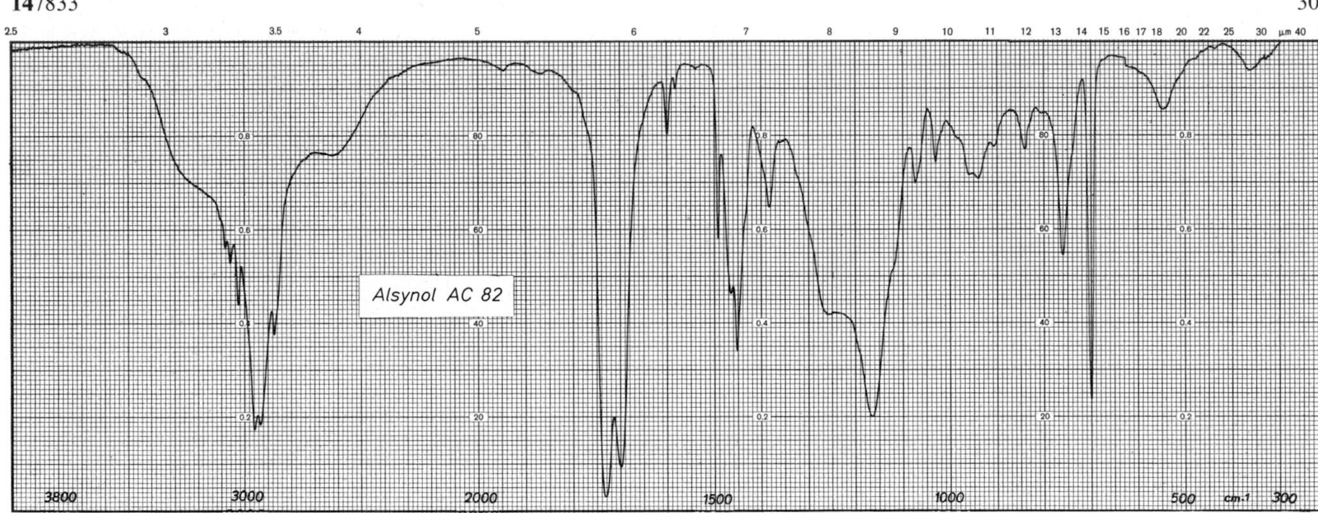

(1) **Alsynol AC 82**
(3) thermoplastisches Acrylatharz auf Basis Poly(styrol-co-butylacrylat-co-acrylsäure)
(4) mittelviskose, farblose Lösung (60 Gew.% in ETL)
(5) für geruchsarme Flexofarben auf Alkoholbasis
(6) Schicht auf CsI, 15 h bei 50 °C i.V. getrocknet
(7) PE 580 B, ABEX 1.47

(2) Synres Nederland BV, Hoek van Holland
(3) thermoplastic, acrylic resin based on poly(styrene-co-butyl acrylate-co-acrylic acid)
(4) medium viscous, colorless solution (60 wt.% in ETL)
(5) for low-odor, alcohol-based flexoprint inks
(6) film on CsI, dried 15 h at 50 °C, in vacuo
(7) PE 580 B, ABEX 1.47

147834 $C_8H_8-C_7H_{12}O_2-C_7H_{12}O_3$ *P* 3031

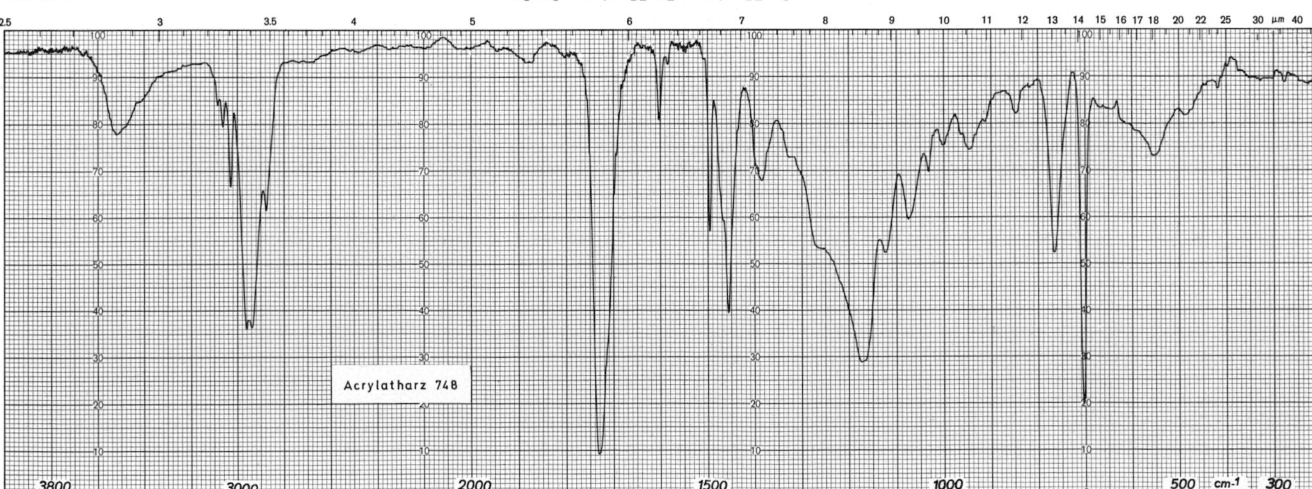

(1) **Acrylatharz 748**
(2) Laborpräparat F. Wingler, Bayer AG, Leverkusen
(3) Poly(styrol-co-butylacrylat-co-hydroxypropylmethacrylat)
(4) farblose Harzplättchen
(5) mit verkappten Isocyanaten vernetzbares Acrylharz für das elektrostatische Pulversprühverfahren
(6) Schicht aus CLF aus CsI

(2) Bayer AG, Leverkusen (laboratory preparation, F. Wingler)
(3) poly(styrene-co-butyl acrylate-co-hydroxypropyl methacrylate)
(4) colorless resin platelets
(5) acrylic resin crosslinkable with capped isocyanates for electrostatic powder spray techniques
(6) film on CLF from CsI

147834 3032

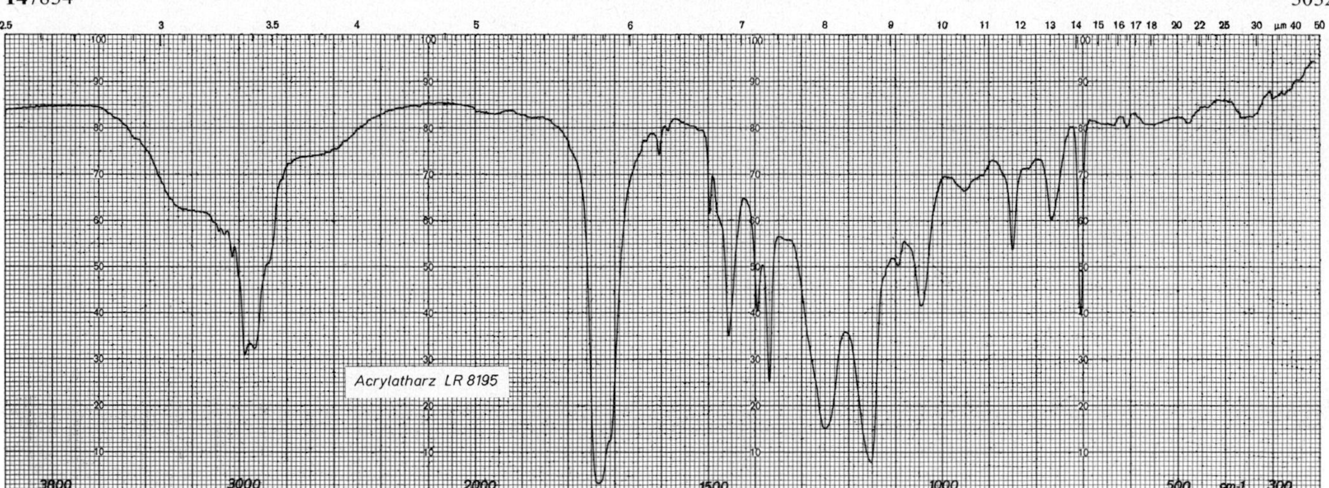

(1) **Acrylatharz LR 8195** (Versuchsprodukt)
(3) Poly(acrylester-co-styrol-co-acrylsäure)
(4) schwach gelbe, viskose Flüssigkeit
(5) vernetzbares Acrylatharz, Carboxylträger
(6) Schicht auf CsI

(2) BASF AG, Ludwigshafen
(3) poly(acrylate ester-co-styrene-co-acrylic acid)
(4) pale yellow, viscous liquid
(5) crosslinkable acrylic resin, carrier of carboxyl groups
(6) film on CsI

147834 3033

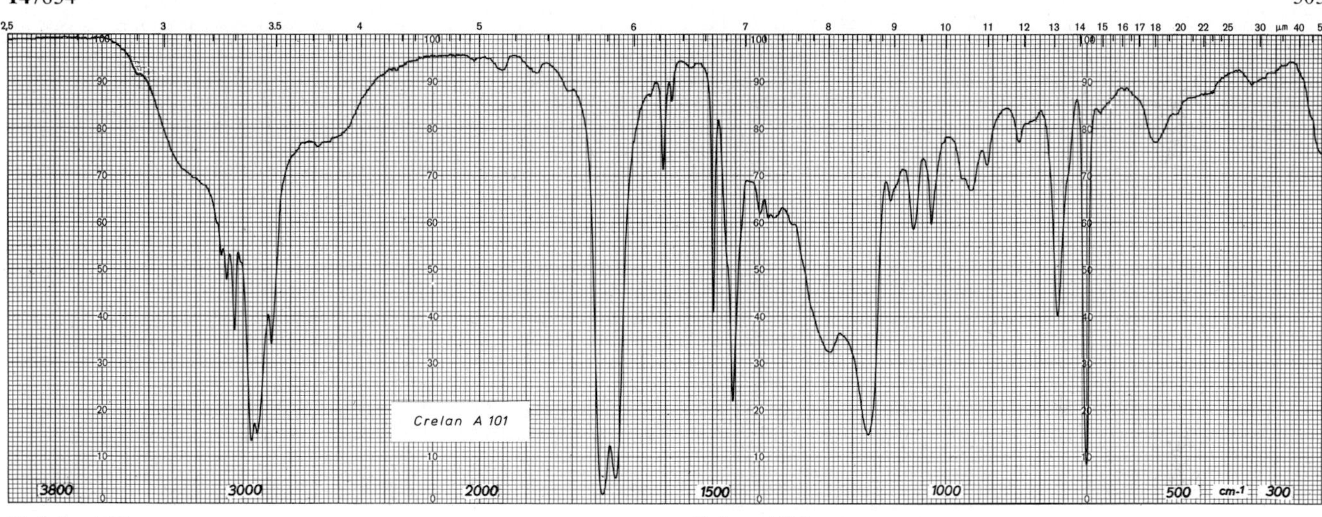

(1) **Crelan A 101**
(3) fremdvernetzendes Acrylat-Copolymer mit Carboxylgruppen
(4) farbloses, transparentes, körniges, sprödes Harz
(5) in Abmischung mit Crelan-Vernetzer A-O für elektrostatisch versprühbare Pulverlacke
(6) klarer Film aus CLF auf CsI

(2) Bayer AG, Leverkusen
(3) externally crosslinkable acrylate copolymer with carboxyl groups
(4) colorless, transparent, grainly, brittle resin
(5) for electrostatically sprayable powder finishes when admixed with Crelan-Vernetzer A-O
(6) clear film from CLF on CsI

147834 3034

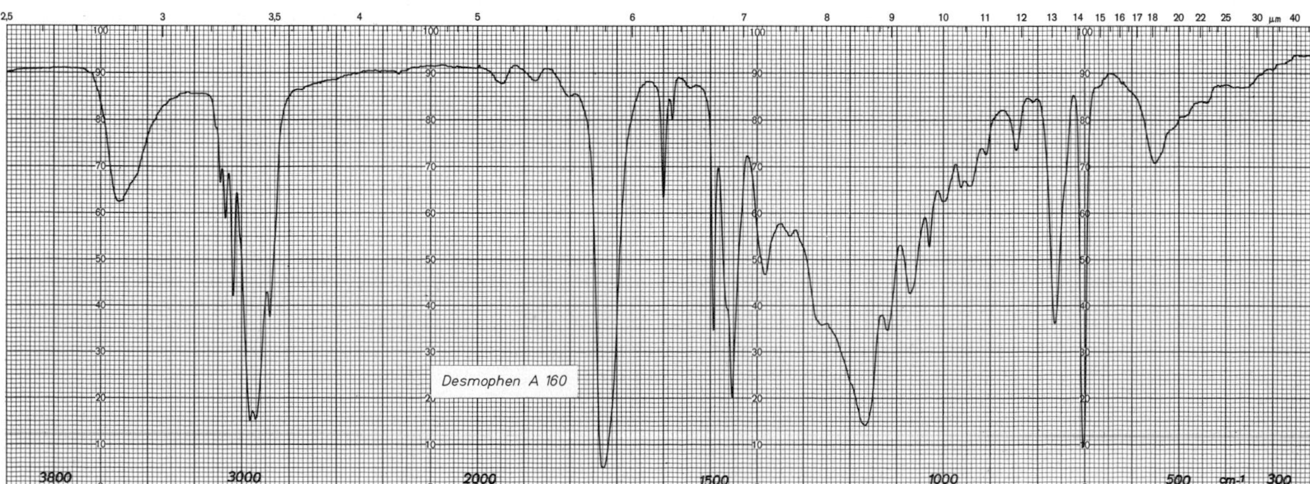

(1) **Desmophen A 160**
(3) OH-gruppenhaltiges Styrol-Acrylat-Harz
(4) farblose, dickflüssige Lösung (60% in XYL)
(5) Reaktionspartner für Desmodur N zur Herstellung von Zweikomponenten-Polyurethan-Lacken; in Verbindung mit Desmodur L für schnelltrocknende Zweikomponentenlacke
(6) Schicht auf CsI

(2) Bayer AG, Leverkusen
(3) styrene-acrylic resin, containing OH groups
(4) colorless, viscous solution (60% in XYL)
(5) reaction partner for Desmodur N for the manufacture of two-component polyurethane finishes; combined with Desmodur L for quick-drying, two-component finishes
(6) film on CsI

147834 3035

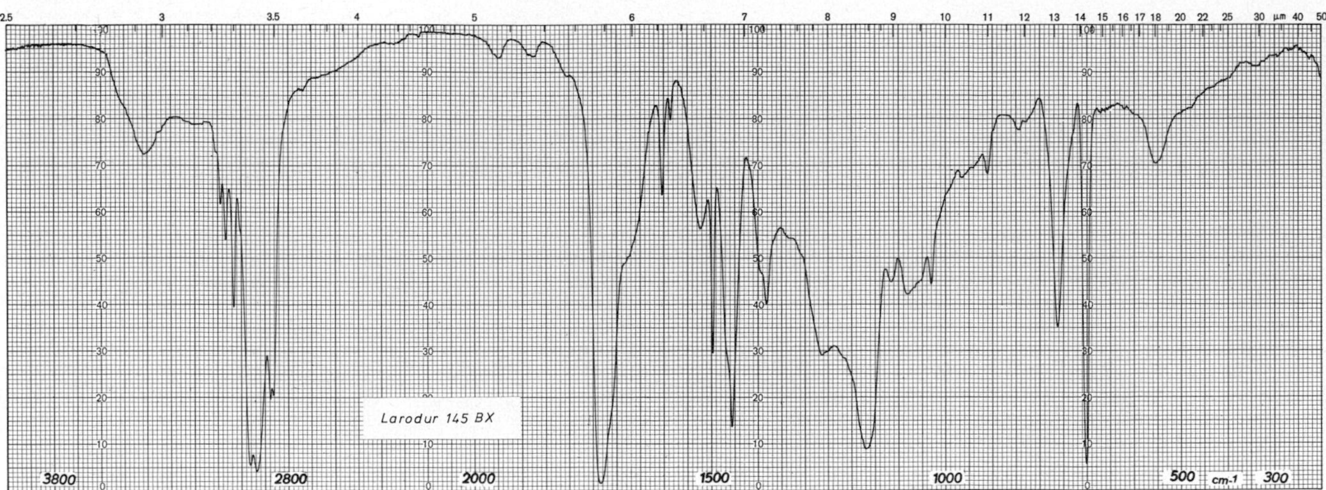

(1) **Larodur 145 BX**
(3) selbstvernetzendes Acrylatharz, Poly(styrol-co-acrylester)
(4) farblose, klare Lösung (50% in BTL/XYL)
(5) für Einbrennlacke (150 °C) mit hoher Elastizität und guter Chemikalienbeständigkeit
(6) Schicht auf CsI

(2) BASF AG, Ludwigshafen
(3) self-crosslinking acrylic resin, poly(styrene-co-acrylic ester)
(4) colorless, clear solution (50% in BTL/XYL)
(5) for stove enamels (150 °C) having great elasticity and good resistance to chemicals
(6) film on CsI

147834 3036

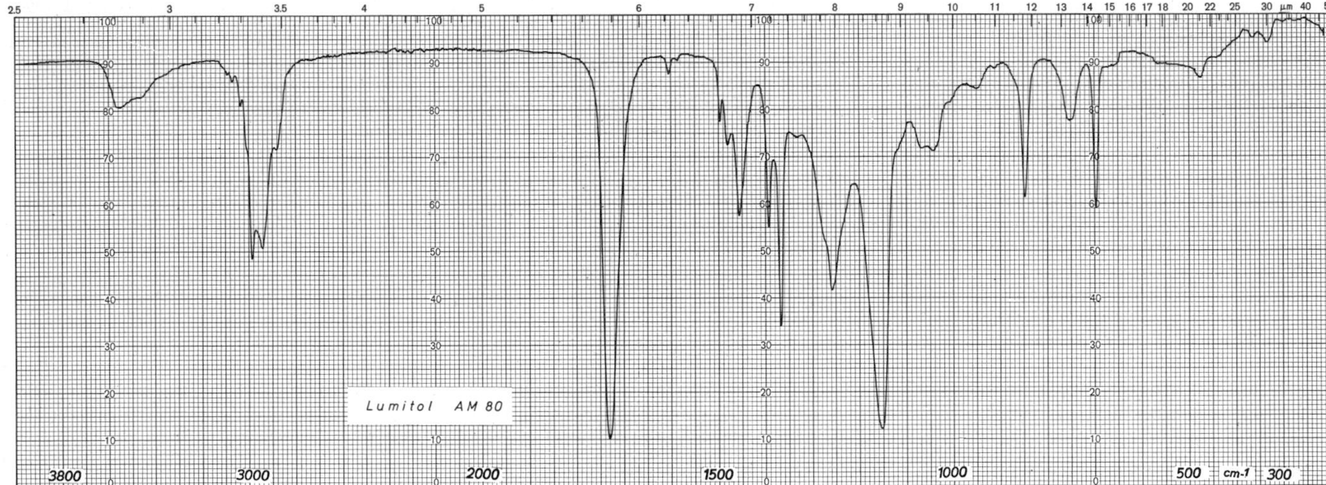

(1) **Lumitol AM 80**
(3) Polyacrylat mit OH-Endgruppen [vermutlich Poly(ethylacrylat-co-styrol)]
(4) wasserklare, leicht viskose Lösung
(5) zur Herstellung von Polyurethanlacken (mit Polyisocyanat kalthärtbare Type); OH-Zahl: 80 (fest)
(6) Schicht auf CsI

(2) BASF AG, Ludwigshafen
(3) polyacrylate with OH terminal groups, [probably poly(ethyl acrylate-co-styrene)]
(4) crystal clear, slightly viscous solution
(5) for the manufacture of polyurethane coatings (types that are cold-curable with polyisocyanates); OH count: 80 (in solid)
(6) film on CsI

147834 3037

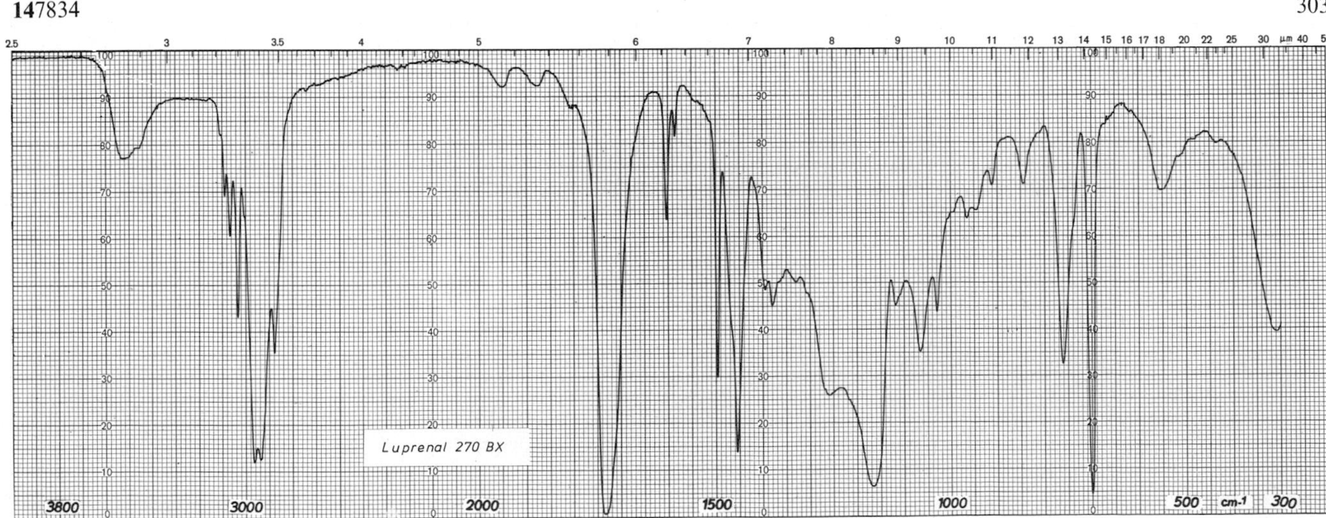

(1) **Luprenal 270 BX**
(3) fremdvernetzendes, hitzehärtbares Acrylatharz, Poly(styrol-co-acrylester)
(4) farblose Lösung (60% in BTL/XYL)
(5) in Kombination mit BTL- oder IBL-veretherten Aminoharzen oder mit Hexamethoxymethylmelamin für Einbrennlacke
(6) Schicht auf KBr

(2) BASF AG, Ludwigshafen
(3) externally crosslinkable, heat-curable acrylic resin, poly(styrene-co-acrylic ester)
(4) colorless solution (60% in BTL/XYL)
(5) in combination with butyl or isobutyl amino resin ethers or with hexamethoxymethylmelamine for stove enamels
(6) film on KBr

147834 3038

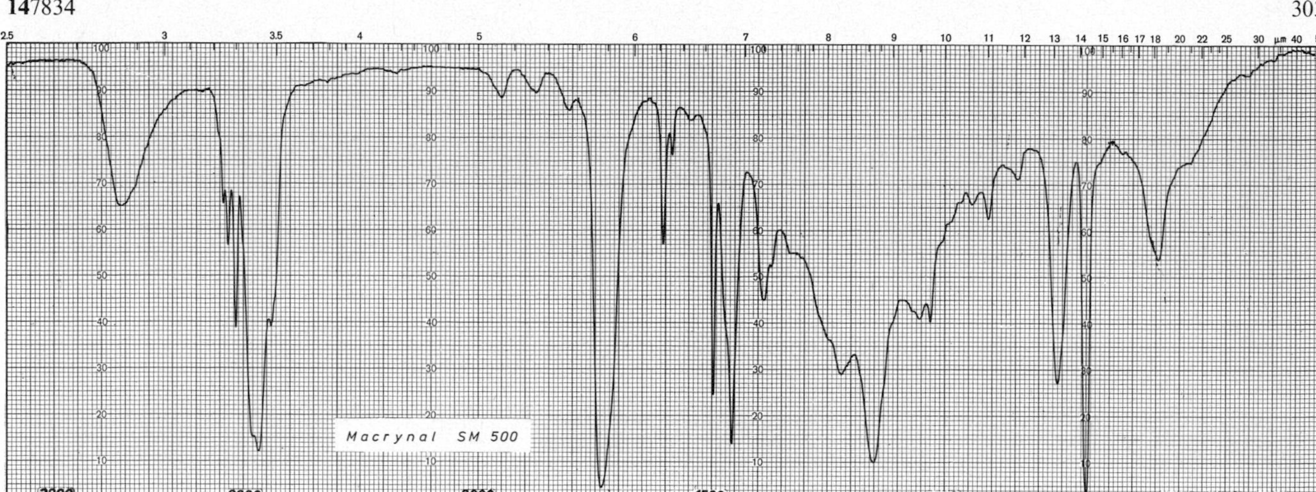

(1) **Macrynal SM 500**
(3) Acrylatharz auf Basis Poly(styrol-co-acrylester) (2.4% OH)
(4) fast wasserhelle, dickflüssige Lösung
(5) mit Polyisocyanaten für luft- und ofentrocknende Lackierungen
(6) Schicht auf CsI

(2) Hoechst AG, Frankfurt/M.-Höchst
(3) acrylic resin based on poly(styrene-co-acrylic ester) (2.4% OH)
(4) almost crystal clear, viscous solution
(5) with polyisocyanates for air and oven-drying finishes
(6) film on CsI

147834 3039

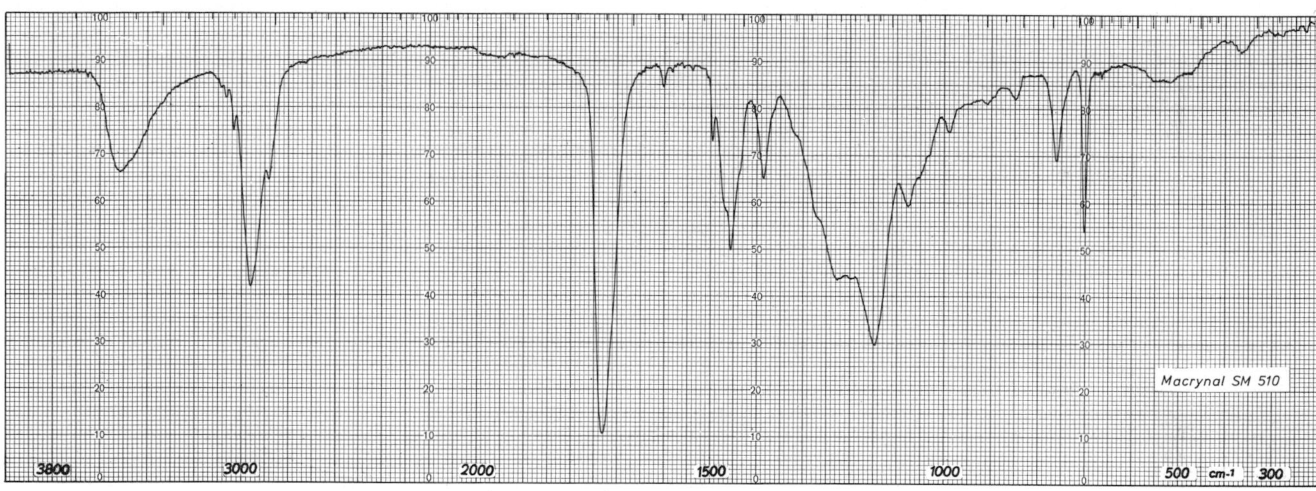

(1) **Macrynal SM 510**
(3) Poly(acrylester-co-styrol), OH-gruppenhaltig
(4) farblose, dickflüssige Lösung
(5) polyisocyanatvernetzbares Acrylharz
(6) Schicht auf CsI

(2) Hoechst AG, Frankfurt/M.-Höchst
(3) poly(acrylic ester-co-styrene), contains OH groups
(4) colorless, viscous solution
(5) polyisocyanate-crosslinkable acrylic resin
(6) film on CsI

147834 3040

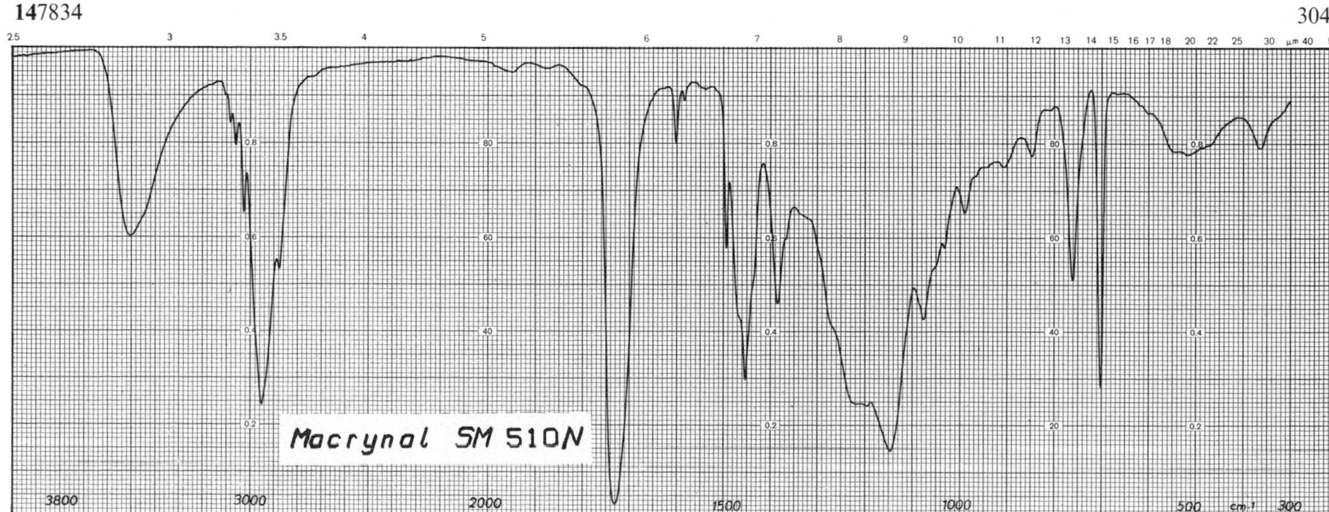

(1) **Macrynal SM 510 N**
(3) Acrylatharz auf Basis Poly(butylacrylat-co-styrol)
(4) viskose Lösung (60% in XYL/EGA)
(5) für Einbrennlackierungen
(6) Schicht auf CsI, 1 h bei 80 °C i.V. getrocknet
(7) PE 580 B, ABEX 1.20

(2) Hoechst AG, Frankfurt/M.-Höchst
(3) acrylic resin based on poly(butyl acrylate-co-styrene)
(4) viscous solution (60% in XYL/EGA)
(5) for stove enamels
(6) film on CsI, dried for 1 h at 80 °C, in vacuo
(7) PE 580 B, ABEX 1.20

147834 3041

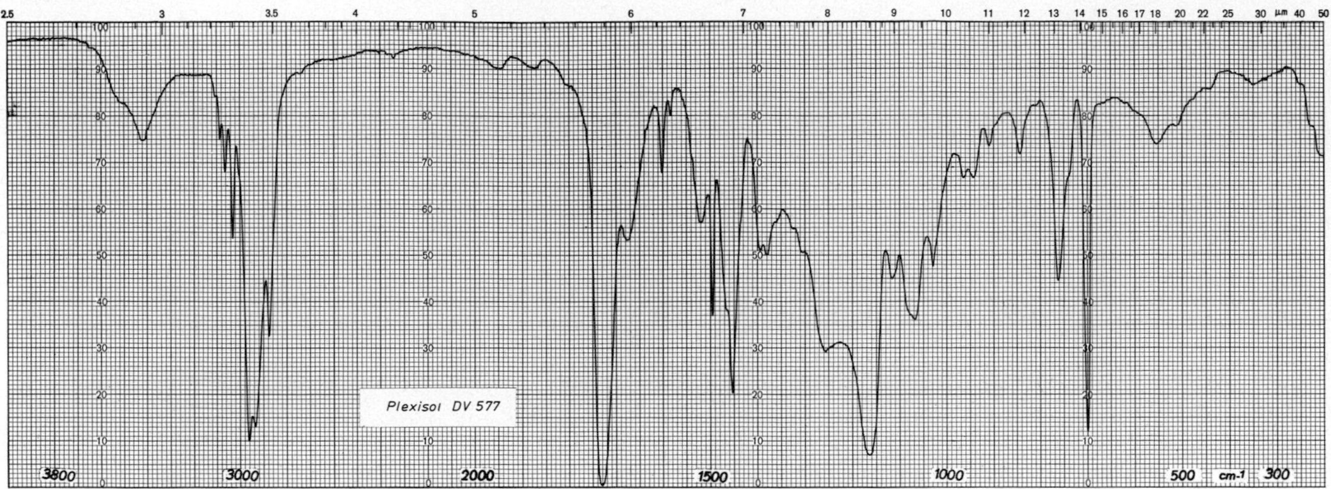

(1) **Plexisol DV 577**
(3) Acrylatharz auf Basis Poly(styrol-co-acrylester) Lösung in Shellsol AB/BTL (80:20)
(4) farblose, transparente Lösung
(5) für harte, schlagfeste und stanzfähige Industrielacke (selbstvernetzend, 160...300 °C)
(6) Schicht auf CsI

(2) Röhm GmbH, Darmstadt
(3) acrylic resin based on poly(styrene-co-acrylate ester) solution in Shellsol AB/BTL (80:20)
(4) colorless, transparent solution
(5) for hard, impact-resistant and punchable industrial finishes (self-crosslinking, 160...300 °C)
(6) film on CsI

147834 3042

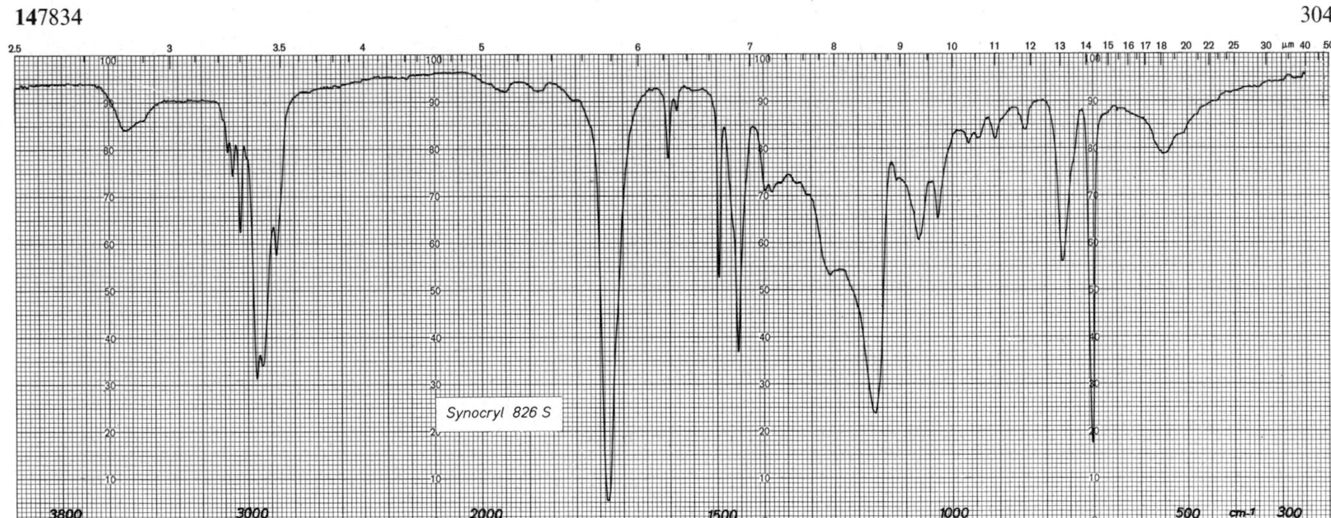

(1) **Synacryl 826 S** (im Spektrum lies: Synacryl)
(3) hitzehärtendes, OH-gruppenhaltiges Acrylatharz (mit einpolymerisiertem Styrol)
(4) farblose, etwas viskose Lösung
(5) in Kombination mit Aminoharzen (z. B. Melaminharzen) für hitzehärtende Fahrzeuglacke
(6) Schicht auf CsI

(1) **Synacryl 826 S** (read Synacryl in the spectrum)
(2) Cray Valley Products Ltd., Kent, England
(3) heat-curing, OH group-containing, acrylic resin (with copolymerized styrene)
(4) colorless, somewhat viscous solution
(5) in combination with amino resins (eg. melamine resins) for thermally curing automobile finishes
(6) film on CsI

147834 3043

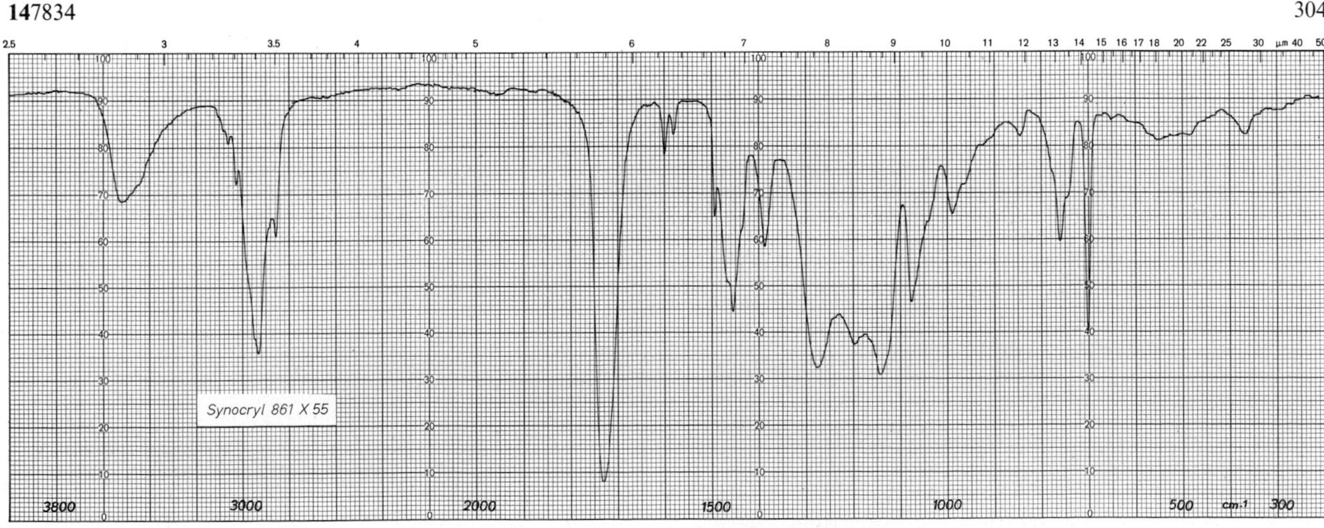

(1) **Synacryl 861 X55** (im Spektrum lies: Synacryl)
(3) Isocyanat-vernetzbares Acrylatharz
(4) farblose, viskose Lösung
(5) für hochglänzende Automobil-Metallic-Lacke, Autoreparaturlacke, Autobus- und Tankfahrzeuglacke, Klarlacke über CN-Beschichtungen; dekorativer Schutzanstrich auf Zinkstaubprimer
(6) Schicht auf CsI

(1) **Synacryl 861 X55** (read Synacryl in the spectrum)
(2) Cray Valley Products, Kent, England
(3) isocyanate-crosslinkable acrylic resin
(4) colorless, viscous solution
(5) for high gloss, metallic automobile finishes, automobile repair finishes, bus and road tanker finishes, clear lacquers over coats of nitrocellulose; decorative coatings on zinc-dust primers
(6) film on CsI

147834 3044

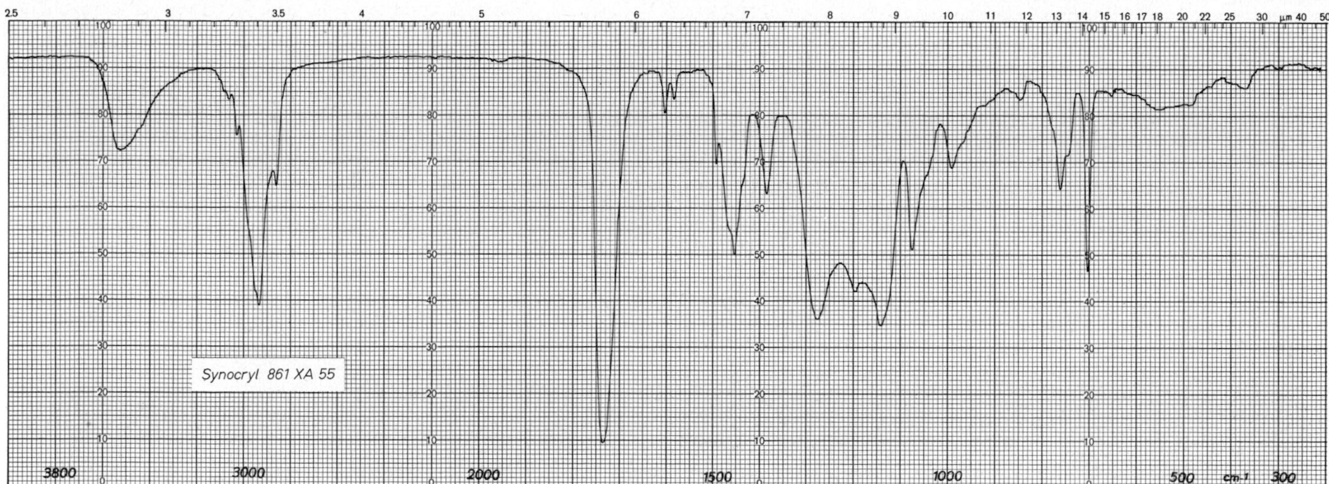

(1) **Synacryl 861 XA 55** (im Spektrum lies: Synacryl)
(3) Isocyanat-vernetzbares Acrylatharz
(4) farblose, viskose Flüssigkeit
(5) für hochglänzende Automobil-Metallic-Lacke, Autoreparaturlacke, Autobus- und Tankfahrzeuglacke, Klarlacke über CN-Beschichtungen; dekorativer Schutzanstrich auf Zinkstaubprimer
(6) Schicht auf CsI

(1) **Synacryl 861 XA 55** (read Synacryl in the spectrum)
(2) Cray Valley Products, Kent, England
(3) isocyanate-crosslinkable acrylic resin
(4) colorless, viscous solution
(5) for high gloss, metallic automobile finishes, automobile repair finishes, bus and road tanker finishes, clear lacquers over coats of nitrocellulose; decorative coatings on zinc-dust primers
(6) film on CsI

147834 3045

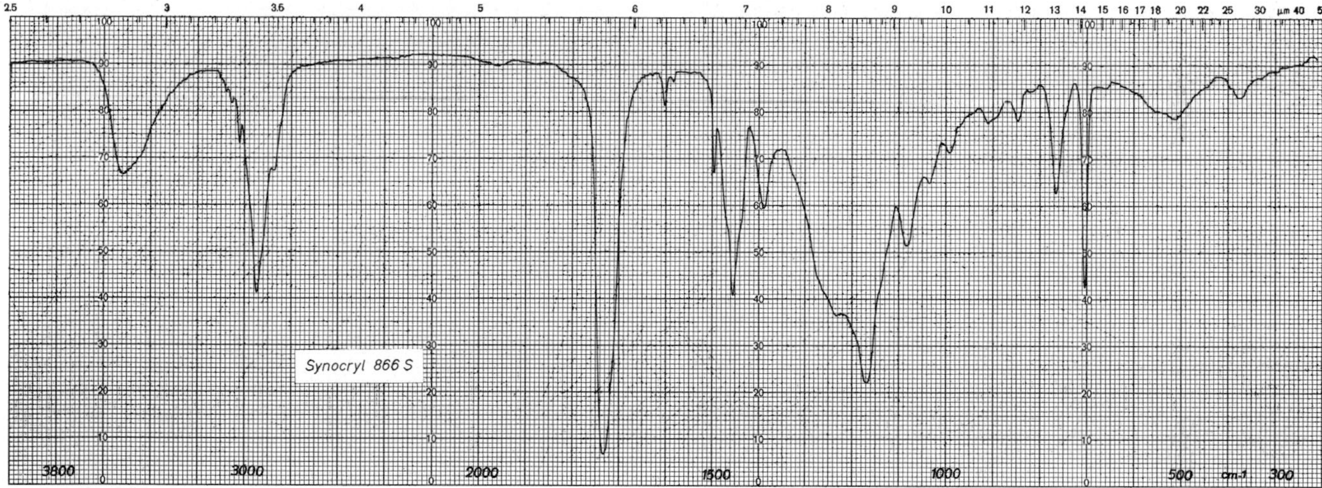

(1) **Synacryl 866 S** (im Spektrum lies: Synacryl)
(3) Acrylatharz [Poly(styrol-co-acrylester)], isocyanatvernetzbar
(4) fast farblose, viskose Lösung (60% in XYL)
(5) für farblose oder pigmentierte Beschichtungen: Fahrzeug-, Flugzeug-, Geräte-Lacke, Beschichtungen für chemische Anlagen, für Leichtmetall, Kunststoff und Holz
(6) Schicht auf CsI

(1) **Synacryl 866 S** (read Synacryl in the spectrum)
(2) Cray Valley Products, Kent, England
(3) isocyanate-crosslinkable acrylic resin [poly(styrene-co-acrylate ester)]
(4) almost colorless, viscous solution (60% in XYL)
(5) for colorless or pigmented coatings; vehicle, aviation and instrument finishes, coatings for chemical plant, for light alloy, plastic and timber
(6) film on CsI

147834 3046

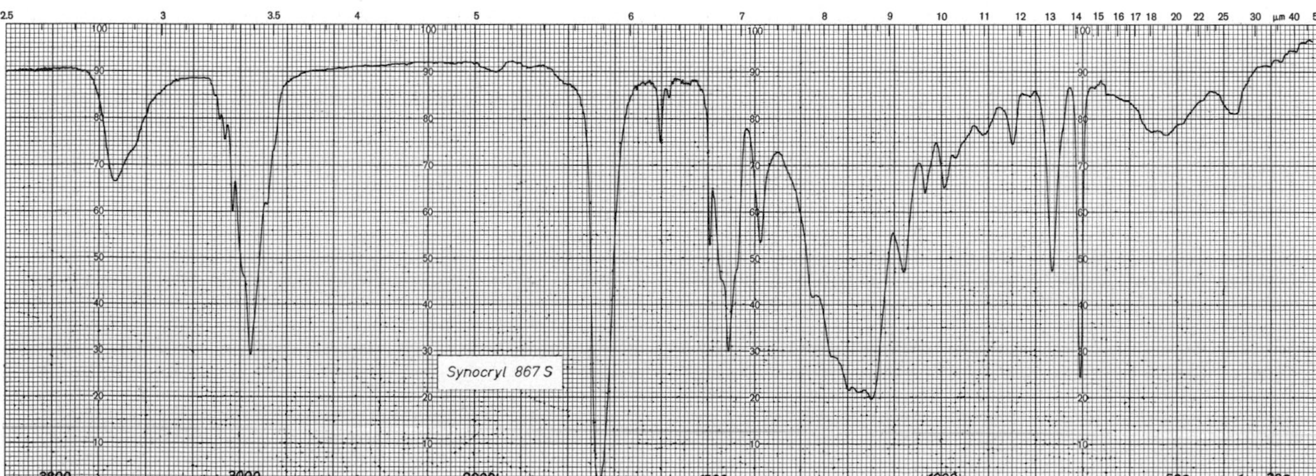

(1) **Synacryl 867 S** (im Spektrum lies: Synacryl)
(3) Acrylatharz [Poly(styrol-co-acrylester)], isocyanatvernetzbar
(4) fast farblose, viskose Lösung (etwa 60% in XYL/EGA 2:1)
(5) bei Raumtemperatur mit Isocyanaten vernetzbares Acrylatharz für Kunststoff- und Holzlacke, Flugzeug- und Gerätelacke
(6) Schicht auf CsI

(1) **synacryl 867 S** (read Synacryl in the spectrum)
(2) Cray Valley Products, Kent, England
(3) isocyanate-crosslinkable acrylic resin [poly(styrene-co-acrylate ester)]
(4) almost colorless, viscous solution (ca. 60% in XYL/EGA 2:1)
(5) acrylic resin crosslinkable at room temperature with isocyanates for plastic and timber finishes, aviation and instrument finishes
(6) film on CsI

147834 3047

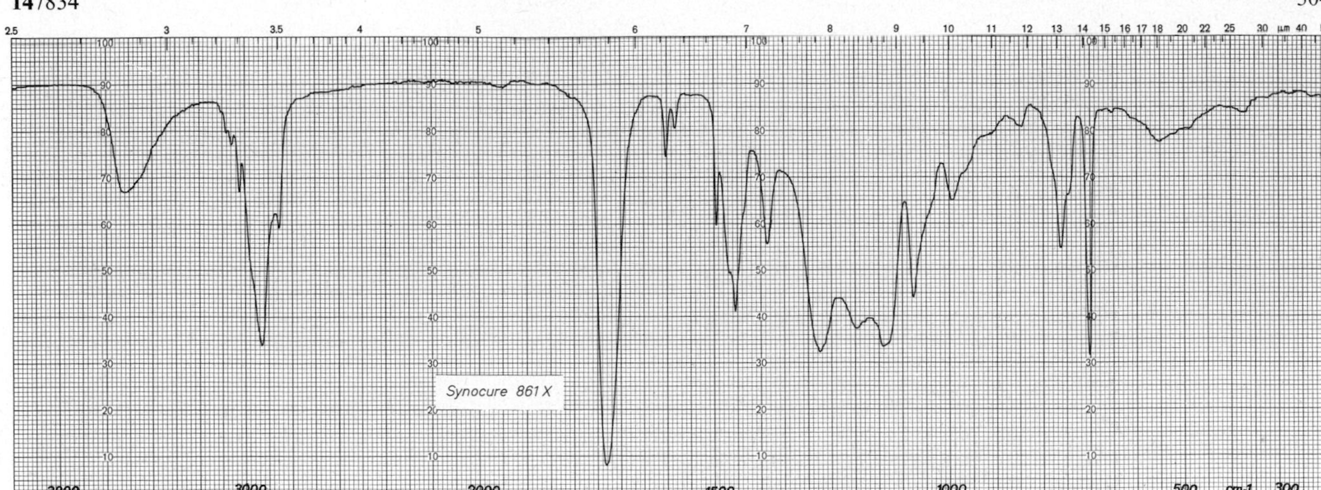

(1) **Synocure 861 X**
(3) OH-gruppenhaltiges Acrylatharz (mit einpolymerisiertem Styrol)
(4) fast farblose, etwas viskose Lösung
(5) isocyanatvernetzbares Harz für Automobil- und Straßenbahnlacke
(6) Schicht auf CsI

(2) Cray Valley Products Ltd., Kent, England
(3) acrylic resin containing OH groups (with copolymerized styrene)
(4) almost colorless, somewhat viscous solution
(5) isocyanate-crosslinkable resin for automobile and streetcar finishes
(6) film on CsI

147834 3048

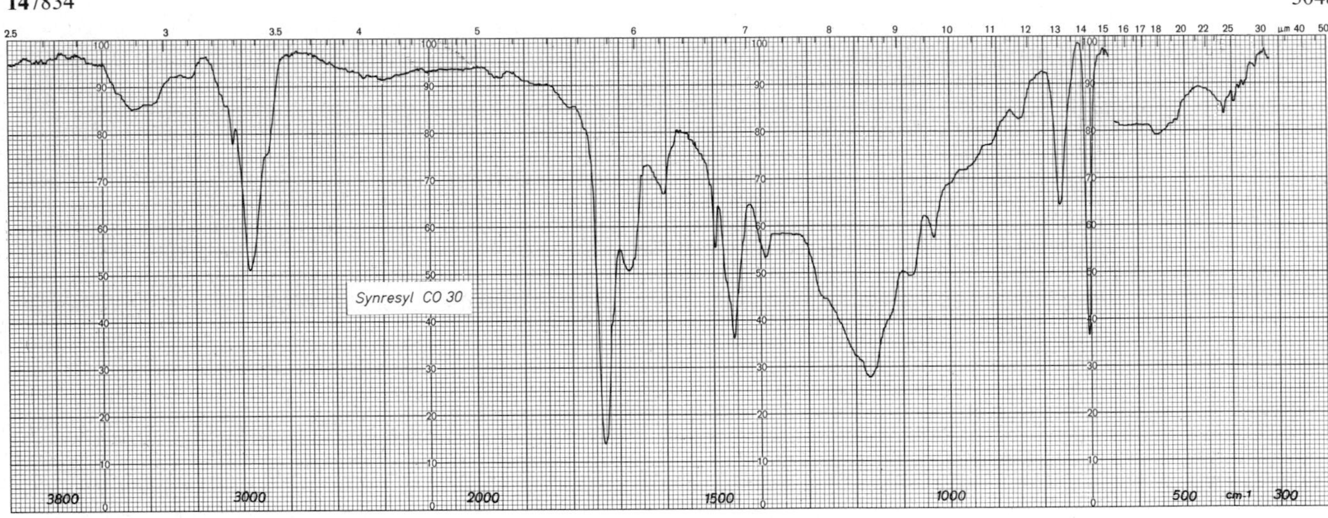

(1) **Synresyl CO 30**
(3) Polyacrylat-Dispersion mit OH-Endgruppen
(4) weiße, wäßrige Dispersion
(5) für wasserverdünnbare, säurehärtende Firnisse
(6) eingetrocknete Schicht auf KRS-5

(2) Synres Nederland NV, Hoek van Holland
(3) polyacrylate dispersion with OH terminal groups
(4) white, aqueous dispersion
(5) for water-dilutable, acid-curing varnishes
(6) dried film on KRS-5

147834 3049

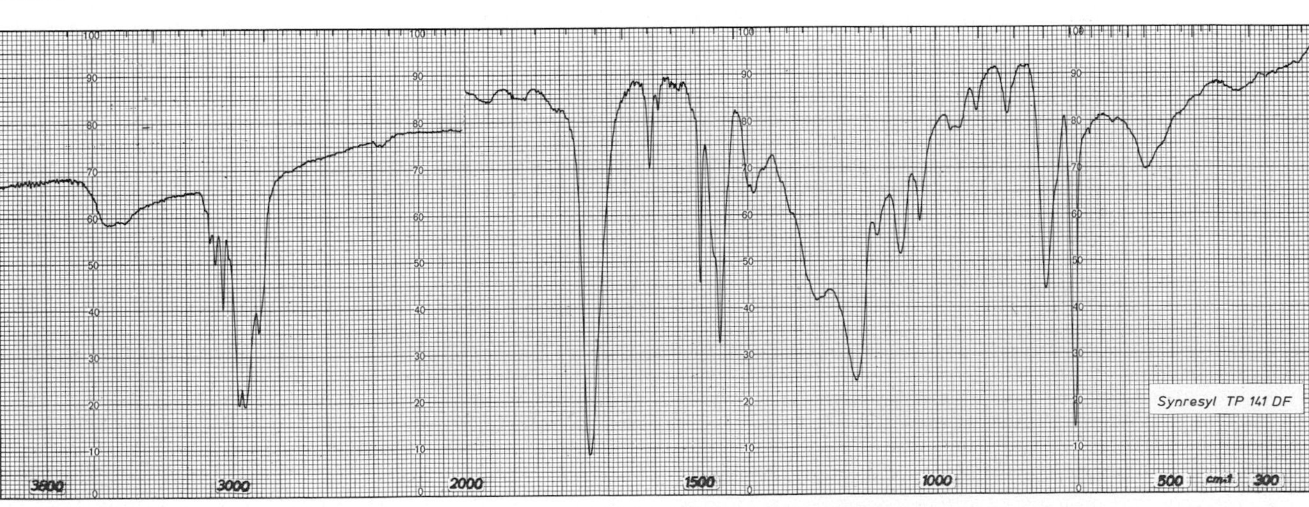

(1) **Synresyl TP 141 DF**
(3) Poly(styrol-co-butylacrylat-co-hydroxyalkylacrylat)
(4) milchige, dickflüssige, wäßrige Dispersion
(5) zur Kombination mit wasserlöslichen Alkydharzen
(6) Schicht auf CsI

(2) Synres, Hoek van Holland
(3) poly(styrene-co-butyl acrylate-co-hydroxyalkyl acrylate)
(4) viscous, milky, aqueous suspension
(5) for combination with water-soluble alkyd resins
(6) film on CsI

147834 3050

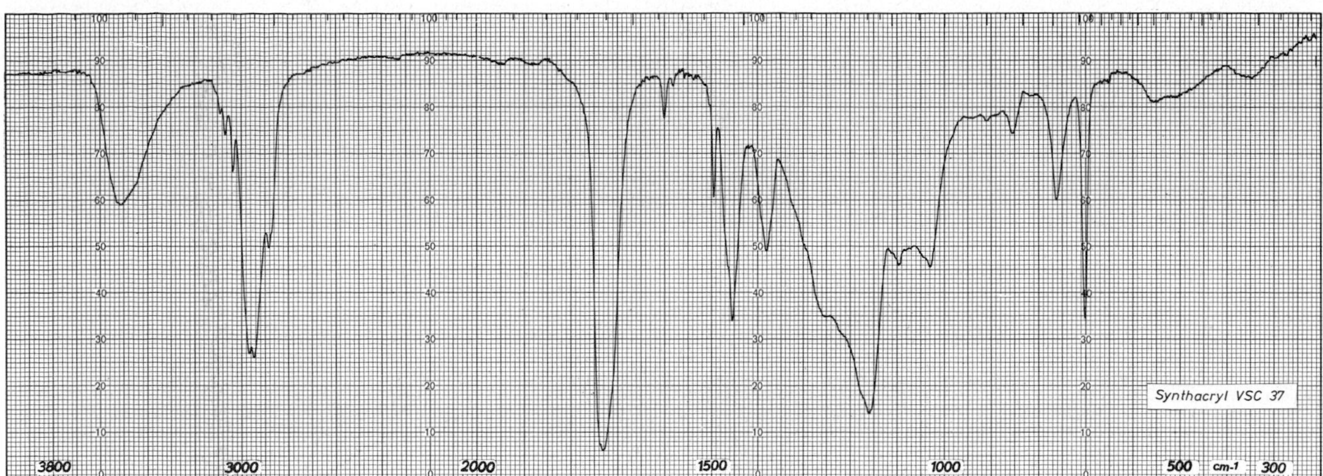

(1) **Synthacryl VSC 37**
(3) Poly(acrylester-co-styrol), OH-gruppenhaltig
(4) gelbliche, dickflüssige Lösung
(5) wärmereaktives, fremdvernetzendes Acrylatharz zur Kombination mit Melaminharzen oder Polyisocyanaten
(6) Schicht auf CsI

(2) BASF AG, Ludwigshafen
(3) poly(acrylic ester-co-styrene) containing OH groups
(4) yellowish, viscous solution
(5) heat-reactive, externally crosslinkable acrylic resin for combination with melamine resins or polyisocyanates
(6) film on CsI

147834 3051

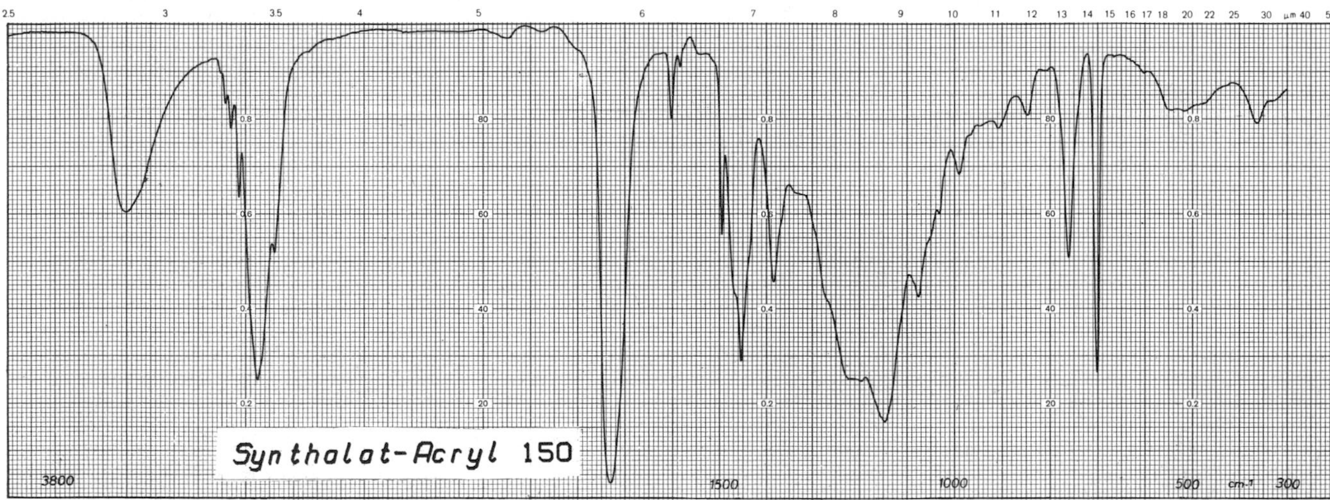

(1) **Synthalat-Acryl 150**
(3) Acrylatharz auf Basis Poly(ethylacrylat-co-styrol)
(4) viskose Lösung (60% in XYL/EGA)
(5) für Einbrennlackierungen
(6) Schicht auf CsI, 1 h bei 80 °C i.V. getrocknet
(7) PE 580 B, ABEX 1.14

(2) Synthopol, Buxtehude
(3) acrylic resin based on poly(ethyl acrylate-co-styrene)
(4) viscous solution (60% in XYL/EGA)
(5) for stove enamels
(6) film on CsI, dried at 80 °C for 1 h, in vacuo
(7) PE 580 B, ABEX 1.14

147834 3052

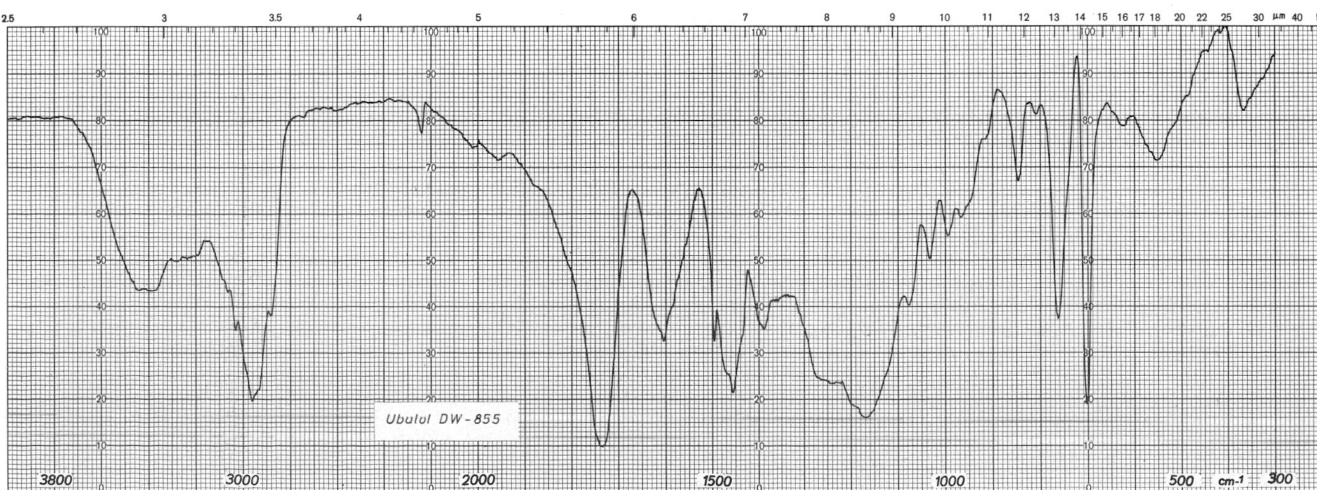

(1) **Ubatol BW-855**
(3) feindisperse, wäßrige Kunststoffdispersion auf Basis eines zinkreaktiven Poly-(acrylester-co-styrol) (metallhaltig)
(4) schmutzigweiße, wäßrige Dispersion
(5) für Haushaltpflegemittel
(6) Trockenrückstand in KBr

(2) Hendricks & Sommer, Tönisvorst
(3) fine, aqueous resin dispersion based on a zinc-reactive poly(acrylic ester-co-styrene) (contains metal)
(4) dirty white, aqueous dispersion
(5) for household cleansers
(6) dried residue in KBr

147834 + **147**31 3053

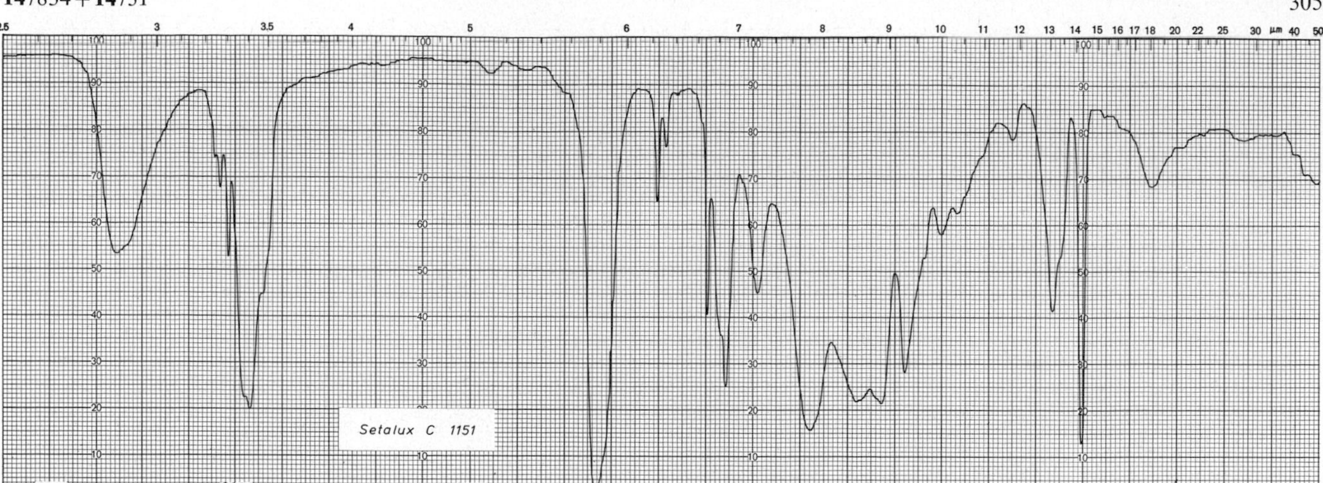

(1) **Setalux C 1151**
(3) Mischung aus gesättigtem Phthalsäurepolyester (30...40%) mit Poly(styrol-co-acrylester)
(4) wasserklare, mittelviskose Lösung (51%)
(5) hitzehärtbares Harz, zur Kombination mit „Setamine" in Automobillacken
(6) Schicht auf CsI

(2) Kunstharsfabriek Synthese N.V., Bergen op Zoom
(3) mixture of saturated phthalic polyester (30...40%) with poly(styrene-co-acrylic ester)
(4) crystal clear, medium viscous solution (51%)
(5) heat-curable resin for combination with "setamine" in automobile finishes
(6) film on CsI

14784 $C_5H_8O_2$ *P* 3054

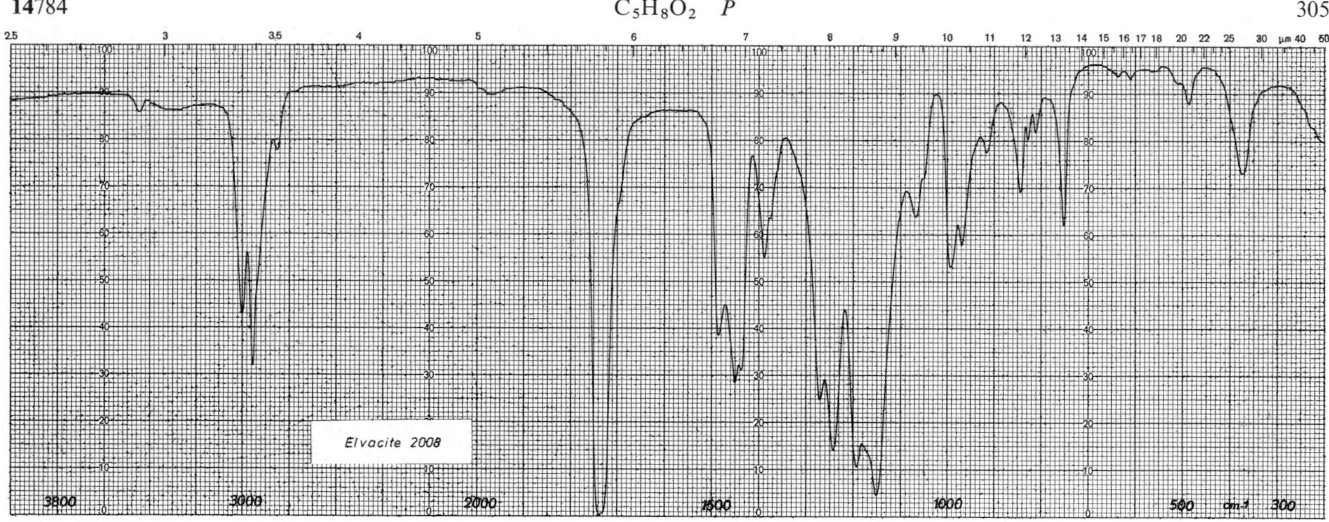

(1) **Elvacite 2008**
(3) Polymethylmethacrylat-Harz
(4) feinkörnige, weiße Substanz
(5) für glasklare Überzüge
(6) Film aus EAC auf CsI

(2) Du Pont, Wilmington, Dela.
(3) poly(methyl methacrylate) resin
(4) fine grained, white substance
(5) for crystal clear coatings
(6) film from EAC on CsI

14784 $C_5H_8O_2$ *P* 3055

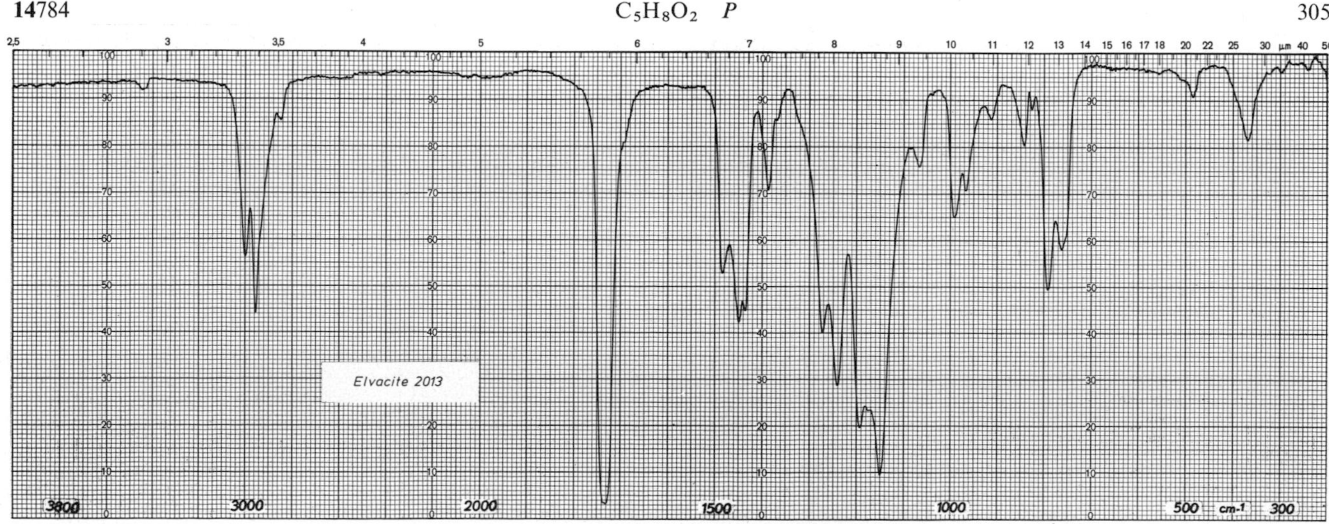

(1) **Elvacite 2013**
(3) Polymethylmethacrylat-Harz
(4) weiße, körnige Substanz
(5) für glasklare Lackierungen
(6) Film aus CCl_4 auf CsI
(7) Bande bei 790 cm^{-1}: CCl_4

(2) Du Pont, Wilmington, Dela.
(3) poly(methyl methacrylate) resin
(4) white, grainy substance
(5) for crystal clear coatings
(6) film from CCl_4 on CsI
(7) bands at 790 cm^{-1}: CCl_4

14784 $C_5H_8O_2$ *P* 3056

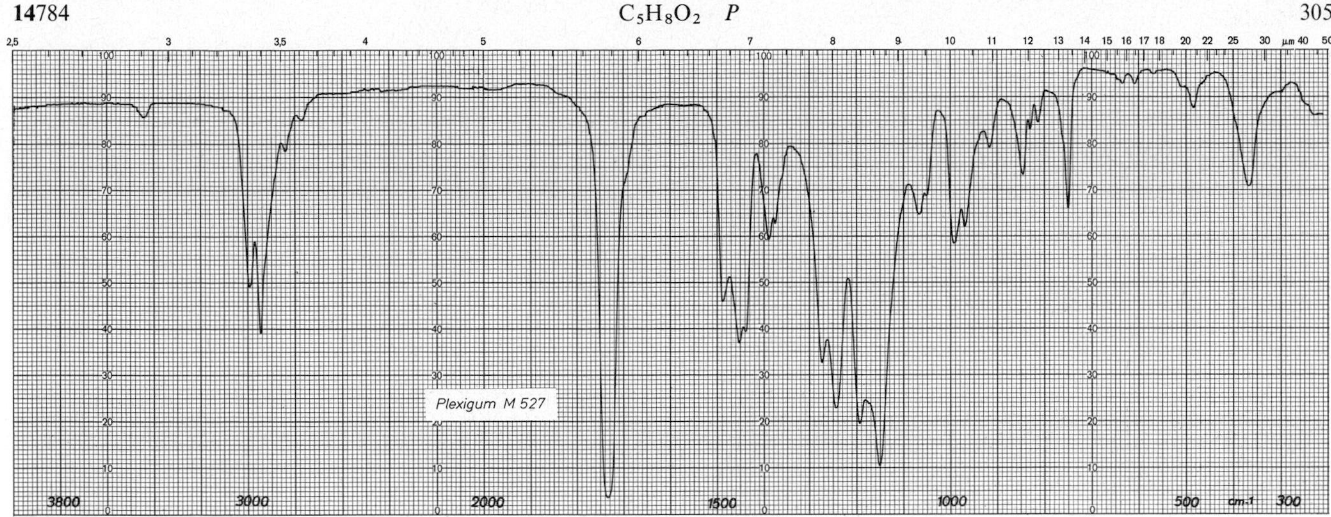

(1) **Plexigum M 527**
(3) Polymethylmethacrylat-Harz
(4) farblose, grobkörnige Stücke
(5) für harte, farblose Lackierungen
(6) Schicht aus EAC auf CsI

(2) Röhm GmbH, Darmstadt
(3) poly(methyl methacrylate)
(4) large, colorless grains
(5) for hard, colorless coatings
(6) film from EAC on CsI

14784 $C_8H_{14}O_2$ *P* 3057

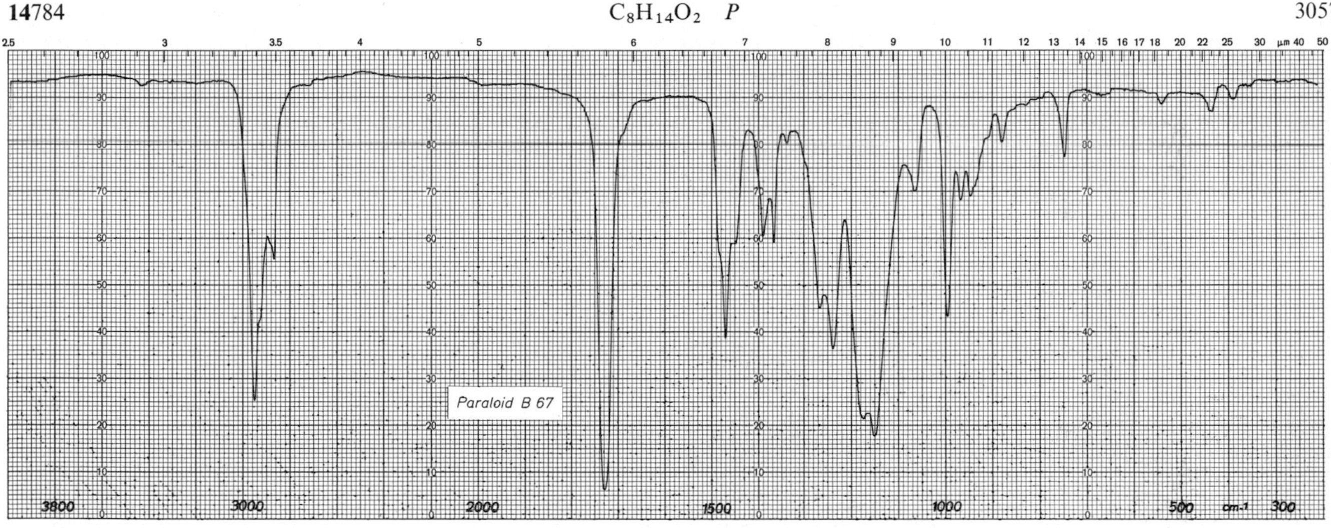

(1) **Paraloid B 67**
(3) Poly(i-butylmethacrylat)
(4) farblose Harzstücke
(5) zur Kombination mit lang- und mittelöligen Alkyden; verbessert Trocknungsgeschwindigkeit, Härte und Farbtonechtheit
(6) Schicht auf CsI

(2) Rohm & Haas, Philadelphia
(3) poly(isobutyl methacrylate)
(4) colorless resin pieces
(5) for combination with long and middle-oil alkyds; improves rate of drying and color trueness
(6) film on CsI

14784 $C_8H_{14}O_2$ *P* 3058

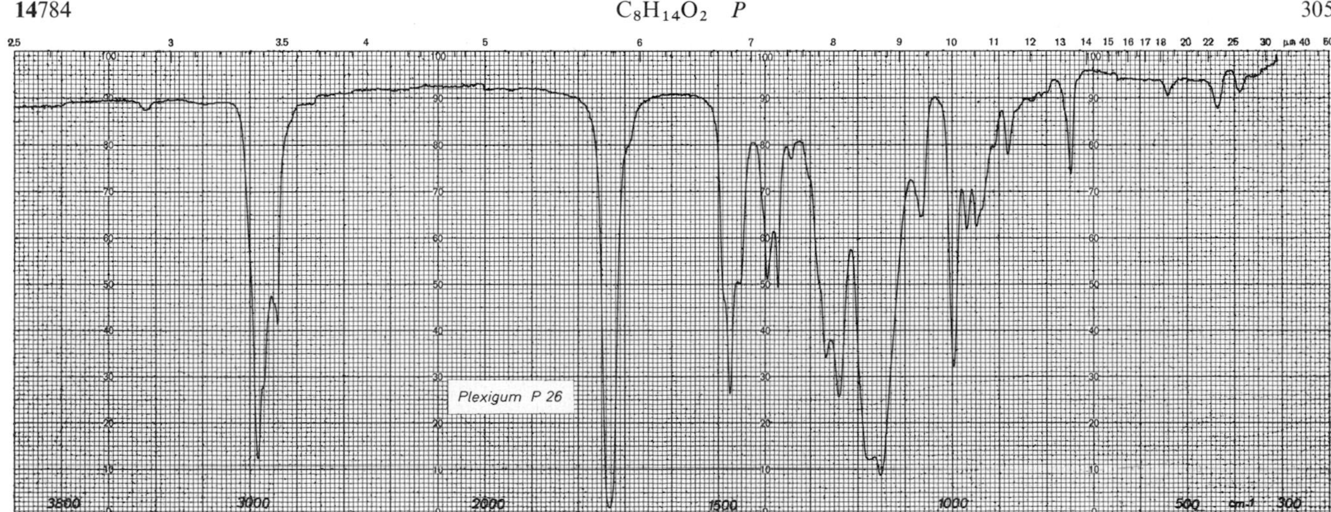

(1) **Plexigum P 26**
(3) Poly(i-butylmethacrylat)
(4) weiße, feinkörnige Substanz
(5) für chemikalienfeste Lacke (Chromschutz-, Aerosol-, Bautenlacke), Dekorationsschnee, Gemäldefirnis
(6) Schicht auf CsI

(2) Röhm GmbH, Darmstadt
(3) poly(isobutyl methacrylate)
(4) white, fine grains
(5) for chemical-resistant lacquers, (chrome-protecting, aerosol and building lacquers), decorative snow, artists' varnish
(6) film on CsI

14784 $C_8H_{14}O_2$ *P* 3059

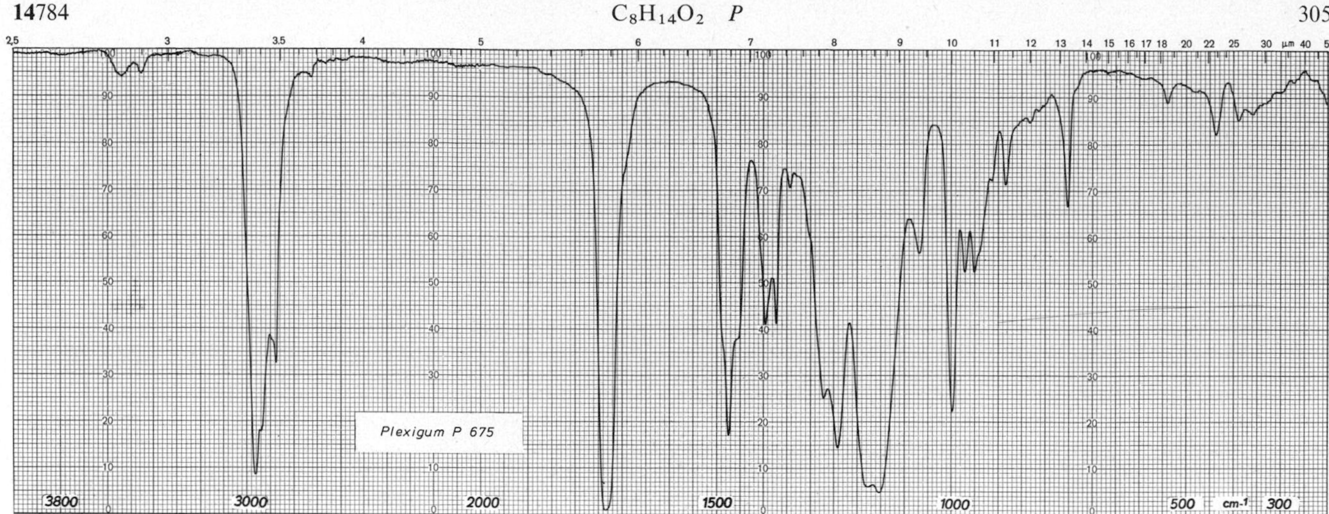

(1) **Plexigum P 675**
(3) Poly(i-butylmethacrylat)
(4) weißes Pulver
(5) für benzingelöste Bautenlacke, Kunststoff- und Aerosollacke
(6) klarer Film aus CLF auf CsI

(2) Röhm GmbH, Darmstadt
(3) poly(isobutyl methacrylate)
(4) white powder
(5) for benzine-dissolved building lacquers, plastic and aerosol lacquers
(6) clear film from CLF on CsI

14784 $C_5H_{14}O_2$ *P* 3060

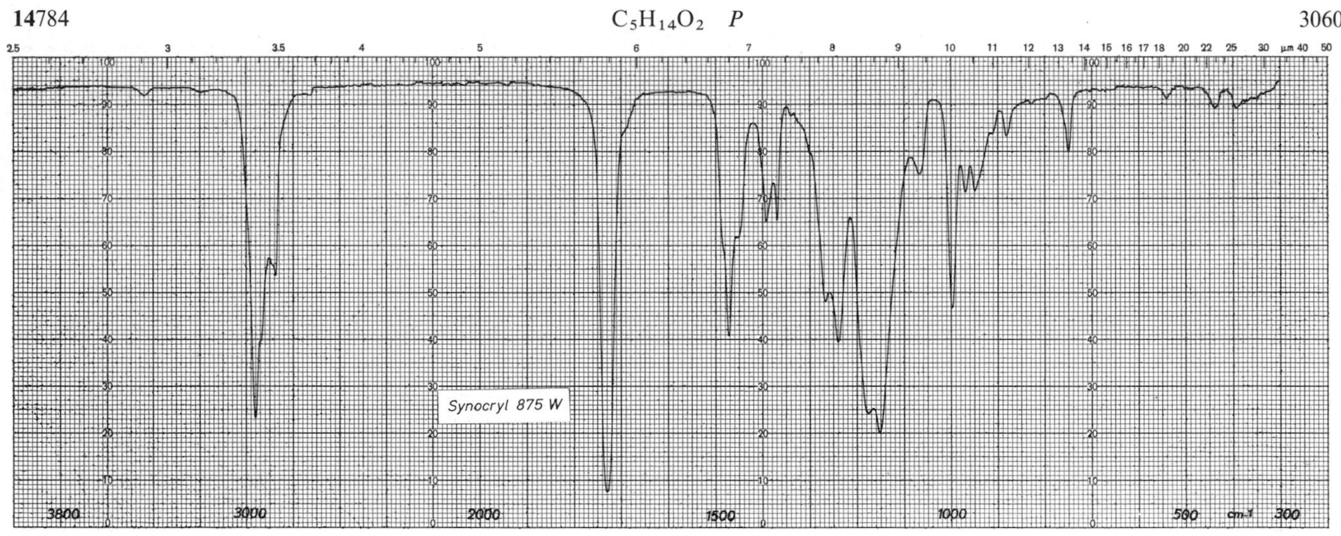

(1) **Synacryl 875 W** (im Spektrum lies: Synacryl)
(3) thermosplastisches Acrylharz auf Basis Poly(i-butylmethacrylat)
(4) farblose, etwas viskose Lösung
(5) für die Kombination mit trocknenden Alkydharzen: Fahrzeuglacke, Außenlacke, Schiffsfarben, Do-it-yourself-Lacke
(6) Schicht auf CsI

(2) Cray Valley Products, Kent, England
(3) thermoplastic acrylic resin based on poly(isobutyl methacrylate)
(4) colorless, somewhat viscous solution
(5) for combination with alkyd-drying resins for automobile, marine and do-it-yourself finishes
(6) film on CsI

14784 $C_5H_{14}O_2$ *P* 3061

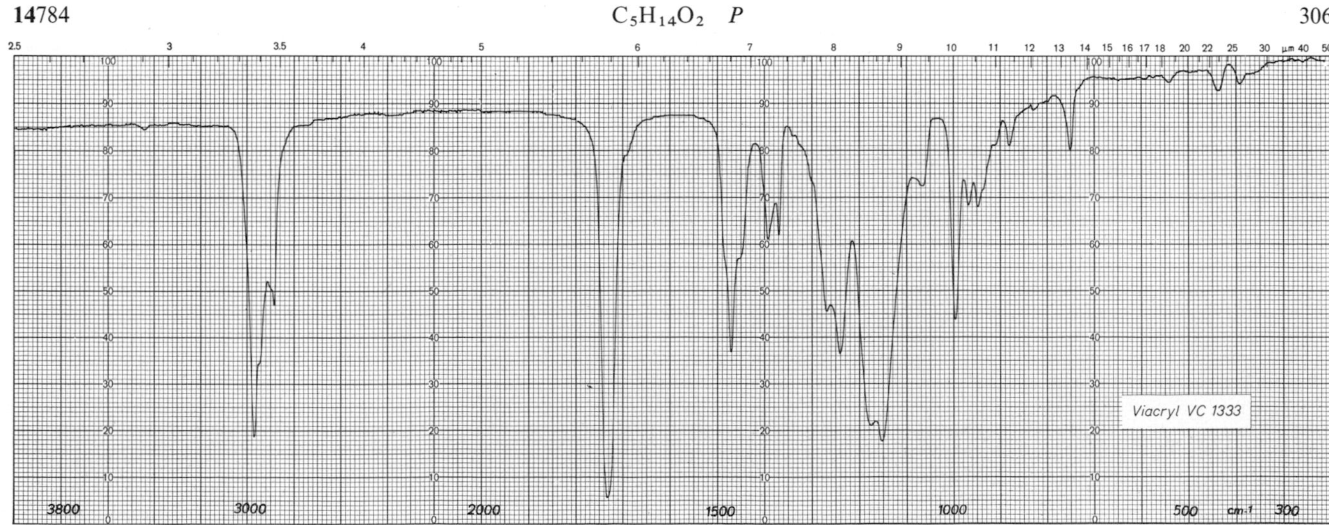

(1) **Viacryl VC 1333**
(3) Poly(i-butylmethacrylat)
(4) wasserklare, viskose Lösung
(5) thermoplastisches, mittelhartes Methacrylharz mit besonders guter Wetterfestigkeit, hohe Alkali- und UV-Gilbungsbeständigkeit, für Außenanstriche auf alkalischem Untergrund
(6) Schicht auf CsI

(2) Vianova Kunstharz AG, Wien (Hoechst-Gruppe)
(3) poly(isobutyl methacrylate)
(4) crystal clear, viscous solution
(5) thermoplastic, medium hard methacrylate resin, particularly weather-resistant, high resistance to alkali and UV yellowing, for external coatings on alkaline substrates
(6) film on CsI

14784 $C_5H_{14}O_2$ *P* 3062

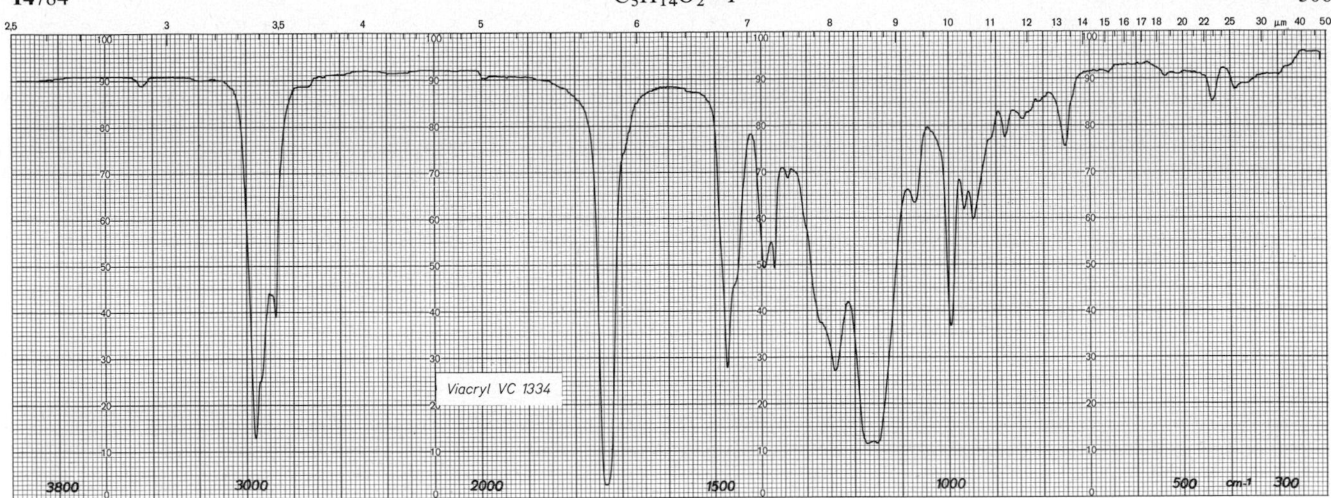

(1) **Viacryl VC 1334**
(3) thermoplastisches, weiches Poly(i-butylmethacrylat)-Harz
(4) farblose, etwas viskose Lösung (50% in Spezialbenzin)
(5) sehr schnelle, physikalische Trocknung; allein oder in Kombination mit Viacryl VC 1333 für Vollton-Fassadenfarben und Kunstharzputze, Außenanstriche auf alkalischem Untergrund
(6) Schicht auf CsI

(2) Vianova Kunstharz AG, Wien (Hoechst-Gruppe)
(3) soft, thermoplastic poly(isobutyl methacrylate) resin
(4) colorless, somewhat viscous solution (50% in special benzine)
(5) very quick, physical drying; alone or in combination with Viacryl VC 1333 for full-colour, external wall paints and synthetic resin renderings, external coatings on alkaline substrates
(6) film on CsI

14785 3063

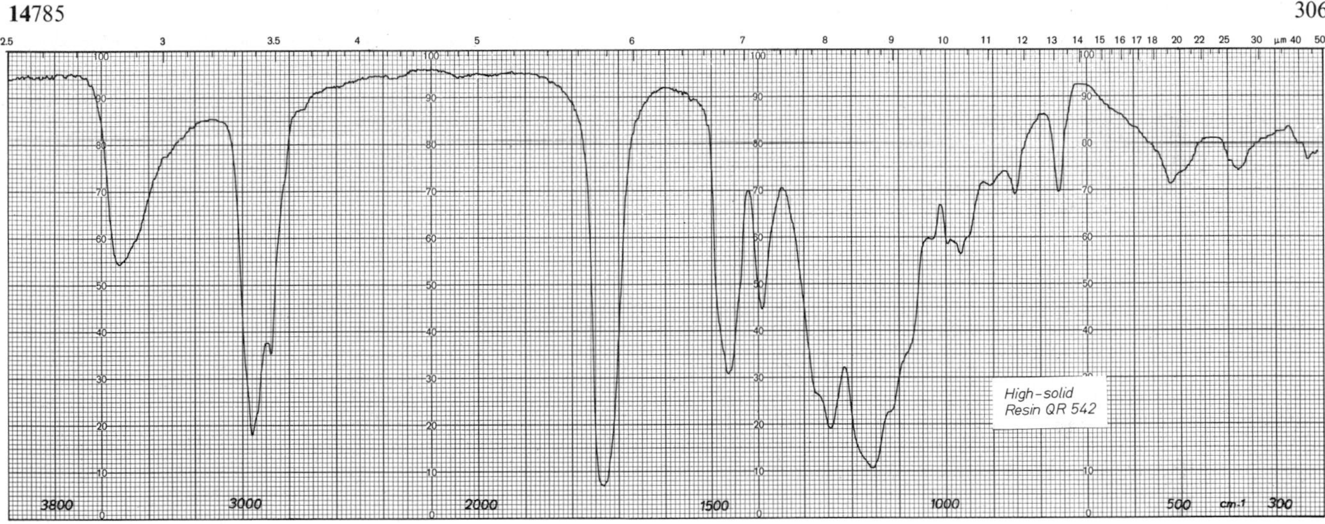

(1) **High-Solid-Resin QR 542**
(3) Oligomethylmethacrylat, umgeestert mit einem Diol
(4) hellgelbe, viskose Lösung (80% in BAC/XYL 1:1)
(5) für Fahrzeuglacke und sonstige klare oder pigmentierte Lackierungen
(6) Schicht auf CsI

(2) Rohm & Haas, Philadelphia, Pa.
(3) diol-transesterified oligo(methyl methacrylate)
(4) pale yellow, viscous solution (80% in BAC/XYL 1:1)
(5) for automobile lacquers and other clear and pigmented finishes
(6) film on CsI

14785 3064

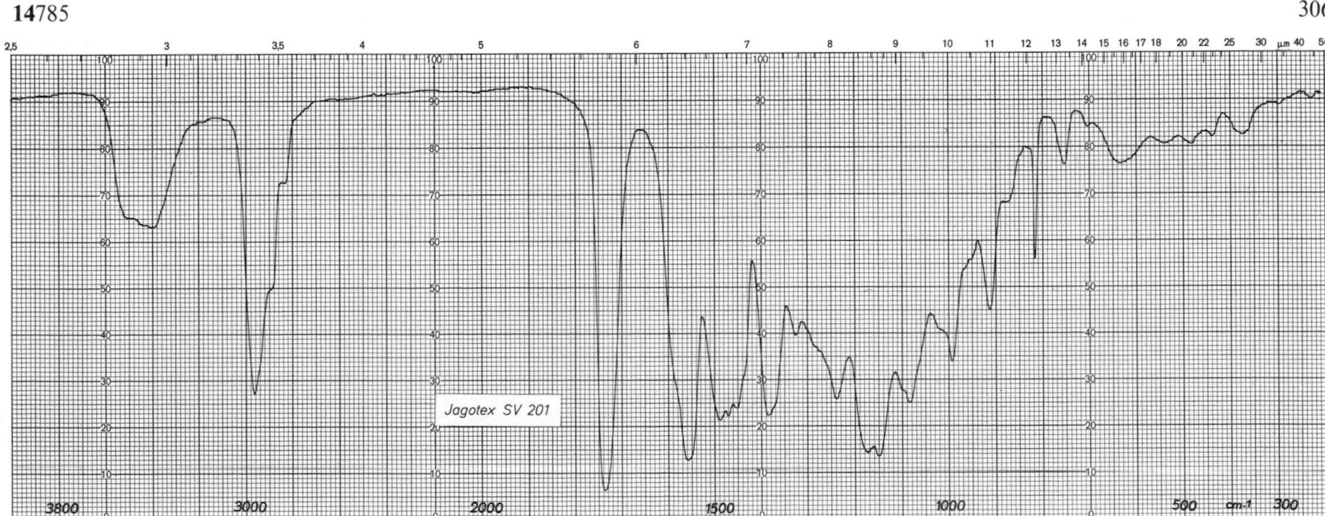

(1) **Jagotex SV 201**
(3) selbstvernetzendes Methylmethacrylat-Copolymer
(4) farblose, etwas viskose Lösung (50% in XYL)
(5) für ofentrocknende Lackierungen (150 °C)
(6) Schicht auf CsI

(2) E. Jäger, Düsseldorf
(3) self-crosslinking methyl methacrylate copolymer
(4) colorless, somewhat viscous solution (50% in XYL)
(5) for oven-drying finishes (150 °C)
(6) film on CsI

14785 $C_5H_8O_2$ *P* 3065

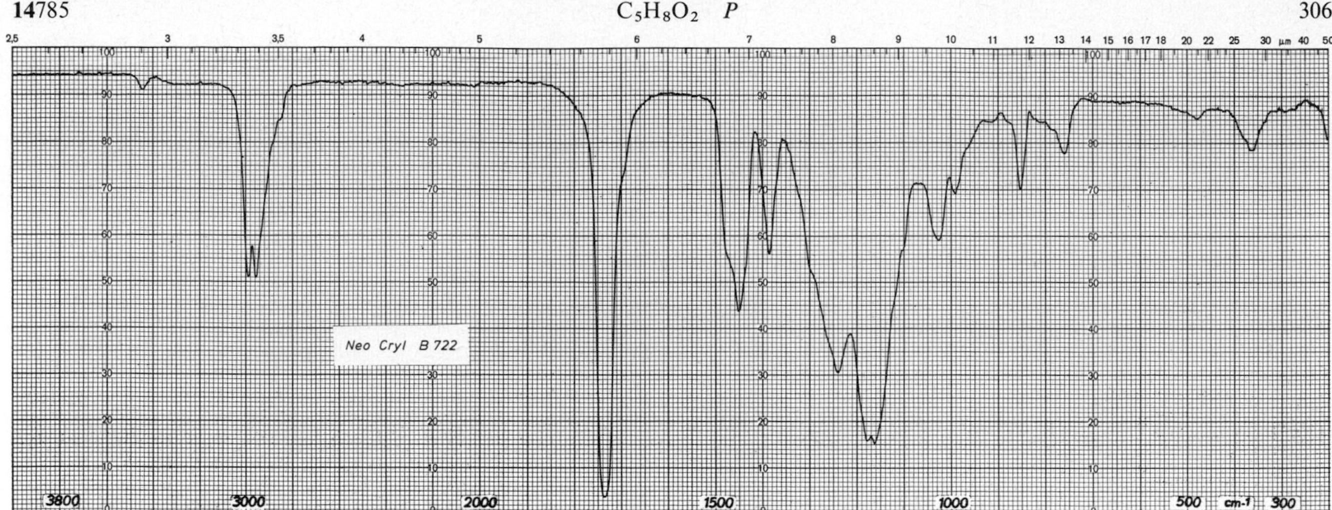

(1) **Neo Cryl B 722**
(3) (3) Poly(methylmethacrylat-co-ethylacrylat)
(4) grobkörniges, weißes Harz
(5) für dampf- und hitzebeständige Kunststoffbeschichtungen und PVC-Siebdruck
(6) klarer Film aus CCl_4 auf CsI

(2) Polyvinyl Chemie Holland B.V., Waalwijk
(3) poly(methyl methacrylate-co-ethyl acrylate)
(4) large, white, resin grains
(5) for steam and heat-resistant plastic coatings and PVC screen process printing
(6) clear film from CCl_4 on CsI

14785 $C_5H_8O_2$ *P* 3066

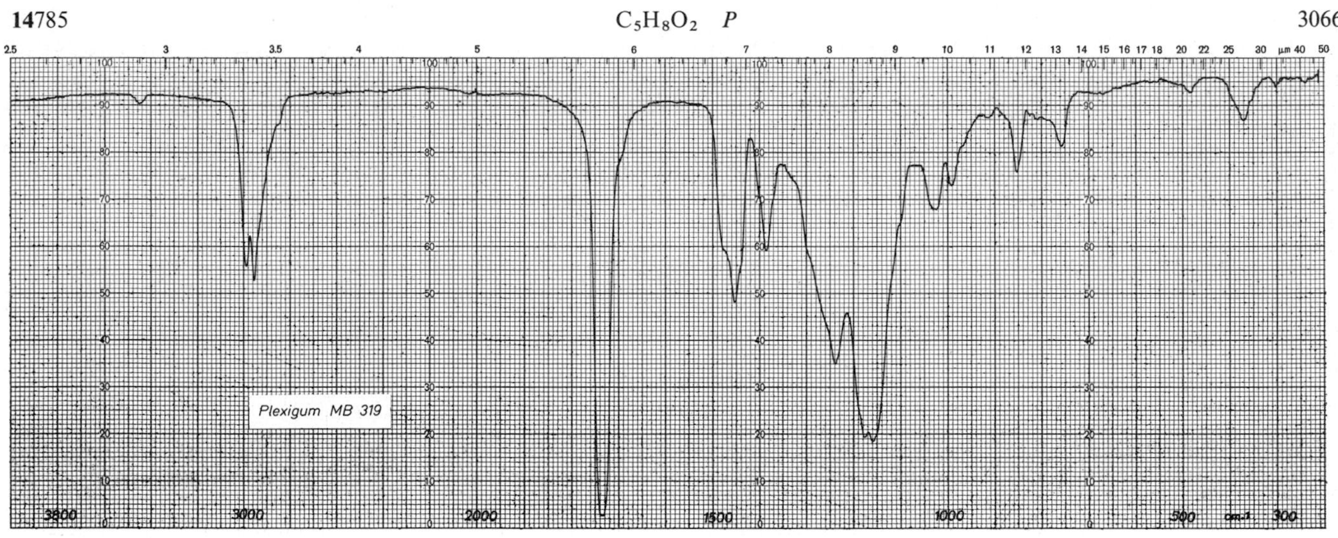

(1) **Plexigum MB 319**
(3) Poly(methylmethacrylat-co-ethylacrylat)
(4) weiße, pulvrige Substanz
(5) für Aluminium- und Kunststoff-Lacke
(6) Schicht aus CLF auf CsI

(2) Röhm GmbH, Darmstadt
(3) poly(methyl methacrylate-co-ethyl acrylate)
(4) white, powdery substance
(5) for aluminium and plastic finishes
(6) film from CLF on CsI

14785 3067

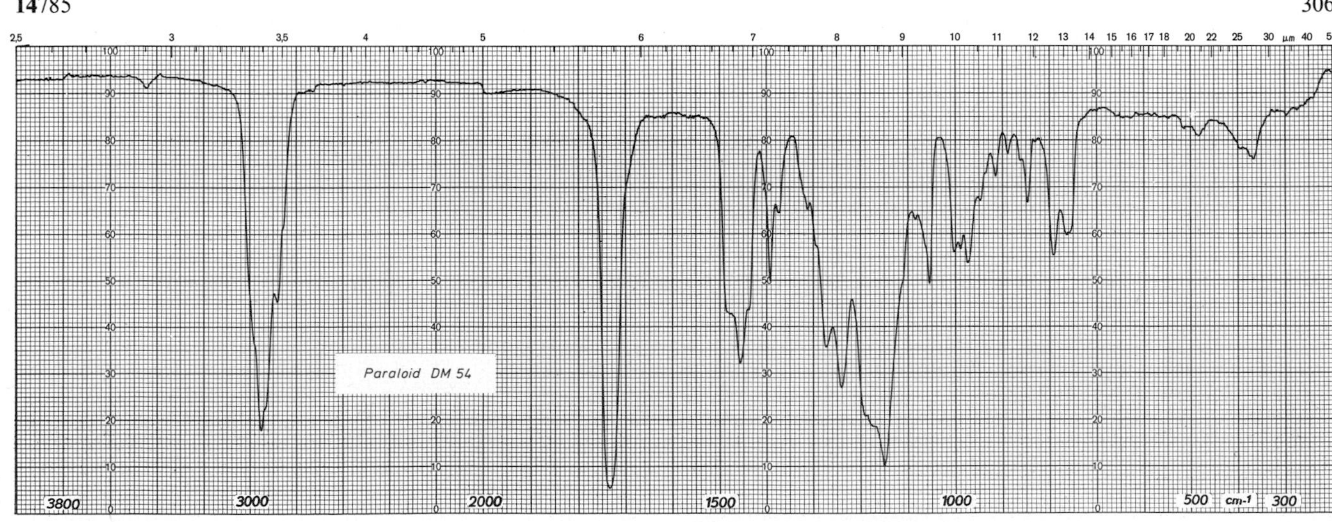

(1) **Paraloid DM 54**
(3) Acrylatharz auf Basis Methylmethacrylat
(4) grobe, farblose Stücke
(5) für glasklare Lackierungen
(6) Film aus CCl_4 auf CsI
(7) Bande bei 790 cm^{-1}: CCl_4

(2) Rohm & Haas, Philadelphia, Pa.
(3) acrylic resin based on methyl methacrylate
(4) large, colorless pieces
(5) for crystal clear finishes
(6) film from CCl_4 on CsI
(7) bands at 790 cm^{-1}: CCl_4

14785 3068

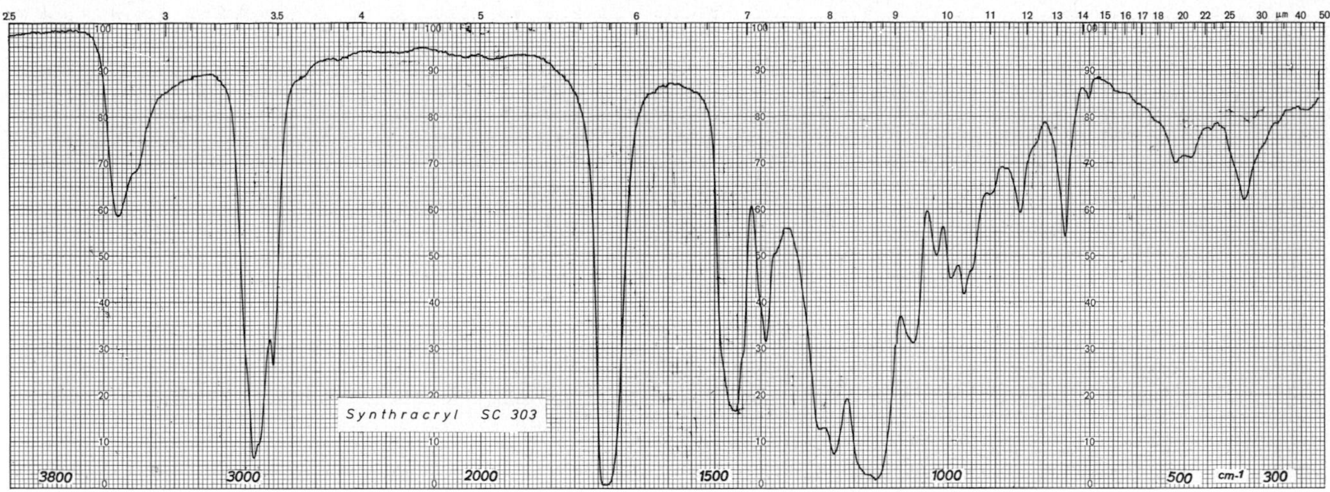

(1) **Synthacryl SC 303** (im Spektrum lies: Synthacryl)
(2) Hoechst AG, Frankfurt/M.-Höchst
(3) mit Aminharz vernetzbares Acrylharz (Methylmethacrylat)
(4) dickflüssige, wasserklare Lösung (65% in XYL/BTL)
(5) für Automobil-, speziell Metalleffekt-Decklacke, Vorlegelacke für „Naß-in-naß-Verfahren"
(6) Schicht auf CsI

(1) **Synthacryl SC 303** (read Synthacryl in the spectrum)
(3) acrylic resin (methyl methacrylate) crosslinkable with amine resin
(4) viscous, crystal clear solution (65% in XYL/BTL)
(5) for automobile and special metal effect finishes, undercoat for "wet in wet" process
(6) film on CsI

14785 $C_6H_{10}O_2$ *P* 3069

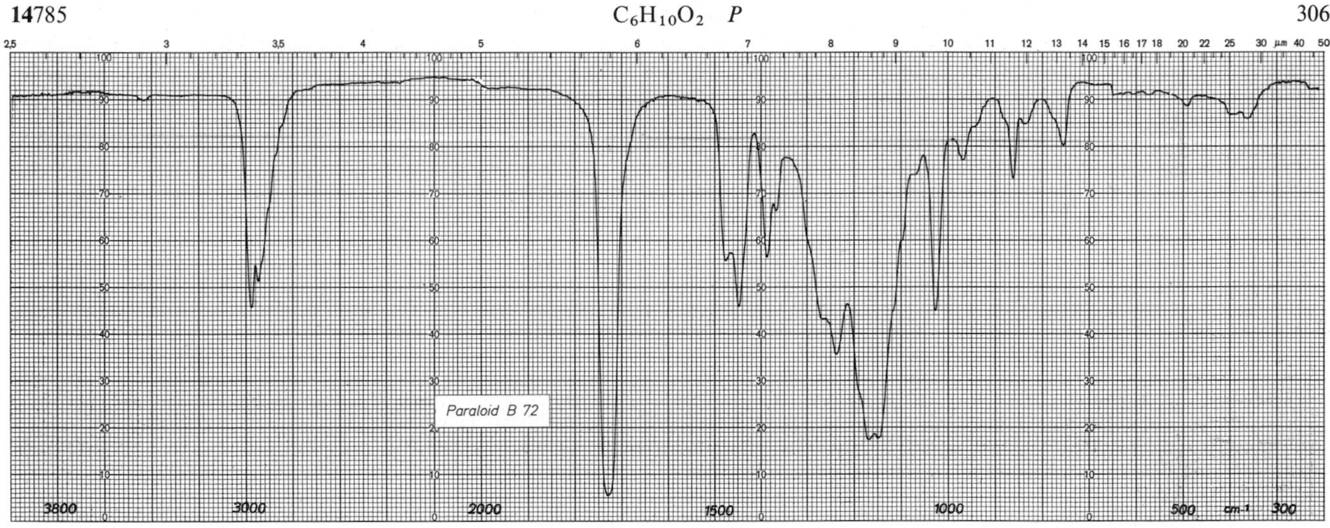

(1) **Paraloid B 72**
(3) Poly(ethylmethacrylat) mit reaktiven Gruppen
(4) farblose Harzstückchen
(5) selbstvernetzendes Acrylatharz für Beschichtungen, insbesondere Gewebe
(6) Schicht aus CLF auf CsI

(2) Rohm & Haas, Philadelphia, Pa.
(3) poly(ethyl methacrylate) with reactive groups
(4) colorless resin pieces
(5) self-crosslinking acrylic resin for coatings, particularly on fabrics
(6) film from CLF on CsI

14785 $C_8H_{14}O_2-C_5H_8O_2$ *P* 3070

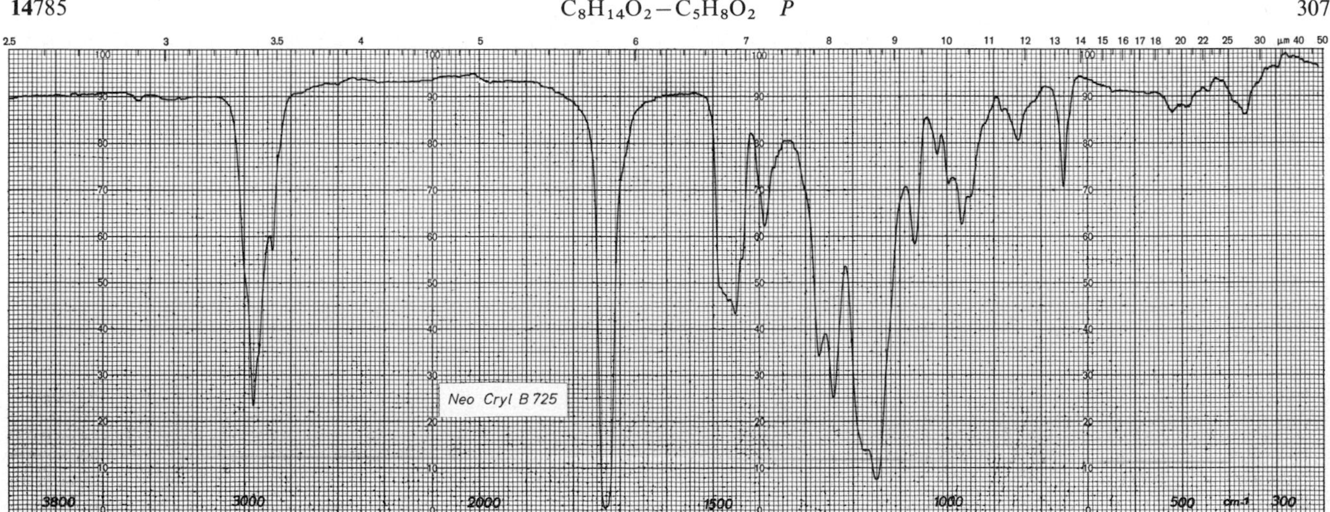

(1) **Neo Cryl B 725**
(3) Poly(butylmethacrylat-co-methylmethacrylat)
(4) farblose, mittelkörniges Granulat
(5) für Schiffslacke, klare und pigmentierte Beton- und Metallacke, Aerosol- und Kunststoff-Lacke
(6) Schicht auf CsI

(2) Polyvinyl-Chemie, Holland B.V.
(3) poly(butyl methacrylate-co-methyl methacrylate)
(4) colorless, medium size granules
(5) for marine lacquers, clear and pigmented concrete and metal finishes, aerosol and plastic lacquers
(6) film on CsI

14785 $C_8H_{14}O_2 - C_5H_8O_2$ *P* 3071

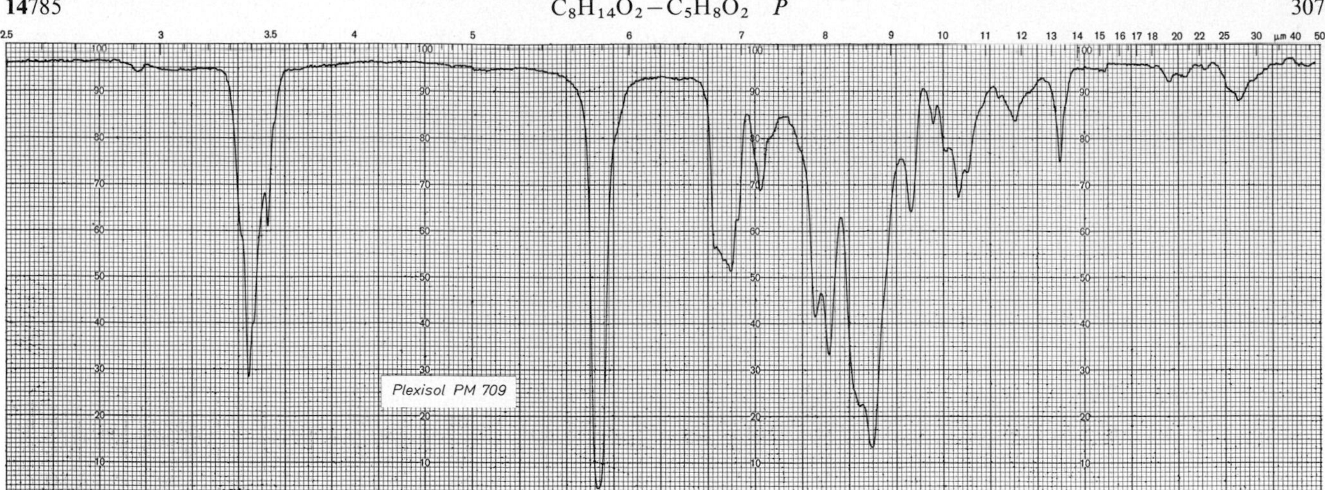

(1) **Plexisol PM 709**
(3) Poly(butylmethacrylat-co-methylmethacrylat)
(4) wasserklare, hochviskose Lösung (40% in XYL)
(5) für Klarlacke und Metallacke
(6) Schicht auf Csi

(2) Röhm GmbH, Darmstadt
(3) poly(butyl methacrylate-co-methyl methacrylate)
(4) crystal clear, highly viscous solution (40% in XYL)
(5) for clear lacquers and metal lacquers
(6) film on CsI

14785 3072

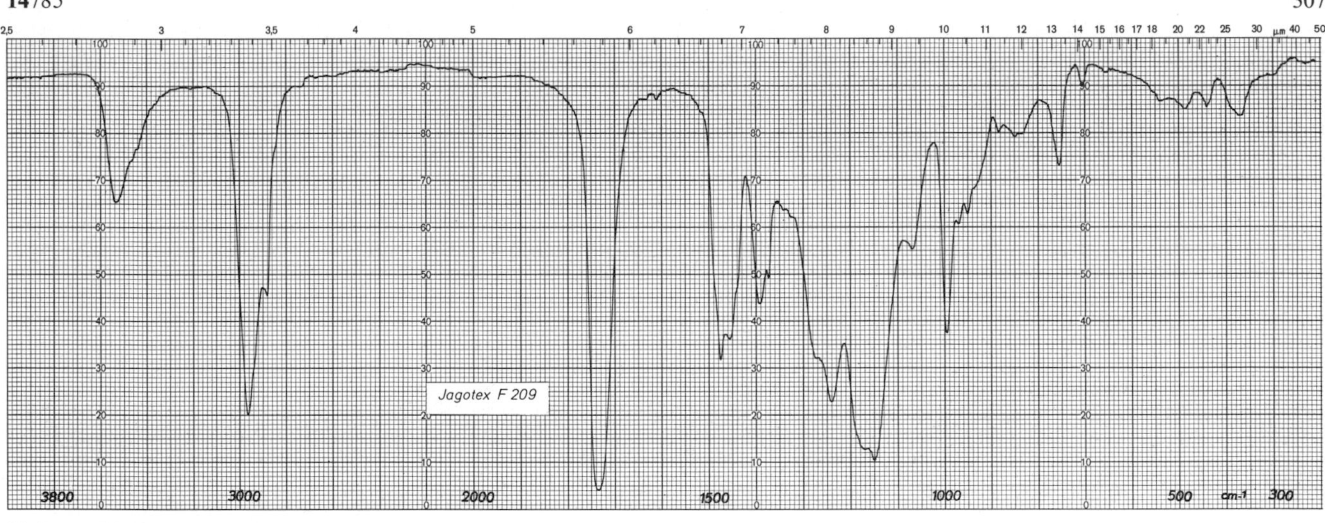

(1) **Jagotex F 209**
(3) OH-gruppenhaltiges i-Butylmethacrylat-Copolymer
(4) farblose, etwas viskose Lösung (50% in XYL)
(5) in Kombination mit Isocyanaten als luft- oder ofentrocknendes Bindemittel
(6) Schicht auf CsI

(2) E. Jäger, Düsseldorf
(3) isobutyl methacrylate copolymer containing OH groups
(4) colorless, somewhat viscous solution (50% in XYL)
(5) in combination with isocyanates as air or oven-drying binders
(6) film on CsI

14785 3073

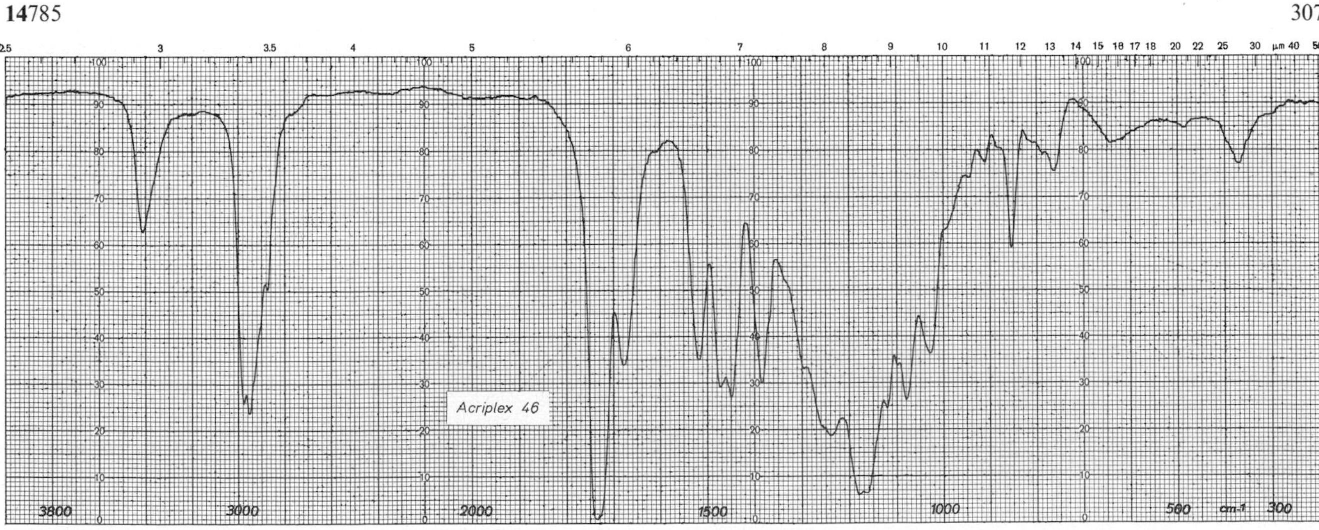

(1) **Acriplex 46**
(3) Polymethacrylatharz mit vernetzenden Komponenten
(4) dickflüssige, farblose Lösung (50% in Aromaten/BTL, 60:40)
(5) selbstvernetzendes Einbrennharz (180°C) für Waschmaschinen, Kühlschränke, Haushaltsgeräte
(6) Schicht auf CsI

(2) Röhm GmbH, Darmstadt
(3) polymethacrylate resin with crosslinking components
(4) viscous, colorless solution (50% in aromatics/BTL, 60:40)
(5) self-crosslinking stoving resin (180°C) for washing machines, refrigerators, household appliances
(6) film on CsI

14785 3074

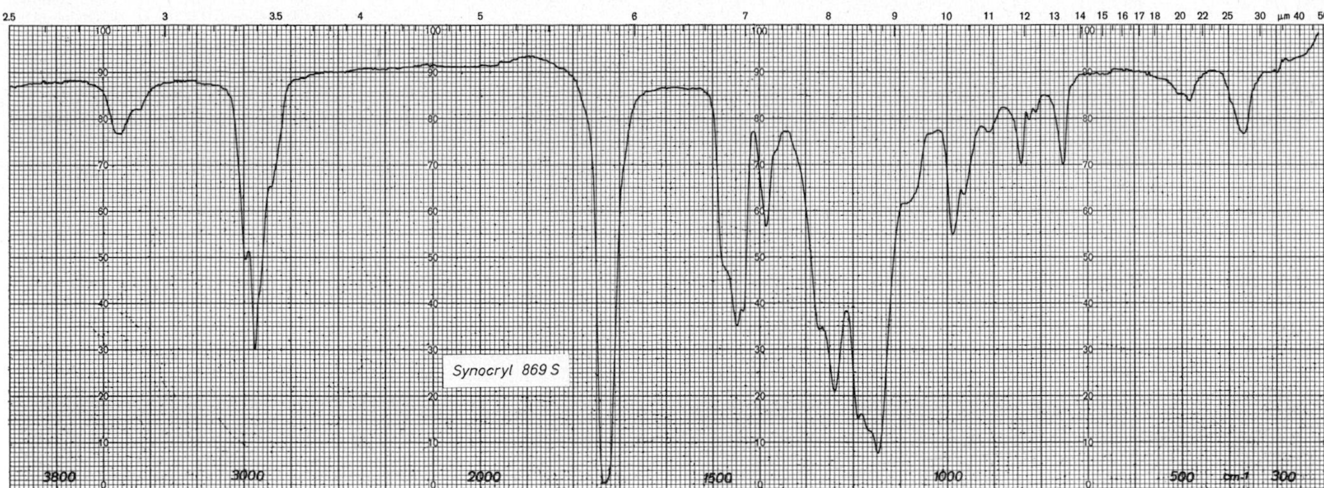

(1) **Synacryl 869 S** (im Spektrum lies: Synacryl)
(2) Cray Valley Products, Kent, England
(3) OH-gruppenhaltiges Methacrylatharz
(4) farblose, viskose Lösung (50% in XYL/EGA 1:1)
(5) bei Raumtemperatur mit Diisocyanaten härtbar; für Holz- und Metall-Lacke
(6) Schicht auf CsI

(1) **Synacryl 869 S** (read Synacryl in the spectrum)
(3) methacrylate resin containing OH groups
(4) colorless, viscous solution (50% in XYL/EGA 1:1)
(5) curable at room temperature with diisocyanates; for timber and metal finishes
(6) film on CsI

14785 3075

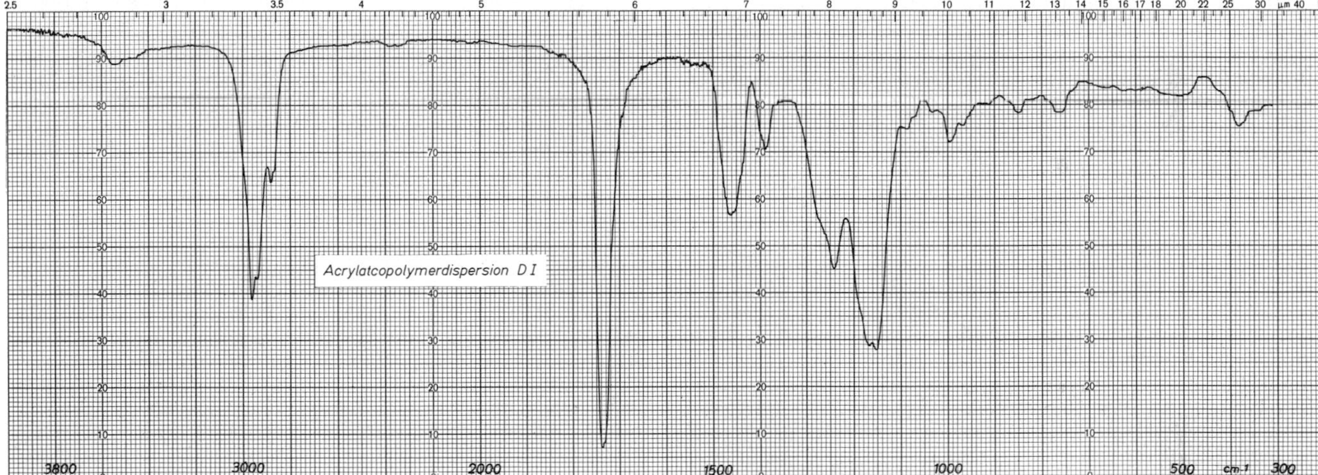

(1) **Acrylatcopolymerdispersion D I**
(3) Methacrylat-Acrylat-Copolymer
(4) weiße, dickflüssige Dispersion
(5) vielseitig anwendbare Dispersion für außen und innen
(6) Schicht auf KRS-5

(2) Hoechst AG, Frankfurt/M.-Höchst
(3) methacrylate-acrylate copolymer
(4) white, viscous dispersion
(5) multipurpose dispersion for internal and external use
(6) film on CsI

14785 3076

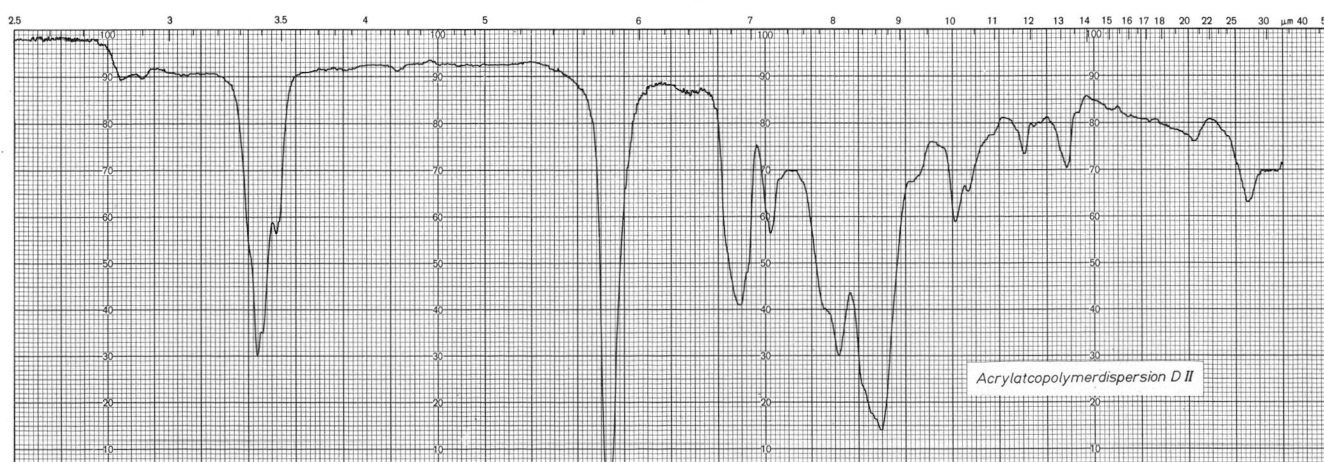

(1) **Acrylatcopolymerdispersion D II**
(2) Hoechst AG, Frankfurt/M.-Höchst (Laborpräparat)
(3) Poly(methylmethacrylat-co-acrylester)
(4) milchige, dickflüssige, wäßrige Dispersion
(6) Schicht auf KRS-5

(2) **Hoechst AG, Frankfurt/M.-Höchst (laboratory preparation)**
(3) poly(methyl methacrylate-co-acrylic ester)
(4) milky, viscous, aqueous dispersion
(6) film on KRS-5

14785 3077

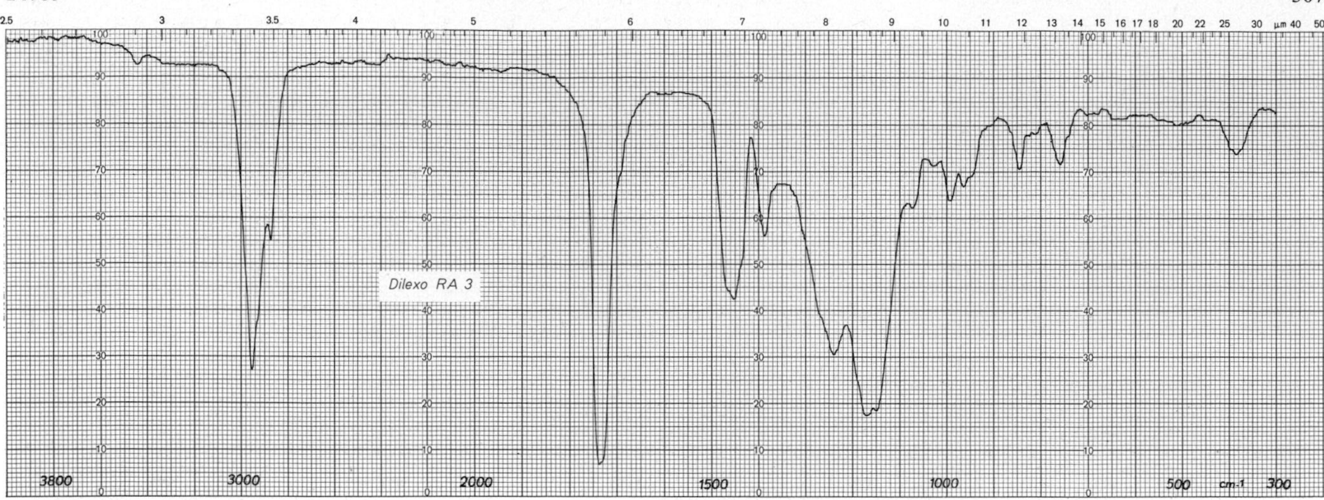

(1) **Dilexo RA 3**
(3) Methacrylat-Acrylat-Copolymer
(4) weiße Dispersion (50%)
(5) für transparente Anstriche und Synthetik-Putz
(6) Schicht auf KRS-5

(2) Texaco Chemie, Homberg/Ndrh.
(3) methacrylate-acrylate copolymer
(4) white dispersion (50%)
(5) for transparent coatings and synthetic renderings
(6) film on KRS-5

14785 3078

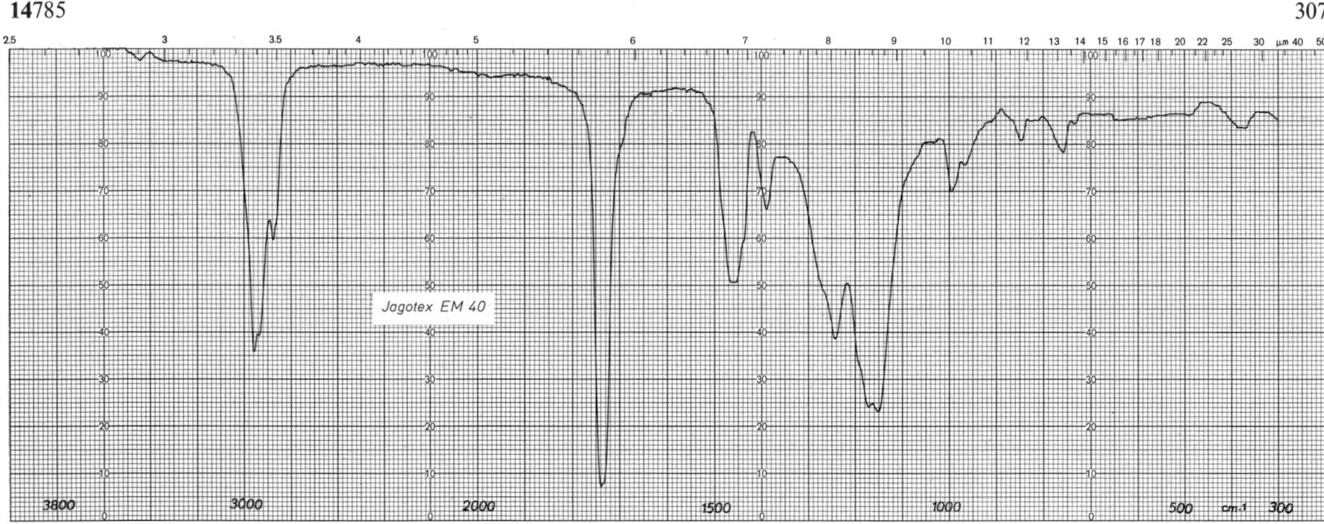

(1) **Jagotex EM 40**
(3) copolymerer Methacrylsäureester
(4) weiße Dispersion (50%)
(5) für matte bis lackartig glänzende Anstrichfarben auf Putz, Mauerwerk, Asbestzement, Beton, Holz; für Imprägnierungen, Grundierungen, Spachtelmassen, Putze
(6) Schicht auf KRS-5

(2) Ernst Jäger, Düsseldorf-Reisholz
(3) copolymerized methacrylic ester
(4) white dispersion
(5) for matt to lacquer-like gloss paints on rendering, walling, asbestos cement, concrete, timber; for impregnation, priming fillers, renderings
(6) film on KRS-5

14785 3079

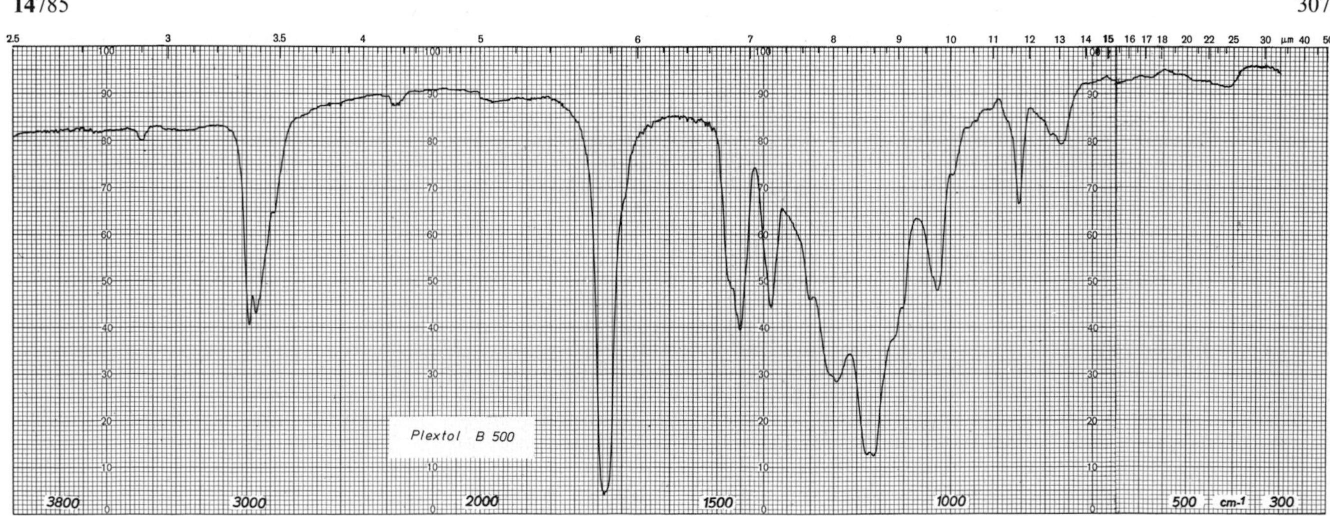

(1) **Plextol B 500**
(3) Polymethacrylat-Dispersion
(4) hochviskose Dispersion
(5) für mineralölbeständige Dispersionsfarben, Mörtel- und Betonzusatzmittel
(6) Schicht auf KRS-5

(2) Röhm GmbH, Darmstadt
(3) polymethacrylate dispersion
(4) highly viscous dispersion
(5) for mineral oil-resistant dispersion paints, mortar and concrete additive
(6) film on KRS-5

147861 $C_5H_8O_2-C_8H_8$ *P* 3080

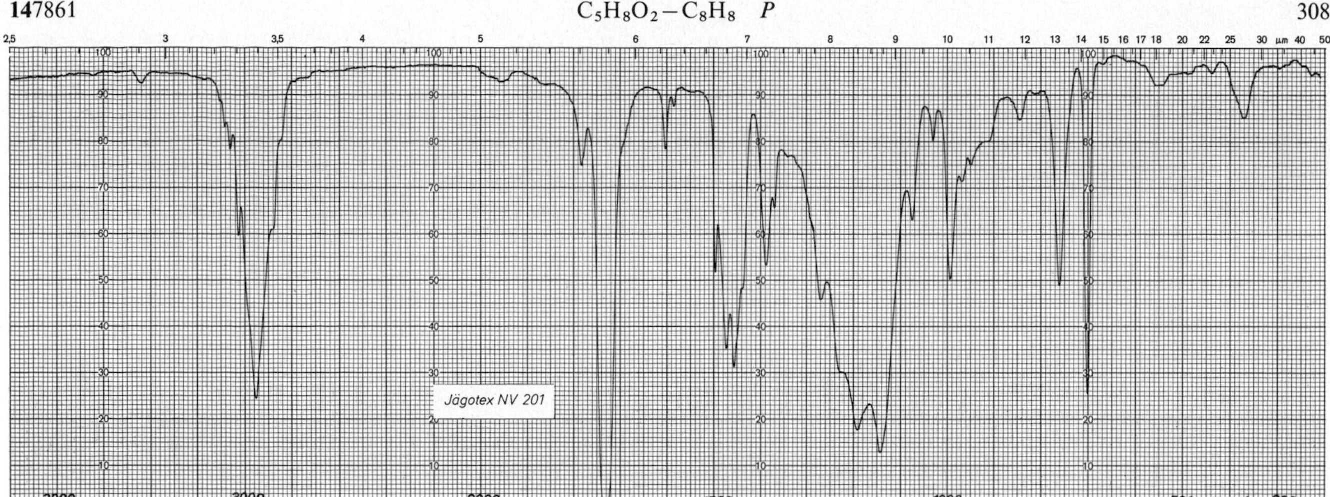

(1) **Jagotex NV 201** (im Spektrum lies: Jagotex)
(2) E. Jäger, Düsseldorf
(3) hartes Harz auf Basis Methylmethacrylat-Styrol
(4) farblose, etwas viskose Lösung (50% in XYL)
(5) Kombinationspartner für Cellulosenitrat, Kautschuk und PVC-Copolymere zur Herstellung von Weißlacken
(6) Schicht auf CsI

(1) **Jagotex NV 201** (read Jagotex in the spectrum)
(3) hard resin based on methyl methacrylate-styrene
(4) colorless, somewhat viscous solution (50% in XYL)
(5) in combination with nitrocellulose, rubber and PVC copolymers for the manufacture of white lacquers
(6) film on CsI

147861 3081

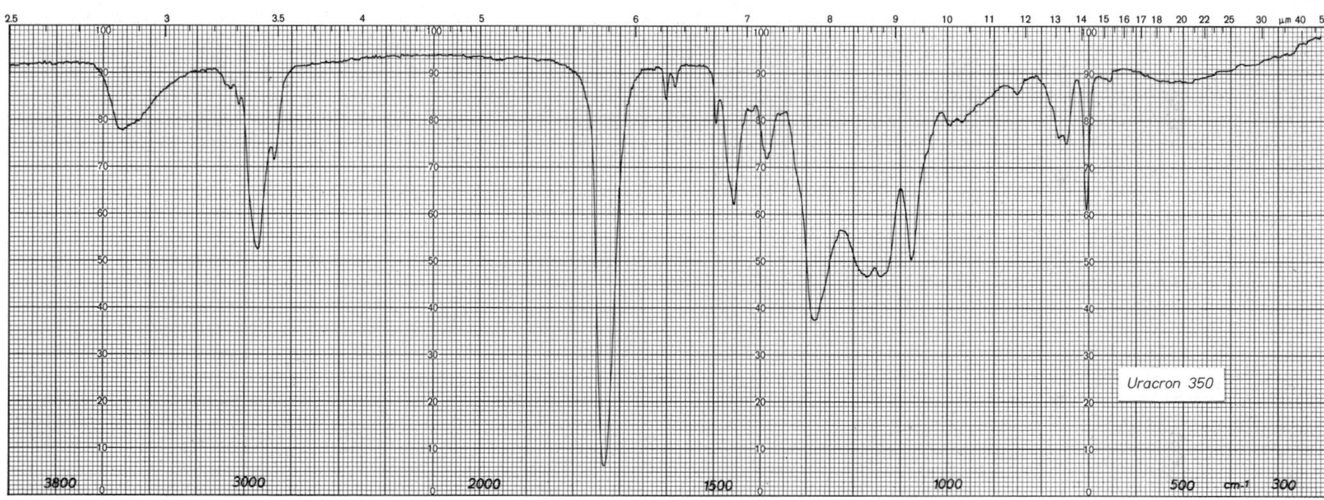

(1) **Uracron 350**
(3) lösemittelarmes, OH-gruppenhaltiges Methacrylatharz
(4) leicht bräunliche, hochviskose Lösung
(5) in Kombination mit Aminoharzen (z.B. Cymel 301, Cibamin M 100, Maprenal MF 900) für festkörperreiche Einbrennlacke
(6) Schicht auf CsI

(2) Scado B.V., Zwolle, NL
(3) low-solvent methacrylate resin containing OH groups
(4) slightly brownish, highly viscous solution
(5) in combination with amino resins (e.g. Cymel 301, Cibamin M 100, Maprenal MF 900) for high solids stove enamels
(6) film on CsI

147864 $C_5H_8O_2-C_7H_{12}O_2-C_8H_8-C_7H_{10}O_3$ *P* 3082

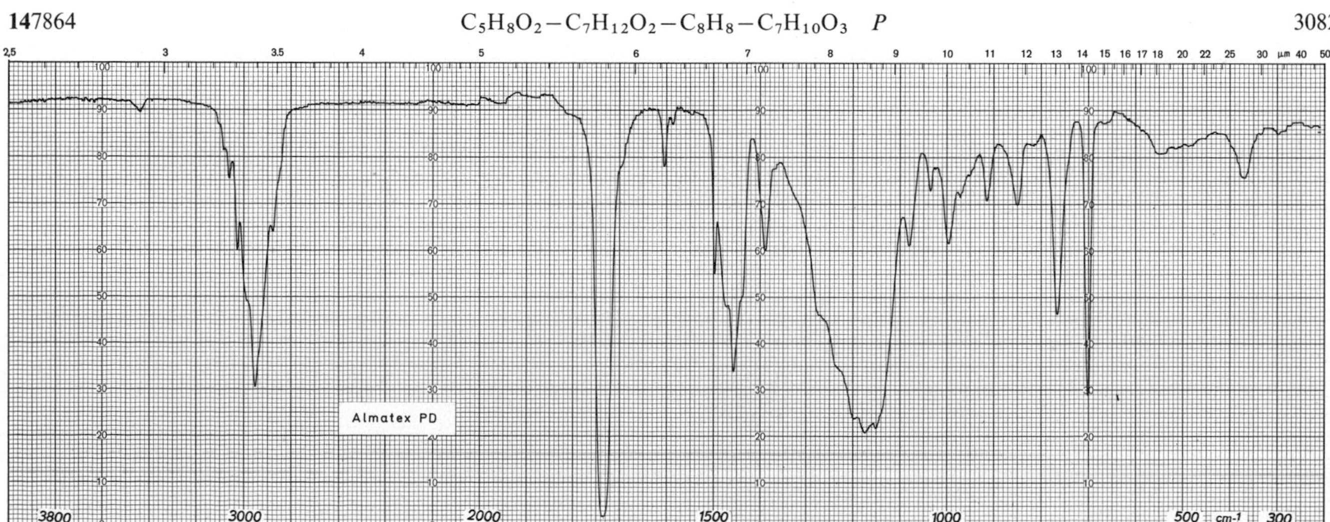

(1) **Almatex PD**
(3) Poly(methylmethacrylat-co-butylacrylat-co-styrol-co-glycidylmethacrylat)
(4) farblose Harzstücke
(5) mit Dicarbonsäuren vernetzbares Harz für das elektrostatische Pulversprühverfahren
(6) Schicht aus CLF aus CsI

(2) Mitsui Toazu, Japan
(3) poly(methyl methacrylate-co-butyl acrylate-co-styrene-co-glycidyl methacrylate)
(4) colorless resin pieces
(5) with dicarboxylic acids for the electrostatic powder spray process
(6) film from CLF on CsI

14787 3083

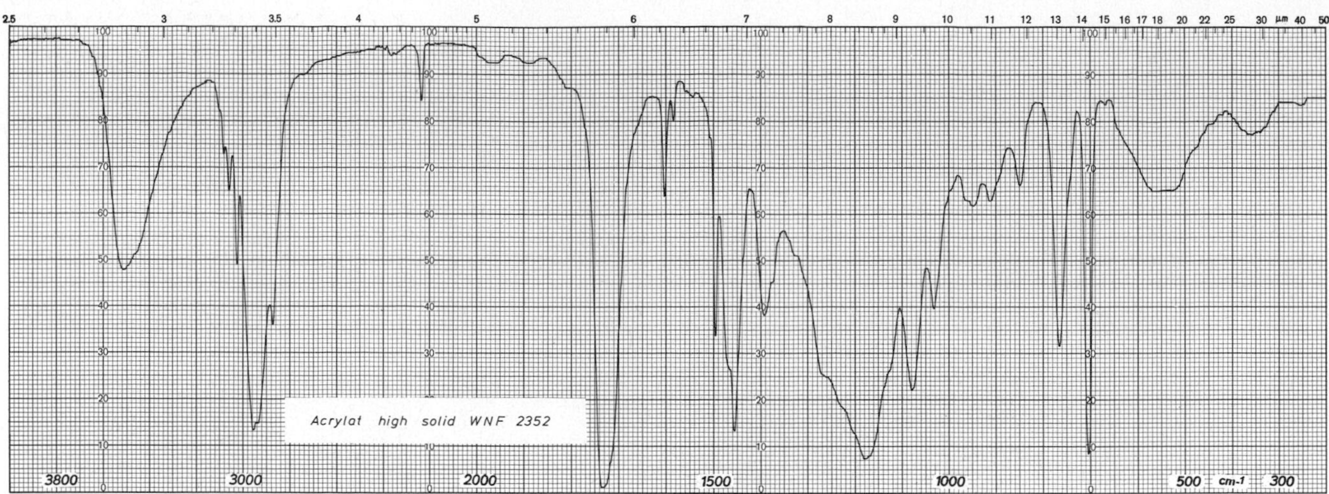

(1) **Acrylat high solid WNF 2352** (Versuchsproduct)
(2) Bayer AG, Leverkusen (Laborpräparat F. Wingler)
(3) Poly(styrol-co-acrylester) mit Acrylnitril-Endgruppen
(4) dickflüssige, transparente, leicht gelbliche Lösung (80%)
(5) für Einbrennlackierungen
(6) Schicht auf CsI

(1) Acrylat high solid WNF 2352 (research product)
(2) Bayer AG, Leverkusen (laboratory preparation, F. Wingler)
(3) poly(styrene-co-acrylic ester) with acrylonitrile terminal groups
(4) viscous, transparent, slightly yellowish solution (80%)
(5) for stove enamels
(6) film on CsI

14787 $C_7H_{12}O_2-C_3H_5NO-C_3H_4O_2$ *P* 3084

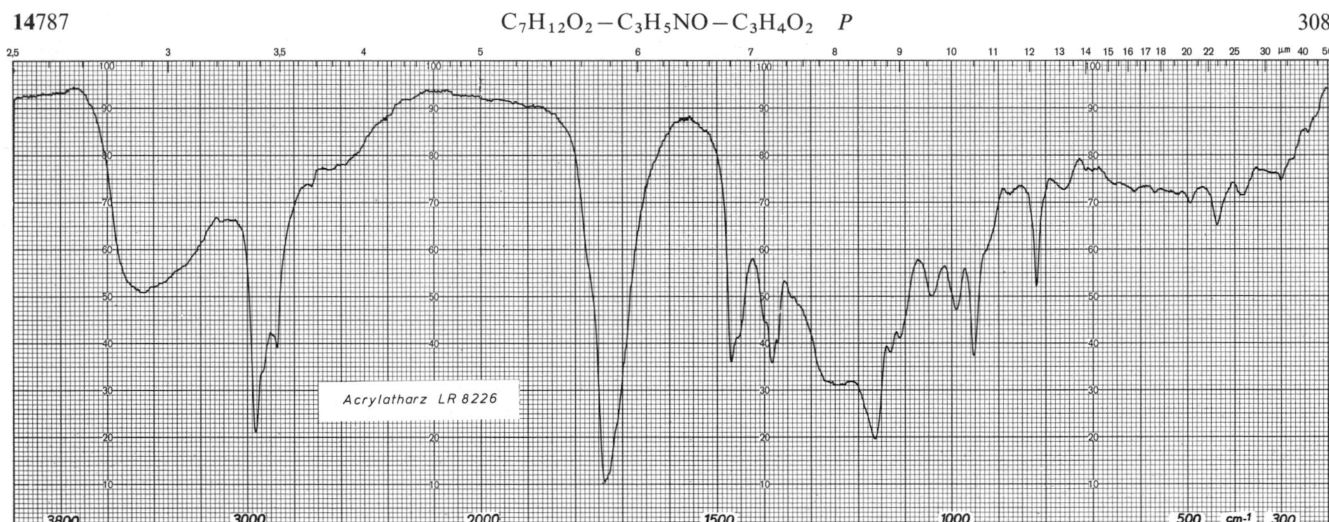

(1) **Acrylatharz LR 8226** (Versuchsprodukt)
(2) BASF AG, Ludwigshafen
(3) Poly(isobutylacrylat-co-acrylamid-co-acrylsäure)
(4) schwach gelbe, viskose Flüssigkeit
(5) vernetzbares Acrylatharz, Carboxylträger
(6) Schicht auf CsI

(1) Acrylatharz LR 8226 (research product)
(3) poly(isobutyl acrylate-co-acrylamide-co-acrylate acid)
(4) pale yellow, viscous liquid
(5) crosslinkable acrylic resin, carboxyl carrier
(6) film on CsI

14787 3085

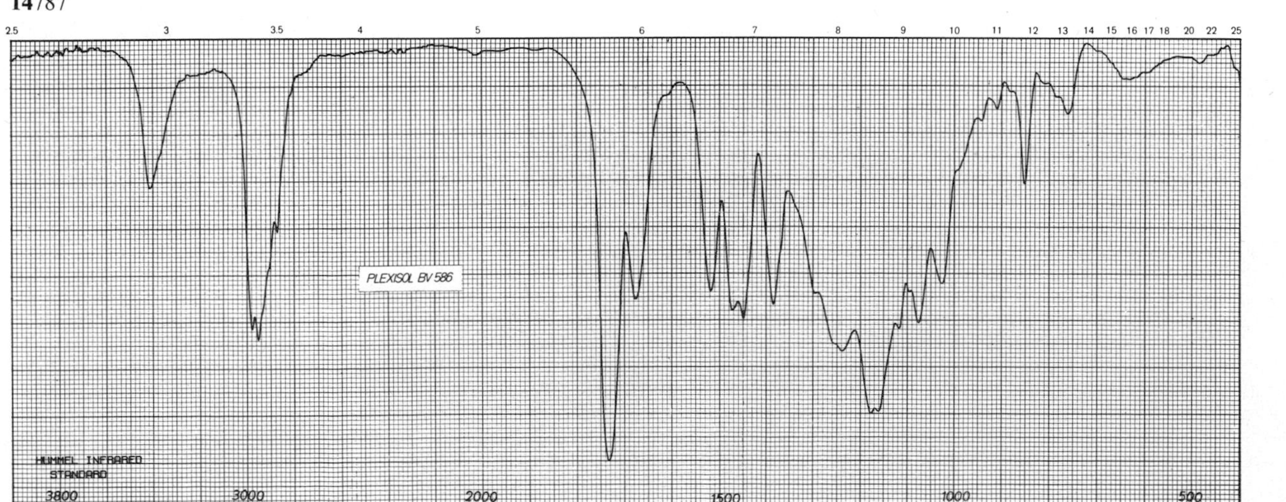

(1) **Plexisol BV 586**
(3) Poly(ethylacrylat-co-methacrylsäureester) mit Amid- und (wenig) Carboxylgruppen
(4) farblose Lösung (50% in Shellsol A/BTL 3:2)
(5) wärmehärtbares Acrylharz, selbstvernetzend; für Industrielackierungen (Elektrogeräte, Warmwasserbereiter)
(6) Schicht auf CsI
(7) Nicolet FTIR 7199

(2) Röhm GmbH, Darmstadt
(3) poly(ethyl acrylate-co-methacrylate ester) with amide and a few carboxyl groups
(4) colorless solution (50% in Shellsol A/BTL 3:2)
(5) thermally curable acrylic resin, self-crosslinking; for industrial finishes (electrical appliances, water heaters)
(6) film on CsI
(7) Nicolet FTIR 7199

14787 3086

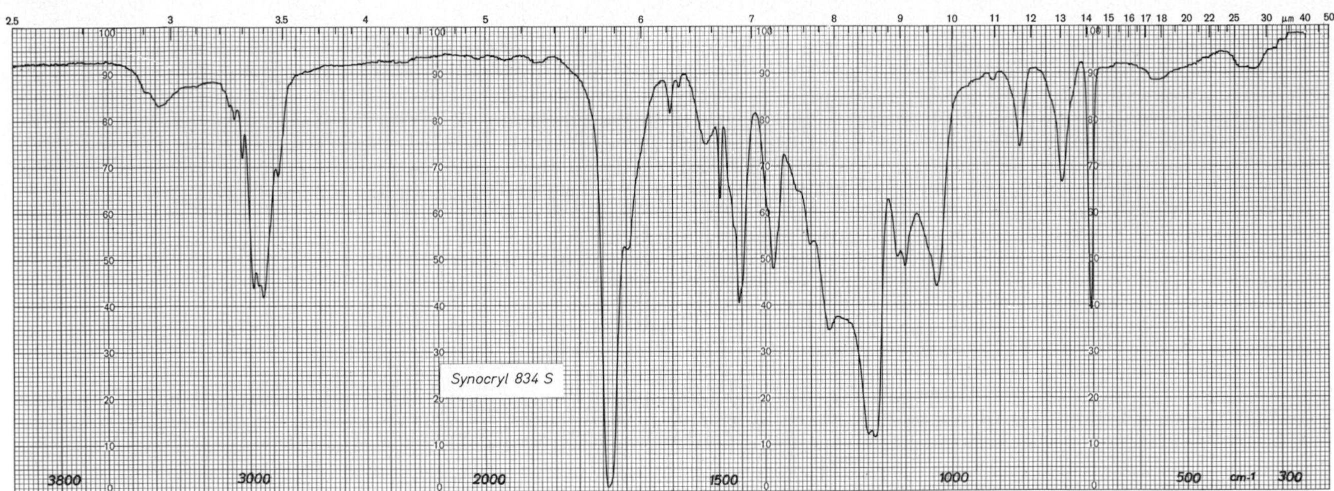

(1) **Synacryl 834 S** (im Spektrum lies: Synacryl)
(2) Cray Valley Products Ltd., Kent, England
(3) Poly(ethylacrylat-co-styrol-co-acrylamid), methylolisiert
(4) farblose, viskose Lösung
(5) in Walzlacken für hochelastische Überzüge; gute Haftung, hohe Härte, chemische Beständigkeit
(6) Schicht auf CsI

(1) **Synacryl 834 S** (read Synacryl in the spectrum)
(3) poly(ethyl acrylate-co-styrene-co-acrylamide), methylolized
(4) colorless, viscous solution
(5) in roller finishes for highly elastic coatings; good adhesion, hard, chemically resistant
(6) film on CsI

14787 3087

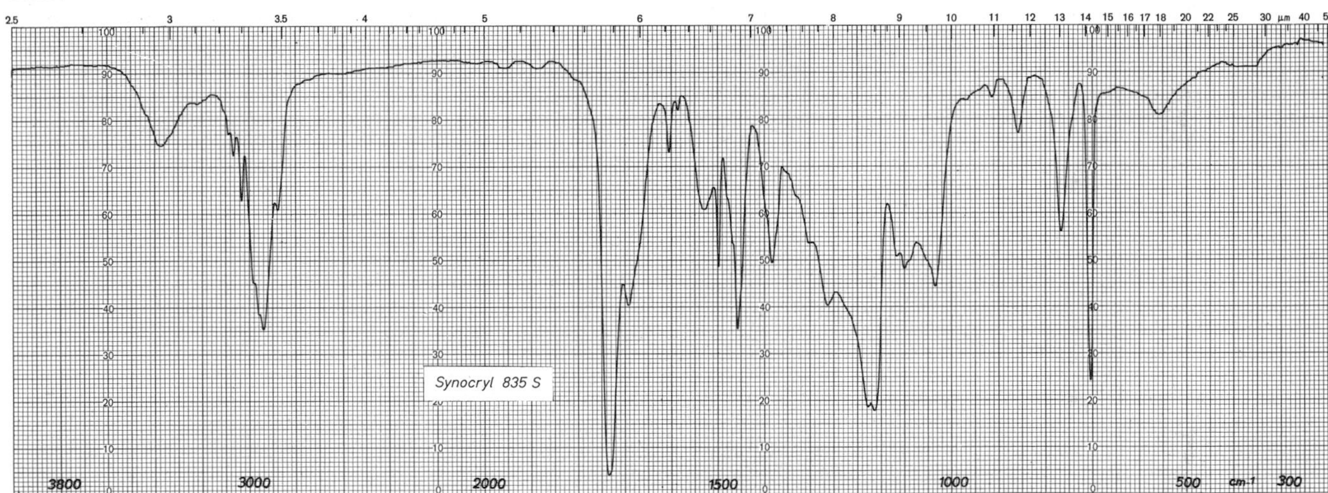

(1) **Synacryl 835 S** (im Spektrum lies: Synacryl)
(2) Cray Valley Products Ltd., Kent, England
(3) Poly(ethylacrylat-co-styrol-co-acrylamid), methylolisiert
(4) fast farblose, etwas viskose Lösung
(5) hitzehärtbares Harz für Bandmetallbeschcichtungen (Flexibilität, Háltbarkeit, Härte)
(6) Schicht auf CsI

(1) **Synacryl 835 S** (read Synacryl in the spectrum)
(3) poly(ethyl acrylate-co-styrene-co-acrylamide), methylolized
(4) almost colorless, somewhat viscous solution
(5) heat-curable resin for metal strip coating (flexibility, durability, hardness)
(6) film on CsI

14787 3088

(1) **Synacryl 836 S** (im Spektrum lies: Synacryl)
(2) Cray Valley Products Ltd., Kent, England
(3) Poly(styrol-co-acrylester-co-acrylamid), methylolisiert
(4) fast farblose, etwas viskose Lösung
(5) hitzehärtbares Harz für Lackfilme mit optimaler Härte, Flexibilität und Chemikalienbeständigkeit (Stahl, Fahrzeuge, Haushaltsgeräte)
(6) Schicht auf CsI

(1) **Synacryl 836 S** (read Synacryl in the spectrum)
(3) poly(styrene-co-acrylate ester-co-acrylamide), methylolized
(4) almost colorless, somewhat viscous solution
(5) heat-curable resin for lacquer films with optimal hardness, flexibility and chemical resistance (steel, vehicles, household appliances)
(6) film on CsI

14788 3089

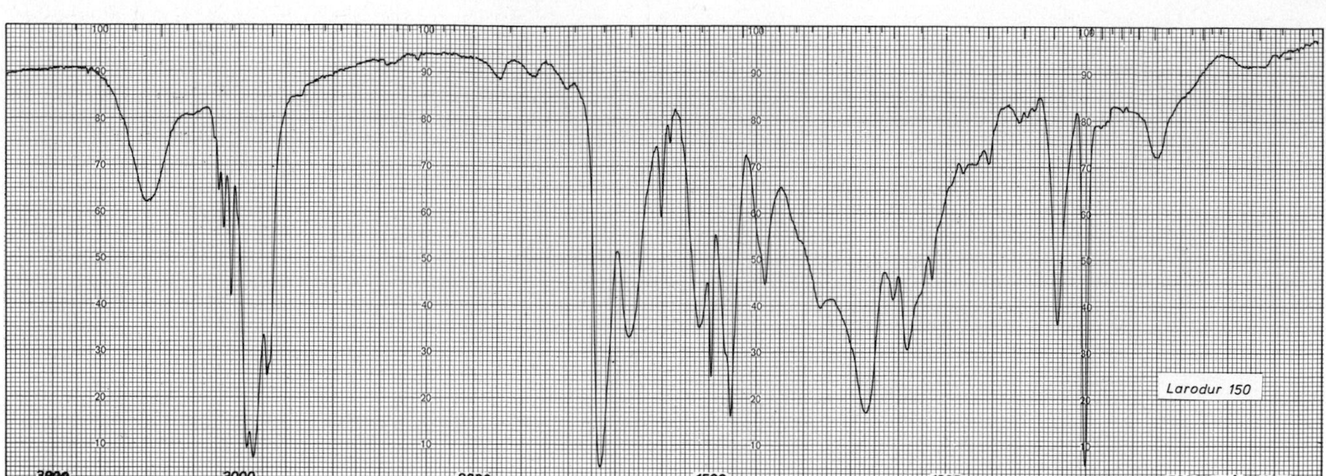

(1) **Larodur 150**
(3) vermutlich Poly(styrol-co-acrylester-co-acrylamid), hydrophilisiert
(4) gelbliche, dickflüssige Lösung
(5) für Einschicht-Einbrennlacke (Haushaltsgeräte, z. B. Waschmaschinen)
(6) Schicht auf CsI

(2) BASF AG, Ludwigshafen
(3) probably poly(styrene-co-acrylate ester-co-acrylamide), hydrophilized
(4) yellowish, viscous solution
(5) for one-coat stove enamels (household appliances, e.g. washing machines)
(6) film on CsI

14788 3090

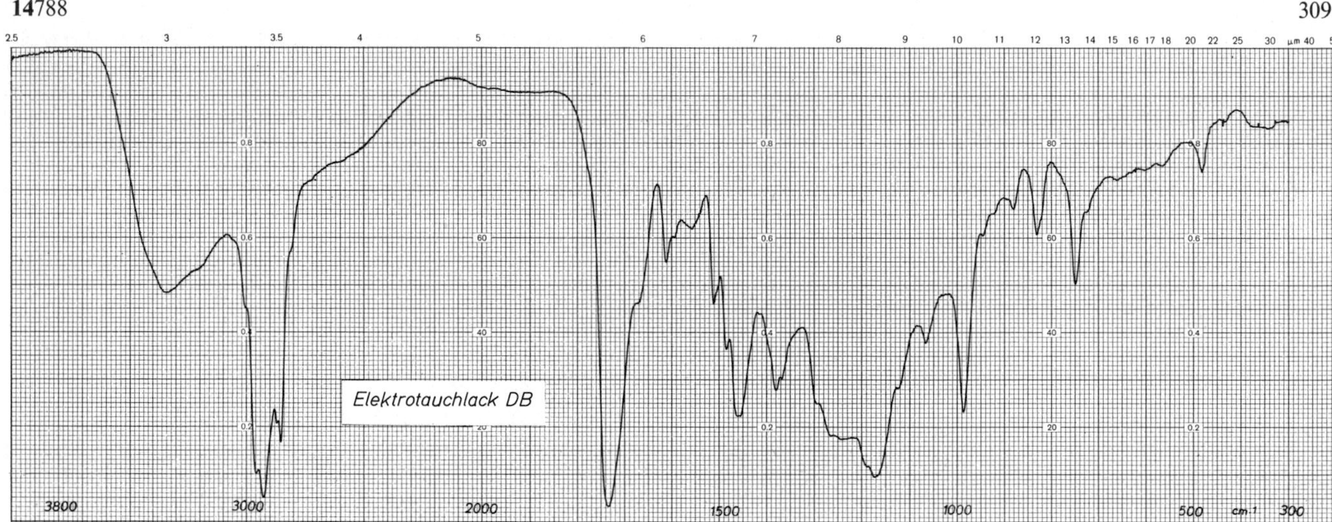

(1) **Elektrotauchlack, anodisch**
(2) Daimler Benz AG, Werk Sindelfingen
(3) hydrophilisiertes Acrylatharz
(4) graue, hochviskose Lösung (pigmentiert)
(5) Automobillack
(6) mit EAC verdünnt und zentrifugiert, eingetrocknete Schicht auf CsI
(7) PE 580 B, ABEX 126

(1) **anodic electroimmersion lacquer**
(3) hydrophilized acrylic resin
(4) highly viscous, grey solution (pigmented)
(5) auto lacquer
(6) diluted with EAC and centrifuged, dried film on CsI
(7) PE 580 B, ABEX 126

14791 $C_4H_6O_2$ *P* 3091

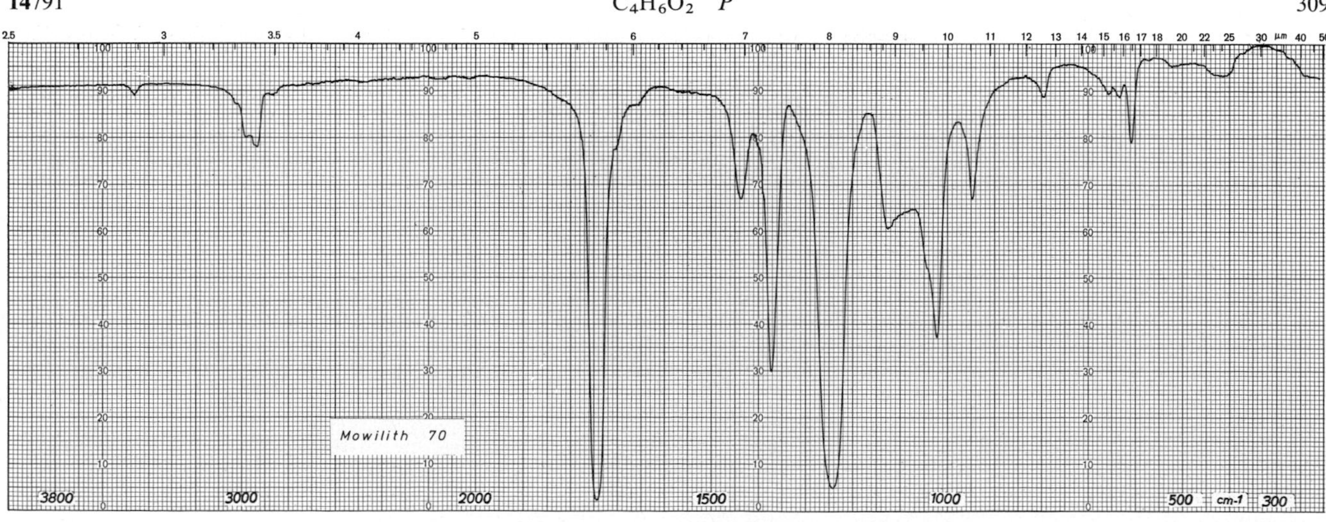

(1) **Mowilith 70**
(3) Polyvinylacetat
(4) feine, farblose Perlen
(5) in Lacken, Lackfarben, Zinkstaubanstrichstoffen; für Alu-Bronzen, Klebstoffe und Beschichtungen
(6) Schicht aus ACT auf CsI

(2) Hoechst AG, Frankfurt/M.-Höchst
(3) polyvinyl acetate
(4) fine, colorless pearls
(5) in lacquers, colored finishes, zinc-dust coatings; for aluminium bronzes, adhesives and coatings
(6) film from ACT on CsI

14791 $C_4H_6O_2-C_4H_6O_2$ *P* 3092

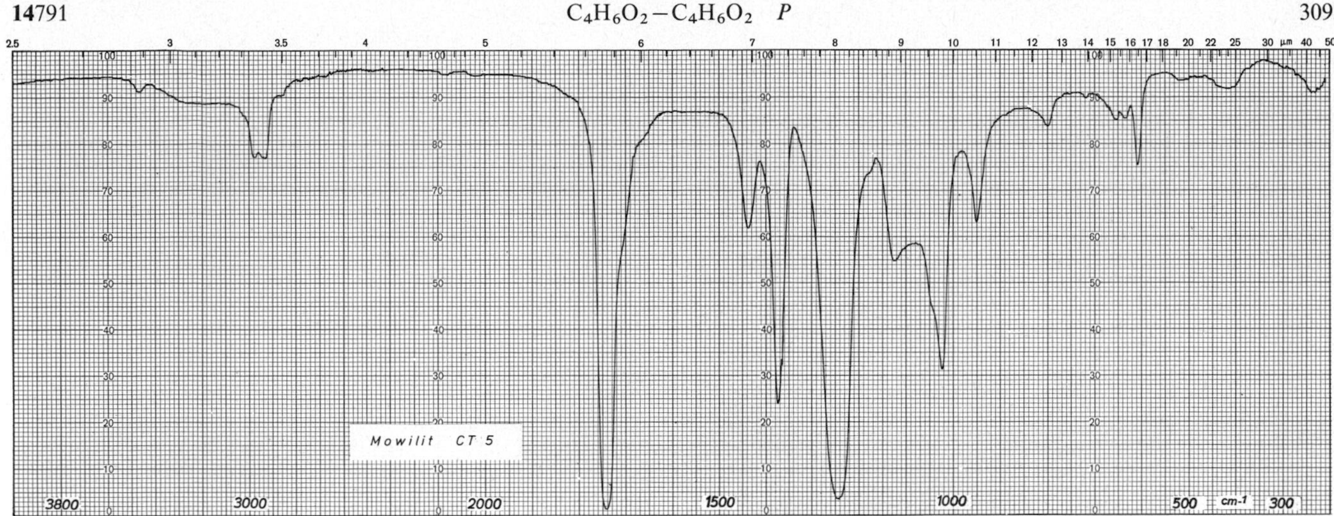

(1) **Mowilith CT 5** (im Spektrum lies: Mowilith)
(2) Hoechst AG, Frankfurt/M.-Höchst
(3) Poly(vinylacetat-co-crotonsäure)
(4) farblose, kleine Stücke
(5) als Netzmittel für Pigmente und Rohstoff für Klebstoffe, Appreturen, Signierfarben sowie als Sperrgrund für Dispersionsfarbanstriche
(6) Schicht aus Aceton auf CsI

(1) **Mowilith CT 5** (read Mowilith in the spectrum)
(3) poly(vinyl acetate-co-crotonic acid)
(4) small, colorless pieces
(5) wetting agent for pigments and raw material for adhesives, dressings, sighting dyes and as sealing primer for colored dispersion coatings
(6) film from acetone on CsI

14791 $C_4H_6O_2$ *P* 3093

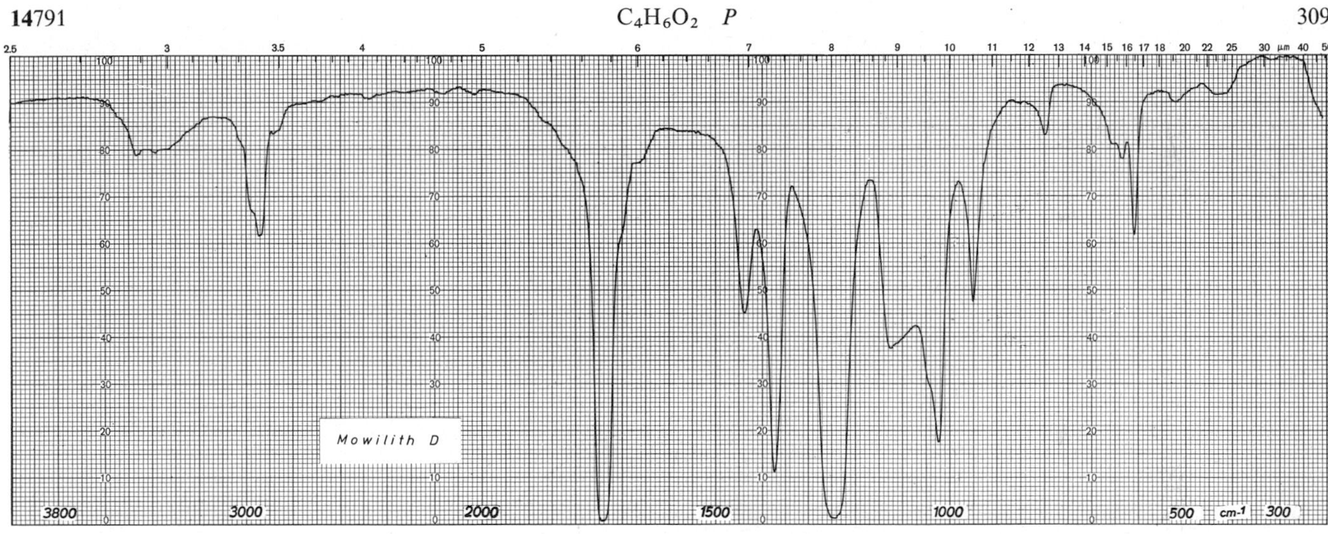

(1) **Mowilith D**
(3) 50%ige Dispersion von Polyvinylacetat
(4) dickflüssige, weiße Dispersion
(5) für Holzleime, Papierklebstoffe und Faserbindemittel
(6) Schicht auf KRS-5

(2) Farbwerke Hoechst, Frankfurt/M.-Höchst
(3) 50% dispersion of polyvinyl acetate
(4) white, viscous dispersion
(5) for timber glues, paper adhesives and fiber binding agents
(6) film on KRS-5

14791 $C_4H_6O_2$ *P* 3094

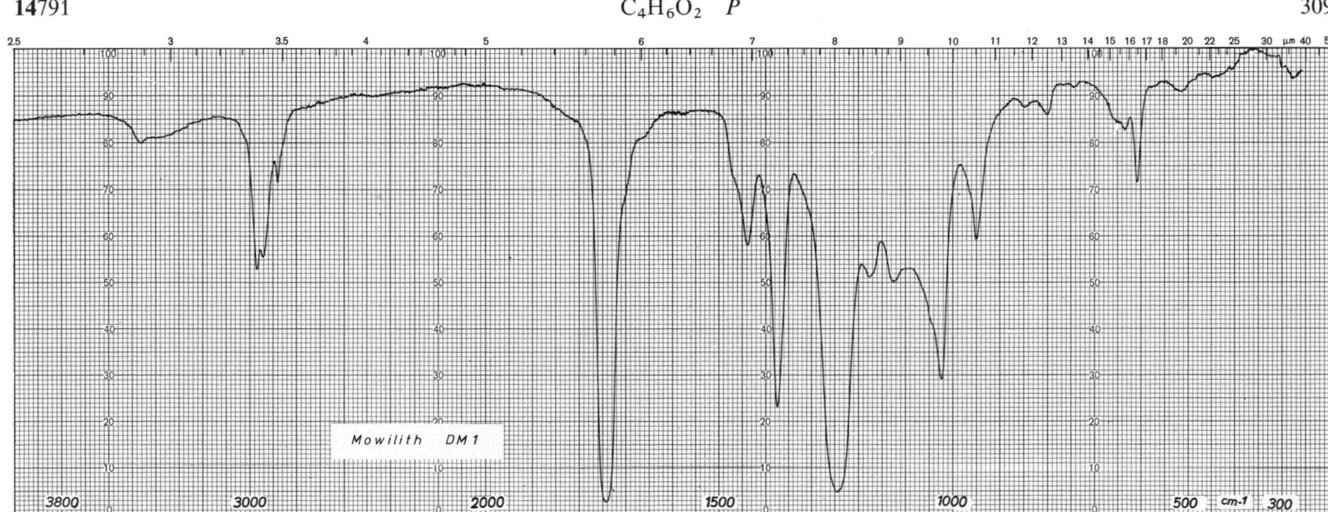

(1) **Mowilith DM 1**
(3) 55%ige Dispersion von Polyvinylacetat mit Polyvinylalkohol als Schutzkolloid
(4) weiße Dispersion
(5) für Textilbeschichtungen und Klebstoffe
(6) Schicht auf KRS-5

(2) Farbwerke Hoechst, Frankfurt/M.-Höchst
(3) 55% dispersion of polyvinyl acetate with polyvinyl alcohol as protective colloid
(4) white dispersion
(5) for textile coatings and adhesives
(6) film on KRS-5

14791 $C_4H_6O_2$ *P* 3095

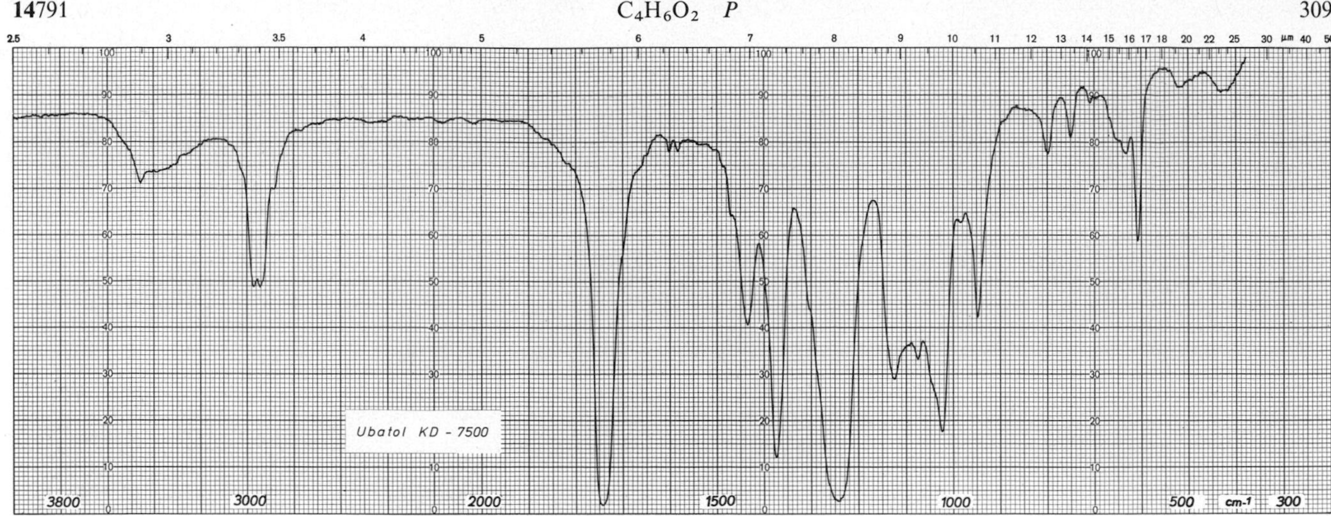

(1) **Ubatol KD-7500**
(3) Kunststoffdispersion auf Basis Polyvinylacetat mit Polyvinylalkohol als Schutzkolloid
(4) weiße Dispersion
(5) für Anstrichmittel, Spachtelmassen, Klebstoffe, Holzleime, Textilbeschichtungen und Appreturen
(6) Schicht auf KRS-5

(2) Hendricks & Sommer, Tönisvorst
(3) resin dispersion based on polyvinyl acetate with polyvinyl alcohol as protective colloid
(4) white dispersion
(5) for finishes, fillers, adhesives, timber glues, textile coatings and finishes
(6) film on KRS-5

14791 $C_4H_6O_2$ *P* 3096

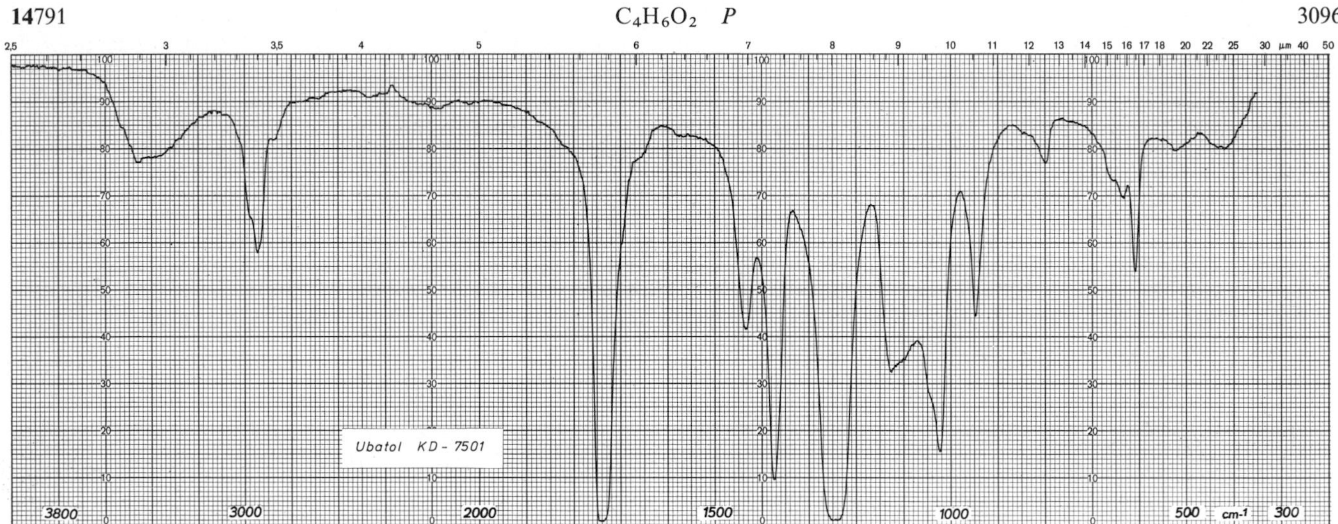

(1) **Ubatol KD-7501**
(3) weichmacherfreie Polyvinylacetat-Dispersion, grobdispers, mit Vinylalkohol als Schutzkolloid
(4) weiße Dispersion
(5) für Anstriche, Spachtelmassen, Baukleber, Textilappreturen
(6) Schicht auf KRS-5

(2) Hendricks & Sommer, Tönisvorst
(3) plasticizer-free polyvinyl acetate dispersion, coarse dispersion, with polyvinyl alcohol as protective colloid
(4) white dispersion
(5) for coatings, fillers, builders' adhesives, textile finishes
(6) film on KRS-5

14791 $C_4H_6O_2$ *P* 3097

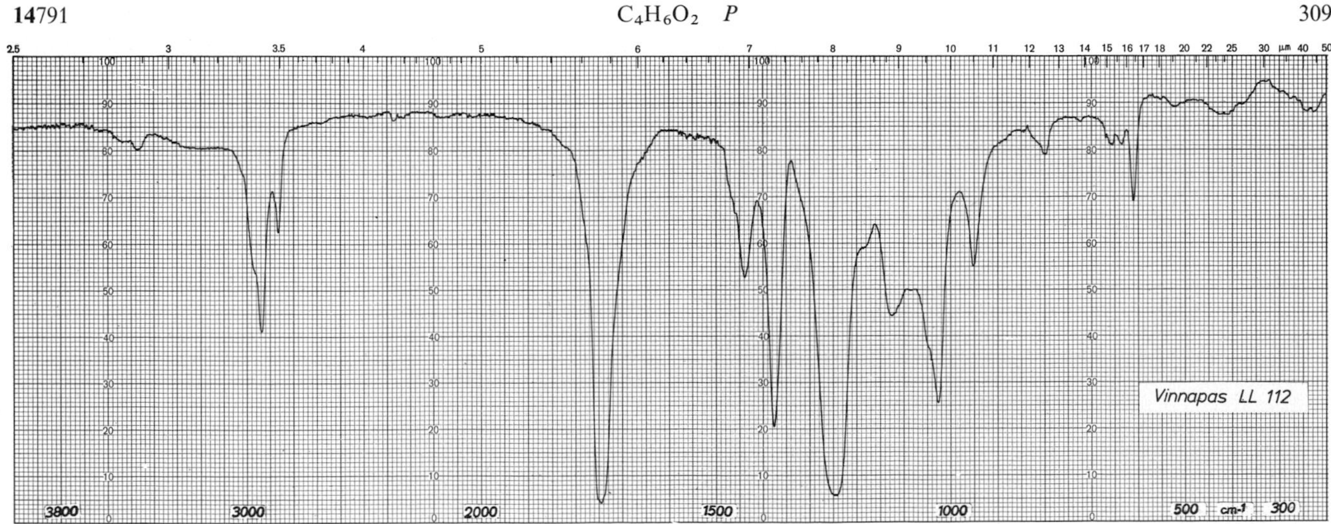

(1) **Vinnapas LL 112**
(3) Polyvinylacetat
(5) als Zusatz zu Lacken und für Klebstoffe
(6) Schicht auf CsI

(2) Wacker GmbH, München
(3) polyvinyl acetate
(5) as additive for finishes and adhesives
(6) film on CsI

14791 $C_4H_6O_2-C_2H_4$ *P* 3098

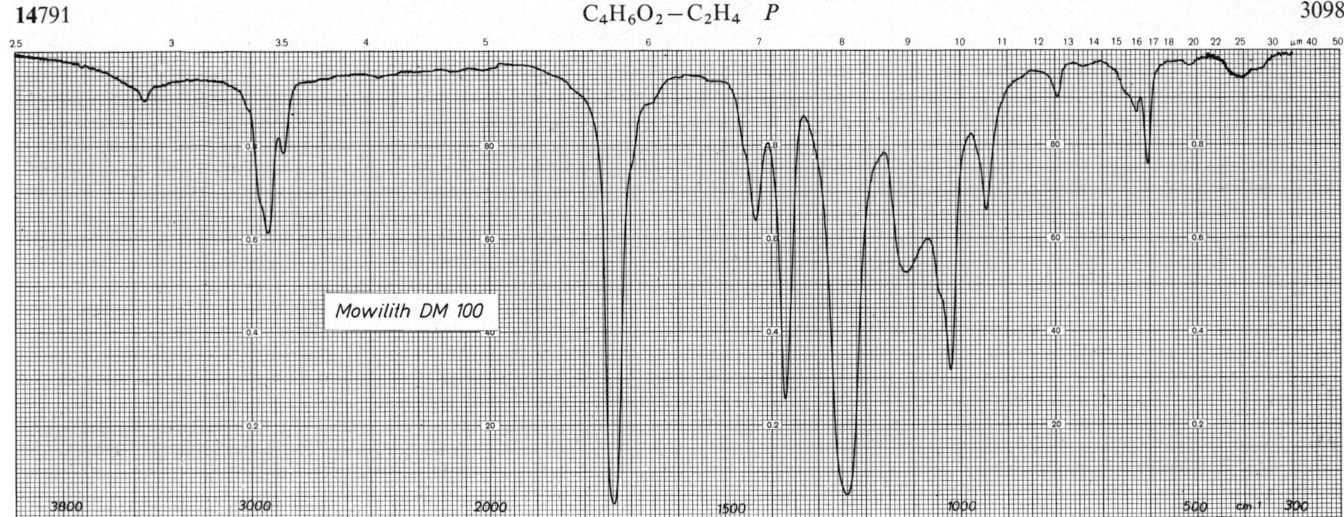

(1) **Mowilith DM 100**
(3) Poly(vinylacetat-co-ethylen), 9:1
(4) weiße, wäßrige Dispersion
(5) für Überzüge und Imprägnierungen
(6) Schicht auf KRS-5, ABEX 1.10

(2) Hoechst AG, Frankfurt/M.-Höchst
(3) poly(vinyl acetate-co-ethylene), 9:1
(4) white, aqueous dispersion
(5) for coatings and impregnating compositions
(6) film on KRS-5, ABEX 1.10

14791 $C_4H_6O_2-C_2H_4$ *P* 3099

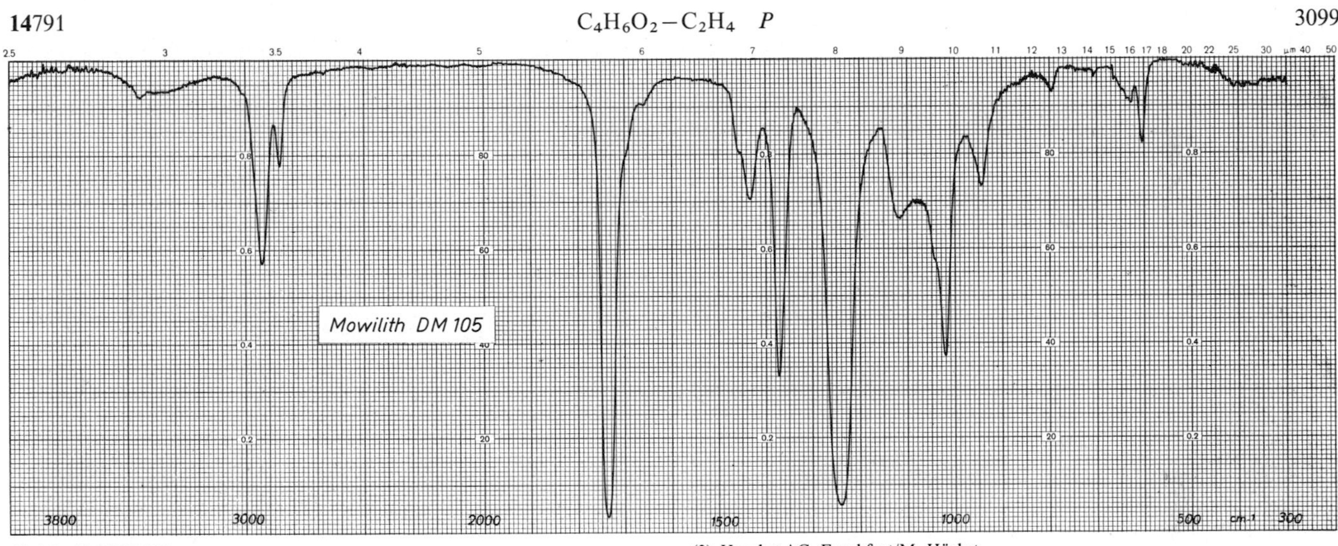

(1) **Mowilith DM 105**
(3) Poly(vinylacetat-co-ethylen), 8:2
(4) weiße, wäßrige Dispersion
(5) für Überzüge und Imprägnierungen
(6) Schicht auf KRS-5
(7) PE 580 B, ABEX 1.39

(2) Hoechst AG, Frankfurt/M.-Höchst
(3) poly(vinyl acetate co-ethylene), 8:2
(4) white, aqueous dispersion
(5) for coatings and impregnating compositions
(6) film on KRS-5
(7) PE 580 B, ABEX 1.39

14(791 – 41) $C_4H_6O_2-C_2H_4$ *P* 3100

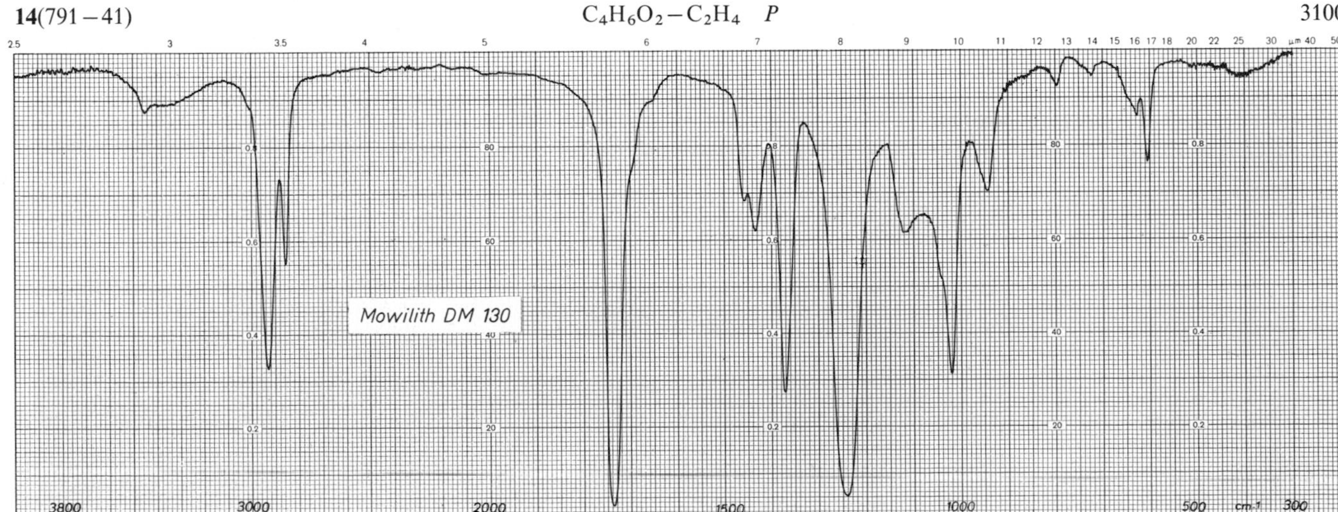

(1) **Mowilith DM 130**
(3) Poly(vinylacetat-co-ethylen), 77:23
(4) weiße, wäßrige Dispersion
(5) für Überzüge und Imprägnierungen
(6) Schicht auf KRS-5
(7) PE 580 B, ABEX 1.28

(2) Hoechst AG, Frankfurt/M.-Höchst
(3) poly(vinyl acetate-co-ethylene), 77:23
(4) white, aqueous dispersion
(5) for coatings and impregnating compositions
(6) film on KRS-5
(7) PE 580 B, ABEX 1.28

14(791 – 41) $C_4H_6O_2-C_2H_4$ *P* 3101

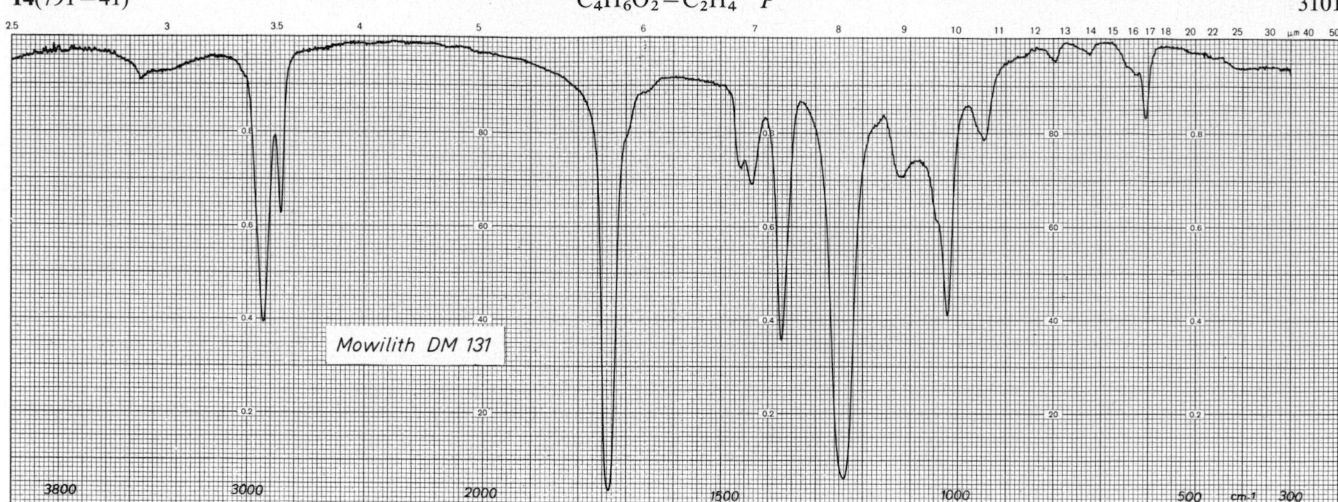

(1) **Mowilith DM 131**
(3) Poly(vinylacetat-co-ethylen), 3:1
(4) weiße, wäßrige Dispersion
(5) für Überzüge und Imprägnierungen
(6) Schicht auf KRS-5
(7) PE 580 B, ABEX 1.65

(2) Hoechst AG, Frankfurt/M.-Höchst
(3) poly(vinyl acetate-co-ethylene), 3:1
(4) white, aqueous dispersion
(5) for coatings and impregnating compositions
(6) film on KRS-5
(7) PE 580 B, ABEX 1.65

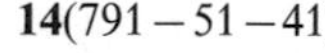
14(791 – 51 – 41) $C_4H_6O_2-C_2H_4-C_2H_3Cl$ *P* 3102

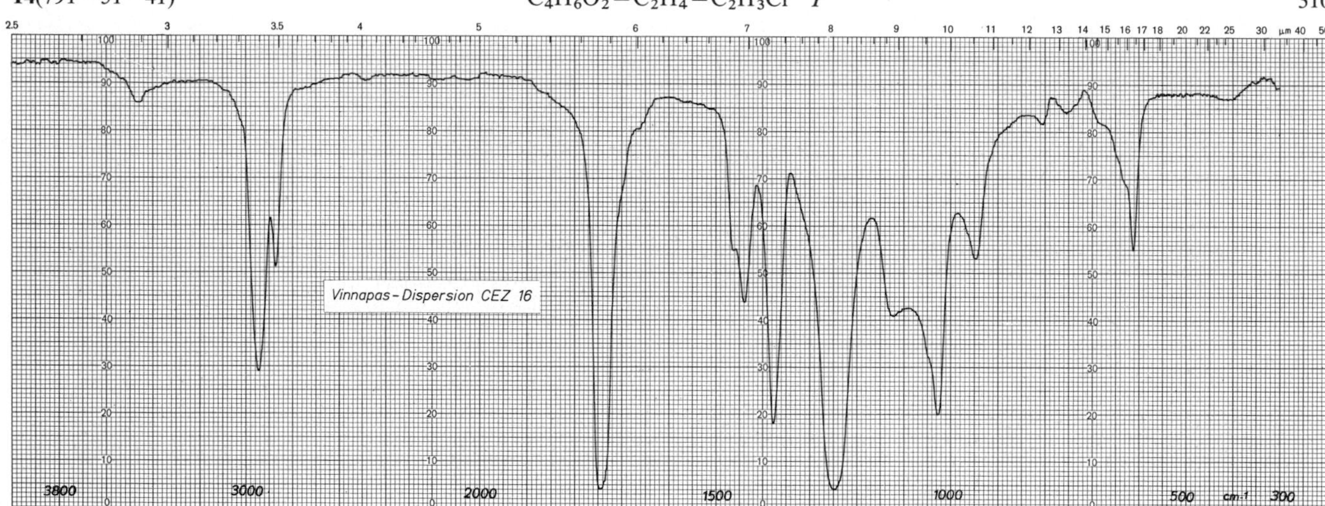

(1) **Vinnapas-Dispersion CEZ 16**
(3) Poly(vinylacetat-co-ethylen-co-vinylchlorid)
(4) weiße Dispersion (mit Schutzkolloid)
(5) für deckend pigmentierte Anstrichmittel und Beschichtungssysteme; Bindemittel für pastöse Baukleber
(6) Schicht auf KRS-5

(2) Wacker Chemie, Werk Burghausen
(3) poly(vinyl acetate-co-ethylene-co-vinyl chloride)
(4) white dispersion (with protective colloid)
(5) for pigmented paints and coating material with covering power; binder for paste building adhesives
(6) film on KRS-5

147(91 – 81) 3103

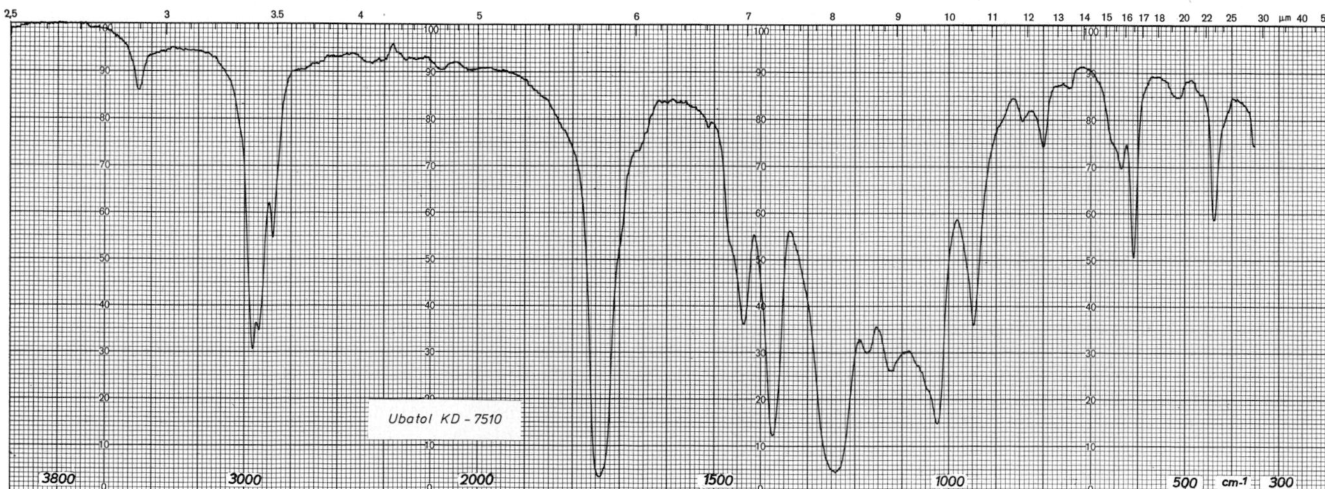

(1) **Ubatol KD-7510**
(3) Kunststoffdispersion auf Basis eines Vinylacetat-Acrylsäureester-Copolymeren
(4) weiße Dispersion
(5) für wetterbeständige Außenanstriche
(6) Schicht auf KRS-5

(2) Hendricks & Sommer, Tönisvorst
(3) resin dispersion based on a vinyl acetate-acrylic ester copolymer
(4) white dispersion
(5) for weather-resistant, external finishes
(6) film on KRS-5

147(91 − 93 − 81) 3104

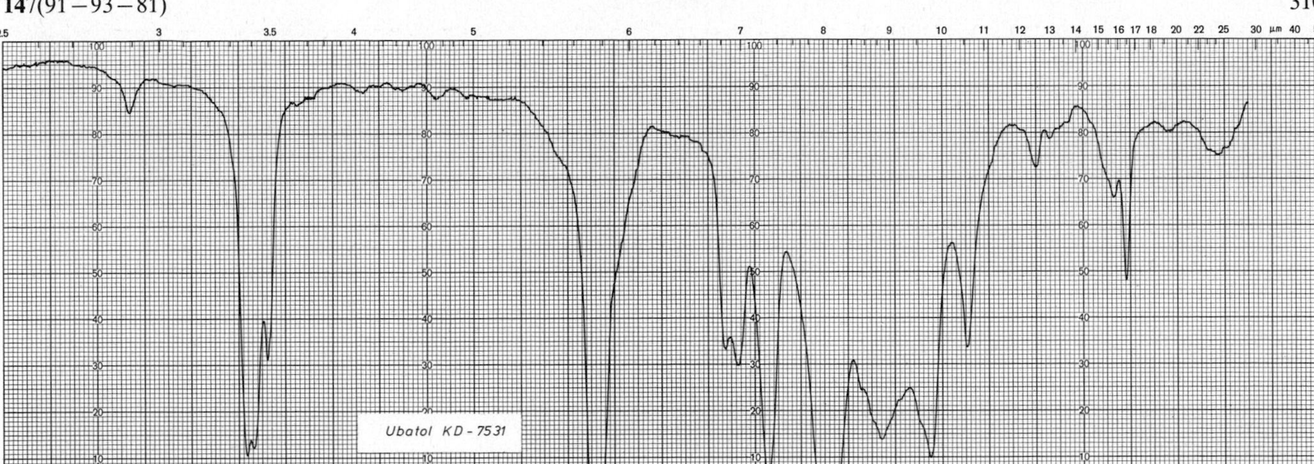

(1) **Ubatol KD-7531**
(3) terpolymere Kunststoffdispersion auf Basis von Vinylacetat, Vinylversatat und speziellem Acrylat, weichmacherfrei
(4) weiße Dispersion
(5) für Außen- und Innen-Dispersionsfarben, Kunststoffputze
(6) Schicht auf KRS-5

(2) Hendricks & Sommer, Tönisvorst
(3) dispersion of a terpolymer of vinyl acetate, vinyl versatate and special acrylate, plasticizer-free
(4) white dispersion
(5) for internal and external dispersion paints, plastic renderings
(6) film on KRS-5

1479(1 − 4) 3105

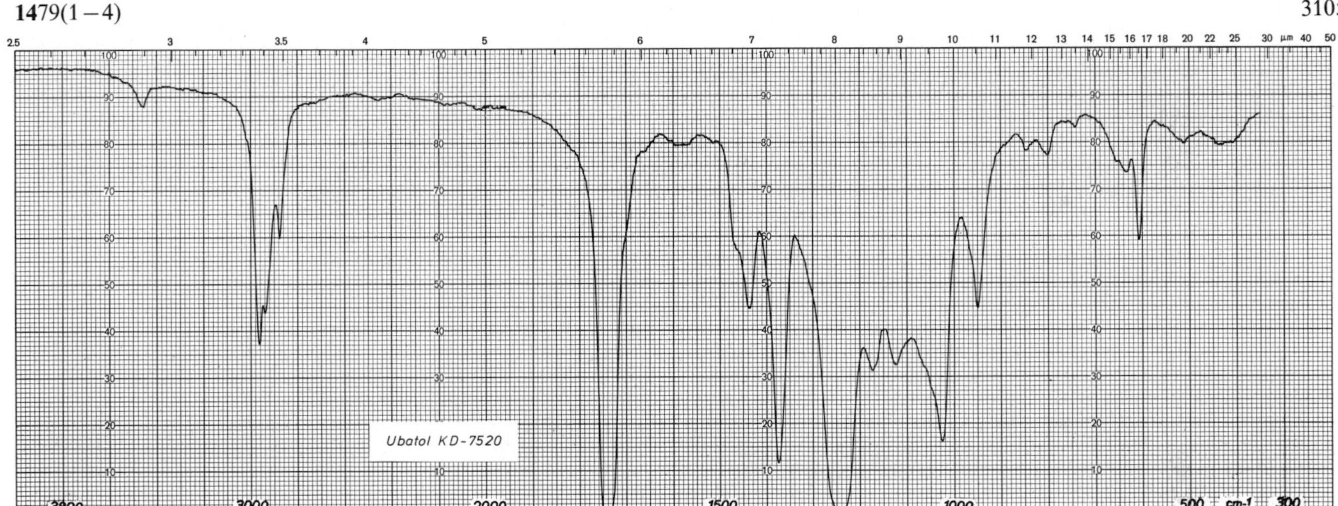

(1) **Ubatol KD-7520**
(3) weichmacherfreie Kunststoffdispersion auf Basis eines Vinylacetat-Maleinsäureester-Copolymeren
(4) weiße Dispersion
(5) Selbstbindemittel für Anstriche und Beschichtungen, Fassadenfarben
(6) Schicht auf KRS-5

(2) Hendricks & Sommer, Tönisvorst
(3) plasticizer-free resin dispersion based on a vinyl acetate-maleic ester copolymer
(4) white dispersion
(5) self-binder for paints and coatings, external wall paints
(6) film on KRS-5

14792 $C_5H_8O_2$ *P* 3106

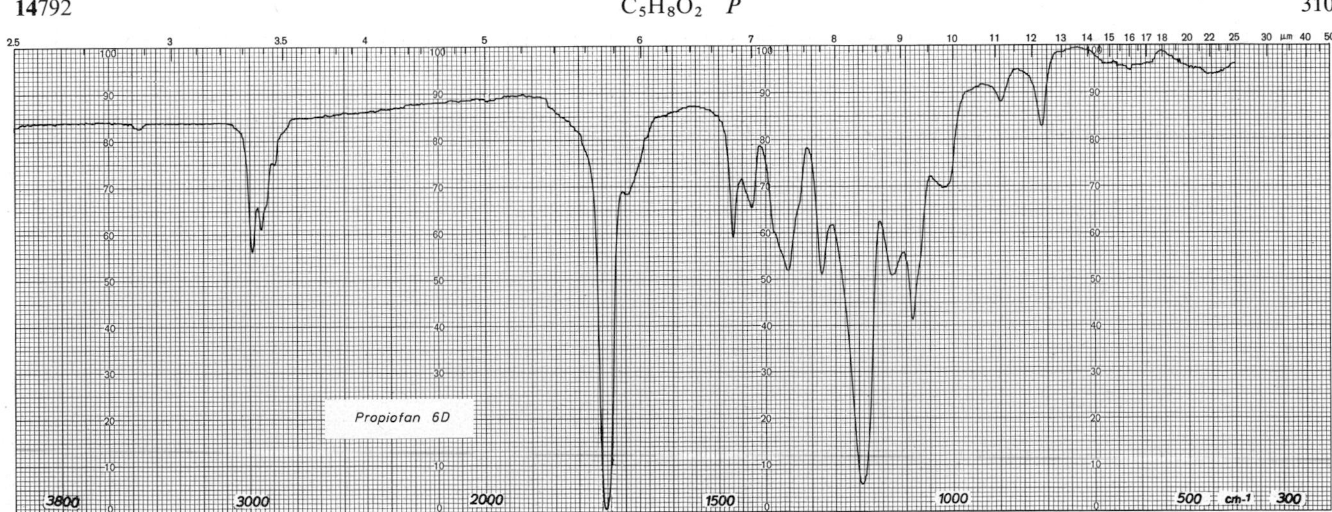

(1) **Propiofan 6D**
(3) 50%ige wäßrige, nichtionogene, grobdisperse, schutzkolloidhaltige Dispersion auf der Basis von Vinylpropionat
(4) weiße Dispersion
(5) als Abmischkomponente für Propiofan 5B und 5D extra, zur Einstellung der Viskosität von Verpackungs- und Etikettierklebern
(6) Schicht auf KRS-5, Ordinate gedehnt

(2) BASF AG, Ludwigshafen
(3) 50% aqueous, nonionogenic, coarse, protective colloid-containing dispersion based on poly(vinyl propionate)
(4) white dispersion
(5) as additive to Propiofan 5B and Propiofan 5D extra for adjusting the viscosity of packaging and labelling adhesives
(6) film on KRS-5, ordinate expanded

14792 $C_5H_8O_2$ *P* 3107

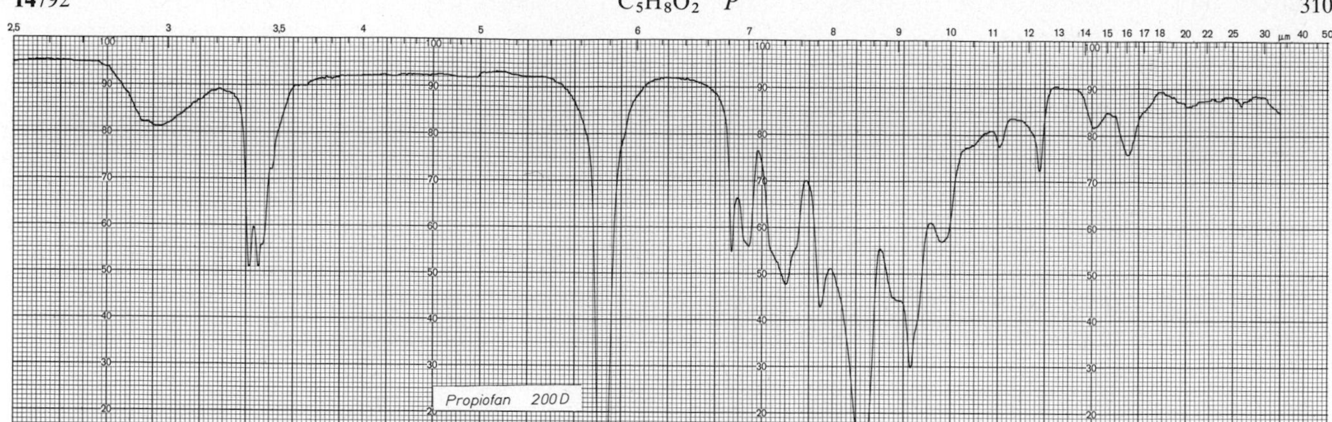

(1) **Propiofan 200 D**
(3) Vinylpropionat-Copolymer
(4) weiße, wäßrige Dispersion
(5) Zusatz zu hydraulischen Bindemitteln, weichmacherfrei, mittelviskos
(6) Schicht auf KRS-5

(2) BASF AG, Ludwigshafen
(3) vinyl propionate copolymer
(4) white, aqueous dispersion
(5) additive for hydraulic binders, plasticizer-free, medium viscous
(6) film on KRS-5

14792 3108

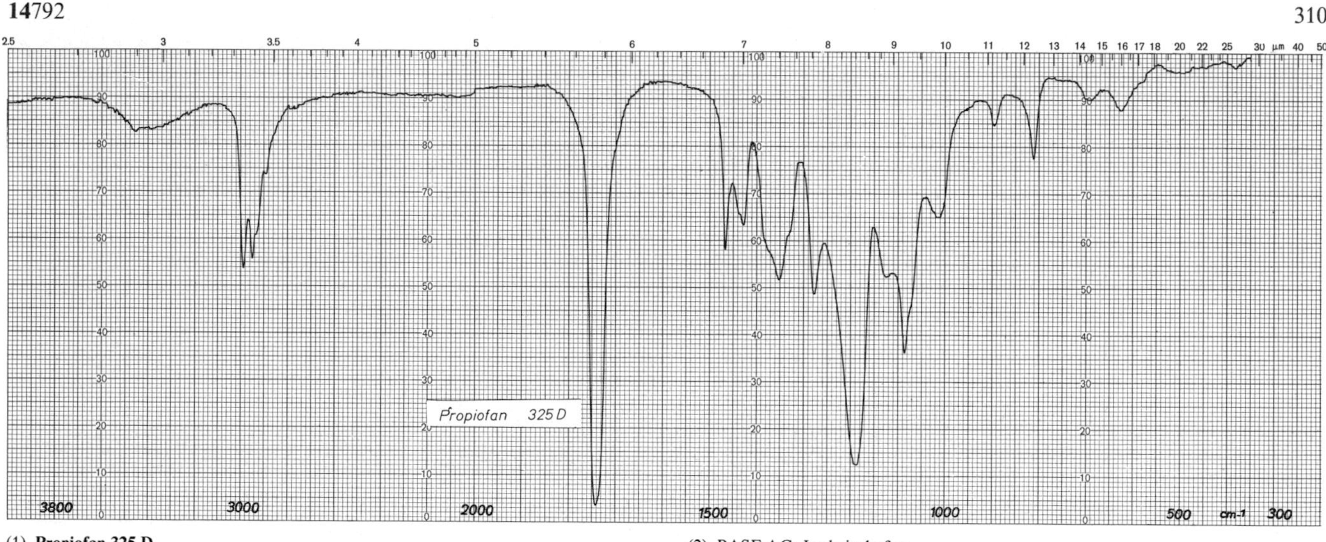

(1) **Propiofan 325 D**
(3) Vinylpropionat-Copolymer, weichmacherfrei, mittelviskos
(4) weiße, wäßrige Dispersion
(5) Zusatz zu hydraulischen Bindemitteln, für Ölwannenbeschichtungen
(6) Schicht auf KRS-5

(2) BASF AG, Ludwigshafen
(3) vinyl propionate copolymer, plasticizer-free, medium viscous
(4) white, aqueous dispersion
(5) additive for hydraulic binders, for coating oil sumps
(6) film on KRS-5

14792 3109

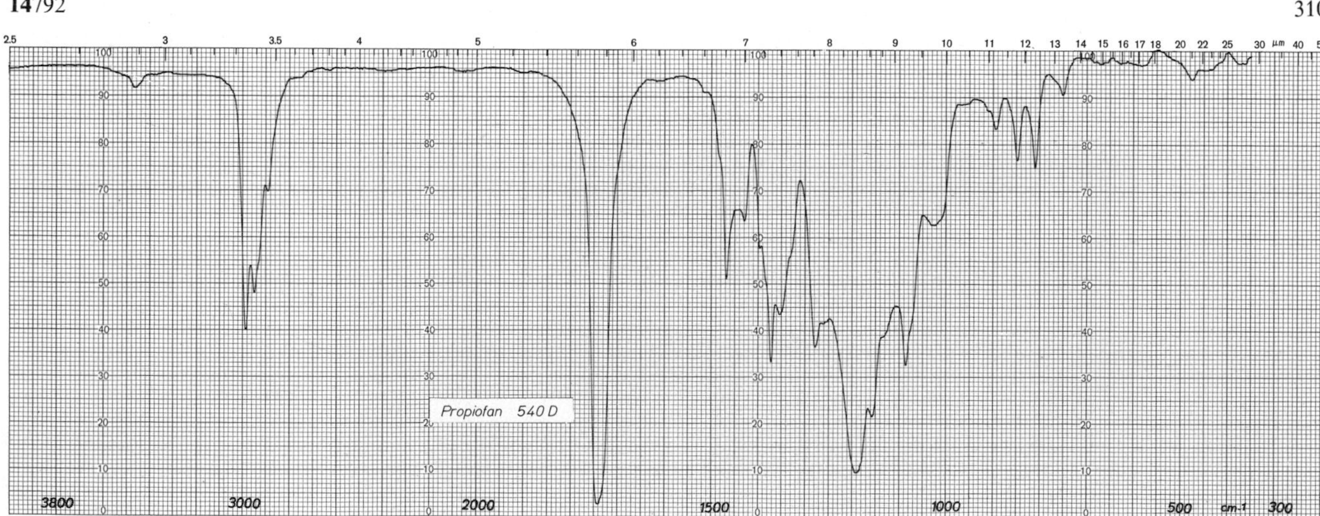

(1) **Propiofan 540 D**
(3) Vinylpropionat-Acrylat-Copolymer, anionaktiv gemischt dispers
(4) weiße, wäßrige Dispersion
(5) schwer verseifbare Anstrichbindemittel für Innen und Außen, für Fassadenfarben auf den verschiedensten Untergründen, für waschbeständige, kunstharzgebundene Putze
(6) Schicht auf KRS-5

(2) BASF AG, Ludwigshafen
(3) vinyl propionate-acrylate copolymer, anionactive
(4) white, aqueous dispersion
(5) difficult to hydrolyze paint binder for indoors and outdoors, for external wall paints on the most various of substrates, for washable, artificial resin-bound renderings
(6) film on KRS-5

14792 3110

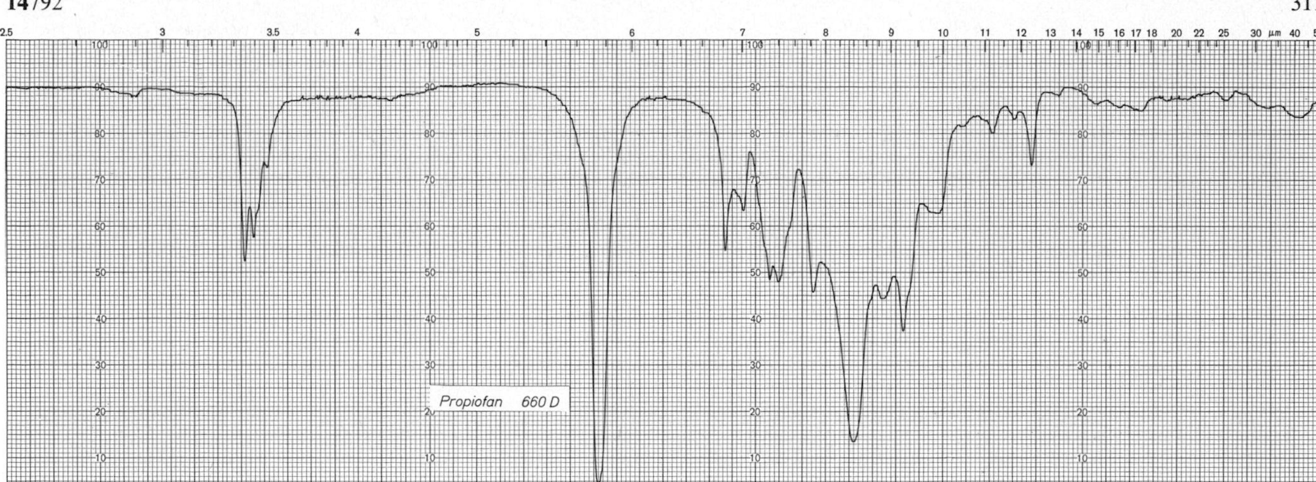

(1) **Propiofan 660 D**
(3) Vinylpropionat-Copolymer
(4) weiße, wäßrige Dispersion
(5) für wasser- und wetterfeste Innen- und Außenfarben auf Putz, Beton, Mauerwerk
(6) Schicht auf KRS-5

(2) BASF AG, Ludwigshafen
(3) vinyl propionate copolymer
(4) white, aqueous dispersion
(5) for water and weatherproof indoor and outdoor paints on rendering, concrete and brickwork
(6) film on KRS-5

14792 3111

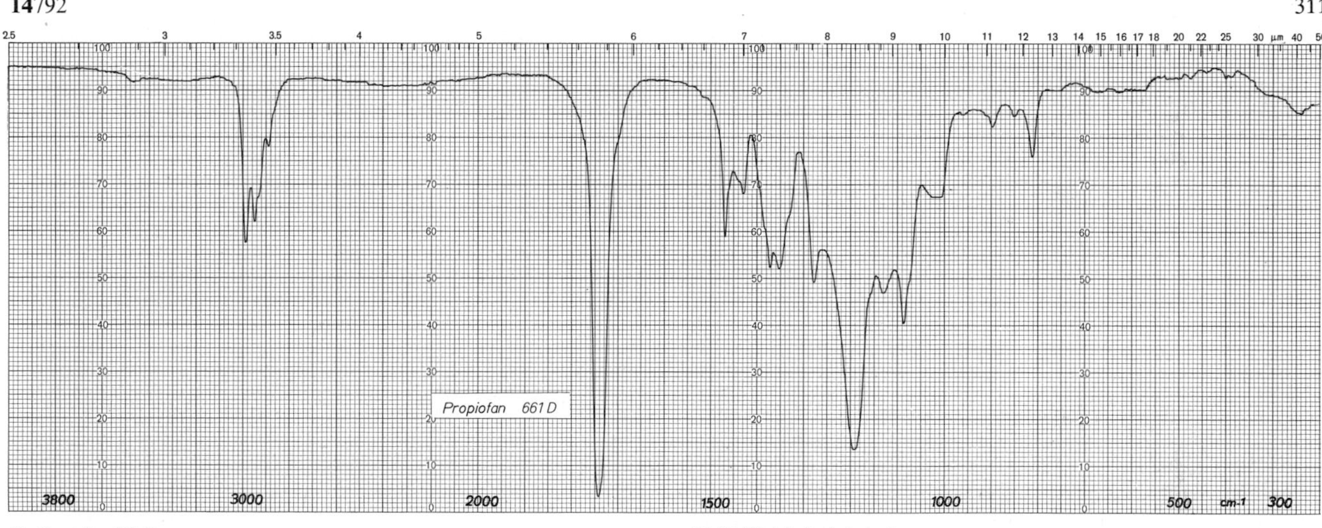

(1) **Propiofan 661 D**
(3) Vinylpropionat-Copolymer
(4) weiße, wäßrige Dispersion
(5) für wasser- und wetterfeste Innen- und Außenfarben auf Putz, Beton, Mauerwerk
(6) Schicht auf KRS-5

(2) BASF AG, Ludwigshafen
(3) vinyl propionate copolymer
(4) white, aqueous dispersion
(5) water and weatherproof indoor and outdoor paints on rendering, concrete and brickwork
(6) film on KRS-5

1482 3112

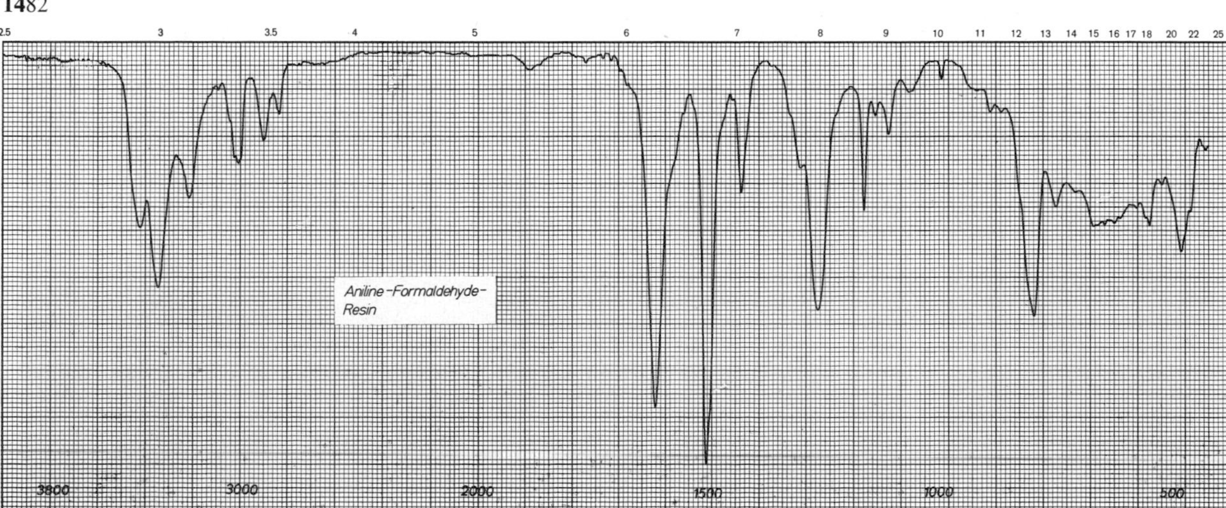

(1) **Anilin-Formaldehyd-Harz, schmelzbar**
(2) BASF Farben & Fasern AG (Beck), Hamburg
(4) dunkelbraunes Harz
(5) Kombinationsharz für Elektroisolierlacke
(6) Schmelzfilm
(7) Nicolet FTIR 7199

(1) **aniline-formaldehyde resin, meltable**
(4) dark brown resin
(5) combination resin for electrical insulation varnishes
(6) film from the melt
(7) Nicolet FTIR 7199

14831 3113

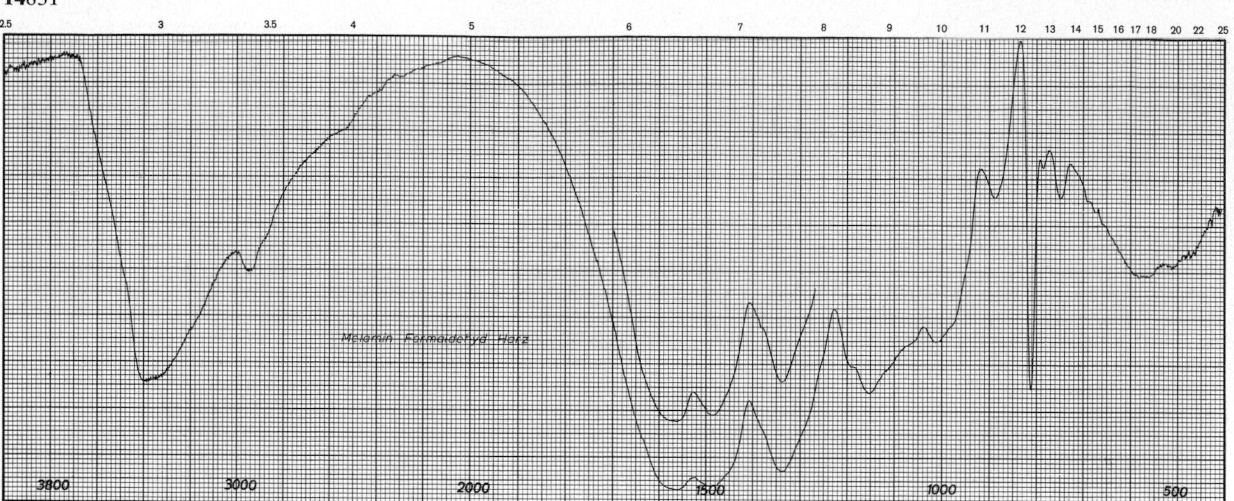

(1) **Melamin-Formaldehyd-Kondensationsprodukt**
(2) Fraunhofer-Institut für Holzforschung, Braunschweig (durch E. Schriever)
(3) modifiziertes MF-Harz
(4) weißes Pulver
(5) für die Herstellung von Spanplatten
(6) KBr (3/350)
(7) untergrundkorrigiert

(1) **melamine-formaldehyde condensation product**
(2) Fraunhofer-Institut für Holzforschung, Braunschweig (from E. Schriever)
(3) modified MF resin
(4) white powder
(5) for the manufacture of chipboard
(6) KBr (3/350)
(7) background corrected

14831 3114

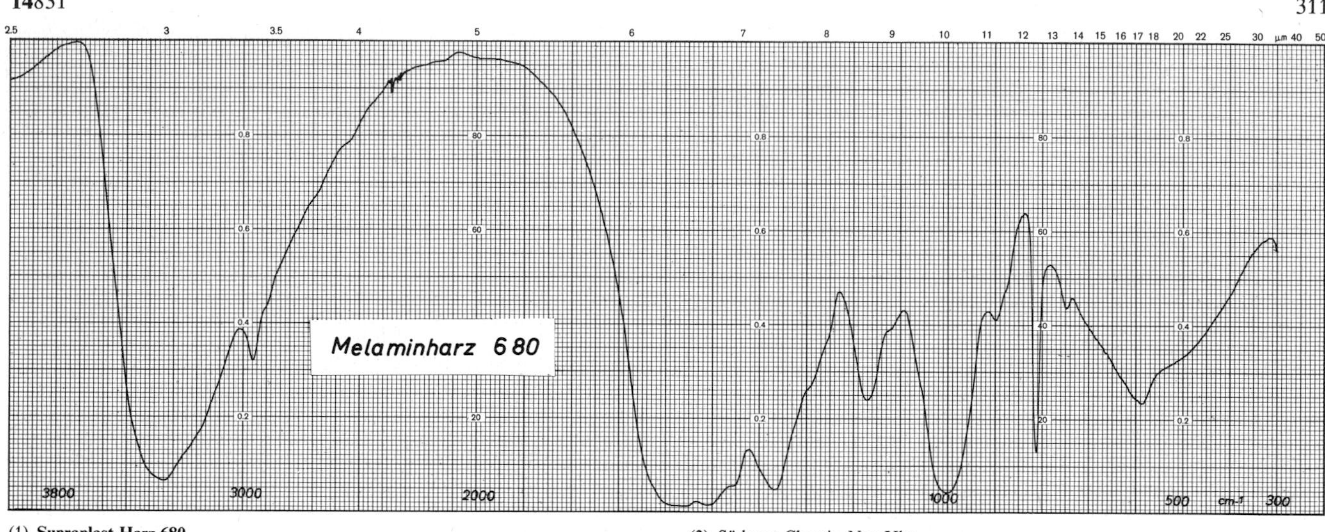

(1) **Supraplast-Harz 680**
(3) Melamin-Formaldehyd-Kondensationsprodukt
(4) farblose Stücke
(5) für Hartpapier mit hoher Kriechstromfestigkeit
(6) KBr (1.5/360)
(7) PE 580 B

(2) Südwest-Chemie, Neu-Ulm
(3) melamine-phenol-formaldehyde condensation product
(4) colorless pieces
(5) for paper laminates resistant to surface leakage currents
(6) KBr (1.5/360)
(7) PE 580 B

14(831 + 31) 3115

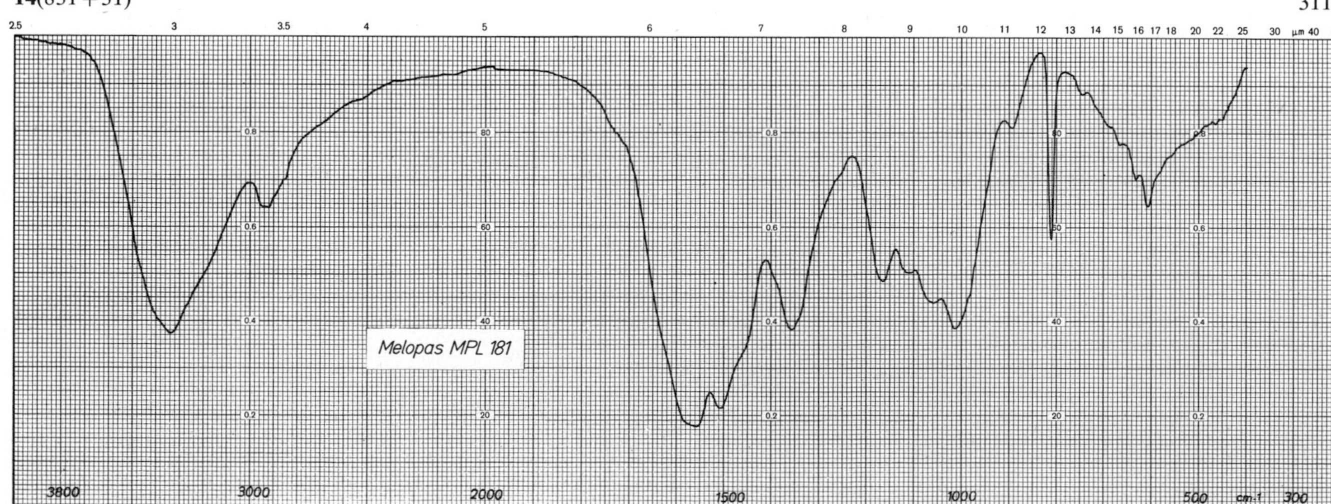

(1) **Melopas MPL 181**
(3) Melamin-Phenol-Formaldehyd-Kondensationsprodukt, gemischt mit Cellulose
(4) hellgraue, körnige Substanz
(5) Preßmasse für Haushalt- und Elektroapparate
(6) KBr (1/400)
(7) PE 580 B, FLAT

(2) Ciba-Geigy AG, Basel
(3) melamine-phenol-formaldehyde condensation product mixed with cellulose
(4) pale grey, granular substance
(5) moulding material for household and electrical apparatus
(6) KBr (1/400)
(7) PE 580 B, FLAT

14(831 + 31) 3116

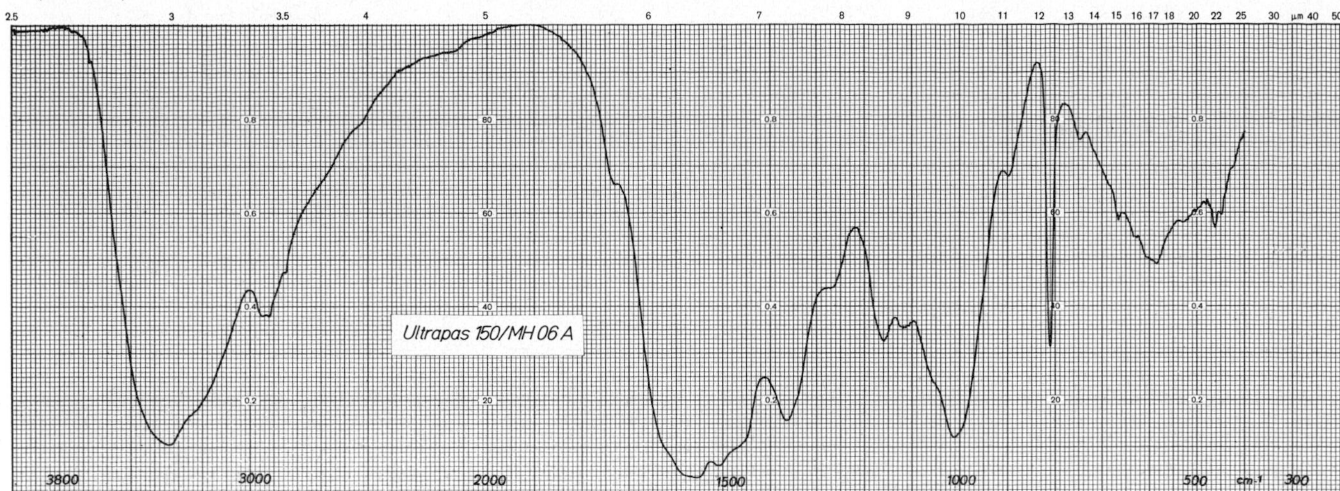

(1) **Ultrapas 150/MH 06 A**
(3) Melaminharzformmasse mit Holzmehl
(4) beigefarbenes Granulat
(5) zum Pressen, Spritzpressen und Spritzgießen; kriechstromfeste Sockel, Reihenklemmen, Klemmenleisten
(6) KBr (1.16/300)
(7) PE 580 B, FLAT, ABEX 1.45

(2) Dynamit Nobel AG, Troisdorf
(3) melamine resin moulding compound with wood flour
(4) beige-colored granules
(5) for moulding, injection moulding and injection casting; surface leakage current-resistant sockets, chocolate bar connectors, terminal strips
(6) KBr (1.16/300)
(7) PE 580 B, FLAT, ABEX 1.45

14(831 + 31) 3117

Ultrapas MZ 1527/261

(1) **Ultrapas MZ 1527/261**
(3) Melaminharzformmasse mit Cellulose
(4) hellbraunes Granulat
(5) für Gebrauchs-, Sanitär- und Werbeartikel (Eß- und Trinkgeschirr, Kochlöffel usw.)
(6) KBr (1.36/300)
(7) PE 580 B, FLAT, ABEX 1.66

(2) Dynamit Nobel AG, Troisdorf
(3) melamine resin with cellulose
(4) light brown granules
(5) for household articles, cleansing implements and advertising giveaways (plates and drinking cups, cooking spoons, etc.)
(6) KBr (1.36/300)
(7) PE 580 B, FLAT, ABEX 1.66

14831 + **19**172 3118

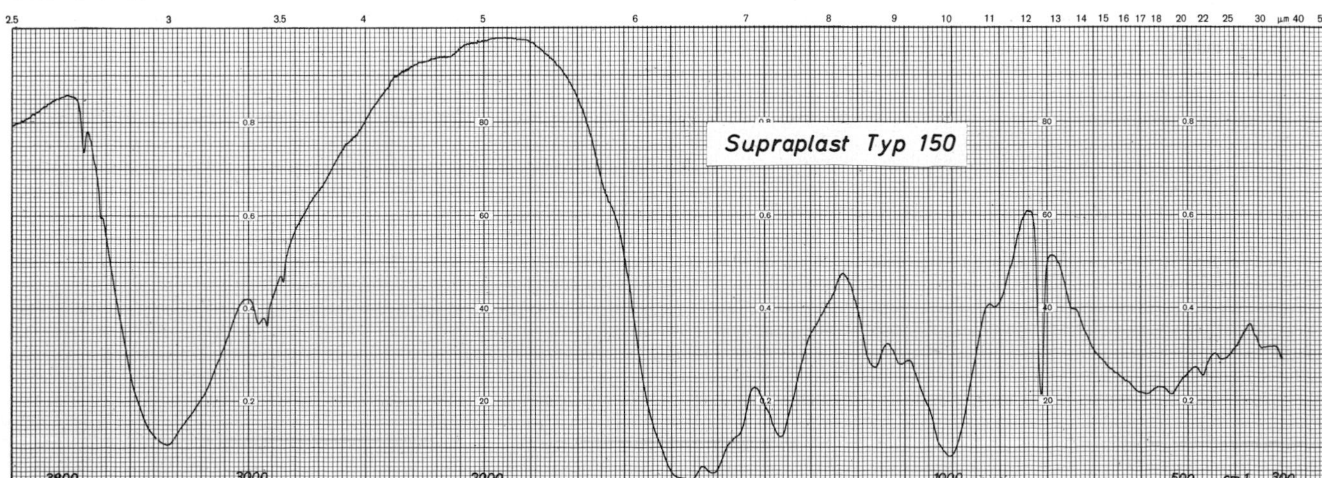

(1) **Supraplast-Preßmasse Typ 150**
(3) Preßmasse aus Melaminharz und anorganischen Fasern als Füllstoff
(4) blaue Körner
(5) thermisch härtbare Preßmasse
(6) KBr (1.6/365)
(7) PE 580 B

(2) Südwest-Chemie, Neu-Ulm
(3) melamine resin moulding compound with inorganic fiber filler
(4) blue grains
(5) thermally curable moulding compound
(6) KBr (1.6/365)
(7) PE 580 B

14831 + **19**172 3119

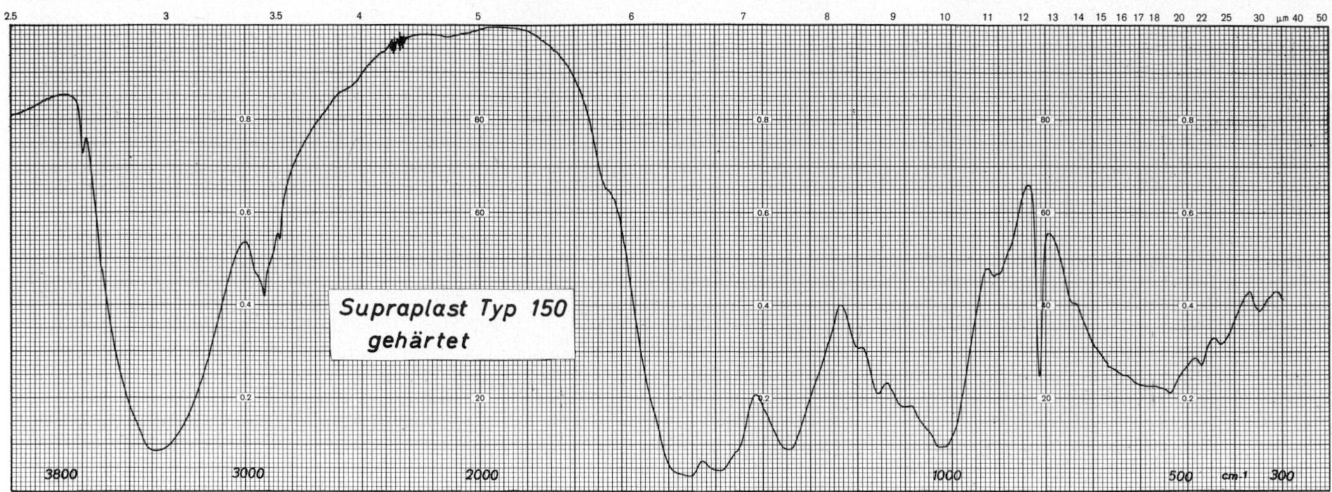

(1) **Supraplast-Preßmasse Typ 150, gehärtet**
(3) Preßmasse auf Melaminharz-Basis mit anorganischen Fasern als Füllstoff
(4) bläuliche Preßplatte
(6) mit Nagelfeile abgefeilt, KBr (1.5/360)
(7) PE 580 B, ABEX

(2) Südwest-Chemie, Neu-Ulm
(3) moulding compound based on melamine resin filled with inorganic fibers
(4) bluish moulded sheet
(6) filings with nail file, KBr (1.5/360)
(7) PE 580 B, ABEX

14831 + **19**172 3120

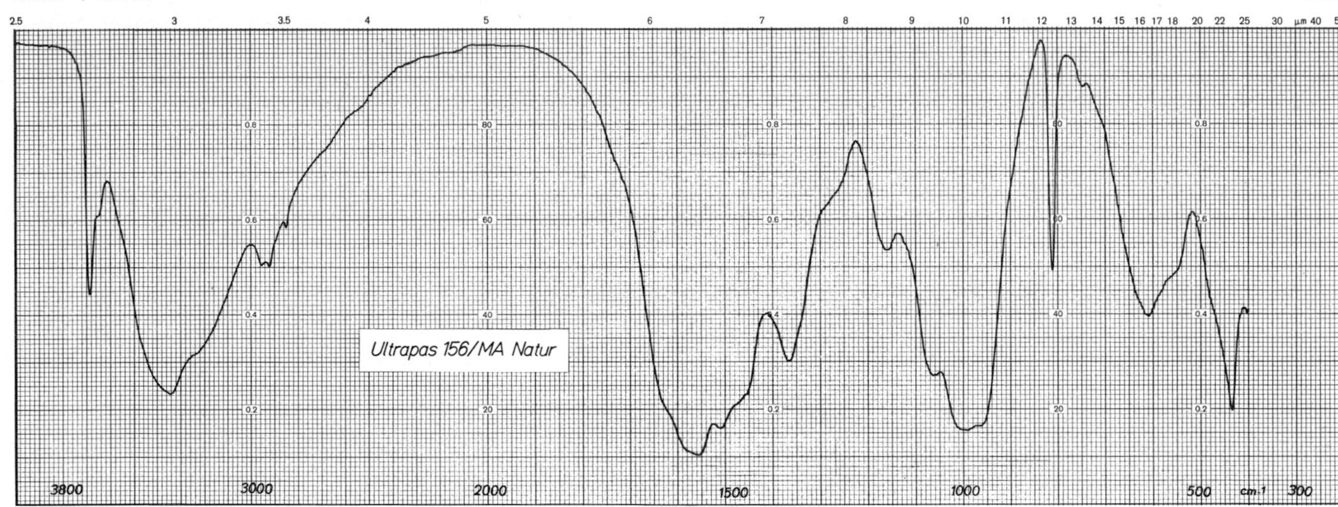

(1) **Ultrapas Typ 156/MA Natur**
(3) Melamin-Formaldehyd-Kondensationsprodukt + Asbestfasern
(4) graues Granulat
(5) Duroplast-Formmasse für Gebrauchs-, Sanitär- und Werbeartikel, Eß- und Trinkgeschirr, Kochlöffel
(6) KBr (1.7/300)
(7) PE 580 B, FLAT

(2) Dynamit Nobel AG, Troisdorf
(3) melamine-formaldehyde resin with asbestos fibers
(4) grey granules
(5) thermosetting moulding compound for household articles, cleansing implements, advertising giveaways, plates and drinking cups, cooking spoons
(6) KBr (1.7/300)
(7) PE 580 B, FLAT

14(831 − 451) 3121

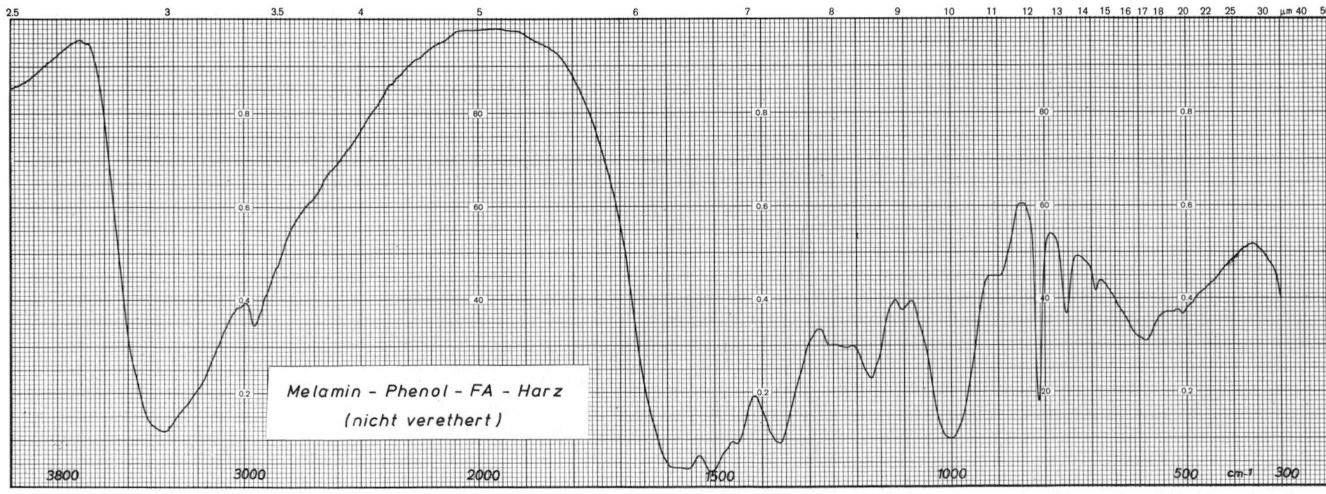

(1) **Supraplast-Harz 750**
(3) Melamin-Phenol-Formaldehyd-Harz, nicht verethert
(4) weißes Pulver
(5) für thermisch härtbare Preßmassen
(6) KBr (2/400)
(7) PE 580 B, ABEX

(2) Südwest-Chemie, Neu-Ulm
(3) melamine-phenol-formaldehyde resin, not etherified
(4) white powder
(5) for thermally curable moulding compounds
(6) KBr (2/400)
(7) PE 580 B, ABEX

14(831 – 851) 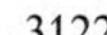 3122

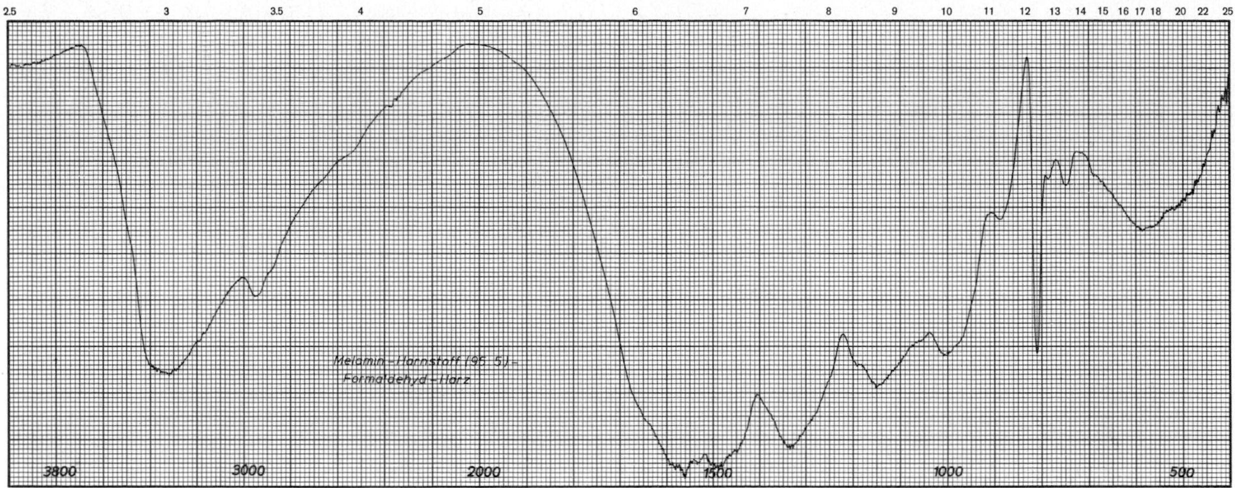

(1) **Melamin-Harnstoff-Formaldehyd-Harz**
(2) Fraunhofer-Institut für Holzforschung, Braunschweig (durch E. Schriever)
(3) nicht modifiziertes MHF-Harz, Melamin: Harnstoff = 95: 5
(4) weißes Pulver
(5) für die Herstellung von Spanplatten
(6) KBr (1/350)
(7) untergrundkorrigiert

(1) **melamine-urea-formaldehyde resin**
(2) Fraunhofer-Institut für Holzforschung, Braunschweig (from E. Schriever)
(3) nonmodified MUF resin, melaine: urea = 95: 5
(4) white powder
(5) for the manufacture of chipboard
(6) KBr (1/350)
(7) background corrected

14(831 – 851) 3123

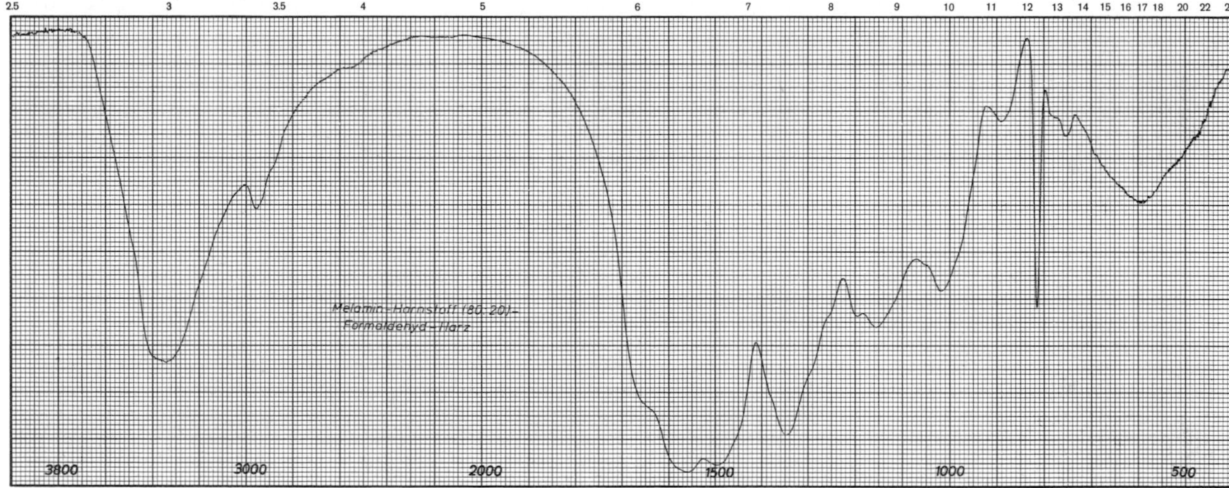

(1) **Melamin-Harnstoff-Formaldehyd-Harz**
(2) Fraunhofer-Institut für Holzforschung, Braunschweig (durch E. Schriever)
(3) MHF-Harz, Melamin: Harnstoff = 80: 20
(4) weißes Pulver
(5) für die Herstellung von Spanplatten
(6) KBr (1/350)
(7) untergrundkorrigiert

(1) **melamine-urea-formaldehyde resin**
(2) Fraunhofer-Institut für Holzforschung, Braunschweig (from E. Schriever)
(3) MUF resin, melamine: urea = 80: 20
(4) white powder
(5) for the manufacture of chipboard
(6) KBr (1/350)
(7) background corrected

14(831 – 851 – 451) 3124

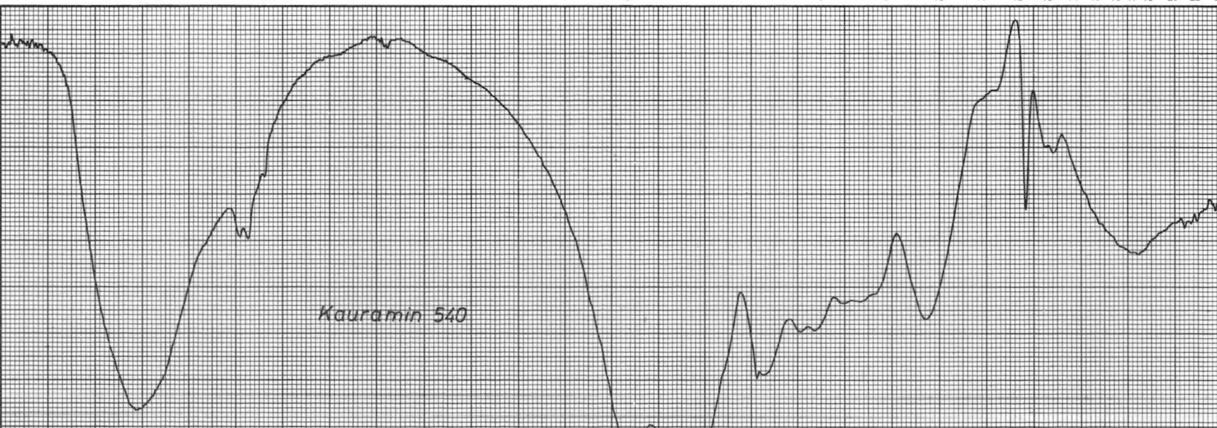

(1) **Kauramin 540**
(3) Melamin-Harnstoff-Phenol-Formaldehyd-Harz
(4) nahezu farbloses Harz
(5) Bindemittel für die Herstellung von Preßplatten
(6) KBr (1.7/350)
(7) Nicolet FTIR 7199

(2) BASF AG, Ludwigshafen
(3) melamine-urea-phenol-formaldehyde resin
(4) almost colorless resin
(5) binder for the manufacture of moulded sheets
(6) KBr (1.7/350)
(7) Nicolet FTIR 7199

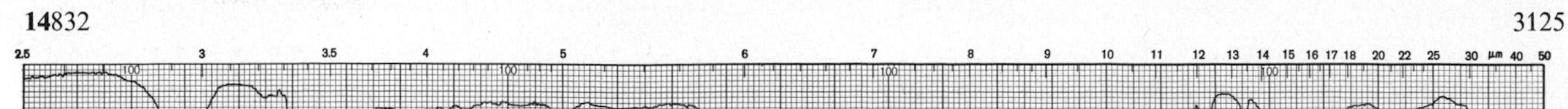

14832 3125

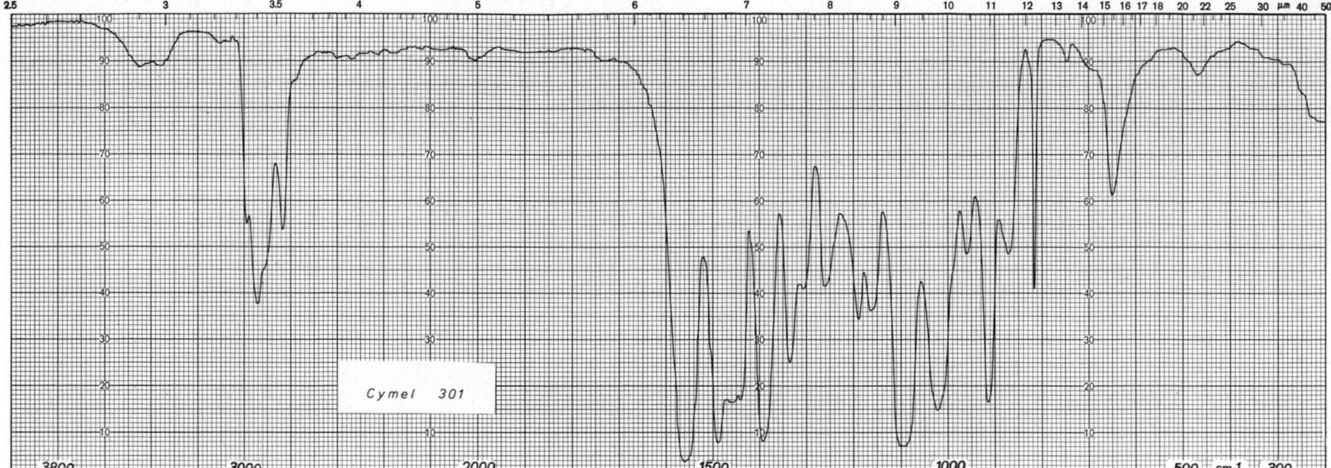

(1) **Cymel 301**
(3) Hexamethylether des Hexamethylolmelamins, Hexamethoxymethylmelamin
(4) wasserklare, mittelviskose Flüssigkeit
(5) universelles Melaminharz für alle Basisharze und Lösemittel, sehr gute Stabilität
(6) Schicht auf CsI

(2) American Cyanamid Co., Wayne, N.J.
(3) hexamethylolmelamine hexamethyl ether, hexamethoxymethylmelamine
(4) crystal clear, medium viscous liquid
(5) universal melamine resin for all standard resins and solvents, very good stability
(6) film on CsI

14832 3126

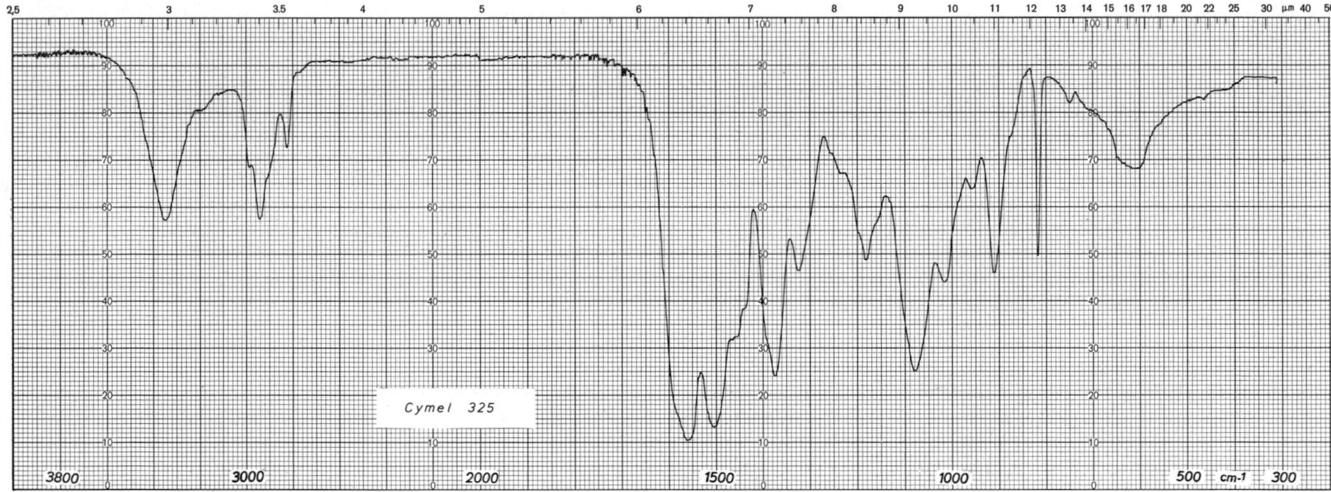

(1) **Cymel 325**
(3) teilweise mit MTL verethertes Hexamethylolmelamin
(4) farblose, viskose Lösung (80% in BTL)
(5) in Kombinationen mit Alkyd- oder Acrylatharzen
(6) Schicht auf CsI

(2) American Cyanamid Co., Wayne, N.J.
(3) hexamethylolmelamine partially etherified with methanol
(4) colorless, viscous solution (80% in BTL)
(5) in combination with alkyd or acrylate resins
(6) film on CsI

4832 3127

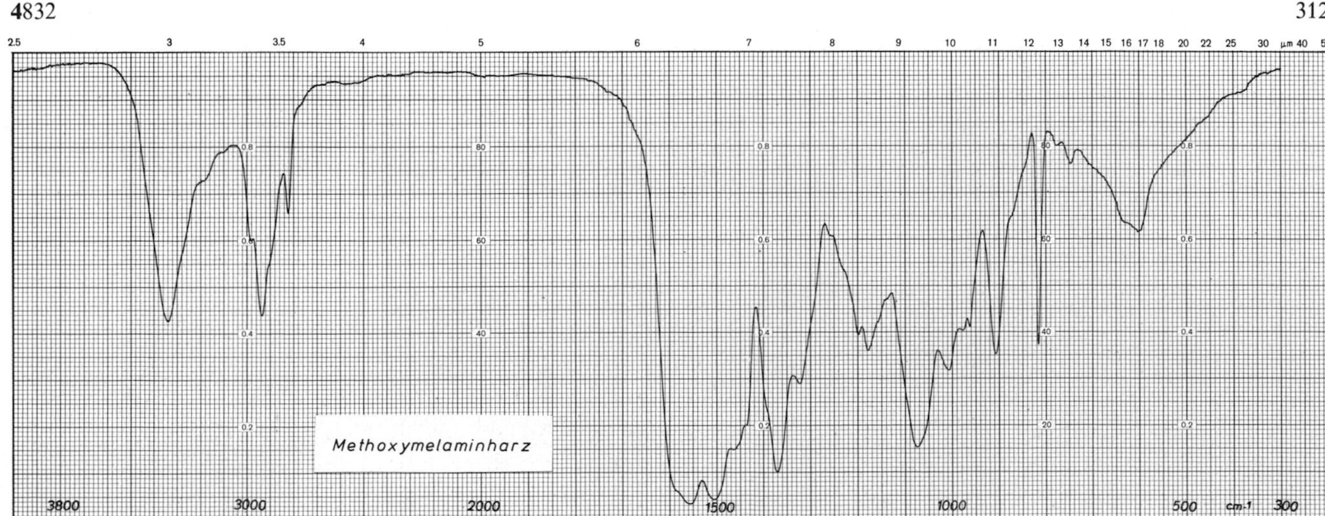

(1) **Supraplast-Harz 32/100**
(3) mit MTL verethertes Melamin-Formaldehyd-Harz
(4) transparente, farblose Flüssigkeit
(5) Plastifizierungsmittel für Melaminharze
(6) kapillare Schicht zwischen CsI
(7) PE 580 B

(2) Südwest-Chemie, Neu-Ulm
(3) melamine-formaldehyde resin, partially etherified with methanol
(4) transparent, colorless liquid
(5) plasticizer for melamine resins
(6) capillary film between CsI
(7) PE 580 B

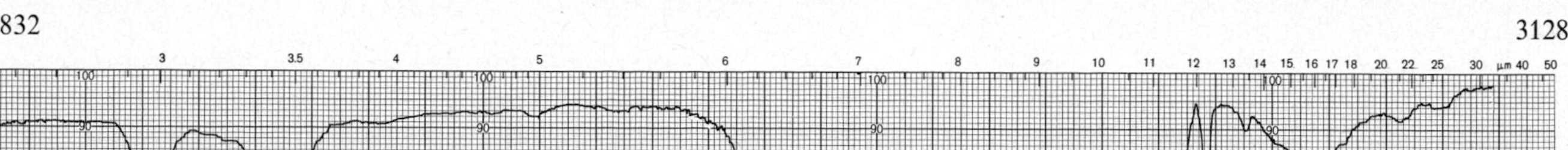

14832 3128

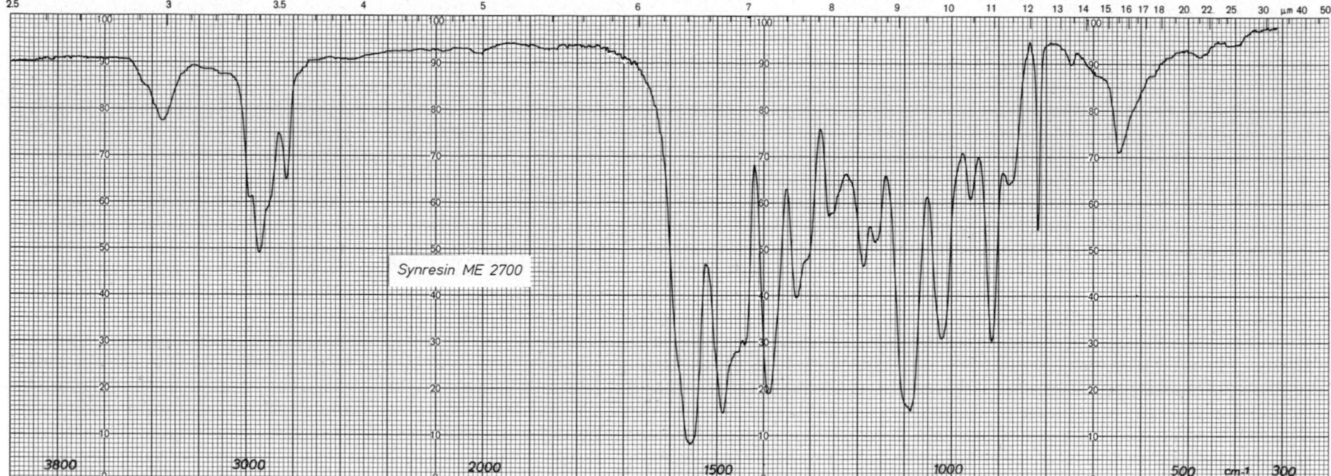

(1) **Synresin ME 2700**
(3) mit MTL verethertes („methyliertes") Melamin-Formaldehyd-Harz
(4) viskose, helle Lösung
(5) für high-solid-Lacke; für wasserverdünnbare und lösemittelhaltige Lacke
(6) eingetrocknete, viskose Schicht auf CsI

(2) Synres Nederland NV, Hoek van Holland
(3) ("methylated") melamine-formaldehyde resin etherified with methanol
(4) pale, viscous solution
(5) for high solids finishes; for water-dilutable and solvent-containing lacquers
(6) dried, viscous film on CsI

14832 3129

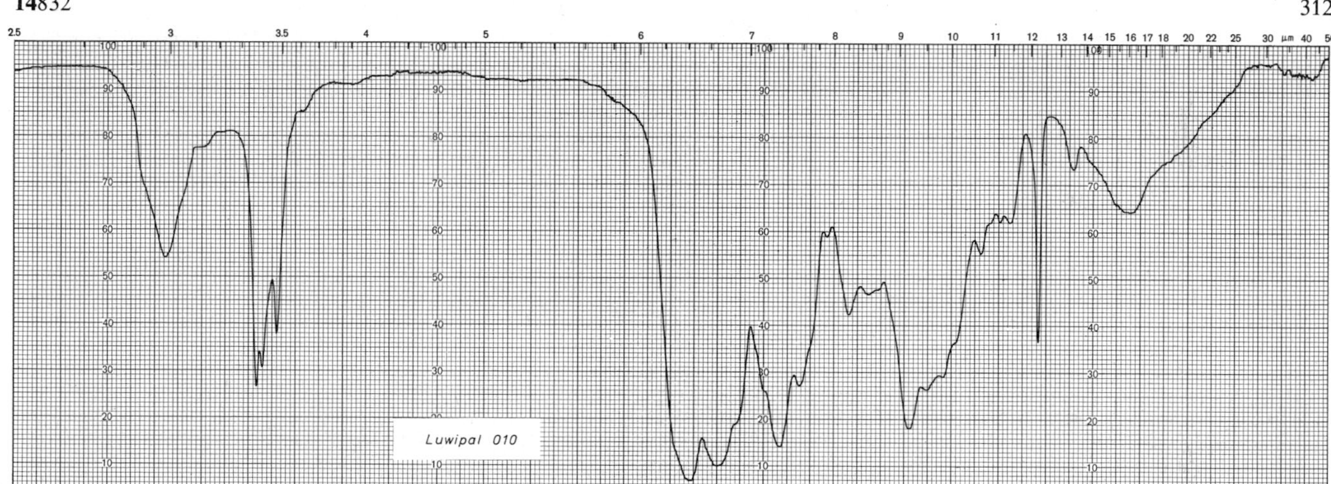

(1) **Luwipal 010**
(3) mit BTL verethertes Melamin-Formaldehyd-Harz
(4) farblose, klare Harzlösung
(5) für Einbrennlacke oder säurehärtende Lacke, in Kombinationen mit elastifizierenden Harzen
(6) Schicht auf CsI

(2) BASF AG, Ludwigshafen
(3) melamine-formaldehyde resin etherified with butanol
(4) clear, colorless resin solution
(5) for stove enamels or acid-curing finishes, in combination with elasticizing resins
(6) film on CsI

14832 3130

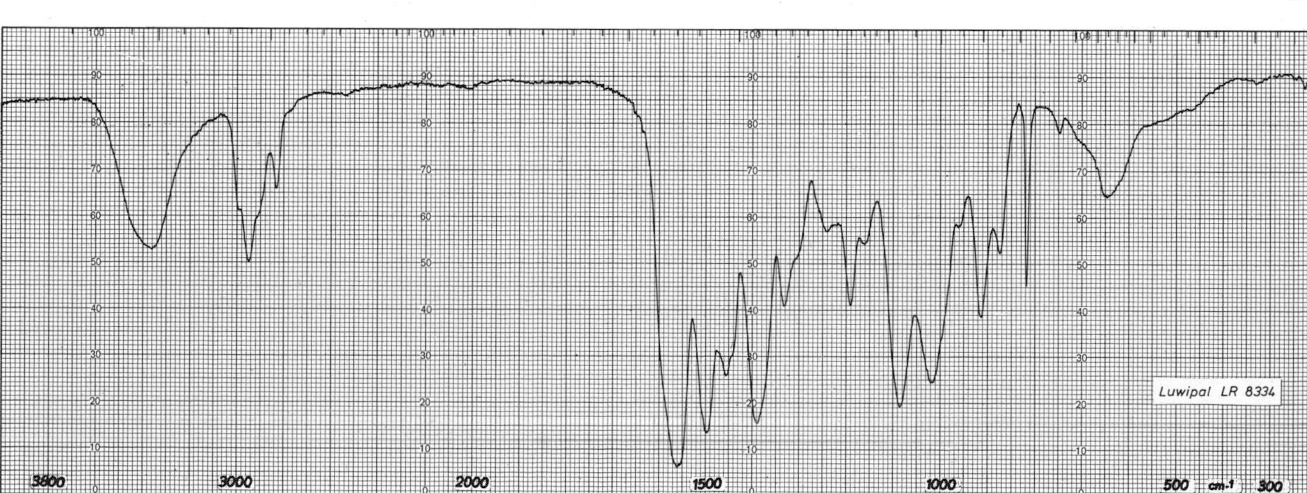

(1) **Luwipal LR 8334** (Versuchsprodukt)
(3) Melamin-Formaldehyd-Harz, verethert
(4) farblose, dickflüssige Lösung
(5) Komponente für Lackharze
(6) Schicht auf CsI

(1) **Luwipal LR 8334** (research product)
(2) BASF AG, Ludwigshafen
(3) melamine-formaldehyde resin, etherified
(4) colorless, viscous solution
(5) lacquer resin component
(6) film on CsI

14832 3131

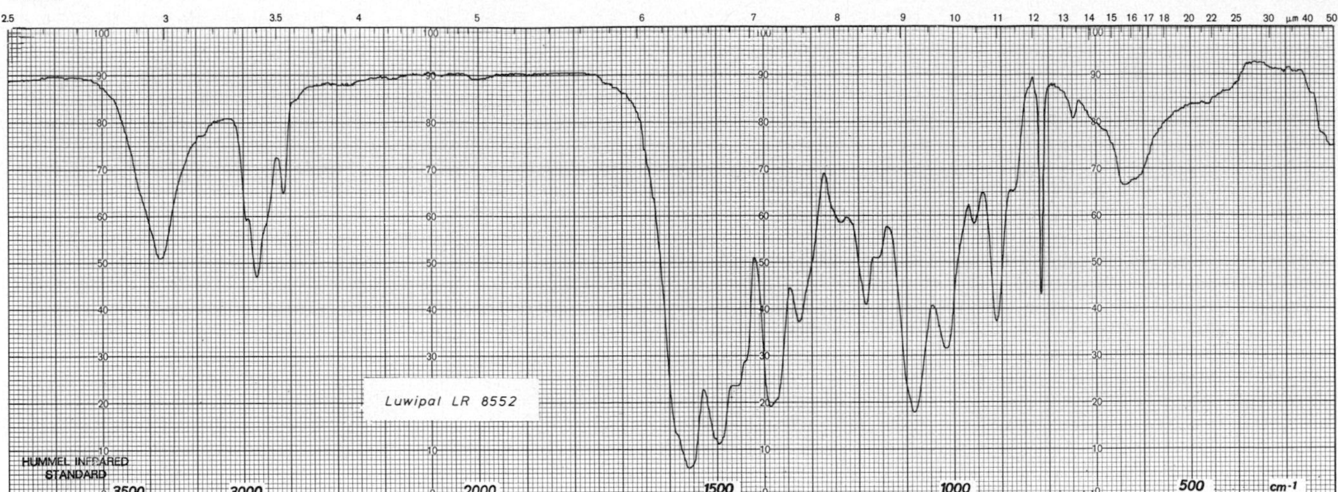

(1) **Luwipal LR 8552** (Versuchsprodukt)
(3) teilweise mit t-BTL verethertes Hexamethylolmelamin
(4) wasserklare, mittelviskose Lösung (76% in BTL)
(5) zur Kombination mit Alkyd- oder Acrylatharzen
(6) Schicht auf CsI

(1) **Luwipal LR 8552** (research product)
(2) BASF AG, Ludwigshafen
(3) hexamethylolmelamine, partially etherified with t-butanol
(4) crystal clear, medium viscous solution (76% in BTL)
(5) for combination with alkyd or acrylic resins
(6) film on CsI

14832 3132

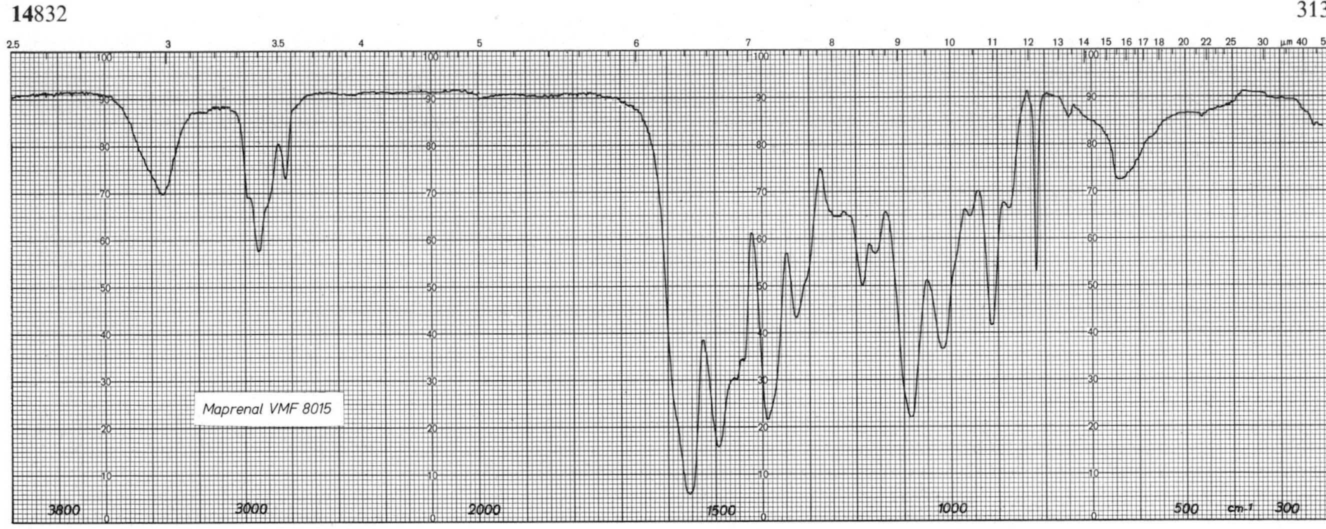

(1) **Maprenal MF 915** (im Spektrum: alte Bezeichnung)
(3) teilweise mit BTL verethertes Hexamethylolmelamin
(4) wasserklare, mittelviskose Lösung (80% in BTL)
(5) zur Kombination mit Alkyd- oder Acrylatharzen
(6) Schicht auf CsI

(2) Cassella Farbwerke Mainkur, Frankfurt/M. (Hoechst-Gruppe)
(3) hexamethylolmelamine, partially etherfied with butanol
(4) crystal clear, medium viscous solution (80% in BTL)
(5) for combination with alkyd or acrylic resins
(6) film on CsI

148(32 – 55) 3133

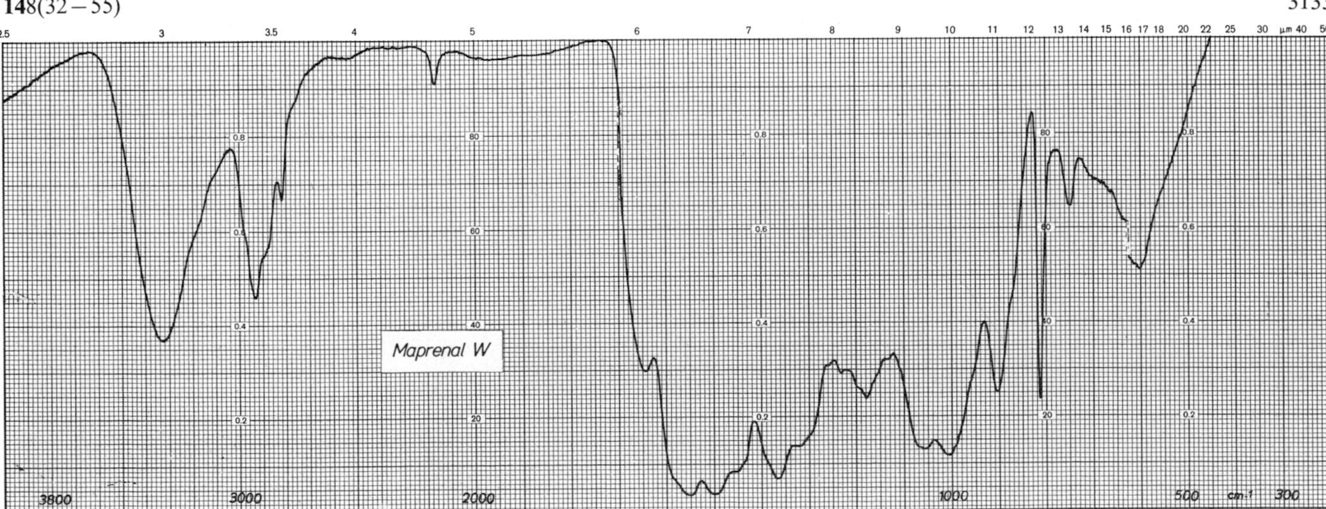

(1) **Maprenal W**
(3) mit Dicyandiamidharz modifiziertes Melaminharz
(4) gelbliches Harz
(5) in Kombination mit anderen Lackharzen zu Einbrennlackierungen
(6) eingetrocknetes Harz in BTL angelöst und auf KBr aufgetragen (trübe Schicht)
(7) PE 580 B, FLAT, ABEX 1.58

(2) Cassella AG, Mainkur
(3) melamine resin modified with dicyanodiamide resin
(4) yellowish resin
(5) in combination with other resins for stove enamels
(6) dried resin dissolved in BTL and coated on KBr (cloudy film)
(7) PE 580 B, FLAT, ABEX 1.58

14834 3134

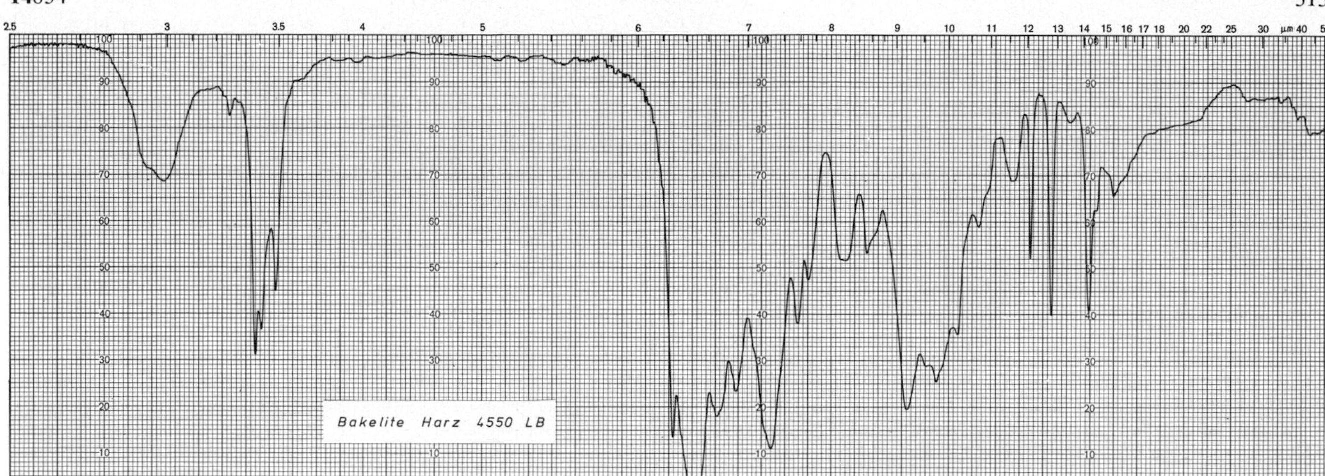

(1) **Bakelite-Harz 4550 LB**
(3) Benzoguanaminharz, mit BTL verethert
(4) schwach gelbbraune, transparente Lösung (23% in BTL)
(5) in Kombination mit Alkyd-, Acryl-, Epoxidharzen und Polyvinylacetalen für heißhärtende, chemikalienbeständige, abriebfeste und vergilbungsfreie Grund- und Decklacke
(6) Schicht auf CsI, 24 h bei 70 °C getrocknet

(2) Bakelite GmbH, Letmathe/Westf.
(3) benzoguanidine resin etherified with butanol
(4) pale yellow-brown, transparent solution (23% in BTL)
(5) in combination with alkyd, acrylic, epoxy resins and polyvinylacetals for heat-curing, chemically resistant, abrasion-resistant and nonyellowing primers and finishes
(6) film on CsI, dried for 24 h at 70 °C

14841 3135

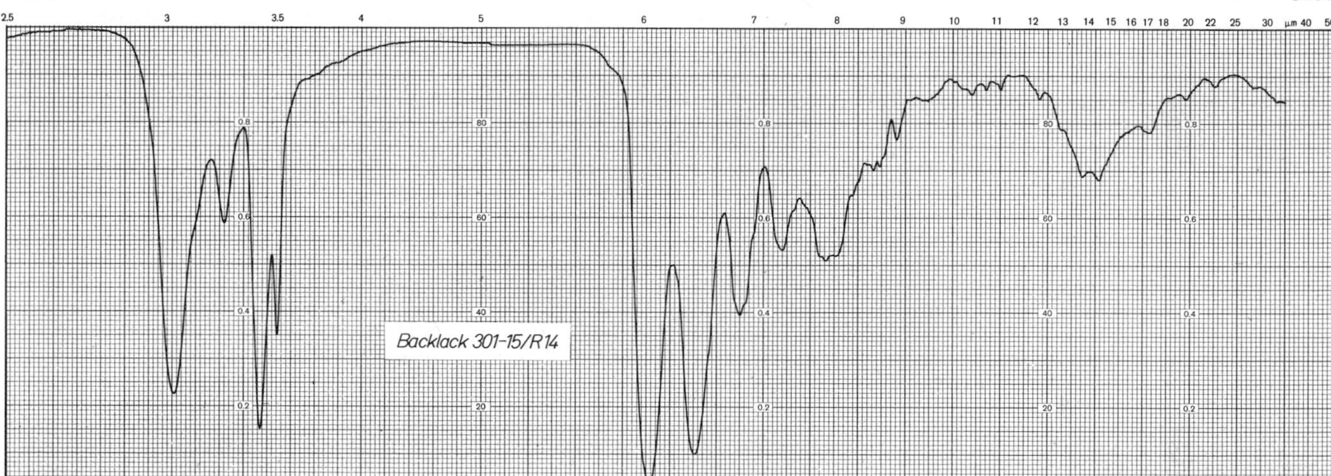

(1) **Backlack 301-15/R 14**
(3) aliphatisches Copolyamid
(4) transparentes, rotes Gel
(5) Drahtlack
(6) Schicht auf CsI, bei 50 °C i.V. getrocknet
(7) PE 580 B, ABEX 1.22

(2) BASF Farben + Fasern AG, Beck Elektro-Isoliersysteme, Hamburg
(3) aliphatic copolyamide
(4) transparent, red gel
(5) wire lacquer
(6) film on CsI, dried at 50 °C, in vacuo
(7) PE 580 B, ABEX 1.22

14841 3136

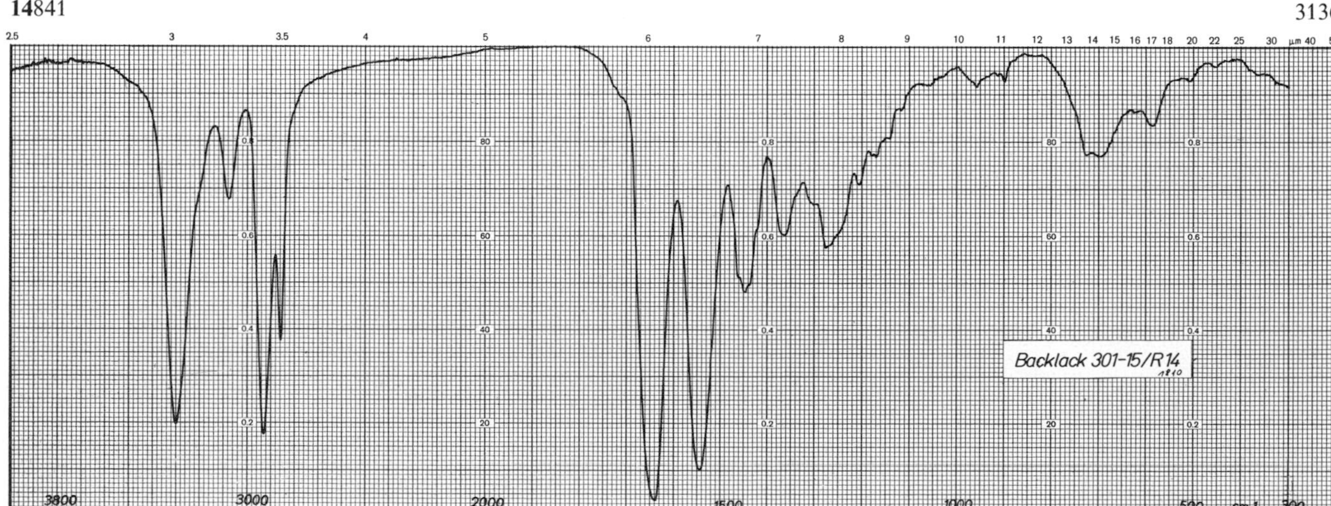

(1) **Backlack 301-15/R 14**
(3) aliphatisches Copolyamid
(4) transparentes, rotes Gel
(5) Drahtlack
(6) Schicht auf CsI, bei 150 °C i.V. gehärtet
(7) PE 580 B, FLAT, ABEX 1.15

(2) BASF Farben + Fasern AG, Beck Elektro-Isoliersysteme, Hamburg
(3) aliphatic copolyamide
(4) transparent, red gel
(5) wire lacquer
(6) film on CsI, cured at 150 °C, in vacuo
(7) PE 580 B, FLAT, ABEX 1.15

14841 3137

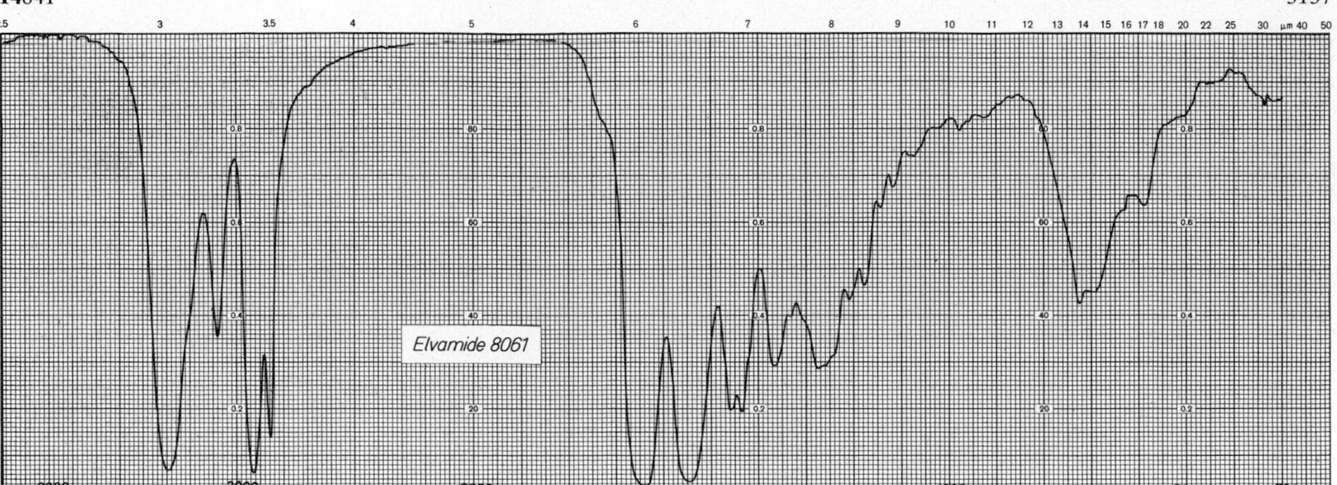

(1) **Elvamide 8061**
(3) Copolyamid
(4) farbloses, leicht trübes Granulat
(5) lösliches Polyamidharz für zähe und abriebfeste Überzüge, allein oder in Kombination mit Lackharzen
(6) Schmelzfilm (10 µm)
(7) PE 580 B, SMOOTH 2, ABEX 1.02

(2) Du Pont de Nemours (Deutschland) GmbH, Düsseldorf
(3) copolyamide
(4) colorless, slightly cloudy granules
(5) soluble polyamide resin for tough and abrasion-resistant coatings, alone or in combination with lacquer resins
(6) film from the melt (10 µm)
(7) PE 580 B, SMOOTH 2, ABEX 1.02

14841 3138

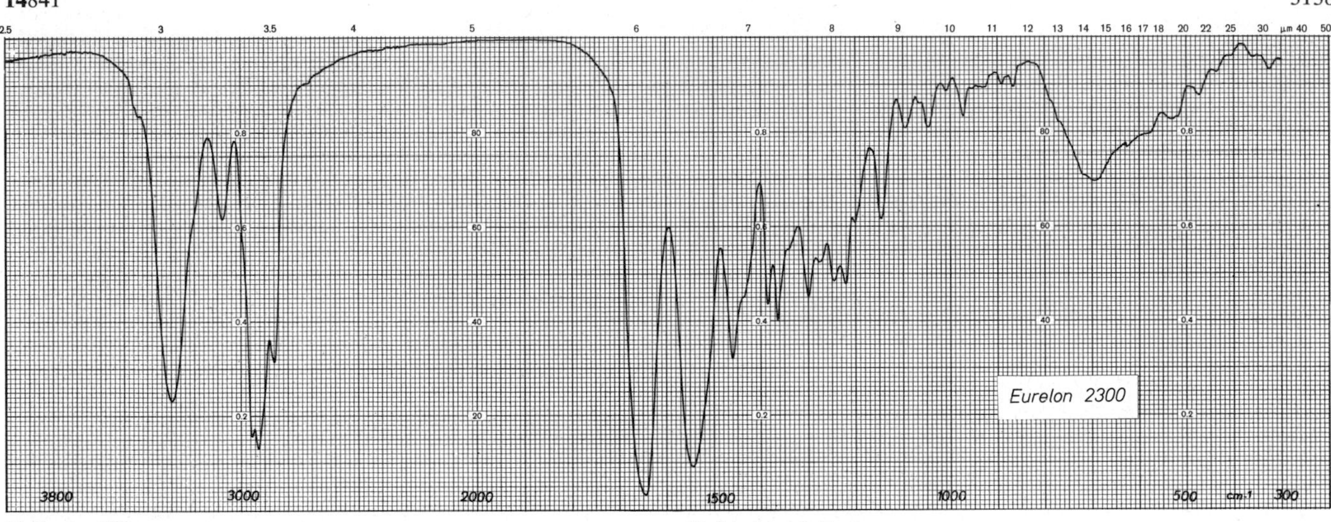

(1) **Eurelon 2300**
(3) ethanollösliches Polyamidharz
(4) farblose Harzstückchen
(5) für Flexodruckfarben
(6) Schicht aus ETL auf CsI
(7) PE 580 B, ABEX 1.08

(2) Schering AG, Bergkamen
(3) ethanol-soluble polyamide resin
(4) small, almost colorless resin pieces
(5) for flexographic printing inks
(6) film from ETL on CsI
(7) PE 580 B, ABEX 1.08

14842/1612 3139

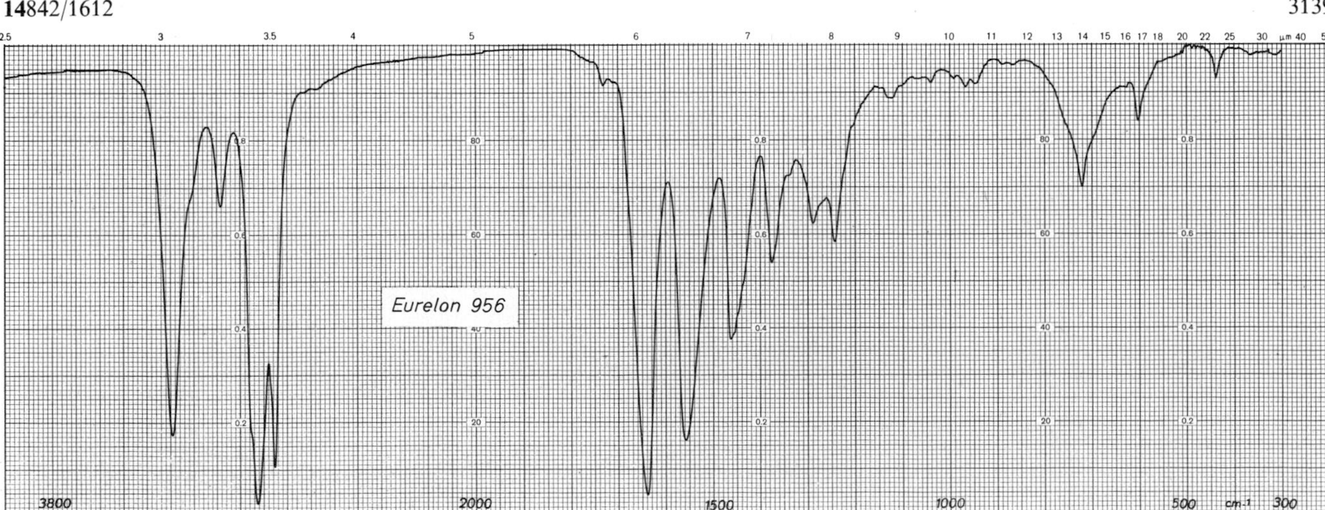

(1) **Eurelon 956**
(3) ethanollösliches Polyamidharz auf Basis dimerisierter Fettsäuren
(4) wachsgelbes Granulat
(5) Härter für Epoxidharze; durch Wachsanteile gute Gleitfähigkeit, Kratz- und Scheuerfestigkeit; für Überdrucklacke
(6) Schicht aus ETL auf CsI

(2) Schering AG, Bergamen
(3) ethanol-soluble polyamide resin based on dimerized fatty acids
(4) waxy yellow solid
(5) curing agent for epoxy resins; its wax content gives it good flow properties, scratch and abrasion resistance; for overprinting inks
(6) film from ETL on CsI

14842

3140

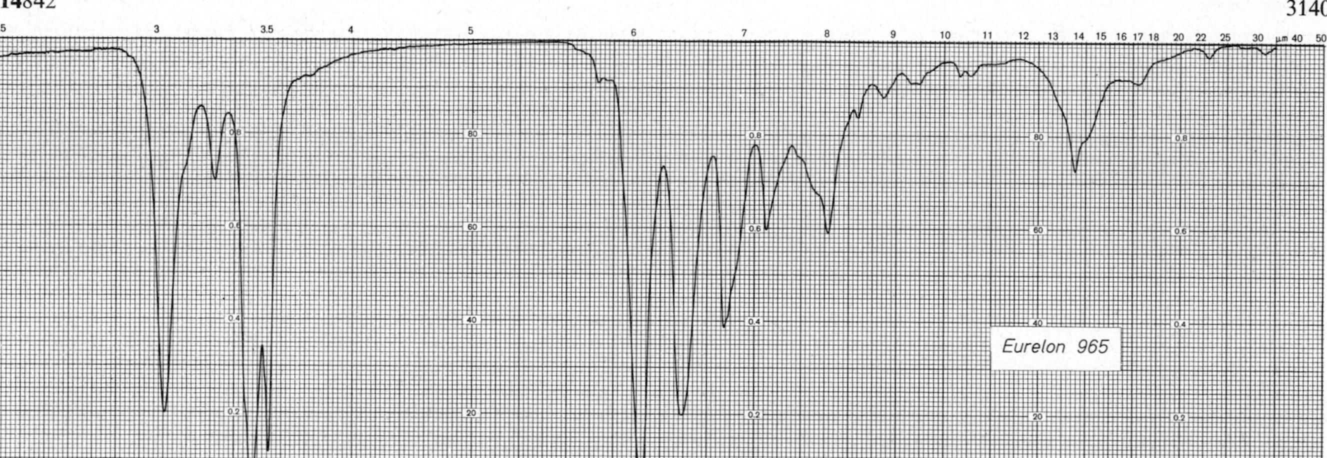

(1) **Eurelon 965**
(3) Polyamidharz auf Basis polymerisierter Fettsäuren
(4) bernsteinfarbene Harzstücke
(5) für Flexodruckfarben
(6) Schmelzfilm auf CsI
(7) PE 580 B, ABEX 1.14

(2) Schering AG, Bergkamen
(3) polyamide resin based on polymerized fatty acids
(4) amber-colored resin pieces
(5) for flexographic printing inks
(6) film from the melt on CsI
(7) PE 580 B, ABEX 1.14

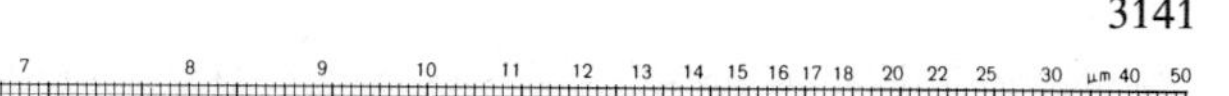

14842

3141

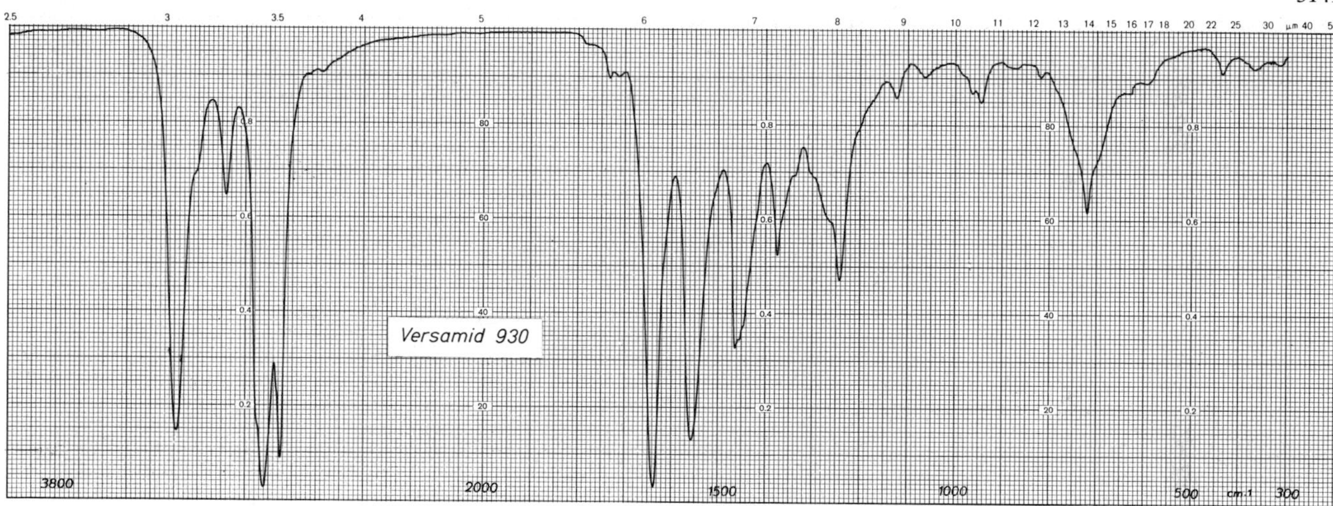

(1) **Versamid 930**
(3) Polyamidharz auf Basis dimerisierter Fettsäuren
(4) durchsichtiges, gelbes Granulat
(5) für Tief- und Flexodruckfarben, Härter für Epoxidharze
(6) aufgeschmolzene Schicht auf CsI

(2) Schering AG, Bergkamen
(3) polyamide resin based on polymerized fatty acids
(4) transparent, yellow granules
(5) for gravure and flexographic printing inks, curing agent for epoxy resins
(6) film fused on to CsI

14842

3142

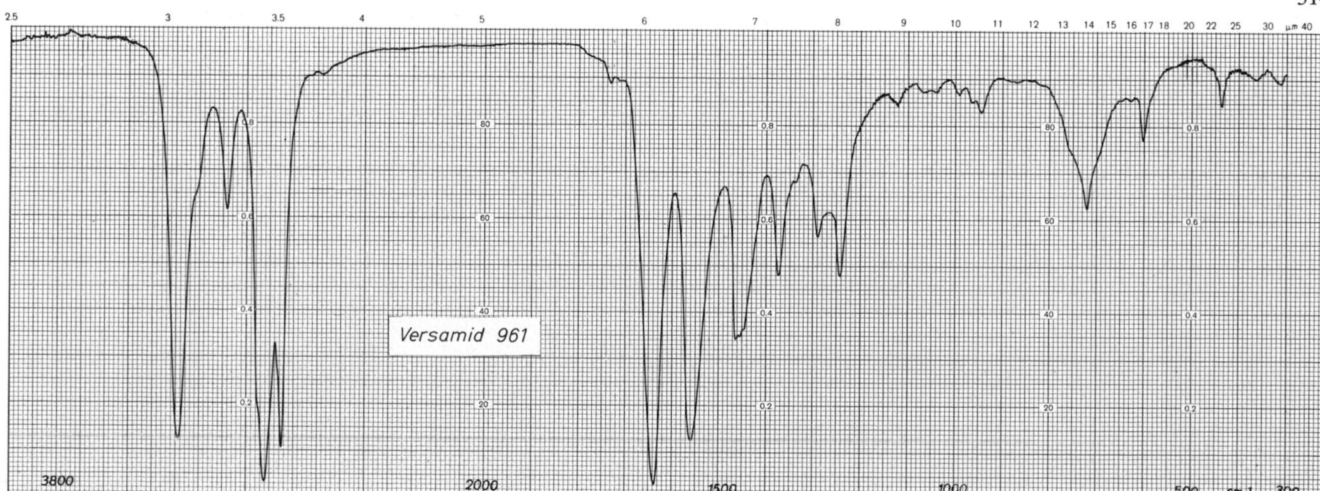

(1) **Versamid 961**
(3) alkohollösliches Polyamidharz auf Basis dimerisierter Fettsäuren
(4) gelbes, durchsichtiges Granulat
(5) für Tief- und Flexodruckfarben, Weichharz für Cellulosenitratlacke
(6) aufgeschmolzene Schicht auf CsI
(7) PE 580 B, ABEX 1.23

(2) Schering AG, Bergkamen
(3) alcohol-soluble polyamide resin based on dimerized fatty acids
(4) yellow, transparent granules
(5) for gravure and flexographic printing inks, plasticizing resin for cellulose nitrate lacquers
(6) film fused on to CsI
(7) PE 580 B, ABEX 1.23

14(844 – 43) 3143

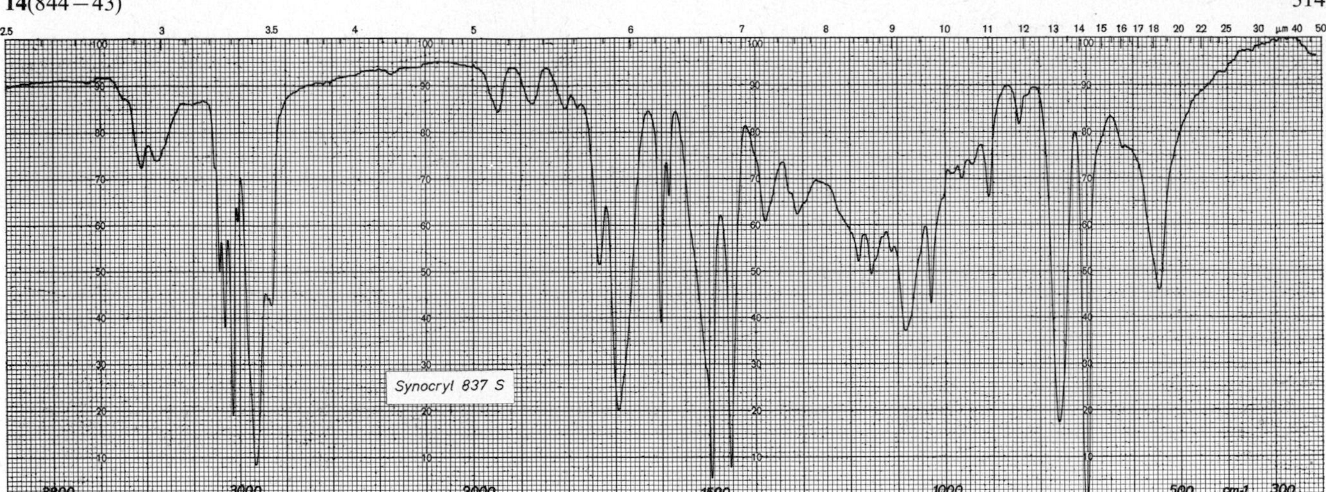

(1) **Synacryl 837 S** (im Spektrum lies: Synacryl)
(3) hydroxymethylgruppen-haltiges, hitzehärtbares Acrylamidharz; Poly(styrol-co-acrylamid), mit Formaldehyd umgesetzt
(4) fast farblose, viskose Lösung (etwa 52% in BTL/XYL 2:1)
(5) für Haushaltsgerätebeschichtungen
(6) Schicht auf CsI

(1) **Synacryl 837 S** (read Synacryl in the spectrum)
(2) Cray Valley Products, Kent, England
(3) hydroxymethyl group-containing poly(styrene-co-acrylamide), reacted with formaldehyde
(4) almost colorless, viscous solution (ca. 52% in BTL/XYL 2:1)
(5) for coatings on household appliances
(6) film on CsI

14851/**421**4 $C_2H_4N_2O$ 3144

-CH$_2$-NHCONH-

(1) **Poly(methylencarbamid-1,3-diyl), Poly(methylenharnstoff)**
(2) Institut für Physikalische Chemie, Universität Köln, Laborpräparat E. Zoschke (nach H.-J. Becher)
(4) weißes Pulver
(6) KBr (0.3/300)
(7) PE 580 B, FLAT, ABEX 1.86

(1) **poly(methylenecarbamide-1,3-diyl), poly(methylene urea)**
(2) Institut für Physikalische Chemie, Universität Köln, laboratory preparation, E. Zoschke (after H.-J. Becher)
(4) white powder
(6) KBr (0.3/300)
(7) PE 580 B, FLAT, ABEX 1.86

14851 3145

Harnstoff-Formaldehyd-Harz

(1) **Harnstoff-Formaldehyd-Kondensationsprodukt**
(2) Fraunhofer-Institut für Holzforschung, Braunschweig (durch E. Schriever)
(3) nicht modifiziertes HF-Harz
(4) weißes Pulver
(5) für die Herstellung von Spanplatten
(6) KBr (3/350; 1/350)
(7) Nicolet FTIR 7199; untergrundkorrigiert

(1) **urea-formaldehyde condensation product**
(2) Fraunhofer-Institut für Holzforschung, Braunschweig (from E. Schriever)
(3) unmodified UF resin
(4) white powder
(5) for the manufacture of chipboards
(6) KBr (3/350; 1/350)
(7) Nicolet FTIR 7199; background corrected

14851/**1542**14 3146

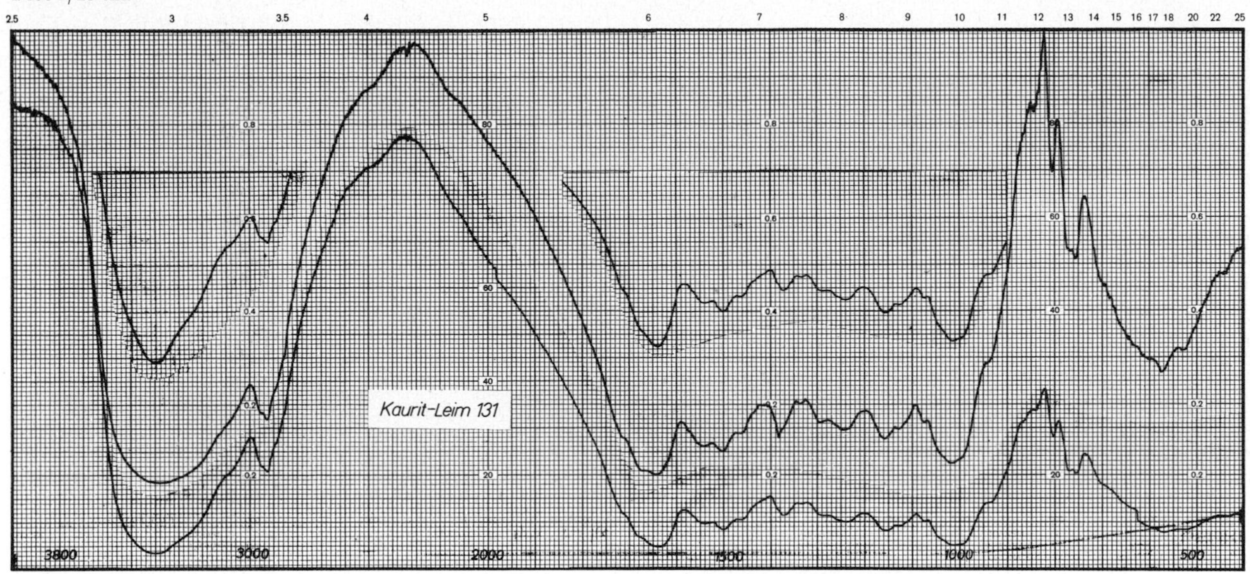

(1) **Kaurit-Leim 131**
(3) Harnstoff-Formaldehyd-Kondensationsprodukt, nicht modifiziert
(4) weißes Pulver
(5) hydrophiler Klebstoff
(6) KBr (3/400)
(7) PE 580 B, FLAT, ABEX 2.96; oberstes Spektrum untergrundkorrigiert

(2) BASF AG, Ludwigshafen
(3) urea-formaldehyde condensation product, unmodified
(4) white powder
(5) hydrophilic adhesive
(6) KBr (3/400)
(7) PE 580 B, FLAT, ABEX 2.96; spectrum above background corrected

14851/**1542**14 3147

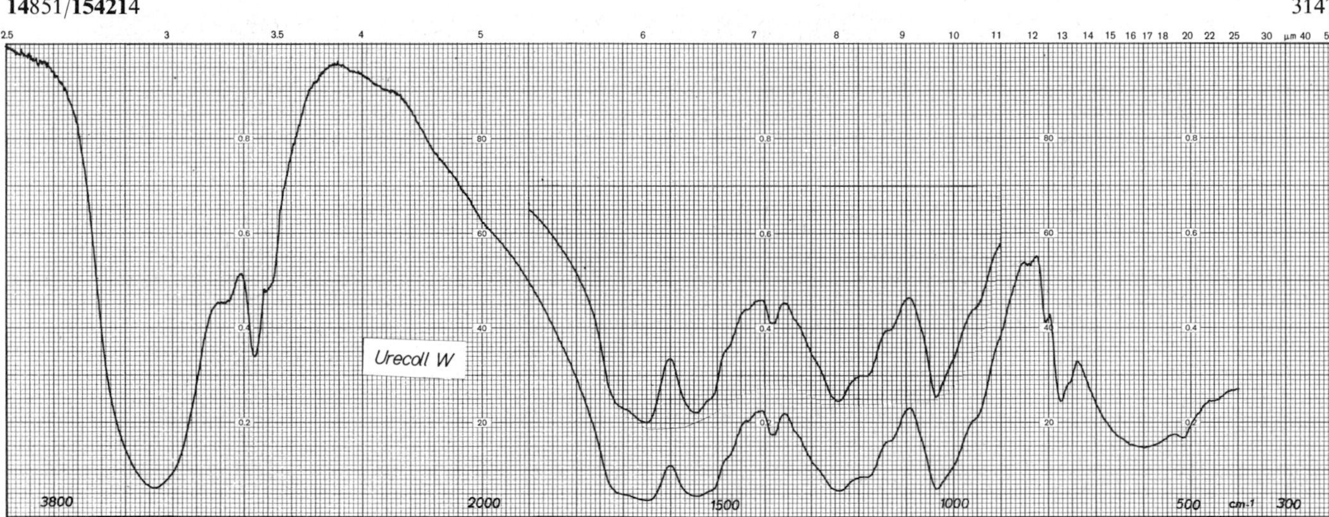

(1) **Urecoll W**
(3) Harnstoff-Formaldehyd-Kondensationsprodukt, nicht modifiziert
(4) fast farblose, zähflüssige Substanz
(5) Klebstoff
(6) vom ausgehärteten, spröden Harz: KBr (2/400)
(7) PE 580 B, ABEX 2.88

(2) BASF AG, Ludwigshafen
(3) urea-formaldehyde condensation product, unmodified
(4) almost colorless, highly viscous substance
(5) adhesive
(6) from dried out, brittle resin: KBr (2/400)
(7) PE 580 B, ABEX 2.88

14851 + **14**31 3148

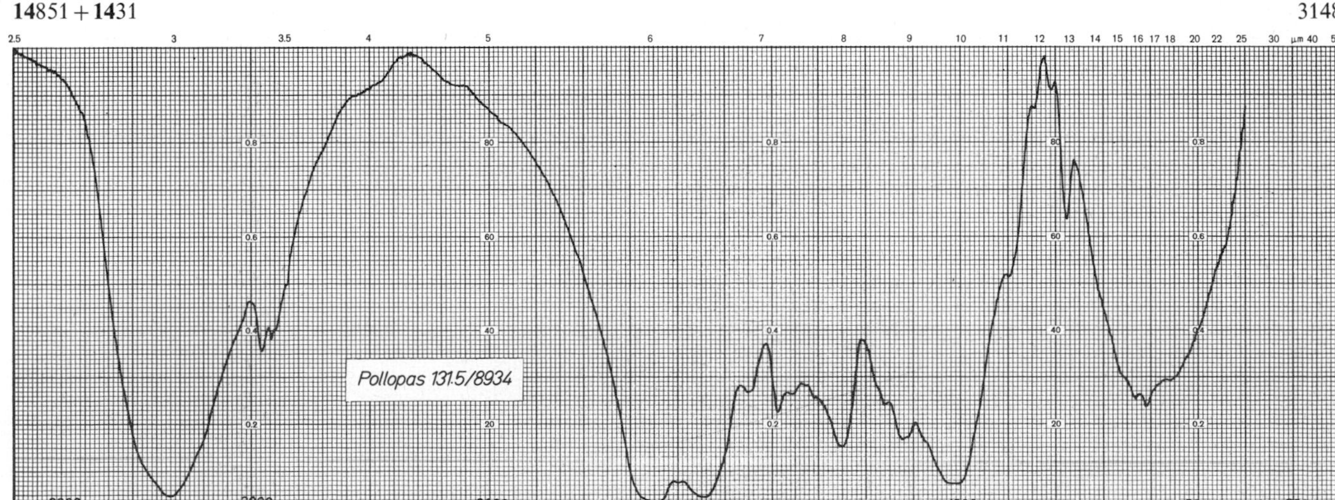

(1) **Pollopas Typ 131.5/8934**
(3) Harnstoff-Formaldehyd-Kondensationsprodukt + Cellulose
(4) naturweißes Granulat
(5) Duroplast-Formmasse mit erhöhten elektrischen Eigenschaften für Autozubehör, Nachrichten-, Fernmelde- und Hochfrequenztechnik
(6) KBr (2.35/300)
(7) PE 580 B, FLAT, ABEX 1.63

(2) Dynamit Nobel AG, Troisdorf
(3) urea-formaldehyde condensation product with cellulose
(4) neutral white granules
(5) thermosetting moulding composition with good electrical properties for auto accessories, communication, telephone and high frequency techniques
(6) KBr (2.35/300)
(7) PE 580 B, FLAT, ABEX 1.63

14(851 – 831) 3149

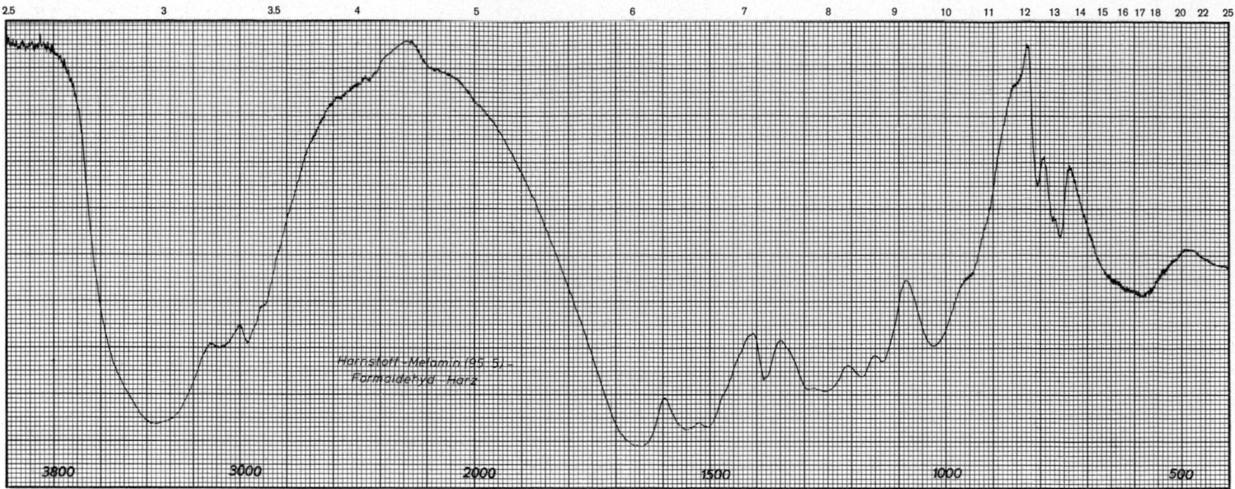

(1) **Harnstoff-Melamin-Formaldehyd-Harz**
(2) Fraunhofer-Institut für Holzforschung, Braunschweig (durch E. Schriever)
(3) HMF-Harz mit Harnstoff: Melamin = 95:5
(4) weißes Pulver
(5) für die Herstellung von Spanplatten
(6) KBr (1/300)
(7) Nicolet FTIR 7199; untergrundkorrigiert

(1) **urea-melamine-formaldehyde resin**
(2) Fraunhofer-Institut für Holzforschung, Braunschweig (from E. Schriever)
(3) UMF resin with urea: melamine = 95:5
(4) white powder
(5) for the manufacture of chipboards
(6) KBr (1/300)
(7) Nicolet FTIR 7199; background corrected

14(851 – 831) 3150

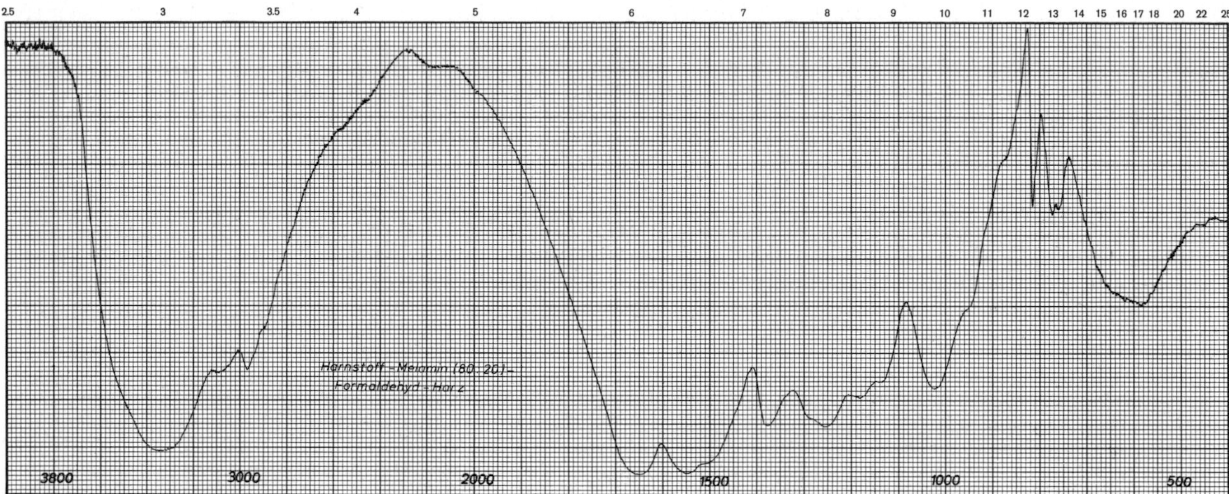

(1) **Harnstoff-Melamin-Formaldehyd-Harz**
(2) Fraunhofer-Institut für Holzforschung, Braunschweig (durch E. Schriever)
(3) nicht modifiziertes HMF-Harz, Harnstoff: Melamin = 80:20
(4) weißes Pulver
(5) für die Herstellung von Spanplatten
(6) KBr (1/350)
(7) Nicolet FTIR 7199; untergrundkorrigiert

(1) **urea-melamine-formaldehyde resin**
(2) Fraunhofer-Institut für Holzforschung, Braunschweig (from E. Schriever)
(3) unmodified UMF resin, urea: melamine = 80:20
(4) white powder
(5) for the manufacture of chipboards
(6) KBr (1/350)
(7) Nicolet FTIR 7199; background corrected

14852 3151

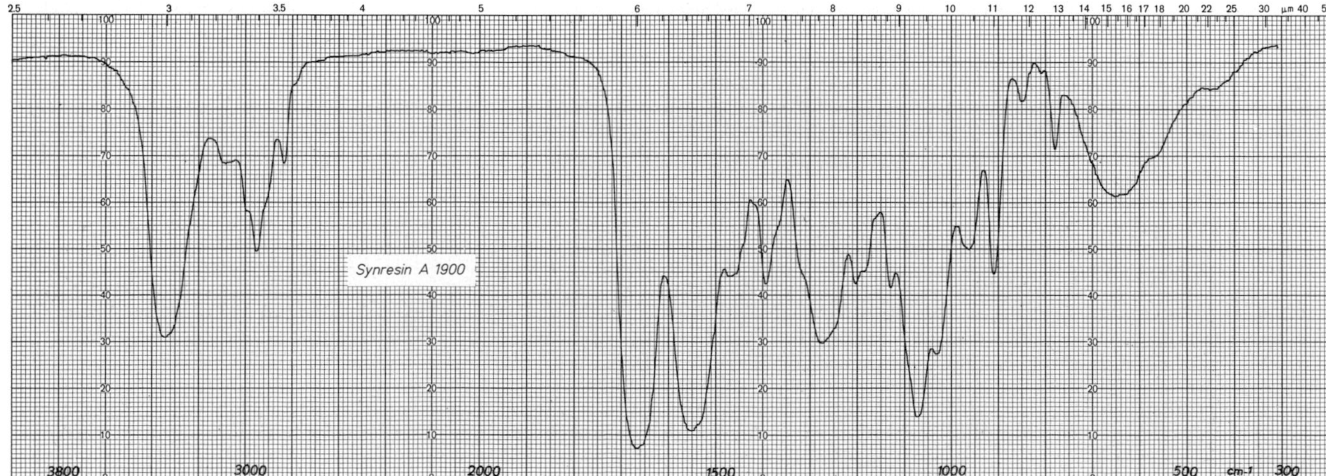

(1) **Synresin A 1900**
(3) mit MTL verethertes („methyliertes") Harnstoff-Formaldehyd-Harz
(4) gelbe, dickflüssige Lösung
(5) für high-solid-Lacke; für wasserverdünnbare und lösemittelhaltige Lacke
(6) Schicht auf CsI

(2) Synres Nederland NV, Hoek van Holland
(3) ("methylated") urea-formaldehyde resin, etherified with methanol
(4) yellow, viscous solution
(5) for high solids finishes; for water-dilutable and solvent-containing finishes
(6) film from CsI

14852 3152

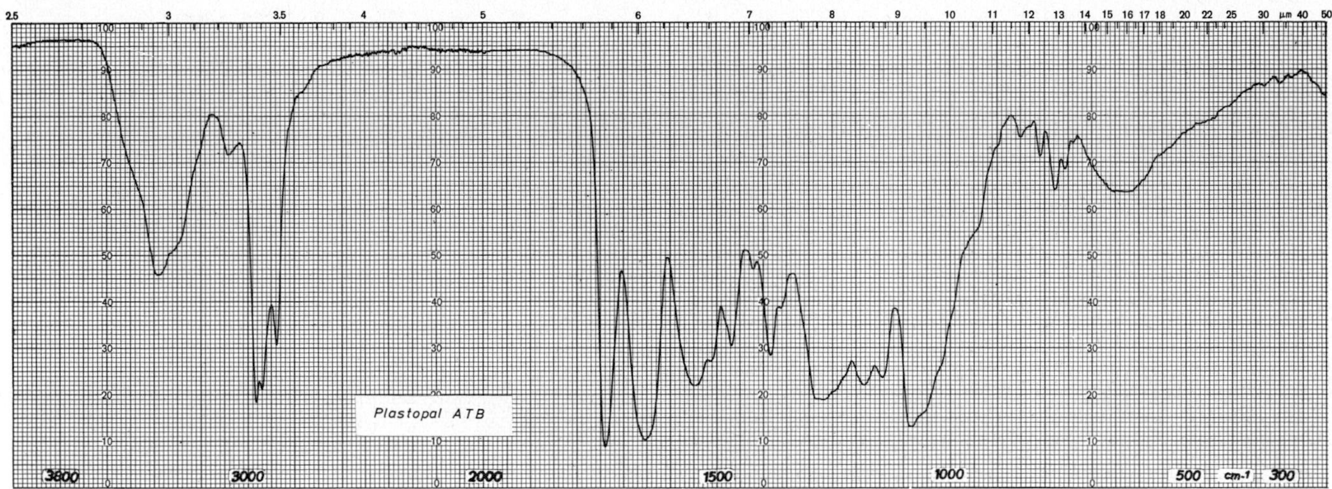

(1) **Plastopal ATB**
(3) mit ETL verethertes Harnstoff-Formaldehyd-Harz
(4) farblose, klare Lösung (60% in BTL)
(5) als Selbstbindemittel für elastische, nicht vergilbte Einbrennlacke und säurehärtende Lacke; in Kombination mit Cellulosenitrat zur Herstellung von lufttrocknenden Metall- und Holzlacken
(6) Schicht auf CsI

(2) BASF AG, Ludwigshafen
(3) urea-formaldehyde resin etherified with ethanol
(4) clear, colorless solution (60% in ETL)
(5) as self-binder for elastic, nonyellowing stove enamels and acid-curing finishes; in combination with cellulose nitrate for the manufacture of air-drying metal and timber varnishes
(6) film on CsI

14852 3153

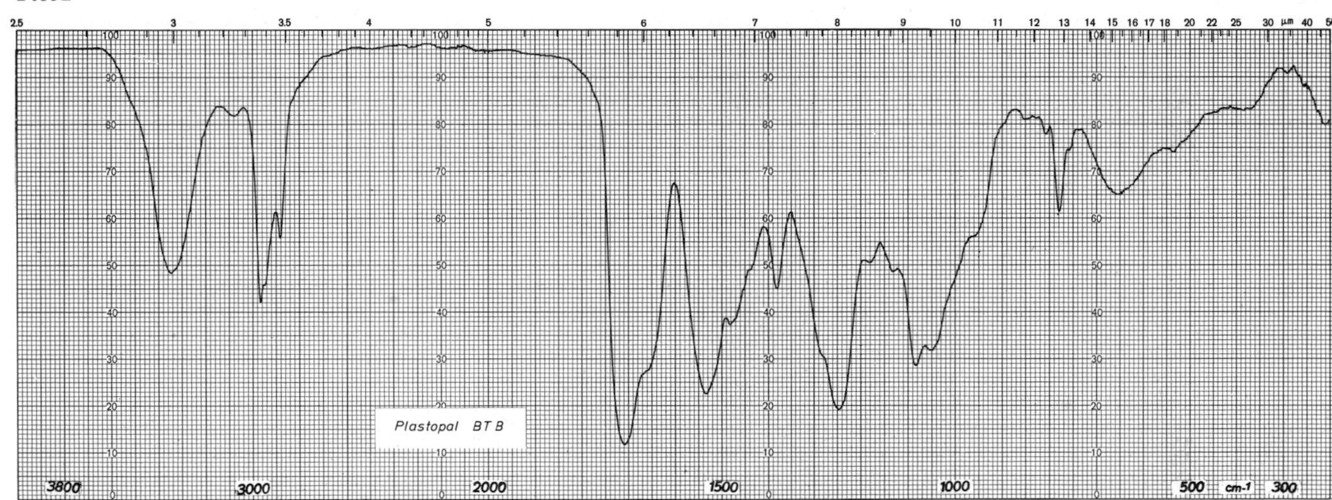

(1) **Plastopal BTB**
(3) mit ETL verethertes Harnstoff-Formaldehyd-Harz
(4) farblose, klare Lösung
(5) für dauerelastische, lichtbeständige SH-Lacke, abriebfeste Parkettlackierungen, Reaktionsprimer und elastische Emballagen- und Silberlacke
(6) Schicht auf CsI

(2) BASF AG, Leverkusen
(3) urea-formaldehyde resin etherified with ethanol
(4) clear, colorless solution
(5) for permanently elastic, light-resistant, acid-curing finishes, abrasion-resistant parquet sealers, reaction primers and elastic packaging and silvering lacquers
(6) film on CsI

14852 3154

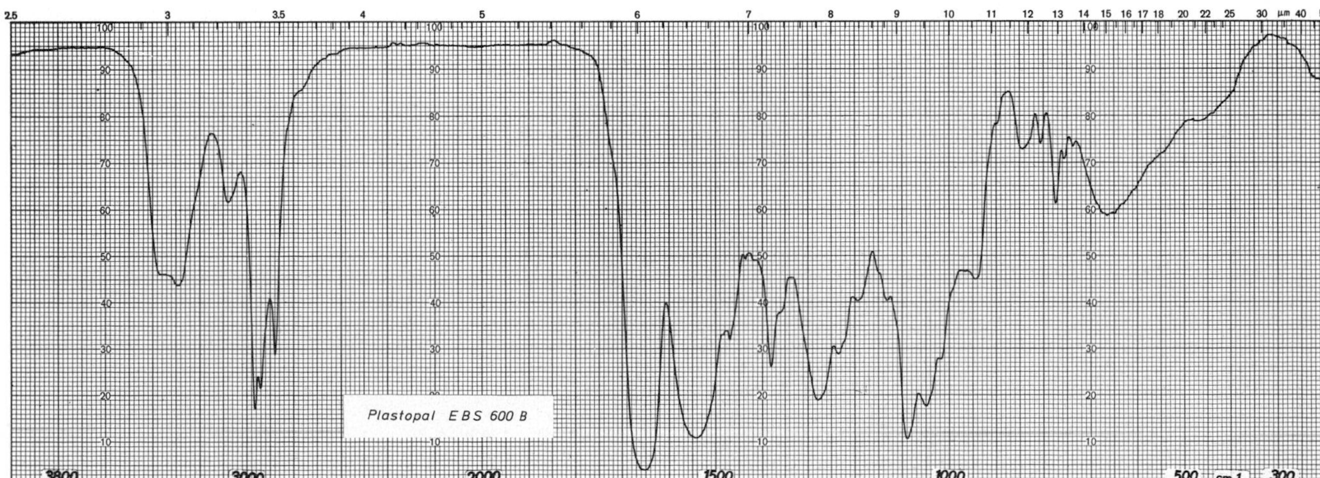

(1) **Plastopal EBS 600 B**
(3) mit ETL verethertes Harnstoff-Formaldehyd-Harz
(4) farblose, klare Lösung
(5) für Einbrennlacke oder säurehärtende Lacke, in Kombination mit ölhaltigen Alkydharzen oder Cellulosenitrat
(6) Schicht auf CsI

(2) BASF AG, Ludwigshafen
(3) urea formaldehyde resin etherified with ethanol
(4) clear, colorless solution
(5) in combination with oil-containing alkyd resins or cellulose nitrate for stove enamels or acid-curing finishes
(6) film on CsI

14853 3155

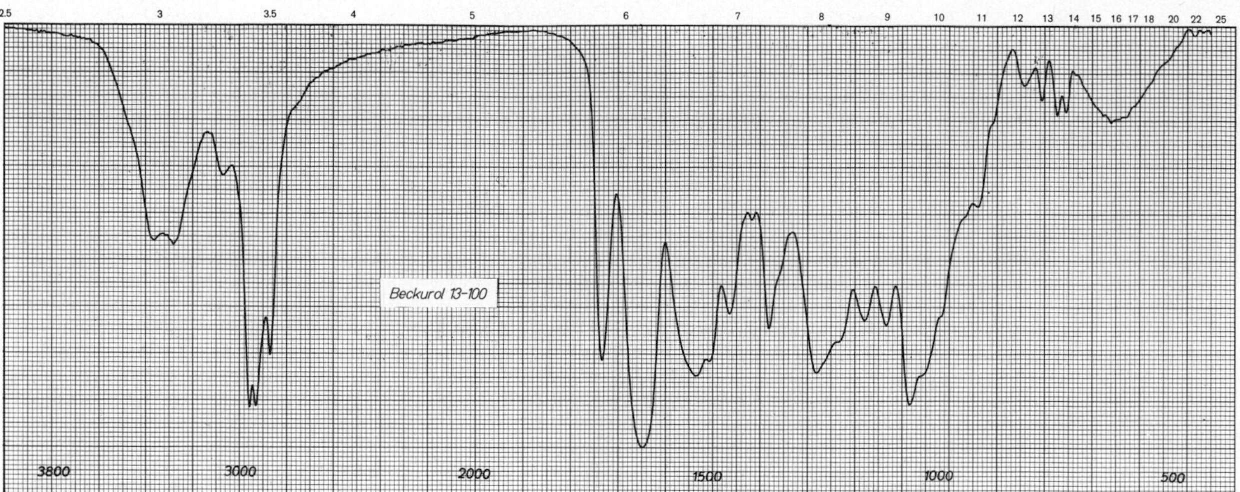

(1) **Beckurol 13-100**
(3) polyesterplastifiziertes Harnstoffharz, 60%
(4) hellgelbe, zähflüssige Lösung
(5) für säurehärtende Holzlacke und Einbrennlackierungen, Spezialharz in Cellulosenitrat-Polierlacken
(6) Film auf CsI
(7) Nicolet FTIR 7199

(2) Hoechst AG/Reichhold Chemie, Hamburg
(3) urea resin, plasticized with polyester, 60%
(4) pale yellow, viscous solution
(5) for acid-curing timber finishes and stove enamels, special resin for cellulose nitrate polish lacquers
(6) film on CsI
(7) Nicolet FTIR 7199

14853 3156

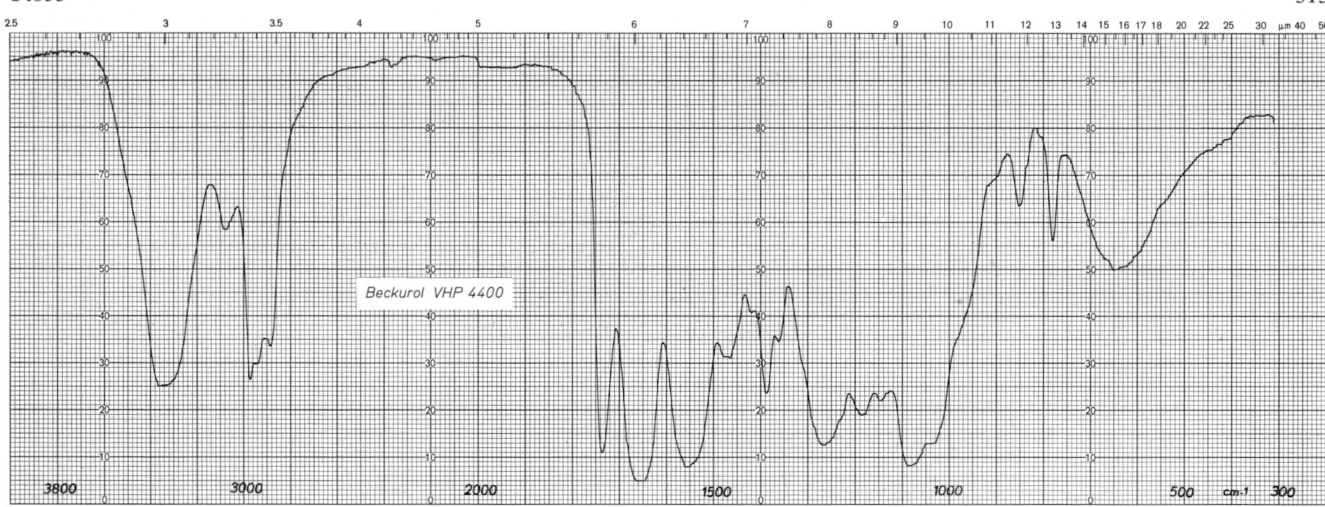

(1) **Beckurol VHP 4400**
(3) säurehärtendes, wasserlösliches, plastifiziertes Harnstoffharz
(4) farblose Lösung (65%)
(5) Zweikomponentensysteme für industrielle Holz- und Spanplattenlackierungen, für Fußbodenversiegelungen
(6) Schicht auf CsI

(2) Hoechst AG, Werk Reichhold, Hamburg
(3) plasticized, water-soluble, acid-curing urea resin
(4) colorless solution (65%)
(5) two-component system for industrial timber and chipboard finishes, for sealing floorboards
(6) film on CsI

14856 3157

Resloom E-50

(1) **Resloom E 50**
(3) Ethylenharnstoff-Formaldehyd-Kondensationsprodukt mit freien Hydroxymethylgruppen
(4) klare Flüssigkeit
(5) zur Ausrüstung von Textilien
(6) getrocknete Schicht auf KRS-5
(7) PE 580 B, FLAT, ABEX 1.06

(2) Monsanto Chem. Comp./W. Köhnk, Hamburg
(3) ethyleneurea-formaldehyde condensation product with free hydroxymethyl groups
(4) clear liquid
(5) for fabric sizing
(6) dried film on KRS-5
(7) PE 580 B, FLAT, ABEX 1.06

14857 $C_{24}H_{50}N_4O_6$ *P* 3158

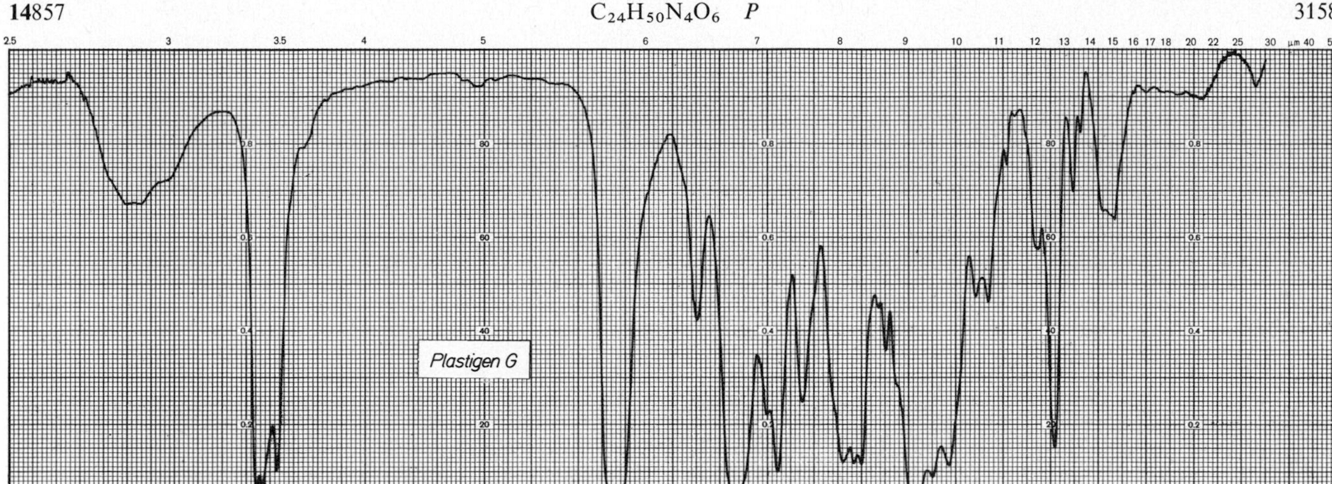

(1) **Plastigen G**
(3) Carbamidether, Alkylenharnstoffderivat; 93...96% in BTL
(4) transparentes, leicht gelbliches mittelviskoses Öl
(5) licht- und wetterbeständiges Weichharz für Lacke aller Art, vor allem Cellulosenitrat und Chlorkautschuk
(6) Schicht zwischen CsI
(7) PE 580 B, FLAT, ABEX 1.06

(2) BASF AG, Ludwigshafen
(3) carbamide ether, alkyleneurea derivative, 93...96% in BTL
(4) light yellow, transparent, medium viscous oil
(5) light and weather-resistant, soft resin for all types of lacquers, in particular cellulose nitrate and chlorinated rubber
(6) film between CsI
(7) PE 580 B, FLAT, ABEX 1.06

14861 3159

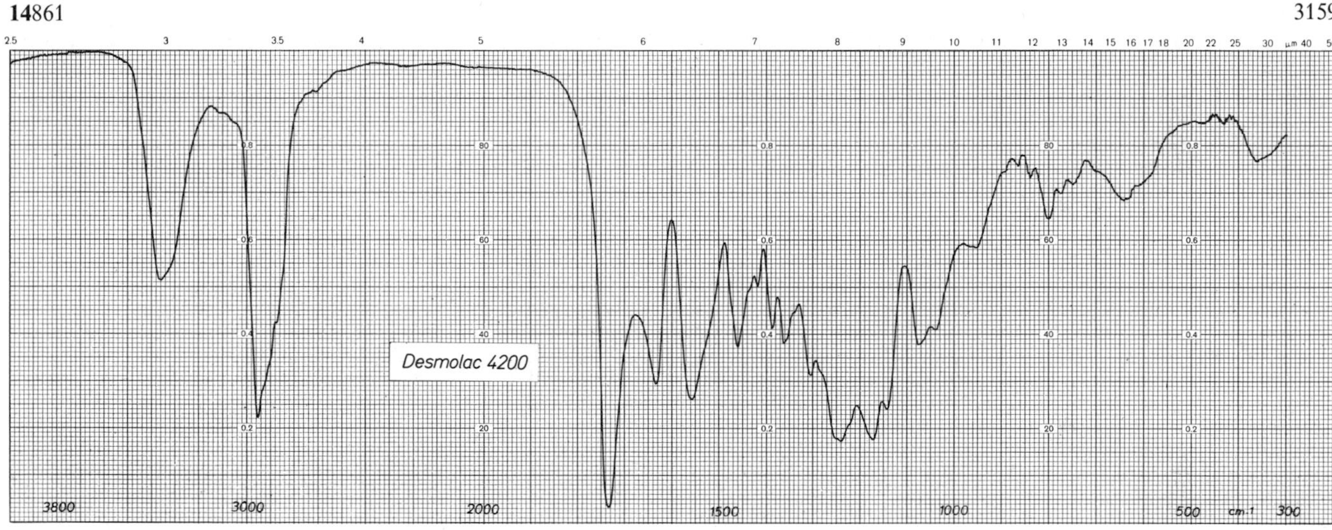

(1) **Desmolac 4200**
(3) lineares, nichtreaktives, aliphatisches Polyurethan
(4) farbloses, durchsichtiges Granulat
(5) Finish auf flexiblen Substraten (Kunstleder, Polyurethan-Integralschaum)
(6) Schicht aus TOL/BTL auf CsI
(7) PE 580 B, ABEX 1.16

(2) Bayer AG, Leverkusen
(3) linear, nonreactive, aliphatic polyurethane
(4) colorless, transparent granules
(5) finish for flexible substrates (artificial leather, integral polyurethane foam)
(6) film from TOL/BTL on CsI
(7) PE 580 B, ABEX 1.16

14862 3160

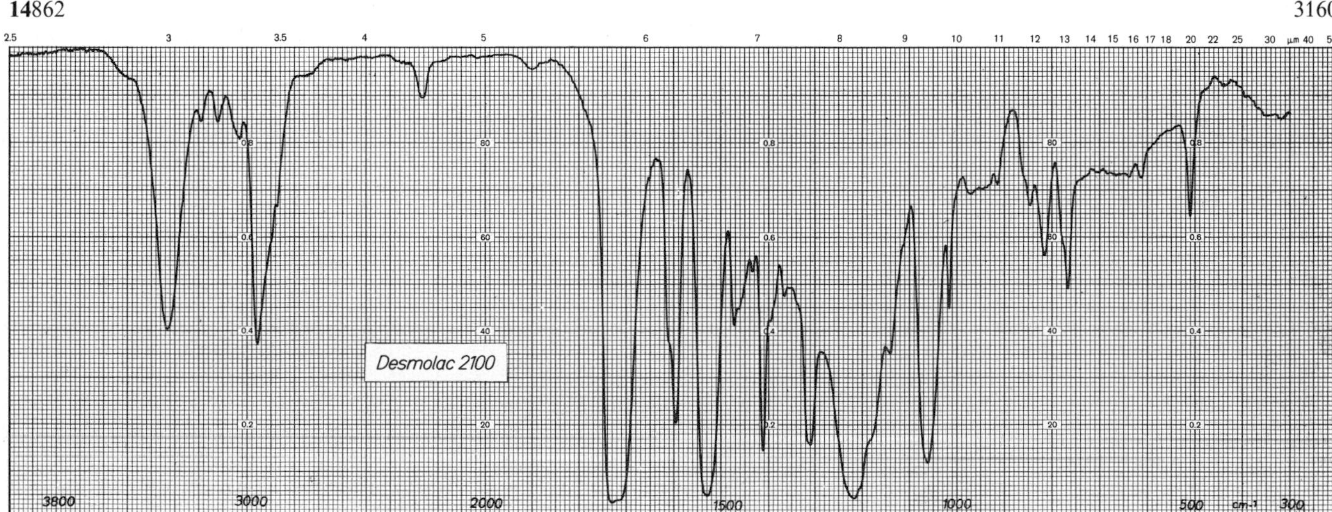

(1) **Desmolac 2100**
(3) aliphatisch-aromatisches, nichtreaktives, lineares Polyurethan auf Basis Diisocyanatodiphenylmethan
(4) leicht gelbliches, transparentes Granulat
(5) schnell trocknendes Finish auf flexiblen Substraten
(6) Schmelzfilm (etwa 10 μm)
(7) PE 580 B, ABEX 1.50

(2) Bayer AG, Leverkusen
(3) aliphatic-aromatic, nonreactive, linear polyurethane based on diisocyanato diphenylmethane
(4) pale yellow, transparent granules
(5) quick-drying finishes on flexible substrates
(6) film from the melt (ca. 10 μm)
(7) PE 580 B, ABEX 1.50

14863 3161

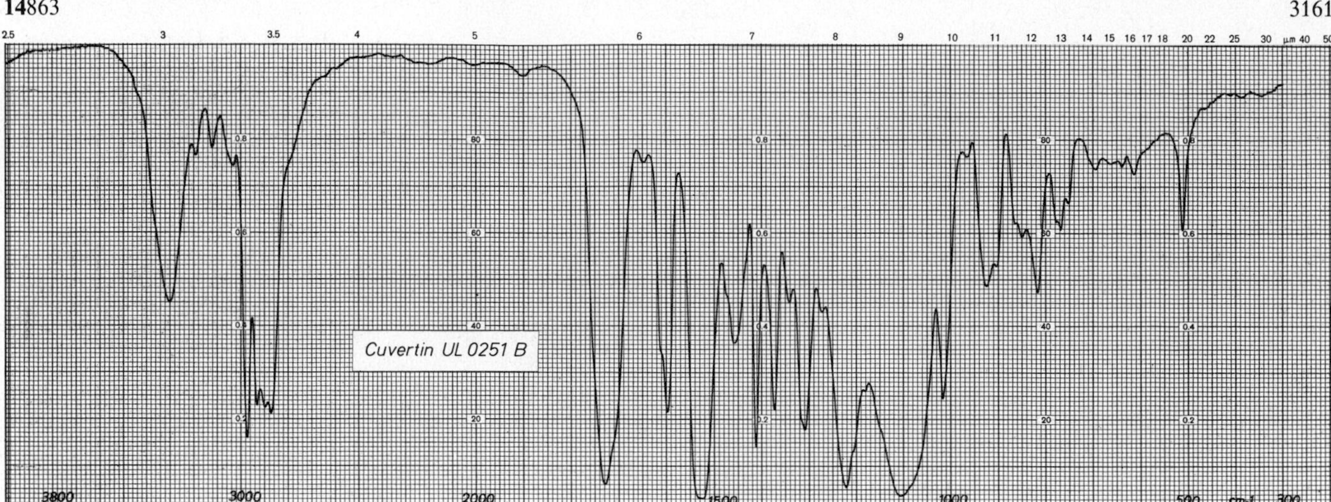

(1) **Cuvertin UL 0251 B**
(3) Polyetherurethan auf Basis Diisocyanatodiphenylmethan und Poly(oxypropylen)
(4) farblose, etwas trübe, viskose Lösung (33...37%)
(5) feuchtigkeitshärtender Einkomponentenlack für Stiefellackierungen in kontinuierlichem Tauchauftrag
(6) Schicht auf CsI, 15 h bei 50 °C i.V. getrocknet
(7) PE 580 B, ABEX 1.23

(2) Henkel, Düsseldorf
(3) poly(ether urethane) based on diisocyanato diphenylmethane and polyoxypropylene
(4) colorless, somewhat turbid, viscous solution (33...37%)
(5) moisture-curing, single-component finish for coating boots in the continous dipping process
(6) film on CsI, dried at 50 °C for 15 h, in vacuo
(7) PE 580 B, ABEX 1.23

14863 3162

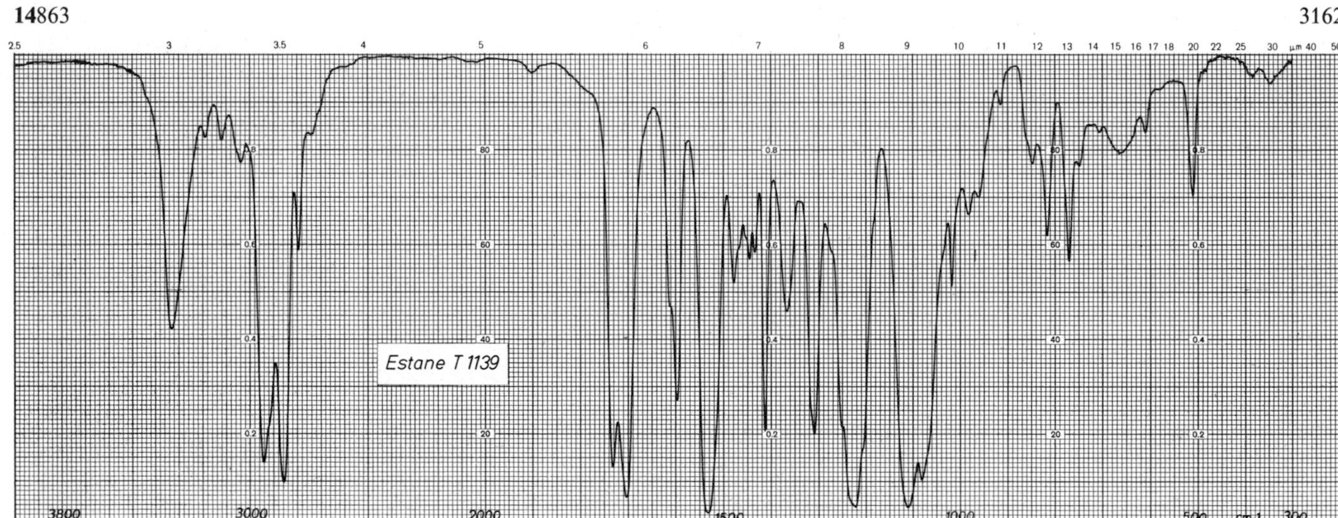

(1) **Estane T 1139**
(3) Polyetherurethan auf Basis Diisocyanatodiphenylmethan und Poly(oxytetramethylen)
(4) zäh-harte, farblose Stückchen
(5) für die Beschichtung von Geweben (Polsterungen, Bekleidung)
(6) Film aus DMF auf CsI

(2) B.F. Goodrich Chem. Comp., Akron, O.
(3) poly(ether urethane) based on diisocyanato diphenylmethane and polyoxytetramethylene
(4) tough, colorless pieces
(5) for coating fabrics (upholstery, clothing)
(6) film from DMF on CsI

14863 3163

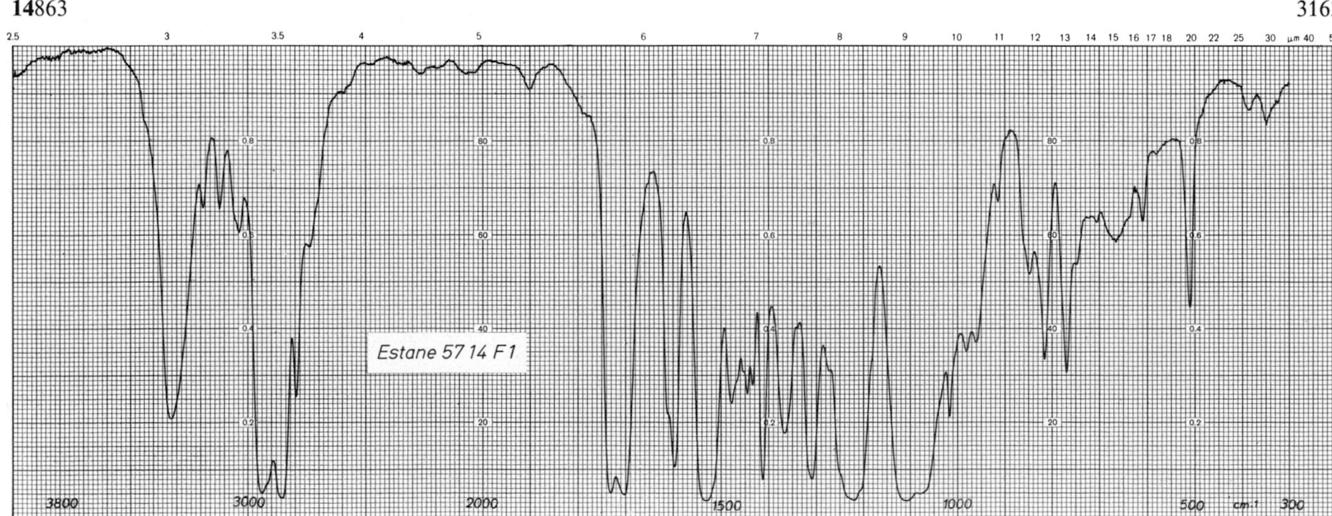

(1) **Estane 5714 F 1**
(3) aliphatisch-aromatisches Polyetherurethan auf Basis Diisocyanatodiphenylmethan und Poly(oxytetramethylen)
(4) farblose Stückchen
(5) für Gewebebeschichtungen und medizinische Anwendungen
(6) aufgeschmolzene Schicht auf CsI
(7) PE 580 B, ABEX 2.0

(2) B.F. Goodrich Chem. Comp., Akron, O.
(3) aliphatic-aromatic poly(ether urethane) based on diisocyanato diphenylmethane and polyoxytetramethylene
(4) colorless pieces
(5) for coating fabrics and for medical applications
(6) film fused on to CsI
(7) PE 580 B, ABEX 2.0

14863 3164

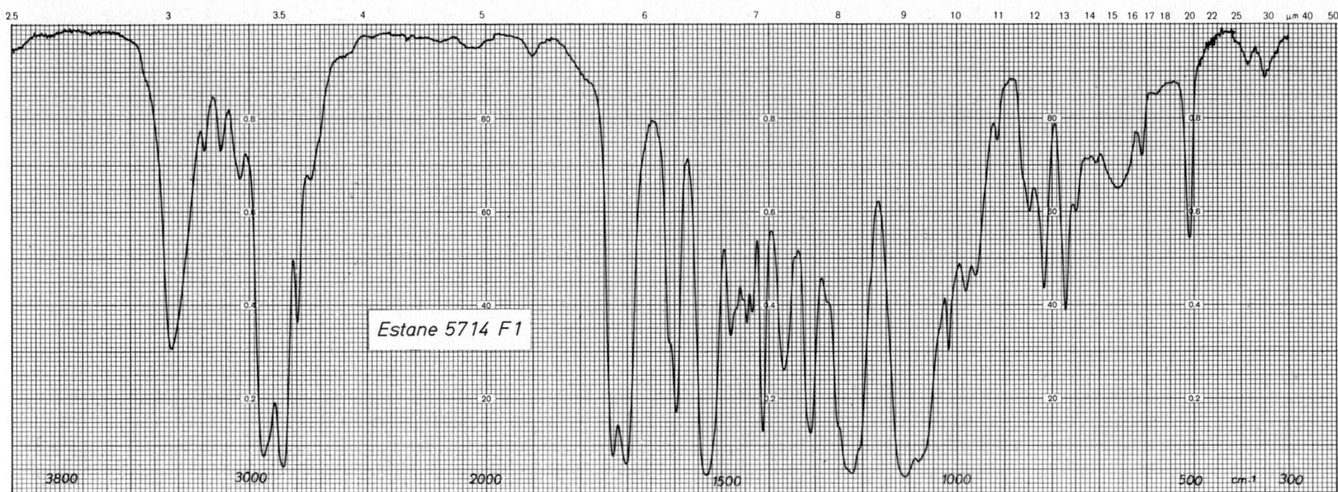

(1) **Estane 5714 F 1**
(3) Polyetherurethan auf Basis Diisocyanatodiphenylmethan und Poly(oxytetramethylen)
(4) farblose Stückchen
(5) für Gewebebeschichtungen und medizinische Anwendungen
(6) klare Schicht aus DMF auf CsI, i.V. getrocknet
(7) PE 580 B, ABEX 1.75

(2) B.F. Goodrich Chem. Comp., Akron, O.
(3) poly(ether urethane) based on diisocyanato diphenylmethane and polyoxytetramethylene
(4) small, colorless pieces
(5) for coating fabric and for medical applications
(6) clear film from DMF on CsI, dried in vacuo
(7) PE 580 B, ABEX 1.75

14864 3165

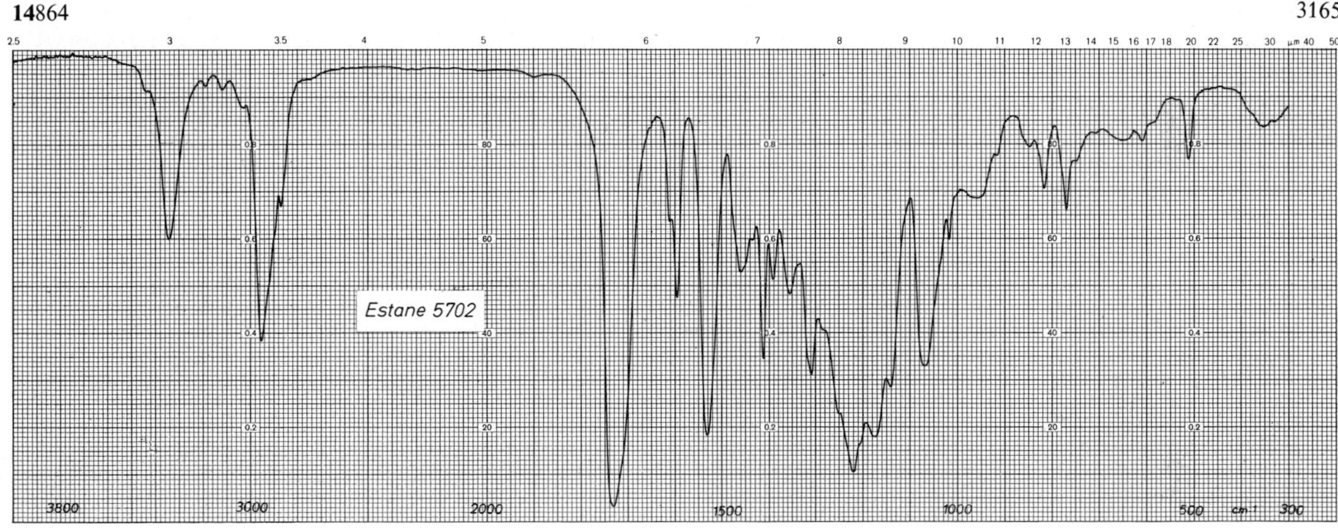

(1) **Estane 5702**
(3) aliphatisch-aromatisches Polyesterurethan auf Basis Diisocyanatodiphenylmethan
(4) zäh-harte, gelbliche Stückchen
(5) Vorstrich für Beschichtungen, zum Verschneiden von Beschichtungen, Kleber
(6) klarer Film aus MEK auf CsI
(7) PE 580 B, ABEX 1.05

(2) B.F. Goodrich Chem. Comp., Akron, O.
(3) aromatic-aliphatic poly(ester urethane) based on diisocyanato diphenylmethane
(4) very tough, yellowish pieces
(5) primer for coatings, for blending with coatings, adhesives
(6) clear film from MEK on CsI
(7) PE 580 B, ABEX 1.05

14864 3166

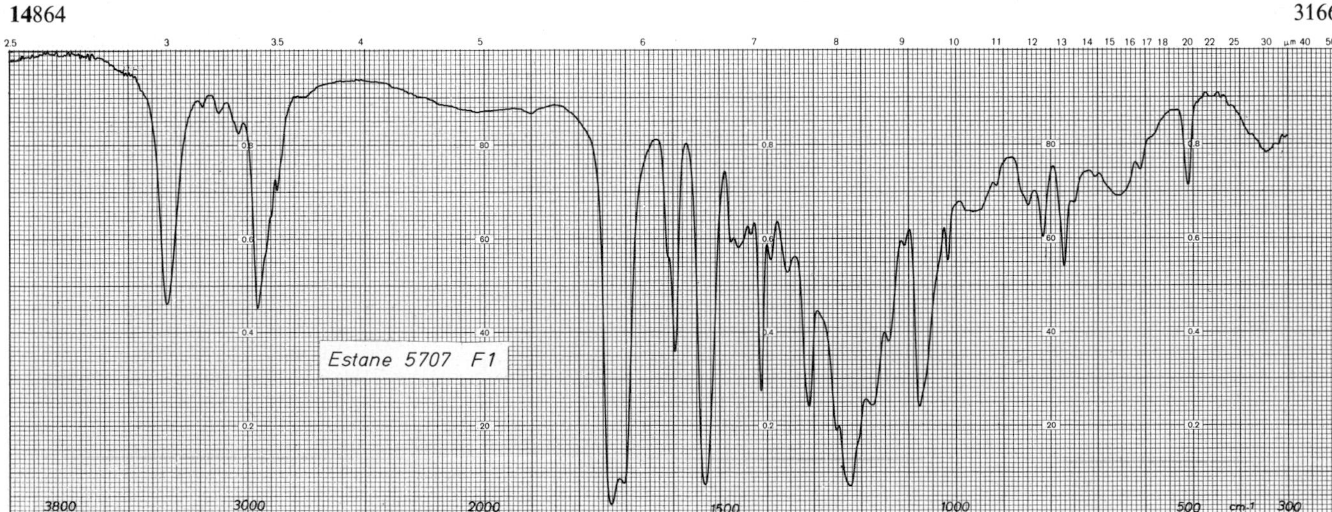

(1) **Estane 5707 F 1**
(3) Polyesterurethan auf Basis Diisocyanatodiphenylmethan
(4) farblose Stückchen
(5) für Gewebebeschichtungen
(6) heißgewalzter Film (40 μm)

(2) B.F. Goodrich Chem. Comp., Akron, O.
(3) poly(ester urethane) based on diisocyanato diphenylmethane
(4) small, colorless pieces
(5) for fabric coatings
(6) hot rolled film (40 μm)

14864 3167

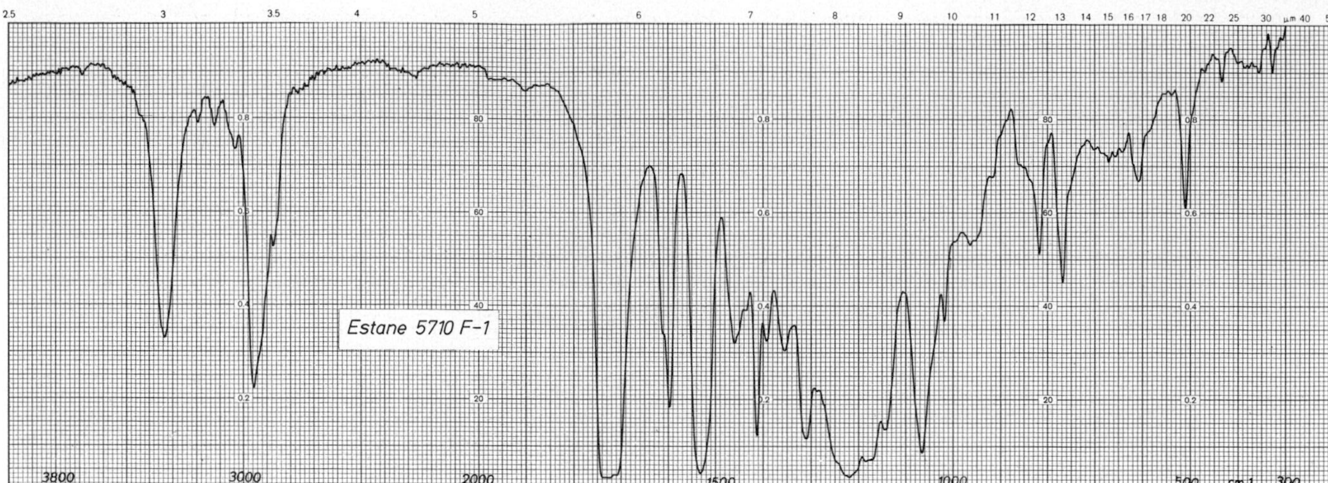

(1) **Estane 5710 F 1**
(3) Polyesterurethan auf Basis Diisocyanatodiphenylmethan
(4) farbloses Granulat
(5) zäh-elastischer, thermoplastischer Kunststoff für Gewebebeschichtungen und Überzüge
(6) freitragender Schmelzfilm

(2) B.F. Goodrich Chem. Comp., Akron, O.
(3) poly(ester urethane) based on diisocyanato diphenylmethane
(4) colorless granules
(5) tough elastic, thermoplastic resin for fabric coatings and finishes
(6) freestanding film from the melt

14864 3168

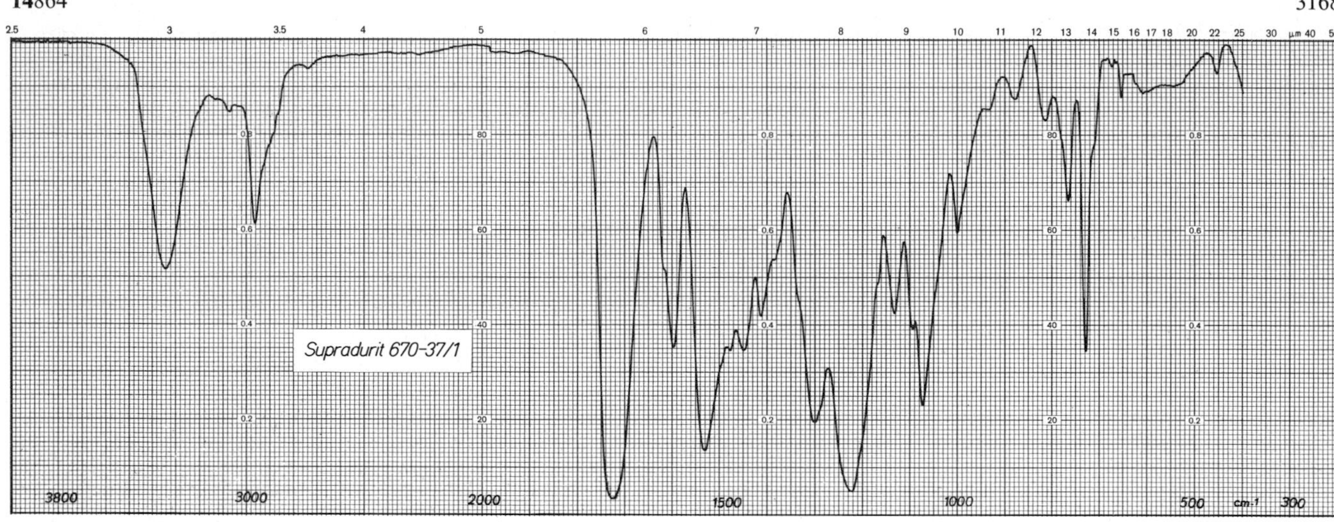

(1) **Supradurit 670-37/1**
(3) Polyesterurethan auf Isophthalsäurebasis
(4) farblose, viskose Flüssigkeit
(5) Drahtlack
(6) Schicht auf KBr, 14 h bei 150 °C getrocknet
(7) PE 580 B, FLAT, ABEX 1.26

(2) BASF Farben + Fasern AG, Beck Elektro-Isoliersysteme, Hamburg
(3) poly(ester urethane) based on isophthalic acid
(4) colorless, viscous liquid
(5) wire lacquer
(6) film on KBr, dried for 14 h at 150 °C
(7) PE 580 B, FLAT, ABEX 1.26

14865 3169

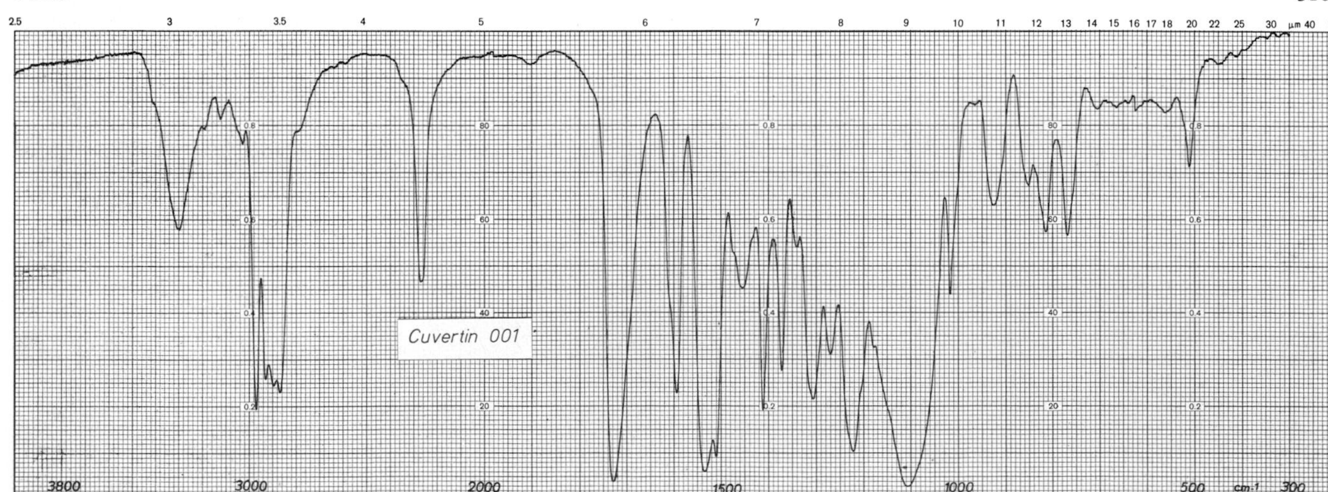

(1) **Cuvertin 001**
(3) Poly(etherurethan)diisocyanat auf Basis Poly(oxypropylen) und Diisocyanatodiphenylmethan
(4) farblose, dickflüssige Lösung (33...37 Gew.%)
(5) feuchtigkeitshärtender Einkomponentenlack für hochelastische Überzüge
(6) Schicht auf CsI, 15 h bei 50 °C i.V. getrocknet
(7) PE 580 B, ABEX 2.2

(2) Henkel, Düsseldorf
(3) poly(ether urethane) based on polyoxypropylene and diisocyanato diphenylmethane
(4) colorless, viscous solution (33...37 wt.%)
(5) moisture-curing, one-component finishes for highly elastic coatings
(6) film on CsI, dried for 15 h at 50 °C, in vacuo
(7) PE 580 B, ABEX 2.2

14865 3170

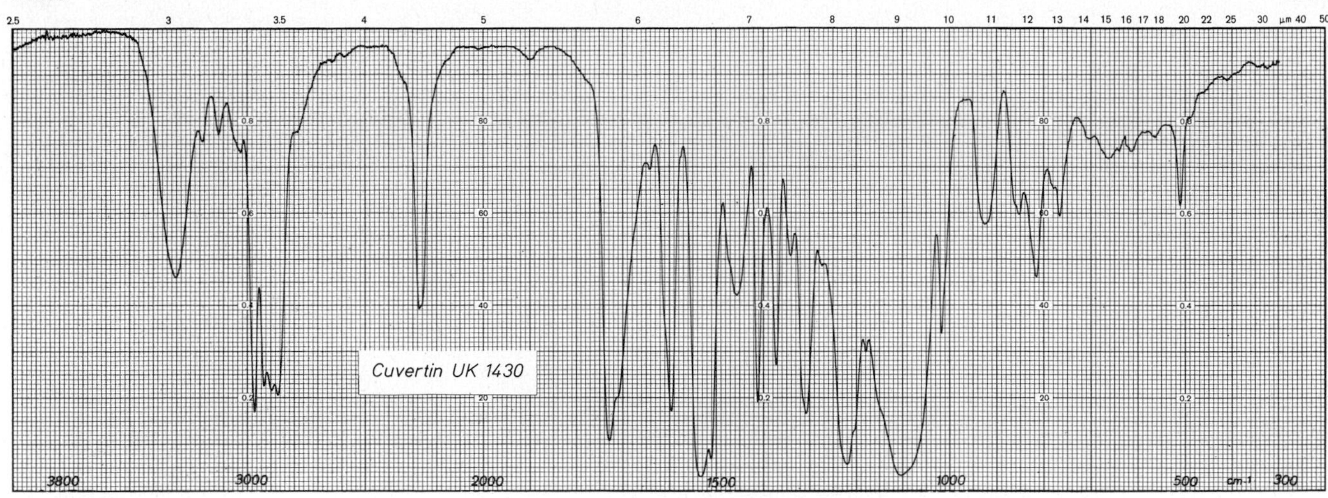

(1) **Cuvertin UK 1430**
(3) Polyetherurethan auf Basis Polyoxypropylen und Diisocyanatodiphenylmethan mit freien NCO-Gruppen
(4) farblose, dickflüssige Lösung (38...42 Gew.% in XYL, TOL oder BAC)
(5) feuchtigkeitshärtender, flexibler, weichmacherfreier Einkomponenten-PU-Klebstoff für die Beflockung von flexiblen Substraten
(6) Schicht auf CsI, 15 h bei 50 °C i.V. getrocknet
(7) PE 580 B, ABEX 2.39

(2) Henkel, Düsseldorf
(3) poly(ether urethane) based on polyoxypropylene and diisocyanato diphenylmethane, with free NCO groups
(4) colorless, viscous solution (38...42 wt.% in XYL, TOL or BAC)
(5) moisture-curing, flexible, plasticizer-free, one-component PU adhesive for coating flexible substrates with flock
(6) film on CsI, dried for 15 h at 50 °C, in vacuo
(7) PE 580 B, ABEX 2.39

14865 3171

Cuvertin UK 1730

(1) **Cuvertin UK 1730**
(3) Polyetherurethan auf Basis Polyoxypropylen und Diisocyanatodiphenylmethan mit freien NCO-Gruppen
(4) mittelviskose, fast klare und farblose Flüssigkeit (68...72 Gew.% in XYL)
(5) feuchtigkeitshärtender, weichmacherfreier, flexibler Einkomponenten-Polyurethanklebstoff für die Beflockung von flexiblen Substraten
(6) Schicht auf CsI, 15 h bei 50 °C i.V. getrocknet
(7) PE 580 B, ABEX 1.36

(2) Henkel, Düsseldorf
(3) poly(ether urethane) based on polyoxypropylene and diisocyanato diphenylmethane, with free NCO groups
(4) medium viscous, almost clear and colorless liquid (68...72 wt.% in XYL)
(5) moisture-curing, flexible, plasticizer-free, one-component polyurethane adhesive for coating flexible substrates with flock
(6) film on CsI, dried for 15 h at 50 °C, in vacuo
(7) PE 580 B, ABEX 1.36

14865 3172

Cuvertin UL 0251

(1) **Cuvertin UL 0251**
(3) Polyetherurethan auf Basis Poly(oxypropylen) und Diisocyanatodiphenylmethan, mit wenigen freien Isocyanatgruppen
(4) farblose, etwas trübe Lösung (68...72 Gew.% in XYL, TOL oder MEK)
(5) hochflexibler Klarlack, vor allem für Stiefel und Folien
(6) Schicht auf CsI, 15 h bei 50 °C i.V. getrocknet
(7) PE 580 B, ABEX 1.67

(2) Henkel, Düsseldorf
(3) poly(ether urethane) based on polyoxypropylene and diisocyanato diphenylmethane with a few free isocyanate residues
(4) colorless, somewhat turbid solution (68...72 wt.% in XYL, TOL, or MEK)
(5) highly flexible, clear lacquer particularly for boots and films
(6) film on CsI, dried for 15 h at 50 °C, in vacuo
(7) PE 580 B, ABEX 1.67

14865 3173

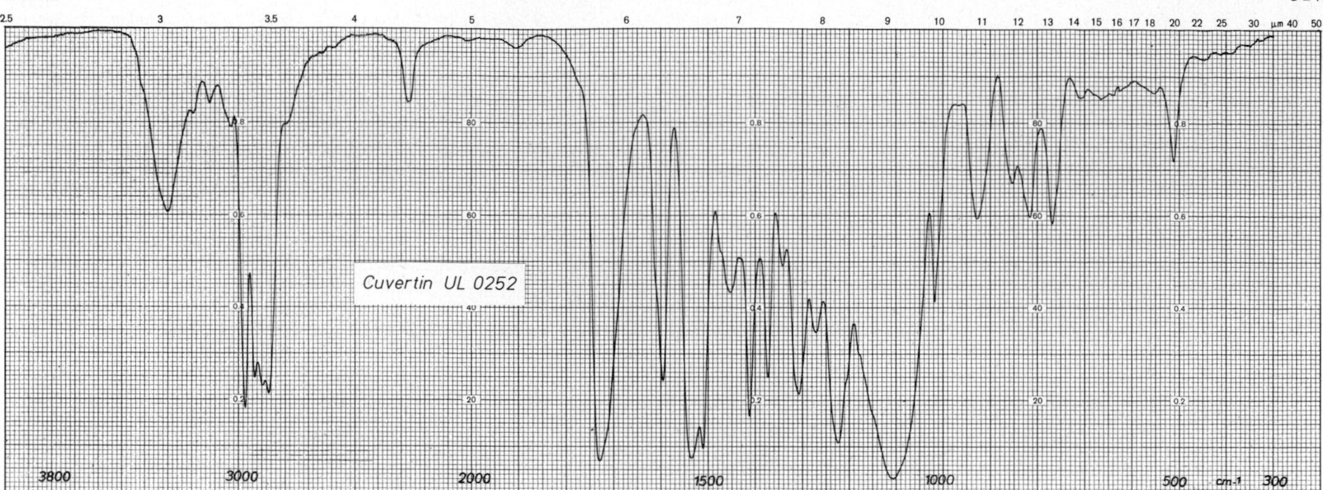

(1) **Cuvertin UL 0252**
(3) Polyetherurethan auf Basis Polyoxypropylen und Diisocyanatodiphenylmethan
(4) farblose Lösung (33...36 Gew.% in XYL, TOL oder MEK)
(5) feuchtigkeitshärtender Einkomponenten-PU-Lack für hochflexible Überzüge (Stiefel, Folien)
(6) Schicht auf CsI 15 h bei 50°C i.V. getrocknet
(7) PE 580 B, ABEX 1.55

(2) Henkel, Düsseldorf
(3) poly(ether urethane) based on polyoxypropylene and diisocyanato diphenylmethane
(4) colorless solution (33...36 wt.% in XYL, TOL or MEK)
(5) moisture-curing, one-component PU lacquer for highly flexible coatings (boots, films)
(6) film on CsI, dried for 15 h at 50°C, in vacuo
(7) PE 580 B, ABEX 1.55

14865 3174

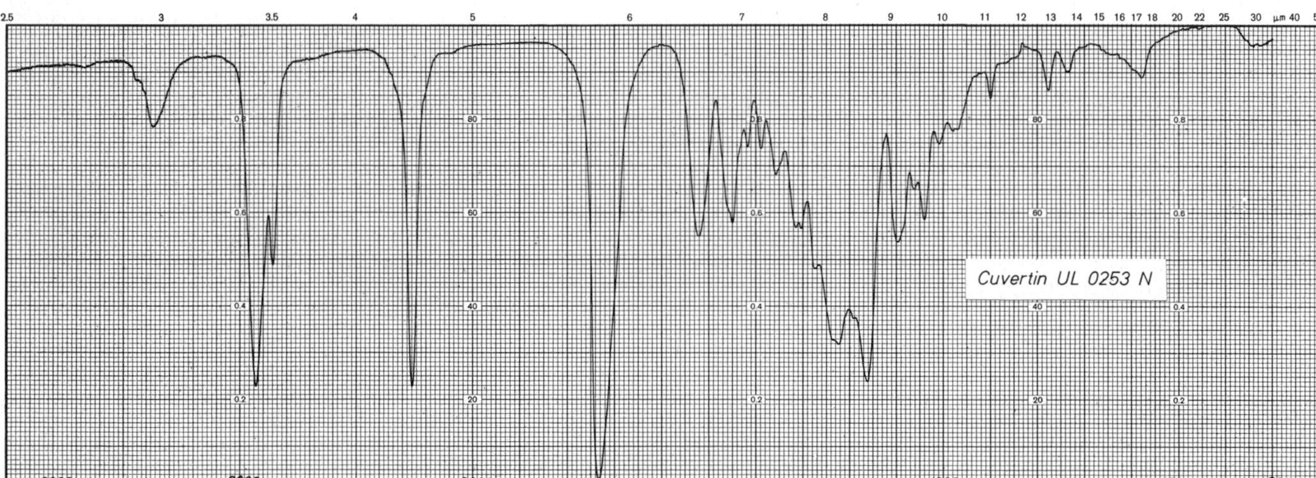

(1) **Cuvertin UL 0253 N**
(3) aliphatisches Polyurethan mit Isocyanatgruppen
(4) fast farblose, schwach viskose Lösung (44...48 Gew.% in XYL od. MEK)
(5) feuchtigkeitshärtender Einkomponenten-PU-Klarlack, besonders für die Lackierung von hochelastischen Substraten (Elastomere und Folien) geeignet
(6) Schicht auf CsI 15 h bei 50°C i.V. getrocknet
(7) PE 580 B, ABEX 1.59

(2) Henkel, Düsseldorf
(3) aliphatic polyurethane with isocyanate residues
(4) slightly viscous, almost colorless solution (44...48 wt.% in XYL or MEK)
(5) moisture-curing, one-component, clear PU lacquer suitable for coating highly elastic substrates (elastomers and films)
(6) film on CsI, dried for 15 h at 50°C, in vacuo
(7) PE 580 B, ABEX 1.59

14865 3175

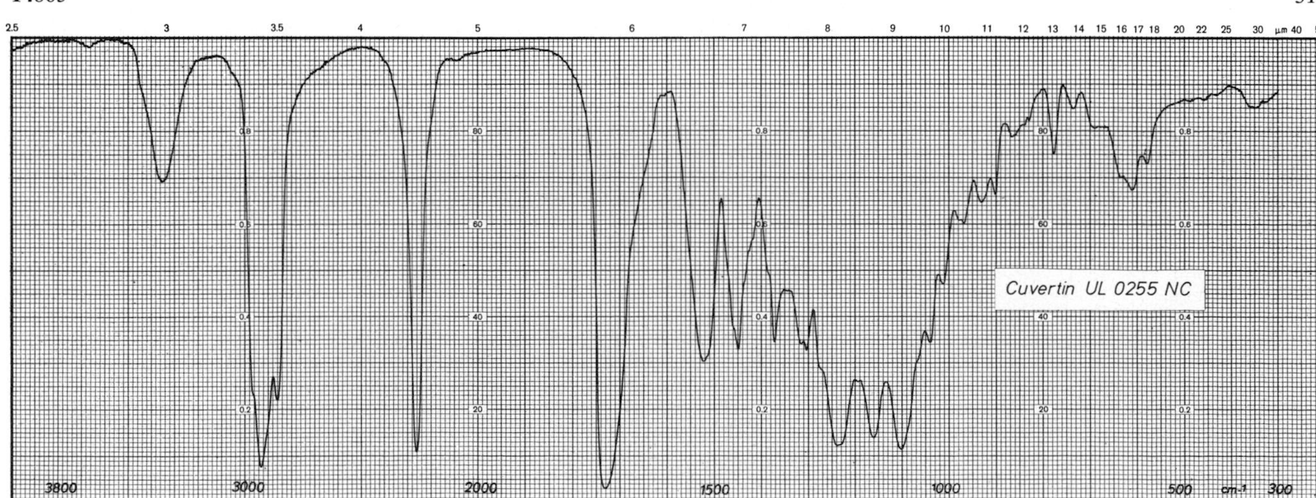

(1) **Cuvertin UL 0255 NC**
(3) aliphatisches Polyurethan mit Isocyanatgruppen
(4) fast farblose, dünnviskose Lösung (42...45 Gew.%)
(5) feuchtigkeitshärtender Weichmacher freier Einkomponenten-Klarlack (Polyurethanlack für lichtstabile, ozon- und chemikalienbeständige, hochflexible Überzüge
(6) Schicht auf CsI, 15 h bei 50°C i.V. getrocknet
(7) PE 580 B, ABEX 1.75

(2) Henkel, Düsseldorf
(3) aliphatic polyurethane with isocyanate residues
(4) slightly viscous, almost colorless solution (42...45 wt.%)
(5) moisture-curing, plasticizer-free, one-component, clear lacquer (polyurethane lacquer for light-stable, ozone and chemical-resistant, highly flexible coatings)
(6) film on CsI, dried for 15 h at 50°C, in vacuo
(7) PE 580 B, ABEX 1.75

14865 3176

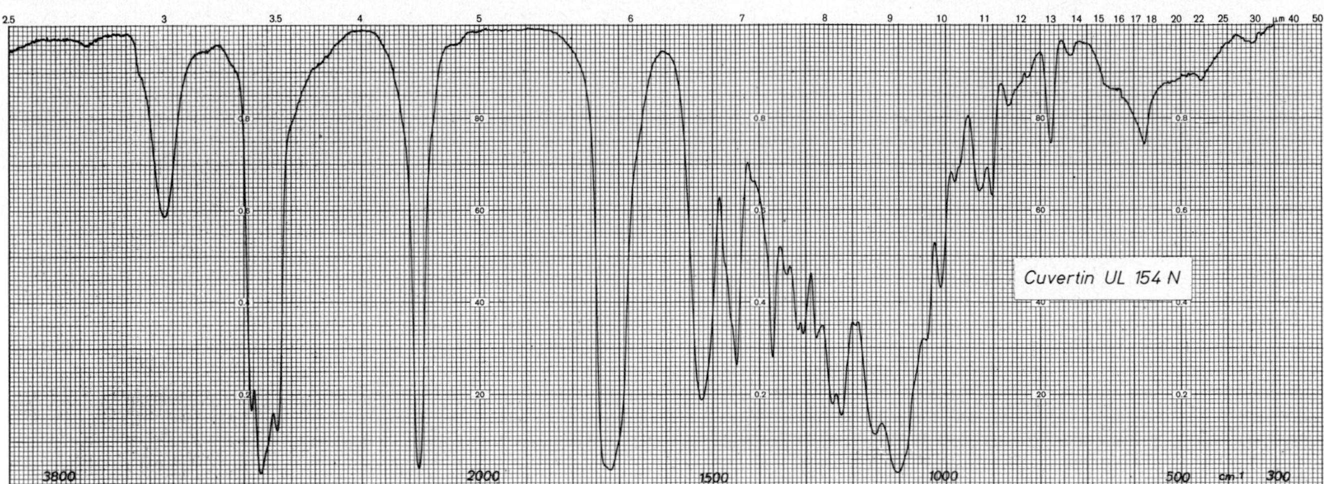

(1) **Cuvertin UL 154 N**
(3) Poly(etherurethan)diisocyanat
(4) farblose, klare Lösung (44...48 Gew.% in XYL oder MEK)
(5) feuchtigkeitshärtender Einkomponenten-PU-Klarlack für hochelastische (Elastomere und Folien) oder weniger flexible Substrate
(6) Schicht auf CsI, 15 h bei 50 °C i.V. getrocknet
(7) PE 580 B, ABEX 2.13

(2) Henkel, Düsseldorf
(3) poly(ether urethane) diisocyanate
(4) clear, colorless solution (44...48 wt.% in XYL or MEK)
(5) moisture-curing, one-component, clear PU lacquer for highly elastic (elastomers and films) or less flexible substrates
(6) film on CsI, dried for 15 h at 50 °C, in vacuo
(7) PE 580 B, ABEX 2.13

14865 3177

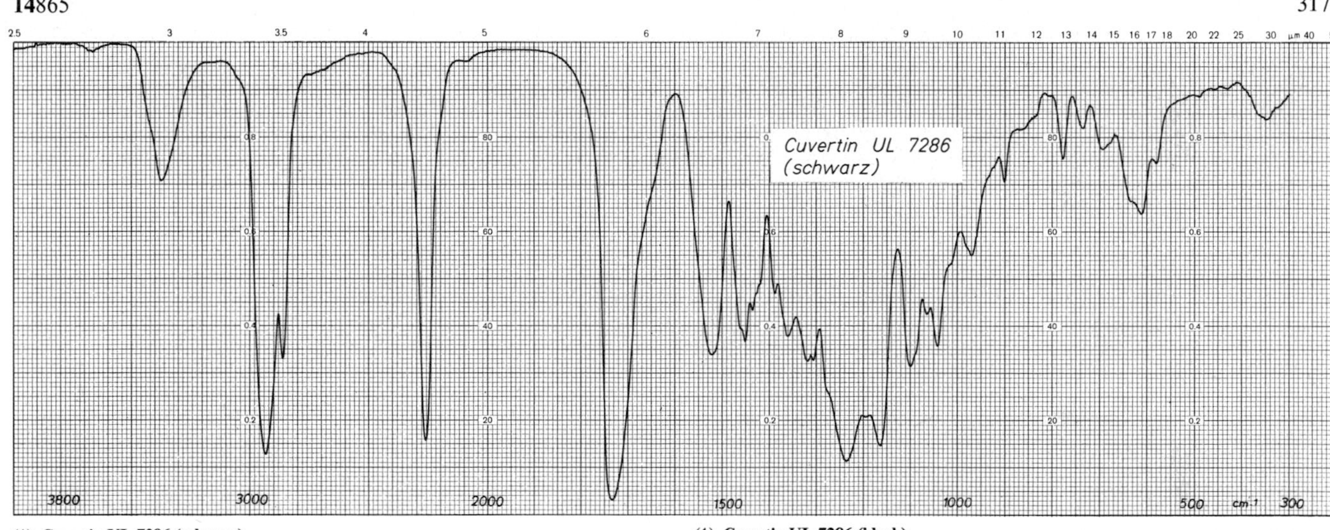

(1) **Cuvertin UL 7286 (schwarz)**
(2) Henkel, Düsseldorf
(3) isocyanatgruppenhaltiges Polyurethan
(4) schwarze, dickflüssige Lösung
(5) für LH-Anstrichstoffe, Zusatz zu Schmelzklebern
(6) mit MTC verdünnt, zentrifugiert, Schicht auf CsI, getrocknet

(1) **Cuvertin UL 7286 (black)**
(3) polyurethane with isocyanate residues
(4) black, viscous solution
(5) for air-drying coatings, additive to melt adhesives
(6) thinned with MTC, centrifuged, dried film on CsI

14865 3178

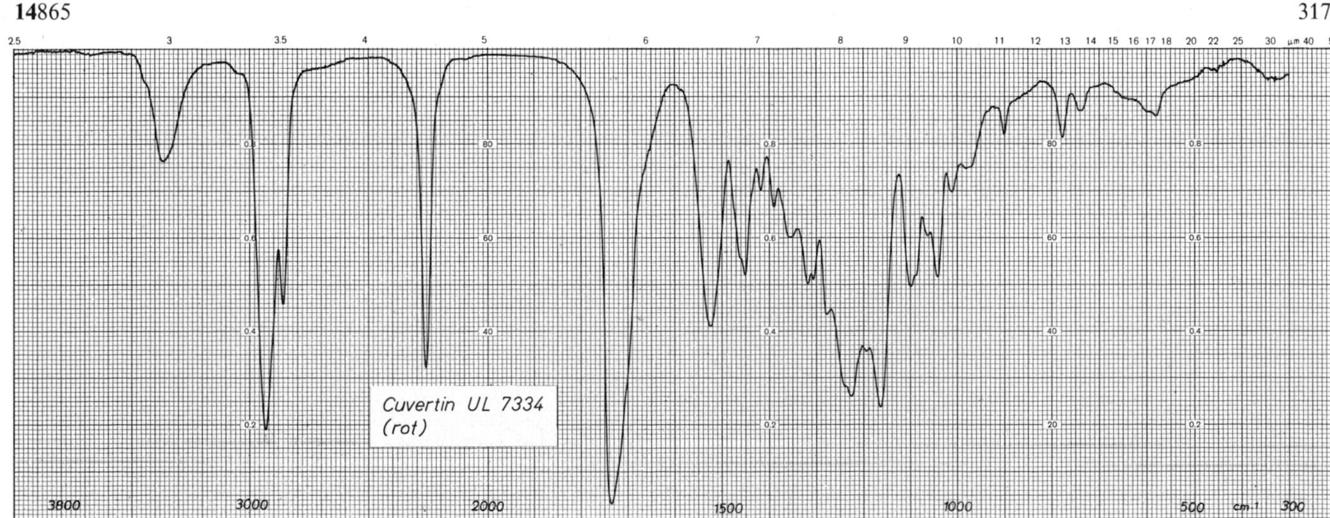

(1) **Cuvertin UL 7334 (rot)**
(2) Henkel, Düsseldorf
(3) isocyanatgruppenhaltiges Polyurethan
(4) rote, dickflüssige Lösung
(5) feuchtigkeitshärtender Einkomponenten-Polyurethanlack für hochelastische Überzüge
(6) mit MTC verdünnt, zentrifugiert, Schicht auf CsI, 20′ bei 80 °C und 10′ bei 100 °C getrocknet
(7) PE 580 B, ABEX 1.31

(1) **Cuvertin UL 7334 (red)**
(3) polyurethane with isocyanate residues
(4) red, viscous solution
(5) moisture-drying, one-component polyurethane lacquer for highly elastic coatings
(6) diluted with MTC, centrifuged, film on CsI, dried 20 min at 80 °C and 10 min at 100 °C
(7) PE 580 B, ABEX 1.31

14865 3179

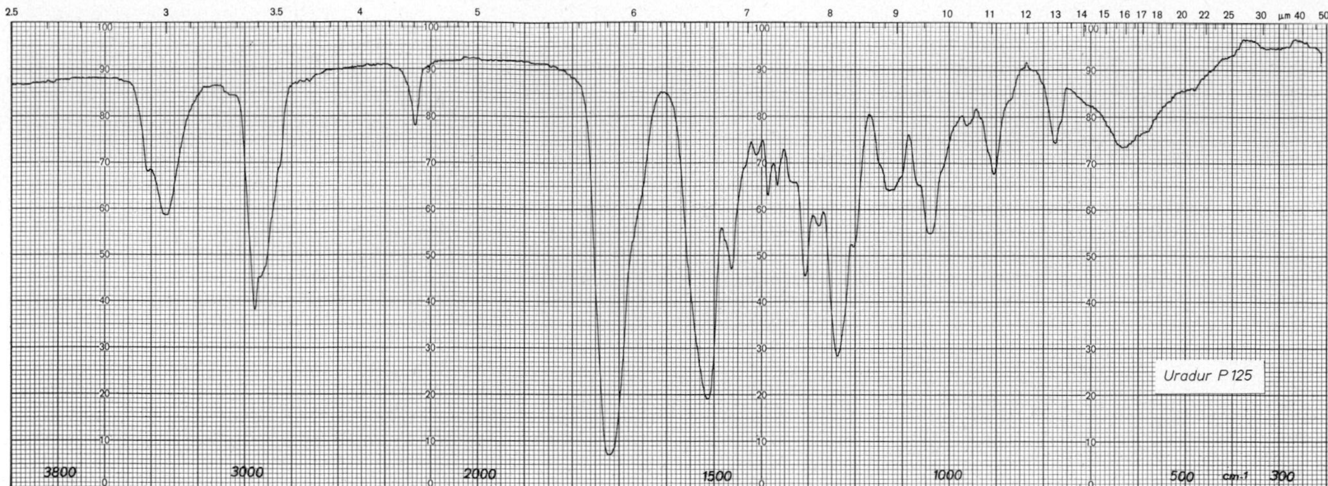

(1) **Uradur P 125**
(3) polyfunktionelles, aliphatisches, isocyanatgruppenhaltiges Polyurethan
(4) leicht bräunliche, hochviskose Lösung
(5) in Verbindung mit hydroxidgruppenhaltigen, gesättigten Polyestern und Alkydharzen für schnelltrocknende, wetterbeständige Zweikomponentenlacke
(6) Schicht auf CsI

(2) Scado B.V., Zwolle, NL
(3) polyfunctional, aliphatic polyurethane with isocyanate residues
(4) slightly brownish, highly viscous solution
(5) in combination with saturated polyesters and alkyd resins which contain hydroxyl residues for quick-drying, weather-resistant, two-component finishes
(6) film on CsI

14866 3180

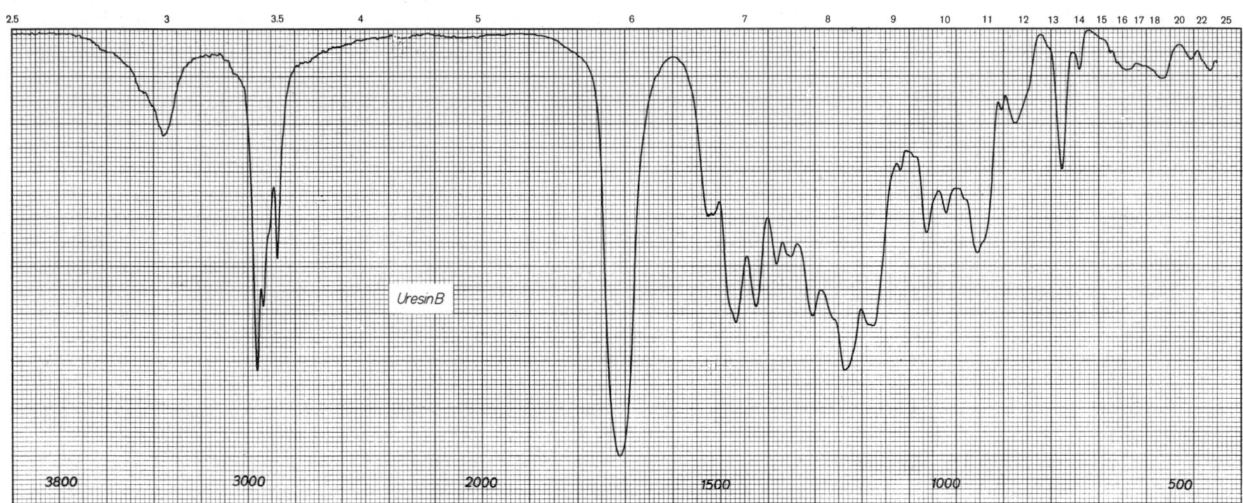

(1) **Uresin B**
(3) Butylurethan-Formaldehyd-Harz
(4) farblose, klare, viskose Flüssigkeit
(5) Weichharz für Cellulosenitrat und Alkydlacke
(6) Film auf CsI
(7) Nicolet FTIR 7199

(2) BASF AG, Ludwigshafen
(3) butyl urethane-formaldehyde resin
(4) clear, colorless, viscous solution
(5) soft resin for nitrocellulose and alkyd finishes
(6) film on CsI
(7) Nicolet FTIR 7199

14871 $C_{22}H_{14}N_2O_7$ *P* 3181

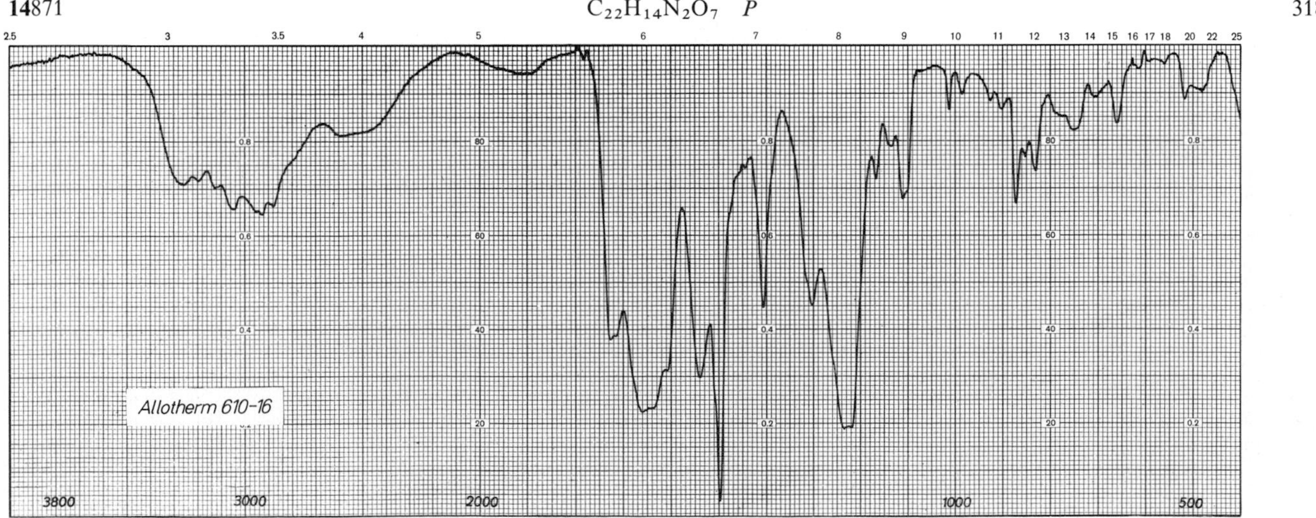

(1) **Allotherm 610-16**
(3) Polyamidocarbonsäure auf Basis Pyromellitsäureanhydrid und Diaminodiphenylether
(4) dunkelbraune, viskose Flüssigkeit
(5) Polyimid-Drahtlack
(6) Schicht auf KBr, bei 50 °C i.V. getrocknet; 14 h bei 150 °C gehärtet
(7) PE 580 B, FLAT, ABEX; Differenzspektrum „getrocknete minus gehärtete Probe“

(2) BASF Farben + Fasern AG, Beck Elektroisolier-System, Hamburg
(3) polyamidocarboxylic acid based on pyromellitic dianhydride and diaminodiphenyl ether
(4) dark brown, viscous liquid
(5) polyimide wire varnish
(6) film on KBr, dried at 50 °C, in vacuo; cured for 14 h at 150 °C
(7) PE 580 B, FLAT, ABEX; difference spectrum “dried minus cured sample”

14871 3182

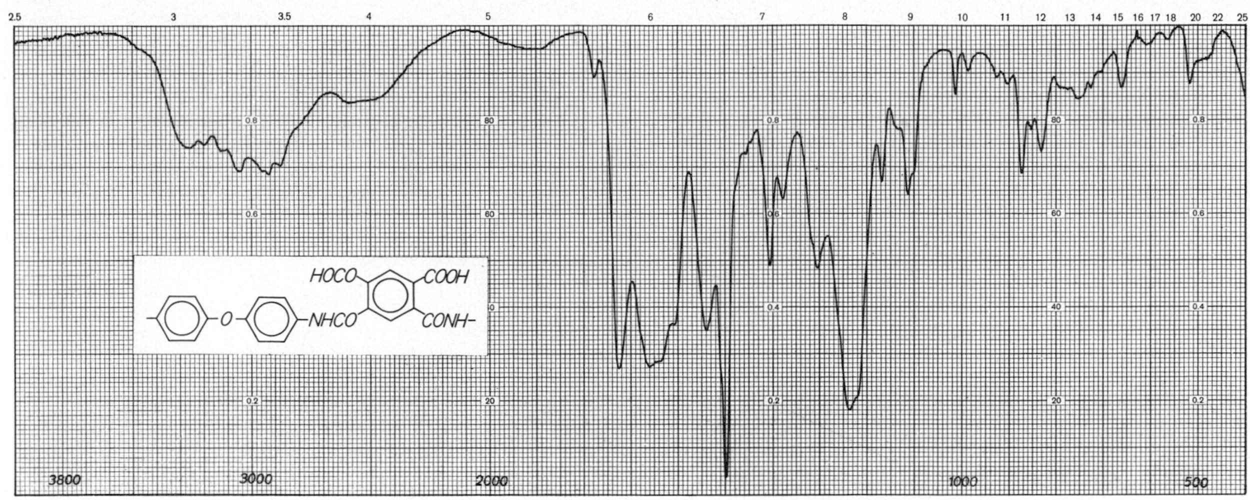

(1) **Allotherm 610-16**
(2) BASF Farben + Fasern AG, Beck Elektroisolier-System, Hamburg
(3) Polyamidocarbonsäure auf Basis Pyromellitsäuredianhydrid und Diaminodiphenylether, teilweise cyclisiert
(3) polyamidocarboxylic acid based on pyromellitic dianhydride and diaminodiphenyl ether, partially cyclized
(4) dunkelbraune, viskose Flüssigkeit
(4) dark brown, viscous liquid
(5) Polyimid-Drahtlack
(5) polyimide wire varnish
(6) Schicht auf KBr, bei 50 °C i.V. getrocknet
(6) film on KBr, dried at 50 °C, in vacuo
(7) PE 580 B, FLAT, ABEX 1.64

14871 $C_{22}H_{10}N_2O_5P$ 3183

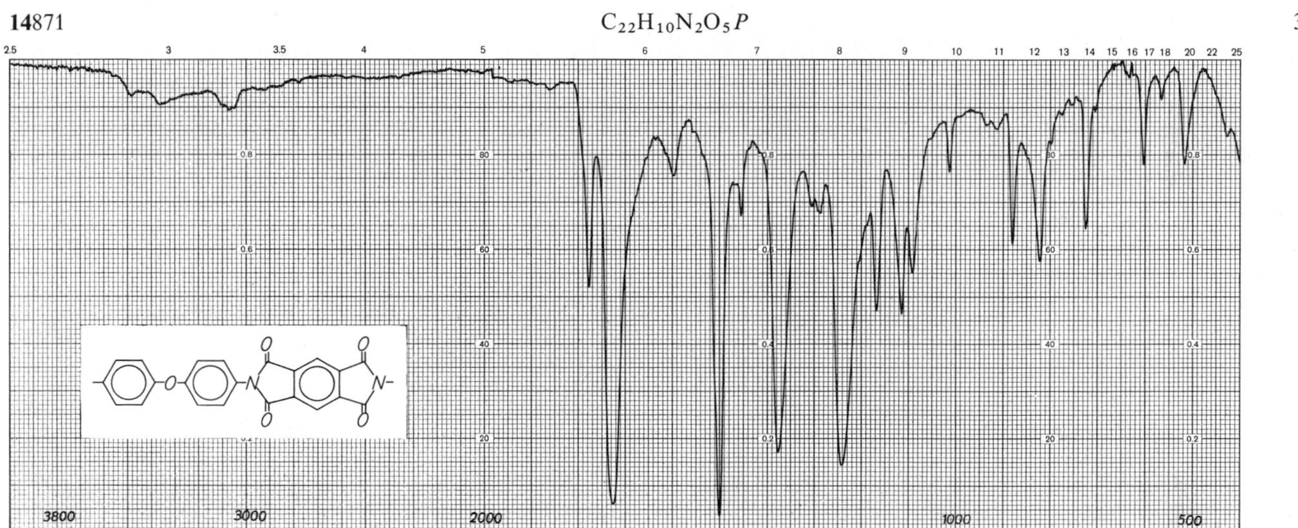

(1) **Allotherm 610-16**
(2) BASF Farben + Fasern AG, Beck Elektroisolier-System, Hamburg
(3) Polyimid auf Basis Pyromellitsäuredianhydrid und Diaminodiphenylether
(3) polyimide based on pyromellitic dianhydride and diaminodiphenyl ether
(4) dunkelbraune, viskose Flüssigkeit
(4) dark brown, viscous liquid
(5) Polyimid-Drahtlack
(5) polyimide wire varnish
(6) 14 h bei 150 °C gehärtet
(6) cured for 14 h at 150 °C
(7) PE 580 B, FLAT, ABEX 1.96

14872 3184

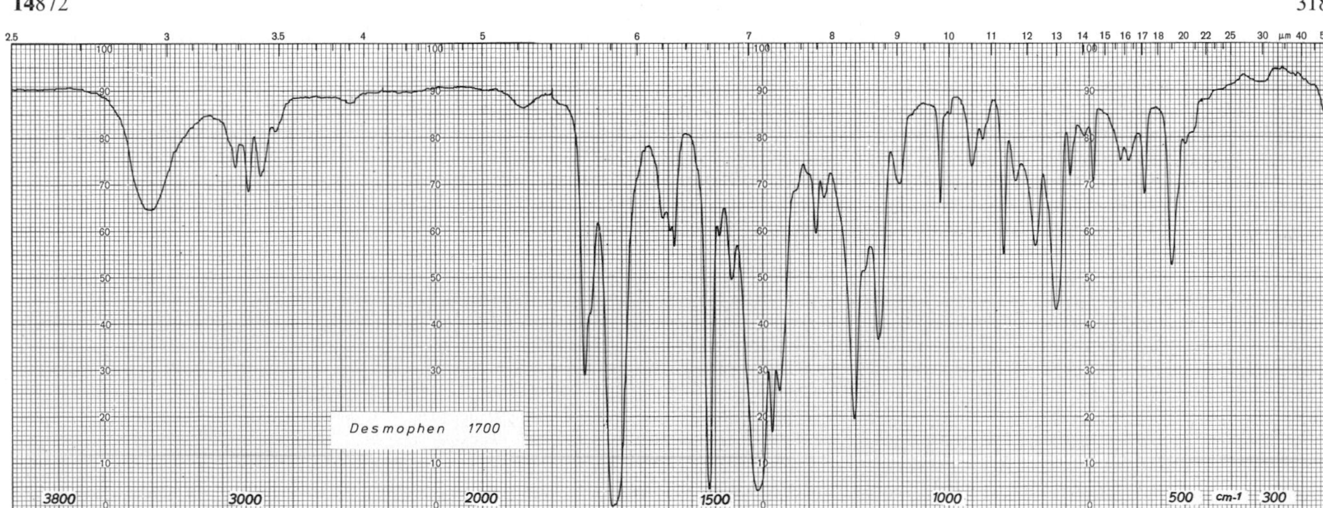

(1) **Desmophen 1700**
(2) Bayer AG, Leverkusen
(3) linearer, aliphatisch-aromatischer, hydroxyl- und (vermutlich) imidgruppenhaltiger Polyester
(3) linear, aliphatic-aromatic polyester, with hydroxyl and (probably) imide residues
(4) schwach gelbliche, zähe Flüssigkeit
(4) pale yellowish, viscous liquid
(5) zur Elastifizierung von Desmodur-Desmophen-Kombinationen
(5) for elasticizing Desmodur-Desmophen combinations
(6) Schicht auf CsI
(6) film on CsI

14872 3185

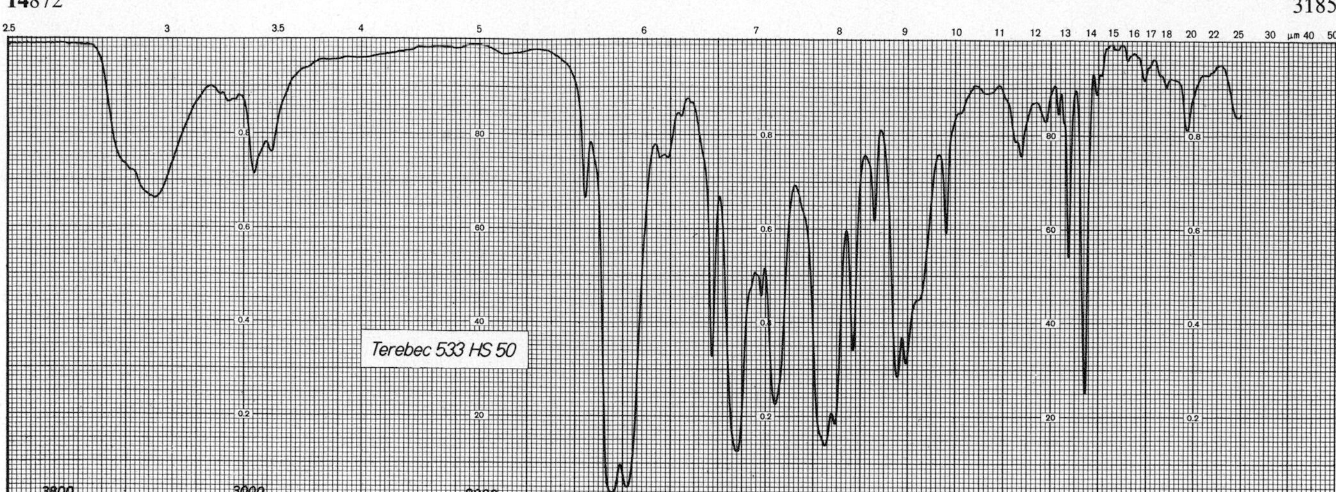

(1) **Terebec 533 HS 50**
(3) Polyesterimid auf Basis Terephthalsäure und Trimellitsäure; enthält Polyesteramidocarbonsäure
(4) dunkelgelbe, viskose Flüssigkeit
(5) Drahtlack mit hohem Festkörpergehalt
(6) Schicht auf KBr, bei 50 °C i.V. getrocknet
(7) PE 580 B, FLAT

(2) BASF Farben + Fasern AG, Beck Elektroisolier-System, Hamburg
(3) polyesterimide based on terephthalic and trimellitic acids, contains polyesteramidocarboxylic acid
(4) dark yellow, viscous liquid
(5) wire varnish with a high solids content
(6) film on KBr, dried at 50 °C, in vacuo
(7) PE 580 B, FLAT

14872 3186

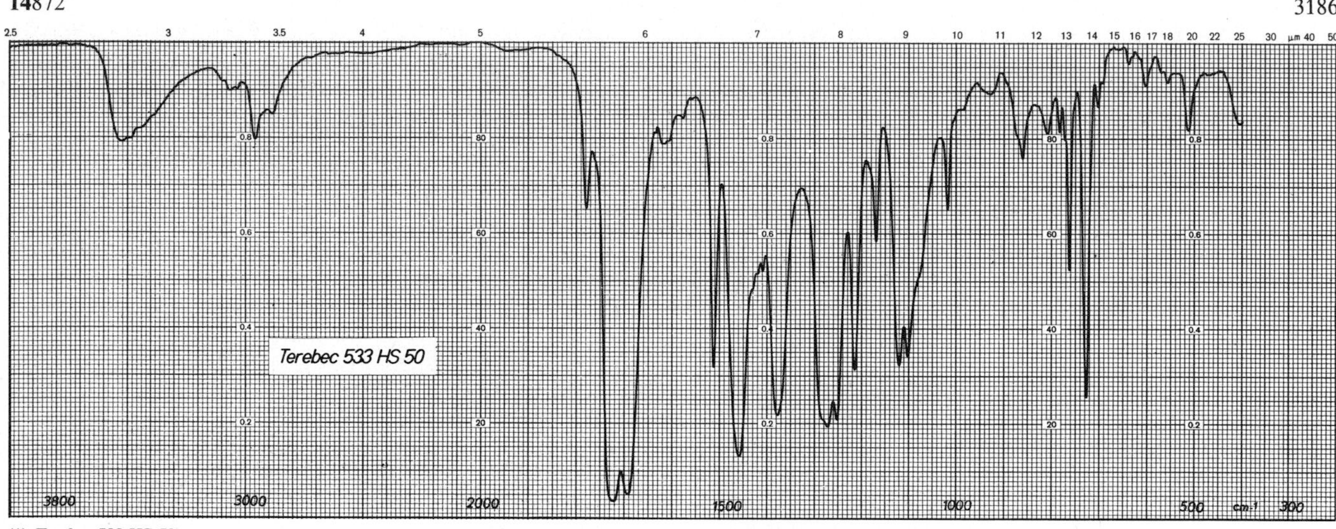

(1) **Terebec 533 HS 50**
(3) Polyesterimid auf Basis Terephthalsäure und Trimellitsäure; enthält Polyesteramidocarbonsäure
(4) dunkelgelbe, viskose Flüssigkeit
(5) Drahtlack mit hohem Festkörpergehalt
(6) Schicht auf KBr, 14 h bei 150 °C i.V. gehärtet
(7) PE 580 B, FLAT, ABEX 1.10

(2) BASF Farben + Fasern AG, Beck Elektroisolier-System, Hamburg
(3) polyesterimide based on terephthalic and trimellitic acids, contains polyesteramidocarboxylic acid
(4) dark yellow, viscous liquid
(5) wire varnish with high solids content
(6) film on KBr, cured for 14 h at 150 °C, in vacuo
(7) PE 580 B, FLAT, ABEX 1.10

14872 3187

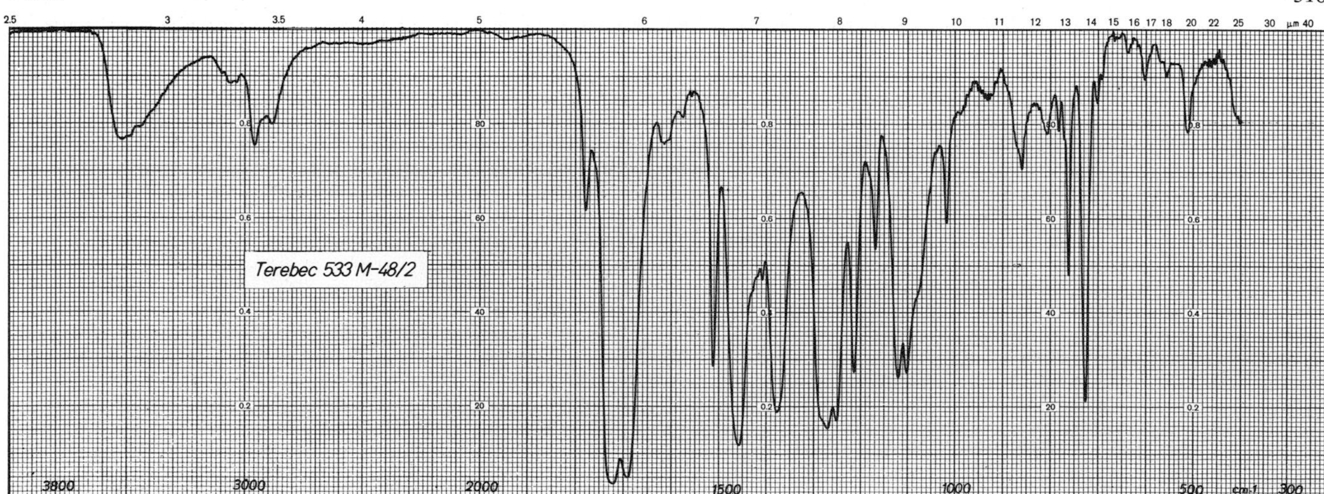

(1) **Terebec 533 M-48/2**
(3) Polyesterimid auf Terephthalsäure- und Trimellitsäurebasis
(4) dunkelrotbraune, viskose Flüssigkeit
(5) Drahtlack
(6) Schicht auf CsI, 14 h bei 150 °C i.V. getrocknet
(7) PE 580 B, FLAT, ABEX 1.78

(2) BASF Farben + Fasern AG, Beck Elektroisolier-System, Hamburg
(3) polyesterimide based on terephthalic and trimellitic acids
(4) dark reddish-brown, viscous liquid
(5) wire varnish
(6) film on CsI, dried for 14 h at 150 °C, in vacuo
(7) PE 580 B, FLAT, ABEX 1.78

14872 3188

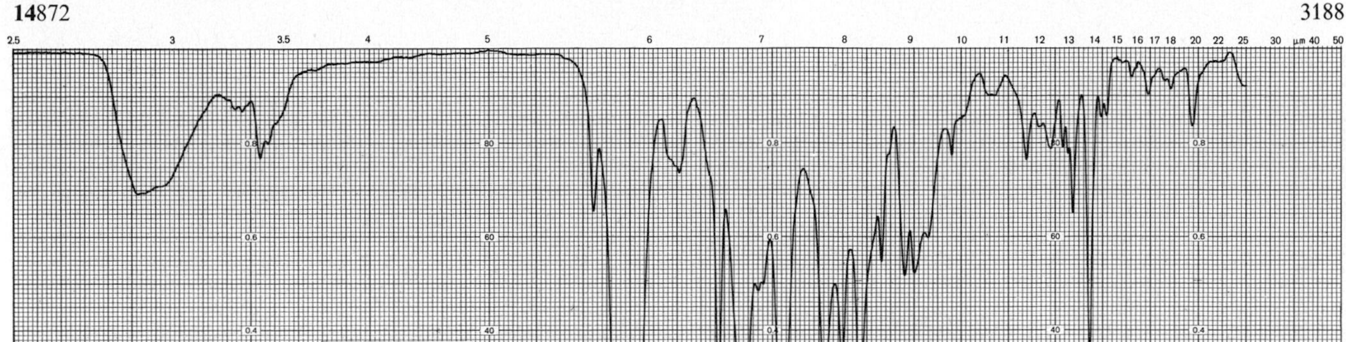

(1) **Terebec 550-27**
(3) Polyesterimid auf Basis Terephthalsäure und Trimellitsäure
(4) dunkelbraune, viskose Flüssigkeit
(5) Drahtlack
(6) Schicht auf KBr, bei 50 °C i.V. getrocknet
(7) PE 580 B, FLAT, ABEX 1.21

(2) BASF Farben + Fasern AG, Beck Elektroisolier-System, Hamburg
(3) polyesterimide based on terephthalic and trimellitic acids
(4) dark brown, viscous liquid
(5) wire varnish
(6) film on KBr, dried at 50 °C, in vacuo
(7) PE 580 B, FLAT, ABEX 1.21

14872 3189

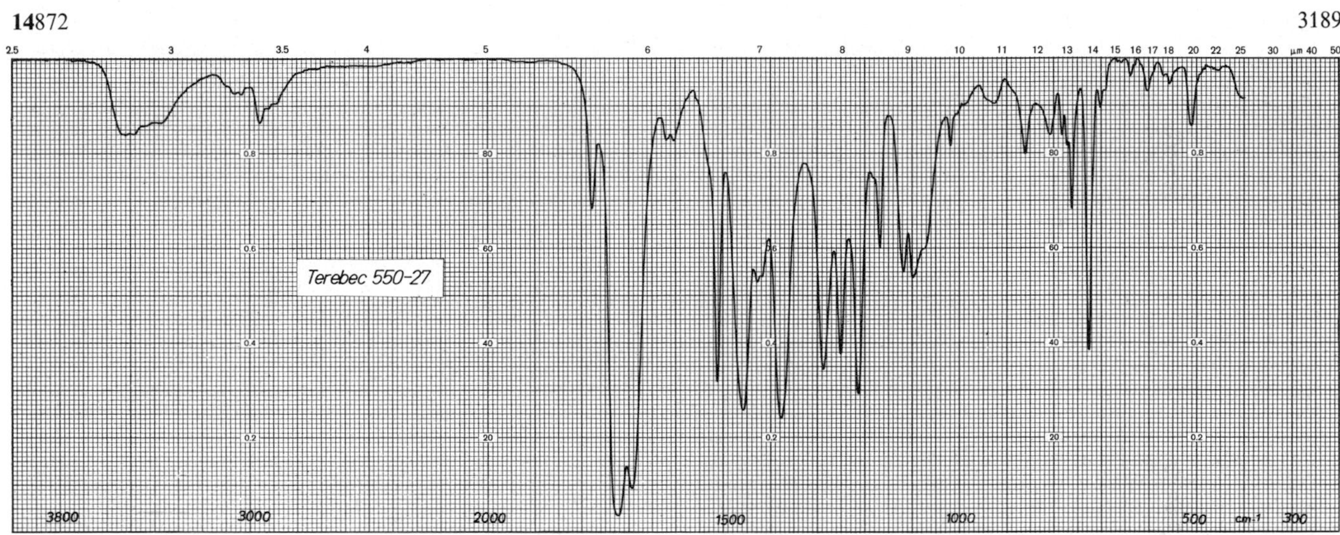

(1) **Terebec 550-27**
(3) Polyesterimid auf Basis Terephthalsäure und Trimellitsäure
(4) dunkelbraune, viskose Flüssigkeit
(5) Drahtlack
(6) Schicht auf KBr, 14 h bei 150 °C i.V. getrocknet
(7) PE 580 B, FLAT, ABEX 1.14

(2) BASF Farben + Fasern AG, Beck Elektroisolier-System, Hamburg
(3) polyesterimide based on terephthalic and trimellitic acids
(4) dark brown, viscous liquid
(5) wire varnish
(6) film on KBr, dried for 14 h at 150 °C, in vacuo
(7) PE 580 B, FLAT, ABEX 1.14

14872 3190

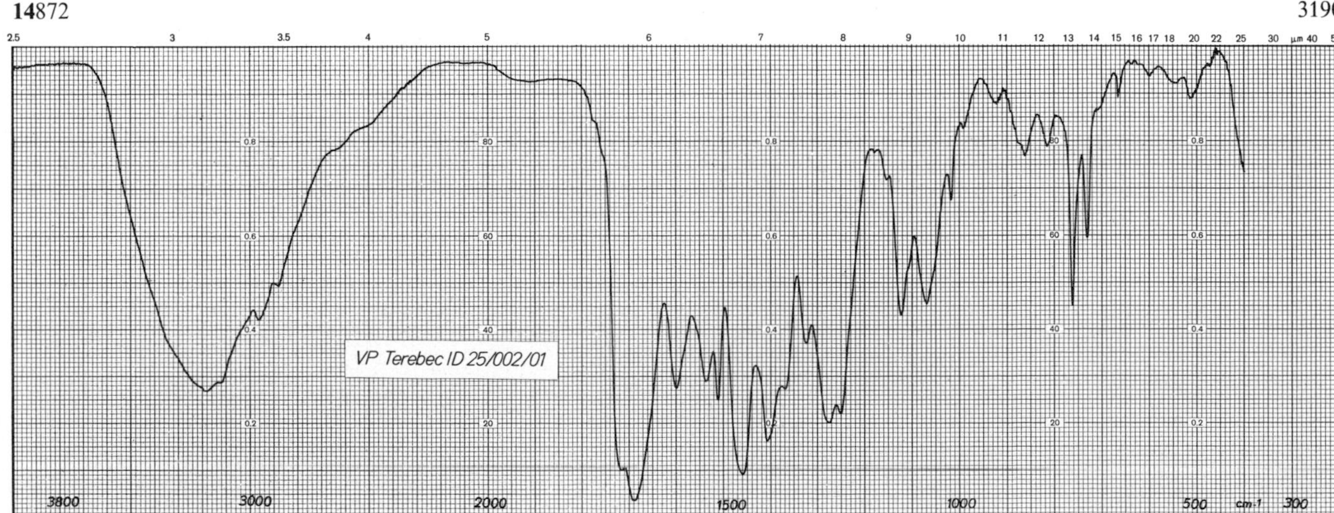

(1) **VP Terebec ID 25/002/01**
(3) Polyesteramidocarbonsäure auf Basis Terephthalsäure, Trimellitsäure, einem Polyol und einem Diamin
(4) braune, viskose Flüssigkeit
(5) Drahtlack
(6) Schicht auf KBr, bei 50 °C i.V. getrocknet
(7) PE 580 B, FLAT, ABEX 1.40

(2) BASF Farben + Fasern AG, Beck Elektroisolier-System, Hamburg
(3) polyesterimide based on terephthalic and trimellitic acids, a polyol and a diamine
(4) brown, viscous liquid
(5) wire varnish
(6) film on KBr, dried at 50 °C, in vacuo
(7) PE 580 B, FLAT, ABEX 1.40

14872

3191

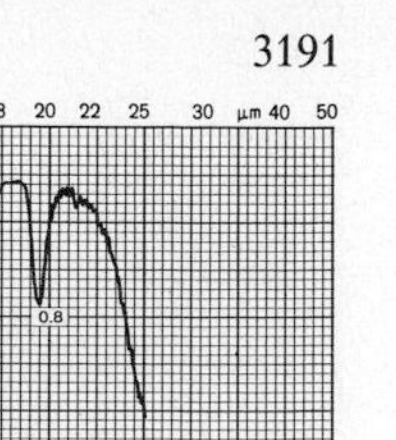

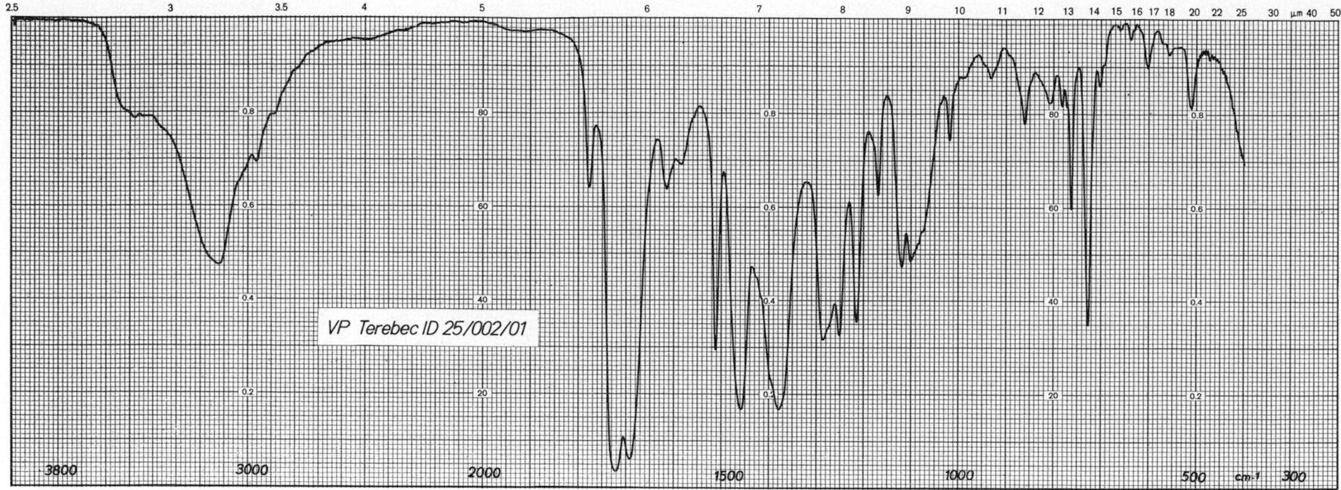

(1) **VP Terebec ID 25/002/01**
(3) Polyesteramidocarbonsäure auf Basis Terephthalsäure, Trimellitsäure, einem Polyol und einem Diamin
(4) braune, viskose Flüssigkeit
(5) Drahtlack
(6) Schicht auf KBr, 14 h bei 150 °C gehärtet
(7) PE 580 B, FLAT, ABEX 1.46

(2) BASF Farben + Fasern AG, Beck Elektroisolier-System, Hamburg
(3) polyesterimide based on terephthalic and trimellitic acids, a polyol and a diamine
(4) brown, viscous liquid
(5) wire varnish
(6) film on KBr, cured for 14 h at 150 °C
(7) PE 580 B, FLAT, ABEX 1.46

14872

3192

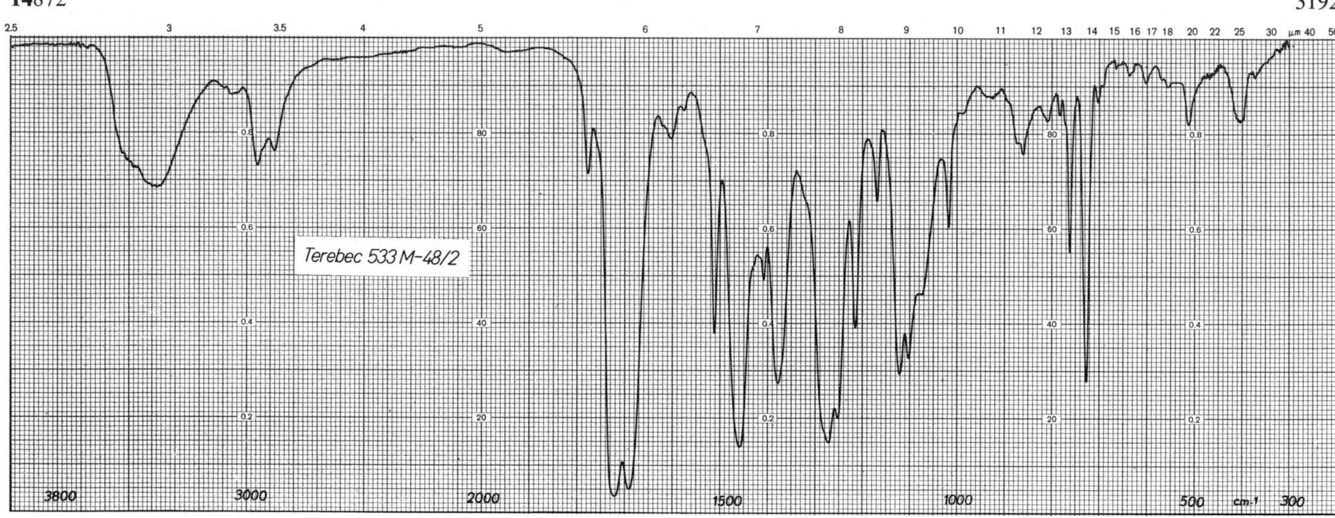

(1) **Terebec 533 M-48/2**
(3) Polyesterimid auf Terephthalsäure- und Trimellitsäurebasis
(4) dunkelrotbraune, viskose Flüssigkeit
(5) Drahtlack
(6) Schicht auf CsI, bei 50 °C i.V. getrocknet
(7) PE 580 B, FLAT, ABEX 1.24

(2) BASF Farben + Fasern AG, Beck Elektroisolier-System, Hamburg
(3) polyesterimide based on terephthalic and trimellitic acids
(4) dark red-brown, viscous liquid
(5) wire varnish
(6) film on CsI, dried at 50 °C, in vacuo
(7) PE 580 B, FLAT, ABEX 1.24

14873

3193

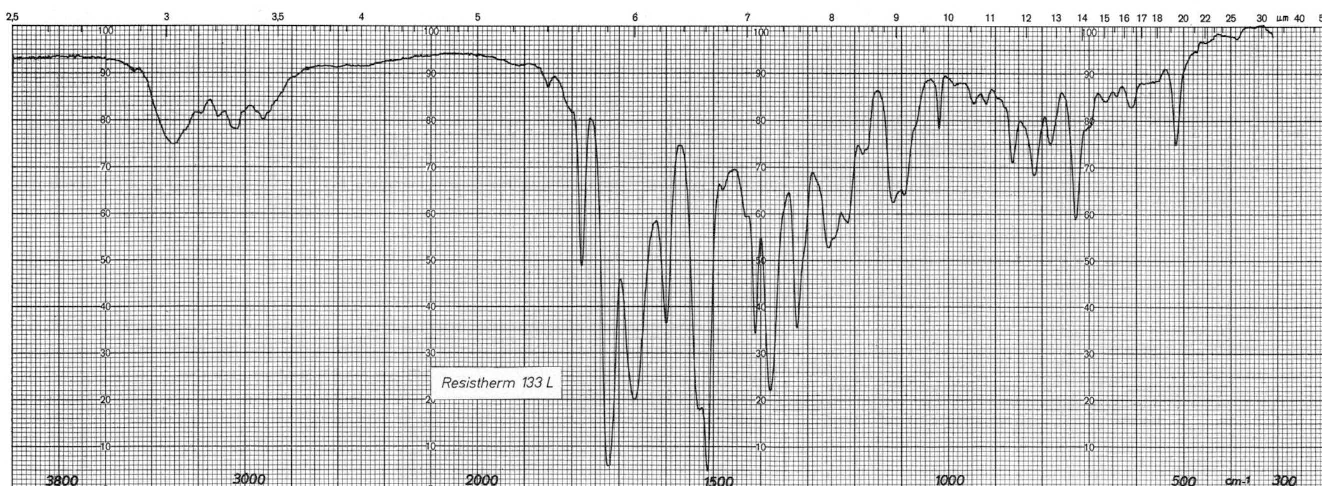

(1) **Resistherm 133 L**
(3) Polyamidimidharz
(4) mittelbraune, viskose Lösung (33% in NMP/DMA)
(5) für dekorative Einbrennlacke, kochwasser- und lösemittelbeständige Schutzlackierungen
(6) Schicht auf CsI

(2) Bayer AG, Leverkusen
(3) polyamideimide resin
(4) mid-brown, viscous solution (33% in NMP/DMA)
(5) for decorative stove enamels, boiling water and solvent-resistant, protective finishes
(6) film on CsI

14873 3194

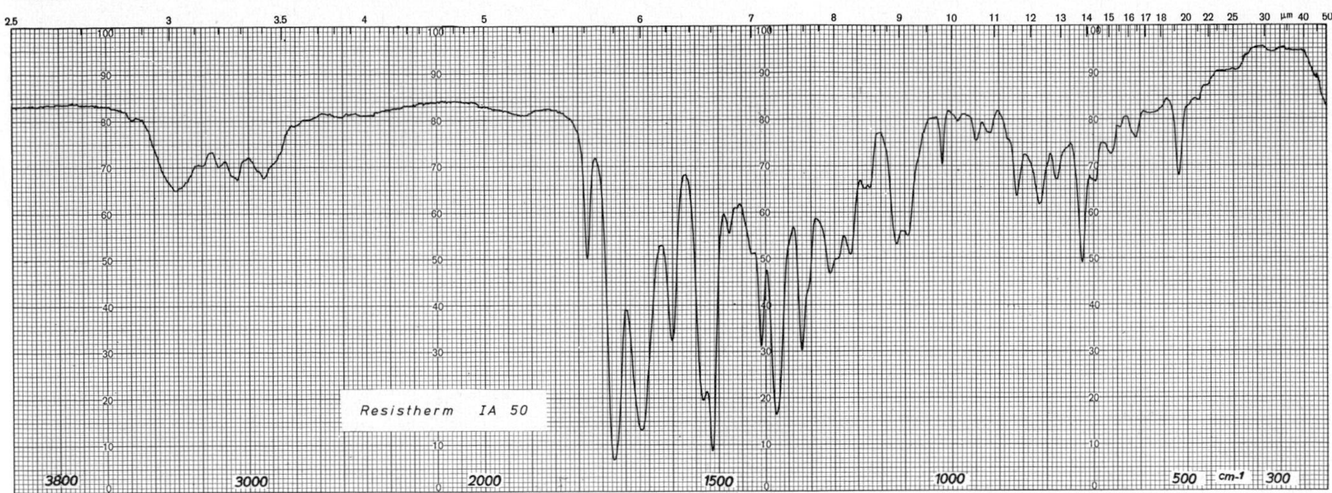

(1) **Resistherm IA 50**
(3) Polyamidimidharz
(4) rotbraune, zähflüssige Masse
(5) für wärmebeständige Einbrennlacke, besonders für die Isolierung von Cu-, Al-, Rund-, Flach- und Profildrähten
(6) Schicht auf CsI

(2) Bayer AG, Leverkusen
(3) polyamideimide resin
(4) red-brown, viscous mass
(5) for thermally resistant stove enamels, particularly for insulating Cu and Al, round, flat and profiled wires
(6) film on Csi

14874 3195

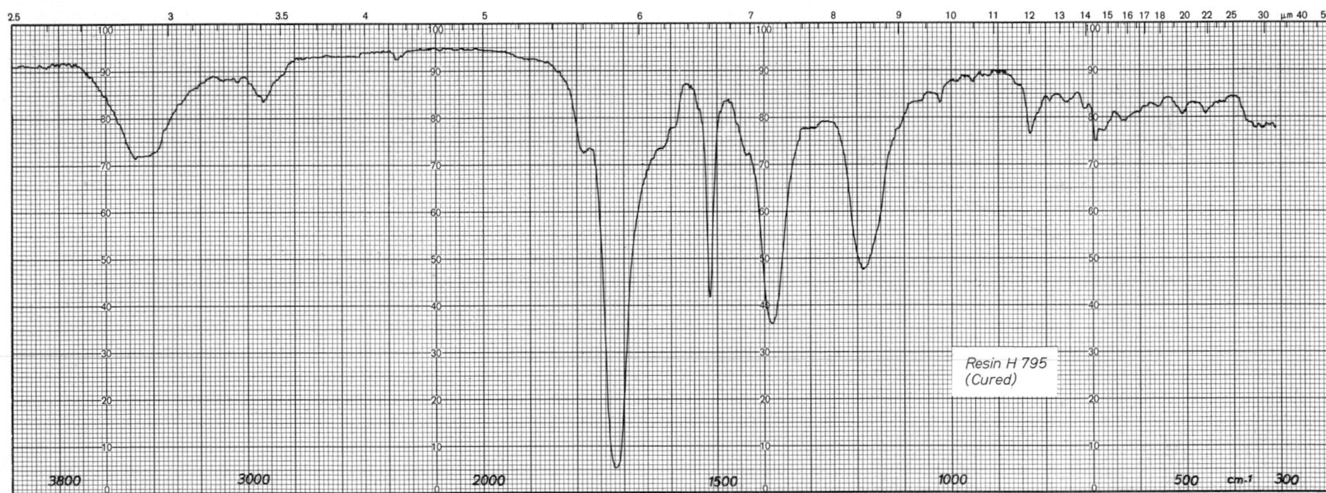

(1) **Resin H 795**
(3) Poly(bismaleinimid)
(4) dunkelbrauner Probestab
(5) wärmehärtendes Harz für thermostabile Verbundwerkstoffe
(6) feingefeilte Substanz in KBr (2/350)

(2) Technochemie GmbH, Verfahrenstechnik, Dossenheim
(3) poly(bismaleimide)
(4) dark brown sample rod
(5) heat-curing resin for thermally stable composites
(6) finely filed substance in KBr (2/350)

14874 3196

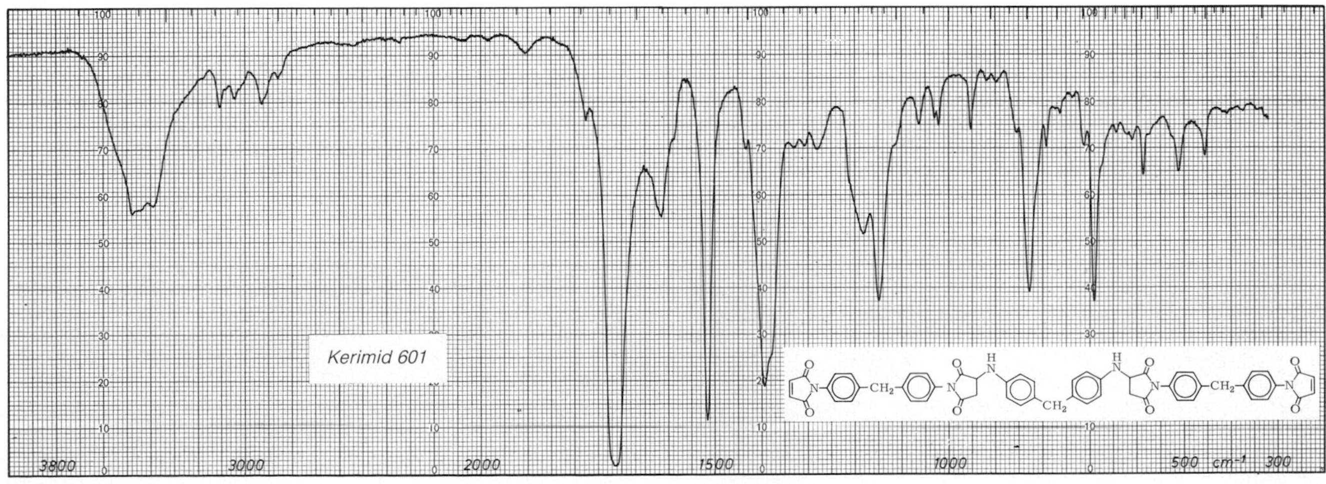

(1) **Kerimid 601**
(3) Additionsprodukt aus 2 Molen eines Bismaleinimids und einem aromatischen Diamin (Formel im Spektrum ist idealisiert)
(4) gelbes Pulver
(5) hochtemperaturbeständiges Tränkharz
(6) KBr (0.8/350)

(2) Rhône-Poulenc
(3) addition product of 2 moles of bismaleimide and an aromatic diamine (the formula in the spectrum is idealized)
(4) yellow powder
(5) impregnation resin, resistant to high temperatures
(6) KBr (0.8/350)

14875 3197

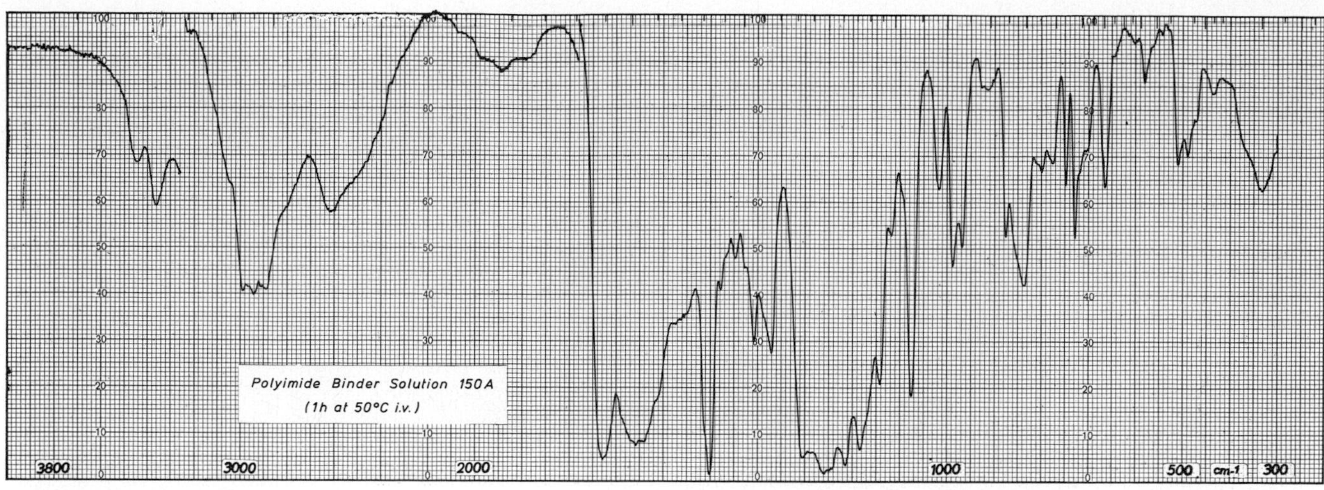

(1) **Du Pont NR-150 A polyimide binder**
(2) Du Pont, Wilmington, Dela. (durch H. H. Gibbs, Plastics Department)
(3) aromatische Polyamidocarbonsäure auf der Basis von Benzophenontetracarbonsäuredianhydrid und einem aromatischen Diamin
(4) gelbliche Lösung in N-Methylpyrrolidon
(5) hochtemperaturbeständiges Tränkharz
(6) Schicht auf KBr, 1 h bei 50 °C getrocknet
(7) H. H. Gibbs, 28th Annual Techn. Conf. 1973, Reinforced Plastics/Composites Inst.

(2) Du Pont, Wilmington, Dela. (from H. H. Gibbs, Plastics Department)
(3) aromatic polyamidocarboxylic acid based on benzophenonetetracarboxylic dianhydride and an aromatic diamine
(4) yellowish solution in N-methylpyrrolidone
(5) impregnation resin, resistant to high temperatures
(6) film on KBr, dried 1 h at 50 °C
(7) H. H. Gibbs, 28th Annual Techn. Conf. 1973, Reinforced Plastics/Composites Inst.

14875 3198

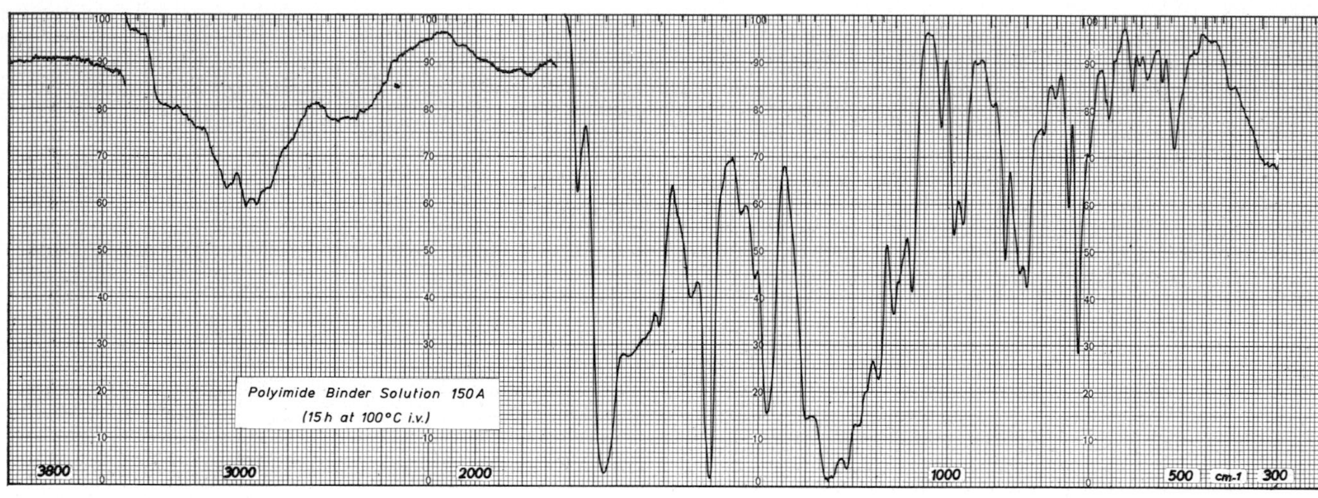

(1) **Du Pont NR-150 A polyimide binder**
(2) Du Pont, Wilmington, Dela. (durch H. H. Gibbs, Plastics Department)
(3) aromatische Polyamidocarbonsäure auf der Basis von Benzophenontetracarbonsäuredianhydrid und einem aromatischen Diamin, weitgehend cyclisiert
(4) gelbliche Lösung in N-Methylpyrrolidon
(5) hochtemperaturbeständiges Tränkharz
(6) 15 h bei 100 °C gehärtet
(7) H. H. Gibbs, 28th Annual Techn. Conf. 1973, Reinforced Plastics/Composites Inst.

(2) Du Pont, Wilmington, Dela. (from H. H. Gibbs, Plastics Department)
(3) aromatic polyamidocarboxylic acid based on benzophenonetetracarboxylic dianhydride and an aromatic diamine, mainly cyclized
(4) yellowish solution in N-methylpyrrolidone
(5) impregnation resin, resistant to high temperatures
(6) cured for 15 h at 100 °C
(7) H. H. Gibbs, 28th Annual Techn. Conf. 1973, Reinforced Plastics/Composites Inst.

14875 3199

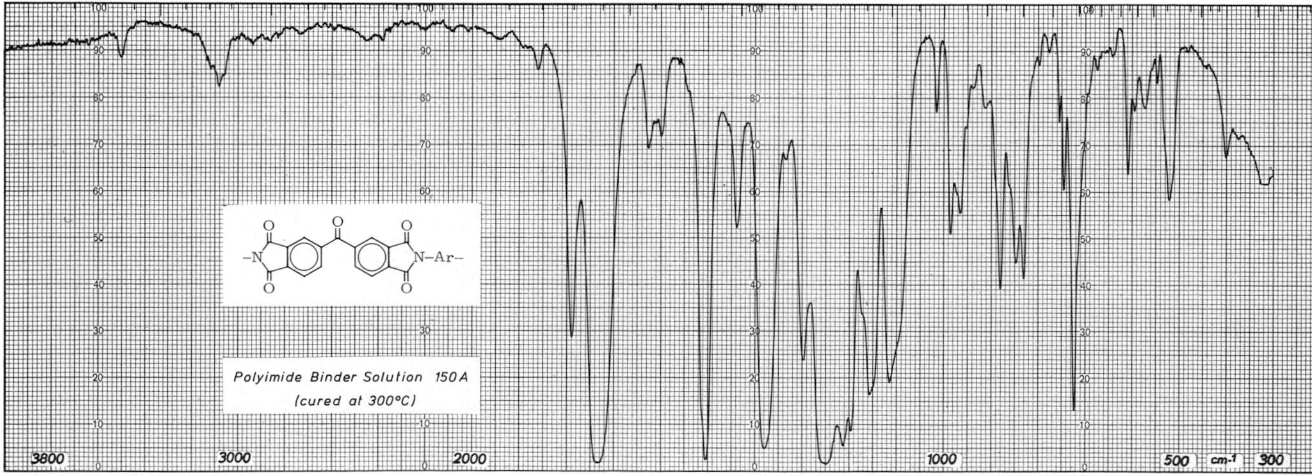

(1) **Du Pont NR-150 A polyimide binder**
(2) Du Pont, Wilmington, Dela. (durch H. H. Gibbs, Plastics Department)
(3) aromatische Polyamidocarbonsäure auf der Basis von Benzophenontetracarbonsäuredianhydrid und einem aromatischen Diamin, weitgehend cyclisiert
(4) gelbliche Lösung in N-Methylpyrrolidon
(5) hochtemperaturbeständiges Tränkharz
(6) 15 h bei 100 °C und 2 h bei 300 °C gehärtet
(7) H. H. Gibbs, 28th Annual Techn. Conf. 1973, Reinforced Plastics/Composites Inst.

(2) Du Pont, Wilmington, Dela. (from H. H. Gibbs, Plastics Department)
(3) aromatic polyamidocarboxylic acid based on benzophenonetetracarboxylic dianhydride and an aromatic diamine, mainly cyclized
(4) yellowish solution in N-methylpyrrolidone
(5) impregnation resin, resistant to high temperatures
(6) cured for 15 h at 100 °C and for 2 h at 300 °C
(7) H. H. Gibbs, 28th Annual Techn. Conf. 1973, Reinforced Plastics/Composites Inst.

14875 3200

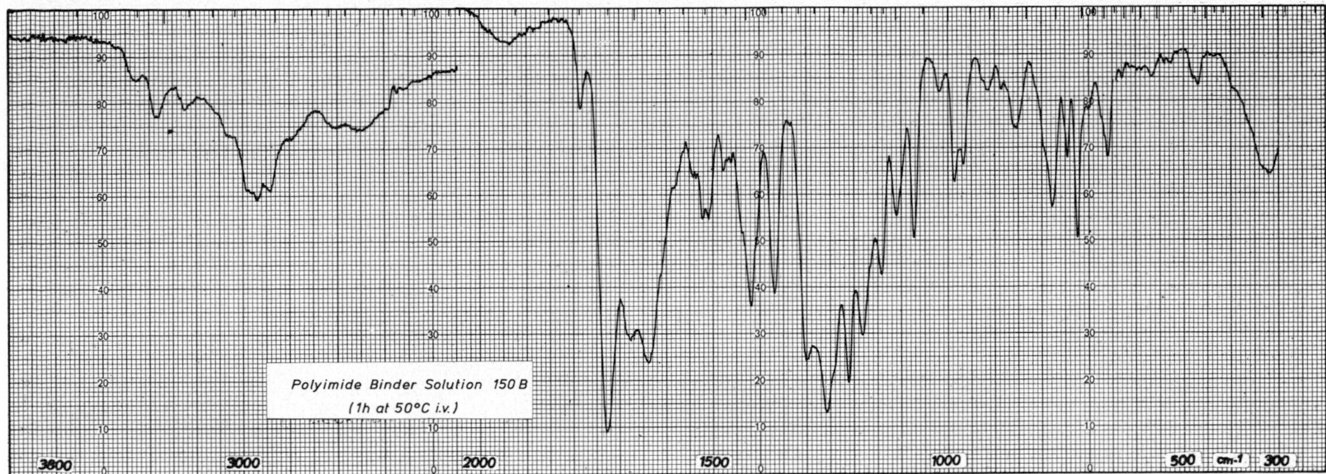

(1) **Du Pont NR-150 B polyimide binder**
(2) Du Pont, Wilmington, Dela. (durch H. H. Gibbs, Plastics Department)
(3) aromatische Polyamidocarbonsäure auf der Basis von Benzophenontetracarbonsäuredianhydrid und einem aromatischen Diamin, teilweise cyclisiert
(4) gelbliche Lösung in N-Methylpyrrolidon
(5) hochtemperaturbeständiges Tränkharz
(6) Film auf KBr, 1 h bei 50 °C getrocknet
(7) H. H. Gibbs, 28th Annual Techn. Conf. 1973, Reinforced Plastics/Composites Inst.

(2) Du Pont, Wilmington, Dela. (from H. H. Gibbs, Plastics Department)
(3) aromatic polyamidocarboxylic acid based on benzophenonetetracarboxylic dianhydride and an aromatic diamine, partially cyclized
(4) yellowish solution in N-methylpyrrolidone
(5) impregnation resin, resistant to high temperatures
(6) film on KBr, dried for 1 h at 50 °C
(7) H. H. Gibbs, 28th Annual Techn. Conf. 1973, Reinforced Plastics/Composites Inst.

14875 3201

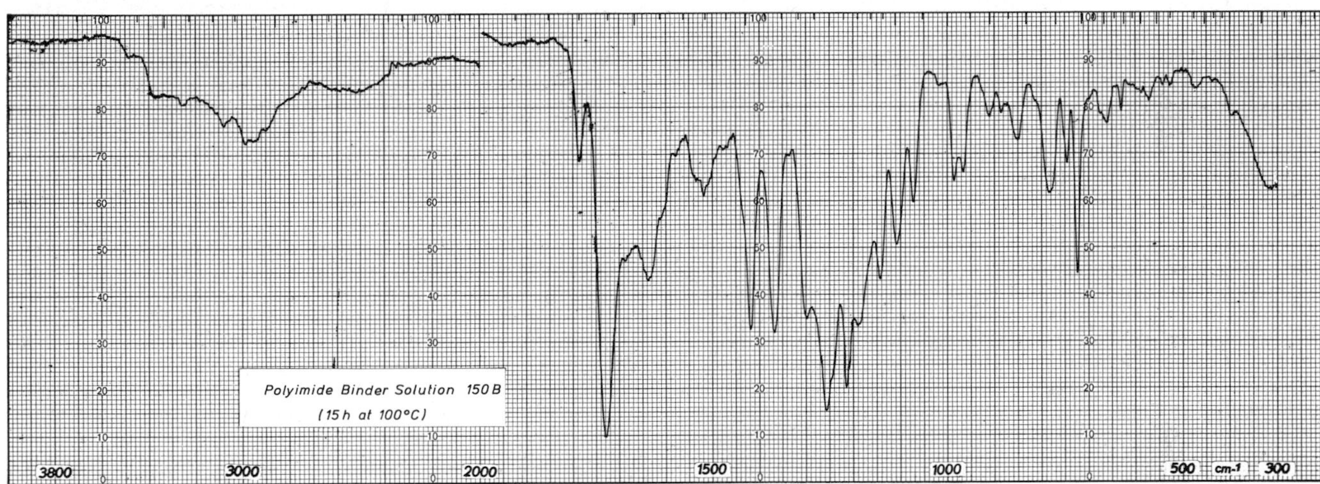

(1) **Du Pont NR-150 B polyimide binder**
(2) Du Pont, Wilmington, Dela. (durch H. H. Gibbs, Plastics Department)
(3) aromatische Polyamidocarbonsäure auf der Basis von Benzophenontetracarbonsäuredianhydrid und einem aromatischen Diamin, weitgehend cyclisiert
(4) gelbliche Lösung in N-Methylpyrrolidon
(5) hochtemperaturbeständiges Tränkharz
(6) 15 h bei 100 °C gehärtet
(7) H. H. Gibbs, 28th Annual Techn. Conf. 1973, Reinforced Plastics/Composites Inst.

(2) Du Pont, Wilmington, Dela. (from H. H. Gibbs, Plastics Department)
(3) aromatic polyamidocarboxylic acid based on benzophenonetetracarboxylic dianhydride and an aromatic diamine, main cyclized
(4) yellowish solution in N-methylpyrrolidone
(5) impregnation resin, resistant to high temperatures
(6) heated to 100 °C for 15 h
(7) H. H. Gibbs, 28th Annual Techn. Conf. 1973, Reinforced Plastics/Composites Inst.

14875 3202

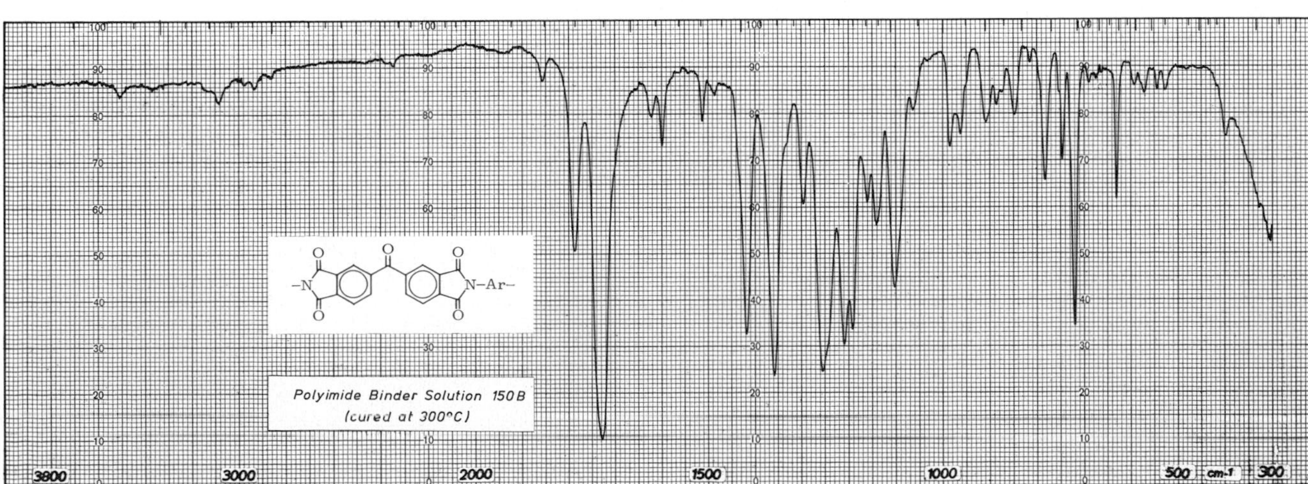

(1) **Du Pont NR-150 B polyimide binder**
(2) Du Pont, Wilmington, Dela. (durch H. H. Gibbs, Plastics Department)
(3) Polyimid auf Basis Benzophenontetracarbonsäureanhydrid und aliphatischem Diamin
(4) gelbliche Lösung in N-Methylpyrrolidon
(5) hochtemperaturbeständiges Tränkharz
(6) mehrere h bei 300 °C gehärtet
(7) H. H. Gibbs, 28th Annual Techn. Conf. 1973, Reinforced Plastics/Composites Inst.

(2) Du Pont, Wilmington, Dela. (from H. H. Gibbs, Plastics Department)
(3) polyimide from benzophenonetetracarboxylic acid and an aliphatic diamine
(4) yellowish solution in N-methylpyrrolidone
(5) impregnation resin, resistant to high temperatures
(6) cured at 300 °C for many hours
(7) H. H. Gibbs, 28th Annual Techn. Conf. 1973, Reinforced Plastics/Composites Inst.

14875 3203

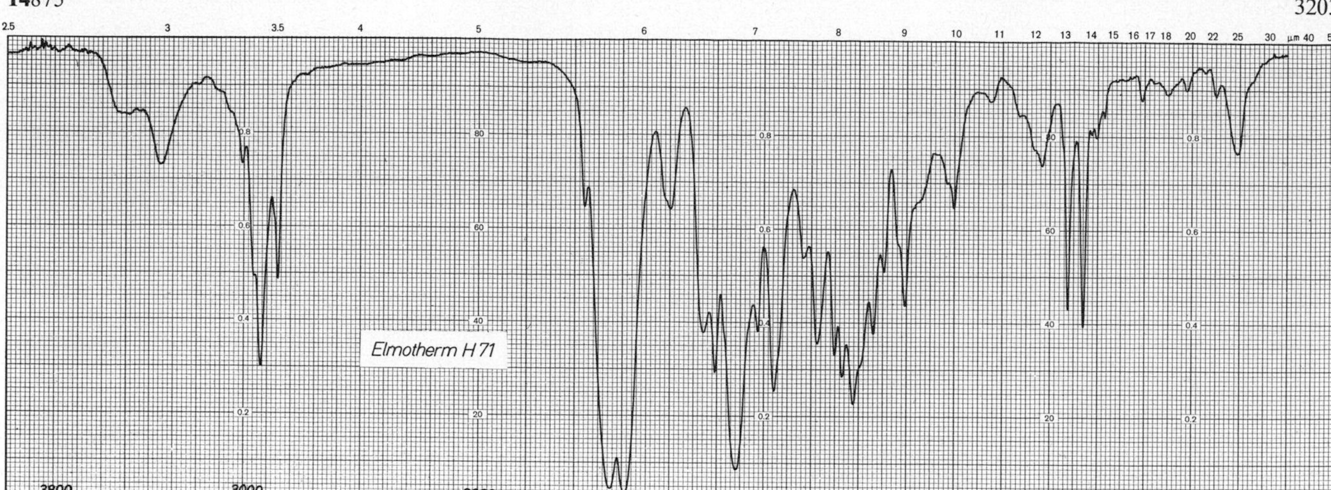

(1) **Elmotherm H 71**
(3) imidmodifizierter Polyadditionsharzlack auf Trimellitsäure-Basis
(4) hellbraune Flüssigkeit
(5) Drahtlack für Wicklungen von elektrischen Maschinen mit hoher thermischer Belastung
(6) Schicht auf CsI, bei 50 °C i.V. getrocknet
(7) PE 580 B, FLAT, ABEX 1.66

(2) BASF Farben + Fasern AG, Beck Elektro-Isoliersysteme, Hamburg
(3) imide-modified polyaddition lacquer resin based on trimellitic acid
(4) light brown liquid
(5) wire varnish for highly thermally stressed electrical machinery
(6) film on CsI, dried at 50 °C, in vacuo
(7) PE 580 B, FLAT, ABEX 1.66

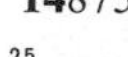
14875 3204

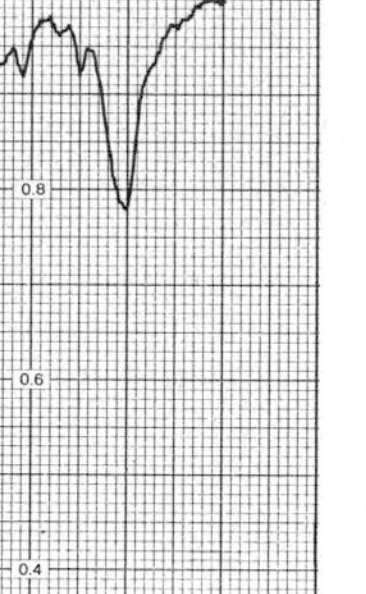

(1) **Elmotherm H 71**
(3) imidmodifizierter Polyadditionsharzlack auf Trimellitsäurebasis
(4) transparente, hellbraune, mittelviskose Flüssigkeit
(5) für Wicklungen von elektrischen Maschinen mit hoher thermischer Belastung
(6) Schicht auf CsI, bei 150 °C i.V. gehärtet
(7) PE 580 B, FLAT, ABEX 1.63

(2) BASF Farben + Fasern AG, Beck Elektro-Isoliersysteme, Hamburg
(3) imide-modified polyaddition resin lacquer based on trimellitic acid
(4) light brown, transparent, medium viscous liquid
(5) for the windings of electrical machinery exposed to great thermal stress
(6) film on CsI, cured at 150 °C, in vacuo
(7) PE 580 B, FLAT, ABEX 1.63

14875 3205

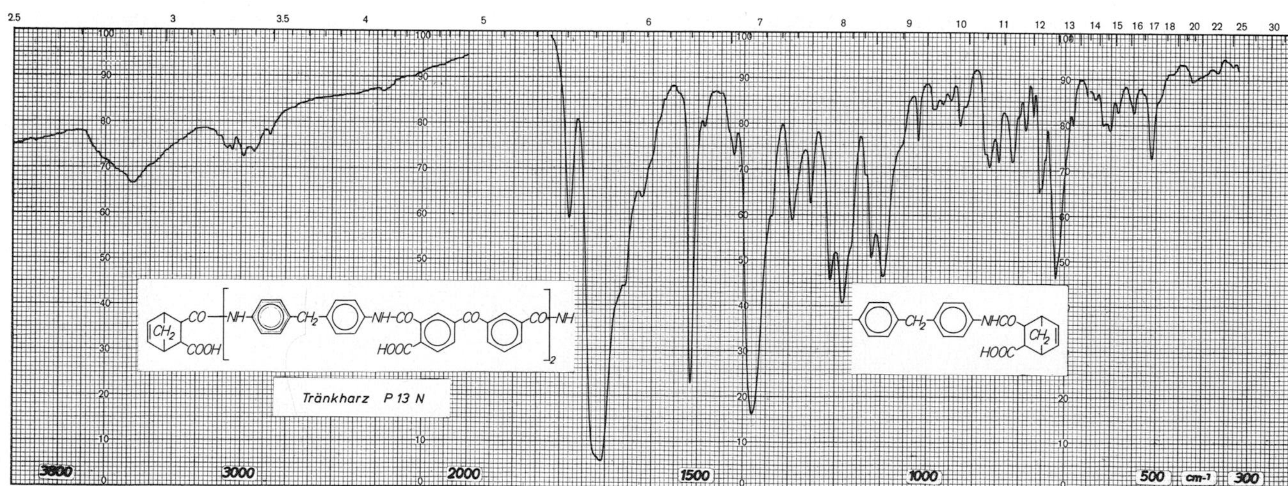

(1) **Tränkharz P 13 N**
(3) s. Formel in Spektrum
(4) eierschalenfarbenes Pulver
(5) für hochtemperaturbeständige Werkstoffe
(6) KBr (1/350)
(7) T. T. Serafini, P. Delvigs, Appl. Polym. Symp. **22** (1973) 89 ... 100

(2) Ciba-Geigy AG, Basel
(3) see spectrum for formula
(4) eggshell-colored powder
(5) for working materials resistant to high temperatures
(6) KBr (1/350)
(7) T. T. Serafini, P. Delvigs, Appl. Polym. Symp. **22** (1973) 89 ... 100

1488 3206

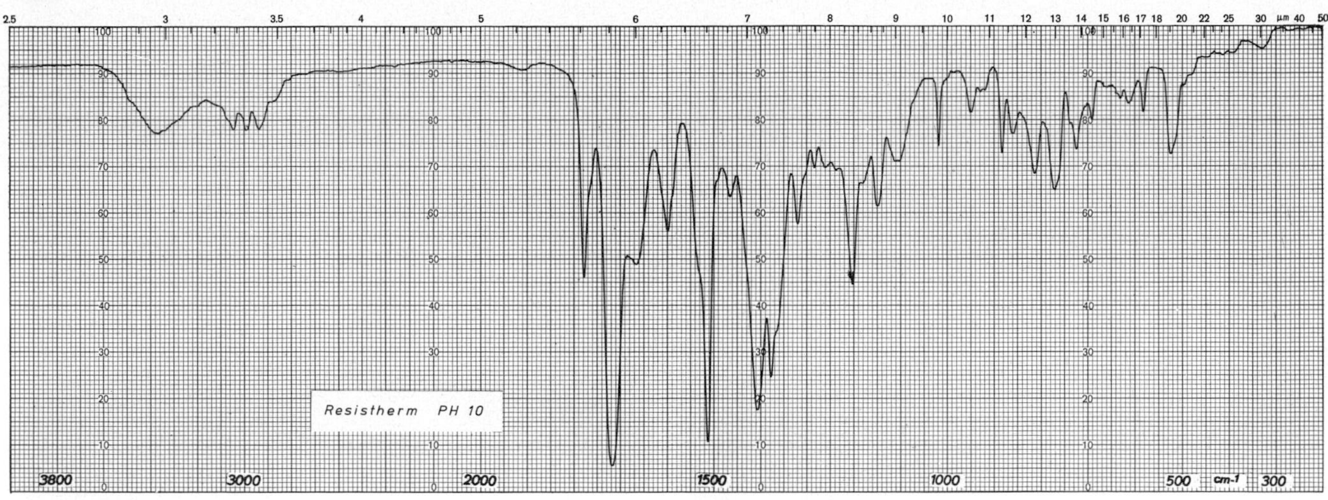

(1) **Resistherm PH 10**
(3) Polyhydantoin
(4) dunkelbraune, sehr zähflüssige Substanz
(5) für wärmebeständige Drahtlackierungen, Alleinbindemittel für die Lackierung von Flachdrähten
(6) Schicht auf CsI

(2) Bayer AG, Leverkusen
(3) polyhydantoin
(4) dark brown, very viscous substance
(5) for thermally resistant wire varnishes, sole binder for flat wire coatings
(6) film on CsI

1488 3207

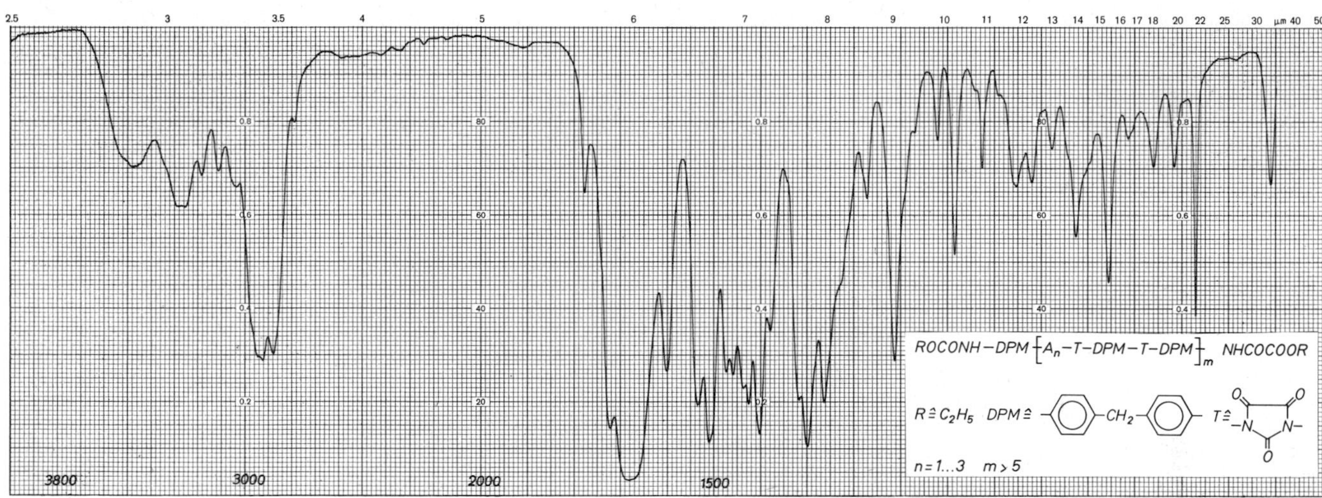

(1) **Trionharz VTR 60/4**
(3) Poly(triketoimidazolidin) mit aromatischen Trimellitimid-Brücken
(4) dunkelbraunes, dickflüssiges Harz (30% in N-Methylpyrrolidon)
(5) thermostabiles Lack- und Tränkharz (Polykondensation durch Abspaltung der reaktiven Endgruppen)
(6) kapillare Schicht zwischen CsI
(7) PE 580 B, ABEX

(2) Hoechst AG, Frankfurt/M.-Höchst
(3) poly(triketoimidazolidine) with aromatic trimellitimide linkages
(4) dark brown, viscous resin (30% in N-methylpyrrolidone)
(5) thermally stable varnish and impregnation resin (polycondenses by elimination of the reactive terminal groups)
(6) capillary film between CsI
(7) PE 580 B, ABEX

1488 3208

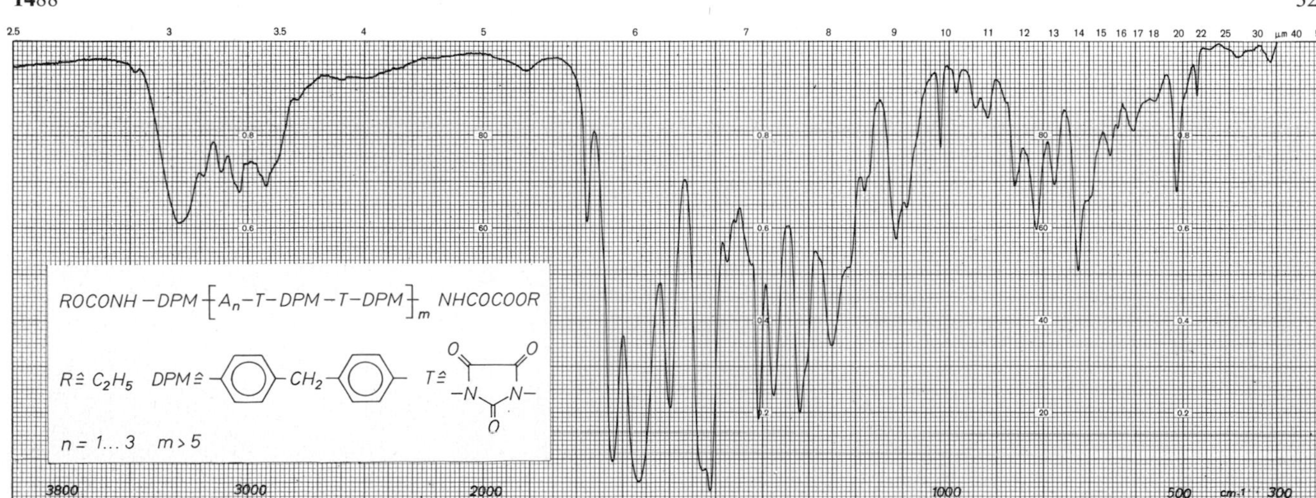

(1) **Trionharz VTR 60/4**
(3) Poly(triketoimidazolidin) mit aromatischen Trimellitimid-Brücken
(4) dunkelbraunes, dickflüssiges Harz (30% in N-Methylpyrrolidon)
(5) thermostabiles Lack- und Tränkharz (Polykondensation durch Abspaltung der reaktiven Endgruppen)
(6) Schicht auf CsI, 24 h bei 50 °C i.V. getrocknet
(7) PE 580 B, ABEX

(2) Hoechst AG, Frankfurt/M.-Höchst
(3) poly(triketoimidazolidine) with aromatic trimellitimide linkages
(4) dark brown, viscous resin (30% in N-methylpyrrolidone)
(5) thermally stable varnish and impregnation resin (polycondenses by elimination of the reactive terminal groups)
(6) film on CsI, dried for 24 h at 50 °C, in vacuo
(7) PE 580 B, ABEX

1488 3209

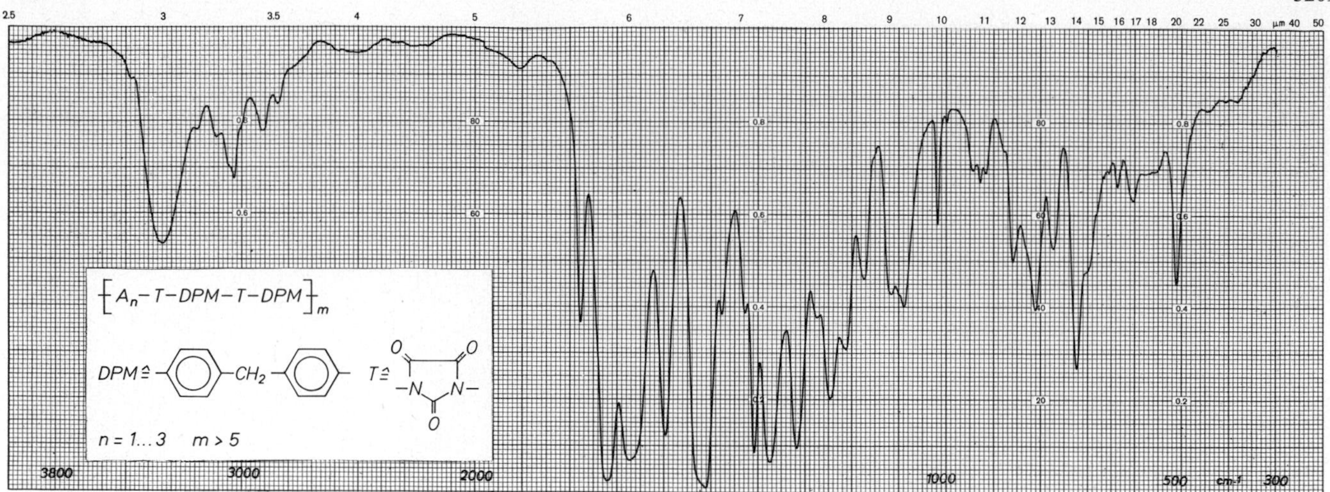

(1) **Trionharz VTR 60/4**
(2) Hoechst AG, Frankfurt/M.-Höchst
(3) Poly(triketoimidazolidin) mit aromatischen Trimellitimid-Brücken
(4) dunkelbraunes, dickflüssiges Harz (30% in N-Methylpyrrolidon)
(5) thermostabiles Lack- und Tränkharz (Polykondensation durch Abspaltung der reaktiven Endgruppen)
(6) Schicht auf CsI, 24 h bei 180 °C gehärtet
(7) PE 580 B

(2) Hoechst AG, Frankfurt/M.-Höchst
(3) poly(triketoimidazolidine) with aromatic trimellitimide linkages
(4) dark brown, viscous resin (30% in N-methylpyrrolidone)
(5) thermally stable varnish and impregnation resin (polycondenses by elimination of the reactive terminal groups)
(6) film on CsI, cured for 24 h at 180 °C
(7) PE 580 B

14922 3210

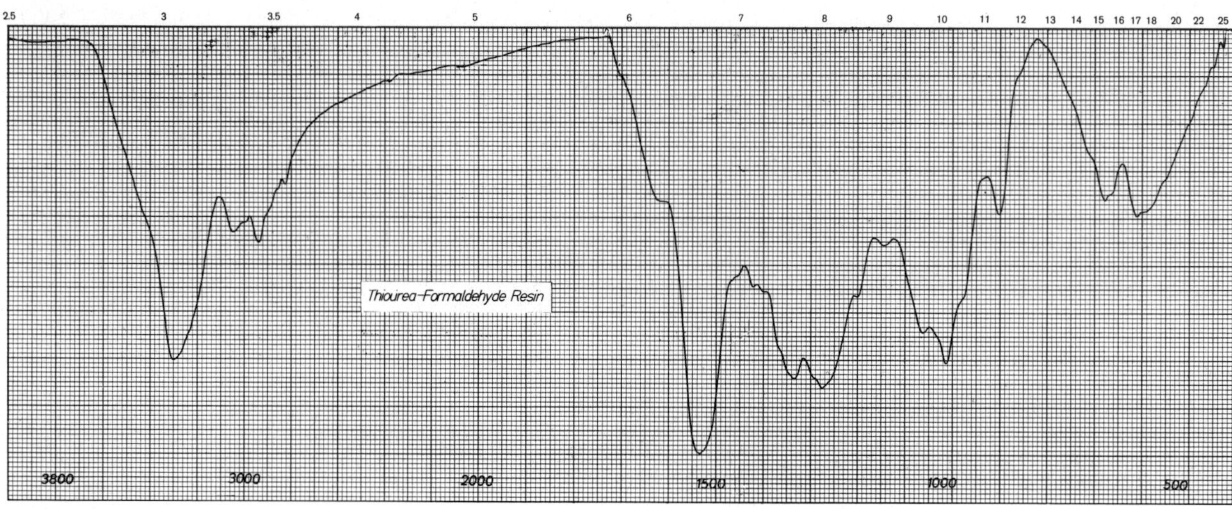

(1) **Thioharnstoff-Formaldehyd-Harz (Versuchsprodukt)**
(2) BASF AG, Ludwigshafen
(4) farbloses Harz
(5) Lackharz
(6) Schicht auf CsI
(7) Nicolet FTIR 7199

(1) **thiourea-formaldehyde resin (research project)**
(3) colorless resin
(5) lacquer resin
(6) film on CsI
(7) Nicolet FTIR 7199

14923 3211

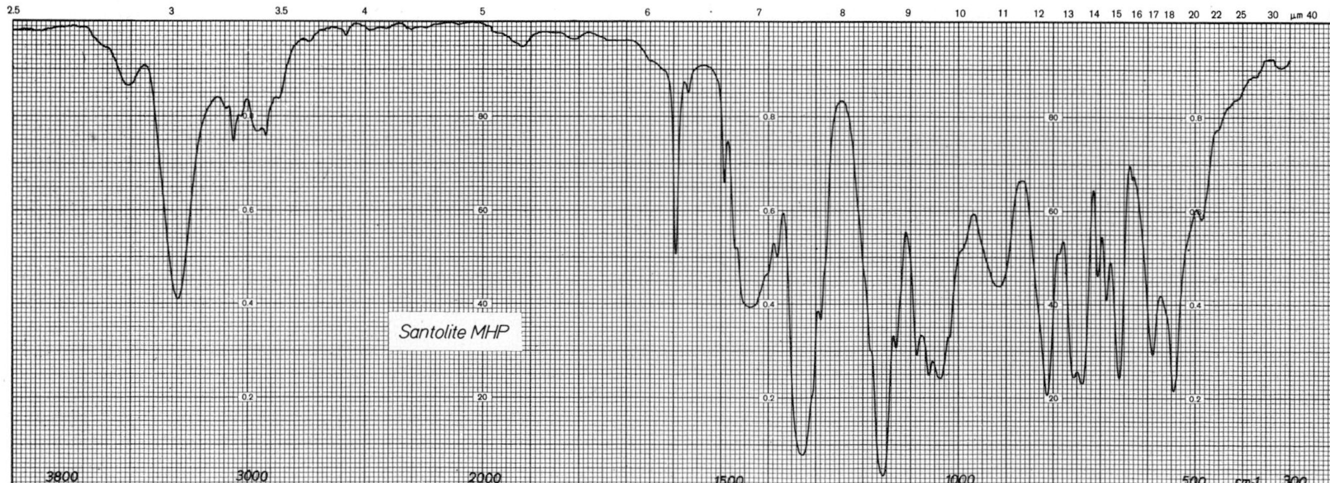

(1) **Santolite MHP**
(3) aromatisches Sulfonamid-Formaldehyd-Harz
(4) farbloses Harz
(5) Weichharz für haftfeste Cellulosenitratlacke
(6) aufgeschmolzene Schicht zwischen CsI
(7) PE 580 B, ABEX 1.16

(2) Monsanto Chem. Comp., St. Louis, Mo.
(3) aromatic sulfonamide-formaldehyde resin
(4) colorless resin
(5) soft resin for tenacious nitrocellulose lacquers
(6) film fused between CsI
(7) PE 580 B, ABEX 1.16

14923 3212

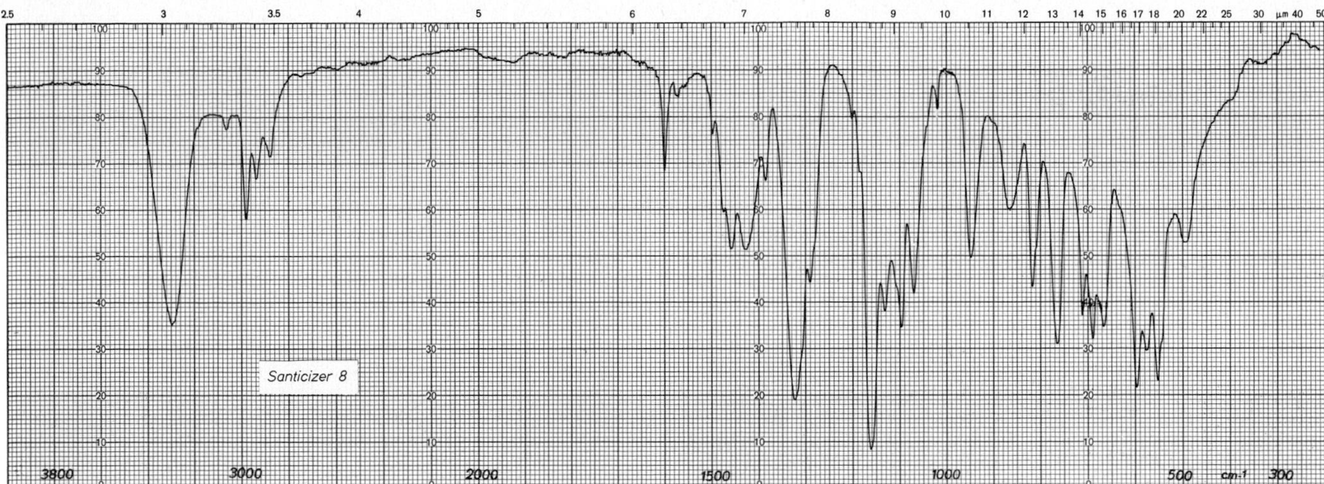

(1) **Santicizer 8**
(3) Toluolsulfonamidharz
(4) fast wasserhelle Lösung
(5) für Kombinationen mit Cellulosenitrat, zur Verbesserung von Glanz und Schleifbarkeit
(6) Schicht auf CsI

(2) Monsanto Deutschland GmbH, Düsseldorf
(3) toluenesulfonamide resin
(4) almost crystal clear solution
(5) for combination nitrocellulose, for improving its gloss and rubbing-down qualities
(6) film on CsI

149411 3213

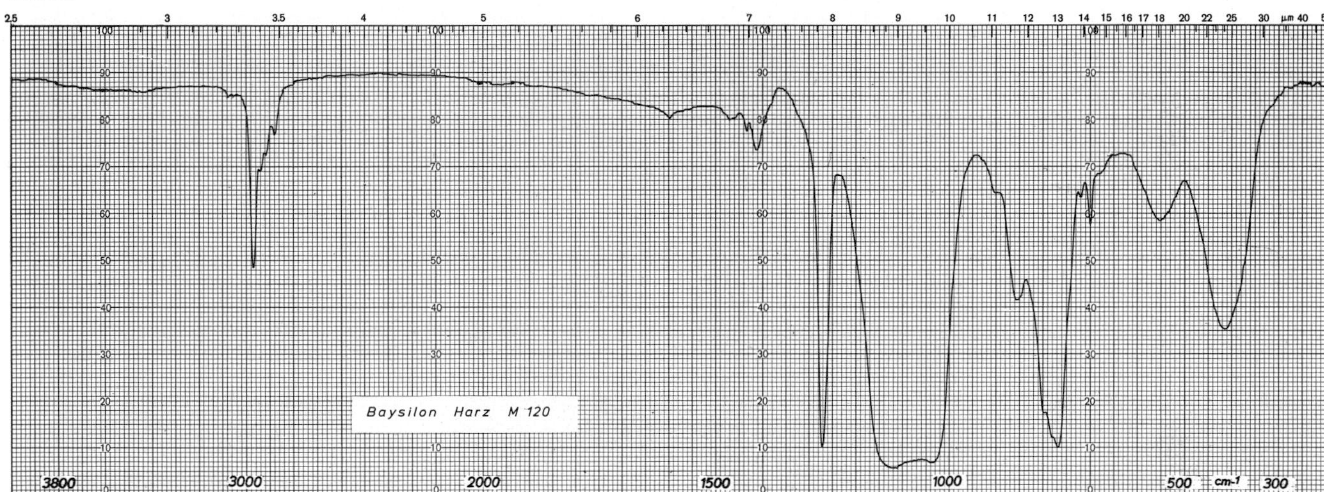

(1) **Baysilon-Harz M 120**
(3) Harz auf Basis Poly(dimethylsiloxan)
(4) klare, farblose Lösung (50% in XYL/BTL 8:2)
(5) für wärmebeständige Korrosionsschutzlackierungen und Tränklacke
(6) Schicht auf CsI

(2) Bayer AG, Leverkusen
(3) resin based on poly(dimethylsiloxane)
(4) clear, colorless solution (50% in XYL/BTL 8:2)
(5) for thermally resistant, anticorrosion finishes and impregnation resins
(6) film on CsI

149411 3214

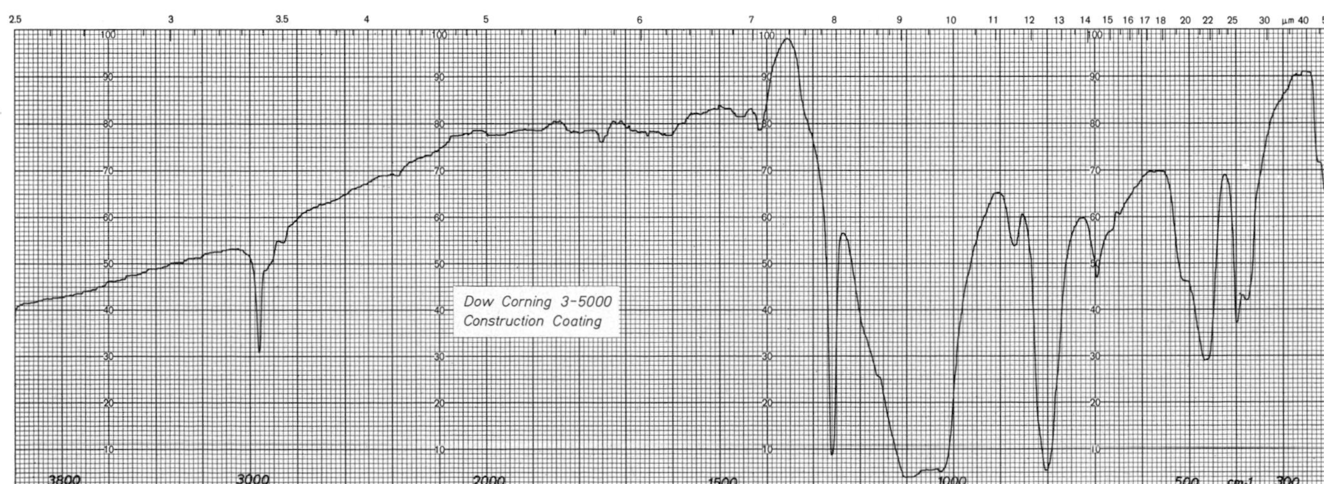

(1) **Dow Corning 3-5000 Construction Coating**
(3) Poly(dimethylsiloxan)-Überzugsmasse
(4) graue, dickflüssige Masse (72% in Lösemittel)
(5) für wetterfeste und wasserdampfdurchlässige Schutzüberzüge auf Tanks, Leitungen und Polyurethanschaum-Isolationen
(6) Schicht der füllstoffhaltigen Substanz auf CsI

(2) Dow Corning GmbH, Düsseldorf
(3) poly(dimethylsiloxane) coating composition
(4) grey, semifluid mass (72% in solvent)
(5) for weatherproof, steam-permeable, protective finishes on tanks, pipework and polyurethane foam insulations
(6) film of the filler-containing material on CsI

149411 3215

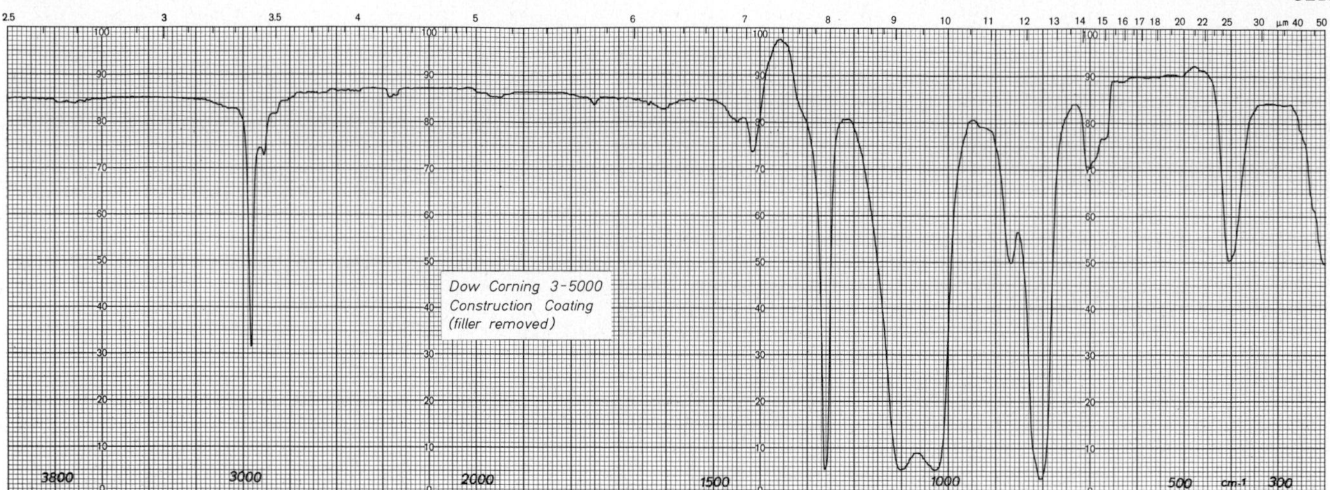

(1) **Dow Corning 3-5000 Construction Coating**
(3) Poly(dimethylsiloxan)-Überzugsmasse
(4) graue, dickflüssige Masse (72% in Lösemittel)
(5) für wetterfeste und wasserdampfdurchlässige Schutzüberzüge auf Tanks, Leitungen und Polyurethanschaum-Isolationen
(6) klare Schicht über Sediment auf CsI (klarer, elastischer Film)

(2) Dow Corning GmbH, Düsseldorf
(3) poly(dimethylsiloxane) coating composition
(4) grey, semifluid mass (72% in solvent)
(5) for weatherproof, steam-permeable, protective finishes on tanks, pipework and polyurethane foam insulations
(6) clear film above the sediment on CsI (clear, elastic film)

149411 3216

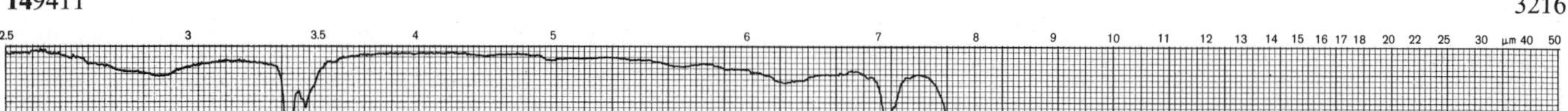

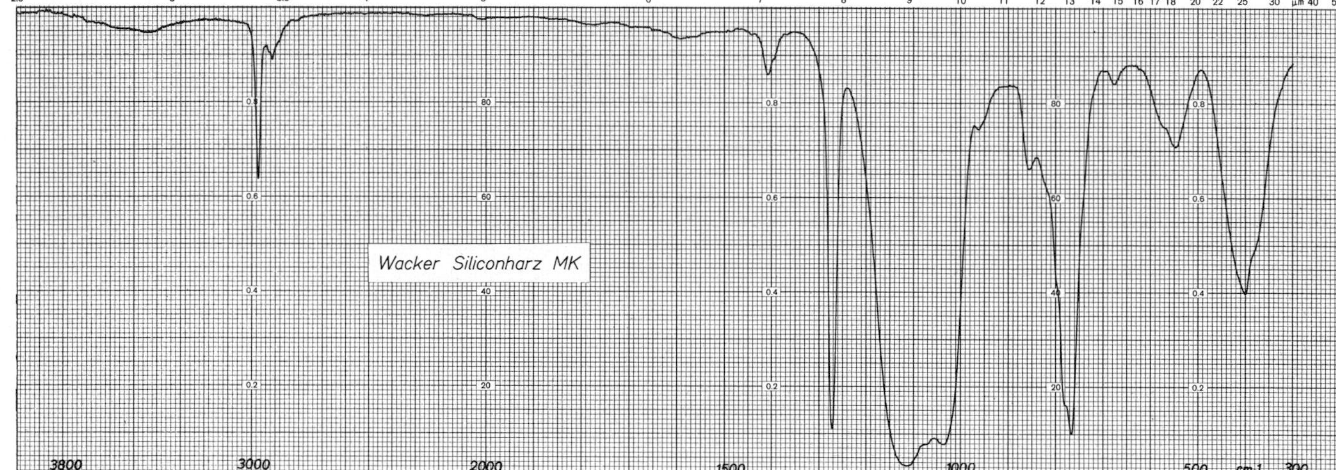

(1) **Wacker-Siliconharz MK**
(3) Poly(dimethylsiloxan) mit reaktiven Gruppen
(4) weißes Pulver
(5) hochreaktives Bindemittel für Schicht- und Formstoffe
(6) klarer Film aus MTC auf CsI
(7) PE 580 B, ABEX 1.20

(2) Wacker Chemie, München
(3) poly(dimethylsiloxane) with reactive groups
(4) white powder
(5) highly reactive binder for coating and moulding materials
(6) clear film from MTC on CsI
(7) PE 580 B, ABEX 1.20

149412 3217

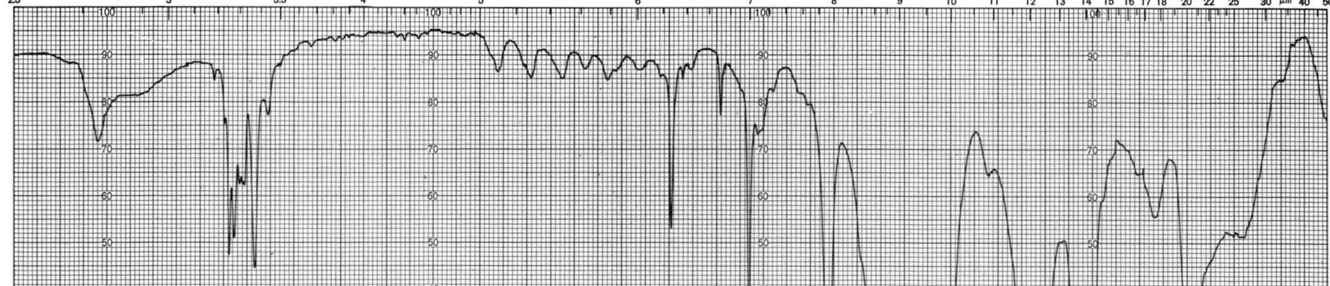

(1) **Baysilon-Harz P 500**
(3) mittelhartes Siliconharz auf Basis Poly(dimethylsiloxy-diphenylsiloxan)
(4) klare, farblose Lösung (50% in XYL/CXN 4:1)
(5) für lufttrocknende, hochtemperaturbeständige Korrosionsschutzlacke mit Wärmebeständigkeiten bis 600 °C
(6) Schicht auf CsI

(2) Bayer AG, Leverkusen
(3) medium hard silicone resin based on poly(dimethylsiloxydiphenylsiloxane)
(4) clear, colorless solution (50% in XYL/CXN 4:1)
(5) for air-drying, high temperature-resistant anticorrosion finishes, thermally resistant up to 600 °C
(6) film on CsI

149412 3218

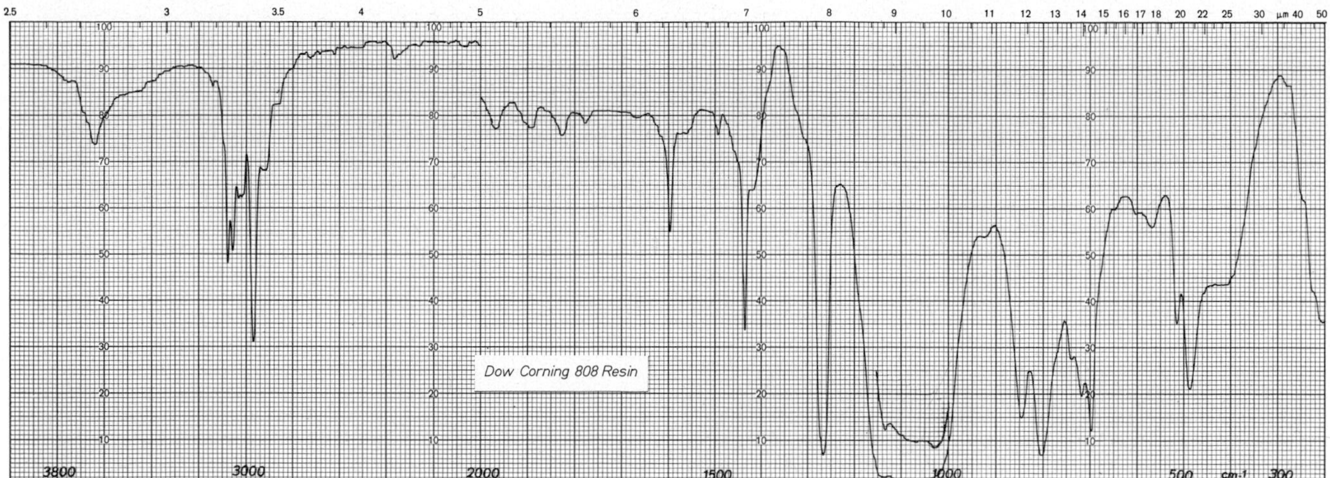

(1) **Dow Corning 808 Resin**
(3) Methylphenylsiliconharz
(4) farblose, klare Lösung in TOL
(5) Harz für elastische, thermostabile, eingefärbte Einbrennemaillen (Raumheizgeräte, Öfen, Wäschetrockner)
(6) Schicht auf CsI

(2) Dow Chemical Co., Midland, Mich.
(3) poly(methylphenylsiloxane) resin
(4) clear, colorless solution in toluene
(5) resin for elastic, thermally stable, self-colored stove enamels (space heaters, ovens, clothes driers)
(6) film on CsI

149412 3219

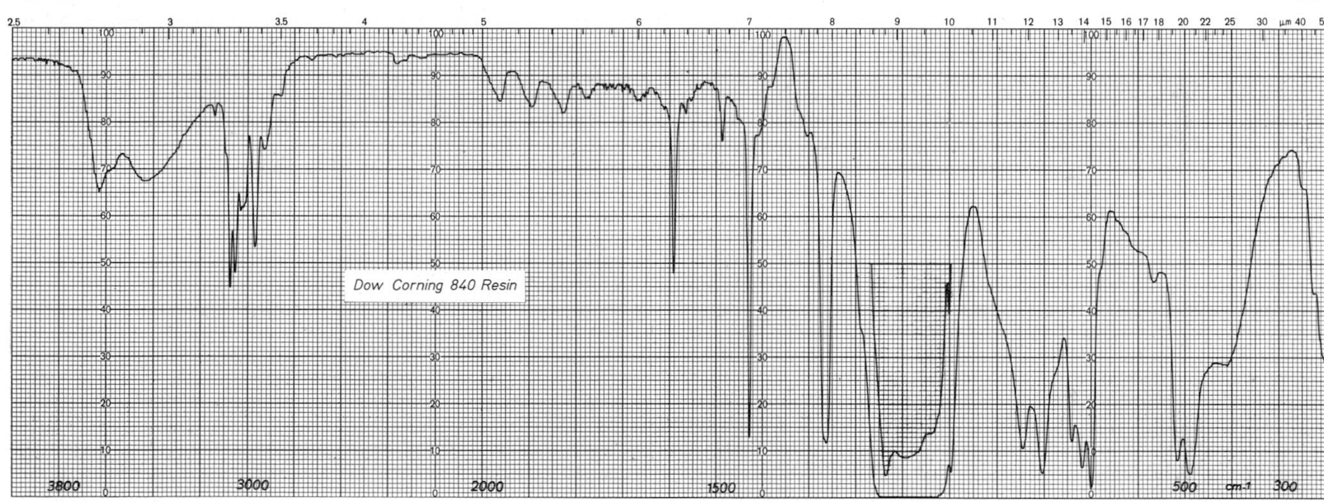

(1) **Dow Corning 840 Resin**
(3) Poly(methylphenylsiloxan)
(4) farblose, transparente Lösung
(5) im Gemisch mit anderen Harzen zur Verbesserung der Temperatur- und Wetterbeständigkeit
(6) Schicht auf CsI

(2) Dow Corning GmbH, Düsseldorf
(3) poly(methylphenylsiloxane)
(4) colorless, transparent solution
(5) in blends with other resins to improve their temperature and weather resistance
(6) film on CsI

149412 3220

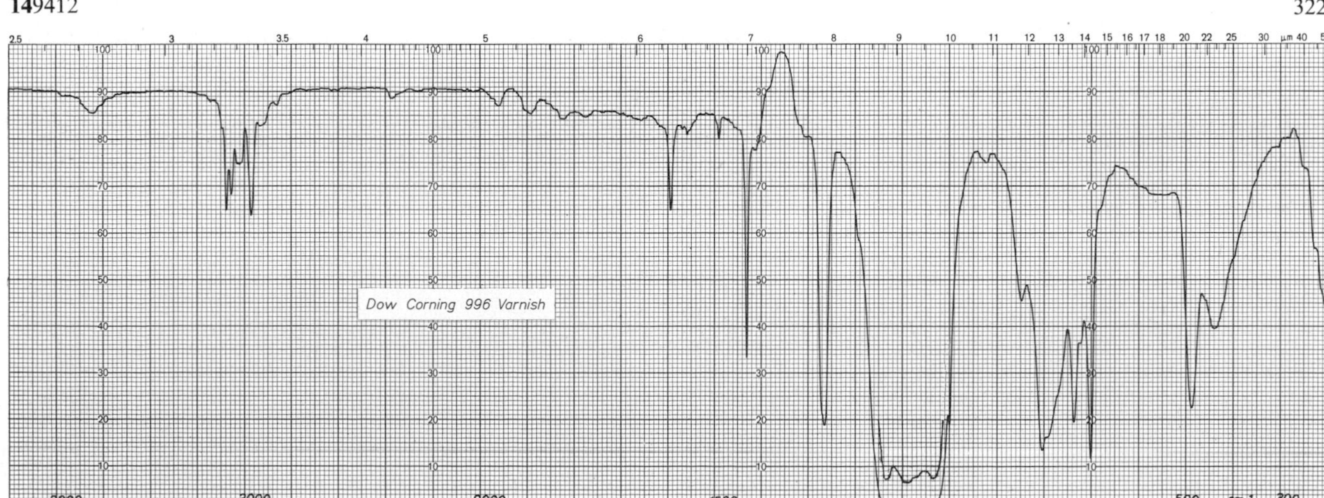

(1) **Dow Corning 996 Varnish**
(3) Poly(methylphenylsiloxan)
(4) braune, transparente Lösung in XYL (49%)
(5) Einbettungs- und Tränkharz für elektrische Anwendungen; Härtungstemperatur 150°C, Gebrauchstemperaturen bis 220°C
(6) Schicht auf CsI

(2) Dow Corning GmbH, Düsseldorf
(3) poly(methylphenylsiloxane)
(4) brown, transparent solution in XYL (49%)
(5) electrical embedding and impregnation resin, curing temperature 150°C, working temperature to 220°C
(6) film on CsI

149412 3221

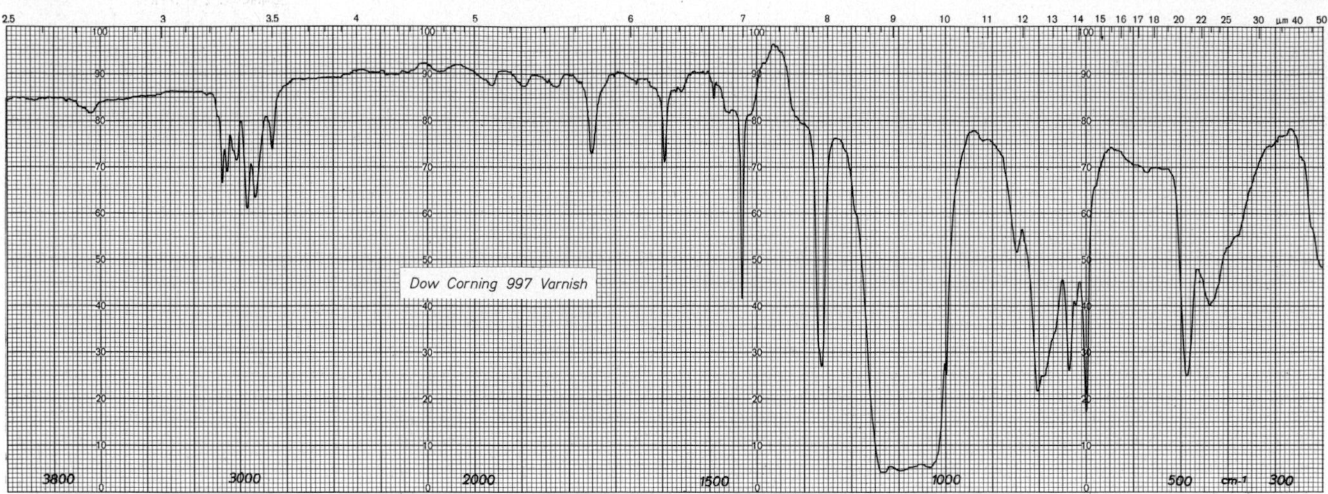

(1) **Dow Corning 997 Varnish**
(3) Poly(methylphenylsiloxan)
(4) braune, transparente Lösung in XYL
(5) Einbettungs- und Tränkharz für elektrische Anwendungen; Härtungstemperatur 150 °C, Gebrauchstemperaturen bis 220 °C
(6) Schicht auf CsI

(2) Dow Corning GmbH, Düsseldorf
(3) poly(methylphenylsiloxane)
(4) brown, transparent solution in XYL
(5) electrical embedding and impregnation resin, curing temperature 150 °C, working temperature to 220 °C
(6) film on CsI

149412 3222

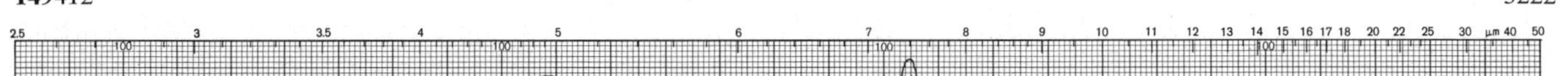

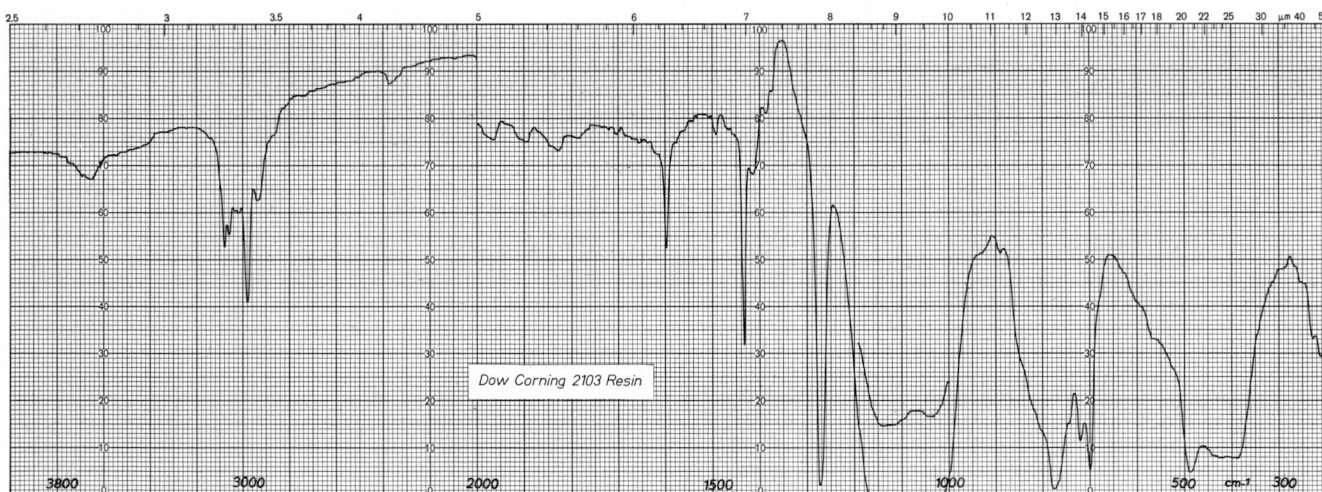

(1) **Dow Corning 2103 Resin**
(3) modifiziertes Methylphenylsiliconharz
(4) farblose Lösung in TOL
(5) Hochdruck-Laminierharz für elektrische oder mechanische Anwendungen, v.a. für flache Silikon-Glas-Laminate
(6) Schicht auf CsI

(2) Dow Chemical Co., Midland, Mich.
(3) modified poly(methylphenylsiloxane) resin
(4) colorless solution in toluene
(5) high pressure laminating resin for mechanical or electrical applications, particularly for siliconeglass laminates
(6) film on CsI

149412 3223

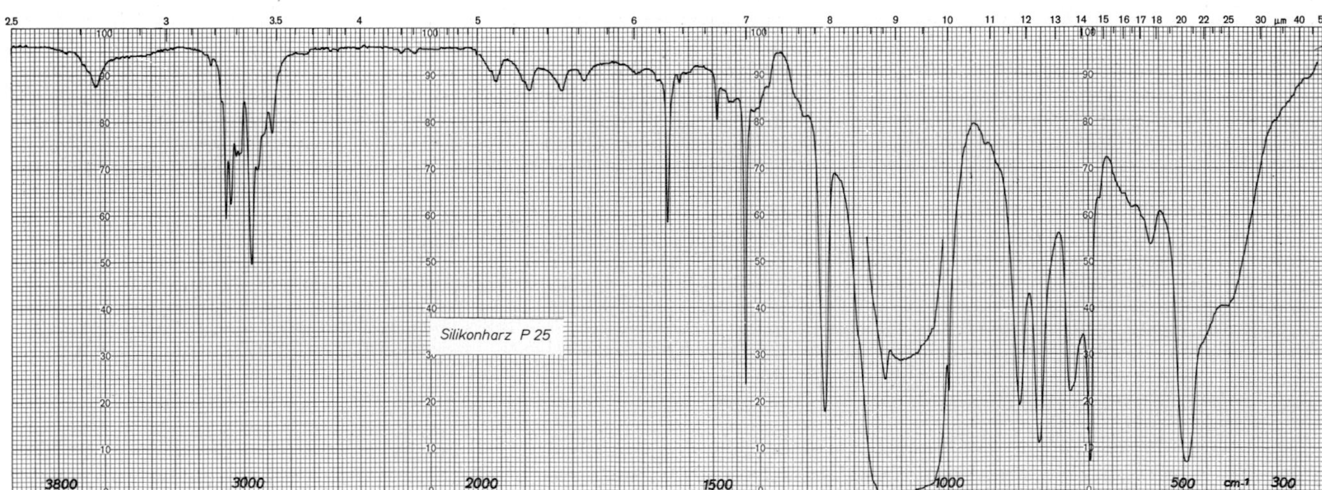

(1) **Silikonharz P 25**
(3) Harz auf Basis Poly(dimethylsiloxy-diphenylsiloxan)
(4) wasserklares, sehr zähes Harz
(5) für hochtemperaturbeständige Lackierungen
(6) Schicht auf CsI

(2) Th. Goldschmidt AG, Essen
(3) resin based on poly(dimethylsiloxydiphenylsiloxane)
(4) crystal clear, very viscous resin
(5) for high temperature-resistant finishes
(6) film on CsI

149412 3224

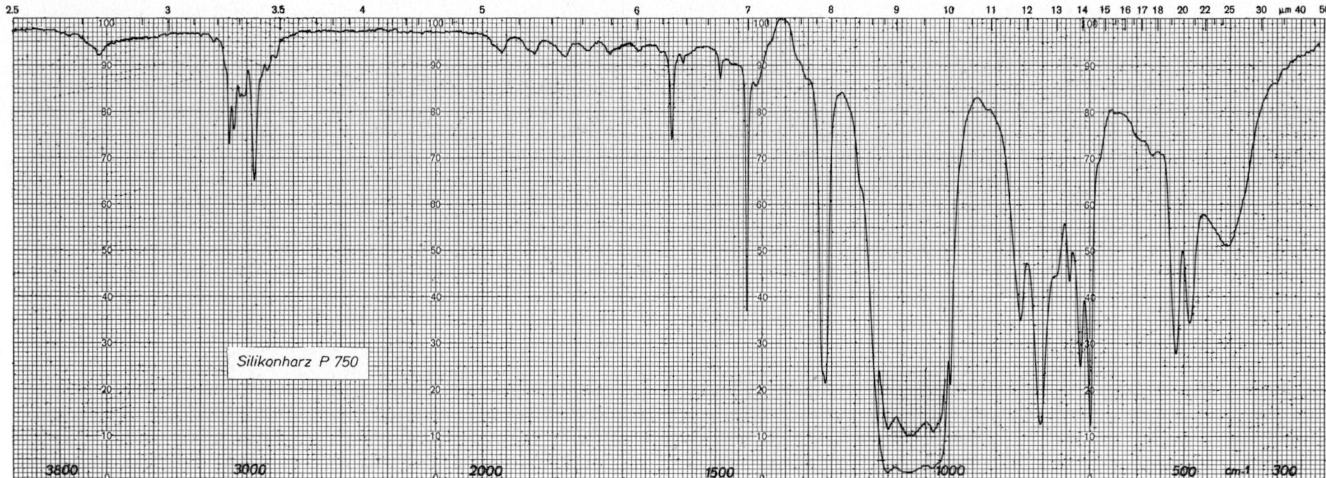

(1) **Silikonharz P 750**
(3) Harz auf Basis Methylphenylsiloxan
(4) hellgelbe, leicht viskose Lösung
(5) für temperatur- und chemikalienbeständige Lackierungen
(6) Schicht auf CsI

(2) Bayer AG, Leverkusen
(3) resin based on poly(methylphenylsiloxane)
(4) slightly viscous, pale yellow solution
(5) for temperature and chemical-resistant lacquers
(6) film on CsI

149412 3225

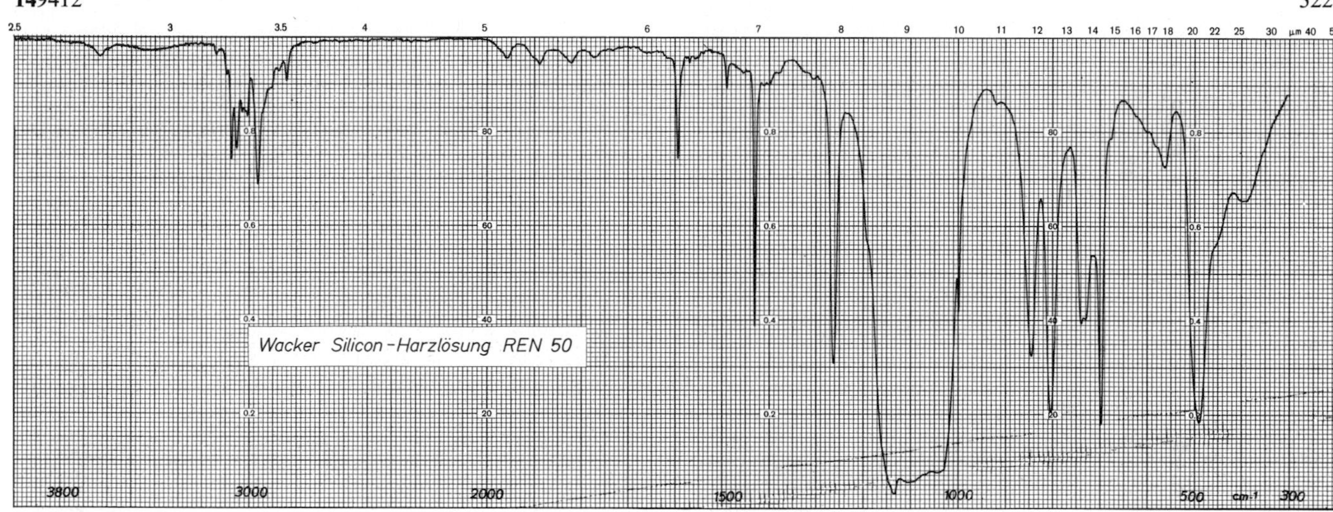

(1) **Wacker Silicon-Harzlösung REN 50**
(3) Methylphenylsiliconharz, rasch einbrennbar
(4) farblose, klare Lösung (XYL:CHX = 20)
(5) für hitzebeständige Anstriche (mit Al pigmentiert bis 600 °C) und klimahaltige Elektroisolierlacke; zur Kombination mit organischen Bindemitteln
(6) klare Schicht auf CsI i.V. getrocknet
(7) PE 580 B, ABEX 1.37

(2) Wacker Chemie, München
(3) fast stoving poly(methylphenylsiloxane) resin
(4) clear, colorless solution (XYL:CHX = 20)
(5) for heat-resistant coatings (up to 600 °C with Al pigments) and climate-resistant electrical insulation lacquers; for combination with organic binding agents
(6) clear film on CsI, dried in vacuo
(7) PE 580 B, ABEX 1.37

149412 3226

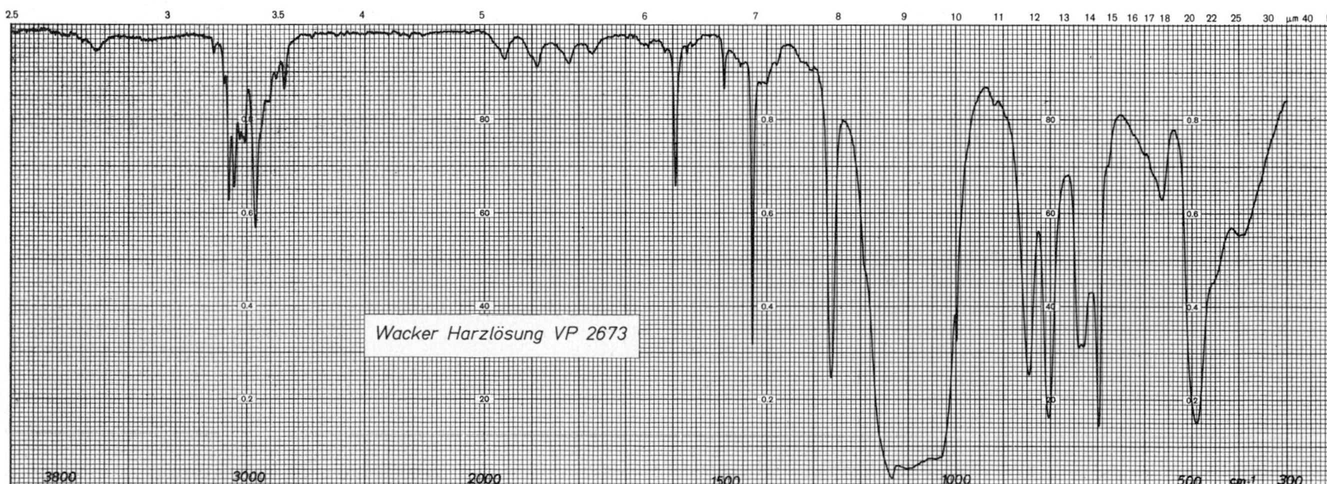

(1) **Wacker Silicon-Harzlösung VP 2673**
(3) Methylphenylsiliconharz
(4) klare, nahezu farblose Flüssigkeit
(5) für hitzebeständige, harte Überzüge
(6) klare Schicht auf CsI, bei 50 °C i.V. getrocknet
(7) PE 580 B, ABEX 1.67

(2) Wacker Chemie, München
(3) poly(methylphenylsiloxane) resin
(4) clear, almost colorless resin
(5) for hard, heat-resistant coatings
(6) clear film on CsI, dried at 50 °C, in vacuo
(7) PE 580 B, ABEX 1.67

149412 3227

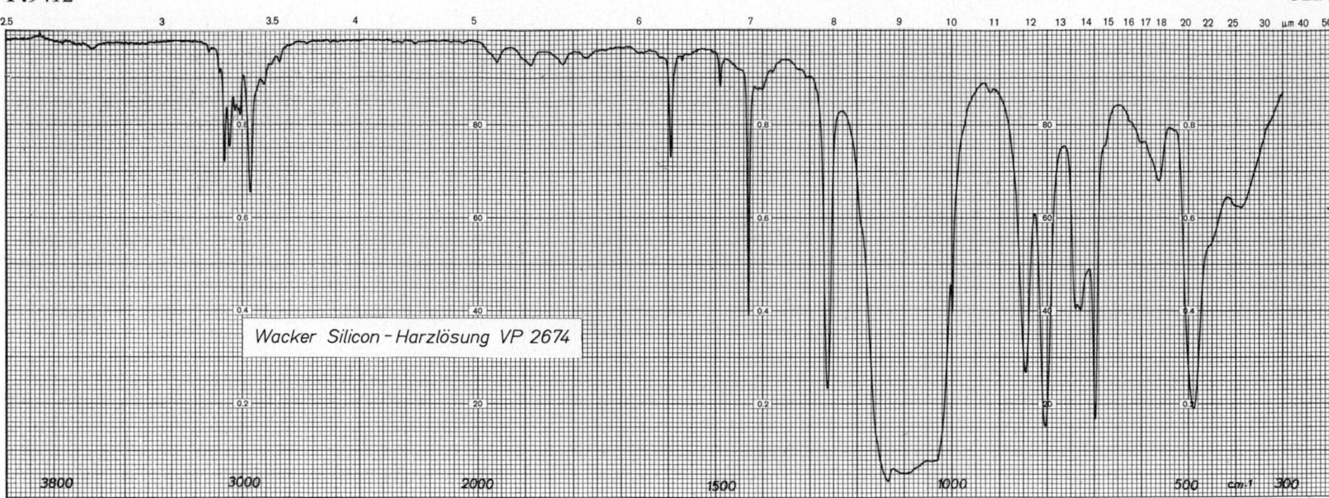

(1) **Wacker Silicon-Harzlösung VP 2674**
(3) Methylphenylsiliconharz-Lösung
(4) klare, nahezu farblose Lösung (TOL:BTL = 9)
(5) für temperaturbeständige, flexible Filme und flexible Glasgewebe-Imprägnierungen
(6) klare Schicht auf CsI
(7) PE 580 B, ABEX 1.11

(2) Wacker Chemie, München
(3) poly(methylphenylsiloxane) resin solution
(4) clear, almost colorless solution (TOL:BTL = 9)
(5) for flexible, temperature-resistant films and flexible glass fabric impregnates
(6) clear film on CsI
(7) PE 580 B, ABEX 1.11

149412 3228

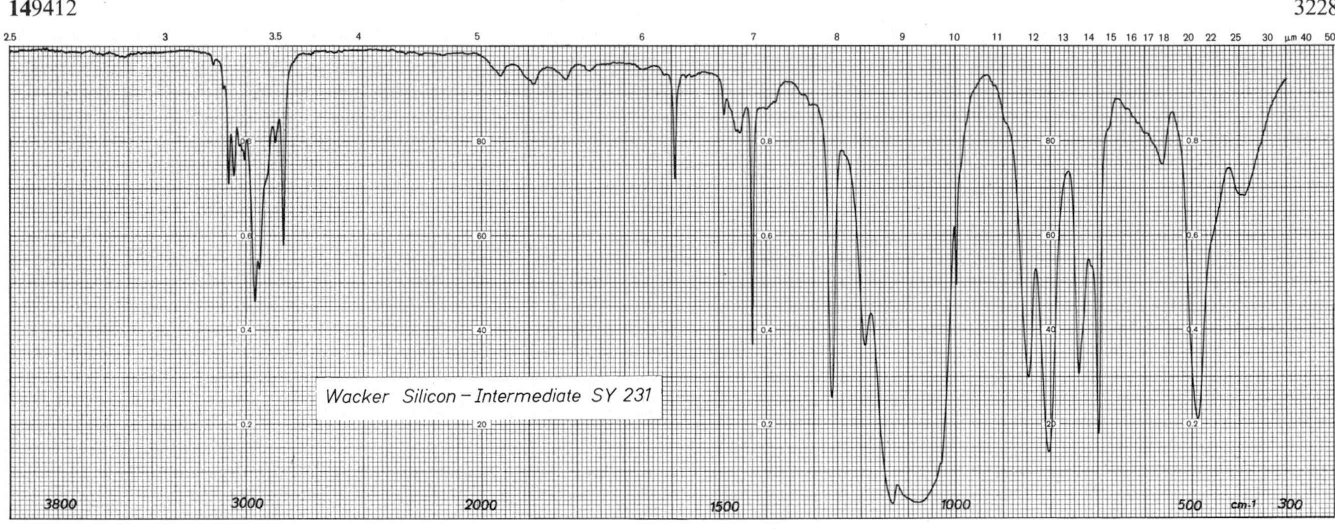

(1) **Wacker Silicon-Intermediate SY 231**
(3) lösemittelfreies, reaktives, Methoxy-funktionelles Methylphenylsilicon
(4) klare, nahezu farblose Flüssigkeit
(5) zur Modifizierung von Lacken, inbesondere zur Herstellung von Silicon-modifizierten Polyestern
(6) Schicht zwischen CsI
(7) PE 580 B, ABEX 1.22

(2) Wacker Chemie, München
(3) solvent-free, reactive, methoxy-functional poly(methylphenylsiloxane)
(4) clear, almost colorless liquid
(5) for the modification of finishes, in particular, for the manufacture of silicone-modified polyesters
(6) film between CsI
(7) PE 580 B, ABEX 1.22

149412 3229

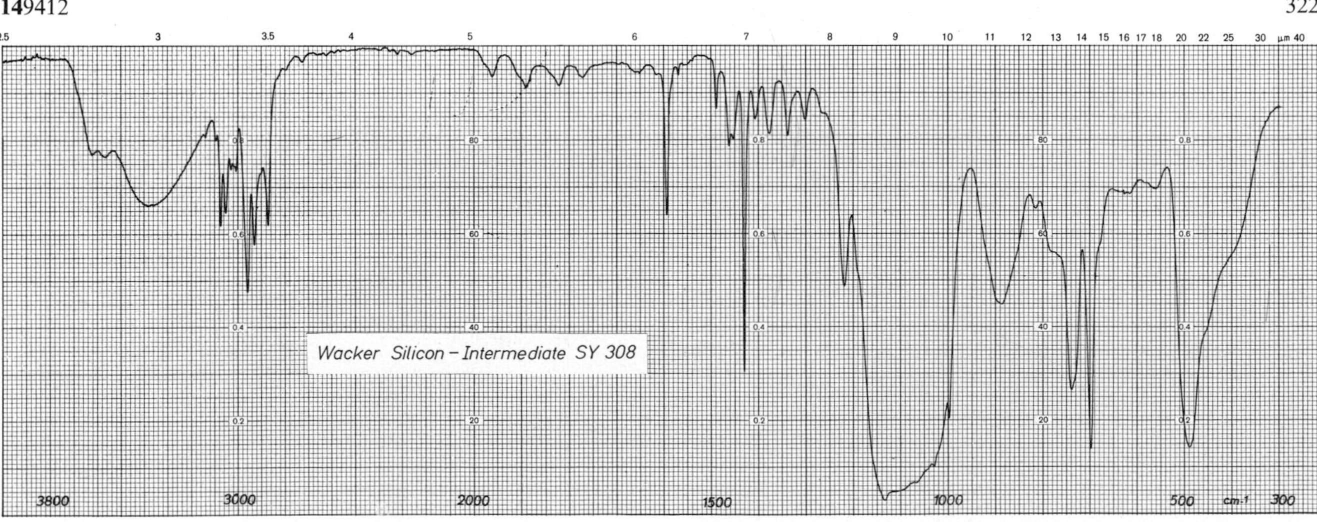

(1) **Wacker Silicon-Intermediate SY 308**
(3) lösemittelfreies Silanol-funktionelles Phenylpropylsiloxan-Festharz
(4) farblose, klare Schuppen
(5) zur Herstellung von lufttrocknenden Siliconalkydharzen
(6) klare Schicht aus MTC auf CsI
(7) PE 580 B, ABEX 1.24

(2) Wacker Chemie, München
(3) solvent-free, silanol-functional, solid, poly(propylphenylsiloxane) resin
(4) clear, colorless flakes
(5) for the manufacture of air-drying silicone alkyd resins
(6) clear film from MTC on CsI
(7) PE 580 B, ABEX 1.24

149412 3230

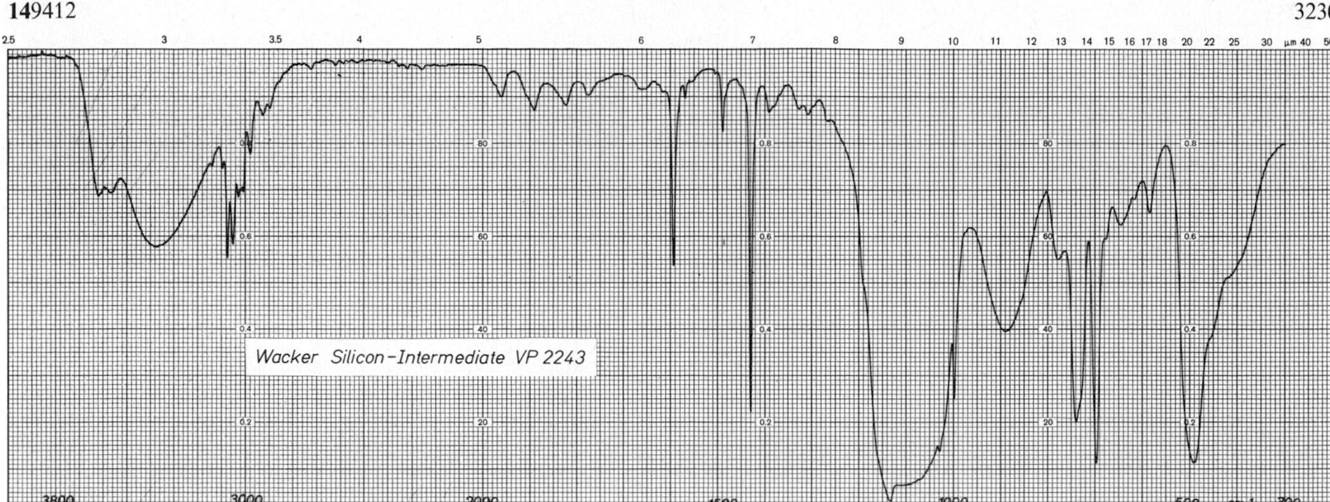

(1) **Wacker Silicon-Intermediate VP 2243**
(3) lösemittelfreies, Silanol-funktionelles Phenylsilicon-Festharz
(4) klare, farblose Schuppen
(5) Bindemittel für hochtemperaturbeständige Anstriche, Siliconkomponente für organische Harze oder Formdichtmassen
(6) klare Schicht aus MTC auf CsI
(7) PE 580 B, ABEX 1.13

(2) Wacker Chemie, München
(3) solvent-free, silanol-functional, solid poly(methylphenylsiloxane) resin
(4) clear, colorless flakes
(5) binder for high temperature-resistant coatings, silicone component for organic resins or mould sealing compounds
(6) clear film from MTC on CsI
(7) PE 580 B, ABEX 1.13

14(9412 – 7) 3231

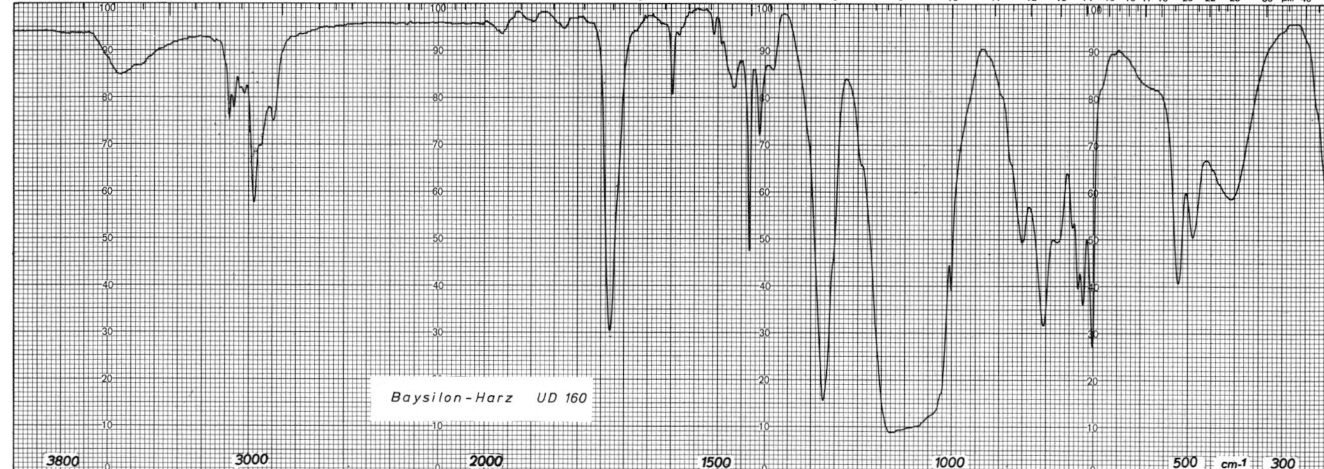

(1) **Baysilon-Harz UD 160**
(3) Methylphenylsilicon-Polyester-Kombinationsharz
(4) transparente, farblose Harzlösung (75% in XYL/BTL 8:2)
(5) für elastische, wenig thermoplastische Einbrennlacke; Dauerwärmebeständigkeit: 230 °C
(6) Schicht auf CsI

(2) Bayer AG, Leverkusen
(3) poly(methylphenylsilicone)-polyester combination resin
(4) transparent, colorless liquid (75% in XYL/BTL 8:2)
(5) for elastic, slightly thermoplastic stove enamels; continuous heat resistance to 230 °C
(6) film on CsI

14943 3232

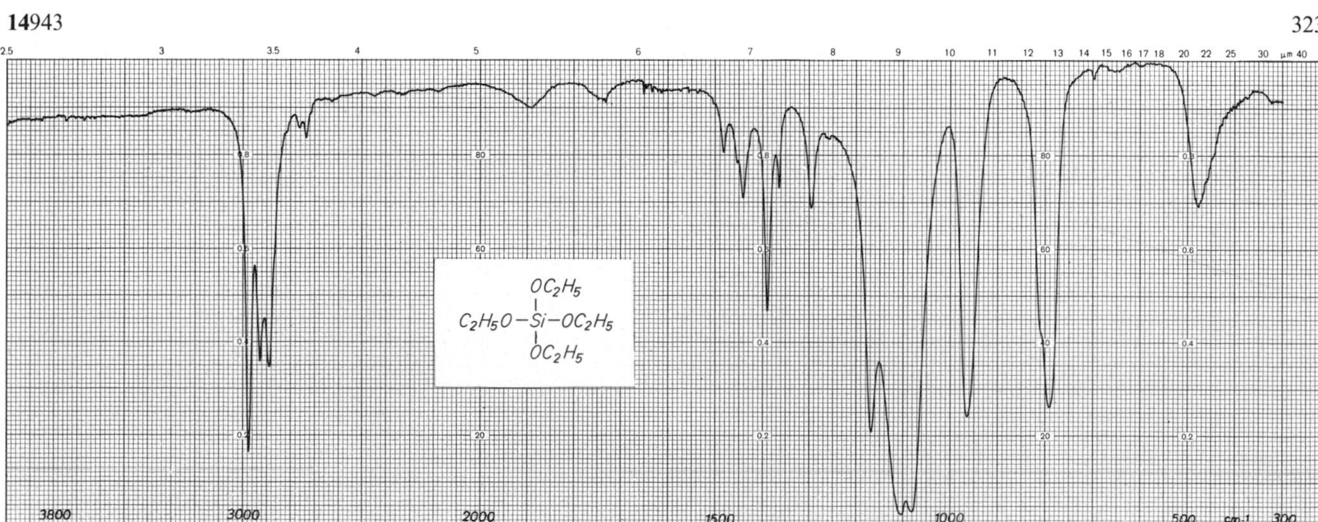

(1) **Dynasil A**
(3) Tetraethylorthosilikat, Tetraethoxysilicium
(4) wasserklare, farblose Flüssigkeit
(5) für vernetzende Reaktion bei der Verarbeitung von Silikonen, zur Bindung körniger oder pulvriger Substanzen, für Zinkstaubfarben, zur Beschichtung von Glas
(6) Schicht zwischen CsI (25 µm)
(7) PE 580 B, ABEX 1.73

(2) Dynamit Nobel AG, Troisdorf
(3) tetraethyl orthosilicate, tetraethoxysilicone
(4) crystal clear, colorless liquid
(5) for crosslinking reactions in the processing of silicones, for binding granular or powdered substances, for zinc-dust paints, for coating glass
(6) film between CsI (25 µm)
(7) PE 580 B, ABEX 1.73

14943 3233

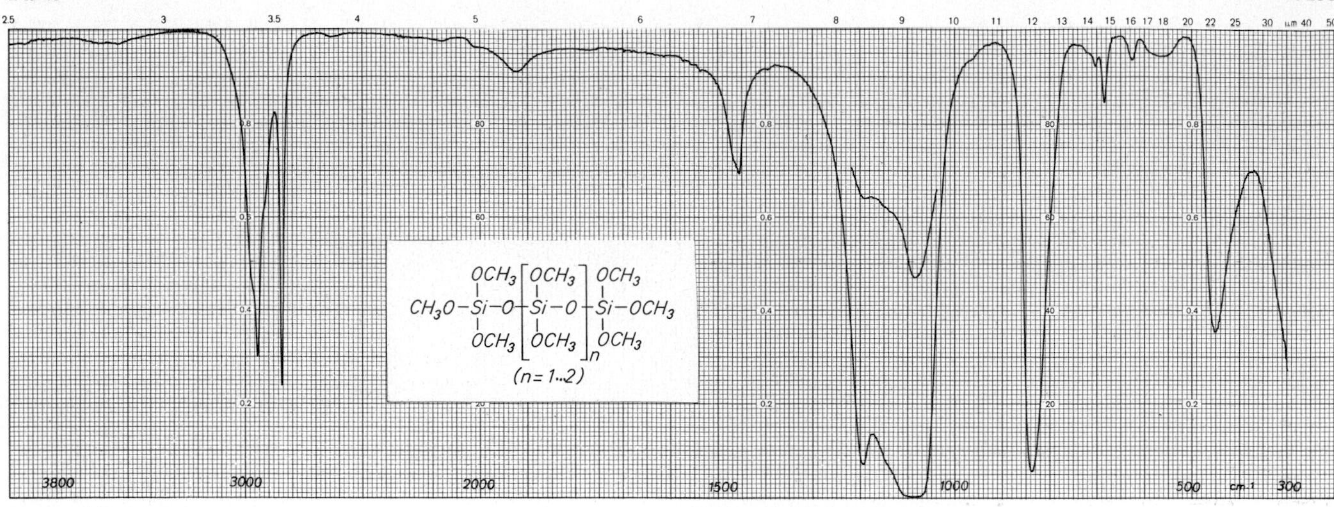

(1) **Dynasil 51**
(3) Methylpolysilikat
(4) wasserklare, farblose Flüssigkeit
(5) Bindung und Formgebung feuerfester Pulver und Sande (Genaugießverfahren); für vernetzende Reaktionen
(6) kapillare Schicht zwischen KBr
(7) PE 580 B, FLAT

(2) Dynamit Nobel AG, Troisdorf
(3) methyl polysilicate
(4) crystal clear, colorless liquid
(5) for binding and moulding fireproof powders and sands (precision casting techniques); for crosslinking reactions
(6) capillary film between KBr
(7) PE 580 B, FLAT

14943 3234

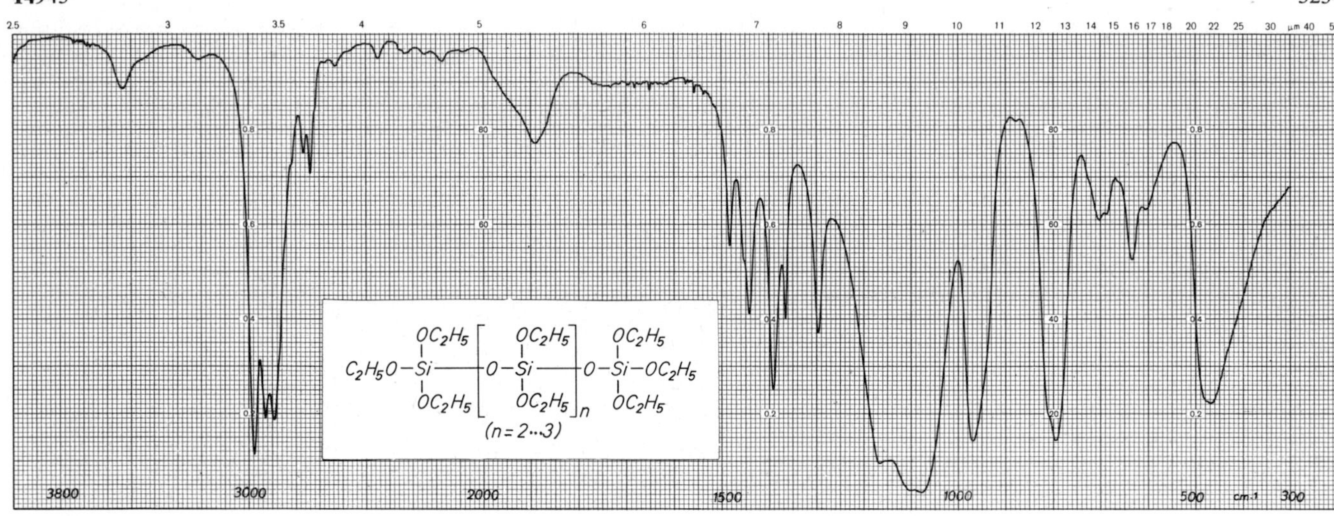

(1) **Dynasil 40**
(3) Ethylpolysilikat
(4) wasserklare, farblose Flüssigkeit
(5) Bindemittel für Formsande (Genaugießverfahren), für Zinkstaubfarben
(6) Schicht zwischen CsI (50 μm)
(7) PE 580 B, ABEX 1.05

(2) Dynamit Nobel AG, Troisdorf
(3) ethyl polysilicate
(4) crystal clear, colorless liquid
(5) binder for moulding sands (precision casting techniques), for zinc-dust paints
(6) film between CsI (50 μm)
(7) PE 580 B, ABEX 1.05

14943 3235

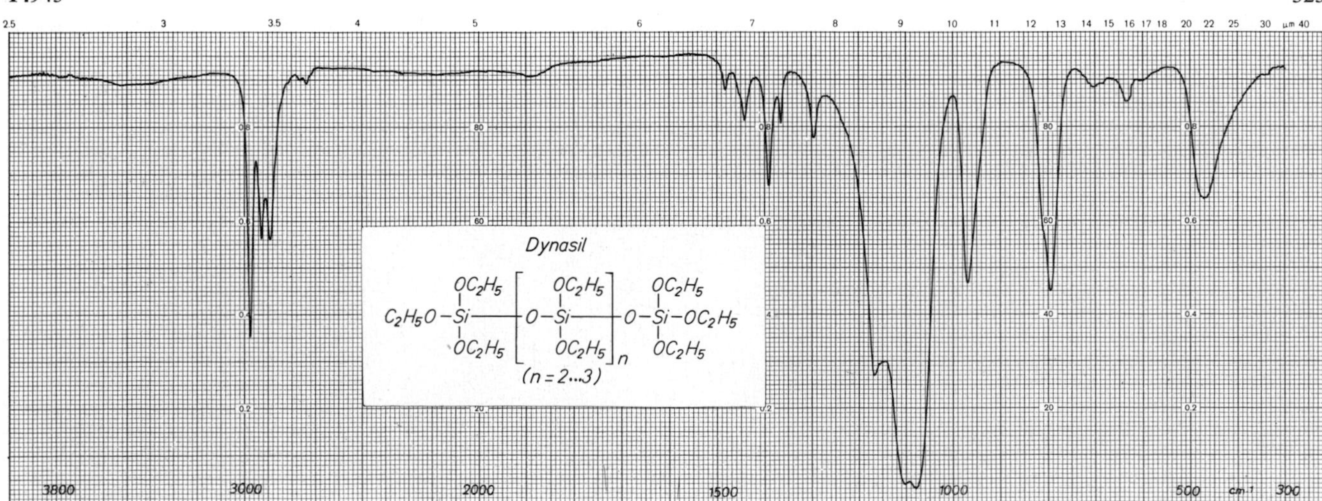

(1) **Dynasil 40**
(3) Ethylpolysilikat
(4) leicht gelbliche, transparente Flüssigkeit
(5) Bindemittel für Formsande (Genaugießverfahren), für Zinkstaubfarben, für vernetzende Reaktionen bei der Verarbeitung von Silikonen
(6) kapillare Schicht zwischen CsI
(7) PE 580 B, FLAT

(2) Dynamit Nobel AG, Troisdorf
(3) ethyl polysilicate
(4) slightly yellowish, transparent liquid
(5) binder for moulding sands (precision casting techniques), for zinc-dust paints, for crosslinking reactions in silicone processing
(6) capillary film between CsI
(7) PE 580 B, FLAT

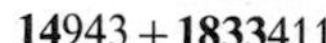

14943 + **1833**411 3236

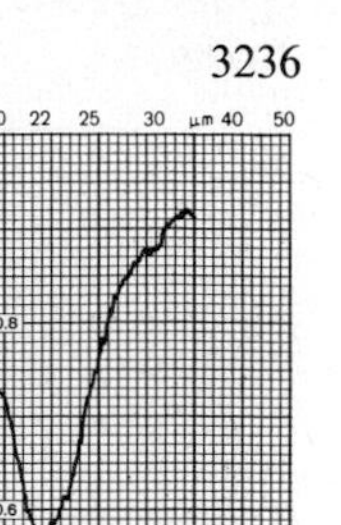

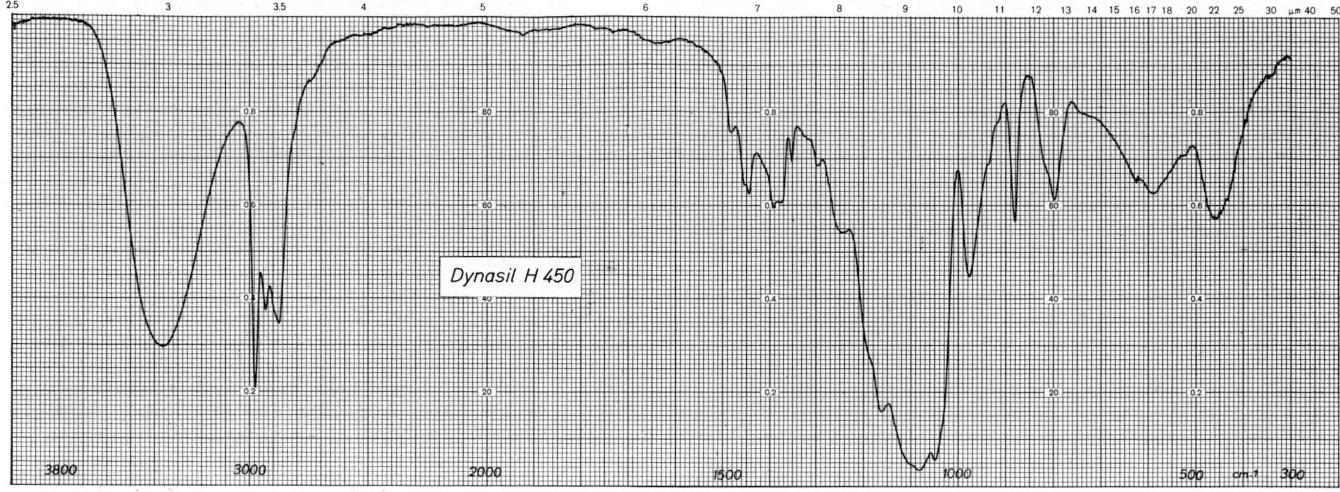

(1) **Dynasil H 450**
(3) partiell hydrolysierter Kieselsäureester (enthält noch Ethylenglycolmonoethylether)
(4) farblose, transparente Flüssigkeit
(5) Bindemittel für Zinkstaubfarben
(6) kapillare Schicht zwischen CsI
(7) PE 580 B, ABEX 1.60

(2) Dynamit Nobel AG, Troisdorf
(3) partially hydrolyzed silicic ester (also contains ethylene glycol monoethyl ether)
(4) colorless, transparent liquid
(5) binder for zinc-dust paints
(6) capillary film between CsI
(7) PE 580 B, ABEX 1.60

14943 3237

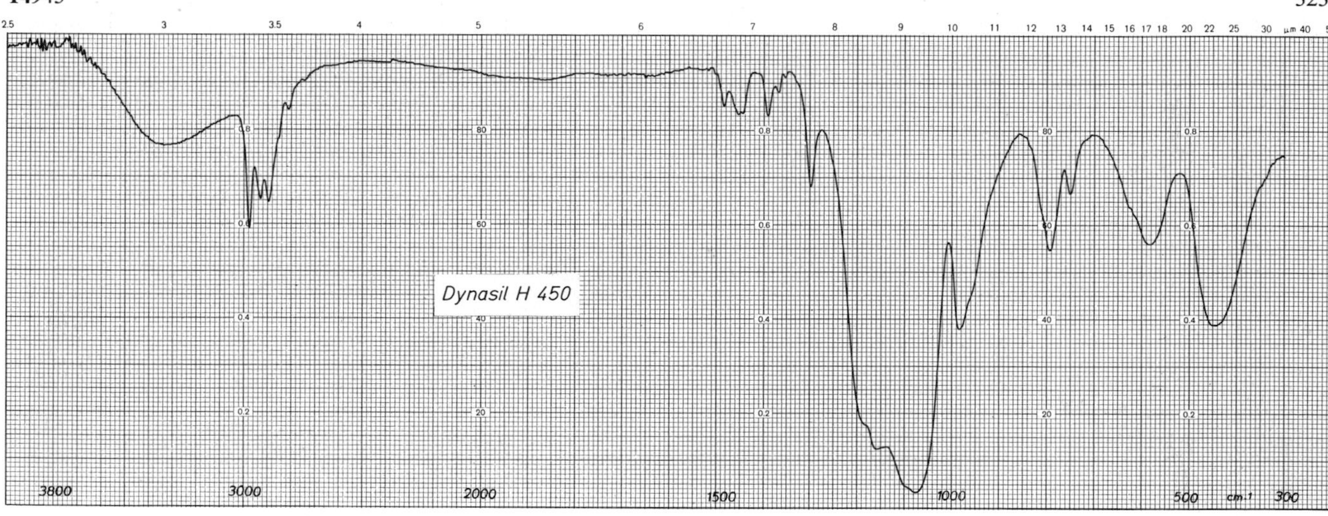

(1) **Dynasil H 450**
(3) partiell hydrolysierter Kieselsäureester
(4) farblose, transparente Flüssigkeit
(5) Bindemittel für Zinkstaubfarben
(6) klare, harte Schicht auf CsI, i.V. getrocknet
(7) PE 580 B, ABEX 1.88

(2) Dynamit Nobel AG, Troisdorf
(3) partially hydrolyzed silicic ester
(4) colorless, transparent liquid
(5) binder for zinc-dust paints
(6) hard, clear film on CsI, dried in vacuo
(7) PE 580 B, ABEX 1.88

14943 + **1833**411 3238

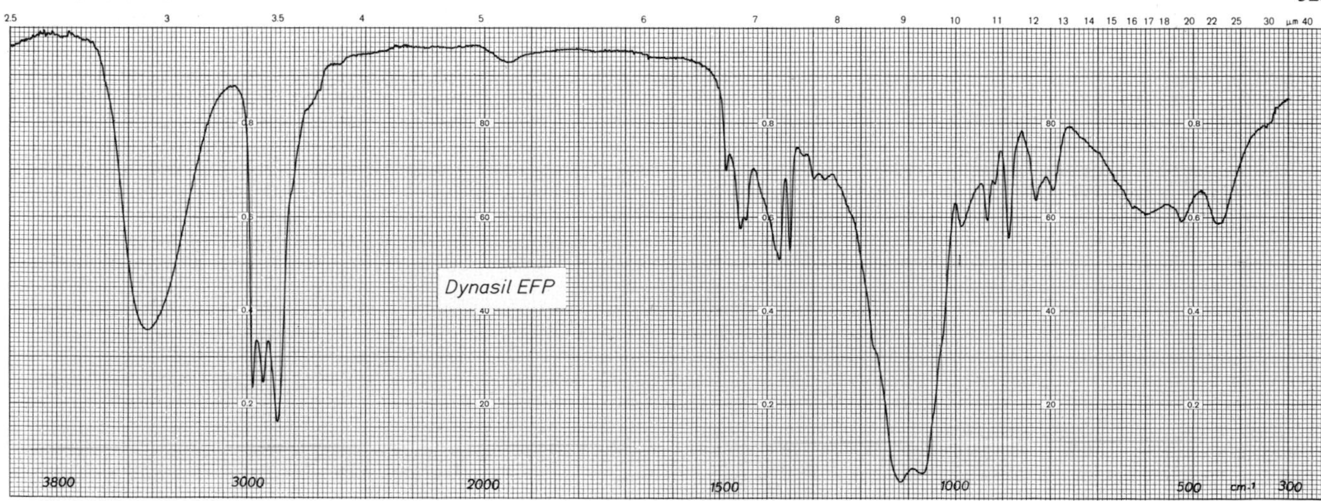

(1) **Dynasil EFP**
(3) partiell hydrolysierter Kieselsäureester; Zubereitung enthält noch Ethylenglycolmonoethylether
(4) farblose, transparente Flüssigkeit
(5) Bindemittel für zinkreiche Beschichtungen (Zinkstaubfarben auf Stahl und Eisen)
(6) Schicht zwischen CsI
(7) PE 580 B, ABEX 1.52

(2) Dynamit Nobel AG, Troisdorf
(3) partially hydrolyzed silicic ester; the preparation contains residual ethylene glycol monoethyl ether
(4) yellowish, transparent liquid
(5) binder for zinc-rich coatings (zinc-dust paints for iron and steel)
(6) film between CsI
(7) PE 580 B, ABEX 1.52

14943 | 3239

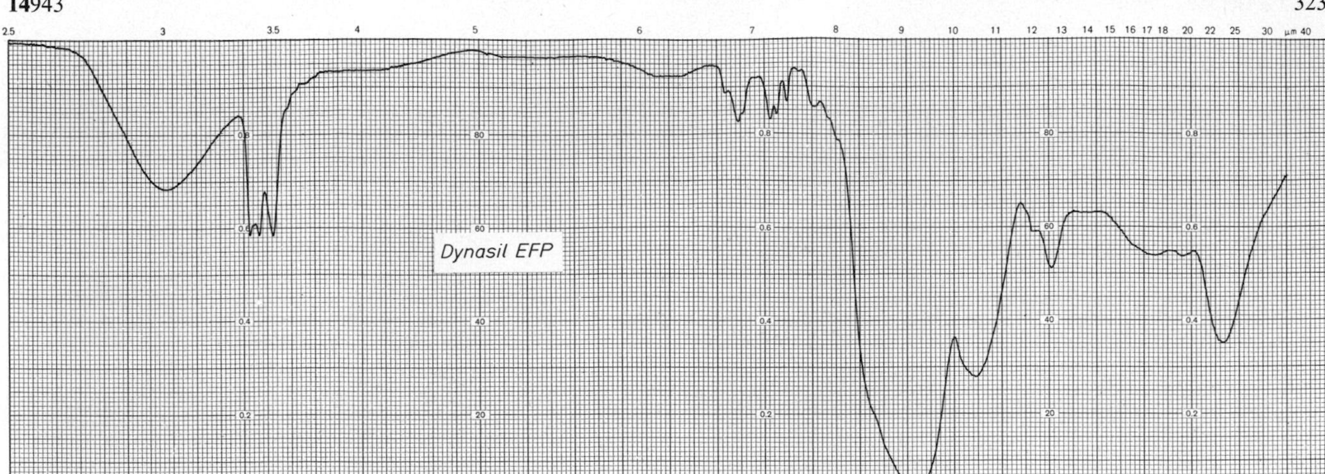

(1) **Dynasil EFP**
(3) partiell hydrolysierter Kieselsäureester
(4) farblose, transparente Flüssigkeit
(5) Bindemittel für zinkreiche Beschichtungen (Zinkstaubfarben auf Stahl und Eisen)
(6) eingetrocknete, klare, harte Schicht
(7) PE 580 B, ABEX 1.20

(2) Dynamit Nobel AG, Troisdorf
(3) partially hydrolyzed silicic ester
(4) yellowish, transparent liquid
(5) binder for zinc-rich coatings (zinc-dust paints for iron and steel)
(6) clear, hard, dried-on film
(7) PE 580 B, ABEX 1.20

1495 | 3240

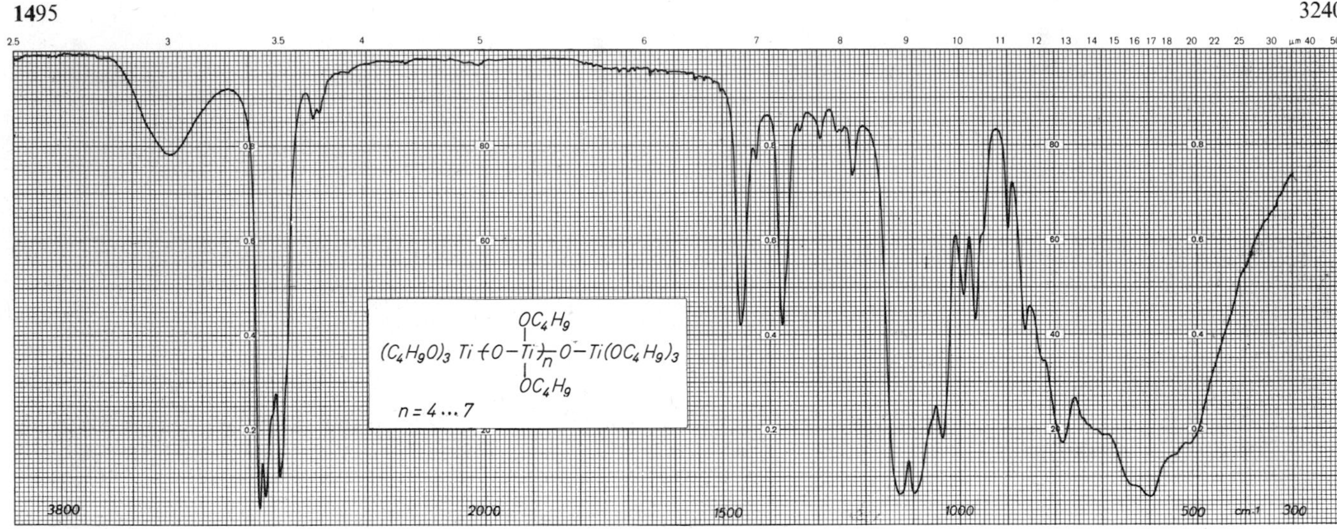

(1) **Butyltitanat, Polymer**
(2) Dynamit Nobel AG, Troisdorf
(3) polykondensiertes Butyltitanat, M = 1000...1500 g mol^{-1}
(4) dunkelgelbe, mittelviskose Flüssigkeit
(5) Bindemittel für hochtemperaturfeste Beschichtungen
(6) kapillare Schicht zwischen CsI
(7) PE 580 B, ABEX 1.25

(1) **butyl titanate, polymer**
(3) polycondensed butyl titanate, M = 1000...1500 g mol^{-1}
(4) dark yellow, medium viscous liquid
(5) binder for high temperature-resistant coatings
(6) capillary film between CsI
(7) PE 580 B, ABEX 1.25

1496 | 3241

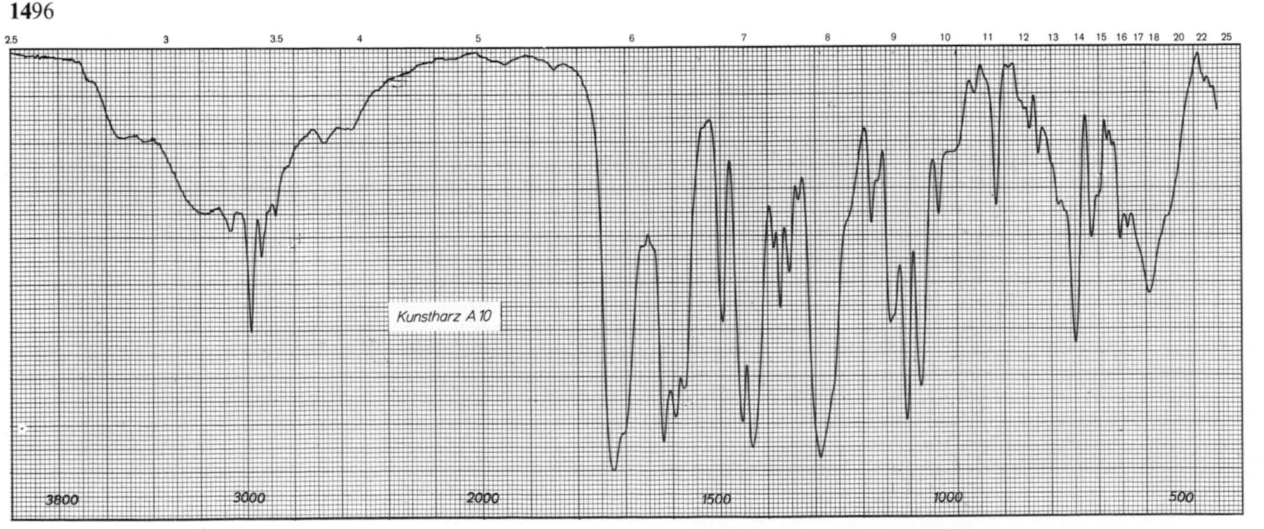

(1) **Kunstharz A 10**
(3) sehr helles, aluminiumorganisches Kondensationsprodukt, 65% in IPL
(4) weiße Lösung
(5) für Holz- und Papierlackierung, zu Kombinationen mit Cellulosenitrat
(6) Schicht zwischen CsI
(7) Nicolet FTIR 7199

(2) Rheinpreußen AG, Homburg/Ndrh.
(3) very pale, organoaluminium condensation product, 65% in IPL
(4) white solution
(5) for wood and paper finishes, for combination with nitrocellulose
(6) film between CsI
(7) Nicolet FTIR 7199